WÖRTERBUCH

ENGLISCH-
DEUTSCH

DEUTSCH-
ENGLISCH

ORBIS VERLAG

© Mosaik Verlag GmbH, München
Sonderausgabe 1995 Orbis Verlag für Publizistik GmbH, München
Gesamtherstellung Graphische Großbetriebe Pößneck
Printed in Germany
ISBN 3-572-00771-2

Inhaltsverzeichnis

Vorwort

Ein Taschenwörterbuch kann, am Gesamtwortschatz einer Sprache gemessen, immer nur eine begrenzte Anzahl von Stichwörtern bringen. So auch in diesem Fall. Das Bestreben, dem Benutzer in einer handlichen Ausgabe ein Wörterbuch zu bieten, das ihn bei der Lektüre von Zeitungen, Zeitschriften und moderner Literatur nicht im Stich läßt, war entscheidend für die *Auswahl* der Stichwörter. Dieses Wörterbuch enthält nicht nur den wesentlichen allgemeinen Wortschatz, sondern auch die wichtigsten Ausdrücke aus aktuellen Fachgebieten wie Technik, Atomwissenschaft, Funk und Fernsehen, Verkehr, Wirtschaft, Recht, Sport – Ausdrücke, deren Kenntnis heute vielfach unerläßlich ist. Der Benutzer findet darüber hinaus in beiden Teilen des Werkes eine sehr große Anzahl idiomatischer und umgangssprachlicher Redewendungen, in denen der Reichtum einer Sprache besonders deutlich wird.

Die Stichwortartikel enthalten zahlreiche Hinweise für den grammatisch richtigen Gebrauch eines Wortes. So sind bei den Substantiven, die einen unregelmäßigen Plural bilden, die Pluralformen angegeben; wo es notwendig schien, wurde bei englischen pluralischen Substantiven ein Hinweis darüber beigefügt, ob sie im Satz mit dem Singular oder Plural zu konstruieren sind *(sg vb, pl vb)*. Bei den Adjektiven und Verben ist, wo man im Zweifel sein kann, die Präposition angeführt, die sie verlangen. Bei vielen Verben findet der Benutzer die Angabe der erforderlichen Konstruktionen. Allen englischen Stichwörtern ist die genaue Aussprachebezeichnung (einschließlich häufiger Varianten) in der Lautschrift der International Phonetic Association hinzugefügt.

Oft bietet die Betonung im Englischen beträchtliche Schwierigkeiten, zumal bei Zusammensetzungen, die je nach der Betonung unterschiedliche Bedeutungen haben können. Deshalb ist die Betonung auch bei den Zusammensetzungen angegeben.

Es gehört zu den besonderen Schwierigkeiten der englischen Sprache, daß sie sich in zwei Hauptzweige gespalten hat: das britische und das amerikanische Englisch. Die Besonderheiten des amerikanischen Wortschatzes wurden in diesem Wörterbuch weitgehend berücksichtigt und entsprechend gekennzeichnet *(US)*. Vielfach übersieht man, daß es nicht nur Amerikanismen, sondern auch Britizismen gibt, Ausdrücke also, die nur dem Engländer eigen sind. Auch diese wurden gekennzeichnet *(BE)*.

Im Englischen wie im Deutschen ist es wichtig zu wissen, ob ein Wort vorzugsweise der Umgangssprache angehört oder gar „Slang" ist, also jener saloppen Redeweise angehört, die das Flugzeug zur „Kiste", das Fahrrad zum „Drahtesel" werden läßt. Alle diese Wörter sind mit *umg* (Umgangssprache) oder *sl* (Slang) gekennzeichnet.

Da dieses Werk für die Hand des Deutschen gedacht ist, enthält es keine Hinweise auf Schwierigkeiten der deutschen Sprache.

Zum Schluß noch ein Rat: Vor Gebrauch des Buches studiere man sorgfältig die wenigen, aber wichtigen Erklärungen auf den folgenden Seiten; erst dann vermag man alle in diesem Buch dargebotenen Hilfen voll zu nutzen.

Verfasser und Verlag

Erklärungen

Anordnung der Stichwörter

Um Platz zu sparen, wurden gleichlautende Wörter mit ihren Ableitungen und Zusammensetzungen zu einer Gruppe zusammengefaßt, in der das Stichwort oder dessen Teil vor dem senkrechten Strich durch eine Tilde (~) aufgenommen wird.

Beispiele: **Interpret** dolmetschen; **~ation** Dolmetschen; **~er** Dolmetscher
intima|cy Vertrautheit; **~te** vertraut

Ausgeschrieben: interpret, interpretation, interpreter; intimacy, intimate.

Das gleiche gilt für den deutsch-englischen Teil; hier ist jedoch außerdem der deutsche Umlaut (Mann – Männer) durch " über der Tilde angegeben (⁓).

Beispiele: **Ansage** announcement; **~n** to announce
ansamm|eln to collect; **~lung** collection
Kopf head; **⁓chen** *fig* brains; **⁓en** to behead

Ausgeschrieben: Ansage, ansagen; ansammeln, Ansammlung; Kopf, Köpfchen, köpfen.

Wie diese Beispiele zeigen, wird im deutsch-englischen Teil bei Verwendung der Tilde der Wechsel zwischen Groß- und Kleinschreibung nicht berücksichtigt. Im englisch-deutschen Teil dagegen werden Großbuchstaben der Tilde vorangestellt:

Beispiel: **continent** Kontinent: **the C~** das europäische Festland

Ausgeschrieben: continent, the Continent

Hochgestellte Ziffern beim Stichwort (z.B. abuse¹, abuse²) trennen Wortarten oder nichtverwandte, gleichgeschriebene Wörter (z.B. bank¹, bank²)

Die Stichwörter des englisch-deutschen Teils sind in der Regel alphabetisch angeordnet; im deutsch-englischen Teil dagegen ist die alphabetische Reihenfolge aus Gründen der Platzersparnis oft unterbrochen.

Beispiel: „Matte" folgt nach den Ableitungen von „matt" (...Mattscheibe, mattweiß).

Die Stichwortartikel sind wie folgt unterteilt: Nach dem Hauptstichwort folgen zunächst die Bedeutungen. Vor allem in längeren Artikeln sind die verschiedenen Bedeutungen oft der Übersichtlichkeit wegen mit fettgedruckten Ziffern gekennzeichnet. Beispiele und Redewendungen sind jeweils unter der Bedeutung aufgeführt, zu der sie sinngemäß gehören. Vor einer idiomatischen Redewendung steht eine Raute (♦). Nach den Bedeutungen des Hauptstichwortes folgen die halbfett gedruckten Zusammensetzungen und Ableitungen.

Betonte Silben sind mit einem voraufgehenden, oben ansetzenden Akzent gekennzeichnet: **engineer** [endʒi'niə] wird also auf der letzten Silbe betont. Silben, die einen Nebenton tragen, haben einen ebenfalls voraufgehenden, aber unten ansetzenden Akzent: **interpretation** [in͵tə:pri'teiʃən] trägt den Hauptton auf der zweitletzten Silbe (-ta-) und den Nebenton auf der viertletzten Silbe (-ter-).

Bei der Aussprachebezeichnung von Ableitungen des Stichwortes wurde meistens ein Strich (-) für eine unbetonte Silbe, ein Strich mit darüberliegendem Akzent (-́) für eine Silbe mit Hauptton, und ein Strich mit voraufgehendem, unten ansetzendem Akzent (͵-) für eine Silbe mit Nebenton verwendet:

Interpret [in'tə:prit], **interpreter** [-́-tə]. **interpretation** [-,--'teiʃən]
intersect [intə'sekt], **intersection** [---́ʃən]

Die Ableitungen sind also folgendermaßen zu lesen:

[in'tə:pritə], [in͵tə:pri'teiʃən], [intə'sekʃən]

Hier sei eingefügt, daß die sehr häufige Endung **-tion** immer [ʃən] lautet, selbst wenn – wie z.B. bei „intersect" – das Grundwort in der Aussprache ein t enthält: [intə'sekt]. Ausnahme von dieser Regel: **question** ['kwestʃən].

Beachten Sie ferner, daß [ə] immer unbetont ist.

Grammatik

Über folgende Punkte der Grammatik gibt das Wörterbuch Auskunft:

1. **Substantive:**
   a) Über den Plural, wenn dieser unregelmäßig ist, also vor allem bei Substantiven mit den Singularendungen **-a, -us, -um, -on, -is, -ex,**

z. B. **alg|a**, *pl* ~ae (= algae),
aba|cus, *pl.* ~ci, ~cuses (= abaci, abacuses).
Wo notwendig, ist in derartigen Fällen auch die Aussprache der Pluralform angegeben.

   b) Darüber, ob ein pluralisches Substantiv etwa ein Verb im Singular verlangt, was manchmal nur für eine bestimmte Bedeutung des Wortes zutrifft.

   B e i s p i e l : **acoustics** *sg vb* Akustik, Lehre vom Schall;
                                  pl vb Akustik (e-s Raumes).

2. Bei den **unregelmäßigen Verben** findet sich ein Seitenhinweis auf das Verzeichnis, in dem diese Verben mit ihren Stammformen übersichtlich zusammengefaßt sind. Nur bei einigen Verben wurden die Stammformen zusätzlich unmittelbar hinter dem Stichwort aufgeführt, um häufigen Verwechslungen wirksam vorzubeugen, wie sie z. B. leicht vorkommen bei:

                   flow, ~ *ed*, ~ *ed* fließen
        und **fly**, *flew*, *flown* fliegen.

Bei den übrigen Wortarten gibt es im Englischen keine nennenswerten Unregelmäßigkeiten. Einzelne Abweichungen sind angegeben. Über die Steigerung des Adjektivs und die Bildung des Adverbs gibt jede gute Grammatik zuverlässige und umfassende Auskunft.

Ratschläge für die richtige Benutzung des Wörterbuches

Für das Verständnis englischer Texte genügt die Benutzung des englisch-deutschen Teils.
Will man einen deutschen Text ins Englische übertragen oder einen englischen Text verfassen, z. B. einen Brief, so arbeite man stets mit b e i d e n Teilen: im deutsch-englischen Teil ermittelt man das entsprechende englische Wort, dann schlägt man es im englisch-deutschen Teil nach, wo alle die Hinweise zu finden sind, die Aufschluß geben über den grammatisch richtigen Gebrauch der Wörter. Aber nicht nur um grammatische Fehler zu vermeiden, sollte man ständig den englisch-deutschen Teil zu Rate ziehen. Wichtiger noch ist die Hilfe, die er bei der Wahl des richtigen englischen Wortes bietet. Der deutsch-englische Teil enthält zwar schon manchen Zusatz, der diese Wahl erleichtert; ob man aber unter den verschiedenen englischen Entsprechungen eines deutschen Wortes die richtige ausgewählt hat, erweist sich erst, wenn man diese Wörter im englisch-deutschen Teil nachschlägt. Die dort aufgeführten deutschen Übersetzungen zeigen, welche Bedeutungsschattierungen die verschiedenen englischen Wörter aufweisen. Die Auswahl fällt dann nicht mehr so schwer.

Zusammensetzungen

In beiden Teilen sind viele Zusammensetzungen gegeben. Trotzdem wird der Benutzer manches nicht finden. Hier kann er sich jedoch helfen, indem er – besonders im englisch-deutschen Teil – die einzelnen Wortteile getrennt nachschlägt; bei einem englischen Wort wird dann die Benutzung in der Regel klar sein. So suche man z. B. *tree-clad* unter *tree* und *clad*, oder *street-vendor* unter *street* und *vendor*.

Findet man im englisch-deutschen Teil ein Wort mit der Vorsilbe un- nicht, so schlage man das entsprechende Grundwort nach, aus dem man die Bedeutung des nicht gefundenen Stichworts leicht ermitteln kann. B e i s p i e l : *unambiguous* schlage man unter *ambiguous* nach. Das Gegenteil der dort gegebenen Bedeutungen trifft für *unambiguous* zu.

Bei Zusammensetzungen spielt im Englischen noch die Frage eine Rolle, wie sie geschrieben werden: in einem Wort, als zwei Wörter mit Bindestrich oder als zwei getrennte Wörter. Hier kann man sich im allgemeinen an folgende Regel halten:

   Wird eine Zusammensetzung *auf dem ersten Wort betont*, so empfindet der Engländer dieses Wort als eine *Einheit* und schreibt es zusammen; ohne Bindestrich, wenn das übersichtlich und gut leserlich ist, sonst mit Bindestrich. Wird jedoch eine Zusammensetzung *auf beiden Teilen betont*, sind beide Teile also nicht zu einer Einheit verschmolzen, so schreibt man die beiden Teile getrennt.

Um den Anwendungsbereich und die Bedeutung der Wörter genau abzugrenzen und mögliche Irrtümer zu vermeiden, wurde mit Hilfe von Abkürzungen und Bildzeichen angegeben, welchem Sachgebiet ein bestimmtes Wort angehört. Wie wichtig diese Abgrenzung ist, mag folgendes Beispiel zeigen: Der Drucker, der Fotograf, der Soldat verstehen unter „Abzug" nicht dasselbe; ja, der Soldat könnte sogar im Zweifel sein, ob der Abzug am Gewehr oder der Abzug der Truppen gemeint ist. Bildzeichen und Abkürzungen werden nur da als Hilfen gegeben, wo ihr Fehlen zu Mißverständnissen Anlaß geben könnte, nicht aber bei jedem Ausdruck des betreffenden Gebietes. So ist etwa bei **alkali** der Zusatz *chem* völlig überflüssig, während bei **amplifier** der Zusatz ⟨⟩ zeigen soll, daß es sich um einen Rundfunkverstärker handelt.

Das Entsprechende gilt auch für die grammatischen Zusätze wie *su, adj, vt* usw.

Die Aussprache

Liste der Lautschriftzeichen

Auf zuverlässige Angabe der Lautschrift wurde großer Wert gelegt. Abweichende Formen wurden aufgeführt, soweit ihre Häufigkeit dies zu rechtfertigen schien.

Vokale

wie in:

[ɑː]	arm, harm	[i]	if, gift	
[ai]	knife, wife	[iː]	he, see	
[au]	house	[iə]	near, hear	
[æ]	bad, bag	[ou]	low, boat, no	
[e]	red, bet, bed	[ɔ]	long, strong	
[ei]	game, plain	[ɔː]	all, short	
[ə]	afresh	[ɔi]	boil, toil	
[əː]	bird, girl	[u]	put, book	
[ɛə]	rare, there	[uː]	too, you	
[ʌ]	but, nut	[uə]	sure, poor	

Konsonanten

wie in:

[b]	bad, body	[p]	paper, post
[ç]	human;	[r]	rare, dry
	statt [hj]!	[s]	seldom, yes
[d]	do, hard	[ʃ]	shine, shop
[f]	friend, golf	[t]	try, hat
[g]	great, bag	[tʃ]	church, fetch
[ŋ]	strong, long	[v]	very, lively
[h]	head, hate	[w]	we, what
[j]	yes, Indian	[z]	these, crazy
[k]	catch, silk	[ʒ]	pleasure
[l]	long, still	[dʒ]	jam, jungle
[m]	mill, ham	[θ]	thank, death
[n]	no, news	[d]	mother, this

Amerikanische Aussprache und Rechtschreibung

Die Abweichungen des amerikanischen Englisch in Aussprache und Rechtschreibung wurden nur in den Fällen im Wörterbuch gesondert vermerkt, wo sie nicht den Grundregeln entsprechen, sondern Einzelfälle darstellen.

Diese Regeln sind:

Aussprache

1. In den Lautverbindungen [ɑːs, ɑːsk, ɑːsp, ɑːst, ɑːmp, ɑːnd, ɑːnt, ɑːns, ɑːntʃ, ɑːf, ɑːθ] spricht der Amerikaner den Laut [æː].
   Beispiele: ask, grasp, class, cast, example, command, laugh, staff, after und viele andere.
2. In der Lautverbindung [ʌr] + Vokal sprechen die Amerikaner [əːr].
   Beispiele: current, flourish, occurrence, worry.
3. Im britischen Englisch hat der [uː]-Laut einen j-Vorschlag nach den Lauten [b, f, g, h, k, m, p, v]; er findet sich dort auch nach [d, t, n, s, z], fehlt aber im Amerikanischen.
   Beispiele: duke, duty, tube, tune, new, assume, resume.
4. Der [ɔ]-Laut hat im Amerikanischen eine starke Färbung nach [a].
5. Das [l] klingt sehr dunkel, fast wie ein dunkles [u].
6. Das [r] bleibt ein Konsonant auch in den Stellungen, wo es im britischen Englisch verstummt ist.

Rechtschreibung

1. Soweit im Britischen die Substantivendung *-our* erscheint, schreiben die Amerikaner *-or:*
   color, honor, honorable, labor, savor, savory.
   Ausnahme: *glamour* ist häufiger als *glamor.*
2. Die britische Endung *-re* erscheint im Amerikanischen als *-er:*
   center, fiber, specter, theater.
   Zur Erhaltung der richtigen Aussprache des *-c-* bleibt *-cre:*
   acre, mediocre, massacre.

3. Das Schwanken der Engländer bei den Endungen *-xion/-ction* und *-dgement/
-dgment* ist bei den Amerikanern zugunsten der letztgenannten Formen entschieden: connection, inflection; abridgment, acknowledgment.

Verzeichnis der verwendeten Bildzeichen

☼ Technik
🏭 Industrie
⚡ Elektrotechnik, Elektronik
🌱 Landwirtschaft, Gartenbau
🌲 Forstwesen
⚓ Schiffahrt
✈ Flugwesen
✆ Post-, Fernmeldewesen
🏃 Turnen, Sport
📻 Funktechnik, Radio, Fernsehen

📷 Fotografie, Film
🚆 Verkehr, Eisenbahn
🚗 Kraftfahrzeuge
💊 Medizin, Physiologie, Pharmazeutik
🎨 Malerei
⚖ Recht, Staatswissenschaft
🎭 Theater, Film
♪ Musik, Tonwiedergabe
🏛 Architektur, Bauwesen
📖 Verlagswesen, Druckerei

Verzeichnis der verwendeten Abkürzungen

a.	auch	*gram*	Grammatik	*pred*	prädikativ, zur
Abk.	Abkürzung	*hist*	Geschichte		Satzaussage
abstr	abstrakt	*inf*	Infinitiv		gehörig
acc	Akkusativ	*interj*	Interjektion	*prep*	Präposition
adj	Adjektiv	*iron.*	ironisch	*pron*	Pronomen
adv	Adverb	*j-d*	jemand	*refl*	reflexiv
allg	allgemein	*j-m*	jemandem	*schott*	schottisch
astr	Astronomie	*j-n*	jemanden	*sg*	Singular, Einzahl
attr	attributiv	*j-s*	jemandes	*sl*	Slang
BE	britisches Englisch	*k-m*	keinem	*s.*	sich
bes	besonders	*k-n*	keinen	*s-b*	somebody,
bot	Botanik	*k-r*	keiner		someone
bzw	beziehungsweise	*k-s*	keines	*s-th*	something
chem	Chemie	*konkr*	konkret	*s-m*	seinem
com	Handel u. Wirt-	*lit*	Literatur	*s-n*	seinen
	schaft	*math*	Mathematik	*s-r*	seiner
conj	Konjunktion	*mil*	Heerwesen	*s-s*	seines
d.	der, die, das, des, dem,	*mst*	meist	*su*	Substantiv
	den	*od*	oder	*umg*	Umgangssprache
dt	deutsch	*opt*	Optik	*US*	amerik. Englisch
eccl	kirchlich, geistlich	*orn*	Ornithologie,	*vb*	verbal
e.	ein		Vogelkunde	*vi*	verbum intran-
e-e	eine	*o.s.*	oneself		sitivum (nichtzie-
e-m	einem	*parl*	parlamentarisch		lendes Verb)
e-n	einen	*pass*	Passiv, Leideform	*vt*	verbum transitivum
e-r	einer	*phys*	Physik		(zielendes Verb)
etc	usw.	*pl*	Plural, Mehrzahl	*vt/i*	transitives und
etw	etwas	*poet*	Dichtkunst, Poesie		intransitives Verb
fig	figurativ, über-	*pol*	Politik	*vgl*	vergleiche
	tragen	*pp*	Partizip der Ver-	*z.*	zu, zum, zur
folg	folgende(r, s)		gangenheit (Parti-	*zool*	Zoologie
geog	Geographie		zip perfekt)	*zus.*	zusammen
geol	Geologie	*ppr*	Partizip Präsens	*Zssg*	Zusammensetzung

Englische Abkürzungen

A.A.	Automobile Association; anti-aircraft	**a/c**	account
		advt.	advertisement
A.C., a.c.	alternating current	**A.E.C.**	Atomic Energy Commission

A.F.L.	American Federation of Labour	**fcap, fcp**	foolscap
AFN	American Forces Network	**F.I.L.**	Fellow of the Institute of Linguists
a.m.	ante meridiem (before noon)	**FM**	frequency modulation
A.P.	Associated Press	**f.o.b., f.o.r.**	free on board *bzw.* rail
B.A.	Bachelor of Arts; British Academy	**F.R.S.**	Fellow of the Royal Society
B.B.C.	British Broadcasting Corporation	**ft**	foot (feet)
		g.	gram
B.C.	before Christ	**gal.**	gallon
B.E.A.	British European Airways	**G.A.T.T.**	General Agreement on Tariffs and Trade
BFN	British Forces Network	**G.B.**	Great Britain
B.L.	Bachelor of Law	**G.C.E.**	General Certificate of Education
B. Litt.	Bachelor of Letters		
B.O.A.C.	British Overseas Airways Corporation	**G.H.Q.**	General Headquarters
		G.I.	government issue; enlisted man
B.O.T.	Board of Trade		
Bros	Brothers	**G.M.T.**	Greenwich Mean Time
B.S.I.	British Standards Institution	**G.P.**	general practitioner
B.Th.U.	British Thermal Unit	**G.P.O.**	General Post Office
C.	Centigrade	**gr.**	grain(s); grade; gross
c.	cent; chapter; cubic; circa	**gs**	guineas
C.C.	County Council(lor)	**h.**	hour
cf.	confer, compare	**H.H.**	His Holiness
c.i.f.	cost, insurance, freight	**H.M.S.**	His (Her) Majesty's Ship
Co.	company; county	**H.O.**	Home Office
c/o	care of	**Hon.**	Honorary; Honourable
C.O.D.	cash on delivery; Concise Oxford Dictionary	**h.p.**	horse-power; hire purchase
		H.Q.	headquarters
c/s	cycles per second	**H.R.H.**	His (Her) Royal Highness
cu.	cubic	**hr(s)**	hour(s)
cwt.	hundredweight	**I.C.A.O.**	International Civil Aviation Organization
d.	denarius, penny		
D.A.	District Attorney	**i.e.**	id est (that is)
D.C., d.c.	direct current	**I.L.O.**	International Labour Organization
D.C.	District of Columbia		
D.C.L.	Doctor of Civil Law	**in.**	inch(es)
D.D.	Doctor of Divinity	**Inc.**	incorporated
D.D.S.	Doctor of Dental Surgery	**IOU**	I owe you
D.Lit.	Doctor of Literature	**I.Q.**	intelligence quotient
D.Litt.	Doctor of Letters	**I.R.C.**	International Red Cross
D.Sc.	Doctor of Science	**J.**	Judge; Justice
D.Th.	Doctor of Theology	**J.A.**	Judge Advocate
E. & O.E.	errors & omissions excepted	**J.P.**	Justice of the Peace
E.E.C.	European Economic Community	**K.B.**	King's Bench
		K.C.	King's Counsel
E.F.T.A.	European Free Trade Association	**kc.**	kilocycle(s)
		L	learner (on motor-car)
e.g.	for example	**Lab.**	labour
E.S.P.	extrasensory perception	**lb.**	pounds (weight)
Esq.	Esquire	**L.C.C.**	London County Council
exc.	except	**L.C.J.**	Lord Chief Justice
F.	Fahrenheit	**Ld**	limited
f.	foot (feet); francs	**Litt.D.**	Doctor of Letters
F.A.O.	Food and Agriculture Organization	**LL.B.**	Bachelor of Laws
		LL.D.	Doctor of Laws
f.a.s	free alongside ship	**Ltd**	limited
F.B.I.	Federation of British Industries; Federal Bureau of Investigation	**m.**	mile(s); million(s); minute(s)
		M.A.	Master of Arts; Military Academy

M.D.	Doctor of Medicine	Rev., Revd	Reverend
M.P.	Member of Parliament; military police	r.p.m.	revolutions per minute
		R.S.	Royal Society
m.p.g.	miles per gallon	R.S.P.C.A.	Royal Society for the Prevention of Cruelty to Animals
m.p.h.	miles per hour		
Mr, Mrs	Mister, Mistress	Rt Hon.	Right Honourable
M.Sc.	Master of Science	Rt Rev.	Right Reverend
M.S.L.	mean sea-level	s.	second; shilling; singular
NAAFI	Navy, Army, Air Force Institution	SEATO	South East Asia Treaty Organization
NATO	North Atlantic Treaty Organization	Sen.	Senate; Senator; Senior
		SHAPE	Supreme Headquarters Allied Powers in Europe
N.C.B.	National Coal Board		
N.C.O.	non-commissioned officer	S.O.	Staff Officer; Stationery Office
N.H.S.	National Health Service	S.O.S.	save our souls
N.P.	notary public	sq.	square
N.T.	New Testament	S.S., s.s.	steamship
N.Z.	New Zealand	St	Saint; Street
O.E.C.D.	Organization for Economic Co-operation and Development	st.	*BE* stone (= 14 pounds)
		St. Ex.	Stock Exchange
		stg	sterling
O.T.	Old Testament	T.C.	Town Council(lor)
oz, ozs	ounce(s)	T.U.	Trade Union
p.	page	T.U.C.	Trades Union Congress
p.a.	per annum (yearly, by the year)	T.V.	television
P.A.Y.E.	pay as you earn	T.V.A.	Tennessee Valley Authority
P.C.	police constable; Privy Council(lor)	U.A.B.	Unemployment Assistance Board
p.c.	per cent	U.A.R.	United Arab Republic
P.E.N.	International Association of Poets, Playwrights, Editors, Essayists, and Novelists	U.K.	United Kingdom
		UN	United Nations
		UNESCO	United Nations Educational, Scientific, and Cultural Organization
per pro.	by proxy		
Ph.D.	Doctor of Philosophy		
P.M.	Police Magistrate; Prime Minister; Provost Marshal	UNO	United Nations Organization
		U.P.	United Press
p.m.	post meridiem (after noon)	U.S.	United States
P.O.	postal order; Post Office	U.S.S.	United States Ship (or Senate)
P.O.W.	prisoner of war	U.S.S.R.	Union of Soviet Socialist Republics
pp.	pages		
p.p.	= per pro.	VAT	*BE* value-added tax
P.S.	postscript; police sergeant	V.D.	venereal disease
pt.	part; pint	VHF	very high frequency
P.T.O.	please turn over	V.I.P.	very important person
PX	*US* Post Exchange	viz.	namely
Q.B.	Queen's Bench	w.	watt; with
Q.C.	Queen's Counsel	W.F.T.U.	World Federation of Trade Unions
Q.M.	Quartermaster		
qr	quarter	W.H.O.	World Health Organization
Q.S.	Quarter Sessions	wt.	weight
qt	quart(s)	yd	yard(s)
q.v.	quod vide (which see)	Y.M.C.A.	Young Men's Christian Association
R.A.	Royal Academy		
R.A.C.	Royal Automobile Club	Y.W.C.A.	Young Women's Christian Association
R.A.F.	Royal Air Force		
R.C.	Red Cross; Roman Catholic		

A

a [ə, *betont* ei] ein(e); je *(50 miles an hour, £ 3 a week)*; **A** 1 ['ei 'wʌn] erstklassig; **A ♪ A; A sharp** Ais, **A flat** As, **A major** A-Dur, **A minor** a-Moll [rute

Aaron's rod ['ɛərənz 'rɔd] Königskerze; Gold-

aback [ə'bæk] rückwärts; *to be taken ~* paff sein, verblüfft sein

aba|cus ['æbəkəs], *pl ~ci*, **~cuses** [⸚–sai, ⸚–kə-siz] Rechenbrett; Säulendeckplatte

abaft [ə'baːft] ♫ nach achtern zu

abandon [ə'bændən] aufgeben, verlassen, preisgeben *(a ship, all hope); to ~ o. s. to s.* überlassen, s. ergeben *(she ~ed herself to despair); su* Sichgehenlassen; **~ment** Aufgeben; Verlassenheit

abase [ə'beis] erniedrigen, demütigen; **~ment** Erniedrigung, Demütigung

abashed [ə'bæʃt] verlegen, fassungslos; beschämt *(at* über)

abate [ə'beit] *vt* (ver)mindern, lindern; beseitigen; *vi* nachlassen; **~ment** (Ver-)Minderung, Abnahme; Linderung; Beseitigung

abattoir ['æbətwɑː] *BE* Schlachthof

abbacy ['æbəsi] Amt(sbereich) e-s Abtes

abb|ess ['æbis] Äbtissin; **~ey** ['æbi] Abtei; *the Abbey* Westminster-Abtei

abbot ['æbət] Abt; **~cy, ~ship** Abtwürde

abbrevia|te [ə'briːvieit] (ab)kürzen; **~tion** [ə,briːvi'eiʃən] (Ab-)Kürzung

ABC [eibiː'siː] Abc, Alphabet; **~ weapons** Abc-Waffen

abdica|te ['æbdikeit] abdanken; **~tion** [––'kei-ʃən] Abdankung

abdom|en ['æbdəmen, *bes* ♯ –'doumen] Unterleib, Bauch; Hinterleib; **~inal** [æb'dɔminəl] Unterleibs-, Bauch-

abduc|t [əb'dʌkt] entführen; **~tion** [əb'dʌkʃən] Entführung; **~tor** [əb'dʌktə] Entführer

abecedarian [eibi(ː)siː(ː)'dɛəriən] alphabetisch; elementar; Abc-Schütze

abed [ə'bed] im Bett; bettlägerig

aberration [æbə'reiʃən] Abweichung; (geist., moral.) Verirrung

abet [ə'bet] (Übeltäter) anstiften, helfen (bei); **~ment** Anstiftung; Begünstigung; **~tor** [––ə] Helfershelfer

abeyance [ə'beiəns]: *in ~* unentschieden, in der Schwebe; *to fall into ~* nicht mehr befolgt werden, außer Kraft treten

abhor [əb'hɔː] verabscheuen; **~rence** [əb'hɔrəns] Abscheu; **~rent** abstoßend; zuwider *(to reason* der Vernunft); unvereinbar *(from* mit)

abid|e [ə'baid] *(s. S. 318)* bleiben; wohnen; **~e by** festhalten an, treu bleiben; *vt* (er)tragen; **~ing** [ə'baidiŋ] bleibend, immerwährend

abigail ['æbigeil] Zofe

ability [ə'biliti] Fähigkeit *(to do s-th),* Können; *(oft pl)* Begabung, Talent; *to the best of one's ~* nach bestem Vermögen

abject ['æbdʒekt] elend, verworfen; schmählich, kriecherisch

abjur|e [əb'dʒuə] *vt* abschwören; **~ation** [æbdʒu'reiʃən] Abschwörung, Entsagung

ablaze [ə'bleiz] in Flammen (stehend); *to be ~ with* strahlen vor (Licht), (Ärger) ausstrahlen; erregt, wütend

able [eibl] fähig, tüchtig; *still quite ~* noch ganz gut beieinander; *to be ~ to do* imstande sein, können; **~-bodied** [–'bɔdid] kräftig; wehrfähig; Voll- **(~-bodied seaman** Vollmatrose, *BE* Obergefreiter)

abloom [ə'bluːm] in Blüte, blühend

ablution [ə'bluːʃən] *pl* (religiöse) Waschung; *sg* (dazu benutztes) Wasser

abnega|te ['æbnigeit] *vt* sich versagen; entsagen; **~tion** [æbni'geiʃən] Verzicht; (Selbst-) Verleugnung

abnormal [æb'nɔːməl] nicht normal, ungewöhnlich; **~ity** [æbnɔː'mæliti] Ungewöhnlichkeit, Anomalität

aboard [ə'bɔːd] an Bord; im Zug (Bus); *to go ~* an Bord gehen, *US a.* einsteigen

abode[1] [ə'boud] Wohnstätte; *to take up (make) one's ~* seinen Wohnsitz aufschlagen

abode[2] [ə'boud] *siehe* abide [nichten

abolish [ə'bɔliʃ] abschaffen, aufheben; ver-

abolition [æbə'liʃən] Abschaffung, Aufhebung; **~ist** Abolitionist; Gegner der Sklaverei, Todesstrafe

A-bomb ['eibɔm] Atombombe

abominable [ə'bɔminəbl] abscheulich; *the A~ Snowman* Schneemensch

abomina|te [ə'bɔmineit] verabscheuen; **~tion** [ə,bɔmi'neiʃən] Abscheu; Greuel; *to hold in ~tion* verabscheuen

aboriginal [æbə'ridʒinəl] uransässig, ursprünglich; Ureinwohner

aborigine, *mst pl* **~s** [æbə'ridʒini, *pl* -niːz] Ureinwohner

abort [ə'bɔːt] Abbruch; Raketenfehlstart

aborti|facient [ə,bɔːti'feiʃənt] abtreibend(es Mittel)

abortion [ə'bɔːʃən] Fehlgeburt; Abtreibung; Fehlschlag

abortive [ə'bɔːtiv] Früh-(Geburt); verkümmert; erfolglos

abound [ə'baund] *vi* reichlich vorhanden sein; *~ in* reichlich haben, besitzen; *~ with* wimmeln von

about [ə'baut] **1.** *adv* herum, umher (liegen, stehen); *to be up and ~ (again)* wieder auf sein; *~ to do* im Begriff (sein) zu tun; *~ turn!, (US) ~ face!* Ganze Abteilung, kehrt!, *to turn (face) ~* sich umdrehen; *turn and turn ~* einer nach dem andern; **2.** etwa, ungefähr; **3.** gegen (5 Uhr); **4.** so ziemlich *(that's ~ right); to come ~* geschehen; *to bring ~* zuwege bringen; *~ done?* bald fertig? **5.** gegen; *to walk ~ a room, ~ the streets)*; *have you any money ~ you?* (bei sich); **6.** über, von *(to talk ~ s-th, to know ~ s-th; what's he so angry ~ ?)*
♦ *a man ~ town* ein Welt-, Lebemann; *tell me all ~ it* du mußt mir alles erzählen; *what is it all ~ ?* was soll das eigentlich heißen?; *what (how) about* was ist mit, wie wäre es mit

about-face [ə'bautfeis] Kehrtwendung; völliger Umschwung; Abkehr

above [ə'bʌv] *prep* über, oberhalb; mehr als *(600 people)*; ~ *all* vor allem; *to be* ~ *suspicion (criticism)* über Verdacht (Kritik) erhaben sein; überlegen, zu hoch *(that book is* ~ *me)* ♦ *to keep one's head* ~ *water* sich (den Kopf) über Wasser halten; *to be* ~ *o. s.* sich für besser halten, eingebildet sein; ausgelassen sein; *not above* durchaus willens *adv* oben, oberhalb; im Himmel; *adj* obig; ~**board** [-ᷓ'bɔːd] offen, ehrlich; ~**mentioned** [-ᷓ'menʃənd] obenerwähnt

abrade [ə'breid] (sich) (ab)schürfen

abrasion [ə'breiʒən] (Ab-)Schürfung

abrasive [ə'breisiv] (ab)schürfend; Schleifmittel

abreast [ə'brest] nebeneinander *(they are walking three* ~*)* ♦ *to keep* ~ *of (with) the times* immer auf dem laufenden bleiben

abridg|e [ə'bridʒ] (ab)kürzen; beschränken; ~**ment** (*BE a.* -**dgement**) Ab-, Verkürzung; Abriß

abroad [ə'brɔːd] im Ausland, ins Ausland, *from* ~ aus dem Ausland; überall(hin); aus dem Haus, draußen ♦ *there's a rumour* ~ es geht d. Gerücht; *all* ~ im Irrtum (sein)

abroga|te [ˈæbrəgəit] (Gesetz, Brauch) abschaffen, aufheben; (Vertrag) kündigen; ~**tion** [æbrə'geiʃən] Abschaffung, Aufhebung; Kündigung

abrupt [ə'brʌpt] plötzlich, unerwartet; abrupt, schroff; steil; (Gedankengänge) unzusammenhängend; ~**ness** Plötzlichkeit, Eile; Schroffheit; Steilheit; Zusammenhanglosigkeit

abscess [ˈæbses] Abszeß, Geschwür

abscond [əb'skɔnd] heimlich verschwinden; ~**ing** flüchtig

absence [ˈæbsəns] (Zeit der) Abwesenheit (~*s from school* Schulversäumnisse); Nichtvorhandensein, Fehlen, Mangel (*of* an); *in the* ~ *of* in Ermangelung von ♦ ~ *of mind* Geistesabwesenheit

absent¹ [ˈæbsənt] abwesend *(from school)*; geistesabwesend; ~ (-**minded**) [-ᷓ'maindid] geistesabwesend, zerstreut

absen|t² [əb'sent] *o. s. from* fernbleiben; ~**tee** [æbsən'tiː] (häufig) Abwesender, auswärts Wohnender; ~**teeism** (mutwillige) Arbeitsversäumnis, (schuldhaftes) Fernbleiben (von d. Arbeit), Bummeln

absolute [ˈæbsəluːt] vollkommen, völlig; absolut (Herrscher; Höhe; Alkohol); zweifelsfrei (Tatsache); unbedingt (Versprechen); ~**ly** ganz und gar, absolut; *BE umg* sicher!, bestimmt!

absolution [æbsə'luːʃən] Freisprechung, Entbindung, Absolution

absolve [əb'zɔlv] freisprechen, entlasten (*from* von); entbinden (*from* von); lossprechen

absorb [əb'sɔːb] aufsaugen, absorbieren; in sich aufnehmen; *to be* ~*ed in* aufgehen in *(the study of English)*; ~*ed in thought* in Gedanken

versunken; ~**ent** aufsaugend(es Mittel); ~**ent cotton** *US* Watte; ~**ing** fesselnd (Geschichte)

absorption [əb'sɔːpʃən] Absorbieren, Absorption; Vertieftsein, Aufgehen (in etwas)

abstain [əb'stein] sich zurückhalten *(from* von)

abstemious [əb'stiːmiəs] enthaltsam, mäßig

abstention [əb'stenʃən] Enthaltsamkeit (*from* von); Stimmenthaltung

abstergent [əb'stɔːdʒənt] reinigend; reinigendes Mittel

abstinence [ˈæbstinəns] Enthaltsamkeit, Temperenz; *total* ~ Abstinenz

abstract¹ [ˈæbstrækt] abstrakt (Begriff, Wissenschaft, Zahl); schwerverständlich, abstrus (Gedankengang); *su* Abriß, Zusammenfassung; *in the* ~ an sich

abstrac|t² [æb'strækt] absondern; wegnehmen; abstrahieren; ~**tion** [æb'strækʃən] Abstraktion; Absonderung; Entwendung; Zerstreutheit

abstruse [əb'struːs] verworren, schwer verständlich, abstrus

absurd [əb'sɔːd] albern, blöd; absurd; ~**ity** Albernheit, Ungereimtheit

abundance [ə'bʌndəns] Überfluß, (Über-)Fülle (*of* von) [an]

abundant [ə'bʌndənt] (über)reichlich; reich (*in* an)

abuse¹ [ə'bjuːz] überanstrengen; mißbrauchen; schmähen

abuse² [ə'bjuːs] Mißbrauch; Mißhandlung; Schmähen, Fluchen, Mißstand; ~**ive** [ə'bjuːsiv] schmähend, Schmäh-; mißbräuchlich; grob, übel

abut [ə'bʌt] grenzen (*upon* an); ~**ment** Strebepfeiler; Widerlager

abysmal [ə'bizməl] abgrundtief

abyss [ə'bis] Abgrund; Unendlichkeit

acacia [ə'keiʃə] Akazie

academic [ækə'demik] akademisch; theoretisch; wissenschaftlich; konventionell; Dozent; *US* Student; Akademiker; ~**ian** [əkædə'miʃən] Akademiemitglied

academy [ə'kædəmi] (Musik-, Kunst-, Militär-) Akademie, Schule; *(Royal etc)* Akademie; (private) höhere Schule

accede [æk'siːd] *to* zustimmen; (Partei, Vertrag) beitreten; (Amt; Thron) besteigen

accelera|te [æk'seləreit] beschleunigen; schneller werden; ~**tion** [-,-'reiʃən] Beschleunigung; ~**tor** [-ᷓ-'reitə] Gashebel, -pedal

accent [ˈæksənt] Ton, Betonung; Akzent; ~ [ək'sent] betonen, hervorheben; ~**uate** [ək'sentjueit] = accent, *bes fig*

accept [ək'sept] annehmen; gelten lassen; ~**able** annehmbar; angenehm; ~**ance** Annahme; Billigung; Akzept, Wechsel; ~**ed** (allgemein) anerkannt

access [ˈækses] Zugang (*to* zu Person, Gebäude, Büchern); *easy (difficult)* of ~ leicht (schwer) zugänglich; ~**ary** [ək'sesəri] Mitschuldiger; Helfershelfer; ~**ible** [ək'sesibl] zugänglich; ~**ion** [ək'seʃən] Beitritt; ~*ion to the throne* Thronbesteigung; Zuwachs; Zugang; ~**ory** hinzukommend; Zubehör(teil); = ~**ary**

accidence ['æksidəns] Formenlehre
accident ['æksidənt] Zufall (by ~ zufällig; aus Versehen); Un(glücks)fall, without ~ ohne Un-, Zwischenfall; to meet with an ~ e-n Unfall haben; ~al [æksi'dentəl] zufällig; ♪ Versetzungszeichen; ~al death Unfalltod
acclaim [ə'kleim] mit Beifall begrüßen
acclama|tion [æklə'meiʃən] Beifall(-srufe); carried by ~tion durch Zuruf angenommen; ~tory [ə'klæmətəri] Beifalls-
acclimate [ə'klaimit, 'æklimeit] bes US = acclimatize; ~tion [ækli'meiʃən] bes US Akklimatisierung, Gewöhnung
acclimatiz|e [ə'klaimətaiz] (sich) gewöhnen (an neues Klima, Umgebung); ~ation [əˌklaimətai'zeiʃən] Akklimatisierung
acclivity [ə'kliviti] Steigung; Böschung.
accolade ['ækəleid, ‑ ‑ʼ] (Schwertstreich beim) Ritterschlag, Akkolade; hohe Anerkennung; geschwungene Klammer
accommoda|te [ə'kɔmədeit] unterbringen (Gäste); aushelfen (with money); (sich) anpassen (to an); schlichten; ~ting entgegenkommend, gefällig; ~tion [əˌkɔmə'deiʃən] 1. Unterkunft, pl (bes US) Zimmer, Kabine(n); 2. Unterbringung (-smöglichkeiten); 3. Anpassung; 4. Beilegung; 5. Entgegenkommen; BE ~tion unit Wohneinheit; ~tion train Nahverkehrszug; ~tion ladder Fallreep
accompa|niment [ə'kʌmpənimənt] Begleitung; Begleiterscheinung; ~nist ♪ Begleiter; ~ny begleiten
accomplice [ə'kɔmplis] Helfershelfer, Komplice
accomplish [ə'kɔmpliʃ] vollenden; (Plan) ausführen; (Ziel) erreichen; ~ed von großer, gebildet; ~ment Vollendung; Leistung; pl Fertigkeiten
accord [ə'kɔːd] Übereinstimmung (in ~ with) ♦ with one ~ unter Zustimmung aller; of one's own ~ aus freien Stücken; Übereinkommen, Vertrag; vt/i übereinstimmen (with mit); (Bitte) gewähren ♦ to ~ a warm welcome e-n herzlichen Empfang bereiten; ~ance Übereinstimmung, in ~ance with entsprechend (custom der herrschenden Sitte); ~ing to entsprechend, gemäß; ~ing as je nachdem wie; ~ingly dementsprechend
accordion [ə'kɔːdjən] Akkordeon; ~ist Akkordeonspieler [chen
accost [ə'kɔst] sich heranmachen an, anspre-
accouch|eur [æku:'ʃəː] Geburtshelfer; ~euse [æku:'ʃəːz] Geburtshelferin; ~ement [ə'ku:ʃmaːŋ] Entbindung
account [ə'kaunt] 1. Rechnung, Konto, current ~ Kontokorrent, blocked ~ Sperrkonto, payment on ~ Akontozahlung, statement of ~ Kontoauszug; 2. Bericht, Erzählung, Rechenschaft (to call to ~ zur R. ziehen); 3. Wert, Bedeutung; of no ~ unwesentlich, to make little ~ of nichts halten von; to take no ~ of unberücksichtigt lassen; to take ~ of, into ~ berücksichtigen, in Betracht ziehen; to turn to ~ nutzbringend verwerten; 4. Grund, Ursache,

on ~ of wegen; not on any (od on no) ~ auf keinen Fall; on this ~ aus diesem Grund; on my (this) ~ meinet- (seinet- etc)wegen; 5. vt/i halten für, ansehen als; ~ for erklären, eine Erklärung sein für; (er)schließen, erlegen; ~able verantwortlich (to s-b, for s-th), not ~able for one's actions nicht zur Verantwortung zu ziehen, nicht zurechnungsfähig; erklärlich; ~ancy [ə'kauntənsi] Buchführung; ~ant Buchhalter; Bücherrevisor (BE chartered, US certified public ~ant öffentl. bestellter B.)
accredit [ə'kredit] Anerkennung verschaffen; akkreditieren (to bei e-r Regierung); zuschreiben (s-th to s-b, s-b with s-th); ~ed anerkannt
accretion [ə'kriːʃən] Zuwachs; Zutat
accrue [ə'kruː] erwachsen (from aus); zufallen (to s-b); sich ansammeln, auflaufen (Geld, Zinsen)
accumula|te [ə'kjuːmjuleit] (sich) ansammeln, (sich) anhäufen; ~tion [əˌkjuːmju'leiʃən] Anhäufung; Ansammlung; ~tor (An-)Sam̄ — ̄ `̄; bes BE Akkumulator
accura|cy ['ækjurəsi] Genauigkeit; Richtigkeit; ~te ['ækjurit] genau, richtig
accursed [ə'kəːsid] verflucht, verwünscht
accus|ation [ækjuːˈzeiʃən] Anklage, Beschuldigung; to bring an ~ation against Beschuldigung vorbringen gegen, be under an ~ation of beschuldigt werden; ~e [ə'kjuːz] of anklagen wegen, beschuldigen; ~ed [ə'kjuːzd] Angeklagter; ~er Ankläger
accustom [ə'kʌstəm] gewöhnen (to an); ~ed to do(ing) gewohnt, gewöhnt zu tun
ace [eis] As, Eins; ein Punkt; umg Flieger-As, Kanone; Spitzen- ♦ within an ~ of (falling) um ein Haar (gefallen)
acerb|ate ['æsəbeit] bitter machen; verschärfen; erbittern; ~ity [ə'səːbiti] herber Geschmack; Bitterkeit, Schärfe
acet|ate ['æsitit] essigsaures Salz; ~ate ʼf essigsauer (Tonerde etc); ~ic [ə'siːtik] essigsauer; ~ify [ə'setifai] sauer machen (werden); ~ylene [ə'setiliːn] Acetylen
ache [eik] (starker, dumpfer) Schmerz; vi schmerzen, weh tun ♦ he ~d [eikt] all over him es tat ihm alles weh; her heart ~s for him ihr Herz blutet nach ihm; (umg) to be aching to do s-th darauf brennen, etwas zu tun
achieve [ə'tʃiːv] (Ziel) erreichen, (Erfolg) erzielen, (Sieg) erringen; vollbringen; ~ment Leistung; (große) Tat ♦ it is impossible of ~ment es läßt sich nicht vollbringen; Erreichung; Vollbringung
acid ['æsid] sauer; Säure; LSD; ~ drops saure Drops; ~ test Feuerprobe; ~ify [ə'sidifai] säuern; ~ity [ə'siditi] Säure; ~ulous [ə'sidjuləs] säuerlich; schlecht gelaunt
ack-ack ['æk'æk] umg Flak
acknowledg|e [ək'nɔlidʒ] anerkennen, zugeben, eingestehen; is ~ed to be the best ist anerkannt der beste; (Brief) bestätigen (Geschenk, Dankesschuld) dankbar anerkennen; ~ment (BE a. ~ement) Anerkennung; Eingeständnis; Zeichen der Dankbarkeit

acme ['ækmi] Gipfel, Höhepunkt; Krise
acne ['ækni] $ Akne
acolyte ['ækəlait] Meßdiener, Helfer
acorn ['eikɔːn] Eichel, Ecker
acoustic [ə'kuːstik] akustisch, Gehör-; ~s *sg vb* Akustik, Lehre vom Schall; *pl vb* Akustik (e-s Raumes)
acquaint [ə'kweint] bekannt machen *(with s-th)*; *to* ~ *o.s. with s.* vertraut machen mit *(one's duties)*; *to be* ~*ed with* kennenlernen; ~**ance** Bekanntschaft, Vertrautheit *(with a thing)*, Kenntnis *(with German* des Deutschen); Bekannter
acquiesce [ækwi'es] einwilligen, sich fügen *(in a matter)*; ~**nce** [ækwi'esəns] (oft wenig gern gegebene) Einwilligung; ~**nt** fügsam, nachgiebig
acquire [ə'kwaiə] erwerben; ~**ment** (erworbene) Fähigkeit, Fertigkeit
acquisi|tion [ækwi'ziʃən] Erwerbung; Gewinn *(to* für); ~**tive** [ə'kwizitiv] auf Erwerb ausgehend; gewinnsüchtig
acquit [ə'kwit] freisprechen *(of* von); *to* ~ *o.s. well (ill)* sich gut (schlecht) halten; *to* ~ *o.s. of* (Pflicht) erfüllen, (Schuld) tilgen; ~**tal** [ə'kwitəl] Freispruch; Erfüllung (e-r Pflicht); ~**tance** Tilgung; Befreiung; Quittung
acre ['eikə] Morgen (= 40,5 Ar); *broad* ~*s* große Güter; ~**age** ['eikəridʒ] Fläche (in Acres); Anbaufläche
acrid ['ækrid] scharf, beißend; ~**ity** [ækriditi] Schärfe, Herbheit
acrimo|nious [ækri'mouniəs] scharf (Worte), heftig (Streit), erbittert; ~**ny** ['ækriməni] Schärfe, Bitterkeit
acrobat ['ækrəbæt] Akrobat, *bes* Seiltänzer; *pol* Konjunkturritter; ~**ic** [ækrə'bætik] akrobatisch
across [ə'krɔs] über *(~ the river)*; jenseits *(~ the river)*; *(US)* ~ *from* gegenüber; kreuzweise *(with his arms* ~ *)*; quer hindurch ♦ *to come* (od *run)* ~ stoßen auf
act [ækt] 1. Tat, Handlung *(a cruel* ~ *, an* ~ *of kindness)*; *A*~ *of God* höhere Gewalt; ~ *of justice* Akt der Gerechtigkeit; *in the very* ~ *of (stealing)* in dem Augenblick als, auf frischer Tat; *A*~*s (of the Apostles)* Apostelgeschichte; 2. 🎭 Akt; 3. *parl* Gesetz; 4. *vt/i* handeln; s. benehmen; (Rolle) spielen; ~ *the fool* s. blöde benehmen; nur so tun; funktionieren; ~ *as* fungieren als; ~ *for* einspringen für; ~ *on* wirken auf *(the heart)*; s. richten nach; ~**ing** Spiel(en); tätig; stellvertretend
action ['ækʃən] 1. Handeln, Tat *(a man of* ~ *)*; *to take* ~ Schritte unternehmen, handeln; 2. Wirkung *(the* ~ *of light on flowers)*; 3. Kampf, Gefecht *(to go into* ~ *)* d. K. aufnehmen; *to break off an* ~ d. K. abbrechen; *killed in* ~ gefallen; 4. ⚖ Prozeß; *to take* (od *bring) an* ~ *against s-b* j-n verklagen; 5. Mechanismus; 6. Action; ~**able** ver-, einklagbar
activate ['æktiveit] in Gang bringen; *chem* wirksam machen, aktivieren; (mil. Einheit) aufstellen; (Mine) scharf machen

activ|e ['æktiv] tätig, aktiv (Person, Vulkan, Hilfe etc); wirksam; *on* ~*e service* aktiv; ~*e voice (gram)* Aktiv; ~**ity** [-'iti] Tätigsein; *pl* Betätigung, Tätigkeit
act|or ['æktə] Schauspieler; ~**ress** ['æktris] Schauspielerin
actual ['æktjuəl] wirklich, tatsächlich; ~**ity** [æktju'æliti] tatsächliches Vorhandensein, Wirklichkeit; *pl* tatsächliche Gegebenheiten; ~**ly** tatsächlich; derzeit
actu|ary ['æktjuəri] Versicherungsfachmann; ~**ate** ['æktjueit] antreiben
acuity [ə'kjuːiti] Schärfe (des Verstandes, der Augen, e-r Säure, Nadel etc)
acumen [ə'kjuːmən] Scharfsinn
acute [ə'kjuːt] scharf (Sinn, Verstand); heftig (Schmerz); tief (Freude); akut (Krankheit); spürbar, fühlbar (Krise, Mangel); spitz (Winkel); ~**ness** Schärfe; Heftigkeit
ad [æd] *umg* Anzeige, Annonce; *ad writer* Werbetexter
adage ['ædidʒ] Spruch; Sprichwort
Adam ['ædəm] Adam *(the old* ~*)*; *not know s-b from* ~ *(umg)* j-n gar nicht kennen; ~**'s ale (wine)** Gänsewein; ~**'s apple** Adamsapfel
adamant ['ædəmənt] Diamant *(bes fig)*; unerbittlich, hartherzig; ~**ine** [--'mæntain] diamanthart; *fig* stahlhart
adapt [ə'dæpt] anpassen; herrichten; bearbeiten *(for school use, from the French)*; ~**able** anpaßbar; anpassungsfähig; ~**ability** Anwendbarkeit; ~**ation** [ædəp'teiʃən] Bearbeitung, Anpassung, Adaptation; ~**or** Zwischenstecker; Zwischenstück; Zusatzvorrichtung; Mehrfachstecker
add [æd] hinzutun; hinzufügen, sagen; ~ *(up)* addieren; ~ *to* beitragen zu; ~**endum** [ə'dendəm], *pl* ~**enda** [-də] Zusatz, Nachtrag
adder ['ædə] Kreuzotter
addict [ə'dikt] *o.s. to* sich hin-, ergeben; ~*ed to* ergeben; ~ ['ædikt] Süchtiger *(drug* ~ Rauschgift-); Fan; ~**ion** [ə'dikʃən] Sucht, Süchtigkeit
addition [ə'diʃən] Addition; Zusatz; Anbau *(in* ~ außerdem *in* ~ *to* außer, neben; ~**al** zusätzlich, Zusatz-
addle [ædl] faul (Ei); verwirrt; ~**-brained person** Hohlkopf; *vt* verwirren; faul werden; ~**d egg** Windei
address [ə'dres] adressieren; anreden *(as* mit), (Worte) richten *(to* an), Ansprache halten *(people* vor Leuten); *to* ~ *o.s. to s-th* sich (e-r Aufgabe) zuwenden; ~ [ə'dres, *US oft* 'ædres] Anschrift, Adresse; Wohnsitz; Ansprache; Umgang(sformen); Gewandtheit ♦ *to pay one's* ~*es to den* Hof machen; ~**ee** [ædre'siː] Empfänger, Adressat; ~**ograph** [ə'dresəgrɑːf] Adressiermaschine
adduce [ə'djuːs] (als Beispiel, Beweis) anführen
adenoids ['ædinɔidz] $ adenoide Wucherungen
adept ['ædept, ə'dept] erfahren; Kenner; Alchimist

adequacy ['ædikwəsi] Angemessenheit; Eignung; ausreichende Menge
adequate ['ædikwit] ausreichend, angemessen
adhere [əd'hiə] *to* kleben an; festhalten an; ~**nce** [əd'hiərəns] *to* Anhängen, Festhalten an; ~**nt** [əd'hiərənt] anhaftend; Anhänger
adhes|ion [əd'hiːʒən] (An-)Kleben; Adhäsion; Festhalten (*to* an); ~**ive** [əd'hiːsiv] haftend, klebend; Klebstoff; ~**ive (plaster)** Heftpflaster
adieu [ə'djuː] lebe wohl!; Lebewohl
adipose ['ædipous] fettig, fetthaltig; (tier.) Fett
adjacent [ə'dʒeisənt] anliegend; angrenzend
adjective ['ædʒiktiv] Eigenschaftswort
adjoin [ə'dʒɔin] (aneinander) angrenzen
adjourn [ə'dʒəːn] (s.) vertagen; s. verfügen (nach); ~**ment** Verschiebung, Vertagung
adjudge [ə'dʒʌdʒ] für (schuldig) erklären; zuerkennen; ~**ment** Zuerkennung [rung
adjunct ['ædʒʌŋkt] Zusatz; Gehilfe; Erweite-
adjure [ə'dʒuə] bedrängen, beschwören
adjust [ə'dʒʌst] ver-, einstellen (*to* auf); anpassen; schlichten; ~**able** regulierbar; einstellbar; ~**ment** Schlichtung
ad-lib [æd'lib] improvisiert; improvisieren, aus dem Stegreif sagen
administ|er [əd'ministə] handhaben, regeln, verwalten; verabreichen; (Eid) abnehmen; ~**ration** [əd,minis'treiʃən] Verwaltung; Regierung; Verabreichung; ~**rative** [əd'ministrativ] Verwaltungs-; ~**rator** Verwalter; Leiter
admirable ['ædmirəbl] hervorragend, bewundernswert
admiral ['ædmirəl] Admiral; **A~ty** *BE* Marineministerium; *First Lord of the A~ty* Marineminister; seerechtlich
admir|ation [ædmi'reiʃən] Bewunderung; ~**e** [əd'maiə] bewundern; verehren
admission [əd'miʃən] Zulassung, Eintritt(sgeld); Eingeständnis
admit [əd'mit] hinein-, zulassen; (Raum) fassen; eingestehen; ~ *of* (Zweifel) zulassen; ~ *to* zugeben; ~**tance** Zutritt; ~**tedly** zugegeben(ermaßen)
admonish [əd'mɔniʃ] warnen (*of* vor), mahnen (*against doing* nicht zu tun)
admonition [ædmə'niʃən] Warnung; Ermahnung
ado [ə'duː] Getue, Lärm
adolescen|ce [ædə'lesəns] Heranwachsen; Jugend-, Jünglingszeit; ~**t** heranwachsend; unreif; Jugendlicher
adopt [ə'dɔpt] adoptieren; annehmen, anwenden; *umg* stibitzen; ~**ion** [ə'dɔpʃən] Adoption; Annahme
adore [ə'dɔː] anbeten, verehren; *umg* lieben
adorn [ə'dɔːn] schmücken; ~**ment** Schmücken; Zier(de)
adrenal [ə'driːnəl] **(gland)** Nebenniere
adrift [ə'drift] (Schiff) treibend; hilflos ♦ *to turn* ~ s-m Schicksal überlassen
adroit [ə'drɔit] gewandt
adula|te ['ædjuleit] niedrig schmeicheln; ~**tion** [---'ʃən] Schmeichelei; ~**tor** [---tə] Schmeichler, Speichellecker

adult ['ædʌlt, ə'dʌlt] erwachsen; Erwachsener
adulter|ate [ə'dʌltəreit] verfälschen, verdünnen; ~**ation** [-,---'ʃən] Verfälschung; ~**er** [----rə] Ehebrecher; ~**ess** [--'-ris] Ehebrecherin; ~**ous** [----rəs] ehebrecherisch; ~**y** [--'-ri] Ehebruch, eheliche Untreue
adumbrate ['ædʌmbreit] leicht andeuten
advance [əd'vɑːns] 1. Vorrücken; *in* ~ im voraus; *in* ~ *of* (j-m) voraus (sein); 2. Erhöhung (*in the costs*); 3. Vorschuß; 4. Fortschritt; 5. *vt/i* vor-, aufrücken; 6. vorverlegen; 7. (Meinung) vorbringen; 8. erhöhen, steigern; 9. (be)fördern; 10. vorschießen; ~**d** [--'-t] fortgeschritten; ~**d** *in years* in vorgerücktem Alter; ~**d** *ideas* der Zeit vorauseilende Gedanken; ~**ment** Förderung; Fortschritt
advantage [əd'vɑːntidʒ] Vorteil; *to take* ~ *of* j-n übervorteilen, etwas ausnutzen; *to turn to* ~ Nutzen ziehen aus; *to* ~ vorteilhaft; *to s-b's* ~ zu j-s Vorteil, vorteilhaft für; *vt* fördern; ~**ous** [ædvən'teidʒəs] vorteilhaft
advent ['ædvənt] Erscheinen; Advent
adventur|e [əd'ventʃə] Abenteuer; (s.) wagen, riskieren; ~**er** [----rə] Abenteurer; ~**ous** [--'-rəs] abenteuerlich
adverb ['ædvəːb] Umstandswort; ~**ial** [əd'vəːbiəl] *phrase* Umstandsbestimmung.
adversary ['ædvəsəri] Gegner; Teufel
advers|e ['ædvəːs] widrig, ungünstig (*to* für); ~**ity** [əd'vəːsiti] Mißgeschick
advert [əd'vəːt] hinweisen (*to* auf); ~ ['ædvəːt] *BE umg* Zeitungsanzeige
advertis|e ['ædvətaiz] anzeigen, annoncieren; Reklame machen für; ~**e** *for* durch Inserat suchen; ~**er** Anzeiger; Inserent; ~**ement** [əd'vəːtismənt, *US* ædvə'taizmənt] Annoncieren, Reklame; Annonce, Anzeige; ~**ing** ['ædvətaiziŋ] Werbung, Reklame; Annoncen
advice [əd'vais] Rat(schlag), *to take* ~ Rat holen; ~**s** Berichte, Avis
advis|e [əd'vaiz] raten; benachrichtigen (*of* von); avisieren; ~**er** Ratgeber; ~**able** ratsam; ~**ory** beratend
advoca|cy ['ædvəkəsi] Advokatur; Verteidigung; beredtes Eintreten; ~**te** ['ædvəkit] Advokat; Verfechter; ~**te** ['ædvəkeit] *vt* eintreten für; verfechten
adze, *US* **adz** [ædz] Dechsel, Breitbeil
aegis ['iːdʒis] Ägide, Obhut
aeon ['iːən] Äon; Ewigkeit
aerate ['eiə-, 'eəreit] der Luft aussetzen; durchlüften
aerial ['eəriəl] Luft-; Antenne; ~ **camera** Luftbildgerät; ~ **gun** Flugabwehr-Geschütz; ~ **ladder** Feuerleiter; ~ **railway** Drahtseilbahn; ~**ist** Trapezkünstler
aerie ['eəri] Horst (e-s Raubvogels)
aero|batics [eərə'bætiks] Kunstfliegen; ~**drome** ['eərədroum] Flugplatz; ~**gram** ['eərəgræm] Funkspruch; ~**nautics** [eərə'nɔːtiks] *sg vb* Luftfahrt; ~**plane** ['eərəplein] *BE* Flugzeug; ~**space** Weltraum; Raumfahrt
aesthet|e ['iːsθiːt] Ästhet; ~**ic** [iːs'θetik] ästhetisch; ~ **ics** *sg vb* Ästhetik

afar [ə'fɑː] fern; *from* ~ von fern
affable ['æfəbl] leutselig, freundlich
affair [ə'fɛə] Angelegenheit; *umg* Sache
affect[1] [ə'fekt] wirken auf; angreifen, in Mitleidenschaft ziehen; ~ing rührend; ~ion [ə'fekʃən] Erkrankung
affect[2] [ə'fekt] vortäuschen; bevorzugen; ~ed gekünstelt, geziert; ~ion [ə'fekʃən] Zuneigung *(for, towards* zu); ~ionate [ə'fekʃənit] liebevoll, herzlich
affiliant [ə'faiənt] *US* j-d, der e-e beeidete schriftliche Erklärung abgibt; ~davit [æfi'deivit] beeidete schriftliche Erklärung
affilia|te [ə'filieit] (s.) anschließen (*with* an), verbinden, vereinigen; *to be* ~ *ted (with, to)* gehören (zu); ~te [ə'filiit] Zweiggesellschaft; ~tion [-,--'ʃən] Zugehörigkeit, Bindung; Aufnahme
affinity [ə'finiti] Schwägerschaft; *fig* (enge) Verwandtschaft; Zuneigung; Affinität
affirm [ə'fəːm] bestätigen; behaupten; ~ation [æfəː'meiʃən] Bestätigung; Behauptung; ~ative [ə'fəːmətiv] bejahend *(to answer in the* ~*ative)*
affix [ə'fiks] anheften *(to* an); beifügen; ~ ['æfiks] Affix, Vor-, Nachsilbe
afflict [ə'flikt] heimsuchen; ~ed *with* leidend an; ~ion [ə'flikʃən] Leiden
affluen|ce ['æfluəns] Überfluß *(to live in ~ce)*; Reichtum; ~t reich(lich); Nebenfluß
afford [ə'fɔːd] s. leisten (können); gewähren; (Vergnügen) bereiten
afforest [ə'fɔrist] aufforsten; ~ation [-,--'teiʃən] Aufforstung
affray [ə'frei] Krawall, Rauferei
affront [ə'frʌnt] beleidigen, kränken; Beleidigung, Affront *(to offer an* ~ *to s-b)*
afield [ə'fiːld] auf dem (aufs) Feld; weg ♦ *far* ~ weit hinaus, weit weg
afire [ə'faiə] in Flammen *(to set* ~ *)*
aflame [ə'fleim] in Flammen; leuchtend (*with* vor)
afloat [ə'flout] flott, zu Wasser; wasserbedeckt; *to keep* ~ über Wasser halten
afoot [ə'fut] zu Fuß; im Gange, in Vorbereitung
afore [ə'fɔː] zuvor, oben *(~-said)*
a fortiori ['eifɔːti'ɔːrai] erst recht
afoul [ə'faul] durcheinander ♦ *to run* ~ *of* in Konflikt geraten mit
afraid [ə'freid] ängstlich *(of* vor); *to be* ~ (s.) fürchten, Angst haben; *I'm* ~ leider
afresh [ə'freʃ] von neuem, wieder
aft [ɑːft] (nach) achtern
after ['ɑːftə] *prep* nach; hinter; trotz, ~ *all* schließlich, doch; *day* – *day* Tag für Tag ♦ ~ *a fashion* (od *manner*) wenig gut; *adv* später, danach; *conj* nachdem ~~**effect** ['ɑːftərifekt] Nachwirkung; ~**math** ['ɑːftəmæθ] Grummet; Folge(n); ~**noon** ['ɑːftə'nuːn] Nachmittag; ~**s** *BE* Nachtisch; ~**thought** ['ɑːftəθɔːt] nachträglicher Gedanke; ~**wards** ['ɑːftəwədz] nachher, später
again [ə'gein, ə'gen] wieder ♦ *time and* ~ immer wieder, *now and* ~ manchmal, *over* ~

noch einmal; *to be o. s.* ~ wieder d. Alte sein; *as much* ~ noch mal so viel
against [ə'geinst, ə'genst] gegen ♦ *to run up* ~ zufällig treffen; *to save* ~ *a rainy day* für trübe Tage sparen
agape [ə'geip] gaffend
agaric ['ægərik] Blätterpilz; *fly* ~ Fliegenpilz
agate ['ægit] Achat; *US* 🔲 Pariser Schrift (5¼ Punkt)
age [eidʒ] **1.** (Lebens-, Zeit-, hohes) Alter; *(full)* ~ Mündigkeit; *to be* (od *come) of* ~ mündig sein (werden); *Middle Ages* Mittelalter; **2.** *umg* lange Zeit *(waiting for ~ s)*; **3.** *vt/i* altern; **4.** ausreifen (lassen); ~**d** [eidʒd] im Alter von; ~**d** ['eidʒid] bejahrt; ~**less** ['eidʒlis] zeitlos, ewig jung
agen|cy ['eidʒənsi] Agentur, Büro; Wirken, (wirkende) Kraft; Amt; Vermittlung; ~**da** [ə'dʒendə] Tagesordnung; Programm; Notizbuch; ~**t** Vertreter, Agent; (wirkende) Kraft; Agens; Erreger
agglomera|te [ə'glɔmərcit] (sich) zusammenballen, anhäufen; ~**tion** [-,--'reiʃən] Zusammenballung, Anhäufung
aggrandize ['ægrəndaiz] vergrößern; (j-s) Ansehen (Stellung) heben; ~**ment** [ə'grændizmənt] Vergrößerung; Erhöhung; Aufstieg
aggrava|te ['ægrəveit] verschlimmern; *umg* reizen, ärgern; ~**tion** [ægrə'veiʃən] Verschlimmerung; *umg* Ärger
aggrega|te ['ægrigeit] (sich) anhäufen; s. belaufen auf; ~**te** ['ægrigit] gesamt; Aggregat; Zuschlagstoffe; ~**tion** [ægri'geiʃən] Anhäufung
aggress|ion [ə'greʃən] Überfall, Aggression; ~**ive** [ə'gresiv] streitlustig, aggressiv; (intensiv) tätig; ~**or** [ə'gresə] Angreifer
aggrieved [ə'griːvd] gekränkt; betroffen
aggro ['ægrou] *BE* Schlägerei(en)
aghast [ə'gɑːst] bestürzt, entsetzt
agile ['ædʒail] flink, behende; geistig rege; ~**ity** [ə'dʒiliti] Behendigkeit
agita|te ['ædʒiteit] er-, aufregen; erörtern; ~**te** *for* agitieren für; ~**tion** [-,--'ʃən] Agitation; Auf-, Erregung; ~**tor** Aufwiegler, Agitator; Rührgerät
aglow [ə'glou] glühend; erregt
agnail ['ægneil] Niednagel
ago [ə'gou] *prep* vor *(an hour* ~ , *long ~)*
agog [ə'gɔg] gespannt; aufgeregt
agon|ize ['ægənaiz] martern; s. in Qualen winden; ~**izing** qualvoll; ~**y** ['ægəni] höchste Qual; Todeskampf; ~**y column** *umg* Persönliches, Vermischtes (Zeitung)
agoraphobia [ægərə'foubiə] Platzangst
agrarian [ə'grɛəriən] Agrar-
agree [ə'griː] zustimmen *(to* zu), einwilligen *(to* in); s. einigen *(on* auf); ~ *a plan* (e-m Plan) zustimmen; übereinstimmen *(with* mit); s. vertragen; bekommen *(pork doesn't* ~ *with me)*; *to be ~ d* s. einig sein; ~**able** angenehm; einverstanden; gemäß *(to our standard)*; ~**ment** Überein-, Abkommen; Übereinstimmung; *to be in ~ment* übereinstimmen *(with* mit)

agricultu|re ['ægrikʌltʃə] *sg vb* Ackerbau, Landwirtschaft; **~ral** [-‒-‒rəl] landwirtschaftlich; **~rist** [-‒-‒rist] Landwirt(schaftsfachmann)

agronom|ics [ægrə'nɔmiks] *sg vb* = ~y; **~ist** [ə'grɔnəmist] Landwirtschaftswissenschaftler; **~y** [ə'grɔnəmi] Agrarwissenschaft

aground [ə'graund] gestrandet ♦ *to run* (od *go*) ~ stranden, ins Wasser fallen

ague ['eigju:] Wechselfieber

ahead [ə'hed] vorn; ~ *of others* vor anderen, anderen überlegen; *to go* ~ Fortschritte machen; weitermachen; *to look* ~ vorausschauend sein; im voraus

ald [eid] helfen; Hilfe ♦ *what's all this in* ~ *of? BE* was soll das alles?

alde [eid] Gehilfe, Assistent; **~-de-camp** ['eiddəkɑː], *US* **aid-de-camp** ['eiddə'kæmp], *pl* aides- Adjutant

all [eil] kränkeln; schmerzen; *what* ~*s him?* was fehlt ihm?; **~ment** Leiden

alm [eim] zielen (*at* auf); richten, werfen (*at* auf); sich bemühen (*at doing, to do* zu tun); Zielen; Ziel, Zweck; *to take* ~ zielen; **~less** ziellos, planlos

air [ɛə] 1. Luft; *to be in the* ~ umgehen; in der Schwebe sein; *castles in the* ~ Luftschlösser; *by* ~ mit Luftpost; mit dem Flugzeug; *on the* ~ im Radio (*to be on the* ~ senden); 2. Brise; 3. Haltung, Air (*he has an* ~ *of importance*); *to put on* (*give o.s.*) ~*s* wichtig tun; 4. *vt* lüften; 5. bekanntgeben, im Rundfunk bringen; 6. paradieren mit

air|-base [-beis] Flugstützpunkt; Fliegerhorst; **~-bed** Luftmatratze; **~borne** Luftlande-, in der Luft; **~-conditioned** [-kəndiʃənd] mit Klimaanlage, klimatisiert; **~-conditioning** Klimaanlage; **~craft** [-krɑːft] *sg/pl* Flugzeug; **~-force** [-fɔːs] Luftstreitkräfte; **~-gun** [-gʌn] Luftgewehr; **~-gunner** Bordschütze; **~-hostess** [-houstis] Stewardeß; **~iness** ['ɛərinis] Luftigkeit; Heiterkeit; **~ing** Lüften, Trocknen (*to give an* ~*ing to*) ♦ *to take* (od *go for*) *an* ~*ing* an d. Luft gehen, ausreiten; **~less** ohne Luft, dumpf; **~-lane** [-lein] Flugstrecke; **~-lift** Luftbrücke; -fracht; -transport; **~-line** Luftverkehrslinie, -gesellschaft; **~-liner** Verkehrsflugzeug; **~-mail** Luftpost; **~-minded** [-'maindid] flugbegeistert; **~-passenger** [-pæsindʒə] Fluggast; **~plane** [-plein] *US* Flugzeug; **~-pocket** [-pɔkit] Luftloch; **~-port** [-pɔːt] Flughafen; **~-raid** Luftangriff; **~-raid shelter** Luftschutzraum; **~-screw** [-skru:] *BE* Propeller; **~ship** Luftschiff; **~-stop** Hubschrauberstation; **~-strip** Landestreifen; **~-tight** [-tait] luftdicht; *umg* todsicher; **~-way** Fluglinie, Luftstraße

airy ['ɛəri] luftig; lustig; leicht

aisle [ail] Seitenschiff; (Mittel)Gang; *US* Korridor

ajar [ə'dʒɑː] leicht geöffnet; im Widerstreit (*with the world*)

akimbo [ə'kimbou] in die Seite gestemmt (*with arms* ~)

akin [ə'kin] verwandt (*to* mit)

à la carte [ɑːlɑː'kɑːt] nach der Karte

alacrity [ə'lækriti] Eilfertigkeit, große Bereitwilligkeit; Behendigkeit

alamode ['æləmoud] modern, modisch

alarm [ə'lɑːm] 1. Alarm; *to sound* (od *ring*) *the* ~ Alarm schlagen; 2. Alarmzeichen; 3. Angst, Beunruhigung; 4. *vt* alarmieren; 5. beunruhigen; **~-clock** Wecker; **~ist** Bangemacher

alas [ə'lɑːs] ach!; oh weh!

albatross ['ælbətrɔs] Albatros

albeit [ɔːl'biːit] obgleich, wenn auch

albino [æl'biːnou], *pl* ~s Albino

album ['ælbəm], *pl* ~s Album

albu|men, ~min [æl'bjuːmin, -‒-] Eiweiß

alchemy ['ælkimi] Alchimie

alcohol ['ælkəhɔl] Alkohol; **~ic** [ælkə'hɔlik] alkoholisch; Alkoholiker; **~ism** Alkoholismus; Alkoholvergiftung

alcove ['ælkouv] Alkoven; Laube

alder ['ɔːldə] Erle, Eller

alder|man ['ɔːldəmən], *pl* ~men (langjähriger Wahl-)Stadtrat, Alderman

ale [eil] Ale (engl. bitteres Malzbier)

alert [ə'lɔːt] acht-, wachsam; flink; *on the* ~ auf der Hut; (Flieger-)Alarm; (Alarm-)Bereitschaft; alarmieren; warnen (*to* vor)

alfalfa [æl'fælfə] Luzerne

alfresco [æl'freskou] im Freien (*~ lunch*)

alg|a ['ælgə], *pl* ~ae ['ældʒiː] Alge

algebra ['ældʒibrə] Algebra

alias ['eiliæs] alias; Deckname

alibi ['ælibai], *pl* ~s Alibi; Ausrede; eine Ausrede vorbringen

alien ['eiljən] ausländisch; *fig* fremd; Ausländer(in); **~ate** ['eiljəneit] entfremden (*from* von); veräußern; **~ation** [eiljə'neiʃən] Entfremdung; Veräußerung; Irresein; **~ist** Irrenarzt

alight¹ [ə'lait] brennend; erleuchtet; strahlend

alight² [ə'lait] ~ *ed,* ~ *ed* ab-, aussteigen; landen ♦ *to* ~ *on one's feet* auf die Füße fallen (*a. fig*)

align, *bes US* **aline** [ə'lain] in (e-e) Linie bringen, ausrichten; in Linie stehen; **~ment** Ausrichtung, *in* (*out of*) ~*ment* gut (schlecht) ausgerichtet; 🏛 Flucht(linie); Verbindung; Gruppierung

alike [ə'laik] gleich, ähnlich

aliment ['ælimənt] Nahrung (*a. fig*); **~ary** [æli'mentəri] Nahrungs-; **~ary canal** Nahrungs-, Verdauungskanal, -trakt

alimony ['æliməni] Unterhalt (*bes* für geschiedene Gattin)

alive [ə'laiv] lebend, am Leben; gültig; belebt (*with fish*); *to be* ~ *to* gewärtig sein ♦ *look* ~*!* bißchen lebhaft!

alkali ['ælkəlai], *pl* ~s Alkali, Laugensalz; **~ne** ['ælkəlain] alkalisch; basisch

all¹ [ɔːl] *adj* alle, all, ganz; ~ *day long* den ganzen Tag; *beyond* ~ *doubt* über allen Zweifel (erhaben); *to be* ~ *ears* (*eyes*) ganz Ohr sein (gespannt schauen); *for* ~ *that* trotz allem

all² (*pron*) ~ (*of us*) (wir) alle; alles; *after* ~ schließlich; *in* ~ insgesamt; ~ *in* ~ alles in allem; ~ *told* alles zusammen; *once (and) for* ~ ein für allemal; *at* ~ überhaupt; *not at* ~ (als Antwort) bitte sehr

all³ *adv* ganz, gänzlich; ~ **in** völlig hin, kaputt; ♦ ~ *over* überall in; (ganz) zu Ende; ganz bedeckt mit; ~ *there* gewitzt, auf Draht; ~ *at once* plötzlich; gleichzeitig; ~ *but* fast; ~ *right* recht, in Ordnung, durchaus; weiß Gott; gut!, schön!

allay [ə'lei] lindern; beschwichtigen

alleg|ation [æli'geiʃən] (unwiesene) Behauptung; ~**e** [ə'ledʒ] anführen, behaupten; ~**ed** [ə'ledʒd], ~**edly** [ə'ledʒidli] angeblich

allegiance [ə'liːdʒəns] Treue(verhältnis); Anhänglichkeit

allerg|ic [ə'ləːdʒik] allergisch; *umg* voll Antipathie (*to* gegen); ~**y** ['ælədʒi] Allergie; *umg* Abneigung (*to* gegen)

allevia|te [ə'liːvieit] erleichtern, lindern; ~**tion** [əˌliːvi'eiʃən] Erleichterung, Linderung, Milderung

alley ['æli] Gasse (*blind* ~ Sackgasse); Kegelbahn; Garten-, Parkweg

alliance [ə'laiəns] Verbindung; Verwandtschaft; *in* ~ verbündet (*with* mit)

allied ['ælaid] verwandt; aliiert

alligator ['æligeitə] Alligator; Kaiman; ~ *pear* Advokaten-, Avocatobirne

all-in ['ɔːlin] Freistil-; *BE* pauschal

alliteration [əˌlitə'reiʃən] Stabreim

all-metal ['ɔːlmetl] Ganzmetall-

alloca|te ['æləkeit] zuweisen; ~**tion** [æləˈkeiʃən] Zuweisung

allopath|ist [ə'lɔpəθist] Allopath; ~**y** [ə'lɔpəθi] Allopathie, Schulmedizin

allot [ə'lɔt] zuteilen, zuweisen; ~**ment** Zuteilen; Anteil; Los, Schicksal; ~**ment (garden)** *BE* Schrebergarten; ~**ment holder** *BE* Schrebergärtner

all-out ['ɔːl'aut] umfassend, großen Stils ♦ *to go* ~ alles einsetzen

allow [ə'lau] gestatten, erlauben; anerkennen; bewilligen; ~ *for* berücksichtigen, in Betracht ziehen; ~ *ance* (finanz.) Beihilfe, Zuschuß (*family ~ance*); (student.) Wechsel; Ration; Abzug; Erlaubnis; *to make ~ance for* berücksichtigen, in Betracht ziehen

alloy [ə'lɔi] Legierung; legieren; (ver-)mischen; beeinträchtigen

all-purpose ['ɔːl'pəːpəs] Mehrzweck-, Universal-

all-round ['ɔːl'raund] (sehr) vielseitig; Allround-; Gesamt-(Preis)

allspice ['ɔːlspais] Nelkenpfeffer, Piment

allude [ə'luːd] anspielen (*to* auf)

all-up weight [ɔːl'ʌpweit] Gesamtfluggewicht

allure [ə'ljuə] verlocken, reizen; Reiz; ~**ment** Verlockung, Reiz

allusion [ə'luːʒən] Anspielung (*to make an* ~ *to*)

alluvial [ə'luːviəl] angeschwemmt, Schwemm-

ally [ə'lai] (durch Heirat, Bündnis) verbinden, vereinigen (*to* mit); ~ ['ælai] Verbündeter, Aliierter; Helfer

almanac ['ɔːlmənæk] Almanach, Jahrbuch

almighty [ɔːl'maiti] allmächtig; *adv* riesig

almond ['aːmənd] Mandel

almoner ['aːmnə] *BE* Fürsorger(in), Sozialarbeiter(in) (für Krankenhauspatienten)

almost ['ɔːlmoust] fast, beinah

alms [aːmz] *sg/pl* Almosen; ~**-house** ['aːmzhaus], *pl* ~**-houses** [-ˈhauziz] *BE* (privates) Armenhaus, Altersheim

aloft [ə'lɔft] hoch, oben; nach oben

alone [ə'loun] allein ♦ *to let* (od *leave*) ~ in Ruhe lassen; *let* ~ geschweige denn

along [ə'lɔŋ] weiter, vorwärts; *all* ~ die ganze Zeit; ~ *with* zusammen mit ♦ *to get* ~ *with* vorankommen mit; auskommen mit; *prep* entlang, längs; ~ *here* in dieser Richtung; ~**side** [ə'lɔŋ'said] längsseits (neben)

aloof [ə'luːf] fern; *to keep* (od *stand, hold o.s.*) ~ *from* s. fernhalten von

aloud [ə'laud] *adv* laut

alpaca [æl'pækə] Alpaka(wolle); (Art) Mohair

alpenstock ['ælpənstɔk] Bergstock

alpha ['ælfə] Alpha; ~**bet** ['ælfəbet] Alphabet; ~**betical** [ælfə'betikl] alphabetisch

alp|ine ['ælpain] Alpen-, alpin; ~**inist** ['ælpinist] Alpinist

Alps [ælps] Alpen

already [ɔːl'redi] schon, bereits

also ['ɔːlsou] auch, ferner; außerdem

altar ['ɔːltə] Altar

alter ['ɔːltə] (sich) (ver)ändern; ~**ation** [ɔːltə'reiʃən] (Ver-)Änderung (*to* an)

alterca|te ['ɔːltəkeit] zanken, streiten; ~**tion** [ɔːltəkeiʃən] Streit, Zank

alterna|te [ɔːl'təːnit] abwechselnd (*on ~te days* e-n Tag um d. andern); Ersatzmann; ~**te** [-neit] *vt/i* abwechseln (lassen); ~**ting current** Wechselstrom; ~**tion** [--'neiʃən] Abwechslung, Wechsel; ~**tive** [-nətiv] abwechselnd, Alternativ-; Alternative, Wahl; *the* ~*tive* die andere Möglichkeit (*to* gegenüber); Ersatzwerk, -lösung; ~**tor** [--neitə] Wechselstrommaschine

although [ɔːl'ðou] obgleich

alti|meter [æl'timitə] Höhenmesser; ~**tude** ['æltitjuːd] Höhe (bes. über Meeresspiegel)

alto ['æltou], *pl* ~**s** Alt(stimme)

altogether [ɔːltə'geðə] gänzlich, ganz und gar; alles in allem

altruism ['æltruizm] Altruismus, Uneigennützigkeit

alum ['æləm] Alaun; ~**ina** [æ'ljuːminə] Tonerde

aluminium [ælju'minjəm], *US* **aluminum** [ə'luːminəm] Aluminium

alum|na [ə'lʌmnə], *pl* ~**nae** [-niː] *US* ehemalige Schülerin (Studentin); ~**nus** [ə'lʌmnəs], *pl* ~ni [-nai] *US* ehemaliger Schüler (Student)

always ['ɔːlweiz] immer, stets

am [æm, əm] bin, *siehe* be

amalgam [ə'mælgəm] Amalgam; ~**ate** [--meit] amalgamieren; (sich) verschmelzen; ~**ation** [əˌmælgə'meiʃən] Amalgamierung; Verschmelzung; Fusion

amass [ə'mæs] ansammeln, anhäufen

amateur ['æmətə:, -tjuə] Amateur; Dilettant; ~ish [æmə'tɑ:riʃ, æmə'tjuəriʃ] dilettantisch
amaz|e [ə'meiz] in Staunen versetzen, erstaunen; ~ement [--ʹmənt] Erstaunen; ~ing [--ʹiŋ] erstaunlich
ambassador [æm'bæsədə] Botschafter
amber ['æmbə] Bernstein; Gelb
ambience ['æmbiəns] Atmosphäre, Flair, Ambiente
ambigu|ous [æm'bigjuəs] nicht eindeutig, unklar; ~ity [æmbi'gjuiti] mangelnde Eindeutigkeit
ambit ['æmbit] Bereich; Umfang
ambi|tion [æm'biʃən] Ehrgeiz; ~tious [æm'biʃəs] ehrgeizig; anspruchsvoll
ambivalent [æm'bivələnt] doppelwertig, zwiespältig
amble [æmbl] Paß(gang); im Paß gehen
ambula|nce ['æmbjuləns] Krankenwagen; ~nce station Unfallstation; ~tory [--leitəri] Wander-; ambulant
ambuscade [æmbəs'keid] Hinterhalt
ambush ['æmbuʃ] Hinterhalt (to lie in ~ for); im Hinterhalt liegen; aus dem Hinterhalt überfallen
ameliorate [ə'mi:liəreit] besser machen (werden)
amen ['ei'men, 'ɑ:'men] Amen
amenable [ə'mi:nəbl] unterworfen (to law); willig, zugänglich (to reason)
amend [ə'mend] (ver)bessern; berichtigen; abändern; ~ment (Ver-)Besserung; Berichtigung; Abänderung(santrag); ~s: to make ~s for wiedergutmachen
amenit|y [ə'mi:niti] Annehmlichkeit; ~ies moderne Einrichtungen, Komfort
amethyst ['æmiθist] Amethyst
amiable ['eimiəbl] liebenswürdig, freundlich
amicable ['æmikəbl] freundschaftlich, gütlich
amid(st) [ə'mid(st)] inmitten
amiss [ə'mis] verkehrt ♦ to come ~ ungelegen kommen; to take ~ übelnehmen
amity ['æmiti] Freundschaft; gutes Einvernehmen
ammonia [ə'mounjə] Ammoniak; ~c [ə'mouniæk] Ammoniak-; sal ~c [sæl] Salmiak; (gum) ~c Ammoniakharz, -gummi
ammunition [æmju'niʃən] Munition
amnesty ['æmnisti] Amnestie; amnestieren
amoe|ba [ə'mi:bə], pl ~bae [--bi:], ~bas Wechseltier, Amöbe
amok [ə'mɔk] siehe amuck
among(st) [əmʌŋ(st)] in (~ hills); unter ♦ to be ~ gehören zu; mit(einander); zusammen (they had 82 cents ~ them)
amorous ['æmərəs] verliebt (of in); Liebes-
amorphous [ə'mɔ:fəs] gestaltlos, amorph
amortize [ə'mɔ:taiz, US 'æmətaiz] (Schuld) tilgen
amount [ə'maunt] s. belaufen (to auf); hinauslaufen (to auf); Betrag; Menge
amour [ə'muə] Affäre, Liebschaft
ampere ['æmpɛə] Ampere
ampersand [æmpə'sænd, ---] et-Zeichen (&)

amphib|ian [æm'fibiən] Amphibie; Wasser-Land-Flugzeug; ~ious amphibisch; Amphibien-
amphitheatre ['æmfiθiətə] Amphitheater; Schauplatz; Hörsaal
ample [æmpl] groß; reichlich, ausreichend
ampli|fication [æmplifi'keiʃən] Erweiterung; ausführliche Schilderung; Verstärkung; ~fier ['æmplifaiə] ⟷ Verstärker; ~fy ['æmplifai] erweitern; ausführlich darstellen; verstärken
amplitude ['æmplitju:d] Weite; Fülle; Amplitude
ampoule ['æmpu:l] Ampulle
amput|ate ['æmpjuteit] amputieren; ~ee [æmpju'ti:] Amputierter
amuck [ə'mʌk]: to run ~ Amok laufen; toben
amulet ['æmjulit] Amulett
amus|e [ə'mju:z] belustigen, unterhalten; ~ o.s. sich vergnügen; ~ement [--ʹmənt] Vergnügen, Unterhaltung; ~ing [--ʹiŋ] vergnüglich, erheiternd
an [æn, ən] ein (siehe a)
anachronism [ə'nækrənizm] Anachronismus
anaconda [ænə'kɔndə], pl ~s Anakonda
anaem|ia [ə'ni:miə] Blutarmut; ~ic [ə'ni:mik] blutarm
anaesthe|sia [ænis'θi:ziə] Anästhesie; ~tic [ænis'θetik] betäubend; Narkotikum; ~tist [ə'ni:sθitist] Narkosearzt; ~tize [ə'ni:sθitaiz] anästhesieren, betäuben
anagram ['ænəgræm] Anagramm
analo|gous [ə'næləgəs] analog, entsprechend; ~gy [ə'nælədʒi] Analogie, Ähnlichkeit
analy|se, US ~ze ['ænəlaiz] analysieren, genau untersuchen; ~sis [ə'nælisis], pl ~ses [--si:z] Analyse, Untersuchung; ~st ['ænəlist] chem Analytiker; ~tic(al) [ænə'litik(l)] analytisch
anarch|ic(al) [ə'nɑ:kik(l)] gesetzlos; ~ism ['ænəkizm] Anarchismus; ~ist Anarchist; ~y ['ænəki] Anarchie, Gesetzlosigkeit; Chaos
anathema [ə'næθimə] (Kirchen-)Bann
anatomy [ə'nætəmi] Anatomie
ances|tral [æn'sestrəl] Ahnen-; angestammt; ~or ['ænsistə] Vorfahre, Ahne; ~ry ['ænsistri] Vorfahren, Ahnen
anchor ['æŋkə] Anker (to weigh ~ A. lichten; to come to ~ vor A. gehen; to ride (od lie) at ~ vor A. liegen); vt/i (ver-)ankern; ~age ['æŋkəridʒ] Ankerplatz
anchovy [ʹæntʃəvi] An(s)chovis, (eingelegte) Sardelle; ~-paste A.paste
ancient ['einʃənt] (sehr) alt; antik; the ~s die Alten; die antiken Klassiker
ancillary ['ænsiləri, ----] Hilfs- (Wissenschaft); untergeordnet (to); Helfer
and [ænd, ənd] und
anecdote ['ænikdout] Anekdote
anemone [ə'nəməni], pl ~s Anemone
anew [ə'nju:] von neuem; neu, anders
angel ['eindʒəl] Engel; ~ic [æn'dʒelik] Engels-; engelhaft
anger ['æŋgə] Zorn, Wut; erzürnen, aufbringen
angina [æn'dʒainə] Angina pectoris

angle ['æŋgl] Winkel; Ecke; Stand-, Gesichtspunkt; angeln *(for* nach); streben *(for* nach); **~r** ['æŋglə] Angler, **~worm** [-wə:m] Regenwurm

Anglican ['æŋglikən] anglikanisch; Anglikaner

Anglicize ['æŋglisaiz] anglisieren

Anglo- ['æŋglou] Anglo-, englisch; **~Saxon** [--'sæksən] Angelsachse; angelsächsisch

angry ['æŋgri] zornig, böse; (Wunde) entzündet

anguish ['æŋgwiʃ] Pein, Qual; *to be in* ~ Qualen ausstehen (leiden)

angular ['æŋgjulə] eckig, kantig; (Person) knochig; steif

animal ['æniməl] Tier, tierisches Lebewesen; Vierfüßler; animalischer Kerl; ~ *kingdom* ['kiŋdəm] Tierreich; ~ *spirits* gute Laune, Hochstimmung; **~cule** [æni'mælkju:l] mikroskop. Lebewesen; **~ism** Triebhaftigkeit

anima|te ['ænimeit] beleben, Leben bringen in; **~ted** ['ænimeitid] lebhaft; beseelt *(by, with* von); **~ted cartoon** (Zeichen-)Trickfilm; **~tion** [æni'meiʃən] Belebtsein; Beseelung; Trickzeichnung; **~tor** ['ænimeitə] Trickfilmzeichner

anim|osity [æni'mɔsiti] Haß, Feindseligkeit; **~us** ['æniməs] Haßgefühl; Lebensgeist

anise ['ænis] Anis

ankle ['æŋkl] (Fuß)Knöchel

annals ['ænəlz] Annalen, Jahrbücher

anneal [ə'ni:l] ausglühen; härten

annex [ə'neks] beifügen; annektieren; ~, *BE a.* **~e** ['æneks] Nebengebäude, Dependance; Nachtrag; **~ation** [ænek'seiʃən] Annexion, Einverleibung

annihilate [ə'naiəleit] vernichten

anniversary [æni'vɔːsəri] Jahrestag, -feier; *wedding~* Hochzeitstag; ~ *dinner* Festessen

annotate ['ænəteit] mit Anmerkungen versehen; kommentieren *(on)*

announce [ə'nauns] ankündigen; **~ment** Ankündigung; **~r** [ə'naunsə] (Rundfunk-)Ansager, Sprecher

annoy [ə'nɔi] verdrießen, ärgern; plagen; **~ance** Verdruß, Ärger; **~ing** ärgerlich

annual ['ænjuəl] jährlich; einjährig; einjährige Pflanze; Jahrbuch

annuity [ə'njuiti] Jahresrente, -zahlg.

annul [ə'nʌl] aufheben, abschaffen; **~ment** Aufhebung, Abschaffung

annular ['ænjulə] ringförmig

anode ['ænoud] Anode

anodyne ['ænoudain] lindernd; schmerzstillendes Mittel

anoint [ə'nɔint] (ein)salben; **~ment** Salbung

anomal|ous [ə'nɔmələs] abweichend, anomal; **~ous finite** ['fainait] Hilfsverb; ~ **y** [ə'nɔməli] Anomalie, Unregelmäßigkeit

anonym|ous [ə'nɔniməs] anonym; **~ity** [ænə'nimiti] Anonymität

anorak ['ænəræk] Anorak

another [ə'nʌðə] ein anderer; noch ein; ein zweiter *(~ Mozart); one* ~ einander

answer ['ɑːnsə] **1.** Antwort *(in* ~ *to* in Beantwortung); **2.** Lösung; **3.** *vt/i* (be)antworten; ~

back frech werden; ~ *the door* (od *bell)* aufmachen, wenn's klingelt; **4.** entsprechen *(a purpose)*; ~ *for* einstehen für; s. verantworten für; ~ *to* ansprechen auf *(a remedy)*; ~ *to a description* auf e-e Beschreibung passen; **~able** ['ɑːnsərəbl] *to s-b for s-th* j-m verantwortlich für; angemessen

ant [ænt] Ameise; **~hill** Ameisenhaufen

antagon|ism [æn'tægənizm] Widerstreit; Gegnerschaft; **~ist** Widersacher; **~istic** [æn,tægə'nistik] widerstreitend; feindlich; **~ize** [æn'tægənaiz] zum Gegner machen; be-

antarctic [ænt'ɑːktik] antarktisch [kämpfen

antecede [ænti'siːd] voraus-, voraufgehen; **~nt** [--dənt] vorhergehend; Beziehungswort

antedate ['ænti'deit] zurückdatieren; voraufgehen

antidiluvian [æntidi'luːviən] vorsintflutlich

antelope ['æntiloup] Antilope

anten|na [æn'tənə], *pl* **~nae** [--ni:] *zool* Fühler; *pl a.* **~nas** Antenne

anteroom ['æntiru(ː)m] Vorzimmer

anthem ['ænθəm] Hymne *(national ~)*

anthology [æn'θɔlədʒi] Gedichtsammlung; Anthologie

anthrax ['ænθræks] Milzbrand; Karbunkel

anthropo|id ['ænθrəpɔid] menschenähnlich(-er Affe); **~logy** [ænθrə'pɔlədʒi] Menschenkunde, Anthropologie

anti ['æntai, -ti] Gegner (v. etw)

anti-aircraft ['ænti'ɛəkrɑːft] Flak-

antibiotic [æntibai'ɔtik] Antibiotikum

antibody ['æntibɔdi] Antikörper

anticipa|te [æn'tisipeit] erwarten; vorweg verwenden; vorwegnehmen; zuvorkommen; vorausahnen, voraussehen; **~tion** [æn,tisi'peiʃən] Vorwegnahme; Erwartung; Vorgefühl, -freude; Zuvorkommen; *in ~ tion* im voraus

anticlimax ['ænti'klaimæks] Abfall(en)

antics ['æntiks] Possen, Mätzchen

anticyclone ['ænti'saikloun] Hoch, Hochdruckgebiet, Antizyklone

antidote ['æntidout] Gegenmittel

antifreeze ['æntifriːz] Frostschutzmittel

antigen ['æntidʒin] Antigen

antiknock ['ænti'nɔk] (Benzin:) klopffest

antimony ['æntiməni] Antimon

antinomy [æn'tinəmi] Widerspruch

antipath|etic [æntipə'θetik] voll Antipathie (tiefer Abneigung) *(to* gegen); zuwider; unvereinbar *(to* mit); **~y** [æn'tipəθi] Antipathie, Abneigung *(to* gegen)

antipode ['æntipoud] d. genaue Gegenteil; **~s** [æn'tipədiːz] Gebiet der Antipoden

antipollution [æntipə'luːʃn] umweltfreundlich

antipyretic [æntip(a)i'retik] Fiebermittel

antiqua|rian [ænti'kwɛəriən] altertümlich; **~ry** [--kwəri] Altertumsforscher; Antiquitätensammler; -händler; **~ted** [--kweitid] veraltet; altmodisch

antique [æn'tiːk] antik, alt(modisch); antiker Kunstgegenstand; **the A** ~ Antike

antiquity [æn'tikwiti] Altertum, *bes* Antike; (hohes) Alter; *pl* Altertümer

antirrhinum [ænti'rainəm], *pl* ~s *bot* Löwenmaul
antiseptic [ænti'septik] antiseptisch(es Mittel)
antisocial ['ænti'souʃəl] gesellschaftsfeindlich,
asozial
antitank ['ænti'tæŋk] Panzerabwehr-
antitrust ['ænti'trʌst] konzernfeindlich
antitoxin ['ænti'tɔksin] Gegengift
antonym ['æntənim] Antonym, Wort entgegen-
gesetzter Bedeutung
anvil ['ænvil] Amboß
anxiety [æŋ'zaiəti] Sorge, Besorgnis; ~ *for*
Streben nach
anxious ['æŋkʃəs] sorgenvoll, bang; besorgt
(for one's safety); eifrig bestrebt
any ['eni] (irgend)ein; (irgend)welcher; jeder
(beliebige, denkbare); *at* ~ *rate, in* ~ *case* auf
jeden Fall; *adv* irgend(wie)
any|body ['enibɔdi] (irgend) jemand, einer; je-
der; etwas Besonderes *(he'll never be* ~ *body)*;
~how irgendwie; jedenfalls, immerhin; unordentlich; ~one = anybody; ~thing etwas; alles; ~ *thing but* alles andere als; ~way = anyhow; ~where irgendwo(hin); überall(hin); irgendein Platz (Ort)
aorta [ei'ɔːtə], *pl* ~s Aorta
apace [ə'peis] schnell, rasch; *siehe* ill
apart [ə'pɑːt] abseits; für sich; auseinander ♦
to set ~ beiseite tun; *to know* ~ auseinanderhalten können; *joking* ~ Spaß beiseite
apartheid [ə'pɑːtheit] Rassentrennung(spoli-
tik)
apartment *US* (Miet-)Wohnung; *BE pl* mö-
blierte Zimmer; ~ house *US* Miethaus
apath|y ['æpəθi] Apathie, Teilnahmslosigkeit;
~etic [æpə'θetik] apathisch, teilnahmslos
ape [eip] *(bes* Menschen-)Affe; nachäffen
aperient [ə'piəriənt] Abführmittel
aperitif [ə'peritiːf] Aperitif
aperture ['æpətʃə] ⅢⅢ (Blenden-)Öffnung
apex ['eipeks], *pl* ~es Spitze, Gipfel [laus
aphis ['eifis, 'æfis], *pl* aphides ['æfidiːz] Blatt-
aphorism ['æfərizm] Ausspruch, Aphorismus
apiary ['eipiəri] Bienenhaus
apiece [ə'piːs] je (Stück)
apolog|etic [əpɔlə'dʒetik] entschuldigend,
rechtfertigend; ~ize [ə'pɔlədʒaiz] sich entschuldigen *(to* bei, *for* wegen); ~y [ə'pɔlədʒi]
Verteidigung(srede, -sschrift); Entschuldi-
gung *(to make an* ~y)
apophthegm, *US* apothegm ['æpouθem]
Kernspruch, Aphorismus
apople|ctic [æpə'plektik] fit *(od* stroke)
Schlaganfall *(a.* ~xy ['æpəpleksi])
aposta|sy [ə'pɔstəsi] Abtrünnigkeit; Abfall;
~te [ə'pɔstit] Abtrünniger
a posteriori ['eipɔsteri'ɔːrai] *adj* nachträglich,
aposteriorisch, induktiv
apost|le [ə'pɔsl] Apostel; ~olic [æpɔs'tɔlik]
apostolisch; päpstlich
apostrophe [ə'pɔstrəfi], *pl* ~s Apostroph
apothecary [ə'pɔθikəri] Apotheker
appal, *US* -ll [ə'pɔːl] entsetzen, erschrecken;
~ling entsetzlich

apparatus [æpə'reitəs], *pl* ~es, ~ Vorrichtung,
Apparat; Gerät
apparel [ə'pærəl] Gewand(ung); kleiden
apparent [ə'pærənt] offensichtlich, klar *(to*
für); scheinbar
apparition [æpə'riʃən] Erscheinung, Gespenst
appeal [ə'piːl] 1. appellieren *(to* an); dringend
bitten *(to s-b for s-th* j-n um); 2. Eindruck machen auf, ansprechen *(the picture* ~*s to him)*; 3.
Berufung einlegen; 4. Anruf; Bitte; Berufung
(from gegen); *to make an* ~ *to* s. wenden an,
zu Hilfe nehmen; 5. Anziehungskraft
appear [ə'piə] in Sicht kommen, erscheinen;
scheinen *(it* ~*s to me* mir scheint); auftreten;
~ance [ə'piərəns] Erscheinung; *to put in* (od
make) *an* ~*ance* s. zeigen; Aussehen *(of* daß) ♦
to judge by ~*ance(s)* nach dem A. urteilen; *to
keep up (save)* ~*ances* den Schein wahren; Auftreten
appease [ə'piːz] besänftigen; befriedigen;
(Gegner) durch Nachgeben befriedigen;
~ment Besänftigung, Befriedigung; Appease-
ment *(of* gegenüber)
appell|ant [ə'pələnt] appellierend; Berufungs-
kläger; ~ate [ə'pelit] Berufungs-; ~ation
[æpe'leiʃən] Name, Benennung
append [ə'pend] an-, beifügen; ~age Anhang,
Anhängsel; ~icitis [ə,pendi'saitis] Blinddarm-
entzündung; ~ix [ə'pendiks], *pl* ~ixes Anhang; *pl* ~ices [--disiːz] Blinddarm(-Wurm-
fortsatz) [(to s-b)-m)
appertain [æpə'tein] (da)zugehören, zustehen
appetite ['æpətait] Appetit; ~zing ['æpətaiziŋ]
appetitanregend
applau|d [ə'plɔːd] beklatschen, Beifall spen-
den; loben; ~se [ə'plɔːz] Beifall
apple ['æpl] Apfel; ~ *of* discord ['diskɔːd]
Zankapfel; ~ pie [pai] Apfelkuchen, *in* ~*-pie*
order in schönster Ordnung; ~ sauce [sɔːs] Ap-
felkompott; *bes US sl* Schmus, Unsinn
appliance [ə'plaiəns] Gerät, Vorrichtung
applica|ble ['æplikəbl] anwendbar; ~nt Bewer-
ber; ~tion [æplikei'ʃən] Bitten; Gesuch, Bewer-
bung; *on* ~*tion* auf Ansuchen; Anwendung;
Fleiß, Hingabe *(to* an)
applied [ə'plaid] *adj* angewandt
applique [æ'pliːkei, *US* ---] Applikation
apply [ə'plai] anwenden, verwenden *(for)*; ~
to s. wenden an; ~ *for* s. bewerben um; gelten
(to für); ~ *o. o.* s. *to* s. ganz widmen; (Druck)
ausüben; (Bremse) betätigen; (Farbe) auftragen
appoint [ə'point] ernennen, bestimmen, festsetzen; ausstatten; ~ment 1. Verabredung; *to
make an* ~*ment with* s. anmelden bei; *to keep
an* ~*ment* e-e Verabredung, Termin einhalten;
2. Ernennung; 3. Stellung, Posten; 4. *pl* Einrichtung
apportion [ə'pɔːʃən] (gerecht) verteilen
apposi|te ['æpəzit] angemessen, passend;
~tion [æpə'ziʃən] Apposition, Beifügung
apprais|e [ə'preiz] ein-, abschätzen; bewerten,
beurteilen; ~al, ~ement Abschätzung; Bewer-
tung

appreci|able [ə'priːʃəbl] merklich; recht groß;
~ate [ə'priːʃieit] (ab)schätzen, richtig einschätzen, (zu) würdigen (wissen); dankbar sein für;
im Wert steigen; **~ation** [ə‚priːʃi'eiʃən] Wertschätzung, Schätzung, Würdigung; Preiserhö-
hung; Wertsteigerung; **~ative** [ə'priːʃiətiv] verständnisvoll (of für)
apprehen|d [æpri'hend] ergreifen; begreifen;
befürchten; **~sion** [æpri'henʃən] Besorgnis;
Auffassung(sgabe); Ergreifen; **~sive** [æpri'-
hensiv] leicht begreifend; scharfsinnig; besorgt (of wegen)
apprentice [ə'prentis] Lehrling; to bind ~ to
= to ~ in die Lehre geben (to zu); **~ship**
Lehr(lings)zeit; Lehrstelle
apprise [ə'praiz] unterrichten (of von)
appro ['æprou] BE: on ~ zur Ansicht
approach [ə'proutʃ] 1. näherkommen, s. nähern; 2. s. wenden an; 3. herangehen an; 4.
Nahen; easy (difficult) of ~ leicht (schwer) zu
erreichen (sprechen); 5. Zufahrt; 6. Einstellung (to zu), Herangehen (to an), Methode
approba|te ['æprəbeit] US offiziell genehmi-
gen; **~tion** [æprə'beiʃən] Genehmigung, Billigung
appropria|te [ə'proupriit] passend, angemes-
sen; **~te** [ə'proupriiet] vt sich aneignen; parl
bewilligen; **~tion** [ə‚proupri'eiʃən] Aneignung,
Verwendung; Bewilligung
approv|al [ə'pruːvəl] Billigung; in ~al zu-
stimmend; on ~al zur Ansicht, Probe; **~e**
[ə'pruːv] zustimmen, genehmigen; ~e of (urtei-
lend) billigen; **~ed** [‑‑vd] bewährt; **~ed**
~ed school BE Fürsorgeanstalt
approxima|te [ə'prɔksimit] ungefähr, annä-
hernd; **~te** [‑‑‑meit] vt/i nahekommen; **~tion**
[‑‚‑‑‑'meiʃən] Annäherung; **~tive** [‑‚‑‑‑mətiv]
annähernd
appurtenance [ə'pəːtinəns] Anhängsel; zuge-
höriger Teil; pl Zubehör
apricot ['eiprikɔt, US 'æprəkɔt] Aprikose;
Aprikosenbaum, -farbe
April ['eipril] April; ~ **Fools' Day** 1. April
a priori ['eiprai'ɔːri] adj deduktiv
apron ['eiprən] Schürze, Schurz; ✪ Vorbühne;
✈ Hallenvorfeld
apropos [æprə'pou, ‑‑‑] angebracht, passend; übrigens; ~ of bezüglich
apse [æps] Apsis, Apside
apt [æpt] passend, treffend; begabt (at in); ~
to do (come, break etc) leicht, wahrscheinlich,
möglicherweise tun (kommen etc); **~itude**
['æptitjuːd] Geschick, Befähigung; Begabung,
Eignung
aqualung ['ækwəlʌŋ] Tauchergerät
aqua|marine [ækwəmə'riːn] Aquamarin; **~naut**
['ækwənɔt] Unterwasserforscher; **~plane** ['æk-
wəplein] wellenreiten; Gleitbrett; **~rium**
[ə'kwɛəriəm], pl **~riums** Aquarium; **~rius**
[ə'kwɛəriəs] astr Wassermann; **~tic** [ə'kwætik,
US ə'kwɔtik] Wasser-; Wasserpflanze, -tier;
~tics pl vb = ~ tic sports Wassersport
aqueduct ['ækwidʌkt] Aquädukt
aquiline ['ækwilain] Adler- (~ nose)

Arab ['ærəb] Araber(hengst); street ~ Straßenjunge; arabisch; **~ia** [ə'reibjə] Arabien; **~ian**
[ə'reibjən] arabisch; Araber
arabic ['ærəbik] arabisch (~ numerals); **gum ~**
Klebgummi
arable ['ærəbl] Acker- (~ land)
arachnid [ə'ræknid] Spinnentier
arbiter ['aːbitə] Schiedsrichter
arbitra|ry ['aːbitrəri] willkürlich; eigenmächtig;
~te ['aːbitreit] schiedsrichterlich entscheiden,
schlichten; **~tion** [aːbi'treiʃən] Entscheidung;
Schiedsspruch; **~tor** ['aːbitreitə] Schiedsrichter
arbor ['aːbə] Welle; (Aufsteck-)Dorn
arbour ['aːbə] Laube; schattiger Platz
arc [aːk] (Kreis-)Bogen; Lichtbogen
arcade [aː'keid] Arkade(n), Laubengang
arcane [aː'kein] geheim(nisvoll)
arch¹ [aːtʃ] (Trag-)Bogen; (Fuß-)Gewölbe; Bogengang; e-n Bogen bauen über; (s.) wölben
arch² [aːtʃ] schelmisch; Erz-(Gauner)
archaeology [aːki'ɔlədʒi] Archäologie
archa|ic [aː'keiik] altertümlich; veraltet; ar-
chaisch; **~ism** ['aːkeiizm] veralteter Ausdruck,
Archaismus
arch|angel [aː'keindʒəl] Erzengel; **~bishop**
[aːtʃ'biʃəp] Erzbischof; **~bishopric** ['aːtʃ'biʃə-
prik] Erzbistum; **~duke** ['aːtʃ'djuːk] Erzherzog;
~duchess ['aːtʃ'dʌtʃis] Erzherzogin
archer ['aːtʃ] Bogenschütze; astr Schütze; **~y**
['aːtʃəri] Bogenschießen
archipelago [aːki'peligou], pl **~es**, **~s** Archipel;
Inselmeer
architect ['aːkitekt] Architekt, Baumeister (a.
fig)
architectur|al [aːki'tektʃərəl] architektonisch,
baulich; **~e** ['aːkitektʃə] Architektur, Bau-
kunst, -stil, -werk
archives ['aːkaivz] pl vb Archiv
arch support ['aːtʃsə'pɔːt] (Senkfuß-)Einlage
archway ['aːtʃwei] Bogengang, Torweg
artic ['aːktik] arktisch; Polar-
ardent ['aːdənt] glühend(heiß); eifrig; ~ spirits
Spirituosen
ardour ['aːdə] Hitze, Glut; Eifer, Begeisterung
arduous ['aːdjuəs] steil; schwierig; anstrengend
are [aː] sind (siehe be)
are [aː] Ar (100 qm)
area ['ɛəriə], pl **~s** Fläche(ninhalt); Gebiet, Gegend; Zone (danger ~)
arena [ə'riːnə], pl **~s** Arena, Schauplatz
argu|able ['aːgjuəbl] diskutierbar, bestreitbar;
~e ['aːgjuː] (s.) streiten; bereden (into doing zu
tun, out of doing nicht zu tun); vorbringen, behaupten; argumentieren; ernsthaft sprechen,
diskutieren (about über); folgern (from aus);
erweisen (~es him to be a fool); **~ment** Erörte-
rung(en), Auseinandersetzung(en, Wortwechsel; Argument, **~mentation** [‑‑men'teiʃən] Beweisführung; **~mentative** [‑‑'mentətiv] be-
weiskräftig; debattierfreudig
arid ['ærid] dürr, unfruchtbar; **~ity** [ə'riditi]
Dürre, Unfruchtbarkeit
Aries ['ɛəriːz] astr Widder

aright [ə'rait] recht, richtig

arise [ə'raiz] *(s. S. 318)* s. erheben, entstehen, s. ergeben

aristocra|cy [æris'tɔkrəsi] Aristokratie; ~t ['æristəkræt, *bes US* -–-–-] Aristokrat; ~tic [æristə'krætik] aristokratisch

arithmetic [ə'riθmətik] Rechnen, Arithmetik; ~al [æriθ'metikl] rechnerisch, arithmetisch

ark [ɑ:k] Arche

arm¹ [ɑ:m] Arm (~ -in-~), *to hold (keep) at ~ 's length* sich vom Leibe halten; *child in ~s* kleines Kind; Ärmel; (See-)Arm; Lehne; Ast; Tonarm

arm² [ɑ:m] **1.** Waffe; *small ~s* Handfeuerwaffen; *in ~s* bewaffnet; *up in ~s* in Aufruhr; *to take up ~s* zu den Waffen greifen; **2.** Waffengattung; ~s Wappen; **3.** *vt* bewaffnen *(~ed to the teeth)*; **4.** ausrüsten

armada [ɑ:'mɑ:də] Kriegsflotte

armament ['ɑ:məmənt] Kriegsmacht; Bestükkung (e-s Kriegsschiffes); Rüstung; ~ race Wettrüsten

armature ['ɑ:mətjuə] Waffen, Bewaffnung; Schutzmittel, -schicht (Tier); Anker (e-s Magneten)

arm-chair ['ɑ:m'tʃɛə] Lehnstuhl; *attr* Salon-, Stammtisch-, vom grünen Tisch

arm|ful ['ɑ:mful] Armvoll; ~hole ['ɑ:mhoul] Ärmelloch

armistice ['ɑ:mistis] Waffenstillstand

armour ['ɑ:mə] Panzer, *suit of ~* Rüstung; ~-clad ['ɑ:mə'klæd] gepanzert; ~ed ['ɑ:məd] gepanzert, Panzer-(Angriff, Wagen etc); ~-piercing [-–-'piərsiŋ] panzerbrechend; ~y ['ɑ:məri] (Waffen-)Arsenal; *US* Waffenfabrik

army ['ɑ:mi] Armee, Heer *(a. fig)*

aroma [ə'roumə] Aroma, Duft; ~tic [ærə'mætik] aromatisch, wohlriechend

around [ə'raund] rundherum, rings(-um); *US* = rund; *prep um . . . herum*

arouse [ə'rauz] er-, aufregen; erwecken

arrack ['ærək] Arrak

arraign [ə'rein] vor Gericht stellen; in Zweifel ziehen; ~ment Anklage

arrange [ə'reindʒ] ordnen; arrangieren, (es) einrichten (daß); in die Wege leiten; beilegen; Vorkehrungen treffen; ~ment Anordnung; Arrangement; Abmachung ♦ *to make ~ments* Vorbereitungen treffen

arrant ['ærənt] übel, arg; rein (Unsinn)

array [ə'rei] *o.s.* in s. kleiden, hüllen in; (an)ordnen, aufstellen; Gewand *(in holiday ~)*; (Schlacht-)Reihe, Ordnung; große Anzahl, Aufgebot [stand

arrears [ə'riəz] *pl vb* (Arbeits-, Lohn-)Rück-

arrest [ə'rest] verhaften, *fig* fesseln; aufhalten, hemmen, (Blut) stillen; Verhaftung; *under ~* in Haft

arriv|al [ə'raivəl] Eintreffen; Ankunft; Ankömmling; ~e [ə'raiv] ankommen; eintreten; ~e *at (fig)* zu . . . kommen; es zu etwas bringen

arrogan|ce ['ærəgəns] Anmaßung, Vermessenheit, Arroganz; ~t anmaßend, vermessen, arrogant

arroga|te ['ærəgeit] *(mst* to o. s.) sich anmaßen, für s. beanspruchen; in Anspruch nehmen *(to* für); ~tion [ærə'geiʃən] Anmaßung, Beanspruchung

arrow ['ærou] Pfeil; ~-head Pfeilspitze

arsenal ['ɑ:sinəl] Arsenal

arsenic ['ɑ:snik] Arsen; Arsenik; ~ [ɑ:'senik] arsen(ik)haltig, Arsen(ik)-; ~al [ɑ:'senikl] *adj* = ~

arson ['ɑ:sən] Brandstiftung; ~ist Brandstifter

art¹ [ɑ:t]:*thou* ~ du bist

art² [ɑ:t] Kunst, menschliches Können; Wissenszweig, geisteswissensch. Gebiet; *pl* Geisteswissenschaften *(a.: liberal ~s)*; *Bachelor of Arts, Master of Arts* (etwa:) Studienreferendar, -assessor; Fertigkeit; List; Kunst *(bes* Malerei, Bildhauerei); (Bau-, Kriegs- etc) Kunst; *a work of ~* Kunstwerk; *the fine ~s* d. bildenden (u. musischen) Künste; ~ **academy** [ə'kædəmi] Kunstakademie; ~ **dealer** ['di:lə] Kunsthändler; ~ **history** Kunstgeschichte; ~ **store** *US* Kunsthandlung

artefact ['ɑ:tifækt] *siehe* artifact

arter|ial [ɑ:'tiəriəl] Arterien-; Fernverkehrs-(straße); ~iosclerosis [ɑ:tiəriəskliə'rousis] Arterienverkalkung; ~y ['ɑ:təri] Arterie; ~y *(of traffic)* Verkehrsader

artesian [ɑ:'ti:zjən] **well** artesischer Brunnen

artful ['ɑ:tful] listig, verschlagen

arthritis [ɑ:'θraitis] Gelenkentzündung

artichoke ['ɑ:titʃouk] Artischocke

article ['ɑ:tikl] (Waren-, Zeitungs-)Artikel; Abschnitt; Stück; *gr* (Lehr-)Vertrag

articula|te [ɑ:'tikjulit] artikuliert, deutlich; beredt; ~te [ɑ:'tikjuleit] *vt/i* artikulieren; deutlich (aus)sprechen; ~tion [ɑ:tikju'leiʃən] Artikulation, (deutliche) Aussprache

artifact ['ɑ:tifækt] (prähistor. Stein-, Knochen-)Werkzeug, Nutzgegenstand

artifice ['ɑ:tifis] Geschick; Kunstgriff, Kniff; ~r [-–-–-ə] (künstler.) Handwerker; Mechaniker

artificial [ɑ:ti'fiʃəl] künstlich, Kunst-; gekünstelt; ~ **limb** Prothese; ~ity [ɑ:tifiʃi'æliti] Künstlichkeit

artillery [ɑ:'tiləri] Artillerie

artisan [ɑ:ti'zæn, -–-–-] *(bes* Kunst-)Handwerker

artist ['ɑ:tist] Künstler *(bes* Kunstmaler); ~e [ɑ:'ti:st] Artist, Sänger(in), Tänzer(in); ~ic [ɑ:'tistik] künstlerisch; kunstbegabt, -verständig; ~ry ['ɑ:tistri] künstlerisches Können; künstlerische Wirkung

artless ['ɑ:tlis] kunstlos; unverstellt, schlicht

arty ['ɑ:ti] kunstbeflissen; gesucht

Aryan ['ɛəriən] arisch; Arier

as [æz, əz] **1.** *(adv)* ~ + *adj* + ~ so + adj + wie, ~ *cold* ~ *ice* eiskalt; ~ *long* ~ solange; ~ *well* ~ wie auch, und; ~ *far* ~ bis; soweit; ~ *well* auch; *just* ~ *well* ebensogut; *just* ~ *soon* ebensogern, -gut; ~ *yet* bis jetzt; **2.** *pron* wie; *so* ~ *to do* um zu tun; ~ *to,* ~ *for* was betrifft, in bezug auf; **3.** *conj* da; **4.** als, während; **5.** wie; ~ *a rule* in d. Regel; ~ *it is* wie

d. Dinge liegen; ~ *it were* sozusagen; ~ *if*, ~ *though* als ob; **6.** wie *(rich ~ he is; it was just ~ you said)*

asbestos [æz'bestɔs, æs-̈-] Asbest

ascarids ['æskəridz] Spulwürmer, Askariden

ascend [ə'send] auf-, ansteigen; hinauf-, besteigen; **~ancy** Übergewicht, beherrschende Stellung; **~ant** aufsteigend; *to be in the ~ant* im Kommen sein, beherrschend werden; Aszendent

ascen|sion [ə'senʃən] Aufsteigen; Himmelfahrt; **~t** Aufstieg *(of* auf); Steigung

ascertain [æsə'tein] feststellen, ermitteln; **~able** feststellbar; **~ment** Feststellung, Ermittlung

ascetic [ə'setik] asketisch; Asket [lung

ascribe [əs'kraib] zuschreiben *(to* j-m)

aseptic [ə'septik] aseptisch

ash[1] [æʃ] Esche; **mountain ~** Eberesche, Vogelbeere

ash[2] [æʃ] Asche; *pl* Asche *(peace to his ~es)*; *to lay in* (od *reduce to*) *~ es* in Asche legen; *~ can US* Mülltonne

ashamed [ə'ʃeimd]: *to be ~ of* s. schämen

ashen ['æʃn] Aschen-; aschgrau

ashore [ə'ʃɔː] am, ans Ufer, an Land

ash-tray ['æʃtrei] Aschenbecher

ashy ['æʃi] aschgrau, Aschen-

Asia ['eiʃə, *US* 'eiʒə] Asien; **~n** asiatisch; Asiate; **~tic** [eiʃi'ætik, *US* eiʒi-] = Asian

aside [ə'said] weg, beiseite *(to put ~)*; ~ *from* (*US*) abgesehen von

ask [ɑːsk] (er)fragen *(after* nach, *about* wegen, über); bitten *(for* um), ~ *for* j-n sprechen wollen; einladen, auffordern; ~ *in* hereinbitten; fordern, verlangen ♦ ~ *for trouble (disaster)* Unheil heraufbeschwören

askance [æs'kæns] von der Seite, mißtrauisch

askew [əs'kjuː] schief

aslant [əs'lɑːnt] schräg; *prep* quer über

asleep [ə'sliːp] schlafend; eingeschlafen; *to be ~* schlafen; *to fall ~* einschlafen

asp[1] [æsp] Uräusschlange; Kreuzotter

asp[2] [æsp] Espe; **~en** Espen-, Espe

asparagus [æs'pærəgəs] Spargel

aspect ['æspekt] Aussehen; Seite; Aspekt

asperity [æs'periti] Rauheit; Schroffheit

aspers|e [əs'pɜːs] (Ruf) beschmutzen, verleumden; **~ion** [əs'pɜːʃən] *(fig)* Schmutz

asphalt ['æsfælt, *US* -̈fɔːlt] Asphalt

asphyxia [æs'fiksiə] Erstickung; Scheintod; **~te** [æs'fiksieit] ersticken

aspir|ant [əs'paiərənt, 'æspirənt] Bewerber *(to, for* um); **~ation** [æspi'reiʃən] Streben, Aspiration; **~e** [əs'paiə] streben *(to* nach)

aspirin ['æspirin] Aspirin

ass [æs] Esel *(a. fig)*

assail [ə'seil] angreifen; bestürmen; **~ant** Angreifer

assassin [ə'sæsin] (Meuchel-)Mörder; **~ate** [ə'sæsineit] meucheln, morden

assault [ə'sɔːlt] Sturm(angriff); Vergewaltigung; (er-)stürmen; anfallen; vergewaltigen

assay [ə'sei] erproben; versuchen; Probe; Untersuchung

assembl|age [ə'semblidʒ] Montage; Ansammlung; **~e** [ə'sembl] (s.) versammeln; montieren; **~y** [ə'sembli] Versammlung; Montage; Baugruppe; **~y-hall, -shop** Montagehalle; **~y line** Fließband, Taktstraße

assent [ə'sent] zustimmen *(to* zu); Zustimmung

asser|t [ə'sɜːt] geltend machen, zur Geltung bringen; behaupten; ~ *o. s.* auf s. Recht bestehen; s. vordrängen; **~tion** [ə'sɜːʃən] Behauptung; Geltendmachung; Durchsetzung; **~tive** (allzu) selbstsicher; zuversichtlich; anmaßend

assess [ə'ses] (Summe) festlegen; (steuerlich) veranlagen; (ab)schätzen, beurteilen; **~ment** Festlegung (e-r Summe); (Ab-)Schätzung, Beurteilung; **~or** Steuerschätzer; (fachlicher) Berater

asset ['æset] Aktivposten; *fig* Gut, Gewinn; *pl* Vermögens-, Konkursmasse, Aktiva; Besitz

asseverate [ə'sevəreit] beteuern

assidu|ity [æsi'djuiti] Fleiß, Beharrlichkeit; **~ous** [ə'sidjuəs] fleißig, beharrlich

assign [ə'sain] zuweisen; j-n anweisen; bestimmen; **~ment** Zu-, Anweisung; Auftrag, Stelle; Hausaufgabe

assimila|te [ə'simileit] (Nahrung) assimilieren; (in s.) aufnehmen, s. einverleiben; s. angleichen, s. einfügen; **~tion** [əsimi'leiʃən] Assimilation; Angleichung, Einfügung

assist [ə'sist] helfen; teilnehmen *(in* an), anwesend sein *(at* bei); **~ance** Hilfe; **~ant** Hilfs-; Gehilfe, Assistent

assizes [ə'saiziz] Assisen, Schwurgericht

associa|te [ə'souʃiit] verbunden; Gesellschafter, Partner; außerordentl. Mitglied; **~te** [ə'souʃieit] *vt/i* verbinden; verkehren *(with* mit); **~tion** [əsousi'eiʃən] Verbindung; Assoziation; Vereinigung; Umgang; **~tion football** *BE* (europ.) Fußball

assort [ə'sɔːt] sortieren; assortieren; passen *(with* zu); **~ed** gemischt, in allen Sorten (Größen); **~ment** Sortieren; Sortiment, Assortiment; Auswahl

assuage [ə'sweidʒ] lindern; besänftigen

assume [ə'sjuːm] (Gestalt, Name) annehmen; übernehmen, ergreifen, s. anmaßen; annehmen, vermuten *(it ist ~d* es ist anzunehmen)

assumption [ə'sʌmpʃən] Übernahme; Anmaßung; Annahme *(on the ~ that* in der A., daß)

assur|ance [ə'ʃuərəns] Versicherung; Vertrauen, Sicherheit; Dreistigkeit; **~e** [ə'ʃuə] (ver-, zu-)sichern; überzeugen

aster ['æstə] Aster

asterisk ['æstərisk] 📖 Sternchen; mit e-m St. versehen

astern [əs'tɜːn] (nach) achtern

asthma ['æsmə, *US* 'æzmə] Asthma

astir [əs'tɜː]: *to be ~* auf sein; in Bewegung, Erregung sein

astonish [əs'tɔniʃ] erstaunen, überraschen; **~ment** Erstaunen, Überraschung

astound [əs'taund] völlig überraschen, bestürzen

astray [əs'trei] in die Irre, vom guten Wege ab

astride [əs'traid] rittlings
astro|loger [əs'trɔlədʒə] Astrologe; **~logy** [əs'trɔlədʒi] Astrologie; **~nautics** [æstrə'nɔːtiks] sg vb Raumschiffahrt; **~nomer** [əs'trɔnəmə] Astronom; **~nomical** [æstrə'nɔmikl] astronomisch; **~nomy** [əs'trɔnəmi] Astronomie
astute [əs'tjuːt] schlau, scharfsinnig
asunder [ə'sʌndə] auseinander, entzwei
asylum [ə'sailəm], pl ~s Heim; Asyl
at [æt, ət] in, an; um (3 Uhr), zu (Ostern); bei (der Arbeit), am (Tisch) ♦ what are you ~ ? womit befaßt du dich?; im (Krieg), in (Ruhe, Muße); im (Galopp, Tempo); auf... zu; zu (3 DM) ♦ ~ that (fig) dabei
ate [et, US eit] siehe eat
atheism ['eiθiizm] Atheismus
athlet|e ['æθliːt] sportl. Geübter, Sportler, BE Leichtathlet; **~ic** [əθ'letik] Sport-; sportlich; **~ics** pl vb Sport (sportliche Betätigung), BE Leichtathletik; sg vb Sport (als Fach, Methode)
at-home [æt'houm] (priv.) Empfang(stag)
athwart [ə'θwɔːt] quer (über); entgegen
atlas ['ætləs], pl ~es Atlas
atmospher|e ['ætməsfiə] Atmosphäre; Luft; **~ic** [ætməs'ferik] atmosphärisch; **~ics** pl vb atmosphärische Störungen
atom ['ætəm] Atom; to blow to ~ s völlig zertrümmern; **~ic** [ə'tɔmik] Atom-, Kern-; ~ ic age [eidʒ] Atomzeitalter; ~ ic fission Kernspaltung; ~ ic fuel Kernbrennstoff; ~ ic nucleus ['njuːkliəs] Atomkern; ~ ic power ['pauə] Atomstrom; ~ ic power plant Kernkraftwerk; phantastisch; **~ize** ['ætəmaiz] zerstäuben, atomisieren; **~izer** (Parfüm-)Zerstäuber; ~ **smashing** Atomzertrümmerung; ~ **splitting** Atomspaltung
atone [ə'toun] büßen (for für), wiedergutmachen; **~ment** Buße, Sühne
atop [ə'tɔp] oberhalb, oben auf
atroci|ous [ə'trouʃəs] grauenhaft; abscheulich; scheußlich; **~ty** [ə'trɔsiti] Greuel(tat); Scheußlichkeit
atrophy ['ætrəfi] Atrophie; schrumpfen (lassen)
attach [ə'tætʃ] anheften, verbinden; haften; zuteilen; (Wert) beilegen; beschlagnahmen; **~ed** [ə'tætʃt] to gehörig zu; zugetan; **~ment** Befestigen; Bindung; Zuneigung; Anhängsel; Vorrichtung; Beschlagnahme
attaché [ə'tæʃei, US ætə'ʃei] Attaché; ~ **case** Aktentasche
attack [ə'tæk] Angriff; Anfall; angreifen; in Angriff nehmen, anpacken
attain [ə'tein] erreichen; ~ to gelangen zu; **~ment** Erreichung; pl Kenntnisse, Leistungen
attempt [ə'tempt] Versuch; versuchen; ~ the life of ein Attentat verüben auf
attend [ə'tend] (Schule) besuchen; ~ to Beachtung schenken; ~ on bedienen; (Arzt) behandeln; begleiten; **~ance** Besuch; (Auf-)Wartung; Behandlung; Anwesenheit; Besucher(zahl); hours of ~ance Dienststunden; **~ant** dazugehörig, begleitend; dienst-

tuend; Diener, Wärter; Platzanweiser
atten|tion [ə'tenʃən] Aufmerksamkeit; ~ tion! Achtung!; Stillgestanden!; **~tive** [ə'tentiv] aufmerksam; sorgfältig (to bei)
attenuate [ə'tenjueit] verdünnen; vermindern
attest [ə'test] beweisen; bescheinigen ~ to bezeugen, Zeugnis ablegen; vereidigen; in die Armee eintreten
attic ['ætik] Mansarde; Dachgeschoß, Boden
attire [ə'taiə] Gewand; kleiden
attitude ['ætitjuːd] Haltung; fig Einstellung
attorney [ə'təːni] bes US Anwalt; letter of ~, power of ~ Vollmacht; ~ **general** Kronanwalt, US Justizminister
attract [ə'trækt] anziehen; auf s. lenken; (an)locken; **~ion** [ə'trækʃən] Anziehung(skraft); Reiz, Attraktion; **~ive** [ə'træktiv] anziehend, reizend, attraktiv
attribute ['ætribjuːt] (kennzeichnende) Eigenschaft; Merkmal; Attribut; ~ [ə'tribjuːt] vt zuschreiben
attrition [ə'triʃən] Zermürbung, Verschleiß (war of ~)
aubergine ['oubəʒiːn] Aubergine
auburn ['ɔːbən] rot-, goldbraun
auction ['ɔːkʃən] Auktion; to sell by ~ = **to** ~ versteigern; **~eer** [ɔːkʃə'niə] Versteigerer, Auktionator
audaci|ous [ɔː'deiʃəs] kühn; dreist; **~ty** [ɔː'dæsiti] Kühnheit; Dreistigkeit
audi|ble ['ɔːdibl] hörbar, laut; **~ence** ['ɔːdiəns] Publikum, Zuhörerschaft, Zuschauer; Leserschaft; Audienz (of bei); **~le** ['ɔːdail] auditiv(er Typ); **~o frequency** ['ɔːdiou 'friːkwənsi] Ton-, Niederfrequenz
audit ['ɔːdit] Rechnungsprüfung, (Bücher-)Revision; prüfen, revidieren; US als Gasthörer belegen; **~ion** [ɔː'diʃən] Gehör; Vorspielen, Singprobe; vorsprechen, vorspielen (lassen); **~or** Rechnungsprüfer; US Gasthörer; **~orium** [ɔːdi'tɔːriəm], pl ~oriums Zuschauerraum; (Hör-)Saal; Auditorium; (Fest)Halle; **~ory** ['ɔːditəri] Hör-, Gehör-
Augean [ɔː'dʒiən] stables Augiasstall
auger ['ɔːgə] Holz-, Schlangenbohrer
aught [ɔːt] (irgend)etwas ♦ for ~ I know soviel ich weiß
augment [ɔːg'ment] vergrößern; zunehmen; **~ation** [ɔːgmen'teiʃən] Vergrößerung; Zunahme
augur ['ɔːgə] Augur; (vor)bedeuten; to ~ well (ill) ein gutes (böses) Omen sein; **~y** ['ɔːgjuri] Weissagung; Zeichen, Omen
august [ɔː'gʌst] erhaben, majestätisch
August ['ɔːgəst] August
auld lang syne ['ɔːldlæŋ'sain] die gute alte Zeit
aunt [ɑːnt] Tante
aurochs ['ɔːrɔks], pl ~ Wisent; Ur; Auerochs
auro|ra [ɔː'rɔːrə], pl ~rae [--riː], ~ras Morgenröte; **~ra (borealis** [bɔːri'eilis]) Nordlicht; **~ra australis** [ɔːs'treilis] Südlicht
auscultation [ɔːskʌl'teiʃən] Abhorchen
auspices ['ɔːspisiz], pl vb Auspizien, Schutz; Schirmherrschaft

auspicious [ɔːsˈpiʃəs] glückverheißend

Aussie [ˈɔːsi] *sl* Australier (*bes* Soldat)

auster|e [ɔːsˈtiə] streng-ernst; einfach; ~ity [ɔːsˈteriti] Strenge; Einfachheit; streng-einfache Lebensführg.; Knappheit

Australia [ɔːsˈtreiljə] Australien; ~n australisch; Australier(in)

autarchy [ˈɔːtɑːki] Alleinherrschaft; = autarky

autarky [ˈɔːtɑːki] Autarkie

authentic [ɔːˈθentik] verläßlich, echt, authentisch; ~ate [ɔːˈθentikeit] als echt erweisen; beglaubigen

author [ˈɔːθə] Verfasser, Autor; Urheber; ~ess [ˈɔːθɔris] Verfasserin, Autorin; ~itative [ɔːˈθɔritətiv] zuverlässig (Bericht); maßgebend; gebieterisch; ~ity [ɔːˈθɔriti] Autorität; Ermächtigung; *oft pl* Behörden, Dienststellen; Fachmann, Autorität (*on* für); Quelle (*on good* ~ aus guter Quelle); ~ization [ɔːθəraiˈzeiʃən] Er-, Bevollmächtigung, Billigung; ~ize [ˈɔːθəraiz] er-, bevollmächtigen; gutheißen; ~ship Schriftstellerei; Urheberschaft

auto [ˈɔːtou] *US* Wagen, Auto; ~biography [--baiˈɔgrəfi] (Kunst der) Selbstbiogr.; ~~changer [--ˈtʃeindʒə] Plattenwechsler; ~cracy [ɔːˈtɔkrəsi] Autokratie; ~crat [ˈɔːtəkræt] Autokrat; ~giro [--ˈdʒaiərou], *pl* ~giros Tragschrauber; ~graph [ˈɔːtəgrɑːf] Autogramm; eigenhändig (unter)schreiben; ~harp [ˈɔːtəhɑːp] Zither

automat [ˈɔːtəmæt] *US* Automatenrestaurant; ~e [ˈɔːtəmeit] automatisieren; ~ic [ɔːtəmætik] automatisch, selbsttätig; unwillkürlich; Selbstladepistole; Automatik(getriebe); ~ion [ɔːtəˈmeiʃən] Automation, Automatisierung; ~ize [ˈɔːtəmətaiz] automatisieren; ~on [ɔːˈtɔmətən], *pl* ~ons Automat

auto|mobile [ˈɔːtəməbiːl] *bes US* Kraftwagen; = ~motive [ɔːtəˈmoutiv] kraftfahr-(technisch); selbstfahrend; ~nomous [ɔːˈtɔnəməs] autonom; ~nomy [ɔːˈtɔnəmi] Autonomie; ~psy [ˈɔːtəpsi] Obduktion

autumn [ˈɔːtəm] Herbst; ~al [--ˈtʌmnəl] herbstlich; Herbst-

auxiliary [ɔːgˈziliəri] helfend; Hilfs-; Helfer; Hilfsmittel; Hilfsverb

avail [əˈveil] nützen; ~ *o. s. of* s. zunutze machen; Nutzen; *of no* ~ nutzlos; *without* ~ erfolglos; ~able benutzbar, verfügbar; erhältlich; gültig

avalanche [ˈævəlɑːnʃ] Lawine

avaric|e [ˈævəris] Habgier; Geiz; ~ious [ævəˈriʃəs] habgierig; geizig

avenge [əˈvendʒ] rächen (*upon* an)

avenue [ˈævinjuː] *BE* Allee; breite Straße; *fig* Weg, Straße

aver [əˈvəː] (definitiv) behaupten

average [ˈævəridʒ] Durchschnitt; *on an* (od *the*) ~ durchschnittlich; Havarie; Durchschnitts-, durchschnittlich; den Durchschnitt nehmen von; durchschnittlich sein; durchschnittlich fahren (erreichen, etc)

avers|e [əˈvəːs] abgeneigt, nicht willens; ~ion [əˈvəːʃən] Widerwille (*to* geg.)

avert [əˈvəːt] abwenden; verhüten

avia|ry [ˈeiviəri] Vogelhaus; ~tion [eiviˈeiʃən] Luftfahrt; Fliegerei; Flugsport; Luftwaffe; ~tor [ˈeivieitə] Flieger; ~trix [eiviˈeitriks] Fliegerin

avid [ˈævid] (sehr) begierig (*of, for* nach); ~ity [əˈviditi] Begierde, Gier

avitaminosis [ei,vitəmiˈnousis] Vitaminmangel(krankheit)

avocado [ævəˈkɑːdou], *pl* ~s Advokaten-, Avocatobirne

avocation [ævouˈkeiʃən] Nebenbeschäftigung; Beruf

avoid [əˈvɔid] (ver)meiden; entgehen; anfechten; ~able vermeidbar; ~ance Vermeidung; Anfechtung; Vakanz

avoirdupois [ævədəˈpɔiz] Avoirdupois (*BE, US* Handelsgewicht; *1* ~ *pound* = 453,6 Gramm)

avouch [əˈvautʃ] verbürgen; bestätigen

avow [əˈvau] (offen) bekennen; ~ *o. s.* s. bekennen zu; ~al [--əl] Bekenntnis; ~ed [--d] eingestanden; überzeugt

await [əˈweit] warten auf; erwarten

awake [əˈweik] (*s. S. 318*) auf-, erwachen; auf-, (er)wecken; ~ *to* s. bewußt werden; *adj* wach; ~ *to* (e-r Sache) bewußt; ~n [əˈweikən] auf-, erwecken; aufrütteln; auf-, erwachen

award [əˈwɔːd] Preis; (Urteils-)Spruch; zuerkennen (als Preis, durch Urteil)

aware [əˈwɛə] *to be of* ~ merken, s. bewußt sein; *to become* ~ *of* gewahr werden

away [əˈwei] weg (*from* von), davon; fort (~ *with it!*); drauflos (arbeiten) ♦ *right* (od *straight*) ~ sofort; *far and* ~ bei weitem

awe [ɔː] hohe Achtung, Ehrfurcht (*of* vor); *to hold in* ~ hoch verehren; ~-inspiring [--inspaiəriŋ] ehrfurchtgebietend; ~some [--səm] furchterregend; ehrfurchtgebietend; ~-struck [--strʌk] von Ehrfurcht (Scheu) ergriffen

awful [ˈɔːfəl] schrecklich, kolossal; = awesome; ~ly schrecklich, sehr (~ly sorry)

awhile [əˈwail] e-e Weile, e-e Zeitlang

awkward [ˈɔːkwəd] unangenehm, schwierig, unhandlich; unpassend, unbehaglich, peinlich; unbeholfen, ungeschickt, linkisch (*the ~ age*); *an* ~ *customer* ein unangenehmer Bursche

awl [ɔːl] Ahle

awn [ɔːn] Granne

awning [ˈɔːniŋ] Plane; Markise; Sonnensegel

awry [əˈrai] schief ♦ *to go* ~ schiefgehen

axe, *US* **ax** [æks] Axt, Beil; *to have an* ~ *to grind* eigennützige Zwecke verfolgen; *vt* mit dem Beil bearbeiten; *fig* abbauen; (zusammen)streichen

axial [ˈæksiəl] axial; Achsen-

axiom [ˈæksiəm] Axiom; ~atic [---ˈmætik] axiomatisch; unumstößlich klar

ax|is [ˈæksis], *pl* ~es [ˈæksiːz] Achse

axle [ˈæksl] (Rad-)Achse, Welle; ~-tree = axle

ay(e) [ai] ja; gewiß ♦ *the ayes have it* die Mehrheit ist dafür

azalea [əˈzeiljə], *pl* ~s Azalee

azimuth ['æzimǝθ] Azimut, Scheitelkreis; Richtung, Kurs
azure ['æʒǝ, 'eiʒǝ] Himmelblau; (himmel)blau

B

B, b [bi:] B; ♪ H; **B sharp** his, **B flat** b
baba ['ba:bǝ] Topfkuchen
babble ['bæbl] b(r)abbeln; (aus)plappern; (Bach) schwatzen; Geb(r)abbel; Gemurmel
babe [beib] (*bes fig*) Kind
babel ['beibl] (Stimmen-)Wirrwarr
baboon [bǝ'bu:n] Pavian
baby ['beibi] Säugling, Baby; Zwerg-(Auto); **~hood** [--hud] Säuglingsalter; **~-sitter** [--sitǝ] wer auf Kinder aufpaßt, Babysitter
bachelor ['bætʃǝlǝ] Junggeselle; Bakkalaureus (etwa: Studienreferendar); Bakkelaureat; **~ girl** Junggesellin
bacil‖lus [bǝ'silǝs], *pl* **~li** [--lai] Bazillus
back [bæk] 1. Rücken ♦ *to put one's ~ into* s. hineinknien in; 2. Lehne; 3. Rückseite, hinteres Ende ♦ *to take a ~ seat* zurücktreten, zurückstehen müssen 4. ⚑ Verteidiger; 5. *adj* rückwärtig, Hinter-; 6. früher (Nummer); 7. ausstehend (Lohn); 8. *adv* zurück; *there and ~ hin und zurück; ~ from* abseits von (der Straße); *US ~ of* hinter; *~ and forth* hin u. her; *as far ~ as 1930* schon 1930; 9. *~ as 1930* zurückbewegen, rückwärts fahren; *~ down* klein beigeben; *~ out* im Stich lassen; 10. unterstützen; 11. setzen auf (Pferd); 12. indossieren; **~ache** ['bækeik] Rückenschmerzen; **~-bencher** [--bentʃǝ] *BE* gewöhnlicher Abgeordneter; **~bite** ['bækbait] anschwärzen; **~bone** ['bækboun] Rückgrat, *to the ~bone* bis auf d. Knochen **~-cloth** ['bækklɔθ] ⚐ Prospekt; **~door** ['bækdɔ:] Hintertür; heimlich; **~-drop** ['bækdrɔp] = ~-cloth; **~er** Unterstützer; Wetter; **~-fire** ['bækfaiǝ] (Ausfpuff-)Knall; **~gammon** [bæk'gæmǝn] Puff, Tricktrack; **~ground** ['bækgraund] Hintergrund; Untergrund; Grundlage, (j-s) Bildung, Wissen u. Können; **~hand** ['bækhænd] Rückhand(schlag); rückläufige Schrift; **~handed** Rückhand-; rückläufig; zweideutig (Kompliment); **~ing** Unterstützung; Anhänger; **~log** ['bæklɔg] Rückstand; Reserve; **~-room boy** Wissenschaftler (für Geheimforschung); **~slide** ['bæk'slaid] (*s. S. 318)* zurückfallen; **~slider** Rückfälliger; **~ward** ['bækwǝd] Rück(wärts)-; zurück; rückständig; (im Wachstum) zurück; zurückhaltend; **~wards** ['bækwǝdz] rückwärts, nach hinten; **~wash** ['bækwɔʃ] Kielwasser; Nachwehen; **~water** totes Wasser; *fig* Leere, Öde; **~woodsman** ['bækwudzmǝn], *pl* **~men** Hinterwäldler; **backyard** [--ja:d] *US* Garten
bacon ['beikǝn] Speck ♦ *to bring home the ~* d. Geld verdienen; Erfolg haben
bacter‖ium [bæk'tiǝriǝm], *pl* **~a** [--riǝ] Bakterie; **~ology** [bæk,tiǝri'ɔlǝdʒi] Bakteriologie
bad [bæd] schlecht, böse; **~** *language* Flüche; ~ *debt* zweifelhafte Forderung; *in a ~ way*

(sehr) krank; schädlich, abträglich; schlimm; übel; *not ~* recht gut; *to be £ 20 to the ~* £ 20 Verlust haben
bade [beid, bæd] *siehe* bid
badge [bædʒ] (Ab-)Zeichen
badger ['bædʒǝ] Dachs(pelz); Präriedachs; *vt* (mit Bitten) quälen
badinage ['bædina:ʒ, ---] Necken
badly ['bædli] schlimm; sehr dringend
badminton ['bædmintǝn] Federball(-spiel)
baffle ['bæfl] verwirren; vereiteln ♦ *~s description* spottet jeder Beschreibung
bag [bæg] 1. Beutel, Sack ♦ *to let the cat out of the ~* die Katze aus dem Sack lassen; 2. (Jagd-)Strecke; 3. erlegen; 4. einsacken; 5. *umg* stibitzen; 6. (s.) ausbeulen
bagatelle [bægǝ'tel] Tivoli(spiel); Bagatelle
baggage ['bægidʒ] Gepäck; Troß; (freches) Gör; alte Schachtel
baggy ['bægi] ausgebeult (Hose), beutelig
bag‖man ['bægmǝn], *pl* **~men** Vertreter; **~pipe** ['bægpaip] Dudelsack
bail[1] [beil] Bürgschaft, Kaution; *to go ~ for* bürgen für; *out on ~* gegen Kaution freigelassen; *~ out* durch Kaution freibekommen
bail[2] [beil]: *~ out* (Wasser, Boot) leer schöpfen; *bes US* mit dem Fallschirm abspringen (*siehe* bale)
baili‖ff ['beilif] Landvogt; *US* Gerichtsdiener, *BE* -vollzieher; *BE* (Guts-)Verwalter; **~wick** ['beiliwik] Tätigkeitsbereich e-s bailiff; (Tätigkeits-)Bereich
bairn [bεǝn] (*nordengl., schott.*) Kind
bait [beit] Köder; (Pferde-)Futter; mit Köder versehen; (Pferde) füttern; Rast machen; reizen, quälen
baize [beiz] (grüner) Fries; *~ cloth* Billardtuch
bake [beik] backen; braten; (keramisch) brennen; dörren; **~r** ['beikǝ] Bäcker; **~ry** ['beikǝri] Bäckerei
bakelite ['beikǝlait] Bakelit
balance ['bælǝns] 1. Waage ♦ *tremble* (*od* hang) *in the ~* auf Messers Schneide stehen; 2. Balance; *to keep one's ~* die Balance halten, *fig* ruhig bleiben; *to lose one's ~* die Balance verlieren, *fig* die Fassung verlieren; (*to be thrown) off one's ~* aus dem Gleichgewicht, durcheinander (gebracht werden); 3. (Uhr) Unruhe; 4. Bilanz, Saldo, Überschuß; **~-sheet** aufgestellte Bilanz; *umg* Rest ♦ *on ~* alles in allem, im ganzen genommen; 5. *vt/i* balancieren; ausgleichen; abwägen; bilanzieren, saldieren
balcony ['bælkǝni] Balkon; *US* 1. (*BE* 2.) Rang
bald [bɔ:ld] kahl(köpfig); kahl (Berg); nackt, trocken (Feststellung)
balderdash ['bɔ:ldǝdæʃ] Geschwätz, Unsinn
baldric ['bɔ:ldrik] (breiter) Schulterriemen, Gehenk
bale [beil] (Waren-)Ballen; in Ballen verpacken; *~ out* (*bes BE*) mit dem Fallschirm abspringen (*siehe* bail)
baleful ['beilful] unheilvoll, böse
balk [bɔ:k] hindern; abbringen (*of* von); (zu-

rück)scheuen (*at* vor); Hemmnis; Balken; (Feld-)Rain

ball [bɔːl] (Spiel-, Schnee-, Tanz-)Ball; Kugel; Knäuel; **~-bearing** [-'bɛəriŋ] Kugellager

ballad ['bæləd] Ballade

ballast ['bæləst] Ballast; Schotter; (innerer) Halt; mit B. versehen, beschottern

ballet ['bælei] Ballett

balloon [bə'luːn] Ballon

ballot ['bælət] Wahl-, Stimmzettel; geheime Wahl; *to make a* ~ abstimmen; **~-box** Wahl-urne; (geheim) wählen, abstimmen (*for* für)

ball-point pen ['bɔːlpɔintpen] Kugelschreiber

ballyhoo [bæli'huː] Werbe-, Propagandarummel, derbe Reklame; marktschreierisch anpreisen

balm [baːm] Balsam, Melisse; *fig* Trost

baloney [bə'louni] Quatsch

balsam ['bɔːlsəm] Balsam; Balsamtanne

Baltic ['bɔːltik] baltisch; Ostsee

balust|er ['bæləstə] Geländerstab; **~rade** [bæləs'treid] Balustrade; Geländer

bamboo [bæm'buː] Bambus

bamboozle [bæm'buːzl] *sl* beschwindeln (*into the belief* zu glauben; *out of* um)

ban [bæn] Verbot; Bann; verbieten

banal [bə'naːl, 'beinəl] banal, gewöhnlich; **~ity** [bə'næliti] Banalität

banana [bə'naːnə], *pl* **~s** Banane

band [bænd] Band (*pl* **~s** Bänder; Bande); Streifen, Bande, Schar; Gruppe; (Musik-)Kapelle; ♂ Wellenband; (s.) vereinigen; (s.) zusammenrotten

bandage ['bændidʒ] Verband; verbinden, e-n Verband anlegen, bandagieren

bandbox ['bændbɔks] Hutschachtel ♦ *as if he had just come out of a* ~ wie aus dem Ei gepellt

bandeau ['bændou], *pl* **~x** [-douz] Haarband

bandit ['bændit] (Straßen-)Räuber

bandmaster ['bændmaːstə] Kapellmeister

bandoleer [bændə'liə] Patronengurt

band|sman ['bændzmən], *pl* **~smen** [-mən] Musiker (in e-r Kapelle); **~stand** ['bændstænd] Musikpavillon; ~ **wagon** ['bændwægən] Musikwagen ♦ *to climb on* (od *aboard*) *the* ~ *wagon* s. der siegreichen Partei (Gruppe) anschließen

bandy ['bændi] hin- u. herschlagen (Ball); (Worte, Blicke, Beleidigungen) austauschen; *to be bandied about* durch d. Kakao gezogen werden; ~ *about* (Geschichte) weitertragen; **~-legs** O-Beine; **~-legged** [-'-legd] O-beinig

bane [bein] Gift; Fluch; **~ful** verderblich

bang [bæŋ] heftiger Schlag; Knall; dröhnend schlagen mit (der Faust), (Kopf) anschlagen; ~ (*down* zu)knallen

banger ['bæŋə] *BE* Schweinswürstchen; *BE* Knallfrosch; *BE* Klapperkasten

bangle ['bæŋgl] Arm-, Fußreif

banish ['bæniʃ] verbannen (*a. fig*)

banister ['bænistə] Geländerstab; *pl* (Treppen-)Geländer

banjo ['bændʒou], *pl* **~s** Banjo

bank¹ [bæŋk] Ufer; Böschung; (Sand-, Wolken-)Bank, (Schnee-)Haufen; (Sitz-)Bank; ✈ Schräglage; Überhöhung (e-r Straße); ~ *up* (Fluß) eindämmen, aufstauen; s. auftürmen; (s.) in die Kurve legen, kurven; (*umg*) ~ *on* s. verlassen auf; **~ed** ['bæŋkt] (Straße) überhöht

bank² [bæŋk] Bank (*a.* Spiel-); (Geld) auf e-r Bank einzahlen; Bankkonto haben (*with* bei), Bankgeschäfte machen (*with* mit); **~-bill** ['bæŋkbil] Bankakzept; *US* Banknote; **~-book** Kontobuch; **~er** Bankier, *my* ~ *ers* meine Bank; ~ **holiday** ['hɔlədi] (in Engl.) gesetzl. Feiertag; **~ing** Bankwesen, -geschäft; **~-note** Banknote; **~rupt** ['bæŋkrʌpt] Konkurs-, Gemeinschuldner; bankrott; zahlungsunfähig; *bar* (*of ideas* jeglicher Ideen); Bankrott machen; **~ruptcy** ['bæŋkrʌpsi] Bankrott, Konkurs

banner ['bænə] Banner; Schlagzeile; *US* hervorragend

banns [bænz] *pl vb* öffentl. Aufgebot (der Verlobten in der Kirche); *to call* (od *put up*) *the* ~ *of* j-n aufbieten

banquet ['bæŋkwit] Bankett, Festessen

banshee ['bænʃiː] heulend(es Todesgespenst, *in Irland, Schottland*)

bantam ['bæntəm] Bantam-, Zwerghuhn; **~-weight** [-weit] B.gewicht

banter ['bæntə] necken; Spaß machen

baptism ['bæptizm] Taufe (*a. fig*); ~ *of fire* Feuertaufe; **~al** [bæp'tizməl] Tauf-

bapti|st ['bæptist] Täufer; Baptist; **~stery** ['bæptistəri] Taufkapelle; **~ze** [bæp'taiz] taufen (*a. fig*)

bar¹ [baː] Stange (Metall), Barren (Gold), Stück (Seife), Streifen (Schokol.); Riegel; Schranke, Barriere, Torhaus; Takt(-strich); (Farb-)Streifen; Schranke, Hindernis; Schranke (im Gericht); Gericht; Rechtsanwaltschaft; Forum (*of public opinion* d. öfftl. Meinung); Schanktisch, Bar; *to be called* (od *go*) *to the Bar* Rechtsanwalt (*Barrister*) werden; *to read for the Bar* Jura studieren; **horizontal** [hɔri'zɔntəl] ~ Reck; **parallel** ['pærələl] **~s** Barren

bar² [baː] verriegeln, zusperren; ~ *out* aussperren; versperren (Weg), erschweren; ~, **~ring** ['baːriŋ] außer

barb [baːb] (Tier-)Bart; Widerhaken; **~ed** ['baːbd] **wire** Stacheldraht

barbar|ian [baː'bɛəriən] Barbar; Barbaren-, grob, wild; **~ic** [baː'bærik] unkultiviert, grobschlächtig; **~ism** ['baːbərizm] Barbarei, Unkultur; **~ity** [baː'bæriti] Barbarei, wilde Grausamkeit; **~ous** ['baːbərəs] kulturlos, unkultiviert; barbarisch; **~ousness** = ~ism, ~ity

barbecue ['baːbikjuː] Bratspieß; Ochse, Schwein (ganz gebraten); Festessen (im Freien mit ganz gebrat. Ochsen etc)

barbel ['baːbəl] *zool* (Fluß-)Barbe

barber ['baːbə] (Herren-)Friseur

bard [baːd] Barde, Sänger

bare [bɛə] bloß (Füße), entblößt (Haupt), nackt (Fußboden), kahl (Berg), leer (Zimmer), öde; *fig* knapp, bloß, ganz gering (Chance);

entblößen; offenbaren (Herz, Gedanken); *to lay* ~ bloßlegen; **~back** sattellos; **~faced** ['bɛəfeist] schamlos; **~-foot(ed)** ['bɛəfut(id)] barfüßig; **~-headed** ['bɛəhedid] entblößt; ohne Hut; **~ly** kaum, ganz knapp; dürftig, kümmerlich

bargain ['baːgin] 1. (abgemachtes) Geschäft, Handel; 2. billiger Kauf, Gelegenheitskauf; *to strike a* ~ Geschäft machen; *to drive a* ~ ein G. herausschlagen; *to make the best of a bad* ~ das Beste daraus machen ♦ *into the* ~ als Zugabe, obendrein; 3. (aus)handeln, feilschen; ~ *for* rechnen mit, erwarten

barge [baːdʒ] Lastkahn; (Offiziers-)Barkasse; Hausboot; ~ *into s-b (BE sl)* heftig (u. ungeschickt) mit j-m zusammenprallen; **~e** [baːˈdʒiː] *BE* Kahnführer, Schleppschiffer ♦ *to swear like a ~e* wie ein Landsknecht fluchen

baritone ['bæritoun] Bariton

bark¹ [baːk] Bellen (*his* ~ *is worse than his bite* Hunde, die bellen, beißen nicht); bellen (Hund, Fuchs); schnauzen; **~ing** Bellen, Gebell; **~er** Anpreiser

bark² [baːk] Rinde; entrinden; (Haut) abschürfen; (*BE a.* barque) Bark

barley ['baːli] Gerste; **pearl** [pəːl] ~ Perlgraupen

barm [baːm] (Malz-)Hefe, Bärme; **~y** ['baːmi] gärend; *BE* blöde, meschugge

bar|maid ['baːmeid] Kellnerin; **~man** ['baːmən], *pl* **~men** *BE* Barmixer

barn [baːn] Scheune; *US* (Pferde-, Vieh-)Stall; Geräteschuppen; **~-door fowl** [faul] Hausgeflügel; **~storm** auf dem Lande Reden halten, Theater spielen; **~yard** ['baːnjaːd] (Bauern-)Hof [Nonnengans

barnacle ['baːnəkl] Entenmuschel; *fig* Klette;

barometer [bəˈrɔmitə] Barometer

baron ['bærən] Baron, Freiherr; **~ess** Baronin, Freifrau; **~ial** [bəˈrouniəl] freiherrlich; **~y** ['bærəni] Baronsrang, Freiherrenstand

baronet ['bærənit] Baronet; **~cy** [≠---si] Baronetsrang, -stand

baroque [bəˈrouk, bəˈrɔk] barock; überladen

barque [baːk] *siehe* bark²

barrack ['bærək] (*mst pl*), *sg vb* Kaserne; *sg fig* Mietshaus, Kasten; *BE sl* höhnen, spotten (*at* über), auspfeifen

barrage ['bæraːʒ] (Stau-)Damm, Talsperre; Sperrfeuer; (*balloon* ~) Ballonsperre

barrel ['bærəl] Faß(inhalt); Barrel (136–180 l; Erdöl 159 l); (Gewehr-)Lauf, (Geschütz-) Rohr; Walze; in Fässer verpacken; *US* rasen; **~-organ** ['bærəlɔːgən] Drehorgel; **~-roll** ['bærəlroul] (Flug-)Rolle

barren ['bærən] unfruchtbar *(a. fig)*; dürr; Ödland

barricade [bæriˈkeid] Barrikade; verbarrikadieren

barrier ['bæriə] Schranke; Barriere, Sperre; Hemmnis, Hindernis (*to* für)

barring ['baːriŋ] außer (*siehe* bar)

barrister ['bæristə] Barrister (Rechtsanwalt, zugelassen bei höher. Gerichten)

barroom ['baːru(ː)m] *US* Schankraum

barrow ['bærou] Trage, Bahre; Schubkarren *(wheel-~)*; (Grab-)Hügel

bartender ['baːtendə] Barmixer

barter ['baːtə] tauschen (*for, against* gegen); ~ *away* (im Tausch) verschleudern; Tauschhandel

barytone ['bæritoun] = baritone

basal ['beisl] grundlegend, Grund-; ~ **metabolism** [miˈtæbəlizm] Stoffwechsel

basalt ['bæsɔːlt] Basalt

base¹ [beis] Basis, Fundament; Grundlinie, -fläche; (Flotten- etc)Stützpunkt; *chem* Base; gründen (*upon* auf); *to be* ~ *d* [beist] *upon* beruhen, basieren auf

base² [beis] gemein; feige, schändlich; unedel (Metall)

base|ball ['beisbɔːl] Baseball; **~less** grundlos; **~ment** Souterrain, Kellergeschoß

bash [bæʃ] (heftiger) Schlag; Mordsgaudi; *to have a bash at s-th BE* etw mal probieren; (an-)schlagen

bashful ['bæʃful] schüchtern, scheu

basic ['beisik] grundlegend, Grund-; basisch; ~ **research** [riˈsəːtʃ] Grundlagenforschung

basil ['bæzl] Basilien-, Hirnkraut

basilica [bəˈsilikə] Basilika

basilisk ['bæzilisk, *US* 'bæs-] Basilisk

basin [beisn] (Wasch-, Fluß-, Hafen-)Becken

bas|is ['beisis], *pl* **~es** [≠siːz] Basis, Grundlage, Grundprinzip

bask [baːsk] s. sonnen, s. wärmen

basket ['baːskit] Korb; **~-ball** ['baːskitbɔːl] Basketball, Korbball

Basque [baːsk] Baske, baskisch; **b~** langes Mieder [lief

bas-relief ['bæsriliːf, 'baːri-] Flachrelief, Basre-

bass¹ [bæs] Bast; (amerik.) Linde(nholz)

bass² [bæs] *pl* ~ (Fluß-)Barsch; Seebarsch

bass³ [beis] (Ton) tief; Baß(stimme, -instrument; -sänger, -spieler); **double** [dʌbl] ~, *US* ~ **viol** ['vaiəl] Kontrabaß

basset ['bæsit] Basset

bassinet ['bæsi'net] Korbwiege, -wagen

bassoon [bəˈsuːn] Fagott; **~ist** Fagottist

basswood ['bæswud] (amerk.) Linde(nholz)

bast [bæst] Bast

bastard ['bæstəd] unehelich(es Kind); (gemeiner) Kerl; unecht; anormal; ~ **title** [taitl] Schmutztitel

baste [beist] (mit Fett) begießen (Braten); (Stoff) heften, reihen

bastille [bæsˈtiːl] Festung; Kerker

bastion ['bæstiən] Bastion

bat¹ [bæt] Fledermaus; *as blind as a* ~ stockblind ♦ *to have* ~*s in the belfry* nicht alle auf dem Kasten haben

bat² [bæt] (Kricket-, Baseball-)Schläger, Keule; schlagen

bat³ [bæt] *bes US* blinzeln ♦ *never* ~*ted an eyelid* tat kein Auge zu, zuckte nicht mit d. Wimper

batch [bætʃ] Schub (Brote); Stoß, Stapel; Gruppe (Menschen); Charge, Gicht

bate [beit]: *with ~d breath* [breθ] mit angehaltenem Atem

Bath chair ['bɑ:θ'tʃɛə] (Kranken-)Rollstuhl

bath [bɑ:θ], *pl* **~s** [bɑ:ðz] Bad; Badewanne; Badezimmer; *(pl) (swimming)* ~s Hallenbad; *vt bes BE* (Kind, Kranken) baden; **~robe** ['bɑ:θroub] Bademantel; **~ towel** ['tauəl] Badetuch; *bes US* **~tub** ['bɑ:θtʌb] Badewanne

bath|e [beið] *bes BE* Bad im Freien; (draußen) baden, schwimmen (gehen); (Füße, Augen etc) baden; **~er** ['beiðə] Badender, Schwimmer; **~ing** (im Freien) Baden, Schwimmen; Bade-; **~ing-costume** *BE* Badeanzug; **~-gown** Bademantel; **~-suit** Badeanzug; **~ing-wrap** ['beiðiŋræp] *bes BE* Bademantel

bathos ['beiθɔs] Abrutschen (ins Niedrige); klägliche Darstellung, Leistung

bathy|scaph(e) ['bæθiskæf] Bathyskaph, Tiefseeboot

bat|man ['bætmən], *pl* **~men** *BE* Offiziersbursche; **~sman** [-smən], *pl* ~smen (Baseball-, Kricket-)Schläger

baton ['bætn, *US* bə'tɔn] Taktstock, Stab; (Marschall-)Stab; *BE* (Polizei-)Knüppel

battalion [bə'tæljən], *pl* ~s Bataillon, Abteilung

batten ['bætn] Latte, Leiste; mit Latten befestigen; (Luke) verschalken; *~ on (bes fig) s. mästen an, gedeihen bei*

batter ['bætə] zerschlagen, zertrümmern; heftig hämmern (*at* gegen); verbeulen; *fig* verreißen; Schlag-, Eierteig; (Kricket-)Schläger; **~y** ['bætəri] Batterie; Akku; ♪ Schlaginstrumente; Mißhandlung, tätliche Beleidigung

battle ['bætl] Schlacht; Sieg (*youth is half the ~*); Kampf (*~ of life* Lebens-); kämpfen (*with* gegen, mit); **~-axe** ['bætlæks] Streitaxt; alte Hexe, Besen; **~-cry** ['bætlkrai] Schlachtruf; Slogan; **~dore** ['bætldɔ:] Schläger (im Spiel *~dore and shuttlecock* ['ʃʌtlkɔk], e-r Art Federballspiel); **~-field** ['bætlfi:ld], **~-ground** ['bætlgraund] Schlachtfeld; **~ments** ['bætlmənts] Zinnen; **~-ship** ['bætlʃip] Schlachtschiff

battue [bə'tu:] Treibjagd

bauble [bɔ:bl] Tand, Spielzeug

baulk [bɔ:k] *siehe* balk

bauxite ['bɔ:ksait] Bauxit

bawl [bɔ:l] schreien, brüllen *(a.: ~ out); ~ out* anschnauzen, fertigmachen; Schrei, Gebrüll

bay¹ [bei] Bucht, Bai; Tal

bay² [bei] laut bellen, (Mond) anbellen; Bellen ♦ *to keep at ~* (Gegner) in Schach halten; *to bring to ~* (Gegner) stellen

bay³ [bei] Erker; Verschlag; *~ window* Erkerfenster, *sl* Schmerbauch

bay⁴ [bei] (edler) Lorbeer; Lorbeerkranz; **~berry** ['beibəri] Bayölbaum; **~leaf** ['beili:f] Lorbeerblatt (Gewürz); **~ rum** ['bei'rʌm] Bayöl

bayonet ['beiənit] Bajonett

bazaar [bə'zɑ:] (oriental., Wohltätigkeits-)Basar; (billiges) Warenhaus

bazooka [bə'zu:kə], *pl* **~s** *US* Panzerfaust

bdellium ['deliəm] (echt.) Balsamharz(-baum)

be [bi:] *(s. S. 318)* 1. sein *(it is me* ich bin es); *there is, there are* es gibt; 2. werden *(he wants to ~ a doctor);* 3. kosten *(how much is this book?);* 4. ~ + *Infin.* sollen; es ist ausgemacht, daß *(You are not to do that. I am to see him tomorrow);* 5. ~ + *ppr (He is reading.* Er liest gerade. *What have you been doing this week?* Was hast du die ganze Woche gemacht?); 6. ~ + *pp* werden *(he was sent to Berlin; he was killed);* **been** fort (und wieder da), hier (und wieder fort) *(he has been to Paris; has anyone been?* war jd hier?)

beach [bi:tʃ] Strand; auf den Strand setzen; **~ chair** [tʃɛə] *US* Liegestuhl; **~-comber** [-koumə] Strandräuber, Küstenvagabund; **~-head** [-hed] Brückenkopf; Vorstoß in Neuland; **~ promenade** [prɔmi'nɑ:d] Strandpromenade

beacon ['bi:kən] Feuerzeichen; Leuchtfeuer; *flashing* ['flæʃiŋ] ~ Blinklicht (Fußgängerüberweg)

bead [bi:d] kleine (Glas-, Holz-)Kugel, Perle; (Schweiß-)Tropfen; **~ing** Perlstickerei; **~y** perlenartig; Perl-

beadle ['bi:dl] Kirchendiener; Herold

beak [bi:k] Schnabel; **~er** Becher

beam [bi:m] Balken, Träger; Pflugbaum; Waagebalken; Deckbalken (im Schiff); (Licht-, Sonnen-)Strahl; Peil-, Funkstrahl ♦ *on the ~* auf richtigem Kurs, *fig* in Hochform; **~-ends:** *on her ~-ends* ⚓ mit starker Schlagseite; *fig* in (Geld-)Not; **~ system** ⚓ Richtstrahlsystem

beam [bi:m] (Freude, Wärme aus-)strahlen; (mit Richtstrahlern) senden, ausstrahlen; **~ing** strahlend, fröhlich

bean [bi:n] Bohne; (Kaffee-)Bohne; *old* ~ alter Knabe; *US* Rübe, Birne; *US* e-m auf die Rübe geben; **~-stalk** ['bi:nstɔ:k] Bohnenstengel

bear [bɛə] Bär; Tolpatsch

bear [bɛə] *(s. S. 318)* tragen; *~ a hand* Hand anlegen; *~ a grudge* [grʌdʒ] Groll hegen; *~ in mind* daran denken; *~ s-b company* j-m Gesellschaft leisten; (Frucht) tragen; ertragen *(there ist no ~ing with* ist nicht zu ertragen); *~ o. s.* sich betragen; *~ away* (Preis, Sieg) davontragen; *~ down* niederdrücken; *~ down on* losgehen, -fahren auf; *it was borne in on me* es wurde mir überzeugend klar; *~ on* s. stützen, drücken auf; lasten auf; Bezug haben auf; *~ out* bestätigen; *~ up (well)* s. (gut) halten; *~ up to* näherkommen; *~ to the left* s. links halten

beard [biəd] Bart; Grannen; *~ the lion (od s-b) in his den* s. in die Höhle d. Löwen wagen; **~less** bartlos

bearer ['bɛərə] Träger; Überbringer; *the tree is a good ~* (trägt gut)

bearing ['bɛəriŋ] Bedeutung, Seite, Aspekt; Pfeil(richt)ung ♦ *to take one's ~s* s. orientieren; *to lose one's ~s* d. Richtung verlieren, verwirrt sein; (Kraft zu) Ertragen; *beyond (all) ~* (ganz) unerträglich; Haltung; Verhalten; *to keep in ~* (Baum etc) lange zum Tragen bringen

bearish ['bɛəriʃ] grob, tolpatschig
beast [biːst] (wildes) Tier; (Schlacht-)Vieh; ~ *of burden* ['bɑːdən] Lasttier; ~ *of prey* [prei] Raubtier; *fig* Rohling; *the* ~ d. Tier (im Menschen); ~**ly** tierisch, gemein; *umg* abscheulich (Wetter)
beat¹ [biːt] *(s. S. 318)* schlagen, klopfen; s. (e-n Weg) bahnen; ~ *one's brains* sich den Kopf zerbrechen; ~ *a retreat* zum Rückzug blasen, den Rückzug antreten; prügeln; besiegen, schlagen; ~ *to it (umg)* übertreffen; *dead* [ded] ~ *(umg)* todmüde, erschlagen; ~ *about* lavieren ♦ ~ *about the bush* Ausflüchte machen, um etwas herumreden; ~ *down* herunterhandeln; ~ *up* (Eier) schlagen; aufstöbern; ~ *it!* hau ab!
beat² [biːt] Schlagen, (Herz-)Schlag; Runde (e-s Polizisten), Revier ♦ *to be out of one's* ~, *to be off one's* ~ Ungewohntes tun; Takt(schlag); *US* Erstveröffentlichung; ~**en** geschlagen; ausgetreten, *the* ~ *en track* ausgetretener Pfad, Routine; gehämmert (Gold, Silber); ~**er** Schläger; (Teppich-)Klopfer; Schneeschläger, (Jagd-)Treiber
beati|fic [biːəˈtifik] glückselig; ~**fication** [biˌætifiˈkeiʃən] Seligsprechung; ~**fy** [biˈætifai] glücklich machen; seligsprechen; ~**tude** [biˈætitjuːd] Glückseligkeit; *the B~tudes* d. Seligpreisungen
beau [bou], *pl* ~**x**, -**s** [bouz] Dandy, Stutzer; *US* Liebhaber; ~**teous** ['bjuːtjəs] (äußerlich) schön; ~**tiful** ['bjuːtiful] (wunder)schön; ~**tician** [bjuːˈtiʃən] Schönheitssaloninhaber(in); Kosmetikerin; ~**tify** ['bjuːtifai] verschönern; ~**ty** ['bjuːti] Schönheit; schöner Zug, etw Schönes; *Sleeping B~ty* Dornröschen; ~**ty parlour** ['paːlə] Schönheitssalon; ~**ty specialist** ['speʃə-list] *bes BE* = ~**tician**; ~**ty spot** Schönheitspflästerchen; schönes Fleckchen Erde
beaver ['biːvə] Biber(pelz)
becalmed [biˈkɑːmd] in e-e Flaute geraten
became [biˈkeim] *siehe* become
because [biˈkɔz] weil; ~ *of* wegen
beck [bek] Wink ♦ *to be at s-b's* ~ *and call* j-m ganz zu Diensten sein; ~**on** ['bekən] j-m (zu)winken
becom|e [biˈkʌm] *(s. S. 318)* werden *(of* aus); stehen *(this dress* ~ *es you);* sich gehören für; ~**ing** schicklich; kleidsam
bed [bed] Bett *(to make the* ~ *; to take to one's* ~ bettlägerig werden; ~ *and board* Essen u. Schlafen); Matratze; (Tier-, Stroh-)Lager; Bettung; Schicht; (Fluß-)Bett, (Meeres-)Grund; (Blumen-)Beet; (Tier) betten; einbetten; ~ *out* auspflanzen, pikieren
bed|bug ['bedbʌg] Wanze; ~**clothes** ['bedklouðz] *pl vb* Bettzeug, -wäsche; ~**ding** Bettzeug; Streu; ~**fast** ['bedfɑːst] bettlägerig; ~**fellow** ['bedfelou] (Bett-)Genosse; Gefährte; ~**linen** [ˈ-linin] Bettwäsche
bedaub [biˈdɔːb] (mit Farbe) beschmieren; herausputzen
bedeck [biˈdek] schmücken
bedevil [biˈdevl] teuflisch; quälen; verwirren

bedew [biˈdjuː] benetzen
bedim [biˈdim] trüben, verdüstern
bedizen [biˈdaizn] herausputzen
bedlam ['bedləm] Irren-, Tollhaus *(a. fig);* ~**ite** ['bedləmait] Irrer, Irrenhausinsasse
bedouin ['beduin], *pl* ~ Beduine
bedraggle [biˈdrægl] (Kleider unten) beschmutzen
bed|rail ['bedreil] Seitenteil (e-s Bettes); ~**ridden** = ~**fast**; ~**rock** ['bedrɔk] Felsuntergrund; grundlegend, äußerst; *to get down to (reach)* ~ *rock* der Sache auf den Grund gehen; ~**room** ['bedru(ː)m] Schlafzimmer; ~**side** ['bedsaid] Bett(seite); *adj* Bett-, Nachttisch-, Kranken-; ~**spread** ['bedspred] Tagesdecke; ~**stead** ['bedsted] Bettgestell; ~**tick** Inlett; ~**time** ['bedtaim] Bettgeh-, Schlafenszeit; *it's past* ~ *time* es ist höchste Zeit, ins Bett zu gehen
bee [biː] Biene; *bes US* (nachbarl.) Treffen, Wettbewerb *(spelling-~ a. BE* Rechtschreibwettbewerb); *busy* ['bizi] *as a* ~ sehr emsig ♦ *to have a* ~ *in one's bonnet* ['bɔnit] e-n Sparren zuviel haben
beech ['biːtʃ] Buche; ~**marten** ['mɑːtən] Stein-, Hausmarder; ~**mast** ['biːtʃmɑːst] Bucheckern; ~**nut** ['biːtʃnʌt] Buchecker
beef [biːf] Rindfleisch *(pl* ~**s** -sorten); Rindvieh *(pl* beeves [biːvz]; Muskelkraft; *US sl* Beschwerde, Meckerei *(pl* ~**s**); *US sl* (s. be)klagen, meckern; ~ *up sl* aufpulvern, verstärken; ~**eater** ['biːfiːtə] *BE* Tower-Wächter; ~**steak** ['biːfsteik] Beefsteak; ~ **tea** ['biːfˈtiː] Fleischbrühe; ~**y** ['biːfi] fleischig; muskulös, bullig; schwerfällig
bee|hive ['biːhaiv] Bienenstock; ~**keeper** ['biːkiːpə] Imker; ~**line** ['biːlain] gerade Linie ♦ *to make (take) a* ~ *-line for* (schnurstracks) losgehen auf
been [*bes BE* biːn, *bes US* bin] *siehe* be
beer [biə] Bier; *small* ~ schwaches Bier, *fig* Kleinigkeit ♦ *to think no small* ~ *of* eine ganze Menge halten von
beeswax ['biːzwæks] Bienenwachs; mit Bienenwachs polieren
beet [biːt] Runkelrübe, Mangold; *(red* ~ *)* rote Rübe, rote Bete; *(white* ~ , *sugar-~)* Zuckerrübe; ~**root** ['biːtruːt] *bes BE* rote Rübe, r. Bete; Zuckerrübe; ~**sugar** ['biːtʃugə] Rübenzucker
beetle [biːtl] Käfer, Deckflügler; Schabe; ☼ Ramme, Holzhammer; überhängen(d); buschig (Braue); *BE* flitzen
befall [biˈfɔːl] *(s. S. 318)* zustoßen
befit [biˈfit] s. schicken, gehören für; passen zu
befool [biˈfuːl] betören
before [biˈfɔː] vor, ~ *long* bald ♦ *to sail* ~ *the mast* Matrose sein; (j-m) überlegen; *adv* vorher; *the day* ~ am Tag vorher; *conj* bevor; bis; *eher* als *(he would die* ~ *he lied);* ~**hand** [biˈfɔːhænd] vorher; *to be* ~*hand with* mit etw im voraus sein
befriend (biˈfrend) s. freundschaftlich zeigen zu, hilfreich sein
befuddle [biˈfʌdl] j-n vollaufen lassen; ganz durcheinanderbringen, verwirren

beg [beg] (er)betteln; (inständig) bitten; ~ *leave* [li:v] *to* um Erlaubnis bitten, zu; *I ~ your pardon* Verzeihung! Gestatten Sie bitte! Wie bitte?; *I ~ to differ* ich bin leider anderer Ansicht; *to go ~ging* von niemandem beansprucht werden; *to ~ the question* Folgerung auf nicht erwiesene Voraussetzung gründen, vom zu Beweisenden als Voraussetzung ausgehen; ~ *off* sich entschuldigen; *I ~ to* ich gestatte mir, zu

began [bi'gæn] *siehe* begin

beget [bi'get] *(s. S. 318)* (er)zeugen

beggar ['begə] Bettler (*he's a good ~* er kann gut betteln); (netter, armer) Kerl; *zum* Bettler machen; ~ *(all) description* [dis'krip∫ən] aller Beschreibung spotten; **~ly** bettelarm; armselig; **~y** [-'-ri] große Armut; *to be reduced* [ri'dju:st] *to ~y* bettelarm werden

begin [bi'gin] *(s. S. 318)* beginnen, anfangen ♦ ~ *the world* ins Leben treten; *to ~ with* zunächst; **~ner** Anfänger; **~ning** Anfang

begone [bi'gɔn] pack dich!; *tell him to ~* er soll s. fortmachen

begot(ten) [bi'gɔt(n)] *siehe* beget

begrime [bi'graim] beschmutzen

begrudge [bi'grʌdʒ] miß-, nicht gönnen

beguile [bi'gail] (Zeit) angenehm verbringen, verkürzen (*with* mit, durch); betören, verleiten (*into doing s-th* etw zu tun); betrügen *(of, out of* um)

begun [bi'gʌn] *siehe* begin

behalf [bi'ha:f] *on* (od *in) of, on* (od *in) s-b's ~* im Interesse j-s, zugunsten j-s, für j-n

behav|e [bi'heiv] s. (ordentlich) benehmen; ~ *e yourself!* benimm dich!; s. verhalten; funktionieren; **~iour** [-'-jə] Benehmen; Verhalten ♦ *to be on one's best ~iour* sich (sehr) zus.nehmen

behead [bi'hed] enthaupten, köpfen

beheld [bi'held] *siehe* behold

behest [bi'hest] Geheiß *(at the ~ of)*

behind [bi'haind] hinter, ~ *s-b's back* hinter j-s Rücken; ~ *the scenes* [si:nz] hinter den Kulissen; ~ *time* unpünktlich; ~ *the times* rückständig, altmodisch; *adv* (nach) hinten; dahinter *(there's more ~)*; zurück (lassen); *to fall ~* zurückfallen, -bleiben; *to be ~ in* (od *with)* rückständig, im Rückstand sein mit; *sl* Allerwertester; **~hand** [bi'haindhænd] im Rückstand, im Hintertreffen

behold [bi'hould] *(s. S. 318)* erblicken; ~ *!* sieh da!; **~en** (zu Dank) verpflichtet; **~er** Betrachter, Zuschauer

behoof [bi'hu:f] *in (for, to) s-b's ~* in j-s Interesse, zu j-s Gunsten

behove [bi'houv], *US* **behoove** [-'hu:v]: *it ~s us to do* es geziemt uns zu tun

beige [beiʒ] beige

being ['bi:iŋ] Wesen, Geschöpf; *the Supreme* [su'pri:m] *B~* Gott; Dasein; *in ~* existierend, vorhanden; *to come into ~* entstehen

belabour [bi'leibə] (gehörig) verprügeln; attakieren

belated [bi'leitid] verspätet; von der Dunkelheit überrascht

belch [belt∫] rülpsen; (aus)speien

beleaguer [bi'li:gə] belagern

belfry ['belfri] Glockenturm; -stube; -stuhl

Belg|ian ['beldʒən] belgisch; Belgier; **~ium** [-dʒəm] Belgien

belie [bi'lai] ~ *d, ~d* nicht entsprechen, Lügen strafen; (Versprechen) nicht halten; (Hoffnung) enttäuschen

belie|f [bi'li:f], *pl* **~fs** Zutrauen *(in* zu), Vertrauen *(in* zu, in); Glauben *(in* an); Glaubenssatz, -lehre ♦ *past all ~f* ganz unglaublich; *to the best of my ~f* nach bestem Gewissen; **~ve** [-'-v] glauben; *~ve in* glauben an, etwas halten von *(he ~ves in saving)*, Vertrauen haben zu; *would you ~ve it!* hast du Töne!; *to make ~ve* so tun *(that* als ob); **~ver** [bi'li:və] d. Gläubige *(~ver in Buddhism)* ♦ *he is a great ~ver in* er hält viel von ...

belittle [bi'litl] klein erscheinen lassen, verkleinern; herabsetzen

bell [bel] Glocke(nzeichen); Klingel; Taucherglocke ♦ *to ~ the cat* der Katze die Schelle umhängen, die Gefahr auf sich nehmen

bell [bel] röhren

belladonna [belə'dɔnə] Tollkirsche; Belladonna

belle [bel] Schöne, Schönheit; **~s-lettres** ['bel'letr] *pl* schön(geistig)e Literatur; Unterhaltungsliteratur

bell|boy ['belbɔi] *US umg* Hotelboy, -page; **~flower** ['belflauə] Glockenblume; **~founder** ['belfaundə] Glockengießer; **~foundry** ['belfaundri] Glockengießerei; **~hop** ['belhɔp] *US umg* = ~boy; **~pull** ['belpul] Klingelzug; Glockenstrang; **~wether** ['belweðə] Leithammel; Anführer

bellicose ['belikous] kriegerisch, kriegslustig

belligeren|ce [be'lidʒərəns] krieger. Art; **~t** [-'-t] kriegführend(er Staat)

bellow ['belou] brüllen (Ochse; *with pain* vor Schmerzen)

bellows ['belouz] *sg/pl* Blasebalg

belly ['beli] Bauch; Magen; (s.) bauschen

belong [bi'lɔŋ] gehören *(to* zu); hingehören *(where do these things ~ ?)*; *(bes US) ~ in, with* wohnhaft sein in, gehören zu; *(ohne adv) US* zu e-r bestimmten Gesellschaftsschicht gehören; **~ings** Habseligkeiten, Sachen

beloved [bi'lʌvid] Liebling, Geliebte; geliebt; *to be ~* [bi'lʌvd] beliebt sein

below [bi'lou] unter(halb); ~ *the mark* mangelhaft; nicht auf dem Damm; *to hit ~ the belt* (Boxen) unfair treffen *(a. fig)*; ~ *one's breath* [breθ] flüsternd; unwürdig *(him* seiner); *adv* unten; *here ~* hienieden

belt [belt] Gürtel, Koppel; Gurt; Treibriemen; *fig* Zone, Gebiet

bemoan [bi'moun] beklagen, betrauern

bench [bent∫] (Sitz-, Werk-)Bank; Richterbank; Gerichtshof; *to be raised to the ~* zum Richter bestimmt werden; **~er** Senior(mitglied) e-s Rechtskollegiums

bend [bend] *(s. S. 318)* (s.) beugen, (s.) biegen;

~ *down* sich bücken; (Augen, Schritte) lenken; e-e Biegung machen; *to be bent on* erpicht, darauf aus sein; Biegung, Kurve; Schifferknoten; *BE* Sauferei; **the ~s** Caissonkrankheit

beneath [bi'niːθ] unter(halb); *to marry* ['mæri] ~ *one* unter s-m Stand heiraten; ~ *me* meiner unwürdig

benediction [beni'dikʃən] Segen (*bes* in der Kirche)

benefac|tion [beni'fækʃən] Wohltat; Spende; **~tor** ['benifæktə] Wohltäter

benefice ['benifis] Pfründe; **~nce** [bi'nefisəns] wohltätiges Wirken; **~nt** [bi'nefisənt] wohltätig; segensreich

beneficia|l [beni'fiʃəl] nutzbringend, wohltätig; *to be* ~ *to* j-m guttun; **~ry** [beni'fiʃəri] Nutznießer; Begünstigter, Empfänger (e-r Versicherung, Erbschaft)

benefit ['benifit] 1. Nutzen, Gutes; *for the* ~ *of* zum Besten, zugunsten; *to give s-b the* ~ *of the doubt* [daut] Gutes von j-m glauben, bis Gegenteiliges bewiesen ist, im Zweifelsfall zu j-s Gunsten entscheiden; *a* ~ *concert* Wohltätigkeitskonzert; 2. Versicherungsleistung, Rente; 3. Freundlichkeit; ~, *~ed, ~ed vt/i* guttun, nützen; ~ *by* Nutzen haben von (ziehen aus)

benevolen|ce [bi'nevələns] Güte; Mildherzigkeit; **~t** [-–-t] gütig; mildtätig

benighted [bi'naitid] von der Dunkelheit überrascht; unwissend

benign [bi'nain] freundlich; mild, günstig; gutartig; **~ant** [bi'nignənt] freundlich, gütig; **~ity** [bi'nigniti] (Herzens-)Güte

benison ['benizn] Segen

bent [bent] *siehe* bend; Neigung, Hang (*for* zu); *to follow one's* ~ s-r Neigung folgen; *BE* verdrallt; *BE* homo

benumb [bi'nʌm] lähmen; betäuben

benz|ene ['benziːn] Benzol; **~ine** ['benziːn] Benzin; **~ol** ['benzɔl] Benzol

bequeath [bi'kwiːð] vermachen

bequest [bi'kwest] Erbe, Vermächtnis

berate [bi'reit] heftig schelten; aus-, beschimpfen

bereave [bi'riːv] *(s. S. 318)* ~ *s-b of* j-m etw rauben; ~*d of* (j-s) durch d. Tod beraubt; *a ~d husband* e. Mann, d. s-e Frau verloren hat; *bereft of one's senses* von Sinnen; *bereft of hope* bar aller Hoffnung; **~ment** Verlust (durch Tod); Trauerfall; Verlassenheit

bereft [bi'reft] *siehe* bereave

beret ['berei, *US* bə'rei] Baskenmütze

berg [bəːg] Eisberg

bergamot ['bəːgəmɔt] Bergamotte; *essence of* ~ Bergamottöl

beriberi ['beri'beri] ⚕ Beriberi

berry ['beri] Beere; (Weizen-)Korn

berth [bəːθ] Koje, (Schlafwagen-)Bett; Ankergrund, Liegeplatz ♦ *to give a wide* ~ *to* e-n weiten Bogen machen um; *BE* Stelle, Stellung; vor Anker legen, docken

beryl ['beril] Beryll

beseech [bi'siːtʃ] *(s. S. 318)* dringend bitten um, anflehen; erflehen

beseem [bi'siːm] s. schicken, ziemen für

beset [bi'set] *(s. S. 318)* (Straße) besetzen; bedrängen; ~ *with difficulties* ['difikəltiz] von Schwierigkeiten durchsetzt; ~*ting sin* zur Gewohnheit gewordene Untugend

beside [bi'said] neben; ~ *o. s.* außer sich (*with* vor); ~ *the point* (*question*) danebengegriffen; **~s** [bi'saidz] außer, neben; *adv* außerdem

besiege [bi'siːdʒ] belagern; bestürmen

beslaver [bi'slævə] begeifern, widerlich schmeicheln

beslobber [bi'slɔbə] abküssen; = beslaver

besmear [bi'smiə] beschmieren; -sudeln

besmirch [bi'sməːtʃ] beschmutzen; trüben

besom ['biːzəm] (Reisig-)Besen

besought [bi'sɔːt] *siehe* beseech

bespeak [bi'spiːk] *(s. S. 318)* im voraus erbitten; bestellen (Platz, Zimmer); verraten, bezeugen

bespoke [bi'spouk] Maß-(Schneider, Schuhmacher, Arbeit); *siehe* bespeak

best [best] 1. beste; ~*man* Brautführer; *in one's Sunday* ~ im Sonntagsstaat; *to make the* ~ *of one's way* so schnell wie möglich gehen; *to make the* ~ *of one's time* s-e Zeit möglichst gut ausnützen; *to put one's* ~ *foot forward* sein Bestes hergeben; *at* ~ bestenfalls; *with the* ~ so gut wie jeder andere; *to be at one's* ~ auf dem Höhepunkt (der Höhe) sein; *to the* ~ *of one's power* (od *ability*) nach bestem Vermögen; *the* ~ (*part*) *of* das Schönste an; 2. *adv* am besten; *had* ~ es wäre am besten, wenn (*you had* ~ *go now*); 3. am meisten; 4. besiegen; übertreffen; die Oberhand gewinnen über

bestial ['bestjəl] tierisch, bestialisch

bestir [bi'stəː] *o.s.* sich rühren

bestow [bi'stou] schenken, verleihen (*on* j-m); verstauen

bestrew [bi'struː] *(s. S. 318)* be-, verstreuen

bestride [bi'straid] *(s. S. 318)* rittlings sitzen (s. setzen) auf, stehen über

bet [bet] wetten (*I* ~ *him a shilling; I* ~ bestimmt; *you* ~ da kannste Gift drauf nehmen); Wette, Wettsumme

betake [bi'teik] *(s. S. 318):* ~ *o.s. to* sich begeben nach; s-e Zuflucht nehmen zu

bethink [bi'θiŋk] *(s. S. 318):* ~ *o.s.* sich besinnen, erinnern; s. in d. Kopf setzen

betide [bi'taid]: *woe* [wou] ~ *you if* Weh (geschehe) dir, wenn

betimes [bi'taimz] beizeiten; bald(igst)

betoken [bi'toukən] ankündigen

betook [bi'tuk] *siehe* betake

betray [bi'trei] verraten; offenbaren; verleiten; **~al** [-–-əl] Verrat

betroth [bi'trouð] verloben, (e-m Mann) versprechen; *the ~ed* [bi'trouðd] Verlobte(n); **~al** [bi'trouðəl] Verlobung

better[1] ['betə] 1. Besser; *no* ~ *than* einfach ein (Narr); *the* ~ *part* (od *half*) *of* mehr als; *his* ~ *half* seine bessere Hälfte; *to know* ~ *than to* *(go etc)* vernünftig genug sein, nicht zu (gehen); ~ *off* bessergestellt; *to get the* ~ *of* überwinden, ausstechen; *to think* ~ *of it* s. e-s Besseren besinnen; *my* ~ *s* m-e Vorgesetzten, Höhergestellten; **2.** *adv* besser; lieber; *had* ~ es wäre besser, wenn *(you had* ~ *go now)*; **3.** *vt* besser machen, verbessern; besser werden, sich bessern; **~ment** Verbesserung, Besserstellung

better² ['betə] Wette(nde)r

between [bi'twi:n] zwischen, unter; ~ *you and me,* ~ *ourselves* im Vertrauen, zusammen, miteinander; *adv* dazwischen; *(few and) far* ~ vereinzelt

betwixt [bi'twikst] *poet* = between

bevel [bevl] schräg(e) Kante; abschrägen

beverage ['bevəridʒ] Getränk

bevy ['bevi] Gruppe; Schwarm

bewail [bi'weil] bejammern, beklagen, wehklagen über

beware [bi'wɛə] *of* s. hüten vor; zusehen (daß nicht)

bewilder [bi'wildə] verwirren, bestürzen; **~ment** Verwirrung, Bestürzung; *in* ~*ment* bestürzt

bewitch [bi'witʃ] verhexen; bezaubern

beyond [bi'jɔnd] **1.** jenseits, weiter als *(that tree)*, länger als *(10 o'clock)*; **2.** *fig* über hinaus *(he is* ~ *his brother)*; *that's* ~ *me* das ist mir zu hoch; ~ *the doctor's help* unrettbar krank; ~ *compare* [kəm'pεə] unvergleichlich; ~ *dispute* außer allem Zweifel; ~ *endurance* [in'djuərəns] unerträglich; ~ *hope* hoffnungslos; ~ *measure* ['meʒə] über die Maßen; ~ *reason* ['ri:zn] unvernünftig; **3.** *adv* jenseits, drüben; *the* ~ das Jenseits; *the back of* ~ e. ganz entlegener Winkel

bi- [bai] zwei-; halb-

biannual [bai'ænjuəl] halbjährlich

bias ['baiəs], *pl* ~**es** Schräge, Schräglauf; *to cut (on the)* ~ schräg schneiden; Neigung, Vorliebe *(towards, in favour of* für); Vorurteil *(against* gegen); *adj* schräggeschnitten; *vt* ~, ~*ed,* ~*ed* beeinflussen; **~ed** [--t] voreingenommen

bib [bib] Lätzchen; Schürzenlatz; zechen

Bible [baibl] Bibel

biblical ['biblikəl] biblisch; Bibel-

biblio|graphy [bibli'ɔgrəfi] Literaturverzeichnis, Bibliographie; **~phile** ['bibliəfail] Bücherliebhaber

bicarbonate [bai'kɑ:bənit] Hydrogenkarbonat; *(~ of soda)* doppeltkohlensaures Natron

bicenten|ary [baisen'ti:nəri] *bes BE* Zweihundertjahrfeier; **~nial** [baisentənjəl] zweihundertjährig; = ~ary

biceps ['baiseps], *pl* ~**es** Bizeps

bicker ['bikə] sich kabbeln, zanken

bicycl|e ['baisikl] (Fahr-)Rad; radeln; **~ist** ['baisiklist], **~e rider** Radfahrer

bid¹ [bid] *(s. S. 318)* bieten *(for* für, auf); ~ *up* durch Bieten hochtreiben; Angebot machen *(for, on* für); große Anstrengungen machen

bid² [bid] *(s. S. 318)* befehlen, gebieten, heißen; (Willkommen, Trotz) bieten, (Lebewohl) sagen; ~ *fair* versprechen, den Anschein haben

bid³ [bid] Angebot (auf e-r Auktion, für e-e Ausschreibung); ~ *for* (intensives) Streben nach, Anstrengung etw zu erreichen; *to make a* ~ *for* mit aller Macht zu erlangen trachten; **~der** Bieter; **~ding** Bieten; Geheiß; *to do s-b's* ~*ding* j-s Geheiß folgen

bide [baid], ~ *d,* ~ *d:* ~ *one's time* s-e Zeit (Gelegenheit) abwarten

biennial [bai'eniəl] zweijährig(e Pflanze); zweijährlich

bier [biə] Totenbahre

bifocals [bai'foukəlz] Bifokalbrille

bifurcate [bai'fəkeit] s. gabeln

big [big] groß; erwachsen, stark; schwanger; großzügig (Herz); prahlerisch, großspurig; ~ *ditch umg* d. große Teich; ~ *shot umg* großes Tier, Bonze; ~ *stick umg* Macht, Stärke; *to think* ~ große Pläne (Ideen) haben; *to talk* [tɔ:k] ~ d. Mund vollnehmen

bigamy ['bigəmi] Bigamie

bight [bait] Schlaufe; Biegung, Bucht

bigot ['bigət] bigotter Eiferer; **~ed** bigott, engherzig; **~ry** Frömmelei, Bigotterie, Engherzigkeit

bike [baik] Rad; ~ *rider US* Radler

bikini [bi'ki:ni] Bikini(-Badeanzug)

bilateral [bai'lætərəl] zweiseitig

bilberry ['bilbəri] Heidel-, Blaubeere

bile [bail] Galle *(a. fig)*

bilge [bildʒ] Bilge; Bilgenwasser *(a.* ~*-water); umg* Mist(zeug)

bilingual [bai'liŋgwəl] zweisprachig

bilious ['biliəs] Galle-(Patient); Gallen-(Leiden); gallig, pessimistisch

bilk [bilk] prellen, betrügen *(of* um)

bill¹ [bil] (spitzer, flacher) Schnabel

bill² [bil] Rechnung *(~ of costs* Kosten-, ~ *of expenses* Spesen-); ~ *of lading* Seefrachtbrief, Konnossement, *US a.* Frachtbrief; ~ *of exchange* (*bes* Auslands-)Wechsel; Gesetzentwurf; Klageschrift; Anschlag *(theatre* ~ Theaterzettel, Spielplan); ~ *of fare* Speisekarte; *US* Banknote, Schein *(ten-dollar* ~); *vt* ankündigen, herausstellen; e-e Liste aufstellen von; j-m e-e Rechnung schicken

bill|board ['bilbɔːd] *US* Reklametafel, -wand, Anschlagtafel; **~fold** ['bilfould] *US* Geldscheintasche

billet ['bilit] Quartier(schein); einquartieren *(on* bei, in)

billet-doux [bili'du:], *pl* ~ [--'du:z] Liebesbrief

billiards ['biljədz] *sg vb* Billard

billion ['biljən] *BE* Billion; *US* Milliarde

billow ['bilou] Woge; wogen

bill|-poster [bilpoustə], **~-sticker** ['bilstikə] Plakatkleber

bi-monthly ['bai'mʌnθli] zweimonatl.; halbmonatlich

bin [bin] (Korn-, Kohlen-, Brot-, Mehl-)Kasten, Behälter; *BE* Mülleimer

bind [baind] *(siehe S. 318)* (ver)binden *(toge-*

ther zus., miteinander); ~ *up* zu-, **$** verbinden; fest machen, werden; (Rand) einfassen; **□** (ein)binden; ~ *(over)* verpflichten, ~ *s-b (as an) apprentice to* j-n in d. Lehre geben bei; ~ *o.s.* sich verpflichten; **~er** (Buch-)Binder; Bindemaschine; -mittel; **~ing** (Ein)Binden; Einband; (Ski-)Bindung; Einfassung

binoculars [bi'nɔkjuləz] *pl vb* Feldstecher

biochemistry [baiə'kemistri] Biochemie

biograph|ee [baiɔgrə'fiː] in e-r Biographie Dargestellter; **~er** [bai'ɔgrəfə] Biograph; **~ic(al)** [baiə'græfik(l)] biographisch; **~y** [bai'ɔgrəfi] Biographie

biolog|ic(al) [baiə'lɔdʒik(l)] biologisch; *~ical warfare* ['wɔːfɛə] Bakterienkrieg; **~ist** [bai'ɔlədʒist] Biologe; **~y** [bai'ɔledʒi] Biologie

bionomics [baiə'nɔmiks] *sg vb* Ökologie; (spez.) biologische Soziologie

biped ['baiped] Zweifüßler

biplane ['baiplein] Doppeldecker

birch [bəːtʃ] Birke; Rute; züchtigen

bird [bəːd] Vogel (~ *of passage* Zug-, ~ *of prey* Raub-) ◆ *a* ~ *in the hand* etw Sicheres, e. Spatz in d. Hand; *a* ~ *in the bush* e-e Taube auf d. Dach; *to kill two* ~ *s with one stone* zwei Fliegen mit e-r Klappe schlagen; *a* ~ *'s-eye view* ['bɔːdzai 'vijuː] (Ansicht aus d.) Vogelperspektive; **~preserve** [pri'zəːv] Vogelschutzgebiet; **~seed** Vogelfutter

birth [bəːθ] Geburt (*at* ~ bei d. G., *by* ~ von G.); Wurf; *to give* ~ *to* gebären; hervorrufen; ~ **control** [kən'troul] Geburtenbeschränkung; **~day** Geburtstag; *in his* ~ *day suit* [sjuːt] unbekleidet; **~mark** [⸗maːk] Muttermal; **~place** [⸗pleis] Geburtsort; **~rate** [⸗reit] Geburtenziffer; **~right** [⸗rait] Geburts-, angestammtes Recht

biscuit ['biskit] *BE* Plätzchen, Keks; *US* (warm mit Butter gegessener) Fladen; Biskuitporzellan; *adj* hellbraun; *ship-~* Schiffszwieback

bisect [bai'sekt] in zwei (gleiche) Teile teilen; *US* s. gabeln; *US* s. kreuzen

bishop ['biʃəp] Bischof; (Schach) Läufer; **~ric** [⸗rik] Diözese, Bistum

bismuth ['bizməθ] Wismut

bison [baisn], *pl* ~ (amerikan.) Bison; Wisent

bit¹ [bit] 1. Stückchen, Bißchen ◆ *a* ~ ein bißchen; *a nice* ~ ein hübscher Batzen; ~ *by* ~ Stück für Stück, allmählich; *a* ~ *at a time* schrittweise; *a* ~ *of* a ein ziemlicher (Feigling etc); *not a* ~ kein bißchen, nicht im mindesten; *to give s-b a* ~ *of one's mind* j-m mal die Meinung sagen; 2. Münze (*a threepenny* ~); 3. *US* 12 ½ cents; 4. ✿ Bohrer, Bohreinsatz; 5. (Schlüssel-)Bart; 6. Kandare ◆ *to take the* ~ *between one's teeth* losrennen, durchgehen, widerspenstig werden

bit² [bit] *siehe* bite

bitch [bitʃ] Hündin, Wölfin, Füchsin; Nutte, gemeines Weib

bit|e [bait] *(s. S. 318)* beißen; stechen; ~ *at* schnappen nach; ~ *off* abbeißen; ~ *the dust* ins Gras beißen; ~ *one's lips* s. auf d. Lippen

beißen; s. fressen *(into metal)*; vernichten (Blüten), erfrieren lassen (Finger); (Fisch) anbeißen; (Räder) fassen; **~e** Beißen, Biß (-wunde); (Insekten-)Stich; Bissen; stechender Schmerz; (Fisch) Anbeißen; **~ing** beißend, stechend, scharf *(a. fig)*

bitten [bitn] *siehe* bite ◆ *once* ~ *twice shy* gebranntes Kind scheut das Feuer

bitter ['bitə] bitter; schwer; ver-, erbittert; heftig; *BE* Bier; *pl* Magenbitter; **~ling** ['bitəliŋ] Bitterling; **~n** ['bitən] Rohrdommel

bivouac ['bivuæk] Biwak; **~,** **~ked,** *~ked* biwakieren

biweekly ['bai'wiːkli] halbwöchentlich; halbmonatlich; Halbmonatsschrift

bizarre [bi'zaː] bizarr

blab [blæb] (aus)schwatzen; **~ber** Schwätzer

black [blæk] 1. schwarz; ~ *in the face* dunkel(rot) im Gesicht; ~ *eye* blaues Auge; ~ *sheep* schwarzes Schaf; ~ *and blue* grün u. blau; *to be in s-b's* ~ *books* bei j-m schlecht angeschrieben sein; *to gives s-b a* ~ *look* wütend ansehen; 2. Schwarz; 3. Trauer; 4. Schwärze; 5. Schwarzer; 6. *vt* schwarz auftragen auf, schwarz polieren; 7. (Auge) blau und grün schlagen; ~ *out* verdunkeln, trüben, d. Bewußtsein verlieren

black|amoor ['blækəmuə] Schwarzer, Mohr; **~beetle** [⸗'biːtl] Schabe; **~berry** [⸗bəri] Brombeere *(to go ~berrying)*; **~bird** [⸗bəːd] Amsel; **~board** [⸗bɔːd] Wandtafel; **~coat worker** [⸗kout 'wəːkə] Büroangestellter

blacken ['blækən] schwärzen, schwarz werden; anschwärzen; beschmutzen

black|guard ['blægaːd] Schuft, Lump; beschimpfen; **~guardly** ['blægaːdli] schuftig, gemein; **~head** ['blækhed] Mitesser; **~ing** schwarze Schuhwichse; **~jack** ['blækdʒæk] *bes US* Totschläger; **~lead** ['blækled] Graphit; **~leg** ['blækleg] *BE* Streikbrecher; Schwindler; *US* Klauenseuche; **~letter** Fraktur; **~letter day** Unglückstag; ~ *list fig* schwarze Liste; **~-list** auf d. schwarze Liste setzen; **~mail** ['blækmeil] Erpressung(ssumme); erpressen; ~ **market** Schwarzmarkt; **~marketeer** [maːkə'tiə] Schwarzmarkthändler; **~out** ['blækaut] Verdunklung, Finsternis, Sperre, Abschließung; (Strom-)Ausfall; Bewußtlosigkeit; **~pudding** Blutwurst; **~smith** ['blæksmiθ] Schmied; **~thorn** ['blækθɔːn] Schlehe, Schwarzdorn

bladder ['blædə] (Gallen-, Harn-)Blase; (Fußball- etc)Blase

blade [bleid] Schneide; (Säge-, Ruder-)Blatt; (Rasier-)Klinge; Halm, Blatt

blain [blein] entzündete Stelle (Schwellung), Pustel

blame [bleim] 1. tadeln; sagen, daß ... schuld ist; ~ *s-b for*, ~ *s-th on s-b* j-m die Schuld zuschieben an; *he is to* ~ *for* er hat d. Schuld an; 2. Tadel; 3. Schuld; *to bear* [bɛə] *the* ~ d. Schuld tragen (auf s. nehmen); *to lay the* ~ *on s-b* j-m die Schuld zuschreiben; **~less** untadelig, tadellos

blanch [blɑːntʃ] (er)bleichen, bleich werden
blancmange [bləˈmɔnʒ] Flammeri, Pudding
bland [blænd] sanft, freundlich; reizlos; (Klima) mild; **~ish** [ˈblændiʃ] schmeicheln, betören; **~ishment** *mst pl* Schmeichelei(en), Verlockung(en)
blank [blæŋk] **1.** leer (Blatt, Seite, Formular); **2.** Blanko-(Scheck); **3.** Blank-(Vers); **4.** ~ *(cartridge* [ˈkɑːtridʒ]) Platzpatrone; **5.** ausdruckslos (Blick); ~ *wall* durchgehende (öffnungslose) Wand; ~ *silence* [ˈsailəns] völlige Stille; **6.** geschwunden (Gedächtnis); **7.** leere (freie) Stelle, Leere; **8.** Formular; ~ *out* (*US*) d. Gedächtnis rauben, vernichtend schlagen; auslöschen
blanket [ˈblæŋkit] Wolldecke; (Schnee- etc)Decke; Gesamt-, Allgemein-, umfassend; (wie) mit e-r Decke zudecken; unterdrücken; ganz erfassen; übertönen
blare [bleə] schmettern; laut hupen
blarney [ˈblɑːni] Schmus(erei); beschmusen
blasé [ˈblɑːzei] übersättigt, blasiert
blasphem|e [blæsˈfiːm] lästern, fluchen; schmähen; **~ous** [ˈblæsfiməs] lästerlich; **~y** [ˈblæsfimi] Gotteslästerung, Blasphemie
blast [blɑːst] Wind-, Luftstoß; Trompetenstoß; Gebläse; *in (out of)* ~ (nicht) arbeitend (Ofen); Explosion; Luftdruck; (Spreng-)Ladung; (durch Frost, Hitze, Blitz) vernichten; sprengen; verbrennen; zus.schrumpfen lassen; heftig attackieren; **~-furnace** [ˈblɑːstfəːnis] Hochofen
blatan|cy [ˈbleitənsi] Geschrei, Getöse; **~t** (grob)laut, lärmend; grob (Lüge)
blather [ˈblæðə] = blether
blaze [bleiz] **1.** helle Flamme (*to burst into a* ~ auflodern); **2.** Brand, *in a* ~ in Flammen; *a* ~ *of lights* e. Lichtermeer, ~ *of colour* e. Farbenmeer; ~ *of anger* Wutausbruch; **3.** hell brennen, lodern; ~ *up* auflodern; ~ *away* (od *off*) (los)feuern; leuchten, strahlen; **4.** (Baum) markieren, schalmen ♦ ~ *a trail* e-n Pfad markieren, *fig* e-n Weg bahnen, Pionierarbeit leisten; ~ *abroad* (etw) aus-, herumtrompeten; **~r** Blazer, Sportjacke
blazon [ˈbleizn] Wappen(schild); verkünden
bleach [bliːtʃ] bleichen; **~er** [ˈbliːtʃə] Bleichmittel; offene Tribüne
bleak [bliːk] kahl, öde; rauh; trüb, freudlos
blear [bliə] trübe; **~-eyed** [ˈ-raid] = blear
bleat [bliːt] blöken, meckern
bleb [bleb] (Haut-)Bläschen
bled [bled] *siehe* bleed
bleed [bliːd] *(s. S. 318)* bluten (*to death* [deθ] zu Tode); Saft verlieren; zur Ader lassen; *fig* ausnehmen; ~ *white* (etw) aussaugen
blemish [ˈblemiʃ] Fehler, Makel, Verunstaltung; verunstalten; *without* ~ makellos
blench [blentʃ] zurückschrecken
blend [blend] *(s. S. 318)* (Teesorten etc) mischen; (Farben) ineinander übergehen, zueinander passen; Mischung
bless [bles] *(s. S. 318)* segnen; preisen ♦ ~ *me!*, ~ *my soul!* meine Güte!, herrje!; *he has*

not a penny to ~ *himself* er ist arm wie e-e Kirchenmaus; *to be* **~ed** [blest] *with* gesegnet sein mit (Gesundheit, Glück)
blessed [ˈblesid] selig, glücklich, glückbringend *(what a* ~ *thing is sleep!)*
blessing [ˈblesiŋ] Segen; Dankgebet; Segnung, Glück; Wohltat; *a* ~ *in disguise* [disˈgaiz] ein Glück im Unglück
blether [ˈbleðə] Gewäsch; quatschen
blew [bluː] *siehe* blow[1,2]
blight [blait] Fäule, Mehltau; *fig* Gift; zunichte machen, ersticken
blind [blaind] blind (*to* gegenüber); unübersichtlich (Kurve); Rollo; blenden, *to be* **~ed** erblinden; blind machen (*to* gegenüber); ~ **alley** [ˈæli] Sackgasse; **~er** *US* Scheuklappe; ~ **flying** [ˈflaiiŋ] Blindflug; **~fold** [ˈ-fould] mit verbundenen Augen, j-m die Augen verbinden; **~-worm** [ˈ-wəːm] Blindschleiche
blink [bliŋk] blinzeln; schimmern; blinken mit; ~ *the fact that* s. d. Tatsache verschließen, daß; **~er** Scheuklappe; Blinklicht; **~ing** *sl* verdammt
blip [blip] Echoanzeige, Blip
bliss [blis] (Glück-)Seligkeit, Wonne; **~ful** glückselig
blister [ˈblistə] Haut-, Brandblase; Blasen bilden
blithe [blaið] munter, lustig, sorglos
blitz [blits] blitzartiger Luftüberfall; *fig* Attacke; **the B~** d. deutschen Nachtluftangriffe (London 1940); durch Bomben zerstören; **~krieg** [ˈblitskriːg] Blitzkrieg, Überraschungsüberfall, -angriff
blizzard [ˈblizəd] Schneesturm
bloat|ed [ˈbloutid] aufgedunsen; aufgebläht; schwerreich (geworden); **~er** Bückling
blob [blɔb] Tropfen; Tupfen
bloc [blɔk] (Partei-, Wirtschafts-)Block
block [blɔk] **1.** Block, Klotz; Leisten; Schreibblock; *to send to the* ~ aufs Schafott schicken; **2.** Häuser-, Wohnblock; *US* Häuserkomplex, Wohnquadrat; **3.** *US* (Quer-)Straße *(he lives three* ~*s away)*; **4.** Sperre, Verstopfung, Stockung; **5.** Bauklotz; Klischee; **6.** Tölpel; **7.** *vt* versperren, ~ *up* zusperren; blockieren; (Hut) formen; prägen; ~ *in* skizzieren; **~ed** [blɔkt] Sperr- *(account* -konto)
block|ade [blɔˈkeid] Blockade *(to raise a* ~*ade* Bl. aufheben); *US* Verkehrsstockung; *vt* blockieren; **~head** [ˈblɔkhed] Klotz, Dummkopf; ~ **letter** Blockbuchstabe
bloke [blouk] *BE* Kumpel; Kerl
blond(e) [blɔnd] blond; Blonde(r)
blood [blʌd] **1.** Blut ♦ *his* ~ *ran cold, his* ~ *froze* ihm gefror d. Blut in d. Adern; *it made my* ~ *boil* es empörte mich; *his* ~ *was up* er war aufgebracht; *in cold* ~ (ganz) kaltblütig; **2.** Geblüt, Stamm; ~ **bank** Blutspender; ~ **donor** [ˈdounə] Blutspender; **~hound** [ˈblʌdhaund] Bluthund; **~less** blutleer; gefühllos; unblutig; ~ **sedimentation (rate)** [sedimenˈteiʃən(reit)] Blutsenkung; **~shed** Blutvergießen; **~shot** blutunterlaufen; **~stream** Blutkreislauf; **~-**

-sucker ['blʌdsʌkə] Blutsauger; **~thirsty** ('blʌdθəːsti] blutdürstig; **~vessel** ['blʌdvesl] Blutgefäß; **~y** blutend, blutig; *umg* verdammt *(siehe* blinking, blooming)

bloom [bluːm] Blüte(zeit); *to be in ~* blühen; rosiger Hauch; blühen; **~er** *BE* Schnitzer; **~ers** Pumphose; langer Schlüpfer; **~ing** *BE sl* verflucht

blossom ['blɔsəm] *(bes* Obst-)Blüte; (auf-, er)blühen; *to be in ~* blühen

blot [blɔt] *(bes* Tinten-)Klecks, Fleck; Schandfleck, Makel; *vt* (be)klecksen; beflecken; (Tinte) löschen; *out* dick ausstreichen; auslöschen; versperren; **~ter** Löscher, Löschpapierblock; *US* Protokollbuch; *US* Journal

blotch [blɔtʃ] großer Klecks; Hautfleck

blouse [blauz] Bluse; *US* Uniformjacke

blow¹ [blou] *(s. S. 318)* (auf)blühen; Blüte

blow² [blou] *(s. S. 318)* wehen lassen; *~ over* vorüberziehen; (davon)fliegen; schnaufen; etwas um-, wegwehen; pusten auf, (Nase) putzen, schneuzen; Eier legen in (Fleisch); *~ out* ausblasen; durchbrennen; *~ up* aufblasen; in d. Luft jagen; in d. Luft gehen; (Bild) vergrößern; *to have (go for) a ~* etw Luft schnappen gehen; **~er** [blouə] (Glas-)Bläser; *BE* Telefon; **~fly** ['blouflai] Schmeißfliege; **~hard** ['blouhɑːd] Prahlhans; **~lamp** ['bloulæmp] *BE* Lötlampe; **~out** ['blouaut] Reifenpanne, *sl* große, laute Party; *~ torch* ['tɔːtʃ] Lötlampe

blow³ [blou] Schlag *(at a ~, at one ~* mit e-m S.); *to come to a ~s* aufeinander losgehen; *to strike a ~ for* s. einsetzen für; *fig* Schlag, Unglück; Aktion *(for* für)

blown [bloun] *siehe* blow

blowzy ['blauzi] mit rotem Gesicht und schmutzig-zerzaust, wie ein Dorftrampel

blubber ['blʌbə] Walfischspeck; plärren, flennen; (Gesicht) entstellen

bludgeon ['blʌdʒən] Knüppel; mit dem Knüppel bearbeiten; zwingen *(into* zu)

blue [bluː] 1. blau; obszön, unanständig; 2. bedrückt, bedrückend (aussehen); *US* puritanisch streng; 3. Blau; Himmel; d. See; *true ~* treuer Anhänger; 4. **~s** Trübsinn; Blues; 5. (Oxford-, Cambridge-)Mannschaftsangehöriger; **~bell** ['bluːbel] Glockenblume; **~berry** ['bluːbəri] Heidelbeere; **~bottle** ['bluːbɔtl] Kornblume; Glockenblume; Schmeißfliege; **~-chip** erstklassig; **~collar worker** Arbeiter; *~* **devils** [devlz] Trübsinn; **~jacket** ['bluːdʒækit] Matrose; **~nose** ['bluːnouz] Puritaner; **~pencil** ['bluːpensl] zensieren; **~print** ['bluːprint] Blaupause; Plan, Entwurf; planen, entwerfen; **~stocking** Blaustrumpf

bluff¹[blʌf] (vorspringendes) Steilufer; steil; schroff, rauh

bluff² [blʌf] Bluff; bluffen, irreführen

bluish ['bluːiʃ] bläulich

blunder ['blʌndə] Schnitzer; e-n Schnitzer machen; *~ (on, along)* stolpern; verpfuschen; *~ upon (into)* stoßen auf; *~ out* gedankenlos sagen

blunt [blʌnt] stumpf; derb; abstumpfen

blur [bləː] trüben; verwischen; **~red** [bləːd] 🔲 verwackelt; etwas Verschwommenes, Fleck; Makel

blurb [bləːb] 🔲 Waschzettel, Klappentext; *US* Reklame machen für

blurt [bləːt] *out* herausplatzen mit

blush [blʌʃ] erröten; s. röten; s. schämen; Erröten, (Scham-)Röte

bluster ['blʌstə] Toben, Getöse; prahlerische Drohungen; tosen, brausen; lärmend prahlen, laut meckern

bo [bou]: *he can't say ~ to a goose* er hat keinen Mumm in d. Knochen; *=* boo

boa ['bouə], *pl* **~s** Boa(schlange); (Feder-, Pelz-)Boa

boar [bɔː] Eber; Wildeber, Keiler

board [bɔːd] 1. Brett, Bohle; 2. (Schul-, Anschlag-)Tafel; 3. Sprungbrett; 4. Kost; 5. Pension *(~ vages* Lohn u. Kostgeld); 6. (Beratungs-)Tisch ♦ *above ~* offen; 7. Amt, Behörde; *B~ of Trade (BE)* Handelsministerium, *US* Handelskammer; Gremium, Ausschuß; *~ of directors* Vorstand; *~ of examiners* Prüfungsausschuß; *~ of works* Bauamt, Baubehörde; 8. Bord *(on ~* an B., im Zug, Bus); *to go by the ~* über Bord gehen, fehlschlagen; 9. *vt/i* dielen; *~ up* (mit Brettern) zunageln; 10. in Pension nehmen (gehen); *~ out* auswärts essen gehen; 11. an Bord gehen; be-, einsteigen; **~er** Pensionsgast, Kostgänger; Internatsschüler; **~ing** Bretterschalung, Dielen; Verpflegung; **~ing-house** Pension; Internatshaus; **~ing-school** Internat; **~s** Bretter, Bühne; Pappe *(in ~s* 🔲 kartoniert)

boast [boust] Prahlen; *fig* Stolz; sich rühmen, prahlen; stolz sein auf; **~er** Prahler; Prahlhans; **~ful** prahlerisch

boat [bout] *(bes* Ruder-, Motor-)Boot; *to burn one's ~s* alle Brücken hinter s. abbrechen; Sauciere; im Boot fahren *(go ~ing* rudern gehen); **~er** Strohhut; **~man** ['boutmən], *pl ~ men* Bootvermieter; Kahnführer; **~race** ['boutreis] Ruderregatta; **~swain** [bousn] Bootsmann; *~ train* ['bout'trein] Schiffszug

boatel [bou'tel] schwimmendes Hotel

bob¹ [bɔb] auf u. ab, hin u. her tanzen *(~ up like a cork* wie ein Stehaufmännchen wieder hochkommen); kurzschneiden; (im Bob) rodeln; Auf- und Abtanzen; Bubikopf; **~sled, ~sleigh** ['bɔbslei] Bob

bob² [bɔb], *pl sl* Schilling

bobbin ['bɔbin] Spule; **~et** ['bɔbinet, *US —*] Bobinet, englischer Tüll

bobby ['bɔbi] *BE* Schupo; *~ pin US* Haarklammer; **~ socks** Söckchen; **~soxer** Teenager, Backfisch

bode [boud] bedeuten *(ill* Schlimmes)

bodice ['bɔdis] Mieder

bodily ['bɔdili] körperlich, Körper-; *~ fear* Angst vor Verletzungen; *adv* als Ganzes, geschlossen *(they rose ~)*

body ['bɔdi] Körper; Rumpf; Leiche, totes Tier, Kadaver; ⚓, ✝ Rumpf; 🚗 Karosserie; Textteil; Gruppe, Körperschaft; *in a ~* geschlossen; (Land-, Wasser-)Masse *(a lake is a ~ of water)*; (Kleid) Oberteil; **~guard** [⸚gɑːd] Leibwache; ~ **medical** Ärzteschaft; ~ **politic** Staat

Boer ['bouə, buə] Bure (*Boer Wars*)

boffin ['bɔfin] *BE* Wissenschaftler (im Geheimdienst militärischer Stellen)

bog [bɔg] Sumpf; Moor; ~ *down* versacken, stecken bleiben; versanden lassen; **~gy** sumpfig, morastig

boggle ['bɔgl] scheuen; zögern; pfuschen

bogie ['bougi] *BE* Lore; *BE* Drehgestell

bogus ['bougəs] unecht; Schwindel

bog|y, **~ey** ['bougi], *pl* **~ies**, **~eys** Kobold, Schreckgespenst; *the* ~ d. Schwarze Mann

boil¹ [bɔil] kochen; ~ *over* überkochen; ~ *away* weiter-, verkochen; ~ *down* einkochen, *fig* zus.drängen, zus.fassen, hinauslaufen (*to auf*); Siedepunkt *(a.: ~ing-point); to bring s-th to the* ~ etw zum Kochen bringen; *to be at* (od *on) the* ~ kochen; *to come to the* ~ zum Kochen kommen

boil² [bɔil] Furunkel

boiler ['bɔilə] (Dampf-, Wasser-)Kessel; Heißwasserofen

boisterous ['bɔistərəs] heftig, ungestüm

bold [bould] kühn; verwegen; dreist; (Linie) kräftig, klar; (Druck) fett

bole [boul] (Baum-)Stamm

bolero [bə'lɛərou], *pl* **~s** Bolero (Tanz); ['bɔlərou] Bolero(jäckchen)

boletus [bou'liːtəs], *pl* **~es** Röhrling; **(edible)** ~ Steinpilz

Bologna [bə'lounjə] **sausage** *US* Mettwurst

boloney [bə'louni] *US sl* Mettwurst; Mist

bolster ['boulstə] Kissen(rolle); Unterlage; (unter)stützen

bolt [boult] **1.** Schraube (mit Mutter); **2.** Bolzen, Riegel; **3.** Pfeil; ~ *upright* [ʌp'rait] kerzengerade; *to shoot* [ʃuːt] *one's* ~ s-e Pfeile verschießen; **4.** Blitz (~ *from the blue* aus heiterem Himmel); **5.** Wegrennen, *to make a* ~ *for it (umg)* davonschießen; **6.** *vt/i* verriegeln, -sperren (~ *in, out* ein-, aussperren); **7.** hinunterschlingen; **8.** davonschießen, durchbrennen; **9.** *US* (Partei) im Stich lassen

bomb [bɔm] (Flieger-, Zeit-)Bombe; Handgranate; *vt* mit Handgranaten (Bomben) belegen, bombardieren; ~ *out* ausbomben; **~er** [⸚ə] Bomber; **~ard** [⸚'bɑːd] (mit Granaten, Fragen, Partikeln) bombardieren, beschießen; **~ardier** [bɔmbɑː'diə] Bombenschütze; **~ardment** [bɔm'bɑːdmənt] Bombardierung, Kanonade; Bombenangriff; **~ing raid** ['bɔminreid] Bombenangriff; **~-proof** ['bɔmpruːf] bombensicher; **~-shell** *fig* Bombe

bombastic [bɔm'bæstik] bombastisch

bona fide ['bounə'faidi, *US* ⸚'faid] in gutem Glauben, wirklich, echt, ehrlich

bonanza [bou'nænzə], *pl* **~s** reiche Erzader; *fig* Gold-, Fundgrube; einträglich

bonbon ['bɔnbɔn] Praline; Bonbon

bond [bɔnd] Band (*pl* Bande), *in* ~*s* in Banden, nicht frei; Schuldschein (*his word is as good as his* ~ sein Wort gilt); Schuldverschreibung, Obligation; *in* ~ unter Zollverschluß; **~age** ['bɔndidʒ] Knechtschaft; **~ed** unter Zollverschluß; **~ed warehouse** ['wɛəhaus] Zollspeicher; **~(s)man** ['bɔnd(z)mən], *pl* ~ men Höriger

bone [boun] Knochen; Bein; Gräte; *pl* Gebeine; *as dry as a* ~ knochentrocken; *to the* ~ bis ins Mark ♦ *to have a* ~ *to pick with* ein Hühnchen zu rupfen haben mit; *to feel in one's* ~*s* etw in d. Knochen fühlen, ganz sicher sein; entgräten; ~ *(up on)* büffeln, ochsen; **~r** grober Schnitzer

bonfire ['bɔnfaiə] (Freuden)Feuer

bonkers ['bɔŋkəz] *BE* übergeschnappt

bonnet ['bɔnit] Kapotthut, Schute; *BE* (Motor-)Haube

bonny ['bɔni] hübsch, gesund(aussehend)

bonus ['bounəs], *pl* **~es** (Gehalts-)Prämie; Gratifikation; Zugabe; Dividende

bony ['bouni] knochig; grätig; knöchern

boo [buː] *~ed, ed* niederbrüllen, auszischen; verscheuchen; Buh(ruf)

boob [buːb] Blödkopf; **~y** Tolpatsch, Tranfunzel; **~y hatch** *US sl* Klapskiste; Kittchen, Kasten; **~y prize** Trostpreis; **~y trap** (Minen-)Falle; Budenzauber

book [buk] Buch; Heft; (Fahrkarten-)Block; *the B~* Bibel *(to swear on the B~)* ♦ *to bring s-b to* ~ j-n zur Rechenschaft ziehen; *to be in s-b's black (bad)* ~ *s* schlecht angeschrieben sein bei; *to suit* [sjuːt] *one's* ~ j-m in d. Kram passen; *one for the book* unvergeßliche Tat; *vt* (in ein Buch) eintragen, buchen; (Karte) lösen; (Platz) (vor-)bestellen; *to be* ~ *ed* [⸚t] *up* belegt sein; **~-binder** [⸚baində] Buchbinder; **~-case** [⸚keis] Bücherschrank; **~-end** Bücherstütze; **~ing-clerk** [⸚iŋklɑːk] Schalterbeamter; **~ing-office** [⸚iŋfis] *BE* 🚂 Schalter; 🚂 Kasse; **~ish** geschraubt; literarisch; **~ish person** Leseratte; **~-keeper** [⸚kiːpə] Buchhalter, Rechnungsführer; **~-keeping** [⸚kiːpiŋ] Buchführung; **~-let** [⸚lit] Büchlein, Broschüre **~-maker** Buchmacher; **~mark** Lesezeichen; **~-plate** [⸚pleit] Exlibris; **~-seller** Buchhändler; **~-shelf** [⸚felf], *pl* ~ **shelves** [⸚felvz] Regal, Bücherbrett; **~-stall** [⸚stɔːl] *BE* Zeitungsstand; (Antiquariats-)Bücherstand; **~store** *US* Buchladen; **~-worm** [⸚wəːm] Bücherwurm *(a. fig)*

boom¹ [buːm] (Segel-)Baum, Spiere; Hafensperre; (Mikrofon-)Galgen

boom² [buːm] dröhnen; Reklame machen für; (Preise) hochtreiben; hochkommen, Aufschwung nehmen; Dröhnen; Aufschwung, Hausse, Hochkonjunktur; **~ing** aufblühend

boomerang ['buːməræŋ] Bumerang *(a. fig)*

boon [buːn] Segen, Wohltat; ~*companion* [kəm'pænjən] fröhlicher Kumpan

boor [buə] Flegel, Rüpel; **~ish** flegelhaft

boost [buːst] **1.** erhöhen, steigern, verstärken; **2.** Reklame machen für; **3.** Erhöhung, Steigerung, Verstärkung; **4.** Reklame, Propaganda; **~er** Förderer; Werber; Booster; ⚡ Verstärker

boot [buːt] Stiefel; *US* Schaftstiefel (= *BE*

high boot); *to* ~ obendrein; ~s *sg vb* Schuhputzer; **~black** [⸗blæk] Schuhputzer; **~jack** [⸗dʒæk] Stiefelknecht; **~legger** Alkoholschmuggler; **~less** [⸗lis] nutzlos; **~-tree** [⸗triː] Spanner

booth [buːð, *US* -θ] (Verkaufs-)Bude; (Telefon-)Zelle; (Wahl-)Kabine; Messestand

booty ['buːti] Beute, Raub

boozer ['buːzə] Trinker; *BE* Kneipe

bo-peep [bou'piːp] *BE* Guckguckspiel

borage ['bɔridʒ, 'bʌridʒ] Borretsch

borax ['bɔːræks] Borax

border ['bɔːdə] Rand, Grenz(e), -streifen; Einfassung, Rabatte; grenzen (*on* an); einfassen, (am Rand) berühren; **~land** ['bɔːdəlænd] Grenzland; *fig* Grenzgebiet; **~line** Grenz(e), -linie; *a* ~ *line case* Grenzfall

bore [bɔː] siehe bear

bore [bɔː] Bohrung, Bohrloch; (Rohr-)Seele; langweiliger Patron; bohren; langweilen; plagen; **~dom** ['bɔːdəm] Langeweile; **~r** [⸗rə] Bohrer

borecole ['bɔːkoul] Grün-, Braunkohl

born [bɔːn] **~e** [bɔːn] siehe bear

borough ['bʌrə] Stadtgemeinde; *BE* (direkt vertretener) Stadt(teil)

borrow ['bɔrou] borgen, (ent)leihen

Borstal system ['bɔːstəl'sistim] Fürsorgeerziehung

bosh [bɔʃ] Quatsch, Quark

bosom ['buzəm] Busen, Herz; Schoß (d. Familie); *US* Hemdeinsatz; ~ **friend** [frend] Busenfreund

boss¹ [bɔs] Buckel, Knopf

boss² [bɔs, *US* bɔːs] Chef, Meister, Boss; *US* Parteimanager; leiten; kommandieren ♦ ~ *the show* das Ganze managen

botan|ical [bə'tænikl] botanisch; **~ist** ['bɔtənist] Botaniker; **~y** ['bɔtəni] Botanik

botch [bɔtʃ] verpfuschen, verkorksen; Murksarbeit

both [bouθ] beide(s); ~ ... *and* wie, sowohl ... als auch

bother ['bɔðə] belästigen, quälen; ~ *one's head (oneself)* s. Gedanken machen; s. (die) Mühe machen ♦ *I can't be ~ed* [⸗d] *with* ich mag mich nicht befassen mit; erregen; konfus machen; ~*!* zum Kuckuck, zum Teufel (*you* mit dir); ~ Mühe; Plage (*to* für); *it is a* ~ es ist (zu) ärgerlich; Kummer (*to* für); Theater, Wirbel; **~some** [⸗səm] ärgerlich

bottle¹ [bɔtl] Flasche; in Flaschen einmachen; ~ *up* (Ärger) zurückdämmen, unterdrücken; **~-neck** Engpaß (*a. fig*); **~-party** Bottle-Party

bottle² [bɔtl] (Heu-, Stroh-)Bündel ♦ *to look for a needle in a* ~ *of hay* nach e-r Nadel in e-m Heuhaufen suchen

bottom ['bɔtəm] Boden, unterer Rand, unterer Teil; (Stuhl-)Sitz; (Schiffs-)Boden, Schiff; *to go to the* ~ auf Grund gehen; *I'll smack your* ~ ich versohl dir d. Hosenboden; *fig* Grund; *to get to the* ~ *of* e-r Sache auf d. Grund gehen (kommen); *to be at the* ~ *of* hinter etw stekken; *to knock the* ~ *out of* (Argument) entkräf

ten; *at* ~ im Grunde; *from the* ~ *of my heart* aus tiefstem Herzen; *attr* unterster, niedrigster, äußerster; **~less** unergründlich, bodenlos

botulism ['bɔtjulizm] (Lebensmittel-)Vergiftung

bough [bau] Ast

bought [bɔːt] siehe buy

boulder ['bouldə] Felsblock, Geröllstein

boulevard ['buːlvɑː, ⸗ləvɑːd] Allee; *US* (baumbestandene) Stadtstraße

bounce [bauns] springen (Ball); hüpfen; spielen mit (Ball); ~ *in (out)* hinein- (hinaus-)stürmen; *BE* bluffen; *BE* ergaunern; Sprung; Auf-, Rückprall; Prahlen

bound¹ [baund] Grenze; begrenzen; *fig* e-e Schranke setzen; *out of* ~*s BE* Zutritt verboten (*for, to* für); grenzen an; begrenzen; **~less** grenzenlos

bound² [baund] springen; abprallen; Satz, Sprung; Abprall; *by leaps and* ~*s* (überraschend) schnell; *on the* ~ nach dem ersten Aufprall

bound³ [baund] *adj* unterwegs (*for* nach), *outward* ~ auf e-r Fahrt ins Ausland

bound⁴ [baund] (*siehe* bind); *adj* ~ *up with* eng verbunden mit; ~ *to win (die)* wird sicher, muß gewinnen (sterben)

boundary ['baundəri] Grenze (*a. fig*)

bounden ['baundən] **duty** Pflicht u. Schuldigkeit

bount|eous ['bauntiəs], **~iful** ['bauntiful] freigebig; reichlich; **~y** Freigebigkeit; Gabe, Spende; (wirtschaftliche) Prämie

bouquet ['bu(ː)kei, *bes US* bou'kei] Blumenstrauß, Bukett

bourgeois¹ ['buəʒwɑː] Angehöriger des Mittelstands, Bürgerlicher; bürgerlich

bourgeois² [bəː'dʒɔis] 🕮 Borgis (9 Punkt)

bourn(e) [buən] Grenze, Ziel; Bach

bout [baut] (Kampf-)Runde, Gang; (Husten-, Grippe-)Anfall; *drinking* ~ Sauferei

bow¹ [bou] (*and arrow*) (Pfeil u.) Bogen; (Geigen-)Bogen; Schleife; **~(-ing)** Bogenstrich; geigen

bow² [bau] Bug; Verbeugung; s. (ver-)beugen, d. Kopf neigen; *vt* beugen

bowdlerize ['baudləraiz] (Buch) säubern

bowels ['bauilz] *pl vb* Darm, Eingeweide; *fig* das Innere (der Erde etc)

bower ['bauə] schattiger Platz; Laube

bowie-knife ['bouinaif], *pl* **~-knives** [⸗⸗naivz] Bowiemesser

bowl¹ [boul] Schale, Schüssel, Napf; (Zucker-) Dose; (Pfeifen-)Kopf; Stadion

bowl² [boul] (Holz-)Kugel; **~s** *sg vb* Bowling (Rasenkegeln); amerik. Kegeln; *vt/i* rollen (lassen); bowlen; kegeln; ~ *along* dahinsausen; [lone

~er Werfer; Bowling-Spieler; Kegler; *BE* Me **.bow-legged** ['bouleɡd] O-beinig

bowling|-green ['boulinɡriːn] Bowling-, Kegelrasen; **~-alley** [⸗⸗æli] Kegelbahn

bow|man ['boumən], *pl* **~men** Bogenschütze

box¹ [bɔks] Schachtel, Büchse, Dose, Kasten;

Christmas ['krisməs] ~ Weihnachtsgeschenk; *Boxing Day (BE)* 26. Dezember; Loge; (Geschworenen-)Bank, (Zeugen-)Stand; Häuschen; ~-office [⌐---] Theaterkasse; ~ *up* einpferchen

box² [bɔks] Ohrfeige (~ *on the ear)*; boxen; ~ *s-b's ears* j-n ohrfeigen; ~**er** Boxer; ~**ing-match** [⌐iŋmætʃ] Boxkampf

box(wood) ['bɔkswud] Buchsbaum

boy [bɔi] Junge, junger Mann; Bursche; ~**hood** ['bɔihud] Jungenzeit, Knabenalter; ~**ish** ['bɔiiʃ] jungen-, knabenhaft

boycott ['bɔikɔt] Boykott; boykottieren

boy scout ['bɔi'skaut] Boy-Scout, Pfadfinder

bra [brɑː] B. H., Büstenhalter

brace [breis] Strebe; Stützbalken; ✿ Bohrleiter; Paar (Fasanen); Klammer, Akkolade; ~**s** *BE* Hosenträger; (an)spannen; befestigen, stützen; *fig* stärken

bracelet ['breislit] Armband

bracken ['brækən] *BE (bes* Adler-)Farn; Farnbestand

bracket ['brækit] Sockel, Konsole, Halter; Klammer (*US mst* eckige Kl.); (Einkommens-)Stufe, (Steuer-)Klasse; (Alters-)Gruppe; einklammern; auf e-e Stufe stellen

brackish ['brækiʃ] brackig (Wasser)

Bradshaw ['brædʃɔː] *BE* (Zug-)Fahrplan *(bis 1961)*

brag [bræg] prahlen; Prahlerei; ~**gart** ['brægət] Prahler

braid [breid] (Einfaß-)Borte; Litze; Flechte; flechten; mit e-r Borte (Litze) einfassen, verbrämen

braille [breil] Blindenschrift [zieren

brain [brein] (Ge-)Hirn; ~**s** *fig* Hirn, Verstand, Köpfchen (*he has* ~*s)* ✦ *has s-th on the* ~ hat nur Gedanken (für); *to turn s-b's* ~ j-n eingebildet machen; ~-**child** [⌐tʃaild] Geistesprodukt; ~-**storm** plötzl. Geistesstörung; *umg* (plötzl.) Einfall; ~ **trust** *US* Fachberatergruppe, Gehirntrust; ~**s trust** *BE* Expertenteam (für Hörerfragen); ~ **wave** [⌐weiv] tolle Idee

brake¹ [breik] (Adler-)Farn; Dickicht; (Flachs-)Breche; (Flachs) brechen

brake² [breik] Bremse; *to put on the* ~ = *to* ~ bremsen

bramble ['bræmbl] (Dornen-)Strauch; *bes BE* Brombeere; ~**ing** [⌐iŋ] Bergfink

bran [bræn] Kleie

branch [brɑːntʃ] Ast; (Fluß-)Arm; Seitenlinie; *fig* Zweig; Filiale; s. (ver-)zweigen; s. gabeln; ~ *out* s. ausweiten

brand [brænd] Brandmal; Makel; Warenzeichen; Marke; Sorte; ~**ed goods** [gudz] Markenartikel; ~-**new** ['brænˈnjuː] fabrik-, funkelnagelneu; *vt* ein Zeichen einbrennen in; brandmarken

brandish ['brændiʃ] schwingen, schwenken

brandy ['brændi] Branntwein, Brandy

brash [bræʃ] (Holz) brüchig; frech

brass [brɑːs] Messing; **the** ~ ♪ d. Blech; *sl* Unverfrorenheit; *BE sl* Moneten; *sl* (hoher) Offizier; Nutte; ~ **plate** Namensschild; ~ **tacks**: *(sl) to get down to* ~ *tacks* zur Sache kommen

brassière ['bræsjɛə, *US* brə'ziə] Büstenhalter

brat [bræt] Balg, Blage

bravado [brə'vɑːdou], *pl* ~**oes** prahlerischer (herausfordernder) Mut (Tat)

brave [breiv] tapfer, mutig; mutfordernd; (dem Tod) trotzen, tapfer entgegentreten; ~**ry** ['breivəri] Tapferkeit

brawl [brɔːl] Zank, Krakeel; laut zanken, krakeelen; (Fluß) rauschen

brawn [brɔːn] (Arm-, Bein-)Muskeln; -kraft; *BE* Schweinskopfsülze; *US* Pökelfleisch; ~**y** sehnig, muskulös

bray [brei] (Esels-)Schrei; schreien

brazen ['breizən] Messing-; messingartig, metallisch (Stimme); unverschämt

brazier ['breiziə] Kupferschmied; Gelbgießer; Kohlenbecken

Brazil [brə'zil] Brasilien; ~ **nut** Paranuß

breach [briːtʃ] *fig* Bruch, (Pflicht-)Verletzung; (Hecken-, Wand-)Loch; Bresche

bread [bred] Brot; *a loaf of* ~ ein (Laib) Brot; Lebensunterhalt; ~ *and butter* Butterbrot; ~-*and-butter letter* Dankesbrief (für Gastfreundschaft); ~ **line** *US* (Arbeitslosen-, Armen-)Schlange; ~**winner** [⌐winə] Ernährer, Verdiener

breadth [bredθ] Breite; *to a hair's* ~ bis aufs Haar; *fig* Weite, Größe

break [breik] *(s. S. 318)* (zer)brechen *(in two entzwei);* (Reise) unterbrechen; (Haut) verletzen; (Rekord) brechen; (Bank) sprengen; (Pferd) zureiten; (Land) umbrechen; (Nachricht) mitteilen; an-, losbrechen, (Wetter) umschlagen; *su* Bruch, Loch; Pause; (Tages-)Anbruch; *umg* Gelegenheit, Chance; Zufall; Mißgriff, Fauxpas; ~ **down** nieder-, zus.brechen; versagen, fehlschlagen; steckenbleiben; (prozentual) aufgliedern; ~ **in** einbrechen; ~ *in on* eindringen in; plötzl. j-m klarwerden; ~ **into** einbrechen in; ausbrechen in (Lachen); ~ **off** abbrechen; aufhören; (Verlobung) rückgängig machen; ~ **out** ausbrechen; ~ **up** zerschlagen; (Schule) schließen; zerbrechen; auftauen, (Straße) aufgehen ~ *even* ['iːvən] s. gerade rentieren, keinen Gewinn machen; ~ *open* aufbrechen; ~ *loose* [luːs] losbrechen, s. losreißen

break|age ['breikidʒ] Bruch(stelle); Zerbrochenes, (Abzug für) Bruchwaren; ~**down** Zusammenbruch, (Betriebs-)Unfall, Störung, Panne; Aufgliederung, Analyse; Liste; ~**er** Brecher, Sturzwelle; ~-**even point** Rentabilitätsgrenze; ~**fast** ['brekfəst] Frühstück; frühstücken; ~**neck** halsbrecherisch; ~**off** Abbruch; ~**through** ['breikθruː] Durchbruch; ~-**up** Zerfall; Scheitern; ~**water** ['breikwɔːtə] Wellenbrecher

bream [briːm], *pl* ~ Brassen, Brachsen

breast [brest] Brust; Oberteil; *fig* Herz ✦ *to make a clean* ~ *of* offen eingestehen; ~-**feed** ['brestfiːd] *(siehe* feed) stillen; ~-**pin** *bes US* Brosche; ~-**stroke** ['breststrouk] Brustschwimmen; ~**work** ['brestwɔːk] Brustwehr; Reling

breath [breθ] Atem; Lufthauch; *to take a deep*

~ tief einatmen; *out of* ~ außer Atem; *to lose* [lu:z] *one's* ~ (ganz) außer Atem kommen; *to hold* (od *catch*) *one's* ~ s d. Atem anhalten; *that takes my* ~ *away* das verschlägt mir d. Sprache; *to waste* [weist] *one's* ~ in d. Wind reden; *in the same* ~ im gleichen Atemzug; *under one's* ~ flüsternd; ~e [bri:ð] atmen; (Wort) verlauten lassen; ~less [-lis] atemlos; atemberaubend; ~taking [-teikiŋ] atemberaubend
bred [bred] *siehe* breed
breech [bri:tʃ] (Geschütz-)Verschluß; Hinterteil; ~es [britʃiz] Reithose, Breeches ♦ *to wear the ~es* d. Hosen anhaben
breed [bri:d] *(s. S. 318)* Junge haben, sich vermehren; züchten; (aus)brüten *(a. fig)*; erzeugen; auf-, erziehen; Rasse, Art; ~er Züchter; ~ing Zucht; Erziehung, Bildung; ~*ing cattle* Zuchtvieh
breeze[1] [bri:z] Lüftchen, Bewegung (in d. Luft); Brise
breeze[2] [bri:z] *BE* Bremse, Viehfliege
brethren ['breðrin] *pl zu* brother
breviary ['bri:viəri] Brevier, Gebetbuch
brevier [brə'viə] 🕮 Petit (8 Punkt)
brevity ['breviti] *fig* Kürze
brew [bru:], ~*ed*, ~*ed* (Bier) brauen; (Tee) kochen; aushecken; s. zus.ziehen (Gewitter); Gebräu; ~er ['bru:ə] Brauer; ~ery ['bru:əri] Brauerei
briar ['braiə] *siehe* brier |rei
brib|e [braib] Bestechungs(geschenk), Lockmittel; (Kind) verlocken; ~ery ['braibəri] Bestechung
bric-à-brac ['brikəbræk] Nippsachen
brick [brik] Back-, Ziegelstein; zumauern; ~layer ['brikleiə] Maurer; ~work [brikwə:k] Mauerwerk, Bauwerk
brid|al [braidl] bräutlich, Braut-; ~e [braid] Braut (am Hochzeitstag), Jungverheiratete; ~e-cake [-keik] Hochzeitskuchen; ~egroom [-grum] Bräutigam (am Hochzeitstag), Jungverheirateter; ~esmaid [-zmeid] Brautjungfer
bridge [bridʒ] Brücke; (Nasen-)Rücken; (Zahn-)Brücke; Bridge; überbrücken
bridle [braidl] Zaumzeug; *to give a horse the* ~ Zügel schießen lassen; Bremse (*to* für); (Ehrgeiz) zügeln; ~ (*up*) d. Kopf zurückwerfen
brief[1] [bri:f] **1.** kurz; *to be* ~ s. kurz fassen; *in* ~ (ganz) kurz; **2.** (Damen-, Herren)Slip
brief[2] [bri:f] Auftrag, schriftliche Tatbestandsdarlegung; Instruktion(en) für d. Anwalt; Schriftsatz; Einsatzbesprechung; -anweisung (für Flugmannschaft); informieren, unterrichten, anweisen
briefcase ['bri:fkeis] Aktentasche
brier ['braiə] Baumheide; Bruyèreholz; Bruyèrepfeife; Strauch, *bes* Heckenrose; Gesträuch
brig [brig] Brigg; US „Bau" (auf Kriegsschiff); *US* Knast, Kittchen; ~ade [bri'geid] Brigade; ~adier (general) [brigə'diə('dʒenərəl)] Brigadegeneral
brigand ['brigənd] Bandit, Brigant
bright [brait] hell, glänzend; heiter, froh; aufgeweckt, hell(e); ~en (s.) auf-, erhellen; aufheitern, froh machen

brillian|ce ['briljəns], ~cy (strahlender) Glanz; brillantes Wissen; ~t strahlend, glänzend *(a. fig)*; brillant
brim [brim] Rand; Hutrand, Krempe; *full to the* ~ = ~ful ['brim'ful] randvoll, ganz erfüllt (*of* von); ganz füllen, randvoll sein; ~ *over* überfließen
brimstone ['brimstən] Schwefel
brindle(d) ['brindl(d)] braungestreift, -gefleckt (Katze, Kuh etc)
brin|e [brain] Salzwasser; Meer; Zähren; Pökel, Lake; einpökeln; ~y ['braini] salzig
bring [briŋ] *(s. S. 318)* bringen (*in* herein, *down* herunter, *back* zurück etc); erbringen (*£500 a year*); ~ *s-b to do s-th* j-n dazu bringen, etwas zu tun; ~ *to bear on* (Druck, Waffen) anwenden bei, zum Einsatz bringen bei; ~ *about* herbeiführen, zustande bringen; ~ *back* Erinnerungen wachrufen an; ~ **down** senken ♦ ~ *down the house* stürmischen Beifall finden; ~ **forth** erzeugen; ~ **forward** ['fɔ:wəd] vorbringen; ~ **home** *siehe* home 11, bacon; ~ **in** erbringen; (Sender) hereinbringen; ~ *in a verdict* ['və:dikt] Urteil fällen; ~ **off** retten, (Sache) schaffen; ~ **on** hervorrufen; ~ **out** herausbringen; ~ **over** mitbringen; j-n in s-r Meinung ändern; ~ **round** mitbringen; umstimmen; (j-n) zu s. bringen; ~ **through** durchbringen, retten; ~ **to** anhalten; j-n zu s. bringen; ~ **up** auf-, erziehen; (Familie) unterhalten, anhalten ♦ ~ *up short* innehalten lassen
brink [briŋk] Rand *(bes fig)*; ~manship Wandeln am Abgrund, Balancieren am Rand d. Verderbens, Gratwanderung
briquette [bri'ket] Brikett
brisk [brisk] schnell; lebhaft, rasch
bristl|e [brisl] Borste; s. sträuben; starren (*with* von); ~y ['brisli] borstig, stachelig; struppig
Brit|ain ['britən] (Great ~ain) Großbritannien, England; **North** ~ain Schottland; ~annia [bri'tænjə] Britannien; Britanniametall; ~ish ['britiʃ] britisch, englisch; **the** ~ish die Engländer; ~isher *US* Engländer, Brite; ~on ['britən] Brite; ~tany ['britəni] Bretagne
brittle [britl] spröde, brüchig; reizbar; wacklig (Versprechen); markant
broach [broutʃ] (Faß) anstechen; (Thema) anschneiden; anbrechen
broad [brɔ:d] breit, weit; voll (Tageslicht); allgemein (Tatsache), groß (Umriß); stark (Akzent); umfassend, weitherzig, großzügig ♦ ~ *hint* (sehr) deutlicher Wink; ~cast [-ka:st] *(s. S. 318)* weithin ausstreuen; durch Rundfunk übertragen, senden; Senden, Sendematerial, Sendeprogramm, Sendung; ~caster Mann vom Rundfunk; ~cloth [-klɔθ] feiner Kammgarnstoff; ~en (s.) verbreitern, (s.) erweitern; ~-minded [-'maindid] weitherzig, liberal; ~side [-said] Breitseite; *fig* Generalangriff
brocade [brɔ'keid] Brokat
broccoli ['brɔkəli] Spargelkohl, Brokkoli
brochure [brou'ʃuə, *US* -'-] Broschüre
broil [brɔil] auf dem Rost braten; ~ing glühend heiß; *fig* in d. Sonne braten

broke [brouk] *adj* bankrott, ruiniert; **~n** *siehe* break; *adj* kaputt; zerrüttet; gebrochen *(he speaks ~n English)*
broker ['broukə] Makler; Broker; *BE* Versteigerer gepfändeter Sachen; **~age** ['broukəridʒ] Maklergeschäft; -gebühr
brom|ide ['broumaid] Bromid; Bromkali; langweiliger Patron; Plattheit; **~ine** ['broumi:n] Brom
bronchi ['brɔŋkai] *pl vb* Bronchien; **~al** ['brɔŋkiəl] Bronchial-; **~tis** [brɔŋ'kaitis] Bronchitis; **~tic** [brɔŋ'kitik] bronchitisch
bronze [brɔnz] Bronze(statue etc); bronzefar-
brooch [broutʃ] Brosche [ben; bräunen
brood [bru:d] Brut *(a. fig)*; Zucht-; (aus)brüten *(a. fig. over* über*)*; **~y** brütig
brook [bruk] Bach; ertragen
broom [bru:m] (Besen-)Ginster; Besen
bros. ['brʌdəz] = brothers
brother ['brʌðə] *pl* **~s**, *(poet, eccl)* brethren ['breðrin] Bruder; Kamerad *(~ officer)*; **~s** *in arms* Waffenbrüder; **~-in-law** [-- rinlɔ:], *pl* **~s-**in-law [--zinlɔ:] Schwager; **~hood** ['brʌðəhud] Bruderschaft, Gemeinschaft
brought [brɔ:t] *siehe* bring
brow [brau] Braue; Bergkuppe ♦ *by the sweat* [swet] *of thy ~* im Schweiße deines Angesichts; **~beat** ['braubi:t] *(s. S. 318)* einschüchtern, zusammenstauchen
brown [braun] braun; brünett; dunkel (Brot); Pack-(Papier) ♦ *to do ~ (BE)* beschuppen; (s.) bräunen ♦ *I'm ~ed off* ich hab' den Kanal voll; **~ie** ['brauni] Heinzelmännchen; Jungpfadfinderin; *US* kl. Nußkuchen
browse [brauz] weiden, äsen; schmökern
bruin ['bru:in] Meister Petz
bruise [bru:z] Quetschung, Prellung, blauer Fleck; quetschen, (s.) prellen
brunch [brʌntʃ] großes Frühstück, Brunch; **~coat** (kurzer) Morgenrock
brunt [brʌnt] (volle) Wucht, Druck
brush [brʌʃ] Bürste; Pinsel; *to give a ~* ab-, durchbürsten; Scharmützel; Zus.stoß; Gestrüpp; Reisig; bürsten, putzen; *~ off* abbürsten, wegwischen, *fig* abtun, abwimmeln; *~ up* (Kenntnisse) auffrischen; *~ past* streifen; **~wood** Gestrüpp, Unterholz
brusque [*bes BE* brusk, *bes US* brʌsk] brüsk
Brussels sprouts ['brʌsl'sprauts] Rosenkohl
brut|al [bru:tl] roh, brutal; **~ality** [bru:'tæliti] Roheit, Brutalität; **~e** [bru:t] (unvernünftiges) Tier, tierischer Mensch; grob, tierhaft; **~ish** grob, tierhaft; grausam
bubble [bʌbl] (Seifen-)Blase; sprudeln, brodeln
buccaneer [bʌkə'niə] Freibeuter, Pirat
buck [bʌk] Bock; Rammler; Antilope; Widder, Ratte; Dandy; *US sl* Dollar ♦ *to pass the ~* d. Verantwortung abwälzen; bocken, (Reiter) abwerfen; *US* s. sträuben *(at* bei, gegen*)*; kämpfen (gegen); *(US) ~ for* sich bemühen um; *~ up* aufmöbeln; (s.) zus.reißen; *BE* s. beeilen
bucket ['bʌkit] Eimer; **~ seat** Notsitz

buckle [bʌkl] Schnalle; (zu)schnallen; *~ (down) to* etw anpacken; s. verbiegen
buck|ram ['bʌkrəm] Steifleinen; **~skin** Wildleder; **~wheat** ['bʌkwi:t] Buchweizen
bud [bʌd] Knospe; *in ~* voll Knospen; knospen; heranreifen
buddy ['bʌdi] Kamerad, Kumpel
budge [bʌdʒ] (s.) rücken (lassen), sich rühren; *vt* bewegen
budgerigar ['bʌdʒəriga:] Wellensittich
budget ['bʌdʒit] Haushaltsplan, Budget; budgetieren, planen; einteilen
budgie ['bʌdʒi] = budgerigar
buff [bʌf] Ochsenleder; stumpfgelb(e Farbe); Haut *(in the ~* nackt*)*; *vt* polieren
buffalo ['bʌfəlou], *pl* **~es**, *~* Büffel
buffer ['bʌfə] Puffer; Prellbock
buffet¹ ['bʌfit] Schlag, Puff *(a. fig); (bes fig)* herumstoßen
buffet² ['bʌfit] Büfett, Anrichte; ['bufei] Theke; Eßraum [(grobe) Possen
buffoon [bʌfu:n] Hanswurst; **~ery** [bʌ'fu:nəri]
bug [bʌg] *BE* Wanze; *US* Insekt, Käfer; Bakterie; Wurm, Defekt; Fan; **~aboo** [-əbu:], **~bear** [-bɛə] Schreckgespenst, Popanz; **~gy** ['bʌgi] Buggy; *US* Kinderwagen; verwanzt; *US* meschugge
bugle [bju:gl] Signalhorn; Waldhorn
build [bild] *(s. S. 318)* bauen; *~ up* zumauern, -bauen; (Gesundheit) kräftigen; Bau(art), Gestalt; **~er** (Er-)Bauer; Baumeister; **~ers** Bauleute, -firma; **~ing** Bauen; Bauwerk; Gebäude; Bau-; *~ing-site* Baustelle, -platz; **~up** Bau, Bauart; Form; Aufgebot; Aufbau; Anpreisung
built [bilt] *siehe* build; **~in** eingebaut; **~up** bebaut; geschlossen (Ort)
bulb [bʌlb] Zwiebel, Knolle; ⚡ Birne; **~ous** ['bʌlbəs] knollig; Knollen-(Pflanze)
bulge [bʌldʒ] (s.) aushauchen, (s.) ausbeulen; *~ with* prallvoll sein von
bulk [bʌlk] Größe, Masse; Massengüter; *in ~* unverpackt, lose, im großen (verkaufen); *~ goods* Massengüter; *the ~* d. Großteil; *to ~ large* wesentlich erscheinen; **~head** ['bʌlkhed] ⚓ (Quer-)Schott; **~y** umfangreich, sperrig (Artik.)
bull¹ [bul] Stier, Bulle ♦ *~ in a china* ['tʃainə] *shop* ein Elefant im Porzellanladen; **~dog** Bulldogge; **~dozer** ['buldouzə] Planierraupe; **~finch** Dompfaff; **~head** ['bulhed] Zwergwels
bull² [bul] Bulle *(the Golden Bull)*
bull³ [bul] Widersinnigkeit, Unsinn
bullet ['bulit] Kugel, Geschoß
bulletin ['bulətin] (Tages-, Krankheits-)Bericht; Mitteilungsblatt; **~board** [--bɔ:d] Anschlagbrett
bullion ['buljən] (Edelmetall-)Barren, Bullion
bullock ['bulək] Ochse
bull's-eye ['bulzai] das Schwarze (der Zielscheibe); Bullauge; Butzenscheibe
bully ['buli] Tyrann; grober Kerl; Zuhälter; tyrannisieren, quälen *(into doing s-th* etw zu tun*)*; einschüchtern; prima, prächtig

bully (beef) ['buli(biːf)] Rindfleisch in Dosen
bulwark ['bulwək] *(mst fig)* Bollwerk
bumble-bee ['bʌmblbiː] Hummel
bump [bʌmp] stoßen *(against, into* gegen, an); rumpeln; s. etw anschlagen; Stoß; Beule; **~er** riesig, enorm; Stoßstange, *US* Puffer; **~y** holprig; böig
bumpkin ['bʌmpkin] Tölpel, Trampel
bumptious ['bʌmpʃəs] aufgeblasen, geschwollen; anmaßend
bun [bʌn] Kuchenbrötchen (mit Rosinen); (Haar-)Knoten; Rausch
bunch [bʌntʃ] (Schlüssel-)Bund; (Blumen-)Strauß; (Wein-)Traube; Haufen (Leute); (s.) zusammentun
bundle ['bʌndl] Bündel (Heu, Stecken); (zus.)bündeln, (zus.)stopfen; ~ *off* (eilig) wegschaffen, s. (eilig) verziehen
bung [bʌŋ] Spund; zuspunden; **~ed-up** verquollen (Auge); verstopft (Abzug)
bungalow ['bʌŋgəlou] Bungalow
bungle [bʌŋgl] verpfuschen; Pfuscharbeit
bunion ['bʌnjən] chronische Schleimbeutelentzündung am großen Zeh
bunk [bʌŋk] (Schlaf-)Koje; Bett, Falle; Blech, Mumpitz
bunker ['bʌŋkə] (Golf, *mil,* 🛥) Bunker
bunny ['bʌni] Karnickel
bunting ['bʌntiŋ] Fahnentuch; *orn* Ammer
buoy [bɔi, *US* 'buːi] Boje, Tonne; betonnen; ~ *up* Auftrieb geben; beleben; **~ancy** ['bɔiənsi] Tragkraft, Schwimmfähigkeit; Elastizität, Spannkraft, Auftrieb; **~ant** ['bɔiənt] tragend, schwimmfähig; heiter
bur, *BE* a. **burr** [bəː] Klette *(a. fig)*
burberry ['bəːbəri] (wasserdichter) Regenmantel
burden ['bəːdən] (schwere) Last, Bürde; beladen; belasten; **~some** ['bəːdənsəm] drückend, ermüdend
burdock ['bəːdɔk] Klette (deren Frucht *siehe* bur)
bureau ['bjuərou], *pl* **~x**, **~s** [-rouz] *BE* Schreibtisch, *US* (Spiegel-)Kommode; Büro *(travel* ~); Dienststelle, Amt; **~cracy** [bjuə'rɔkrəsi] Bürokratie; **~crat** ['bjuərəkræt] Bürokrat; **~cratic** [bjuərə'krætik] bürokratisch; **~cratism** [bjuə'rɔkrətizm] d. bürokratische Unwesen; **~cratize** [bjuə'rɔkrətaiz] (ver)bürokratisieren
burgeon ['bəːdʒən] Sproß, Knospe; sprossen
burgl|ar ['bəːglə] Einbrecher; **~arious** [bəː'glɛəriəs] Einbruchs-; einbruchsartig; **~arize** ['bəːgləraiz] *bes US* einbrechen; **~ary** ['bəːgləri] Einbruch; **~e** [bəːgl] einbrechen
burgundy ['bəːgəndi] Burgunder
burial ['beriəl] Beerdigung, Begräbnis
burlap ['bəːlæp] Sackleinwand
burlesque [bəː'lesk] Burleske; burlesk, possenhaft (imitieren); *US* (Art) Varieté
burly ['bəːli] stämmig; *US* barsch
burn [bəːn] *(s. S. 318)* (an-, ver-)brennen; Brandwunde; ~ *down* niederbrennen; ~ *up* ver-, hell brennen; ~ *to ashes* einäschern ♦ ~

the candle at both ends s. zu sehr verausgaben; ~ *up* verbrennen; auflodern; *US* wütend machen; *US* hochgehen; **~er** (Öl- etc) Brenner; Flamme (Gasherd); **~ing** brennend, glühend
burnish ['bəːniʃ] (s.) polieren (lassen)
burnt [bəːnt] *siehe* burn
burp [bəːp] rülpsen; Rülpser
burr [bəː] 🌸 (Bohr-)Grat; 💲 (Zahn-)Bohrer; Schwirren; (Laut des) Zäpfchen-r; *siehe* bur
burrow ['bʌrou, *US* 'bəːrou] (Kaninchen-, Fuchs-)Bau; (s.) ein Loch graben; wühlen, eindringen *(into* in)
burst [bəːst] *(s. S. 318)* 1. explodieren, bersten, zerbrechen, platzen; *ready to* ~ am Platzen; 2. losbrechen (Sturm); ~ *from* s. losreißen von; ~ *into* hereinstürzen, ausbrechen (Tränen, Lachen); ~ *upon* plötzlich auftauchen vor; ~ *one's clothes* ['klouðz] aus d. Kleidern platzen; 3. (Tür) einschlagen; 4. Bersten, Explosion; 5. Ausbruch; 🔫 Spurt
bury ['beri] begraben, beerdigen; vergraben; ⚡ unter Putz verlegen; ~ *o. s. in the country* s. aufs Land zurückziehen
bus [bʌs], *pl* **~es** (Omni-)Bus; ✈ Kiste; **~man** ['bʌsmən], *pl* ~men Busfahrer ♦ *to go on a ~man's holiday* in d. Freizeit d. Berufstätigkeit fortsetzen
bush [buʃ] Strauch; Gesträuch; **the** ~ d. (Austral.) Busch; 🌸 Buchse; **~y** strauchbewachsen; buschig (Braue)
bushel ['buʃəl] Scheffel, Bushel *(BE* = 36,37 l, *US* = 35,24 l)
business ['biznis] 1. Handel ♦ *to go into* ~ Kaufmann werden; *on* ~ geschäftlich (unterwegs etc); *to go to* ~ zur Arbeit gehen; 2. Geschäft, Firma, Betrieb; Beruf; Sache, Pflicht; *what's your* ~ *with him?* wozu willst du ihn sprechen?; *that's no* ~ *of yours* das geht ihn nichts an; *mind your own* ~ kümmere dich um deine Sachen; 3. Recht *(you have no* ~ *to be here)*; 4. Sache, Angelegenheit, Kram; **~like** ['biznislaik] geschäftsmäßig; sachlich, methodisch; praktisch; geschäftstüchtig
bust[1] [bʌst] Brust; Busen; Büste
bust[2] [bʌst] kaputtmachen; zur Sau machen; *to (go)* ~ kaputtgehen, Bankrott machen; Pleite; Versager; Bierreise
bustle [bʌsl] umherhasten; wimmeln *(with* von); ~ *about* herumfuhrwerken; ~ *up* s. tummeln; *vt* j-m Beine machen; Treiben, Betrieb(-samkeit)
busy ['bizi] beschäftigt, eifrig dabei *(packing* zu packen); ☎ besetzt; belebt; arbeitsreich (Tag); ~ *o. s.* sich beschäftigen *(with* mit); **~ness** ['bizinis] Geschäftigkeit
but [bʌt] aber, sondern; *adv* nur, erst; beinah, *all* ~ so gut wie; ~ *for* ohne, wenn nicht gewesen wäre *(~ for your help);* *prep* außer, als *(no one* ~ *you; nothing* ~ *lies); anything* ~ alles andere als; *who should enter* ~ *John* wer anders als (ausgerechnet) J. kam; ~ *that* (seltene Bedeutg.) ohne daß *(I cannot see your old room* ~ *I think of you);* ~ *that* daß nicht *(the fog was not so thick* ~ *that we could see the house);*

wenn nicht *(she could have cried ~ that her pride forbade her; she would have fallen ~ that I caught her)*; welcher nicht *(there is no village ~ has a blacksmith)*; *cannot ~* muß einfach
butcher ['butʃə] Fleischer, Metzger; *fig* Schlächter; *US* Verkäufer (im Zug); schlachten; *fig* abschlachten
butler ['bʌtlə] erster Diener, Butler
butt [bʌt] (Stiel-, Griff-)Ende; Kolben; *(a. ~s)* Kugelfang, Schießstand; Faß, Kübel; Zigarettenstummel; *fig* Zielscheibe; (mit d. Kopf) stoßen; rennen *(against* gegen); *~ in (umg)* hineinplatzen in (Gespräch)
butter ['bʌtə] Butter; mit B. bestreichen; **~cup** ['bʌtəkʌp] Butterblume; **~fly** ['bʌtəflai] Schmetterling
buttocks ['bʌtəks] *pl vb* Gesäß
button [bʌtn] Knopf; knöpfen *(~ up* zu-), s. knöpfen lassen; **~hole** ['bʌtnhoul] Knopfloch; *BE* Blume (fürs Kn.); **~s** *sg vb BE umg* Diener (Hotel, Klub)
buttress ['bʌtris] Strebepfeiler; *flying* ['flaiiŋ] *~* Strebebogen; Stütze; stützen, *fig* untermauern
buxom ['bʌksəm] drall, stramm (Weib)
buy [bai] *(s. S. 318)* (er)kaufen, ein-, aufkaufen; *~ over* bestechen; Kauf; **~er** ['baiə] (Ein-)Käufer, Abnehmer
buzz [bʌz] summen, surren; *~ along (about)* davon-, (umher)sausen; **✈** dicht fliegen über; murmeln; tuscheln, raunen; **~er** Summer; (Fabrik-)Sirene
buzzard ['bʌzəd] *BE* Bussard; *US* Geier
by [bai] (nahe) bei, an; über (China; die Wiesen); vorbei an; am (Tag), in (der Nacht), bei (Licht); bis *(~ then* bis dahin), *~ now* jetzt schon ♦ *~ the day, the week* tageweise, wöchentlich; durch, mit; von (ihm geschrieben); zu (Lande, Wasser) ♦ *~ the dozen* ['dʌzn], hundred, dutzend-, hundertweise; *step ~ step* Schritt für Schr.; *day ~ day* Tag für T.; *(all) ~ o. s.* (ganz) allein; (urteilen, gehen) nach; nach (dieser Uhr); *adv* vorbei; dabei; *~ and large* im großen u. ganzen; *~ and ~* später, bald
bye [bai] Unwichtiges; *by the ~* übrigens; **~~** ['baibai] Heiabett; **~~** [bai'bai] Wiedersehen!, Tschüs!
by|-blow ['baiblou] Seitenhieb; **~-election** ['baiilekʃən] Nachwahl; **~-gone** ['baigɔn] vergangen; **~-law** *(a. bye-law)* ['bailɔ:] Satzung; *BE* Ortsstatut; **~-line** ['bailain] Verfasserzeile; **✈** *BE* Torlinie; **~-pass** ['baipɑ:s] Umgehungsstraße; um-, übergehen; **~-path** ['baipɑ:θ], *pl ~paths* [-:ðz] Seitenweg; **~-product** ['baiprɔdəkt] **~-road** ['bairoud] Seitenstraße; **~-stander** ['baistændə] Zuschauer; **~-street** 'baistri:t] Seitenstraße; **~-way** ['baiwei] Seitenweg; *fig* Seitenzweig; **~-word** ['baiwə:d] Schlagwort; Wendung; Sprichwort; Inbegriff *(for* für); Gespött

C

C, c [si:] ♪ C, C *sharp* Cis, C *flat* Ces
cab [kæb] Droschke; Taxe; **~by** ['kæbi] Taxifahrer; **~rank** *BE,* **~-stand** Droschkenplatz, Taxistand
cabal [kə'bæl] Ränke; Clique
cabaret ['kæbərei, *US* ---] Kabarett
cabbage ['kæbidʒ] Kohl
cabbal|a, *US* **cabala** ['kæbələ] Kabbala; **~ism** ['kæbəlizm] Kabbalistik
cabin ['kæbin] ⚓ Kabine(nklasse), Kajüte; ✈ Kabine, Fluggastraum; kleines (Holz-)Haus, Hütte; **~boy** 2. Steward
cabinet ['kæbinit] Vitrine; Schrank *(filing* ['failiŋ] *~* Akten-); ⚙ Gehäuse; ᵐ Kabinettformat; *pol* Kabinett; **~-maker** Möbelschreiner, Kunsttischler
cable [keibl] Kabel; Tau, Trosse; ⚓ Kabel; kabeln; **~-car** Standseilbahn; **~gram** ['keiblgræm] ⚓ Kabel(telegramm)
caboodle [kə'bu:dl]: *the whole* ['houl] *~* d. ganze Kram (Haufen, Verein)
caboose [kə'bu:s] *BE* Kombüse; *US* 🚃 Brems-, Dienstwagen
ca'canny [kɑ:'kæni] *BE* Produktionsverlangsamung
cacao [kə'kɑːou, kə'keiou], *pl ~s* Kakaobohne, -baum
cache [kæʃ] Versteck, geheimes Vorratslager; (geh.) Vorräte; verstecken
cackle [kækl] gackern; schnattern; *fig* schnattern, hell lachen; Gegacker, Geschnatter; *fig* Geschnatter; Gekicher
cact|us ['kæktəs], *pl ~uses, ~i* ['kæktai] Kaktus; **~aceous** [kæk'teiʃəs] kaktusartig, Kaktus-
cad [kæd] Prolet, Rüpel; **~dish** ['kædiʃ] proleten-, rüpelhaft
cadaver [kə'deivə] Leiche, Leichnam; **~ic** [kə'dæverik] Leichen-; **~ous** [kə'dævərəs] leichenhaft, -blaß; abgemagert
caddie ['kædi] Caddie *(Golf)*
caddy ['kædi] Teebüchse
cadence ['keidəns] Rhythmus; Intonation; Kadenz
cadet [kə'det] Kadett; d. jüngere Sohn
cadge [kædʒ] hausieren, (er)betteln
cadre ['kɑːdr, *US oft* 'kædri] Kader, Stammtruppe; Rahmen
caec|um ['si:kəm], *pl ~a* ['si:kə] Blinddarm
café ['kæfei] Café; Gasthaus
cafeteria [kæfi'ti:riə], *pl ~s* Selbstbedienungsrestaurant
cage [keidʒ] Käfig; (Vogel-)Bauer; Förderkorb
cag|ey ['keidʒi], *~ier, ~iest, ~ily* vorsichtig, gewieft; gerissen
cairn [kɛən] Steinhaufen (als Zeichen, Grab)
caisson [keisn, ⚙ kə'su:n] Munitionswagen; ⚙ Senkkasten
cajole [kə'dʒoul] schmeicheln, bereden *(into doing s-th* etw zu tun), *~ out of* ausreden; *~ s-th out of s-b* j-m etw abbetteln, abluchsen; **~ry** [kə'dʒouləri] Schmeichelei, Liebedienerei

cake [keik] (Rosinen-)Kuchen; Stück (Seife) ♦ *you can't have your ~ and eat it* man kann die Kuh nicht schlachten und noch melken; zusammenbacken

calamit|ous [kə'læmitəs] katastrophal; **~y** [kə'læmiti] Unglück, Katastrophe

calcium ['kælsiəm] Kalzium

calcula|te ['kælkjuleit] be-, errechnen; **~** *on* rechnen mit; **~ted** darauf berechnet, absichtlich; **~tion** [--'leiʃən] (Be-)Rechnen; Überlegung; **~tor** [⌐--ə] Rechentabelle; Rechenmaschine

calcul|us ['kælkjuləs], *pl* **~uses**, **§ ~i** ['kælkjulai] (Differential-, Integral-)Rechnung; (Gallen-, Nieren- etc)Stein

caldron ['kɔːldrən] *siehe* cauldron

calendar ['kælində] Kalender; Liste; *BE* Vorlesungsverzeichnis [ten

calender ['kælində] Kalander; kalandern, glätcal|f [kɑːf], *pl* **~ves** [kɑːvz] Kalb(sleder); Wade; **~f-binding** [⌐baindiŋ] Franzband

calibre ['kælibə] Kaliber *(a. fig)*

calico ['kælikou], *pl* **~es** *BE* weißer Baumwollstoff; *US* Kattun

caliper ['kælipə] *siehe* calliper

calisthenics [kælis'θeniks] *siehe* callisthenics

caliph ['keilif] Kalif

calk [kɔːk] Gleitschutz; *siehe* caulk

call¹ [kɔːl] 1. nennen *(is ~ed* heißt*)* ♦ **~** *over the coals* Schlitten fahren mit; 2. rufen; 3. aufsuchen, kurz besuchen *(on s-b* j-n), vorsprechen *(on* bei), **~** *for* abholen; 4. rufen, holen (Taxe, Arzt); wecken; **~** *for* erfordern, benötigen *(to be ~ed for* postlagernd); **~** *in* zur Rückgabe) aufrufen, (Arzt) holen; kündigen; **~** *off* abblasen; **~** *out* aus-, laut rufen, aufschreien; (zum Einsatz) herausrufen; **~** *over* (Namen) verlesen; **~** *up (US ~)* ♂ anrufen; **~** *up* wecken; *mil* einziehen; wachrufen; **~** *upon* auffordern *(for help* um Hilfe angehen); **~** *upon* beanspruchen (Aufmerksamkeit) einken *(to* auf); (Zus.kunft) einberufen; (Streik) ausrufen; **~** *to order* zur Ordnung rufen; **~** *the roll* Namenliste verlesen; **~** *in question* in Frage ziehen; **~ing card** *US* Visitenkarte

call² [kɔːl] Ruf *(for help* Hilfe-), *within ~* in Rufweite; Nachricht, Mitteilung; Anruf, Gespräch; Besuch, Vorsprechen; Halt *(port of ~* Anlaufhafen); *fig* Ruf, Berufung; ♦ *he has many ~s on his money (time)* sein Geld (s. Zeit) wird sehr beansprucht; *no ~ for* keine Veranlassung für; **~er** Rufer; Besucher; ♂ Anrufender, Partner; **~ing** Beruf(ung); **~-up** ['kɔːlʌp] Einberufung

calliper, *US* **cali-** [-kælipə] (Maß-)Lehre; *pl* Tast-, Greifzirkel

callisthenics, *US* **calis-** [kælis'θeniks] *sg vb* Gymnastik; *pl vb* gymn. Übungen

call|osity [kæ'lɔsiti] Schwiele; Verhärtung; **~ous** ['kæləs] schwielig; gefühlsroh

callow ['kælou] ungefiedert; unreif

callus ['kæləs], *pl* **~es** Schwiele; Kallus

calm [kɑːm] (wind)still, ruhig; Ruhe, (Wind-) Stille; **~** *(down) (s.)* beruhigen

calorie ['kæləri] Kalorie *(= 4,187 Joule)*

calumn|iate [kəlʌmnieit] verleumden; **~y** ['kæləmni] Verleumdung

calve [kɑːv] kalben; **~s** *siehe* calf

cam [kæm] ✿ Nocken; **~shaft** ['kæmʃɑːft] Nockenwelle

camaraderie [kæmə'rɑːdəri] Kameradschaft

camber ['kæmbə] (leichte) Krümmung

cambric ['keimbrik] Batist

came [keim] *siehe* come

camel ['kæməl] Kamel

camellia [kə'miːljə] *pl* **~s** Kamelie

cameo ['kæmiou], **~s** Kamee

camera ['kæmərə], *pl* **~s** (Foto-)Apparat, Kamera; *in ~* in geheimer Sitzung; **~ man** Bildberichter; Kameramann

camomile ['kæməmajl] Kamille *(~ tea)*

camouflage ['kæmuflɑːʒ] Tarnung; Schutzfarbe; tarnen

camp [kæmp] Lager *(a. fig)*; Feld-(Bett); kampieren, zelten *(to go ~ing)*

campaign [kæm'pein] Feldzug, Kampagne

camphor ['kæmfə] Kampfer

campus ['kæmpəs] Unversität(sgelände); *US* Schulanlage

can¹ [kæn] *(s. S. 318)* kann; darf; *as tired* [taiəd] *as ~ be* ganz müde

can² [kæn] Kanne; *US* Behälter, Kanister; (Einmach-)Dose; Knast; *US* Klo; *in Dosen* (Büchsen) einmachen

canal [kə'næl] Kanal; **§** Gang, Röhre

canary [kə'nɛəri] Kanarienvogel; hellgelb

cancel ['kænsəl] (aus-, durch-)streichen; (Marke) entwerten; aufheben, absetzen; **~** *out* s. aufheben; **~lation** [kænsə'leiʃən] Streichung; Entwertung; Aufhebung

cancer ['kænsə] Krebs(geschwulst); Tumor; *astr* Krebs; **~ous** ['kænsərəs] krebsartig; Krebs-

candela ['kændilə] Kandela; **~brum** [--'leibrəm], *pl* **~bra** [--'leibrə] Kandelaber

candid ['kændid] aufrichtig, freimütig; **~** *shot* ungestellte Aufnahme; **~ate** [⌐dit] Kandidat; Bewerber; **~ature** [⌐ditʃə] *BE*, **~acy** [⌐dəsi] Kandidatur

candied ['kændid] kandiert

candle ['kændl] Kerze ♦ *not fit to hold a ~ to* kann d. Wasser nicht reichen; *the game is not worth the ~* die Sache lohnt s. nicht; **~-stick** Kerzenhalter

candour ['kændə] Aufrichtigkeit, Offenheit

candy ['kændi] Kandis(zucker); *US* Süßigkeiten; (Früchte) kandieren

cane [kein] (Bambus-, Zucker-)Rohr; *BE* (Rohr-, Spazier-)Stock; züchtigen; aus R. flechten

canine ['keinain] Hunde-; ['kænain] **§** Eckcanister ['kænistə] (Tee- etc)Büchse

canker ['kæŋkə] Holzfäule; Lippengeschwür; *fig* Krebs(schaden)

canne|d ['kænd] eingedost *(~d goods* Konserven); *sl* besoffen; **~d** *music* Musikkonserven; (Rede) vorbereitet; **~ry** ['kænəri] Konservenfabrik *(BE a. canning factory, siehe* can)

cannibal ['kænibəl] Kannibale; kannibalisch
cannon ['kænən], pl mil ~, umg ~s (bes Flug-zeug-, Bord-)Kanone
cannot ['kænɔt] siehe can'
canny ['kæni] vorsichtig; klug; sparsam; er-fahren; BE ruhig, sanft; BE gemütlich; BE nett [paddeln
canoe [kənu:] Kanu, Paddelboot; ~, ~ing, ~d
canon ['kænən] eccl, ♪ Kanon; Richtschnur; Domherr, Kanonikus; ~ law [lɔ:] Kirchen-recht; ~ize heiligsprechen
canopy ['kænəpi] Baldachin; fig Dach
cant [kænt] scheinheilige Phrasen, Heuchelei; (Diebes-)Sprache; Schräge
Cantabrigian [kæntə'bridʒən] von Cambridge
canta|loup ['kæntəlu:p], US ~loupe [-́-loup] Kantalupe (Art Zuckermelone)
cantankerous [kæn'tæŋkərəs] streitsüchtig, rechthaberisch, voll Widerworte
canta|ta [kən'tɑ:tə] Kantate; ~trice [kæntə'tri:tʃei, 'kæntətri:s] Sängerin
canteen [kæn'ti:n] Kantine; Feldflasche
canter ['kæntə] Kanter (leicht. Galopp)
canto ['kæntou], pl ~s Gesang (Gedicht)
canton ['kæntən] Kanton; [kən'tɔn] in Kan-tone einteilen; [kən'tu:n, US -'tɔn] mil ein-quartieren; ~ment [-'tu:n-, US -'tɔn] Quar-tier; Unterkunft
canvas ['kænvəs] Segeltuch; Plane; ⚓ Lein-wand, Gemälde
canvass ['kænvəs] (um)werben, (als Vertreter) bearbeiten; gründlich besprechen; Werbefeld-zug; Wahlkampagne; ~er Werber, Agent, Ver-treter
cap [kæp] Mütze; Barett; ⚙ Kappe, Ver-schluß; mit e-r Kappe versehen; übertrump-fen; groß schreiben; ~s Großbuchstaben
capa|bility [keipə'biliti] Fähigkeit, Tüchtig-keit; ~ble ['keipəbl] tüchtig, fähig (of anything zu allem); imstande
capaci|ous [kə'peiʃəs] geräumig; ~tor [kə'pæ-sitə] Kondensator; ~ty [kə'pæsiti] Kapazität, Fassungsvermögen; Aufnahmefähigkeit; fil-led to ~ty randvoll; to work to ~ty bis zur äu-ßersten Grenze arbeiten; Eigenschaft (in my ~ty as); Fähigkeit
cape [keip] Umhang, Cape; Kap, Vorgebirge
caper¹ ['keipə] Kapernstrauch; pl Kapern (~ sauce); English ~s unechte Kapern
caper² ['keipə] Luftsprung, Kapriole; to cut a ~, to cut ~s = to ~ herumspringen
capercaillie [kæpə'keilji] Auerhahn
capita ['kæpitə] per[pə:] ~ pro Kopf; ~l ['kæ-pitl] Hauptstadt; großer Buchstabe; Versalie; small ~s 🔠 Kapitälchen; Kapital; Kapitell; Kapital-(Verbrechen); Todes-; hauptsächlich; prima; ~l goods [gudz] Investitionsgüter; ~-lism Kapitalismus; ~list Kapitalist; ~lize ['kæpitəlaiz] mit großen (Anfangs-)Buch-staben schreiben; versal setzen; kapitalisieren; mit Kapital ausstatten; Kapital schlagen (on aus), ausnützen
capitulate [kə'pitjuleit] s. (auf Vertrag) erge-ben, kapitulieren

capric|e [kə'pri:s] Laune; ~ious [kə'priʃəs] lau-nisch, kapriziös; ~orn ['kæprikɔ:n] astr Stein-bock
capsize [kæp'saiz] kentern; zum Kentern brin-gen
capstan ['kæpstən] ⚓ Gangspill
capsule ['kæpsju:l] bot, chem, ⚡ Kapsel
captain ['kæptin] (Spiel-)Führer; Kapitän; Hauptmann; Spielführer sein von
caption ['kæpʃən] Bildunterschrift, -text, Le-gende; (Film-)Untertitel
captious ['kæpʃəs] krittelig, tadelsüchtig, kleinlich
captiv|ate ['kæptiveit] bezaubern, fesseln; ~e [-tiv] gefangen; ~e balloon Fesselballon; ~ity [-́-viti] Gefangenschaft
capt|or ['kæptə] Fänger; Kaper(schiff); ~ure ['kæptʃə] (ge)fangen(nehmen); erbeuten; fes-seln; Gefangennahme; Beute
car [kɑ:] (Straßenbahn-, Kraft-)Wagen; US (Eisenbahn-)Wagen, Waggon; Gondel; ~-park [-́pɑ:k] BE Parkplatz
caramel ['kærəmel] Karamel; Karamelle
carat ['kærət] Karat
caravan ['kærəvæn] Karawane; BE Wohnwa-gen, Caravan
caraway ['kærəwei] Kümmel, Karbe
carbide ['kɑ:baid] Karbid
carbine ['kɑ:bain] Karabiner
carbohydrate [kɑ:bou'haidreit] Kohlehydrat
carbolic acid [kɑ:bɔlik 'æsid] Karbolsäure
carbon ['kɑ:bən] Kohlenstoff; ⚡ Kohlestift; ~ (paper) Kohlepapier; Durchschlag; ~ic acid [kɑ:'bɔnik 'æsid] Kohlensäure
carboy ['kɑ:bɔi] Korbflasche, Glasballon
carbuncle 'kɑ:bʌŋkl] ⚡ Karbunkel; Karfunkel
carburet ['kɑ:bju'ret, US 'kɑ:bəreit] ~ted, ~ted, US ~ed ⊖ vergasen; ~tor [-́ter, US ~or] [kɑ:bju'retə, US 'kɑ:-] 🚗 Vergaser
carcass (-case) ['kɑ:kəs] Tierleiche; Kadaver; Gerippe; ~ meat Frischfleisch
carcino|- [kɑ:sinə-] Krebs-; ~genic [kɑ:sinə'dʒe-nik] krebserzeugend; ~ma [kɑ:si'noumə], pl ~mata [--'noumətə] Krebstumor, Karzinom
card [kɑ:d] (Spiel-, Post-, Visiten-)Karte; to put one's ~s on the table d.Karten auf d. Tisch le-gen; one's best ~ j-s Trumpf; to have a ~ up one's sleeve noch e-n Trumpf in d. Hand ha-ben; ~board ['kɑ:dbɔ:d] Pappe; ~ index ['in-deks] Kartei; ~-index ['kɑ:dindeks] Kartei an-legen von, verkarten
cardamom ['kɑ:dəmɔm] Kardamom
cardiac ['kɑ:diæk] Herz-; Herzmittel
cardigan ['kɑ:digən] Wolljacke, -weste
cardinal ['kɑ:dinəl] 1. Kardinal-, Haupt-; ~ points d. vier Himmelsrichtungen; ~ num-ber Grundzahl; 2. Kardinal
cardiolo|gist [kɑ:di'ɔlədʒist] Herzspezialist; ~gy [--́-dʒi] Kardiologie
care [kɛə] 1. Sorgfalt; to take ~ dafür sorgen; 2. Fürsorge, Obhut; ⚡ Pflege; 3. Sorge, Kum-mer; pl Sorgen, Nöte; 4. s. etw daraus machen (I don't ~ about leaving you); ~ for s. etw ma-chen aus, sorgen für, s. kümmern um; ~ to do

gern tun; **~ful** sorgfältig; sparsam; gründlich; **~ful of, for** vorsichtig mit; **~ful to do** bedacht zu tun; **~less** unachtsam, nachlässig; (**~less of** unbekümmert um); sorglos, unbesonnen; **~taker** ['kɛəteikə] Hausmeister, (Haus-) Verwalter

careen [kə'riːn] kielholen; *US* jagen, rasen

career [kə'riə] Beruf(sweg), Laufbahn; Tempo; jagen, rasen; **~ist** [kə'riərist] Karrieremacher [voll, zart

caress [kə'res] liebkosen, küssen; **~ing** liebe-

caret ['kærət] Auslassungszeichen (')

cargo ['kaːgou], *pl* **~es**, **~s** Ladung, Fracht; **mixed** [mikst] **~** Stückgut

caribou ['kæribuː], *pl* **~** Karibu

caricatu|re [kærikə'tjuə, *US* 'kærikətʃə] Karikatur; karikieren; **~rist** [----'rist] Karikaturist

caries ['kɛəriːz, --'riːz] Karies

carillon ['kæriljən, kə'riljən, *US* 'kærilɔn] (eigentl.) Glockenspiel, Melodie e-s Gl.; Stab-, Glockenspiel (Orchester)

carious ['kɛəriəs] kariös, faul

carload ['kaːloud] Wagenladung

carmine ['kaːmain] karmin

carnage ['kaːnidʒ] Blutbad; **~al** [-nəl] fleischlich, sinnlich; **~ation** [-'neiʃən] Nelke; **~elian** siehe cornelian; **~ival** [-'iːvəl] Karneval, Fasching; **~ivorous** [-'nivərəs] fleischfressend

carol ['kærəl] Weihnachtslied (singen)

carous|al [kə'rauzəl] lärmendes Gelage; **~e** [kə'rauz] Gelage; zechen

carp¹ [kaːp], *pl* **~** Karpfen

carp² [kaːp] nörgeln, kritteln (*at* an); **~er** Nörgler, Kritikaster

carpen|ter ['kaːpintə] Zimmermann; **~try** ['kaːpintri] Zimmermannsarbeit

carpet ['kaːpit] **1.** Teppich; *on the* **~** auf dem Tapet; *to call (have) on the* **~** s. j-n vorknöpfen; **2.** (mit Teppich) bedecken

carriage ['kæridʒ] (Pferde-)Wagen; 🚃 *BE* Wagen; Beförderung(skosten; **~** *forward BE* Fracht per Nachnahme; **~-free** (**~-paid**) *(BE)* frachtfrei; (Schreibmasch.-)Wagen; *mil* Lafette; Haltung; **~able** ['kæridʒəbl] (be)fahrbar; **~way** *BE* Fahrbahn, -damm; *BE* Fernstraße

carrier ['kæriə] (Last-, Bazillen-)Träger; Fuhrmann, Spediteur; (Gepäck-)Halter, Träger; **~ (pigeon)** ['pidʒən] Brieftaube

carrion ['kæriən] Aas

carrot ['kærət] Mohrrübe, Karotte

carry ['kæri] tragen, (Wasser) führen; transportieren; (Stellung) nehmen; (Zuhörer) hinreißen; (Antrag) annehmen, angenommen werden, durchgehen; s. halten; (Ton, Geschütz) tragen; (Zeitung) enthalten; (Ware) führen; **~ away** wegtragen, -reißen; hinreißen; **~ forward** ['fɔːwəd] übertragen; Über-, Vortrag; **~ off** davontragen (*a. fig*); **~ on** weiterführen, weitermachen; flirten; **~ out** ausführen; **~ through** durch-, zu Ende führen; durchbringen ♦ *he carried everything before him* er hatte gewaltigen Erfolg; **~ weight** [weit] überzeugend sein; **~ing trade** See-, Luftfrachtverkehr (mit dem Ausland)

cart [kaːt] Karren; fahren ♦ *to put the* **~** *before the horse* d. Pferd beim Schwanz aufzäumen; **~age** ['kaːtidʒ] Fuhrlohn

carte blanche ['kaːt 'blaːnʃ] Blankovollmacht

cartel [kaː'tel] Kartell

cartilage ['kaːtilidʒ] Knorpel

carton ['kaːtən] Karton; Volltreffer

cartoon [kaː'tuːn] Karikatur; Zeichenfilm; Comics; **~ist** Karikaturist

cartridge ['kaːtridʒ] (Film-)Patrone; Kassette

cartwheel ['kaːtwiːl] Wagenrad; 🤸 Rad

carv|e [kaːv] schnitzen; meißeln; hauen; (Fleisch) schneiden; (*fig*) (Weg) bahnen; **~ing** Schnitzen; Schneiden; Schnitzerei

cascade [kæs'keid] Kaskade; Fallen

case¹ [keis] **1.** *allg, gram,* 💲 Fall; *is it the* **~** *that* trifft es zu, daß; *that's the* **~** d. ist d. Fall, trifft zu; *such being the* **~** da das so ist; *in* **~** falls, damit nicht, für alle Fälle; *in any* **~** auf jeden Fall; **2.** 🌀 Fall, Prozeß, Streitsache; **3.** Argumente, gute Gründe (*for* für, *on* in d. Sache); *to make out one's* **~** beweisen, daß man recht hat; **~ history** ['keis'histəri] Krankengeschichte; Vor-, Fallgeschichte; Tatsachen-, Erfahrungsbericht; typisches Beispiel; **~ work** ['keiswəːk] soziale Einzel-, Fürsorgearbeit; **~ worker** Sozialarbeiter

case² [keis] (Glas-, Schmuck- etc)Kasten; Behälter; Futteral, Etui; (Uhr-)Gehäuse; 🕮 Setzkasten (*upper* **~** Großbuchstabe, *lower* **~** Kleinbuchstabe)

casement ['keismənt] Fensterflügel

cash [kæʃ] **1.** Bargeld; *to pay* **~** bar bezahlen; *~ down* Barzahlung; *for* **~** gegen bar; **~** *on delivery* [di'livəri] per Nachnahme, Lieferung gegen bar; **2.** Kasse (*in* **~** bei K., *out of* **~** nicht bei K.) ♦ *it is not rolling in* **~** er hat Geld wie Heu; **3.** *vt* einlösen, einkassieren; **~-book** Kassenbuch; **~-desk** Kasse; **~less** bargeldlos; **~-office** ['kæʃɔfis] Kasse; **~ price** Barpreis; **~ register** ['redʒistə] Registrierkasse

cashier [kæ'ʃiə] Kassierer; *mil* kassieren

cashmere ['kæʃmiə] Kaschmir (Wollstoff)

casing ['keisiŋ] Gehäuse; Verkleidung, Mantel; Rahmen-, (Reifen-)Mantel

casino [kə'siːnou], *pl* **~s** Kasino

cask [kaːsk] Faß; **~et** ['kaːskit] Schmuckkästchen; Urne; *US* (teurer) Sarg

casserole ['kæsəroul] feuerfeste Schüssel

cassock ['kæsək] Soutane

cast [kaːst] (*s. S. 318*) **1.** (ab)werfen, 🪙 werfen, (Stimme) abgeben; **~ing vote** entscheidende Stimme; **~** *in s-b's teeth* j-m vorwerfen (Blick, Schatten, Los, Zweifel, Licht) werfen (*at, over, on* auf); (Metall) gießen (**~** *iron* ['aiən] Gußeisen); (aus)rechnen; **~** *about for* suchen nach; **~** *down* (Augen) niederschlagen; **~** *off* abwerfen, -legen, -fahren; **~** *out* ausstoßen; **2.** Wurf; 🐝 Besetzung, Rollenverteilung; Mitwirkende; Abguß; Art; **~** *(in the eye)* Silberblick, Schielen; **~** *and credits* (Film-)Vorspann; 💲 Gipsverband; **~-away** ['kaːstəwei] schiffbrüchig; **~-off** abgelegt, ausrangiert

castanets [kæstə'nets] Kastagnetten

caste [kɑːst] Kaste; *to lose* [luːz] ~ sein gesellschaftl. Ansehen verlieren

caster [kɑːstə] *siehe* castor

castigate ['kæstigeit] züchtigen; *fig* geißeln

castle ['kɑːsl] Burg; Schloß; (Schach) Turm; ~*s in the air* [ɛə] (*in Spain* [spein]) Luftschlösser

cast|or, *US* ~**er** ['kɑːstə] Lauf-, Möbelrolle; Streubüchse; Bibergeil; ~**or oil** Rizinusöl; ~**or sugar** ['ʃugə] *BE* Streuzucker

castrate [kæs'treit] kastrieren

casual ['kæʒuəl] zufällig; gelegentlich; unachtsam; beiläufig; zwanglos, salopp; Gelegenheitsarbeiter; Slipper; ~**ly** zufällig; ohne viel zu überlegen, leichthin; ~**ty** Unfall(opfer); Verwundeter, Verletzter; *pl* Verluste; Verletzte; ~ **ward** Unfallstation

casuistry ['kæzjuistri] Kasuistik

casus belli ['kaːsss'beli] Kriegsgrund

cat [kæt] Katze ♦ *enough to make a cat laugh* umwerfend komisch; *to lead* [liːd] *a* ~ *and dog life* wie Katze u. Hund leben; *it is raining* ~*s and dogs* es gießt in Strömen; *to put the* ~ *among the pigeons* große Aufregung verursachen; *no room to swing a* ~ man kann s. kaum um s. selbst drehen; boshaftes Weib; Jazzfan; Raupenschlepper

cataclysm ['kætəklizm] Katastrophe, Zusammenbruch; Sintflut; ~**ic** [--'-ik] umwälzend, -stürzend

catacomb ['kætəkoum] Katakombe

catalog|ue, *US a.* ~ ['kætələg] Katalog; *US* Vorlesungsverzeichnis; ~**ue** *vt* katalogisieren

catapult ['kætəpʌlt] Katapult, Schleuder; *vt* katapultieren, (ab)schleudern

cataract ['kætərækt] Katarakt; ♯ grauer Star

catarrh [kə'taː] Katarrh; Schnupfen

catastroph|e [kə'tæstrəfi], *pl* ~**es** Katastrophe, Schicksalsschlag; ~**ic** [kætəs'trɔfik] katastrophal, verhängnisvoll

catch[1] [kætʃ] (*s. S. 318*) fangen; einholen; ~ *up* (*with*) ein-, aufholen; antreffen; auffangen; (Zug) nehmen, kriegen; schnappen, überraschen; *fig* einfangen; ~ *in the act* auf frischer Tat ertappen; (Krankheit) s. zuziehen, holen, (Feuer) fangen; kapieren, mitkriegen; s. verfangen (in); ~ *sight* (*a glimpse*) *of* plötzlich sehen; (Atem) anhalten

catch[2] [kætʃ] Fang(en), Beute; Riegel; *fig* Haken; ~**er** Fänger; Ringer; ~**ing** ansteckend; anziehend; ~**ment basin** ['beisn] (*od* **area** ['ɛəriə]) Einzugsgebiet; ~**word** ['kætʃwəːd] Schlagwort; Stichwort

catchup ['kætʃəp] *siehe* ketchup

catech|ism ['kætikizm] Katechismus ♦ *to put s-b through his* ~*ism* j-n gründlich fragen; ~**ize** [--kaiz] gründl. (aus)fragen

categor|ical [kæti'gɔrikl] kategorisch; ~**y** ['kætigəri] Kategorie, Klasse

cater ['keitə] Lebensmittel (Essen) liefern (*for* für); alles Erforderliche bieten (bereithalten), etw bieten (*for*); befriedigen; rechnen (*for* mit); ~**er** [--rə] Feinkost-, Partylieferant; Ho-

telier, Gastwirt; ~**ing trade** Gaststättengewerbe

cater|pillar ['kætəpilə] Raupe; Gleiskette; Raupe(nfahrzeug); ~**waul** ['kætəwɔːl] (Katze) schreien; laut zanken

catfish ['kætfiʃ] Wels; Katfisch

catgut ['kætgʌt] Darmsaite; ♯ Katgut

cathartic [kə'θɑːtik] Abführmittel

cathedral [kə'θiːdrəl] Kathedrale, Dom

cathode ['kæθoud] Kathode; ~ **tube** Kathodenröhre

Catholic ['kæθəlik] katholisch; Katholik; ~**ism** [kə'θɔlisizm] Katholizismus

catholic ['kæθəlik] umfassend, universal

cat|kin ['kætkin] *bot* Kätzchen; ~**-o'-ninetails** [kætə'nainteilz] Peitsche; ~**'s-paw** ['kætspɔː] *fig* j-s Werkzeug; ~**ty** katzenhaft; tückisch; klatschsüchtig

catsup ['kætsəp] *siehe* ketchup

cattle [kætl], *pl vb* Vieh; ~**-breeding** Viehzucht

caucus ['kɔːkəs], *pl* ~**es** *BE* örtl. Partei-Aktionsausschuß(sitzung); *US* (Parteiführer-, Fraktions)Zus.ku.nft, Besprechung (zur Bestimmung von Kandidaten, Festlegung von Leitlinien)

caught [kɔːt] *siehe* catch[1]

cauldron, *US* **caldron** ['kɔːldrən] großer Kessel

cauliflower ['kɔliflauə] Blumenkohl

caulk, *US* **calk** [kɔːk] abdichten

causative ['kɔːzətiv] verursachend; kausativ

cause [kɔːz] Ursache; Grund; Prozeß, Streitsache; *fig* Sache (*in the* ~ *of* für d. Sache des); verursachen; bewirken; veranlassen

causeway ['kɔːzwei] Damm (im Sumpf); Gehweg

caustic ['kɔːstik] ätzend, kaustisch; beißend, sarkastisch

cauterize ['kɔːtəraiz] ♯ brennen, ätzen

caution ['kɔːʃən] Vorsicht (*to use* ~ vorsichtig sein); Warnung; Verwarnung; warnen (*against doing, not to do* zu tun)

cautious ['kɔːʃəs] vorsichtig   [Schau

cavalcade [kævəl'keid] Kavalkade, Zug,

caval|ier [kævə'liə] Kavalier; Ritter; barsch, hochmütig; ~**ry** ['kævəlri] *pl vb* Kavallerie, Reiterei

cave [keiv] Höhle; Höhlen-; ~ *in* einsinken, nachgeben (*a. fig*); eindrücken

cavern ['kævən] (große) Höhle

caviar(e) ['kæviɑː] Kaviar

cavil ['kævil] bekritteln, nörgeln (*at* an)

cavity ['kæviti] *allg*, ♯ Höhlung, Höhle

caw [kɔː] (Krähe) krächzen

cayman ['keimən], *pl* ~**s** Kaiman (Art Alligator)

cease [siːs] aufhören, einstellen; ~ *from* ablassen von; ~ *fire* ['siːs'faiə] Feuereinstellung, Waffenruhe; ~**less** unaufhörlich

cedar ['siːdə] Zeder(nholz)

cede [siːd] abtreten, überlassen

ceiling ['siːliŋ] (Zimmer-)Decke; Höchstgrenze (-preis, -miete, -gehalt); Bewölkungshöhe; ✦ Gipfelhöhe ♦ *to hit the* ~ an d. Decke gehen; (höchst)zulässig

celebra|te ['selibreit] feiern; rühmen; **~ted** berühmt *(for* wegen); **~tion** [--'breiʃən] Feier
celebrity [si'lebriti] Berühmtheit; Ruhm
celerity [si'leriti] Schnelligkeit
celer|iac [si'leriæk] Sellerie(knolle); **~y** ['seləri] (gebleichte) Sellerie(stengel)
celesta [si'lestə], *pl* **~s** ♩ Celesta
celestial [si'lestjəl] Himmels-; himmlisch
celiba|cy ['selibəsi] Zölibat; **~te** ['selibit] unverheiratet(er Mann)
cell [sel] Zelle; ⚡ Element; **~ar** ['selə] Keller
cello ['tʃelou], *pl* **~s** Cello
cellophane ['seləfein] Cellophan
cellu|lar ['seljulə] zellenförmig; Zellen-; **~loid** [--lɔid] Zelluloid; **~lose** [--lous] Zellstoff, Zellulose
Celtic ['keltik, *US* 'sel-] keltisch
cement [si'ment] *(a.* ♪) Zement; Kitt *(a. fig)*; zementieren; zus.kitten
cemetery ['semitri] Friedhof
cenotaph ['senɑtɑːf] Zenotaph, Ehrengrabmal
censer ['sensə] Weihrauchfaß
censor ['sensə] Zensor; **~ious** [sen'sɔːriəs] überkritisch, tadelsüchtig; **~ship** Zensur
censure ['senʃə] Tadel, Verweis; tadeln; *vote of ~* Mißtrauensvotum
census ['sensəs], *pl* **~es** Volkszählung
cent [sent] Cent; *per* **~** Prozent (%)
centen|arian [senti'nɛəriən] Hundertjährige(r); **~ary** -'tiːnəri, *US* --neri] hundertjährig(es Jubiläum); **~nial** [-'tenjəl] hundertjährig(es Jubiläum)
centi|grade ['sentigreid] mit 100 Grad; Celsius; **~me** [sɑːn'tiːm] Centime; **~metre** [--miːtə] Zentimeter; **~pede** [--piːd] *zool* Hundertfüßer
central ['sentrəl] zentral; Haupt-; ♂ Zentrale; **~ize** ['sentrəlaiz] zentralisieren; konzentrieren
centre ['sentə] 1. Zentrum, Mittelpunkt; *~ of gravity* ['græviti] Schwerpunkt; *pol* Zentrum, Mittelparteien; (Handels-, Vergnügungs- etc) Zentrum; (Auskunfts-)Stelle; (Gemeinschafts-) Heim, Haus; Mittel-; 2. in d. Mittelpunkt stellen; (s.) konzentrieren
centri|fugal [sen'trifjugəl] zentrifugal; **~petal** [-'tripitəl] zentripetal
century ['sentʃəri] Jahrhundert
ceramic [si'ræmik] keramisch; **~** *art* Kunstkeramik; **~s** *sg vb* (Fein- u. Grob-)Keramik; *pl vb* Keramik(en) [richt; **~s** Getreide]
cereal ['siəriəl] Getreide-; Getreideflockenge-
cerebral ['seribrəl] Gehirn-; **~** *catastrophe* [kə'tæstrəfi] Schlaganfall
ceremon|ial [seri'mouniəl] zeremoniell, feierlich; **~ious** [---niəs] zeremoniös, förmlich, steif; **~y** [--məni] Feier, Zeremonie; feierl. Höflichkeit, Förmlichkeit; *without* **~***y* ohne Umstände; *to stand upon ~y* sehr höflich sein
certain ['sɔːtən, -in] sicher *(I'm not ~ that . . .; he is ~ to come* er kommt sicher); untrüglich, verläßlich; (ein) gewisser; ♦ *for ~* ganz bestimmt; *to make ~* feststellen, s. vergewissern; **~ly** bestimmt; ja!, aber sicher!; **~ty** (feststehende) Tatsache *(fo ̣ a --ty* ganz bestimmt); Sicherheit, Gewißheit

certi|ficate [sə:'tifikit] Zeugnis, Schein; *medical ~ficate* Attest; *vt* **~ficate** [sə:'tifikeit] mit e-m Zeugnis versehen; lizenzieren; **~fy** ['sə:tifai] bescheinigen, bezeugen *(this is to ~fy that* hiermit wird bescheinigt, daß); *BE* für geisteskrank erklären; **~fied** bakterienfrei (Milch); *BE* in e-e Anstalt zu überweisen(der Patient; überwiesen); **~tude** ['sə:titjuːd] absolute Gewißheit
cessation [se'seiʃən] Aufhören; Einstellung
cession ['seʃən] Abtretung
cess-pit, -pool ['sespit, -puːl] Senkgrube
chafe [tʃeif] (sich d. Hände) reiben; wundreiben, aufscheuern; s. ärgern, toben; **~r** *(bes* Mai-)Käfer
chaff [tʃɑːf] Spreu; Häcksel; Neckerei; necken
chaffer ['tʃæfə] feilschen, schachern
chaffinch ['tʃæfinʃ] Buchfink
chagrin ['ʃægrin, ʃə'griːn *US* ʃə'grin] Verdruß, Ärger; ärgern, verdrießen
chain [tʃein] Kette *(a. fig)*; (an)ketten; **~-store** ['tʃeinstɔː] Kettenladen
chair [tʃɛə] Stuhl *(take a ~* s. setzen); Lehrstuhl; (Vor-)Sitz *(take the ~* d. Vorsitz übernehmen; **~-lift** Sessellift; **~man** [-mən], *pl* **~men** Vorsitzende(r); **~woman** [-wumən], *pl* **~women** [-wimin] Vorsitzende; **~way** Sessellift
chaise [ʃeiz] Chaise
chalet ['ʃælei] Sennhütte; kleines Landhaus
chalice ['tʃælis] (Abendmahls-)Kelch
chalk [tʃɔːk] Kreide; mit Kr. schreiben; **~** *up* ankreiden; **~** *out* vorzeichnen
challeng|e ['tʃælindʒ] 1. Anruf (der Wache); Herausforderung; (Auf-)Forderung; Aufgabe; Anregung; 2. herausfordern *(to a duel)*; j-n auffordern (etw Besonderes, Schwieriges zu tun); für j-n e-e große (lockende) Aufgabe darstellen; j-m (Bewunderung, Aufmerksamkeit) abnötigen; in Frage stellen, bestreiten; es aufnehmen können mit; erregen, (sch*ê*rf) anregen; **~e** *cup* Wanderpokal; **~ing** er-, anregend; große Anforderungen stellend (unerhört) schwierig
chalybeate [kə'libiit] eisenhaltig
chamber ['tʃeimbə] Raum, Kammer *(~ music)*; **~** *of commerce* ['kɔməs] Handelskammer; **~lain** [--lin] Kammerherr
chameleon [kə'miːliən], *pl* **~s** Chamäleon
chamois ['ʃæmwɑː, *US* 'ʃæmi], *pl* **~** [-wɑːz] Gemse; **~** ['ʃæmi] *leather* Sämischleder
champ [tʃæmp] schmatzen; (Pferd) ungeduldig beißen; *fig* knirschen
champagne [ʃæm'pein] Champagner, Sekt
champion ['tʃæmpiən] ♔ Meister; Sieger (-Mannschaft); preisgekrönt; Verteidiger, Fürsprecher; **~ship** Meisterschaft; Verfechtung
chance [tʃɑːns] 1. Zufall; *to take one's ~* es drauf ankommen lassen; *a game of ~* Glücksspiel; *by ~* zufällig; 2. Chance, Möglichkeit *(the ~s are 100 to 1)* ♦ *on the ~* für den Fall *(of seeing him* daß ich ihn sprechen kann); 3. Gelegenheit, Chance *(the ~ of a lifetime* d. Ch. seines Lebens) ♦ *the main ~* d. Chance, zu

Geld zu kommen; 4. *adj* zufällig; 5. *vb* zufällig
sein (tun) *(it ~d that ...; I ~d to see);* ~ *upon*
stoßen auf; riskieren
chancel ['tʃɑːnsəl] Chor, Altarraum; **~lor** [´--
lə] Kanzler; Kanzleivorstand; *BE* Ehrenpräsi-
dent e-r Univ.; *s.* exchequer
chancery ['tʃɑːnsəri] Kanzlei(gericht); Staatsarchiv; *in* ~ in der Klemme
chandelier [ʃændi'liə] Arm-, Kronleuchter,
Lüster
chandler ['tʃɑːndlə] Krämer, Drogist
change [tʃeindʒ] 1. wechseln; s. umziehen; ~
(trains) umsteigen *(for* nach); 2. tauschen,
(Geld) (um)wechseln; (s.) (ver)ändern; (Wind)
umschlagen; (Baby) wickeln; 3. (Ver-)Ände-
rung, Wechsel; ~ *of heart* Sinnesänderung;
~ *of life* Wechseljahre; 4. Luftveränderung;
5. Wandel *(from* gegenüber); ~ *for the better*
(Ver-)Besserung; *for a* ~ zur Abwechslung; *a*
~ *of* einmal (Kleider) zum Wechseln; 6.
(small) ~ Kleingeld; Wechselgeld *(he gets £1*
~ er bekommt ein Pfund heraus); **~able** [´-əbl]
veränderlich; *fig* schwankend; **~ful** wechsel-
haft; **~less** unveränderlich, unwandelbar;
~ling [´-liŋ] Wechselbalg; untergeschobenes
Kind; **~over** Umstellung
channel ['tʃænəl] Meeresstraße (the C~ d. Är-
melkanal); Flußbett; Fahrrinne; ⚡, ⬥ Kanal;
fig Kanal, Weg; aushöhlen; lenken, steuern; s.
bahnen
chant [tʃɑːnt] Kirchengesang; Singsang; singen
chanterelle [tʃæntə'rel] Pfifferling
chanty ['ʃænti, 'tʃɑːnti] Shanty, Seemannslied
(siehe shanty)
chao|s ['keiɔs] Chaos; **~tic** [kei'ɔtik] chaotisch
chap [tʃæp] (Hand) aufspringen; *siehe* chop;
Kerl, Kunde
chapel ['tʃæpəl] Kapelle; *BE* Kirche d. Frei-
kirchler
chaperon ['ʃæpəroun] Anstandsdame; *vt* als
Anstandsdame begleiten
chaplain ['tʃæplin] Kaplan
chaplet ['tʃæplit] Kranz; Rosenkranz
chapter ['tʃæptə] Kapitel; *US* Ortsgruppe; *US*
Studentenverbindung; ~ *of accidents* ['æksi-
dənts] Unglücksserie
char [tʃɑː] *BE* Putzfrau; *zool* Saibling; putzen,
scheuern; *sl* Tee; (Holz) verkohlen; *siehe*
chare
char-à-banc ['ʃærəbæŋ] Kremser
character ['kæriktə] Charakter; Persönlichkeit, Person; (Leumunds-)Zeugnis; Leumund,
Ruf; Buchstabe, Schriftzeichen; *pl* Anlagen;
~istic [---'ristik] charakteristisch *(of* für),
kennzeichnend; Kennzeichen, Merkmal; **~ize**
[´---raiz] charakterisieren, kennzeichnen
charcoal ['tʃɑːkoul] Holzkohle; ~ *burner*
['bəːnə] Köhler; Ofen; Holzgasmotor; ~ *tablet*
['tæblit] Kohletablette
chard [tʃɑːd] Mangold(gemüse)
chare [tʃɛə] *(a.* char) *BE* (gegen Lohn) Hausarbeit (verrichten)
charge [tʃɑːdʒ] 1. bezichtigen *(with murder),*

beschuldigen; 2. angreifen; 3. (Preis) verlangen; 4. (Ware) anschreiben; 5. *mil,* ⚡ laden; 6.
beauftragen; 7. Beschuldigung, Anklage; 8.
mil Angriff; 9. Preis, Forderung; 10. *mil,* ⚡ Ladung; 11. Auftrag, Anweisung; 12. Aufgabe;
to be in ~ *of* verantwortlich sein, sorgen für, in
d. Obhut sein von; *to take* ~ *of* in Verwahrung nehmen, verantwortl. sein für; *to give s-b*
in ~ j-n d. Polizei übergeben; 13. Schützling;
14. Mündel; 15. *fig* Last; **~able** ['tʃɑːdʒəbl] vor-
zuwerfen *(to* j-m), zu belangen *(with* wegen)
chargé d'affaires ['ʃɑːʒeidæ'fɛə], *pl* ~ **d'af-**
faires [´---'fɛəz], **~s d'affaires** ['ʃɑːʒeidæ'fɛə]
Geschäftsträger
chariot ['tʃæriət] (Streit-)Wagen
charit|able ['tʃæritəbl] wohl-, mildtätig; nach-
sichtig; **~y** ['tʃæriti] Mildtätigkeit; (Spenden
von) Almosen; wohltätige Einrichtung;
(christliche) Nächstenliebe ♦ ~*y begins at*
home d. Hemd ist e-m näher als d. Rock; **~y**
school [skuːl] Armenschule
charlatan ['ʃɑːlətən] Quacksalber, Kurpfuscher
Charlemagne [ʃɑːlə'main] Karl d. Gr.
Charles's Wain ['tʃɑːliz'wein] *astr BE* der
Große Bär
charm [tʃɑːm] Zauber, Reiz; Zauberwort;
Amulett; bezaubern, entzücken; bannen
charnel-house ['tʃɑːnəlhaus] Beinhaus
chart [tʃɑːt] (See-, Wetter- etc)Karte;
(auf)zeichnen; **~er** Konzession; Charterver-
trag; konzessionieren; chartern
charwoman ['tʃɑːwumən], *pl* **~-women** [´-wi-
min] Putz-, Reinemachefrau
chary ['tʃɛəri] vorsichtig, zurückhaltend, karg
(of mit); wählerisch
chase[1] [tʃeis] (ver)jagen; Jagd(revier, -wild);
to give ~ Verfolgung aufnehmen
chase[2] [tʃeis] ziselieren; ⬚ Schließrahmen
chasm ['kæzəm] Spalte; Kluft
chassis ['ʃæsi], *pl* ~ ['ʃæsiz] ⊟, ✈, *mil* Fahrge-
stell; ⬥ Chassis
chast|e [tʃeist] rein; keusch; **~en** [tʃeisn] züch-
tigen; läutern; **~ise** [tʃæs'taiz] züchtigen; **~ise-**
ment ['tʃæstizmənt] Züchtigung; **~ity** ['tʃæstiti]
Reinheit; Keuschheit
chat [tʃæt] plaudern; Plauderei
château ['ʃætou], *pl* **~x**, **~s** [´-touz] Schloß,
Herrenhaus
chattels ['tʃætəlz] *pl vb* Hab und Gut
chatter ['tʃætə] schwatzen (Person, Elster,
Bach); schnattern (Affe; Zähne); **~box**
Schwatzamsel, Plaudertasche
chatty ['tʃæti] gesprächig
cheap [tʃiːp] billig; preiswert; **~en** verbilligen
cheat [tʃiːt] betrügen *(out of* um); Betrug,
Schwindel; Betrüger
check [tʃek] 1. (nach)prüfen, kontrollieren,
vergleichen *(against* mit) ~ *up on* = ~; bremsen, zügeln; zurechtweisen; 2. *US* (in d. Garderobe) abgeben, (Gepäck) aufgeben; ~ *in*
(Hotel) ankommen u. s. anmelden, ~ *out* (Hotel) bezahlen und verlassen; 3. *fig* Schach;
Hemmnis, Bremse; *to keep a* ~ *on* zügeln; *to*

keep in ~ im Zaum halten; 4. Verzögerung (*to give a* ~ *to* verzögern); 5. Nachprüfung, (Gegen-)Kontrolle; Kontrollzeichen (V); 6. (Garderoben-, Gepäck-)Nummer, Marke, Schein; 7. Karo(stoff); 8. *US* Scheck; **~ed** [tʃekt] kariert; **~ers** Karo(muster); **~ers** *sg vb US* Damespiel; **~mate** ['tʃek'meit] (schach)matt setzen (*a. fig*); *fig* Schachmatt, völlige Niederlage; **~room** *US* Garderobe; *US* Gepäckaufbewahrung; **~up** (*bes* **$**) gründliche Untersuchung, Überprüfung

cheek [tʃiːk] Backe, Wange; *fig* Stirn, Frechheit; **~y** frech

cheep [tʃiːp] piepen

cheer [tʃiə] erfreuen, ermutigen; (zu-, be)jubeln; anfeuern; Hoch(ruf), Beifall(-sruf); Fröhlichkeit; ~ *up* froh werden, Mut fassen; **~ful** froh, heiter; **~io!** ['tʃiəri'ou] mach's gut! **~less** trüb, freudlos; **~y** ['tʃiəri] (nach außen) froh, lebhaft

chees|e [tʃiːz] Käse; **~y** ['tʃiːzi] käsig, Käse-**chef** [ʃef] Hauptkoch, Küchenmeister; **~-d'œuvre** [ʃei'dəːvə], *pl* ~s-d'oeuvre [ʃei'dəːvə] Meisterwerk

chem|ical ['kemikl] chemisch; Chemikalie; **~ist** Chemiker; Apotheker; **~istry** Chemie; chemische Zusammensetzung

cheque [tʃek] *BE* Scheck; **~red** [ɫ-əd] kariert; voll Wechselfälle, bunt

cherish ['tʃeriʃ] (Hoffnung etc) hegen, haben; (Kinder) pflegen, umsorgen

cherry ['tʃeri] Kirsche; kirschrot

chervil ['tʃəːvil] Kerbel

chess [tʃes] Schach; **~board** [ɫ-bɔːd] Schachbrett; **~man** [ɫ-mən], *pl* ~men Schachfigur

chest [tʃest] Kasten, Kiste; Truhe; Schränkchen; ~ *of drawers* [drɔːz] Kommode; Brust(korb); **~y** *sl* geschwollen ♦ *he is* ~*y BE* er hat's auf d. Brust

chesterfield ['tʃestəfiːld] Sofa; Überzieher

chestnut ['tʃesnʌt] (Edel-, Roß-)Kastanie

cheviot ['tʃeviət] Cheviot (~ *yarn* Cheviotgarn

chevy ['tʃivi] (herum)hetzen (*a.* chivy)

chew [tʃuː] kauen ♦ *to bite off more than one can* ~ mehr tun wollen als man kann

chic [ʃiːk] modische Eleganz; chic

chicane [ʃi'kein] (*bes* 🔁) Ausflucht, Mätzchen (machen), schikanieren; **~ry** [ʃi'keinəri] *bes* 🔁 Ausflüchte; Schikane, Trick

chick [tʃik] Küken (*a. fig*, Kind); dufte Biene; **~en** Huhn; Hühnerfleisch; **~en-pox** Windpok-**chicory** ['tʃikəri] Zichorie; Chicorée ⌊ken

chide [tʃaid] (*s. S. 318*) tadeln, schelten

chief [tʃiːf], *pl* ~s Häuptling; Chef, Leiter ~ - *in*~ Ober-; Haupt-, hauptsächlich; oberster; **~tain** ['tʃiːftin] Häuptling

chiffon ['ʃifən] Seidenmull, Schleierstoff; *pl* Verzierung, Bänder, Spitzen

chiffonier [ʃifə'niə] Kommode

chilblain ['tʃilblein] Frostbeule

child [tʃaild], *pl* ~ren ['tʃildrən] Kind; ~ *'s play* ein Kinderspiel, ganz leicht; **~bed** Wochenbett; **~hood** ['tʃaildhud] Kindheit; **~ish** ['tʃail-

diʃ] kindlich, Kinder-; kindisch; **~less** kinderlos; **~like** ['tʃaildlaik] kindlich, einfach; **~ren's** Kinder-

chill [tʃil] 1. (unangenehme) Kühle, Frösteln; *to take the* ~ *off* (Wasser) etwas anwärmen; 2. Erkältung; *to cast a* ~ *over* erschauern lassen; 3. kalt, kühl; 4. frösteln; kühlen; **~y** kalt (*a. fig*)

chilli, *US* **chili** ['tʃili] spanischer roter Pfeffer

chime [tʃaim] Glockenspiel (im Turm); Melodie (e-s Glockenspiels); Harmonie; läuten; ~ *in* (ins Gespräch) einfallen; ~ *in with* übereinstimmen mit

chimer|a [kai'miərə, ki-], *pl* ~as Schimäre, Hirngespinst; **~ical** [kai'merikl, ki-] phantastisch, illusionär

chimney ['tʃimni] Schornstein, Kamin; Rauchfang; (Lampen-)Zylinder; **~-pot** Schornsteinaufsatz; **~-sweep(er)** [ɫ-swiːp(ə)] Schornsteinfeger

chimp(anzee) [tʃimp(ən'ziː)] Schimpanse

chin [tʃin] Kinn; mit d. Kinn halten; ~ *o. s.* (*US*) Klimmzüge machen; *on the* ~ tapfer; *to take it on the* ~ schwer einstecken müssen

china ['tʃainə] (*bes* Geschirr-)Porzellan

Chin|a ['tʃainə] China; **~aman** [ɫ-mən] Chinese, *pl* ~men (bei kl. Zahlen); **~ese** [ɫ-'niːz] (bei großen Zahlen); **~ese** chinesisch; Chinese

chink [tʃiŋk] Ritz(e), Spalt; klimpern, klirren; *sl* Chinese

chintz [tʃints] Chintz; Möbelkattun

chip [tʃip] 1. Span, Splitter ♦ *a* ~ *of the old block* ganz der Vater; angeschlagene Stelle; 2. (Kartoffel-, Apfel-)Schnitz; *pl* ~s *BE* Pommes frites, *US* Chips; 3. (Glas) anschlagen, angeschlagene Stellen bekommen; schnitzeln; nekken; ~ *in* (*umg*) unterbrechen; **~per** *US* lebhaft, fröhlich

chipmunk ['tʃipmʌŋk] Rothörnchen

chipolata [tʃipə'laːtə] *BE* Bratwürstchen

chiro|podist [ki'rɔpədist] Fußpfleger; **~pody** [ki'rɔpədi] Fußpflege; **~practic** [kaiərə-'præktik] Chiropraktik; **~practor** [kaiərə'præktə] Chiropraktiker

chirp [tʃəːp] zirpen (Spatz, Grille)

chirrup ['tʃirəp] zwitschern

chisel ['tʃizl] Meißel; *sl* Gaunerei; meißeln; *sl* betrügen; erschwindeln

chitchat ['tʃittʃæt] Schnickschnack

chival|ry ['ʃivəlri] Rittertum; Ritterlichkeit; **~rous** [ɫ-rəs] ritterlich

chive [tʃaiv] Schnittlauch; **~y** *siehe* chevy

chlor|ide ['klɔːraid] Chlorid; ~*ide of* Chlor-; **~ine** ['klɔːriːn] Chlor; **~oform** ['klɔrəfɔːm] Chloroform; chloroformieren; **~ophyll** ['klɔrəfil] Chlorophyll

chock [tʃɔk] Bremsklotz; bremsen; ~ *up* (Zimmer) vollstellen; dicht; **~-full** ['tʃɔk'ful] gedrängt voll

chocolate ['tʃɔkəlit] Schokolade; Praline; Kakao; schokobraun

choice [tʃɔis] 1. (Aus-)Wahl; *from* ~ aus Neigung; *by (for)* ~ *BE* am liebsten; *to take one's* ~ s. Wahl treffen; 2. auserlesen; gewählt

choir ['kwaiə] (Kirchen-)Chor; Chor (e-r Kirche)

choke [tʃouk] (er)würgen; ersticken; ~ up verstopfen, (Unkraut) überwuchern, (Zimmer) vollstopfen; ~ off, ~ to death [deθ] j-n erwürgen; ~ down (Gefühl) hinunterwürgen; 🚗 Luft-, Startklappe

choler ['kɔlə] Zorn; ~a [⸚–rə] Cholera; ~ic [⸚–rik] cholerisch

chomp [tʃɔmp] geräuschvoll (fr)essen

choose|e [tʃuːz] (s. S. 318) (s. aus)wählen, (s.) aussuchen; cannot ~e but bleibt keine andere Wahl als; ~e (to do) lieber wollen, vorziehen; ~ing Wahl (of his ~ing)

chop [tʃɔp] (Holz) hacken (up zer-), (zer)schneiden; ~ down umhauen; Hacken, Schneiden; Kotelett; ~per Hackmesser; Hubschrauber; Knatterkiste

chops [tʃɔps] pl vb Kiefer; to lick one's ~ sich d. Lippen lecken

choppy ['tʃɔpi] (Wind) wechselnd; (Meer) hohl

chopsticks ['tʃɔpstiks] Eßstäbchen

choral ['kɔːrəl] Chor- (~ service Gottesdienst mit Chorgesang); ~(e) [kə'raːl] Choral; (Kirchen-)Chor

chord [kɔːd] math Sehne; ♪ Akkord; ∮ Band (vocal ~ Stimm-, spinal ~ Rückenmark)

chore [tʃɔː] kleine (Haushalts-)Arbeit; pl Hausarbeit

chorea [kɔ'riə] Veitstanz

chor|ister ['kɔristə] Chorsänger; -knabe; ~us ['kɔːrəs], pl ~uses Chor; Refrain; allgemeine Rufe (of praise); ~us girl Ballettmädchen

chortle [tʃɔːtl] laut kichern

chose(n) ['tʃouz(n)] siehe choose

chough [tʃʌf] Alpenkrähe

chow [tʃau] Futter, Essen

Christ [kraist] Messias, Christus; ~endom ['krisəndəm] Christenheit; ~ian ['kristjən] Christ; christlich; ~ian name Vorname; ~ianity [kristi'æniti] Christentum; ~ianize ['kristjənaiz] christianisieren; ~mas ['krisməs] Weihnachten (~mas Eve [iːv] Heiligabend, ~mas box BE Weihnachtsgeschenk)

christen [krisn] taufen (a. 🐧); ~ing ['krisəniŋ] Taufe, Tauffeier

chrom|atic [krə'mætik] chromatisch; Farben-; ~atics sg vb Farbenlehre; ~e [kroum] Chrom (~e steel Chromstahl); ~ium ['kroumiəm] Chrom (~ium-plated verchromt); ~osome ['krouməsoun] Chromosom

chron|ic ['krɔnik] chronisch; ~icle ['krɔnikl] Chronik; aufzeichnen; ~icler ['krɔniklə] Chronist; ~ological [krɔnə'lɔdʒikl] chronologisch; ~ology [krə'nɔlədʒi] Chronologie, Zeitrechnung; ~ometer [krə'nɔmitə] Chronometer

chrysalis ['krisəlis], pl ~es zool Puppe

chrysanthemum [kri'sænθiməm], pl ~s Chrysantheme

chub [tʃʌb] zool Döbel, Eitel, Schuppfisch

chubby ['tʃʌbi] rundlich; pausbäckig

chuck [tʃʌk] werfen, schmeißen; ~ up hinschmeißen; ~ it! laß das!

chuckle [tʃʌkl] in s. hineinlachen; leises Lachen

chuffed [tʃʌft] BE hocherfreut; BE sauer

chug [tʃʌg] tuckern(d fahren)

chum [tʃʌm] Duzfreund, Kamerad; ~ with zus.leben mit; ~ up with sich anfreunden mit; ~my freundlich

chump [tʃʌmp] Holzklotz; BE dickes Ende (Hammelfleisch); umg Birne, BE off one's ~ aus dem Häuschen; Hammel, Hornochse

chunk [tʃʌŋk] (Holz-)Klotz; (Brot-Fleisch-) Runksen, Stück; ~y stämmig

church [tʃəːtʃ] Kirche (BE nicht für Sekten); Gottesdienst; C~ (kathol. etc) Kirche (BE engl. Staats-); ~yard ['tʃəːtʃjaːd] Kirch-, Friedhof

churl [tʃəːl] Rüpel, Grobian; Geizkragen; ~ish grob, flegelhaft

churn [tʃəːn] Butterfaß; buttern; fig aufwühlen

chute [ʃuːt] Gleitbahn; Rutsche; Stromschnelle; Rodelbahn; Fallschirm; (Kinder-) Rutschbahn (siehe shoot)

chutney ['tʃʌtni] Chutney (ind. Mischgewürz)

cicada [BE si'kaːdə, US si'keidə], pl ~s (Sing-) Zirpe, Zikade

cicatr|ice ['sikətris], pl ~ices Narbe; ~ix ['sikətriks], pl ~ices [sikə'traisiːz] Narbe; ~ize ['sikətraiz] vernarben

cider ['saidə] Apfelsaft; hard cider Apfelwein; sweet cider Apfelsüßmost

cigar [si'gaː] Zigarre; ~ette, US a. ~et sigə'ret, US a. 'sigəret] Zigarette; ~ette-holder [sigə'rethouldə] (Zigaretten-)Spitze

cinch [sintʃ] sl klarer Fall, kein Problem, leichte Sache

cinder ['sində] ausgebrannte Kohle; pl Asche; Aschen-; burnt to a ~ verkohlt

Cinderella [sində'relə] Aschenbrödel

cine ['sini] BE Kino-, Film-; ~~camera [⸚–kæmərə] BE Filmkamera; ~ma [⸚–mə], pl ~mas BE Kino, Filmtheater, -wesen; ~matograph [⸚–'mætəgraːf] BE Filmprojektor, -kamera; ~matography [⸚–mə'tɔgrəfi] Kinematographie; ~projector [⸚–prə'dʒektə] Filmvorführgerät, Projektionsgerät

cinnamon ['sinəmən] Zimt

cion ['saiən] US Pfropfreis (siehe scion)

cipher ['saifə] Null(zeichen); Wertloses; Chiffre(text, -schlüssel); arab. Ziffer(nsystem); Monogramm; chiffrieren; ~ out ausrechnen

circa ['səːkə] zirka

circle ['səːkl] Kreis; Ring; ♟ Rang; Zyklus, Kreislauf; to come full ~ s. schließen, s. vollenden; (um)kreisen, umfahren; ~t ['səːklit] Kranz; Reif

circuit ['səːkit] Rundgang, Weg; to make a ~ of d. Runde machen durch; Gerichtsbezirk (to go on ~ d. Assisen abhalten); ∮ (Strom-)Kreis (short ~ Kurzschluß); Schaltbild; ~ous [sə'kjuːitəs] weitschweifig; abwegig (~ous route [ruːt] Umweg)

circula|r ['səːkjulə] kreisförmig; Kreis-; ~r letter Rundschreiben; ~r tour (trip) Rundreise; ~r Rundschreiben; Prospekt; ~rize ['səːkjuləraiz] d. Rundschreiben bekanntmachen (informieren); **~te** ['sɜːkjuleit] kreisen, zirkulieren; in Umlauf sein (setzen); **~ting library** ['laibrəri] Leihbibliothek; **~tion** [sɜːkju'leiʃən] (Blut-)Kreislauf; Umlauf, Verkehr; *to withdraw* [wið'drɔː] *from* ~tion aus dem Verkehr ziehen; **⏏** Auflage

circum|ference [sɜːˈkʌmfərəns] (Kreis-)Umfang; **~locution** [sɜːkəmlouˈkjuːʃən] umständliche Redeweise; Umschweife; umständl. Ausdruck; **~navigate** [sɜːkəmˈnæviɡeit] umsegeln; **~scribe** [sɜːkəmˈskraib] (*a. math*) umschreiben; begrenzen, einschränken; **~spect** ['sɜːkəmspekt] sorgfältig, umsichtig, bedacht; **~spection** [sɜːkəmˈspekʃən] Sorgfalt, Umsicht, Bedachtsamkeit

circumstan|ce ['sɜːkəmstəns, *US* ⸗stæns] Umstand, *pl a.* (Vermögens-)Verhältnisse; Umständlichkeit; **~tial** [⸗ˈstænʃəl] eingehend; umständlich; Indizien-; sekundär; zufällig

circumvent [sɜːkəmˈvent] um-, hintergehen; überlisten

circus ['sɜːkəs], *pl* **~es** Zirkus; (runder) Platz

cistern ['sistən] (*bes* Dach-)Zisterne

citadel ['sitədl] (Stadt-)Festung; *fig* Zitadelle

cit|ation [saiˈteiʃən] Zitierung; Zitat; Vorladung; **~e** [sait] zitieren, anführen; vorladen

cither ['siθə] Cister (*Art Laute*)

citizen ['sitizn] (Stadt-)Bürger; Staatsangehöriger; **~ship** Bürgerstand; Bürgerrecht, Staatsangehörigkeit

citr|ic ['sitrik] Zitronen-(Säure); **~on** ['sitrən] Zitrone(nbaum); **~ous** ['sitrəs] Zitrus-; **~us** ['sitrəs] Zitrusfrucht(baum)

city ['siti] große Stadt; *bes BE* (durch d. Krone zur *city* erhobene Stadt (*mst* Bischofssitz); *bes US* Stadt (*vgl* town); the **C~** d. (Londoner) City, Geschäftsviertel; **~ editor** ['editə] *BE* Finanzredakteur, *US* Lokalredakteur; **~ hall** [hɔːl] *US* Rathaus; **~ ordinance** ['ɔːdinəns] *US* Gemeindegesetz (*vgl* by-law); **~ state** Stadtstaat

civic ['sivik] städtisch; (staats)bürgerlich; **~s** *sg vb* Staatsbürgerkunde

civies ['siviz] *siehe* civvies

civil ['sivl] (staats)bürgerlich; Bürger-(Krieg); Zivil-(Ehe, -Recht, -Luftfahrt); **~ engineering** [endʒi'niəriŋ] Tiefbau; **C~ Service** ['sɜːvis] Staatsdienst; **~ servant** Staatsbeamter; höflich; **~ian** [si'viljən] bürgerlich (Beruf); Zivilist; **~ity** [si'viliti] Höflichkeit; **~ization** [sivilai'zeiʃən] Zivilisierung; Zivilisation; Kultur; zivilisierte Menschheit; **~ize** ['sivilaiz] zivilisieren; verfeinern

civvies ['siviz] Zivil(klamotten)

clack [klæk] klappern; plappern; Klappern; Geklapper

clad [klæd] bekleidet, bedeckt (*siehe* clothe)

claim [kleim] 1. (als sein Eigentum, Recht) verlangen, beanspruchen; 2. behaupten; 3. Anspruch; Klage; 4. Forderung; *to set up a ~ to, lay ~ to* Anspruch erheben auf; *to put in a ~ for* verlangen, (zurück)fordern; 5. Recht (*on,*

to auf); 6. Parzelle; **~ant** ['kleimənt] Beanspruchende; Kläger

clam [klæm] eßbare Meeresmuschel (*bes. long ~, soft ~* Sandklaffm., Strandauster; *round ~, hard ~* Venusmuschel); schweigsamer Mensch; **~ up** verstummen, schweigen

clamber ['klæmbə] (auf allen vieren) klettern

clammy ['klæmi] feuchtkalt, klamm

clam|orous ['klæmərəs] lärmend; **~our** ['klæmə] Lärm; laute Forderung; laut fordern; *~our down* niederschreien

clamp [klæmp] Klemme, Spanner, Halter; Stapel; (fest)spannen, (fest)klemmen; *~ on* verhängen über; *~ down on* einschreiten gegen

clan [klæn] Stamm, Sippe; **~sman** [⸗zmən] *pl* **~smen** Stamm-, Sippenangehöriger

clandestine [klænˈdestin] heimlich

clang [klæŋ] (Metall) tönen (lassen); **~our** ['klæŋɡə] Getöse, (metall.) Klang

clanger ['klæŋə] *BE* Fauxpas, Schnitzer

clank [klæŋk] klirren, tönen (lassen)

clannish ['klæniʃ] (unter s.) zusammenhaltend

clap [klæp] klatschen; klopfen; (Donner-)Schlag; Klatschen

clapboard ['klæbəd] *US* Wandschindel

claret ['klærət] Rotwein; *~ cup* Bowle

clarify ['klærifai] (auf)klären; erklären

clarinet [klæriˈnet] Klarinette; **~tist** Klarinettist

clarion ['klæriən] hell(er Schall); Clarino

clarity ['klæriti] Klarheit

clash [klæʃ] klirren; (aufeinander-)treffen; *fig* kollidieren; schlecht passen zu; Klirren, Geklirr; Zus.stoß; Kollision

clasp [klɑːsp] (fest) halten, nehmen; *~ one's hands* d. Hände falten; *~ s-b's hand* j-m d. Hand drücken; befestigen; Verschluß (Haken, Riegel); fester Griff

class [klɑːs] 1. Klasse ♦ *not in the same ~ as* nicht so gut wie; *in a ~ by itself* allen überlegen; 2. Unterricht; 3. *US* Jahrgang; 4. einordnen, einteilen; **~ic** ['klæsik] klassisch; Klassiker, klassisches Kunstwerk; **~ics** d. klassischen Sprachen, kl. Literatur, Philologie; **~ical** ['klæsikl] klassisch (einfach); **~icism** ['klæsizizm] Klassizismus; klassische Bildung; **~ification** [klæsifiˈkeiʃən] Ordnung, Einteilung, Rubrik; **~ify** ['klæsifai] ordnen, einteilen (**~ified** geheim); **~mate** ['klɑːsmeit] Klassenkamerad

clatter ['klætə] Klappern; lärmendes Reden; klappern

clause [klɔːz] Klausel, Bestimmung; Nebensatz

claustrophobia [klɔːstrəˈfoubiə] Budenangst

clavicle ['klævikl] Schlüsselbein

claw [klɔː] Klaue, Kralle, (Krebs-)Schere; (um)krallen; (zer)kratzen

clay [klei] Ton; **~ey** ['kleii] ton(halt)ig

clean [kliːn] 1. sauber (*a. fig*) ♦ *to make a ~ job* gründlich erledigen; *to make a ~ sweep* [swiːp] *of* reinen Tisch machen mit; 2. wohlgeformt; 3. geschickt; 4. *adv* total; 5. glatt; 6. reinigen, putzen; *~ out* ausräumen (*to be ~ed out* leere

Taschen haben); ~ **up** aufräumen; erledigen; **~er** (chem.) Reinigung; Putzfrau; **~ly** ['kli:nli] *adv;* **~ly** ['klenli] *adj* reinlich; **~se** [klenz] *bes fig* reinigen, läutern **clear** [kliə] klar, hell, (Haut) rein; verständlich *(to make o. s. ~);* (Weg) frei *(of* von) ♦ *to keep ~ of* s. fernhalten von; *the coast is* ~ d. Luft ist rein; *fig* frei *(of* von Schuld); voll (Tag, Gewinn); *adv* gänzlich; *vt/i* räumen, säubern *(of* von); ~ *one's throat* s. räuspern; roden; ~ **away** ab-, ausräumen; ~ **out** (gründl.) säubern, s. aus d. Staub machen; ~ **up** erledigen, aufräumen, aufklären (a. Wetter); (knapp) vorbeikommen an, springen über; netto verdienen *(~ expenses* [iks'pensiz] d. Kosten hereinbringen); (Schiff) (aus)klarieren; **~ance** [-rəns] Aufklärung; Reinigung; Abrechnung; Klarierung; Spielraum; **~ance-sale** [-'rənsseil] Räumungsverkauf; **~ing** [-'riŋ] Rodung; Abrechnung, Clearing *(~ing-house* C.haus) **cleav|age** ['kli:vidʒ] Spaltung *(a. fig);* **~e** [kli:v] *(s. S. 318)* (s.) spalten **cleave** ['kli:v] *(s. S. 318)* kleben, festhalten **clef** [klef] (Noten-)Schlüssel   L(*to* an) **cleft** [kleft] *siehe* cleave; ~ **palate** ['pælit] Wolfsrachen; *in a ~ stick* in d. Klemme; *(bes* Fels-, Boden-)Spalte, Riß **clemen|cy** ['klemənsi] Milde; **~t** mild **clench** [klentʃ] zus.pressen, zus.ballen; fest packen; = clinch; Zus.pressen, Ballen; Zupacken **clergy** ['klə:dʒi] *sg vb* Geistlichkeit, Klerus; *pl vb* Geistliche *(30 ~);* **~man** ['klə:dʒimən], *pl* **~men** Geistlicher **cler|ical** ['klerikl] geistlich; Büro-, Schreib-; **~k** [klɑ:k, *US* klə:k] Büroangestellter, Sekretär; *confidential* [kɔnfi'denʃəl] *~k* Prokurist; *managing ~k* Geschäftsführer; *US* Verkäufer; *town ~k* Stadtschreiber; *~k of the weather* ['weðə] Petrus; *~k in holy orders* Geistlicher **clever** ['klevə] gescheit; gewandt, geschickt *(at* in); raffiniert **clew** [klu:] Knäuel; ♫ Schothorn; ~ **up** aufgeien; *siehe* clue **cliché** ['kli:ʃei] Druckstock, Klischee; *fig* Klischee; Phrase **click** [klik] knacken; schnappen *(~ shut* zuschnappen); schnalzen mit (d. Zunge); zus.schlagen (Hacken); *fig* klappen; Glück haben; sich verknallen **client** ['klaiənt] Klient; Kunde **cliff** [klif] Klippe; Felsen **climact|eric** [klai'mæktərik] kritisch; klimakterisch; Krisenzeit; Klimakterium; **~ic** [-'-tik] höchste; den Höhepunkt darstellend **clim|ate** ['klaimit] Klima; **~atic** [klai'mætik] klimatisch, **~e** [klaim] *poet* Klima **climax** ['klaimæks] Gipfel, Höhepunkt; Klimax; Steigerung; der Höhepunkt sein von **climb** [klaim] 1. (er)klettern, (Treppe) hinaufgehen; 2. (empor)steigen; ~ *down* herunterklettern; s. zurückziehen, klein beigeben; 3. Aufstieg; **~er** ['klaimə] Kletterer; Kletterpflanze; **~ing** Klettern; Bergsteigen

clinch [klintʃ] (um)klammern; kaltnieten; befestigen; regeln, entscheiden; **~er** treffende Antwort, Trumpf **cling** [kliŋ] *(s. S. 318)* kleben *(to* an); s. klammern; **~ing** abzeichnend (Kleid) **clinic** ['klinik] Klinik; *US* poliklinische Abteilung; klinischer Unterricht; **~ian** [kli'niʃən] Kliniker **clink** [kliŋk] klimpern, klappern, klirren; Klappern etc; Kittchen **clip**¹ [klip] Klemme, Halter; zus.klammern **clip**² [klip] beschneiden; scheren; stutzen; ausschneiden *(from* aus); Schlag; Tempo; **~per** Klipper; (Ozean-)Clipper; *pl* Schere; **~ping** *US* Zeitungsausschnitt **clique** [kli:k] Clique **cloak** [klouk] (Deck-)Mantel; einhüllen; verbergen; **~-room** ['kloukrum] Garderobe; *BE* Gepäckaufbewahrung **cloche** [klɔʃ] Glocke *(Mut.);* Glasglocke **clock** [klɔk] Uhr; **~wise** ['klɔkwaiz] im Uhrzeigersinn; **~work** ['klɔkwə:k] Uhrwerk; *like ~work* wie am Schnürchen **clod** [klɔd] (Erd-)Klumpen; **~hopper** Lümmel **clog** [klɔg] Holzschuh; Hindernis; verstopfen; behindern **cloister** ['klɔistə] Kreuzgang; Kloster; (wie in ein Kl.) einschließen **close**¹ [klouz] 1. (s.) schließen, zumachen; ~ *in on* umschließen; ~ *up* ganz verschließen; 2. zus.rücken, aufschließen; ~ *down* stillegen; *~d shop* gewerkschaftspflichtiger Betrieb; *an account* Konto abschließen; 3. Ende, Schluß; *to draw* [drɔ:] *(od bring) to a ~* beenden **close**² [klous] 1. nahe; eng (Freund); 2. knapp (Sieg), ♦ ~ *shave* knappes Entrinnen; 3. schwül, drückend; 4. genau, gründlich, (Übersetzung) genau, (Rasur) glatt; 5. enggewebt; 6. verborgen *(to lie ~);* *to keep s-th ~* geheimhalten; ~ *season* ['si:zən] Schonzeit; ~ [klous] (Dom-, Spiel-)Platz; **~-up** ['klousʌp] Nahgroßaufnahme *(~-up lens* Vorsatzlinse) **closet** ['klɔzit] *bes US* Schrank; Klosett **closure** ['klouʒə] (Debatten-)Schluß **clot** [klɔt] Klümpchen; (Blut-)Pfropf; gerinnen (lassen); (Haar) verkleben **cloth** [klɔθ], *pl* **~s** [klɔθs] *(siehe* clothes) Gewebe; Stoff, Tuch; Tischdecke *(to lay the ~* d. Tisch decken); Berufstracht **(the ~** d. Geistlichkeit); **~e** [klouð] *(s. S. 318)* kleiden *(a. fig);* bedecken; **~es** [klouðz] Kleider, Kleidung; (Bett-)Zeug; Wäsche; **~es-peg** *BE,* **~es-pin** Wäscheklammer; **~ing** ['klouðiŋ] Kleidung **cloture** ['kloutʃə] *US* = closure **cloud** [klaud] Wolke(n), Bewölkung ♦ *to have a ~ on one's brow* [brau] bedrückt aussehen; *to be under a ~* im Verruf sein; *be* ~*d*, overs. bewölken; **~-burst** ['klaudbə:st] Wolkenbruch; **~y** wolkig, bewölkt; *fig* trübe, nebelhaft **clout** [klaut] Lappen; Breitkopfnagel; *umg* Kopfnuß; Durchschlagskraft; schlagen **clove** [klouv] (Gewürz-)Nelke

clove(n) [klouv(n)] *siehe* cleave
clover ['klouvə] Klee (*in* ~ wie d. Hase im Kohl)
clown [klaun] Clown; Tölpel; **~ish** bäuerlich, plump; närrisch
cloy [klɔi] übersättigen; **~ing** widerwärtig
club [klʌb] Keule; (Golf-)Schläger; Kreuz, Treff; Klub, Verein; (mit e-r Keule etc) (nieder-)schlagen; ~ *together* (s.) zus.tun; **~-foot** Klumpfuß
cluck [klʌk] glucken
clue [kluː] Schlüssel, Spur; *fig* Faden, Anhaltspunkt
clump [klʌmp] (Baum-)Gruppe; Klumpen; Klotz; Doppelsohle; 🕮 Regletten
clumsy ['klʌmzi] unbeholfen, ungeschickt; grob, plump (Werkzeug etc)
clung [klʌŋ] *siehe* cling
cluster ['klʌstə] Büschel, Traube; Gruppe, Haufen; in Büscheln wachsen; (s.) zus.drängen
clutch [klʌtʃ] packen ♦ *a drowning man will* ~ *at a straw* ein Ertrinkender klammert s. an e-n Strohhalm; Griff *(to make a* ~ *at);* 🚗 Kupplung; *pl* j-s Klauen
clutter ['klʌtə] *up* voll-, anhäufen
coach [koutʃ] Kutsche (~ *and four* Vierspänner); 🚂 Wagen; (*bes* Fern-)Bus; Pauker; Trainer; j-n einpauken, trainieren; **~man** [-mən], *pl* ~men Kutscher; **~work** Karosserie
coagulate [kou'ægjuleit] gerinnen
coal [koul] Kohle ♦ *to carry* ~s *to Newcastle* ['njuːkɑːsl] Eulen nach Athen tragen; (be)kohlen; **~-field** [-fiːld] Kohlenrevier; **~-mine**, **~-pit** Kohlengrube
coal|esce [kouə'les] zus.wachsen; sich vereinigen; **~ition** [kouə'liʃən] Vereinigung; Bund, Koalition
coarse [kɔːs] grob; anstößig
coast [koust] Küste; *US* Rodelhang; *US* Rodelfahrt; Bergabradeln; an d. Küste entlang fahren; *US* rodeln; (im Freilauf) bergab fahren; **~er** Küstenfahrzeug; *US* Rodelschlitten; **~er-brake** *US* Rücktrittbremse; **~al** ['koustl] Küsten-
coat [kout] Jacke(tt), Rock; Fell; (Farb-)Schicht; überziehen; anstreichen; **~-of-arms** ['koutəv'ɑːmz], *pl* ~s-of-arms Wappen; **~ing** Überzug; Anstrich; Jackenstoff
coax [kouks] gut zureden; geduldig manipulieren
cob [kɔb] Schwan; kurzbeiniges Reitpferd; (Mais-)Kolben; *BE* (Kohle-)Klumpen; = cobnut
cobalt ['koubɔːlt] Kobalt
cobble [kɔbl] runder Flußstein; *pl* Kopfsteinpflaster; (Schuhe) flicken; **~r** ['kɔblə] Flickschuster *(a. fig)* Cobbler *(Cocktail); US* gedeckte Obst-Pie
cobnut ['kɔbnʌt] (große) Haselnuß
cobra ['koubrə], *pl* ~s Kobra, Brillenschlange
cobweb ['kɔbweb] Spinngewebe, -faden; Netz, Falle
cocaine [kə'kein] Kokain

coccyx ['kɔksiks] Steißbein
cochineal ['kɔtʃiniːl] Koschenille
cock [kɔk] Hahn; Männchen; ✿ (Wasser- etc) Hahn; Anführer; aufrichten; (Ohr) spitzen, (Hahn, Kamera) spannen ♦ ~ *an eye* d. Blick richten, zuzwinkern, Brauen hochziehen; **~-and-bull** *story* Ammenmärchen
cockade [kɔ'keid] Kokarde
Cockaigne [kɔ'kein] Schlaraffenland
cock|chafer ['kɔktʃeifə] Maikäfer; **~erel** ['kɔkərəl] junger Hahn; **~-eyed** ['kɔkaid] schielend; schief, verdreht
cock|le ['kɔkl] Herzmuschel; **~ney** ['kɔkni] Cockney (echter Londoner; Londoner Mundart)
cock|pit ['kɔkpit] (Hahnen-)Kampfplatz; Kriegsschauplatz; Cockpit; **~roach** ['kɔkroutʃ] (Küchen-)Schabe, Kakerlak; **~scomb** ['kɔkskoum] Hahnenkamm; Narrenkappe; *bot* Hahnenkamm; = coxcomb **~sure** ['kɔk'ʃuə] überheblich; todsicher; **~-tail** ['kɔkteil] Cocktail; Obstsalat; **~y** keck, frech; eingebildet
cocoa ['koukou] Kakao
coconut ['koukənʌt] Kokosnuß
cocoon [kə'kuːn] Kokon; s. einspinnen
cod [kɔd], *pl* ~ (**~s** -arten) Kabeljau, Dorsch; **~-liver oil** Lebertran
coddle ['kɔdl] verhätscheln, verwöhnen
cod|e [koud] (Gesetzes-, Ehren-)Kodex, Kode; Code; chiffrieren; **~ify** ['kɔdifai] kodifizieren; systematisieren
co-ed [kou'ed] Studentin; *US* Schülerin; **~ucation** ['kou,edju'keiʃən] Koedukation
coerc|e [kou'əːs] (er)zwingen (*into* zu); **~ion** [kou'əːʃən] Zwang(sherrschaft); **~ive** [kou'əːsiv] Zwangs-
coeval [kou'iːvəl] gleichaltrig; -zeitig; -lang
co-exist [kouig'zist] zu gleicher Zeit vorhanden sein (existieren); **~ence** Koexistenz
coffee ['kɔfi] Kaffee; **~-table** Couchtisch
coffer ['kɔfə] Truhe; Kassette *(a.* 🏛); *pl* Schatzkammer (~ *of the State* Staatssäckel)
coffin ['kɔfin] Sarg
cog [kɔg] Zahn; ~(-**wheel**) ['kɔgwiːl] Zahnrad
cogen|cy ['koudʒənsi] Beweiskraft; **~t** zwingend, überzeugend
cogita|te ['kɔdʒiteit] nachdenken; **~tion** [kɔdʒi'teiʃən] Nachdenken; Gedanke
cognate ['kɔgneit] (bluts-, art-)verwandt; Verwandter; verwandtes Wort
cognizance ['kɔgnizəns, 'kɔn-] (Er-)Kenntnis; *to take* ~ *of* zur Kenntnis nehmen; Wissensbereich
cohe|re [kou'hiə] zus.hängen; **~rence** [kou'hiərəns] *des* logischer) Zusammenhang; **~rent** [kou'hiərənt] haftend; sinnvoll zus.hängend; **~sion** [kou'hiːʒən] Haften; Kohäsion
cohort ['kouhɔːt] Schar, Kohorte
coil [kɔil] (s.) (auf)rollen, (s.) (auf-)wickeln; Rolle; Schlinge; ⚡ Spule; ✿ Windung, Schlange; Wirrwarr
coin [kɔin] Münze; prägen ♦ *is* ~*ing money* macht Geld wie Heu; **~age** ['kɔinidʒ] Prägen; Münzsystem; Hartgeld; *fig* Neuprägung

coincide [kouin'said] zus.fallen, übereinstimmen; ~nce [kou'insidəns] zufälliges Zusammentreffen; Übereinstimmung
coke [kouk] Koks; Coca-Cola; verkoken
colander ['kʌləndə] Durchschlag, Seiher
cold [kould] Kälte; Erkältung; to catch (od take) (a) ~ s. erkälten; kalt; fig ruhig; kühl; I am ~ ich friere; ~ facts nackte Tatsachen; ~ comfort ['kʌmfət] schlechter Trost; to throw ~ water on entmutigen; to give s-b the ~ shoulder, ~-shoulder ['kould'ʃouldə] vt kalt behandeln
colic ['kolik] Kolik; ~ky kolikartig
collabora|te [kə'læbəreit] zus.arbeiten; ~tion [----ʃən] Zusammenarbeit; ~tor [----tə] Mitarbeiter; Kollaborateur
collaps|e [kə'læps] zus.brechen, -fallen; fehlschlagen; Zus.brechen; Scheitern; ~ible [kə'læbsibl] zusammenlegbar
collar ['kolə] Kragen; Halsband; ✿ Manschette, Ring; packen, ergreifen; klauen; ~-bone ['koləboun] Schlüsselbein
colla|te [kɔ'leit] (Texte) vergleichen; kollationieren; ~tion [kɔ'leiʃən] (Text-)Vergleichung; Kollation; Imbiß
collateral [kɔ'lætərəl] Neben-; Seiten-; (zusätzliche) Sicherheit
colleague ['koli:g] Kollege, Mitarbeiter
collect [kə'lekt] (ein- ver)sammeln; (Geld) eintreiben; abholen; s. (an)sammeln; ~ion [kə'lekʃən] (An-)Sammlung; (Brief-)Leerung; Sammlung, Kollektion; Kollekte; Eintreibung; ~ion letter US Mahnbrief; ~ive [kə'lektiv] gemeinsam; gesammelt (Weisheit); kollektiv (~ive farm Kolchos); ~ive bargaining ['ba:gəniŋ] Tarifverhandlungen (zw. Arbeitgebern u. A.nehmern); ~or [kə'lektə] Sammler; ✚ Kollektor
colleg|e ['kolidʒ] College; höhere Bildungsanstalt; Hochschule; Kollegium; ~e education [edju'keiʃən] akademische Bildung; ~iate [kə'li:dʒiit] Hochschul-
colli|de [kə'laid] zus.stoßen; kollidieren; ~sion [kə'liʒən] Zus.stoß, Kollision
collie ['koli] Collie (Hund)
collier ['koliə] BE (Kohlen-)Bergmann; Kohlenschiff; ~y ['koljəri] Zeche, Grube
colloca|te ['koləkeit] zus.stellen; ordnen; ~tion [kolə'keiʃən] Zus.stellung; Ordnung; fig Wendung, Kollokation
colloqu|ial [kə'loukwiəl] umgangssprachlich, passend für die gesprochene Sprache; ~y ['koləkwi] Gespräch
collu|de [kə'lu:d] in geheimem Einverständnis handeln; ~sion [kə'lu:ʒən] geheimes Einverständnis
colon ['koulən], pl ~s Doppelpunkt; Grimmdarm
colonel ['kə:nəl] Oberst
colon|ial [kə'lounjəl] Kolonial-; Kolonist; Kolonisator; ~ist ['kolənist] Kolonist; ~ization [kolənai'zeiʃən] Kolonisierung; ~ize ['kolənaiz] kolonisieren; ~izer Kolonisator; ~y ['koləni] Kolonie (a. zool)

colonnade [kolə'neid] Kolonnade; Baumreihe
colorado beetle [kolə'ra:dou 'bi:tl] Kartoffelkäfer
coloration [kʌlə'reiʃən] Färbung; Farbgebung
coloss|al [kə'losəl] kolossal; ~us [kə'losəs], pl ~i [--sai], ~uses Koloß
colour ['kʌlə] 1. Farbe ♦ a high [hai] ~ rote Gesichtsfarbe; off ~ nicht wohl, bedrückt; to give (od lend) ~ to d. Anstrich d. Wahrscheinlichk. geben; 2. pl Fahne ♦ to join the ~s in d. Armee eintr.; to show one's true ~s s. wahres Gesicht zeigen; 3. anmalen, (s.) verfärben; ~-bar ['kʌləba:] Rassenschranke; ~ed ['kʌləd] gefärbt; Neger; ~ful bunt; ~ing ['kʌləriŋ] (Haut-)Farbe; Farbgebung; Färbung
colt [koult] (Hengst-)Füllen; Neuling
column ['koləm] Säule; mil Kolonne; 🕮 Spalte; ~ist ['koləm(n)ist] Kolumnist(in)
coma ['koumə] Koma, tiefe Bewußtlosigkeit
comb [koum] Kamm; ✿ Hechel; Wabe; kämmen; hecheln; ~ (out) fig durchkämmen, -suchen
combat ['kombət] Kampf; single ~ Zweikampf; (be)kämpfen; ~ant ['kombətənt] kämpfend; Kämpfer, Soldat; ~ive ['kombətiv] kampflustig
combin|ation [kombi'neiʃən] Verbindung; Kombination; Interessengemeinschaft; pl BE Hemdhose; ~e [kəm'bain] (s.) verbinden; (s.) vereinigen; ~e ['kombain] (preistreibender etc) Konzern, Interessengemeinschaft; Mähdrescher; mit Mähdreschern bearbeiten
combust|ible [kəm'bʌstibl] leicht brennbar, entzündbar; ~ion [kəm'bʌstʃən] Verbrennung; Erregung
come [kʌm] (s. S. 318) kommen; ~ to see, ~ and see besuchen; ~ to pass sich ereignen; ~ about s. abspielen; ~ across zufällig stoßen auf; ~ along mitkommen; ~ along! vorwärts!; ~ at anfallen; ~ by bekommen; ~ down (Preis) fallen; ~ down in (Preis) senken; ~ for abholen; ~ in herein-, aufkommen; seinen Platz (s. Rolle) haben; ~ in handy (useful) nützlich sein; ~ into (Vermögen) erben; ~ into leaf (bud) Knospen ansetzen; ~ into blossom (flower) aufblühen; ~ of herauskommen bei (that ~s of das kommt davon, wenn ...); ~ off los-, abgehen; ~ on herankommen; ~ on! mach zu!; it ~s on to es beginnt zu; ~ out with sagen, erzählen; ~ out of herauskommen bei; ~ round (herbei)kommen; s. erholen; ~ to zu s. kommen; s. belaufen auf; hinauslaufen auf; ~ to blows aufeinander losschlagen; ~ to grief Kummer, Unglück erleben; ~ to terms s. einigen; ~ to an end zu Ende gehen (of one's money alles Geld ausgeben); ~ to one's senses (od o.s.) zu s. kommen, zur Vernunft kommen; ~ up herauf-, herankommen; (Saat) aufgehen; ~ up to entsprechen; ~ up with einholen; ~ upon zufällig stoßen auf; ~ (easy, alive [ə'laiv] etc) werden; ~ all right [o:l'rait] gut werden; ~ true wahr werden; ~ untied [ʌn'taid] (od undone [ʌn'dʌn]) aufgehen; sein (~ natural to ganz natürlich sein

für); ~, ~*!* nun mal langsam!; na, na!; *to* ~ kommend, zukünftig (*years to* ~); ~ (*summer, May, nightfall*) wenn ... (Sommer etc) kommt, nächsten (Sommer etc); **~back** ['kʌmbæk] Rückkehr (zu einer alten Stellung), Comeback; schlagfertige Antwort; **~-down** ['kʌmdaun] *fig* Abstieg; **~r** ['kʌmə] e-r, d. kommt, Ankommender; **~-uppance** [kʌm'ʌpəns] wohlverdienter Lohn

comed|ian [kə'miːdiən] Komödiant; Komödienschreiber; **~ienne** [kəmiːdi'en] Komödiantin; **~y** ['kɔmidi] Komödie; lustiger Vorfall (Geschehen)

comely ['kʌmli] schön, gut aussehend

comestibles [kə'mestiblz] Eßwaren

comet ['kɔmit] Komet

comfort ['kʌmfət] Erleichterung, Trost; Behaglichkeit; trösten; ~ (*he is* ~*able*); *US* Steppdecke; **~er** ['kʌmfətə] Tröster; *BE* (Herren-)Schal; *BE* Schnuller; *US* Steppdecke; **~ing** tröstlich; **~less** unbehaglich; trostlos

comic ['kɔmik] kom(ödiant)isch; Komödien-; Komiker; **~al** ['kɔmikl] komisch, drollig

comity ['kɔmiti] Freundlichkeit, Rücksicht; ~ *of nations* ['neiʃənz] internationale Courtoisie

comma ['kɔmə], *pl* **~s** Komma

command [kə'maːnd] 1. befehl(ig)en; kommandieren; zügeln; 2. zur Verfügung haben; 3. (Respekt etc) verdienen; 4. höher liegen als, beherrschen; 5. Befehl; Kommando (*to be in* ~ kommandieren; *to take* ~ d. K. übernehmen); 6. Beherrschung; Kenntnis (e-r Sprache); *at his* ~ ihm zur Verfügung; **~ant** [kɔmən'dænt] (Festungs- etc)Kommandant; **~eer** [kɔmən'diə] requirieren; **~er** [‒'‒də] Leiter, Führer; Kommandeur; Fregattenkapitän; **~er-in-chief** [‒'‒dərin'tʃiːf], *pl* **~ers-in-chief** Oberbefehlshaber; **~o** [‒'‒dou], *pl* **~s** Stoßtrupp, Sonderkommando; **~ment** [‒'‒mənt] *bes eccl* Gebot

commemora|te [kəmeməreit] feiern; verewigen; **~tion** [kəmemə'reiʃən] Feier (*in* ~*tion of* zur F. von); Gedenk-

commenc|e [kə'mens] beginnen; **~ing** Anfangs-; **~ement** [kə'mensmənt] Beginn; Verleihungsfeier, *bes US* Schulschluß-, Jahresabschlußfeier

commend [kə'mend] loben, empfehlen; **~able** lobens-, empfehlenswert; **~ation** [kɔmen'deiʃən] Lob; Empfehlung; **~atory** [kə'mendətəri] empfehlend, Empfehlungs-

commensurate [kə'menʃərit] im rechten Verhältnis (*with* zu), angemessen

comment ['kɔment] Bemerkung; Erläuterung; Kritik; Bemerkungen machen (*on* zu); kommentieren; **~ary** ['kɔməntəri] Kommentar; **~ator** ['kɔmənteitə] Kommentator; (Funk-)Reporter, Berichter

commerc|e ['kɔməs] Handel(sverkehr); *fig* Verkehr, Austausch; **~ial** [kə'məːʃəl] Handels-; Geschäfts-; kaufmännisch; kommerziell; **~ial (broadcast)** ['brɔːdkaːst] (von wer-

bender Firma bezahlte) Werbesendung, -spot; **~ialism** [kə'məːʃəlizm] Handelsgeist, Gewinnstreben; **~ialize** [kə'məːʃəlaiz] in d. Handel bringen; Geschäft machen aus

commingle [kə'miŋgl] (s.) vermischen

comminu|te ['kɔminjuːt] zerkleinern; zerstükkeln; **~tion** [‒‒'njuːʃən] Zerkleinerung; Zerstückelung

commisera|te [kə'mizəreit] bedauern; Mitleid haben (*with* mit, *on* wegen); **~tion** [‒‒‒'ʃən] Mitleid; Erbarmen

commiss|ar [kɔmi'saː] Volkskommissar; **~ariat** [kɔmi'sɛəriət] *mil* Intendantur; Volkskommissariat; **~ary** ['kɔmisəri] Intendanturoffizier; *US mil* Versorgungsstelle; (Stell-)Vertreter; (Volks-)Kommissar; **~ion** [kə'miʃən] (Offiziers-)Patent; Übertragung; Auftrag; Provision; *on* ~*ion* auf Kommission; Kommission; Begehen (e-s Verbrechens); *in* ~*ion* in Dienst, in Betrieb; *out of* ~*ion* außer Betrieb; *vt* beauftragen; bestallen; **~ionaire** [kəmiʃə'nɛə] livrierter Pförtner; **~ioner** [kə'miʃənə] Bevollmächtigter; Kommissar

commit [kə'mit] (Verbrechen) begehen; übergeben, anvertrauen; ~ *to memory* ['meməri] auswendig lernen; ~ *to paper* (od *writing*) zu Papier bringen; ~ *for trial* ['traiəl] d. Richter vorführen; (s.) verpflichten; s. festlegen (*to* auf); **~ment** [kə'mitmənt] Verpflichtung; **~tee** [kə'miti] Ausschuß, Komitee

commod|ious [kə'moudiəs] geräumig; **~ity** [kə'mɔditi] *mst pl* Ware, Artikel; **~ore** ['kɔmədɔː] Flottillenadmiral; *BE* **air ~ore** Brigadegeneral; Geschwaderführer; Segelklubpräsident

common ['kɔmən] 1. gemeinsam; 2. allgemein (verbreitet), häufig; ~ *knowledge* ['nɔlidʒ] allgemein bekannt; ~ *man* d. Mann auf d. Straße; ~ *sense* gesunder Menschenverstand; 3. gewöhnlich, ungebildet; 4. billig ♦ *law* [lɔː] Gemeines Recht; 5. *su* Gemeindewiese; *pl* d. gemeine Volk ♦ *House of C~s* Unterhaus; *in* ~ gemeinsam; *in* ~ *with* in Übereinstimmung mit; *out of the* ~ ungewöhnlich; *short* ~*s* schmale Kost; **~er** Bürger, Gemeiner; (Oxford) vollzahlender Student; **~place** ['kɔmənpleis] gewöhnlich, alltäglich; Gemeinplatz; etwas Alltägliches; **~-room** ['kɔmənrum] Lehrerzimmer; **~wealth** ['kɔmənwelθ] Gemeinwesen; Republik; **C~wealth** Australischer Staatenbund; *British C~welth of Nations* ['neiʃənz] d. Britische Commonwealth

commotion [kə'mouʃən] Erregung, Aufruhr

commun|al ['kɔmjunəl] Gemeinde-; Gemeinschafts-; **~e** [kə'mjuːn, 'kɔmjuːn] in vertrauter Beziehung (Gespräch) stehen; **~e** ['kɔmjuːn] Kommune; **~icable** [kə'mjuːnikəbl] übertragbar; **~icate** [kə'mjuːnikeit] mitteilen; übertragen; verkehren (mit); in Verbindung stehen; Abendmahl nehmen (geben); **~ication** [kəmjuːni'keiʃən] Verbindung, Verkehr, Verständigung; Übertragung; Mitteilung; **~ication cord** Notbremse; **~icative** [kə'mjuːnikətiv] mitteilsam, gesprächig; **~ion** [kə'mjuːnjən] Gemeinschaft; *to hold ~ion with o. s.* Einkehr halten bei sich; Glaubensgemeinde; Abendmahl, Kommunion

commun|iqué [kə'mju:nikei, *US* ‒‒‒‑] Kommuniqué; ~ism ['kɔmjunizm] Kommunismus; ~ist Kommunist; kommunistisch; ~ity [kə'mju:niti] Öffentlichkeit; Menschen, Leute; Gemeinschaft; Gemeinde, Gruppe; ~ize ['kɔmjunaiz] sozialisieren; bolschewisieren

commut|ation [kɔmju'teiʃən] Umwandlung; Ablösung; ~ation ticket *US* Zeitkarte; ~ator [‒‒‒tə] ⚡ Stromwender; ~e [kə'mju:t] (Zahlungsweise, Strafe) umwandeln; mit Zeitkarte fahren, pendeln; ~er [kə'mju:tə] Zeitkarteninhaber, Pendler

compact ['kɔmpækt] Vertrag; Puderdose; ~ [kəm'pækt] kompakt, fest; zusammenfügen

compan|ion [kəm'pænjən] Gefährte; Gesellschafter(in); Handbuch; passender (Handschuh, Band etc); ~ionable [kəm'pænjənəbl] umgänglich, gesellig; ~ionship Gesellschaft; Gemeinschaft; ~y ['kʌmpəni] (Handels-)Gesellschaft; Gruppe; ⚓ Mannschaft; Zus.sein, Gesellschaft *(for ~ y zur* Begleitung); *to keep* (od *bear*) *s-b ~ y* j-m Gesellschaft leisten; *to part ~ y* s. trennen (*with* von); *in ~ y* zusammen; Gesellschafter; Besuch(er); Bekannte; *to keep (good) ~ y* (guten) Umgang haben; Kompanie

compar|able ['kɔmpərəbl] vergleichbar (*to, with* mit); ~ably ['kɔmpərəbli] im Vergleich (*to, with* zu); ~ative [kəm'pærətiv] vergleichend; verhältnismäßig; Komparativ; ~e [kəm'pεə] (s.) vergleichen (*to, with* zu); s. vergleichen lassen, abschneiden; (Adjektiv) steigern; *beyond ~ e* unvergleichlich; ~ison [kəm'pærisən] Vergleich (*in ~ison with* im V. zu); *by ~ison* vergleichsweise; *to bear* (od *stand*) *~ison* d. Vergleich aushalten mit; Steigerung

compartment [kəm'pɑ:tmənt] Abteil(ung)

compass ['kʌmpəs] Umkreis, (Stimm-)Umfang; Kompaß; ~es *pl vb* Zirkel

compassion [kəm'pæʃən] Mitleid (*to have ~ on* M. haben mit, s. erbarmen); ~ate [kəm'pæ ʃənit] mitleidig; mitfühlend; *BE* ~ate leave Sonderurlaub (aus Familiengründen)

compati|bility [kəm,pæti'biliti] Vereinbarkeit; Verträglichkeit; ~ble [kəm'pætibl] vereinbar; verträglich

compatriot [kəm'pætriət] Landsmann

compeer [kəm'piə] Standesgenosse; Kamerad

compel [kəm'pel] (er)zwingen; ~ling zwingend; erregend

compend|ious [kəm'pendiəs] kurzgefaßt; ~ium [kəm'pendiəm], *pl* ~iums Zusammenfassung

compensa|te ['kɔmpenseit] entschädigen; *~ te for* ersetzen; wettmachen; ~tion [‒‒‑ʃən] Entschädigung; Ersatz

compère ['kɔmpεə] *BE* Conferencier

compet|e [kəm'pi:t] (bei Rennen) mitmachen; s. mitbewerben (*for* um); konkurrieren (*against* mit); ~ence ['kɔmpitəns] Befähigung, Eignung, Tauglichkeit; Zuständigkeit; auskömmliches Einkommen; ~ent ['kɔmpitənt]

fähig, fachlich hochstehend; ausreichend (Wissen); zuständig, kompetent; geschäftsfähig; ~ition [kɔmpi'tiʃən] Wettbewerb; Wettkampf; Konkurrenz (*from* von Seiten); ~itive [kəm'petitiv] auf Wettbewerb beruhend, wettbewerbsmäßig; Konkurrenz-; ~itive examination [igzæmi'neiʃən] Auswahlprüfung; ~itor [kəm'petitə] Wettkampfteilnehmer; Konkurrent

compil|ation [kɔmpi'leiʃən] Zus.stellung; ~e [kəm'pail] zus.stellen, -tragen

complacen|ce (~cy) [kəm'pleisəns, -nsi] Selbstzufriedenheit; Wohlgefallen; ~t [kəm'pleisənt] selbstzufrieden; wohlgefällig; gleichgültig

complain [kəm'plein] klagen, s. beklagen, s. beschweren (*of* über); ~ant Kläger; ~t Klage; Beschwerde; Leiden

complaisan|ce [kəm'pleizəns, *US* -'pleisəns] Willfährigkeit, Gefälligkeit; ~t willfährig, gefällig

comple|ment ['kɔmplimənt] Ergänzung; volle Anzahl; ⚓ volle Besatzung; Prädikatsnomen; ~mentary [kɔmpli'mentəri] Ergänzungs-; Komplementär-; ~te [kəm'pli:t] vollständig; komplett; vollendet; vollenden; vervollständigen; ~tion [kəm'pli:ʃən] Vollendung; Vervollständigung

complex ['kɔmpleks] verwickelt, kompliziert; Komplex (*a. psych*); ~ion [kəm'plekʃən] Gesichtsfarbe; *fig* Gesicht; ~ity [kəm'pleksiti] Kompliziertheit, Schwierigkeit

complian|ce [kəm'plaiəns] Willfährigkeit; *in ~ce* with gemäß; ~t willfährig, nachgiebig

complic|ate [kɔm'plaieit] komplizieren, erschweren; ~ated kompliziert; schwierig; ~ation [‒‒'keiʃən] Komplizierung; Komplikation (*a.* ⚕); ~ity [kəm'plisiti] Mitschuld, Mittäterschaft

compliment ['kɔmplimənt] höfliches Lob; *to pay a ~* Lob zollen, Ehre erweisen (*a.* Kompliment machen); *pl* Grüße (*the ~s of the season* Weihnachts-, Oster- etc -grüße); ~ [‒‑ment] beglückwünschen (*on* zu); Komplimente machen (*on* wegen); ~ *with a ticket for* e-e Freikarte schenken für; ~ary [‒‒'mentəri] lobend; schmeichelhaft; ~ary ticket Freikarte

comply [kəm'plai] erfüllen (*with a request* e-n Wunsch); s. richten (*with* nach); s. fügen

component [kəm'pounənt] Bestand-; Bestandteil

comport [kəm'pɔ:t] s. vertragen (*with* mit); ~ *o. s.* sich betragen, s. benehmen

compos|e [kəm'pouz] verfassen; (Musik) komponieren; ⬚ setzen; beilegen, schlichten; in Ordnung bringen; ~ *e o. s.* s. beruhigen; ~ed [kəm'pouzd] gelassen, ruhig; ~ed of zus.gesetzt aus; ~er Komponist; ~ite ['kɔmpəzit] zus.gesetzt; ~ite plant Korbblütler; ~ition [kɔmpə'ziʃən] Zus.setzung; Abfassung; ♪, ♫ Komposition; (Übungs-)Aufsatz; ⬚ Setzen, Satz; ⚒ Vergleich; geistige Verfassung; Kunst-, Ersatz(stoff); ~itor [kəm'pozitə] ⬚ Setzer

compost ['kɔmpɔst, US ⸚poust] Kompost
composure [kəm'pouʒə] Ruhe, Gelassenheit
compound [kəm'paund] mischen; ♏ durch Vergleich regeln; s. vergleichen (*with* mit); bilden, ausmachen; steigern, verschärfen; ~ ['kɔmpaund] zus.gesetzt; *chem* Verbindung; Zusammensetzung; zus.gesetztes Wort; (eingezäuntes) Gelände; ~ **fracture** ['fræktʃə] komplizierter Bruch; ~**interest** Zinseszins
comprehen|d [kɔmpri'hend] (völlig) begreifen; ~**sible** [--'hensibl] begreiflich; ~**sion** [--'henʃən] Verständnis; Fassungskraft; ~**sive** [--'hensiv] umfassend; ~**sive (school)** Gesamtschule
compress [kəm'pres] zus.pressen, komprimieren; ~ ['kɔmpres] Kompresse; ~**ion** [kəm'preʃən] Zus.pressung; ♄ Druck
comprise [kəm'praiz] umfassen, enthalten; einbeziehen
compromise ['kɔmprəmaiz] Kompromiß; Gefährdung; durch Kompr. regeln; Kompromiß schließen; kompromittieren; gefährden
comptroller [kən'troulə] *siehe* controller
compuls|ion [kəm'pʌlʃən] Zwang; ~**ory** [-⸚səri] zwingend; verbindlich, für alle Pflicht
compunction [kəm'pʌŋkʃən] Gewissensbisse
comput|e [kəm'pjuːt] (be-, er)rechnen; *beyond* ~*e* unermeßlich; ~**ation** [kɔmpjuː'teiʃən] Rechnen; (Be-)Rechnung; ~**er** Rechner, Computer, EDV-Anlage
comrade ['kɔmrid, US ⸚ræd] Kamerad, Gefährte; *pol* Genosse
con [kɔn] (*mst*: ~ *over*) (auswendig) lernen; (Schiff) lenken; ~ *game* Betrug; Schwindel; betrügen
concave ['kɔn'keiv] konkav; Hohl-
conceal [kən'siːl] verbergen; verhehlen; ~**ment** Verbergen; Verhehlen; Versteck
concede [kən'siːd] einräumen; gewähren; zugestehen
conceit [kən'siːt] Einbildung, Dünkel; *in one's own* ~*t* nach eigener Meinung; *out of* ~*t with* enttäuscht von; ~**ted** eingebildet, dünkelhaft; ~**vable** [kən'siːvəbl] begreiflich; denkbar, erdenklich; ~**vably** du wäre denkbar; ~**ve** [kən'siːv] (Plan) fassen, konzipieren; (Idee) haben; abfassen; s. vorstellen; schwanger werden
concentr|ate ['kɔnsəntreit] zus.ziehen; (s.) sammeln; (s.) konzentrieren (*on* auf); ~**ated** intensiv; konzentriert; ~**ation** [--'treiʃən] Konzentration; (An-)Sammlung; ~**ation camp** Konzentrationslager; ♄ ~**ic** [kɔn'sentrik] konzentrisch
concept ['kɔnsept] Begriff; Auffassung; Erfindung; ~**ion** [kɔn'sepʃən] Vorstellung(skraft), Erfindung(sgabe); Idee; Plan; Auffassung; Empfängnis
concern [kən'səːn] betreffen, angehen; *be* ~*ed in* beteiligt sein an; *I am not* ~*ed* es geht mich nichts an; ~**ed** besorgt, bekümmert (*about, at* über); ~ *o. s. with* s. befassen mit; *as* ~*s* hinsichtlich; *su* Angelegenheit ♦ *it's no* ~ *of mine* es geht mich nichts an; *what* ~ *is it of yours?*; Anteil (*in* an); Betrieb, Handelsgeschäft ♦ *go-*

ing ~ bestehender Betrieb, *paying* ~ rentabler B.; *umg* Sache; Sorge *(filled with* ~ *)*; ~**ing** hinsichtlich, betreffend
concert ['kɔnsət] Konzert; bunter Abend; *in* ~ = ~**ed** aufeinander abgestimmt, gemeinsam, wohlausgewogen; ~**ina** [kɔnsə'tiːnə], *pl* ~**inas** Konzertina, Handharmonika; ~**o** [kɔn'tʃɛɔtou], *pl* ~os (Klavier-, Violin-)Konzert
concession [kən'seʃən] Konzession; ~**aire** [kənˌseʃə'nɛə] Konzessionär; ~**ary** [kən'seʃənəri] zugestanden; Konzessions-; Deputat-
conch, ~ **a** ['kɔŋk(ə)] (Ohr-)Muschel
conchy ['kɔntʃi] *sl* Kriegsdienstverweigerer
concilia|te [kən'silieit] versöhnen; in Einklang bringen; gewinnen; ~**tion** [-ˌ--'eiʃən] Versöhnung; Ausgleich; Schlichtung; ~**tory** [-⸚ətəri] versöhnlich
concise [kən'sais] kurzgefaßt; gedrängt; knapp; ~**eness**, ~**ion** [kən'siʒən] Kürze; Gedrängtheit
conclave ['kɔnkleiv] Konklave
conclu|de [kən'kluːd] schließen, beenden (*with* mit, *by saying* mit d. Worten); erledigen, (Vertrag) (ab)schließen; schließen, folgern (*from* aus); beschließen (zu tun); ~**sion** [kən'kluːʒən] (*in* ~*sion* zum Schluß); Regelung, Abschluß; (Schluß-)Folgerung ♦ *to draw a* ~*sion* Schluß, Folgerung ziehen ♦ *to jump to* ~*sions* voreilige Schlüsse ziehen; *to try* ~*sions with* seine Kräfte messen mit; ~**sive** [kən'kluːsiv] endgültig; überzeugend, schlüssig
concoct [kən'kɔkt] zus.stellen, zus.brauen *(a. fig)*; erfinden, ersinnen; ~**ion** [kən'kɔkʃən] Zus.stellung; Brauen; Erfindung; Gebräu
concomitant [kən'kɔmitənt] Begleit-; Begleiterscheinung
concord ['kɔŋkɔːd] Übereinstimmung, Eintracht; ♪ Harmonie; ~**ance** [kən'kɔːdəns] Übereinstimmung; Konkordanz; ~**at** [kɔn'kɔːdæt] Konkordat
concourse ['kɔŋkɔːs] (Menschen-)Auflauf, Gedränge; Bahnhofshalle; *US* Sportplatz; *US* Promenade, Boulevard
concrete ['kɔnkriːt] konkret; Beton; ~ [kən'kriːt] *vt* verbinden (*into* zu); ~ ['kɔnkriːt] betonieren
concur [kən'kəː] übereinstimmen (*with* mit); zus.treffen; zus.wirken; ~**rence** [kən'kʌrəns] Übereinstimmung; Zus.wirken; ~**rent** [kən'kʌrənt] übereinstimmend; zus.treffend; zus.wirkend
concussion [kən'kʌʃən] Erschütterung; ~ **(of the brain)** Gehirnerschütterung
condemn [kən'dem] verurteilen; für unbrauchbar erklären; beschlagnahmen; (Haus: zum Abbruch) enteignen; ♄ j-n aufgeben; verraten; ~**ation** [kɔndem'neiʃən] Verurteilung; Beschlagnahme; ~**ed** [kən'demd] Todes-(Zelle etc)
condens|e [kən'dens] kondensieren, verdichten; zus.drängen, kürzen; (Licht) intensivieren; ~**ation** [kɔnden'seiʃən] Kondensierung, Kondensation; Verdichtung; Kürzung; gekürzte Fassung; ~**er** Kondensator

condescen|d [kɔndi'send] sich herablassen, s. bequemen; **~sion** [--'senʃən] Herablassung; herablassende Art
condign [kən'dain] angemessen (Strafe)
condiment ['kɔndimənt] Gewürz
condition [kən'diʃən] 1. Zustand (a. ⚕ Gesundheits-; Leiden); in (out of) ~ in guter (schlechter) Verfassung; in no ~ to do nicht in d. Lage zu tun; 2. pl Verhältnisse, Umstände; 3. Bedingung, Voraussetzung (on ~ unter d. B.; on no ~ auf keinen Fall); 4. Stellung, Stand ♦ to change one's ~ s. verheiraten; 5. vt regeln, bestimmen; 6. stärken, festigen; 7. ✿ konditionieren; 8. beeinflussen; **~al** bedingt; Bedingungs-
condole- [kən'doul] sein Beileid aussprechen, kondolieren (with s-b j-m, upon aus Anlaß); **~nce** [kən'doulans] Beileid, Anteilnahme
condon|e [kən'doun] verzeihen; hinwegsehen über; **~ation** [kɔndou'neiʃən] Verzeihung
condor ['kɔndɔ:] zool Kondor
conduc|e [kən'dju:s] beitragen (to zu), förderlich sein (to für); **~ive** [kən'dju:siv] förderlich (to für)
conduct ['kɔndʌkt] Verhalten, Betragen; Führung, Leitung; ~ [kən'dʌkt] führen, leiten; ♪ dirigieren; ~ o.s. sich verhalten; s. betragen; phys leiten; **~or** [kən'dʌktə] Leiter; Dirigent; (Bus- etc)Schaffner, US 🚋 Schaffner; phys Leiter
conduit ['kɔndit, US -duit] Rohrleitung; Kanal, Röhre; Rinne
cone [koun] Kegel; Waffeltütchen; (Tannen-etc)Zapfen; Leitkegel
confab(ulate) [kən'fæb(juleit)] plaudern
confection [kən'fekʃən] Konfekt; Mischung; (Konfektions-)Kleidungsstück; **~er** Konditor; **~er's sugar** ['ʃugə] US Puderzucker; **~ery** [kən'fekʃənəri] Konfekt, Konditorwaren; Konditorei, Süßwarengeschäft
confedera|cy [kən'fedərəsi] Bündnis, Bund; **~te** [---rit] verbündet; Verbündeter; **~te** [---reit] (sich) verbünden; **~tion** [-,---'reiʃən] Bündnis, Bund; Staatenbund; the Swiss C~tion Schweizer Eidgenossenschaft
confer [kən'fə:] verleihen (on s-b j-m); (Gutes) bringen; konferieren (with mit); **~ee** [kɔnfə'ri:] Konferenzteilnehmer; (Titel- etc)Empfänger; **~ence** ['kɔnfərəns] Besprechung, Konferenz (is in ~ence hat e-e B.); **~ment** [kən'fə:mənt] Verleihung
confess [kən'fes] (ein)gestehen; ~ to s. bekennen zu; beichten, d. Beichte abnehmen; **~edly** [kən'fesidli] eingestandenermaßen; **~ion** [kən'feʃən] (Ein-)Geständnis; Bekenntnis; Beichte; **~ional** Beichtstuhl; Beichte
confetti [kən'feti] sg vb Konfetti
confid|ant [kɔnfi'dænt] Vertrauter; **~ante** [kɔnfi'dænt] Vertraute; **~e** [kən'faid] (an)vertrauen; **~ence** ['kɔnfidəns] Vertrauen (in in, zu); in ~ence vertraulich; Zuversicht; Anmaßung; Geheimnis; **~ence trick** BE (US **~ence game**) Betrug, Schwindel; **~ent** ['kɔnfidənt] zuversichtlich; anmaßend; sicher, überzeugt;

~ential [kɔnfi'denʃəl] vertraulich; vertrauensselig; **~ing** [kən'faidiŋ] vertrauensvoll
configuration [kən,figju'reiʃən] Gestalt(ung); Struktur; astr Stellung
confine [kən'fain] (s.) einschränken; einsperren; to be ~d ⚕ niederkommen; to be ~d to one's bed (od room) bettlägerig sein; **~s** ['kɔnfainz] Grenzen; **~ment** [--mənt] Einsperren, Haft; Niederkunft
confirm [kən'fə:m] bestärken in; bestätigen; rechtsgültig vollziehen; konfirmieren; firmen; **~ation** [kɔnfə:'meiʃən] Bestätigung; Konfirmation; Firmung; **~ed** [kən'fə:md] eingefleischt; bes ⚕ chronisch; bes
confisca|te ['kɔnfiskeit] beschlagnahmen; **~tion** [kɔnfis'keiʃən] Beschlagnahme
conflagration [kɔnflə'greiʃən] Feuersbrunst
conflict ['kɔnflikt] Kampf; Konflikt; ~ [kən'flikt] in Widerspruch stehen (with mit, zu), widerstreiten; **~ing** [kən'fliktiŋ] widerstreitend, widersprechend
conflu|ence ['kɔnfluəns] Vereinigung (von Flüssen); Auflauf, Menge; **~ent** (Neben-)Fluß; **~x** ['kɔnflʌks] = **~ence**
conform [kən'fɔ:m] s. richten (to nach); s. fügen; anpassen; **~able** ähnlich; angepaßt; gefügig; **~ation** [kɔnfɔ:'meiʃən] Gestalt; Anpassung (to an); **~ist** [kən'fɔ:mist] Konformist; **~ity** [kən'fɔ:miti] Übereinstimmung (with mit); Angepaßtsein (to an); in ~ity with gemäß, entsprechend
confound [kən'faund] verwirren, bestürzen; verwechseln; vereiteln; ~ it! zum Teufel!; **confrère** ['kɔnfreə] Kollege [**~ed** verflixt
confront [kən'frʌnt] gegenüberstellen (with s-b j-m), vorlegen (with sth etw); entgegentreten; gegenüberliegen; ~, to be ~ed with (by) s. gegenübersehen
confus|e [kən'fju:z] verwirren; verwechseln; bestürzen; **~ed** [kən'fju:zd] verwirrt; verworren; **~ion** [kən'fju:ʒən] Verwirrung, Unordnung, Durcheinander; Bestürzung; Verwechslung
confut|e [kən'fju:t] widerlegen; **~ation** [kɔnfju'teiʃən] Widerlegung
con|geal [kən'dʒi:l] gefrieren (lassen); gerinnen; erstarren (lassen) (a. fig); **~gelation** [kɔndʒi'leiʃən] Gefrieren; Erstarren
congenial [kən'dʒi:niəl] mit gleichen Interessen, geistesverwandt; passend, angenehm
congenital [kən'dʒenitəl] angeboren
conger ['kɔŋgə] (gemeiner) Meeraal
congeries [kən'dʒiəri:z, kən'dʒiəri:z] pl ~ Anhäufung, Konglomerat
congest [kən'dʒest] überfüllen; -völkern; bes ⚕ verstopfen, stauen; **~ion** [kən'dʒestʃən] Überfüllung; Übervölkerung; Verstopfung; Blutandrang, Stauung
conglomera|te [kən'glɔmərit] (sich) zus.ballen; **~te** [---rit] zus.gesetzt; bes geol Konglomerat; Ansammlung; **~tion** [-,---'reiʃən] Zus.ballung; Konglomerat, Anhäufung
congrat(ter)s [kən'græts, -'grætəz] BE meinen Glückwunsch!

congratula|te [kən'grætjuleit] beglückwün-schen (on zu); ~tion [-,--'leifən] Glück-wunsch; ~tory [-´-lətəri] Glückwunsch-
congrega|te ['kɔŋgrigeit] (s.) versammeln; ~tion [--'geifən] (versammelte) Gemeinde
congress ['kɔŋgres] Kongreß; ~ional [-'grefə-nəl] Kongreß-; C~man [-´-mən], pl ~men Abgeordneter (d. Kongreß)
coni|cal ['kɔnikl] konisch, kegelförmig; ~fer ['kounifə] Nadelbaum; ~ferous [kou'nifərəs] zapfentragend, Nadel-
conjectur|e [kən'dʒektfə] Mutmaßung; Konjektur; mutmaßen; kombinieren; ~al [-´-rəl] mutmaßlich; unsicher
conjoin [kən'dʒɔin] (sich) verbinden; ~t gemeinschaftlich
conju|gal ['kɔndʒugəl] ehelich, Ehe-; ~gate [-´-geit] konjugieren; ~gation [--'geifən] Konjugation
conjunct|ion [kən'dʒʌŋkfən] Konjunktion (a. astr); Verbindung; Zus.treffen; ~iva [kɔndʒʌŋk'taivə] Bindehaut; ~ive [-´-tiv] verbindend, Binde-; ~ivitis [-,-ti'vaitis] Bindehautentzündung; ~ure [-´-tfə] Zus.treffen; Verbindung; Krise
conjur|e ['kʌndʒə] (hervor-, weg-)zaubern (out of, away etc); ~e up heraufbeschwören; ~e [kən'dʒuə] (bittend) beschwören; ~er (~or) [-´-rə] Zauberer; ~ing [-´-riŋ] Zauberei; ~ing [-´-riŋ] trick Zauberkunststück
conk [kɔŋk] (Motor etc) ausfallen (mst: ~ out); ~ out abkratzen; Birne; e-n Schlag über d. Birne geben
connect [kə'nekt] verbinden (a. fig); in Verbindung stehen (bringen); ✆ Anschluß haben; ~ed with verwandt mit; is well ~ed hat gute Beziehungen (with zu); ~ing Binde-; zus.liegend (Räume); ~ion [kə'nekfən] Verbindung; ⚡ Schaltung; Anschließung; 🚂 Anschluß(zug, -dampfer); to run in ~ion with Anschluß haben zu; (Geschäfts-)Verbindung, Beziehung; Kundschaft; Sekte; ~ive [kə'nektiv] verbindend
conning tower ['kɔniŋtauə] mil Kommandoturm
conniption [kə'nipfən] (mst ~ fit) US Wutanfall, hysterischer Anfall
conniv|e [kə'naiv] hinwegsehen über, stillschweigend dulden; Vorschub leisten (mst ~e at); ~ance [kə'naivəns] Hinwegsehen, stillschweigende Duldung; Vorschubleistung, Mitwissen
connoisseur [kɔni'sə:] Kenner (in, of für, von]
connot|e [kə'nout] d. Vorstellung erwecken von; ~ation [kɔnou'teifən] gefühlsmäßige Bedeutung, Konnotation
connubial [kə'nu:biəl] Ehe-
conque|r ['kɔŋkə] überwinden; erobern; ~ror ['kɔŋkərə] Eroberer; ~st ['kɔŋkwest] Eroberung; Errungenschaft; to make a ~st of s-b j-n erobern
consanguinity [kɔnsæŋ'gwiniti] Blutsverwandtschaft
consci|ence ['kɔnfəns] Gewissen ♦ in all

~ence ganz sicherlich; for ~ence' sake aus Gewissenhaftigkeit; ~ence money ['mʌni] freiwilliges Bußgeld; ~entious [kɔnfi'enfəs] gewissenhaft; ~entious objector [ɔb'dʒektə] Kriegsdienstverweigerer; ~ous ['kɔnfəs] bewußt; bei Bewußtsein; in Zus.setzungen: -freudig, -begeistert, aufgeschlossen für; ~ousness Bewußtsein
conscript ['kɔnskript] ausgehoben(er Rekrut), Dienstpflichtiger; ~ [kən'skript] einberufen; ~ion [kən'skripfən] Dienstpflicht; Einberufung; allgemeine Wehrpflicht
consecra|te ['kɔnsikreit] (ein)weihen; widmen; ~tion [--'kreifən] (Ein-)Weihung; Widmung
consecutive [kən'sekjutiv] aufeinander folgend, hintereinander; Konsekutiv-
consen|sus [kən'sensəs] übereinstimmende Meinung (aller); ~t [kən'sent] zustimmen; einwilligen; Zustimmung, Einwilligung
consequen|ce ['kɔnsikwəns] Folge, Konsequenz (in ~ce infolgedessen); Bedeutung; of no ~ce belanglos; ~t folgend (upon auf etwas); to be ~t upon d. Folge sein von; ~tial [---´-fəl] wichtigtuerisch, überheblich; ~tly [-´--tli] folglich
conserv|ancy [kən'sə:vənsi] BE Flußkommission; Naturschutz; ~ation [kɔnsə:'veifən] Erhaltung, Bewahrung; ~atism [-´-vətizm] Konservati(vi)smus; C~atism Prinzipien der Konservativen Partei; ~ative [-´-vətiv] konservativ; vorsichtig, zurückhaltend; pol Konservativer; ~atoire [-´-vətwa:] Konservatorium; ~atory [-´-vətəri] Wintergarten; Konservatorium; ~e [-'sə:v] erhalten, bewahren; konservieren; ~es ['kɔnsə:vz] Konfitüre
consider [kən'sidə] (s.) überlegen, in Erwägung ziehen, erwägen; all things ~ed [kən'sidəd] alles in allem; berücksichtigen, Rücksicht nehmen auf; halten für, ansehen (betrachten) als; ~ to be ~ed gelten als; meinen (daß); ~able bedeutend (Person); beträchtlich; US umg ziemlich viel; ~ate [-´-rit] rücksichtsvoll; to be ~ate of Rücksicht nehmen auf; ~ation [-,--'reifən] Überlegung; to be under ~ation erwogen werden; in ~ation of unter Berücksichtigung, in Anbetracht; to leave out of ~ation unberücksichtigt lassen; to take into ~ation berücksichtigen, in Rechnung stellen; (überlegenswerter) Faktor (that is a ~ation); on (od under) no ~ation unter gar keinen Umständen; Entlohnung, Zuwendung (for a ~ation); Rücksicht (out of ~ation for mit R. auf); Bedeutung (it's of no ~ation); ~ing [-´-riŋ] in Anbetracht
consign [kən'sain] (Waren) senden; hinterlegen; anvertrauen; überantworten; ~ation [kɔnsig'neifən] Sendung; ~ee [kɔnsai'ni:] (Waren-)Empfänger; ~er [kən'sainə] siehe ~or; ~ment [kən'sainmənt] (Waren-)Sendung; Übersendung, -tragung; ~ment note BE Frachtbrief; ~or [kən'sainə] Absender
consist [kən'sist] bestehen (of aus, in in); übereinstimmen (with mit); ~ence (~ency) [kən'si-

stəns (-nsi)] Festigkeit, Konsistenz; ~ency Konsequenz; ~ent vereinbar (*with* mit); konsequent; *to be* ~*ent with* passen zu, entsprechen

consol|ation [kɔnsə'leiʃən] Trost; ~atory [kən'sɔlətəri] tröstend, Trost-; ~e [kən'soul] trösten

console ['kɔnsoul] Konsole; (Orgel-)Spieltisch; ♘ Gehäuse; Musiktruhe; ~ **table** Wandtischchen

consolida|te [kən'sɔlideit] festigen; vereinigen; konsolidieren; ~tion [‒‒‒'‒ʃən] Festigung; Vereinigung; Konsolidierung; Fusion

consols ['kɔnsɔlz, kən'sɔlz] konsolidierte Staatspapiere, Konsols

consommé [kən'sɔmei, *US* kɔnsə'mei] Kraftbrühe

consonan|ce ['kɔnsənəns] Einklang, Übereinstimmung; ~t passend (*to* zu), vereinbar (*with* mit); Konsonant

consort ['kɔnsɔːt] Gemahl; Geleitschiff; ~ [kən'sɔːt] s. gesellen (*with* zu); im Einklang stehen (*with* mit)

conspectus [kən'spektəs], *pl* ~es allgemeine Übersicht; Zusammenfassung

conspicuous [kən'spikjuəs] gut sichtbar, auffallend, offensichtlich (*to be* ~ auffallen); bemerkenswert; *to make o. s.* ~ sich auffallend benehmen

conspir|acy [kən'spirəsi] Verschwörung; ~ator [kən'spirətə] Verschwörer; ~e [kən'spaiə] s. verschwören; planen

constab|le ['kʌnstəbl] Schutzmann; ~ulary [kən'stæbjuləri] Polizei(truppe)

constan|cy ['kɔnstənsi] Beständigkeit, Festigkeit; ~t beständig; treu; ständig

constellation [kɔnste'leiʃən] Sternbild

consternation [kɔnstə'neiʃən] Bestürzung

constipa|te ['kɔnstipeit] (ver)stopfen; ~tion [kɔnsti'peiʃən] Verstopfung

constitu|ency [kən'stitjuənsi] Wählerschaft; Wahlkreis; Kundenkreis; ~ent wahlberechtigt; verfassunggebend; wesentlich, Bestand-(*part*-teil); Wähler; (wesentl.) Bestandteil; ~te ['kɔnstitjuːt] ernennen zu; ~*te o.s. a judge* [dʒʌdʒ] *of* sich zum Richter aufwerfen über; einsetzen; konstituieren; bilden, ausmachen; *to be* ~*ted of* bestehen aus; ~ted geartet; ~tion [kɔnsti'tjuːʃən] Verfassung; ♦ Konstitution; Wesen, Art; Errichtung, Gestaltung; ~tional verfassungsmäßig, konstitutionell; Verfassungs-; *umg* Spaziergang; ~tionalism [kɔnsti'tjuːʃənəlizm] (Festhalten an) konstitutionell. Regierungsform; ~tionality [kɔnstitjuːʃə'næliti] Verfassungsmäßigkeit

constrain [kən'strein] (er)zwingen; *to be* ~*ed* getrieben werden; hemmen; ~ed [‒‒'‒d] verlegen, gedrückt, mißmutig; ~t Zwang; Verlegenheit, Hemmung(en), Gehemmtsein

constrict [kən'strikt] zus.ziehen; ♦ abbinden, einklemmen; ~ed beschränkt; ~ion [kən'strikʃən] Zus.ziehung; Verengung; Beklemmung; ~or Schließmuskel; *zool* Riesenschlange

construct [kən'strʌkt] konstruieren, aufbauen;

~ion [kən'strʌkʃən] Konstruktion; Errichtung; *under* (od *in the course of*) ~*ion* im Bau; Deutung; *to put a bad* (*etc*) ~*ion on* schlecht (etc) auslegen; *to bear a* ~*ion* e-e Deutung zulassen; ~ive [kən'strʌktiv] konstruktiv; baulich; zu folgern(d), indirekt; ~or Erbauer; Hersteller

construe [kən'struː] *gram* (s.) analysieren, konstruieren (lassen); (*bes* wörtlich, mündlich) übersetzen; auslegen, deuten; schließen (*from* aus)

consul ['kɔnsəl] Konsul; ~ar ['kɔnsjulə] konsularisch; Konsular-; ~ate ['kɔnsjulit] Konsulat; ~ship Amt (Amtsdauer) e-s Konsuls

consult [kən'sʌlt] konsultieren, nachsehen in ♦ ~ *one's pillow* ['pilou] e-e Sache beschlafen; ~*ing* beratend; *sich* beraten (*with* mit); berücksichtigen; ~ant [kən'sʌltənt] Berater; Gutachter; Facharzt; ~ation [kɔnsəl'teiʃən] Beratung; Rücksprache; ♦ Sprech-; ~ative [kən'sʌltətiv] beratend

consume [kən'sjuːm] vergeuden; vernichten; ganz verzehren; aufbrauchen; *to be* ~*d* [‒'‒d] *with* erfüllt sein, verzehrt werden von (Haß); ~ *away with* vergehen vor; ~r [‒'‒ə] Verbraucher; ~r(s') **goods** Verbrauchsgüter

consumma|te [kən'sʌmit] vollendet; vollkommen; ~te ['kɔnsəmeit] vollenden; vollziehen; abschließen; ~tion [kɔnsə'meiʃən] Vollendung; Vollziehung, Abschluß; Ziel

consump|tion [kən'sʌmpʃən] Verbrauch; Auszehrung, Schwindsucht; ~tive [kən'sʌmptiv] schwindsüchtig; Schwindsüchtiger

contact ['kɔntækt] Berührung, Kontakt (*a.* ⚡); ♦ Kontaktperson; Verbindungsmann; ~ **lenses** ['lenziz] Haftgläser; ~ [‒'‒, kən'tækt] in Verbindung treten mit

contag|ion [kən'teidʒən] Ansteckung (durch Berührung); ansteckende Krankheit; Verseuchung, Seuche *(fig);* ~ious [kən'teidʒəs] ansteckend, kontagiös; infiziert; *fig* ansteckend

contain [kən'tein] enthalten, fassen; *mil* festhalten; *math* begrenzen; zügeln; zurückhalten; ~ *o.s.* sich beherrschen (*for* vor); ~er Behälter; Container; ~erize [‒‒'‒əraiz] in Containern transportieren; auf C.verkehr umstellen; ~ment *mil* Binden, Festhalten; *pol* Eindämmung

contamina|te [kən'tæmineit] verunreinigen; verseuchen; verderben; vergiften; ~tion [‒,‒‒'‒ʃən] Verunreinigung; Verseuchung; Vergiftung

contemn [kən'tem] verachten

contempla|te ['kɔntempleit] betrachten; erwägen; erwarten; beabsichtigen; ~tion [‒‒'‒ʃən] Nachdenken; Erwägung; ~tive [kən'templətiv] nachdenklich; beschaulich, kontemplativ

contempora|neous [kəntempɔ'reinjəs] gleichzeitig; zeitgenössisch; ~ry [‒‒'‒rəri] Zeitgenosse; zeitgenössisch; = ~neous

contempt [kən'tempt] Verachtung (*of death* Todes-); *in* ~ *of* ungeachtet; Mißachtung (~ *of court* M. des Gerichts, Ungebühr vor G.); *to bring into* ~ in Verruf bringen; *to fall into* ~

sich d. Verachtung zuziehen; *to hold in* ~ verachten; **~ible** [-́tibl] verächtlich, verachtenswert; **~uous** [-́tjuəs] verächtlich, verachtungsvoll; *to be* ~*uous of* verächtlich denken über, verachten

contend [kən'tend] kämpfen (*with* mit, *for* um); im Wettbewerb stehen; **~ing** widerstreitend (Gefühl); (streitend, polemisch) behaupten; **~er** (Mit-)Bewerber

content¹ [kən'tent] zufrieden; willens; Zufriedenheit; *to one's heart's* ~ nach Herzenslust; zufriedenstellen; ~ *o. s. with* sich zufriedengeben mit; **~ed** zufrieden; **~ment** Zufriedenheit

content² ['kontent] Gehalt, *fig* Inhalt; (Raum-, Flächen-)Inhalt; **~s** *konkr* Inhalt

conten|tion [kən'tenʃən] Streit(en); Behauptung ◆ *bone of* ~*tion* Zankapfel; **~tious** [kən'tenʃəs] streitsüchtig; strittig

contest [kən'test] bestreiten (**~ed** umstritten); kämpfen um; im Wettkampf ringen um; ~ *an event* [i'vent] e-n Wettkampf austragen; ~ ['kontest] (Wett-)Kampf; **~ant** [kən'testənt] Wettkämpfer

context ['kontekst] (textlicher) Zus.hang; **~ual** [kən'tekstjuəl] aus dem Zus.hang

contigu|ous [kən'tigjuəs] angrenzend (*to* an); benachbart; **~ity** [konti'gjuiti] Angrenzen; Nachbarschaft

continen|ce ['kontinəns] Enthaltsamkeit; Mäßigkeit; **~t** ['kontinənt] enthaltsam; mäßig; Kontinent; *the* **C~t** d. europäische Festland; **~tal** [--'nentl] kontinental; europäisch

contingen|cy [kən'tindʒənsi] Zufall, Zufälligkeit; Möglichkeit; eventueller Umstand; Folge; *pl* unvorhergesehene Ausgaben; **~t** eventuell; unsicher; verbunden (*to* mit); abhängig (*upon* von); bedingt; Kontingent; Quote

continu|al [kən'tinjuəl] sehr häufig, (oft) wiederholt; unaufhörlich, immerwährend; **~ance** (Fort-)Dauer; (Ver-)Bleiben; **~ation** [-,--'eiʃən] Fortsetzung; Fortdauer; Fortführung; Anbau; **~ation school** Fortbildungsschule; **~e** [-́ju] fortsetzen, weiterhin (tun); *to be* ~*ed* Fortsetzung folgt; (im Amt) belassen; sich fortsetzen; sich erstrecken; (Straße) gehen; (Wetter) anhalten; weitergehen; bleiben (*at a school*); fortfahren, weiterhin (sein); **~ed** [-́juːd] anhaltend, nachhaltig; **~ity** [konti'njuiti] ununterbrochener Zus.hang; Stetigkeit; ⚓ verbindende Worte, (Funk-)Manuskript; **~** (kurbelfertiges) Drehbuch (~ *ity writer*); **~ous** [-́juəs] ununterbrochen, fortlaufend, zus.hängend

contort [kən'tɔːt] verzerren; verdrehen; **~ion** [kən'tɔːʃən] Verzerrung; Verdrehung; **~ionist** [kən'tɔːʃənist] Schlangenmensch; *fig* Sprach-, Formverdreher ⸤Höhenlinienkarte

contour ['kontuə] Umriß; Höhenlinie; ~ *map* **contra** ['kontrə] wider, gegen; **~band** [-́bænd] Schmuggel(ware); Konterbande; **~bass** [-́beis] Kontrabaß; **~ception** [--'sepʃən] Empfängnisverhütung; **~ceptive** [--'septiv] empfängnisverhütend(es Mittel)

contract ['kontrækt] Vertrag (*to make, enter into, a* ~ *with* e-n V. schließen mit); (Werk-, Liefer-)Vertrag; (Bau- etc)Vorhaben; Lieferung; ~ [kən'trækt, *US mst* 'kontrækt] sich vertraglich verpflichten; (Bündnis) abschließen; ~ [kən'trækt] (Ehe) eingehen; (s.) verkürzen, (s.) zus.ziehen; (Stirn) runzeln; s. aneignen, zuziehen; (Schulden) machen; (Freundschaft) schließen; **~ed** beschränkt; **~ible** [kən'træktibl] zus.ziehbar; **~ile** [kən'træktail] zus.ziehend; zus.legbar; einziehbar; **~ing** vertragschließend; **~ion** [kən'trækʃən] Zus.ziehung; Eingehen (e-r Ehe); Aneignung (e-r Gewohnheit); Aufnahme (v. Schulden); zus.gezogenes Wort; **~or** [kən'træktə] Unternehmer (*bes* Bau-); Kontrahent; Lieferant; **~ual** [kən'træktjuəl] vertraglich; Vertrags-

contra|dict [kontrə'dikt] widersprechen; **~ion** [kontrə'dikʃən] Widerspruch; Ableugnung; ~ *ion in terms* Widerspruch in sich; **~ious** [--'dikʃəs] widerspruchs-, streitlustig; **~ory** [--'diktəri] (s.) widersprechend; widerspruchsvoll

contrails ['kontreilz] *pl vb* Kondensstreifen

contralto [kən'træltou], *pl* **~s** Alt(stimme)

contraption [kən'træpʃən] *umg* Vorrichtung, Gerät, Apparat, Maschine

contrapuntal [kontrə'pʌntəl] ♪ kontrapunktisch

contrar|iety [kontrə'raiəti] Widerspruch; Unvereinbarkeit; Widrigkeit; **~iwise** [-́-riwaiz] im Gegenteil; entgegengesetzt; **~iwise** [kən'trɛəriwaiz] widerspenstig; **~y** [-́-ri] (ent)gegen(gesetzt); gegensätzlich; ~ *to act* ~ *y to* zuwiderhandeln; widrig; **~y** [kən'trɛəri] *umg* widerspenstig, eigensinnig; **~y** [-́-ri] Gegenteil (*on the* ~*y* im G.); Gegensatz (*on the* ~*y* im G. dazu); *to the* ~*y* im entgegengesetzten Sinne; *by* ~*ies* anders als erwartet

contrast [kən'traːst] vergleichen; kontrastieren, abstecken, (*with* von); im Gegensatz stehen (*with* zu); ~ ['kontraːst] Vergleichen; Kontrast, Gegensatz (*in* ~ *with*); *a* ~ *to* ein Unterschied gegenüber

contraven|e [kontrə'viːn] übertreten; bestreiten; im Widerspruch stehen zu; **~tion** [kontrə'venʃən] Übertretung; Bestreitung

contretemps [kontrə'tãːŋ], *pl* ~ [-'tãːŋz] unglückl. Zufall, Pech; Zwischenfall; Panne

contribu|te [kən'tribjuːt] (Geld) beisteuern (*to, on* zu); beitragen (*to* zu); **~tion** [kontri'bjuːʃən] Beisteuern; Beitrag; Kontribution; **~tor** [kən'tribjutə] Beitragender; Mitarbeiter; **~tory** [kən'tribjutəri] beitragspflichtig; **~tory negligence** ['neglidʒəns] Mitverschulden (d. Opfers e-s Unfalls)

contri|te [kən'trait] zerknirscht, reuevoll; **~tion** [kən'triʃən] Zerknirschung, Reue; Schuldgefühl

contriv|ance [kən'traivəns] Erfindung; Vorrichtung; Plan, Kunstgriff; **~e** [kən'traiv] ersinnen, erfinden; fertigbringen; *BE* haushalten; **~er** Erfinder; *BE* Haushälterin

control [kən'troul] 1. zügeln (*a. fig*); ~ *o.s.* sich

beherrschen; **2.** überwachen; (vergleichend)
(nach)prüfen; **3.** bewirtschaften; **4.** ✿ regeln;
5. Zucht; **6.** Beherrschung; *to get under* ~
Herr werden; *to keep under* ~ beherrschen;
beyond ~ außer Rand u. Band; *out of* ~ außer
Kontrolle; **7.** Überwachung; (Nach-)
Prüfung; **8.** Bewirtschaftung, Zwangswirt-
schaft; **9.** bes ⊥ Ruder, Steuerung; **10.** Kon-
trollgruppe; **~lable** kontrollierbar; lenkbar;
~ler (*BE a.* comptroller) [kən'troulə] Kontrolleur; Aufseher; Leiter; Rechnungsprüfer;
Fahrschalter
controver|sial [kɔntrə'vəːʃəl] strittig; streit-
süchtig; **~sy** [−−−si] Kontroverse; Streit-
(frage); *beyond* ~*sy* außer Zweifel; **~t**
['kɔntrəvəːt, −−−̲] bestreiten
contumac|ious [kɔntju'meiʃəs] widerspenstig;
~y ['kɔntjuməsi] ☊ Ungehorsam, Kontumaz;
Widerspenstigkeit
contumel|ious [kɔntju'miːljəs] beschimpfend,
schmähend; **~y** ['kɔntjuːmli] Beschimpfung;
Schmähung
contus|e [kən'tjuːz] quetschen; **~ion**
[kən'tjuːʒən] Quetschung, Kontusion
conundrum [kə'nʌndrəm], *pl* **~s** (kniffliges)
(Wort-)Rätsel; *fig* Problem
conurbation [kɔnəː'beiʃən] städtischer Bal-
lungsraum, Stadtregion
convalesce [kɔnvə'les] (wieder) gesund werden, genesen; **~nce** [−−'esəns] Genesung; **~nt**
genesend; Rekonvaleszent; **~nt home** Gene-
sungsheim
convector [kən'vektə] *phys* Konvektor
conven|e [kən'viːn] zus. kommen; einberufen;
vorladen; **~ience** [kən'viːnjəns] Bequemlich-
keit (*for* ~*ience* zur B.), Angemessenheit; Annehmlichkeit; (nützliche) Einrichtung; *to
make a* ~*ience of s-b* j-n ausnützen; *a marriage*
['mæridʒ] *of* ~*ience* Verstandesheirat; *at your
(own)* ~*ience* wenn es dir paßt; *to suit* [sjuːt]
s-b's ~*ience* s. danach richten, wie es j-m paßt;
suit your own ~*ience* mach es nach Belieben;
at your earliest ['əːliist] ~*ience* so bald wie möglich; **~ient** [kən'viːnjənt] angenehm, bequem,
passend; günstig gelegen, nah; **~t** ['kɔnvənt]
(Nonnen-)Kloster; **~tion** [kən'venʃən]
Zus.kunft, Versammlung, Kongreß; Vertrag;
(gute) Sitte, Konvention; **~tional** [kən'venʃə-
nəl] höflich; konventionell; herkömmlich, üblich (*a. mil* = Nichtatom-); vertraglich
converge [kən'vəːdʒ] zus.laufen (*on* auf); lassen konvergieren; **~nce** [−−'dʒəns] Zus.laufen; Kon-
vergenz; Konzentration; **~nt** [−−'dʒənt] kon-
vergierend
convers|ance ['kɔnvəsəns] Vertrautheit; **~ant**
vertraut (*with* mit); bewandert (*with* in); **~ation**
[kɔnvə'seiʃən] Gespräch, Unterhaltung; **~atio-
nal** gesprächig; umgangssprachlich, Ge-
sprächs-; **~e** [kən'vəːs] s. unterhalten; **~e**
['kɔnvəːs] Gespräch; Umgang
conver|se ['kɔnvəːs] gegenseitig; Gegenteil;
Umkehrung; **~sely** [−̲−li, −−̲li] umgekehrt;
~sion [kən'vəːʃən] Umwandlung (*into, in* zu);
Bekehrung (*to* zu); ✿, ≠ Umformung; Umstel-

lung; *pol* Übertritt; Mißbrauch; **~t** [kən'vəːt]
umwandeln; umbauen; bekehren; ✿, ≠ um-
formen; (s.) umstellen; (Geld etc) mißbrau-
chen; **~t** ['kɔnvəːt] Bekehrter; **~ter** (*a.* **~tor**)
[kən'vəːtə] ≠ Umformer; Konverter; Bekehrer;
~tible [kən'vəːtibl] umwandelbar, konvertibel;
gleichbedeutend; Kabriolett
convex ['kɔn'veks] konvex; **~ity** [kɔn'veksiti]
konvexe Eigenschaft (Form)
convey [kən'vei] befördern; leiten; über-, vermitteln; ausdrücken; ☊ übertragen; **~ance**
[kən'veiəns] Befördern; Versendung; *means of*
~*ance* Reise-, Fahrgelegenheit, Transportmit-
tel; Fahrzeug; ☊ Übertragung(surkunde);
~ancer [kən'veiənsə] Anwalt für Liegenschaf-
ten; **~er** [kən'veiə] Beförderer *(coal* ~*er); ~or*
[kən'veiə] ✿ Förderer (~*or* belt Förderband;
belt ~*or* Bandförderer)
convict [kən'vikt] überführen; ~ ['kɔnvikt]
Sträfling, Zuchthäusler; **~ion** [kən'vikʃən]
Überführung, Verurteilung; Überzeugung; *to
be open to* ~*ion* s. gern überzeugen lassen; *to
carry* ~*ion* Überzeugungskraft haben
convince [kən'vins] überzeugen (*of* von)
convivial [kən'viviəl] festlich, fröhlich; gesellig; **~ity** [kənvivi'æliti] festliche Stimmung;
Geselligkeit
convo|cation [kɔnvə'keiʃən] Einberufung;
Versammlung, Konferenz; **~ke** [kən'vouk]
ein-, zusammenberufen
convol|ution [kɔnvə'luːʃən] Zus.wicklung;
Windung, Rolle; **~vulus** [kən'vɔlvjuləs], *pl*
~*vuluses bot* Winde
convoy ['kɔnvɔi] Geleit(schutz); Geleitzug;
Kolonne; ~ [kən'vɔi] geleiten
convuls|e [kən'vʌls] erschüttern *(a. fig);* in
Zuckungen versetzen, schütteln; *to be* ~*ed
with* s. schütteln (krümmen) vor; **~ion**
[kən'vʌlʃən] Erschütterung; *pl* Konvulsionen,
konvulsivische Zuckungen, Krämpfe (*to fall
into* ~*ions); to be in* ~*ions* s. vor Lachen schütteln; **~ive** [kən'vʌlsiv] konvulsiv, krampfhaft
cony, coney ['kouni] Kaninchen(fell)
coo [kuː] gurren; *to bill and* ~ schnäbeln (u.
gurren), sich liebkosen; säuseln
cook [kuk] (s.) kochen (lassen); *fig* zus.brauen,
frisieren; Koch, Köchin; **~er** Herd, (Gas-
etc)Kocher; Kochobst; **~ery** ['kukəri] Koch-
kunst; **~ery-book** (= *US* **~book**) *BE* Koch-
buch; **~-house** ['kukhaus] Lagerküche; Kombüse; **~ie** *US* = **~y**; **~-shop** ['kukʃɔp] Gaststätte; **~y** ['kuki] *BE* Kuchenbrötchen; *US*
Keks
cool [kuːl] **1.** kühl; (Getränk) kalt; **2.** (Kleid)
dünn; **3.** gelassen, besonnen; *keep* ~*!* ruhig
Blut! **4.** unverfroren; nüchtern; toll; klasse; *a*
~ (*£ 1 000, 30 miles*) die Kleinigkeit von; **5.**
(s.) abkühlen; *to let s-b* ~ *his heels* j-n warten
lassen; **6.** Kühle; **~ant** ['kuːlənt] Kühlmittel;
~er (Wein- etc)Kühler; Kittchen; *US* Kli-
maanlage; **~-headed** ['kuːl'hedid] besonnen; **~-
ness** Kühle; Unstimmigkeit; **~th** [kuːlθ] Kühle
coolie ['kuːli] Kuli
coon [kuːn] *US* Waschbär; *umg* Neger

co-op [kou'ɔp] = co-operative (store etc)
coop [kuːp] Hühnerkorb; (Kaninchen-)Stall; einsperren; ~ *up* (od *in*) einpferchen
cooper ['kuːpə] Böttcher; Küfer
co-opera|te [kou'ɔpəreit] zus.arbeiten; zus.wirken; ~**tion** [kouɔpə'reiʃən] Zus.arbeit(en); Zus.-; Mitwirkung; ~**tive** [kou'ɔpərətiv] mitwirkend; entgegenkommend, hilfsbereit; ~**tive society** [sə'saiiti] Konsumverein; ~**tive store** [stɔː] Konsum; Genossenschaft
co-opt [kou'ɔpt] hinzuwählen; ~**ation** [kouɔp'teiʃən] Ergänzungswahl, Zuwahl
co-ordina|te [kou'ɔːdinit] gleich-, beigeordnet; Koordinate; ~**te** [kou'ɔːdineit] koordinieren, aufeinander abstimmen; *pol* gleichschalten; ~**tion** [kouɔːdi'neiʃən] Koordinierung; Gleichordnung; -schaltung
coot [kuːt] Bläßhuhn; Blödkopf; ~**ie** ['kuːti] *umg* Laus
cop [kɔp] kapern, schnappen; *sl* Polyp
copartner [kou'pɑːtnə] Mitinhaber, Teilhaber; ~**ship** Teilhaberschaft
cope¹ [koup] fertig werden (*with* mit)
cope² [koup] Chorrock; *fig* Mantel, Gewölbe; Himmelszelt
copier ['kɔpiə] Abschreiber; Kopist
coping ['koupiŋ] (Maurer-)Kappe; ~**stone** ['koupiŋstoun] Kappenstein
copious ['koupiəs] reichlich; inhaltsreich; tüchtig (Guß); produktiv
copper ['kɔpə] Kupfer; (K.-)Münze; (Wasch-)Kessel; verkupfern; ~**plate** ['kɔpəpleit] Kupferstich; -druck; ~**plate writing** ['raitiŋ] gestochene Schrift
copper ['kɔpə] *sl* Polyp (Polizist)
coppice ['kɔpis], **copse** [kɔps] *BE* Niederwald, Gehölz; Unterholz
copra ['kɔprə] Kopra
copy ['kɔpi] 1. Kopie, Wiedergabe (*rough* [rʌf], *foul* ~ Konzept, Entwurf; *fair* [fɛə], *clean* ~ Reinschrift); 2. Vorlage; 3. Exemplar, Nummer; 4. ⊞ Satz-, Druckvorlage; 5. Stoff, Material; 6. (Nachrichten-, Werbe-)Text; 7. abschreiben; 8. nachbilden; 9. nachmachen, übernehmen; ~**book** [‑‑buk] Schönschreibheft (*to blot one's* ~**-book** e-n Fleck auf d. Weste bekommen); ~**coat** [‑‑kæt] Nachahmer; nachahmen; ~**hold** [‑‑hould] *BE* Nachahmen; ~**ist** [‑‑ist] Kopist; Nachahmer; ~**reader** [‑‑riːdə] (Zeitungs-)Redakteur; ~**right** [‑‑rait] Urheberrecht; urheberrechtlich (schützen); ~ **taster** *BE* Redakteur vom Dienst
coquet [kou'ket] kokett; *vi* kokettieren, spielen (*with* mit); ~**ry** ['koukitri] Koketterie; ~**te** [kou'ket] kokettes Mädchen; *vi* = ~; ~**tish** [kou'ketiʃ] kokett
coracle ['kɔrəkl] Boot (aus Korbgeflecht)
coral ['kɔrəl] Koralle; korallenrot
cord [kɔːd] 1. Schnur; Kordel; Strick, Seil; 2. ⚡ *US* (Anschluß-)Schnur; 3. *vocal* ['voukəl] ~*s* Stimmbänder; *spinal* ['spainəl] ~ Rückenmark; 4. Kordsamt; *pl* Kordsamthosen; 5. zu-, verschnüren; ~**age** ['kɔːdidʒ] Seilerwaren; Tauwerk; ~**ed** gerippt; ~**uroy** ['kɔːdərɔi]

Kordsamt, Manchester; *pl* Manchester-, Kordsamthose
cordial ['kɔːdjəl] freundlich, herzlich; tief (Abneigung); stärkend; Stärkungsmittel; ~**ity** [kɔːdi'æliti] Wärme, Herzlichkeit
cord|ite ['kɔːdait] Kordit; ~**on** ['kɔːdən] Kordon (Sperrkette; Ordensband)
core [kɔː] Kern(gehäuse) (*a.* ⚙, *fig*); entkernen; *to the* ~ bis ins Mark
co-respondent [kouri'spɔndənt] Mitbeklagte(r) (im Scheidungsprozeß)
cork [kɔːk] Kork(en); verkorken; verschließen; ~ *sl* prima Sache; Überraschung; ~**ing** *US* prima; ~**jacket** [‑‑dʒækit] Schwimmweste; ~**screw** [‑skruː] Korkenzieher; ~**tipped** [‑‑tipt] mit (Kork-)Mundstück
cormorant ['kɔːmərənt] Kormoran, Scharbe; Vielfraß
corn¹ [kɔːn] Getreide, Korn; (*for horses*) Hafer; (*for man*) *BE mst* Weizen, (Schottl.) Hafer, *US* Mais; (Einzel-)Korn, Körnchen; abgedroschenes Zeug, (sentimentaler) Kitsch, Schnulze; *US* Harschschnee; *US* (Mais-)Schnaps; *vt* einpökeln; ~**bread** [bred] *US* Maisbrot; ~**chandler** [‑tʃɑːndlə] *BE* Getreidehändler; ~**cob** Maiskolben; ~**crake** [‑‑kreik] Wachtelkönig; ~**exchange** [‑ikstʃeindʒ] Getreidebörse; ~**flour** [‑‑flauə] Maismehl; *BE* Stärkemehl; ~ **meal** *US* Maismehl; ~ **starch** Stärkemehl
corn² [kɔːn] Hühnerauge
cornea ['kɔːniə] Hornhaut (d. Auges)
cornel ['kɔːnəl] Hornstrauch, Hartriegel
cornelian [kɔː'niːljən], *US* **carn-** [kɑːn-] Karneol
corner ['kɔːnə] 1. Ecke ♦ *to turn the* ~ um d. Ecke gehen, *fig* d. Krise überwinden; Winkel; 2. ⚑ Kurve; 3. Spekulationsaufkauf; *to have a* ~ *on* (*fig*) etw gepachtet haben; 4. *vt* in d. Ecke stellen; 5. in d. Enge treiben, fangen; 6. e-e Kurve nehmen; 7. (Ware) zu Spekulationszwecken aufkaufen; ~**ed** [‑‑d] eckig; ~**stone** [‑‑stoun] Eck-, Grundstein (*a. fig*)
cornet ['kɔːnit] ♪ Kornett; *BE* Waffel; Tüte
cornice ['kɔːnis] Gesims
cornucopia [kɔːnju'koupiə], *pl* ~**s** Füllhorn (*a. fig*)
corny ['kɔːni] abgedroschen, kitschig, schnulzig
corolla [kə'rɔlə], *pl* ~**s** Blumenkrone, Korolle; ~**ry** [kə'rɔləri, *US* 'kɔːrəleri] *math* Korollar; (natürliche) Folge
coron|a [kə'rounə], *pl* ~**ae** [‑‑niː], ~**as** *astr* Korona, Hof; ⚡ Kranz; ~**al** ['kɔrənəl] Kranz; ~**al** [kə'rounəl] Korona-; ~**al** [kə'rounəl] kranzartig, Kranz-; ~**ary** ['kɔrənəri] (Herz-)Kranz-, Koronar-; ~**ation** [kɔrə'neiʃən] Krönung
coroner ['kɔrənə] amtl. Leichenschauer; ~'s **inquest** ['iŋkwest] amtl. Leichen(öffnung und)-untersuchung
coronet ['kɔrənit] Adelskrone; Diadem
corpor|al ['kɔːpərəl] körperlich; Unteroffizier; Korporal; ~**ate** [‑‑rit] korporativ; Gesellschafts-; ~**ate body** ['bɔdi] Körperschaft; ju-

rist. Person; **~ation** [--'reiʃən] Körperschaft, Korporation, *US* Handelsgesellschaft; *BE* Stadtverwaltung, *BE* von der Stadt betrieben; *umg* Schmerbauch; **~eal** [kɔː'pɔːriəl] körperlich; materiell

corposant ['kɔːpəzənt] Elmsfeuer

corps [kɔː], *pl* ~ [kɔːz] Korps; **medical** ['medikəl] ~ Sanitätstruppe; ~ **de ballet** ['kɔːdə'bæːlei] Ballett(gruppe); **C~ Diplomatique** ['kɔːdiplomæ'tik] Diplomatisches Korps

corpse [kɔːps], *pl* ~s Leichnam, Leiche

corpulen|ce ['kɔːpjuləns] Beleibtheit; **~t** beleibt

corpuscle ['kɔːpəsl, ⁻pʌsl] Korpuskel; Blutkörperchen *(red, white ~s)*

corral [kə'rɑːl], *bes US* kɔ'ræl] Weidezaun; Wagenburg; einpferchen; *US umg* ergreifen, schnappen

correct [kə'rekt] richtig, genau; korrekt; berichtigen, verbessern, korrigieren; zurechtweisen; **~ion** [--ʃən] Berichtigung, Verbesserung; Korrektur; Zurechtweisung; Strafe *(to speak under ~ion* e-e unmaßgebliche Meinung, etwas evtl. zu Korrigierendes sagen); **~itude** [⁻titjuːd] richtiges Verhalten; **~ive** [-⁻tiv] berichtigend; Besserungs-, Gegenmittel; korrektiv

correla|te ['kɔrileit] in Wechselbeziehung bringen (stehen); Korrelat; **~tion** [--'leiʃən] Korrelation, Wechselbeziehung; **~tive** [kə'relətiv] korrelativ; Korrelat

correspond [kɔris'pɔnd] entsprechen *(to);* korrespondieren *(with* mit); **~ence** [kɔris'pɔndəns] Schriftwechsel, Korrespondenz; Briefe, Post; Übereinstimmung; **~ence clerk** [klɑːk] Korrespondent; **~ence course** [kɔːs] Fernunterricht; **~ence school** [skuːl] Fernunterrichtsinstitut; **~ent** Briefschreiber; Korrespondent; Berichterstatter; Geschäftsfreund; entsprechend; **~ing** entsprechend; korrespondierend

corridor ['kɔridɔː] Korridor, Flur; 🚂 Gang; **~train** D-Zug

corrig|enda [kɔri'dʒendə], *pl vb* zu verbessernde) Fehler; **~ible** ['kɔridʒibl] zu verbessern(d)

corrobora|te [kə'rɔbəreit] stärken, untermauern; bestätigen; **~tion** [-,--'reiʃən] Bestärkung, Untermauerung; Bestätigung; **~tive** [-⁻retiv] bestätigend

corro|de [kə'roud] zerfressen; rosten; *fig* verzehren (Haß); **~sion** [-⁻ʒən] Zerfressen, Rosten, Korrosion; **~sive** [-⁻siv] zerstörend, korrosiv(e Substanz)

corrugate ['kɔrugeit] runzeln; ✿ riefen, riffeln; **~d** geriffelt, gewellt; Well-

corrupt [kə'rʌpt] verdorben, korrupt; ~ *practices* ['præktisiz] Bestechung(en); (Text) verderbt, entstellt; verderben; bestechen; korrumpieren; entstellen; **~ible** [kə'rʌptibl] bestechlich; **~ion** [-⁻ʃən] Verderben; Verdorbensein; Verfall; Bestechung; Entstellung

corsage [kɔː'sɑːʒ, -⁻] Korsage; *BE* Ansteckblume (zum Abendkleid)

corsair ['kɔːsɛə] Korsar, Seeräuber

cors|et ['kɔːsit] *(oft pl)* Korsett; **~etry** ['kɔːsitri] Miederwaren; **~let** ['kɔːslit], *bes US* **~elet** [kɔːsə'let] Brustpanzer; Korselett

cortège [kɔː'teiʒ] feierlicher Zug

cort|ex ['kɔːteks], *pl* **~ices** [⁻tisiːz] (Baum-, Hirn-)Rinde; **~ical** [⁻tikəl] rindig

corundum [kə'rʌndəm] Korund

coruscate ['kɔrəskeit] funkeln *(a. fig)*

corvée [kɔː'vei, -⁻] Frondienst *(a. fig)*

corvette [kɔː'vet] Korvette

cos [kɔs] Binde-, Kochsalat, römischer Salat

cosh [kɔʃ] *BE sl* Gummischlauch, Totschläger; j-m e-n überziehen; **~boy** *sl* jugendl. Straßenräuber; **~er** ['kɔʃə] *up* verhätscheln

cosm|etic [kɔz'metik] kosmetisch; Schönheitsmittel, Kosmetikum; **~etician** [-mi'tiʃən] *US* Kosmetiker(in); **~ic** [⁻mik] kosmisch, Welt-; geordnet; riesig; **~ogony** [-'mɔgəni] Kosmogonie; **~opolitan** [-mə'pɔlitən] umfassend-liberal, universell, unvoreingenommen; Weltbürger, Kosmopolit; **~opolitan city** ['siti] Weltstadt; **~os** [⁻mɔs] Kosmos, (Gedanken-)Gebäude

cost [kɔst] 1. *(s. S. 318)* kosten; erfordern; veranschlagen; kalkulieren; 2. Kosten *(~ of living* Lebenshaltungs-, ~ *of labour* Lohnkosten); *capital* ~s Kapitalaufwand; *fixed* ~s Gemeinkosten; *prime* ~ Gestehungsk.; ~ *price* Selbstkostenpreis; 3. Unkosten; 4. Gerichtskosten; *at* ~ zum Selbstkostenpreis; *at all* ~s um jeden Preis; *at the* ~ *of* auf Kosten; *to my* ~ zu m-m Schaden; *as I know to my* ~ wie ich aus eigener (bitterer) Erfahrung weiß ♦ *to count the* ~ alles abwägen, das Risiko einkalkulieren

co-star [kou'stɑː] zus. auftreten (lassen)

coster(monger) ['kɔstə(mʌŋgə)] *BE* Obst-, Gemüse(straßen)händler

costive ['kɔstiv] 💲 verstopft; geizig

costly ['kɔstli] kostbar, -spielig

costume ['kɔstjuːm] Kleidung, Tracht; (Damen-)Kostüm; Kostüm-(Stück, Ball); **~e jewellery** ['dʒuələri] Modeschmuck; **~ier** [kɔs'tjuːmiə] Kleider-, Kostümhersteller, -händler

cosy, *US* **cozy** ['kouzi] gemütlich, behaglich; Teewärmer, Kaffeemütze

cot [kɔt] *US* Feldbett; *BE* Kinderbett; *(a.* **~e** [kout, kɔt]) Hütte, Stall, (Tauben-)Schlag

coterie ['koutəri] (exklusiver) Kreis; Gruppe, Clique

cottage ['kɔtidʒ] Hütte; (Land-, Vorstadt-) Häuschen; *US* Ferienhäuschen; ~ **cheese** ['tʃiːz] Hüttenkäse; ~ **industry** ['indəstri] Heimarbeit; ~ **loaf** [louf] Doppellaib; ~ **piano** [pi'ænou] Pianino

cotton ['kɔtən] Baumwolle; *BE* Nähfaden; baumwollen; **~cake** [-⁻keik] Baumwollsaatkuchen; **~wool** [-⁻wul] *BE* Watte *US* Rohbaumwolle

couch [kautʃ] Couch; Bett *(on a ~ of pain* mit Schmerzen im Bett liegend); (Lanze) einlegen; abfassen, ausdrücken; (sprungbereit) liegen; **~ed** [kautʃt] hingebettet

cougar ['kuːgə] Kuguar, Puma
cough [kɔf, kɔːf] Husten; husten; *to give a slight* ~ hüsteln, leicht husten
could [kud] konnte; könnte; *siehe* can
coulisse [kuːˈliːs] Kulisse
coulter, *US* **colter** ['koultə] Pflugmesser
council ['kaunsil] Rat(sversammlung); ~**lor** ['kaunsilə] Ratsmitglied
counsel ['kaunsəl] Rat(schlag); (be)raten; *to keep one's own* ~ seine Pläne geheimhalten; *to take* (od *hold*) ~ *with* Rat suchen bei; ~, *pl* ~ Rechtsberater, Anwalt; Verteidigung; **King's (Queen's) C**~ Justizrat; ~**lor** ['kaunsələ] Berater
count[1] [kaunt] 1. zählen; ~ *out* 🐾 auszählen; (Parlament) beschlußunfähig erklären; ~ *up* aufaddieren; 2. rechnen; *not* ~*ing* nicht gerechnet; ~ *in* mit (ein-)rechnen; 3. halten für, schätzen; 4. Wert haben, zählen (*for little* wenig, *for nothing* nichts); ~ *on* rechnen mit (auf); *su* Zählung; *to keep* ~ (richtig) (mit-)zählen; *to lose* ~ sich verzählen, (im Zählen) nicht mitkommen; *to take the* ~ 🐾 ausgezählt werden; *to take* ~ *of* Notiz nehmen von; 6. 🎵 Klagepunkt
count[2] [kaunt] Graf
countenance ['kauntinəns] Gesicht(sausdruck); *to change* (*one's*) ~ d. Gesichtsausdruck (ver)ändern; *to keep* (*one's*) ~ d. Gesicht wahren, ruhig bleiben; *to lose* ~ d. Fassung verlieren; *to put* (od *stare* [steə]) *s-b out of* ~ j-n anstarren, bis er nervös wird; Unterstützung (*to give* or *lend* ~ *to s-b*); *vt* unterstützen, billigen
counter ['kauntə] 1. Ladentisch; ~-*jumper* [-ˈdʒʌmpə] Ladenschwengel; 2. Spielmarke; 3. Zähler; 4. Schalter; 5. entgegen, zuwider; 6. parieren, kontern; 7. Gegen-; ~**act** [kauntərˈækt] entgegenwirken; ~**action** [kauntərˈækʃən] Gegenwirkung; ~**attack** ['kauntərəˈtæk] Gegenangriff (machen); ~**balance** [-ˈbæləns] Gegengewicht; ~**balance** [-ˈbæləns] aufwiegen, ausgleichen; ~**claim** [-ˈkleim] 🎵 Gegenforderung (aufstellen); ~**clockwise** [-ˈklɔkwaiz] entgegen dem Uhrzeigersinn, Links-
counterfeit ['kauntəfit] gefälscht, falsch, unecht; fälschen; nachahmen; heucheln; Fälschung; Schwindler; ~**er** [-ˈfitə] (Geld-)Fälscher
counter|foil ['kauntəfɔil] *BE* Kontrollabschnitt (am Scheck etc); ~**irritant** ['kauntərˈiritənt] Hautreizmittel; ~**intelligence** ['kauntərinteligdʒəns] Spionageabwehr; ~**mand** [-ˈmɑːnd] Gegenbefehl; Widerruf; Gegenbefehl geben; widerrufen; abbestellen; ~**march** [-ˈmɑːtʃ] Rückmarsch; zurückmarschieren; ~**mine** [-main] Gegenmine (*a. fig*); Gegenmine(n) legen (gegen); ~**pane** [-pein] Tagesdecke; ~**part** [-ˌpɑːt] Seiten-, Gegenstück; natürliche Ergänzung; ~**point** [-pɔint] Kontrapunkt; ~**poise** [-pɔiz] Gegen-, Gleichgewicht; d. Gegengewicht bilden zu, ausgleichen; ins Gleichgewicht bringen, im Gl. halten; ~**revolution**

[--revəˈluːʃən] Gegenrevolution; ~**sign** [--sain] Gegenzeichnung; *mil* Losung; gegenzeichnen; ~**vail** [--ˈveil] (mit gleicher Kraft) entgegenwirken; e-n Ausgleich bilden für (~*vailing duty* ['djuːti] Ausgleichszoll)
countess ['kauntis] Gräfin; Komtesse
count|ing-house ['kauntiŋhaus] *BE* Kontor (= *US* ~**ing room** ['kauntiŋrum]); ~**less** ['kauntlis] zahllos
countrified ['kʌntrifaid] ländlich; bäurisch
country ['kʌntri] Land ♦ *to go* (*appeal* [əˈpiːl]) *to the* ~ allgem. Wahlen (e-e Volksbefragung) abhalten; *fig* Gebiet (*this is unknown* ~ *to me*); *the* ~ d. Land, d. Provinz (*in the* ~ auf dem L.); ~ *cousin* [kʌzn] Vetter vom Lande (*bes fig*); ~**-dance** [--dɑːns] ländlicher (Reihen-)Tanz, Volkstanz; ~**gentleman** ['dʒentlmən] Landjunker; ~**house** Landhaus; ~**man** [--mən], *pl* ~**men** Landmann, Bauer; Landsmann; ~**seat** [--siːt] Landsitz; ~**side** [--said] Land(schaft); Landstrich, Gegend; ~**woman** [--wumən], *pl* ~**women** [--wimin] Bäuerin; Landsmännin
county ['kaunti] Grafschaft, Kreis (~ *town, US* ~ *seat* Kreisstadt); ~ **college** *BE* Fortbildungsschule; ~ **family** ['fæmili] *BE* alteingesessene Familie; ~ **school** *BE* öffentliche Schule
coup [kuː], *pl* ~**s** [kuːz] Coup; *to make* (*pull off*) *a* ~ e-n C. machen (landen); ~ **d'etat** ['kuːdeiˈtɑː], *pl* ~**s d'état** [kuːzdeiˈtɑː] Staatsstreich; ~ **de grâce** [kuːdəˈgrɑːs] Gnadenstoß
coupé ['kuːpei] 🚃 Coupé, Zweisitzer
couple [kʌpl] Paar, zwei; (Ehe-, Tanz-)Paar; ~, *pl* ~ (Hunde-)Koppel; *to go* (*hunt, run*) *in* ~*s* zu zweit gehen etc; *a* ~ *of* (*umg*) ein paar; (ver)koppeln (🐕, 🔗); verbinden (*a. fig*); (s.)
couplet ['kʌplit] Vers-, Reimpaar [paaren
coupling ['kʌpliŋ] (Ver-)Kopplung; *bes* 🚃 Kupplung; 🔗 Kopplung
coupon ['kuːpɔn, *US a.* 'kjuː-] Abschnitt, Kupon; Rabattmarke; Abonnementskarte; Gutschein
courage ['kʌridʒ] Mut, Tapferkeit; *to take* ~ tapfer sein; *to have the* ~ *of one's convictions* [kənˈvikʃənz] (od *opinions* [əˈpinjənz] Zivilcourage haben; ~**ous** [kəˈreidʒəs] mutig, tapfer
courier ['kuriə] Reiseführer; Kurier
course [kɔːs] 1. (Ver-)Lauf; *in* ~ *of* (*construction*) im (Bau) begriffen; *in* ~ *of time* mit d. Zeit; *in the* ~ *of* im Verlaufe; *in due* ~ zu s-r Zeit, zur rechten Zeit; 2. (Fluß-)Lauf; 3. (Stern-)Bahn; 4. (Golf-)Platz, (Renn-)Bahn ♦ *to stay the* ~ durchstehen, -halten; 5. Kurs, Strecke, Richtung; *to let things run their* ~ d. Dingen ihren Lauf lassen; *a matter of* ~ e-e Selbstverständlichkeit; *of* ~ natürlich; 6. *fig* Weg; 7. Gang (beim Essen); 8. Reihe (*of lectures* ['lektʃəz] Vorlesungs)reihe; ~ *of study* ['stʌdi] Studiengang; Studium; 9. 🏛 Lage; 10. ⚓ Segel; 11. jagen; 12. kreisen, fließen; ~**r** ['kɔːsə] Rennpferd
coursing ['kɔːsiŋ] Hasenhetzjagd
court [kɔːt] 1. Gericht(shof, -ssitzung); *to take a case to* ~ e-n Fall vor Gericht bringen; *out*

of ~ nicht zulässig; *to settle out of* ~ außergerichtlich regeln; *to put o. s. out of* ~ sein Recht vor Gericht verwirken; **2.** (fürstl.) Hof (~ *of St. James* [sn'dʒeimz] d. engl. Hof); **3.** Empfang; **4.** (Tennis-)Platz; **5.** Hof ♦ *to pay one's* ~ *to* j-m d. Hof machen; (~*ing couple* [kʌpl] Liebespaar); **6.** Hinterhof; **7.** zu gewinnen suchen; **8.** heraufbeschwören

court|-card ['kɔːtkaːd] *BE* Bild(karte); ~ **circular** ['sɜːkjulə] Hofnachrichten; ~**day** [-'dei] Gerichtstag; ~ **martial** ['maːʃəl], *pl* ~s martial Kriegsgericht; ~**-martial** [-'maːʃəl] vor ein Kriegsgericht stellen; ~ **plaster** ['plaːstə] Heftpflaster; ~ **shoes** [ʃuːz] *BE* Pumps; ~**yard** [-jaːd] (Vor-, Innen-)Hof

court|eous ['kɜːtjəs] höflich; ~**esan** [*BE* kɔːti'zæn, *US* ---] Kurtisane; ~**esy** ['kɜːtisi] Höflichkeit; Gefälligkeit, *by (through) the* ~ *esy of* mit frdl. Erlaubnis; ~**ier** ['kɔːtjə] Höfling; ~**ly** höfisch; höflich; ~**ship** Zeit d. Werbens, Werbung

cousin [kʌzn] Vetter, Kusine (*first, second* ~ Vetter, K. 1. (2.) Grades)

coutur|e [kuːtjuə] Damenschneiderei, Couture; ~**ier** [kuːtjuriei] Modeschöpfer

cove [kouv] (kl.) Bucht; 🏛 Bogen; *umg* Kerl

covenant ['kʌvinənt] Vertrag; *Ark of the* ~ Bundeslade; vertraglich übereinkommen (*with* mit, *for* um)

Coventry ['kɔvəntri] (engl. Stadt) ♦ *to send s-b to* ~ j-n gesellschaftl. schneiden

cover ['kʌvə] **1.** bedecken, ~ *up* zudecken (*a. fig*); *o.s. up* s. warm anziehen; ~ *in* auffüllen; *to remain* ~*ed* [-vəd] den Hut aufbehalten; **2.** (s.) bespritzen (*with* mit); *to be* ~*ed with* bedeckt (übersät, überzogen) sein von; *to be* ~*ed with confusion* [kən'fjuːʒən] gänzlich verwirrt sein; **3.** (m. Stoff) beziehen, tapezieren; **4.** *fig* verbergen ♦ ~ *(up) one's tracks* seine Pläne (Taten) verheimlichen; **5.** *mil* decken, beherrschen; ~ *s-b* (*with a gun* etc) zielen auf; **6.** (Strecke) zurücklegen; **7.** 🐓 decken; **8.** (finanziell) decken; **9.** (in d. Zeitung) berichten über, als Berichterstatter anwesend sein bei; **10.** *su* Decke(l); **11.** Einband ♦ *from* ~ *to* ~ von vorn bis hinten (lesen); **12.** Umschlag; **13.** Deckung, Schutz ♦ *to break* ~ aus d. Versteck (Dickicht) hervorkommen; **14.** Vorwand (*under* ~ *of*); **15.** Gedeck; **16.** (finanz.) Deckung; **17.** 🚃 Mantel; **18.** *pl* Bettzeug

cover|age ['kʌvəridʒ] Geltungsbereich, Verbreitung (*world* ~ *age* V. in d. ganzen Welt, *national* ~*age* V. im ganzen Land); Deckung, Versicherungsschutz; (Presse-)Berichterstattung (*of* über); Erfassung; ~**ing** [-'riŋ] Bedeckung; Bezug, Überzug, Futteral; *mil* Deckung; ~**ing letter** Begleitbrief; ~**let** [-'-lit] Tagesdecke

covert ['kʌvət] heimlich, versteckt; Schutz; Versteck; Dickicht

covet ['kʌvit] begehren, sich gelüsten lassen nach; ~**ous** ['kʌvitəs] begierig, lüstern (*of* auf)

covey ['kʌvi] Volk (Rebhühner); Schar

cow¹ [kau] Kuh; ~**-boy** [-'bɔi] Cowboy; Kuhhirt; ~**berry** [-'bəri] Preisel-, Kronsbeere; ~**-catcher** [-'kætʃə] *US* Schienenräumer; ~**herd** [-'həːd] Kuhhirt; ~**hide** [-'haid] Kuhleder; Lederpeitsche; ~**-man** *US* Viehzüchter; ~**slip** gelbe Schlüsselblume; *US* Sumpfdotterblume

cow² [kau] einschüchtern

coward ['kauəd] Feigling; feig; ~**ice** [-'kauədis] Feigheit; ~**ly** feig

cower ['kauə] kauern; sich ducken

cowl [kaul] Kapuze; (Schornstein-)Kappe

cowrie, -ry ['kauri] Porzellanschnecke, Kauri

cox [kɔks] Bootsführer, -mann; Bootsführer sein; steuern

coxcomb ['kɔkskoum] Narrenkappe; Stutzer; = cockscomb

coxswain ['kɔkswein, 'kɔksn] Bootsführer

coy [kɔi] ~*er,* ~*est* schüchtern, spröde

coyote [kai'outi, 'kaiout, *BE a.* 'kɔiout, kə'jouti], *pl* ~s, Präriewolf, Kojote,

coypu ['kɔipu], *pl* ~s, ~ Nutria, Biberratte

cozen [kʌzn] betrügen (*of, out of* um): verleiten *(into doing s-th)*

cozy ['kouzi] *siehe* cosy

crab¹ [kræb] (*a.* ~**-apple**) Holzapfel

crab² [kræb] Krabbe, Krebs; *astr* Krebs; ~**bed** ['kræbid] verdrießlich; kraus

crack [kræk] **1.** springen (lassen), e-n Sprung machen in; **2.** knacken; (Schale, Schädel) (zer-, auf)brechen; ~ *a joke* e-n Witz machen; ~ *s-b up* (*umg*) (übern grünen Klee) loben; **3.** brechen; Stimmbruch bekommen; **4.** knallen, krachen; **5.** (Öl) kracken; **6.** ~ *down on* scharf vorgehen gegen, Razzia abhalten bei; ~ *up* zus.klappen, -brechen, ⊥ Bruch machen; **7.** *su* Sprung, Riß; **8.** Knall, Krach, (Donner-)Schlag ♦ *the* ~ *of doom* [duːm] d. Jüngste Gericht; **9.** Schlag (*on the head*); *in a* ~ in e-m Augenblick; **10.** *fig* Klasse, Kanone; **11.** Einbrecher; Einbruch; **12.** Versuch (*to take a* ~ *at* es versuchen mit); **13.** *adj* prima, fabelhaft ~**-brained** ['krækbreind] verrückt; ~**down** [-'daun] scharfes Vorgehen, Razzia (*on* gegen); ~**ed** [krækt] rissig, mit Sprüngen (Stimme) rauh; *umg* plemplem; ~**er** ['krækə] Kräcker; *US* Keks; Knallbonbon; Schwärmer; ~**re Nußknacker**; ~**jaw** [-'dʒɔː] zungenbrecherisch(es Wort); ~**pot** [-'pɔt] verrückt(e), Person); ~**up** [-'ʌp] ⊥ Bruch(landung); Zus.stoß

crackl|e [krækl] knacken, knistern, knattern; Knacken, Knistern, Knattern; ~**e glaze** [gleiz] Krakeleeglasur; ~**ing** ['krækliŋ] = ~**e** (Schweinebraten-)Kruste; ~**y** ['krækli] knusprig

cradle [kreidl] Wiege (*a. fig*); ⚓ Wiege, Schlitten; ⚒ Gabel; Schwingtrog (Goldwäsche); wiegen; aufziehen; (Erde) waschen

craft [kraːft] Handwerk, Gewerbe; Zunft; *the* C~ d. Freimaurer; Verschlagenheit, List; ~, *pl* ~ ⚓ Fahrzeug; ✈ Flugzeug; ~**sman** ['kraːftsmən], *pl* ~smen Handwerker; ~**smanship** handwerkliches Können, Geschick; ~**y** verschlagen, schlau

crag [kræg] Steilfelsen, Klippe; ~**ged** [-id] felsig; ~**sman** [-zmən], *pl* ~smen Felsenkletterer; ~**gy** [-i] felsig

cram [kræm] stopfen (*into* in); vollstopfen; (Geflügel) mästen; ~ *s-th down s-b's throat* [θrout] j-m etw immer wieder vorhalten; (Schüler) einpauken; ~ (*for an exam* [ig'zæm]) (für ein Examen) büffeln; ~ *up* durchackern, büffeln; **~full** [⸗ful] rammelvoll; **~mer** *BE* Einpauker, Repetitor; *BE* büffelnder Schüler; *umg* Lüge

cramp [kræmp] Krampf; ✿ Klammer, Krampe; beengen, behindern, mit e-r Krampe befestigen; **~ed** [kræmpt] beengt; engherzig; (Handschrift) engläufig, verkrampft

crampon ['kræmpən] Steigeisen

cranberry ['krænbəri] Moosbeere; **mountain** ['mauntin] ~ Preiselbeere

crane [krein] Kranich; Kran; sich (d. Hals) ver-, ausrecken, -renken; ~ *at* zurückschrekken vor; **~-fly** [⸗flai] (Erd-, Bach-)Schnake; **~'s-bill** [⸗bil] Storch-, Kranichschnabel

cran|ium ['kreiniəm], *pl* **~a** ['kreiniə] Schädel: **~al** ['kreiniəl] Schädel-

crank [kræŋk] Kurbel; Schrulle; schrulliger Mensch; kurbeln (*up* an-); **~y** wacklig, baufällig; kränklich; übergeschnappt, mit e-r fixen Idee

crann|y ['kræni] Ritze, Riß; **~ied** ['krænid] rissig

crape [kreip] *BE* Trauerkrepp; -band, Flor; = crêpe

crash [kræʃ] krachen(d fallen); krachend fahren (*into* gegen); zertrümmern; *fig* zus.brechen; ✝ abstürzen; krachender Schlag, Krach; ✝ Absturz; Zus.stoß; *fig* Zus.bruch; ~ **barrier** *BE* Leitplanke; ~ **course** Intensivkurs; **~-helmet** [⸗helmit] Sturzhelm; **~-land** [⸗lænd] Bruchlandung machen

crass [kræs] grob, kraß

crate [kreit] Lattenkiste, -verschlag; ✝, 🚗 *sl* Kiste

crater ['kreitə] (*a. mil*) Krater

cravat [krə'væt] Krawatte; Halsbinde

crav|e [kreiv] flehen um; s. sehnsüchtig wünschen, heftig verlangen; **~ing** ['kreiviŋ] Sehnsucht, Verlangen (*for* nach)

craven ['kreivən] Memme; feig

crawfish ['krɔːfiʃ] Flußkrebs; (*sea* ~) Languste; *US* kneifen, s. drücken

crawl [krɔːl] kriechen; s. langsam bewegen, schleichen; wimmeln (*with* vor) ♦ *to make s-b's flesh* ~ j-m e-e Gänsehaut über den Rücken jagen; Kriechen; *at a* ~ im Schneckentempo; Kraulen; **~er** Kriechtier, Kriecher; ✿ Gleiskette; *fig* Schleicher; *pl* Krabbelanzug

crayfish ['kreifiʃ] Flußkrebs; (*sea* ~) Languste

crayon ['kreiən] Kreide-, Pastellstift; Pastell(bild); zeichnen; skizzieren

craz|e [kreiz] Verrücktheit, Fimmel (*the latest* ['leitist] ~*e* d. neueste Mode, d. letzte Verrücktheit); verrückt machen; **~ed** [kreizd] verrückt (*about* nach), versessen (*about* auf); **~y** ['kreizi] wahnsinnig (*with pain* vor Schmerzen); verrückt; versessen (*about* auf); begeistert; baufällig; **~y bone** *US* Musikantenknochen; **~y pavement** ['peivmənt] (unregelmäßiges) Plat-

tenpflaster; ~ **quilt** Flickenteppich; Wirrwarr; **~y-quilt** ['kreizikwilt] wirr, zus.gestückelt

creak [kriːk] quietschen, knarren; **~y** quietschend, knarrend

cream [kriːm] Rahm, Sahne; Creme *(a. fig)*; *cold* ~ Hautcreme; ~ *of tartar* ['taːtə] (reiner) Weinstein; Rahm bilden; (Milch) stellen; abrahmen *(a. fig)*; Sahne tun in (Tee); **~er** *US* Sahnekännchen; **~ery** ['kriːməri] Molkerei; Milchgeschäft; **~y** sahnig

crease [kriːs] (Bügel-, Sitz-)Falte; Knick, Eselsohr; 🏏 Mallinie; (s.) falten; **well-~d** ['wel'kriːst] mit guter Bügelfalte; verletzen; durch Streifschuß verletzten; **~d** *BE* erschossen, k.o.

creat|e [kri'eit] (er)schaffen; kreieren; (zum) (Adligen) ernennen; hervorrufen; *BE* Theater machen; **~ion** [kri'eiʃən] Schöpfung; Schaffung; Ernennung; Erzeugung; Werk, Schöpfung; **~ive** [kri'eitiv] schöpferisch; **~or** [kri'eitə] Schöpfer; **~ure** ['kriːtʃə] Geschöpf *(a. fig a lovely ~ure); a good ~ure* e-e gute Seele; Tier *(a. fig: a poor ~ure);* Kreatur ♦ **~ure comforts** ['kʌmfəts] (Dinge fürs) leibliche Wohl

crèche [kreiʃ] *BE* Kindergarten, Krippe

cred|ence ['kriːdəns] Glauben; *to give ~ence to* Glauben schenken; **~entials** [kri'denʃəls] *pl vb* Beglaubigungsschreiben; Empfehlungsschreiben; **~ible** ['kredibl] glaubhaft, -würdig

credit ['kredit] 1. Glauben; *to give* ~ *to, to put* (od *place*) ~ *in* Gl schenken; 2. Ansehen, guter Ruf; 3. Anerkennung, Anerkanntsein; *to give s-b the* ~ *of* j-m Anerkennung zollen für; *to add to s-b's* ~ j-s Ruhm steigern; *to give s-b* ~ *for* halten für, meinen daß, j-m etw (als Verdienst) anrechnen; *to do s-b* ~ *(to do* ~ *to s-b)* sprechen für, Ehre antun; *to be to s-b's* ~ sprechen für; *to take* ~ *for* Ruhm (Ehre) in Anspruch nehmen; *to get* ~ *for* angerechnet bekommen; *to reflect* ~ *on* ein gutes Licht werfen auf, sprechen für; *to be a* ~ *to* ein Gewinn sein für, (j-m) Ehre machen; 4. Kredit (*on* ~ auf K.); *his* ~ *is good* für £1000 er hat Kr. bis . . .; *letter of* ~ Akkreditiv, Kreditbrief; 5. Guthaben; Haben; ~ *and debit* ['debit] Soll und Haben; ~ *titles* ['taitlz] 📽 Vorspann; 6. *US* Anrechnung (von belegten Fächern), Gutpunkt; 7. *vt* gutschreiben; ~ *s-b with* meinen, daß j-d . . . hat; 8. gutschreiben *(s-b with £10,* ~ *£10 to s-b);* 9. kreditieren, auf Kredit geben; 10. *US* (belegtes Fach) anrechnen

cred|itable ['kreditəbl] lobenswert, ehrenvoll; **~itor** ['kreditə] Gläubiger; Kreditseite; **~ulous** ['kredjuləs] leichtgläubig; **~ulity** [kri'djuːliti] Leichtgläubigkeit

creed [kriːd] Glaubensbekenntnis

creek [kriːk, *US a.* krik] *BE* kleine Bucht; *BE* kleiner Hafen; *US, Austral.* Flüßchen; *up the* ~ in der Klemme

creel [kriːl] (Weide-, Fischer-)Korb

creep [kriːp] (*crept*) kriechen; schleichen; *bot* klettern; kribbeln ♦ *to make s-b's flesh* ~ j-m e-e Gänsehaut über den Rücken jagen; *to give s-b the ~s* j-n schaudern lassen; **~er** Kriecher;

Kletterpflanze; Baumläufer; ~y kriechend; gruselig; *to make ~y* schaudern lassen

crema|te [kri'meit, *US* 'kri:-] (Leiche) einäschern; ~**tion** [kri'meiʃən] Einäscherung; ~**torium** [kremə'tɔːriəm], *pl* ~toriums, ~toria Krematorium; ~**tory** ['kremətəri] *bes US* Krematorium

creosote ['kriəsout] Kreosot

crêpe [kreip] Krepp; *US* Trauerkrepp, -band, Flor; ~ *de Chine* ['kreipdə'ʃiːn] Crêpe de Chine; ~**(paper)** ['peipə] Kreppapier; ~ **(rubber)** ['rʌbə] Kreppgummi

crept [krept] *siehe* creep

crescendo [kri'ʃendou], *pl* ~s Crescendo; An-, Aufstieg

crescent [kresnt] Halbmond, Mondsichel; Hörnchen; *BE* (gebogene) Straße; *pol* Halbmond, Islạm; zunehmend; sichelförmig

cress [kres] Kresse

crest [krest] (Hahnen-)Kamm, (Vogel-)Haube, Schopf; Mähne; Helmbusch; (Berg-)Kamm, Gipfel; (Wellen-)Kamm; Wappen *(family ~);* (Hügel etc) erklimmen; ~**ed** mit e-r Haube, Hauben-, mit e-m Wappen, Wappen-; ~**fallen** [ˈfɔːlən] niedergeschlagen

cretonne [kre'tɔn, *US* kri-] Cretonne

crevasse [kri'væs] Gletscherspalte; *US* Dammbruch

crevice ['krevis] Riß; (Fels-)Spalte

crew[1] [kru] ⚓ Mannschaft; Schar; Bande

crew[2] [kru] *siehe* crow

crib [krib] Kinderbett; Viehstall; Krippe; Geräteraum; Klatsche; einsperren; e-e Klatsche benutzen, abschreiben; stehlen

cribbage ['kribidʒ] Cribbage (Kartenspiel)

crick [krik] Muskelkrampf, plötzlicher Rückenschmerz; ~ *one's neck* sich d. Hals verrenken

cricket[1] ['krikit] Heimchen, Grille

cricket[2] ['krikit] Kricket ♦ *not* ~ unfair; Kricket spielen; ~**er** Kricketspieler

crier ['kraiə] Schreier; Schreihals; Ausrufer

crim|e [kraim] Verbrechen; ~**inal** ['kriminəl] Verbrecher; verbrecherisch; Kriminal-; Straf-; ~**inology** [krimi'nɔlədʒi] Kriminologie

crimp [krimp] kräuseln; zus.pressen; behindern; *to put a* ~ *in s-b US* j-m e-n Dämpfer aufsetzen

crimson ['krimzən] (karmesin)rot; Karmesin; rot machen; rot werden

cringe [krindʒ] s. ducken; *fig* kriechen

crinkle ['kriŋkl] Falte; kräuseln; (s.) winden; (s.) falten

crinoline ['krinəliːn] Krinoline

cripple ['kripl] Krüppel; verkrüppeln, zum Kr. machen; beschädigen; *fig* lähmen; ~**ing** ['kripliŋ] ruinös, lähmend

cris|is ['kraisis], *pl* ~**es** ['kraisiːz] Krisis, Krise *(over* wegen); *to bring to a* ~*is* zu e-r Kr. steigern; ~**is center** *US* Telefonseelsorge

crisp [krisp] kraus; gekräuselt; knusprig, mürbe; fest, frisch (Salat); lebhaft, frisch, entschieden (Benehmen, Humor, Antwort); frisch, kräftig (Luft); knisternd (Papier); ~**s** *BE* Kartoffelchips

criss-cross ['kriskrɔs] (mit Linien) kreuz und quer; kreuz u. quer laufen (markieren); Liniennetz

crit|erion [krai'tiəriən], *pl* ~**eria** [krai'tiəriə] Maßstab, Prüfstein; ~**ic** ['kritik] Kritiker, Rezensent; Nörgler; ~**ical** ['kritikəl] kritisch; nörglerisch; ~**icaster** [kriti'kæstə] Kritikus, Kritikaster;~**icism** ['kritisizm] Kritik, Beurteilung; ~**icize** ['kritisaiz] beurteilen; kritisieren; bekritteln; nörgeln; ~**ique** [kri'tiːk] kritischer Essay; Kritik

croak [krouk] quaken; krächzen; *fig* unken; abmurksen; abkratzen

crochet ['krouʃei, *US* ~] häkeln; Häkelarbeit; ~**-hook** [ˈhuk] Häkelnadel

crock[1] [krɔk] irdener Topf; Scherbe; ~**ery** ['krɔkəri] Töpferartikel, Küchengeschirr

crock[2] [krɔk] alte (Schind-)Mähre; *BE* Krüppel, lahmer Heini; ~ *up* (*BE*) kaputt-, fertigmachen; *BE* kaputtgehen, schwach werden

crocodile ['krɔkədail] Krokodil

crocus ['kroukəs], *pl* ~**es** Krokus

Croesus ['kriːsəs] (ein) Krösus

croft [krɔft] *BE* kleines Feld, kleine Weide; ~**er** ['krɔftə] Kleinbauer

crony ['krouni] Kumpan, guter Freund

crook [kruk] Hirtenstab; Krümmung, Kurve; Gauner, Betrüger; (s.) krümmen; ~**-backed** ['krukbækt] bucklig; ~**ed** ['krukid] krumm, schief; verwachsen; (Weg) gewunden; unehrlich; ~**ed** [krukt] mit e-m Haken (versehen)

croon [kruːn] summen (*to o.s.* vor s. hin); leise (schmalzig) singen; ~**er** Jazz-, Schlagersänger, Crooner

crop [krɔp] 1. Ernte (~ *failure* ['feiljə] Mißernte); 2. Pflanze (*forage* ~ ['fɔridʒ] Futter-); ~ *rotation* [rou'teiʃən] Fruchtwechsel(wirtschaft); 3. Haufen; 4. (Vogel-)Kropf ♦ *neck and* ~ ganz und gar; 5. Peitschenstiel, Reitpeitsche; 6. (kurzer) Haarschnitt; 7. (ab)weiden; (ab)schneiden; 8. besäen, bepflanzen; 9. (Frucht) tragen; 10. *fig* auftauchen; ~**per** Kropftaube; *to be a good* ~*per* gut (Frucht) tragen; Sturz ♦ *to come a* ~*per* schwer versagen, scheitern

croquet ['kroukei, *US* ~] Krocket; krockieren; ~**te** [krou'ket] Krokette

crosier, -zier ['krouʒə] Krummstab

cross[1] [krɔs] 1. Kreuz; Querstrich; *eccl* Kreuz *(a. fig);* 2. Kreuzung; 3. kreuzen, überqueren; übersetzen; *to* ~ *s-b's path* j-s Weg kreuzen; *to* ~ *s-b's mind* [maind] durch d. Kopf gehen; 4. (durch-)streichen (~ *out* aus-; ~ *off* weg-); (Scheck) kreuzen (~ *ed* [ˈt] *cheque* Verrechnungsscheck); ~ *one's t's* [tiːz] *and dot one's i's* [aiz] sehr penibel, exakt sein; 5. (Beine) übereinanderschlagen, (Arme) verschränken; ~ *o. s.* sich bekreuzigen; 6. s. begegnen, (Briefe) s. kreuzen (mit); 7. in d. Quere kommen, (Plan) durchkreuzen; 8. (Tiere) kreuzen ♦ ~ *one's fingers* ['fiŋgəz] d. Daumen halten

cross[2] [krɔs] böse, ärgerlich, verärgert; Quer-; Gegen-(Wind)

cross|-bar ['krɔsbaː] Querstange; 🐦 Torlatte;

~-**beam** [⸗biːm] Querbalken; ~-**bench** [⸗bentʃ] *BE* Parlamentssitze der Partei-Unabhängigen; ~**bill** [⸗bil] Kreuzschnabel; ~-**bow** [⸗bou] Armbrust; ~-**bred** [⸗bred] mischrassig; ~-**breed** [⸗briːd] Kreuzung; Mischrasse; ~-**check** [⸗tʃek] gegenprüfen; ~-**country** [⸗'kʌntri] querfeldein, Gelände-; ~-**cut (saw)** [⸗kʌt (sɔː)] Schrot-, Quersäge; ~-**examination** [⸗igzæmi'neiʃən] Kreuzverhör; ~-**examine** [⸗ig'zæmin] e-m Kr. unterziehen; ~-**eyed** [⸗aid] schielend; ~-**fire** [⸗faiə] Kreuzfeuer *(a. fig)*; ~-**grain** Quermaserung; ~-**grained** [⸗greind] quergemasert; störrisch; ~ **hairs** [⸗'hɛəz] Fadenkreuz; ~-**heading** [⸗hediŋ] Zwischenüberschrift; ~**ing** Überfahrt; Bahnübergang; Fußgängerüberweg; ~-**legged** [⸗legd] mit übereinandergeschlagenen Beinen; ~-**light** [⸗lait] *fig* Seitenlicht; ~-**piece** [⸗piːs] Querstück, -stange; ~ **purposes** [⸗'pəːpəsiz] *to be at* ~ *p.* sich mißverstehen, einander entgegenhandeln; ~-**question** [⸗'kwestʃən] e-m Kreuzverhör unterziehen; ~-**refer** [⸗ri'fəː] (quer)verweisen; ~-**reference** [⸗'refərəns] (Quer-)Verweis(ung) *(to auf)*; ~-**road** [⸗roud] Querstraße; ~-**roads** *mst sg vb* Kreuzung; *fig* Kreuzweg; ~-**section** [⸗sekʃən] Querschnitt; e-n Qu. machen durch; ~-**stitch** [⸗stitʃ] Kreuzstich(arbeit); ~**wise** [⸗waiz] quer; kreuzweise; kreuzförmig; ~**word puzzle** [⸗wəːd 'pʌzl] Kreuzworträtsel

crotch [krɔtʃ] Gabel(ung); (Hose) Schritt; ~**et** ['krɔtʃit] *BE* Viertelnote (~**et rest** *BE* Viertelpause); Spleen; ~**ety** ['krɔtʃiti] spleenig, wunderlich

crouch [krautʃ] s. ducken; Duckstellung

croup [kruːp] Krupp, Kehlkopfdiphtherie

croupier ['kruːpiə] Croupier

croûton ['kruːtɔːn] gerösteter Brotwürfel

crow[1] [krou] Krähe; *white* ~ weißer Rabe; ♦ *to have a* ~ *to pluck* [plʌk] *with* ein Hühnchen zu rupfen haben mit; *as the* ~ *flies, in a* ~ *line* schnurgerade ♦ *to eat* ~ klein beigeben; ~**bar** [⸗baː] Brechstange, -eisen; ~**berry** [⸗bəri] Krähen-, *US* Moosbeere; ~**foot** [⸗fut], *pl* ~**foots** Hahnenfuß; ~'**s-feet** [⸗zfiːt] Krähenfüße; ~'**s-nest** ⚓ Krähennest, Mastkorb

crow[2] [krou] *(s. 318)* krähen (Hahn, Baby); triumphieren *(over* über, wegen)

crowd [kraud] (Menschen-)Menge; Haufen; *umg* Gesellschaft; Gedränge; *pl* Besucherzahlen; (s.) drängen *(round* um j-n); ~ *in upon* s. j-m aufdrängen; füllen, drängen; vollstopfen; ~**ed** gedrängt voll

crown [kraun] Krone *(a. fig)*; 5 Schilling; $, 🏛 Scheitel; (Zahn-)Krone, Kopf (e-s Hutes); (Zahn-)e-e Krone aufsetzen; *fig* Krönung; krönen *(a. fig)* ♦ *to* ~ *all* um allem d. Krone aufzusetzen

crozier ['krouʒə] *siehe* crosier

crucial ['kruːʃəl] kritisch, entscheidend, wichtig

crucian ['kruːʃən] Karausche, Bauernkarpfen

cruci|ble ['kruːsibl] Schmelztiegel; *fig* Feuerprobe; ~**ble steel** [stiːl] Tiegel(guß)stahl; ~**fix** ['kruːsifiks] Kruzifix; ~**fixion** [kruːsi'fikʃən]

Kreuzigung; ~**form** ['kruːsifɔːm] kreuzförmig; ~**fy** ['kruːsifai] kreuzigen; *fig* abtöten

crud|e [kruːd] roh; Roh-(Öl, Zucker etc); grob; rauh; hart, ungeschminkt; ~**ity** Grobheit; Rauheit; Härte; Roheit

cruel ['kruəl], ~ *ler*, ~ *lest* grausam; hart, schrecklich; ~**ty** Grausamkeit; Schrecklichkeit

cruet ['kruːit] (Essig- etc)Fläschchen; *(a.* ~-**stand)** *BE* Menage

cruis|e [kruːz] Kreuz-; Vergnügungsfahrt; kreuzen; (mit Reisegeschwindigkeit) fliegen; 🚗 hin u. her fahren; ~**er** ⚓ Kreuzer; Motorjacht; *US* Streifenwagen

cruller ['krʌlə] *US* Zopf *(Gebäck)*

crumb [krʌm] Krume, Krümel; *fig* Brocken, bißchen; ~**le** [krʌmbl] zerkrümeln; zerbrökkeln; ~**ly** ['krʌmbli] bröckelig; ~**y** ['krʌmi] krumig; weich

crumpet ['krʌmpit] *BE* getoasteter Hefekuchen; *sl BE* Birne, Rübe

crumple [krʌmpl] (ver)knittern, versitzen, verdrücken; ~ *up* zer-, zus.knüllen; *mil* zermalmen; ⚙ zus.brechen *(a. fig)*

crunch [krʌntʃ] (zer)knacken; knirschen(d zertreten); Klemme; Engpaß; Krise; kritischer Punkt

crupper ['krʌpə] Schwanzriemen; (Pferd) Kreuz, Kruppe

crusade [kruː'seid] Kreuzzug *(a. fig); fig* Feldzug; e-n Kreuzzug unternehmen, zu Felde ziehen *(against* gegen); ~**r** Kreuzzugsfahrer, Kreuzritter *(a. fig)*

cruse [kruːz] Krug; **widow's** ['widouz] ~ unerschöpflicher Quell

crush [krʌʃ] 1. (zer)quetschen, -drücken; 2. brechen, zerkleinern; ~ *down* zerkleinern 3. *fig* zerschmettern; 4. ~ *out* auspressen; ~ *up* zermahlen; 5. (zer-, ver)knittern, zerknüllen; 6. vernichten, niederschmettern; 7. (s.) gewaltsam drängen; 8. Gedränge; 9. *umg* große Gesellschaft; 10. *to have a* ~ *on* verknallt sein in, schwärmen für; ~**er** ⚙ Brecher; ~**ing** vernichtend; ⚙ Druck-

crust [krʌst] (Brot- etc) Kruste; (Eis-, Erd-)Kruste; ~ *over;* e-e Kruste bilden, verharschen; ~**y** hart; mit dicker Kruste; reizbar, mürrisch

crustacean [krʌs'teiʃən] Krebs-; Krebstier

crutch [krʌtʃ] Krücke *(a. fig);* Schritt

crux [krʌks], *pl* ~**es** kritischer Kernpunkt; schwieriges Problem

cry [krai] 1. schreien (~ *out* laut schreien); laut rufen; ~ *off* (plötzlich) absagen; 2. weinen ♦ ~ *for the moon* Unmögliches verlangen; 3. ausrufen; ~ *down* verschreien; ~ *up* rühmen; 4. preisen; 5. Schrei, Ruf; *within* ~ in Hörweite; *in full* ~ laut bellend, eifrig jagend ♦ *a far* ~ *from* etw ganz anderes als; 6. Ruf(en), Ausrufen; 7. Weinen; *to have a good* ~ sich ausweinen; ~**baby** [⸗beibi] (kleiner) Schreihals; Jammerlappen; ~**ing** Schreien, Weinen; (himmel)schreiend

crypt [kript] Krypta; ~**ic** ['kriptik] geheim(nis-

voll), dunkel; ~ogram ['kriptougræm] Krypto-
gramm, Geheimtext; ~ograph [-'tougraːf] =
~ ogram; ~ographer [-'tɔgrəfə] Dechiffreur,
Entschlüsseler; ~ography [-'tɔgrəfi] Geheim-
schrift
crystal ['kristəl] Kristall(glas); Quarz; Uhr-
glas; ~-gazer ['kristəlgeizə] Hellseher(in),
Wahrsager; ~line ['kristəlain US 'kristəlin] kri-
stallen; Kristall-; ~lize ['kristəlaiz] (s.) kristal-
lisieren (into zu); ~lized kandiert
cub [kʌb] (Löwen-, Tiger-, Bären-)Junges, junger Fuchs; Bengel; junger Pfadfinder; US
Lehrling
cubbing ['kʌbiŋ] Jagd auf junge Füchse
cub|e [kjuːb] Würfel, Kubus; dritte Potenz;
(~e root Kubikwurzel); in die 3. Potenz erheben; ~ic ['kjuːbik] Kubik-(Maß, Fuß); Raum-
(Inhalt); kubisch; ~ical ['kjuːbikəl] würfelför-
mig; Raum-
cubicle ['kjuːbikl] Schlafkammer, -raum
cubism ['kjuːbizm] Kubismus
cubit ['kjuːbit] Elle (50 cm)
cuckold ['kʌkəld] Hahnrei
cuckoo ['kuːkuː], pl ~s Kuckuck; ~-flower ['ku-
kuflauə] Wiesenschaumkraut
cucumber ['kjuːkəmbə] Gurke; cool as a ~
kaltblütig, gelassen
cud [kʌd] wiedergekäutes Futter ♦ to chew
[tʃuː] the ~ nachsinnen
cuddl|e [kʌdl] herzen, hätscheln; s. zus.ku-
scheln; ~y ['kʌdli] herzig; mollig
cudgel ['kʌdʒəl] Knüppel; prügeln ♦ ~ one's
brains sich d. Kopf zerbrechen
cue [kjuː] Stichwort; Wink, Hinweis;
(Billard-)Queue ♦ to take one's ~ from s. j-n
zur Richtschnur nehmen
cuff[1] [kʌf] Manschette, Stulpe, (Hosen-)Auf-
schlag; ~ -links ['kʌfliŋks] Manschettenknöpfe
♦ to buy (od go) on the ~ auf Pump kaufen
cuff[2] [kʌf] Schlag, (Faust-)Hieb; (ins Gesicht)
schlagen
cuirass [kwi'ræs] Küraß
cuisine [kwi'ziːn] fig Küche
cul-de-sac ['kuldə'sæk] Sackgasse (a. fig)
culinary ['kjuːlinəri, 'kʌl-] Koch-, Küchen-
cull [kʌl] pflücken; (aus)wählen; Pflücken,
Abfall, Ausschuß
culmina|te ['kʌlmineit] seinen Höhepunkt er-
reichen, gipfeln; astr kulminieren; ~tion
[kʌlmi'neiʃən] Erreichen d. Höhepunktes;
Kulmination(spunkt)
culpable ['kʌlpəbl] tadelnswert; schuldhaft;
sträflich
culprit ['kʌlprit] Missetäter; Angeklagter
cult [kʌlt] Kult (a. fig); Mode; Sekte
cultiva|te ['kʌltiveit] an-, bebauen; kultivie-
ren; fig. ausbilden, üben; pflegen, ~tion
[kʌlti'veiʃən] Anbau, Bebauung (under ~tion
bebaut); Pflege; Ausbildung; ~tor ['kʌltiveitə]
Landwirt; Kultivator
cultur|al ['kʌltʃərəl] kulturell, Kultur-; ~e
['kʌltʃə] Bildung; Kultur (a. ♪, ♀); Zucht-(Perle
etc); ~ed ['kʌltʃəd] gebildet, wohlerzogen, kul-
tiviert

culvert ['kʌlvət] Abzugskanal; ⚡ Rohr
cum [kʌm]: in Zus.setzungen (verbunden) mit
cumber ['kʌmbə] belasten, beschweren; Hindernis; Bürde; ~some ['kʌmbəsəm] unhandlich, schwerfällig
cumbrous ['kʌmbrəs] = cumbersome
cumin ['kʌmin] (Kreuz Kümmel)
cumul|ative ['kjuːmjulativ] (s.) steigernd; ver-
stärkend; kumulativ; Gesamt-; ~us ['kjuːmju-
ləs], pl ~ i [-lai] Kumuluswolke
cuneiform ['kjuːniifɔːm] keilförmig; ~ tables
Keilinschriften
cunning ['kʌniŋ] schlau, verschlagen, raffiniert; geschickt; US niedlich, reizend; Schlauheit, Verschlagenheit; Geschicklichkeit
cup [kʌp] Tasse; Pokal; bot, fig Kelch ♦ his ~
of tea sein(e) Linie (Interesse); Wein; he is too
fond of the ~ er schaut zu gern ins Glas; in
one's ~s betrunken; (Hände) wölben, zus.hal-
ten; ~board ['kʌbəd] (Küchen-)Schrank; ~ful
['kʌpful] Tasse voll (Milch etc); cup-tie Pokal-
spiel
Cupid ['kjuːpid] Amor; c~ity [-'--iti] (Hab-)
Gier
cupola ['kjuːpələ], pl ~s Kuppel; mil Panzer-
turm
cur [kəː] (Straßen-)Köter; elende Memme
curaçoa, -çao [kjuərə'sou] Curaçao(-Likör)
cura|ble ['kjuərəbl] heilbar
cura|cy ['kjuərəsi] Amt e-s Hilfsgeistlichen;
~te ['kjuərit] Hilfsgeistlicher
curative ['kjuərətiv] heilend, Heil-
curator [kjuə'reitə] (Museums-)Kurator
curb [kəːb] (Pferd-)Kinnkette; fig Kandare; to
put (od keep) a ~ on zügeln; Bordstein; zügeln (a. fig); beschränken
curd [kəːd] Quark; ~le [kəːdl] gerinnen (lassen)
(a. fig); (blood-)~ling [('blʌd) 'kəːdliŋ] schauerlich
cure [kjuə] (Heil-)Mittel, Kur, Behandlung;
Heilung; past [pɑːst] ~ unheilbar; ~ (of souls
[soulz]) Seelsorge; heilen; kurieren (of von);
konservieren (einsalzen, -pökeln, räuchern,
trocknen); vulkanisieren; ~all ['kjuərɔːl] Allheilmittel
curé ['kjuərei] (französischer) Priester
curfew ['kəːfjuː] Zeichen zum Lichterlöschen;
Abendglocke (als Zeichen); Sperrstunde, Aus-
gehverbot
curi|o ['kjuəriou], pl ~s Rarität; ~osity
[kjuəri'ɔsiti] Wissensdurst; Neugier; Rarität;
~ous ['kjuəriəs] (wiß)begierig; neugierig; I am
~ to know ich möchte gern wissen; merkwürdig; erotisch
curl [kəːl] Locke (in ~ gelockt); (Rauch-)Krin-
gel, Ring, (Wasser-)Kräuselung; gekräuselte
Lippen; in Locken legen, (Bart) zwirbeln; (s.)
locken, (s.) kräuseln; ~ up (s.) zus.rollen,
zus.brechen (lassen); ~er Lockenwickel; ~ing
lockig; ~ing-tongs ['kəːliŋtɔŋz], ~ing-irons
['kəːliŋaiənz] Brennschere; ~ing-pin ['kəːliŋpin]
Lockenwickel; ~-paper ['kəːlpeipə] Locken-
wickler (aus Papier); ~y lockig, gelockt
curlew ['kəːljuː] Brachvogel

curling ['kə:liŋ] Eis(stock)schießen, Curling; **~-stone** ['kə:liŋstoun] Eisstock

curmudgeon [kə:'mʌdʒən] Geizhals, Knicker, Filz

currant ['kʌrənt] Johannisbeere; Korinthe

curren|cy ['kʌrənsi] Verbreitung, Verwendung(szeit); Umlauf; Laufzeit; Währung; Devisen; *fig* Geltung; **~t** ['kʌrənt] 1. *adj* umlaufend, gültig (Geld); geläufig; gegenwärtig, derzeitig; laufend; Tages-; **~t** *account* [ə'kaunt] Kontokorrent; laufendes Konto; 2. *su* (Luft-, Wasser-, *⚡*)Strom; Strömung; Verlauf; Richtung, Tendenz; **~ticulum** [kə'rikjuləm], *pl* **~la** [-⸚-lə] Lehrplan; Studiengang, Studium; **~lum vitae** ['vaiti] (beruflicher) Lebenslauf

currish ['kə:riʃ] bissig; gemein

curry[1] ['kʌri] Curry; -tunke; -pulver; mit Curry zubereiten

curry[2] ['kʌri] striegeln; (Leder) zurichten; prügeln; ~ *favour* ['feivə] *with* sich einzuschmeicheln suchen bei; **~-comb** [-⸚-koum] Striegel

curse [kə:s] Fluch; Verwünschung; Übel; **the** ~ d. Periode; (ver)fluchen, verwünschen; heimsuchen, strafen (*with* mit); **~d** ['kə:sid] *adj* verflucht, verwünscht, verdammt (*a.* umg)

curs|ive ['kə:siv] kursiv; **~ory** ['kə:səri] flüchtig; kursorisch

curt [kə:t] kurz (angebunden), barsch

curtail [kə:'teil] verkürzen, beschneiden (*a. fig);* einschränken

curtain ['kə:tən] Vorhang, Gardine; *fig, mil* Schleier; mit Vorhängen versehen; ~ *off* durch e-n Vorhang abteilen; **~-lecture** [-⸚-lektʃə] Gardinenpredigt; **~-raiser** [-⸚-reizə] ♥ Vorspiel (*a. fig)*

curtsey, curtsy ['kə:tsi] Knicks; *to drop a* ~ = **to** ~ e-n Knicks machen

curv|ature ['kə:vətʃə] (Ver-)Krümmung; **~e** [kə:v] Kurve; Biegung, Krümmung; (s.) biegen, (s.) krümmen; **~et** [kə:'vet] Kurbette, Bogensprung; kurbettieren

cushion ['kuʃən] (Sitz-)Kissen; Polster; polstern; (Klagen) unterdrücken; ♟ federn; **~ed** ['kuʃənd] gepolstert; gefedert; **~ing** Polsterung; Federung

cushy ['kuʃi] leicht, bequem

cuspidor ['kʌspidɔ:] *US* Spucknapf

cuss [kʌs] 1. *sl* Fluch; *he doesn't care a* ~ es kümmert ihn e-n Dreck; 2. Kerl; 3. fluchen; **~ed** ['kʌsid] verdammt; störrisch, gemein, stur; **~edness** ['kʌsidnis] Widerborstigkeit, Sturheit *the* ~ *edness of things* die Tücke des Objekts

custard ['kʌstəd] Vanillesoße; gebackene Eiercreme; **caramel** ['kærəmel] ~ Karamelspeise

custod|ian [kʌs'toudiən] Wärter, Verwalter; Hüter; **~y** ['kʌstədi] Obhut, Aufsicht (*of* über); Haft; *to give into* ~*y* der Polizei übergeben

custom ['kʌstəm] 1. Sitte; Gewohnheit, Brauch; 2. Kunden, Kundschaft; *to have s-b's* ~ j-n als Kunden haben; *to withdraw* [wið'drɔ:] *(take away) one's* ~ *from* aufhören, Kunde zu sein bei; 3. *US* bestellt, nach Maß, Schneider- (~ *clothes,* ~ *shoes);* 4. *US* Maß-

(Schneider); **~able** ['kʌstəməbl] zollpflichtig; **~ary** ['kʌstəməri] üblich; Gewohnheits-; **~-built** [-⸚-bilt] einzeln angefertigt; **~er** (Stamm-)Kunde; Kerl (*a queer* [kwiə] ~*er* komischer K., Kauz; *an awkward* ['ɔ:kwəd] ~*er* schwieriger K.); **~-house** ['kʌstəmhaus] Zollhaus; **~-made** [-⸚-meid] nach Maß, auf Bestellung; **~s** Zoll(behörden); ~*s duties* ['dju:tiz] (Waren-)Zoll; ~*s officer* ['ɔfisə] Zollbeamter

cut [kʌt] *(s. S. 318)* 1. (ab)schneiden (*one's face* s. ins Gesicht); aufschneiden; 2. (Karten) abheben; 3. (Brote) streichen; 4. ~ *in two (three, four)* in 2 (3, 4) Teile zerschneiden; ~ *in half* [ha:f], *into halves* [ha:vz] halbieren; ~ *in(to) pieces* ['pi:siz] in Stücke schneiden; ~ *to pieces* zerschneiden, vernichten; ~ *and come again* viel (Fleisch) essen; ~ *free* losschneiden, frei machen; ~ *loose* [lu:s] losschneiden, trennen, *fig* losschlagen; ~ *short* unterbrechen; *to* ~ *a long story short* um's kurz zu machen; ~ *across* querüber ... gehen; 5. ~ *after* verfolgen; ~ *at* schlagen gegen, *fig* untergraben; ~ *away* wegschneiden, abhacken; davonlaufen; ~ *back* 🎞 zurückblenden; ~ *down* fällen; verkürzen, beschneiden; dahinraffen; ~ *in* unterbrechen, s. dazwischenschieben, 🚗 schneiden; ~ *into* unterbrechen; ~ *off* abschneiden *(a. mil);* unterbrechen; dahinraffen; ~ *s-b off with a shilling* j-n nur mit e-m Schilling bedenken; ~ *on* weitereilen; ~ *out* aus-, zuschneiden; bahnen; *fig* ausstechen; aus-, weglassen; *to be* ~ *out for* geschaffen sein für, d. Zeug haben für; *to have one's work* ~ *out for one* genug zu tun haben; ~ *to* 🎞 überleiten; ~ *up* (s.) auf-, zerschneiden (lassen); vernichten; *fig* mitnehmen; *fig* verreißen; ~ *up well sl* reich sterben; ~ *up rough* [rʌf] Krach schlagen; 6. (Stufen) hauen, (Tunnel) bohren, sich (Kanal) graben; 7. meißeln; (Schlüssel) machen; (Diamant) schleifen; 8. s. schneiden lassen; 9. (Stoff) zuschneiden; 10. (Rekord) brechen; 11. j-n schneiden *(to* ~ *s-b dead in the street);* 12. (Unterricht) schwänzen; 13. (Preis) senken, (Gehalt) kürzen; 14. fortgehen *(I must* ~ ich muß los); ~ *and run* abhauen 15. ♦ ~ *a poor figure* ['puə'figə] e-e armselige Figur machen; ~ *a pretty* ['priti] *figure* s. schön blamieren; ~ *one's teeth* [ti:θ] zahnen; ~ *one's wisdom-teeth* ['wizdəmti:θ] *(eye-teeth* ['aiti:θ]) klug werden, Vernunft annehmen; ~ *it fine* s. sehr wenig (Zeit etc) lassen, etwas sehr knapp schaffen; ~ *no ice* keinen Eindruck machen; ~ *both* [bouθ] *ways* zweischneidig sein; 16. Schnitt(wunde); Einschnitt; 17. Streichung; 18. (Preis-)Senkung; (Gehalts-)Kürzung; 19. Anteil; 20. *(short)* ~ Abkürzung(sweg); 21. Schnitte, Bratenstück; 22. (Woll-)Ernte; 23. (Peitschen-)Hieb; 🎠 Schlag; 24. (Kleider-)Schnitt; *to give s-b the* ~ *direct* j-n schneiden; 25. *fig* Stich(elei) *(a* ~ *at me);* 26. 📖 Klischee, Stich; 27. ♥ Durchstich; Kanal; 28. Musikstück; 29. *adj* abgeschnitten; Schnitt-; geschliffen; ~ *and dried (dry)* fix und fertig, schablonenhaft

cutaneous [kju'teiniəs] Haut-
cut|away ['kʌtəwei] Cut; **~back** ['kʌtbæk]
Rückgang; Kürzung; ▥ Rückblende
cute [kju:t] schlau, geweckt; *US* niedlich
cuticle ['kju:tikl] Epidermis, Oberhaut
cutlass ['kʌtləs] Entermesser
cutler ['kʌtlə] Messerschmied; **~y** ['kʌtləri]
Schneidwerkzeug (*a.* ✿); Bestecke
cutlet ['kʌtlit] (Kalbs- etc)Schnitzel
cut|-out ['kʌtaut] ausgeschnitten(es Bild), Aus-
schneidebild; ⚡ selbsttätiger Ausschalter, Sicherung; **~-over** ['kʌtouvə] abgeholzt, gerodet;
~-rate ['kʌtreit] Vorzugs-(Preis); **~ter** ['kʌtə]
Zuschneider; ▥ Schnittmeister, ✿ Messer,
Fräser; Schere, Schneider; ⚓ Kutter; **~-throat**
['kʌtθrout] Halsabschneider, Mörder; halsab-
schneiderisch, mörderisch; **~ting** ['kʌtiŋ]
schneidend, scharf; ✿ Schneid-, Fräs-;
Schneiden; ☞ *bes BE* Durchstich; ▥ Schnitt;
✿ Schneide, Schnitt; *bot* Ableger; *BE* (Zei-
tungs-)Ausschnitt; **~ting torch** Schneidbren-
ner; **~tle-fish** ['kʌtlfiʃ], *pl* ~tle-fish(es) gemeiner Tintenfisch; **~worm** ['kʌtwə:m] Erdraupe
cybernetics [saibə'netiks] Kybernetik
cyclamen ['sikləmən] Alpenveilchen
cycle [saikl] Kreis(lauf); (Fahr-, Drei-)Rad; ✿
Konjunkturrhythmus, zyklische Konjunktur-
schwankungen; ✿ Arbeitsgang; ⚡ (Wechsel-
strom-)Periode, (Welle) Schwingung; radeln;
~ic(al) ['siklik(əl)] zyklisch; konjunkturell,
konjunkturbedingt; Konjunktur-; **~ing** ['sai-
kliŋ] Radeln; Radfahr-; **~ist** ['saiklist] Radfah-
rer; **~one** ['saikloun] Tief; Wirbelsturm;
~opaedia, *US* **~opedia** [saiklə'pi:diə] Enzyklo-
pädie; **~opaedic**, *US* **~opedic** [saiklə'pi:dik] en-
zyklopädisch
cyder ['saidə] *siehe* cider
cygnet ['signit] junger Schwan
cylin|der ['silində] Walze; Zylinder; Trommel;
(Gas-)Flasche; **~drical** [-'drikəl] zylindrisch;
Zylinder-, Rund-; **~der printing** ▥ Walzen-
druck
cymbal [simbəl] ♪ Becken
cynic ['sinik] Zyniker; **~al** ['sinikəl] zynisch;
~ism ['sinisizm] Zynismus; zynische Bemerkung
cynosure ['sinəzjuə, 'sai-] *astr* kleiner Bär;
Leitstern; Blick-, Anziehungspunkt
cypher ['saifə] *siehe* cipher
cypress ['saiprəs] Zypresse(nholz)
cyst [sist] ⚕ Zyste; **~itis** [sis'taitis] (Harn-)Bla-
senentzündung
cytology [sai'tɔlədʒi] Zellenlehre
czar, tsar [za:, tsa:] Zar
Czech [tʃek] Tscheche; tschechisch

D

D [di:] D; **D sharp** Dis, **D flat** Des; **'d** =
would, had
dab [dæb] tupfen, bestreichen; Tupf(er);
Klecks; *zool* Scharbe, Kliesche; *to be a ~ at* s.
verstehen auf

dabble [dæbl] spritzen, plätschern; herumma-
chen; -pfuschen (*in, at* in); sich versuchen in
dace [deis], *pl* ~ Hasel *(Fisch)*
dachshund ['dækshund] Dackel
dad(dy) ['dæd(i)] Papa; **~dy-longlegs** *sg u. pl*
['dædi'lɔŋlegz] *BE* Schnake; *US* Weberknecht,
gemeiner Kanker
daemon ['di:mən] *siehe* demon
daff(odil) 'dæf(ədil)] Narzisse, Osterglocke
daffy ['dæfi] verrückt, blöd
daft [da:ft], verrückt, blöd
dagger ['dægə] Dolch; ▯ Kreuz; **double ~** ▯
Doppelkreuz
dago ['deigou], *pl* **~s** *sl* Südländer (Italiener,
Spanier, Portugiese)
dahlia ['deiljə], *pl* **~s** Dahlie
daily ['deili] täglich; Tageszeitung; **~ (woman)**
Zugehfrau
dainty ['deinti] zart, fein; köstlich, lecker; wählerisch; verwöhnt; Leckerbissen, Delikatesse
dairy ['dɛəri] Molkerei; Milchkammer; Milchgeschäft; **~-farm** [-'fa:m] Meierei, Milchwirtschaft; **~(-farm)ing** Milchwirtschaft; **~-cattle**
[-'kætl] *pl vb* Milchvieh; **~maid** [-'meid] Mel-
kerin; **~man** [-'mən], *pl* ~men Milchhändler;
Melker
dais ['deiis, deis] Prodium, erhöhter Sitz
daisy ['deizi] Gänseblümchen; Margerite
dale [deil] Tal
dalles [dælz] *US* Stromschnellen
dal|liance ['dæliəns] Getue; Tändelei; Liebe-
lei; **~y** ['dæli] trödeln (*over* bei); (ver)tändeln;
spielen (*with* mit)
dam¹ [dæm] Damm, Deich; Wehr; Talsperre;
Stausee; **~ up** stauen; zurückdämmen *(a. fig)*
dam² [dæm] Muttertier
damage ['dæmidʒ] Schaden; Einbuße; beschädigen; *fig* herabsetzen; **~s** Schadenersatz
(*to sue* [sju:] *for* ~s auf S. klagen)
damask ['dæməsk] Damast; rosenrot; **~ rose**
Damaszenerrose
dame [deim] Dame, Frau (*a.* Adelstitel); *US
umg* Tante, Weib
damn [dæm] verdammen; verwerfen; **~** *it all!,
~ you!* verflucht noch mal!, verdammte Tat!;
(I'll be) ~ed [dæmd] *if* . . . du kannst mich hängen, wenn . . . ; **~able** [-nəbl] verdammens-
wert; miserabel, Sau-(Wetter); **~ation** [-'nei-
ʃən] Verdammung, Verdammnis; **~atory** [-nə-
təri] verdammend; **~ing** [-iŋ] verdammend; *fig*
erdrückend
Damocles ['dæməkli:z]: *sword* [sɔ:d] *of ~* Da-
moklesschwert
damp [dæmp] feucht; Feuchtigkeit; *to cast a
~ over fig* e-n Schatten werfen auf; *fire ~* ⚒
schlagende Wetter; *vt* an-, befeuchten; dämpfen; entmutigen; **~en** [dæmpən] *bes US* = to
~; **~er** ['dæmpə] Dämpfer; Stoßdämpfer;
Ofenklappe; **~ish** ['dæmpiʃ] dumpfig
damsel ['dæmzl] Maid; junge Frau
damson ['dæmzən] Haferpflaume,
-schlehe(nbaum)
danc|e [da:ns] tanzen; **~e to s-b's tune** [tju:n]
(pipe [paip]) nach j-s Pfeife tanzen; **~** *atten-*

dance [ə'tendəns] *upon* j-m (unterwürfig) aufwarten; Tanz(weise); Tanzabend, Ball ♦ *to lead s-b a pretty ~* j-m allerhand Schwierigkeiten bereiten, Mühe machen; **~er** ['daːnsə] Tänzer(in); **~ing** Tanz(en); Tanz-; **~ing-lesson** Tanzstunde

dandelion ['dændilaiən] Löwenzahn

dandle [dændl] (Kind) wiegen, schaukeln; verwöhnen

dander ['dændə] *umg* Zorn, Ärger; *to get s-b's ~ up* j-n in Wut bringen

dandruff ['dændrəf] Schuppen

dandy ['dændi] Stutzer, Fatzke; *umg fig* klasse, prima; **~ish** ['dændiiʃ] stutzer-, geckenhaft

danger ['deindʒə] Gefahr (*out of ~* außer G.); **~ous** [⁻rəs] gefährlich

dangl|e ['dæŋgl] baumeln (lassen); *~e after (round, about)* schwänzeln, scharwenzeln um; (Hoffnungen etc) gaukeln lassen; **~er** ['dæŋglə] Schürzenjäger; **~ing** ['dæŋgliŋ] *gram* unverbunden

dank [dæŋk] (unangenehm) feucht

dapper ['dæpə] adrett; flink, lebhaft

dapple [dæpl] sprenkeln, scheckig machen; **~-grey** ['dæpl'grei] Apfelschimmel

Darby and Joan ['daːbiən'dʒoun] *BE* gutes altes Ehepaar

dar|e [dɛə] *(s. S. 318)* 1. wagen; *how ~ you?* wie kannst du es wagen?; *don't ~!* untersteh dich!; *I ~ say* wohl, wahrscheinlich; 2. trotzen; 3. herausfordern; 4. Wagnis; Herausforderung; **~e-devil** [⁻devl] tollkühn(er Mensch); **~ing** [⁻riŋ] wagemutig, tapfer; tollkühn; Verwegenheit

dark [daːk] 1. dunkel; finster, geheimnisvoll; trüb; *to keep s-th ~* etwas im Dunkeln belassen; *to look on (at) the ~ side of things* die Dinge in trübem Licht sehen; 2. Dunkelheit; *before (after) ~* vor (nach) Einbruch d. Dunkelheit; *to be in the ~ about* im Dunkeln tappen in (bei); *to keep s-b in the ~* j-n im ungewissen lassen; **~ en** ['daːkən] (sich) verdunkeln; verdüstern ♦ *~ horse* Außenseiter (im Rennen, *fig*); **~y** ['daːki] *umg* Schwarzer

darling ['daːliŋ] Liebling; lieb

darn¹ [daːn] stopfen; Stopfstelle; **~ing-egg, -mushroom** Stopfei

darn² [daːn] *sl* = damn

dart [daːt] schießen (*birds ~*); (Blick) schießen, (Zunge) schnellen; werfen; Wurfpfeil; Sprung; Abnäher; **~s** *sg vb* Wurfpfeilspiel

dash [dæʃ] 1. schleudern, schmettern; 2. spritzen, sprengen; 3. zunichte machen; 4. stürzen, rasen; 🏃 spurten; 5. vermischen (*with* mit); *~ down, off* hinschreiben, skizzieren; 6. plötzliche Bewegung, Vorstoß *to make a ~ at* e-n Vorstoß machen gegen; *to make a ~ for* losrennen nach; *at a ~* schnell; 7. Schlag; 8. Klatschen (d. Regens); 9. Schuß (Whisky); 10. Stich (*of blue* ins Blaue); 11. (Feder-, Gedanken-)Strich; 12. *fig* Schwung; 🏃 Spurt ♦ *to cut a ~* e-e prima Figur machen; **~board** ['dæʃbɔːd] 🚗 Spritzleder; 🚗, ✈ Instrumentenbrett; **~ing** schneidig, forsch; flott

dastard ['dæstəd] heimtückischer Kerl; **~ly** heimtückisch, feige

data ['deitə] Angaben; Unterlagen; Tatsachen; Anhaltspunkte; Sachverhalt

date¹ [deit] Dattel(palme)

date² [deit] 1. Datum; *what's the ~ today?* den wievielten haben wir heute?; 2. Zeit (*of Roman ~* aus römischer Z.); *out of ~* altmodisch; *to ~* bis heute; *up to ~* modern, neuzeitlich, auf der Höhe; 3. *umg* Verabredung, Stelldichein; Freund(in); Verhältnis; 4. datieren, zeitlich festlegen; *~ back to* (od *from*) zurückgehen auf; 5. sich verabreden mit; gehen mit; **~d** ['deitid] datiert; veraltet, überholt; **~-line** [⁻lain] Datumsgrenze; Datumzeile; *US* datieren; **~-stamp** [⁻stæmp] Datumsstempel; (Eier) stempeln

dative ['deitiv] Dativ [punkt

datum ['deitəm] gegebene Tatsache; Anhalts-

daub [dɔːb] beschmieren, bestreichen; *fig* beschmieren, sudeln; (Lehm- etc) Schicht; Sudelei; **~er** Farbenkleckser

daughter ['dɔːtə] Tochter; **~-in-law** ['dɔːtərinlɔ], *pl* **~s-in-law** ['dɔːtəzinlɔ] Schwiegertochter

daunt [dɔːnt] entmutigen, (er)schrecken; **~less** tapfer; unerschrocken; unentwegt

davenport ['dævnpɔːt] *BE* Schreibtisch, Sekretär; *US* Sofa

davit ['dævit] Davit, Bootskran

daw [dɔː] *zool* Dohle

dawdle ['dɔːdl] trödeln (*over, on* bei); *~ away* vertrödeln; **~r** ['dɔːdlə] Trödler

dawn [dɔːn] Dämmerung, Morgenfrühe; Anbruch, Beginn; (herauf-)dämmern; *~ on* klar werden

day [dei] 1. Tag; *during the ~, by ~* am Tage; *before ~* vor Tagesanbruch; *all ~ long, all the ~* den ganzen Tag; *the ~ before yesterday* vorgestern; *the ~ after tomorrow* übermorgen; *this ~ week* (*fortnight* ['fɔːtnait]) *BE* heute in 8 (14) Tagen; *the other ~* neulich; *one ~* (*some ~, one of these ~s*) eines Tages; *to a ~* auf d. Tag (genau); *from ~ to ~* von e-m Tag zum andern; *by the ~* tageweise; 2. Zeit (*in ~s of old* in alter Z.); *in one's ~* zu seiner Zeit; *to have had one's ~* seinen Höhepunkt überschritten haben; *let's call it a ~!* für heute haben wir genug geschafft, genug für heute!

day|-boarder ['deibɔːdə] Halbexterner; **~-boy** [⁻bɔi] Tagesschüler, Externer; **~-break** [⁻breik] Tagesanbruch; **~-coach** *US* 🚆 (Eisenbahn-)Wagen; **~-dream** [⁻driːm] Tagtraum, Phantasie(gebilde); im Wachen träumen; **~-girl** [⁻gɔːl] Tagesschülerin; **~light** [⁻lait] Tageslicht; Tagesanbruch ♦ *to scare* [skɛə], *whip (etc) the ~ lights out of* j-m panische Furcht einjagen; windelweich schlagen; **~light saving time** ['deilait seiviŋ taim] Sommerzeit; **~-nursery** Kinderkrippe; Kinderzimmer; **~-school** [⁻skuːl] Tagesschule; Externat; **~-to-~** ['deitədei] tagtäglich; Alltags-

daze [deiz] betäuben; blenden; *in a ~* verstört; **~dly** ['deizidli] verstört

dazzl|e [dæzl] blenden; verwirren; **~ing** ['dæzliŋ] strahlend schön
deacon ['di:kən] Diakon
dead [ded] 1. tot; verwelkt; *to fall ~* tot zus.brechen; *~ hours* [auəz] *(of the night)* tiefste Nachtstunden; *~ sleep* tiefster Schlaf; *~ letter* unbestellbarer Brief; *fig* toter Buchstabe; *~ file* abgelegte Akte; 2. (Farbe) glanzlos, matt; *⚡* stromlos; *in ~ earnest* todernst; *~ calm* gänzliche (Wind-)Stille; *to come to a ~ stop* ganz zum Stehen kommen; *a ~ shot* ein ausgezeichneter Schütze; *~ to* abgestumpft gegen; *the ~ hand of* d. geheime Einfluß (Macht) von; 3. *(adv) ~ tired* todmüde; *~ drunk* sinnlos betrunken; *~ against* genau gegen; *to stop ~* schlagartig zum Stehen kommen; 4. *(su) the ~* die Toten; *the ~ of night* tiefste Nachtstunden; **~-beat** [-ˈbi:t] todmüde, gänzlich erschöpft; *~ beat US* Taugenichts; Schmarotzer; **~en** [dedn] (Schmerz) abtöten; (Geräusch) dämpfen; (Schlag) abschwächen; *~ end* (Bahn-, Rohr-)Ende; **~-end** *(street)* Sackgasse; **~-end kid** Straßenjunge; **~-head** [-hed] Freikarteninhaber; unproduktive Arbeitskraft; totes Rennen; **~ heat** [-ˈhi:t] *bes 🏭* unentschiedener Lauf, totes Rennen; **~-heat** [-ˈhi:t] im toten Rennen liegen, punktgleich sein; **~-line** [-lain] Frist(ablauf), (Schluß-)Termin; Stichtag; Grenze; *to meet the ~line* Frist einhalten; **~lock** [-lɔk] Stillstand; *🏭* Unentschieden; *to be at a ~ lock* festgefahren sein; *to (come to a) ~ lock* zum völligen Erliegen kommen, s. völlig festfahren, auf e-n toten Punkt kommen; **~ly** [-li] tödlich; Tod-(Feind, Sünde); *~ly pale* [peil] totenbleich; **~-nettle** [-ˈnetl] Taubnessel; **~pan** ausdruckslos; gleichmütig; trocken; **~wood** [-wud] Reisig; Plunder, Ballast
deaf [def] taub *(to* für, gegen); *to turn a ~ ear to* s. taub stellen gegen; *~ nut* taube Nuß; *~ and dumb* ['defən'dʌm] taubstumm; **~en** [defn] betäuben; übertönen; schalldicht machen; **~-mute** ['def'mju:t] taubstumm; Taubstummer; **~-mutism** ['def'mju:tizm] Taubstummheit; **~ness** Taubheit
deal¹ [di:l] Diele, Bohle; Fichtenholz
deal² [di:l] *a good ~, a great ~* (ziemlich, recht) viel, sehr; *vt/i (s. S. 318)* (Karten) ausgeben; (Schlag) versetzen; kaufen, Geschäftsbeziehungen haben *(with s-b, at a shop)*; *~ in* handeln mit, führen; *~ out* verteilen; *~ with* umgehen *(he is hard to ~ with)*; (Angelegenheit) regeln; (j-n) behandeln; s. befassen, beschäftigen mit; Handel, Geschäft *(it's a ~* abgemacht); *to give s-b a square* [skwɛə] *~* j-n gerecht behandeln; *to give s-b a raw* [rɔ:] *(rough* rʌf*) ~* j-n ungerecht behandeln; *new ~* Neubeginn, neue Führung, Änderung; Ausgeben der Karten *(whose ~ is it?)* wer gibt?); **~er** Händler, Kaufmann; Kartengeber, **~ing** Handlungsweise; Handel, Geschäft; *pl* (geschäftliche) Beziehungen
dealt [delt] *siehe* deal²
dean [di:n] Dekan *(a. eccl)*; Doyen; **~ery** ['di:nəri] Dekanat *(a. eccl)*

dear [diə] (zu) teuer; lieb, teuer; Lieber...! Sehr geehrter...!; mein Lieber, Liebes; *~ me!, oh ~!* ach herrje!, du liebe Zeit!; **~ly** innig; sehr; teuer (erkaufen); **~ness** Kostspieligkeit; **~th** [də:θ] *(bes* Lebensmittel-)Mangel *(of* an); **~y** *(~ie)* ['diəri] Lieber; Liebling
death [deθ] Tod, **~s** [deθs] Todesfälle *(from* durch); *to put to ~* töten, hinrichten; *to bleed to ~* verbluten, *to be burnt (frozen* [frouzn], *stabbed* [stæbd], *starved* [sta:vd]) *to ~* verbrennen (erfrieren, erstochen werden, verhungern); *fig* Tod, Ende; *he'll be the ~ of me* er bringt mich (noch) um; *to catch one's ~ (of cold)* s. d. Tod holen; **~-bed** ['deθbed] Sterbebett; **~-blow** [-blou] Todesstoß, tödlicher Schlag; *~ cap BE* grüner Knollenblätterpilz; *~ cup US = ~ cap*; **~-duties** [-ˈdju:tiz] *BE* Erbschafts teuer, *~ house* Hinrichtungsabteilung; **~less** unsterblich; **~like** [-laik] totenähnlich; **~ly** Toten-(Stille, totenbleich); **~-rate** [-reit] Sterblichkeitsziffer *(from* bei); **~-rattle** [-ˈrætl] Todesröcheln» **~-roll** [-roul] Verlustliste; **~'s-head** [-shed] Totenschädel; **~-trap** [-ˈtræp] Todesfalle; **~-warrant** [-wɔrənt] Hinrichtungsbefehl; **~-watch** [-wɔtʃ] Totenwache; Klopfkäfer
débâcle, debacle [dei'ba:kl], di-] Zus.bruch, Debakel; Eisgang; Flutwelle
debar [di'ba:] ausschließen *(from* von); hindern *(from* an)
debark [di'ba:k] an Land gehen, bringen; ausschiffen; **~ation** [di:ba:'keiʃən] Ausschiffung
debase [di'beis] entwerten, verfälschen; **~ment** Entwertung, Verfälschung
debat|able [di'beitəbl] unentschieden, strittig; **~e** [di'beit] erörtern, diskutieren, debattieren; überlegen; (formale) Debatte; Diskussion, Erörterung; **~er** Debattierer, (geschickter) Diskutant; **~ing society** Debattierklub
debauch [di'bɔːtʃ] verführen; verderben; Ausschweifung; ausschweifendes Leben; **~ee** [debɔː'tʃi:, --ʃi] Prasser, Wüstling; **~er** Verführer; **~ery** [di'bɔː-tʃəri] Ausschweifung(en)
debenture [di'bentʃə] Obligation, Schuldschein; Rückzollschein
debil|itate [di'biliteit] (Klima) schwächen; **~ity** [-ti] Schwäche
debit ['debit] Lastschrift; Debet, Soll; Schuld; belasten *(~ s-b's account with £20, £20 against* (od zu) *s-b's account)*
debonair [debə'nɛə] freundlich, angenehm; unbeschwert
debouch [di'bu:ʃ, –'bautʃ] hervorbrechen, debouchieren; s. ergießen *(on* in)
Debrett [di'bret] (der englische) Gotha
debris, dé- ['debri:, *US* də'bri:] Trümmer(stücke), Schutt; Gerümpel
debt [det] Schuld; Debet; *~ of gratitude* Dankesschuld; *in ~* verschuldet *(to* bei); *out of ~* schuldenfrei; *to get (od run) into ~* Schulden machen; *national* ['næʃənəl] *~* Staatsschuld; **~or** ['detə] Schuldner(in)
debug [di:'bʌg] Störungen beseitigen, Fehler ausschalten in (bei)

debunk [di'bʌŋk] *umg* der Unwahrheit (des Nimbus) entkleiden; der Übertreibung (Hohlheit) überführen; vom Podest stoßen

debus [di:'bʌs] aussteigen (lassen)

début ['deibu:] Debüt, erster Auftritt; erstes Erscheinen (in d. Gesellschaft); **~ante** ['debjuta:nt] Debütantin (in der Gesellschaft, bei Hof)

decade ['dekeid, *BE a.* -'ked] Jahrzehnt, zehn Jahre

decaden|ce ['dekədəns] Verfall, Absinken; **~t** verfallend, dekadent

decal ['di:kæl], di'kæl] Abziehbild

decamp [di'kæmp] ein Lager abbrechen; aufbrechen; (heimlich) ausreißen

decant [di'kænt] (vorsichtig) ab-, umgießen, -füllen; **~er** Karaffe

decapitate [di'kæpiteit] enthaupten

decarbonize [di:'ka:bənaiz] entkohlen

decartelization [di:ka:təlai'zeiʃən] Entflechtung, Entkartellisierung

decathlon [di'kæθlən], *pl* **~s** Zehnkampf

decay [di'kei] verfallen; schlecht werden, verfaulen, verwelken; Verfall; Fäulnis; (radioaktiver) Zerfall; *to be in* ~ verfallen; *to fall into* ~ in Verfall geraten; **~ed** [di'keid] verfallen; (Zahn) kariös

decease [di'si:s] Tod, Ableben; sterben; **the ~d** [di'si:st] der (die) Verstorbene(n)

decedent [di'si:dənt] *US* 🕮 Verstorbener; Erblasser

deceit [di'si:t] Täuschung; Betrug; **~ful** betrügerisch; **~fulness** [di'si:tfulnis] Falschheit; Hinterlist

deceive [di'si:v] täuschen; betrügen; verleiten; *I was ~d by* ich ließ mich täuschen von; **~r** Betrüger

decelerate [di:'seləreit] (sich) verlangsamen

December [di'sembə] Dezember

decen|cy ['di:sənsi] Anstand, Anständigkeit; **~t** anständig; *umg* recht nett

decennial [di'senjəl] zehnjährig

decentraliz|ation [di:sentrəlai'zeiʃən] Dezentralisierung; **~e** [-'---laiz] dezentralisieren

decep|tion [di'sepʃən] Täuschung; Betrug; Trick; **~tive** [-'--tiv] (be)trügerisch

decibel ['desibel] Dezibel

decide [di'said] entscheiden, bestimmen; s. entscheiden; beschließen; zu d. Schluß kommen; **~d** [di'saidid] entscheiden, entschlossen; offensichtlich; **~dly** [di'saididli] entschieden; **~r** [di'saidə] 🕮 Entscheidungskamf

deciduous [di'sidjuəs] laubtragend; Laub(Baum); Milch-(Zahn)

deci|gram(me) ['desigræm] Dezigramm; **~litre** [-'--li:tə] Deziliter; **~mal** [-'--məl] Dezimalbruch; Dezimal-; **~mal point** Komma (in Dezimalbrüchen); **~malize** [-'--məlaiz] auf Dezimalsystem umstellen; **~mate** [-'--meit] dezimieren, stark verringern; **~metre** [-'--mi:tə] Dezimeter

decipher [di'saifə] entziffern, dechiffrieren; enträtseln

deci|sion [di'siʒən] Entscheidung; Beschluß;

🕮 Urteil; Entschlußkraft ♦ *a man of ~sion* ein entschlossener Mann; *to come to* (od *arrive at*) *a ~sion* zu e-m Entschluß kommen; **~sive** [di'saisiv] entscheidend; entschieden

deck [dek] (Ver-)Deck; *US* Spiel (Karten); schmücken; **~-chair** ['dektʃɛə] Liegestuhl; **~-hand** (gewöhnl.) Matrose ⌐rand

deckle-edge(d) ['dekl'edʒ(d)] 🕮 mit Büttenrand

declaim [di'kleim] deklamieren; wettern (*against* gegen)

declama|tion [deklə'meiʃən] öffentliche Rede; Deklamation; **~tory** [di'klæmətəri] deklamatorisch; rhetorisch

declar|ation [deklə'reiʃən] (Zoll-)Erklärung; **~e** [di'klɛə] erklären; deklarieren; s. aussprechen *(for, against)*; *well, I ~e!* ich muß schon sagen!

declassify [di:'klæsifai] (Dokumente etc) freigeben

declension [di'klenʃən] Deklination

declin|ation [dekli'neiʃən] Neigung; Abweichung; *astr, phys* Deklination; *bes US* Ablehnung; **~e** [di'klain] ablehnen, zurückweisen; abnehmen, verfallen; (Preise) fallen; Abnahme; Verfall; Rückgang *(in prices)*; Nachlassen *(in health* [helθ]*)* der Gesundheit; *to fall into a* ~ (körperlich, der Tbc) verfallen

declivity [di'kliviti] Abhang; Gefälle

declutch [di'klʌtʃ] auskuppeln

decode [di:'koud] dechiffrieren; entziffern; decodieren

décolle|tage [dei'kolta:ʒ] Dekolleté; **~té** [deikɔltei] dekolletiert

decolorize [di:'kʌləraiz] entfärben

decompos|e [di:kəm'pouz] zerlegen; (s.) zersetzen; verwesen; **~ition** [di:kɔmpə'ziʃən] Zerlegung; Zersetzung; Verfall

decompression [di:kəm'preʃən] stufenweise Druckentlastung, Druckverminderung

decontaminate [di:kən'tæmineit] von (Gas-, radioaktiver) Verseuchung befreien, entseuchen, entgiften

decontrol [di:kən'troul] Herausnahme aus, Aufhebung der (Waren-, Miet- etc)Bewirtschaftung; aus der Bewirtschaftung herausnehmen, freigeben

decor [*BE* 'deikɔ:, *US* de'kɔ:] (Bühnen-)Dekoration; Ausstattung; **~ate** ['dekəreit] schmücken; streichen, tapezieren (lassen); dekorieren; **~ation** [dekə'reiʃən] Schmücken; Schmuck; Orden, Auszeichnung; **~ative** ['dekərətiv] dekorativ; Schmuck-; **~ator** ['dekəreitə] Maler; Dekorateur; **~ous** ['dekərəs] anständig, schicklich; **~um** [di'kɔ:rəm] Anstand; *pl* Zeichen guter Erziehung

decoy [di'kɔi] Lockvogel *(a. fig);* Köder; (ver)locken

decrease [di'kri:s] abnehmen, (s.) vermindern; ~ ['di:kri:s] Abnahme, Rückgang; *to be on the* ~ abnehmen

decree [di'kri:] Dekret, Erlaß; verfügen, dekretieren

decrepit [di'krepit] abgenutzt; altersschwach; **~ude** [-'--tju:d] Altersschwäche; Verfallenheit

decry [di'krai] in Verruf bringen, herabsetzen

dedica|te ['dedikeit] widmen, weihen; **~tion** [--'keiʃən] Weihe; (Buch-)Widmung; **~tory** [--kətəri] Widmungs-

deduc|e [di'djuːs] folgern (from aus); ableiten (from von); **~t** [di'dʌkt] abziehen; **~tion** [di'dʌkʃən] Abzug; Folgerung

deed [diːd] Tat, Handlung; ♫ Urkunde, Dokument; urkundlich übertragen

deem [diːm] erachten, halten für; denken (of über); ~ highly ['haili] of e-e hohe Meinung haben von

de-emphasize ['diː'emfəsaiz] weniger betonen, weniger nachdrücklich betreiben, weniger Wert legen auf

deep [diːp] tief; schwierig, tief(sinnig); (Gefühl) stark, tief; (Ton, Farbe) tief, dunkel; adv tief, weit; su Tiefe, See; **~en** ['diːpən] tief(er) machen, werden; **~-freeze** [--friːz] Tiefkühlschrank; tiefkühlen; **~-drawn** [--drɔːn] (Seufzer) tief; **~-laid** [--'leid] geheim; **~rooted** [--'ruːtid] tief verwurzelt, tiefsitzend; **~-sea** [--siː] Hochsee-; **~-seated** [--'siːtid] tiefsitzend (to be ~-seated tief liegen)

deer [diə], pl ~ Hirsch; Rotwild; **~-lick** ['diəlik] Salzlecke ; **~-skin** [--skin] Wildleder; **~-stalking** [--stɔːkiŋ] Pirsch(-jagd)

deface [di'feis] entstellen, verunstalten; unleserlich machen

de facto [BE dei-, US diː'fæktou] tatsächlich, de facto (bestehend)

defalca|te [BE'diːfælkeit, US--] Unterschlagung(en) begehen; **~tion** [--'keiʃən] Unterschlagung; unterschlagene Summe

defam|ation [defə'meiʃən] Verleumdung; **~atory** [di'fæmətəri] verleumderisch; **~e** [di'feim] verleumden; in Verruf bringen

defatted [diː'fætid] entfettet, fettarm

default [di'fɔːlt] Ermangelung; Versäumnis, Nichterscheinen; Nichtzahlung; judgment ['dʒʌdʒmənt] by ~ Versäumnisurteil; to make ~ nicht erscheinen, nicht zahlen; in ~ of mangels, in Ermangelung von; ~ vi = to make ~ ; **~er** schuldhaft Abwesender; Nichtzahler; BE (e-s milit. Vergehens) Schuldiger

defeasance [di'fiːzəns] Nichtigmachung, Annullierung

defeat [di'fiːt] besiegen, schlagen; zum Scheitern bringen, vereiteln; j-s Können (Wissen) übersteigen; Besiegung; Niederlage; **~ism** Defätismus, Mutlosigkeit; **~ist** Miesmacher; defätistisch

defect [di'fekt] Mangel, Fehler; Defekt; **~ion** [di'fekʃən] Abfall (from von j-m); **~ive** [di'fektiv] schad-, mangelhaft; **mentally** ['mentəli] **~ive** schwachsinnig; he is ~ive in ihm mangelt ...

defen|ce, US **~se** [di'fens] Verteidigung (in ~ce of zur V. von), Schutz (against gegen, vor); national ['næʃənl] ~ce Landesverteidigung; to make a ~ce s. verteidigen; **~celess** schutz-, wehrlos; **~d** [di'fend] verteidigen (o.s. sich; against gegen, vor); eintreten für; **~dant** [di'fendənt] Beklagte(r); **~der** Vertei-

dig(end)er; **~sive** [di'fensiv] verteidigend; Verteidigungs-, Defensiv-; Defensive (on the ~ sive in der D.); to act on the ~ sive sich defensiv verhalten

defer [di'fɜː] ver-, aufschieben; US mil zurückstellen; ~ red [di'fɜːd] payment Ratenzahlung; ~ to s. fügen, s. beugen; **~ence** ['defərəns] Ehrerbietung, Rücksicht; in ~ence to aus Rücksicht gegen, mit R. auf; **~ential** [defə'renʃəl] ehrerbietig, rücksichtsvoll (to gegenüber); **~ment** [di'fɜːmənt] Aufschub; US mil Zurückstellung

defian|ce [di'faiəns] Herausforderung, Trotz; in ~ce of unter Mißachtung, trotz; to bid ~ce Trotz bieten; to set s-th at ~ce mißachten; **~t** herausfordernd, trotzig

deficien|cy [di'fiʃənsi] Mangel; Fehlbetrag, Ausfall; **~t** mangelnd, unzulänglich; (mentally ['mentəli]) **~t** schwachsinnig, blöde

deficit ['defisit] Defizit, Fehlbetrag, Ausfall

defile¹ ['diːfail] verunreinigen; beflecken; entweihen

defile² ['diːfail] Engpaß, Hohlweg; ~ [di'fail] (in Reihen vorbei)marschieren

defin|e [di'fain] definieren, erläutern; (genau) festlegen; klar umreißen, abzeichnen; **~ite** ['definit] klar, eindeutig; unverkennbar; bestimmt; **~ition** [defi'niʃən] Erläutern; Erläuterung, Definition; (Bild-, Ton-)Schärfe; **~itive** [di'finitiv] endgültig, unabänderlich

defla|te [diː'fleit] die Luft entweichen lassen aus; durch Deflation beeinflussen, senken; **~tion** [diː'fleiʃən] Entleerung; Deflation; **~tionary** [diː'fleiʃənəri] deflationistisch, Deflations-

defle|ct [di'flekt] ablenken; abweichen; **~ction**, BE a. **~xion** [di'flekʃən] Abweichung; (Kompaß-)Ablenkung; ♪ Ausschlag

deflower [di'flauə] entjungfern; schänden

deforest [di'fɔrist] roden, abholzen; **~ation** [diː,fɔris'teiʃən] Abholzung

deform [di'fɔːm] verunstalten; entstellen; **~ation** [diːfɔː'meiʃən] Entstellung; Verschlechterung; **~ed** [--d] verwachsen, mißgestaltet; **~ity** [--miti] Mißbildung, Verkrüppelung; Häßlichkeit

defraud [di'frɔːd] betrügen (of um)

defray [di'frei] (Kosten) bestreiten, tragen; **~al** [--əl], **~ment** Bestreitung der Kosten

defrost [diː'frɔst] auftauen, entfrosten; **~er** Entfroster, Enteisungsmittel

deft [deft] geschickt, gewandt.

defunct [di'fʌŋkt] verstorben; ehemalig, nicht mehr existierend.

defy [di'fai] trotzen; mißachten; herausfordern; fig trotzdem, spotten.

degas [di'gæs] entgasen, entgiften

degauss [diː'gɔːs] entmagnetisieren

degenera|cy [di'dʒenərəsi] Entartung; **~te** [--reit] entarten; **~te** [--rit] entartet **~tion** [--'reiʃən] Entartung; **~tive** [--tiv] Entartungs-

degrad|ation [degrə'deiʃən] Herabsetzung; Entwürdigung; Erniedrigung; Degradierung;

~e [di'greid] herabsetzen; entwürdigen; erniedrigen; degradieren

degree [di'gri:] **1.** *geogr, math, phys* Grad; **2.** Maß, Stufe; *by ~s* allmählich; *to a high ~* in hohem Maße; *to the last ~, (umg) to a ~* äußerst; *to what ~* in welchem Maße; **3.** Verwandtschaftsgrad; **4.** (gesellschaftl.) Stellung; akademischer Grad, Titel *(to study for a ~)*; *to take a ~* ein (akadem.) Examen machen, promovieren

dehumanize [di:'çu:mənaiz] entmenschlichen; entwürdigen

dehydrate [di:'haidreit] Wasser, Feuchtigkeit entziehen **~d** Trocken-, Dörr-

de-ice ['di:'ais] enteisen; **~r** ['di:'aisə] Enteiser, Enteisungsvorrichtung

deif|ication [di:ifi'keiʃən] Vergötterung; **~y** ['di:ifai] vergöttern

deign [dein] geruhen; s. herablassen

deity ['di:iti] Gottheit; Göttlichkeit

deject|ed [di'dʒektid] niedergeschlagen; **~ion** [di'dʒekʃən] Niedergeschlagenheit

de jure [*BE* dei-, *US* di:'dʒuəri] von Rechts wegen, de jure

dela|te [di'leit] denunzieren; **~tion** [-'leiʃən] Denunziation; **~tor** [di'leitə] Denunziant

delay [di'lei], **~ed, ~ed** aufhalten; aufschieben; (ver)zögern; Verzögerung; Aufschub; *without ~* unverzüglich

delect|able [di'lektəbl] ergötzlich; **~ation** [di:lek'teiʃən] Ergötzen, Lust.

delega|te ['deligit] Abgeordneter, Delegierter; **~te** [-geit] delegieren, abordnen; übertragen *(to* auf); **~tion** [-'geiʃən] Übertragung; Bevollmächtigung; Abordnung, Delegation; Ausschuß

dele|te [di'li:t] streichen; **~terious** [deli'ti:riəs] schädlich; **~tion** [di'li:ʃən] Streichung

delf(t) [delf(t)] (Delfter) Steingut(-waren)

delibera|te [di'libərit] überlegen, erwägen; berat(schlag)en; **~te** [-rit] bedachtsam, (wohl)überlegt; bedächtig; absichtlich, vorsätzlich; **~tion** [-,---ʃən] Überlegung; Bedächtigkeit; Beratung **~tive** [-rətiv] überlegend, beratend

delic|acy ['delikəsi] Zartheit, Feinheit; Zartgefühl; $ Zartheit, Anfälligkeit; Leckerbissen; **~ate** [-kit] zart, weich; (Geschmack, Stoff, Porzellan) fein; (Gerät) fein, empfindlich; delikat, heikel, schwierig; **~atessen** [---'tesən] *pl vb* Delikatessen; *sg vb* Feinkostgeschät; **~ious** [di'liʃəs] köstlich, herrlich.

delight [di'lait] entzücken; (s.) erfreuen *(in* an); Freude, Entzücken *(to give ~ to* = to ~); *to the ~ of* zum Entzücken; *to take (a) ~ in* Vergnügen finden an; **~ful** herrlich, entzückend.

delimit [di:'limit] abgrenzen; **~ate** [-teit] = **~; ~ation** [-,--'teiʃən] Ab-, Begrenzung

delinea|te [di'linieit] zeichnen, skizzieren; schildern; **~tion** [-,---ʃən] Entwurf, Skizze; Schilderung

delinquen|cy [di'liŋkwənsi] Pflichtvergessenheit; Schuld; Vergehen; **~t** pflichtvergessen;

schuldig; *US* rückständig, säumig; Verbrecher, Täter

delir|ious [di'liriəs] deliriös, irre; **~ium** [-əm], *pl* ~iums Delirium, Fieberphantasie; Raserei, Taumel

deliver [di'livə] (ab)liefern; übergeben; zustellen, austragen; **~** *(o.s.) up* sich ergeben; (Rede) halten; befreien; $ entbinden; (Schlag etc) führen ♦ **~** *(the goods)* halten, was man verspricht, die Erwartungen erfüllen; **~ance** [di'livərəns] Befreiung; Meinungs(äußerung), Feststellung; **~y** [di'livəri] (Aus-)Lieferung *(on ~y* bei L.), Zustellung; $ Entbindung; Befreiung; Überbringung; Halten (e-r Rede), Vortrag(sstil); **~y note** Lieferschein; **~y van** Lieferwagen

dell [del] kleines (Wald-)Tal

delouse [di:'laus] entlausen

delphinium [del'finjəm], *pl* **~s** Rittersporn

delta ['deltə], *pl* **~s** Delta

delu|de [di'lu:d] täuschen; verleiten *(into* zu); **~de** *o.s.* sich etwas vormachen; **~ded** in Wahnvorstellungen gefangen; **~sion** [di'lu:ʒən] Wahn(vorstellung); Irrglaube; **~sive** [di'lu:siv] irreführend, trügerisch

deluge ['delju:dʒ] Überschwemmung; Sintflut; *fig* Flut; überschwemmen

de luxe [də'lʌks, də'luks] Luxus-

delve [delv] graben; **~** *into* sich vertiefen in (zu) ergründen (suchen)

demagog|ue ['deməgɔg] Demagoge; **~y** ['deməgɔgi], **~uery** [--gɔgəri] Demagogie, Aufhetzung

demand [di'mɑ:nd] **1.** verlangen, fordern; fragen nach; erfordern; **2.** Forderung; (Rechts-)Anspruch ♦ *he has many ~s on his time (purse)* er wird zeitlich (finanziell) sehr beansprucht; *on ~* auf Verlangen, bei Vorlage; **3.** Nachfrage, Bedarf *(for an); to be in (great) ~* (sehr) gefragt sein; **~ing** anspruchsvoll; (sehr) schwierig

demarca|te ['di:mɑ:keit] abgrenzen; **~tion** [di:mɑ:'keiʃən] Abgrenzung; *line of ~tion* Grenz-, Demarkationslinie

démarche [de'mɑ:ʃ, 'dei-] Demarche

demean [di'mi:n] *o.s.* sich benehmen; s. erniedrigen; **~our** [di'mi:nə] Benehmen

dement|ed [di'mentid] geistesgestört; **~ia** [di'menʃiə] erworbener Blödsinn

demerara [demə'rɛərə] *BE* brauner Rohrzucker

demerit [di:'merit] Mangel; Fehler; Untugend

demesne [di'mein] (Privat-)Besitz *(land held in ~);* Landgut (im Privatbesitz); *fig* Domäne, Gebiet

demi- ['demi] Halb-; halb-; **~god** [--gɔd] Halbgott; **~monde** [--'mɔːnd] Halbwelt; **~semiquaver** [--semikweivə] *BE* 32stel Note

demise [di'maiz] übertragen; vermachen; Übertragung; Ableben; Einstellung

demitasse [di'demitæs] Mokkatasse

demob [di:'mɔb] = **~ilize** [di:'moubilaiz] demobilisieren; **~ilization** ['di:moubilai'zeiʃən] Demobilisierung

democra|cy [di'mɔkrəsi] Demokratie; *pol* Gleichheit; d. (gewöhnliche) Volk; **~t** ['deməkræt] Demokrat; **~tic** [demə'krætik] demokratisch; auf sozialer Gleichstellung beruhend; **~ tize** [di'mɔkrətaiz] demokratisieren; demokratisch machen (werden)

démodé [dei'moudei] aus der Mode

demograph|er [di:'mɔgrəfə] Bevölkerungswissenschaftler; **~ic** [di:mə'græfik] bevölkerungswiss.; **~y** [di:'mɔgrəfi] Bevölkerungswissenschaft, Demographie

demolis|h [di'mɔliʃ] ab-, niederreißen; sprengen; vernichten; *umg* aufessen; **~tion** [demə'liʃən] Abbruch, Niederreißen; Sprengung; Zerstörung; Spreng-(Bombe etc)

demon ['di:mən], pl **~s** Dämon; Teufel

demonstra|te ['demənstreit] beweisen; demonstrieren; **~tion** [deməns'streiʃən] Darstellung; Beweis; Äußerung; Demonstration; **~tive** [di'mɔnstrətiv] beweiskräftig (*of* für); nicht zurückhaltend, überschwenglich (*to be ~tive* seine Gefühle zeigen); demonstrativ, hinweisend; **~tor** ['demənstreitə] Erklärer; Assistent (e-s Professors); **§** Prosektor; Demonstrant; *US* Vorführgerät

demoralize [di'mɔrəlaiz] demoralisieren

demote [di:'mout] degradieren

demount [di:'maunt] ab-, ausbauen, demontieren.

demulcent [di'mʌlsənt] lindernd(es Mittel)

demur [di'mə:] Einwendungen machen (*at, to* gegen); Einwand *(without ~)*; **~rage** [di'maridʒ] Lager-, **⚓** Liegegeld; **~rer** [di'mʌrə] (Rechts-)Einwand

demure [di'mjuə] bescheiden, gesetzt; spröde, zimperlich

den [den] Höhle; *fig* Loch (Zimmer); Bude, Studierzimmer

denationalize [di:'næʃənəlaiz] ausbürgern; entstaatlichen, reprivatisieren

denial [di'naiəl] Ab-, Bestreiten; Leugnen; Ablehnung

denicotinized [di:'nikətinaizd] nikotinarm, -frei

denier [di'niə] Denier (Feinheitsmaß)

denizen ['denizn] Bewohner

denomina|te [di'nɔminéit] (be)nennen; **~tion** [-,---ʃən] Benennung; Klasse; Konfession; Nenner (*to reduce* [ri'dju:s] *to the same ~tion* auf e-n N. bringen); Nennwert; **~tional** konfessionell; **~tionalize** [-,---ʃənəlaiz] konfessionell aufspalten; **~tor** [-÷-÷tə] Nenner (*common ~tor* gemeinsamer Nenner, *a. fig*)

denot|e [di'nout] bezeichnen, bedeuten; **~ation** [di:nou'teiʃən] Bedeutungsinhalt; Bezeichnung

dénouement [dei'nu:maːŋ, *US* ---÷] Auflösung (des Knotens); Klärung, Lösung

denounce [di'nauns] anprangern; beschuldigen; anzeigen; (Vertrag) kündigen

dens|e [dens] dicht(gedrängt); beschränkt, dumm; **~ity** Dichtigkeit (*a. phys* Dichte); Kompaktheit

dent [dent] Eindruck, Einbeulung (machen

in); *to make a ~ in (fig)* e-n Einbruch erzielen in, e-n Anfang machen bei

dent|al ['dentl] Zahn-; zahnärztlich; **~al technician** [tek'niʃən] Zahntechniker; **~ifrice** ['dentifris] Zahnpasta; **~in(e)** ['dentin] Zahnbein; **~ist** Zahnarzt; **~istry** Zahnheilkunde; **~ition** [den'tiʃən] Zahnen; Gebiß, Zahnbestand; **~ure** ['dentʃə] (*bes* künstliches) Gebiß

denude [di'nju:d] entblößen; berauben

denunciation [di,nʌnsi'eiʃən] Anprangerung; Kündigung; Anklage; Anzeige

deny [di'nai] bestreiten, leugnen; verweigern, versagen; verleugnen

deodor|ant [di:'oudərənt] desodorierend(es Mittel); **~ize** [di:'oudəraiz] desodorieren

depart [di'pa:t] abreisen (*for* nach) scheiden (*from* von, aus); abweichen, abgehen (*from* von); **the ~ed** d. Verstorbene(n); **~ment** Abteilung, Ressort; Branche; *US* Ministerium; *fig* Gebiet; **~ment store** [stɔː] Warenhaus; **~ure** [di'pa:tʃə] Abreise, -fahrt; Abweichung (*from* von); *a new ~ure* ein neuer Weg, neue Richtung

depend [di'pend] (*up)on* abhängen von, angewiesen sein auf; s. verlassen auf; **~able** verläßlich; **~ant** *bes BE* Angehöriger, Abhängiger; **~ence** Abhängigkeit (*on* von); Vertrauen (*to put ~ence on* V. setzen in); *fig* Stütze; **~ency** [di'pendənsi] was dazugehört; Nebengebäude; *pol* abhängiges Gebiet; **~ent** abhängig (*on* von); *US* = **~ant**

depict [di'pikt] anschaulich machen, veranschaulichen; schildern

deplane [di:'plein] **✈** aussteigen; entladen

deple|te [di'pli:] (entleeren; erschöpfen (*a. fig*); **~tion** [di'pli:ʃən] Entleerung; Erschöpfung; Schwund

deplor|able [di'plɔːrəbl] beklagenswert; jämmerlich; **~e** [-÷] bedauern; beklagen

deploy [di'plɔi] *mil* auseinanderziehen, entfalten; **~(ment)** *mil* Aufmarsch; Entfaltung; Einsatz, Verwendung

depopulate [di:'pɔpjuleit] entvölkern

deport [di'pɔːt] deportieren, abschieben; **~ o.s.** sich benehmen; **~ation** [--'teiʃən] Deportation; **~ment** [--mənt] Führung; Betragen

depos|e [di'pouz] absetzen, entthronen; bezeugen; aussagen; **~it** [di'pɔzit] Einzahlung, Einlage; Anzahlung; Ablagerung (*a.* **$**); Schicht; Depositen-, Depot-; deponieren, hinterlegen; einzahlen; anzahlen; (sich) ablagern; **~itary** [di'pɔzitəri] Verwahrer; **~ition** [depə'ziʃən] Absetzung, Entthronung; *eccl* Kreuzesabnahme; eidliche Aussage; Ablagerung; **~itor** [di'pɔzitə] Einzahler, Hinterleger; **~itory** [di'pɔzitəri] Hinterlegungsstelle; Aufbewahrungsort; Lagerhaus; Registratur; = **~itary**

depot [depou, *US* 'di:-] Lager, Depot; *BE* Lagerhaus; Ersatztruppenteil; *BE* Regimentsstab; *US* Bahnhof

deprav|ed [di'preivd] (sittl.) verdorben; **~ity** [di'præviti] Verderbtheit; Gemeinheit; Schlechtigkeit

depreca|te ['deprikeit] mißbilligen, verurteilen; **~ion** [depri'keiʃən] Mißbilligung

deprecia|te [di'priːʃieit] im Wert sinken; herabsetzen *(a. fig)*; entwerten; abschreiben; unterschätzen, geringschätzen; **~tion** [diˌpriːʃi'eiʃən] Entwertung; Abschreibung; Geringschätzung

depreda|te ['deprideit] räubern; plündern; verwüsten; **~tion** [--'deiʃən] Plünderung; Verwüstung; **~tor** [-́--tə] Räuber; **~tory** [di'predətəri, *US* 'deprideitəri] räuberisch, verheerend.

depress [di'pres] niederdrücken *(a. fig)*; **~ed** [diprest] gedrückt, flau; **~ed area** [di'ɛəriə] Notstandsgebiet; **~ion** [di'preʃən] Niedergeschlagenheit, Depression; Vertiefung, Senkung, Mulde; Flaute, Rückgang *(the D~ion* die Weltwirtschaftskrise); Tief; *astr, phys* Sinken

depriv|ation [depri'veiʃən] Beraubung; Verlust; **~e** [di'praiv] berauben; *~e s-b of* j-m etw nehmen

depth [depθ] Tiefe *(what is the ~ of* wie tief ist); *in the ~(s) of* mitten in; *that is out of (beyond) his ~* da kommt er nicht mehr mit; *to feel out of one's ~* sich unsicher fühlen; *out of one's ~* keinen Boden unter den Füßen *(a. fig); ~ of focus* ['foukəs] ⓕⓞ Tiefenschärfe; **~bomb** [bɔmb] *(od* **charge** [tʃɑːdʒ]) Wasserbombe

deput|ation [depju'teiʃən] Abordnung; **~e** [di'pjuːt] übertragen; (als Vertreter) ernennen; anweisen; **~ize** ['depjutaiz] (als Vertreter) ernennen; *~ize for* j-n vertreten; **~y** ['depjuti] (Stell-)Vertreter; Abgeordneter; Vize-

derail [di'reil] zum Entgleisen bringen; *to be ~ed* entgleisen; **~ment** Entgleisung

derange [di'reindʒ] in Unordnung bringen; stören; **~d** [di'reindʒd] geistesgestört; **~ment** Unordnung; *(bes.* ⚡, Geistes-)Störung

deration [diː'ræʃən] Rationierung aufheben bei, aus der Bewirtschaft herausnehmen

derby ['dɑːbi] *US* Melone (Hut)

derelict ['derilikt] verlassen, herrenlos; *US* pflichtvergessen; herrenloses Gut; Wrack; *US* Pflichtvergessener; *US* pflichtvergessen handeln; vernachlässigen; **~ion** [deri'likʃən] Aufgeben; Vernachlässigung; *~ion (of duty)*; Pflichtvergessenheit; Unzulänglichkeit

deri|de [di'raid] verlachen, verspotten; **~sion** [di'riʒən] Verspottung *(to hold s-b in ~sion = to ~de s-b);* Spott; Gespött; **~sive** [di'raisiv] spöttisch; **~sory** [di'raisəri] lächerlich

deriv|ation [deri'veiʃən] Ableitung; Ursprung; **~ative** [di'rivətiv] abgeleitet(es Wort), Ableitung; unschöpferisch, unoriginell; **~e** [di'raiv] (sich) ableiten (lassen) *(from* von); (Nutzen, Erfahrung) ziehen *(from* aus), (Vergnügen) haben *(from* bei)

dermatolog|ist [dəːmə'tɔlədʒist] Facharzt für Hauterkrankungen; **~y** Dermatologie

derogat|e ['derəgeit] *from* schmälern, beeinträchtigen; **~ory** [di'rɔgətəri] herabsetzend; nachteilig *(to, from, of* für)

derrick ['derik] ⚓ Ladebaum; Bohrturm; Derrick-, Mastenkran

desalinate [diː'sælineit] entsalzen

descant [dis'kænt] *upon* s. (voll Lobes) auslassen über; **~** ['deskænt] Sang, Melodie; ♪ Überstimme; Sopranstimme (im mehrstimmigen Gesang)

descen|d [di'send] herabsteigen; *astr* untergehen; ✈ niedergehen; (Straße) fallen; *to be ~ded from* abstammen von; zufallen, übergehen *(to* auf); herfallen *(upon* über); **~dant** Nachkomme; **~t** Herabsteigen; Abstieg; ✈ Landung, Absprung; Abhang, Gefälle; Abstammung; Überfall *(upon* auf)

descr|ibe [dis'kraib] beschreiben; bezeichnen; **~ption** [dis'kripʃən] Beschreibung; *beyond ~ption* unbeschreiblich; Schilderung; *umg* Art; Bezeichnung; **~ptive** beschreibend, schildernd ⌐nehmen

descry [dis'krai] erspähen, entdecken; wahr-

desecra|te ['desikreit] entweihen; schänden; **~tion** [desi'kreiʃən] Entweihung; Schändung

deser|t [di'zəːt] verlassen, im Stich lassen, desertieren von; **~t** ['dezət] Wüste; verlassen; öde, wüst; **~ts** [di'zəːts] Verdienste *(to get one's ~ts* bekommen, was man verdient); **~ter** [di'zəːtə] Deserteur; **~tion** [di'zɔːʃən] Verlassen; Einsamkeit; Fahnenflucht; **~ve** [di'zəːv] verdienen; *~ve well of* sich sehr verdient machen um; **~vedly** [di'zəːvidli] wie man es verdient; **~ving** verdienstvoll *(to be ~ving of = to ~ve)*

desiccate ['desikeit] trocknen; zu Pulver verarbeiten

desideratum [disidə'reitəm], *pl* **~ta** [----́-tə] Wunsch, Erfordernis

design [di'zain] Muster, Entwurf; Anlage, Gestaltung; Formgebung; Plan, Absicht ♦ *to have ~ s on (against)* Absichten (Anschlag vor)haben auf; entwerfen, planen, gestalten; ersinnen; beabsichtigen; j-n bestimmen *(for* für, zu); **~ate** ['dezigneit] bezeichnen; bestimmen; **~ation** [dezig'neiʃən] Bezeichnung; Ernennung; **~edly** [-́-nidli] absichtlich; **~er** [-́-nə] Musterzeichner, Dessinateur; Konstrukteur; Formgestalter, Designer; **~ing** [-́-niŋ] verschlagen, hinterlistig

desir|able [di'zaiərəbl] wünschenswert, erwünscht; **~ability** [-,---'biliti] *of* daß ... wünschenswert ist; **~e** [-'zaiə] wünschen, ersehnen; Wunsch; Ersuchen; **~ous** [-́-rəs] begierig *(of* nach)

desist [di'zist] *from* ablassen von

desk [desk] Pult; Schreibtisch; Schalter; *US* Kanzlei; *US* Redaktion

desola|te ['desəleit] verwüsten; tiefunglücklich, -traurig machen; **~te** ['desəlit] wüst, öde; verfallen; einsam, trostlos; **~tion** [desə'leiʃən] Verwüstung; Elend, Trostlosigkeit; Einsamkeit

despair [dis'pɛə] verzweifeln *(of* an); Verzweiflung *(he was filled with ~* Verzweiflung überkam ihn); *in ~* voll Verzweiflung; Schrecken, Anlaß zur Verzweiflung für; **~ing** [-́-riŋ] verzweifelt

despatch [dis'pætʃ] *siehe* dispatch

desperad|o [despə'rɑːdou] *pl* ~**does**, **-dos** Bandit, Desperado

despera|te ['despərit] rücksichtslos verwegen, hemmungslos; verzweifelt; hoffnungslos; *umg* fürchterlich (Sturm), riesig (Angst, Narr); ~**tion** [despə'reiʃən] (rasende) Verzweiflung; *to drive s-b to* ~*tion* j-n zur Raserei bringen

despicable]'despikəbl] verächtlich

despise [dis'paiz] verachten

despite [dis'pait] trotz; Verachtung; Trotz; *in* ~ *of* ungeachtet, trotz

despoil [dis'pɔil], ~*ed*, ~*ed* plündern

despond [dis'pɔnd] verzagen; ~**ency** Verzagtheit; ~**ent**, ~**ing** verzagt

despot ['despɔt] Tyrann, Despot; ~**ic** [des'pɔtik] despotisch; ~**ism** ['despətizm] Tyrannei; Diktatur

dessert [dɪ'zəːt] Nachtisch, Dessert

destin|ation [desti'neiʃən] Bestimmung(sort), Ziel; ~**e** ['destin] bestimmen (*for* für, zu); *he was* ~*ed* ['destind] *to do* es war ihm bestimmt (beschieden) zu tun; ~**y** ['destini] Schicksal; Los

destitu|te ['destitjuːt] mittellos; ~ *te of (feeling)* bar jeglichen (Gefühls); ~**tion** [desti'tjuːʃən] (bittere) Not; Mangel (*of* an)

destroy [dis'trɔi] zerstören, vernichten; kaputtmachen; ~**er** Zerstörer (*a.* 🜨)

destruct [di'strʌkt] absichtl. zerstören; absichtliche Zerstörung

destruc|tion [dis'trʌkʃən] Zerstörung; *fig* Ruin; *child* ~*tion* 🜨 Tötung e-s Kindes im Mutterleib; ~**tive** [dis'trʌktiv] zerstörend; vernichtend (*of, to* für); zerstörerisch; destruktiv

desuetude [di'sjuitjuːd, 'deswitjuːd, *US* 'deswətuːd] Nichtgebrauch (*to fall into* ~ außer Gebrauch kommen)

desultory ['desəltəri] sprunghaft; planlos; zufällig (Bemerkung)

detach [di'tætʃ] ab-, losmachen (*from* von); *mil* abstellen, abkommandieren; ~**able** abnehmbar; ~**ed** [di'tætʃt] einzeln; unvoreingenommen, objektiv; ~**ed** [–'–t] *u. ut* Kommando; ~**ment** Losmachen; Trennung; *mil* Abteilung, Trupp; Objektivität; Losgelöstheit

detail ['diːteil] Einzelheit (*to go, enter, into* ~*s* auf E. eingehen); *in* ~ eingehend; Abteilung, Trupp; 🜨, 📖 störende Einzelheiten, Beiwerk; ~ [di'teil] ausführlich erzählen, beschreiben; eingehen auf; abstellen, abkommandieren; ~**ed** [di'teild] ausführlich, eingehend

detain [di'tein] auf-, zurückhalten; vorenthalten; in Haft behalten; ~**ee** [diːtei'niː] Zurückgehaltener; Häftling

detect [di'tekt] entdecken, feststellen, herausfinden; ~**ion** [di'tekʃən] Entdecken; Feststellung; ~**ive** [di'tektiv] Kriminalbeamter, Detektiv; Detektiv-, Kriminal- *(story)*

détente [dei'tɑːnt] *pol* Entspannung

detention [di'tenʃən] Zurückhalten; Abhaltung; Haft; Nachsitzen; ~ **barracks** Militärgefängnis; ~ **camp** Internierungslager

deter [di'təː] abschrecken, abhalten (*from doing* zu tun)

detergent [di'təːdʒənt] reinigend; Reinigungsmittel

deteriora|te [di'tiəriəreit] (sich) verschlechtern, -schlimmern; entarten; ~**ion** [ditiəriə'reiʃən] Verschlechterung, Verschlimmerung; Verschleiß

determin|ant [di'təːminənt] bestimmend, entscheidend(er Faktor); ~**ate** [di'təːminit] bestimmt; ~**ation** [–,––'neiʃən] Entschlossenheit; Entscheidung, Festlegung; ~**ative** [–'–––nətiv] bestimmend; festlegend; ~**e** [–'–min] bestimmen, feststellen; veranlassen (*to do* zu tun; *against delay* nicht zu verzögern); sich entschließen, beschließen; (s.) entscheiden; ~**ed** [–'–mind] entschlossen (*on doing* zu tun)

deterren|ce [di'terəns] Abschreckung; ~**t** abschreckend; Abschreckungsmittel; Hindernis

detest [di'test] verabscheuen; ~**able** verabscheuungswürdig; ~**ation** [diːtes'teiʃən] Abscheu (*of* vor); *to hold* (*od have*) *s-b in* ~*ation* = *to* ~ *s-b*

dethrone [di'θroun] entthronen; ~**ment** Entthronung

detona|te ['detouneit, 'diː-] detonieren (lassen); ~**tion** [detou'neiʃən, di-] Explosion, Detonation; ~**tor** ['detouneitə; 'diː-] Sprengkapsel, -zünder

detour ['diːtuə] Umweg (*to make a* ~); Umleitung; Abstecher; e-n Umweg machen (lassen); umleiten

detract [di'trækt] wegnehmen; *fig* herabsetzen; ~ *from* schmälern, verringern; ~**ion** [di'trækʃən] Herabsetzung, Beeinträchtigung; Verleumdung; ~**or** Verleumder

detriment ['detrimənt] Schaden (*to the* ~ *of*); Nachteil (*s-th to his* ~); ~**al** [detri'ment] abträglich (*to* für)

deuce [djuːs] (Karte, Würfel) Zwei; (Tennis) Einstand (40–40); *(umg) what the* ~ was zum Henker; *go to the* ~*!* geh zum Henker! the ~ *of a row* [rau] ein fürchterlicher Streit; *to play the* ~ *with* zunichte machen

Deuteronomy [djuːtə'rɔnəmi] das 5. Buch Mose

devalu|ate [diː'væljueit] *bes. US* ab-, entwerten; ~**ation** [diːvælju'eiʃən] Ab-, Entwertung; ~**e** = ~**ate**

devasta|te ['devəsteit] verwüsten; ~**ting** *fig* vernichtend; ~**tion** [devəs'teiʃən] Verwüstung

develop [di'veləp] zur Entwicklung bringen, ausbauen, schaffen; sich entwickeln (*into* zu), wachsen; s. entfalten, entstehen; 📖 entwickeln; ~**ment** Ausbau, Schaffung; Entwicklung, Entfaltung; ~**ment area** ['ɛəriə] BE (industr.) Fördergebiet; ~**mental** [diveləp'mentl] Ausbau-, Entwicklungs-; der Entwicklung dienend

devia|nt ['diːviənt] (voneinander) abweichend; ~**te** ['diːvieit] abweichen (*from* von); ~**tion** [diːvi'eiʃən] Abweichung; Ablenkung der Magnetnadel; ~**tionist** *pol* Abtrünniger

device [di'vais] Plan ♦ *to leave s-b to his own* ~*s* j-n. s. selbst überlassen; Kunstgriff; Vorrichtung, Gerät; Muster, Zeichnung; Wahlspruch

devil [devl] Teufel ♦ *between the ~ and the deep sea* zwischen zwei Feuern; *to give the ~ his due* j-m geben, was ihm zusteht; *to go to the ~* vor die Hunde gehen; *the ~ to pay* e-e verflixte Geschichte; *go to the ~!* geh zum Teufel!; *to play the ~ with* zunichte machen; Gehilfe (*bes: printer's ~* Druckerei-) ♦ *we had the ~ of a time* uns ging's schrecklich (herrlich, doll etc); **~ish** ['devlɪʃ] teuflisch; verteufelt; **~-may-care** ['devlmeiˈkɛə] verwegen; **~ry** ['devlri], **~try** Teufelei, Schurkerei; Teufelskunst, -werk

devious ['diːviəs] abwegig; unehrlich; *~ way* Um-, Abweg

devise [di'vaiz] s. ausdenken, ersinnen

devitalize [diːˈvaitəlaiz] der Lebenskraft berauben; den Nährwert nehmen

devoid [di'vɔid] entblößt (*of* von); frei, leer (*~ of trees* baum-); *~ of sense* töricht

devolve [di'vɔlv] übertragen, abwälzen (*on* auf); *~ on* (j-m) zufallen, übergehen auf

devote [di'vout] *to* hingeben für, widmen; *~te o.s.* s. widmen, s. beschäftigen mit; **~ted** [di'voutid] treu, liebend; *is ~ted to* ist ganz da für; **~tee** [devuːˈtiː] Religionsfanatiker; begeisterter Anhänger; **~tion** [di'vouʃən] Hingabe (*to* an, für); tiefe Liebe (*for* für); *pl* Gebete, Andacht

devour [di'vauə] auffressen, verschlingen *(a. fig)*; vernichten; **~ed** [di'vauəd] *by* erfüllt von

devout [di'vaut] religiös; ernsthaft, aufrichtig

dew [djuː] Tau; **~berry** ['djuːbəri] (amerikan.) Taubeere; **~-drop** Tautropfen; **~-worm** [~wəːm] Regenwurm; **~y** ['djuːi] taufeucht

dexterity [deks'teriti] (*bes* manuelle) Geschicklichkeit; *verbal ~erity* Gewandtheit im Ausdruck; **~erous**, **~rous** ['dekstrəs] geschickt, gelenkig, gewandt

diabetes [daiəˈbiːtiːz, *bes US* ˈ~~tis] Zuckerkrankheit; **~ic** [daiəˈbetik] zuckerkrank; Zukkerkranker, Diabetiker

diabolic [daiəˈbɔlik] des Teufels, *konkr* teuflisch; **~al** *fig* teuflisch, diabolisch

diadem ['daiədem] (königliches) Diadem; (Blumen-)Kranz

diaeresis, *US* **dier–** [dai'iːrisis, dai'erisis] Trema

diagnose ['daiəgnouz] ↯ erkennen, diagnostizieren; **~sis** [daiəg'nousis], *pl ~ses* [~~siːz] Diagnose; **~stic** [daiəg'nɔstik] diagnostisch; **~stician** [daiəgnɔs'tiʃən] Diagnostiker

diagonal [dai'ægənəl] diagonal, quer (-gehend); quergestreift; Diagonale

diagram ['daiəgræm] Diagramm, graphische Darstellung; Schaubild; Übersicht; **~matic** [daiəgrəˈmætik] graphisch

dial ['daiəl] Zifferblatt; ⌚ (runde) Skala; ☎ Wählscheibe; ☼ Skala; *vt* ☎ wählen, anrufen; anzeigen; einstellen

dialect ['daiəlekt] Mundart, Dialekt; **~al** mundartlich, Dialekt-; **~ic** [daiəˈlektik] Dialekt (als Wissenschaft); dialektisch; **~ical** dialektisch; **~ics** *sg vb* Dialektik (als Methode)

dialogue, *US a.* **dialog** ['daiəlɔg] Gespräch; Dialog; in D.form bringen, dramatisieren

diameter [dai'æmitə] Durchmes[...] [daiə'metrikl] diametral *(a. fig)*

diamond ['daiəmənd, *bes. US* 'daim[...] mant ♦ *he is a rough* [rʌf] *~* er hat e[...] Schale, aber ein guter Kern; *black ~s* [...] Rhombus; Karo; ⚾ Spielfeld; diama[...] **~-shaped** [~~ʃeipt] rautenförmig

diaper ['daiəpə] (rautenförmig gemusterte[...] Leinwand; Windel; *US* (Baby) trockenlegen, Windeln wechseln

diaphanous [dai'æfənəs] durchsichtig

diaphoretic [daiəfɔ'retik] schweißtreibend(es Mittel)

diaphragm ['daiəfræm] Zwerchfell; Membran; 📷 (Öffnungs-)Blende

diarrhoea, *US* **diarrhea** [daiə'riə] Durchfall

diary ['daiəri] Tagebuch; Taschenkalender

diatribe ['daiətraib] Schmähschrift, -rede; Ausfall

dice [dais] *pl* **dice** Würfel; *vt* in Würfel schneiden; Würfel spielen; **~-box** Würfelbecher

dichotomy [di'kɔtəmi] Dichotomie; *fig* Spaltung

dick [dik] Kriminaler, Detektiv; *BE* Kerl; *to take one's ~s (sl)* schwören

dickens ['dikinz] *umg* Teufel, Henker

dicker ['dikə] feilschen

dictaphone ['diktəfoun] Diktiergerät, Diktaphon; **~te** [~'teit, *US* ~~] diktieren (*to s-b* jm); befehlen; **~te** [~teit] Gebot (*bes* des Gewissens etc); **~tion** [~'teiʃən] Diktat (*at s-b's ~ tion* nach j-s D.); Herumkommandieren, Befehlen; **~tor** [~'teitə] Diktierender; Diktator; **~torial** [~~'tɔːriəl] diktatorisch, herrschsüchtig; **~torship** [~'teitəʃip] Diktatur

diction ['dikʃən] Wortwahl, Diktion; Stil; **~ary** ['dikʃənəri] Wörterbuch

dictum ['diktəm], *pl* **~ta** ['diktə], **~tums** (Aus-) Spruch; geflügeltes Wort

did [did] *siehe* do[1]

didactic [di'dæktik] Lehr-(Gedicht); lehr(er)haft

die[1] [dai], *pl* **dice** [dais] Würfel

die[2] [dai], *pl* **dies** [daiz] ⚙ Gesenk, Matrize; Prägestempel

die[3] [dai], *~d*, *~d*, *dying* sterben (*of*, *from* an; *with*, *of* vor; *a natural death* eines natürlichen Todes); *~ in one's boots* [buːts] *es* gewaltsamen Todes sterben; *~ game* tapfer (kämpfend) sterben; *never say ~!* gib nicht auf!; *to ~ hard* nicht (aus)sterben (wollen); verwelken; verenden; *~ away* verblassen, -klingen, ersterben; *~ back* (*od* **down**) absterben; *~ down* niederbrennen, verglühen; *~ off* absterben; *~ out* aussterben; *fig* vergehen (*with*, *of* vor) ♦ *I'm dying* ich möchte furchtbar gern (*I'm dying to know* ich sterbe vor Neugier); **~hard** ['daihɑːd] unentwegt, starrköpfig; Unentwegter; Reaktionär

Diesel engine ['diːzəl'endʒin] Dieselmotor

dieselize ['diːzəlaiz] auf Dieselbetrieb umstellen (umgestellt werden)

diet ['daiət] (das alltägliche) Essen; Diät, (*bes* Abmagerungs-)Kur (*I'm on a ~*); *~ (o.s.)*

, e-e Kur machen; j-n in Diät hal-
...ment; *hist* Reichstag; ~**etics** [--'te-
...tkunde; Ernährungstherapie; ~**itian**
...n] Diätassistentin, -köchin; Diätspezia-

...r ['difə] verschieden sein; s. unterscheiden
...n in, dadurch, daß); anderer Meinung sein
(*with, from* als); *I beg to* ~ ich bin leider anderer Ansicht; *to agree* [ə'griː] *to* ~ bei seiner Ansicht bleiben; ~**ence** ['difrəns] Unterschied (*in
colour* Farb-); *it makes some (no)* ~ es macht
etwas (nichts) aus; Differenz, Streitigkeit;
~**ent** ['difrənt] verschieden, anders(artig)
(*from, to, than* als); besonders, nicht alltäglich;
~**ential** [difə'renʃəl] unterscheidend; Differen-
tial-; ✿ Differential; ~*ential price* Preis-
spanne; ~*ential tariff (wages)* Staffeltarif
(-lohn); ~**entiate** [difə'renʃieit] unterscheiden;
verschieden(artig) werden; ~**entiation** [difə-
renʃi'eiʃən] Differenzierung
difficult ['difikəlt] schwierig, schwer (*of access*
schwer zugänglich); ~**y** ['difikəlti] Schwierigkeit (*bes: to have some (no etc)* ~*y in*); *to raise*
(od *make*) ~*ies* Schwierigkeiten machen; *he's
always in* ~*ies* er ist immer in Geldnöten
diffiden|ce ['difidəns] Schüchternheit, man-
gelndes Selbstvertrauen; ~**t** schüchtern, ohne
Selbstvertrauen; *to be* ~*t* kein Selbstvertrauen
(Zutrauen zu sich selbst) haben
diffu|se [di'fjuːz] verbreiten; (s.) durchdrin-
gen; ~**se** [-'fjuːs] verbreitet, zerstreut; diffus;
weitschweifig; ~**sion** [--ʒən] Ver-, Ausbrei-
tung; Diffusion
dig [dig] (*s. S. 318*) 1. (um-, aus)graben; ~ *in*
(Mist) mit Erde umgraben; 2. *fig* ausgraben
(*from books*) forschen (*for* nach); s. vertiefen
(*into a book*); 3. stoßen, schubsen; 4. kapieren;
erleben; mögen; 5. Stoß, Schubs; 6. *fig* Stich
(*a* ~ *at me*); 7. *US* Streber; 8. ~**s** *pl BE umg*
Bude
digest [di'dʒest] (s.) verdauen (lassen); verdaulich sein; geistig verdauen, gründlich in s. aufnehmen; ertragen; ~ ['daidʒest] Zus.fassung;
Zeitschrift mit zus.fassenden Artikeln (*Reader's D~*); ~**ible** [di'dʒestibl] verdaulich; ~**ion**
[di'dʒestʃən] Verdauung; *easy (difficult) of*
~*ion* leicht (schwer) verdaulich; ~**ive** [di'-
dʒestiv] Verdauungs-
dig|ger ['digə] (*bes.* Gold-)Gräber; *BE sl* Au-
stralier; ~**ging** ('digin das Graben; (Erd-)Aus-
hub; *pl* Goldfeld, -mine; *pl BE umg* Erzgrube; *pl BE umg*
Bude
digit ['didʒit] Finger(breit); Zehe; Ziffer; *math*
Stelle; ~**alis** [didʒi'teilis] *bot* Fingerhut
digni|fied ['dignifaid] würdevoll; ~**fy** ['digni-
fai] Ehre erweisen, Würde verleihen, auszeichnen; ~**tary** ['dignitəri] Würdenträger; ~**ty** ['dig-
niti] Würde; hohe Stellung ♦ *to stand upon
one's* ~*ty* formell sein
digraph ['daigraːf] Doppelbuchstabe
digress [dai'gres] *from* abgehen, abschweifen
von; ~**ion** [dai'greʃən] Abschweifung
dike (*BE a.* dyke) [daik] Graben; Deich; ein-
deichen; eindämmen

dilapida|ted [di'læpideitid] verfallen(d), bau-
fällig; ~**tion** [di,læpi'deiʃən] Zerstörung; Verfall
dilat|ation [dailə'teiʃən, *US* dilə--] *bes* ♀ Er-
weiterung (Herz, Magen- etc); ~**e** [dai'leit] (s.)
weiten (s.) erweitern; sich auslassen (*upon*
über); ~**ion** [dai'leiʃən] Weitermachen, Deh-
nung; ~**ory** ['dilətəri] langsam, zaudernd; ver-
zögernd; saumselig (*over* in)
dilemma [di'lemə], *pl* ~**s** Dilemma; *to put s-b
in(to) a* ~ j-n in e-e verzwickte Lage bringen
dilettan|te [dili'tænti], *pl* ~**ti** [---tiː], ~**tes** Di-
lettant; Kunstliebhaber; ~**tism** [---tizm] Di-
lettantismus
diligen|ce ['dilidʒəns] Fleiß; Sorgfalt; ~**t** flei-
ßig; sorgfältig
dill [dil] Dill
dilly-dally ['dilidæli] *umg* schwanken; trödeln
dilu|te [dai'ljuːt] verdünnen; (Farbe) abstump-
fen; *fig* verwässern; ~ *te labour* Facharbeiter
durch ungelernte Arbeit ersetzen; ~**te**
[dai'ljuːt] verdünnt; abgestumpft; verwässert;
~**tee** [dailju'tiː] ungelernter Arbeiter; ~**tion**
[dai'ljuːʃən] Verdünnung; Verwässerung
dim [dim] trüb; undeutlich; verschwommen
(*with tears*); *to take a* ~ *view of* nicht viel halten von; trüben; abschwächen; ♠ *US* abblenden; ~**out** Abschirmung, Abdunklung, teilweise Verdunklung
dime [daim] *US* 10-Cent-Stück; ~ *novel* Gro-
schenroman; ~ *store* billiges Warenhaus
dimension [di'menʃən] (Aus-)Maß, Abmes-
sung; *pl* Ausmaß, Größe; *math* Dimension
dimin|ish [di'miniʃ] (sich) verringern; abneh-
men; ~**ution** [dimi'njuːʃən] Verminderung;
Verjüngung; ~**utive** [di'minjutiv] winzig; Ver-
kleinerungs-; Diminutiv, Verkleinerungswort
dimple [dimpl] Grübchen; Vertiefung; kleine
Welle; Grübchen bekommen; (s.) kräuseln
din [din] (anhaltender) Lärm, Getöse, dröhnen; *to* ~ *into s-b's ears* j-m etwas einhäm-
mern, predigen
dine [dain] zu Mittag (die Hauptmahlzeit) essen; j-m zu essen (ein Essen) geben; ~ *out*
auswärts essen (gehen); ~**r** ['dainə] (zu Mittag)
Essender; ☞ Speisewagen; ~**tte** [dai'net] Eß-
ding-dong ['diŋdɔŋ] Bimbam ⌊nische
dinghy, dingey ['diŋgi] Segeljolle, Dingi;
Schlauchboot (e-s Flugzeugs)
dingle [diŋgl] tiefes Waldtal
dingy ['dindʒi] trüb, schmutzig, dunkel
dining-car ['dainiŋkaː] Speisewagen; ~**-room**
Eßzimmer
dinner ['dinə] Hauptmahlzeit (mittags oder
abends), Essen; (Fest-)Essen, Diner; ~**-jacket**
BE Smoking; ~**-party** Einladung mit Abendessen; ~**-service** [---səːvis] Speiseservice; ~**-wa-
gon** [--wægən] Servierwagen
dint [dint] Einbeulung, Beule; *by* ~ *of* vermit-
telst, durch; *vt* einbeulen
dioce|san [dai'ɔsisən] Diözesan-; Bischof; ~**se**
['daiəsis] Diözese, Bistum
dip [dip] I. (kurz) (ein)tauchen; 2. (Kerze) ziehen; 3. (Schafe) dippen; 4. (Kleid) färben; 5.

⚓ (Flagge) dippen; ~ *one's hand into (a bag etc)* mit d. Hand in (e-n Sack) fahren; ~ *up* (Wasser etc) herausholen; ~ *deeply into one's purse* tief in d. Tasche greifen; ~ *into (a book)* s. etw befassen mit; **6.** sinken, fallen; (Straße) abfallen; **7.** (Ein-)Tauchen; *to have (take, go for) a* ~ schwimmen (baden) gehen; **8.** Tunke; **9.** (gezogene) Kerze; **10.** Dippen (d. Flagge) *(at the* ~ gedippt); **11.** Gefälle; **12.** Winkel; **13.** ✝ Fallen; **14.** Geschäftsrückgang; *to take a* ~ zurückgehen; **15.** Säufer

diphtheria [dif'θiəriə] Diphtherie

diphthong ['difθɔŋ] Doppellaut; (als Vokal gesprochener) Doppelbuchstabe

diploma [di'ploumə], *pl* ~**s** Diplom; ~**cy** [--si] Diplomatie; ~**t** ['dipləmæt] Diplomat; ~**tic** ['diplə'mætik] diplomatisch *(the ~tic service)*; *the ~tic corps* [kɔ:] (od *body*), d. dipl. Korps; ~**tist** [--tist] Diplomat

dipper ['dipə] Schöpfkelle; Baggereimer, Wasseramsel; *astr US* **Big D~** Großer Bär, **Little D~** Kleiner Bär

dipsomania [dipsə'meinjə] Trunksucht; ~**c** [--niæk] trunksüchtig; trunksüchtige Person

dire [daiə] schrecklich; äußerst *(is in ~ need of help* braucht dringend Hilfe)

direct [di'rekt] **1.** j-m d. Weg zeigen *(to* nach); **2.** (an)leiten; anweisen, Anweisung (Befehl) geben; **3.** (Aufmerksamkeit etc) lenken, richten *(to, towards* auf, *to* an); **4.** ⚙, 🎬 Regie führen; dirigieren; **5.** (Güter) lenken; **6.** direkt gerade *(in a ~ line with* auf der Geraden zwischen); **7.** unmittelbar; **8.** Voll-(Treffer); **9.** klar, unverblümt, rundheraus; **10.** genau (Gegenteil); **11.** ~ *action* direkte Aktion; ~ *current* ['kʌrənt] Gleichstrom; ~ *speech* direkte Rede; ~ *train* durchgehender Zug; **12.** *adv* direkt, unmittelbar; ~**ion** [-'rekʃən] Richtung *(in the ~ion of* in R. auf); *oft pl* (Gebrauchs-)Anweisung, (Weg-)Beschreibung; *pl* Anschrift; (An-)Leitung; Geschäftsführung (Wirtschafts-)Lenkung; 🎬 Regie; ~**ly** [--li] gerade(heraus); unmittelbar; *(oft* ['drekli] *BE)* sofort, sogleich; *umg BE* sobald, sowie; ~**ness** Geradheit, Ehrlichkeit; ~**or** [-'rektə] Leiter, Direktor; *Board of D~ors* Direktorium, Aufsichtsrat; 🎬 Regisseur; *mil* Kommandogerät; ~**orate** [di'rektərit] Direktorium; Direktorat; ~**orship** Direktorat; ~**ory** [di'rektəri] Telefon-, Adreßbuch

dirge [də:dʒ] Totengesang, Klagelied

dirigible ['diridʒibl] lenkbar(es Luftschiff)

dirk [də:k] Dolch; erdolchen

dirt [də:t] Schmutz, Dreck; *as cheap as* ~, ~-*cheap* ['də:t'tʃi:p] *umg* spottbillig; (lockere) Erde; ~ *road US* unbefestigte Straße; ~-*track* 🏁 Aschen-, Schlackenbahn; *to eat* ~ klein beigeben; *to fling* (od *throw*) ~ *at* j-n mit Schmutz bewerfen; *to treat s-b like* ~ j-n wie (d. letzten) Dreck behandeln; Plunder; Schund; gemeiner Mensch; ~**y** schmutzig, dreckig *(~y hands, work)*; ~**y** *work (fig)* Betrug; *fig* unsauber; (Wetter) scheußlich; *vt* schmutzig machen

disability [disə'biliti] Unvermögen; Unfähigkeit; Invalidität, Arbeitsunfähigkeit; *at a great ~ility* sehr benachteiligt; ~**le** [dis'eibl] (kampf)unfähig, unbrauchbar machen; ~**led** [dis'eibld] unfähig (gemacht); schwer verletzt, versehrt; ⚓ seeuntüchtig; *mil* abgeschossen

disabuse [disə'bju:z] j-m d. Wahrheit sagen, e-s Besseren belehren; ~ *of* j-n aufklären, befreien von (Irrtum)

disaccord [disə'kɔ:d] nicht übereinstimmen *(with* mit)

disadvantage [disəd'va:ntidʒ] Nachteil, benachteiligender Umstand; *to do s-th at a* ~ benachteiligt sein bei; Benachteiligung; ~**ous** [disædvən'teidʒəs] (be)nachteilig(t)

disaffect|ed [disə'fektid] *pol* unzufrieden, feindlich gesinnt; ~**ion** [disə'fekʃən] *pol* Unzufriedenheit; mangelnde Loyalität

disagree [disə'gri:] nicht übereinstimmen; verschiedener Meinung sein; anderer Meinung sein *(with* als); (Klima, Essen) nicht bekommen *(eggs* ~ *with me)*; ~**able** [disə'griəbl] unangenehm; ~**ment** fehlende Übereinstimmung; Meinungsverschiedenheit; Mißhelligkeit

disallow [disə'lau] nicht gestatten; ⚖ nicht zulassen

disannul [disə'nʌl] aufheben, streichen

disappear [disə'piə] verschwinden; ~**ance** [disə'piərəns] Verschwinden

disappoint [disə'pɔint] enttäuschen; (Hoffnung, Plan) stören; ~**ed** enttäuscht *(at, with s-th* über etw, *in s-b* von j-m); ~**ment** Enttäuschung

disappro|bation [disæprə'beiʃən], ~**val** [disə'pru:vəl] Mißbilligung *(in ~val* mißbilligend); ~**ve** [disə'pru:v] miß-, nicht billigen *(s-th, of s-th* etwas)

disarm [dis'a:m] entwaffnen *(a. fig)*; abrüsten; ~**ament** [dis'a:məmənt] Entwaffnung; Abrüstung

disarrange [disə'reindʒ] durcheinanderbringen, stören; ~**ment** Verwirrung, Unordnung

disassemb|le [disə'sembl] ⚙ auseinandernehmen, -montieren; zerlegen; ~**ly** ⚙ Demontage; Zerlegung

disassocia|te [disə'souʃieit] loslösen, trennen; ~**tion** [disə,sousi'eiʃən] Loslösung, Trennung

disas|ter [di'za:stə] Katastrophe; ~**trous** [di'za:strəs] katastrophal, verheerend

disavow [disə'vau] in Abrede stellen; nicht anerkennen; s. lossagen von; ~**al** [--əl] Leugnung; Nichtanerkennung

disband [dis'bænd] *mil* auflösen, entlassen; ~**ment** *mil* Auflösung; Verabschiedung

disbelie|f [disbi'li:f] Unglaube; Zweifel *(in* an); ~**ve** [disbi'li:v] nicht glauben (können); mißtrauen, zweifeln *(in* an)

disburden [dis'bə:dən] entlasten *(of* von)

disburse [dis'bə:s] auszahlen; ~**ment** Auszahlung; Ausgabe

disc [disk] 🎵 Scheibe; Schallplatte (siehe disk)

discard [dis'ka:d] (Karten) ablegen *(a. fig)*; aufgeben; abstoßen

discern [di'sə:n, *bes US* di'zə:n] erkennen, ausmachen; unterscheiden (*between* zwischen); **~ible** unterscheid-, erkennbar; **~ing** klar, scharf(sichtig); **~ment** Scharfsinn; Einsicht

discharge [dis'tʃɑːdʒ] ent-, ausladen; (Rauch) ausstoßen; ~ *o.s.* sich ergießen; ⚡ entladen; abfeuern; ⚓ absondern, ausscheiden; entlasten; (Pflicht) erfüllen; (Summe, Schuld) begleichen; Ent-, Ausladung; Ablassen (von Rauch, Wasser); ⚡ Entladung; Abfeuern; Abschuß; ⚓ (Aus-)Fluß; Entlastung; Erfüllung (e-r Pflicht); Begleichung

disciple [di'saipl] Anhänger; *eccl* Jünger; **~inarian** [disipli'nɛəriən] j-d, der gut Zucht (Ordnung) hält, Zuchtmeister; **~inary** ['disiplinəri] Disziplinar-; erzieherisch; **~ine** ['disiplin] Disziplin; Bestrafung, Strafe; Lehrmethode; *vt* Disziplin schaffen; in Ordnung halten, erziehen; (be)strafen

disclaim [dis'kleim] nicht für sich beanspruchen; ablehnen, abstreiten; nicht anerkennen; verleugnen

disclo|se [dis'klouz] zutage fördern, enthüllen; bekanntgeben; **~sure** [dis'klouʒə] Enthüllung; Bekanntgabe

discolour [dis'kʌlə] (s.) verfärben; d. Farbe von etwas zerstören; **~ation** [diskʌlə'reiʃən] Verfärbung; Fleck

discomfit [dis'kʌmfit] j-s Päne stören, in Verlegenheit bringen, verärgern; *mil* schlagen; **~ure** [--'fitʃə] Vereitelung (aller Pläne); Niederlage

discomfort [dis'kʌmfət] Fehlen jeglicher Annehmlichkeit; Unannehmlichkeit; Unbehagen; beunruhigen

discommode [diskə'moud] j-m Unannehmlichkeiten bereiten

discompo|se [diskəm'pouz] j-n aufbringen, erregen; **~sure** [--'pouʒə] Unruhe, Erregung

disconceit [diskən'sə:t] j-n aus der Fassung bringen; stören; über d. Haufen werfen, zunichte machen

disconnect [diskə'nekt] trennen, unterbrechen (*a.* ⚡); auskuppeln

disconsolate [dis'kɔnsəlit] trostlos

discontent [diskən'tent] Unzufriedenheit; **~ed** unzufrieden

discontinue [diskən'tinjuː] aufhören (mit), einstellen; (Zeitung) nicht mehr halten; unterbrechen

discord ['diskɔːd] Meinungsverschiedenheit; Mißhelligkeit; Mißklang (♪, *fig*); **~ance** [-'kɔːdəns] fehlende Übereinstimmung; **~ant** [-'kɔːdənt] nicht übereinstimmend; nicht harmonierend; mißtönend

discount ['diskaunt] Skonto, Rabatt; *at a* ~ unter pari; *to be at a* ~ wenig Beachtung finden; Diskont (~ *rate* -satz); ~ [-'kaunt, --] diskontieren; nicht für bare Münze nehmen, nur teilweise glauben, ablehnen; **~enance** [dis'kauntinəns] mißbilligen; entmutigen; abhalten

discourage [dis'kʌridʒ] entmutigen; (versuchen) j-n ab(zu)halten (*from* von); **~ment** Entmutigung; Schwierigkeit

discourse [dis'kɔːs] Rede, Vortrag; Predigt; Unterhaltung, Gespräch; sich auslassen (*on* über), e-n Vortrag (e-e Predigt) halten

discourte|ous [dis'kəːtjəs] unhöflich; **~sy** [--təsi] Unhöflichkeit, Unart

discover [dis'kʌvə] entdecken; feststellen; **~er** [--rə] Entdecker(in); **~y** [--ri] Entdeckung; Feststellung

discredit [dis'kredit] ablehnen, bezweifeln; in Mißkredit bringen; *su* Zweifel; *to bring* ~ *on* = *to* ~; Unehre, Schande (*to* für); **~able** unwürdig, unehrenhaft

discreet [dis'kriːt] überlegt, umsichtig; verschwiegen

discrepancy [dis'krepənsi] Gegensatz; Widerspruch; Diskrepanz

discre|te [dis'kriːt] abgesondert, getrennt; abstrakt; **~tion** [dis'kreʃən] **1.** Besonnenheit, Klugheit, Umsicht ♦ ~ *tion is the better part of valour* ['vælə] Vorsicht ist d. Mutter d. Porzellankiste; **2.** Entscheidungsfreiheit, Ermessen (*to use one's own* ~ *tion* nach eigenem E. handeln); *it is within your own* ~ *tion* es liegt bei Ihnen, ist Ihnen anheimgestellt; *at* ~ *tion* nach eigenem Ermessen; *to surrender at* ~ *tion* s. auf Gnade oder Ungnade ergeben; *years* (*od age*) *of* ~ *tion* (Straf-)Mündigkeit; **~tionary** [-'kreʃnəri] beliebig, willkürlich; uneingeschränkt

discrimina|te [dis'krimineit] unterscheiden; anders behandeln; ~ *te against* benachteiligen, diskriminieren; ~ *te between* unterschiedlich behandeln; **~ting** urteilsfähig; anspruchsvoll; fein (Geschmack); unterschiedlich; **~tion** [-,--'neiʃən] Unterscheidung(sfähigkeit); Feingefühl, Scharfsinn; **~tory** [dis'kriminətəri] unterschiedlich; benachteiligend, nachteilig

discursive [dis'kəːsiv] sprunghaft; abschweifend

discus ['diskəs], *pl* ~ **es** Diskus

discuss [dis'kʌs] besprechen, erörtern; (Mahl) genießen; **~ion** [-'kʌʃən] (langes) Gespräch, Erörterung, Diskussion (*is under* ~ *ion* wird erörtert); genußreiches Verzehren

disdain [dis'dein] verachten; herabsehen auf; verschmähen; Verachtung (*with* ~ von oben herab); **~ful** verachtungsvoll, geringschätzig; hochmütig

disease [di'ziːz] Krankheit; **~d** [di'ziːzd] krank, erkrankt; krankhaft

disembark [disim'bɑːk] von Bord gehen, aussteigen; ausschiffen, ausladen

disembarrass [disim'bærəs] befreien, losmachen (*of, from* von)

disembody [disim'bɔdi] entkörperlichen; *mil* auflösen

disembowel [disim'bauəl] ausweiden

disemployed [disim'plɔid] beschäftigungslos

disenchant [disin'tʃɑːnt] entzaubern; desillusionieren; herabsetzen

disencumber [disin'kʌmbə] entlasten

disengage [disin'geidʒ] befreien; (s.) lösen; **~d** [disin'geidʒd] nicht besetzt, frei (von Arbeit); **~ment** Losgelöstsein, Freisein (*from* von); Muße; Entlobung

disentangle [disin'tæŋgl] entwirren; wieder in Ordnung bringen; *fig* trennen (*from* von)

disequilibrium [disiːkwi'libriəm] gestörtes Gleichgewicht, Unausgeglichenheit

disestablish [disis'tæbliʃ] abschaffen; aufheben; (Kirche) ihres staatskirchlichen Charakters entkleiden; **~ment** *eccl* Trennung von Kirche und Staat

disesteem [disis'tiːm] geringschätzen

disfavour [dis'feivə] Abneigung; Mißbilligung; *in* ~ nicht beliebt, nicht angesehen; *vt* e-e Abneigung haben gegen; mißbilligen

disfigure [dis'figə] entstellen; ~ **ment** [dis'figəmənt] Entstellung, Verunstaltung

disfranchise [dis'fræntʃaiz] (j-m) die Bürgerrechte (d. Wahlrecht) nehmen, entziehen

disgorge [dis'gɔːdʒ] ausspeien; *fig* hergeben, herausrücken; ~ *(o.s.)* s. ergießen

disgrace [dis'greis] Schande (*to bring* ~ *on s-b*); *in* ~ nicht angesehen, unehrenhaft; *(konkr) a* ~ *to* e-e Schande für; entehren; **~ful** schändlich, unehrenhaft

disgruntled [dis'grʌntld] unzufrieden, verdrossen, mißgestimmt

disguise [dis'gaiz] verkleiden (*o.s.* sich), verändern, (Stimme) verstellen; (Ding) verkleiden, verändern (*as* als, zu); (Gefühl) verbergen; Verkleidung, Verstellung; *to make no* ~ *of* nicht verbergen, nicht zurückhalten mit

disgust [dis'gʌst] Ekel, Abscheu (*in* ~ voll A.); j-s Abscheu erregen, j-n ekeln; ~ *ed with (at, by)* angewidert (von), empört (über); *I'm* ~*ed* ich finde es abscheulich; **~ing** ekelhaft, abscheulich

dish [diʃ] Schüssel, Platte; Gericht; **~-cloth** [-klɔθ], *pl* ~-cloths [-klɔθs] Spüllappen, Geschirrtuch; **~pan** *US* Spülschüssel; **~towel** [-tauəl] *US* Geschirrtuch; **~-water** [-wɔːtə] Spülwasser; ~ *(up)* auftischen (*a. fig)*; *pol* erledigen, schlagen

dishearten [dis'hɑːtn] entmutigen, niedergeschlagen machen

dishevelled [di'ʃevəld] unordentlich; zerzaust

dishonest [dis'ɔnist] unehrlich; **~y** Unehrlichkeit; Unredlichkeit

dishonour [dis'ɔnə] Schande, Unehre; *(konkr) a* ~ *to* e-e Schande für; entehren; (Scheck) nicht honorieren; (Wort) brechen; **~able** [-rəbl] schändlich; ehrlos

dishy ['diʃi] toll, sexy

disillusion [disi'luːʒən] desillusionieren; *to be* ~*ed* [---d] e-e falsche Annahme auf(ge)geben (haben); *to be* ~*ed with* die Illusionen über etwas verloren haben; *su* Desillusionierung

disinclin|ation [disinkli'neiʃən] Abneigung (*for, to* gegen); **~ed** [disin'klaind] nicht geneigt (zu tun), abgeneigt

disinfect [disin'fekt] desinfizieren; **~ant** desinfizierend(es Mittel); **~ion** [--'fekʃən] Desinfektion

disinflation [disin'fleiʃən] Geld- und Kreditverknappungspolitik

disingenuous [disin'dʒenjuəs] unaufrichtig, unehrlich

disinherit [disin'herit] enterben; **~ance** Enterbung

disintegra|te [dis'intigreit] (sich) zersetzen; (s.) auflösen; zerbrechen; **~tion** [-,---'-ʃən] Zersetzung; Auflösung

disinter [disin'təː] exhumieren; **~ment** Exhumierung

disinterested [dis'intristid] nicht persönlich interessiert, uneigennützig

disjoin [dis'dʒɔin] trennen; an der Vereinigung hindern; **~t** auseinandernehmen, zerlegen; **~ted** locker; aus den Fugen geraten; unzusammenhängend

disjunctive [dis'dʒʌŋktiv] trennend

disk [disk] Scheibe; (Schall-)Platte; **~jockey** ['dʒɔki] Schallplattenansager, Diskjockey

dislike [dis'laik] nicht mögen, nicht gern haben; Abneigung (*of, for* gegen); *I've taken a* ~ *to him* ich mag ihn nicht mehr; *he is full of likes and* ~*s* [--s] er hat für vieles e-e Vorliebe oder e-e Abneigung

disloca|te ['disləkeit] verrenken, auskugeln; stören, in Unordnung bringen; verlagern, verschieben; **~tion** [--'keiʃən] **$** Verrenkung; Verlagerung, Verschiebung

dislodge [dis'lɔdʒ] (von seinem Platz) entfernen, (aus seiner Stellung) verdrängen (*a. mil)*

disloyal [dis'lɔiəl] treulos, untreu; **~ty** Treulosigkeit, Untreue

dismal ['dizməl] düster, trüb, traurig

dismantl|e [dis'mæntl] auseinandernehmen, zerlegen; demontieren; **~ing, ~ement** Auseinandernehmen, Zerlegung; Demontage, Abbruch

dismay [dis'mei] Furcht, Mutlosigkeit; Bestürzung (*at* über); bestürzen

dismember [dis'membə] zerstückeln

dismiss (dis'mis) freigeben; entlassen (*the service* aus d. Wehrdienst); (Gedanken) aufgeben; abtun (*as* als); **$** abweisen; ~ *from one's mind* aus d. Gedächtnis streichen; **~al** Entlassung

dismount [dis'maunt] ab-, aussteigen; aus d. Sattel heben; ab-, ausbauen

disobedien|ce [disə'biːdjəns] Ungehorsam; **~t** ungehorsam

disobey [disə'bei] nicht gehorchen, ungehorsam sein gegen(über)

disoblig|e [disə'blaidʒ] ungefällig sein gegen(über); **~ing** ungefällig

disorder [dis'ɔːdə] Unordnung, Durcheinander; *pol* Unruhe; **$** Störung; in Unordnung, durcheinanderbringen, stören; ~ *ly* unordentlich; unvorschriftsmäßig, rücksichtslos; aufrührerisch; liederlich

disorganiz|e [dis'ɔːgənaiz] stören, zerrütten, desorganisieren; **~ation** [-,---'zeiʃən] Störung, Zerrüttung

disown [dis'oun] nicht anerkennen (wollen); ablehnen; verleugnen

disparag|e [dis'pæridʒ] herabsetzen, verunglimpfen; **~ement** Herabsetzung, Verunglimpfung; **~ingly** in herabsetzender Weise, verächtlich

dispar|ate ['dispərit] ganz verschieden, ungleich(artig); **~ity** [dis'pæriti] Ungleichheit, Unterschied

dispassionate [dis'pæʃənit] leidenschaftslos; unparteiisch

dispatch, des- [dis'pætʃ] (ab)schicken, -senden; (schnell) erledigen, beenden; j-n erledigen; Absendung; Nachricht(ensendung); *mil* Meldung; Schnelligkeit; Erledigung; **~-box** (**~-case**) Dokumentenkasten (-mappe); **~-rider** Melder

dispel [dis'pel] zerstreuen, vertreiben *(a. fig)*

dispens|able [dis'pensəbl] entbehrlich, unnötig; **~ary** [dis'pensəri] (Werks-)Krankenhaus, Apotheke; Arzneiausgabe; (öffentliche) Ambulanz; *mil* Revier; **~ation** [dispen'seiʃən] Ausübung (der Gerechtigkeit); Verteilung; Führung, Lenkung (der Welt); Schickung, Fügung; *eccl,* ♫ Dispens; Rechts-, religiöses System; **~e** [dis'pens] (Gerechtigkeit) ausüben; (Nahrung) verteilen; (Arzneien) zubereiten u. ausgeben; **~e with** entbinden von; auskommen ohne; **~er** [dis'pensə] Arzt-, Apothekengehilfe

dispers|e [dis'pə:s] (s.) zerstreuen, vertreiben; verteilen; **~al** [dis'pə:səl] Zerstreuung; Verteilung; **~edly** [dis'pə:sidli] von (in) verschiedenen Richtungen; **~ion** [dis'pə:ʃən] = ~ al, *bes. phys* Dispersion

dispirited [dis'piritid] entmutigt, mutlos

displace [dis'pleis] ersetzen; verdrängen *(a.* ♫*)*; an d. Stelle setzen (treten) von; verschleppen; **~ment** Ersetzung; Verdrängung *(a.* Wasser-*)*; Verschleppung

display [dis'plei] **1.** zeigen, zur Schau stellen; groß drucken; **2.** Schau; Zurschau-, Ausstellung; **3.** Entfaltung; *(window)* ~ Auslage; ~ *type* Auszeichnungsschrift; **4.** Beweis (von Mut); **5.** Angabe, Prunk; *to make a* ~ *of* zur Schau stellen, angeben mit

displeas|e [dis'pli:z] (j-m) mißfallen; ärgern; *to be* ~*ed* [dis'pli:zd] *at, with* ungehalten sein über, mißbilligen; **~ure** [dis'pleʒə] Mißfallen, Verdruß

disport [dis'pɔ:t] *o.s.* sich vergnügen

dispos|able [dis'pouzəbl] für einmaligen Gebrauch, zum Wegwerfen; ~ *able tissue* ['tiʃu:] Zellstoff; **~al** [dis'pouzəl] Beseitigung (von Abfall etc); *mil* Unterbringung; Erledigung, Verwertung; Verfügung(sgewalt) *(of* über); *at one's* ~*al* zu j-s Verfügung; **~e** [dis'pouz] *of* loswerden, beseitigen; erledigen; beenden; ~ *bes mil* anordnen, disponieren ♦ *Man proposes, God* ~*es* Der Mensch denkt, Gott lenkt; j-n geneigt machen, veranlassen; *to feel* ~*ed* [––d] *for* Lust haben zu; *to be well (ill)* ~*ed towards* (un)freundlich eingestellt sein zu; **~ition** [dispə'ziʃən] Natur, Wesen; Anordnung, Verteilung *(a. mil);* Verfügung(sgewalt)

dispossess [dispə'zes] enteignen; berauben; ~ *of* j-m etwas nehmen, rauben; **~ion** [––'zeʃən] Enteignung; Beraubung

disproof [dis'pru:f], *pl* ~**s** Widerlegung, Gegenbeweis

disproportion [disprə'pɔ:ʃən] Mißverhältnis; **~ate** [––'ʃənit] unverhältnismäßig (groß, klein)

disprove [dis'pru:v] widerlegen

disput|able [dis'pju:təbl, ––] bestreitbar, strittig; **~ant** ['dispjutənt, *BE a.* ––] Disputant, (wissenschaftl.) Gegner; **~e** [dis'pju:t] debattieren, (sachlich) streiten (um) *(with, against* mit; *on, about* über); in Frage ziehen, bestreiten, anfechten; (Boden) verteidigen; *su* Streit *(in ~ e* umstritten); Auseinandersetzung, Streitigkeit; *beyond* (od *without)* ~*e* unstreitig

disqualif|ication [diskwɔlifi'keiʃən] Disqualifikation, Ausschluß *(from* von); Mangel; **~fy** [dis'kwɔlifai] ungeeignet machen, nicht in Frage kommen lassen; für ungeeignet erklären, disqualifizieren *(from* für)

disquiet [dis'kwaiət] beunruhigen; Besorgnis; Unruhe *(a. pol);* **~ude** [dis'kwaiitju:d] Besorgnis, Unruhe

disquisition [diskwi'ziʃən] Abhandlung; Elaborat

disregard [disri'ga:d] miß-, nicht beachten; Miß-, Nichtbeachtung

disrepair [disri'peə] schlechter (Bau-)Zustand *(in ~* reparaturbedürftig)

disreput|able [dis'repjutəbl] übel beleumundet, verrufen; unansehnlich; **~e** [disri'pju:t] übler Ruf, Verruf *(to fall into* ~*e* s-n Ruf verlieren, in Verruf geraten)

disrespect [disri'spekt] Nichtachtung *(for* gegenüber); Respektlosigkeit, Unhöflichkeit; **~ful** respektlos, unhöflich

disrobe [dis'roub] seine Kleider *(bes* Staatsrobe*)* ablegen

disroot [dis'ru:t] entwurzeln

disrupt [dis'rʌpt] zerbrechen, zerstören; **~ion** [dis'rʌpʃən] Zerreißung, Zerstörung; **~ive** zerstörend

dissatis|faction [dissætis'fækʃən] Unzufriedenheit *(with* über); **~factory** [dissætis'fæktəri] unbefriedigend; **~fy** [dis'sætisfai] unzufrieden machen; (j-m) mißfallen

dissave ['dis'seiv] seine Ersparnisse angreifen

dissect [di'sekt] zerlegen, zerschneiden, sezieren; *fig* gründlich untersuchen, studieren; **~ion** [di'sekʃən] Zerlegung; Untersuchung; Sektions-, zerlegtes Teil

dissemble [di'sembl] verbergen; heucheln; **~r** [di'semblə] Heuchler, Betrüger

dissemina|te [di'semineit] verbreiten; **~tion** [disemi'neiʃən] Verbreitung

dissen|sion [di'senʃən] Zwist; Streit(erei); **~t** abweichen *(from* von); anderer Meinung sein *(from* als); sektiererisch eingestellt sein, nicht d. Staatskirche angehören; abweichende Ansicht; ~ *ter* Andersdenkender; j-d, der nicht der Staatskirche angehört, Sektierer; **~tient** [––'ʃiənt] abweichend, andersdenkend

dissertation [disə'teiʃən] wissenschaftliche Abhandlung, Dissertation, Diplomarbeit; Vortrag

disservice ['dis'sə:vis] schlechter Dienst *(to* an), Schaden *(to* für)

dissever [dis'sevə] abschneiden, trennen, teilen

dissiden|ce ['disidəns] Uneinigkeit; ~t andersdenkend; Dissident

dissim|ilar [di'similə] verschieden (to von), unähnlich; ~ilarity [-,--'læriti] Verschiedenheit, Unähnlichkeit; ~ulate [di'simjuleit] verbergen; sich verstellen, heucheln; ~ulation [di,simju'leiʃən] Verstellung Heuchelei

dissipa|te ['disipeit] zerstreuen, vertreiben; vergeuden; ~ted liederlich, ausschweifend; ~tion [disi'peiʃən] Zerstreuung, Vertreibung; Vergeudung; billige Vergnügung(en)

dissocia|te [di'souʃieit] fig trennen, scheiden; ~ te o.s. from sich trennen, lossagen von; ~tion [di,sousi'eiʃən] Trennung, Absonderung; Zerfall

dissolu|ble [di'sɔljubl] auflösbar, löslich; ~te ['disəluːt] sittenlos, verkommen; ~tion [disə'luːʃən]; (Parlaments-)Auflösung; Tod; Zerfall

dissolv|able [di'zɔlvəbl] auflösbar, löslich; ~e [di'zɔlv] (s.) auflösen (a. fig)

dissonan|ce [di'sɔnəns] Dissonanz, Disharmonie; ~t mißtönend, disharmonisch

dissua|de [di'sweid] abraten (from von; from doing zu tun); (j-m etwas) ausreden (from doing zu tun); ~sion [di'sweiʒən] Abraten, Ausreden

distaff ['distɑːf], pl ~s Spinnrocken; on the ~ side auf seiten der Frau

distance ['distəns] 1. Entfernung (at a ~ of auf e-e E. von); 2. Strecke; no ~ at all gar nicht weit; some ~ ziemlich weit; within easy ~ of recht nahe bei; (with)in walking ~ of ... so, daß man ... gut zu Fuß erreichen kann; from (od at) a ~ aus d. Ferne, von weitem; in the ~ weit weg, in d. Ferne; to keep s-b at a ~ s. j-n fernhalten; to keep one's ~ zurückhaltend, kühl sein; 3. Zeitraum, (zeitl.) Entfernung; 4. vt hinter s. lassen (a. fig)

distant ['distənt] entfernt, weit; weitläufig (Verwandter); beiläufig, wenig freundlich

distaste [dis'teist] Abneigung (for gegen); ~ful widerwärtig, unangenehm

distemper [dis'tempə] ϟ Staupe; Temperafarbe; mit T.farbe (an-, be-)malen

disten|d [dis'tend] (s.) ausdehnen, (s.) aufblähen; ~sion, US ~tion [dis'tenʃən] Strecken; Ausdehnung

distil, US -ll [dis'til] destillieren; (sich) niederschlagen (lassen); (Whisky etc) brennen; ~lation [disti'leiʃən] Destillierung; Brennen; ~ler Destillateur; Brenner; ~lery Brennerei

distinct [dis'tiŋkt] deutlich, eindeutig; ausgesprochen; (voneinander) verschieden, getrennt ~ion [dis'tiŋkʃən] Unterscheidung, Unterschied; to make (careful) ~ions between (sorgfältig) unterscheiden ♦ a ~ion without a difference kein eigentlicher Unterschied; Auszeichnung (a teacher of ~ion ein ausgezeichneter L.); ~ive (von anderen) deutlich abgrenzend, charakteristisch; Unterscheidungs-; ~ness Deutlichkeit

distinguish [dis'tiŋgwiʃ] klar erkennen, unterscheiden (from von); ~ o.s. sich auszeichnen; ~able unterscheidbar, auseinanderzuhalten; ~ed [dis'tiŋgwiʃt] berühmt; verdient; ausgezeichnet, hervorragend; ~ing charakteristisch

distort [dis'tɔːt] verzerren, entstellen; ~ion [dis'tɔːʃən] Verzerrung, Entstellung

distract [dis'trækt] ablenken (from von), stören (from bei); ~ed verwirrt, verrückt; ~ion [dis'trækʃən] Ablenkung; Störung; Wahnsinn (to drive s-b to ~ion)

distrain [dis'trein] upon beschlagnahmen, pfänden; ~t Beschlagnahme, Pfändung, Zwangsvollstreckung

distraught [dis'trɔːt] verwirrt, zutiefst besorgt

distress [dis'tres] Schmerz, Kummer (to für); Leiden; Elend, Not; Gefahr; betrüben, bekümmern; ~ o.s. sich sorgen; ~ing betrüblich, beunruhigend

distribu|te [dis'tribjuːt] ver-, austeilen (to an); verbreiten; (Waren) vertreiben; einteilen, ordnen; ~tion [distri'bjuːʃən] Verteilung; Verbreitung; Vertrieb; ⅏ Verleih; ~tive [dis'tribjutiv] Verteiler-, Absatz-; distributiv; ~tor [dis'tribjutə] Verteiler; (Groß-)Händler

district ['distrikt] Gebiet; Kreis, (Verwaltungs)Bezirk

distrust [dis'trʌst] Mißtrauen; mißtrauen; ~ful mißtrauisch

disturb [dis'təːb] (zer)stören; durcheinanderbringen; ~ the peace Unruhe stiften; ~ance Störung; Radau; to make ~ance about Aufruhr machen wegen; to cause a ~ance Unruhe stiften

disun|ion [dis'juːnjən] Trennung, Uneinigkeit; ~ite [-ju'nait] (s.) trennen, (s.) auflösen; ~ity (-'juːniti) Uneinigkeit

disuse [dis'juːz] nicht mehr gebrauchen; ~ (dis'juːs) Nichtgebrauch, Stilliegen; to fall into ~ = to be ~d

ditch [ditʃ] Graben ♦ to die in the last ~ bis zum letzten Atemzug kämpfen; ~-water [-wɔːtə] stehendes Wasser; as dull as ~-water äußerst langweilig; vt Gräben bauen (ausbessern, reinigen); in e-n Graben fahren; zum alten Eisen werfen

dither ['diðə] Taumel (of excitement); taumeln, beben, bibbern; zögern

ditto ['ditou] dasselbe, dito; to say ~ to zustimmen, unterstützen

ditty ['diti] Lied(chen)

diva ['diːvə], pl ~s Diva

divan [di'væn] Diwan

div|e [daiv] (s. S. 318) 1. springen, tauchen (for nach); ⚓ stürzen, ⚓ tauchen; 2. plötzlich verschwinden, untertauchen (into in); ~e into one's pocket in d. Tasche fahren; 3. s. vertiefen; 4. Sprung (ins Wasser); Sturz; 5. Sturzflug; 6. BE Kellerlokal; Spelunke, Rumslokal; ~er ['daivə] Taucher; Tauchvogel; ~ing Tauchen; ~ing-bell Taucherglocke; ~ing-board Sprungbrett; ~ing-dress Tauchanzug; ~ing-helmet Taucherhelm

diverge [dai'vəːdʒ] auseinandergehen, divergieren; ~nce, ~ncy Divergenz; ~nt divergierend, (voneinander) abweichend

diver|s ['daɪvəz] verschieden, manch(erlei); ~se [–'vɜːs] ganz verschieden, ganz anders(artig); ~sify [–'vɜːsifaɪ] verschiedenartig, abwechslungsreich machen, beleben; ~sion [–'vɜːʃən] Ab-, *BE* 🚗 Umleitung; Ablenkung; Zeitvertreib; ~sity [–'vɜːsiti] Verschiedenheit, Andersartigkeit; ~t [–'vɜːt] ab-, *BE* 🚗 umleiten, -lenken; *fig* ablenken, unterhalten; ~ting unterhaltsam

divest [daɪ'vest] *o.s. of* (Robe) ablegen; s. entledigen, s. (e-r Idee) erwehren; *fig* entkleiden

divid|e [di'vaɪd] (s.) teilen, trennen; (Haar) scheiteln; ~e *4 into 20* 20 durch 4 teilen; ver-, aufteilen; absondern (*from* von); *pol* mit d. Hammelsprung abstimmen (lassen); (Wasser-scheide; ~end ['dividənd] Dividende; *math* Dividend; ~ers [di'vaɪdəz] *pl vb* Zirkel

divin|ation [divi'neiʃən] Zukunftsdeutung; Voraussage; geschickte Kombination; ~e [di'vaɪn] (d. Zukunft) voraussagen, erraten; ~er Zukunftsdeuter; (Wünschel-)Rutengänger; ~ing-rod Wünschelrute

divin|e [di'vaɪn] göttlich; Gottes-; *umg* herrlich, himmlisch; Religionsgelehrter: *umg.* Kirchenmann, Gottesdiener; ~ity [di'vɪnɪti] Göttlichkeit; *the Divinity* Gott; *a ~ity* e-e Gottheit; Theologie

divis|ible [di'vɪzibl] teilbar; ~ion [di'vɪʒən] (Ein-)Teilung; Division (*math, mil)*; ~ion *of labour* Arbeitsteilung; Ver-, Aufteilung; Stufe (d. Staatsdienstes); Trennung(slinie), Grenze; Unterschied, Gegensatz; Abstimmung (durch Hammelsprung); ~ive [di'vaɪsiv] trennend, Uneinigkeit schaffend; ~or [di'vaɪzə] *math* Teiler

divorce [di'vɔːs] Scheidung *(a. fig)*; (Ehe) scheiden; s. scheiden lassen von; *fig* trennen, scheiden

divulge [di'vʌldʒ] (Geheimnis) preisgeben, verbreiten; ~nce, ~ment Verbreitung, Enthüllung

dizz|y ['dizi] schwindlig; schwindel(errege)nd (Höhe); *US* töricht; schwindlig machen; ~iness Schwindel(gefühl)

do[1] [du(ː)] *(s. S. 318)* I. als Hilfsverb: 1. (mit *not)* zum Ausdruck der Verneinung *(he doesn't come)*; 2. zum Ausdruck der Frage *(does he come?)*; 3. am Satzende, entsprechd. „nicht wahr, oder" *(he comes, doesn't he?)*; 4. zur Hervorhebung des Verbs, im Dt. = doch, wirklich *(he does come)*; 5. zur Vermeidung d. Wiederholung *(he didn't come, but I did)*; 6. in Antworten *(Did he come? He did)*; II. als Vollverb: 1. tun, machen; ~ *one's best* sein Bestes tun; ~ *one's worst* s. gemein benehmen; ~ *one's damnedest* [dæmdist] *umg* s. gewaltig anstrengen; ~ *wonders* Wunder wirken; ~ *duty* as dienen als; ~ *s-th to* j-m etwas antun, anrichten bei; ~ *good* Gutes tun; ~ *some good* Gutes bewirken, nützen; ~ *s-b some good* j-m guttun ♦ *when in Rome,* ~ *as the Romans* ~ man muß mit den Wölfen heulen; ~ *well* gut

daran tun; ~ *right* recht handeln; ~ *wrong* nicht recht (falsch) handeln; *nothing ~ing (umg)* kommt nicht in Frage; hier ist nichts los, ist nichts zu machen; gedeihen, sich machen *(he did well out of the war)*; *how do you do?* ['haʊdjuː'duː] wie geht's?, (beim Vorstellen) sehr erfreut; 2. vorankommen *(at school)*; 3. fahren (~ *50 miles* mit 80 km/h f.); 4. 💃 aufführen, (Rolle) spielen; 5. (Fleisch) (gar) kochen *(bes: done* gar, durch), braten 6. (Stadt, Museum etc) s. ansehen, abklappern ♦ ~ *the sights* s. alle Sehenswürdigkeiten anschauen; 7. ~ *s-b* j-n 'reinlegen; ~ *s-b out of* s-th j-n um etwas bringen; 8. ~ *s-b well* j-n gut versorgen, bewirten; 9. *umg* fertig-, kaputtmachen *(now you've done it! that has done me)*; ~ *s-b in (sl)* j-n abmurksen, erledigen; *to be done for (sl)* erledigt sein; 10. ~ *away with* abschaffen, beseitigen; ~ *by* s-b *(well, hard etc)* j-n gut (schlecht etc) behandeln; ~ *as you would be done by* was du nicht willst, daß man dir tu, das füg auch keinem andern zu; ~ *for* s-b j-n versorgen; ~ *for* s-th das mit ... machen *(how shall we ~ for food during the journey?)*; ~ *s-th out* saubermachen, in Ordnung bringen; ~ *s-th over* bestreichen, überziehen (*with* mit);; ~ *s-th over again* noch mal machen; ~ *s-th up* neu herrichten, (Waren) einschlagen, -packen, (Haar) richten, (Knöpfe etc) zumachen, ruinieren; ~ *with* ausstehen, s. zufriedengeben mit; *what have you been ~ing with yourself?* was hast du die ganze Zeit getrieben? ♦ *he could ~ with* er könnte gebrauchen, ihm täte gut; ~ *without* auskommen ohne; 11. (meist mit *will)* genügen, recht sein für *(will this room* ~ *you?)*; *that will ~!* gut! das genügt *(a iron.)*; *that won't ~ !* das geht nicht!; *it doesn't* ~ *to* es ist unklug zu; *to make s-th* ~ auskommen zu; **do**[2] [duː], *pl* ~**s** [duːz] Sache; *BS sl* Gaunerei; *BE* Party, Fete

do[3] [dou] *pl* ~**s** [douz] 🎵 Do

do[4] ['ditou] *siehe* ditto

doat [dout] *siehe* dote

docil|e ['dousaɪl, *US* 'dosəl] gelehrig, willig; ~ity [dou'siliti] Gelehrigkeit, Willigkeit

dock[1] (dok] Dock; *bes US* Kai, Ladeplatz, **dry** ~ Trockendock; **floating** ~ Schwimmdock; **wet** ~ Schleusendock; ~**s** *pl* bes *BE* Marine-)Werft; *US* Laderampe; *US* Flugzeughalle; *vt/i* docken; ankoppeln

dock[2] [dok] Anklagebank

dock[3] [dok] (Schwanz-)Stumpf; stutzen; (Gehalt etc) kürzen

dock[4] Ampfer; *sour* ~ Sauerampfer

docker ['dokə] Hafenarbeiter

docket ['dokit] Inhaltsvermerk; Etikett; Gerichtskalender; *BE* Lieferschein

doctor ['doktə] Arzt, Doktor; Doktor(-titel); ärztlich behandeln; herumdoktern an, verfälschen; flicken (Bilanz etc) frisieren; ~**ate** ['doktərit] Doktortitel, -würde

doctrin|aire [doktri'nɛə] Doktrinär; ~**al** [dok'traɪnəl, *bes. US* 'doktrinəl] lehrmäßig, Lehr-; doktrinär ~**e** ['doktrin], Lehre, Doktrin

document ['dɔkju'mənt] Dokument; Urkunde; Beweis(stück); ~ ['dɔkjument] beurkunden; mit Urkunden versehen; **~ary** [dɔkju'mentəri] urkundlich; **~ary (film)** Kulturfilm

dodder ['dɔdə] schwanken, wackeln; (vor s. hin)brabbeln; **~y** ['dɔdəri] wacklig

dodge [dɔdʒ] ausweichen; springen *(behind a tree)*; Ausweichen, Seitwärtsbewegung; *umg* Trick, Täuschung; Methode, Vorgehen; **~r** ['dɔdʒə] Gauner, geriebener Kerl; *US* Handzettel

dodgem ['dɔdʒəm] Autoscooter

doe [dou] Damhirschkuh; Häsin; weibliches Kaninchen

do|er ['du:ə] tätiger Mensch; **~es** [dʌz, dəz] *siehe* do[1]

doff [dɔf] (Hut etc) ablegen, ausziehen

dog [dɔg] Hund; ⚒ Feuerbock; Förderwagen, gemeiner Kerl; *lucky* ~ Glückspilz ♦ *to give* (od *throw*) *to the~s z.* alten Eisen werfen; *to go to the~s (umg)* vor die Hunde gehen; *to lead a ~'s life* ein Hundeleben führen; *to lead s-b a ~'s life* j-m das Leben zur Hölle machen; *it is raining cats and~s* es gießt in Strömen; *give a ~ a bad name* etwas bleibt immer hängen; *to be top* ~ oben sein, befehlen können; *to be under* ~ unten sein, gehorchen müssen; *to help a lame* ~ *over a stile* [stail] j-m über Schwierigkeiten hinweghelfen; *not even a ~'s chance* nicht die geringste Chance; *every ~ has his day* jeder hat mal Glück; *let sleeping ~s lie* man soll d. schlafenden Leu nicht wecken; **~-biscuit** [⸗biskit] Hundekuchen; **~cart** zweirädriger Wagen, Dogcart; **~days** Hundstage; **~-('s)-ear** 📖 Eselsohr; **~watch** ⚓ Abendwache; **~wood** *bot* Hartriegel(holz); *vt* (auf den Fersen) (ver)folgen *(a. fig)*

dogged ['dɔgid] verbissen, hartnäckig; **~ness** ['dɔgidnis] Hartnäckigkeit

doggerel ['dɔgərəl] Knittelverse

doggy ['dɔgi] Hündchen, Wauwau; hundeliebend; *US sl* modisch, elegant

dogma ['dɔgmə], *pl* **~s** Dogma, Lehrsatz; **~tic** [dɔg'mætik] dogmatisch; **~tism** [⸗tizm] Dogmatismus; Rechthaberei; **~tize** [⸗taiz] dogmatisieren, etwas starr als Dogma vertreten

doily ['dɔili] (Zier-)Deckchen; Set

doings ['du:iŋz] *(siehe* do[1]*)* Tun und Treiben; *fine~!* schöne Geschichten!

doldrums ['dɔldrəmz] *pl vb* ⚓ Kalmenzone; *in the* ~ in e-r Flaute; niedergeschlagen, trübsinnig

dole [doul] (milde) Gabe;; *BE* Arbeitslosenunterstüzung *(to be* (od *go) on the* ~ stempeln gehen; ~ *out* austeilen; **~ful** traurig, trübselig

doll [dɔl] Puppe *(a. fig)*; ~*'s house* Puppenstube; ~ *up (umg, fig)* auftakeln

dollar ['dɔlə] Dollar; ~ **gap** die fehlenden Dollardevisen, Dollarlücke

dollop ['dɔləp] Haufen, Klumpen

dol|orous ['dɔlərəs] traurig, kummervoll; **~our** ['doulə] Kummer

dolphin ['dɔlfin] Delphin; Ankerboje

dolt [doult] Tölpel; **~ish** tölpelhaft

domain [də'mein] (Herrschafts-)Gebiet; *fig* Gebiet, Bereich

dome [doum] Kuppel; Prachtbau

Domesday Book ('du:msdeibuk] das Domesday Book (engl. Reichsgrundbuch)

domestic [də'mestik] häuslich, Familien-; einheimisch, Inlands-, Binnen-; zahm, Haus-; *su* Hausangestellte(r); ~ *coal* Hausbrand; ~ *science* ['saiəns] Hauswirtschaftslehre; ~ *servant* = ~ Hausangestellter ~ *service* Tätigkeit als Hausangestellte(r); **~ate** zähmen, ans Haus gewöhnen; zivilisieren; **~ated** häuslich, in Haushaltsdingen bewandert; **~ity** [dou'mes'tisiti] Häuslichkeit

domicil|e ['dɔmisail, *US* 'dɔməsəl] *bes* ⚖ dauernder Aufenthaltsort, fester Wohnsitz; Zahlungsort; domizilieren; **~iary** [dɔmis'siljəri] Haus-, Aufenthalts-; **~iary visit** Haussuchung

domin|ance ['dɔminəns] Herrschaft; **~ant** (vor)herrschend; ♪ Dominante; **~ate** [⸗neit] (be)herrschen; **~ation** Herrschaft; **~eer** [⸗⸗'niə] willkürlich herrschen; **~eer over** tyrannisieren; **~eering** herrisch; **~ie** [⸗ni] *BE* Lehrer; Pfarrer; **~ion** [də'minjən] Herrschaft(sbereich); Dominion; **~o** [⸗⸗nou], *pl* **~oes** Domino (Maskenkleid; Spielstein); **~oes** *sg vb* Dominospiel

don [dɔn] Leitungsmitglied e-s College, Fellow; Studienleiter; Don (span. Titel); (Kleider etc) anlegen, aufsetzen

don|ate [dou'neit] schenken, stiften *(to* für); **~ation** [dou'neiʃən] Spende, Stiftung; **~or** ['dounə] Schenker, Stifter; ⚕ Blut-, Organspender

done [dʌn] *(siehe* do[1]*)*: ~! abgemacht! *well* ~! bravo!; fertig *(have you* ~ *with?* bist du f. mit?); ~ *up* erledigt, erschöpft

donjon ['dɔndʒən] Bergfried

donkey ['dɔŋki] Esel *(a. fig)*; ⚒ Hilfs-

doodle ['du:dl] kritzeln, malen; Kritzelei, Malerei; **~bug** V-Geschoß, Rakete; Wünschelrute

doom [du:m] Verhängnis; Jüngstes Gericht; verurteilen *(to failure* zum Scheitern); **~sday** ['du:msdei] Jüngstes Gericht; der Jüngste Tag

door [dɔ:] Tür, Tor; *next* ~ nebenan; *two ~s off* zwei Häuser weiter; *out of~s* draußen; *within~s* drinnen; *to lay s-th at s-b's* ~ j-m etwas zur Last legen; *to show s-b the* ~ j-m die Tür weisen; **~-case** [⸗keis], **~-frame** [⸗freim] Türrahmen; **~-keeper** [⸗ki:pə] *BE*, **~man** [⸗mən], *pl* **~men** Pförtner; **~plate** [⸗pleit] Namensschild; **~post** [⸗poust] Türpfosten; **~step** [⸗step] Türstufe; **~way** [⸗wei] Türöffnung; Durchgang; Torweg

dop|e [doup] Firnis, (✝ Spann-)Lack; Reizmittel; Rauschgift; Zusatzstoff; Geheimtip, -information; Depp, Dussel; *(bes* ✝) lackieren; 🐎 *(bes* Rennpferd) dopen, aufpulvern; reinlegen; frisieren; **~y** ['doupi] dußlig, dämlich

dorm|ant ['dɔ:mənt] schlafend; still, unbenutzt; (Kapital) tot; (Vulkan) untätig; *to lie ~ant* d. Winterschlaf halten, s. nicht verzinsen; **~er(-window)** Mansardenfenster; **~itory** ['dɔːmitəri] Schlafsaal; *US* (College-)Wohnheim

dormouse ['dɔːmaus], *pl* **~mice** [⁼mais] Haselmaus

dorsal ['dɔːsəl] Rücken-

dory ['dɔːri] (flachkieliges) Ruderboot

dos|age ['dousidʒ] Dosierung, Dosis; **~e** [dous] Dosis; j-m e-e Arznei geben; (Wein) verfälschen

dossier ['dɔsiei] Akte, Dossier

dot¹ [dɔt] (I-)Punkt; Fleck; Knirps; e-n Punkt (aufs i etc) machen; punktieren; *~s and dashes* Morsezeichen; *~ s-b one* j-m e-e 'reinhauen; **~ty** punktiert; wacklig; absurd; verdreht

dot² [dɔt] Mitgift; **~age** ['doutidʒ] Altersschwäche, Senilität (*in one's ~age* senil); **~ard** ['doutəd] kindischer Greis; **~e** (*a.* doat) [dout] senil sein; *~e on* närrisch verliebt sein in

double¹ [dʌbl] doppelt (soviel); zweimalig, zweifach, Doppel-; *bot* gefüllt; unehrlich (*~ dealing*), zweideutig (*~ meaning*); **~barrelled gun** [⁼bærəld'gʌn] Doppelflinte; **~bass** [⁼'beis] Kontrabaß; **~breasted** [⁼brestid], zweireihig (Anzug); **~cross** [⁼'krɔs] 'reinlegen; **~decker** zweistöckig(er Bus etc); **~Dutch** Kauderwelsch; **~dyed** [⁼daid] eingefleischt, Erz-; **~edged** [⁼edʒd] zweischneidig (*a. fig*); **~entry** doppelte Buchführung; **~ entendre** ['duːblaːn'taːndr] doppelsinniger, *mst* zweideutiger Ausdruck; **~faced** [⁼feist] unaufrichtig; **~quick** [⁼kwik] im Laufschritt; *fig* sehr schnell; **~speak** Doppelzüngigkeit; **~t** ['dʌblit] Wams; Dublette, Nebenform; **~ talk** doppelzüngiges Gerede, zweigleisige Sprache; **~time** (im) Laufschritt (rennen); **~track** zweigleisig; Doppelspur-

double² [dʌbl] Doppelte; ♩ Doppel; Doppelgänger, Double; Laufschritt (*at the ~, (US) on the ~* im L.); Haken (e-s Hasen); scharfe Biegung (e-s Flusses); (s.) verdoppeln; ♥ (zwei Rollen) zus.spielen; herumlegen (*round* um), zus.legen, falten; (Faust) ballen; (Kap) umsegeln; Haken schlagen; im Laufschritt laufen; *~ back* zurückfalten; d. gleichen Weg zurücklaufen; *~ up* zus.falten; (Beine) anziehen; sich (vor Schmerzen) krümmen; j-n zus.brechen lassen; *to be ~d* ['dʌbld] *up with laughter* sich vor Lachen krümmen

doubt [daut] (be-, an)zweifeln (*whether* daß; *not ~ that* nicht z., daß); Zweifel (*of* an); *in* im ungewissen, zweifelhaft; *no ~* zweifellos, sicher; *without (a) ~, beyond a ~* ganz unzweifelhaft; *to give s-b the benefit of the ~* (*siehe* benefit); **~ful** zweifelhaft; unschlüssig; **~less** *adv* zweifellos, *umg* sicher

douche [duːʃ] Dusche *fig (a. fig)*; (sich) duschen

dough [dou] Teig; Zaster, Moneten; **~boy,** **~foot** *US* Landser; **~nut** Berliner Pfannkuchen; **~y** ['doui] teigig

doughty ['dauti] wacker

dour [duə] streng, stur; *bes US* mürrisch, verdrossen

douse (dowse) [daus] mit Wasser übergießen; (Licht) ausmachen

dove [dʌv] (*bes* Turtel-)Taube; Friedenstaube; *my ~* mein Täubchen; **~coloured** [⁼kʌləd] taubengrau; **~cot(e)** [⁼kɔt] Taubenschlag ♦ *to flutter the ~ -cots* d. Leute in Aufruhr versetzen; **~tail** [⁼teil] ✿ Schwalbenschwanz; verzinken; *fig* (s. gut) verbinden (lassen), verzahnen

dow|ager ['dauədʒə] Witwe (von Stand); *queen ~ager* Königinwitwe, -mutter; würdige Dame; **~dy** ['daudi] schlecht gekleidet, unmodern; **~er** ['dauə] Witwenerbteil; *poet* Mitgift; *fig* Begabung, Talent; ausstatten; **~las** [⁼ləs] 🜂 Dowlas (*Baumwollgewebe*)

down¹ [daun] **1.** (nach) unten, her-, hinunter, nieder; *~ to* bis zu; *to be ~ with fever* ['fiːvə] mit Fieber im Bett liegen; *to be* (*od feel*) *~ (in spirits)* bedrückt sein; *to be ~ on one's luck* e-e Pechsträhne haben ♦ *~ in the mouth (umg)* traurig dreinschauend; *~ and out* völlig heruntergekommen); *to be ~ for* aufgeschrieben (verzeichnet) für; *~ under* auf der anderen Seite der Welt, in Australien; *~ with* nieder mit; **2.** *cash ~* Barzahlung; *to pay ~* bar zahlen; *~ payment* Barzahlung, Anzahlung; **3.** *to have ~ (on paper)* aufgeschrieben (schwarz auf weiß) haben; **4.** *adj* 🚂 (Zug) aufs Land, (Bahnsteig) für Provinzzüge; *~ grade* 🚂 Gefälle, *fig* Abstieg; **5.** *prep* hin-, herunter, (Fluß) entlang, mit (dem Wind); ✈ abschießen; *~ tools* o. Arbeit niederlegen; **7.** *su siehe* up; *to have a ~ on* j-n auf d. Strich haben; **8.** **~cast** [⁼kaːst] niedergeschlagen; **~draught** [⁼draːft] Druck auf d. Kamin; ✈ Abwind; **~fall** (starker) Regenguß, Schneefall; Sturz, Verfall; **~hearted** [⁼'haːtid] gedrückt, mutlos; **~hill** [⁼'hil] bergab, abschüssig; *to go ~hill* auf d. Abstieg sein; **~pour** [⁼pɔː] heftiger Regenguß; **~right** [⁼rait] ehrlich, geradeheraus; richtiggehend, völlig; **~stairs** [⁼'stɛəz] (nach) unten (in e-m Haus); **~stairs** [⁼stɛəz] unten befindlich; **~stream** [⁼'striːm] stromabwärts; **~town** (im, ins) Geschäftsviertel, Zentrum; **~trodden** [⁼trɔdn] unterdrückt; **~ward** [⁼wəd] abschüssig, fallend (*a. fig*); **~ward(s)** *adv* abwärts; **~wind** ✈ Fallwind

down² [daun] kahles Hochland; Düne; **~s** *BE* kahles Hügelland (in Südengland)

down³ [daun] Flaum(federn); Milchbart; **~y** flaumig; *sl* gerissen

dowry ['dauəri] Mitgift; Begabung, Talent

dows|e [daus] *siehe* douse; **~e** [dauz] mit d. Wünschelrute Wasser (Erz) suchen; **~er** Wünschelrutengänger; **~ing-rod** Wünschelrute

doxology [dɔk'sɔlədʒi] Doxologie, gottesdienstliche Lobpreisung

doze [douz] schlummern, dösen; Schlummer; *~ off* eindösen

dozen [dʌzn], *pl* **~s**, *bes nach Zahlw.* **~:** Dutzend; *some ~ people* gut ein Dutzend, *some ~s of people* mehrere Dutzend Leute; *baker's* ['beikəz] *~* dreizehn

drab [dræb] gelbgrau, erdfarben; eintönig, trüb

drachm [dræm] Dram (als Handelsgewicht = 1,77 g, als Apothekergew. = 3,89 g); **~a** ['drækmə] Drachme; = dram

draft [drɑːft] (s. draught) Entwurf (~ *agreement* Vertrags-); Zeichnung; Zahlungsanweisung, Tratte; *mil* Aushebung, Detachement; *to make a ~ on* (Kasse) schröpfen, *fig* viel zumuten; ~ (*BE a.* draught) *vt* skizzieren, entwerfen; *mil* abkommandieren; *bes US mil* einziehen; **~ee** [drɑːf'tiː] *US* Dienstpflichtiger, Eingezogener; **~ing** Entwerfen; Entwurf; **~sman** (*BE mst* draught-), *pl* -smen technischer Zeichner; **~sman** *BE/US* Entwerfer, Verfasser; **~y** ['drɑːfti] *US* = draughty

drag [dræg] schleppen, schleifen; ↓ eggen; ~ *one's anchor* vor Anker treiben; ~ *one's feet* schlurfen; (mit Netz) (aus)fischen; *fig* s. dahinziehen, -schleppen; ~ *up* (*umg*) schlecht erziehen; Schleppnetz; Egge; vierrädr. Wagen; künstl. Fuchsspur; Schleppjagd; Hemmschuh *(a. fig)*; Einfluß, Belastung

dragée [dræ'ʒei] Dragée; kandierte Nuß

draggle [drægl] durch Schmutz schleifen; **~d** [drægld] verschmutzt, schmuddelig

dragon ['drægən] Drache; **~fly** [⸚flai] Wasserjungfer, Libelle

dragoon [drə'guːn] Dragoner; Rohling; bedrücken, zwingen (*into* zu)

drain [drein] trockenlegen, (Wasser) ablaufen lassen; ablaufen, -fließen; *fig* entblößen (*of* von); leeren, trinken (~ *dry, to the dregs* bis zur Neige); (Ort) kanalisieren; Abfluß(rohr), Abzug(sgraben); *pl* Kanalisation; *umg* Schluck; Belastung, Unterminierung (*on* für); **~age** ['dreinidʒ] Dränage, Entwässerung; Kanalisation; *BE* Abwasser; **~age** *US*, **~age area** ['ɛəriə], **~age basin** ['beisn] Einzugsgebiet (e-s Flusses)

drake [dreik] Enterich

dram [dræm] Bißchen ♦ *he's fond of a ~* er trinkt gern ein Schnäpschen; = drachm

drama ['drɑːmə] Schauspiel, *bes fig* Drama; **~tic** [drə'mætik] Schauspiel-, Theater-; *fig* dramatisch, erregend; **~tics** *pl vb* Theaterstücke, -aufführungen; **~tis personae** ['dræmətis pəˈsəʊniː] ♦ d. Personen d. Stücks; **~tist** [dræmətist] Bühnenschriftsteller; **~tize** [dræmətaiz] als Schauspiel gestalten, dramatisieren

drank [dræŋk] *siehe* drink

drape [dreip] (um)hängen, drapieren; Be-, Vorhang; **~er** ['dreipə] *BE* Tuchhändler; **~ery** ['dreipəri] Drapierung, Faltenwurf; Kleiderstoffe, Tuchware; *bes US* Vorhänge, Vorhangstoffe; *BE* Tuchhandel

drastic ['dræstik] drastisch, durchgreifend

draught [drɑːft], *US* **draft** Ziehen, Zug (~ *horse*); *beast of* ~ Zugtier; *US* ~ Abziehen (von Flüssigkeiten); *beer on* ~ Bier vom Faß; *US* ~ Schluck (*a long* ~ *of water*), *at a* (od *one*) ~ mit e-m Schluck, auf e-n Zug; *US* ~ ⚓ Tiefgang (*a ship of 10 ft.* ~, *with a* ~ *of 10 ft.*); *US* draft (Luft)zug (*to sit in a* ~); *US* ~

Fischzug; **~s** *sg vb BE* Damespiel; *vt* = draft **~-board** *BE* Damebrett; ~ **sman**, *pl* ~smen *BE* Stein (im Damespiel), *siehe* draftsman; **~y**, *US* **drafty** [⸚i] zugig

draw¹ [drɔː] (s. S. 318) 1. (an-, heran-, herbei)ziehen; (Vorhang) zuziehen; 2. (Atem) holen, (~ *breath* Pause machen), verschnaufen; 3. ~ *blood* verwunden, Blut fließen lassen, *fig* j-n wütend machen; 4. (Geflügel) ausnehmen; 5. (Tee) ziehen lassen; 6. (Spiel) unentschieden beenden; 7. ~ *the long bow* [bou] übertreiben; ~ *it mild* (*umg*) nicht übertreiben; 8. anziehen, -locken (*she did not feel* ~*h to him*); (Tränen, Beifall) hervorrufen, *fig* (be)ziehen (*from* von, aus), *he was not to be* ~*n* er ließ s. nicht ausholen; 9. (Preis) gewinnen, (Los) ziehen (*a blank* e-e Niete); (Gehalt) beziehen; 10. (Linie) ziehen, (Plan, Bild) zeichnen, entwerfen; ~ *the line* (*fig*) e-e Grenze ziehen; ~ *the line at* haltmachen bei; ~ *it fine* knapp hinkommen (mit Zeit, Geld); 11. (Urkunde) aufsetzen, (Scheck, Wechsel) ziehen (*on* auf); 12. ⚓ Tiefgang haben (*20 ft.* von 6 m); 13. ~ **aside** beiseite ziehen; ~ **back** zurückziehen; ~ **down** herunterziehen; ~ *on o.s.* (*fig*) s. zuziehen; ~ **forth** hervorrufen; ~ **in** einziehen, -holen; (Ausgaben) einschränken; (Anleihe) zurückfordern; ~ **off** abziehen, -lenken; ausziehen; ~ **on** anziehen, *fig* verlocken; ~ **out** ausziehen, -dehnen *(a. fig)*; (Plan) aufsetzen; hervorholen; ~ *in* ausholen, (Worte) heraushohlen; (Geld) abheben; ~ **up** heraufziehen; *mil* aufstellen; (Dokum.) aufsetzen; ~ *o.s. up* sich aufrichten; 14. *vi* ~ (*near*) herannahen, ~ *level* gleichziehen; ~ *to a conclusion* [kən'kluːʒən] zum Schluß kommen; 15. (Ofen, Tee) ziehen; 16. losen (*for partners*); 17. zeichnen; 18. unentschieden spielen (kämpfen); 19. sich leicht ziehen lassen; 20. ~ **away** davonfahren; ~ **back** s. zurückziehen; seine Zusage zurückziehen; ~ *in* kürzer werden; s. zurückhalten, einschränken; ~ **off** abziehen; ~ **on** herannahen, ~ *on s-th* heranziehen, benutzen, leben von; ~ *on one's imagination* seine Phantasie spielen lassen; ~ **out** länger werden; s. hinziehen; ab-, losfahren; ~ **round** s. zus.setzen; ~ **together** einander nähern; ~ **up** anhalten; s. aufstellen; s. zus.setzen

draw² [drɔː] Ziehen, Zug; Ziehung; *is quick on the* ~ zieht schnell das Schwert (Schießeisen); ⚐ unentschiedenes Spiel (*in a* ~ unentschieden); Zugstück, Anziehungspunkt; Zugkraft; Stichwort (j-n zum Reden zu bringen); **~back** Nachteil, Haken; Hindernis; Rückzoll; **~bridge** [⸚bridʒ] Zugbrücke; **~ee** [drɔːˈiː] Bezogener, Trassat; **~er** ['drɔːə] Aussteller, Trassant; Zeichner; **~er** [drɔː] Schublade; *(chest of)* **~ers** [drɔːz] Kommode; **~ers** [drɔːz] *pl vb* Unterhose; **~-well** ['drɔːwel] Ziehbrunnen

drawing ['drɔːiŋ] Ziehen; Ziehung; Zeichnen *(out of* ~ verzeichnet); Zeichnung; Ausstellen; Auslosung; ~ **account** Girokonto; **~-block** [⸚blɔk] Zeichenblock; **~-board** [⸚bɔːd] Zeichenbrett; **~-pin** [⸚pin] *BE* Reißna-

gel; **~room** ('drɔːiŋrum] Zeichensaal; **~room**
['drɔːiŋ-] Salon, Gesellschaftszimmer; **~table**
[-–teibl] Zeichentisch   [Sprechen
drawl [drɔːl] *(out)* (Worte) dehnen; gedehntes
drawn [drɔːn] *(siehe* draw¹); *bes.* verzerrt *(with*
vor); 🐎 unentschieden
dray [drei] Roll-, Bierwagen; **~horse** Karren-
gaul; **~man**, *pl* ~ men Kutscher
dread [dred] Angst haben (vor); Furcht; ~,
~ed schrecklich, gefürchtet; **~ful** schrecklich,
furchtbar; *penny ~ful (BE)* Schmöker;
~nought [-nɔːt] 🐃 wetterfeste Jacke; Kriegsschiff
dream [driːm] *(s. S. 318)* träumen; ~ *of* (od
that) davon träumen, daß; *I shouldn't ~ of
(doing)* es würde mir nicht im Traum einfallen
(zu tun); ~ *away* verträumen; Traum; *he has
~s, a ~ (of)* er träumt davon, (daß); **~er** Träu-
mer; **~less** traumlos; **~y** träumerisch; traumhaft (Erinnerung)
dreary ['driəri] trostlos, öde, düster
dredge [dredʒ] (Naß-)Bagger; Schlepp-, Au-
sternnetz; ausbaggern; fischen; (mit Mehl
be)streuen; **~r** [-ə] *BE* = ~ *(su)*; (Austern-)
Fischer; (Mehl-)Streubüchse, (Zucker-)Streu-
dose
dreg|s [dregz] *pl vb* Bodensatz; *fig* Abschaum;
to drink (od *drain) to the ~ s* bis zur Neige leeren *(a. fig); a ~* ein bißchen
drench [drentʃ] Regenguß; durchnässen *(I'm
~ed, I've had a ~ing)*
dress [dres] 1. (s.) anziehen; (s.) kleiden, (s.)
um-, verkleiden; j-n be-, einkleiden; 2. zu-,
herrichten, (Salat) anrichten, (Huhn) herrichten, putzen, (Häute, Leder) zurichten, (Stein)
behauen, (Feld) düngen, (Pflanze) beschneiden, (Textilien) appretieren, ausrüsten, (Haar)
frisieren, (Pferd) zureiten, (Schaufenster) dekorieren, (Straße, Schiff) beflaggen, (Wunde)
verbinden; 3. *mil* (s.) (aus)richten; 4. ~ *down*
(Pferd) bürsten, j-m e-e Standpauke halten, s.
unauffällig anziehen; ~ *up* s. gut anziehen, s.
kostümieren; 5 Kleid(ung); *evening ~* Abendkleid; *full ~* Gala; 6. ~ *circle* [-'səːkl] *BE* 🐃
erster Rang; ~ *coat* [-'kout] Frack; **~er** An-,
Zurichter; *BE* 🐃 Assistent, 🐃 Theaterfriseur,
Ankleider; Dekorateur; *BE* Küchenschrank,
US Frisierkommode; **~ing** Zu-, Herrichten;
Ankleiden; 🐃 Verbinden, Verband, Binde; Appretur; (Salat- etc)Soße; (Geflügel-)Füllung;
Düngemittel; Prügel; **~ing-case** Reiseneces-
saire; **~ing down** Standpauke; Prügel; **~ing-
-gown** [-iŋgaun] Morgen-, Schlafrock; **~ing-
-jacket** *BE* Frisierumhang; **~ing sack** *US* =
~ing-jacket; **~ing-table** *BE* Frisierkommode;
~maker Schneiderin; ~ **rehearsal** [-ri'həːsəl] 🐃
Generalprobe; **~y** putzsüchtig, geschniegelt;
chic, modisch
drew [druː] *siehe* draw¹
drib|ble [dribl] tröpfeln (lassen); geifern; 🐎
dribbeln; Tröpfeln; **~let** ['driblit] Bißchen; *in
(od by) ~lets* tropfenweise
drier ['draiə] Trockner *(siehe* dry)
drift [drift] Strömung, Trift; Verwehung; Ge-

dankengang, allgem. Sinn *(I see the ~ . . .* worauf er hinauswill); *fig* (Sich-) Treibenlassen,
Tendenz; treiben, getrieben werden; (s.) auf-,
anhäufen; s. dahintreiben lassen; **~er** Treib-
netzfischer; **~ice** [-ais] Treibeis; **~net** Treib-
netz; **~wood** Treibholz
drill [dril] (Drill-)Bohrer; ↧ Drillmaschine;
Furche; *mil* Drill, Exerzieren; Übung; Drell,
Drillich; bohren; säen; drillen; exakt üben
drink [driŋk] *(s. S. 318)* trinken; ~ *up (down,
off)* aus-, leer trinken; Alkohol trinken, (Geld)
vertrinken; ~ *s-b's health* [helθ] auf j-s Gesundheit tr., ~ *success* [sək'ses] *to s-b* auf j-s
Erfolg tr., (Toast) ausbringen; ~ *in (fig)* einsaugen, in sich aufnehmen; Trinken; Getränk;
Schluck; alkoholische Getränke *(in ~* betrunken) **~able** trinkbar
drip [drip] tropfen; triefen (~ *sweat* [swet] von
Schweiß); **~ping wet** triefnaß; das Tropfen;
~ping Bratfett; **~ping-pan** Fettpfanne (zum
Auffangen d. Fetts)
drive [draiv] *(s. S. 318)* 1. fahren, lenken, kut-
schieren; 2. ⚙ antreiben, treiben, (Nagel) einschlagen, (Ball) schlagen; 3. *fig* (zur Verzweiflung etc) treiben, (verrückt) machen, (Arbeiter) antreiben; ~ *s-b into a corner* j-n in d.
Enge treiben; 4. (Tunnel, Bahn) treiben
(through a mountain); 5. (Wolken) jagen, (Regen) peitschen; 6. ~ *at* zielen, hinauswollen
auf; *to let ~ at* losgehen auf; ~ *away at* hart
arbeiten an; 7. Fahrt; Fahrstraße, Auffahrt; 8.
Treiben; 9. 🐎 Schlag(kraft); 10. Schwung-,
Tatkraft; 11. Trieb; 12. ⚙ Antrieb, Getriebe;
13. Aktion, Kampagne, (Geld-)Sammelak-
tion; **~in** Drive-in-Restaurant; Autokino; für
Autokunden; **~r** ['draivə] Fahrer, Führer;
Treiber; Bedienungsmann, Maschinenführer;
Treibrad; **~r's license, test** *US* = driving licence, test
drivel ['drivl] geifern; faseln; Geifer; Faselei;
~ling närrisch; **~ler** Narr
driv|en [drivn] *siehe* drive; **~ing** ['draiviŋ] Trei-
ben; Fahren; Treib-, Trieb-, Antriebs-; **~ing
instructor** Fahrlehrer; **~ing licence** ['laisəns]
BE Führerschein; **~ing school** Fahrschule;
~ing seat Fahrersitz; **~ing test** *BE* Fahrprü-
fung
drizzle [drizl] Sprühregen; sprühen, nieseln
droll [droul] komisch, drollig; **~ery** Drollig-
keit; Posse, Spaß
drome [droum] *umg* Flugplatz
dromedary ['drʌ-, 'droməƏdəri] Dromedar
drone [droun] Drohne *(a. fig);* Surren, Summen; surren, summen; (herunter)leiern; faulenzen
droop [druːp] s. senken; schlaff herunterhän-
gen, d. Kopf hängenlassen; welken; gebeugte
Haltung; **~ing** matt
drop [drɔp] Tropfen (**~s** 🐃 Tr.); *in ~s* tropfenweise; *he's had a ~ too much* er hat e-n über d.
Durst getrunken; *a ~ in the bucket* (od *ocean)*
e. Tropfen auf d. heißen Stein; (Frucht-)Bon-
bon; (Ohr-)Perle; Sturz, Fall(en), Sinken;
Rückgang; 🐃 Vorhang *(a. ~-curtain);* fallen

lassen, (Bomben) abwerfen, (Brief) einwerfen: j-n (irgendwo) absetzen; (Freund) fallenlassen, j-n entlassen; (Buchstaben) auslassen, (Thema) fallenlasen, (Gewohnheit) aufgeben; (Stimme) senken; (Hinweis) geben; ~ s-b a line j-m ein paar Zeilen schicken; (Granaten) feuern; (Vogel) treffen; (Knicks) machen; (Junge) kriegen; (Anker) werfen; fallen; ab-, umfallen (~ dead); zurückfallen (to auf); s. fallen lassen; treiben; s. senken; ~ **across** umg j-n treffen; ~ **away** fig abbröckeln; ~ **behind** zurückbleiben hinter; ~ **in** hereinschauen, vorbeikommen (at, on bei); ~ **off** abbröckeln, zurückgehen; eindösen; ~ **out** fig aussteigen, s. zurückziehen; ~ **through** fig durchfallen, e-n Reinfall erleben; **~-head** BE Kabriolett; ~ **letter** US Ortsbrief; **~-scene** [⁻si:n] ♥ Vorhang; fig Schlußszene

drops|ical ['drɔpsikəl] wassersüchtig; **~y** Wassersucht

dross [drɔs] Abfall, Schlacke (a. fig)

drought [draut] Dürre, Trockenheit; **~y** dürr, trocken

drove [drouv] siehe drive; (getriebene Vieh-, Schaf-)Herde; Menge; **~r** Treiber

drown [draun] ertränken; ertrinken; to be ~ ed [draund] ertrinken; überschwemmen; übertönen, ersticken; (Whisky) verdünnen; to ~ out d. Fluten vertreiben; übertönen

drows|e [drauz] dösen, schläfrig sein; ~ e away verdösen; **~y** schläfrig, dösig; einschläfernd

drub [drʌb] (ver)prügeln; **~bing** Tracht, Prügel

drudge [drʌdʒ] fig Arbeitstier, Kuli; s. abrakkern, schuften; **~ry** ['drʌdʒəri] Plackerei, Schufterei

drug [drʌg] Arzneimittel; Narkotikum; ~ (in the market) (bes mit Narkotikum) verfälschen, betäuben; **~gist** Apotheker; US Drugstoremanager; **~-store** [⁻stɔ:] bes. US Drugstore (Drogerie mit Papier-, Tabak-, pharmazeut. Abteilung und Imbißstube)

drum [drʌm] Trommel (a. ✿); ♫ Mittelohr; trommeln (~ up. zus.-); **~head** Trommelfell; **~mer** Trommler; (Handels-)Vertreter; **~stick** Trommelschlegel

drunk [drʌŋk] siehe drink; betrunken; berauscht (with von); Betrunkener; **~ard** ['drʌŋkəd] Trunkenbold; **~en** attr betrunken; trunksüchtig (a pred); Trink-

drupe [dru:p] Steinobst

dry [drai], drier, driest; (bes BE) drily, (bes US) dryly trocken (as a bone, bone-~ knochen-); (Brot) unbestrichen; prohibitionistisch; US ~, pl ~s Alkoholgegner; trocknen; ~ up aus-, fig vertrocknen; ♥ steckenbleiben; ~ up! (sl) halt's Maul!; **~-cleaning** ['drai'kli:niŋ] chem. Reinigung; ~ **dock** Trockendock; ·**~er** Trockenapparat (siehe drier); ~ **goods** [gudz] BE trockene Güter, US Textilien, Meterware; ~ **measure** ['meʒə] Trockenmaß; **~ness** Trockenheit; ~ **nurse** [nə:s] Kindermädchen; **~-rot** Trockenfäule, fig Verfall; **~-shod** trockenen Fußes

dual ['dju:əl] doppelt; Zwei-, Doppel-

dub [dʌb] zum Ritter schlagen; (mit Spitznamen) nennen; (Leder) fetten; (Film) synchronisieren; synchron. Tonstreifen; **~bing** Synchronisation; Lederfett

dubious ['dju:biəs] zweifelhaft; to be ~ of zweifeln an

duca|l ['dju:kəl] herzoglich; **~t** ['dʌkət] Dukaten

duch|ess ['dʌtʃis] Herzogin; **~esse** [du:'ʃes] Duchesse; **~y** ['dʌtʃi] Herzogtum

duck¹ [dʌk], pl ~s, (Jägerspr.) ~ Ente; Liebling; US sl Kerl ♦ to take to s-th like a ~ takes to water sofort auf etwas anbeißen; like water off a ~ 's back ohne Eindruck zu machen, ohne Erfolg; a fine day for young ~s richtiger Landregen; a lame ~ (fig) lahmes Huhn; to play ~s and drakes Steine auf d. Wasser tanzen lassen; to play ~s and drakes with vergeuden; (un-ter)tauchen, (s.) ducken; **~-bill** [⁻bil] Schnabeltier; **~ing** Durchnässen; Eintauchen; **~ling** Entchen

duck² [dʌk] Duck (Leinwandart); pl Hose

duct [dʌkt] Röhre; Gang, Kanal (a. ♀); **~ile** [⁻ail] dehnbar; fügsam; **~less gland** Hormondrüse

dud [dʌd] Versager; Blindgänger

dude [dju:d] US Geck, Dandy

due [dju:] fällig; gebührend; in ~ time (od course [kɔːs]) zu gegebener, zur rechten Zeit; ~ to infolge; to be ~ to zurückzuführen sein auf, j-m gebühren, zustehen; ~ east (west etc) genau (nach) Osten (etc); su was j-m zusteht, gebührt; pl Gebühren, Abgaben

duel ['dju:əl] Zweikampf, Duell (a. fig)

duet [dju:'et] Duo, Duett

duffer ['dʌfə] Tölpel; Pfuscher

dug [dʌg] siehe dig; **~out** Einbaum; Unterstand

duke [dju:k] Herzog; **~dom** [⁻dəm] Herzogswürde; Herzogtum

dull [dʌl] eintönig, langweilig; dumm; trübe, matt; ~ of hearing schwerhörig; stumpf, dumpf; flau, lustlos; stumpf machen, fig abstumpfen; (s.) trüben; **~ard** ['dʌləd] Dummkopf; **~ness** Dummheit; Eintönigkeit; Mattheit; Stumpfheit

duly ['dju:li] adv (siehe due) ordnungsgemäß, richtig; pünktlich

dumb [dʌm] stumm; sprachlos (with vor); unverständig (Geschöpf); doof, blöde; **~bell** Hantel, Blödkopf; **~found** [⁻'faund] fig sprachlos machen; **~show** [⁻'ʃou] Gebärdenspiel, Pantomime; ~ **waiter** BE Drehaufsatz; BE Beistelltisch; US Speisen-, Gepäckaufzug

dumfound [dʌm'faund] = dumbfound

dummy ['dʌmi] Kleiderpuppe; BE Schnuller; Attrappe(n-); (Bridge) Dummy, Strohmann (a. fig), fig Statist; (□ Blindband

dump [dʌmp] (Müll etc) abladen; hinplumpsen (lassen); zu Schleuderpreisen ausführen, Dumping betreiben; Ablade-, Müllabfuhrplatz; Müll; Plumps; mil Depot, Stapelplatz; (Bruch-)Bude; pl niedergeschlagene Stimmung; **~ing** Schleuderausfuhr, Dumping;

~ling (Fleisch-)Kloß; Apfel im Schlafrock; Dickerchen; **~y** untersetzt

dun [dʌn] falb, graubraun; Falbe; drängender Gläubiger, Schuldeintreiber; drängend mahnen; **~ning letter** *BE* Mahnbrief

dunce [dʌns] Klassenschlechtester; Dummkopf

dune [djuːn] Düne

dung [dʌŋ] Dung; düngen; **~hill** Dung-, Misthaufen

dungaree [dʌŋgə'riː] Berufsköper; *pl* Hose; Spielanzug

dungeon ['dʌndʒən] Burgverlies

dunk [dʌŋk] (ein)tunken

duo ['djuou] *pl* **~s** Duett, Duo (*BE bes* im Varieté); **~denum** [djuə'diːnəm] Zwölffingerdarm; **~logue** ['djuələg] Zwiegespräch; ☙ Stück mit 2 Personen

dupe [djuːp] Narr, d. Angeführte, Betrogene; hineinlegen, täuschen; **~ry** ['djuːpəri] Gaunerei

dupl|ex ['djuːpleks] doppelt, Doppel-; zweiseitig; Duplex-; Doppel-, Zweifamilienhaus; **~icate** [-'plikit] doppelt; Zweit- *(key)*; Doppel; Duplikat (*in ~icate* in doppelter Ausfertigung); **~icate** [-'plikeit] verdoppeln; doppelt ausfertigen; Kopie(n) herstellen; noch einmal tun (schicken etc); das Gegenstück sein zu; **~ication** [-'pli'keiʃən] Verdoppelung; Vervielfältigung; **~icator** [-'plikeitə] Vervielfältigungsapparat; **~icity** [-'plisiti] Doppelzüngigkeit; Duplizität

dur|ability [djuərə'biliti] Dauerhaftigkeit; **~able** [-'rəbl] dauerhaft; haltbar; **~alumin** [-'ræljumin] Duralumin; **~amen** [-'reimen] Kernholz; **~ation** [-'reiʃən] Dauer; **~ess** [-'res, -'-] Haft; Nötigung (*under ~ess);* Zwang (slage); **~ing** ['djuəriŋ] während

durst [dəːst] *siehe* dare

dusk [dʌsk] (Abend-)Dämmerung; **~y** dämmerig, düster

dust [dʌst] **1.** Staub (Erd-, Gold-, Blüten-); *sl* Zaster, Kies; *BE* Müll; *to make* (raise) *a ~* Staub aufwirbeln *(a. fig.); to throw ~ in s-b's eyes* j-m Sand in d. Augen streuen; *to shake the ~ off one's feet* s. wütend davonmachen; *to bite the ~* ins Gras beißen; **2.** abstauben; bestäuben; *~ s-b's jacket for him* j-n durchprügeln; **~bin** *BE* Mülltonne; **~cart** *BE* Müllabfuhrwagen; **~coat** Staubmantel; **~er** Staublappen; (Zucker-)Streuer; *US* Staubmantel; **~man,** *pl* **~men** *BE* Müllabfuhrmann; Sandmännchen; **~pan** (Kehricht-)Schaufel; **~y** staubig; fade, trocken; *not so ~y (sl)* nicht so übel

Dutch [dʌtʃ] holländisch; *US a.* deutsch; **the ~** die Holländer; d. Holländische; *High ~* oberdeutsch, *Low ~* = niederdeutsch; **~ auction** ['ɔːkʃən] Auktion mit Abschlag; **~ courage** ['kʌridʒ] angetrunkener Mut; **~man** *pl* **~men** Holländer; **~ treat** Essen (etc) mit getrennter Kasse; *talk to s-b like a* **~uncle** j-m e-e Standpauke halten; **~woman,** *pl* **~ women** [-'wimin] Holländerin

dut|eous ['djuːtiəs] pflichttreu, gehorsam; **~iable** ['djuːtiəbl] zollpflichtig; **~iful** pflichttreu, gehorsam; **~y** ['djuːti] Pflicht (*to gegenüber); sense of ~y* Pflichtgefühl; Aufgabe; *on ~y* diensttuend, *off ~y* dienstfrei; *to go on ~y* Dienst antreten *to come off ~y* Dienst beenden; *to do ~y for* dienen als; Ehrerbietung; Zoll, Abgabe, Gebühr; **~y-free** zollfrei

dwarf [dwɔːf], *pl* **~s** Zwerg (-tier, -pflanze); in d. Entwicklung behindern; winzig erscheinen lassen; **~ed** [dwɔːft] verkümmert; **~ish** zwergenhaft, unterentwickelt; **~ism $** Zwergwuchs

dwell [dwel] wohnen, *fig* verweilen (*upon* bei); **~er** Bewohner; **~ing** Wohnung; Wohn-

dwindle [dwindl] sich vermindern, schwinden; herabsinken (*into* zu)

dye [dai], **~d,** **~ing** färben; *~ in the wool (yarn)* in d. Wolle (Garn) färben, echt f.; *~d-in-the-wool (fig)* waschecht; Farbe, Färbstoff ♦ *of the deepest ~* von der schlimmsten Art; **~r** ['daiə] Färber; **~-stuff** Färbstoff; **~-works** [-'wəːks] *sg/pl* Färberei

dying ['daiiŋ] *siehe* die³; Sterben, Sterbe-; **the ~** die Sterbenden

dyke (daik) *siehe* dike

dynamic [dai'næmik] dynamisch *(a. fig.);* Triebkraft; **~s** *sg vb* Dynamik

dynam|ite ['dainəmait] Dynamit; sprengen; **~o** ['dainəmou], *pl* **~os** Dynamo; Lichtmaschine

dyn|astic [di'næstik, *US* dai-] dynastisch; **~asty** ['dinəsti, *US* dai-] Dynastie; **~e** [dain] Dyn

dys|entery ['disəntri] Ruhr; **~lexia** [dis'leksiə] Legasthenie; **~pepsia** [dis'pepsiə] Verdauungsstörung; **~peptic** magenkrank, -schwach; deprimiert

E

E (*a.* ♪) E; **E sharp** Eis, **E flat** Es

each [itʃ] jeder; *~ other* einander, sich; *~ and every* jeder ohne Ausnahme; *adv* je

eager ['iːgə] begierig (*about, after, for* auf, nach); eifrig (bedacht); heftig; *to be ~ to do* darauf brennen zu tun

eagle [iːgl] Adler; *US* $10-Stück

ear¹ [iə] Ohr; *to be all ~s* ganz Ohr sein; *I would give my ~s* ich gäbe sonst was; *to be by the ~s* streiten; *to set s-b by the ~s* aufhetzen; **~ache** [-'reik] Ohrenschmerz(en); **~drum** Trommelfell; **~mark** Ohren-, *fig* Kennzeichen; kennzeichnen; (Geld) bestimmen, vorsehen; **~minded** [-'maindid] ohrbegabt, auditiv; **~phone** [-'foun] Kopfhörer; **~piece** [-'piːs] ♥ Hörmuschel; **~shot** Hörweite; **~trumpet** [-'trʌmpit] Hörrohr; **~wax** [-'wæks] Ohrenschmalz; **~wig** Ohrwurm

ear² [iə] Ähre
[Grafschaft

earl [əːl] Graf; **~dom** [-'dəm] Grafenwürde; **early** ['əːli] früh, Früh-; Anfangs-; *in ~y spring* zu Beginn des Frühjahrs; *as ~y as* schon; *~ier than* vor; *~ier on* früher *~y bird* Frühaufsteher

♦ *it's the ~y bird that catches the worm* [wəːm] Morgenstund' hat Gold im Mund'; **~y-closing day** *BE* Tag mit frühem Geschäftsschluß

earn [əːn] verdienen *(a. fig)*; erwerben; **~ed** [əːnd] Arbeits-, Betriebs-; **~er** Verdiener; **~est** ['əːnist] ernst(lich), eifrig; Ernst *(are you in ~est?* meinst du es ernst?*)*; *in good ~est* ganz ernst(haft); **~est** Auf-, Handgeld; Anzahlung; (Vor-)Zeichen, Hinweis *(of* auf*)*; **~ings** *pl vb* Einkünfte, Ertrag; (Arbeits-)Lohn

earth [əːθ] Erde *(BE a. ⚡, ⊛)*; Welt *(on ~* in d. W.*)*; Land; Boden; (Fuchs- etc) Bau; *to go (od run) to ~* (in e-n B.) einfahren; *to run s-b (s-th) to ~* j-n stellen, etwas finden; *vt BE* erden; *~ up* behäufeln; *vi* (Tier) einfahren; **~en** Erd-; irden; **~enware** ['əːθənwɛə] Steingut(geschirr); **~ly** irdisch, auf Erden; *umg* denkbar, vernünftig; **~quake** [⸚kweik] Erdbeben; **~work** [⸚wəːk] Schanze; **~-worm** [⸚wəːm] Regenwurm; **~y** erdhaltig, erdig; sinnlich, grob

ea|se [iːz] 1. Ruhe, Behagen; *to be* (od *feel*) *at ~e* s. wohl fühlen; *to take one's ~e* es s. bequem machen; *ill at ~e* unbehaglich, befangen; *to set s-b at ~e* j-m die Befangenheit (Unsicherheit) nehmen; Leichtigkeit *(with ~e)*; *(mil) at ~e* Rührt-euch(-Stellung); 2. lockern; erleichtern, lindern; beheben; befreien *(of* von*)*; *~e (down)* verlangsamen; *~e off* nachlassen; s. entspannen; **~el** [iːzl] Staffelei; Gestell; **~y** ['iːzi] leicht; bequem; ungezwungen; sorgenfrei; (Kleid) bequem; *to go (od take it) ~y* es s. leichtmachen; *take it ~y!* immer mit d. Ruhe!; **~y-chair** [⸚i'tʃɛə] Sessel; **~-going** [⸚i'gouiŋ] bequem, leichtlebig; **~y mark** leichte Beute

east [iːst] Osten; Orient; **the East** *US* d. Oststaaten; Ost-, östlich; ostwärts; **~erly** östlich; Ost-; **~ern** *(a. pol)* östlich; Ost-; orientalisch; **Easterner** ['iːstənə] Orientale; **~ward(s)** [⸚wədz] östlich, nach Osten (gehend); ostwärts

Easter ['iːstə] Ostern; **~ Day** Ostersonntag; **~-tide** [⸚taid] Osterzeit

eat [iːt] *(s. S. 318)* essen *(up* auf-*)*; *~ one's words* s-e Worte zurücknehmen; *what's ~ing you?* was ist denn los mit dir?; fressen *(a. fig)*; zerfressen, -stören; *~ up* auf(fr)essen; begierig aufnehmen; **~s** Eßwaren; **~er** Esser; Obst zum Rohessen; **~ing** Essen; **~ing-house** Gasthaus

eaves [iːvz] *pl vb* Dachgesims; Traufe; **~drop** [⸚drɔp] lauschen, horchen; **~dropper** Lauscher, Horcher

ebb [eb] Ebbe *(a. fig)*; Abnahme; zurückströmen, verebben; abnehmen; **~tide** = ~

ebony ['ebəni] Ebenholz; Schwärze; schwarz (Taste)

ebulli|ent [i'bʌliənt] siedend, sprudelnd *(a. fig)*; **~tion** [ebə'liʃən] Sieden; Sprudeln; Ausbruch

eccentric [ik'sentrik] exzentrisch *(a. fig)*; überspannt; Sonderling; **~ity** [eksen'trisiti] Überspanntheit

ecclesiastic [ikliːzi'æstik] Geistlicher; ; **~al** kirchlich; geistlich

echelon ['eʃəlɔn], *pl* **~s** 1. *mil* Staffel; (Angriffs-)Welle; (Befehls-)Ebene; 2. staffeln; **~ed** [⸚d] *in depth* tiefgestaffelt; **~ment** *mil* Staffelung

echo ['ekou], *pl* **~es** Echo; Nachahmer; ~ *vt/i (~es, ~ed)* Echo werfen, widerhallen; (Echo) zurückwerfen; wiederholen; **~meter** ['ekoumiːtə] Fischlupe; **~-sounder** Echolot

éclat [ei'klɑː] großer Beifall; Glanz (e-r Leistung); Ansehen

eclip|se [i'klips] 1. (Mond-, Sonnen-)Finsternis; Verfinsterung; 2. verdunkeln; *fig in* Schatten stellen; **~tic** [i'kliptik] Sonnenbahn

econom|ic [iːkə'nɔmik] (volks)wirtschaftlich; Wirtschafts-; marktgerecht; **~ical** wirtschaftlich, sparsam *(of* mit*)*, ökonomisch; niedrig, angemessen; **~ics** *sg vb* Volkswirtschaftslehre; *pl vb* wirtschaftl. Gegebenheiten; **~ist** [iː'kɔnəmist] haushälterischer Mensch, Sparer; Volkswirt; **~ize** [iː'kɔnəmaiz] sparen, sparsam wirtschaften mit; s. einschränken; **~y** [iː'kɔnəmi] Sparsamkeit, Wirtschaftlichkeit; Einsparung; Organisation; Wirtschaft(ssystem); *domestic ~y* Haushaltführung; *planned ~y* Planwirtschaft; *political ~y* = ~ics

ecsta|sy ['ekstəsi] Ekstase, Verzückung *(to go, be thrown, into ~sies over* in V. geraten über*)*; Trance; **~tic** [ek'stætik] ver-, entzückt; begeisternd

eczema ['eksimə] Ekzem; **~tous** [ek'sematəs] ekzematös

eddy ['edi] Wirbel, Strudel; wirbeln

Eden ['iːdən] Eden, Paradies

edg|e [edʒ] Rand; Kante; Schneide; *to put an ~e on* (Messer) schärfen; *to take the ~e off* stumpf machen, abstumpfen, -schwächen ♦ *to give s-b the ~e of one's tongue* [tʌŋ] j-m gehörig d. Meinung sagen; *to set s-b's teeth on ~e* j-n nervös machen, Zahnweh verursachen; *to be on ~e* gereizt sein; einfassen; schärfen; (Weg) bahnen; (s.) schieben, rücken; **~eways** [edʒweiz, **~ewise** ['edʒwaiz] seitlich, hochkant ♦ *not get a word in ~eways* kein Wort einwerfen können; **~ing** ['edʒiŋ] Einfassung; **~y** ['edʒi] nervös, unruhig

edible ['edibl] eß-, genießbar; **~s** Eßwaren

edict ['iːdikt] Edikt, Verordnung

edi|fication [edifi'keiʃən] Erbauung; **~fice** [⸚fis] Bauwerk, Gebäude(komplex), Anlage; **~fy** [⸚fai] *(moral., geistig)* stärken, erheben; **~fying** erbaulich

edit ['edit] edieren, herausgeben; redigieren, als Redakteur leiten; **~ion** [i'diʃən] Ausgabe; (Gesamt-)Auflage; **~or** Herausgeber; (Chef-)Redakteur, Schriftleiter; **~orial** [edi'tɔːriəl] Redakteur-, Redaktions-; Leitartikel; *~orial staff* Redaktion; **~orialist** Leitartikler

educ|able ['edjukəbl] erziehbar; **~ate** [⸚keit] erziehen, bilden; aufziehen; **~ation** [⸚⸚'keiʃən] Erziehung; Ausbildung; Bildung; Pädagogik; *elementary (primary) ~ation* Volksschulwesen; *secondary ~ation* höheres Schulwesen; **~ational** Erziehungs-; **~ationalist, ~ationist** Pädagoge; Erziehungswissenschaftler; **~ative** [⸗-kətiv] erzieherisch, bildend; Erziehungs-; **~ator** [⸗-keitə] Erzieher

educe [i:'dju:s] entwickeln; ableiten

eel [i:l] (Fluß-)Aal; **~like** aalartig

e'er [ɛə] = ever

eerie (eery) ['iəri] unheimlich

efface [i'feis] ausstreichen, -löschen; ~ *o.s.* sich im Hintergrund halten

effect [i'fekt] 1. (Aus-, Nach-)Wirkung; (*to have ~ on* ♐ W. haben, Eindruck machen auf); *of no ~* wirkungslos; *in ~* in Wirklichkeit, ♐ gültig; *to take ~* wirken, Erfolg haben, ✿ in Kraft treten; *to bring (od carry) into ~* in Kraft setzen; Sinn (*to the ~* des Inhalts, *to this ~* zu dem Zweck); 2. Effekt (*a.* ✿, *for ~* um d. E. willen); 3. *pl* Habseligkeiten, Effekten; (Bank-)Guthaben, *no ~s* keine Dekkung; 4. *vt* bewirken; ausführen; **~ive** wirkungsvoll, -sam; tatsächlich, vorhanden; aktiv; *mil* dienst-, kampffähig; Wirkungs-, Effektiv-, Nutz-; **~ive date** Tag des Inkrafttretens; **~ual** [i'fektjuəl] (voll-)wirksam; gültig; **~uate** [i'fektjueit] bewerkstelligen; ausführen

effemina|cy [i'feminəsi] Weichlichkeit, Verweichlichung; **~te** [⸗-nit] verweichlicht

effervesce [efə'ves] sprudeln, (auf-)schäumen; *fig* überschäumen; **~nce** [---⸗səns] Sprudeln, Sprudelkraft; Auf-, Überschäumen; **~nt** sprudelnd, schäumend; **~nt powder** Brausepulver

effete [e'fi:t] erschöpft, verbraucht

effic|acious [efi'keiʃəs] *bes* ♦ wirksam; **~acy** ['efikəsi] *bes* ♦ Wirksamkeit; **~iency** [i'fiʃənsi] wirkende Kraft; Tüchtigkeit, Leistungsfähigkeit; *bes* ✿ Wirkungsgrad, (Nutz-)Leistung; **~ient** [i'fiʃənt] wirksam; leistungsfähig, tüchtig; wirkungsvoll; ergiebig

effigy ['efidʒi] Bild(nis); (*to hang (burn) s-b in ~* j-s Bild aufhängen (verbrennen)

effloresce [eflɔ:'res] aufblühen; hervorbrechen, ♦ Ausschlag bekommen; s. beschlagen; zerfallen; **~nce** Aufblühen; *fig* Blüte(zeit); ♦ Ausschlag; *chem* Beschlag; **~nt** (auf)blühend (*a. fig)*; *chem* auswitternd

efflu|ence ['efluəns] Ausfluß; **~ent** ausfließend, ausströmend; Ab-, Ausfluß; **~vium** [e'flu:viəm], *pl* **~via** Ausdünstung; **~x** ['eflʌks] Ausströmen, -fluß, Erguß

effort ['efət] Anstrengung; Mühe; Leistung; Fleiß; **~less** mühelos

effrontery [i'frʌntəri] Unverschämtheit, Frechheit

efful|gence [i'fʌldʒəns] Glanz; **~ent** glänzend

effus|e [i'fju:z] ausgießen, -strömen; **~ion** [i'fju:ʒən] Ausgießen, -strömen (*bes.* ♦, *fig* Erguß); **~ive** [i'fju:siv] überschwenglich

e. g. [i:'dʒi, fərig'za:mpl] zum Beispiel

egg[1] [eg] 1. Ei; *in the ~* im Anfangsstadium ♦ *to put all one's ~s in one basket* alles auf e-e Karte setzen; *to teach one's grandmother to suck ~s* e-n Meister das Handwerk lehren wollen; 2. *umg* Kerl, Bombe; **~cup** Eierbecher; **~head** [⸗-hed] Intellektueller; **~plant** [⸗-pla:nt] Aubergine; **~shell** Eierschale(nfarbe)

egg[2] [eg] *on* antreiben, anreizen

eglantine ['eglantain] Zaun-, Weinrose

ego ['egou, *US* 'i:gou] das Ich, Ego; **~centric** [--'sentrik] egozentrisch; selbstsüchtig; **~ism** ['egouizm] Selbstsucht, (*bes philos)* Egoismus; **~istic(al)** [egou'istik(l)] egoistisch; **~tism** ['egoutizm] Ichbetontheit, Eigendünkel, Selbstgefälligkeit; **~tistic(al)** [egou'tistik(l)] dünkelhaft, selbstgefällig

egregious [i'gri:dʒəs] ausgemacht (Esel), kraß (Lügner, Fehler, Lüge)

egress ['i:gres] Ausgang *fig* Ausweg

Egypt ['i:dʒipt] Ägypten; **~ian** [i'dʒipʃən] ägyptisch; Ägypter(in)

egret ['i:gret] Silberreiher; Federbusch

eh [ei] wie?, was?; oder?

eider ['aidə] (*a.* **~-duck**) Eiderente; (*a.* **~-down**) Eiderdaunen; **~-down** [--daun] Daunendecke

eight [eit] acht; Achter(boot) ♦ *to have one over the ~* (*sl)* s. e-n antrinken; *to be behind the ~ ball (US sl)* d. Nachsehen haben, in der Klemme sitzen; **~een** ['ei'ti:n] achtzehn; **~eenth** ['ei'ti:nθ] achtzehnte; **~fold** achtfach; **~h** [eitθ] achte; **~ieth** ['eitiiθ] achtzigste; **~y** ['eiti] achtzig

either ['aiðə, *bes. US* 'i:ðə(r)] der eine oder der andere; beide; jeder (von zweien); *not . . . ~* auch nicht; *~ . . . or* entweder . . . oder

ejacula|te [i'dʒækuleit] (Worte, ♦) ausstoßen; **~tion** [idʒækju'leiʃən] Ausstoßen; ♦ Ejakulation

eject [i'dʒekt] vertreiben; absetzen; ausweisen; **~ion** [i'dʒekʃən] Vertreibung; Ausweisung

eke [i:k] *out* (Lebensunterhalt) ergänzen (*with. by* durch); vervollständigen; (Flüssigkeit) verlängern; (Leben) (irgendwie) weiterführen

elabora|te [i'læbərit] sorgfältig ausgearbeitet; vollendet; vielgestaltig, feingliedrig; **~te** [---reit] sorgfältig (im einzelnen) aus-, herausarbeiten, durcharbeiten; **~teness** Vielgestaltigkeit, Feingliedrigkeit; **~tion** [---'reiʃən] Ausarbeitung, Ausfeilung; Vielgestaltigkeit; Feingliedrigkeit; Einzelheit, Zutat

elapse [i'læps] ab-, verlaufen, -streichen; Ab-, Verlauf

elastic [i'læstik] elastisch (*a. fig)*; spannkräftig; Gummi-; Gummiband; **~ity** [i:læs'tisiti] Elastizität; Spannkraft

ela|ted [i'leitid] in gehobener Stimmung, freudig erregt; **~tion** [i'leiʃən] gehobene Stimmung

elbow ['elbou] 1. Ellbogen; *at one's ~* nahe; *out at ~s* heruntergekommen; 2. (Rohr-)Knie; 3. Seitenlehne; 4. mit d. Ellbogen wegstoßen; ~ *one's way* s. durchdrängen; **~-grease** [⸗-gri:s] Armschmalz, harte Arbeit; **~-rest** Armlehne; **~-room** Bewegungsfreiheit

elder[1] ['eldə] Holunder

eld|er[2] ['eldə] älter (*mst bei Familienangehörigen; my ~er brother*); *my ~er by one year* ein Jahr älter als ich; (Kirchen-)Vorsteher, Ältester; *his ~ers* Leute, die älter sind als er; *our ~ers* die ältere Generation; **~erly** ältlich; **~est** ['eldist] älteste

El Dorado [eldɔ:'ra:dou], *pl* **~s** Eldorado, Wunderland

elect [i'lekt] (aus)wählen (~ *s-b president, to the presidency* j-n zum Präsidenten w.); beschließen; *adj* ausge-, auserwählt; *(hinter d. su)* gewählt, aber noch nicht amtierend; **bride-~** Verlobte; **the ~** d. Auserwählten; **~ion** [i'lekʃən] Wahl; **~ioneer** [ilekʃə:niə] Agitator; agitieren; **~ive** [i'lektiv] wählend; gewählt; Wahl-; *US* Wahlfach; **~or** [i'lektə] Wähler, Wahlberechtigter; Kurfürst; *US* Wahlmann; **~oral** [i'lektərəl] Wahl-, Wähler; kurfürstlich; **~oral college** *US* Wahlmänner; **~orate** [i'lektərit] Wählerschaft; Kurwürde; Kurfürstentum

electric [i'lektrik] elektrisch; erregend, schokkierend; **~ sign** [sain] Lichtreklame **~ torch** *BE* Taschenlampe; **~al** elektrisch, (Buch) über Elektrizität; **~al engineering** [endʒi'niəriŋ] Elektrotechnik; **~ian** [--'triʃən] Elektr(otechn)iker; **~ity** [--'trisiti] Elektrizität

electri|fication [i,lektrifi'keiʃən] Elektrifizierung; **~fy** [---fai] elektrifizieren; *(a. fig)* elektrisieren

electro|cardiogram [ilektrou'kɑ:diəgræm] Elektrokardiogramm, EKG; **~cute** [i'lektrəkju:t] auf d. elektr. Stuhl hinrichten; durch Strom töten; **~cution** [ilektrə'kju:ʃən] Hinrichtung (Tötung) durch elektr. Strom; **~de** [i'lektroud] Elektrode; **~lier** [ilektrə'liə] elektr. Leuchter; **~lysis** [ilek'trɔlisis] Elektrolyse; **~n** [i'lektrɔn], *pl* **~ns** Elektron; **~nic** [ilek'trɔnik] Elektronen- (**~nic engineering** Elektronik; **~nic microscope**; **~nic brain**); **~nics** Elektronik; el. Geräte; **~plate** [i'lektroupleit] galvanisieren; galv. verzinken; galvanisiertes Besteck (Artikel); **~type** ⒟ Galvano(-plastik); galvanoplastisch vervielfältigen; Galvanos herstellen; **~typy** [ilek'trɔtipi] ⒟ Galvanoplastik, Elektrotypie

elegan|ce ['eligəns] Eleganz; Anmut; Geschmack; **~t** elegant; anmutig; geschmackvoll; luxuriös; klasse

elegy ['elidʒi] Elegie, Klagelied

element ['elimənt]; *in (out of)* one's ~ (nicht) in seinem Element; *fig* Körnchen; *pl* Anfangsgründe; **~al** [eli'mentəl] elementar; **~ary** [eli'mentəri] Elementar-, Grund-; elementar; **~ary school** Grundschule

elephant ['elifənt] Elefant; *white* ~ kostspieliges, dabei nutzloses Wertstück; **~ine** [eli'fæntain] Elefanten-; plump

elevat|e ['eliveit] erhöhen; erheben; **~ed** gehoben; angeheitert; **~ed (railway)** Hochbahn; **~ion** [eli'veiʃən] Hügel, Erhebung *(a. fig)*; Höhe; Erhöhung; Erhabenheit; ✿ Aufriß; **~or** ['eliveitə] *bes US* Fahrstuhl, Aufzug; Becherwerk; ⟂ Höhenruder; Getreidespeicher

eleven [i'levn] elf; ⚐ Elf; **~th** [i'levnθ] elfte; **~ses** [i'levnziz] *BE umg* 2. Frühstück

elf [elf], *pl* **elves** [elfz] Elfe; Kobold; **~in** Elfen-; **~ish** mutwillig, boshaft

elicit [i'lisit] herauslocken; hervorrufen

elide [i'laid] auslassen, verschlucken

eligible ['elidʒibl] wählbar; passend, wünschenswert; zulässbar *(for an examination)*, berechtigt; *to be ~ for* in Frage kommen für

elimina|te [i'limineit] beseitigen; aussondern; *bes chem. math.* ⚑ ausscheiden; *US* entlassen; **~ion** [i,limi'neiʃən] Aussonderung; Ausscheidung; Beseitigung; Außerachtlassung

elision [i'liʒən] Auslassung, Elision

élite [ei'li:t] Elite

elixir [i'liksə] Elixier *(of life)*; Wunderheilmittel

elk [elk], *pl* **~** Elch; *US* Wapiti

ell [el] Elle (45 Zoll) ◆ *give him an inch and he'll take an* ~ gib ihm d. kleinen Finger, und er nimmt d. ganze Hand

ellip|se [i'lips] *math* Ellipse; **~sis** [i'lipsis], *pl* **~ses** [--si:z] Ellipse (im Satz); **~tic** *math* elliptisch; **~tical** elliptisch (Satz); knapp formuliert

elm [elm] Rüster, Ulme(nholz)

elocution [elə'kju:ʃən] Vortragskunst, -weise; **~ist** Rezitator; Sprecherzieher

elonga|te [i'lɔŋgeit, *US* i'lɔŋgeit] (s.) verlängern; länglich sein; **~ion** [--'geiʃən] Verlängerung; Dehnung

elope [i'loup] (dem Gatten) entlaufen, s. entführen lassen; **~ment** Entlaufen

eloque|nce ['eləkwəns] Beredsamkeit; **~nt** beredsam, beredt; vielsagend

else [els] sonst; anderer; *or* ~ oder aber, sonst; **~where** sonstwo, anderswo

elucidate [i'lu:sideit] auf-, erklären

elu|de [i'lu:d] ausweichen, entwischen; sich entziehen; **~sive** [i'lu:siv] j-m entwischend, schwer zu fangen; schwer zu fassen (behalten, erlangen, erkennen)

elv|es [elvz] *siehe* elf; **~ish** = elfish

emacia|ted [i'meiʃieitid] abgezehrt, ausgemergelt; **~tion** [i,meisi'eiʃən] Abmagerung, Auszehrung

emana|te [i'emaneit] ausströmen; herrühren *(from* von); **~tion** [emə'neiʃən] Ausfluß

emancipa|te [i'mænsipeit] emanzipieren, befreien; **~tion** [imænsi'peiʃən] Emanzipation, Befreiung

emasculate [i'mæskjuleit] kastrieren; verweichlichen; (ab)schwächen

embalm [im'bɑ:m] einbalsamieren; **~ment** Einbalsamierung

embankment [im'bæŋkmənt] Eindämmung; Damm; Uferstraße, Staden

embargo [em'bɑ:gou], *pl* **~es** Hafen-, Handelssperre; Verbot; *vt* ~, **~ed**, **~ed** mit Beschlag belegen, e-e Sperre verhängen über, sperren

embark [im'bɑ:k] (s.) einschiffen, an Bord nehmen; s. einlassen *(on auf)*; **~ation** [embɑ:'keiʃən] Einschiffung; Verladung

embarrass [im'bærəs] in Verlegenheit setzen, in e-e unangenehme Lage bringen, verwirren; behindern, erschweren; **~ed** [--'rəst] in Geldverlegenheiten; **~ing** unangenehm, peinlich; **~ment** (Geld-)Verlegenheit, Verwirrung, unangenehme Lage; Hindernis; Erschwerung, Störung

embassy ['embəsi] *pol* Botschaft; (diplomatischer) Auftrag

embed [im'bed] einbetten, vergraben (in), einlassen

embellish [im'beliʃ] (aus)schmücken; ~ment Verschönerung; Verzierung

embers ['embəz] pl vb (ver)glühende Kohle(n); schwelende Glut

embezzle [im'bezl] veruntreuen, unterschlagen; ~ment Unterschlagung

embitter [im'bitə] verbittern; verschlimmern; ~ment Verbitterung; Verschlimmerung

emblem ['embləm] Sinnbild; Kennzeichen; ~atic [embli'mætik] sinnbildlich; ein Sinnbild (of für)

embod|iment [im'bɔdimənt] Verkörperung; ✿ Verwirklichung; ~y [im'bɔdi] konkrete Form geben, konkretisieren; verkörpern; ✿ verwirklichen; (in etwas) aufnehmen, niederlegen; to be ~ied in enthalten sein in

embolden [im'bouldən] ermutigen

embolism ['embəlizm] Embolie

embosom [im'buzəm] umfassen, einschließen

emboss [im'bɔs] gaufrieren; formstanzen; prägen; treiben, erhaben ausarbeiten; ~ed sheet Prägefolie

embowel [im'bauəl] ausweiden

embra|ce [im'breis] (s.) umarmen; ergreifen; umfassen; (Glauben) annehmen; Umarmung; ~sure [im'breiʒə] schräge Laibung; Schießscharte

embroca|te ['embroukeit] bes § einreiben; ~tion [embrou'keiʃən] Einreibung; Einreibewasser, -mittel

embroider [im'brɔidə] sticken; fig ausschmükken; ~y [im'brɔidəri] Stickerei; Sticken; Ausschmückung

embroil [im'brɔil] durcheinanderbringen; j-n in e-n Streit verwickeln

embryo ['embriou], pl ~s Embryo; in ~ im Werden

emcee [em'siː] (als) Conferencier (leiten, ansagen, auftreten)

emend [i'mend] (Text) verbessern; ~ation [iːmen'deiʃən] (Text-)Verbesserung, Berichtigung

emerald ['emərəld] Smaragd; smaragdgrün; the E~ Isle [ail] Irland

emerge [i'məːdʒ] auftauchen (from aus); herauskommen; bekannt werden; ~nce [i'məːdʒəns] Auftauchen, Sichtbarwerden; ~ncy [i'məːdʒənsi] Notlage, -fall; Not-; ~ncy decree Notverordnung

emery ['eməri] Schmirgel (~ -paper)

emetic [i'metik] Brech(mittel)

emigr|ant ['emigrənt] Auswanderer, Emigrant; ~ate ['emigreit] auswandern; ~ation [emi'greiʃən] Auswanderung

émigré ['emigrei] polit. Flüchtling

eminen|ce ['eminəns] Anhöhe; Ansehen, Auszeichnung; Eminenz; ~t angesehen; hochgestellt; hervorragend

emi|ssary ['emisəri] (Send-)Bote; Emissär; ~ssion [i'miʃən] Aussenden, -strömen, -strahlen; Emission; ~t [i'mit] aussenden, -strömen, -strahlen; emittieren

emolument [i'mɔljument] Bezüge, Gehalt, Honorar

emotion [i'mouʃən] Gefühl(sregung), Gemütsbewegung; Erregung; ~al gefühlvoll, leicht erregbar; gefühlsbetont; Gefühls-, Gemüts-

emotive [i'moutiv] gefühlserregend

empathy ['empəθi] Einfühlung(svermögen); Mitgefühl

emperor ['empərə] Kaiser, Herrscher

empha|sis ['emfəsis] Betonung, Nachdruck; ~size ['emfəsaiz] betonen, herausstellen; ~tic [im'fætik] nachdrücklich, emphatisch

empire ['empaiə] (Welt-)Reich; Herrschaft

empiric [em'pirik] Empiriker; Scharlatan; = ~al empirisch, erfahrungsmäßig

emplacement [im'pleismənt] Geschützstellung, -stand; Lage, Platz

emplane [im'plein] bes BE ✈ einsteigen; verladen

employ [im'plɔi] beschäftigen, anstellen; an-, verwenden; in the ~ of angestellt bei; ~é [ɔm'plɔiei, US em-]= ~ee [emplɔi'iː] Betriebsangehörige(r), Arbeitnehmer(in); ~er [im'plɔiə] Arbeitgeber; ~ment Beschäftigung; Beruf; Verwendung; ~ment agency ['eidʒənsi] Stellennachweis; ~ment exchange [iks'tʃeindʒ] BE Arbeitsamt

emporium [em'pɔːriəm], pl ~s Handelsplatz, -zentrum; Warenhaus, Geschäft

empower [im'pauə] ermächtigen; befähigen

empress ['empris] Kaiserin

empt|y ['empti] leer; hungrig; (s.) (ent)leeren; s. ergießen; ~ies pl vb Leergut

emu ['iːmjuː], pl ~s Emu

emul|ate ['emjuleit] nach-, wetteifern mit; es gleichtun (wollen); ~ation [emju'leiʃən] Wetteifer, Nacheiferung; ~ous ['emjuləs] nach-, wetteifernd; ehrgeizig

emul|sify [i'mʌlsifai] emulgieren; ~sion [i'mʌlʃən] Emulsion

enable [i'neibl] es j-m ermöglichen, möglich machen (zu tun); befähigen

enact [i'nækt] Gesetzeskraft verleihen, beschließen, verfügen; (Rolle) spielen; ~ into law zum Gesetz erheben; to be ~ed stattfinden; ~ive verordnend; ~ment Annahme (e-s Gesetzes); gesetzl. Verfügung

enamel [i'næməl] Email; Kunstharzlack; Emaille(farbe); Glasur; Zahnschmelz; emaillieren; lackieren; glasieren

enamour [i'næmə] entzücken, bezaubern; ~ed [i'næməd] of verliebt in

encamp [in'kæmp] Lager beziehen (lassen); ~ment (Feld-)Lager; Beziehen e-s Lagers

encase, in- [in'keis] einschließen, einhüllen

encephal|ic [ensi'fælik] Gehirn-; ~itis [ensefə'laitis] Gehirnentzündung

enchant [in'tʃaːnt] entzücken; verzaubern; ~er Zauberer; ~ress Zauberin; bezaubernde Frau; ~ment Verzauberung; Zauber; Entzücken

encircle [in'səːkl] umringen, -schließen, -fassen

enclos|e, in- [in'klouz] umgeben, einzäunen; beifügen, einlegen; ~ed [in'klouzd] in-, anliegend, anbei; ~ure [in'klouʒə] Einzäunung; Zaun; Gehege; Anlage

encomium [en'koumjəm], pl ~s Lobpreisung

encompass [in'kʌmpəs] umgeben, -zingeln; umfassen

encore [ɔŋ'kɔː] 1. Dakapo!, (Zuruf, Verlangen nach e-r) Zugabe; 2. Zugabe verlangen von (e-m Stück); zu e-er Zugabe anfeuern

encounter [in'kauntə] stoßen auf; begegnen, s. gegenüberstehen; Begegnung, Zus.stoß; Kampf, Schlacht

encourage [in'kʌridʒ] ermutigen; er-, aufmuntern; unterstützen, fördern; ~ment Ermutigung; Aufmunterung; Unterstützung; Förderung

encroach [in'kroutʃ] Eingriffe machen, übergreifen (upon auf), eindringen (upon in); beeinträchtigen, mißbrauchen; ~ment Ein-, Übergriff

encrust, in- [in'krʌst] verkrusten; überziehen

encum|ber [in'kʌmbə] (be)hindern; belasten; versperren, anfüllen; ~bered [–⸗bəd] verschuldet; ~brance [in'kʌmbrəns] (Schulden-)Last; Belastung; Hindernis

encyclopae|dia, -pedia [insaiklə'piːdiə] Enzyklopädie; ~dic(al) [–––⸗dik(l)] enzyklopädisch

end [end] 1. Ende; ~ to ~ nebeneinander; on ~ aufrecht, hintereinander; to stand on ~ zu Berge stehen, s. sträuben; in (at) the ~ schließlich; to come to a bad ~ ein schlimmes Ende nehmen; to put an ~ to, to make an ~ of etwas ein Ende machen; at a loose ~ unbeschäftigt; no ~ unendlich, no ~ of unendlich (viel), riesig; to make both ~s meet (mit seinen Einnahmen) auskommen; 2. Ziel, Zweck; to no ~ vergeblich; the ~ justifies the means d. Zweck heiligt die Mittel; 3. (be)enden (on a remark, by saying mit d. Worten); ~ up endgültig enden (landen) (in prison); ~ up with abschließen (mit); ~ in smoke in nichts enden; ~ing Ende, Schluß; Endung; Tod; ~less endlos; ~wise [⸗waiz]; ~ways [⸗weiz] mit d. Ende zuerst, aufrecht

endanger [in'deindʒə] gefährden, in Gefahr bringen

endear [in'diə] lieb, wert machen (o.s. to sich bei) ~ing [in'diəriŋ] gewinnend, reizend; ~ment Zuneigung; Liebkosung; Kosewort (a.: term of ~ment)

endeavour [in'devə] Bemühung, Anstrengung; s. bemühen, bestreben; streben

endemic [en'demik] endemisch(e Krankheit)

endive ['endiv, US ⸗daiv] (Winter-)Endivie; US Zichorie; US Chicorée

endocrine ['endoukrain] endokrin, mit innerer Sekretion; Drüse mit i. Sekr.

endorse, in- [in'dɔːs] auf der Rückseite unterzeichnen, indossieren; girieren; vermerken (on auf der Rückseite von); gutheißen, unterstützen; ~ment Aufschrift auf der Rückseite; Indossament; Giro; Vermerk; Bekräftigung, Bestätigung

endow [in'dau] dotieren, (mit e-r Stiftung) ausstatten; fig begraben; ~ment Dotierung, Ausstattung; Stiftung; Begabung

endue [in'djuː] ausrüsten, begaben

endur|able [in'djuərəbl] erträglich; ~ance [in'djuərəns] Ertragen; Ausdauer; past ~ance unerträglich; Dauer; ~e [in'djuə] ertragen, aushalten; (aus)dauern, währen

enema ['enimə], pl ~s Einlauf, Klistier

enemy ['enimi] Feind; ~ pl vb feindliche Truppen, Feind; the E~ Teufel; how goes the ~? (sl) wie spät ist es?; adj feindlich, Feind-, Feindes-

energ|etic [enə'dʒetik] energisch, tatkräftig; ~ize [–⸗dʒaiz] mit Energie füllen; antreiben, ⚡ erregen; ~y [–⸗dʒi] Energie; (Tat-)Kraft, Arbeitsvermögen; pl fig Kraft

enervate ['enəveit] schwächen, kraftlos machen

enfeeble [in'fiːbl] schwächen; ~ment Schwächung

enfeoff [in'fef] belehnen; ~ment Belehnung

enfold, in- [in'fould] einhüllen; umfassen, umschließen

enforce [in'fɔːs] er-, aufzwingen (upon s-b j-m); zur Geltung bringen, durchsetzen; gerichtlich geltend machen; vollstrecken; ~able erzwing-, (ein-)klagbar; ~ment Erzwingung; Durchsetzung; gewaltsame Durchführung

enfranchise [in'fræntʃaiz] das Wahlrecht geben; befreien; ~ment [in'fræntʃizmənt] Verleihung des Wahlrechts; Befreiung; Einbürgerung

engag|e [in'geidʒ] ein-, anstellen, beschäftigen; bestellen, s. reservieren; s. verpflichten, verbürgen (for s-th für etw); verloben (~ed couple Brautpaar); gewinnen, fesseln; angreifen, beschließen; ✿ einrücken, ✿ eingreifen; ~ed [–⸗d] beschäftigt, besetzt (a. ✆); verlobt; ~ement Verpflichtung; Bestellung, Beschäftigung, Verabredung; Engagement; Verlobung; mil Treffen; ~ing [–⸗iŋ] gewinnend, einnehmend, anziehend

engender [in'dʒendə] erzeugen, hervorrufen

engin|e ['endʒin] Maschine, Motor, Lokomotive; ~e-driver Maschinist; BE Lokführer; ~eer [endʒi'niə] Techniker, Ingenieur; Maschinist; mil Pionier; US Lokführer; Ingenieur sein; als I. leiten; umg organisieren, deichseln; ~eering [endʒi'niəriŋ] technisch; Technik; Ingenieurwesen (Hoch-, Tief-, Maschinenbau); Ingenieurberuf; ~eering science technische Wissenschaft; ~eering steel Baustahl; ~eering works Maschinenfabrik; chemical ~eering chemischer Apparatebau; civil ~eering Tiefbau; (mechanical) ~eering Maschinenbau; technical ~eering ingenieurtechn. Bauwesen; traffic ~eering Straßenverkehrstechnik

Eng|land ['iŋlənd] England; (manchmal ungenau für:) Großbritannien; ~lish ['iŋliʃ] englisch; the King's (Queen's) ~lish richtiges Englisch; the ~lish die Engländer; 📖 Mittel (14 P.); ~lishman, pl ~lishmen Engländer; ~lishwoman [⸗⸗wumən], pl ~lishwomen [⸗⸗wimin] Engländerin

engraft [in'grɑːft] pfropfen (*upon* auf); *fig* einprägen

engrain, in- [in'grein] tief färben; **~ed** [in'greind] (tief) eingewurzelt; *fig* unverbesserlich

engrav|e [in'greiv] gravieren, stechen; *fig* einprägen; **~er** (Kunst-)Stecher (*on copper* Kupfer-); **~ing** Gravieren, Gravierkunst; (Kupfer-, Stahl-)Stich; Holzschnitt

engross [in'grous] an s. reißen, ganz in Anspruch nehmen; **~ed** [in'groust] vertieft (in), beschäftigt (*in* mit); **~ing** fesselnd; voll in Anspruch nehmend

engulf, in [in'gʌlf] *fig* verschlingen

enhance [in'hɑːns] steigern, erhöhen *(in value);* **~ment** Steigerung, Erhöhung, Vergrößerung

enigma [i'nigmə], *pl* **~s** Rätsel; **~tic** [enig'mætik] rätselhaft, -voll, geheimnisvoll

enjoin [in'dʒɔin] befehlen (*upon s-b* j-m); anweisen; ♉ durch gerichtliche Verfügung verbieten

enjoy [in'dʒɔi] s. (er)freuen, genießen ~ *o.s.* sich gut unterhalten, amüsieren; Freude, Genuß, Vergnügen; *to take* **~ment** *in* Freude haben an

enlarge [in'lɑːdʒ] (s.) vergrößern (*a.* ⬛); sich auslassen (*upon* über); **~ment** Vergrößerung (*a.* ⬛); Anbau

enlighten [in'laitn] aufklären; **~ing** aufschlußreich; **~ment** Aufklärung

enlist [in'list] (s.) anwerben lassen; eintreten; gewinnen; **~ed man** *US* Soldat; **~ment** Einstellung; *US* Militärdienstzeit

enliven [in'laivn] beleben, anregen

enmity ['enmiti] Haß, Feindschaft (*at* ~ *with* in F. mit)

ennoble [i'noubl] adeln; veredeln; **~ment** Erhebung in den Adelstand; Veredelung

ennui [ɑːn'wiː, ɔn-] Langeweile, Öde

enorm|ity [i'nɔːmiti] Ungeheuerlichkeit; Greuel; **~ous** [i'nɔːməs] ungeheuer, riesig

enough [i'nʌf] genug, hinreichend; *that's quite* ~ mir langt's jetzt; ~ *is as good as a feast* allzuviel ist ungesund; *well* ~ sehr wohl; *sure* ~ gewiß

enplane [en'plein] *US* = emplane

enquire, enquiry *siehe* inquire, inquiry

enrage [in'reidʒ] wütend machen

enrapture [in'ræptʃə] entzücken, hinreißen

enrich [in'ritʃ] reicher machen; anreichern; *fig* bereichern; **~ment** Bereicherung

enrol, *US* **~l** [in'roul] (s.) einschreiben, eintragen; *mil* einstellen, (s.) verpflichten; **~ment,** *US* **~lment** Eintragung; Anwerbung; Einstellung; Aufnahme

ensconce [in'skɔns] *o.s.* sich niederlassen (in e-m Versteck, Sessel etc)

enshrine [in'ʃrain] verwahren; einschließen

ensign ['ensain] Flagge; Abzeichen; ~ ['ensən] *hist* Leutnant; *US* Leutnant z. See

enslave [in'sleiv] versklaven, knechten

ensnare [in'snɛə] fangen; betören

ensu|e [in'sjuː] s. ergeben (*from, on* aus), folgen; **~ing** unmittelbar folgend

ensure [in'ʃuə] sichern (*against, from* gegen); garantieren; *siehe* insure

entail [in'teil] aufbürden (*on s-b* j-m); nach s. ziehen (*on* für), zur Folge haben (*on* für); ♉ Fideikommiß; als F. vererben (*on* auf)

entangle [in'tæŋgl] (in ein Netz etc) verwickeln, fangen; verwirren, komplizieren; ~ *o.s., to be* (od *get*) **~d** s. verfangen, verstricken; **~ment** Verwicklung, Verwirrung; *mil* Verhau, Sperre

entente [ɑːn'tɑːnt] Einvernehmen, Entente

enter ['entə] be-, (ein)treten in; ~ *s-b's head* j-m in d. Sinn kommen; eintragen, -schreiben, buchen; einreichen; ~ *into* auf (Einzelheiten) eingehen, sich einlassen auf, hineinkommen in, Anteil nehmen an; ~ *upon* beginnen, antreten

enter|ic [en'terik] Darm-; **~itis** [entə'raitis] Darmentzündung

enterpris|e ['entəpraiz] Unternehmen, -nehmung; Betrieb; Unternehmungsgeist; **~ing** unternehmend, kühn

entertain [entə'tein] unterhalten, durchführen; hegen, in Betracht ziehen; aufnehmen, bewirten; Einladungen geben; **~ing** unterhaltend; **~ment** Unterhaltung, Vergnügung (~ *ment tax* Vergnügungssteuer); Einladung, Gesellschaft; Vergnügen, Spaß; Bewirtung

enthral, *US* **~l** [in'θrɔːl] bezaubern, fesseln; **~ment,** *US* **~lment** Versklavung; Fesselung

enthrone [in'θroun] auf den Thron setzen

enthus|e [in'θjuːz] (sich) begeistern, schwärmen; **~iasm** [-'-ziæzm] Begeisterung; **~iast** [-'-iæst] Enthusiast; **~iastic** [-,-zi'æstik] begeistert

entice [in'tais] (ver)locken, verführen

entire [in'taiə] ganz, gänzlich; voll; **~ly** gänzlich, völlig; **~ty** [in'taiəti] Gesamtheit (*s-th in its* ~ *ty*)

entitle [in'taitl] berechtigen (*to* zu), das Recht geben (*to* auf); betiteln

entity ['entiti] Existenz, Dasein; Wesen, Ding; ♉ (*legal* ~) juristische Person; Wesenheit

entomb [in'tuːm] bestatten; **~ment** Bestattung

entomology [entə'mɔlədʒi] Insektenkunde

entrails ['entreilz] *pl vb* Innereien; (Tier-)Darm

entrain [in'trein] in e-n Zug verladen, einsteigen

entran|ce ['entrəns] Eingang; Eintritt; ~ *ce into, upon* Antritt; ♉ Auftritt; Zutritt; (*a:* ~ *ce fee*) Eintrittsgeld; Aufnahme-(Prüfung); ~ *ce* [in'trɑːns] in Entzücken versetzen, hinreißen, **~t** Eintretender; Anfänger, Bewerber; 🏃 Teilnehmer

entrap [in'træp] fangen; verleiten

entreat [in'triːt] beschwören; anflehen

entrée ['ɔntrei] Zugang (*into, to* zu)

entrench [in'trentʃ] *(o.s.)* (sich) verschanzen, eingraben; **~ed** [in'trentʃt] verwurzelt, tiefsitzend; **~ment** Verschanzung; befestigte Stellung

entrepreneur [ɔntrəprə'nəː] Unternehmer

entrust [in'trʌst] anvertrauen (*to s-b* j-m); betrauen (*with* mit)

entry ['entri] Eingang, -tritt; Einzug; Eintrag(ung), Vermerk, Buchung; ~ **regulations** Einreisebestimmungen

entwine [in'twain] umwinden; verflechten

enumera|te [i'nju:məreit] (auf)zählen; ~**tion** [i‚nju:mə'reiʃən] (Auf-)Zählung

enuncia|te [i'nʌnsieit] aussprechen; verkünden; aufstellen; ~**tion** [-‚-si'eiʃən] Ausspruch; Erklärung

envelop [in'veləp] einhüllen, -wickeln; *mil* umfassen; ~**e** ['enviloup] Briefumschlag; Hülle

envi|able ['enviəbl] beneidenswert; ~**ous** ['enviəs] neidisch (*of* auf)

environ [in'vaiərən] umringen, umgeben; ~**ment** Umgebung, Milieu; Umwelt; ~**mentalist** [---'mentəlist] Umweltschützer, -schutzfachmann; ~**s** ['envirənz, in'vaiərənz] *pl vb* Umgegend

envis|age [in'vizidʒ] ins Auge sehen (fassen); s. vorstellen; ~**ion** [in'viʒən] geistig sehen, s. (vorausschauend) vorstellen

envoy ['envɔi] Bote; Gesandter; bevollmächtigter Vertreter

envy ['envi] Neid (*at, of* auf); ~ *s-b s-th* j-n um etwas beneiden

enwrap [in'ræp] einwickeln, -hüllen

épée [ei'pei] Degen

ephemeral [i'femərel] schnell vergehend, vergänglich; ~ **fly** Eintagsfliege

epic ['epik] Epos; episch; imposant

epicure ['epikjuə] Feinschmecker; ~**an** [--kju'ri:ən] genießerisch; Epikureer

epi|demic [epi'demik] epidemisch; Epidemie; ~**dermis** [--'dɔ:mis] Oberhaut; ~**diascope** [--'daiəskoup] Epidiaskop; ~**gram** [-‚-græm] Epigramm; ~**grammatic** [--grə'mætik] epigrammatisch, witzig

epilep|sy ['epilepsi] Epilepsie; ~**tic** [--'leptik] epileptisch; Epileptiker

epi|logue ['epilɔg] Nach-, Schlußwort; ~**scopal** [i'piskəpəl] bischöflich; anglikanisch; ~**scopalian** [‚piskə'peiliən] (Anhänger) der Episkopalkirche; ~**sode** ['episoud] Episode; ~**stle** [i'pisl] Epistel; ~**taph** ['epitɑ:f] Grabinschrift; ~**thet** ['epiθet] Beiname, -wort; ~**tome** [i'pitəmi], *pl* ~**tomes** Abbild, Verkörperung; kurze Zus.fassung; ~**tomize** [i'pitəmaiz] zus.fassen, e-n Auszug machen von; im kleinen enthalten, widerspiegeln

epoch ['i:pɔk], *US* 'epək] Epoche (*a.* ~**al** ['epəkəl] Epochen-); *a.* = ~-**making** epochemachend

equable ['ekwəbl] gleichmäßig, ausgeglichen

equal ['i:kwəl] 1. gleich (*to each other* einander); 2. gewachsen (*to a task* e-r Aufgabe); 3. ruhig; 4. Gleiches; *to be s-b's* ~ *in* j-m gewachsen sein in, an; 5. gleichgestellte Person; *my* ~**s** meinesgleichen; 6. gleich sein, gleichen; 7. j-m gewachsen sein; erreichen; ~**ity** [i:'kwɔliti] Gleichheit (*on an* ~*ity* auf d. Grundlage der Gleichheit); ~**ize** [--laiz] gleichmachen, ausgleichen; entzerren

equa|nimity [i:kwə'nimiti] Gleichmut, Ausgeglichenheit; ~**te** [i'kweit] als gleich ansehen (behandeln); gleichsetzen; ~**tion** [i'kweiʃən]

Gleichung; Ausgleich; ~**tor** [i'kweitə] Äquator; ~**torial** [ekwə'tɔ:riəl] am Äquator liegend

equerry ['ekwəri, i'kweri] königlicher Stallmeister

equestri|an [i'kwestriən] Reit-, Reiter-; (Kunst-)Reiter; ~**enne** [--tri'en] (Kunst-)Reiterin

equi|distant [i:kwi'distənt] gleich entfernt; ~**lateral** [--'lætərəl] gleichseitig; ~**librist** [--li-brist] Seilkünstler; ~**librium** [--'libriəm] Gleichgewicht

equi|ne ['i:kwain] Pferde-; ~**nox** [-‚-nɔks] Tag-undnachtgleiche; ~**poise** ['ekwipɔiz, 'i:-] Gleich-, Gegengewicht

equip [i'kwip] ausstatten, -rüsten; ~**age** ['ekwipidʒ] Ausrüstung; Equipage; ~**ment** Ausstattung, -rüstung(sgegenstand)

equi|table ['ekwitəbl] billig, gerecht, vernünftig; ~**ty** [-‚-ti] Billigkeit, Gerechtigkeit; ⚖ Equity (d. engl. Billigkeitsrecht); ~**valent** [i'kwivələnt] gleichwertig; -bedeutend (*to* mit); Äquivalent, Entsprechung; ~**vocal** [i'kwivəkəl] nicht eindeutig, doppelsinnig; zweifelhaft; ~**vocate** [i'kwivəkeit] s. doppelsinnig ausdrükken; ausweichen, schwanken (*on* bei)

era ['iərə], *pl* ~**s** Zeitalter, Ära

eradicate [i'rædikeit] ausrotten (*a. fig*)

eras|e [i'reiz, *US* -s] auswischen, -streichen, (aus)löschen (*a.* Tonband); ~**er** Radiergummi, Wischlappen; ~**ure** [i'reiʒə] Radieren; Radierstelle, Rasur

ere [ɛə] vor; bevor; ~ *long* bald

erect [i'rekt] aufrecht; auf-, errichten; aufstellen; ~**ion** [i'rekʃən] Errichtung; Aufstellung; Gebäude

ermine ['ɔ:min] Hermelin(pelz); *to wear the* ~ Richter sein

ergot ['ɔ:gət] Mutterkorn

ero|de [i'roud] zernagen, auswaschen, abschwemmen; ~**sion** [i'rouʒən] Erosion

erotic [i'rɔtik] erotisch(es Gedicht)

err [ɔ:] (s.) irren; fehlen, auf Abwege geraten; ~**and** ['erənd] Botengang, Besorgung (*to run* ~*ands, go on* ~*ands* B. machen); Zweck; *a fool's* ~*and* Metzgersgang; ~**and-boy** Laufjunge; ~**ant** umherstreifend (*knight* ~*ant* fahrender Ritter); ~**atic** [i'rætik] wandernd; erratisch; schwankend, unberechenbar; verschroben; ~**atum** [i'reitəm], *pl* ~**ata** [-‚-tə] (Druck-, Schreib-)Fehler; ~**oneous** [i'rounjəs] irrig, irrtümlich; ~**or** ['erə] Fehler, Irrtum; Verfehlung; ~ *or of judgment* ['dʒʌdʒmənt] Fehlschluß; *in* ~ *or* irrigerweise; *to lead s-b into* ~ *or* j-n fehlleiten

erudi|te ['erudait] gelehrt; ~**ion** [eru'diʃən] Gelehrsamkeit

erupt [i'rʌpt] ausbrechen; ~**ion** [i'rʌpʃən] Ausbruch; ✚ Ausschlag

erysipelas [eri'sipələs] ✚ (Wund-)Rose

esca|lator ['eskəleitə] Rolltreppe; ~**lope** [-‚-ləup] Schnitzel; ~**pade** [eskə'peid] Eskapade; ~**pe** [is'keip] entkommen, -fliehen, -fliegen; entgehen; entweichen, abfließen; *fig* entfallen; Entkommen etc (*he made good his* ~*pe* ihm gelang die Flucht); Entweichen; Rettung (*from* von, bei); *(a. fire-~pe)* Feuerleiter; ✿ Auslaß-; **~pement** Hemmung (Uhr)

eschew [is'tʃuː] (ver)meiden

escort ['eskɔːt] Eskorte; Geleit(schutz); Begleiter, Begleitung; begleiten, geleiten; decken

escutcheon [is'kʌtʃən] Wappenschild

esophagus [iː'sɔfəgəs] *US* = oesophagus

esoteric [esou'terik] für Eingeweihte bestimmt, esoterisch; eingeweiht; vertraulich

espalier [is'pæljə] Spalier(baum)

especial [is'peʃəl] besonder; **~ly** besonders

espionage [espiə'naːʒ, 'espiɔnidʒ] Spionage

esplanade [esplə'neid] Platz, Promenade

espous|al [is'pauzəl] Unterstützung; **~als** Heirat; **~e** [is'pauz] ehelichen; zum Manne geben; unterstützen, annehmen

esprit [es'priː] Esprit; **~ de corps** [--də'kɔː] Korpsgeist

espy [is'pai] erspähen, erblicken

esquire [is'kwaiə] (Brief) Hochwohlgeboren (*meist abgek.:* J. Smith, Esq.)

essay ['esei] Aufsatz, Essay; Versuch (*at doing* zu tun); **~** [e'sei] versuchen; **~ist** ['eseiist] Essayist

essen|ce ['esns] inneres Wesen, Kern; Essenz; Duft; **~tial** [i'senʃəl] wesentlich, notwendig (*to* für); ätherisch (Öl); **~tially** im Kern, im Grunde (genommen)

establish [is'tæbliʃ] errichten; (be-)gründen; (Ordnung) herstellen; einwandfrei feststellen, beweisen; j-n einsetzen; **~** *o.s.* Geschäft gründen, sich niederlassen; **~ed** [--liʃt] be-, feststehend; **~ed church** Staatskirche; **~ment** Errichtung; Gründung; Feststellung; Betrieb; Institution; (großer) Haushalt; Beamtenschaft

estate [is'teit] Grundstück, Landbesitz; 🔁 Besitz(tum), *real* **~** Grundbesitz, *personal* **~** bewegl. Habe; Nachlaß; Konkursmasse; *pol* Stand (*the fourth* **~** die Presse); *man's* **~** Mannesalter; **~ agent** *BE* Grundstücksmakler; **~ duty** *BE* Nachlaßsteuer; **~ car** Kombiwagen

esteem [is'tiːm] (hoch)schätzen; betrachten, ansehen als; Wertschätzung, Achtung

esth- *siehe* aesth-

estima|ble ['estiməbl] achtenswert; **~te** ['estimeit] (ab)schätzen, Schätzung vornehmen (*for* von), veranschlagen; **~te** ['estimit] (Ab-)Schätzung, Voranschlag; **~tion** [esti'meiʃən] Schätzung (*in my* **~tion** meiner Sch. nach); Wertschätzung

estrange [is'treindʒ] (s. j-m) entfremden; **~ment** Entfremdung

estuary ['estjuəri] (Fluß-)Mündung

etc., etcetera [it'setrə] und so weiter

etch [etʃ] ätzen, radieren; **~er** Radierer; **~ing** Radierkunst; Radierung

etern|al [i'təːnəl] ewig; **~ity** Ewigkeit

ether ['iːθə] Äther; **~eal** [i'θiəriəl] ätherisch *(a. fig)*

ethic|al ['eθikl] sittlich, ethisch, dem Berufsethos dienlich (verpflichtet); **~al drug** anerkanntes pharmazeutisches Mittel; **~s** *sg vb*

(Abhandlung über) Sittenlehre, Ethik; *pl vb* sittl. Verhalten, Einstellung

ethnology [eθ'nɔlədʒi] Völkerkunde

etiquette [eti'ket, *US* 'etəket] Etikette; 🔁, 🔁 Standesregeln

etymolo|gy [eti'mɔlədʒi] Wortforschung, -ableitung, Etymologie; **~gical** [--mə'lɔdʒikl] etymologisch

eucalyptus [juːkə'liptəs], *pl* **~es** Eukalyptus

Eucharist ['juːkərist] Abendmahl

Euclid ['juːklid] *umg* Geometrie

eugenic [juː'dʒenik] eugenisch; **~s** *sg vb* Erbgesundheitslehre, Eugenik

eulog|ist ['juːlədʒist] Lobredner; **~istic** [--'dʒistik] lobpreisend; **~ize** ['juːlədʒaiz] lobpreisen; **~y** [--dʒi] Lob(eshymne)

eunuch ['juːnək] Eunuch

euphem|ism ['juːfəmizm] Euphemismus, Beschönigung; **~istic** [--'mistik] euphemistisch, beschönigend

euphony ['juːfəni] Wohlklang

Eurasian [juə'reiʒən] eurasisch; Eurasier

Eurocrat ['juərəkræt] EG-Beamter

Europe ['juərəp] Europa; *to go into* **~** s. d. EG anschließen; **~an** [juərə'piːən] europäisch; *pro-*EG; European; Europa-Anhänger; **~anism** [---izm] Europäertum

evacua|te [i'vækjueit] (ent)leeren, 🔁 abführen; evakuieren, räumen; (Personen) evakuieren; **~tion** [ivækju'eiʃən] Entleerung; Abführung; Evakuierung, Räumung

eva|de [i'veid] entgehen; s. entziehen; umgehen; **~sion** [i'veiʒn] Ausweichen; Umgehung; Ausflucht; **~sive** [i'veisiv] ausweichend; schwer faßbar

evaluate [i'væljueit] zahlenmäßig bestimmen, berechnen; auswerten

evanesce [iːvə'nes, *bes US* ev-] dahinschwinden; **~nce** Dahinschwinden; **~nt** dahinschwindend, vergänglich

evangel|ical [iːvæn'dʒelikl] evangelisch; evangelikal; zelotisch; **~ist** [--'dʒəlist] Evangelist; eifriger Prediger; **~ize** [--'dʒəlaiz] j-m d. Evangelium predigen; zum Ev. bekehren

evapora|te [i'væpəreit] verdampfen (lassen), evaporieren; verfliegen; **~tion** Verdampfung, Evaporation

eve [iːv] Vorabend *(a. fig); Christmas E~* Heiligabend; *New Year's E~* Silvester

even[1] ['iːvn] 1. gerade; *(vor Komparativ)* noch; sogar, selbst; *not* **~** nicht einmal; auch nur; 2. *adj* eben, glatt; gleich(mäßig); *to be* (*od get*) **~** *with s-b* es j-m heimzahlen; 3. ruhig, ausgeglichen; 4. (Zahl) gerade; 5. ebnen; gleichstellen; **~ up** ausgleichen; **~-handed** [--'hændid] unparteiisch; **~-tempered** [--'tempəd] gelassen

even[2] ['iːvən] *poet* Abend; **~ing** ['iːvniŋ] Abend; **~ing dress** Abendkleid; Gesellschaftsanzug; **~ing paper** Abendblatt

event [i'vent] Ereignis; *it was quite an* **~** es war eine dolle Sache; Ausgang, Ergebnis; *at all* **~**s auf jeden Fall; *in any* (bzw *either*) **~** auf jeden Fall; *in the* **~** *of* im Falle des (daß); 🔁

Wettkampfübung, -art, Sportart; **~ful** ereignisreich; **~ual** [i'ventjuəl] schließlich; **~uality** [i͵ventju'æliti] Möglichkeit, Eventualität; **~ually** am Ende, schließlich; **~uate** [i'ventjueit] (gut etc) ausgehen; enden (in etw); US eintreten, sich ereignen

ever ['evə] je(mals); did you ~ ? hat man so was schon gehört!; ~ after die ganze Zeit ⟨da⟩nach; ~ since (d. ganze Zeit) seit; for ~ (US for~) für immer; ~ so, ~ such (umg) sehr (viel); (nach Fragewörtern) in aller Welt; **~green** immergrün(e Pflanze); **~lasting** [--'lɑ:stiŋ] immerwährend, ewig (a. iron.); bot Immortelle; **~more** [--'mɔ:] immerfort

every ['evri] jeder; ~ bit restlos alles, ganz genau; ~ way in jeder Hinsicht; ~ other jeder zweite, jeder andere; ~ tenth jeder zehnte; ~ now and then (od again), ~ so often hin und wieder, dann und wann; ~ time jedesmal wenn; **~body** ['evribɔdi] jeder; **~day** [--'dei] alltäglich, Alltags-; **~one** [--wʌn] jeder; **~thing** [--θiŋ] alles; **~where** [--weə] überall(hin); wo(hin) auch immer; su alle Orte, alles

evict [i'vikt] zwangsweise entfernen; **~ion** [i'vikʃən] Vertreibung, Ausweisung, Räumung

eviden|ce ['evidəns] 1. (An-)Zeichen, Spur, Anhaltspunkt; Tatsachen, Beweis(material), Unterlagen; to give ~ce od bear ~ce of deutliche Anzeichen zeigen von; in ~ce sichtbar, fig im Vordergrund, ⚖ als Beweis; 2. beweisen, bezeugen; **~t** klar, offensichtlich, offenbar

evil ['i:vl] 1. übel, schlimm; böse; the E~ One d. Satan; the ~ eye d. böse Blick; 2. d. Böse, Schlechte; Unheil; Übel; **~-doer** ['i:vlduə] Übeltäter; **~-minded** ['i:vl'maindid] übelgesinnt

evince [i'vins] zeigen, an d. Tag legen

evoke [i'vouk] beschwören; hervorrufen

evolution [i:və'lu:ʃən, bes US evə--] Heranwachsen, Entwicklung; schrittweise Änderung; natürliches Werden, Entfaltung; Evolution; math Wurzelziehen; mil Bewegung; Tanzschritt

evolve [i'vɔlv] (s.) entwickeln; hervorbringen, erarbeiten

ewe [ju:] Mutterschaf; **~r** ['ju:ə] Wasserkrug

ex [eks]: ~ works ab Werk

ex- [eks] ehemalig (ex-president etc)

exacerbate [eks'æsəbeit, ig'zæs-] verschärfen; erbittern

exact [ig'zækt] genau, exakt; erzwingen; eintreiben; erfordern; **~ing** streng, genau; to be ~ing alles sehr genau nehmen; hohe Anforderungen stellend, anspruchsvoll; **~ion** [ig'zækʃən] Eintreiben; (eingetriebene) Summe; Erpressung, Wucherforderung; strenges Erfordernis; **~itude** [-'zæktitju:d] Genauigkeit; **~ly** genau; (vor Fragewörtern) eigentlich; **~ness** Genauigkeit

exaggera|te [ig'zædʒəreit] übertreiben; **~tion** [-͵---'ʃən] Übertreibung

exalt [ig'zɔ:lt] erheben; preisen; **~ation** [egzɔ:l'teiʃən] Erhebung; Preisung; Verzückung; **~ed** hoch(stehend); gehoben (Stil); verzückt

exam [ig'zæm] umg Prüfung, (Abk. von:) **~ination** [-͵--mi'neiʃən] Untersuchung (a. ⚖), Prüfung, Examen; is under ~ination wird untersucht; ⚖ Verhör; **~ine** [--'min] untersuchen, (über)prüfen; ⚖ verhören; **~inee** [-͵--mi'ni:] Prüfling, Kandidat; **~iner** [--'minə] Prüfer, Untersuchender

example [ig'zɑ:mpl] 1. Beispiel (of für); Muster, Vorbild; for ~ zum Beispiel; to set (od give) a (good) ~ to j-m ein (gutes) B. geben; to take ~ by s. ein B. nehmen an; 2. Warnung; to make an ~ of ein Exempel statuieren an; 3. vt beispielhaft veranschaulichen

exaspera|te [ig'zɑ:spəreit] erbittern; wütend machen; verschlimmern; **~ting** höchst ärgerlich; **~tion** [-͵--'reiʃən] Erbitterung, Wut, Empörung (in ~tion wütend, aus Wut)

excava|te ['ekskəveit] (aus)graben, -heben; **~tion** [--'veiʃən] (Aus-)Graben, -heben; Baugrube; Ausgrabung; **~tor** [--'--tə] Trockenbagger; Erdarbeiter

exceed [ik'si:d] überschreiten; größer sein als (by um), übertreffen (in an); **~ing** sehr groß, **~ingly** äußerst

excel [ik'sel] übertreffen (in an); sich auszeichnen; **~lence** ['eksələns] Vortrefflichkeit; hervorrag. Leistung(en), Eigenschaft; **~lency** ['eksələnsi] Exzellenz; **~lent** ['eksələnt] hervorragend, ausgezeichnet

excelsior [ik'selsiə] Holzwolle

except [ik'sept] außer; ~ for mit Ausnahme von; ausnehmen; Einwendungen machen (against gegen); **~ing** ausgenommen; **~ion** [ik'sepʃən] Ausnahme; Einwand (to take ~ion to e-r E. erheben gegen); **~ionable** anfechtbar; anstößig; **~ional** außergewöhnlich

excerpt [ik'sə:pt] ausziehen (s-th from a book) ~ ['eksə:pt] Auszug

excess [ik'ses] 1. Übermaß (to ~ bis zum Ü., unmäßig); to carry s-th to ~ übertreiben, übers Ziel hinausschießen mit; 2. Überschuß; in ~ of mehr als; pl übermäßiger Genuß, Unmäßigkeit; pl Ausschreitungen; 3. Mehr-; Über-; ~ fare Zuschlag; ~ postage Nachgebühr, Strafporto; ~ profit Wuchergewinn; **~ive** übermäßig; **~ively** adv sehr

exchange [iks'tʃeindʒ] 1. auswechseln, -tauschen; ver-, umtauschen; ~ blows (words) Streit (Wortwechsel) haben; 2. wechseln (out, of, from von, into zu); 3. (Aus-)Tausch (in ~ dafür; in ~ for im A. gegen); 4. (Geld-)Wechsel(kurs); 5. Devisen (~ control D.bewirtschaftung); 6. (Waren-)Börse; (stock-) (Wertpapier-)Börse; ~ office Wechselstube; ✆ (telephone ~) Fernsprechamt, Zentrale; **~able** austauschbar; Tausch-

exchequer [iks'tʃekə] Staatskasse, Fiskus; Schatzamt; umg Geldmittel; **Chancellor of the E~** BE Schatzkanzler, Finanzminister; **the E~** BE Finanzministerium

excise ['eksaiz] Verbrauchs-, Warensteuer, Akzise; [ik'saiz] besteuern; (her)ausschneiden (from aus); ~**man**, pl ~ men Steuereinnehmer

excit|able [ik'saitəbl] erregbar; ~**e** [ik'sait] an-, er-, aufregen; hervorrufen; don't ~e yourself. (umg) don't ~e! reg dich nicht auf!; ~**ement** An-, Er-, Aufregung; ~**ing** an-, er-, aufregend

excl|aim [iks'kleim] ausrufen; eifern (against); ~**amation** [eksklə'meiʃən] Ausruf; ~**amation mark**, US ~**amation point** Ausrufezeichen

exclu|de [iks'kluːd] ausschließen; ~**sion** [iks'kluːʒən] Ausschluß, -schließung; ~**sive** [iks'kluːsiv] abweisend, von oben herab; exklusiv; ~**sive** (of) ausschließlich, Allein- (right of sale)

excommunica|te [ekskə'mjuːnikeit] exkommunizieren; ~**tion** [--,--'keiʃən] Exkommunizierung

excoriate [iks'kɔːrieit] (Haut) abschürfen; vernichtend kritisieren

excre|ment ['ekskrimənt] Exkremente; ~**scence** [iks'kresns] Auswuchs; ~**te** [iks'kriːt] absondern, ausscheiden; ~**tion**· [iks'kriːʃən] Absonderung, Ausscheidung

excruciate [iks'kruːʃieit] martern, quälen; ~**ing** quälend, qualvoll

exculpa|te ['ekskʌlpeit] freisprechen (from von); rechtfertigen; ~**tion** [--ʃən] Freisprechung; Rechtfertigung

excur|sion [iks'kəːʃən] Ausflug (to make an ~sion, to go on an ~sion e-n A. machen); ~**sive** [--siv] ab-, weitschweifend; sprunghaft

excus|able [iks'kjuːzəbl] entschuldbar; ~**e** [iks'kjuːz] entschuldigen; j-n befreien (from of); (j-m etwas) erlassen, nachsehen; ~ me! Verzeihung!; ~ me dance Abklatschtanz; ~**e** [iks'kjuːs] Entschuldigung; give her my ~ es entschuldige mich bei ihr; in ~e of als Entschuldigungsgrund für

execra|ble ['eksikrəbl] abscheulich; ~**te** [--kreit] verabscheuen, verwünschen

execu|te ['eksikjuːt] aus-, durchführen; ♪, ♥ darstellen, aufführen, vortragen; hinrichten; ♫ vollziehen, -strecken; ~**tion** [---ʃən] Ausführung, Durchführung; ♪ Vortrag, Technik; to do ~tion verheerend wirken; ♫ Zwangsvollstreckung; ~**tioner** Scharfrichter; ~**tive** [ig'zekjutiv] vollziehend, Vollzugs-; Exekutiv-; ~tive branch Exekutive; ~tive committee [kə'miti:] Vollzugsausschuß, geschäftsführender Vorstand; su Ausführender; leitender Angestellter (US a. Beamter); Exekutive; ~**tor** [ig'zekjutə] Ausführender; Testamentsvollstrecker

exempl|ar [ig'zemplə] (Muster-)Beispiel; ~**lary** [--plori] beispielhaft; bezeichnend; exemplarisch; ~**lify** [--plifai] beispielhaft zeigen; ♫ beglaubigte Abschrift machen von; ~**t** [ig'zempt] befreien (from von); (be)frei(t); ~**tion** [ig'zempʃən] Befreiung; Freibetrag; Sonderstellung

exercise ['eksəsaiz] Übung; Ausübung, Anwendung; Bewegung; pl US (Schul-, Eröffnungs-)Feierlichkeiten; vt/i (sich) üben; aus-

üben, (Geduld) aufbringen; beunruhigen, zu schaffen machen; ~**book** [---buk] Heft

exert [ig'zəːt] aufbieten, zur Geltung bringen; ~ o.s. sich anstrengen; ~**ion** [ig'zəːʃən] Ausübung, Anwendung; Anstrengung, Bemühung

exes ['eksiz] BE Unkosten, Spesen

exhale [eks'heil, ig'zeil] ausatmen; ausströmen (lassen)

exhaust [ig'zɔːst] aus-, (bes fig) erschöpfen; ⚙ Auslaß; Ab-(Dampf etc); ~**ible** erschöpflich; ~**ing** anstrengend, mühsam; ~**ion** [ig'zɔːstʃən] Erschöpfung; ~**ive** erschöpfend; vollständig; schwächend

exhibit [ig'zibit] zeigen, an den Tag legen; ausstellen; Ausstellungsgegenstand; ♫ Beweisstück; ~**ion** [eksi'biʃən] Ausstellung; Zurschaustellung; Bekundung; to make an ~ion of o.s. sich zum Gespött machen; BE Stipendium; ~**ioner** BE Stipendiat; ~**or** Aussteller

exhilara|te [ig'ziləreit] auf-, erheitern; ~**tion** [-,--'reiʃən] Auf-, Erheiterung

exhort [ig'zɔːt] (er)mahnen; ~**ation** [egzɔː'teiʃən] (Er-)Mahnung

exhum|e [eks'çuːm, US ig'zuːm] wiederausgraben (a. fig); ~**ation** [eksçu'meiʃən] Wiederausgrabung

exigen|cy ['eksidʒənsi, ig'zi-] dringende Lage, Notwendigkeit; pl dringende Umstände, Erfordernisse; ~**t** [---t] dringend; to be ~t of erfordern

exile ['eksail, bes US 'egzail] Verbannung, Exil; Verbannter; verbannen

exist [ig'zist] vorhanden sein, existieren, leben; ~**ence** [--əns] Dasein, Existenz; to come into ~ence entstehen; in ~ence = ~**ent** bestehend, vorhanden

exit ['eksit] Ausgang; ♥ Abgang; Tod

ex-libris [eks'laibris] 📖 Exlibris

exodus ['eksədəs] (Massen-)Auszug

ex-officio [eksə'fiʃiou] von Amts wegen

exonerate [ig'zɔnəreit] freisprechen, entbinden (from von)

exorbitant [ig'zɔːbitənt] übermäßig, übertrieben

exorc|ize, bes US ~**ise** ['eksɔːsaiz] (Geist) beschwören, austreiben (a. fig)

exotic [ig'zɔtik] ausländisch, fremd

expan|d [iks'pænd] (s.) ausdehnen (s.) (aus)weiten; (s.) erweitern; (s.) ausbreiten; ~**se** [iks'pæns] Weite, weite Fläche, Ausdehnung; an ~se of (beach etc) ausgedehnt; ~**sion** [iks'pænʃən] Ausdehnung, -weitung; Expansion; ~**sive** [iks'pænsiv] ausgedehnt; Ausdehnungs-; mitteilsam, gefühlvoll

expatia|te [eks'peiʃieit] sich weitläufig auslassen (upon über); ~**tion** [-,--'eiʃən] weitläufige Ausführung

expatriate [eks'pætrieit, bes US eks'pei-] verbannen; ~ o.s. auswandern

expect [iks'pekt] erwarten; annehmen; ~**ancy** [--tənsi] Erwartung; Anwartschaft; ~**ant** [--tənt] erwartend; werdend (Mutter); Anwärter; ~**ation** [ekspek'teiʃən] Erwartung (of life Lebens-); Aussicht; pl Erbschaftsaussichten; to *have great ~ations of* große Erwartungen setzen in

expectorate [iks'pektəreit] aushusten, ausspeien

expedi|ency (-ce) [iks'piːdiənsi (-ˈ-diəns)] Zweckmäßigkeit; Eigeninteresse; **~ent 1.** zweckmäßig, -dienlich, vorteilhaft, nützlich; **2.** zweckmäßiges Mittel, Kniff; Notbehelf; **~te** ['ekspidait] fördern; beschleunigen; erledigen; abfassen; **~tion** [ekspi'diʃən] Expedition; (Forschungs-)Reise; *mil* Feldzug; Raschheit; **~tionary** Expeditions-; **~tious** [ekspi'diʃəs] rasch, schnell

expel [iks'pel] vertreiben, -jagen (*from* von, aus); ausschließen (von); **~lee** [ekspə'liː] (Heimat-)Vertriebener

expen|d [iks'pend] verwenden; verbrauchen; ausgeben; **~diture** [-ˈ-ditʃə] Aufwand; Verbrauch; Aufwendung(en); **~se** [iks'pens] Aufwendung, Aufwand, Kosten (*at my ~se* auf meine K.); *at the ~se of* auf Kosten von *(a. fig)*; *to go to the ~se* s. d. Kosten machen; *pl* Unkosten, Spesen; **~sive** [iks'pensiv] teuer, kostspielig

experi|ence [iks'piəriəns] Erfahrung (*from ~ence* aus E.); Erlebnis; erleben, durchmachen; **~enced** [-ˈ-ənst] erfahren; **~ment** [-'perimənt] Experiment; Erprobung; **~ment** [-ˈ-ment] experimentieren; **~mental** [---'mentl] experimentell; Versuchs-; **~mentation** [-,--men'teiʃən] Experimentieren; **~menter** [-'perimentə] Experimentator

expert ['ekspəːt] Fachmann, Sachverständiger (*~ opinion* Gutachten); **~** [-ˈ-,iks'pəːt] erfahren, geübt (*in, at* in; *with* mit); fachmännisch; Fach-

expia|te ['ekspieit] büßen, sühnen; **~tion** [--'eiʃən] Buße, Sühne

expir|ation [ekspi'reiʃən] Ablauf, Ende; Verfall; **~e** [iks'paiə] ablaufen; fällig werden, verfallen; verscheiden; **~y** [iks'paiəri] = ~ation

expl|ain [iks'plein] erklären, erläutern (*to s-b* j-m); *~ away* durch e-e Erklärung beseitigen; **~anation** [eksplə'neiʃən] Erklärung, Erläuterung; **~anatory** [iks'plænətəri] erklärend, erläuternd

expletive [iks'pliːtiv, *bes US* 'eksplə-] ausfüllend; Füllwort, Flickwort; Fluch

explicit [iks'plisit] ausdrücklich; klar; eindeutig; offen

explode [iks'ploud] explodieren; bersten (*with* vor); ausbrechen; widerlegen, ad absurdum führen; **~d** überlebt

exploit [iks'plɔit] ausbeuten *(a. fig),* ausnützen; **~** ['eksplɔit] kühne Tat; **~ation** [eksplɔi'teiʃən] Ausbeutung, Ausnützung; Abbau (Kohle etc)

explor|ation [eksplɔː'reiʃən] Erforschung; **~atory** [-ˈ-rətəri] (Er-)Forschungs-; **~e** [iks'plɔː] erforschen; untersuchen; **~er** [iks'plɔːrə] (Er-)Forscher

explo|sion [iks'plouʒən] Explosion; Ausbruch; **~sive** [iks'plousiv] explosiv; Sprengstoff, -körper; Verschlußlaut

exponent [iks'pounənt] Erklärer; Vertreter; *math* Exponent

export [iks'pɔːt] ausführen, exportieren; **~** ['ekspɔːt] Ausfuhr(handel), -artikel; **~ation** [ekspɔː'teiʃən] Ausfuhr; **~er** [-'pɔːtə] Exporteur, Exportfirma

expos|e [iks'pouz] aussetzen *(to a risk);* ausstellen; aufdecken, enthüllen; *phot* belichten; **~ed** [-ˈ-d] ungeschützt, offen; gefährdet; **~ition** [ekspə'ziʃən] Dar-, Auslegung; = ~ure; Ausstellung, Schau; **~itory** [eks'pɔzitəri] erläuternd; **~tulate** [-'pɔstjuleit] Vorhaltungen machen (*with s-b* j-m; *about, for, on s-th* wegen, über); **~tulation** [-,pɔstju'leiʃən] Vorhaltung; **~ure** [-ˈ-ʒə] **1.** Aussetzen, Ausgesetztsein, Ungeschütztsein (*to* gegen); Erfrieren; **2.** *phot* Belichtung, Aufnahme (*time ~ure* Zeit-); Belichtungszeit; *~ure meter* B.-messer; **3.** Aufdeckung, Entlarvung; Bloßstellung; **4.** Lage (e-s Hauses)

expound [iks'paund] erläutern; darlegen

express [iks'pres] **1.** ausdrücken *(konkr, fig);* zum Ausdruck bringen; **2.** *US* expreß schicken; **3.** *adj* ausdrücklich; **4.** genau gleich; **5.** Expreß-, Eil-; *~ company* US Speditionsgesellschaft; *~ delivery* [di'livəri] *BE* Eilzustellung; *~letter (BE)* Eilbrief; *~ train (BE)* Schnellzug; **6.** *adv* expreß, als Eilsendung; **7.** *US* mit d. Schnellzug (fahren); *by ~* als Eilsendung; **9.** Schnellzug, -bus; **~ible** ausdrückbar; **~ion** [iks'preʃən] Ausdruck; *beyond (od past) ~ion* unaussprechlich; **~ive** [iks'presiv] ausdrucksvoll; ausdrückend (*of joy* Freude a.); **~ly** klar; ausdrücklich; **~man,** *pl* ~men US Spediteur; **~way** Schnellweg

expropria|te [eks'prouprieit] enteignen; **~tion** [-,--ˈ-ʃən] Enteignung

expulsion [iks'pʌlʃən] Vertreibung, Ausschließung *(siehe* expel)

expunge ['eks'pʌndʒ] tilgen, streichen

expurgate ['ekspəgeit] (Anstößiges) ausmerzen; (Buch) säubern, expurgieren

exquisite ['ekskwizit, iks-ˈ-] erlesen, zart fein; vorzüglich; groß, tief

ex-serviceman [eks'səːvismən], *pl* -**men** *bes BE* gedienter Soldat, Frontkämpfer, Veteran

extant ['ekstənt] noch bestehend

extempor|aneous [ekstempə'reinjəs] Stegreif-, aus d. Stegreif vorgetragen; **~e** [eks'tempəri] = ~aneous; **~ize** [iks'tempəraiz] aus dem Stegreif schaffen (sprechen), improvisieren

exten|d [iks'tend] verlängern, erweitern; spannen; ausdehnen; (Hand) ausstrecken; s. erstrecken, s. ziehen; (Stenogramm) übertragen; (ent)bieten; **~sion** [iks'tenʃən] Verlängerung, Erweiterung, Ausdehnung; Anbau; *phys* Streckung; **~sion cord, flex** *BE phys* Verlängerungsschnur; **~sive** [iks'tensiv] ausgedehnt; extensiv; **~t** [iks'tent] Ausdehnung, -smaß; *to the ~t of* bis zum Betrag von; *to any ~t* in jeder Höhe; *fig* Grad; *to that (what) ~t* so (wie) weit; *to some ~t* einigermaßen

extenua|te [iks'tenjueit] abschwächen, mildern; **~tion** [–ˌ––'eiʃən] Abschwächung, Milderung

exterior [iks'tiəriə] äußere, äußerlich; Außen-; Äußeres

extermina|te [iks'tə:mineit] ausrotten; **~tion** [–ˌ––'neiʃən] Ausrottung; **~tor** [–́––neitə] Schädlingsbekämpfer

external [iks'tə:nl] äußere, äußerlich; **~s** Äußeres; Äußerlichkeiten

extin|ct [iks'tiŋkt] erloschen; **~ction** [iks'tiŋkʃən] Erlöschen; Tilgung; Untergang; **~guish** [iks'tiŋgwiʃ] auslöschen; tilgen; vernichten; j-n in d. Schatten stellen; **~guisher** (Feuer-)Löscher

extirpa|te ['ekstəpeit] ausrotten; ⚕ ausschneiden; **~tion** [––'peiʃən] Ausrottung; ⚕ Ausschneidung

extol iks'tɔl] erheben, preisen

extort [iks'tɔ:t] er-, abpressen; **~ion** [iks'tɔ:ʃən] Erpressung; **~ionate** [iks'tɔ:ʃənit] erpresserisch; wucherisch

extra ['ekstrə] besonder, Sonder-, Neben-, Extra-; besonders, außerdem; Sonderausgabe, Nebengebühr; Zuschlag; 🎥 Statist

extract [iks'trækt] (her)ausziehen *(a. chem, fig)*; *math*, ⚕ ziehen; *fig* herauslocken, -holen; ~ ['ekstrækt] Auszug *(a. chem)*; **~ion** [iks'trækʃən] (Her-)Ausziehen; Gewinnung (*from* aus); Herkunft

extra|dite ['ekstrədait] j-n ausliefern; **~dition** [––'diʃən] Auslieferung; **~neous** [eks'treinjəs] von außen kommend, fremd, nicht hergehörig; **~ordinary** [iks'trɔ:dənri] außerordentlich, -gewöhnlich; **~sensory perception** außersinnl. Wahrnehmung; **~vagance** [iks'trævəgəns] Verschwendung(ssucht), Extravaganz; **~vagant** [iks'trævəgənt] extravagant, verschwenderisch; überspannt

extrem|e [iks'tri:m] **1.** äußerste, sehr groß; außergewöhnlich; extrem; schärfste; *~e cases* Härtefälle; **2.** äußerstes Ende, Extrem; Gegensatz; *to go to ~es* ins Extreme gehen; *in the ~e* äußerst; **~ist** [–́–mist] Radikaler; **~ity** [–'tremiti] äußerstes Ende; *pl* Extremitäten; *an ~ity of* ein sehr hohes Maß von; höchste Not; äußerste Maßnahme

extricate ['ekstrikeit] befreien, freisetzen (*from* von)

extrinsic [eks'trinsik] äußere, äußerlich

extrude [iks'tru:d] herausstoßen (*from* aus); ⚙ strangpressen

exuberan|ce [ig'zju:bərəns] Übermaß, -fluß, Fülle; Überschwenglichkeit; **~t** üppig; sprudelnd; übermäßig; -schwenglich

exude [ig'zju:d] absondern; hervorkommen (*from* aus); *fig* ausströmen

exult [ig'zʌlt] frohlocken, triumphieren (*at, in, over* über); **~ant** [–́–ənt] frohlockend; **~ation** [egzʌl'teiʃən] Frohlocken, Triumph

eye [ai] **1.** Auge; Öhr; Öse; *to be all ~s* unverwandt zuschauen; *to make ~s at* j-m schöne Augen machen; *to see ~ to ~ with s-b* mit j-m gänzlich übereinstimmen; *with an ~ to* in d. Hoffnung auf; *mind your ~!* aufgepaßt!; *all my ~ (sl)* alles Kohl; **2.** *vt* (*ppr BE ~ing, US eying)* ansehen, mustern; **~ball** [–́bɔ:l] Augapfel; **~brow** [–́brau] (Augen-)Braue; **~glass** Okular; *pl* Kneifer; **~hole** [–́houl] Augenhöhle; **~lash** [–́læʃ] (Augen-)Wimper; **~let** [–́lit] Öse; **~lid** [–́lid] (Augen-)Lid; **~-minded** [–́'maindid] visuell; **~-opener** [–́oupnə] Überraschung, Aufklärung; *US* Schnaps (am Morgen); **~-piece** [–́pi:s] Okular; **~shot** [–́ʃɔt] Sichtweite; **~sight** [–́sait] Sehvermögen; **~-socket** [–́sɔkit] = ~-hole; **~sore** [–́sɔ:] unschöner Anblick, Dorn im Auge; **~wash** [–́wɔʃ] Augenwasser; *sl* Schwindel; **~-witness** [–́witnis] Augenzeuge

eyrie (eyry) ['ɛəri] Horst (*siehe* aerie)

F

F [ef] F (*a.* ♪); **F sharp** Fis, **F flat** Fes

Fabian ['feibiən] zögernd, vorsichtig, unentschlossen

fable ['feibl] Fabel

fabric ['fæbrik] Stoff, Gewebe; Struktur; Bau; **~ate** [–́–keit] erfinden; fälschen; (mit Normteilen) bauen, errichten; **~ation** [––'keiʃən] Erfindung; Fälschung

fabulous ['fæbjuləs] Fabel-; fabelhaft

façade [fə:sɑ:d] Fassade *(a. fig)*

face [feis] **1.** Gesicht ♦ *to set one's ~ against* mißbilligen, ankämpfen gegen; *to fly in the ~ of* offen trotzen; *to save (one's) ~* d. Gesicht wahren; *to lose ~* d. Gesicht verlieren; *in (the) ~ of* angesichts; *~ to ~ with* von Angesicht zu A., Auge in Auge mit (j-m gegenüberstellen); *to s-b's ~* j-m ins Gesicht; *in s-b's* (j-m) ins Gesicht; **2.** (Front-, Bild-, Ober-, rechte) Seite; **3.** Zifferblatt; **4.** d. Äußere; *on the ~ of it* d. äußeren Anschein nach (zu urteilen); *to put a new ~ on* ändern; **5.** Unverschämtheit; **6.** *vt/i* gegenüberstehen (-sitzen); (auf d. Straße etc) (hinaus)gehen, (nach Süden etc) stehen (*facing s-b* gegenüber j-m); *to be ~ d*[feist] *with* s. gegenübersehen; *~ about* kehrtmachen; *right ~!* rechtsum!; *~ up to* ins Auge sehen, mutig herangehen an; *~ the music* d. Sache ins Gesicht sehen, ausbaden; **7.** (Gefahr) mutig gegenübertreten, s. gegenübersehen. *~ s-th out* dreist aufrechterhalten, durchstehen; *~ s-b* j-n befassen (*with* mit); **8.** ⚙ verkleiden; (Stoff) besetzen, einfassen; **9.** (Tee etc) färben; **~-card** Bild(karte); **~-cloth** [–́klɔθ], *pl* ~-cloths Gesichtslappen; **~-lifting** (Face-)Lifting; *fig* Verschönerung; **~-value** [–́vælju] Nennwert; Äußere, Schein

facet ['fæsit] Facette; *fig* Seite **~ious** [fə'si:ʃəs] witzig, scherzhaft

faci|al ['feiʃəl] Gesichts-; -massage; **~le** ['fæsail] mühelos; leicht, gewandt; umgänglich, nachgiebig; **~litate** [fə'siliteit] erleichtern, fördern; **~lity** [fə'siliti] Leichtigkeit, Geschicklichkeit (*with ~lity* mit leichter Hand); *pl* technische Gegebenheiten, Einrichtungen, Anlagen; Möglichkeiten; Voraussetzungen, notwendige Dinge *(for)*

facing ['feisiŋ] ⚙ Verkleidung; Besatz

facsimile [fæk'simili] Faksimile; Nachbildung; Bildfunk; *in* ~ genau gleich, originalgetreu; als Faksimile reproduzieren

fact [fækt] Tatsache; Wahrheit; ⚖ Tat; *in* ~ tatsächlich, in Wirklichkeit, (ja) sogar; ~**ion** ['fækʃən] Parteigruppe, Klüngel; Uneinigkeit, Zwist; ~**ious** ['fækʃəs] zwieträchtig; aufrührerisch; ~**itious** [fæk'tiʃəs] künstlich, gekünstelt; ~**itive** ['fæktitiv] faktitiv (Verb); ~**or** Faktor (a. *math)*; Umstand, Grund (*behind* für); Agent; ~**or cost** Herstellungskosten; ~**ory** Fabrik; Faktorei; ~**otum** [fæk'toutəm], *pl* ~otums Faktotum, Stütze; ~**ual** ['fæktjuəl] auf Tatsachen beruhend, Tatsachen-, objektiv

faculty ['fækəlti] Gabe; Fähigkeit; Kraft; Fakultät; *US* Lehrkörper

fad [fæd] Laune, e-e Mode; Grille; ~**dish**, ~**dy** launisch, schrullig

fad|e [feid] verwelken (lassen); verblassen, verschießen; dahinschwinden; verklingen, ▥ ein-, überblenden; ~**ing** ⚙ Fading, Schwund; nachlassend; unecht

fae|rie, ~**ry** ['feiəri] Feen(reich)

fag [fæg] s. kaputt-, fertigmachen; *BE* Fuchsendienste tun für; Schufterei, Plakkerei; (Internat) Fuchs; *sl* Glimmstengel; Schwuler; ~**-end** schäbiger Rest; Kippe

faggot, *US* **fagot** [fægət] Reisigbündel

Fahrenheit ['færənhait] Fahrenheit (Gefrierpunkt 32, Siedepunkt 212 Grad)

fail [feil] 1. versagen, durchfallen (lassen), scheitern; 2. *(mit Infin.)* nicht (*he* ~*ed to do* er tat nicht); 3. j-m ausgehen, ausbleiben, j-n im Stich lassen; *words* ~ *me* mir fehlen d. Worte; 4. schwach werden; *he is* ~*ing in health* sein Gesundheitszustand verschlechtert sich; *he* ~*s in es* fehlt ihm an; 5. verfehlen (zu tun); 6. Konkurs machen; 7. *su* Versagen (*in* e. Prüfung); *without* ~ ganz bestimmt; ~**ing** Fehler, Schwäche; *prep* in Ermangelung; ~**ure** ['feiljə] Versagen; Unvermögen; Ausbleiben; Fehlschlag; Versäumnis; Konkurs, Zus.bruch; Versager; ~*ure to appear* Nichterscheinen ~*ure to deliver* Nichtlieferung

fain [fein] bereit (zu tun); genötigt (zu tun); *would* ~ würde gern

faint [feint] schwach; gering; Ohnmachtsanfall; *to go off in a* ~ = to ~ ohnmächtig werden; schwach werden; ~**ing fit, attack** Ohnmachtsanfall; ~**-hearted** [-ha:tid] mutlos, verzagt

fair [fɛə] 1. gerecht, ehrlich, fair *(play)*; *by* ~ *means* auf anständige Weise; 2. mittelmäßig *(chance, essay, knowledge)*; 3. hell *(skin)*, blond; (Wind) günstig (Wetter) schön; ~**-weather** ['fɛəweðə] *friend* unzuverlässiger Freund; *to be in a* ~ *way (to do)* gute Aussicht haben (zu tun); 4. freundlich, gewinnend *(words)*; ~ *copy* Reinschrift; ~ *hand* leserliche Schrift; ~ *name* guter Ruf; 5. schön *(sex)*; 6. *adv* fair; direkt (treffen); ins reine; höflich; 7. *vt* ins reine schreiben; 8. *su* Messe, Jahrmarkt; Ausstellung; ~**ly** gerecht, ehrlich;

ziemlich; gänzlich, völlig; ~**-minded** [-maindid] gerecht, unparteiisch, unvoreingenommen; ~**ness** Ehrlichkeit; Gerechtigkeit; Unparteilichkeit; Fairneß; Schönheit; ~**-spoken** [-'spoukən] höflich, freundlich

fairy ['fɛəri] Fee; Feen-, feenhaft; Illuminations-(Lämpchen); Halbseidener; ~**land** [-lænd] Feenland, Märchenreich; ~**-tale** [-teil] Märchen

faith [feiθ] 1. Vertrauen (*in* zu; *on the* ~ *of* im V. auf); *to put one's* ~ *in* s. Vertrauen setzen auf; *to lose* ~ *in* d. Vertrauen zu j-m verlieren; 2. Glaube (*in* an); Treue, Redlichkeit; *in good* ~ in gutem Glauben, ehrlich; *in bad* ~ unehrlich, unaufrichtig; 3. Wort, Versprechen (*to give, break one's* ~); ~**ful** treu(lich); genau; **the** ~**ful** d. Gläubigen; *yours* ~*fully* hochachtungsvoll; ~**healing** [-hi:liŋ] Gesundbeten; ~**less** treulos; ungläubig

fake [feik] fälschen; *(a.:* ~ *up)* erdichten; Fälschung; gefälscht

fakir [*BE* 'feikiə, *US* fə'kiə, 'feikə] Fakir

falchion ['fɔːltʃən] Krummschwert

falcon [*bes. BE* 'fɔːlkən, *US* 'fɔːkən] Falke; ~**er** ['fɔːlknə] Falkner; ~**ry** Falknerei

fall [fɔːl] *(s. S. 318)* 1. (um)fallen; ~ *due* fällig werden; überkommen, herniedersinken *(upon)*; (Land) abfallen; (Gesicht) (immer) länger werden; *his eyes fell* er senkte dᵢ Augen; (Stimme etc) sinken *(from favour* in der Gunst); (Wind) nachlassen; ~ *over o.s.* über seine eigenen Beine stolpern, *fig* sich überstürzen; e-r Versuchung erliegen; erliegen (. . .*fell to his rifle* . . . erlagen seinem Gewehr); zerbrechen (*in two* in zwei Teile), zus.brechen; ~*flat* nicht zünden, danebengehen; zufallen (*on s-b* j-m); zerfallen (*into* in); geraten *(into poverty)*; ~ *asleep* einschlafen, ~ *ill (lame)* krank (lahm) werden; ~ *in love* s. verlieben (*with* in); ~ *foul of* ⚓ zus.stoßen mit, *fig* streiten mit; ~ *short* knapp werden, nicht erreichen; ~**among** unter (d. Räuber) fallen; ~**away** verlassen; ~**back** s. zurückziehen; ~ *back upon* s. zurückziehen auf, zurückgreifen auf, s. begnügen mit; ~**behind** zurückbleiben (hinter), in Rückstand kommen *(with* mit); ~**down** herunterfallen, einstürzen; ~ *for umg* hereinfallen auf, schwärmen für, j-m verfallen; ~ *in* (hin-)einfallen, *mil* antreten; ~ *in with* zufällig treffen, zustimmen; ~**into** verfallen in, (Unterhaltung) beginnen; ~ *into line (mil)* antreten; ~ *into line with s-b* einig sein mit; ~ *off* herunterfallen, abnehmen; ~**on** herfallen über; ~**out** herausfallen, *mil* wegtreten, s. ergeben, s. entzweien (*with* mit); ~**through** fehlschlagen; ~**to** zugreifen *(with good appetite)*, sich machen an; 2. *su* Fall(en); Sturz; Gefälle, Abhang; (Wasser-, Regen-, Schnee-)Fall; Sinken; **the** ~ *(of man)* Sündenfall; *US* Herbst; ⚕ Schultersieg; ~**-out** radioaktiver Niederschlag

fall|acious [fə'leiʃəs] irreführend, trügerisch; ~**acy** ['fæləsi] Irrtum; Trugschluß; ~**ibility** [fæli'biliti] Fehlbarkeit; ~**ible** ['fælibl] fehlbar, dem Irrtum unterworfen

fall|en ['fɔ:lən] *siehe* fall; **the ~en** die Gefallenen; **~en arches** *pl vb* Senkfuß; **~ing** Fall-; ausgehend (Haar); **~-out** radioaktiver Niederschlag; Nebenprodukt

fallow ['fælou] brach(liegend); Brache, brachliegendes Land; **~-deer** [⌣-diə], *pl* ~-deer Damwild

fals|e [fɔ:ls] falsch; treulos, untreu (*to* gegenüber); gefälscht; ~*e key* Nachschlüssel; ~*e bottom* doppelter Boden; ~*e position* irreführende Lage, Zwangslage; *to play s-b ~e* mit j-m falsches Spiel treiben; **~ehood** Lüge(n); **~eness** Verlogenheit; Falschheit; **~ification** [-sifi'keiʃən] (Ver-)Fälschung; **~ify** [⌣sifai] (ver)fälschen; als falsch erweisen; enttäuschen; **~ity** [⌣siti] Unrichtigkeit; Falschheit

faltboat ['fɑ:ltbout] Faltboot

falter ['fɔ:ltə] schwanken; nachgeben; (Stimme) stocken; stammeln; **~ing** ['fɔ:ltəriŋ] unsicher, schwach; stockend

fame [feim] Ruf, Ruhm; **~d** ['feimd] *for* berühmt wegen

famil|iar [fə'miljə] vertraut (*with s-th, to s-b*); nahestehend, vertraulich; intim; **~iarity** [fəmili'æriti] Vertrautheit; Vertraulichkeit; **~iarize** [fə'miljəraiz] *o.s. with* s. vertraut machen mit; **~y** ['fæmili] Familie (*has he any ~ y?* hat er F., Kinder?); Geschlecht; Familien- (**~y** *allowance* -beihilfe, -zulage); ererbt; Haus-(Arzt); *a ~ y man* ein Mann mit Fam., ein häuslicher Mann; *in the ~y way* in anderen Umständen; **~y tree** Stammbaum

fam|ine ['fæmin] Hunger(snot); Mangel; **~ish** ver-, hungern (*for* nach); *umg* Hunger haben (*I'm ~ishing*)

famous ['feiməs] berühmt (*for* für, wegen); *umg* famos, prima

fan[1] [fæn] Fächer; Ventilator; ✿ Flügel; ↓ Schwinge; (an)fächeln, -blasen; ~ *the flame* (*fig*) das Feuer schüren; ↓ schwingen; (s.) aus-, verbreiten; durchsuchen, filzen; **~-light** [lait] Oberlicht; **~-shaped** [⌣ʃeipt] fächerförmig

fan[2] [fæn] Fan, Liebhaber, Verehrer; ~ *mail* Verehrerpost; **~atic** [fə'nætik] Fanatiker, Eiferer; *attr* fanatisch; **~atical** fanatisch; **~aticism** [fə'nætisizm] Fanatismus

fanc|ier ['fænsiə] Liebhaber, Züchter; **~iful** phantastisch; phantasievoll; wunderlich; **~y** **1.** Phantasie; **2.** Laune (*I have a ~y* ich h. so e-e Idee); *to have a ~y for* gern haben; *to take a ~y to* e-e Zuneigung fassen zu, Gefallen finden an; *to take (catch) s-b's ~* j-n begeistern; *this takes my ~y* das gefällt mir; *a passing ~y* nur e-e Laune; **3.** Geschmack (*it pleases his ~y* es befriedigt seinen G.); **4.** *vt* s. vorstellen (*him an artist* ihn als Künstler; *his doing* daß er tut); *just ~y!* stell dir vor!, so was!; den Eindruck haben; gern haben (wollen), mögen, Lust haben; ~ *y o.s.* sich (etw) einbilden; ~*y that* s. einbilden, daß; **5.** *adj* Phantasie- (Bild etc; Preis); **6.** Zucht-; **7.** *US* Luxus- (Artikel etc); **~-ball** Maskenball; **~y bazaar** [bə'zɑ:] Wohltätigkeitsbasar; **~y cakes** feines Gebäck; **~y dress** Maskenkostüm; **~y fair** *BE* = ~y bazaar; **~y-free**

[⌣-'fri:] nicht verliebt; **~y goods** Modewaren, Geschenksachen; **~y-work** [⌣-wə:k] Zierhandarbeit

fanfare ['fænfɛə] Fanfarenstoß, Tusch

fang [fæŋ] Fangzahn; Giftzahn; Zahnwurzel

fanta|stic [fæn'tæstik] phantastisch; **~sy** ['fæntəsi] Phantasie, *bes* Phantasterei

far [fɑ:] fern; weit; *few and ~ between* selten; *a ~ cry from* . . . *to* e. himmelweiter Unterschied zwischen . . . u. . . .; abgelegen, andere (Seite); *from ~* von weit her; ~ *from* weit davon entfernt, keineswegs; ~ *from it* keineswegs; *so ~* so weit, bis jetzt; *as (so) ~ as* bis, soviel, -weit (*so ~ as I am concerned* was mich betrifft); *to go ~* es weit bringen; ~ *and near* (*wide*) weit (u. breit); *(by) ~* bei weitem, weit; ~ *and away* bei weitem (d. beste etc); *to go ~ towards* viel beitragen zu; *he is ~ gone* es steht ernst um ihn; **~-away** (*US* **~away**) ['fɑ:rəwei] entfernt; träumerisch; **~-fetched** [⌣'fetʃt] weit hergeholt; **~-flung** [⌣'flʌŋ] (s.) weit(hin erstreckend); **~-off** [⌣-] entfernt, entlegen; **~-reaching** [⌣'ri:tʃiŋ] weitreichend; **~-seeing** [⌣'si:iŋ] weitblickend; **~-sighted** [⌣'saitid] weitsichtig, *fig* weitblickend

farc|e [fɑ:s] Schwank, Posse; Farce; **~ical** ['fɑ:sikl] possenhaft

fare [fɛə] **1.** Fahrgeld, -preis; *all ~s, please!* noch j-d zugestiegen?; **2.** Fahrgast, Passagier; **3.** Kost; *bill of ~* Speisekarte; **4.** fahren (*forth* los-); *how did you ~?* wie ist es dir ergangen?; *it has ~d well (ill) with him* es ist ihm gut (schlecht) ergangen; **~-well** [⌣-] lebe wohl!; Abschieds-; ~ *well to* Schluß mit

farina [fə'rainə, *US* fə'ri:nə] Mehl; Pulver; *US* Grieß; *BE* Kartoffelstärke; **~ceous** [færi'neiʃəs] mehl(halt)ig; Mehl-

farm [fɑ:m] **1.** (Bauern-, Pacht-)Gut; Gehöft; Farm, Züchterei; **2.** Bauern-, Gutshaus; **3.** Agrar-, landwirtschaftlich; **4.** bebauen, bewirtschaften; züchten; **5.** Bauer (Farmer) sein; **6.** pachten ~ *out* verpachten; in Pflege nehmen; **~er** Landwirt, Bauer, Farmer; Pächter; **~-house** [⌣haus] Bauern-, Gutshaus; **~ing** Landwirtschaft; landwirtschaftlich; **~stead** [⌣sted] landwirtschaftl. Anwesen, Gehöft; **~-tractor** [træktə] Ackerschlepper; **~-yard** [⌣jɑ:d] Bauern-, Wirtschaftshof

farrago [fə'reigou], *pl* **~s**, *US* **~es** Gemisch, Mischmasch

farrier ['færiə] *BE* Hufschmied

farrow ['færou] (Ferkel-)Wurf; ferkeln

farth|er ['fɑ:ðə] (*siehe* far) weiter, ferner; **~est** [⌣ðist] weitest; **~ing** [⌣ðiŋ] Farthing (¼ Penny); *fig* Heller, Deut

fasci|cle ['fæsikl] 🕮 Lieferung; **~nate** ['fæsineit] im Bann halten, faszinieren; **~nating** faszinierend, zauberhaft; **~nation** [fæsi'neiʃən] Bezauberung, Zauber

Fasci|sm ['fæʃizm] Faschismus; **~st** Faschist; faschistisch

fashion ['fæʃn] **1.** Mode (*to come into ~* M. werden; *to go out of ~* unmodern werden; *to be in the ~* d. Mode folgen; *to set the ~* d.

Mode bestimmen); *to be all the* ~ hochmodern sein; *a woman of* ~ hochelegante Dame; **2.** Art u. Weise ♦ *after* (od *in*) *a* ~ einigermaßen, mehr od weniger gut; **3.** formen, gestalten; **4.** fassionieren; ~**able** modern, modisch; elegant; ~ **designer** [di'zainə] Modezeichner; ~ **magazine** [mægə'ziːn] Modezeitschrift; ~ **parade** [pə'reid] Moenschau; ~**plate** [‑‑pleit] Modezeichnung, -bild; ~ **show** = ~ **parade**

fast [fɑːst] **1.** *adj/adv* fest; *to take (a)* ~ *hold of* festhalten; treu; (farb)echt (~ *to light* lichtecht); ~ *asleep* fest, tief schlafend; *to stick* ~ festsitzen *(a. fig); to play* ~ *and loose* [luːs] wetterwendisch sein, unehrliches Spiel treiben (*with* mit); **2.** schnell; **3.** flott, luxuriös *(living)*, leichtlebig; *my watch is* ~ (geht vor); stark (regnen); **4.** 🔟 lichtstark; **5.** *vt* fasten, wenig essen; **6.** Fasten; ~**day** [‑dei] Fastentag; ~**en** ['fɑːsn] befestigen, fest-, zumachen, -binden; (s.) heften (*on* auf); *fig* j-m etwas anhängen, (Vergehen) nachweisen; s. klammern (*on* an); ~**en on** ergreifen, aufs Korn nehmen; ~**ener** ['fɑːsnə] (Reiß- etc) Verschluß; Musterklammer; ~**ening** ['fɑːsniŋ] Schließe; Riegel; ~**ness** ['fɑːstnis] Schnelligkeit; Festigkeit; Echtheit; Festung

fastidious [fæs'tidiəs] wählerisch, verwöhnt; heikel, eigen

fat [fæt] **1.** Fett; *to live on the* ~ *of the land* aus d. vollen leben ♦ *the* ~ *is in the fire* jetzt ist d. Teufel los; **2.** fett, dick; *fig* reich; *a* ~ *lot* (*umg iron.*) sehr viel; blöd; **3.** fett machen (werden); ~**head** ['fæthed] Blödkopf

fat|al ['feitl] tödlich; katastrophal, verhängnisvoll; Lebens- (Faden); Schicksals-; ~**alist** Fatalist; ~**ality** [fə'tæliti] Verhängnis; Schicksalsabhängigkeit, (tödl.) Unglück(sfall), Tod; ~**e** [feit] **1.** Schicksal, Geschick; *the Fates* d. Parzen; *he met his* ~ *e* d. Geschick ereilte ihn; **2.** Verhängnis; Verderben; ~**ed** schicksalsbestimmt; dem Untergang geweiht; vorbestimmt (*he was* ~ *ed* es war ihm v.); ~**eful** schicksalsträchtig; verhängnisvoll; unheilvoll

father ['fɑːðə] **1.** Vater ♦ *the wish is* ~ *to the thought* d. Wunsch ist d. Vater d. Gedankens; *the child is* ~ *to the man* d. Jugend bestimmt d. Charakter (d. Zukunft); **2.** d. Vater sein von, als V. gelten (s. bekennen) von; ~ *upon s-b* j-m d. Vaterschaft *(a. fig)* zuschreiben; ~**hood** [‑hud] Vaterschaft; ~**in-law** [‑‑rinlɔ] *pl* ~s-in-law Schwiegervater; ~**land** [‑‑lænd] Vaterland; ~**less** [‑‑lis] vaterlos; ~**ly** väterlich

fathom ['fæðəm] *pl* ~**s,** 🐱 ~ Faden (6 Fuß); Klafter; ergründen; sondieren, loten; ~**eter** [fæ'ðɔmiːtə] 🐱 Tiefenmesser; ~**less** unergründlich

fatigue [fə'tiːg] Ermüdung *(a.* ⚙*)*; Strapaze; *mil* Arbeitsdienst; *mil* Müdigkeit; ermüden, strapazieren

fat|ten ['fætn] fett machen (werden), mästen; ~**ty** fettig; Fett-

fatu|ous ['fætjuəs] albern, töricht; ~**ity** [fə'tjuːiti] Albernheit, Torheit

fauc|al ['fɔːkəl] Kehl-; ~**es** ['fɔːsiːz] Schlund

faucet ['fɔːsit] *US* (Wasser-)Hahn

fault [fɔːlt] **1.** Fehler (*to find* ~ *in* F. finden an) ♦ *find* ~ *with* nörgeln, etwas auszusetzen haben an; *to a* ~ allzusehr übertrieben; *at* ~ in Verlegenheit, versagend; fehlerhaft; *in* ~ schuld; **2.** Defekt; Störung; **3.** Schuld; Verwerfung; ~**finder** [‑faində] Nörgler; ~**finding** Nörgeln, Krittelei; ~**less** fehler-, tadellos; ~**y** fehlerhaft, mangelhaft

faun [fɔːn] Faun; ~**a** ['fɔːnə] Fauna

faux pas [fou'pɑː], *pl* ~ [fou'pɑːz] Fauxpas, Taktlosigkeit

favour ['feivə] **1.** Gunst; *in* ~ *of* zugunsten von, für; *s-b's* zu j-s Gunsten; *out of* ~ *with* nicht beliebt bei; *by (with) s-b's* ~ mit j-s (gütiger) Erlaubnis; **2.** Begünstigung; Gefallen; **3.** Abzeichen; **4.** fördern, begünstigen; j-n beehren (*with* mit); *umg* ähneln; *most*~*ed-nation clause* Meistbegünstigungsklausel; ~**able** [‑‑rəbl] günstig; vorteilhaft; ~**ite** [‑‑rit] Lieblings-; j-d (etw), d. sehr beliebt ist *(he's a general* ~ *ite)*; Günstling; Favorit; ~**itism** Günstlingswirtschaft

fawn [fɔːn] Damkitz; Hirschkalb, Rehkitz; *(a.:* ~*-coloured)* rehbraun; ~ *upon* umwedeln, schwänzeln vor; *fig* kriechen vor j-m

fay [fei] Fee, Elfe

faze [feiz] *US* beunruhigen, (völlig) durcheinanderbringen

fealty ['fiːəlti] (Lehns-)Treue

fear [fiə] **1.** Furcht (*for* ~ *of* aus F. vor); Angst; Befürchtung; Gefahr; Ehrfurcht; *to be in* ~ *of* s. fürchten vor, bangen um; **2.** *vt/i* (be)fürchten, Angst haben (*of* vor, *for* um); scheuen; ~**ful** fürchterlich; furchtsam; ~**less** furchtlos

feasible ['fiːzibl] aus-, durchführbar; möglich; (Material) brauchbar

feast [fiːst] Fest(mahl), Schmaus; festlich bewirten; ~ *one's eyes on* seine Augen weiden an; (Nacht) durchfeiern; ~ *(o.s.)* schmausen; s. ergötzen (*on* an)

feat [fiːt] Heldentat; Leistung, Kunststück, (technische) Großtat

feather ['feðə] **1.** Feder ♦ *birds of a* ~ Leute von gleichem Schlage; *to show the white* ~ Angst zeigen, kneifen; *in high* (od *full*) ~ gut aufgelegt, in gehobener Stimmung; *that is a* ~ *in his cap* darauf kann er stolz sein; **2.** *vt* mit Federn versehen; ~ *one's nest* s. warm betten; ~ *bed* (federgefüllte) Matratze; ruhiger Job; ~**weight** [‑‑weit] 🥊 Federgewicht; ~**y** [‑‑ri] federleicht, -weich

featur|e ['fiːtʃə] **1.** Gesichtsteil, -zug; *pl* Gesicht; **2.** charakteristischer Teil, Besonderheit; Kennzeichen; charakterist. Eigenschaft; **3.** 🎬 Spalte, (Bestand-)Teil; **4.** (Zeitung) aktueller Artikel, Feature; 📻 Hörbild, Reportage, Featuresendung; **5.** charakterisieren; **6.** als besonderes Merkmal (Besonderheit) haben; (als besonderes Thema) behandeln, bringen; **7.** 🎬, 🎭 j-n (in e-r großen Rolle) herausstellen; ~**ing** ['fiːtʃəriŋ] *N.:* mit N. in d. Hauptrolle; ~**e film** Stummfilm

febri|fuge ['febrifju:dʒ] Fiebermittel; **~le** ['fi:brail] fieberhaft; Fieber-
February ['februəri] Februar
feckless ['feklis] untüchtig, schwach
fecund ['fi:kənd] fruchtbar; **~ate** [--deit] befruchten; **~ity** [fi'kʌnditi] Fruchtbarkeit
feder|al ['fedərəl] Bundes-, **~alist** Föderalist; **~ate** ['fedəreit] (s.) (zu e-m Bundesstaat) vereinigen; **~ate** [--rit] verbündet; Bundes-; **~ation** [--'reiʃən] Bund(esstaat); Verband
fedora [fi'dɔ:rə] weicher Filzhut
fee [fi:] Honorar, Gebühr (~s order Gebührenordnung); Schulgeld; Trinkgeld; (Lehens-)Besitz; honorieren, bezahlen
feeble ['fi:bl] schwach (-minded -sinnig)
feed [fi:d] (s. S. 318) 1. (ver)füttern (on mit), s. nähren (on von); versorgen, ✿ speisen, beschicken; (fr)essen; ~ up herausfüttern; to be fed up with s-th etwas satt (dick) haben; 2. Essen, Fressen, Futter(ration); Fütterung; ✿ Speisung, Zuführung; **~back** 🔥 Rückkopplung; **~er** Esser (large ~er starker E.); Lätzchen; (Saug-)Fläschchen; Zubringer-(Straße etc); ✿ Speise-; **~ing** Fütterung; Essen, Fressen; Zufuhr; ✿ Speise-; Futter- (~ing stuffs -mittel)
feel [fi:l] (s. S. 318) 1. fühlen; probieren; spüren; empfinden, begreifen; das Empfinden haben; meinen; ~ compelled [kəm'peld] s. genötigt sehen; how are you ~ing? wie fühlst du dich? ~ o.s. sich wohl fühlen; ~ up to s. kräftig genug fühlen für; I ~ like ich möchte gern, bin aufgelegt zu; 2. s. anfühlen (like wie); it ~s like rain es sieht nach Regen aus; ~ as if s. vorkommen als ob; ~ for mitfühlen, Mitleid haben mit; 3. Gefühl, Empfindung; 4. Griff (to the ~ wenn man es anfaßt); to have a soft ~ s. weich anfühlen; **~er** Fühler (a. fig); Tasthaar; **~ing** Gefühl, Empfindung; Meinung; Mitgefühl, Herz (of ~ing mit H.); good ~ing Wohlwollen, ill ~ing Feindschaft; Er-, Aufregung; to appeal to s-b's better ~ings an j-s besseres Ich appellieren; (mit)fühlend; gefühlvoll; innig
feet [fi:t] siehe foot
feign [fein] vortäuschen, simulieren; erfinden; ~ o.s. sich stellen (that als ob)
feint [feint] Täuschung (to make a ~ of so tun als ob); Finte, Scheinangriff; e-e Finte machen
felicit|ate [fi'lisiteit] beglückwünschen (on zu); **~ations** [-,--'teiʃənz] Glückwünsche; **~ous** [fi'lisitəs] treffend, glücklich gewählt; **~y** [fi'lisiti] Glück; wohlgesetzte Worte (Wendung)
feline ['fi:lain] Katzen-, katzenhaft; verschlagen; zool Katze
fell [fel] siehe fall; fällen; Fell, Haut; BE Berg; adj wild, grausam, grimmig
fellow ['felou] Kerl, Kamerad, Gefährte; dazugehöriges Stück (e-s Paars); Absolvent e-r Universität mit Forschungsstipendium; BE (etwa:) Vollmitglied e-s College; Verwaltungsmitglied; Akademiemitglied, Mitglied e-r wissenschaftl. Gesellschaft; adj Mit-(Bürger etc);

~ **creature** ['kri:tʃə] Mitmensch; ~ **countryman** ['kʌntrimən] Landsmann; **~ship** Kameradschaft, Freundschaft; Gemeinschaft; Stellung e-s Akademiemitglieds etc (siehe fellow); ~ **soldier** Kriegskamerad; ~ **townsman** Mitbürger; ~ **traveller** Kommunistenfreund, Sympathisant; Reisegefährte
felon ['felən] Verbrecher; **~ious** [fi'louniəs] verbrecherisch; **~y** ['feləni] schweres Verbrechen
felt¹ [felt] siehe feel; a ~ want ein spürbarer Mangel
felt² Filz; (sich) verfilzen
fem|ale ['fi:meil] weiblich; Frauen-; ✿ Mutter; Weibchen; weibliche Person; **~inine** ['feminin] fraulich; weiblich; **~ininity** [femi'niniti] Frau-, Weiblichkeit; **~inism** ['feminizm] Frauenrechtlertum
fen [fen] BE Marsch, Sumpf(land)
fenc|e [fens] 1. Zaun ♦ to sit on the ~e s. abwartend verhalten; to come down on the right side of the ~e s. zum Sieger schlagen; 2. 🐴 Hindernis; 3. Fechten; 4. sl Hehler; 5. fechten; fig ausweichen (with a question e-r Frage); ~e off abwehren, entgehen; 6. einzäunen; 7. 🐴 e-e Hürde nehmen; **~er** Fechter; **~ing** Fechten; Zaun(material); Fecht-
fend [fend] off abwehren, abhalten; ~ for o.s. für s. selbst sorgen; **~er** Kamingitter; Stoßstange; ⚓ Fender; US Schutzblech, Kotflügel
fennel ['fenəl] Fenchel
ferment ['fə:ment] Gärung(sstoff), Ferment; in a ~ in Gärung (a. fig); ~ [--] gären; (s.) er-, aufregen; **~ation** [--'teiʃən] Gärung; Erregung, Unruhe
fern [fə:n] Farn(kraut); **~y** farnbewachsen
feroci|ous [fə'rouʃəs] wild, grausam; **~ty** [fə'rɔsiti] Wildheit, Grausamkeit; wilde, grausame Tat
ferret ['ferit] Frettchen; fig Spürhund; mit Frettchen jagen (to go ~ing); herumstöbern; ~ out auskundschaften
Ferris wheel ['feris 'wi:l] Riesenrad
ferr|o-concrete ['ferou'kɔŋkri:t] Stahlbeton; **~ous** ['ferəs] eisenhaltig; Eisen-(alloy -legierung); **~ule** ['feru:l] Zwinge
ferry ['feri] Fähre, Fährstelle; übersetzen; ✝ überführen; **~man**, pl ~men Fährmann
fertil|e ['fə:tail] fruchtbar; reich (of, in an); befruchtet; **~ity** [-'tiliti] Fruchtbarkeit; Reichtum; **~ization** Fruchtbarmachung; Befruchtung; (künstl.) Düngung; **~ize** [-'tilaiz] fruchtbar machen, düngen; befruchten; **~izer** Düngemittel; Kunstdünger
ferule ['feru:l] Lineal (zum Züchtigen); fig Rute
ferv|ent ['fə:vənt] bes fig glühend **~id** (fieberhaft-)glühend; **~our** ['fə:və] Glut, Inbrunst; Hitze
fest|al ['festəl] Fest-; feierlich, festlich; **~er** eitern; fig schwelen, wühlen; Eiterblase; **~ival** ['festivəl] (Fest(tag); Festspiel; **~ive** festlich; Fest- (board -tafel); fröhlich, heiter; **~ivity** [fes'tiviti] Feier; Feststimmung; Fröhlichkeit;

pl Feier, Fest; **~oon** [fes'tuːn] Girlande; mit Girlanden schmücken

fetch [fetʃ] (ab)holen; ~ *and carry* Laufdienste tun (*for* für); (Seufzer) ausstoßen, (Tränen) vergießen, (Atem) holen; (Schlag) versetzen; ~ *up BE* von sich geben; (Preis) erzielen, hereinbringen; entzücken; reizen **~ing** bezaubernd

fête *BE,* **fete** *US* [feit] Fest; feiern

fet|id ['fetid, 'fiː-] stinkend, übelriechend; **~ish** ['fiːtiʃ] Fetisch, Götze; **~lock** ['fetlɔk] Fessel(gelenk)

fetter ['fetə] (Fuß-)Fessel; fesseln

fettle [fetl]: *in good* (od *fine*) ~ in guter Verfassung (Stimmung)

feud [fjuːd] Fehde, Streit; Lehen; **~al** Lehns-, Feudal-; *~al system* = **~alism** Feudalsystem

fever ['fiːvə] Fieber, Temperatur; *to run* (od *have*) *a* ~ F. haben; **~ed** ['fiːvəd] fiebernd; **~ish** ['fiːvəriʃ] fiebrig; *to be ~ish* Fieber haben; Fieber-; F. erzeugend; fieberhaft

few [fjuː] wenige; *every* ~ alle paar (Minuten etc); *no ~er than* mindestens; *a* ~ ein paar, einige; *some* ~, *a good* ~, *not a* ~, *quite a* ~ ziemlich viele, eine ganze Menge; **~ness** geringe Anzahl, Knappheit

fez [fez], *pl* **~zes** Fez

fiancé [fiː'ɔnsei, *US* ---] Verlobter; **~e** Verlobte

fiasco [fi'æskou], *pl* **~s, ~es** Fiasko

fiat ['faiət] Gebot; ~ *money US* (deckungsloses) Papiergeld

fib [fib] Schwindel(ei), Flunkern; flunkern; **~ber** Flunkerer; **~bing** Flunkern

fibre ['faibə] 1. (Spinn-)Faser; *artificial* ~ Kunst-, Chemiefaser; *man-made* ~ Chemiefaser; *synthetic* ~ vollsynthetische Chemiefaser; 2. fig Charakter, Struktur; **~board** [--bɔːd] Hartfaserplatte

fibul|a ['fibjulə], *pl* **~as, ~ae** [--liː] Wadenbein; Fibel

fickle [fikl] unbeständig; wankelmütig; **~ness** Unbeständigkeit; Wankelmut

fict|ion ['fikʃən] (Prosa-, Roman-)Dichtung; Erfindung; Fiktion; **~itious** [fik'tiʃəs] fiktiv, imaginär; erdichtet

fiddle [fidl] Geige; Saiteninstrument; geigen, etwas fiedeln; herumspielen; **~r** Geiger; Trödler; **~stick** Bogen; **~sticks!** Mumpitz, Blödsinn!

fidelity [fi'deliti, *bes US* fai-] Treue (*to* gegenüber); Genauigkeit; *high* ~ ⊂⊃ höchste Klang-, Naturtreue, Hi-Fi

fidget ['fidʒit] 1. *pl* Nervosität, Unruhe; *to have the ~s* ganz nervös sein; *to give s-b the ~s* j-n ganz nervös machen; 2. *fig* Nervenbündel; 3. herumfuhrwerken, -fuchteln (*with* mit); *don't ~!* sitz doch mal endlich still!; 4. zapplig sein; 5. j-n mopsen, in Fahrt bringen; **~y** nervös, zapplig

fie [fai] pfui!

fief [fiːf] Lehen

field [fiːld] Feld (*a. mil* ✚, ⚡); *fig* Gebiet; ✚ Feld, Teilnehmer; *mil* Feld-, Kriegs-, Marsch-;

(Ball) fangen (und zurückwerfen); **~crops** Ackerfrüchte; **~-day** Felddienstübungstag; *fig* goßer Tag; *US* Sporttag; ~ **events** ✚ technische Disziplinen; **~fare** ['fiːldfɛə] Krammetsvogel; **~glass** Feldstecher; **~-officer** Stabsoffizier; **~piece** Feldgeschütz; ~ **sports** Jagen u. Fischen; = ~ events; ~ **work** Außendienst, -arbeit

fiend [fiːnd] Teufel, Unhold; Fanatiker, Süchtiger; **~ish** teuflisch, grausam

fier|ce ['fiəs] wild, grimmig, heftig; glühend; grell; scharf; **~y** ['faiəri] glühend(heiß, rot); leidenschaftlich, feurig

fife [faif], *pl* **~s** Querpfeife (spielen)

fif|teen ['fif'tiːn], **~teenth** [-'tiːnθ] fünfzehn(te); **~th** [fifθ] fünfte; **~tieth** ['-tiiθ] fünfzigste; **~ty** fünfzig; **~ty-~ty** halb und halb, 50%ig

fig [fig] Feige; *not a* ~ nicht ein bißchen

fight [fait] (*s. S. 318*) (be)kämpfen; durchfechten; ~ *one's way* s. durchschlagen; kämpfen lassen; im Kampf leiten; Kampf; Kampfgeist; *to show* ~ s. zur Wehr setzen; **~er** Kämpfer ✈ Jäger, Jagd-; **~ing** Kampf(führung); kampflustig, kämpferisch

figment ['figmənt] Erfindung, Erdichtung

figur|ative ['figjərətiv] bildlich, figurativ; **~e** ['figə, *US* -gjə] 1. Zahl; *pl* Rechnen; Preis; *two (five etc)* **~es** 2- (5-)stellige Zahl; 2. Figur, Zeichnung, Bild; Gestalt; *~e of speech* Redewendung; 3. darstellen; mustern; *~e s-th to o.s.* sich etw vorstellen; 4. figurieren, e-e Rolle spielen; 5. rechnen; *bes US umg* schließen, meinen; *~e on US* rechnen mit; *~e out* be-, ausrechnen; *bes US umg* kapieren, 'rauskriegen; *~e up* ausrechnen; **~ehead** ['figəhed] ⚓ Bugfigur; *fig* Dekorationsstück, Aushängeschild

filament ['filəmənt] (Einzel-)Faden; ⚡ Glühfaden; *bot* Staubfaden

filbert ['filbət] Haselnuß (als Frucht)

filch [filtʃ] klauen, mausen

fil|e [fail] 1. Akte(nstück); 2. Briefordner; 3. Stoß (Papier); 4. Reihe, Rotte; *in ~e* in Zweierreihe; *(in) single ~e* hintereinander; 5. Feile; *~e (away)* abheften, -legen; einordnen; 6. einreichen, anmelden (*with* bei); 7. in Reihe marschieren, gehen; 8. feilen; **~e number** Aktenzeichen; **~ing** Einreichung; *pl* Feilspäne; **~ing cabinet** Aktenschrank

filial ['filjəl] Kindes-, Sohnes-, Tochter-(Pflicht etc)

filibuster ['filibʌstə] Freibeuter; Obstruktionspolitiker, -redner, Dauerredner; O.politik betreiben

filigree ['filigriː] Filigran(arbeit)

fill [fil] (s.) füllen; (Posten) ausfüllen; (Stelle) besetzen; erledigen *(order)*; (Rezept) anfertigen; **~ed** [fild] *with* erfüllt von; ~ *in (BE)*, ~ *out (US)* (Daten) eintragen, (Formular) ausfüllen; ~ *in* (Loch) auffüllen, zuwerfen; ~ *out* ausfüllen s. runden; ~ *up* ganz voll machen, *fig* = ~ *in*; ~ *the bill* den Erfordernissen gerecht werden; *su* Fülle; genügende Menge *(to* *eat one's ~)*; **~ing** Füllung; **⚡** Plombe; **~ing--station** [~–steiʃən] Tankstelle

fill|et ['filit] Haarband; Lendenbraten, Filet; (Fisch-)Schnitte; mit Haarband schmücken; in Schnitten schneiden; **~ip** ['filip] Schnipser; Nasenstüber; *fig* Antrieb; *not worth a ~ip* keinen Pfifferling wert; **~y** (Stuten-)Füllen

film [film] (Öl- etc) Schicht; Überzug; Häutchen; Trübung; (Nebel- etc) Schleier; **▥** Film; verfilmen, (Film) drehen; sich verfilmen lassen; *s.* verschleiern, (Film) mit e-m Häutchen überziehen **~craft** [~krɑːft] Filmkunst, *fig* der Film, Filmwelt; **~dom** Filmindustrie, -welt; **~-fan** Kinofan; **~strip** Diareihe; Tonbildschau; **~y** verschleiert, trüb; dünn, zart

filter ['filtə] Filter(apparat); filtern; **~ in ▣** s. einordnen; *fig.* einsickern

filth [filθ] Schmutz, Unrat *(a. fig)*; **~y** schmutzig; unflätig

fin [fin] *(a.* **🐟** *)* Flosse *(a.* = Hand); **~ned** [find] gerippt

final ['fainl] Schluß-; endgültig; entscheidend; *(a. pl)* Schlußexamen; Endrunde, -lauf, Entscheidung; letzte Ausgabe; **~e** [fi'nɑːli] Schluß(satz ♪, -szene ♥), Finale; **~ist** [~əlist] **🤺** Endkampfteilnehmer; **~ity** [fai'næliti] Endgültigkeit; Schlußwort, -handlung; **~ize** [~əlaiz] endgültig erledigen; **~ly** *adv* schließlich; endlich; endgültig, abschließend

financ|e [*bes BE* 'fainæns, *bes US* fi'næns] Finanzen, Finanzwirtschaft; *pl* Staatseinkünfte, Finanzen; finanzieren; **~ial** [fi'nænʃəl, fai-] finanziell, Finanz-; *(~ial year* Haushaltsjahr); **~ier** [fi'nænsiə, fai-] *US* finən'siə, fai-] Finanzmann, Geldgeber

finch [fintʃ] Fink

find [faind] *(s. S. 318)* 1. finden; stoßen auf; antreffen; *~ one's feet* laufen können, s. auf eigene Beine stellen, s. durchsetzen; *~ o.s. (fig.)* s. finden, s. (irgendwo) sehen; *how do you ~ yourself?* wie fühlst du dich?; *~ one's way* d. Weg finden, gelangen; *~ one's way about* s. durchfinden; *~ s-b in* j-n antreffen; *~ out* herausfinden, durchschauen, nicht antreffen; 2. *fig* feststellen, finden; 3. (Geld) bereitstellen, geben, *~ s-b in s-th* j-m etwas zahlen, bestreiten; *to be well found in s-th* mit etwas gut versorgt sein; *all found* freie Station; *cannot ~ it in his heart* [hɑːt] kann es nicht übers Herz bringen; 4. **⚖** erkennen, (schuldig) sprechen, (Urteil) fällen; *~ for* entscheiden zugunsten; 5. *su* Fund; **~er** Finder; **▥** Sucher; **~ing** Spruch, (Be-)Fund; *pl* Ergebnisse; *US* Handwerkszeug

fine [fain] 1. fein, herrlich, schön; gesund; dünn, fein; (Metall) rein, fein; *~ arts* bildende (u. musische) Künste; 2. Geldstrafe, Ordnungsstrafe; *in ~* schließlich; kurzum; 3. j-n zu e-er Geldstrafe verurteilen; **~ry** [~əri] Gewand, Staat; **~sse** [fi'nes] Geschick(lichkeit); Schlauheit

finger ['fiŋgə] 1. Finger (inkl. oder exkl. Daumen); *to have s-th at one-s ~'s ends* (od *~tips*) etw aus dem ff beherrschen; 2. *vt* betasten; ♪

spielen, mit Fingersatz versehen; **~alphabet** [~–ælʃibit] Fingersprache; **~ing** [~–riŋ] Fingersatz; **~ing (wool)** Handstrickwolle; **~post** [~–poust] Wegweiser; **~print** [~–print] Fingerabdruck (nehmen von); **~stall** [~–stɔːl] Fingerling

finic|al ['finikl], **~king**, **~ky** geziert; wählerisch, pedantisch

finish ['finiʃ] 1. beenden, vollenden, aufhören (mit); aufessen; 2. *umg* j-n fertigmachen; fertigstellen, -bearbeiten; 3. glätten, zurichten; (Stoff) appretieren, ausrüsten; 4. Schluß, Ende; **✿** Oberfläche(nbearbeitung), Appretur, Ausrüstung; Vollendung; **~ed ✿** Fertig-; **~ing** Endbearbeitung; Glätten; **~ing line** Ziellinie; **~ing sprint** Endspurt ♦ *to give s-th the ~ing touch* d. letzte Hand an etwas legen

finite ['fainait] begrenzt; finit

fiord (fjord) [fjɔːd] Fjord

fir [fəː] Tanne; **~-cone** Tannenzapfen

fire ['faiə] 1. Feuer, Brand; *on ~* in Flammen; *to set s-th on ~, to set ~ to s-th* anzünden; ♦ *to set the Thames* [temz] *on ~* etw Großartiges vollbringen, d. Feuer vom Himmel holen; *to take* (od *catch*) *~* Feuer fangen; *electric ~* elektr. Ofen; 2. (ab)feuern, (an)zünden; 3. **✿** brennen, (Ofen) beschicken; (Tee) trocknen; 4. *fig* be-, anfeuern; 5. feuern, hinausschmeißen; *~ away* verschießen, *fig* loslegen; *~ up (fig)* hochfahren; **~alarm** [~–rəlɑːm] F.melder; **~arm** *mst pl* F.waffe; **~bomb** [~–bɔm] Brandbombe; **~brand** brennendes Holz, *fig* Hetzer; **~brigade** [~–breigid] *BE* Feuerwehr; **~bug** Brandstifter; **~damp** Grubengas, schlagendes Wetter; *~ department US* = **~brigade**; **~engine** [~–rendʒin] F.spritze; **~escape** [~–riskeip] F.wehrleiter; Notleiter; **~extinguisher** [~–rikstiŋgwiʃə] Feuerlöscher; **~fly** [~–flai] Leuchtkäfer; **~guard** [~–gɑːd] Schutzgitter, Brandwache; **~irons** [~–raiənz] Kamin-, Schürgerät; **~light** [~–lait] F.schein; **~man**, *pl* **~men** F.wehrmann; Heizer; **~place** Kamin; F.stelle; **~power** [~–pauə] *mil* F.kraft; **~proof** [~–pruːf] feuerfest (machen); **~side** Kamin; häuslich(es Leben); **~wood** [~–wud] Brennholz; **~work** [~– wəːk] F.werkskörper; F.werk *(pl fig)*

firm [fəːm] fest; entschlossen; *to be ~ with* streng sein mit; Firma, Betrieb; **~ament** ['fəːməmənt] Firmament

first [fəːst] erste; *at ~* zuerst, anfangs; *from the ~* von Anfang an; *~ thing (umg)* sofort, als erstes; *adv* zuerst, zum ersten Mal; als erster; erstens; *~ of all* vor allem; eher; *~ aid* Erste Hilfe; **~born** erstgeboren; **~class** [~klɑːs] erstklassig, prima; *~ class* [~klɑːs] in d. ersten Klasse; *~ floor BE* 1. Stock, *US* Parterre; **~fruits** [~fruːts] d. ersten Früchte *(a. fig)*; **~hand** aus erster Hand; **~ly** erstens; *~ name* Vorname; *~ night* Erstaufführung, Premiere; **~rate** [~reit, *adv* ~–] erstklassig, prima

firth [fəːθ] Meeresarm; Flußmündung

fiscal ['fiskəl] Finanz-, Steuer-; fiskalisch; *~ year* Geschäftsjahr

fish [fiʃ], pl ~, (Arten) ~es **1.** Fisch ♦ to feel like a ~ out of water s. völlig fehl am Platze vorkommen; to drink like a ~ saufen wie ein Loch; I have other ~ to fry ich habe Wichtigeres zu tun; **2.** Kerl, Kauz; **3.** angeln, fischen; ~ for angeln, trachten nach; ~ (out) hervorholen; (Fluß) ausfischen; ~-**bone** Geräte; ~**erman** pl ~ermen Fischer; Angler; ~**ery** ['fiʃəri] Fischerei; Fischplatz; ~-**hook** [-huk] Angelhaken; ~**ing** Fischen, Angeln, Fisch-, Fischer-, Angel-; fischbar; ~**monger** [-mʌŋgə] BE Fischhändler; ~**wife** [-waif], pl ~wives [-waivz] (herumziehende) Fischhändlerin; ~**y** fischartig; fischreich, Fisch-; umg verdächtig, faul

fiss|ile ['fisail] spaltbar, Spalt-; ~**ion** ['fiʃən] Spaltung; Spalt-; ~**ionable** spaltbar; ~**iparous** [fi'sipərəs] s. durch Spaltung fortpflanzend; fig auseinanderstrebend; ~**ure** ['fiʃə] Spalt, Riß (a. fig)

fist [fist] Faust; umg Flosse (give me your ~), Pfote (I know his ~); ~**icuffs** [-ikʌfs] Faustkampf, Prügelei

fistula ['fistjulə], pl ~s Fistel

fit [fit] **1.** geeignet (~ to eat, wear eß-, tragbar); **2.** passend; richtig (to think, see ~ für r. halten); ~ to do soweit, daß (man) tut; **3.** in guter Verfassung, gesund, kräftig, fit; ~ to travel reisefähig; ~ for work arbeitsfähig; **4.** tauglich ♦ ~ as a fiddle munter wie ein Fisch im Wasser; **5.** passen (zu), anpassen, passend machen; **6.** vorbereiten; ~ in einpassen; **7.** passen (with zu); ~ on anprobieren, aufsetzen; ~ out ausrüsten; ~ up einrichten, ausstatten; montieren; **8.** su Passen (is a good ~ sitzt gut); **9.** ⚡ Anfall; **10.** Ausbruch; to give s-b a ~ (od ~s) j-n empören; by ~s and starts ruckweise, dann u. wann; when the ~ is on him wenn ihn d. Laune anwandelt; ~**ful** unbeständig; anfallweise; unberechenbar, launenhaft; ~**ness** Tauglichkeit, Eignung; Geeignetheit; Fähigkeit; Gesundheit(szustand); ~**ted** geeignet; (Kleid) anliegend; ~**ter** Monteur; Installateur; ~**ting** passend, am Platze; richtig; Anpassen, Einbau; Anprobe; pl Armaturen, Beschläge, Zubehör, ⚡ Leuchten

fitchew ['fitʃuː] Iltis

five [faiv] fünf; pl (sg) Fives (Art Ballspiel); ~-**and-ten** (store) bes US billiges Warenhaus; ~**r** ['faivə] £5-Note, $5-Note

fix [fiks] **1.** befestigen (to an); **2.** (Schuld) zuschieben (on s-b j-m); ~ in one's mind s. fest einprägen; **3.** festlegen, -setzen; **4.** (Aufmerks.) lenken, (Hoffnung) setzen (on auf); **5.** (Aufmerks.) fesseln; **6.** (j-n) fixieren; **7.** (Farbe, 🔴) fixieren; ~ upon wählen; **8.** reparieren, herrichten; **9.** frisieren; **10.** ✝ Standort bestimmen von; ~ up j-n unterbringen; **11.** versorgen (with mit), herrichten, instand setzen, in Ordnung bringen, (Streit) beilegen; **12.** su Klemme (in a ~); ~**ation** [fik'seiʃən] Fixierung; ⚡ Komplex; ~**ed** [fikst] fest(gesetzt) (~ed-interest festverzinslich), bestimmt; fest, starr (Blick); fix (Idee, Stern); ~**edly** ['fiksidli]

fest, starr; ~**edness** ['fiksidnis] Festigkeit; ~**ing** Fixieren; ✝ Standortbestimmung; pl Zubehör, Zutaten; ~**ity** Festigkeit; ~**ture** ['fikstʃə] Installationsteil, lighting ~ture Beleuchtungskörper; (festgesetzte) Sportveranstaltung; to be a ~ture (fig) zum Inventar gehören

fizz [fiz] zischen, sprudeln; Zischen; BE Schampus; US Mineralwasser, Eisgetränk m. Sprudel; ~**le** zischen; ~le out verpuffen, schiefgehen

flabbergast ['flæbəgɑːst] durcheinanderbringen, verblüffen

flabby ['flæbi] weich, schlaff; schwach

flaccid ['flæksid] schlaff

flag [flæg] Flagge, Fahne; Schwertlilie, Iris; Kalmus; (a.: ~stone) Fliese(nstein), Gehwegplatte; (be)flaggen, mil winken; mit Fliesen belegen; matt werden, ermatten; ~**pole**, ~-**staff** [-stɑːf], pl ~-staffs Fahnenstange

flagon ['flægən] (Wein-)Kanne, -flasche

flagrant ['fleigrənt] schändlich, empörend; flagrant, kraß

flail [fleil] Dreschflegel; (zer)schlagen

flair [flɛə] Instinkt, gute Nase, Fingerspitzengefühl; Begabung

flak|e [fleik] Flocke; Schicht; ~e away, off abblättern; ~**y** flockig

flamboyant [flæm'bɔiənt] prächtig, vielfarbig; überladen, prahlerisch

flame [fleim] Flamme (a. fig); fig Woge; (auf)flammen, rot werden

flamingo [flə'miŋgou], pl ~es, ~s Flamingo

flange [flændʒ] Spurkranz, Flansch, Bund; bördeln; anflanschen

flank [flæŋk] Flanke (a. mil); Seite; flankieren; Flanell; BE Wisch-, Waschlappen; von d. Seite angreifen

flannel ['flænl] pl Flanellanzug, -hose, ~**ette** [flænə'let] Baumwollflanell

flap [flæp] **1.** Klappe; Klappteil (e-s Tisches); **2.** Krempe; **3.** Falltür; **4.** Klatschen; to be (get into) a ~ (umg) in Fahrt sein (geraten); **5.** klatschen(d schlagen), flattern; ~per Fliegenpatsche; Klappe; Flosse (a. = Hand); umg Backfisch

flar|e [flɛə] flackern, lodern; aufbrausen; (Rock) s. erweitern; (Auf-)Flackern; Lodern; Leuchtsignal; ~ed skirt Glockenrock; ~e-**up** [-ʌp] Aufflammen; Wutausbruch; Toberei; ~**ing** ['flɛəriŋ] flackernd; knallig, schreiend

flash [flæʃ] **1.** Aufblitzen; **2.** Lichtschein; ~ of lightning Blitz; **3.** fig Auflodern; **4.** 🔴 Blitzlicht(aufnahme); **5.** adj a. gefälscht; ~ flashy; **6.** Gauner-; **7.** (auf)blitzen, zucken; **8.** blinken; **9.** ⚡ funken; **10.** (Idee) schießen; **11.** (Licht) leuchten lassen, (Signal) geben; **12.** (Blitzlichtaufnahmen) machen, blitzen; ~**back** 🔴 Rückblende; ~**light** Blinklicht; Taschenlampe; Blitzlicht(aufnahme); ~**y** auffallend, blendend; protzig

flask [flɑːsk] (Glas-)Kolben; mil Feldflasche

flat [flæt] **1.** flach, eben, glatt; to knock ~ zu Boden schlagen, to lay ~ zum Einsturz bringen; **2.** öde, schal; to fall ~ verpuffen, danebengehen; **3.** gleich(-mäßig), einheitlich, Pauschal-; **4.** ♪ erniedrigt (*to sing* ~ zu tief singen); **5.** glatt (Absage, Blödsinn); **6.** *su* Fläche, flache Seite; **7.** flaches (Sumpf-)Land; **8.** ♪ erniedrigte Note (Ton), ein ♭; **9.** *bes. BE* (Miet-)Wohnung; **10.** *sl* Reifenpanne; **~-car** *US* 🏳 Plattformwagen; **~fish** Scholle, Plattfisch; **~foot** [⌐fut], *pl* ~ feet Plattfuß; *sl* Polyp; **~-iron** [⌐aiən] Bügeleisen; **~ten** ['flætn] flach machen; glätten; ♪ erniedrigen; ✝ ~ten out abfangen; **~top** *US sl* Flugzeugträger; **~ware** Flachware, flaches Geschirr; *US* Besteck

flatter ['flætə] schmeicheln; **~er** [⌐⌐rə] Schmeichler; **~y** [⌐⌐ri] Schmeichelei

flaunt [flɔ:nt] (stolz) wehen; prunken mit, zur Schau stellen

flavour ['fleivə] Geruch, Duft; (Bei-, Wohl-)Geschmack; Würze; würzen; **~ing** [⌐⌐riŋ] Würze; Gewürz

flaw [flɔ:] Riß, Sprung; Fehler; Mangel; **~less** fehlerlos

flax [flæks] Flachs; **~en** Flachs-; blond

flay [flei] d. Haut abziehen; ausplündern; herunter-, verreißen

flea [fli:] Floh; **~-bite** Flohbiß; Kleinigkeit, kl. Unannehmlichkeit; ~ **circus, performing** [pə'fɔ:miŋ] **~s** Flohzirkus

fleck [flek] (Sonnen-, Farb-)Fleck; sprenkeln

fled [fled] *siehe* flee

fledg|ed [fledʒd] gefiedert, flügge; **~ling** flügger Vogel; Grünschnabel

flee [fli:] fliehen (aus) (*from* vor)

fleec|e [fli:s] Vlies; Schäfchenwolke; Wuschelkopf; Schnee; *fig* prellen, schröpfen (*of* um); **~y** wollig, weich; Schäfchen-

fleet [fli:t] Flotte; schnell (*of foot*, ~-*footed* -füßig); **~ing** flüchtig, vergänglich; F~ Street d. englische Presse

Flem|ing ['flemiŋ] Flame; **~ish** flämisch

flesh [fleʃ] Fleisch; *to put on* ~ zunehmen; *to lose* [lu:z] ~ abnehmen; *to make s-b's* ~ *creep* j-m Schauer über d. Rücken jagen; *in the* ~ leibhaftig; **~-brush** [⌐brʌʃ] Frottierbürste; **~-eating** fleischfressend; **~ly** fleischlich, weltlich; **~y** fleisch(art)ig

fleur-de-lis ['flə:də'li:], *pl* **fleurs-** Lilie (im Wappen)

flew [flu:] *siehe* fly

flex [fleks] ⚡ (Leitungs-, Verlängerungs-)Schnur; biegen; **~ible** biegsam; anpassungsfähig, wendig; **~ibility** [i'biliti] Biegsamkeit; Anpassungsfähigkeit; Wendigkeit; Elastizität

flick [flik] leichter Peitschenhieb; Schnipser; *sl* Film, *pl* Kintopp (*to go to the* ~*s*) (weg)schlagen, klopfen; **~er** (ver)flackern; flattern, zukken; Flackern

flier ['flaiə] = flyer

flight [flait] Flug; (Vogel-)Zug; Fliegen; Schwarm (Vögel), Hagel (Pfeile); Flucht (*a.* Treppen-); *to put to* ~ in die Flucht schlagen); *to take (to)* ~ fliehen; **~y** unbeständig; zerfahren; sprunghaft

flimsy ['flimzi] dünn, schwach (*a. fig*); oberflächlich; Durchschlagpapier

flinch [flintʃ] zurückweichen, sich drücken (*from* vor); *without* ~*ing* unerschrocken, ohne e-e Miene zu verziehen

fling [fliŋ] (*s. S. 318*) **1.** schleudern; ~ *open (shut)* werfen (zu-); **2.** (ins Gefängnis) werfen; ~ *one's clothes* [kloudz] *on* s. in d. Kleider stürzen; ~ *o.s. into* s-*th* s. in etw stürzen; ~ *off* abschütteln, davonstürzen; ~ *to the winds* in d. Wind schlagen; **3.** Schleudern, Wurf; *to have a* ~ *at* rangehen an, (j-n) verspotten; **4.** Ausschlagen; *in full* ~ in vollem Gange; *to have one's* ~ s. austoben

flint [flint] Feuerstein; **~-lock** Steinschloß(gewehr); **~y** (stein)hart

flip [flip] Klaps, Schlag; *sl* kurzer Rundflug; schlagen, knipsen, schnellen; **~pancy** Leichtfertigkeit, Leichtsinnigkeit; **~pant** leichtfertig, -sinnig; **~per** (Wal-, Seehund-)Flosse (*a.* = Hand)

flirt [flə:t] flirten, spielen (*with* mit); Flirt, Kokette; **~ation** [⌐teiʃən] Flirt, Liebelei; **~atious** [⌐teiʃəs] zum Flirten aufgelegt, locker

flit [flit] fliegen, flitzen, huschen; umziehen; sich verdrücken

flitch [flitʃ] (geräucherte) Speckseite

flivver ['flivə] 🚗 *US sl* Nuckelpinne; *US sl* Pleite; schiefgehen

float [flout] **1.** schwimmen, schweben, (durch d. Kopf) ziehen; **2.** flottmachen, treiben (lassen); **3.** (Anleihe) auflegen, (Betrieb) gründen; **4.** in Umlauf, auf d. Markt bringen; **5.** Floß; **6.** ⚙ (Angel-)Schwimmer; **7.** Plattformwagen; **~(s)** 🏳 Rampenlicht; **~ation** [⌐teiʃən] *BE* Schwimmen; Gründung; **~ing** schwimmend, treibend; **~ing bridge** Schiffsbrücke; **~ing capital** Umlaufskapital; ~ *debt* schwebende Schuld; **~ing dock** Schwimmdock; **~ing ice** Treibeis; **~ing kidney** Wanderniere; **~ing population** wechselnde Bevölkerung; **~ing voter** *pol* Wechselwähler

flock [flɔk] (Schaf-)Herde, Zug (Vögel), Flug (Wildgänse); *fig* Schar; (Haar-, Woll-)Büschel; s. scharen, zus.strömen

floe [flou] schwimmendes Eisfeld, Scholle

flog [flɔg] prügeln; antreiben; verscheuern; klauen; ♦ ~ *a dead horse* seine Kraft verschwenden; **~ging** Prügel

flong [flɔŋ] *BE* Mater(npappe); Matrize

flood [flʌd] **1.** Flut; Überschwemmung; *the* F~ Sintflut; *to be in* ~ über d. Ufer getreten sein; **2.** Höchststand (d. Flut); **3.** (über)fluten; *to be* ~*ed out* durch d. Flut wohnungslos werden; **4.** *fig* überschwemmen; **5.** anstrahlen; **6.** strömen; **~-gate** [⌐geit] Schleuse(ntor); **~-light** [⌐lait] mit Flutlicht anstrahlen; **~-lights** Flutlicht; **~-lit** angestrahlt; ~-*lit match* Flutlichtspiel; **~-tide** [⌐taid] Flut

floor [flɔ:] **1.** (Fuß-)Boden; **2.** Stockwerk; **3.** Sitzungssaal ♦ *to get (have) the* ~ d. Wort haben; *to take the* ~ d. Wort ergreifen, e-n aufs Parkett legen; **4.** Unter-, Mindestgrenze (*siehe* ceiling); **5.** dielen, belegen; **6.** zu Boden schlagen; **7.** völlig verblüffen, aufs Kreuz legen; **~-cloth** [⌐klɔθ], *pl* **~-cloths** Bodenbelag;

Scheuerlappen; **~er** ['flɔːrə] K.o.-Schlag; *fig* sehr harte Nuß; **~ing** ['flɔːriŋ] Fußboden(-belag), Dielung; **~-lamp** Stehlampe; **~-polish** [ˈ-pɔliʃ] Bohnerwachs; **~ show** (Nachtklub- etc) Programm; **~ space** Boden-, bedeckte Fläche; **~ walker** [ˈ-wɔːkə] *US* Empfangschef, Aufsicht (im Kaufhaus)

flop [flɔp] (hin)plumpsen (lassen); pennen; Plumpser; Reinfall, Pleite; **~py** schlaff, schlapp; schludrig

flor|a ['flɔːrə] Flora; **~al** Blumen-; **~id** ['flɔrid] frisch (Gesichtsfarbe); übertrieben; überladen; **~in** ['flɔrin] Zweischillingstück; *hist* Gulden; **~ist** ['flɔrist] Blumenhändler; -züchter

floss [flɔs] Flockseide; **~ silk** Schappegarn(seide); **~y** seidig

flotation [flou'teiʃən] = floatation

flot|illa [flou'tilə], *pl* **~illas** Flottille; **~sam** ['flɔtsəm] Treib-, Wrackgut (*siehe* jetsam)

flounce [flauns] Volant; Ruck; mit Volant besetzen; stolzieren, (ärgerlich hinaus-)rauschen, -segeln

flounder ['flaundə] Flunder; sich abmühen; (durch Matsch etc) waten; Murks machen

flour ['flauə] Mehl; mit Mehl bestreuen; *US* mahlen

flourish ['flʌriʃ] gedeihen, blühen; tätig sein; schwenken; Schwenken; Schnörkel; Floskel; ♪ Verzierung; Tusch; Aufwand

flout [flaut] mißachten; mit Verachtung behandeln, ignorieren

flow [flou], **~ed**, **~ed** fließen, strömen, (Flut) steigen; Fluß; Strom; Flut

flower ['flauə] Blume; Blüte; **~ show** Blumenausstellung; Zierde; Elite; blühen, in Blüte sein; **~y** [ˈ-əri] Blumen-; blumenreich, überladen (Stil)

flown [floun] *siehe* fly

flu [fluː] Grippe

fluctua|te ['flʌktjueit] schwanken; **~tion** [--'eiʃən] in Schwankung

flue [fluː] Rauchfang, (Feuer-)Zug, Abzugsschlot; **~ncy** ['fluənsi] Geläufigkeit; **~nt** ['fluənt] fließend, geläufig

fluff [flʌf] Flaum, Flocke; **~y** flaumig, flockig

fluid ['fluːid] flüssig, fließend, nicht fest (*a. fig*); nicht fester Körper (Gas, Flüssigkeit, Elektrizität), Fluid; Saft; **~ity** [fluːˈiditi] nicht fester Zustand

fluke [fluːk] ⚓, Ankerschaufel; Flunder (*BE selten*); Scholle, Plattfisch; Leberegel; Zufallstreffer, Dusel

flummox ['flʌməks] j-n durcheinanderbringen

flung [flʌŋ] *siehe* fling

flunk [flʌŋk] *US umg* durchfallen (lassen) bei; (aus d. Schule) entfernen; **~ out** aufgeben; ausscheiden; Reinfall, Versagen; **~y, ~ey** ['flʌŋki] Lakai (*a. fig*); *US* Gehilfe, Koch, Kellner

fluor|escence [fluəˈresns] Fluoreszieren; **~escent** fluoreszierend; **~escent lighting** Neonbeleuchtung; Leuchtstoffröhre; **~oscope** ['fluərəskoup] $ Durchleuchtungsgerät; **~oscopy** [--'rɔskəpi] Durchleuchtung

flurry ['flʌri] (Regen- etc) Schauer; Aufregung; aufregen, durcheinanderbringen

flush [flʌʃ] **1.** (er)röten; erregen; (durch)spülen; strömen; (Vogel) auffliegen, -jagen; **2.** (Wasser-)Schwall; **3.** Erröten; **4.** *fig* Aufwallung; **5.** Fülle; Blüte; **6.** *adj* ✿ fluchteben, bündig, glatt; **7.** ◫ ohne Einzug; **8.** voll, reichlich; (*umg*) *to be* ~ reichlich versorgt (*of* mit), freigebig (*with* mit) sein; **9.** frisch, blühend

fluster ['flʌstə] berauschen; nervös, erregt machen (sein); Auf-, Erregung

flut|e [fluːt] Flöte; Riefe, Hohlkehlung; auf der Flöte spielen; riefeln, kannelieren; **~ing** Kannelierung, Riefeln; **~ist** Flötenspieler, Flötist

flutter ['flʌtə] flattern (lassen); unruhig, nervös machen (umhergehen etc); Flattern; Aufregung; *sl* Hasardspiel

flux [flʌks] Fluß, Fließen (*in a state of* ~)

fly [flai] **1.** Fliege ♦ *a* ~ *in the ointment* ein Haar in d. Suppe; **2.** Flug; **3.** (Uhr) Unruhe; **4.** ✿ *pl* vorderer Bühnenhimmel; **5.** (*pl* flys) *BE* Droschke; **6.** (Hosen-, Zelt-)Klappe; **7.** *vt/i* (*s. S. 318*) fliegen; **8.** wehen; **9.** eilen, stürzen; **10.** fliegen (steigen) lassen; **11.** fliehen; ~ *at* losstürzen auf; ~ *into* geraten in; ~ *off* wegfliegen ♦ ~ *off the handle* außer s. geraten; *to send s-b* ~*ing* j-n wegjagen; *to make the money* ~ d. Rubel rollen lassen; *adj. sl* schlau, geweckt; **~-blown** [ˈ-bloun] (fliegen)beschmutzt; **~-by-night** *fig* Nachtschwärmer; *US* finanziell faul, unzuverlässig, unverantwortlich; **~-catcher** [ˈ-kætʃə] Fliegenfänger; *zool* Fliegenschnäpper, *bot* Taublatt; **~er** Flieger, ⚑, ✝ Expreß, ⚞ Sprung mit Anlauf

flying ['flaiŋ] fliegend, schnell; Flug-; ~ **boat** Flugboot; ~ **bomb** [bɔm] V-Waffe; ~ **buttress** ['bʌtris] Strebebogen; ~ **field** [fiːld] Flugplatz; ~ **instructor** [in'strʌktə] Fluglehrer; ~ **squad** [skwɔd] *BE* Überfallkommando; ~ **visit** Stippvisite; ~ **weather** ['weðə] Flugwetter; ~ **wing** Nurflügelflugzeug

fly|-leaf ['flailiːf], *pl* **-leaves** [ˈ-liːvz] ◫ Respektblatt; **~-paper** [ˈ-peipə] Fliegenfänger; **~-past** [ˈ-pɑːst] Flugparade; **~-trap** [ˈ-træp] (*bot* Venus-)Fliegenfalle; **~-wheel** [ˈ-wiːl] Schwungrad

F-number ['efnʌmbə] relative Öffnung; Blendenöffnung

foal [foul] (Pferd-, Esel-)Füllen; fohlen

foam [foum] Schaum; die See; schäumen; ~ **rubber** ['rʌbə] Schaumgummi

fob [fɔb] Uhrtasche; Uhrkette, -anhänger; ~ *s-b off* abspeisen (*with* mit), ~ *off s-th on s-b* j-m etwas andrehen

foc|al ['foukəl] Fokus-; ~*al length (distance)* Brennweite; ~*al-plane shutter* ◫ Schlitzverschluß; **~us** ['foukəs], *pl* **~i** ['fousai], *uses* **1.** Brennpunkt, Fokus; **2.** Brennweite; *in* ~*us* scharf (eingestell); *out of* ~*us* unscharf; *to bring into* ~*us* scharf einstellen; **3.** Zentrum, Herd (*a.* ⚡); **4.** ◫ sammeln, im Brennpunkt zus.kommen; **5.** einstellen; **6.** *fig* konzentrieren **~using screen** Mattscheibe

fo'c's'le ['fouksəl] *siehe* forecastle

fodder ['fɔdə] (Vieh-)Futter

foe [fou] Feind; Gegner

foetus, *US* **fetus** ['fiːtəs] Fet, Fötus, Leibesfrucht

fog [fɔg] Nebel; 🔟 Schleier; *fig* Umnebelung; **~-bank** [ˈ-bæŋk] Nebelbank; **~bound** [ˈ-baund] durch Nebel aufgehalten; **~gy** ['fɔgi] neblig; *I haven't the ~giest notion* (od *idea*) *BE* ich habe keine blasse Ahnung

fogy(-gey) ['fougi]: *old ~* Knacker

foible [fɔibl] Schwäche, schwache Seite

foil [fɔil] (Metall-)Folie; Spiegelbelag; *fig* vorteilhafter Hintergrund (*to* für); 🤺 Florett; durchkreuzen, zum Scheitern bringen; *~ into, in* unterschieben

foist [fɔist]: *off s-th on s-b* andrehen

fold [fould] 1. falten (*up* zus.-); 2. (in Papier) packen; 3. einhüllen; 4. einpferchen; *~ back* aufkrempeln, umklappen, -schlagen; *~ down* umknicken; 5. *su* Falte; 6. Falz; 7. Schafhürde, Pferch; 8. *fig* Herde; **~boat** Faltboot; **~er** Aktendeckel; Faltblatt, -prospekt; **~ing** Klapp-(Bett, Stuhl, Tisch); *~ing boat* Faltboot; *~ing door* Flügeltür

foli|age ['fouliidʒ] Laub; **~o** ['fouliou], *pl* ~os Folio(bogen); Foliant; 📖 Seitenzahl; Kontobuchseite

folk [fouk] *pl vb* Leute, Volk; **~s** Leute, Familie; **~lore** [lɔː] Märchenschatz; Volkskunde; **~sy** volkstümlich

follow ['fɔlou] folgen; *fig* verfolgen, mitkommen mit; *~ on* später folgen; *~ out* zu Ende führen; *~ up* verfolgen, ausnützen *~ s-th up with s-th* e-r Sache etw folgen lassen; **~er** [ˈ-ə] Anhänger, Schüler; **~ing** folgend; Anhängerschaft; *prep* nach; **~-up** Nachfassen; Folgesendung; nachfolgend; Nach-, Weitersendung

folly ['fɔli] Torheit, Narrheit

foment [fou'ment] mit warmen Umschlägen behandeln; erregen, anstiften; **~ation** [--'teiʃən] warmer Umschlag, Packung

fond [fɔnd] liebend; vernarrt, überzärtlich; töricht (*girl, hope*); *to be ~ of* gern haben, lieben; **~le** hätscheln; **~ly** zärtlich; töricht(erweise); **~ness** Zärtlichkeit; Vorliebe

font [fɔnt] Taufstein; *US* = fount; **~anel** [fɔntə'nel] Fontanelle

food [fuːd] Nahrung, Speise; Futter; Kochgut; **~stuff** Nahrungsmittel; *~ value* Nährwert

fool [fuːl] 1. Dummkopf, Tor; Narr; *to make a ~ of* zum Narren halten; *to make a ~ of o.s* sich lächerlich machen, blamieren; *to be a ~ to* ein Waisenknabe sein gegen; *to be a ~ for one's pains* sich ganz umsonst ab-, bemühen; *~'s paradise* ['pærədais] Schlaraffenland, Selbsttäuschung; 2. *adj US* töricht; 3. *vt/i* (herum)albern, -spielen (*a.: about, ~ around*); *~ out of* j-n prellen um, etwas j-m abluchsen; *~ away* vergeuden; **~ery** [ˈ-əri] Torheit; **~hardy** [ˈ-haːdi] tollkühn; **~ish** töricht, albern; läppisch; **~proof** [ˈ-pruːf] (betriebs-, narren-)sicher, kinderleicht; **~scap** [ˈ-skæp] Kanzleipapier, -format (etwa DIN A 3); **~'s-cap** [ˈ-zkæp] Narrenkappe

foot [fut], *pl* **feet** [fiːt] 1. Fuß(ende); Füßling; Tatze, Pfote; 2. Infanterie; 3. *on ~* zu Fuß; *on one's feet* stehend, (wieder) auf d. Beinen; *to set on ~* in Gang setzen; *to put one's ~ down* energisch werden, fest auftreten; *to put one's ~ in it* s. blamieren; *to keep one's feet* nicht hinfallen; *to carry s-b off his feet* j-n hochheben, begeistern, erregen; 4. Fuß (= 0,305 m); 5. (*pl ~s*) Satz, Rest; 6. (Strumpf) anfüßen; 7. *~ the floor* herumhüpfen, -tanzen; *~ it* zu Fuß gehen; *~ up to* s. (insgesamt) belaufen auf; *~ the bill* d. Rechnung bezahlen; *~ up* zus.rechnen; **~age** ['futidʒ] 🔟 Länge in Fuß, Filmmeter; **~ball** [ˈ-bɔːl] Fuß, Rugbyball (Ball, Spiel); *US* amerikanischer Fußball; **~board** [ˈ-bɔːd] Trittbrett; **~bridge** Fußgänger-Überführung; **~fall** [ˈ-fɔːl] Fußtritt; **~hills** Vorberge; **~hold** [ˈ-hould] Halt (*a. fig*); **~ing** Halt, Stand, Basis; Lage; *to get a ~ing* in Fuß fassen in; *on a friendly ~ing* auf freundschaftl. Fuße; **~lights** [ˈ-laits] *pl vb* Rampenlicht; **~man** [ˈ-mən], *pl* ~men Lakai; **~mark** Fußabdruck; **~note** Fußnote, Anmerkung; **~pad** Straßenräuber; **~path** [ˈ-paːθ], *pl* ~paths [ˈ-paːðz] Fußweg, *BE* Bürgersteig; **~print** Fußabdruck, -spur; **~rule** [ˈ-ruːl] (1 Fuß langes) Lineal, Maß; **~sore** [ˈ-sɔː] wund (Fuß); **~step** Schritt; Tritt; **~stool** [ˈ-stuːl] Fußbank, ~schemel; **~wear** [ˈ-wεə] Schuhwerk; **~work** [ˈ-wəːk] Beinarbeit; Lauferei

fop [fɔp] Geck; **~pish** geckenhaft

for [fɔː, fə] 1. für; *~ himself (etc)* allein, selbst, für ihn; *~ my part* für mein Teil, meinerseits; *~ the most part* größtenteils; *now ~ you* und nun zu dir; 2. (dienen, wählen) als; *I know him ~ a gentleman* ich kenne ihn als G.; *I ~ one* ich z. B.; *~ certain* mit Bestimmtheit; 3. seit, lang (*~ 3 hours); ~ life* d. ganze Leben lang; 4. (*Grund:*) wegen, aus, vor, um; *but ~* ohne, wenn... nicht gewesen wäre; *the better (worse) ~* besser (schlechter) wegen; *to be out ~* auf... aus sein; *~ all (that)* trotz (alledem); *~ all I know* soviel ich weiß; *~ all I care* von mir aus; *~ all the world (like)* genau (gleich); *what... ~ ?* wozu?; *~ the time being* im Augenblick, derzeit; *conj* 5. denn

forage ['fɔridʒ] Futter; furagieren; ausplündern; umherstöbern

forasmuch as [fərəz'mʌtʃæz] insofern

foray ['fɔrei] Raubzug (unternehmen); plündern

forbade, *bes. BE* **forbad** [fə'bæd, -'beid] *siehe* forbid

forbear [fɔː'bεə] (*s. S. 318*) unterlassen; sich enthalten, ablassen (*from* von); **~ance** [-'bεərəns] Geduld; Nachsicht; Unterlassung ♦ *~ance is no acquittance* [ə'kwitəns] aufgeschoben ist nicht aufgehoben

forbear, *US* **fore-** ['fɔːbεə] Vorfahr

forbid [fə'bid] (*s. S. 318*) verbieten; verhindern; **~ding** abstoßend, -weisend; abschreckend; ungünstig

for|bore [fɔː'bɔː], **~borne** [-'bɔːn] *siehe* forbear

force [fɔːs] 1. Gewalt; Stärke; Kraft (*~s of na-*

ture Natur-); **2.** *mil* Streitkraft, *pl* Kräfte, Truppen; *the police* [pə'liːs] ~ die Polizei; *to join* ~ *s with* s. zus.tun, vereinigen mit; *in* ~ in großer Zahl; **3.** ⚖ Rechtskraft; *to put (come) into* ~ in Kraft setzen (treten); *to be in* ~ in Kraft sein, gültig sein; **4.** *fig* (genauer) Sinn; **5.** *vt* (er-)zwingen; forcieren; aufbrechen, entwinden; aufzwingen (*on* s-b j-m); **~d** [fɔːst] gezwungen, Zwangs-; **~d** *landing* Notlandung; **~d** *march* Gewalt-, Eilmarsch; **~ful** kraftvoll; wirkungsvoll

forceps ['fɔːseps], *pl* ~ (*bes* 💲) Zange; Pinzette

forcible ['fɔːsibl] gewaltsam; kraftvoll; eindringlich

ford [fɔːd] Furt; durchwaten; **~able** passierbar (Fluß)

fore [fɔː] Vordergrund (*to come to the* ~); vordere , Vorder-; **~arm** [-'rɑːm] Unterarm; **~arm** [-'rɑːm] rechtzeitig rüsten, wappnen; **~bear** *siehe* forbear; **~bode** [-'boud] ankündigen, künden; ahnen; **~boding** Vorzeichen; -ahnung; **~cast** [-'kɑːst] (*s. S. 318*) voraussagen; vorhersehen; [-kɑːst] Vorhersage; **~castle** ['fouksl] ⚓ Vorschiff, Back; **~close** [-'klouz] ausschließen (*from* von); für verfallen erklären; **~closure** [-'klouʒə] ⚖ Ausschließung; Verfallserklärung (*Hypothek*); **~doom** [-'duːm] (schon vorher) verurteilen; **~fathers** [-fɑːðəz] Vorfahren; -väter; **~foot** [-fut], *pl* ~ feet Vorderfuß; **~finger** [-fiŋgə] Zeigefinger; **~front** [-frʌnt] Vorderfront, Kampflinie; **~gather** *siehe* forgather; **~go** [-'gou] vorausgehen; *siehe* forgo; **~going** vorhergehend; **~gone** [-gɔn] **conclusion** ausgemachte (von vornherein feststehende) Sache, vorweggenommene Entscheidung; **~ground** [-graund] Vordergrund; **~head** ['fɔrid] Stirn

foreign ['fɔrin] fremd, ausländisch; fremdartig; Außen-; auswärtig; ~ **currency** (*od* **exchange**) Devisen; **~er** Ausländer; ~ **trade** Außenhandel

fore|know [fɔː'nou] vorherwissen; **~knowledge** [fɔː'nɔlidʒ] Vorherwissen; **~land** [-lənd] Kap, Vorgebirge; **~leg** Vorderbein; **~lock** Stirnlocke; *to take by the* ~ *lock* beim Schopf ergreifen; **~man** [-mən], *pl* ~ men Vorarbeiter, Werkmeister; ⚖ Obmann; **~most** [-moust] erste, führend; (*first and*) ~ *most* in erster Linie, vor allem; **~noon** [-nuːn] Vormittag; **~part** Vorderteil; **~paw** Vorderpfote; **~runner** [-rʌnə] Vorläufer, -bote; **~sail** [-seil, ⚓ fɔːsl] Fock(segel); **~see** [-'siː] (*s. S. 318*) vorher-, voraussehen; **~seeable** vorauszusehen(d); absehbar; (Zukunft) überschaubar; **~shadow** [-'ʃædou] vorher andeuten; **~shorten** [-'ʃɔːtən] perspektivisch verkürzen; **~sight** [-sait] Voraussicht; Vorausschauen; (Gewehr) Korn

forest ['fɔrist] Wald (*a. fig*); **~er** Förster; **~ry** Forstwirtschaft; Waldgebiet

fore|stall [fɔː'stɔːl] zuvorkommen; aufkaufen; **~taste** [-teist] Vorgeschmack; **~tell** [-'tel] (*s. S. 318*) vorhersagen; im voraus anzeigen; **~thought** [-θɔːt] Vorbedacht; **~told** [-'tould] *siehe* tell

forever [fɔːr'evə] *US* = for ever

fore|warn [fɔː'wɔːn] vorher warnen; **~word** [-wəːd] Vorwort

forfeit ['fɔːfit] verwirkte Sache, Buße; Vertragsstrafe; Verwirklichung; Pfand (*game of* ~*s*); verwirkt; verwirken, einbüßen; **~ure** ['fɔːfitʃə] Verwirkung; Verlust

forgather, *US* a. **fore-** [fɔːgæðə] zus.kommen

forgave [fə'geiv] *siehe* forgive

forge [fɔːdʒ] Schmiede; schmieden; fälschen; ~ *ahead* sich (mühsam) vorarbeiten, d. Führung übernehmen; **~r** ['fɔːdʒə] Fälscher; **~ry** ['fɔːdʒəri] Fälschen; Fälschung

forget [fə'get] (*s. S. 318*) vergessen; ~ *o.s.* sich vergessen, nicht an s. denken; **~ful** vergeßlich (*to be* ~ *ful of* = *to* ~); **~me-not**, *pl* ~ -me-nots Vergißmeinnicht

forgiv|able [fə'givəbl] verzeihlich; **~e** [fə'giv] (*s. S. 318*) verzeihen, -geben; erlassen; **~eness** [fə'givnis] (Bereitschaft zur) Verzeihung; Erlassung; **~ing** versöhnlich; nachsichtig

for|go, *US* **fore-** [fɔː'gou] (*s. S. 318*) verzichten auf, aufgeben; **~got(ten)** [fə'gɔt(n)] *siehe* forget

fork [fɔːk] Gabel; Forke; Gabelung; (mit d. Forke) aufgabeln, wenden, graben; s. gabeln; ~ *out* (*over, up*) blechen; **~ed** [fɔːkt] s. gabelnd; gespalten

forlorn [fə'lɔːn] elend, hilflos; ~ *hope* aussichtsloses Unterfangen, verlorener Haufe; Himmelfahrtskommando

form [fɔːm] **I.** Form, Gestalt; **2.** Formular; *in due* [djuː] ~ vorschriftsmäßig, in gültiger Form; **3.** (*a.:* ~ *letter*) Formbrief; **4.** (richtiges) Verhalten; *is good (bad)* ~ gehört sich (nicht); *a mere matter of* ~ reine Formsache; *for* ~ '*s sake* um der Form willen; **5.** Brauch, Formalität; **6.** körperliche Verfassung, Form (*in good form etc*); *out of* ~ nicht in Form; **7.** *BE* Bank (ohne Lehne); *BE* Schulklasse; 📖 (*BE a.:* ~ *e*) (Druck-)Form; **8.** *vt* (s.) bilden; fassen; *mil* (s.) formieren; erwerben (*good habits*); **~al** ['fɔːməl] förmlich; formell; äußerlich; ~ *al garden* geometrischer (französ.) Garten; ~ *al dress* (*US:* ~ *al*) Abendanzug, -kleid; ~ *alin* Formalin; **~alist** Formalist; **~ality** [fɔː'mæliti] Förmlichkeit; Formalität; **~at** ['fɔːmæt] 📖 Format (u. Aufmachung); Typus; Struktur; **~ation** Bildung, Gestaltung; Formation, Verband; **~ative** [-ətiv] gestaltend, formgebend; **~er** ['fɔːmə] früher; erstere; **~erly** früher, vor langer Zeit; **~idable** [-idəbl] furchtbar, gewaltig; **~less** form-, gestaltlos; **~ula** [-julə], *pl* ~ ulas, ~ ulae [-juliː] Formel; 💲 Rezept; Säuglingsnahrung; **~ulary** [-juləri] formelhaft, Formel-; Rezeptbuch; **~ulate** [-juleit] formulieren; **~ulation** [-ju'leiʃən] Formulierung

fornication [fɔːni'keiʃən] außerehelicher Geschlechtsverkehr

forsake [fə'seik] (*s. S. 318*) verlassen, im Stich lassen; aufgeben

for|sook [fə'suk] *siehe* forsake; **~sooth** [-'suːθ] wahrlich, fürwahr; **~swear** [-'sweə] (*s. S. 318*) unter Eid bestreiten; abschwören; ~ *swear* *(o.s.)* Meineid, falsch schwören; **~sworn** meineidig [Seite; **~e** ['fɔːtil ♪ forte

fort [fɔːt] Fort, Festung; **~e** [fɔːt] Stärke, starke

forth [fɔːθ] hinaus, heraus; *back and ~* hin u. her; *from this day (time) ~* von heute (jetzt) an; *and so ~* und so weiter; **~coming** [~'kʌmiŋ] bevorstehend; ❑ in Kürze erscheinend; *to be ~coming* zum Vorschein kommen, erscheinen, bezahlt werden; **~right** [~'rait] gerade (-heraus), ehrlich; [~~] *adv;* **~with** [~'wiθ, ~'wið] sofort, sogleich

fortieth ['fɔːtiiθ] vierzigste

forti|fication [fɔːtifi'keiʃən] Befestigung; **~fy** [~-fai] (ver)stärken; anreichern; befestigen; **~tude** [~-tjuːd] seelische Kraft, Standhaftigkeit

fortnight ['fɔːtnait] *BE* vierzehn Tage; *a ~ today* heute in 14 T.; **~ly** alle 14 Tage (stattfindend, erscheinend)

fortress ['fɔːtris] Festung

fortu|itous [fɔː'tjuitəs] zufällig; **~nate** ['fɔːtʃə-nit] glücklich; **~nately** glücklich(erweise); **~ne** ['fɔːtʃən] 1. Glück *(the ~ne of war* Kriegs-; *to make one's ~ne);* 2. Geschick, Zukunft *(to tell s-b's ~ne* Z. voraus-, wahrsagen); 3. Vermögen; *to marry a ~ne* e-e reiche Partie machen; **~ne-teller** Wahrsager

forty ['fɔːti] vierzig; *~ winks* Nickerchen

for|um ['fɔːrəm], *pl* **~a** Forum *(a. fig)*

forward ['fɔːwəd] 1. vorwärts, nach vorn, weiter; *from this time ~* von jetzt an; 3. *adj* Vorwärts-; vordere, *mil* vorgeschoben; 3. vorgeschritten, früh; bereit(willig); 4. vorwitzig, -laut; *to buy (sell) ~* auf Lieferung (Zeit) (ver)kaufen; 5. Termin-(Geschäft etc); ♠ Stürmer; 6. (be)fördern; (ab-, weiter-)senden; **~er** Spediteur; **~ing** Beförderung; Versendung; Versand-; *~ing agent* ['eidʒənt] Spediteur; **~ness** Frühreife; Bereitwilligkeit; Dreistigkeit; **~s** = ~ *adv (bes* vorwärts = nicht rückwärts)

fossil ['fɔsl] Fossil; fossil, versteinert; *fig* verknöchert(er Kerl); **~ize** ['fɔsilaiz] versteinern; *fig* verknöchern

foster ['fɔstə] pflegen, aufziehen; fördern, ermutigen; hegen; Pflege-(Kind etc)

fought [fɔːt] *siehe* fight

foul [faul] 1. übel, ekelhaft; schmutzig, verschmutzt; (Rohr) verstopft; voll Fehler, verschmiert; gemein, niederträchtig; *~ means* unehrliche, unredliche Mittel; *~ play* Verbrechen, ♠ unsportl. Verhalten; 3 *umg* miserabel; *to fall (run, go) ~ of* ♠ zus.stoßen mit *(a. fig);* *to hit ~* ♠ unfair treffen, *fig* unfair handeln gegen; *to play s-b ~* j-n unfair behandeln; *;* 4. *su* ♠ Foul, Regelverstoß; *through fair and ~* durch dick u. dünn; 5. *vt/i* ver-, beschmutzen, verstopfen; zus.stoßen (mit); s. verfangen

found [faund] *siehe* find; gründen; ❄ gießen, schmelzen; **~ation** [~'deiʃən] Gründung; Stiftung; (Studien-)Fonds; Fundament, Grund(lage); **~er** (Be-)Gründer; ♪ sinken; zum Scheitern bringen; (Pferd) zus.brechen, steckenbleiben (lassen); nachgeben, zus.bre-

chen; **~ling** Findelkind; **~ry** Gießerei; Stereotypie; Galvanoherstellung

fount [faunt] der Quell; ❑ Schriftgarnitur; **~case** Setzkasten; **~ain** [~in] Quelle *(a. fig);* Springbrunnen; **~ain head** Urquelle; -quell; **~ain pen** Füllfeder, Füller

four [fɔː] vier; *a* ♠ ein Vierer; *the ~ hundred (US)* Hautevolee; **~fold** [~-fould] vierfach; **~-in-hand** [~-rin'hænd] Vierergespann; **four-part** vierstimmig; **~pence** [~-pəns] 4 Pennies; **~penny** [~-pəni] 4-Penny-; **~poster** [~-'poustə] Himmelbett; **~score** [~-'skɔː] achtzig; **~some** [~-səm] ♠ Doppel; *fig* Quartett; **~square** [~-skwɛə] viereckig; solide; **~stroke** [~-strouk] ❄ Viertakt-; **~teen** [~-'tiːn] vierzehn; **~teenth** [~-'tiːnθ] vierzehnte; **~th** [fɔːθ] vierte; **~wheeled** [~-wiːld] vierrädrig; **~wheeler** Droschke

fowl [faul], *pl* **~s**, *(Jägerspr.)* ~ Geflügel *(bes* Hühner); (Wasser-, Wald-)Vogel; **~er** Vogelfänger, -jäger; **~ing** Vogelfang, -jagd; **~ing-piece** [~-iŋpiːs] Vogelflinte; **~run** [~-rʌn] Geflügelhof

fox [fɔks], *pl* **~es** Fuchs; braun verfärben; *sl* reinlegen, überlisten; täuschen; **~glove** [~-glʌv] Fingerhut; **~hole** [~-houl] *mil* Erdloch; **~hound** [~-haund] Fuchshund; **~trot**, *US* ~ trot [~-trɔt] Foxtrott (tanzen); *~y* fuchsartig; verschlagen; rotbraun; stockfleckig

foyer ['fɔiei, *US* 'fɔiə] Foyer

fracas ['frækɑː, *US* 'freikɑs], *pl* ~ ['frækɑːz], *US* **~es** Streit, Lärm, Tumult

fract|ion ['frækʃən] Bruchteil; *math* Bruch; **~ional** Bruch-; *umg* winzig; **~ious** ['frækʃəs] reizbar; störrisch; launisch; **~ure** ['fræktʃə] Bruch(fläche); Knochenbruch; brechen

frag|ile ['frædʒail] zerbrechlich; $ anfällig, schwach; **~ility** [frə'dʒiliti] Zerbrechlichkeit; Anfälligkeit, Schwachheit; **~ment** ['frægmənt] Bruchstück, Rest; **~mentary** ['frægməntəri] bruchstückartig, fragmentarisch; **~mented** zersplittert

fragran|ce ['freigrəns] Duft; **~t** duftend

frail [freil] *(bes* moralisch) schwach; $ zart; ge-, zerbrechlich; **~ty** Schwachheit, Zerbrechlichkeit

frame [freim] 1. Rahmen; ⚓, ✝ Spant, Gerippe; Gestell; Körper; *~ of mind* (Gemüts-) Verfassung; ▥ Bild *(speed of ~s* Bildfolge); 2. ersinnen, gestalten, bilden, ab-, verfassen; entwerfen, schaffen, einrahmen; s. entwickeln; *umg* j-n zu Unrecht beschuldigen, etwas aushecken; **~house** Holzhaus; **~-up** *umg* abgekartetes Spiel; **~work** [~-wəːk] Gerüst, Gestell, Gerippe; Fachwerk; *fig* Rahmen, Gerüst, Sy-

franc [fræŋk] Franc; Franken [stem

France [frɑːns] Frankreich; **~o** ['fræŋkou] französisch *(in Zus.setzungen)*

franchise ['fræntʃaiz] Bürger-, Wahlrecht; Konzession; Verkaufsgebiet

frank [fræŋk] frei(mütig), offen (**~ly** offen [gesagt]); portofrei schicken; portofreier Brief; **~furter** [~-fətə] Würstchen; **~incense** [~-insens] Weihrauch; **~ing machine** [mə'ʃiːn] Frankiermaschine; **~lin** [~-lin] Freisasse

frantic [-'fræntik] wild, rasend (*with* vor); krampfhaft *(efforts);* riesig

frat|ernal [frə'tə:nəl] brüderlich, Bruder-; **~ernity** [-'tə:niti] Brüderlichkeit; Bruderschaft; *US* (Studenten-)Verbindung; **~ernize** ['frætənaiz] s. verbrüdern, brüderlich verkehren; fraternisieren; **~ricide** ['freitrisaid, 'fræ-] Brudermord, -mörder

fraud [frɔːd] Betrug; Schwindel, Schwindler; **~ulent** [-julənt] betrügerisch

fraught [frɔːd] *fig* voll (*with* von)

fray [frei] Tumult, Streit; Kampf; durchscheuern, ausfransen, dünn werden *(a. fig);* erregen

freak [friːk] Streich, (verrückte) Laune; ~ *(of nature)* Mißbildung, Monstrum; **~ish** launenhaft, verrückt, abnorm

freckle [frekl] Sommersprosse(n bekommen); **~ d** (frekld) sommersprossig

free [friː], **~r** ['friːə], **~st** ['friːist] I. frei; kostenlos (~ *of duty* zollfrei); ungebunden, frei, nicht genau; (Stil) leicht; **2.** freigebig *(of, with),* reichlich; **3.** ~ *from* frei, befreit von; ~ *of* außerhalb, unbelastet von; *to make (set)* ~ freilassen; *to make s-b* ~ *of one's house* j-n bei s. ein u. aus gehen lassen; *to make s-b* ~ *of the city* j-m das Ehrenbürgerrecht geben; *to make* ~ *with* etwas ohne zu fragen benutzen; **4.** ~, **~d**, **~d** *(vt)* freilassen, befreien; **~booter** [-buːtə] Freibeuter; **~d** [friːd] *siehe* free *vt;* **~dman** [-dmæn], *pl* ~dmen [-dmen] Freigelassener; **~dom** [-dəm] Freiheit; Freisein *(from* von); Freimütigkeit; freies Benutzungsrecht; ~*dom of a city* Ehrenbürgerrecht; Ungehemmtheit; *to take* (od *use)* ~*doms with s-b* s. Freiheiten erlauben bei; ~ **fight** allgemeine Schlägerei; **~hand** [-hænd] freihändig; **~-handed** [-'hændid] großzügig; **~hold** [-hould] freier Grundbesitz, freies (Bauern-) Gut; **~holder** Grundeigentümer; ~ **labour** ['leibə] gewerkschaftsfreie Mitarbeiter; parteiloser Politiker; freiberuflich; selbständig; **~ly** frei; offen; reichlich; **~man** [-mən], *pl* ~men Frei(gelassen)er; Ehrenbürger (*a* ~ *man* ein freier Mann); **~mason** [-meisn] Freimaurer; ~ **masonry** Freimaurerei; **~-minded** [-'mainded] frei u. aufgeschlossen; ~ **port** Freihafen; ~ **speech** [spiːtʃ] Redefreiheit; **~-spoken** [-spoukən] freimütig; **~-thinker** [-'θiŋkə] Freidenker; **~-thinking** Freidenkertum; freidenkend; ~ **thought** [θɔːt] Freidenkertum; **~-wheel** [-'wiːl] Freilauf(rad); mit Freilauf fahren; ~ **will** freier Wille; **~-will** [-wil] freiwillig

freeze [friːz] *(s. S. 318)* **1.** (ge)frieren (*over* zu-, *to death* er-); *I'm* ~*ing* ich friere (sehr); **2.** erstarren *(a. fig.);* **3.** zum Gefrieren bringen; *to be frozen* ge-, erfrieren; *to make s-b's blood* ~*e,* od *to* ~ *e s-b's blood* j-m d. Blut in d. Adern gerinnen lassen; **4.** (Kapital) einfrieren (Löhne, Preise) stoppen; **5.** *su* Frost; **~er** Kühlraum; Eismaschine; **~ing** Gefrier-

freight [freit] ⚓ Schiffsladung, -miete; ⚓ Fracht(kosten); *BE* Containertransport; Gütertransport, -kosten; *US* Güterzug; ⚓ chartern; befrachten; 🐝, ✚, 🚌 beladen, als

Fracht schicken; **~age** [-idʒ] Fracht(kosten); Ladung; Transport; ~ **car** Güterwagen; ~ **depot** ['depou, *US* 'diː-] Güterbahnhof; **~er** Verlader; Reeder; Frachtschiff, -flugzeug; ~ **forward** ['fɔːwəd] Fracht bezahlt Empfänger; ~ **train** Güterzug; ~ **yard** Güterbahnhof

French [frentʃ] französisch; **the** ~ die Franzosen; *to take* ~ **leave** s. französisch verabschieden; ~ **dance** Kotillon; ~ **fried (potatoes)** *US* Pommes frites; **~man,** *pl* ~ men Franzose; **~woman,** *pl.* ~ women Französin

frenetic [fri'netik] wild, rasend (*siehe* phrenetic)

frenz|ied ['frenzid] wahnsinnig, rasend; **~y** Wahnsinn, Toben; *fig* Anfall

frequen|cy ['friːkwənsi] Häufigkeit; ⚡ Periodenzahl; ⚡ Frequenz; **~cy modulation** Frequenzmodulation, UKW; **~t** ['friːkwənt] häufig, ständig; **~t** [fri'kwent] oft besuchen; häufig vorkommen in

fresco ['freskou], *pl* **~s, ~es** Fresko (-gemälde)

fresh [freʃ] frisch; neu; unerfahren; pampig, frech; *to break* ~ *a ground* neues Gebiet erschließen; **~en** ['freʃn] auffrischen; stärker werden; **~er** *umg* = **~man,** *pl* ~ men Neuling; erstes Semester; **~water** [-wɔːtə] Süßwasser-

fret [fret] s. sorgen; s. Sorgen (Kummer) machen (*about* über), s. grämen; zerfressen, -reiben; (mit Karos) mustern; ♪ d. Bund; **~ful** gereizt, reizbar; **~saw** [-sɔː] Laubsäge; **~work** [-wəːk] Laubsägearbeit; Gitterwerk

friable ['fraiəbl] bröckelig, zerreibbar

friar ['fraiə] (Bettel-)Mönch

friction ['frikʃən] ⚙ *fig* Reibung

Friday ['fraidi] Freitag; *Good* ~ Karfreitag; *girl* ~ Allroundsekretärin

fridge [fridʒ] *BE umg* Kühlschrank

friend [frend] Freund; Bekannter; *to make* ~s sich anfreunden (*with* mit); *to make* ~s *again* s. wieder vertragen; *to be* ~s *with* befreundet sein mit; **F~** (ein) Quäker; **~less** ohne Freunde; **~ly** freundlich, befreundet, freundschaftlich; Freundschafts-; **~ly letter** *US* Privatbrief; *F~ly Society* [sə'saiiti] *BE* Versicherungsverein auf Gegenseitigkeit; **~ship** Freundschaft

frieze [friːz] 🏛 Fries; (Textil) Fries, Flausch

frigate ['frigit] Fregatte; (*a.* **~-bird)** Fregattvogel

fright [frait] Schreck(en); Entsetzen; *to take* ~ *at* erschrecken; *to give s-b a* ~ j-n erschrecken; *to get*(od *have) a* ~ (s.) erschrecken; *umg fig* Vogelscheuche; **~en** erschrecken; ~*en away* verjagen; ~*en into* treiben zu; ~*ened of* bange vor; **~ful** schrecklich

frigid ['fridʒid] kalt; *fig* frostig, ⚕ frigid; **~ity** [fri'dʒiditi] Kälte; Frostigkeit; Frigidität

frill [fril] Volant, Rüsche; *pl* Affektiertheit, Getue; *to put on* ~s sich aufspielen; *vt* fälteln; **~ies** *BE umg* Spitzenunterwäsche

fringe [frindʒ] Franse; Pony(frisur); Rand; mit Fransen versehen; *fig* umsäumen; ~ **benefits** zusätzliche Sozialaufwendungen

frippery ['fripəri] Flitter(kram)

frisk [frisk] hüpfen, tollen; ~**y** munter, ausgelassen

fritter ['fritə] (Apfel-)Pfannkuchen; ~ *away* verzetteln (*on* für)

frivol|ity [fri'vɔliti] Nichtigkeit; Leichtfertigkeit; ~**ous** ['frivələs] nichtig; oberflächlich; leichtfertig

Fritz [frits] *umg* Deutscher

frizz|le [frizl] brutzeln(d braten); ~*le up* (s.) kräuseln; ~**(l)y** kraus

fro [frou]: *to and* ~ auf u. ab, hin ü. her

frock [frɔk] Kleid; Kittel; Kutte; ~-**çoat** [᷄kout] Gehrock

frog [frɔg] Frosch (*a.* ✿); *sl* Franzmann; ~-**eater** *sl* = ~; ~**man** Froschmann

frolic ['frɔlik] **1.** lustiger Streich, lust. Fest, Lustigkeit; **2.** (~*ked*, ~*ked*) lustig sein, spielen; scherzen; ~**some** [᷄səm] lustig, verspielt

from [frɔm, frəm] (weg) von, von (her, herab); von ... an; aus (Mangel, Erfahrung etc.); *made* ~ aus; nach (der Natur); *(Grund:)* vor, wegen; ~ *over* über ... hinweg; ~ *under* unter ... hervor

frond [frɔnd] (Farn-, Palm-)Wedel

front [frʌnt] **1.** Vorderseite, -front, Frontseit : *in* ~ vorne, *in* ~ *of* vor; *to come to the* ~ sich hervortun; **2.** *mil* Front; **3.** Hemdeinsatz, *to have the* ~ die Stirn haben; **4.** gegenüberliegen, Front haben zu; ~**age** [᷄idʒ] Vorderfront; Frontseite, *mil*-breite; Vorgelände; ~**al** Stirn-; Front-; *frontal* ~ **door** [dɔː] Haustür; ~ **garden** Vordergarten; ~ **page** [peidʒ] Vorder-, erste Seite; ~-**page** [᷄᷄] hochaktuell; ~ **runner** Spitzenläufer, -kandidat; ~ **yard** *US* = ~ **garden**

frontier ['frʌntjə, *US* frʌ1'tiər] Grenze (zu anderem Land, *US a.* zur Wildnis); Grenz-; ~**sman** [᷄᷄zmən], *pl* ~smen Grenzbewohner; Siedlungspionier

frontispiece ['frʌntispiːs] 📖 Bild gegenüber dem Titelblatt, Titelbild; Frontispiz

frost [frɔst]; *white* ~ Rauhreif; *black* ~ trockener Frost; *fig* Kühle; *umg* Reinfall; mit Frost überziehen; mit Puderzucker bestreuen, mit Zuckerguß überziehen; ~*ed glass* Mattglas; ~*ed plants* erfrorene Pflanzen; ~-**bite** [᷄bait] Erfrierung; ~-**bitten** [᷄bitn] erfroren; ~**ing** Zuckerguß; Reif; ~**y** frostig *(a. fig)*; Frost-; ergraut

froth [frɔθ] (Bier-)Schaum; leeres Gerede, dummes Zeug; *to a* ~ schaumig; schäumen; zum Schäumen bringen; schaumig schlagen; ~**y** [frɔθi] schäumend; *fig* seicht

frown [fraun] **1.** d. Stirn zus.ziehen, runzeln; ~ *at* j-n stirnrunzelnd (mißbilligend) ansehen; ~ *into silence* durch Stirnrunzeln zum Schweigen bringen; ~ *on* etw mißbilligen; **2.** Stirnrunzeln, mißbilligender Ausdruck

frow|st [fraust] *BE* warmer Mief; ~**zy** ['frauzi] muffig; unordentlich; schlampig

froze(n) [frouz(n)] *siehe* freeze

fructi|fication [frʌktifi'keiʃən] Befruchtung; ~**fy** [᷄fai] Frucht tragen *(a. fig);* befruchten

frugal ['fruːgəl] genügsam; sparsam (*of* mit); ~**ity** [᷄'gæliti] Genügsamkeit; Sparsamkeit

fruit [fruːt] Obst; *bot* Frucht (*pl* ~*s*); *pl* Obstsorten; *pl fig* Früchte; *vi* Frucht tragen; ~**arian** [᷄'tɛəriən] Rohköstler, Obstesser; ~ **beverage** [᷄'bevəridʒ] Frucht(saft)getränk; ~-**cake** [᷄keik] Rosinenkuchen; ~**erer** [᷄tərə] *BE* Obsthändler; ~**ful** ergiebig, fruchtbar *(a. fig)*; ~**ion** [fru'iʃən] Genuß; Verwirklichung; ~**less** unfruchtbar; *fig* fruchtlos; ~ **salad** ['sæləd] Obstsalat; *fig* Lametta; ~**y** obstartig; *fig* saftig (Humor)

frustra|te [frʌs'treit, *bes US* ᷄᷄] zum Scheitern bringen, vereiteln, durchkreuzen; j-n (be)hindern; frustrieren; ~**tion** [frʌs'treiʃən] Vereitelung, Durchkreuzung; Behinderung; Frustration

fry [frai], ~*ing, fried* backen, braten; *fried egg* Spiegelei; *fried potatoes* [pə'teitouz] Bratkartoffeln; *su (pl ~)* Fischbrut; *small* ~ kleine Fische, *fig* kleines Gemüse, kleine Leute; ~**ing-pan** [᷄iŋpæn] Bratpfanne ♦ *out of the* ~*ing-pan into the fire* vom Regen in d. Traufe

fuchsia ['fjuːʃə], *pl* ~**s** Fuchsie

fuddle [fʌdl] s. besaufen; ~**d** betrunken

fudge [fʌdʒ] **1.** Karamelbonbon; ~*!* Blödsinn!; **2.** (Raum für) letzte Meldung

fuel ['fjuəl] **I.** Heizmaterial; Brenn-, Betriebs-, Kraftstoff; Benzin; *to add* ~ *to the flames* Öl ins Feuer gießen; **2.** mit Treibstoff versorgen, Tr. aufnehmen, tanken; ⚓ bunkern; ~**ling station** Tankstelle; Bunkerstation; ~ **oil** Heizöl

fug [fʌg] *BE* Muffigkeit; *BE* Staubflocken; *BE* ein Stubenhocker sein

fugitive ['fjuːdʒitiv] Flüchtling; flüchtig *(a. fig)* vergänglich

fugue [fjuːg] ♪ Fuge; ~*ing*, ~*ed* in Fugenform

fulc|rum ['fʌlkrəm], *pl* ~**ra**, ~**rums** ✿ Drehpunkt; *fig* Hebel

fulfil, *US* ~**l** [ful'fil] erfüllen, ausführen; vollenden; ~**ment**, *US* ~**lment** Erfüllung, Ausführung

full [ful] voll (*of* von; ~ *to overflowing* bis zum Überlaufen); ganz; *in* ~ vollständig (*to write in* ~ ausschreiben); *to the* ~ durch u. durch, sehr; (Kleid) locker, weit; ~-**blooded** [᷄'blʌdid] vollblütig, leidenschaftlich; reinrassig; ~-**blown** [᷄'bloun] voll erblüht; ~ **dress** Gesellschafts-, Paradeanzug; ~-**face** [᷄'feis] voll (ansehen); ~-**fledged** [᷄'fledʒd] flügge; *fig* richtig(gehend); ~ **length** [᷄'leŋθ] volle, ganze Länge; ~-**length** [᷄᷄] Voll-(Bild), abendfüllend (Film); ~**ness** Fülle; Vollsein; Vollständigkeit; ~-**time** [᷄taim] vollberuflich, hauptamtlich; ~**y** völlig, ausführlich

fuller ['fulə] Walker; ~'**s earth** Walkerde

fulmina|te ['fʌlmineit] *(bes fig)* donnern, wettern (*against* gegen); ~**tion** Donnern, Wettern

fulsome ['fulsəm] unaufrichtig, widerlich (Lob, etc); ~**ness** Lobhudelei

fumble ['fʌmbl] herumsuchen, -fuhrwerken (*in, at*); ~ *about* umhertasten; ungeschickt sein mit, vermasseln, verpatzen

fum|e [fjuːm] **1.** *mst pl* Rauch, Dampf, Schwaden; **2.** *sg* erregter Zustand, Wut; *in a* ~*e of impatience* [im'peiʃəns] sehr ungeduldig; **3.** rauchen, (ver)dampfen; **4.** wütend sein, toben (*over, about* über); **~igate** ['fjuːmigeit] (aus)räuchern; **~ing** aufgebracht

fun [fʌn] Spaß, Scherz; *in ~, for ~* zum Spaß; *to make ~ of, to poke ~ at* s. lustig machen über, zum besten haben; *is great* (od *good*) *~* ist sehr vergnüglich, amüsant

function ['fʌŋkʃən] Tätigkeit, Funktion; Zweck; *mst pl* Aufgaben; Feier, Veranstaltung; *math* Funktion; in Betrieb sein, funktionieren; **~ary** Beamter, (staatlicher) Funktionär

fund [fʌnd] Fonds; *fig* Schatz, Vorrat; *pl* Geldmittel; Staatspapiere; fundieren; **~amental** [-dəˈmentl] grundlegend, Grund-; **~amentals** *pl vb* Grundlage, -züge; **~less** mittellos

funer|al ['fjuːnərəl] Beerdigung, Bestattung, Begräbnis; Trauerzug; Trauer-; **~al pile** (od **pyre**) Scheiterhaufen; **~al urn** [əːn] Urne; **~eal** [fjuːˈniəriəl] trübselig, düster

fung|us ['fʌŋgəs], *pl* **~i** ['fʌndʒai] Pilz; **~oid** ['fʌŋgoid] pilzartig; **~ous** [-gəs] schwammig

funicular [fjuːˈnikjulə] Seil-; ~ *railway* Standseilbahn

funk [fʌŋk] *umg* Angst, Schiß (*blue ~* Mordsangst); Memme; Schiß haben (vor); s. drükken vor

funnel ['fʌnəl] Trichter; Schornstein

funn|y ['fʌni] lustig, komisch; seltsam; *~ily enough* [iˈnʌf] merkwürdigerweise; **~y-bone** [-boun] Musikantenknochen

fur [fəː] Pelz; Fell; *pl* Pelz-, Rauchwaren; ~ *and feather* Niederwild und Federwild; ♦ *to make the ~ fly* d. Fetzen fliegen lassen; ✿ Zungenbelag; ✿ Kesselstein; Pelz-; mit Pelz besetzen; Kesselstein bilden; von K. reinigen; **~red** [fəːd] 🗲 belegt; **~rier** ['fʌriə] Pelzhändler, Kürschner; **~riery** Kürschnerei; **~ry** ['fəːri] pelzig; Pelz-

furbish ['fəːbiʃ] aufpolieren (*a. fig*)

furious ['fjuəriəs] heftig; wütend; *at a ~ pace* in wildem Tempo; *fast and ~* sehr ausgelassen

furl [fəːl] (s.) zus.rollen, -klappen, -falten (lassen); **~long** ['fəːlɔŋ] Achtelmeile (220 yards = 201 m); **~lough** ['fəːlou] dienstlicher Urlaub (*bes mil*)

furnace ['fəːnis] ✿ (Brenn-, Schmelz-)Ofen; (*blast ~*) Hochofen; Heizkessel

furn|ish ['fəːniʃ] ausstatten, einrichten; möblieren; liefern, versorgen; **~shings** Einrichtung(sgegenstände); **~ture** ['fəːnitʃə] Einrichtung, Möbel; *piece of ~ture* ein Möbel(stück); ⊓ (Format-)Stege

furore [fjuəˈrɔːri], *US* **furor** ['fjurɔː] Furore (*to make a ~*); Verrücktheit; wilde Begeisterung

furr- *siehe* fur

furrow ['fʌrou] 🗲 *fig* Furche; Furchen machen, pflügen; *fig* furchen

furthe|r ['fəːðə] (*siehe* farther) **1.** weiter; entfernter; *till ~r notice* bis auf weiteres; *you may go ~r and fare worse* [wəːs] sei zufrieden mit dem, was du hast; *I'll see you ~r first* da geht eher die Welt unter; **2.** Weiter-, Fort-; **3.** *vt* för-

dern; **~rance** [-rəns] Förderung; **~rmore** [-ˈmɔː] darüber hinaus, überdies; **~rmost** [-moust] (am) weitest(en); **~st** [-ðist] = **~rmost**

furtive ['fəːtiv] verstohlen; heimlich; geheimnisvoll

fury ['fjuəri] Wut (*to fly into a ~* in W. geraten; *like ~* wie wild); Toben; Jähzorniger; Furie

furze [fəːz] Stechginster

fuse [fjuːz] 🗲 Sicherung; (*US* fuze) *mil* Zünder; ✿ (ver)schmelzen (*a. fig*); *BE* (Sicherung) durchbrennen; **~lage** ['fjuːzilidʒ] ✈ Rumpf(werk)

fus|ible ['fjuːzibl] schmelzbar; **~ilier** ['fjuːziˈliə] Füsilier; **~illade** [fjuːziˈleid] Gewehrfeuer, Salve; **~ion** ['fjuːʒən] Schmelzen, Verschmelzung (*a. fig*); *pol* Koalition; **~ion bomb** [bɔm] Wasserstoffbombe; **~ion reactor** [riˈæktə] Kernverschmelzungsreaktor, Fusionsreaktor

fuss [fʌs] **1.** Geschäftigkeit, Getue, Theater; *to make a great ~* viel Theater machen (*about s-th, over s-b* wegen); **2.** nervös werden (machen), (s.) aufregen, Theater machen; *~ about* nervös herumhantieren (an); *~ over* Theater machen um j-n; *stop ~ing!* sei nicht so nervös!; *don't ~!* mach kein Theater!; **~y** unruhig, nervös; umständlich, pedantisch; *to be ~y about (clothes, food etc)* sehr wählerisch sein mit; affektiert

fust|ian ['fʌstiən] Köperbarchent; bombastisches Gerede; leer, bombastisch; schäbig; **~y** ['fʌsti] muffig, moderig; *fig* verstaubt

futile ['fjuːtail] nutzlos, vergeblich; läppisch; **~ity** [-ˈtiliti] Nutzlosigkeit; Vergeblichkeit; Läppischkeit

futur|e ['fjuːtʃə] Zukunft; zukünftig; *pl* Termingeschäfte; **~e market** Terminmarkt; **~ity** [-ˈtjuəriti] Zukunft; zukünftiges Ereignis

fuze [fjuːz] *siehe* fuse

fuzz [fʌz] Flöckchen; Fäserchen; Fussel; **~y** fusselig, flockig; trüb; kraus

G

G [dʒiː] G (*a.* ♪); **G sharp** Gis; **G flat** Ges

gab [gæb] Geschwätz (*stop your ~*); *the gift of the ~* ein gutes Mundwerk; **~ble** schnattern (*a. fig*); **~ble out, over** 'runterrattern

gab|ardine ['gæbədiːn] Gabardine; **~erdine** ['gæbədiːn] Kaftan

gable [geibl] Giebel; **~d** ['geibld] mit Giebel, giebelig

gad [gæd] herumstreifen, -streichen; wuchern; **~-about** Herumstreicher; **~-fly** [-flai] *zool* Bremse; Störenfried

gadget ['gædʒit] (neumodischer) Apparat, Raffinesse, Ding mit Pfiff

gaff [gæf] Fischhaken; 🗲 Gaffel; *sl* Bumstheater; *to blow the ~* alles verraten

gaffe [gæf] Schnitzer, Fauxpas

gag [gæg] Knebel; ▼, 🎭 Improvisation, Einfall; ▼, 🎭 Gag; knebeln; improvisieren

gage [geidʒ] Pfand; Fehdehandschuh (*to throw the ~*); Reineclaude; *siehe* gauge

gai|ety ['geiəti] Fröhlichkeit; *pl* Lustbarkeiten; ~**ly** ['geili] *siehe* gay

gain [gein] **1.** erwerben, erlangen, gewinnen; erreichen; **2.** ~ (*in weight* [weit]) zunehmen; (Uhr) vorgehen; ~ *on* näherkommen; entrinnen; s. ausbreiten auf Kosten von; ~ *over* für s. gewinnen; **3.** Zunahme; Gewinn; Vorteil; *pl* Erwerb, Einkünfte; ~**ful** einträglich, gewinnbringend; ~**ings** Gewinne, Einkünfte; ~**say** [gein'sei] (*s. S. 318*)bestreiten; widersprechen

gait [geit] Gang(art), Haltung; Gang(art) d. Pferdes; ~**er** Gamasche

gal [gæl] Gör, Puppe, Mädchen

gala ['gɑːlə, *bes US* 'geilə] Fest, Galaveranstaltung; festlich, Gala-; ~**xy** ['gæləksi] Milchstraße; glänzende Versammlung, erlesener Stab (v. Wisschenschaftlern etc); *fig* strahlende Schar

gale [geil] Sturm(wind); *fig* Sturm

gall [gɔːl] Galle (*a. fig; siehe* bile); *fig* Galle, Bitterkeit, Haß; wundgeriebene Stelle, Schwellung; wund reiben; quälen, ärgern; ~-**bladder** [-blædə] Gallenblase; ~-**nut** *(a. ~)* [-nʌt] Gallapfel; ~-**stone** [-stoun] Gallenstein

gall|ant ['gælənt] stattlich; tapfer; Kavalier; ~**antry** Tapferkeit; Ritterlichkeit; Galanterie; Affäre; ~**ery** ['gæləri] Galerie; Korridor; ✝ 3. Rang, Galerie ♦ *to play to the ~ery* nach d. Beifall der Menge haschen; Empore; ✿ Stollen; ~**ey** ['gæli] ⚓ Galeere; ⚓ Kombüse; ▥ (Setz-)Schiff; Fahne; ~**ey-proof** [-ipruːf] ▥ Bürstenabzug, Fahne(nabzug)

Gallic ['gælik] gallisch; (typisch) französisch

gall|ivant [gæli'vænt] s. umhertreiben; ~**on** ['gælən] Gallone (*BE* = 4,5 l; *US* = 3,8 l); ~**op** ['gæləp] Galopp (*to go for a ~op* einen G.ritt machen); galoppieren (lassen) *(a. fig)*; ~**ows** ['gælouz], *sg vb* Galgen (*a ~ows was erected*); ~**ows-bird** ['gælouzbəːd] Galgenvogel

gal|ore [gə'lɔː] in Menge(n); ~**osh** [gə'lɔʃ] Über-, Gummischuh

galvan|ic [gæl'vænik] galvanisch; *fig* elektrisierend; ~**ism** [-vənizm] Galvanismus; ~**ize** [-vənaiz] galvanisieren; *fig* elektrisieren; ~ *ize into action* in Schwung bringen

gam|bit ['gæmbit] (Schach) Gambit; *fig* Eröffnungsmanöver, Schachzug; ~**ble** ['gæmbl] um Geld (Einsatz) spielen; spekulieren; ~*ble away* verspielen; (Glücks-)Spiel; ~**bler** Spieler; Spekulant; ~**bol** [gæmbl] herumtollen, -hüpfen; ~**bols** Luftsprünge, Tollen

gam|e [geim] **1.** *bes* 🐾 Spiel; *to play a good (poor) ~e* gut (schlecht) spielen; *to play the ~e* fair spielen; *to be on (off) one's ~e* (nicht) in Form sein; **2.** Spielgerät; **3.** Scherz, Spaß; *to make ~e of* s. lustig machen über, j-n zum besten haben; **4.** Kniff, Schlich; *none of your little ~es!* hör auf mit deinen Tricks!; *the ~e is up (fig)* d. Spiel ist aus; **5.** Wild (*big ~e* Groß-; *fair ~e* jagdbares W.); *to fly at higher ~e* höher hinaus wollen; **6.** *adj* tapfer, furchtlos; bereit; lahm; **7.** spielen (~ = gamble); ~**e-bag** [-bæg] Jagdtasche; ~**e-cock** [-kɔk] Kampfhahn; ~**e-keeper** [-kiːpə] Wildhüter; ~**e-laws** Jagdge-

setze; ~**e-licence** [-laisəns] Jagdschein; ~**ester** [-stə] Spieler; ~**ing** Spielen; Spiel-

gammon ['gæmən] Räucherschinken; Speck; Betrug; beschwindeln, foppen

gamp [gæmp] *BE* (alter) Regenschirm

gamut ['gæmət] Stimm-, Tonumfang; *fig* Bereich, Skala

gander ['gændə] Gänserich; *sl* Blick

gang [gæŋ] Gruppe (v. Arbeitern); Rotte; Bande; ~ *up* s. zus.rotten (*on* gegen); ~**lion** ['gæŋliən], *pl* ~**lia**, ~**lions** Nervenknoten; *fig* Zentrum; ~**ling** ['gæŋgliŋ] spindeldürr, schlaksig; ~-**plank** ⚓ Laufsteg, -planke; ~-**rene** ['gæŋgriːn] Gangrän, Brand; ~**renous** ['gæŋgrinəs] brandig; ~**ster** ['gæŋstə] Verbrecher, Gangster; ~**ue** ['gæŋ] ✿ Gangart (Erz); ~**way** Korridor; ⚓ = ~-plank; *BE* 🚢, 🚋 Gang

gannet ['gænit] *zool* Tölpel

gant|let ['gæntlit] *siehe* gauntlet; ~**ry** ['gæntri] ✿ Faßgestell; Gerüst

gaol [dʒeil] (*siehe* jail) *BE* Gefängnis; ins G. werfen; ~**er** Gefängniswärter

gap [gæp] Lücke; Kluft; Schlucht; Paß; ~**e** [geip] d. Mund aufsperren, gähnen; gaffen; klaffen; Gähnen (*the ~es* ständiges G.); gaffender Blick

garage ['gærɑːʒ, -ridʒ, *US* gə'rɑːʒ] Reparaturwerkstatt (mit Tankstelle); Garage; (Auto) einstellen

garb [gɑːb] Gewand, Tracht; *to ~ o. s.* sich kleiden; ~**age** [-idʒ] Müll, Abfall; Schund; ~**can** *US* Mülltonne; ~**truck** *US* Müll(abfuhr)wagen

garble [gɑːbl] zurechtstutzen, entstellen

garden [gɑːdn] Garten; im G. arbeiten; Gartenbau treiben; ~ *city* G.stadt; ~**er** ['gɑːdnə] Gärtner; ~**ia** [gɑːdiːniə] *bot* Gardenie; ~**ing** ['gɑːdniŋ] Gartenarbeit; Gärtnerei; ~ *party* Gartenfest

gargantuan [gɑː'gæntjuən] riesig, ungeheuer

gargle [gɑːgl] gurgeln; Gurgelwasser

gargoyle ['gɑːgɔil] Wasserspeier

garish ['gɛəriʃ] grell, auffallend

garland ['gɑːlənd] (Blumen-)Kranz; Girlande; bekränzen; mit Girlanden schmücken

garlic ['gɑːlik] Knoblauch; ~**ky** knoblauchartig

garment ['gɑːmənt] Kleidungsstück

garn|er ['gɑːnə] (Korn-)Speicher; (auf)speichern; sammeln; erlangen; ~**et** [-nit] Granat; ~**ish** [-niʃ] garnieren; Garnierung, Verzierung

garr|et ['gærət] Dachkammer ♦ *to be wrong in the ~et* e-n Dachschaden haben; ~**ison** [-risn] Garnison; mit e-r G. belegen; in G. legen; ~**ulous** [-rələs] schwatzhaft; ~**ulity** [-'ruːliti] Schwatzhaftigkeit

garter ['gɑːtə] Strumpfband; *US* Strumpf-, Sockenhalter; *Order of the G~* Hosenbandorden

gas [gæs] Gas; *US* Benzin; *to step on the ~* Gas geben; *fig sl* leeres Gerede; ~, ~**sed** vergiften; vergasen; schwatzen; ~-**bag** [-bæg] ✝ Gaszelle; Schwätzer; ~-**cooker** [-kukə]

Gaskocher; ~**-engine** [´-endʒin] Gasmotor; ~**eous** [´gæsiəs] gasförmig; ~**fire** [´-faiə] Gasofen; ~**-fitter** Installateur; ~**-mask** [´-mɑːsk] Gasmaske; ~**-meter** [´-miːtə] Gasuhr, -zähler; ~**oline** [´gæsəliːn] US 🚗 Benzin; ~**ometer** [gæ´sɔmitə] BE Gasometer, Gasbehälter; ~**-range** [´-reindʒ] Gasherd; ~**ring** Gaskocher; ~**sed** [gæst] gasvergiftet; ~**sy** gasförmig; Gas-; geschwätzig; ~ **station** US Tankstelle; ~ **tank** US = ~ometer; ~**-works** [´-wəːks] sg vb Gaswerk

gash [gæʃ] klaffende Wunde, Riß; (auf)schlitzen

gasket [´gæskit] Dichtung(sring)

gasp [gɑːsp] (nach Luft) schnappen; ~ **out** hervorkeuchen; Keuchen, Ringen nach Atem; *at one's (the) last* ~ in den letzten Zügen; ~**er** [´-ə] BE Glimmstengel

gastr|ic [´gæstrik] Magen-, gastrisch; ~**itis** [-´traitis] Magenentzündung; ~**onome** [´-trənoum] Feinschmecker; ~**onomy** [-´trɔnəmi] Feinschmeckerei; feine Kochkunst

gate [geit] Tor, Pforte; Sperre, Schranke; 🐾 Besucherzahl; 🐾 Eintrittsgeld; ~**-crasher** [´-kræʃə] umg ungebetener Gast; ~**-leg(ged)** [´-leg(d)] **table** Klapptisch; ~**man**, pl ~**men** 🐾 Schrankenwärter; ~**-money** 🐾 Eintrittsgeld; ~**way** Torweg; Einfahrt; fig Weg

gather [´gæðə] (sich) (an)sammeln; pflücken, auflesen; erlangen (~ *strength* stärker werden, ~ *volume* größer w.); ~ *speed* (od *way*) an Geschwindigkeit zunehmen; ~ *o. s. together* s. zus.nehmen; ~ *up* hochnehmen, auflesen; schließen, folgern; (Nähen:) einhalten, krausen; 🩹 reifen, eitern; ~**ing** [´-riŋ] Zus.kunft; Versammlung; Eiterstelle, Furunkel

gaud [gɔːd] Flitter, Tand; ~**y** prunkhaft, protzig; überladen

gauge (*US a. gage*) [geidʒ] ⚙ Lehre, Normalmaß; Dicke, Stärke (Draht, Blech); 🚂 Spurweite; Meßgerät; (Strumpf) gg-Zahl; eichen; messen; *to (take the)* ~ *(of)* fig abschätzen

gaunt [gɔːnt] hager, dünn; kahl, öde; ~**let** [´-lit] Stulpenhandschuh; fig Fehdehandschuh; ~**let** (*US* gantlet): *to run the* ~**let** Spießruten laufen *(a. fig)*

gauz|e [gɔːz] Gaze; Flor; ~**y** gazeartig

gave [geiv] *siehe* give

gavel [gævl] Hammer (für e-n Präsidenten, Auktionator)

gavotte [gə´vɔt] Gavotte

gawky [´gɔːki] schlaksig, tölpelhaft

gay [gei] ~*er*, ~*est*, *gaily* fröhlich, heiter; bunt *(a. = sittenlos)*; homo; ~**ety** *siehe* gaiety

gaze [geiz] (fester) Blick; starren *(at, on)*; schauen; ~**r** [´geizə] Gaffer

gazelle [gə´zel] Gazelle

gazette [gə´zet] amtl. Zeitung, Amtsblatt; ~**er** [gæzi´tiə] Orts-, geograph. Namensverzeichnis (Lexikon)

gear [giə] 1. Getriebe(rad); 2. 🚗 Gang; 3. Gerät, Zeug, Zubehör; *in (out of)* ~ (nicht) im Gang; *out of* ~ *(fig)* in Unordnung; *to put* (od

throw) *into* ~ ein...; *to throw out o...* *(a. fig); to throw out o...* d. Gleichgewicht bringen...

✝ Fahrwerk; *steering* ~ 🔧 Ruc...nlag...; Lenkgetriebe; 4. in Betrieb setzen; ~ *up* (*down*) auf schnelleren (langsameren) Gang schalten; ~ *up* steigern; ~*ed* [giəd] *to* gerüstet für, ab-, eingestellt auf; ~**-box** Getriebe(gehäuse, -kasten); ~**case** = ~-box; ~**ring** [´giəriŋ] Triebwerk, (Zahnrad-)Getriebe; Übersetzung; ~**(shift) lever** [´liːvə] 🚗 Schalthebel; ~**rim** Zahnkranz; ~**-wheel** [´-wiːl] Getriebe, Zahnrad

gee [dʒiː] *su* Hottehü; *US* Kerl; ~ *-up!* [´--] hü!

geese [giːs] *siehe* goose

geezer [´giːzə] Mummel-, Tattergreis

Geiger [´gaigə] **counter** Geigerzähler

gelat|ine, ~**n** [´dʒelətin] Gelatine; Gallert; ~**nize** [dʒi´lætinaiz] gelieren (lassen); gelatinieren; ~**nous** [dʒi´lætinəs] gallertartig

gelding [´geldiŋ] Wallach

gem [dʒem] Edelstein; fig Glanzstück; (mit Edelsteinen) besetzen

Gemini [´dʒeminai] astr Zwillinge

gen [dʒen] BE Information; ~ *up* BE informieren; ~**der** [´-də] gram Geschlecht

gene [dʒiːn] Gen, Erbfaktor; ~**alogical** [-niə´lɔdʒikl] genealogisch; Stamm-; ~*alogical table* Ahnentafel; ~**alogist** [-ni´ælədʒist] Ahnen-, Sippenforscher; ~**alogy** [-ni´ælədʒi] Ahnenforschung; Abstammung

genera [´dʒenərə] *siehe* genus

general [´dʒenərəl] allgemein; Haupt-, General- (*G~ Assembly* Vollversammlung d. UNO); *as a* ~ *rule. in* ~ im allgemeinen; ~ *dealer* Krämer; ~ *practitioner* [præk´tiʃənə] praktischer Arzt; ~ *(servant)* Mädchen für alles; *su* General; ~**issimo**, pl ~issimos [---´lisimou] Generalissimus; ~**ity** [--´ræliti] allgemeine Feststellung; *the* ~*ity* d. Mehrzahl; Allgemeingültigkeit; ~**ization** [---lai´zeiʃən] Verallgemeinerung; verallgemeinernde Feststellung; ~**ize** [´---laiz] verallgemeinern; allgemein verbreiten; ~**ly** im allgemeinen, für gewöhnlich; weithin; allgemein

genera|te [´dʒenəreit] erzeugen *(a. fig)*; ~**tion** [--´reiʃən] Erzeugung; Generation; ~**tive** [´--rətiv] erzeugend; Zeugungs-; ~**tor** [´--reitə] Erzeuger; Generator; *bes US* 🚗 Lichtmaschine

generic [dʒe´nerik] Gattungs-; allgemein

gener|osity [dʒenə´rɔsiti] Großzügigkeit; Großmut; ~**ous** [´--rəs] großzügig, -mütig; reichlich; (Farbe, Wein) voll

genesis [´dʒenisis] Entstehung(sgeschichte); G~ Genesis, 1. Buch Mosis

genetic [dʒi´netik] genetisch, Vererbungs-; ~**ist** [-´-tisist] Genetiker, Vererbungswissenschaftler; ~**s** [-´-tiks] sg vb Genetik; genetische Eigenschaften

geni|al [´dʒiːniəl] freundlich; mild; wohltuend; ~**ality** [--´æliti] Freundlichkeit; Milde; Wärme; ~**e** [´dʒiːni], pl ~*i* [´dʒiːniai] (guter, böser) Geist; ~**tive** [´dʒenitiv] Genitiv; ~**us** [´dʒiːniəs], pl ~**uses** Genie (Begabung; begna-

...eist; pl ~i ['dʒiːniai]
...er) Geist (e-s Menschen)
...said] Gruppen-, Völkermord
gent [dʒent] feiner Mann; ~**eel** [-'tiːl] iron vornehm, fein; ~**eelism** gezierter Ausdruck; ~**ian** ['dʒenʃiən] Enzian; ~**ile** [-ail] Ungläubiger (je nach Sprecher: Nichtchrist, -jude, -moslem); ~**ility** iron. vornehmes Gebaren

gentle [dʒentl] sanft, milde; leise; (Familie) gut; ~-**folk** [-fouk] pl vornehme Leute; ~**man**, pl ~**men** Gentleman; Herr; (finanziell) gutgestellte Persönlichkeit; Herren-; ~**men!** meine Herren!; ~**woman** [-wumən], pl ~**women** [-wimin] (vornehme) Dame

gentry ['dʒentri] niederer Adel; feine Leute (a. iron.)

genu|flect [:dʒenjuflekt] d. Knie beugen; ~**flexion**, US ~**flection** [--'flekʃən] Kniebeugung; ~**ine** ['dʒenjuin] echt; ~**ineness** [--innis] Echtheit

gen|us ['dʒiːnəs], pl ~**era** ['dʒenərə] Gattung; Geschlecht

geograph|er [dʒi'ɔgrəfə] Geograph; ~**ic** [dʒiə'græfik] geographisch, mst ~**ical**; ~**y** [dʒi'ɔgrəfi] Geographie

geolog|ical [dʒiə'lɔdʒikl] geologisch; ~**ist** [dʒi'ɔlədʒist] Geologe; ~**y** [-'ɔlədʒi] Geologie

geometr|ic, bes BE ~**ical** [dʒiə'metrik(l)]; ~**y** [dʒi'ɔmitri] Geometrie

georgette [dʒɔː'dʒet] Georgette

geranium [dʒi'reinjəm], pl ~**s** Storchschnabel; Geranie

germ [dʒəːm] zool, bot, fig Keim; 🏥 Keim, Erreger; fig keimen; ~-**carrier** [-kæriə] Bazillenträger; ~ **warfare** [-wɔːfɛə] biologischer Krieg

German ['dʒəːmən] deutsch; Deutsch; Deutscher; ~ **measles** [miːzlz] Röteln; ~ **Ocean** [ouʃn] Nordsee; ~ **text** 🕮 Fraktur; ~**ic** [-'mænik] germanisch; ~**y** [-ni] Deutschland

germ|ane [dʒəː'mein] erheblich, wichtig (to für); ~**icide** [-misaid] keimtötendes Mittel; ~**inate** [-mineit] keimen (lassen), sprossen

gerund ['dʒerənd] gram Gerundium

gest|iculate [dʒes'tikjuleit] Gebärden machen, gestikulieren; ~**iculation** [---'leiʃən] Gebärdenspiel, Gestikulation; ~**ure** ['dʒestʃə] Bewegung, Gebärde, Geste (a. fig)

get [get] (s. S. 318) 1. bekommen (a. 🏥), erwerben; ~ a living s. seinen Lebensunterhalt verdienen; 2. holen, (s.) besorgen; 3. verstehen; 4. gelangen; 5. etwas (irgendwohin) bringen; ~ somewhere (nowhere) etwas (nichts) erreichen; ~ there etwas leisten, es zu etwas bringen; 6. (mit adj) werden; 7. (mit su u. adj) machen; ~ going in Gang bringen; ~ done with etwas fertig machen; ~ s-th broken s. etwas brechen; 8. (mit Objekt u. Infinitiv) (veran)lassen (zu tun), j-n kriegen, der . . . tut; 9. (mit Inf.) dahinkommen, daß; ~ to be werden; ~ to know erfahren, kennenlernen; to have got = to have; to have got to = to have to, must; 10. (mit ppr) anfangen; ~ going losgehen ♦ I've got you there! fig jetzt hab' ich dich (aber drangekriegt)!; 11. (mit adv, prep) ~ **about** herumkommen, -fahren; sich verbreiten; wieder auf d. Beinen sein; ~ **above** o.s. überheblich sein; ~ **abroad** s. verbreiten; ~ **across** hinübergelangen, -bringen; fig etwas anbringen, verkaufen; klarmachen; ~ **ahead** of (s-b) (j-n) hinter sich lassen; ~ **along** auskommen (without ohne); Fortschritte machen; (miteinander) auskommen; ~ along with you! mach, daß du wegkommst!, so'n Quatsch!; ~ **around** to (doing) dazu kommen (zu tun); ~ **at** 'rankommen an; begreifen, herausfinden; bestechen; ~ **away** entkommen, s. ungestraft davonmachen (with mit); losmachen; ~ **back** zurück(be)kommen, -bringen; ~ one's own back on s-b j-m etwas heimzahlen; ~ **by** vorbeigehen; ~ **down** ab-, hinuntersteigen; j-n fertigmachen; etwas aufschreiben; (Essen) 'runterkriegen; ~ **home** nach Hause kommen, schaffen; fig landen, zünden; ~ **in** hineingelangen; hinein-, ankommen; gewählt werden; einsammeln, ernten; ~ **into** hineinkommen; geraten (into a rage); ~ into s-b's head j-m zu Kopf steigen; ~ it into one's head s. in d. Kopf setzen, s. einbilden; ~ into the way of doing it 'rauskriegen, wie man's macht; ~ **off** aus-, absteigen; weggehen von; losgehen, -bringen; ~ off to sleep einschlafen, zum Einschlafen bringen; davonkommen (with mit); j-n weg-, losschicken; loskriegen; j-n straffrei ausgehen lassen; ~ **on** auf-, einsteigen; Fortschritte machen; vorankommen; s. erholen; auskommen (with mit); voranmachen (with mit); to be ~ting on for (six o'clock, 70 years) auf . . . gehen; to be ~ting on in years alt werden; etwas anziehen; j-n weiterbringen; ~ **on to** kapieren; ~ **out** hinausgelangen, herausholen; bekanntwerden; hervorbringen; ~ out of s-th entgehen, s. abgewöhnen; ~ s-th out of s-b etwas aus j-m herausholen; ~ **over** hinübergelangen; 🏥 überwinden; hinwegkommen über, verwinden; (Strecke) zurücklegen; etwas fertig machen; umg etwas anbringen, verkaufen, klarmachen; ~ **round** umgehen; j-n 'rumkriegen; ~ **through** (hin)durchkommen (to zu); fertig werden (with mit); (Geld) verbrauchen; ~ **to** herangehen an, anpacken; ~ **together** zus.kommen, -bringen; ~ **under** unter Kontrolle bringen; ~ **up** aufstehen; (Wind) auffrischen; (Gebiet) lernen, durcharbeiten; 🎭 inszenieren; (Geschwindigkeit) steigern; (äußerlich) herrichten, aufmachen, ausstatten; ~ **up** to gelangen bis, einholen; ~-**at-able** umg erreichbar; ~-**away** Entkommen (to make one's ~-away entkommen); ~-**together** (zwangloses) Treffen, Zus.kunft; ~-**up** Aufmachung, Ausstattung

gewgaw ['gjuːgɔː] Tand, Plunder, Kinkerlitzchen

geyser ['gaizə] Geiser; ~ ['giːzə] BE (Gas-)Badeofen

ghastly ['gɑːstli] gräßlich; geisterbleich; miserabel

gherkin ['gəːkin] Gewürzgurke, bes amerikanische Gurke, Angurie

ghetto ['getou], pl ~**s** Ghetto

ghost [goust] Gespenst, Geist; *eccl* Geist; *fig* Schatten, Spur ♦ *just a ~ walking over my grave* nur so'n Schauer über meinen Rücken; 🏳 *the ~ walks* die Gagen werden ausbezahlt; *vt* = ~-write; ~ly geisterhaft; geistlich; ~ **writer** Ghostwriter; ~-**write** für j-n anders verfassen; ~-**written,** ~ed von einem Ghostwriter verfaßt

ghoul [gu:l] leichenschänderischer Geist; grauenhaft-perverse Person; ~ish leichenschänderisch; pervers

giant ['dʒaiənt] Riese; Genie; riesig

gibber ['dʒibə] (Affe) kreischen, schnattern *(a. fig)*; ~ish ['gibəriʃ, 'dʒi-] Geschnatter, Kauderwelsch

gibbet ['dʒibit] Galgen; aufknüpfen; an den Pranger stellen

gibbon ['gibən] Gibbon(affe)

gibe [dʒaib] verhöhnen, verspotten; ~ *at* = ~; Stichelei, höhnisches Wort (Blick)

giblets ['dʒiblits] Geflügelinnereien

giddy ['gidi] schwindlig; leichtfertig, oberflächlich

gift [gift] Geschenk; Gabe, Begabung; *not as a ~* nicht geschenkt; *is in his ~* hat er zu vergeben; *by (free) ~* als Geschenk; ~ed ausgestattet, begabt

gig [gig] Gig (Einspänner; Ruderboot)

gigantic [dʒai'gær.tik] riesig

giggle [gigl] kichern; Kichern

gigolo ['dʒigəlou], *pl* ~s Eintänzer, Gigolo

gild [gild] *(s. S. 318)* vergolden *(a. fig)*; verschönen; ~ *the pill* d. Pille versüßen; ~ed youth [ju:θ] Jeunesse dorée; ~ing Vergoldung; *siehe* gilt; *siehe* guild

gill [gil] Kieme; (Pilz)Lamelle; *BE* Waldschlucht; ~ [dʒil] ein Viertelpint (*BE* = 0,14 l, *US* = 0,12 l)

gillyflower ['dʒiliflauə] Levkoje

gilt [gilt] vergoldet; Vergoldung; ~-**edged** [⌐edʒd] erstklassig, mündelsicher; ~ **edges** Goldschnitt; ~ **top** Goldoberschnitt

gim|crack ['dʒimkræk] protzig, flitterhaft; Tand, Kinkerlitzchen; ~**let** ['gimlit] Nagel-, Vorbohrer; Gin-Cocktail

gin [dʒin] (Wacholderbeer-)Schnaps; ✿ Egreniermaschine; ✿ Hebezeug; Falle; egrenieren; fangen

ginger ['dʒindʒə] Ingwer; Schwung, Mumm; rotblond(es Haar); ~ *up* auf Schwung bringen, aufmöbeln; ~ **ale** [⌐⌐r'eil], ~ **beer** [⌐⌐'biə] Ingwerlimonade; ~**bread** [⌐⌐bred] Pfefferkuchen; ~ly [⌐⌐li] zimperlich; behutsam; ~**nut** *BE*, ~**snap** Pfeffernuß, Ingwerkeks

gingham ['giŋəm] Gingan(g), Gingham

gingiva [dʒin'dʒaivə] Zahnfleisch

ginseng ['dʒinseŋ] Ginseng(wurzel)

gipsy *BE*, gy- ['dʒipsi] Zigeuner

giraffe [dʒi'ra:f, *US* ⌐'ræf] Giraffe

gird [gə:d] *(s. S. 318)* gürten *(on* um-); umschließen; ~**er** ✿ Träger; ~**le** Gürtel *(a. fig)*; Hüftgürtel; umgeben

girl [gə:l] Mädchen *(a.* Dienst-); Tochter; Angestellte; ~ *in her teens* Backfisch; ~ **friend**

[⌐'frend] Freundin, Geliebte; ~ **guide** [⌐'gaid] *BE* Pfadfinderin; ~**hood** [⌐hud] Mädchenjahre, -zeit; ~**ish** Mädchen-, mädchenhaft; ~ **scout** [⌐'skaut] *US* = ~ guide

giro ['dʒairou] *BE* Postscheck(dienst)

gir|t [gə:t] *siehe* gird; ~**th** [gə:θ] (Sattel-)Gurt; *fig* Umfang

gist [dʒist] Hauptpunkt, Kern (e-r Sache)

give [giv] *(s. S. 318)* **1.** geben, schenken; (be-)zahlen; **2.** *iron.* j-n beglücken mit, 💲 anstecken mit; verursachen; ~ *o.s. (an hour etc)* s. (e-e Stunde) Zeit lassen; weichen; **3.** *konkr* nachgeben; **4.** *(~ mit Substantiven, die zugleich auch Verben sind, hat die Bedeutung des betr. Verbs; ~ a laugh* = to l., *~ a sigh* = to s., *~ a push* = to p. etc); **5.** ~ **away** her-, verschenken; verraten, bloßstellen; ver-, austeilen; *~ away the bride* Brautvater sein; ~ **back** zurückgeben; ~ **forth** bekanntmachen; ~ **in** nachgeben *(to s-b* j-m); einreichen; ~ **off** abgeben, ausströmen; (Tag) freigeben; ~ **on** = ~ upon; ~ **out** zu Ende gehen, müde werden; verteilen; bekanntmachen; abgeben, ausströmen; -strahlen; ~ *o.s. out to be* (od *as, for*) s. ausgeben als; ~ **over** aufhören; übergeben; j-n aufgeben; *~ over doing* es aufgeben, -hören (zu tun); ~ **up** aufgeben *(to* für), übergeben (to j-m); *~ up doing* aufhören (zu tun); ~ *o.s. up,* s. stellen; ~ **upon** gehen auf, führen auf; ~ **way** nachgeben, reißen, brechen; weichen; (Preis) fallen; **6.** *su* Elastizität; ~-**and-take** ['givən'teik] gegenseitige Konzessionen, Kompromiß(bereitschaft); ~**n** gegeben *(a.* = ausgefertigt); bestimmt; ~*n to doing* eingestellt, veranlagt (zu tun), ergeben; ~*n name (bes US)* Vorname; *(am Anfang e-s Satzes, Satzteils)* unter der Voraussetzung, ... vorausgesetzt; ~**r** ['givə] Geber, Spender; Aussteller (e-s Wechsels)

gizzard ['gizəd] *orn* Muskelmagen; *that sticks in his ~* das ist ihm zuwider

glaci|al ['gleiʃəl] Eis-, Gletscher-; eiszeitlich; *fig* eisig; ~**er** ['glæsjə, *US* 'gleiʃə] Gletscher

glad [glæd] froh, erfreut; *to be* ~ sich freuen; erfreulich, froh; ~**den** erfreuen; ~**ly** s. gern; ~**ness** Freude, Fröhlichkeit

glade [gleid] Lichtung

gladiator ['glædiəitə] Gladiator

gladio|lus [glædi'ouləs], *pl* ~**luses,** ~**li** [⌐⌐⌐lai] Gladiole

glair [gleə] Eiweiß; mit E. bestreichen

glam|our ['glæmə] *fig* Zauber, zauberhafter Glanz; Reiz; ~**orous** ['glæmərəs] zauberhaft, bezaubernd; blendend

glance [gla:ns] **1.** e-n Blick werfen *(at* auf); (auf)blitzen; ~ *(aside, off)* abgleiten; **2.** *fig* hinweggehen *(over* über); abgleiten *(off, from* von e-m Thema); ~ *one's eye over* kurz durchsehen; ~ *through* flüchtig durchsehen; ~ *up* aufschauen; **3.** kurzer Blick *(to take a ~ at); at a ~* auf e-n Blick; **4.** Aufblitzen; Schlag; ✿ Glanz

gland [glænd] Drüse; ~**ers** [⌐əz] *sg vb* 💲 Rotz; ~**ular** [⌐djulə] drüsenartig; Drüsen-

glar|e [glɛə] grell scheinen, leuchten; wild blik-ken, starren (*at* auf); grelles Scheinen, Leuch-ten; wütender Blick, Starren; *US* spiegel-glatt(e Fläche); *US* Glatteis; ~**ing** [-riŋ] grell; auffallend; wild; *fig* grob, schreiend

glass [glɑːs] Glas; Spiegel; Fernglas; Barome-ter; Glasgeschirr; *pl* Brille, Feldstecher; glä-sern, Glas-; ver-, einglasen; (s.) spiegeln; ~**-blower** [-blouə] Glasbläser; ~**ful** ein Glas (Wein etc); ~**-house** [-haus], *pl* ~**-houses** [-hauziz] Glashütte; *bes BE* Treibhaus; ~**ware** [-wɛə] Glasgeschirr; ~ **wool** [-'wul] Glaswolle; ~**y** gläsern; glasig

glaz|e [gleiz] verglasen; glasieren; satinieren; glasig werden; Glasur(ware); *US* (= *BE* ~**ed** frost) Glatteis; ~**ier** ['gleiziə, *US* 'gleiʒə] Glaser

gleam [gliːm] Schimmer *(a. fig)*; Blinken; schimmern, aufleuchten, blinken

glean [gliːn] (Ähren) lesen (auf); *fig* zusam-mensuchen, sammeln; entnehmen; ~**er** Äh-renleser(in); ~**ings** Nachlese, Sammlung

glee [gliː] (triumphierende) Fröhlichkeit, Frohlocken; (mehrstim.) Lied; ~ **club** Ge-sangverein; ~**ful** fröhlich, froh

glen [glen] enges Tal, Schlucht

glib [glib] zungenfertig, gewandt, (Zunge) glatt

glid|e [glaid] **1.** *(~ed, ~ed)* gleiten (lassen); ✝ segeln; schlüpfen; **2.** Gleiten; Gleitschritt; ✝ Gleitflug; ~**er** Segelflugzeug; ~**ing** Segelflug, -fliegerei (~ *ing site* Segelfluggelände)

glimmer ['glimə] Schimmer; schimmern

glimpse [glimps] kurzer Blick; *to get (catch, have)* a ~ *of* flüchtig zu sehen bekommen, e-n Blick erhaschen von; *vt* = to get a ~ of

glint [glint] aufblitzen, glitzern; Glanz

glisten [glisn] glitzern, glänzen

glitter ['glitə] funkeln, glänzen; Funkeln, Glanz; ~**ing** [-riŋ] glänzend; verlockend

gloaming ['gloumiŋ] Zwielicht, Dämmerung

gloat [glout] s. weiden, hämisch freuen (*over, upon* an); ~**ingly** schadenfroh

glob|al ['gloubəl] kugelförmig; weltumfas-send, global; ~**e** [gloub] Kugel; *the* ~*e* d. Erde; Globus; ~**e-trotter** [-trɔtə] Weltenbummler; ~**ular** ['glɔbjulə] kugelförmig; ~**ule** ['glɔbjuːl] Kügelchen

glockenspiel ['glɔkənspiːl] Stab-, Glockenspiel (Orchester)

gloom [gluːm] Dunkel, Düsterkeit; düstere Stimmung, Trübsinn; ~**y** düster *(a. fig)*; trüb-sinnig, bedrückt

glori|fication [glɔːrifi'keiʃən] Verherrlichung; ~**fy** [-fai] preisen; verherrlichen; ~**ous** ['glɔːriəs] herrlich; ruhmvoll; ~**y** ['glɔːri] **1.** Ruhm; Pracht, Herrlichkeit; **2.** *eccl* Ehre, Se-ligkeit; *to go to* ~*y* in d. Ewigkeit eingehen; *to be in one's* ~*y* auf d. Höhepunkt, beglückt sein; **3.** Ruhmestat; **4.** ~*y in* frohlocken über, stolz sein auf

gloss [glɔs] **1.** Glanz; *fig* Schein; Glosse, Glos-sar; irreführende Bemerkung; ~ *over* glän-zend machen, glacieren, *fig* beschönigen; **2.** glossieren *(a. iron.)*, umdeuten; ~**ary** [-əri] Glossar; ~**y** glänzend, Glanz-

glott|al ['glɔtl] **stop** Knacklaut; ~**is** ['glɔtis] Stimmritze

glove [glʌv] (Faust-)Handschuh; *to fit like a* ~ wie angegossen passen ♦ *to be hand in* ~ *with* ein Herz u. e-e Seele sein mit; *to take off the* ~*s to s-b, to handle s-b without* ~*s* j-n ohne Hand-schuh (rücksichtslos) anpacken; *fig* Fehde-handschuh *(to throw down the* ~*)*

glow [glou] glühen *(a. fig; with* vor); gute Farbe haben; Glühen, Glut; Röte; *in a* ~ glü-hend; ~**ing** glühend *(a. fig)*; ~**-worm** [-wəːm] Glühwürmchen, Leuchtkäfer

glower ['glauə] *at* j-n anfunkeln, wütend anse-hen; wütender, düsterer Blick

glucose ['gluːkous] Traubenzucker

glu|e [gluː] Leim; *vt (~ing, ~ed)* leimen; kle-ben; *fig* pressen, heften; ~**ey** *(~ier, ~iest)* kleb-rig; leimartig

glum [glʌm] verdrossen, mürrisch

glut [glʌt] **1.** gänzlich stillen; ~ *o. s.* sich den Magen vollschlagen (überladen) (*with* mit); **2.** (Markt) überschwemmen, -sättigen; **3.** Über-angebot, Überfluß

glut|en ['gluːtən] Kleber; ~**inous** [-tinəs] kleb-rig

glutton ['glʌtən] Vielfraß *(a. zool)*; ~ *of books* Leseratte; ~ *for work* arbeitswütiger Mensch; ~**ous** [-əs] gefräßig; ~**y** [-ni] Gefräßigkeit; Unmäßigkeit

glycerin|e, *US* = ['glisərin] Glyzerin

G-man ['dʒiːmæn], *pl* **G-men** [-men] *US* FBI-Agent

gnarled [nɑːld] knorrig *(a. fig)*

gnash [næʃ]: ~ *the* (od *one's*) *teeth* [tiːθ] mit den Zähnen knirschen

gnat [næt] *bes BE* Stechmücke; *bes US* Zuck-, Kriebelmücke

gnaw [nɔː] *(s. S. 318)* (ab)nagen; *fig* zerfressen, bohren; ~**ing(s)** bohrender Schmerz

gnome [noum] Erdgeist, Gnom; ['noumi, *US* noum] Sinnspruch, Gnome

go[1] [gou] *(s. S. 318)* **1.** s. bewegen, fahren, ge-hen; ~ *for a walk (ride, swim)* spazierengehen (-reiten, -schwimmen); ~ *on a journey* ['dʒəːni] *(voyage* [vɔidʒ]*, trip)* eine Reise machen; ~ *far* es weit bringen; ~ *far towards* viel dazu bei-tragen; ~ *some (a great) way (to doing)* einiges (viel) dazu beitragen; ~ *in fear of one's life* ständig für sein Leben fürchten; **2.** *(mit ppr)* gehen *(~ fishing, hunting, swimming etc)*; ~ *shopping* einkaufen gehen; tätig sein, gehen, arbeiten; ~ *it!* streng dich an!; ~ *easy!* halb so wild!; weggehen; *I must be* ~*ing* ich muß (jetzt leider) gehen; **3.** vergehen, schwinden; *gone* [gɔn] dahin, vorbei *(dead and gone* tot u. beerdigt); *be gone!* fort mit dir!; *get you gone!* verschwinde!; ~*!* 🐾 Los!; *Here goes!* Auf gehts!; **4.** verstreichen; *only four minutes to* ~ nur noch 4 Min. Zeit; abgehen, verkauft wer-den; ~*ing!* ~*ing! gone!* zum ersten, zum zwei-ten, zum dritten! **5.** angenommen werden, kur-sieren; (Geld) hingehen *(on* für); **6.** reichen, gehen *(to, as far as* bis); **7.** gehören *(where does this book* ~ *?)*; **8.** *fig* ausgehen *(against s-b ge-*

gen j-n, *in favour of s-b* für j-n); 9. nachgeben, zus.brechen; ∮ durchbrennen; *he's far gone* er ist ganz übel dran (**∮**, Trunk); 10. (Geräusch) machen, (Uhr) schlagen; ~ *(one) better* um e-e Stufe besser liegen; 11. *(mit Infin.)* dahin tendieren (*im Dt.* = nur, *oder unübersetzt: it all goes to show that* zeigt nur, daß); *to be* ~*ing (to do)* (tun) werden; ~ *and* (zur Verstärkung): *don't* ~ *and (do)* (tu) bloß nicht; *as . . . go* wie . . . nun einmal sind, verglichen mit . . .; 12. ~ **about** (umher)gehen *fig* herumgehen; etwas anpacken, s. machen an; ~ **abroad** ins Ausland gehen; ruchbar werden; ~ **after** zu erlangen suchen, streben nach; ~ **against** gehen gegen, s. wenden gegen; gegen j-n entschieden werden; j-m zuwiderhandeln; ~ **ahead** losgehen, -machen; vorankommen; ~ **along** weitermachen, Fortschritte machen; ~ *along with* mitgehen mit; ~ *along with you!* (*fig*) geh fort!, geh zu!; so'n Quatsch!; ~ **at** losgehen auf; *to let it* ~ *at that* es dabei bewenden lassen; ~ **away** weggehen, abreisen; ~ *away with* weg-, mitnehmen, abhauen mit; ~ **back** zurückkehren; *fig* abnehmen, eingehen; zurückgehen (*to* auf); ~ *back on* nicht anerkennen, (Wort) brechen; j-n verraten; ~ **before** vorangehen, Vorrang haben vor; ~ **beyond** überschreiten; ~ **by** vorübergehen; s. leiten lassen von; ✿ ge-, betrieben werden von; fahren mit; ~ *by name* unter e-m Namen bekannt sein; ~ **down** *astr.* ⚓ sinken, untergehen; 'runtergehen; *fig* ankommen (*with* bei); *fig* eingehen (~ *down in history as a hero*); reichen bis; s. legen; (Preis) fallen; zus.brechen, besiegt werden (*to, before* von, durch); **∮** s. hinlegen (*with flu* mit Grippe); *BE* d. Universität verlassen, von d. Univ. abgehen; ~ **for** holen; losgehen auf; hinauslaufen auf; verkauft werden für; gelten als; ~ **forth** (hin)ausgehen; (Erlaß) ergehen; ~ **forward** *fig* vorangehen; ~ **in** hineingehen; *astr* sich bedecken, weggehen; ~ **in for** (Prüfung) machen; gern machen, als Hobby betreiben, s. widmen; ~ *in into dinner* zu Tisch gehen; ~ **into** eintreten; hineinpassen in; *math* aufgehen in; ~ *into business* in ein Unternehmen einsteigen, Kaufmann werden; ~ *into details* ins einzelne gehen; (Trauer) anlegen; gründlich prüfen, s. eingehend befassen mit; verfallen in; ~ **off** losgehen; ⚡ abgehen; *fig* aus-, losbrechen in, geraten in; schlechter werden; ab-, verlaufen; durchbrennen, abhauen; einschlafen, ohnmächtig werden; (Waren) abgehen, Absatz finden; ~ *off one's head* d. Kopf (Verstand) verlieren; ~ **on** weitermachen, fortfahren (~ *on doing* weiter tun); verstreichen; *he went on to say* und dann sagte er; vor sich gehen; sich anziehen lassen, passen; ⚡ auftreten; *umg* Theater machen, loslegen; *to be* ~*ing on for (70)* auf (d. 70) gehen; ~ *on (the parish etc)* unterstützt werden von; ~ **out** hinausgehen; (Feuer, *fig*) ausgehen; *pol* abtreten; aus d. Mode kommen; von zu Hause weg-, in Stellung gehen; auswandern, fahren (*to* nach); zu

Ende gehen; *fig* entgegenschlagen (*to s-b* j-m); streiken; ~ *out of (business, office)* aufgeben, zurücktreten von; ~ *out of one's mind* d. Verstand verlieren; ~ **over** gehen über (etwas); hinüberwechseln (*to* zu); prüfen (d. betrachten); etwas durchgehen; ~ *over big with (umg)* großen Anklang finden bei; ~ **round** (für jeden) reichen; e-n Umweg machen; besuchen (~ *round to the Smiths*); ~ **through** durchdringen; etwas durchgehen, durch-, mitmachen, erleiden; zu Ende kommen mit, ausgeben; 💷 (Auflage) erleben; ~ *through with* zu Ende führen; ~ **to** gehen auf *(12 inches ~ to 1 foot)*; dazu beitragen; an j-n fallen, j-m zufallen; ~ *to the bar* Rechtsanwalt werden; ~ *to the country* allgemeine Wahlen abhalten; ~ *to law* prozessieren; ~ *to pieces* zerbrechen (*a. fig*); ~ *to ruin* zugrunde gehen; ~ *to sea* in See gehen; Seemann werden; ~ *to seed* Samen ansetzen, *fig* geistig (körperlich) nachlassen; ~ *to sleep* einschlafen; ~ *to great trouble* s. viel Mühe machen; ~ **together** zus.gehen, -passen; ~ **under** untergehen; *fig* kaputtgehen; ~ **up** steigen, anziehen; explodieren, in d. Luft fliegen; aufgehen *(in flames)*; gebaut werden; *BE* auf d. Universität gehen; ~ *up (to a higher class)* versetzt werden; ~ **upon** gehen auf, etwas geben auf; ~ **with** *fig* mitgehen mit (zustimmen; harmonieren mit); passen zu; gehören zu; ~ **without** bleiben, auskommen ohne; *it goes without saying* es ist selbstverständlich, versteht sich am Rande; 12. *(mit adv)* verlaufen; gehen *(well, badly etc)*; *to make things* ~ d. Laden in Schwung bringen; 13. *(mit adj)* werden; ~ **bad** schlecht werden, verfaulen; ~ **dry** d. Alkohol verbieten; ~ **Tory** *(BE)* konservativ werden (wählen)

go² [gou], *pl* ~**es** 1. *umg* Schwung, Schmiß *(to be full of* ~*)*; *to be on the* ~ in Betrieb, auf den Beinen sein; 2. Versuch; *let's have a* ~ *at it* probieren (packen) wir's mal; *is it a* ~? abgemacht?; *here's a pretty* ~ d. ist e-e schöne Geschichte; *it's no* ~ es ist zwecklos; *it's all the* (od *quite the*) ~ d. ist jetzt große Mode; ~~**ahead** [≈əhed] unternehmend, schneidig; ~~**between** [≈bitwi:n] Mittelsmann, Vermittler; ~~**by** [≈bai]: *to give s-b (s-th) the* ~-*by* j-n (etw) unbeachtet lassen; ~~**cart** [≈kɑ:t] Laufgestell; Sportwagen (für Babys)

goad [goud] Stachelstock; *fig* Ansporn; an-, aufstacheln

goal [goul] ⚽ Mal, Tor; *fig* Ziel; ~~**keeper** [≈ki:pə] Torwart

goat [gout] Ziege; *astr* Steinbock; ~**ee** [~'ti:] Spitzbart; ~**skin** Ziegenleder

gobble [gɔbl] *(up)* (Essen) schlingen; (Truthahn) kollern; ~**dygook** [≈diguk] *US* geschwollener (Amts-)Stil, Jargon; ~**r** ['gɔblə] Truthahn

goblet [gɔblit] Weinglas; ~**lin** [≈lin] Kobold

God [gɔd] Gott; *the* ~*s* ⚡ d. Olymp; ~**'s acre** [≈'z'eikə] Gottesacker

god [gɔd] ein(e) Gott(heit); Götze; Abgott; ~**child** [≈tʃaild], *pl* ~**children** [≈tʃildrən] Paten-, Taufkind; **~dess** [ˈ-is] Göttin; **~father** [ˈ-faːðə] Pate; **~-fearing** [ˈ-fiəriŋ] gottesfürchtig; **~-forsaken** [ˈ-fəseikn] gottverlassen; **~head** [ˈ-hed] Göttlichkeit; Gottheit; **~less** gottlos, verbrecherisch; **~like** [ˈ-laik] göttlich, gottähnlich; **~ly** gottesfürchtig, fromm; **~mother** [ˈ-mʌðə] Patin; **~parent** [ˈ-pɛərənt] Pate, Patin; **~send** [ˈ-send] unverhoffter Glücksfall, Geschenk des Himmels; **~-speed** [ˈ-spiːd] Erfolg, Glück; *to wish s-b* ~*-speed* j-m gute Reise wünschen

go|det [ˈgoudei] Zwickel; **~down** [-ˈdaun] Lagerhaus

go|er [ˈgouə] Geher, Fußgänger; **~-getter** [ˈ-getə] Draufgänger; **~ing** [ˈ-iŋ] *adj* verfügbar, zu haben; *a ~ing concern* [kənˈsəːn] arbeitender Betrieb, gutgehendes Geschäft; üblich; *su* Gehen; Ab-, Weggang; Geschwindigkeit; Fortschritt; **~ings-on** [ˈ-iŋzˈɔn] Vorgänge, Treiben, Verhalten

goffer [ˈgɔfə] kräuseln, plissieren

goggle [ˈgɔgl] glotzen; (d. Augen) rollen; **~-eyed** [ˈgɔgl-aid] glotzäugig; **~s** *pl vb* Schutzbrille

goitr|e [ˈgɔitə] **§** Kropf; **~ous** [ˈ-trəs] Kropf-; mit e-m Kropf behaftet

gold [gould] Gold; golden; Gold-; ~ **brick** [ˈ-brik] Talmi; Tinnef; *US sl mil* Drückeberger; **~-digger** [ˈ-digə] Goldgräber; **~-finch** [ˈ-fintʃ] Stieglitz, Distelfink; **~-fish** [ˈ-fiʃ], *pl* ~-fish Goldfisch; **~-foil** [ˈ-fɔil], **~-leaf** [ˈ-liːf] Blattgold; **~-mine** [ˈ-main] Goldgrube *(a. fig)*; **~-rush** [ˈ-rʌʃ] Goldrausch; **~-smith** [ˈ-smiθ] Goldschmied; ~ **standard** [ˈ-stændəd] Goldwährung

golden [ˈgouldən] *fig* golden; *the* ~ *age* d. Goldene Zeitalter; ~ **mean** d. goldene Mitte(lweg); ~ **opinions** hohe Anerkennung; *the* ~ **rule** goldene Regel (Matth. 7,12)

golf [gɔlf] Golf (spielen); **~-club** [ˈ-klʌb] Golfschläger, -klub; **~er** Golfspieler; **~-links** [ˈ-liŋks] *sg vb* Golfplatz

Goliath [gəˈlaiəθ] Goliath, Riese

golliwog [ˈgɔliwɔg] häßliche Puppe; Popanz

golosh [gəˈlɔʃ] *siehe* galosh

gon|ad [ˈgɔnæd] Keimdrüse; **~dola** [ˈ-dələ], *pl* ~dolas **⚓**, **✝** Gondel; *US* offener Güterwagen

gone [gɔn, *bes US* gɔːn] *siehe* go¹ 〔gen

gong [gɔŋ] Gong

goo [guː] Schmiere; Kitsch

good [gud] **1.** gut *(at* in etwas); **2.** tüchtig *(about* in); *what is it* ~ *for?* wozu kann man es brauchen?; **3.** artig, anständig, höflich; **4.** freundlich *(of you* von Ihnen); ~ *for you!* Bravo!; ~ *fellow* guter Kamerad, freundlicher Mensch; **5.** (Essen) gut, frisch; **6.** (Geld) echt; **7.** ordentlich, gehörig; *to be in* ~ *time for* reichlich Zeit haben für; *to have a* ~ *mind (to do)* gute Lust haben; *as* ~ *as* praktisch; *to make* ~ Erfolg haben; sein Ziel erreichen, etwas wiedergutmachen, etwas beweisen, erhärten; **8.** fein *(it's* ~ *to see you);* a ~ *thing* ein glücklicher Umstand; *to have a* ~ *time* s. amüsieren; *to have a* ~ *night* gut schlafen, s. aus-

schlafen; ~ *cheer* gutes Essen, *to make* ~ *cheer* gut leben; *my* ~ *man (sir)* mein lieber Mann (Herr); *the* ~ *people* Feen; **9.** *su* Gutes; *to do* ~ Gutes tun, nützen, j-m guttun; *no* ~ zu nichts zu gebrauchen; *to come to no* ~ kein gutes Ende nehmen; *to be up to no* ~ nichts Gutes im Sinn (vor)haben; *what* ~ *is it?* was nützt es?; *it is no* ~ *(doing)* es hat keinen Zweck (zu tun); *for* ~ *(and all)* für immer; *to be £5 to the* ~ £5 plus machen; **10.** *the* ~ die Guten; **11.** *pl* Güter, Waren; ~*s and chattels* [ˈtʃætəlz] beweg. Eigentum; ~*s (BE)* **🏴** Güter-(Zug etc); ~*s agent (BE)* Bahnspediteur; **~-bye**, *US* **~-by** [ˈ-ˈbai] Auf Wiedersehen; **~-for-nothing** [ˈ-fənʌθiŋ] nichtsnutzig; Taugenichts; **~-humoured** [ˈ-ˈçuːməd] gutmütig; in guter Laune; **~-looking** [ˈ-ˈlukiŋ] gut aussehend, hübsch; **~ly** hübsch; angenehm; beträchtlich; **~-natured** [ˈ-ˈneitʃəd] gutmütig; hilfsbereit; **~ness** Güte; d. Gute (an e-r Sache); ~*ness me!* meine Güte!; *for* ~*ness' sake* um Gottes willen; *thank* ~*ness!* Gott sei Dank!; ~*ness knows* Gott weiß ..., weiß Gott; **~-tempered** [ˈ-ˈtempəd] ausgeglichen, ruhig; ~ **will** guter Wille; **~-will** [ˈ-ˈwil] Firmenwert; = ~ will; **~y** Bonbon; **~y(-~y)** selbstgerecht, scheinheilig

goof [guːf] *sl* Blödkopf; **~y** *sl* blöde

goon [guːn] gedungener Raufbold, Schläger (für Streiks etc); *fig* Rindvieh

goop [guːp] Flegel

goose [guːs], *pl* **geese** [giːs] Gans; dumme Gans; Gänsefleisch, -braten; *(pl* ~**s)** Bügeleisen ♦ *all his geese are swans* [swɔnz] er übertreibt alles; **~berry** [ˈguzbəri, *US* ˈguːsberi] Stachelbeere ♦ *to play* ~*berry* Anstandswauwau spielen; **~-flesh** [ˈ-fleʃ], **~-pimples** [ˈpimplz] Gänsehaut; **~-step** [ˈ-step] *mil* Stechschritt

gopher [ˈgoufə] Ziesel; Taschenratte

Gordian [ˈgɔːdiən]: *to cut the* ~ *knot* den gordischen Knoten durchschlagen

gore [gɔː] geronnenes Blut; (Nähen) Keil, Zwickel; aufspießen, durchbohren

gorge [gɔːdʒ] **1.** Schlucht; **2.** Kehle; *my* ~ *rises at* mir wird übel bei; *to make s-b's* ~ *rise* j-n ekeln; **3.** (ver)schlingen; **4.** (s.) vollstopfen; **~ous** [ˈ-dʒəs] herrlich, prächtig

gorilla [gəˈrilə], *pl* ~**s** Gorilla

gorse [gɔːs] Stechginster

gory [ˈgɔːri] blutig

gos|hawk [ˈgɔshɔːk] Hühnerhabicht; **~ling** [ˈgɔzliŋ] Gänschen, junge Gans

go-slow [ˈgouˈslou] **(strike)** Bummelstreik

gospel [ˈgɔspəl] Evangelium *(a. fig, iron.)*

gossamer [ˈgɔsəmə] leichte Gaze; Sommerfäden, Altweibersommer

gossip [ˈgɔsip] Unterhaltung, Plauderei; Geschwätz, Klatsch; Klatschbase; klatschen, schwatzen; ~ **column** [ˈkɔləm] Klatschspalte; ~ **writer** Schreiber von Klatschspalten

got [gɔt] *siehe* get; **~ten** [ˈgɔtn] *US* = got

Goth [gɔθ] Gote; *fig* Wandale; **~ic** gotisch, Goten-; **📖** *BE* Fraktur, *US* Grotesk; gotischer Stil, Gotik; d. Gotische

gouge [gaudʒ] Hohlmeißel; Nut; *US umg* Betrug; ausmeißeln, -schneiden, -graben; (Auge) auswischen; *US umg* betrügen

gourd [guəd] Flaschenkürbis, Lagenarie

gour|mand ['guəmənd] Schlemmer, Feinschmecker; ~**met** ['guəmei] Weinkenner; Feinschmecker

gout [gaut] Gicht; ~**y** gichtig; Gicht-

govern ['gʌvən] regieren *(a. gram)*; *fig* beherrschen; lenken, leiten, bestimmen *(to be ~ed* ['gʌvənd]) s. leiten lassen; ✿ regulieren; ~**ess** [~-nis] Privatlehrerin, Erzieherin; ~**ment** Regierung(sform); Herrschaft; Leitung; Staat; Staats-, Regierungs-; ~**mental** [--'mentəl] Regierungs-; ~**or** [~-nə] Herrscher; Gouverneur; *BE* Leiter (e-r Institution); *BE umg* d. Alte (Vater,Chef); (Anrede) Meister; ✿ (Ventil-, Fliehkraft-)Regler

gown [gaun] (Damen-)Kleid; Robe, Talar, Amtstracht

grab [græb] grapschen *(at* nach), packen; schneller Griff, Grapschen; *to make a ~ at s-th =* to ~; ~**ber** Habsüchtiger, Raffke

grace [greis] 1. Anmut; *with a good ~* willig; *with an ill (bad) ~* widerwillig; *to have the ~ (to do)* d. Anstand besitzen; *pl* Reize, angenehme Züge; 2. Gunst, Gnade *(an act of ~)*; 3. (Gnaden-, Zahlungs-)Frist; *days of ~* Respekttage; *to be in s-b's good ~s* bei j-m gut angeschrieben sein; 4. Tischgebet *(to say ~)*; 5. (in Titeln) Gnaden; 6. ♪ Verzierung; *the G~s* Grazien; 7. verschönern; 8. auszeichnen; ~**ful** anmutig, reizend; schön; ~**less** reizlos, unschön; verdorben

gracious ['greiʃəs] *(in Titeln, iron)* gnädig, huldvoll; *good~! ~ me! ~ goodness!* du liebe Zeit!, ach du meine Güte!

grad|ation [grə'deiʃən] Abstufung, Stufe; ~**e** [greid] 1. Stufe; Sorte, (Güte-)Klasse; 2. *US* (Schul-)Klasse; *pl US* Grundschule; 3. Note, Zensur; 4. Steigung, Neigung; *to make the ~* Erfolg haben, es schaffen; *at ~e (US)* schienengleich, niveaugleich; *on the up (down) ~e* im Steigen (Fallen) begriffen; 5. in (Güte-) Klassen einteilen, einstufen; sortieren; abstufen; 6. in e-e Klasse einweisen; 7. benoten, zensieren; ~**e crossing** *US* schienengleicher Übergang; ~**e school** *US* Grundschule; ~**e teacher** *US* Grundschullehrer; ~**er** ✿ Straßenhobel; ~**ient** ['greidiənt] Steigung, Neigung; ~**ual** ['grædjuəl] stufenweise, allmählich; ~**uate** ['grædjueit] sein Abschlußexamen an der Univ. machen, den B. A. machen; *US* die Abschlußprüfung machen *(from* an e-r Schule); *bes US* e-n Grad (Diplom etc) verleihen an; (ein)teilen; ~**uate** ['grædjuit] Akademiker, Absolvent e-r Univ., Hochschule; ~**uated** Meß-, Maß-; ~**uation** [grædju'eiʃən] Erwerb (Verleihung) des Titels B. A. (Doktortitels etc); *US* Schulschluß, Verleihungsfeier; Maßeinteilung, Skala; Teilstrich

graft [grɑːft] *bot* Pfropfen; ✿ Transplantation; Schiebung, Korruption; *BE* Schinderei;

pfropfen; ✿ transplantieren; durch Korruption bekommen; *BE* sich schinden

grain [grein] (Samen-, Sand-)Korn; Getreide; *fig* Spur, Bißchen ♦ *with a ~ of salt* mit Vorsicht, cum grano salis; Gran (= 0,05 g); Maserung, Faserung; Fadenlauf; *goes* (od *is) against the ~ with me* geht mir gegen den Strich; ~**ed** [~d] geadert, gemasert, marmoriert; grobkörnig

gram [græm] *siehe* gramme; ~**mar** [~-ə] Grammatik; ~*mar school*[~-əskuːl] *hist* Lateinschule; *BE* höhere Schule; *US* (etwa:) Realschule; ~**marian** [grə'meəriən] Grammatiker; ~**matical** [grə'mætikəl] grammatisch; ~**me**, ~ Gramm; ~**ophone** [~-əfoun] *bes US* Grammophon, Plattenspieler

grampus ['græmpəs] *pl* ~**es** *zool* Schwertwal, Butzkopf; *fig* Pruster

granary ['grænəri] (Korn-)Speicher

grand [grænd] großartig, prächtig; hochstehend; stolz; Haupt-; ♪ groß; *umg* herrlich, prächtig; ~**aunt** [~-ɑːnt] Großtante; ~**child** [~-tʃaild], *pl* ~**children** [~-tʃildrən] Enkelkind; **gran(d)-dad** [~-dæd] Großpapa; **G~ Duke** [~'djuːk] Großherzog; ~**daughter** [~-dɔːtə] Enkelin; ~**eur** ['grændjə, ~-dʒə] Großartigkeit, Erhabenheit; ~**father** [~-fɑːðə] Großvater; ~*father's clock (BE)* Standuhr; ~**iloquent** [græn'diləkwənt] schwülstig, hochtrabend; ~**iose** [~-dious] grandios, pomphaft; ~**ma** ['grænmɑː], ~**mamma** ['grænməmɑː] Großmutti, Oma; ~**mother** [~-mʌðə] Großmutter; ~**nephew** [~-nevju, *US* ~nefjuː] Großneffe; ~**niece** [~-niːs] Großnichte; ~**pa** ['grænpɑː], ~**papa** ['grænpəpɑː] Großpapa, Opa; ~**parent** [~-peərənt] Großelternteil; ~ **(piano)** [~-pi'ænou] Flügel; ~**son** [~-sʌn] Enkel; ~**stand** [~-stænd] ♜ überdachte Tribüne; ~ **total** [~-'toutəl] Gesamtsumme; ~**uncle** [~-ʌŋkl] Großonkel

grange [greindʒ] kleiner Gutshof; Landsitz

granite ['grænait] Granit

gran|ny, ~**nie** ['græni] (alte) Oma

grant [grɑːnt] 1. erfüllen, gewähren; 2. einräumen, zugeben, stattgeben *(an appeal* e-r Berufung); *to take for ~ed* als erwiesen ansehen, für selbstverständlich halten; ~**ing**, ~**ed** zugegeben; 3. Gewährung; 4. Zuweisung; 5. Zuschuß; ~**-in-aid**, *pl* ~**s-in-aid** Zuschuß

granul|ate ['grænjuleit] körnen, granulieren; ~**ated sugar** ['ʃugə] Kristallzucker; ~**e** ['grænjuːl] Körnchen

grape [greip] Weinbeere, -traube; *bunch of ~s* Traube; ~**fruit** [~-fruːt] Grapefruit; ~**(-shot)** Kartätsche; ~**sugar** [~-ʃugə] Traubenzucker; ~**vine** [~-vain] Rebe; Gerücht, Klatsch

graph [græf, grɑːf] graphische Darstellung, Diagramm, Kurve; ~**ic** ['græfik] graphisch; Schreib-; anschaulich; ~**ic artist** Gebrauchsgraphiker; ~**ic arts** Graphik; ~**ite** ['græfait] Graphit

grapnel ['græpnəl] Dreganker; Enterhaken;

grappl|e [græpl] packen, sich herumschlagen mit *(a. fig)*; ~**e**, ~**ing-iron** [~-liŋaiən] = grapnel

grasp [graːsp] 1. (fest) packen (~ *at* greifen, schnappen nach); 2. begreifen; 3. Griff; 4. Gewalt; 5. Reichweite; 6. Verstehen, Beherrschung; ~ing habgierig

grass [graːs] Gras; Rasen; Weide; ~hopper [-hɔpə] Grashüpfer; ~land [-lænd] Weideland; Grasland, Grünland; ~snake [-sneik] *BE* Ringelnatter; *US* Grasnatter; ~widow(er) [-'widou(ə)] Strohwitwe(r) ~y grasbedeckt

grate [greit] (Feuer-)Rost; reiben, raspeln; ~ upon *(fig)* verletzen, zuwider sein; vergittern; ~d Gitter-; ~r Reibeisen

grat|eful ['greitful] dankbar; wohltuend; ~ify ['grætifai] befriedigen, erfreuen; ~ification [grætifi'keiʃən] Befriedigung; Genugtuung; ~ing ['greitiŋ] schrill, unangenehm; Gitter; ~is ['greitis] umsonst; ~itude [-'grætitjuːd] Dankbarkeit; ~uitous [grə'tjuitəs] unentgeltlich, kostenlos; unverdient, grundlos; ~uity [grə'tjuiti] Trinkgeld, Anerkennung; *bes mil* Gratifikation, Prämie

grave[1] [greiv] Grab(mal); ernst; feierlich; (ge)wichtig; ~-digger [-digə] Totengräber *(a. fig)*; ~-yard [-jaːd] Friedhof

grave[2] [greiv] *(s. S. 318)* schnitzen; einprägen; ~n image ['imidʒ] Abbild

gravel ['grævəl] Kies; § Grieß; mit Kies bedekken; in Verlegenheit bringen

graving-dock ['greiviŋdɔk] ⚓ Trockendock

gravi|tate ['græviteit] (hin)streben *(to, towards* zu); ~tation [--'teiʃən] Schwerkraft; ~ty [--ti] Ernst; Schwere; Wichtigkeit; Schwerkraft; *centre of* ~ *ty* Schwerpunkt; *specific* ~ *ty* spezifisches Gewicht

gravy ['greivi] Fleischsaft; Bratensoße

gray [grei] *US* = grey; ~ling [-liŋ] *zool* Äsche, Äschling

graz|e [greiz] Schramme; weiden (lassen), grasen; ~e *(down)* abgrasen, -weiden; streifen, (ab)schürfen; ~ing-land [-ziŋlænd] Weideland; ~ier ['greizjə, -ʒə] Viehzüchter

greas|e [griːs] Fett, Schmiere; ~e [griːs, *bes US* griːz] fetten, (be)schmieren; ~ *e s-b's hand* (od *palm*) j-n schmieren; ~e-paint [-peint] Schminke; ~e-proof [-pruːf], ~e-tight [-tait] fett-, öldicht; ~y ['griːzi] fettig, schmierig; glitschig, glatt

great [greit] *bes fig* groß; *no* ~ *matter* nichts von Bedeutung; prima, herrlich; *(umg)* ~ *in* groß in, ~ *at* tüchtig in, ~ *on* interessiert an, beschlagen in; *a* ~ *deal* viel; *a* ~ *many* sehr viele; ~-coat [-kout] Überzieher; ~ly sehr; ~-grand- ['grænd] Urgroß-

grebe [griːb] *zool* Steißfuß

Grecian ['griːʃən] griechisch; Grieche

Gree|ce [griːs] Griechenland; ~k griechisch; Grieche; Griechisch ♦ *it's* ~ *k to me* d. sind für mich böhmische Dörfer

greed [griːd] Habsucht, Gier; ~y gefräßig; gierig *(for* nach); ~iness = ~

green [griːn] grün *(with* vor); unreif; unerfahren *(to* in); frisch, kräftig; Grün; Grasplatz, Anger, Rasen; Bowling-Rasen; *pl* Gemüse, grüne Zweige; ~back [-bæk] *US* Banknote;

~ery [-əri] Grün, Laubwerk; ~-eyed [-aid] *monster* Eifersucht; ~-finch [-fintʃ] Grünfink; ~fly [-flai] *BE* Blatt-, Röhrenläuse; ~gage [-geidʒ] Reineclaude; ~grocer [-grousə] Gemüsehändler; ~grocery *BE* Gemüse- und Obsthandel, Gemüse (u. Obst); ~horn [-hɔːn] Greenhorn, Grünschnabel; ~house [-haus], *pl* ~houses [-hauziz] Treib-, Gewächshaus; ~ish grünlich, grün-; ~ light Genehmigung, Erlaubnis; ~room [-rum] ♥ Künstlerzimmer; ~-sickness [-siknis] Bleichsucht; ~sward [-swɔːd] Rasen

greet [griːt] (be)grüßen *(a. fig)*; ~ing Gruß

gregarious [gri'gɛəriəs] gesellig *(zool, fig)*

gremlin ['gremlin] *bes* ✝ Kobold, Geist

grenad|e [gri'neid] (Hand-, Gewehr-)Granate; ~ier [grenə'diə] Grenadier

grew [gruː] *siehe* grow

grey, *US* **gray** [grei] grau; Grau; grau machen (werden); ~beard [-biəd] Graubart; ~hound [-haund] Greyhound (ein Windh.); ~hound-racing [-haundreisiŋ], *umg* ~cing [-siŋ] *BE* Windhundrennen; ~lag Graugans

grid [grid] ⚡, ⚏ Gitter; ⚡ Überlandnetz; (Karten-)Gitter, Netz; Raster; ~(iron) [-aiən] (Brat-)Rost; *US* 🏈 Spielfeld; ♥ Rollen-, Schnürboden

griddle ['gridl] Backblech, Drahtsieb; ~cake [-keik] Pfannkuchen

grie|f [griːf] Kummer, Gram; *to come to* ~ *f* zu Schaden kommen, scheitern; ~vance ['griːvəns] Beschwerde; Mißstand; ~ve [griːv] bekümmern, betrüben; traurig sein, s. grämen *(at, for, over* über); ~vous [-vəs] schmerzlich; schlimm; schwer

griffin, griffin ['grifin] Greif; ~on [-'grifən] Gänsegeier

grill [gril] (Brat-)Rost, Grill; gegrilltes Fleisch; ~(-room) [-rum] Grillroom; = grille; grillen, auf d. Rost braten; *fig* braten, rösten; e-m strengen Verhör unterziehen; ~e [gril] (Schutz)Gitter

grim [grim] bitter, unerbittlich; düster; grausig; ~ace [gri'meis] Grimasse; Grimassen schneiden

grimalkin [gri'mælkin] alte Katze (Hexe)

grim|e [graim] (fester) Schmutz; schmutzig, schwarz machen; ~y [-mi] schmutzig

grin [grin] grinsen; Grinsen; ~ *and bear it* ohne Murren ertragen

grind [graind] *(s. S. 318)* 1. (zer-, ver-)mahlen; zerreiben; 2. ⚙ schleifen, schärfen ♦ *has an axe to* ~ hat seinen eigenen Vorteil im Auge; 3. drehen; ~ *out* herunterleiern *(a. fig)*; 4. (Zähne) knirschen; (Hacken) bohren, knirschend auffahren *(on the rocks)*; 5. schinden, plagen; 6. *umg* büffeln, ochsen; ~ *s-th into s-b's head*, ~ *s-b in s-th* j-m etwas einpauken; 7. Schinderei; Streber; ~er Schleifer; (Orgel-)Dreher; Backenzahn; Mahlstein; Einpauker; ~stone [-stoun] Schleifstein ♦ *to hold, keep one's (s-b's) nose to the* ~ *stone* schuften wie ein Stier (j-n zu pausenloser Arbeit zwingen)

grip [grip] 1. packen, greifen; *fig* fesseln; 2. Griff; *to take a* ~ *on* fest packen; *to come to* ~*s with* handgemein werden, ringen mit *(a.*

fig); **3.** *US* Tasche, kl. Köfferchen; **4.** ✿ Griff, Klemme; **5.** Verständnis *(to have a good ~ of a problem)*; **6.** packende Gewalt *(to have a good ~ on* packen); **~e** [graip] Griff; Klage, Nörgelei; *pl* Bauchgrimmen; greifen; *US* ärgern; nörgeln; **~ping** fesselnd, packend; ✿ Spann-; **~sack** [⸚sæk] *US* Reisetasche, Köfferchen

grisly ['grizli] grausig, unheimlich

grist [grist] Mahlgut; gemahlenes Korn; ♦ *brings ~ to the mill* ist von Vorteil (e. Gewinn); *all is ~ (that comes) to his mill* er kann alles brauchen

gristl|e [grisl] Knorpel; **~y** knorpelig

grit [grit] Steinchen, Kies; Mumm; **~ty** kiesig, voll Steinchen

grizzl|ed ['grizld] grau(haarig); **~y (bear)** Grislybär

groan [groun] **1.** stöhnen, ächzen *(a.* von Dingen); *~ down* durch Murren zum Schweigen bringen; *~ out* unter Stöhnen berichten; **2.** Stöhnen; **3.** mißbilligendes Brummen, Murren

grocer ['grousə] Kolonialwarenhändler, *umg* Kaufmann; *(pl ~ri)* Lebensmittel-; *US* Lebensmittelgeschäft; *pl* Lebensmittel, Kolonialwaren

grog [grɔg] Grog; **~gy** betrunken; wacklig *(a. fig)*; groggy

groin [grɔin] 𝄞 Leiste; (Gewölbe-)Grat; *siehe* groyne; **~ed vault** Kreuzgewölbe

groom [gru:m, grum] Reitknecht; Bräutigam (am Hochzeitstag), Jungverheirateter; (Pferd) pflegen *(pp a.* von Pers.*)*; **~sman** [⸚zmən], *pl* **~smen** Brautführer, Trauzeuge

groov|e [gru:v] Rille, Fuge, Nut; rillen, (aus)kehlen; *fig* (altes) Geleise; **~y** [⸚vi] rillenartig; klasse

grope [group] tasten *(for* nach); *~ one's way* tastend den Weg suchen *(a. fig)*

grosbeak ['grousbi:k] Kernbeißer

gross [grous] grob; dick; *fig* schreiend; roh; Brutto-, Roh-; *su (pl ~)* Gros, 12 Dutzend; *in (the) ~* im ganzen, in Bausch u. Bogen, im großen; **~ly** gröblich

grot|esque [grou'tesk] grotesk(e Gestalt, Person, Tier etc); *the ~esque* Groteske; **~to** ['grɔtou], *pl* **~toes** Grotte

grouch [grautʃ] mißlaunig sein, nörgeln; Nörgelpeter; üble Laune; **~y** übellaunig

ground¹ [graund] *siehe* grind; *~ glass* Mattglas, ⌷ -scheibe

ground² [graund] **1.** Grund, Boden; *above ~* am Leben, *below ~ (fig)* unter d. Erde; *to hold (keep, stand) one's ~* s. behaupten; *to gain (give, lose) ~* Boden gewinnen (verlieren); *to cover much (etc) ~* e-e große Strecke zurücklegen, *fig* viel umfassen, weitreichend sein; *to fall to the ~* hinfallen, *fig* scheitern; *to cut the ~ from under s-b's feet (fig)* j-m d. Boden entziehen; *to touch ~* auf Grund geraten; *down to the ~ (umg)* hundertprozentig; **2.** Erde, Boden; *to break fresh ~* Neuland bearbeiten *(a. fig)*; **3.** (Jagd-)Gebiet, (Fisch-)Gründe, Platz; *pl* Gartengelände; *pl* (Boden-)Satz; **4.** Grund,

Ursache; **5.** Hinter-, Untergrund; 𝄞, ⏚ Erde; **6.** 🜨 auflaufen (lassen); 🛧 am Boden festhalten, am Fliegen hindern; 🛧 (Pilot) sperren; 𝄞, ⌷ erden; **7.** ✿ grundieren; **8.** j-m d. Grundlagen beibringen; **9.** (be)gründen, basieren; **~ crew** [kru:], **~ staff** [⸚sta:f] 🛧 Bodenpersonal; **~ floor** [⸚'flɔ:] *BE* Erdgeschoß; **~ing** gründliche Ausbildung; **~less** grundlos; **~(s)man** [⸚(z)mən], *pl* **~(s)men** (Sport-)Platzwart; **~nut** [⸚nʌt] Erdnuß; **~sel** ['graunsl] Kreuzkraut; **~swell** [⸚'swel] Dünung; **~work** [⸚wə:k] Fundament, Grundlage

group [gru:p] Gruppe; (s.) gruppieren

grouse [graus], *pl* **~** Waldhuhn; *(pl ~s)* Nörgel(ei); nörgeln, brutteln

grove [grouv] Hain, Wäldchen; **~l** [grɔvl, *bes US* grʌvl] am Boden liegen; *fig* kriechen *(at the feet of* vor)

grow [grou] *(s. S. 318)* **1.** (heran)wachsen *(into* zu); **2.** wachsen lassen, pflanzen, (an)bauen; *~ out of* herauswachsen aus, *fig* entwachsen, entstammen; *~ upon s-b* j-m vertraut, lieb werden; *~ up* aufwachsen, groß werden; **3.** *(mit adj, Infin.)* werden; **~er** (Obst- etc)Bauer; Züchter; (schnell)wachsende Pflanze

growl [graul] brummen, knurren; (Donner) rollen; **~er** Brummbär; *US sl* Bierkrug

grow|n [groun] *siehe* grow; *adj US* erwachsen; **~n-up** [⸚ʌp] erwachsen; Erwachsener; **~th** [grouθ], *pl* **~ths** Wachstum, Wuchs; Zunahme; Gewächs *(a.* 𝄞)

groyne, *US* **groin** [grɔin] 🜨 Buhne

grub [grʌb] **1.** graben, wühlen; jäten; schuften; futtern; **2.** Larve, Made, Raupe; Futter; **~by** schmutzig; madig

grudg|e [grʌdʒ] mißgönnen; ungern geben: *~e no pains* keine Mühe scheuen; Groll *(to have a ~e against s-b,* to bear, owe [ou] *s-b a ~e* Groll hegen gegen); **~ingly** [⸚iŋli] widerwillig, ungern

gruel [gruəl] Haferschleim ♦ *to have (od get) one's ~* gehörig eins aufs Dach kriegen; **~ling** *fig* vernichtend, entnervend, aufreibend

gruesome ['gru:səm] grausig, schauerlich

gruff [grʌf] rauh, grob; schroff, barsch

grumble [grʌmbl] murren *(at, over, about* über); (Donner) rollen, grollen; Nörgelei, Murren; Rollen, Grollen; **~r** Miesmacher

grumpy ['grʌmpi] mürrisch, mißmutig

grunt [grʌnt] grunzen; *fig* knurren

Gruyere ['gru:jɛə, *US* gru:'jɛə] **(cheese)** Schweizer Käse

guano ['gwa:nou] Guano

guaran|tee [gærən'ti:] **1.** Garantie (✿ *allg*); Bürgschaft; Bürge; Bürgschaftsgläubiger; Sicherheit, Kaution; **2.** *vi* (sich ver)bürgen; Sicherheit geben; gewährleisten, garantieren; **~tor** [⸚'tɔ:] ✿ Bürge; **~ty** [⸚ti] ✿ Garantie, Bürgschaft, Sicherheit, Kaution

guard [ga:d] **1.** Wache *(on ~* auf W.; *to keep ~)*; Wacht; *to be on (off) one's ~* (nicht) auf d. Hut sein; *to mount ~* auf Wache ziehen; *to relieve* [ri'li:v] *~* W. ablösen; **2.** *bes US* Gefängniswärter; **3.** *BE* Schaffner; **4.** *mil* (Vor-,

Nach-)Hut; **5.** ✿ Schutzvorrichtung, -blech; **6.** bewachen, schützen; ~ *against* s. hüten vor, Vorkehrungen treffen gegen, s. absichern gegen; **~ed** *adj* vorsichtig; **~-house** [⸗haus], *pl* **~-houses** [⸗hauziz] Wach-, Arrestlokal; **~ian** [⸗jən] Wächter; ⚓ Vormund; ~*ian (of the poor)* Armenpfleger; **~ian angel** ['eindʒəl] Schutzengel; **~ianship** Vormundschaft; **~-room** [⸗rum] = ~-house

gubernatorial [gjuːbənə'tɔːriəl] Gouverneurs-

gudgeon ['gʌdʒən] *zool* Gründling; *fig* Tropf; Köder; ✿ Bolzen, Zapfen

guerdon ['gɔːdən] Belohnung; belohnen

guerilla, guerrilla [gə'rilə], *pl* **~s** Guerilla, Partisan; ~ **war(fare)** Guerilla-, Partisanenkrieg

guess [ges] **1.** (ab)schätzen (*at* auf); ~ *at* schätzen; (er)raten; *US* glauben, meinen; **2.** Schätzung; Mutmaßung; *at a* ~, *by* ~ nach ungefährer Schätzung; *to make a good* ~ *at* gut schätzen, erraten; **~er** Rater; **~-work** [⸗wɔːk] Mutmaßung(en)

guest [gest] Gast (*paying* ~ Pensions-); **~-house** [⸗haus], *pl* **~-houses** [⸗hauziz] Pension; **~-room** [⸗rum] Gäste-, Fremdenzimmer

guffaw [gʌ'fɔː] (wieherndes) Gelächter; laut lachen, brüllen

guid|ance ['gaidəns] Leitung, Führung; Anleitung; **~e** [gaid] (Berg-)Führer; ✿ Führung; Leitfaden, Führer; Vorbild; führen, leiten (*a.* ✿); *to be* ~ *ed by* s. leiten lassen von; *G~e (BE)* Pfadfinderin; **~e-book** [⸗buk] (Reise-)Führer; **~-dog** Blindenhund; **~e-post** [⸗poust] Wegweiser; **~e-rope** [⸗roup] ✝ Schleppseil; **~ing** *BE* Pfadfindertum, -wesen

guild, gild [gild] Innung, Gilde, Zunft; ~ **hall** [⸗hɔːl] Zunftsaal; *BE* Rathaus

guilder ['gildə] Gulden

guile [gail] Arglist, Betrug; **~less** arglos

guillotine ['gilətiːn] Guillotine; ✿ Planschneider; ~ [⸗⸗'tiːn] hinrichten

guilt [gilt] Schuld; **~less** schuldlos; **~y** schuldig; schuldbeladen, -bewußt

guinea ['gini] Guinee (21 Schilling); **~-fowl** [⸗faul], *pl* **~-fowls** Perlhuhn; **~-pig** [⸗⸗pig] Meerschweinchen; Versuchsperson

guise [gaiz] Verkleidung, Gewand; Vorwand, Form, Schein (*under, in, the* ~ *of*)

guitar [gi'taː] Gitarre

gul|ch [gʌltʃ] *US* Schlucht; **~f** [gʌlf] Meerbusen, Golf; Abgrund; *fig* Kluft

gull [gʌl] Möwe; Tropf, Gimpel; prellen, übertölpeln; **~et** [⸗it] Speiseröhre; **~ible** leichtgläubig, leicht zu betrügen; **~y** Rinne; Abzugskanal; **~y-hole** Gully, Sinkkasten

gulp [gʌlp] (*down*) (hinunter)schlucken, -stürzen; *fig* schlucken; Schluck; *at one* ~ mit e-m Zug

gum [gʌm] (*mst pl*) Zahnfleisch; Gummi; Gummibaum; *pl US* Gummischuhe; gummieren; (zu)kleben; **~boil** [⸗bɔil] Zahngeschwür; **~my** klebrig; gummiartig; **~shoe** [⸗ʃuː] *US* Gummischuh; *US* Turnschuh; *US sl* Polyp

gumption ['gʌmpʃən] *umg* Grips, praktischer Verstand; Schwung, Mumm

gun [gʌn] Feuerwaffe (Gewehr, Büchse, Flinte); Revolver, Pistole; Kanone, Geschütz; *to stand* (od *stick*) *to one's* ~s d. Stellung halten; *it blows great* ~s es weht ein heftiger Sturm; *BE* Jäger; ✿ Spritze; *great (big)* ~ *(fig)* großes Tier; **~boat** [⸗bout] Kanonenboot; **~-carriage** [⸗kæridʒ] Lafette; **~-cotton** [⸗kɔtn] Schießbaumwolle; **~-licence** [⸗laisəns] Waffenschein; **~man**, *pl* **~men** Bandit; **~-maker** [⸗maikə] Büchsenmacher; ~ **metal** ['metl] Geschützbronze; **~ner** *BE* Kanonier; *US* Geschützführer; ⚓ Bordschütze; **~nery** [⸗əri] Geschützwesen; Schießen; **~ny** [⸗i] Jute-, Sackleinen; **~powder** [⸗paudə] Schießpulver; **~-room** [⸗rum] Jagdzimmer; *BE* ⚓ Fähnrichsmesse; **~-running** [⸗rʌniŋ] Waffenschmuggel; **~shot** [⸗ʃɔt] Schuß(weite); **~smith** [⸗smiθ] Büchsenmacher; **~wale** ['gʌnl] ⚓ Dollbord

gurgle ['gəːgl] glucksen; murmeln

gush [gʌʃ] s. ergießen, hervorströmen; schwärmen; Guß, Strom; Erguß, Ausbruch; **~er** Schwärmer(in); (sprudelnde) Ölquelle; **~ing** überschwenglich

gusset ['gʌsit] Keil, Zwickel

gust [gʌst] Windstoß, Bö; Schwall; Ausbruch; ~ **ation** [⸗'teiʃən] Geschmack; ~ **atory** [⸗tətəri] Geschmacks-; **~o** [⸗tou] Geschmack; Genuß; Schwung; **~y** böig

gut [gʌt] *pl umg* Därme, Gedärm, *fig* Mark, Mumm; (Darm-)Saite; ausnehmen, entgräten; ausräumen, innen zerstören; **~ter** Dachrinne; Rinnstein, Gosse *(a. fig)*; triefen; ~ *ter-child (~ter-snipe)* Straßenjunge

guttural ['gʌtərəl] Kehl-; kehlig; Guttural

guy [gai] *fig* seltsamer Vogel, Vogelscheuche; *BE* Bild von Guy Fawkes; ⚓ Backstag, Gei; Kerl, Kumpel

guzzle [gʌzl] fressen; saufen

gym [dʒim] *umg* Turnen; **~nasium** [⸗'neiziəm], *pl* **~nasiums** Turnhalle; Spielplatz mit Geräten; *pl* **~nasia** Arena; *d* Gymnasium; **~nast** [⸗næst] Turner(in); **~nastic** [⸗'næstik] turnerisch; Turn-; **~nastics** *pl vb* Geräteturnen; *sg vb* Turnen (als Fach); ~ **shoes** [ʃuːz] Turnschuhe; ~ **shorts** [ʃɔːts] Turnhose

gynaecology [gaini'kɔlədʒi, *bes US* dʒi-] Frauenheilkunde, Gynäkologie

gyp [dʒip] be-, ergaunern; Gaunerei; Gauner(in)

gypsum ['dʒipsəm] Gips

gypsy ['dʒipsi] *US* = gipsy

gyr|ate [dʒaiə'reit] s. drehen; wirbeln; **~ation** [dʒaiə'reiʃən] Kreisbewegung; Drehung; **~o** ['dʒaiərou], *pl* **~os** Kreisel; **~oscope** [⸗rəskoup] Kreisel(gerät, -kompaß)

gyves [dʒaivz] Fessel

H

H [eitʃ] H; *to drop one's h's* ['eitʃiz] das H nicht sprechen, ungebildet reden

haberdasher ['hæbədæʃə] *BE* Kurzwarenhändler; *US* Herrenausstatter; **~y** [⸗⸗⸗ri] *BE*

Kurz-, Posamentierwaren; *US* Herrenartikel(geschäft)
habiliments [həˈbilimənts] *pl vb* Gewand, Gewandung
habit [ˈhæbit] 1. (An-)Gewohnheit (*force of* ~ Macht d. G.); *to fall into bad* ~*s* s. etw Schlechtes angewöhnen; *to get out of a* ~ s. etwas abgewöhnen; *to be in the* ~ *of doing* zu tun gewohnt sein; 2. Verfassung; 3. Gewand; **~able** bewohnbar; **~at** [⸚ˈtæt] *zool, bot* Heimat, Fundort; **~ation** [⸚ˈteiʃən] Wohnen, Wohnung; **~ual** [həˈbitjuəl] gewohnheitsmäßig; gewohnt; gewöhnlich; **~uate** [həˈbitjueit] gewöhnen (*to* an); **~ué** [həˈbitjuei] Stammbesucher, -gast
hack [hæk] (zer)hacken; Hieb; Kerbe; Hacke; Mietpferd; Schreiber(ling); **~ing cough** [kɔːf] trockener Husten; **~le** Hechel; *zool* Nackenfeder, Rückenhaar; *with his* ~*les up* wütend, kampflustig; hecheln; **~ney** [⸚ni] (Droschken-)Pferd; Miet-; **~neyed** [⸚nid] abgedroschen
had [hæd] *siehe* have
haddock [ˈhædək], *pl* ~ Schellfisch
haemo|-, *US* **hemo-** [ˈhiːmə] Blut-; **~globin** [⸚ˈgloubin] Blutfarbstoff; **~philia** [⸚ˈfiliə] Bluterkrankheit; **~philiac** [⸚ˈfiliæk] Bluter; **~rrhage** [ˈheməridʒ] Blutung, Blutsturz; **~rrhoids** [ˈhemərɔidz] Hämorrhoiden
haft [hɑːft] Griff, Heft, Stiel
hag [hæg] Hexe (*a. fig*); **~gard** [⸚gəd] verstört; hohlwangig; abgehärmt; **~gis** [⸚gis] schottisches Schafsragout; **~gle** [hægl] feilschen (*about, over* über); Feilschen
ha-ha [ˈhɑːhɑː] Grenzgraben
hail [heil] Hagel (*a. fig*); hageln (~ *on s-b* mit e-m Hagel von etwas überschütten); freudig begrüßen; zurufen, Zeichen geben; ~ *from* herkommen, stammen von; **~fellow(-well-met)** [⸚felou(ˈwelˈmet)] (allzu) vertraut (*with* mit); **~stone** [⸚stoun] Hagelkorn
hair [hɛə] Haar; *to keep one's* ~ *on* ruhig, gelassen bleiben; *to lose* [luːz] *one's* ~ die Haare verlieren, *fig* die Geduld, Fassung verlieren; *not to turn a* ~ ganz ruhig bleiben; *to a* ~ aufs i-Tüpfelchen genau; *to split* ~*s* haarspalterisch sein; **~breadth** [⸚bredθ], ~*'s breadth* *fig* Haaresbreite; knapp; **~brush** [⸚brʌʃ] Haarbürste; **~cut** [⸚kʌt] Haarschnitt; **~do** [⸚duː], *pl* ~dos (Damen-)Frisur; **~dresser** Friseur; **~dressing** Friseurgewerbe; **~dryer** [⸚draiə] Fön; **~less** haarlos, kahlköpfig; **~pencil** Haarpinsel; **~pin** Haarnadel; **~raising** haarsträubend; **~sieve** [⸚siv] Haarsieb; **~splitting** Wortklauberei, Haarspalterei, haarspalterisch; **~y** behaart   [dorsch
hake [heik], *pl* ~ See-, Meerhecht, Hecht-
halberd [ˈhælbəd] Hellebarde
halcyon [ˈhælsiən] Eisvogel; friedvoll
hale [heil] rüstig; gesund; schleppen
half [hɑːf] halb; ~ *as much (many) again* anderthalbmal soviel(e); *not* ~ nicht annähernd; *not* ~ *bad* gar nicht übel; *he didn't* ~ *swear* [swɛə] er fluchte fürchterlich; *su* (*pl* hal-

ves [hɑːvz]) Hälfte; *to go halves* halbpart machen (*with s-b in s-th)*; *to do s-th by halves* etwas unvollständig machen; *too good (clever) by* ~ viel zu gut (übergescheit); **~back** [⸚ˈbæk] 🏈 Läufer; **~baked** [⸚ˈbeikt] halbgebacken (*a. fig*), unfertig, unausgegoren; **~blood** [⸚blʌd] Halbblut; **~breed** [⸚briːd] Mischling; *zool, bot* Kreuzung; **~brother** [⸚brʌðə] Halbbruder; **~caste** [⸚kɑːst] Mischling; **~crown** [⸚ˈkraun] ein 2/6-Stück; halbe Krone; **~educated** [⸚ˈedjukeitid] halbgebildet; **~hearted** [⸚ˈhɑːtid] mit halbem Herzen, ohne Begeisterung, lau; **~holiday** [⸚ˈhɔlədi] freier Nachmittag; ~ *life* [⸚ˈlaif] Halbwertzeit; **~light** [⸚lait] Halbdunkel; **~linen** [⸚linin] Halbleinen; **~mast** [⸚ˈmɑːst] halbmast; **~pay** [⸚ˈpei] *BE* halber Sold, Ruhegehalt; **~pence** [ˈheipəns] *pl, siehe* **~penny** [ˈheipni], *pl* ~pence halber Penny (als Wert), *pl* ~pennies halber Penny (als Münze); **~pennyworth** [ˈheipniwəθ, ˈheipəθ] (Menge) im Wert von ½ Penny; **~price** [⸚ˈprais] zum halben Preis; **~seas-over** [⸚ˈsiːzˈouvə] *umg* ziemlich angeheitert; **~sister** [⸚ˈsistə] Halbschwester; **~staff** [⸚ˈstɑːf] halbmast; **~timbered** [⸚ˈtimbəd] Fachwerk-; **~time** [⸚ˈtaim] halbe Zeit; 🏈 Halbzeit; **~title** [⸚taitl] 📖 Schmutz-, Vortitel; **~tone** [⸚toun] 📖 Autotypie, Netzätzung; **~track** [⸚træk] ⚙ Halbketten-; **~way** [⸚ˈwei] auf halber Strecke, *fig* halb; *to meet s-b* ~*way* j-m halb entgegenkommen; **~witted** [⸚ˈwitid] töricht, schwachsinnig
halibut [ˈhælibət], *pl* ~ Heilbutt
hall [hɔːl] Halle; Saal; Vorsaal, Diele, Flur; Herrenhaus; *BE* (Univ.) Wohnhaus; *BE (Univ.)* Speisesaal, Mahlzeit; **~mark** [⸚ˈmɑːk] Feingehaltsstempel; *fig* Zeichen d. Echtheit, Kennzeichen; stempeln; **~stand** [⸚stænd] Flurgarderobe
hall|o [həˈlou] Hallo; **~oo** [həˈluː] Hallo (rufen), anfeuern
hallow [ˈhælou] heiligen, weihen
hallucination [həluːsiˈneiʃən] Sinnestäuschung
halo [ˈheilou], *pl* ~es, ~s *astr* Hof; Heiligen-, Glorienschein
halt [hɔːlt] Halt, Rast (*to come to a* ~ zum Stehen kommen); *BE* 🚂 Haltestelle; halten (lassen); zögern(d schwanken); stocken; *bes fig* hinken; **~er** Halfter; Strick; **~ingly** stockend
halve [hɑːv] halbieren; um die Hälfte verkürzen
halyard [ˈhæljəd] ⚓ Fall
ham [hæm] Schinken; Schenkel; *sl* Schmierenkomödiant; (Rundfunk-)Amateur; **~burger** [⸚bəːgə] Hamburger; **~fisted**, **~handed** ungeschickt; **~let** Weiler
hammer [ˈhæmə] 1. Hammer; *to be (go) at it* ~ *and tongs* [tɔŋz] wild drauflosarbeiten etc; 2. hämmern; ~ *out* platt-, glatthämmern; 3. schlagen (*a. fig*); 4. *BE* für zahlungsunfähig erklären; 5. *fig* schmieden, ausdenken
ham|mock [ˈhæmək] Hängematte; **~per** [⸚pə] Pack-, Wäschekorb; (be)hindern; **~string** [⸚striŋ] Kniesehne; *vt (s. S. 318)* hemmen, lähmen

hand [hænd] **1.** Hand; *at* ~ nahe (bevorstehend); *by* ~ von H.; *to go* ~ *in* ~ *with* H. in H. gehen mit; ~ *over* ~ (*od fist*) Zug um Zug, stetig, spielend; *to be* ~ *in* (od *and*) ~ *with* sehr vertraut sein mit j-m, j-s Vertrauen haben; *to wait on* (od *serve*) *s-b* ~ *and foot* j-m ganz u. gar zu Diensten sein; *in* ~ auf d. Hand, in Arbeit; *on* ~ vorrätig, greifbar, anwesend; *on one's* ~*s (fig)* am Hals; *to get s-th off one's* ~*s* etw loswerden; *out of* ~ sogleich, außer Rand u. Band; *to feed out of s-b's* ~ j-m aus d. Hand fressen; *to come to* ~ eintreffen; *to bear* (od *lend, give*) *a* ~ helfen, zupacken bei; *to win* ~*s down* ohne Mühe, leicht gewinnen; *not to lift a* ~, *not to do a* ~*'s turn* keine H. rühren; *he can turn his* ~ *to anything* er ist in allen Sätteln gerecht; *to put* (od *set*) *one's* ~ *to* etw anpacken, -greifen; *to keep one's* ~ *in* in Übung bleiben; **2.** *pl* Hand, Obhut; *to change* ~*s* d. Besitzer wechseln; *at the* ~*s of* von seiten; **3.** *fig* Hand, Einfluß (*the dead* ~ *of* d. bannende E. von); **4.** Arbeiter, Matrose; **5.** Fachmann (*bes: a good* ~ *at* tüchtig in; *an old* ~ ein alter Praktiker); **6.** (Uhr-)Zeiger; **7.** Handschrift; **8.** Seite (*on all* ~*s* auf allen S.); *on the one* ~, *on the other* ~ einer-, andererseits; **9.** Unterschrift (*to set one's* ~ *to a document*); **10.** Spiel (*he plays a good* ~); *to show one's* ~ seine Karten auf d. Tisch legen; *to play for one's own* ~ s. eigenes Interesse im Spiel haben; *to play into another's* ~ j-m in d. Hände spielen; **11.** (Mit-)Spieler; **12.** (Spiel-)Runde; **13.** Handbreit; **14.** *vt* reichen, (über)geben; **15.** j-m helfen (*out of the car*); ~ *down* herunterreichen; überliefern; ~ *in* einreichen; ~ *over* übergeben; **~bag** [⁻bæg] Handtasche; Tragtasche; **~ball** [⁻bɔːl] Handball(spiel); **~barrow** [⁻bærou] Handkarren; **~bill** (Reklame-)Zettel, Flugblatt; **~brake** Handbremse; **~car** *US* (Hand-)Draisine; **~cart** Handkarren; **~cuff** [⁻kʌf] Handschellen anlegen; **~cuffs** Handschellen; **~ful**, *pl* ~*fuls* Handvoll; *umg* schönes Problem, Sorgenkind; **~glass** Stiellupe; Handspiegel; **~icap** [⁻ikæp] Handikap (*a. fig*), Vorgabe(rennen); Ausgleichsrennen, Handikap; Hindernis, Hemmnis (*to* für); (be)hindern; **~icraft** [⁻ikrɑːft] Handwerk; -fertigkeit; **~iwork** [⁻iwəːk] (der Hände) Arbeit, Werk (*a. fig*); **~kerchief** ['hæŋkətʃif], *pl* ~kerchiefs Taschentuch; **~le** [hændl] (Hand-)Griff; *fig* Handhabe (~*le of the face* [*sl*] Zinken, Erker; ~*le to the name* Titel); berühren, anfassen; handhaben; behandeln, umgehen mit, führen; ~*le-bar* Lenkstange; **~loom** [⁻luːm] Handwebstuhl; **~me-downs** Fertigkleider; **~organ** [⁻ɔːɡən] Drehorgel; **~out** [⁻aut] *umg* Gabe (f. Bettler); Mitteilung, Erklärung (f. d. Presse); **~rail** [⁻reil] Geländer; Handlauf; **~some** ['hænsəm] schön, hübsch; stattlich; ansehnlich, anständig; ~*some is that* (od *as*) ~*some does* edel ist, wer edel tut; **~spring** Überschlag; **~-to-mouth** [⁻tə'mauθ] unsicher, von d. Hand in d. Mund; **~-writing** [⁻raitiŋ] Handschrift; **~y** geschickt; handlich; praktisch, gut zu handhaben; *to*

come in ~*y* zupaß kommen, gerade (gut) passen; ~*y man* Gelegenheitsarbeiter; Faktotum
hang [hæŋ] *(s. S. 318)* **1.** (be-, auf-)hängen; (Tapete) aufkleben; ~ *with paper* tapezieren; ~ *by a hair (by a single thread)* an e-m Faden hängen; **2.** schweben *(between life and death)*; ~ *the costs* auf d. Kosten pfeifen; ~ *the head* (beschämt) d. Kopf senken; **3.** aufhängen, henken; ~ *it (all)!* zum Kuckuck! *I'll be* ~*ed if* ich laß mich hängen, wenn; *to let things go* ~ d. Dinge hängen lassen; ~ *fire* schwer losgehen, *fig* auf s. warten lassen; ~ **about** s. hängen an; herumlungern; ~ **around** ~ about; ~ **back** zögern; ~ **on** (s.) festhalten; durchhalten; an (j-s Lippen etc) hängen; ~ **out** s. hinausbeugen; *sl* wohnen, s. aufhalten; ~ **over** s. beugen über; hängen über; drohen; ~ **together** zus.halten; zus.passen; ~ **up** aufhängen; auf-, in d. Schwebe halten; **4.** ⚓ einhängen; **5.** *su* Hängen, Fallen (v. Stoff), *not a* ~ nicht ein bißchen; *to get the* ~ *of s-th* d. Dreh (Bogen) 'raushaben, etwas richtig kapieren; ~**ar** ['hæŋə] Flugzeughalle; ~**dog** [⁻dɔɡ] Galgenstrick; Armesünder; ~**er** Kleiderbügel; Aufhänger; ~**-er-on** [⁻ər'ɔn], *pl* ~ers-on Anhänger, Schmarotzer; ~**ing** Hinrichtung (durch den Strang); *pl* Behang, Tapeten; ~**ing matter** e-e Tat, die durch Erhängen bestraft wird; ~**man**, *pl* ~men Henker; ~**nail** [⁻neil] Niednagel; ~**out** *umg* Treffpunkt, Wohnung; ~**over** [⁻ouvə] *sl* Katzenjammer, Kater
hank [hæŋk] Docke, Fitze, Strang; ~**er** *after* verlangen, s. sehnen nach; ~**y** Taschentuch
Hansard ['hænsəd] *BE* amtl. Parlamentsbericht
hansom ['hænsəm] zweirädr. Droschke; ~ **cab** = ~

hap [hæp] Zufall, Glück; ~**hazard** [⁻'hæzəd] zufällig; *at, by* ~*hazard* aufs Geratewohl; ~**less** unglücklich; ~**ly** vielleicht; ~**pen** ['hæpən] s. ereignen, geschehen (*to s-b* j-m); j-m zustoßen, passieren mit; zufällig geschehen, sich treffen (*im Dt only:* zufällig, gerade); ~*pen on* stoßen auf; ~**pening** Ereignis; ~**piness** [⁻inis] Glück(seligkeit); ~**py** glücklich, -selig; günstig; passend, treffend; ~**py-go-lucky** [⁻pigoulʌki] unbekümmert, sorglos
ha'p'orth ['heipəθ] *siehe* halfpennyworth
harangue [hə'ræŋ] (leidenschaftl.) Rede; Standpauke; e-e Rede (Standpauke) halten an
harass [*BE* 'hærəs, *US* hə'ræs] plagen, zusetzen; heimsuchen
harbinger ['hɑːbindʒə] Vorbote; ankündigen
harbour ['hɑːbə] Hafen (*a. fig*); beherbergen, Versteck bieten; *fig* hegen; Schutz, Zuflucht suchen (in)
hard [hɑːd] **1.** hart; ~ *cash* Bar-, Hartgeld; ~ *water* hartes Wasser; ~ *of hearing* schwerhörig; *a* ~ *nut to crack (fig)* e-e harte Nuß; ~ *and fast* unabänderlich, scharf; **2.** schwierig, schwer; ~ *labour* Zwangsarbeit; ~ *drinker* Trunkenbold, ~ *drinking* starkes Trinken; **3.** streng, hart, schwer *(~ times)*; *to have a* ~ *time* es schwer haben; *to have* ~ *luck* Pech ha-

ben; *to be ~ on* streng sein zu, schlecht umgehen mit, j-n mitnehmen; **4.** hochprozentig; **5.** *adv* hart, schwer; **6.** sehr; stark (regnen etc); **7.** scharf (ansehen etc); *it will go ~ with him* es wird ihm schlecht gehen; ~ *up* knapp bei Kasse, verlegen (*for* um), in Bedrängnis; **8.** unmittelbar (*after, upon* hinter; *by* in d. Nähe); **~-bitten** [⸗'bitn] zäh, stur; **~-boiled** [⸗'bɔild] hartgekocht; *fig* -gesotten, grob; **~en** (s.) (ab-, ver)härten; (Preis) anziehen; **~-headed** [⸗'hedid] nüchtern (denkend); **~-hearted** [⸗'hɑːtid] hartherzig; **~ihood** [⸗ihud] Kühn-, Unverfrorenheit; **~iness** Stärke, Ausdauer; = ~ihood; **~ly** kaum (~*ly any* fast kein, ~*ly ever* fast nie); hart, schwer, mühsam; **~ness** Härte; Strenge; Schwierigkeit; **~ship** Härte, Mühsal; Not; **~tack** Schiffszwieback; **~ware** [⸗wɛə] Eisenwaren; Hardware; **~wood** [⸗wud] Hart-, Laubholz; **~y** kräftig, abgehärtet; kühn, verwegen

hare [hɛə] Hase ♦ *to run with the ~ and hunt with the hounds* es mit beiden Seiten halten, doppeltes Spiel treiben; ~*s and hounds* Schnitzeljagd; **~bell** [⸗bel] rundblättrige Glockenblume; **~-brained** [⸗breind] hirnlos, unbesonnen; **~lip** Hasenscharte

harem ['hɛərəm] Harem

haricot ['hærikou] (**bean**) *BE* Gartenbohne

hark [hɑːk] horchen; ~ *back* zurückkommen

harlequin ['hɑːlikwin] Harlekin; **~ot** [⸗lət] Hure, Dirne

harm [hɑːm] **1.** Schaden (*to do* ~ S. anrichten), Nachteil; *there's no* ~ *in (doing)* es schadet nichts (wenn); *he meant* [ment] *no* ~ er meinte es nicht böse; *out of* ~'*s way* in Sicherheit; **2.** schaden, verletzen; **~ful** schädlich, nachteilig; **~less** unschädlich, harmlos

harmonic [hɑː'mɔnik] harmonisch; Oberton; **~ica** [⸗'mɔnikə] Mundharmonika; Glasharmonika, -klavier; **~ious** [⸗'mouniəs] harmonisch (*a. fig*); **~ium** [⸗'mouniəm] *pl* ~iums Harmonium; **~ize** [⸗mənaiz] in Einklang bringen, vereinigen; ♪ harmonisieren; harmonieren; **~y** [⸗məni] ♪, *fig* Harmonie; Einklang

harness ['hɑːnis] **1.** ♣ Geschirr; **2.** Harnisch; *in* ~ in d. Tagesarbeit; *to die in* ~ in d. Sielen sterben; *to work (od run) in double* ~ zu zweit arbeiten; **3.** anschirren; **4.** *fig* nutzbar machen

harp [hɑːp] Harfe (spielen); herumreiten (*on* auf), immer wieder hinweisen (*on* auf); **~er,** **~ist** Harfespieler(in); **~oon** [⸗'puːn] Harpune; harpunieren; **~sichord** [⸗'sikɔːd] Cembalo; **~y** ['hɑːpi] Harpyie (*a. fig, zool); Zankweib*

harridan ['hæridən] alte Hexe; **~ier** [⸗iə] Hasenhund; *orn* Weihe; **~ow** [⸗ou] Egge; eggen; *fig* quälen; **~owing** [⸗ouiŋ] herzzerreißend, schrecklich; **~y** ['hæri] verheeren, plündern; quälen, ängstigen

harsh [hɑːʃ] rauh, grob; barsch; schrill; streng, grausam

hart [hɑːt] Hirsch; ~ *of ten* Zehnender

harum-scarum ['hɛərəm'skɛərəm] unbesonnen, leichtsinnig, fahrig(e Person)

harvest ['hɑːvist] Ernte(zeit); Ertrag; ernten; **~er** Schnitter(in); Mähmaschine; ~ **festival**

Erntedankfest; ~ **home** Erntefest; **~man** [⸗mæn], *pl* ~men [⸗-men] Erntearbeiter; *zool* Weberknecht, Kanker

has [hæz] *siehe* have; **~-been** auf d. absteigenden Ast (befindliche Person); abgetane, überholte Sache

hash [hæʃ] feinhacken, -wiegen; vermasseln; Haschee; *a* ~ dasselbe in Grün, aufgewärmte Sache; *to make a* ~ *of* verhunzen; **~ish** ['hæʃiːʃ] Haschisch

hasp [hɑːsp] Schließhaken, Überwurf; mit e. S. (ver)schließen

hassock ['hæsək] (Knie-)Kissen *(bes eccl)*

haste [heist] Eile; Hast; *to make* ~ *s.* beeilen ♦ *more* ~, *less speed* eile mit Weile; *vt/i* = **~en** [heisn] (s. be)eilen; beschleunigen, antreiben; **~y** ['heisti] eilig, hastig; voreilig; unbesonnen; hitzig

hat [hæt] Hut ♦ *to talk through one's* ~ angeben, schwindeln; *to keep s-th under one's* ~ etwas für s. behalten

hatch [hætʃ] **1.** Öffnung; ♪, ✝ Luke; **2.** Fenster; *under* ~*es* unter Deck, eingesperrt, umgebracht; **3.** Brüten; Brut; **4.** (aus)brüten; **5.** aushecken; **6.** ausschlüpfen; **7.** schraffieren; **~back** Heckklappe; **~ery** [⸗əri] Brutanstalt; **~et** [⸗it] Beil; *to bury* ['beri] *the* ~ *et* das Kriegsbeil begraben; **~way** Ladeluke

hate [heit] hassen; *umg* sehr bedauern, gar nicht gern (tun); Haß; **~ful** verhaßt; abscheulich; **~red** [⸗rid] Haß

hatter ['hætə] Hutmacher

hauberk ['hɔːbəːk] Kettenpanzer

haughty ['hɔːti] hochmütig, stolz

haul [hɔːl] **1.** schleppen; ~ *at* (od *upon*) an (einem Seil) ziehen; **2.** transportieren, befördern; ~ *down one's flag* (od *colours*) die Segel streichen; ~ *s-b over the coals*, ~ *s-b up* sich j-n vorknöpfen; **3.** Ziehen; ✹ Fang; *fig* (Fisch-)Zug; *fig* Fang; **~age** [⸗idʒ] Transport(kosten)

haunch [hɔːntʃ] Hüfte; Schenkel; Keule

haunt [hɔːnt] häufig be-, aufsuchen; heimsuchen; umgehen in; **~ed** Spuk-; *fig* verfolgen; (häufig besuchter) Ort, Aufenthaltsort; Schlupfwinkel

hautboy ['oubɔi] Oboe; **~eur** [ou'təː] Hochmut, Stolz

have [hæv] (s. S. 318) **1.** Hilfsverb: haben; *had I + pp = if I had; I ~ got = I ~*; **2.** *Vollverb (BE ohne do)*: haben; ~ *s-th on* (Hut) auf haben, etwas vorhaben; ~ *you the time on you?* können Sie mir d. Zeit sagen?; (Geld) bei s. haben; *I ~ your idea now* jetzt verstehe ich Ihren Gedanken; *won't* ~ (+ *su*, + *ppr*) nicht dulden; **3.** *Vollverb (mit do)*: nehmen; essen, trinken, rauchen; *he likes to* ~ *a pipe* raucht gern, wie er's will; ~ *it your own way!* wie du willst!; ~ *a swim, a walk, a try (etc)* = to swim, to walk, to try (etc); **4.** erleben, durchmachen; ~ *a pleasant time* es schön haben, s. amüsieren; **5.** ~(+ *su* + *Infin*. ~ + *su* + *pp*) (veran)lassen; *I would* ~ (*him do it*) ich möchte (daß er es tut); ~ (+ *su* + *pp od ppr*) erleben; ~ *s-b in (to dinner etc)* j-n einladen, hereinbit-

ten; *s-b up* j-n (vor Gericht) vorladen; **6.** *fig*
schlagen, 'reinlegen *(you've been had)*; **7.** ~ *it
that* behaupten, daß; ~ *at s-b* losgehen auf;
~ *s-th out with s-b* etwas mit j-m ausfechten;
~ *one's time over again* noch mal leben, auf d.
Welt kommen; ~ *to do with* zu tun haben mit;
~ *to (do)* (tun) müssen; **8.** (Kinder, Junge)
kriegen; **9.** *su umg* Schwindel; *the ~s and
~-nots* d. Besitzenden und die Habenichtse
haven ['heivn] (Zufluchts-)Hafen *(a. fig)*
haversack ['hævəsæk] Provianttasche, Rucksack
havoc ['hævək] Verheerung, Verwüstung; ~,
~**ked** verheeren; *to play* ~ *with (among), to
make* ~ *of* verheeren, verheerend wirken auf
haw [hɔː] Mehlbeere; Frucht d. Schneeballs;
stocken(d sprechen, *bes: to hum and* ~);
~**finch** [⸗fintʃ] Kernbeißer; ~-**haw** [⸗'hɔː] laut
lachen
hawk [hɔːk] (Hühner-)Habicht; *allg* Falke;
Gauner; beizen; s. räuspern; hausieren mit,
auf d. Straße verkaufen; ~**er** Straßenhändler;
~-**eyed** [⸗aid] scharfäugig; ~**ing** Beize, Beiz-
jagd
haw|ser ['hɔːzə] ⚓ Trosse; ~**thorn** [⸗θɔːn]
Weiß-, Hagedorn
hay [hei] Heu; *to make* ~ heuen ♦ *to make* ~
while the sun shines d. Eisen schmieden, solange es heiß ist; ~**cock** [⸗kɔk] Heuhaufen;
~ *fever* [⸗'fiːvə] Heufieber; ~**loft** [⸗lɔft] Heu-
boden; ~**rick**, ~**stack** [⸗stæk] Heuschober
hazard ['hæzəd] Würfelspiel; Zufall; Wagnis,
Gefahr; Unglücksfall; wagen, aufs Spiel setzen; ~**ous** [⸗dəs] gewagt, gefährlich
haz|e [heiz] (trockener) Dunst, Schleier; ~**y**
['heizi] dunstig, diesig
hazel [heizl] Haselnuß(strauch); braun
he [hiː] er; ~ *who* derjenige, welcher; männlich; ~-**man** richtiges Mannsbild, ganzer Kerl
head [hed] **1.** Kopf; *to keep one's* ~ ruhig Blut
behalten; *to lose* [luːz] *one's* ~ den Kopf verlieren; *to have a* ~ *for* e-e gute Begabung haben für; *off one's* ~ aufgeregt, verrückt; *to
keep one's* ~ *above water* s. über Wasser halten; *to talk s-b's* ~ *off* j-n dumm u. dämlich reden; *to talk over s-b's* ~ zu hoch reden für j-n;
to lay one's ~*s together* gemeinsam beraten; *to
put s-th out of one's (s-b's)* ~ (j-n) etwas vergessen (lassen); *to drag in by the* ~ *and ears* an d.
Haaren herbeischleppen; ~ *over heels* bis
über die Ohren; *to go to one's* ~ in d. Kopf
steigen; *to eat one's* ~ *off* viel futtern und wenig leisten; *to give (a horse, s-b) his* ~ d. Zügel
schießen, freien Lauf lassen; *to take s-th into
one's* ~ sich etw in d. Kopf setzen; *to make* ~
Fortschritte machen; *to make* ~ *against* s. widersetzen; Vorderseite (e-r Münze); ~*s or
tails?* Vorder- oder Rückseite (beim Auslo-
sen); *to be unable to make* ~ *or tail of it* überhaupt nicht klug werden aus etw; **2.** ⚔ Kopf-
länge; ~ *and shoulders* ['ʃouldəz] *above* weit
überlegen; **3.** *fig* Spitze; **4.** oberes Ende, oberer Rand; Oberteil; **5.** Person *(a* ~ pro P.); *(pl
~)* Stück *(20* ~ *of cattle)*; **6.** Haupt *(crowned*

~*)*; **7.** Führer, Leiter, Chef; **8.** Kopf (Salat
etc); **9.** ⚙ Gefälle; **10.** ⚙ Druckhöhe, Wasser-
säule; **11.** Schaum (auf e-m Glas Bier); **12.** Abschnitt, Rubrik; **13.** § Durchbruchstelle; *to
come to (form) a* ~ auf-, durchbrechen, *fig* s.
zuspitzen, ausbrechen; *to bring to a* ~ zur
Entscheidung bringen; **14.** *vt/i* mit e-m Kopf
versehen; **15.** 🌾 köpfen; **16.** an d. Spitze gehen (stehen); **17.** lenken, leiten; **18.** s. bewegen, fahren *(south* nach S.; *for* nach); **19.** losgehen *(for* auf); *to be* ~*ing (~ed) for* auf d.
Wege sein nach (zu) *(a. fig)*, lossteuern auf; ~
off ablenken, -biegen *(a. fig)*, verhindern; ~
up (bot) e-n Kopf bilden, *fig* s. zuspitzen;
~**ache** [⸗eik] Kopfweh; ~**cheese** [⸗tʃiːz] *US*
Preßkopf; ~ *cold* Schnupfen; ~-**dress** Kopf-
putz; ~**er** Kopfsprung; ~ *establishment* [is'tæ-
blifment] Hauptniederlassung; ~ *firm* Stamm-
haus; ~**ing** Überschrift, Titel; Rubrik; ~**land**
[⸗lənd] Vorgebirge, Kap, Landzunge; ~**light**
[⸗lait] 🚲, 🚗 Scheinwerfer; ~-**line** [⸗lain]
Überschrift, Schlagzeile; 📖 Kolumnentitel;
~**long** [⸗lɔŋ] d. Länge nach, kopfüber; unbesonnen, ungestüm; ~**master** [⸗'maːstə] Direktor, Leiter (e-r Schule); ~**mistress** [⸗'mistris]
Direktorin; ~ *office* [⸗'ɔfis] Hauptstelle, -büro;
Zentrale; ~-**on** [⸗'ɔn] frontal; Front(al)-; ~-
phones [⸗founz] Kopfhörer; ~-**piece** [⸗piːs]
Helm; 📖 Zierleiste; *umg* Kopf, Verstand; ~-
quarters [⸗'kwɔːtəz] *pl od sg vb mil* Stab, Kom-
mandostelle; Hauptquartier; Hauptgeschäfts-
stelle, Zentrale; ~**room** [⸗rum] lichte Höhe; ~-
ship Führung; Schulleiterstelle; ~-**stone** [⸗
stoun] Grabstein; ~**strong** [⸗strɔŋ] halsstarrig;
~**waters** [⸗wɔːtəz] Quelle (u. Oberlauf); ~**way**
[⸗wei] Fortschritt *(to make* ~*way* F. machen);
(Zug-)Abstand, Folge; lichte Höhe; ~**word**
[⸗wəːd] Stich-, Leitwort; ~**work** [⸗wəːk] Kopf-,
Geistesarbeit; ~**worker** Geistesarbeiter; ~**y**
['hedi] starrsinnig; ungestüm; berauschend *(a.
fig)*
heal [hiːl] heilen *(up, over* zu-); beilegen; ~**er**
Heil(praktik)er; ~**ing** Heil-; ~**th** [helθ] Gesundheit; *to drink a* ~*th to* j-m zu-, auf j-s Gesundheit trinken; *in good* ~*th* gesund; ~*th-
food shop* Reformhaus; ~**thful** gesund(heits-
fördernd); ~**th resort** [ri'zɔːt] Kurort, Bad;
~**thy** gesund
heap [hiːp] **1.** Haufen ♦ *to be struck* (od *knocked) all of a* ~ *(umg)* ganz platt, von d. Socken
sein; **2.** *pl* sehr viel *(there is* ~*s to say; there are
~s of books)*; ~*s of times* Dutzende von Ma-
len; ~*s (adv)* viel *(to feel* ~*s better)*; ~ *up* aufhäufen; **3.** beladen *(with* mit); **4.** überhäufen;
~**ed** [hiːpt] gehäuft
hear [hiə] heilen *(s. S. 318)* hören *(of* von) Nachricht
bekommen *(from* von); zuhören; ⚖ verhan-
deln, verhören; (Lektion) abhören; ~ *s-b out*
j-n zu Ende anhören; *will (would) not* ~ *of it*
will davon nichts wissen (hören); ~**ing** [⸗riŋ]
Hören, Gehör; *within (out of)* ~*ing* in (außer)
Hörweite; ⚖ Verhör, Sitzung; Audienz; ~**ken**
['haːkən] horchen; ~**say** [⸗sei] Hörensagen *(by
~say* vom H.); Gerede

hearse [həːs] Leichenwagen
heart [hɑːt] 1. Herz; *to have one's ~ in one's work* mit d. Herzen bei d. Arbeit sein; *to take s-th to ~* s. etwas zu Herzen nehmen; *to take ~* Mut fassen; *to have s-th at ~* s. etwas sehr angelegen sein lassen; *to cry one-s ~ out* s. ausweinen; *to eat one's ~ out* s. vor Kummer verzehren; *to wear one's ~ upon one's sleeve* d. Herz auf d. Zunge tragen; *I have my ~ in my mouth* mir schlägt d. Herz bis zum Hals; *to have one's ~ in one's boots* d. Herz in d. Hose haben; *after my own ~* (so recht) nach meinem Herzen; *I could not find it in my ~* ich konnte es nicht über mich bringen; *by ~* auswendig; *~ and soul* mit Leib u. Seele; *in one's ~ of ~s* im Innersten seines Herzens; *~-to-~ talk* aufrichtige Aussprache; *a change of ~* Sinnesänderung; 2. d. Innere; 3. Kern; 4. Herzchen, Schatz; **~-ache** [ˊ-eik] (tiefer) Kummer; **~-beat** [ˊ-biːt] Herzschlag; **~-break** [ˊ-breik] Herzeleid; **~-breaking** herzzerbrechend; öde; **~-broken** [ˊ-broukən] tiefbekümmert; **~-burn** [ˊ-bəːn] Sodbrennen; **~-burning** Neid, Groll; **~ complaint** [ˊ-kəm'pleint] Herzleiden; **~-en** [ˊ-n] ermutigen, ermuntern; **~ failure** [ˊ-'feiljə] Herzversagen; **~-felt** [ˊ-felt] tief empfunden; **~-ily** sehr, von Herzen; *siehe* ~y; **~-rending** [ˊ-rendiŋ] herzzerreißend; **~-strings** Herz, Innerstes; **~ trouble** [ˊ-trʌbl] Herzleiden, -fehler; **~-whole** [ˊ-houl] nicht verliebt; aufrichtig; **~y** herzlich; aufrichtig; kräftig, munter; herzhaft
hearth [hɑːθ] Herd *(fig)*; Boden des Kamins; Feuerstelle; **~-rug** [ˊ-rʌg] Kaminvorleger
heat [hiːt] Hitze *(a. fig)*; Wärme *(a. fig)*; ♂ Lauf; ♂ Gang; *dead ~* unentschiedenes Rennen; *zool* Läufigkeit, Hitze, Brunstzeit; *~ (up)* erhitzen, aufwärmen; erregen; **~er** Heizofen, -sonne
heath [hiːθ] *BE* Heideland; Erika, *bes* Glockenheide, gemeines Heidekraut; **~-cock** [ˊ-kɔk] Birkhahn; **~-en** ['hiːðən], *pl* ~ens, the ~en Heide *(a. fig)*; heidnisch; **~-enish** heidnisch, barbarisch; **~er** ['heðə] gemeines Heidekraut
heave [hiːv] *(s. S. 318)* 1. hochziehen, hieven; *~e a sigh* (groan) tief (auf)seufzen; 2. ♪, *umg* werfen; 3. wogen; *~e in sight* in Sicht kommen; *~e to* beidrehen; 4. Heben, Ziehen; 5. Wurf; 6. Wogen; **~en** ['hevn] Himmel *(a. fig)*; *to move ~en and earth* Himmel u. Hölle in Bewegung setzen; **~enly** Himmels-; himmlisch; **~enward(s)** ['hevnwəd(z)] himmelwärts
heavy ['hevi] schwer; reichlich; (Regen) stark; drückend, traurig, düster; (Himmel) bedeckt; schwerfällig, langsam; schwer passierbar *(road)*, schwer zu bearbeiten *(soil)*, schwer verdaulich; *to hang ~* langsam verstreichen; **~ current** ['kʌrənt] Starkstrom; **~ gymnastics** Geräteturnen; **~-handed** [ˊ-'hændid] ungeschickt; mit harter Hand (waltend); **~-hearted** [ˊ-'hɑːtid] bedrückt, kummervoll; **~-laden** [ˊ-'leidn] schwer beladen; *fig* = ~-hearted; **~ print** ▢ Halbfettdruck; **~-weight** [ˊ-'weit] Schwergewicht

Hebr|aic [hiːˈbreiik] hebräisch; **~ew** ['hiːbruː] Jude; hebräisch; **~ides** ['hebridiːz] die Hebriden (Inseln westlich Schottland)
hecatomb ['hekətoum] Gemetzel, Massenopfer
heckle [hekl] (j-m) mit verfänglichen Fragen zusetzen, (j-n) in d. Enge treiben
hec|tic ['hektik] ♣ hektisch *(umg a. fig)*; **~to** [ˊ-tou] Hekto-, Hundert-; **~tor** [tə] einschüchtern; prahlen
hedge [hedʒ] Hecke; *fig* Schranke; einhegen, -zäunen (~ *in* umschließen); einengen, Beschränkungen auferlegen; s. d. Rücken decken, s. rückversichern; ~ *about, on* zu umgehen versuchen; **~hog** [ˊ-hɔg] Igel; *mil* Igelstellung; Stachelschwein; See-Igel; Kratzbürste
heed [hiːd] beachten, achten auf; Beachtung, Aufmerksamkeit *(to give ~* B. schenken); *to take ~* s. in acht nehmen *(of* vor); **~ful** achtsam *(of* auf); **~less** unachtsam, achtlos
hee-haw ['hiːhɔː] iah!; wiehern(des Gelächter)
heel [hiːl] 1. Ferse, Hacken; 2. Absatz; *to take to one's ~s, to show a clean pair of ~s* d. Beine in d. Hand nehmen, s. auf d. Socken machen; *to kick* (cool) *one's ~s* s. d. Beine in d. Bauch stehen; *to kick up one's ~s* frohlocken, herumtollen; *to come to ~* bei Fuß gehen, s. fügen; *down at ~* mit schiefen Absätzen; schlampig; *out at ~(s)* mit Löchern in d. Strümpfen; elend, armselig; *under the ~ of* unter d. Stiefel des (Tyrannen etc); 3. (Brot-)Knust, Ranft; 4. e-n Absatz machen auf; ~ *over* ♪ krängen, (s.) auf d. Seite legen; **~tap** [ˊ-tæp] Flecken (auf d. Absatz); Rest (im Glas); *no ~taps!* Ex! (-trinken!)
hefty ['hefti] stämmig, stramm
hegemony [hi'gemǝni] Vorherrschaft
heifer ['hefǝ] Färse, junge Kuh
heigh-ho ['hei'hou] ach!
height [hait] Höhe *(what is your ~?* wie groß bist du?; *6 feet in ~* 1,80 m groß); Anhöhe, Gipfel; Höhepunkt; **~en** [haitn] erhöhen; verstärken
heinous ['heinǝs] abscheulich, empörend; verrucht
heir [ɛǝ] Erbe; *to be ~ to* etwas erben; **~ess** ['ɛǝris] Erbin; **~loom** [ˊ-luːm] (Familien-)Erbstück
held [held] *siehe* hold
helicopter ['helikɔptǝ] Hubschrauber
helio|- ['hiːliou] Sonnen-; **~graph** [ˊ---grɑːf] Heliograph; **~trope** ['heljǝtroup, *bes US* 'hiːliǝ-] *bot* Heliotrop; Baldrian; hellpurpur
helium ['hiːliǝm] Helium
hell [hel] Hölle; *like ~* wie d. Teufel; ~ *for leather* ['leðǝ] wie ein Wilder (fahren); **~ish** höllisch
hello ['he'lou] *siehe* hallo
helm [helm] ♪, (Steuer-)Ruder *(a. fig)*; **~et** [ˊ-it] Helm; **~sman**, *pl* ~smen ♪ Rudergänger, Steuermann
help [help] 1. helfen; ~ *s-b up* (down) *with s-th* j-m beim Hinaufheben (Herunterholen) helfen; ~ *s-b on* (off) *with the coat* j-m in (aus) d.

Mantel helfen; ~ s-b to s-th j-m etwas (bei Tisch) reichen; ~ o. s. to zugreifen bei, s. nehmen; can(not) ~ kann (nicht) verhindern (I can't ~ his being late); it can't be ~ed [helpt] es läßt sich nicht ändern; I can't ~ it ich kann nichts dafür; can't ~ (doing) kann nicht umhin (zu tun); don't be longer than you can ~ (als du mußt); **2.** Hilfe; to be of (some etc) ~ = to ~; **3.** Abhilfe; **4.** Hausangestellte; ~er Helfer(in), Gehilfe; ~ful hilfreich, nützlich; ~ing Portion; ~less hilflos; ohne Hilfe; ~mate [–meit] (bes Ehe-)Gefährte, Partner

helter-skelter ['heltə'skeltə] holterdiepolter

helve [helv] (bes Axt-)Stiel ♦ to throw the ~ after the hatchet die Sache noch schlimmer machen

hem [hem] Saum; säumen; ~ in, about, around einschließen, umringen; hm machen, sich räuspern; hm!

hemi|- ['hemi] halb; ~**demisemiquaver** [–demisemikweivə] BE 64stel Note; ~**sphere** [–sfiə] Hemisphäre

hemlock ['hemlɔk] Schierling; ~ **spruce** Schierlingstanne

hemo- ['hi:mou] US = haemo-

hemp [hemp] Hanf; ~**en** Hanf; hanfähnlich

hemstitch ['hemstitʃ] Hohlsaum (sticken in)

hen [hen] (Haus-)Huhn, Henne; zool weiblich; ~**-party** [–pɑːti] Dameneinladung, Kaffeeklatsch; ~**-pecked** [–pekt] unter d. Pantoffel (stehend)

hence [hens] von jetzt ab; deshalb; ~**forth** [–fɔːθ], ~**forward** [–fɔːwəd] von nun an

hench|**man** ['hentʃmən], pl ~**men** Gefolgsmann, Anhänger

hepta|- ['heptə] sieben-; ~**gon** [–gən, US –gɔn] Siebeneck

her [hɜː] acc sie; poss ihr; ~**s** [hɜːz] ihrer

herald ['herəld] Herold; fig Vorbote; ankündigen; ~ in einführen; ~**ry** Heraldik, Wappenkunde

herb [hɜːb, US ɜːrb] Kraut, Pflanze; Küchen-, Arzneikraut; ~**aceous** [hɜː'beifəs] Kräuter-, Pflanzen-; ~**age** [–idʒ] Kräuter; Gras; BE Weideland, -recht; ~**alist** Kräutersammler, -verkäufer; ~**arium** [–'bɛəriəm], pl ~ariums Herbarium; ~**ivorous** [–'bivərəs] pflanzenfressend

Herculean [hɜːkju'liːən, –'kjuːliən] herkulisch, ungeheuer

herd [hɜːd] Herde; Rudel; the (common) ~ d. (breite) Masse; Hirte; (Vieh) hüten; in e-r Herde leben, e-e Herde (e-n Haufen) bilden; ~**sman** [–zmən], pl ~smen Hirte

here [hiə] hier(her); look ~! schau mal her!, hör mal zu!; ~ you are! bitte sehr!; that's neither ~ nor there das hat nichts zu bedeuten; ~ goes! auf geht's!; ~'s to . . . auf d. Wohl von . . .; ~**about(s)** [–'rəbaut(s)] hier irgendwo; ~**after** [–rɑːftə] hiernach; d. künftige Leben; ~**by** [–'bai] hierdurch; infolgedessen

heredit|**ary** [hi'reditəri] ver-, ererbt; Erb-; überliefert; ~**y** [–––ti] Vererbung

here|**in** ['hiər'in] hierin; ~**of** [–r'ɔv] hiervon; ~**tofore** [–'tu'fɔː] ehemals, bis jetzt; ~**upon** [–

rə'pɔn] hierauf; ~**with** [–'wið] hiermit; hierdurch

here|**sy** ['herəsi] Ketzerei; ~**tic** [–-tik] Ketzer; ~**tical** [hi'retikl] ketzerisch

herit|**able** ['heritəbl] vererbbar, erblich; erbfähig; ~**age** [–-tidʒ] Erbe, Erbschaft

her|**metic** [hɜː'metik] hermetisch; ~**mit** [–mit] Einsiedler, Eremit; ~**mitage** Einsiedelei, Klause; ~**nia** [–niə] ₰ Bruch

hero ['hiərou], pl ~**es** Held; ~**ic** [hiə'rouik] heldenhaft; Helden-; ~**in** ['herouin] ₰ Heroin; ~**ine** ['herouin] Heldin, Heroin; ~**ism** ['herouizm] Heldentum, -mut

heron ['herən] zool Reiher

herring ['heriŋ], pl ~**s** Hering; ~**-bone** Fischgrätenstoff, -muster

her|**s** [hɜːz] siehe her; ~**self** [hɜː'self] sich; (all) by ~self allein; ohne Hilfe; selbst; she's not ~self today sie ist nicht wie sonst heute; she has come to ~self sie ist wieder die alte

hesit|**ancy** ['hezitənsi], ~**ance** Unentschlossenheit, Zögern; ~**ant** [–-tənt] zögernd, unentschlossen; ~**ate** [–-teit] zögern; Bedenken haben; ~**ation** [––'teiʃən] Zögern, Unschlüssigkeit; Bedenken; to have no ~ation in keine Bedenken haben bei

hessian ['hesiən] Jute-, Sackleinen

hetero|**dox** ['hetərədɔks] anders-, irrgläubig; ~**doxy** [–––dɔksi] Irrglaube, -lehre; ~**geneous** [–––'dʒiːniəs] verschiedenartig, uneinheitlich, heterogen; ~**nym** [–––nim] Homograph

hew [çuː] (s. S. 318) hacken, hauen; ~ out a career for o.s. sich e-n Lebensweg bahnen

hexa|- ['heksə] sechs-; ~**gon** [–-gən, US –-gɔn] Sechseck; ~**gonal** [hek'sægənəl] sechseckig; ~**meter** [hek'sæmitə] Hexameter

hey [hei] he!, hei!; ~**day** [–dei] Höhepunkt

hiatus [hai'eitəs], pl ~**es** Lücke; Hiatus

hib|**ernate** ['haibəːneit] überwintern, Winterschlaf halten; ~**iscus** [hi'biskəs, hai–], pl ~iscuses Eibisch, Hibiskus

hiccup (hiccough) ['hikʌp] Schlucken; to have the ~s = to ~ d. Schlucken haben

hickory ['hikəri] Hickory(baum, -holz, -stock)

hid [hid] siehe hide; ~**den** [hidn] siehe hide; ~**e** [haid] (s. S. 318) (s.) verstecken, verbergen; Haut; bes fig Fell; ~**e-and-seek** ['haidən'siːk] Versteckspiel; ~**ebound** ['haidbound] engherzig; erzkonservativ; ~**eous** ['hidiəs] abstoßend; scheußlich; ~**e-out** ['haidaut] Versteck; ~**ing** ['haidiŋ] Versteck(en); to be in ~ing s. versteckt halten; ~**ing-place** Versteck, Schlupfwinkel; Tracht Prügel

hie [hai], ~**ing, hying,** ~**d** eilen

hier|**archy** ['haiərɑːki] Hierarchie; ~**oglyph** ['haiərəglif] Hieroglyphe

hi-fi ['hai'fai] ♣ absolute Klangtreue, Hi-Fi

higgledy-piggledy ['higldi'pigldi] wirr durcheinander, kunterbunt

high [hai] **1.** hoch; ~ and dry gestrandet (a. fig); to ride the ~ horse, to be on one's ~ horse auf d. hohen Roß sitzen; with a ~ hand überheblich; **2.** stark (Wind); **3.** frisch, rot (Gesichtsfarbe); **4.** heftig (Worte); **5.** extrem

(Tory); ~ *living (feeding)* üppiges Leben; ~ *life* Leben d. Oberschicht; ~ *game* (od *meat)* leicht angegangenes Fleisch; **6.** edel, vornehm; **7.** *adv* hoch; ~ *and low* überall (suchen etc); *to play* ~ um hohen Einsatz spielen *(a. fig)*; *to fly* ~ hoch fliegen(de Pläne haben); *to run* ~ ⚓ hochgehen *(a. fig)*; **8.** *su* Höhe(punkt); *on* ~ in d. Höhe; *from on* ~ von oben; **~ball** [⸗bɔːl] *US* Whisky u. Soda; **~born** [⸗bɔːn] hochgeboren; **~bred** [⸗bred] vornehm; gut erzogen; **~brow** [⸗brau] Gebildeter, Intellektueller, kulturell Anspruchsvoller; **~falutin(g)** [⸗fəˈluːtin(ŋ)] hochgestochen, schwülstig; **~flown** [⸗floun] hochtrabend; **~handed** [⸗ˈhændid] anmaßend, tyrannisch; **~lands** [⸗ləndz] Hochland; **~light** *fig* Glanz-, Höhepunkt; Schlaglicht; unterstreichen, herausheben; **~ly** sehr, höchst; *to think* ~ *ly of* viel halten von; *to speak* ~ *ly of* loben; **~minded** [⸗ˈmaindid] hochsinnig; **~ness** Höhe; Hoheit; **~pitched** [⸗ˈpitʃt] ♪ hoch; (Dach) steil; **~road** Haupt(verkehrs)straße; ~ *school* [⸗ˈskuːl] *US* höhere Schule; **~spirited** [⸗ˈspiritid] hochgemut, kühn; **~strung** [⸗strʌŋ] gespannt, überempfindlich; **~way** [⸗wei] *(bes* Land-, Haupt-) Straße *(a.* ⚓, *fig)*; **~wayman** [⸗weimən], *pl* ~ waymen Straßenräuber

hike [haik] wandern; Wanderung; **~r** [⸗ə] Wanderer

hilari|ous [hiˈlɛəriəs] fröhlich, ausgelassen; **~ty** [hiˈlæriti] Fröhlichkeit, Ausgelassenheit

hill [hil] Hügel, Berg; **~billy** [⸗bili] Hinterwäldler; **~ock** [⸗ək] (kl.) Hügel; **~side** [⸗said] Abhang; **~y** hügelig

hilt [hilt] Griff, Heft; *(up) to the* ~ vollständig, ganz und gar

him [him] ihn; **~self** [⸗self] sich; selbst; *siehe* herself

hind [haind] Hirschkuh; hintere(r); Hinter-; ~ *quarters* [ˈkwɔːtəz] Hinterteil; **~er** [⸗ə] hintere(r); Hinter-; **~er** [ˈhində] (be)hindern, aufhalten; **~most** [⸗moust] hinterste(r); **~sight** [⸗sait] Hinterhalt-Klugsein *(foresight is better than* ~*sight)*; **~rance** [ˈhindrəns] Hindernis, Hemmnis

hinge [hindʒ] (Tür-)Angel; Scharnier; *off the* ~*s* aus d. Fugen; *fig* Angelpunkt; mit e-r Angel versehen, befestigen; ~ *on* s. drehen um, abhängen von

hinny [ˈhini] Maulesel

hint [hint] Wink, Hinweis; *to take a* ~ e. Wink verstehen; Tip, Fingerzeig; Spur; andeuten; anspielen *(at* auf); **~erland** [⸗əlænd] *geog, pol* Hinterland

hip [hip] Hüfte; Hagebutte

hippo [ˈhipou], *pl* **~s** = ~potamus; **~drome** [⸗pədroum] Hippodrom; **~potamus** [hipəˈpotəməs], *pl* ~potamuses, ~potami [⸗⸗⸗təmai] Fluß-, Nilpferd

hire [haiə] **1.** j-n anstellen; **2.** etw. mieten, (gegen Gebühr) leihen; **3.** (Raum) für kurze Zeit mieten, belegen; ~ *out* vermieten; **4.** Miete, Mietpreis; **5.** Arbeitslohn; *on* ~ mietweise, zu vermieten; *for* ~ zu vermieten; ~ *purchase*

[ˈpətʃis] *BE* Raten-, Abzahlungs(ver)kauf; **~ling** Mietling

hirsute [ˈhəːsjuːt] zottig, haarig

his [hiz] seine(e, er)

hiss [his] zischen (~ *down* nieder-); ~ *s-b off the stage* auszischen; Zischen

histor|ian [hisˈtɔːriən] Geschichtsforscher, -schreiber; **~ic** [hisˈtɔrik] geschichtlich (bedeutsam); **~ical** geschichtlich (bezeugt), historisch; geschichtswissenschaftlich; **~y** [ˈhistəri] Geschichte *(to make, become* ~*y)*

histrionic [histriˈɔnik] schauspielerisch

hit [hit] *(s. S. 318)* **1.** treffen; **2.** schlagen, (Schlag) geben; ~ *out!* schlag zu!; ~ *a man when he's down,* ~ *a man below the belt* j-m e-n Schlag in die Magengrube geben *(a. fig)*; ~ *the nail on the head,* ~ *it,* ~ *the mark* den Nagel auf den Kopf treffen; ~ *s-b's fancy* j-m sehr gefallen; ~ *it off* s. vertragen *(with s-b* mit j-m); ~ *s-th on* (od *against)* mit (d. Kopf etc) schlagen gegen; **3.** *fig* treffen, in Mitleidenschaft ziehen, mitnehmen; ~ *on* geraten auf, finden, stoßen auf; ~ *town* in d. Stadt kommen; ~ *the hay (sack)* s. aufs Ohr legen; **4.** Schlag, Treffer *(a. fig)*; **5.** *fig* Hieb; ♥, ♪ Schlager

hitch [hitʃ] **1.** rutschen, rücken; ~ *up* hochziehen; **2.** festbinden *(to* an, *round* um); **3.** hängenbleiben, s. verfangen *(on* an); ~ *(up)* anschirren; **4.** Ruck; **5.** ⚓ Stich, Knoten; **6.** *fig* Haken, Hindernis; **7.** *US sl* Strecke, Zeitspanne; *mil* Dienstzeit; **~hike** [⸗haik] *sl* trampen, per Anhalter fahren

hither [ˈhiðə] hierher; **~to** [⸗⸗ˈtuː] bis jetzt

hive [haiv] Bienenkorb, *fig* -haus; *pl* Nesselausschlag; (Bienen) in d. Stock bringen; (Honig) speichern; eng zusammenleben

hoar [hɔː] eisgrau; bereift; ~ *frost* Rauhreif; **~y** [ˈhɔːri] weißhaarig, grau; ehrwürdig

hoard [hɔːd] (heimlicher) Vorrat, Hort; ~ *(up)* aufspeichern, horten, hamstern; **~er** Hamsterer; **~ing** Aufspeichern, Hamstern; *BE* Bauzaun; *BE* Reklamefläche

hoarse [hɔːs] heiser, rauh

hoax [houks] Täuschung, Schwindel; Streiche, Schabernack; foppen, reinlegen

hob [hɔb] Kaminvorsprung; = hobgoblin

hobble [hɔbl] humpeln, hinken; (an d. Füßen) fesseln; Humpeln; Seil (zum Fesseln); **~dehoy** [⸗diˈhɔi] Schlaks

hobby [ˈhɔbi] *fig* Steckenpferd; **~-horse** [⸗⸗hɔːs] *konkr, abstr* Steckenpferd

hob|goblin [ˈhɔbgɔblin] Kobold; **~nail** [⸗neil] Nagel (f. Bergschuhe); **~nob** [⸗nɔb] zus. trinken; freundschaftl. verkehren mit [streicher

hobo [ˈhoubou], *pl* **~s** Wanderarbeiter, Land-

Hobson's choice [ˈhɔbsənz ˈtʃɔis]: *it's* ~ ~ es bleibt keine andere Wahl

hock, *BE a.* **hough** [hɔk] Sprunggelenk; Hacke, Hachse; ~ *BE* weißer Rheinwein; *sl* Pfand, verpfänden; *in* ~ auf d. Pfandhaus; im Kittchen; verschuldet

hockey [ˈhɔki] Hockey *(~ ball, ~ stick)*

hod [hɔd] Mörtel-, Backsteintrage
hodge-podge ['hɔdʒpɔdʒ] *siehe* hotch-potch
hoe [hou] ↓ Hacke; *vt/i* (~*ing*, ~*d*) hacken
hog [hɔg] (Haus-, Schlacht)Schwein; Jährling; *fig* Schwein(ehund), Flegel ♦ *to go the whole* [houl] ~ ganze Sache machen; ~**gish** schweinisch, gierig; ~**shead** [‐zhed] großes Faß; Oxhoft (ca. 240 l)
hoick [hɔik] *bes* ✝ hochreißen
hoist [hɔist] hochziehen, -heben; hissen; Aufzug, Hebezeug; Schubs (nach oben)
hold [hould] *(s. S. 318)* 1. halten; 2. fassen, (ent)halten *(a. fig)*; 3. (Ansicht) haben; meinen, d. Ansicht vertreten; ~ *water* stichhaltig sein, ziehen; ~ *good* zutreffen; ~ *the line* 🖕 am Apparat bleiben; ~ *the road well* 🚗 gute Straßenlage haben; ~ *one's breath* d. Atem anhalten; ~ *one's hand* zögern, zurückhalten; ~ *one's peace* (od *tongue* [tʌŋ]) still sein; *there's no* ~*ing him* er läßt sich nicht halten; 4. *mil* halten; ~ *one's ground* (od *one's own*) d. Stellung halten *(a. fig)*; 5. besitzen, (inne)haben; ~ *office* im Amt sein; 6. abhalten, veranstalten; 7. anhalten, dauern; ~ **aloof** s. fern-, zurückhalten; ~ **back** (s.) zurückhalten; ~ **by** festhalten an; ~ **down** *(a position, job)* bleiben in, behalten; ~ **forth** (j-m etw) hinhalten; (mit e-r Rede etc) loslegen; ~ **in** zurückhalten, in d. Gewalt haben; ~ **off** fernhalten; fern-, ausbleiben; ~ **on** festhalten; anhalten *(bes: on!)*; ~ *on one's way* weitermachen; ~ *on* 🖕 am Apparat bleiben; *fig* durchhalten; ~ **out** (Arme etc) ausstrecken; aus-, durchhalten; ~ **over** verschieben, -tagen; (Waren) zurücklegen; ~ **to** s. halten an; ~ **together** zus.halten; ~ **up** (Dach) tragen; stützen; hochhalten; aufhalten; überfallen (Wetter) s. halten; ~ *up to ridicule* der Lächerlichkeit preisgeben; ~ **with** es halten mit, billigen; 8. *su* Halt, Griff; *to catch* (od *get*) ~ *of* ergreifen; *to keep* ~ *of* festhalten; *to lose* [luz] ~ *of* loslassen; 9. *fig* Einfluß, Gewalt *(over* über); 10. ⚓ Laderaum; ~**all** *BE* Reisetasche; ~**er** Halter; Inhaber; ~**ing** (Pacht-)Besitz; Anteil; Vorrat, Lager; ~**ing company** ['kʌmpəni] Dachgesellschaft; ~**over** [‐ouvə] *US* Überbleibsel; ~**up** Raubüberfall; Verkehrsstau
hole [houl] 1. Loch *(a. fig)*; 2. Höhle, Bau; *to pick* ~*s in* (herum)kritisieren an; *to put s-b in a* ~ j-n in e-e verzwickte Lage bringen; *to make a* ~ *in (fig)* ein Loch reißen in; *a square peg in a round* ~ völlig fehl am Platze; ~*-and-corner* heimlich, unter d. Hand; 3. durchlöchern; 4. aushöhlen; 5. 🏑 ins Loch spielen, einlochen
holiday ['hɔlədi] Feiertag; Ferien; *to take a* ~ s. freimachen, feiern; *on (a)* ~ in Ferien; Ferien machen; ~**maker** [‐‐‐meikə] Feriengast, Sommerfrischler
holiness ['houlinis] Heiligkeit
holland ['hɔlənd] ungebleichte Leinwand; *pl* Wacholderbranntwein
hollow ['hɔlou] hohl *(a. fig)*, leer; *adv* völlig; *su* Vertiefung, Loch; kl. Tal; ~**ware** [‐‐wɛə] Hohlware, tiefes Geschirr

holly ['hɔli] Stechpalme; ~**hock** Stockrose, -malve; ~ **oak** = holm-oak
holm [houm] (Fluß-)Insel, Werder; *BE* Marschland; ~**(-oak)** [‐'ouk] Steineiche
holocaust ['hɔləkɔːst] Brandopfer; (Vernichtung durch) Brandkatastrophe
holster ['houlstə] Pistolentasche, Halfter
holy ['houli] heilig; *H*~ *Thursday* Himmelfahrtstag; Gründonnerstag; ~ *water* Weihwasser; *H*~ *Week* Karwoche; *a* ~ *terror (umg)* schrecklicher Kerl, Enfant terrible; ~**stone** [‐‐stoun] ⚓ Scheuerstein
homage ['hɔmidʒ] Huldigung; *to do* (od *pay*) ~ *to* huldigen *(a. fig)*
home [houm] 1. *su* Haus, Heim; 2. Zuhause; 3. Heimat; *at* ~ zu Hause; *to be at* ~ Besuch empfangen; *at* ~ *in* wie zu Hause in, bewandert in; *to make one's* ~ s. niederlassen; *to be* (od *make, feel o. s.) at* ~ s. wie zu Hause fühlen, benehmen; 4. 🏠 Ziel, Mal; 5. *zool* Heimat; 6. Institution, Heim; 7. *adj* häuslich, Familien-; 8. einheimisch, inländisch; 9. Binnen-, Inlands-; 10. *adv* nach Hause; 11. zu Hause; *to drive a nail* ~ e-n Nagel ganz einschlagen; *to bring* (*drive*) ~ *(to)* eindringlich klarmachen; *to bring s-th* ~ *to* j-m etw beweisen, j-n überführen; *that will come* ~ *to you* d. werden Sie büßen müssen; *to come* (*go*) ~ *to* j-n empfindlich treffen; *(fig)* sitzen, treffen; ~**coming** [‐kʌmiŋ] Heimkehr; ~**less** heim(at)los; ~**like** [‐laik] häuslich, gemütlich; ~**ly** schlicht, hausbacken; reizlos; gemütlich; *bes US* häßlich; ~**made** [‐'meid] selbstgemacht; *H*~ *Office BE* Innenministerium; ~ **room** *US* Klassenzimmer; ~ **rule** Selbstregierung; ~**sick** heimwehkrank; ~**sickness** Heimweh; ~**spun** [‐spʌn] selbstgesponnen; schlicht, einfach; hausbacken; Homespun; ~**stead** [‐sted] Bauernhof; *US* Siedlungsland; ~ **thrust** [‐'θrʌst] Hieb, der sitzt *(a. fig)*; ~**ward** [‐wəd] nach Hause, heim(at)wärts; ~**wards** [‐wədz] *adv* = ~ward; ~**work** [‐wəːk] Hausaufgabe; ~**worker** Heimarbeiter(in); ~**y** ['houmi] *siehe* homy
homicid|e ['hɔmisaid] *allg* Mörder; 🔪 Totschlag, Verletzung mit Todesfolge; ~**al** [‐‐'saidl] mörderisch, Mord-
homily ['hɔmili] Predigt; Moralpauke
homing ['houmiŋ]: ~ **device** Zielfluggerät; ~ **pigeon** Brieftaube; ~ **weapon** zielsuchende Waffe
hominy ['hɔmini] (grobes) Maismehl; Maisbrei
homoeopath|y, *US* **homeo-** [houmi:'ɔpəθi] Homöopathie; ~**ist** [‐‐‐‐θist] Homöopath
homo|geneous [hɔmə'dʒiːniəs] homogen; ~**graph** [‐‐graːf] Homonym; ~**nym** [‐‐nim] Homophon; ~**phone** [‐‐foun] Homophon; gleichlautender Buchstabe
homy, *US* **homey** ['houmi] häuslich, gemütlich
hone [houn] ziehschleifen, honen
honest ['ɔnist] ehrbar, ehrlich; anständig *(to turn an* ~ *penny* s. Geld ehrlich verdienen); aufrichtig; ~**-to-goodness** echt; ~**y** Ehrbarkeit,

Ehrlichkeit; Anständigkeit ♦ ~*y is the best policy* ehrlich währt am längsten

honey ['hʌni] Honig; Herzchen, Schätzchen; **~-bee** [≤–biː] Honigbiene; **~comb** [≤–koum] Honigwabe; **~combed** [≤–koumd] durchlöchert (*with* von); **~dew** [≤–djuː] Honigtau; gesüßter Tabak; Honigmelone; **~ed** [≤–d] honigsüß (*a. fig*); **~moon** [≤–muːn] Flitterwochen, Hochzeitsreise (machen); **~suckle** [≤–sʌkl] *bot* Geißblatt

honk [hɔŋk] Ruf (d. Wildgans); Hupen; *vi* schreien (Wildgans); hupen

honor|arium [ɔnə'reəriəm], *BE a.* hɔ-], *pl* **~ariums, ~aria** (freiwillig gez.) Honorar; **~ary** ['ɔnərəri] Ehren-; ehrenamtlich; **~ific** [ɔnə'rifik] Ehren-(Titel)

honour ['ɔnə] **1.** Ehre; *to be in ~ bound, to be on one's ~* moralisch verpflichtet sein; *to put s-b on his ~* j-n moralisch verpflichten; **2.** Ehrerbietung, Achtung; *your H~* Euer Gnaden (Richtertitel); **3.** *pl* Ehrungen; *to do the ~s* d. Honneurs machen; *fig* zurückstecken; *~s degree (BE)* gehobene Prüfung (Titel); **4.** (ver)ehren; **5.** akzeptieren, einlösen; **~able** [≤–rəbl] ehrenhaft, -voll; ehrenwert

hood [hud] Kapuze, Haube; 🚗 *BE* Verdeck, *US* Motorhaube; mit e-r Haube bedecken; **~ed** mit e-r Kapuze; *orn* Hauben-; **~ed crow** [krou] Nebelkrähe; **~lum** ['huːdləm] Rowdy, Strolch; **~wink** [≤–wiŋk] 'reinlegen, täuschen

hoof [huːf], *pl* **~fs** (*a.* ~ves) Huf; *pl sl* Pedale, Quanten; *on the ~f* lebend; latschen; schwofen; **~fed** [huːft] Huf-

hook [huk] **1.** Haken (*~ and eye* H. u. Öse); *by ~ or by crook* [kruk] mit allen Mitteln; *~, line, and sinker* mit allem Drum u. Dran; **2.** (zu-, ein)haken; **3.** angeln (*a. fig*); **~ed** [hukt] hakenförmig; mit Haken versehen; **~-up** [≤–ʌp] 📻 Schaltbild; Sendergruppe; Zusammenschluß; **~worm** [≤–wəːm] Hakenwurm; **~y** [≤–i]: *to play ~y (US)* schwänzen

hooligan ['huːligən] Rowdy, Lümmel

hoop [huːp] **1.** (Faß-)Reifen (*a.* Spielzeug); (Rock-)Reifen; 🏑 (Krocket-)Tor; *siehe* whoop

hoopoe ['huːpuː] Wiedehopf

hoot [huːt] Schrei (d. Eule; Wut- etc); ⚙ Heulen; schreien; pfeifen; heulen; *BE* hupen; auspfeifen, niederzischen; **~er** Sirene; *BE* Hupe

hoover ['huːvə] *BE* Staubsauger; staubsaugen

hop [hɔp] Hopfen; (kurzer) Sprung; Tanz; (Flug-)Etappe; *~, step, and jump* 🏑 Dreisprung; hüpfen, (über)springen; *~ off* ✈ starten

hope [houp] Hoffnung; *to live in ~ of* hoffen auf; *~* hoffen (*for* auf; *for the best* d. Beste); *~ in* vertrauen auf; *~ against ~* wider alle Vernunft hoffen; **~ful** hoffnungsvoll (*about* hinsichtlich); *to be ~ful* hoffen (*of* auf); vielversprechend(e Person, *pol* Kandidat, Anwärter); **~fully** hoffentlich; **~less** hoffnungslos; ∫ unheilbar

hop|per ['hɔpə] *zool* Springer, Floh; Käsemade; ⚙ Trichter; Hopfenpflücker; **~scotch** [≤–skɔtʃ] Himmel u. Hölle, Kästchen springen

horde [hɔːd] Horde, Bande; Schwarm; eine Horde bilden

horizon [hə'raizn] Horizont (*a. fig*); **~tal** [hɔri'zɔntl] waagerecht (*out of the ~tal* nicht horizontal); Horizont-; **~tal bar** 🏑 Reck

hormone ['hɔːmoun] Hormon

horn [hɔːn] **1.** Horn; *~ (of plenty)* Füllhorn; **~s** Gehörn, Geweih; *to take the bull by the ~s* d. Stier bei d. Hörnern packen; *on the ~s of a dilemma* in e-r Zwickmühle; **2.** (Schnecken-) Horn, Fühler; *to draw in one's ~s* d. Hörner einziehen, *fig* zurückstecken; ♪ Horn (*French ~* Wald-, *English ~* Englisch-); **3.** Hupe; Nebelhorn; **4.** Sichel(ende) (des Monds); **~ed** [≤–d] Horn-; *horned owl* [aul] Uhu; **~less** hörnerlos

hornet ['hɔːnit] Hornisse; *to stir up a nest of ~s, to bring a ~s' nest about one's ears* in ein Wespennest stechen

horn|pipe ['hɔːnpaip] ⚓ Hornpipe (Tanz); **~y** [≤–i] hornig; schwielig

horoscope ['hɔrəskoup] Horoskop (*to cast a ~* ein H. stellen)

horr|endous [hɔ'rendəs] fürchterlich; **~ible** ['hɔribl] entsetzlich; fürchterlich; **~id** ['hɔrid] schrecklich, gräßlich; **~ify** Entsetzen einflößen, entsetzen; **~ifying** entsetzlich; **~or** ['hɔrə] Entsetzen (*of* vor); Greuel, Schrecken; **~or-struck** [≤–strʌk], **~or-stricken** [≤–strikən] von Entsetzen gepackt

hors|de combat [ɔːdə'kɔmbɑː] kampfunfähig; **~ d' œuvre** [ɔː'dəːvə], *pl* ~ d' œuvres Vorspeise

horse [hɔːs] Pferd; *to mount* (od *ride, be on*) *the high ~* auf d. hohen Roß sitzen; *not to look a gift ~ in the mouth* e-m geschenkten Gaul nicht ins Maul schauen; *to flog a dead ~* s-e Energie vergeuden; *to put the cart before the ~* d. Gaul von hinten aufzäumen; *you may take a ~ to the water, but you can't make him drink* gewisse Dinge lassen sich nicht erzwingen; *a dark ~* 🏑 Außenseiter (*a. fig*); Kavallerie; 🏑 Bock; Gestell, Ständer; **~back** [≤–bæk] Pferderücken; *on ~back* zu Pferde; **~ chestnut** [≤–'tʃesnʌt] Roßkastanie; **~flesh** [≤–fleʃ] Pferdefleisch; *umg* Pferde; **~-fly** [≤–flai] Bremse; Viehfliege; **~hair** [≤–hɛə] Pferdehaar; **~laugh** [≤–lɑːf] wieherndes Lachen; **~man** [≤–mən], *pl* ~men Reiter; **~manship** Reitkunst; **~play** Rüpelei, derbes Spiel; **~-power** [≤–pauə] Pferdestärke, PS (1 HP = 1,014 PS = 0,75 kW); **~race** [≤–reis] Pferderennen; **~radish** [≤–rædiʃ] Meerrettich; **~-sense** [≤–sens] gesunder Menschenverstand (Instinkt); **~shoe** [≤–ʃuː] Hufeisen; **~whip** Reitpeitsche; durchprügeln; **~woman** [≤–wumən], *pl* ~women [≤–wimin] Reiterin

horsy ['hɔːsi] pferdeliebend, -närrisch; Reiter-; Stall-

horticultur|al [hɔːti'kʌltʃərəl] Gartenbau-; **~e** [≤––tʃə] Gartenbau; **~ist** [≤–'kʌltʃərist] Gärtner; Gartenbaufachmann

hos|e [houz] Schlauch; Strümpfe; mit e-m Schlauch (be)spritzen; **~ier** ['houʒə] Strumpfhändler; **~iery** ['houʒəri] Strumpfware(n); *BE* Wirkwaren

hospi|ce ['hɔspis] Hospiz; **~table** [-pitəbl] gastfrei, -freundlich
hospital ['hɔspitl] Krankenhaus, Klinik; **~ity** [--'tæliti] Gastfreundschaft; **~ize** [-'-təlaiz] in ein Krankenhaus aufnehmen (überweisen)
host [houst] 1. Gastgeber, Wirt *(a. zool, bot)*; 2. Gastwirt; *to reckon without one's ~* d. Rechnung ohne d. Wirt machen; 3. *fig* Heer, Unmenge ♦ *he is a ~ in himself* er kann so viel wie hundert andre; **~s** *(eccl)* Heerscharen; H~ Hostie; **~age** ['hɔstidʒ] Geisel; **~el** ['hɔstəl] Herberge; (Studenten-)Heim; *youth* [ju:θ] **~el** Jugendherberge; **~elry** ['hɔstəlri] Gasthof; **~ess** ['houstis] Gastgeberin, Wirtin; Gastwirtin, -wirtsfrau; **~** Stewardeß; **~ile** ['hɔstail] feindlich, -selig; **~ility** [hɔs'tiliti] Feindseligkeit; Feindschaft; **~ler** ['ɔslə] *bes US* = ostler
hot [hɔt] heiß, (sehr) warm *(a.* Essen); (Geschmack) scharf(gewürzt); heiß(-blütig), hitzig, heftig; ✿ heiß, hoch(radio)aktiv; ♪ 'heiß' ♦ *to get into ~ water* in d. Patsche geraten; *to make a place too ~ for s-b* j-m d. Hölle heiß machen; *the place is too ~ for him* der Boden ist ihm zu heiß (unter d. Füßen); *to get ~ over* s. erhitzen wegen; (Spur) frisch, warm; *to be ~ on the track of s-b* j-m dicht auf d. Spur (sein); *~ and cold* unentschlossen; *give it him ~!* gib ihm Saures!; **~ air** [-'ɛə] *umg* Angeberei, Prahlerei; **~bed** [-bed] Mistbeet, *fig* Brutstätte; **~-blooded** [-'blʌdid] heißblütig; **~ dog** Hot dog; **~head** [-hed] Hitzkopf; **~headed** [-'hedid] hitzköpfig; schnell böse; **~house** [-haus], *pl* **~houses** [-hauziz] Treibhaus; **~money** [-'mʌni] Fluchtkapital; **~ rod** 🚗 auffrisierter alter Wagen; **~spur** [-spə:] Heißsporn; **~water bottle** [-'wɔːtəbɔtl] Wärmflasche
hotchpotch ['hɔtʃpɔtʃ], *US* **hodgepodge** ['hɔdʒpɔdʒ] Gemüsesuppe; *fig* Mischmasch
hotel [hou'tel] Hotel; **~-keeper** [--'ki:pə], **~ier** [hou'teliə] Hotelier
hough [hɔk] *BE* Sprunggelenk *(siehe* hock)
hound [haund] 1. (Jagd-)Hund; 2. Schuft; *to follow the ~s, to ride to ~s* mit der Meute jagen; *Master of (Fox) H~s* Master (e-r Parforcejagd); 3. jagen, hetzen *(a. fig)*
hour [auə] Stunde; *the small ~s* die Stunden nach Mitternacht; *after ~s* nach Arbeitsschluß; *to keep good (bad) ~s* früh (spät) nach Hause kommen; *to keep early (late) ~s* früh (spät) zu Bett gehen; **~glass** [-glɑ:s] Stundenglas; **~hand** [-hænd] Stundenzeiger; **~ly** [-li] stündlich; dauernd
house [haus], *pl* **~s** ['hauziz] Haus; Gebäude; *the H~ (BE)* Parlament, Börse; ♟ Theater, Haus; ♟ Vorstellung; *to bring down the ~* zum Applaus hinreißen; Heim, Haus(halt); *to keep ~* d. Haushalt führen, haushalten; *to keep the ~* zu Hause bleiben; *to keep open ~* ein offenes Haus haben; Handelshaus, -firma; 💲 Krankenhaus-; *~* [hauz] unterbringen, Wohnung(en) beschaffen für; **~-agent** [-'eidʒənt] *BE* Häusermakler; **~-boat** [-bout] Haus-, Wohnboot; **~-breaker** [-breikə] Einbrecher; *BE* Abbruchunternehmer; **~hold** [-hould]

Haushalt; **~holder** Wohnungsinhaber, Hauptmieter; Haushaltungsvorstand; **~hold word** Alltagswort; **~keeper** [-ki:pə] Haushälterin; Leiterin e-s Haushalts; **~keeping** Haushaltsführung; **~maid** Hausmädchen, -mädchen; **~man** [-mən], *pl* **~men** *BE* Assistenzarzt (im Krankenh.); **~top** [-tɔp] Dach ♦ *to proclaim (etc) from the ~-tops* in aller Öffentlichkeit erklären; **~-warming** [-wɔːmiŋ] Einzugsfeier; **~wife** [-waif], *pl* **~wives** [-waivz] Hausfrau; *BE* ['hʌzif], *pl* ['hʌzivz] Nähtäschchen; **~work** [-wə:k] Hausarbeit; **~ wrecker** [-'rekə] *US* = **~-**breaker (Abbruchunternehmer)
housing ['hauziŋ] Unterbringung; Lagerung; Wohnungsbeschaffung, -wesen; Wohn-; Miet-; **~ estate** [is'teit] Siedlung
hove [houv] *siehe* heave; **~l** ['hɔvl] Hütte, Bruchbude, Loch; **~r** ['hɔvə, *US* 'hʌvə] *orn* schweben *(a. fig)*; s. in der Nähe aufhalten; *fig* schwanken
how [hau] wie; *~ is he?* wie geht es ihm?; *~ do you do?* [-dju'du:] wie gehts?; sehr erfreut! *~'s that?* wie ist das zu verstehen?; *~ about?* wie wär's, wenn?; **~beit** [-'bi:it] wie dem auch sei, trotzdem; **~ever** [-'evə] wie . . . auch, so . . . auch; jedoch; **~soever** [-sou'evə] wie sehr auch
howitzer ['hauitsə] Haubitze
howl [haul] heulen; ❧ pfeifen; Heulen; *~ down* niederbrüllen; **~er** Schnitzer; **~ing** heulend; **~ing wilderness** trostlose Öde
hub [hʌb] ✿ Nabe; *fig* Zentrum
hubbub ['hʌbʌb] Stimmengewirr, Tumult
hubby ['hʌbi] *umg* (Ehe-)Mann
huckaback ['hʌkəbæk] Gerstenkornleinen
huckle [hʌkl] Hüfte; **~berry** [-beri] amerikan. Heidelbeere
huckster ['hʌkstə] Hausierer, Straßenhändler
huddle [hʌdl] zus.werfen, (s.) zus.drängen, -pressen; *~ o. s. up* s. zus.rollen, -kauern; wirrer Haufen, Wirrwarr; *sl* Geheimbesprechung *(to go into a ~ with* d. Köpfe zus.stecken)
hue [çu:] Farbe, Farbton; *~ and cry* [-ɔn'krai] Zetermordio; *to raise a ~ and cry against* laut Protest erheben gegen
huff [hʌf] üble Laune, Wutanfall; **~y** mißlaunig; übelnehmerisch
hug [hʌg] (fest) in d. Arme nehmen, umarmen; *fig* festhalten an, s. nahe halten an; *~ o. s. over s-th* s. beglückwünschen zu; Umarmung *(to give s-b a ~* = to ~)
huge [çu:dʒ] riesig, gewaltig
hulk [hʌlk] plumpes Schiff; Hulk, Vorratsschiff; Schiffsgefängnis; *umg* Trampel; **~ing** klobig, plump
hull [hʌl] Schale, Hülse; ♻ Rumpf *(~ down* R. unter d. Kimm); enthülsen, schälen; **~abaloo** [-əbə'lu:] Tumult, Spektakel
hullo ['hʌ'lou] hallo *(a.* ✆)
hum [hʌm] summen *(a.* ✿; *to o. s.* vor s. hin); *to make things ~* d. Laden in Schwung bringen; h'm machen, stocken, zögern *(siehe* haw); Summen; Brausen; **~ming-bird** [-iŋbɔ:d] Kolibri

human ['çu:mən] menschlich; Menschen-; ~ *(being)* Person, Mensch; ~**e** [-'mein] mensch(enfreund)lich, human; humanistisch; ~**ism** [-–nizm] Humanismus; ~**ist** Humanist; ~**itarian** [-mæni'tɛəriən] Menschenfreund; humanitär; ~**itarianism** humanitäre Lebenseinstellung; ~**ity** [çu:'mæniti] Menschheit; menschliche Natur; Menschlichkeit, Humanität; *pl* klassische Philologie, Geisteswissenschaften; ~**ize** [-–aiz] menschlich, gesittet machen, zivilisieren; menschliches Gepräge geben; ~**kind** [-–'kaind] Menschheit; ~**ly** (nach) menschlich(em Ermessen); ~**ly speaking** nach menschlichen Begriffen

humble [hʌmbl] unterwürfig, demütig; niedrig, bescheiden (*to eat ~ pie* [-'pai] s. erniedrigen, Abbitte tun); *vt* demütigen; ~**-bee** [-bi:] *bes BE* Hummel

hum|bug ['hʌmbʌg] Schwindel, Humbug; (be)schwindeln (*out of* um); verleiten (*into* zu); ~**drum** [-drʌm] alltäglich, einförmig

humerus ['çu:mərəs] Oberarmknochen

humid ['çu:mid] feucht; ~**ify** [-–ifai] befeuchten, feucht machen; ~**ity** [-–iti] Feuchtigkeit

humil|iate [çu:'milieit] erniedrigen, demütigen; ~**iation** [-ˌ-–'eiʃən] Erniedrigung, Demütigung; ~**ity** [-'militi] Demut, Niedrigkeit

hummock ['hʌmək] Erdhügel; Eisbarriere

hum|orist ['çu:mərist] Humorist; lustige Person; ~**orous** [-mərəs] humorvoll, spaßig; ~**orous paper** Witzzeitschrift; ~**our** [-mə] Humor (*sense of* ~ *our* H.); *out of* ~ *our* verstimmt; **§** Flüssigkeit; *vt* (j-m) zu Willen sein, seinen Willen lassen, nachgeben

hump [hʌmp] Höcker; Buckel; ~ *up* Buckel machen, d. Schultern hochziehen; ~**back** [-bæk] Buckel; Buckliger; ~**backed** [-bækt] bucklig; ~**ty-dumpty** [-tidʌmpti] untersetzte Person, Dickerchen

humph [mm, hʌmf] hm!

humus ['çu:məs] Humus

Hun [hʌn] Hunne (*a. fig*); *BE sl* (verdammter) Deutscher

hunch [hʌntʃ] Buckel; Runk(s)en, Stück; *umg* Ahnung, Gefühl (*to have a ~*); Buckel machen, d. Schultern hochziehen; ~**back(ed)** = humpback(ed)

hundred ['hʌndrəd] hundert; *to have a ~ and one things to do* Dutzende von Sachen zu tun haben; ~**fold** [-–fould] hundertfach; ~**th** [-–θ] hundertste; ~**weight** [-–weit] Zentner (*BE =* 112 pounds = 50,80 kg; *US =* 100 pounds = 45,36 kg)

hung [hʌŋ] *siehe* hang; ~**er** [-gə] Hunger (*a. fig*); hungern; verlangen (*for* nach); ~**ry** [-gri] hungrig (*a. fig*); hungrig machend

hunk [hʌŋk] Runks, Runken, Stück

hunt [hʌnt] 1. hetzen(d jagen); *US allg* jagen, schießen; 2. suchen (*for* nach); ~ *down* zur Strecke bringen; ~ *out* (auf)finden; ~ *up* ausfindig machen; verjagen; 3. *BE* Fuchsjagd halten in, zur F. benutzen, Master sein bei; 4. (*BE* Parforce-)Jagen, Jagd; 5. Suchen; 6. *BE*

Fuchsjagdgruppe; Fuchsjagdgebiet; ~**er** *BE* Großwildjäger; *US allg* Jäger; Jagdpferd; Uhr mit Deckel; ~**ing** (*BE bes* Fuchs-)Jagen, Jagd; Verfolgung, ~**ing-man** (*bes* Parforce-)Jäger; ~**ing-ground** Jagdgrund (*a. fig*); ~**ress** [-ris] Jägerin; ~**sman** [-smən], *pl* ~**smen** [-smen] *BE* (Parforce-)Jäger; Pikör

hurdle [hə:dl] Hürde (*a.* 🐖, *fig*); *pl* (= ~-race) Hürdenlauf, -rennen; Hürdenlaufen (-springen, *fig* nehmen); ~**r** [-lə] Hürdenläufer

hurdy-gurdy ['hə:digə:di] Drehleier; *umg* Drehorgel

hurl [hə:l] schleudern; ~**y-burly** [-ibə:li] Tumult, Wirrwarr

hurrah [hu'ra:], **hurray** [hu'rei] Hurra (rufen)

hurricane ['hʌrikən, *bes US* -–kein] Orkan (*a. fig*); ~**-lamp**, ~**-lantern** [-–-læmp, læntən] Sturmlampe

hurr|ied ['hʌrid] eilig, hastig; ~**y** [-i] (zu große) Eile, Hast; *is there any ~y?* ist es eilig?; *there's no ~y* es eilt nicht; *in a ~y* in Eile; *to be in a ~y* es eilig haben, darauf brennen (etwas zu tun); *not ... in a ~y* nicht so leicht (bald); (s. be)eilen; *to make s-b ~y* = **to** ~**y** s-b j-n zur Eile antreiben; eilends hinschicken; ~**y** *off* wegeilen, -schicken; ~**y** *up* s. beeilen, beschleunigen

hurt [hə:t] *(s. S. 318)* verletzen; wehe tun, schädigen, schaden; beleidigen; Verletzung; Schaden (*to* für); ~**ful** schädlich; ~**le** [-l] sausen, schießen, fegen

husband ['hʌzbənd] (Ehe-)Mann, Gatte; sparsam umgehen mit; ~**man** [-–mən], *pl* ~**men** Landwirt; ~**ry** [-–ri] Landwirtschaft; (gutes) Wirtschaften

hush [hʌʃ] still!; beruhigen; ~ *up* vertuschen; Stille; ~ **money** [-'mʌni] Schweigegeld

husk [hʌsk] Hülse, Schale; (*a. fig*); enthülsen; ~**y** hülsenartig; Hülsen-; trocken, rauh; stämmig(er Kerl); Eskimohund

huss|ar [hu'za:] Husar; ~**y** [-hʌsi] freche Göre, Frauenzimmer; Flittchen

hustle [hʌsl] (schnell) schubsen, drängen; s. beeilen, intensiv arbeiten; j-n drängen (*into* zu); Drängen; *fig* Betrieb

hut [hʌt] Hütte; Baracke; ~ *camp* Barackenlager

hutch [hʌtʃ] Kaninchenstall; Kasten

huzz|a [hu'za:] = hurrah; ~**y** ['hʌzi] = hussy

hyacinth ['haiəsinθ] Hyazinthe

hybrid ['haibrid] *bot, zool* Bastard, Zwitter; hybrid(e Wortbildung); Zwitter-; ~**ize** [-–aiz] kreuzen

hydr|a ['haidrə], *pl* ~**as** Hydra (*a. fig*); Wasserschlange; (Süßwasser-)Polyp; ~**angea** [-'dreindʒə], *pl* ~**angeas** Hortensie; ~**ant** [-ənt] Hydrant; ~**aulic** [-'drɔ:lik] hydraulisch; ~**aulics** *sg vb* Hydraulik

hydro ['haidrou], *pl* ~**s** *umg* Kurhaus; Wasser-; ~**carbon** [-–'ka:bən] Kohlenwasserstoff; ~**chloric acid** [-–'klɔrik'æsid] Salzsäure; ~**electric** [-–i'lektrik] hydroelektrisch, Wasserkraft-; ~**gen** ['haidrədʒən] Wasserstoff; ~**pathic** [-–'pæθik] **establishment** Kurhaus, Bäderanstalt; ~**pathy** [hai'drɔpəθi] Wasserbe-

handlung; **~phobia** [-−'foubiə] ⚕ Tollwut;
umg Wasserscheu; **~plane** [-−plein] ⚓ Gleit-
boot; Tiefenruder (am U-Boot); Wasserflugzeug; **~ponics** [-−'pɔniks] *sg vb* Hydroponik,
Hydrokultur
hyena [hai'i:nə], *pl* **~s** Hyäne *(a. fig)*
hygien|e ['haidʒi:n] Hygiene, Gesundheits-
pflege; **~ic** [-'dʒi:nik, *US* -dʒi'enik] hygie-
nisch
hymn [him] (kirchl.) Chor, Hymne; **~al** ['him-
nəl] = **~-book** Gesangbuch
hyperbol|a [hai'pə:bələ], *pl* **~as** *math* Hyper-
bel; **~e** [-−-li], *pl* **~es** Übertreibung
hyper|critical ['haipə'kritikl] hyperkritisch, zu
scharf; **~tension** [-−'tenʃən] ⚕ zu hoher Blut-
druck; **~trophy** [−'pə:trəfi] übermäßiges
Wachstum
hyphen ['haifən] Bindestrich; (Silben-)Trenn-
strich, Divis; *vt* = **~ate** [-−-neit] mit Bindestrich schreiben
hypno|sis [hip'nousis], *pl* **~ses** [-−si:z]
Hypnose; **~tic** [-'nɔtik] hypnotisch; **~tism** [-
nətizm] Hypnose; Hypnotismus; **~tize** [-−nə-
taiz] hypnotisieren
hypo ['haipou], *pl* **~s** Injektionsnadel; Fixier-
natron, -salz; **~crisy** [hi'pɔkrəsi] Heuchelei;
~crite ['hipəkrit] Heuchler(-in); **~critical**
[hipə'kritikl] heuchlerisch; **~dermic** [--
'də:mik] ⚕ subkutan; **~tenuse** [hai'pɔtinju:z]
Hypotenuse; **~thecate** [hai'pɔθikeit] ⚙ verpfänden; **~thesis** [hai'pɔθisis], *pl* **~theses** [-−-
si:z] Hypothese; **~thetical** [haipə'θetikl] hypo-
thetisch
hyssop ['hisəp] *bot* Ysop; Weihwedel
hyster|ia [his'tiəriə] Hysterie (⚕, *allg*); **~ical** [-
'terikl] hysterisch; **~ics** [-'teriks] *pl vb umg* hysterischer Anfall

I

I [ai] ich
iambic [ai'æmbik] jambisch(er Vers)
ibex ['aibeks], *pl* **~es** Steinbock
ibidem [i'baidem] an derselben Stelle, a. a. O.
ibis ['aibis], *pl* **~es** Ibis
ice [ais] 1. Eis; *to break* [breik] *the* ~ *(fig)* d.
Eis brechen; *to cut no* nicht v. Belang sein; 2.
Speiseeis; 3. gefrieren machen; 4. vereisen; 5.
zufrieren; 6. in Eis kühlen; 7. mit Zuckerguß
überziehen; **~-age** [-−eidʒ] Eiszeit; **~berg** [-
bə:g] Eisberg; **~-boat** Eisjacht; **~-bound** [-
baund] eingefroren, im Eis eingeschlossen;
~-box [-−bɔks] Eisschrank, *US mst* Kühlschrank; **~-breaker** [-−breikə] Eisbrecher; **~-
cream** [-−krm] (Speise-)Eis; **~-field** [-−fi:ld] Eisfeld; **~-free** [-−fr] eisfrei; **~-hockey** Eishockey;
~-rink Eislaufbahn; **~-show** [-−ʃou] Eisrevue
ic|icle ['aisikl] Eiszapfen; **~ing** Zuckerguß; ⚓
Eisbildung; **~ing sugar** ['ʃugə] *BE* Puderzuk-
ker
icon ['aikɔn] Ikone; **~oclasm** [ai'kɔnəklæzm]
Bilderstürmerei *(a. fig)*; **~oclast** [ai'kɔnəklæst]
Bilderstürmer *(a. fig)*

icterus ['iktərəs] ⚕ Gelbsucht
icy ['aisi] eisig *(a. fig)*; eisbedeckt
id [id] Es
idea [ai'diə], *pl* **~s** Idee; Vorstellung, Gedanke; Ahnung; *to get ~s into one's head* s.
übertriebene Vorstellungen machen; *the ~ of
such a thing!* man stelle s. so was vor!; **~l** [-−əl]
ideal; rein gedanklich; idell; Ideal; **~lism** Ide-
alismus; **~list** Idealist; **~listic** [-−'listik] ideali-
stisch; **~lize** [-−laiz] idealisieren
ident|ical [ai'dentikl] genau derselbe; genau
übereinstimmend, identisch *(with* mit); **~fy**
[-−-fai] wiedererkennen; gleichsetzen *(with*
mit); j-n ausweisen *(as* als); **~ty** [-−-ti] Identität; Personengleichheit; **~ty card** Personalausweis
ideo|gram ['idiougræm], **~graph** [-−gra:f] Ide-
ogramm; **~logical** [aidiə'lɔdʒikl] ideologisch,
weltanschaulich; **~logue** [ai'diəlɔg] von e-r
Idee Besessener; **~logy** [aidi'ɔlədʒi] Ideologie,
Weltanschauung; Begriffslehre; reine Theorie, Schwärmerei
id est ['id'est] das heißt
idio|cy ['idiəsi] Blöd-, Schwachsinn; Idiotie;
~m [-−əm] idiomatische Wendung; Idiom,
Sprache; **~matic** [idiə'mætik] idiomatisch;
reich an idiom. Wendungen; **~syncrasy** [-−-
'siŋkrəsi] persönliche Eigenheit, Vorliebe; ⚕
Idiosynkrasie; **~t** [-'diət] Schwachsinniger,
Idiot (⚕, *umg*); **~tic** [-−'ɔtik] idiotisch, blöde
idle [aidl] untätig; nicht in Betrieb; müßig *(~
hour* Mußestunde); faul; leer *(a.* ⚙); nutzlos;
faulenzen; ⚙ leer laufen; ~ *away* vertrödeln;
~ r [aidlə] Müßiggänger, Trödler
d.
idol [aidl] Götze, Abgott *(a. fig)*; Idol; **~ater**
[ai'dɔlətə] Götzendiener; **~atrous** [ai'dɔlətrəs]
abgöttisch; **~atry** [ai'dɔlətri] Abgötterei; Ver-
götterung; **~ize** ['aidəlaiz] vergöttern
idyll, *bes US* idyl ['aidil] Idyll; **~ic** [ai'dilik]
idyllisch
if [if] wenn, falls; wenn auch; wann immer;
ob; *as* ~ als ob; ~ *not* wenn auch nicht, wenn
nicht sogar; ~ *any* falls überhaupt (etwas, jemand, welcher etc); ~ *anything* falls das überhaupt möglich ist, vielleicht
igloo ['iglu:], *pl* **~s** Iglu; Kühlbehälter
ign|eous ['igniəs] feurig; **~eous rocks** Erupti-
gestein; **~is fatuus** ['ignis 'fætjuəs] Irrlicht;
~ite [ig'nait] (s.) (ent)zünden; **~ition** [ig'niʃən]
Entzündung; 🚗 Zündung, Zünd- *(key* -schlüs-
sel)
igno|ble [ig'noubl] unadelig; niedrig, gemein;
schändlich; **~minious** [ignə'miniəs] schändlich; **~miny** ['ignəmini] Schande; Schandtat
ignor|amus [ignə'reiməs], *pl* **~amuses** Unwis-
sender, Dummkopf; **~ance** [-−-rəns] Unwissenheit *(of* über); ~ant ungebildet, unwissend;
nicht wissend (kennend); *to be ~ant of* etwas
nicht wissen; **~e** [ig'nɔ:] nicht beachten
iguana [ig'wɑ:nə], *pl* **~s** Leguan
ilex ['aileks], *pl* **~es** Steineiche; Stechpalme
ilk [ilk]: *of that* ~ von der Art; desselben Na-
mens
ill [il] 1. *pred* krank *(with* an, vor); 2. *attr*
schlecht, übel, böse, schlimm; *to do s-b an* ~

turn j-m etwas Schlechtes antun; *to have ~ luck* Pech haben ♦ *it's an ~ wind that blows nobody good* kein Unglück ist so groß, es trägt ein Glück im Schoß; *~ weeds grow apace* [ə'peis] Unkraut verdirbt nicht; 3. *su* Übel, d. Böse; Mißgeschick; 4. *adv* schlecht *(to speak ~ of s-b)*; *to take s-th ~* etwas übelnehmen; *to go ~ with* nachteilig sein für; kaum *(we could ~ afford it)*; **~-advised** [-əd'vaizd] unklug; **~-affected** [-ə'fektid] übelgesinnt; **~-bred** [-'bred] schlecht erzogen, ungebildet; **~ breeding** [-'briːdiŋ] schlechte Erziehung, Ungezogenheit; **~-disposed** [-dis'pouzd] übel gesinnt, unfreundlich; **~-fated** [-'feitid] unglücklich, -bringend; **~-favoured** [-'feivəd] unschön, häßlich; **~ feeling** [-'fiːliŋ] Abneigung, Unfreundlichkeit; **~-gotten** [-'gɔtn] unrechtmäßig erworben; **~-humoured** [-'çuːməd] übellaunig; **~-judged** [-'dʒʌdʒd] unüberlegt; **~-mannered** [-'mænəd] unge-, unerzogen; **~-natured** [-'neitʃəd] bösartig, flegelhaft; **~-starred** [-'staːd] unglücklich, unter e-m Unglücksstern; **~-tempered** [-'tempəd] schlechtgelaunt, reizbar; **~-timed** [-'taimd] unzeitig, unangebracht; **~-treat** [-'triːt] schlecht be-, mißhandeln; **~-use** [-'juːz] = ~-treat; **~ will** [-'wil] Feindlichkeit, Haß

illegal [i'liːgəl] ungesetzlich, gesetzwidrig

illegi|ble [i'ledʒibl] unleserlich; **~timacy** [ili'dʒitiməsi] Ungesetzlichkeit; Unehelichkeit; Unschlüssigkeit; **~timate** [ili'dʒitimit] ungesetzlich; unehelich; nicht schlüssig

illimitable [i'limitəbl] unbegrenzbar, grenzenlos

illitera|cy [i'litərəsi] Unwissenheit, Ungebildetheit; Analphabetismus; **~te** [-–-rit] unwissend, ungebildet; des Lesens und Schreibens unkundig; Analphabet; Ungebildeter

illness ['ilnis] Krankheit; Kranksein

illogical [i'lɔdʒikl] unlogisch; **~ity** [-,–-'kæliti] Unlogik; Ungereimtheit

illumin|ate [i'luːmineit] be-, erleuchten; illuminieren; erläutern; **~ation** [-,–-'neiʃən] Beleuchtung; Illumination; Er-läuterung; **~ator** [-–-neitə] ♥ Beleuchter; **~e** [i'luːmin] erleuchten, -hellen *(a. fig)*

illu|sion [i'luːʒən] Illusion, (Sinnes-)Täuschung; **~sive** [-–-siv] täuschend, trügerisch; **~sory** [-–-səri] unwirklich, trügerisch

illustr|ate ['iləstreit] bebildern; erläutern; *~ated paper* Illustrierte; **~ation** [-–-'treiʃən] Erläuterung; Illustration; **~ative** [i'ləstreitiv, *US* i'lʌstrətiv] erläuternd; anschaulich (*~ative data* Anschauungsmaterial); **~ator** [-–-tə] Illustrator; **~ious** [i'lʌstriəs] berühmt, erlaucht, illuster

imag|e ['imidʒ] (Eben-, Spiegel-)Bild; Vorstellung; ◊, ◻ Bild; abbilden, widerspiegeln; **~ery** [-–-ri] Bilder, Bildwerk; bilderreiche Sprache; **~inable** [i'mædʒinəbl] vorstell-, denkbar; **~inary** [i'mædʒinəri] eingebildet, imaginär; **~ination** [i,mædʒi'neiʃən] Vorstel-

lung(skraft); Phantasie; **~inative** [i'mædʒinə-tiv] einfallsreich, phantasievoll; **~ine** [i'mæd-ʒin] s. vorstellen; s. einbilden

imbalance [im'bæləns] Unausgeglichenheit

imbecil|e ['imbisiːl, *US* -–-sil] schwachsinnig; Schwachsinniger; *umg* Blödkopf; **~ity** [-–-'si-liti] Schwachsinn; Blödheit

imbed [im'bed] *siehe* embed

imbibe [im'baib] einsaugen; *fig* in sich aufnehmen

imbroglio [im'brouliou], *pl* **~s** Verwirrung

im|brue [im'bruː] beflecken; **~bue** [-'bjuː] tränken; *fig* erfüllen (*with* mit)

imita|te ['imiteit] nachahmen; nacheifern; imitieren; nachmachen; **~tion** [-–-–ʃən] Nachahmung; Imitation; nachgemacht, unecht Kunst-; **~tive** ['imiteitiv] (laut)nachahmend unecht; **~tive arts** bildende Kunst; **~tor** [-–-tə] Nachahmer; Imitator

immaculate [i'mækjulit] unbefleckt, rein; makellos

immaterial [imə'tiəriəl] unerheblich, unstofflich, immateriell

immature [imə'tjuə] unreif, unentwickelt

immeasurable [i'meʒərəbl] unermeßlich

immediate [i'miːdjət, -–-diət] unmittelbar; sofort; nächste, engste; dringend; **~ly** unverzüglich; unmittelbar

immemorial [imi'mɔːriəl] unvordenklich; uralt

immens|e [i'mens] ungeheuer, riesig; *sl* phantastisch; **~ity** Unermeßlichkeit

immer|se [i'məːs] eintauchen; *to be ~sed* [-–-st] *in* versunken sein in, verwickelt sein in; **~sion** [-–-ʃən] Eintauchen; **~sion heater** Tauchsieder; Tauch(wasser)heizer

immigr|ant [i'imigrənt] Einwanderer; **~ate** [-–-greit] einwandern; **~ation** [-–-'greiʃən] Einwanderung

immin|ence ['iminəns] nahes Bevorstehen (Gefahr etc); **~t** nahe bevorstehend, drohend

immobile [i'moubail] unbeweglich, unbewegbar

immoderate [i'mɔdərit] un-, übermäßig

immodest [i'mɔdist] unbescheiden; unanständig; dreist; **~y** Unbescheidenheit; Unanständigkeit; Dreistigkeit

immola|te ['imouleit] opfern *(a. fig)*; töten; **~tion** [-–-'leiʃən] Opferung

immor|al [i'mɔrəl] unsittlich, sittenlos, -widrig; **~ality** [imə'ræliti] Unsittlichkeit, Sittenlosigkeit; **~tal** [i'mɔːtəl] unsterblich; Unsterblicher; **~tality** [imɔː'tæliti] Unsterblichkeit, ewiges Leben; unsterbl. Ruhm; **~talize** [i'mɔːtəlaiz] unsterblich machen; **~telle** [imɔː'tel] Strohblume

immovable [i'muːvəbl] unbeweglich; unerschütterlich; **~s** Immobilien

immun|e [i'mjuːn] immun (*from, against* gegen); **~ity** [-–-niti] Immunität; Befreiung (*from* von); **~ize** [-–-naiz] immun machen; **~ology** [-–-'nɔlədʒi] Immunologie, Serologie

immure [i'mjuə] einsperren; *~ o. s.* sich ein-, abschließen

immutable [i'mjuːtəbl] unveränderlich

Imp [imp] Teufelchen; Racker; Balg

impact ['impækt] Zus.-, Anprall, (wuchtiger) Aufprall; Zus.stoß; Wucht; *fig* Stoß, aufrüttelnde Wirkung, gewaltige Wirkung

impair [im'pɛə] schwächen; beeinträchtigen; **~ment** Abschwächung; Beeinträchtigung

impale [im'peil] aufspießen; pfählen; *fig* quälen

impalpable [im'pælpəbl] unfühlbar; sehr fein; *fig* unfaßbar

impart [im'paːt] mitteilen; übermitteln; verleihen; **~ial** [-'paːʃəl] unparteiisch; **~iality** [-paːʃi'æliti] Unparteilichkeit; Objektivität

impass|able [im'paːsəbl] unpassierbar, unbefahrbar; unwegsam; **~e** [im'paːs, æm-; *US* 'impæs] *fig* Sackgasse, ausweglose Lage; toter Punkt; **~ible** [im'pæsibl] unempfindlich; gefühllos; **~ioned** [im'pæʃənd] leidenschaftlich; **~ive** [im'pæsiv] unempfindlich; teilnahmslos; unbewegt; gelassen

impatien|ce [im'peiʃəns] Ungeduld; Unduldsamkeit; **~t** ungeduldig; unduldsam (*of* gegen); begierig

impeach [im'piːtʃ] bezichtigen *(of, with)*; in Zweifel ziehen, verdächtigen; **~ment** Bezichtigung; Anzweiflung, Verdächtigung

impeccable [im'pekəbl] untadelig, makellos; sündenfrei

impecunious [impi'kjuːniəs] mittellos

imped|e [im'piːd] (be)hindern; **~iment** [im'pedimənt] Hindernis; Sprachfehler

impel [im'pel] *fig* (an)treiben   [hen

impend [im'pend] drohen, drohend bevorste-

impen|etrable [im'penitrəbl] undurchdringlich; unergründlich; **~itence** [-‒‒itəns] Verstocktheit, Reuelosigkeit; **~itent** verstockt, ohne Reue

imper|ative [im'perətiv] befehlend; gebieterisch; dringend notwendig; Imperativ; Befehl; **~ceptible** [impə'septibl] unmerklich; nicht (kaum) wahrnehmbar

imperfect [im'pəːfikt] unvollständig; unvollkommen; Imperfekt; **~ion** [impə'fekʃən] Unvollständigkeit; Unvollkommenheit; *fig* Schwäche

imperi|al [im'piəriəl] kaiserlich, Kaiser-; Reichs-; Empire-; (Maß, Gewicht) britisch; *su* Knebelbart; Imperial(papier) (etwa = DIN C 8); **~alist** Imperialist; **~alism** Imperialismus; Kaisertum; **~l** [im'peril] gefährden; **~ous** [im'piəriəs] gebieterisch, herrisch; dringend

imperishable [im'periʃəbl] unvergänglich

impermeable [im'pəːmiəbl] undurchdringlich

imperson|al [im'pəːsənəl] unpersönlich; sachlich; **~ate** [-‒‒neit] verkörpern; darstellen; **~ation** [-,‒‒'neiʃən] Verkörperung; Darstellung

impertine|nce [im'pəːtinəns] Frechheit, Ungehörigkeit; **~nt** frech, ungehörig; unerheblich

imperturba|bility [impə,təːbə'biliti] Unerschütterlichkeit; **~ble** [-‒‒bəbl] unerschütterlich

impervious [im'pəːviəs] undurchdringlich (*to* für); unzugänglich (*to* für)

impetu|osity [im,petju'ɔsiti] Ungestüm, Heftigkeit; **~ous** [-‒‒əs] ungestüm, heftig; vor-

schnell; **~s** ['impitəs], *pl* **~ses** Schwung, Wucht; An-, Auftrieb *(a. fig)*

impi|ety [im'paiəti] Ehrfurchtslosigkeit, Mangel an Achtung; Respektlosigkeit; **~ous** ['impiəs] ehrfurchts-, respektlos; unfromm

impinge [im'pindʒ] *(up)on* stoßen gegen; verstoßen gegen, verletzen; **~ment** Stoß; Verletzung, Verstoß

impish ['impiʃ] koboldhaft; boshaft

implacable [im'plækəbl, -'plei-] unversöhnlich, unerbittlich

implant [im'plaːnt] *fig* einpflanzen, -prägen

implausible [im'plɔːzibl] unglaubwürdig

implement ['implimənt] Werkzeug, Gerät; **~** [-‒ment] erfüllen, aus-, durchführen

implic|ate ['implikeit] verwickeln (in); einschließen; bloßstellen; **§** beteiligen; **~ation** [-‒'keiʃən] Verwicklung, Verwickeltsein; (stillschweigende) Folgerung; *pl* Tragweite; **~it** [im'plisit] unausgesprochen, stillschweigend; mitenthalten in; absolut, bedingungslos (Glaube etc)

implore [im'plɔː] (an)flehen

imply [im'plai] (unausgesprochen) bedeuten, enthalten; andeuten; schließen lassen auf, voraussetzen

impolit|e [impə'lait] unaufhörlich; **~ic** [-'politik] unklug; unzweckmäßig

import [im'pɔːt] einführen; bedeuten; von Bedeutung sein für; **~** [‒‒] Einfuhr; Bedeutung; Wichtigkeit; **~ance** [-‒əns] Wichtigkeit; Einfluß; Anmaßung; **~ant** [-‒ənt] wichtig; bedeutend; wichtigtuerisch; **~ation** [‒‒'teiʃən] Einfuhr; **~er** Importeur; **~unate** [-‒tjunit] zudringlich; drängend; **~une** [-‒tjuːn, *bes US* ‒‒‒] dringend bitten, bestürmen; belästigen; **~unity** [impɔː'tjuːniti] Zudringlichkeit; *pl* zudringliche, stürmische Bitten

impos|e [im'pouz] (Steuer) legen (*on* auf); auferlegen, -bürden; aufdrängen; imponieren; **~e** *upon* j-n täuschen, mißbrauchen; **□** ausschießen, Format machen; **~ing** imposant, eindrucksvoll; **~ition** [impə'ziʃən] Auferlegung; Verhängung, Steuer; Strafe; Strafarbeit; Betrügerei; **□** Ausschießen; **~ition on** Mißbrauch, Ausnutzung

impossi|ble [im'pɔsibl] unmöglich (*of prediction* vorauszusagen); **~bility** [-,‒‒'biliti] Unmöglichkeit

impost ['impoust] (*bes* Einfuhr-)Steuer; **~or** [-'postə] Hochstapler, Betrüger; **~ure** [-'postʃə] Hochstapelei, Betrug

impoten|ce ['impətəns] Unfähigkeit, Schwäche; Impotenz; **~t** unfähig, schwach; impotent

impound [im'paund] einsperren, beschlagnahmen

impoverish [im'pɔvəriʃ] arm machen; **↓** erschöpfen; **~ment** Verarmung; Erschöpfung

impracti|cable [im'præktikəbl] unausführbar; unbrauchbar; unwegsam; schwierig, störrisch; **~cal** unpraktisch; undurchführbar

impreca|te ['imprikeit] (Böses) herabwünschen (*upon* auf); **~tion** Verwünschung; Fluch

Impregn|able [im'pregnəbl] uneinnehmbar; unwiderlegbar; ~ate [–´neit, bes BE ´––] imprägnieren; sättigen; befruchten

impresario [impri'saːriou], pl ~s Impresario

impress [im'pres] eindrücken, prägen; übertragen (upon auf); fig einprägen, beeindrukken; ~ ['impres] Ab-, Eindruck; Merkmal; ~ion [im'preʃən] Eindruck (a. fig); ☐ (gesamte Druck-)Auflage, (unveränderte) Auflage; Druck; ~ionable leicht zu beeindrukken(d), empfänglich; ~ive [im'presiv] eindrucksvoll, ergreifend

imprint [im'print] (auf)drücken; einprägen; ~ [´––] Ab-, Eindruck; Stempel (a. fig); Druckvermerk

imprison [im'prizn] ins Gefängnis stecken; gefangenhalten; ~ment Einsperrung; Haft; Gefängnis(strafe)

improba|bility [im‚probə'biliti] Unwahrscheinlichkeit; ~ble unwahrscheinlich

impromptu [im'promptjuː] aus dem Stegreif

impro|per [im'propə] unpassend, unangebracht; unrichtig; unanständig; ~priety [–prə'praiəti] Unrichtigkeit; Unanständigkeit; Ungehörigkeit

improv|e [im'pruːv] verbessern; ⇃ meliorieren; (Gelegenheit) ausnutzen; s. (ver)bessern; steigen; gewinnen (on acquaintance bei näherer Bekanntschaft); ~e upon überbieten, vervollkommnen; (Land, Boden) im Wert steigern; ~ement (Ver-)Besserung; Fortschritt (on, over gegenüber); Steigen, Steigerung; wertsteigernde Ergänzung, Neubau etc; ~idence [–'providəns] Sorglosigkeit; ~ident [–'providənt] sorglos, nicht sparsam; ~isation [improvai'zeiʃən] Improvisation; ~ise [im'provaiz] improvisieren; behelfsmäßig machen

impruden|ce [im'pruːdəns] Unklugheit, Unüberlegtheit; ~t unklug, unüberlegt, unvorsichtig

impude|nce ['impjudəns] Unverschämtheit; ~nt unverschämt; schamlos

impugn [im'pjuːn] in Frage ziehen; anfechten; ~ment Anfechtung

impuls|e ['impʌls] An-, Auftrieb; Stoß; Impuls; Trieb; on ~e impulsiv; ~ion [im'pʌlʃən] Stoß; Antrieb; ~ive [–´siv] treibend, Trieb-; impulsiv, triebhaft

impunity [im'pjuːniti] Straflosigkeit; with ~ ungestraft

impur|e [im'pjuə] unrein, -sauber (a. fig); unkeusch; ~ity [–´riti] Unreinheit, Unsauberkeit; Unkeuschheit

imput|ation [impju'teiʃən] Be-, Anschuldigung (on gegen); ~e [im'pjuːt] to zuschreiben, zur Last legen

in [in] in, an, bei; mit (Tinte, Bleistift); there is nothing ~ it es ist nichts daran; he hasn't it ~ him er hat nicht das Zeug dazu; to be ~ da (zu Hause) sein, (Feuer) an sein, pol am Ruder sein, dran sein, in Mode sein; to be ~ for zu erwarten haben, gewärtigen, (Prüfung) machen, beteiligt sein mit; now you're ~ for it! jetzt geht's dir aber schlecht!; all ~ erschöpft;

alles inbegriffen; the ~s and the outs d. Regierungspartei u. d. Opposition, alle Einzelheiten

in- [in] un-, nicht; ein-, hinein-, etc.

inability [inə'biliti] Unfähigkeit

inaccessible [inæk'sesibl] unzugänglich

inaccura|cy [in'ækjurəsi] Ungenauigkeit, Unrichtigkeit; ~te [–´–rit] ungenau, unrichtig

inact|ion [in'ækʃən] Untätigkeit; ~ive [–´tiv] untätig; lustlos, flau; ~ivity Untätigkeit; Lustlosigkeit, Stille

inadequa|cy [in'ædikwəsi] Unzulänglichkeit; Unangemessenheit; ~te [–´–kwit] unzulänglich, unangemessen

inadmissible [inəd'misibl] unzulässig

inadverten|ce [inəd'vəːtəns] Unachtsamkeit; Versehen; ~t unachtsam; unbedacht; versehentlich, unabsichtlich

inadvisable [inəd'vaizəbl] unratsam

inalienable [in'eiliənəbl] unveräußerlich

inane [i'nein] leer; nichtig; albern

inanimate [i'nænimit] unbelebt; leblos

inani|tion [inə'niʃən] Leere; Entkräftung; Hunger; ~ty [i'næniti] Leere; Nichtigkeit; Albernheit

inapplicable [in'æplikəbl] nicht anwendbar (to auf), nicht zutreffend (to für)

inappreciable [inə'priːʃəbl] unmerklich; unbedeutend

inappropriate [inə'proupriit] unangebracht, unangemessen

inapt [in'æpt] unpassend; ungeschickt; ~itude [–´itjuːd] Ungeschicktheit

inarticulate [inaː'tikjulit] undeutlich, unklar; unfähig, sich auszudrücken; sprachlos (with vor); zool ungegliedert

inasmuch [inəz'mʌtʃ] as insofern als

inatten|tion [inə'tenʃən] Unaufmerksamkeit; Unachtsamkeit; ~tive [–´–tiv] unaufmerksam; unachtsam

inaudible [in'ɔːdibl] unhörbar

inaugur|al [in'ɔːgjurəl] Antritts-; -vorlesung, -rede; ~ate [i'nɔːgjureit] (feierlich) einführen; (feierl.) eröffnen; fig einleiten; ~ation [–‚–– 'reiʃən] Einführung; Eröffnung; Einleitung; Beginn

inauspicious [inɔːs'piʃəs] ungünstig, unglücklich

in|born ['in'bɔːn] angeboren; ~bred [–´bred] angeboren, ererbt

inbreeding [in'briːdiŋ] Inzucht

incalcula|ble [in'kælkjuləbl] unzählbar; unberechenbar (a. fig); ~bly adv a. unendlich

incandesce|nce [inkæn'desəns] Weißglühen, -glut; ~nt weißglühend; Glüh-(Lampe etc)

incantation [inkæn'teiʃən] Beschwörung(-sworte, -sspruch); Zauber

incapa|ble [in'keipəbl] unfähig, nicht fähig (of zu); is ~ble of läßt nicht zu; hilflos; ~ibility [–‚–'biliti] Unfähigkeit; ~citate [inkə'pæsiteit] unfähig machen; disqualifizieren; ~city [inkə'pæsiti] Unfähigkeit; ⚖ Rechtsunfähigkeit

incar|cerate [in'kaːsəreit] einkerkern; ~nate [–´neit, BE a. ´––] Gestalt geben; verkörpern;

~nate [~-´nit] Fleisch geworden, ... in Menschengestalt; verkörpert; **~nation** [--'neiʃən] Fleischwerdung; Verkörperung
incase [in'keis] *siehe* encase
incautious [in'kɔːʃəs] unvorsichtig
incendiar|ism [in'sendjərizm] Brandstiftung *(a. fig)*; **~y** brandstifterisch, aufwieglerisch; Brand-; Brandstifter *(a. fig)*
incen|se [in'sens] in Wut bringen, aufbringen; **~se** [~-´] Weihrauch; beweihräuchern; **~tive** [~-´tiv] Antrieb, Anreiz(mittel) *(behind, for, to für)*
incep|tion [in'sepʃən] Anfang, Beginn; **~tive** [~-´tiv] Anfangs-
inces|sant [in'sesənt] unaufhörlich, andauernd; **~t** [~-´sest] Blutschande; **~tuous** [~'sestjuəs] blutschänderisch
inch [intʃ] **1.** Zoll *(BE* = 25,39995 mm, *US* = 25,40005 mm)*; **2.** bißchen; *by* **~es** zollweise, allmählich; *within an* **~** *of* um ein Haar; *within an* **~** *of his life* fast bis zum Tode; **3.** sich schrittweise bewegen
incide|nce ['insidəns] Vorkommen; Eintreten; (Licht-)Einfall; **$** Auftreten; (Steuer) Verteilung; **~nt** Zwischen-, Vorfall; **♥** Zwischenhandlung; vorkommend *(to* bei, in); dazugehörend *(to* zu); **~ntal** [--'dentəl] = **~**nt; gelegentlich; zufällig; Neben- *(to be* **~**ntal to gehören zu); etwas Nebensächliches etc; Nebenausgabe; **~ntally** nebenbei (gesagt)
incinera|te [in'sinəreit] einäschern; **~tion** [-,--'reiʃən] Einäscherung; **~tor** [~-´-´-tə] Verbrennungsofen
incipient [in'sipiənt] beginnend; Anfangs-
incis|ion [in'siʒən] Einschneiden; (Ein-)Schnitt; **~ive** [in'saisiv] (ein-)schneidend; scharf; **~or** [in'saizə] Schneidezahn
incite [in'sait] erregen; an-, aufreizen; **~ment** Erregung; Antrieb, Aufreizung; **~r** [~-´ə] Anstifter
incivility [insi'viliti] Unhöflichkeit
inclemen|cy [in'klemənsi] (Klima) Strenge, Rauheit; **~t** [~-´mənt] streng, rauh; unbarmherzig
inclin|ation [inkli'neiʃən] (Ver-)Neigung *(a. fig)*; **~e** [in'klain] (s.) neigen *(to* zu); lenken; geneigt machen, veranlassen; **~e** [~-´,-~´] Abhang; Steigung
inclose, inclosure *siehe* en-
inclu|de [in'kluːd] einschließen; einbegreifen; **~ding** einschließlich; **~sion** [~-´ʒən] Einbeziehung, Einschließung; **~sive** [--´siv] einschließlich; **~sive terms** Preise inkl. Nebenkosten, Pauschalpreis
incognito [in'kɔgnitou] inkognito
incohere|nce [inkou'hiərəns] Mangel an Zus.hang; zus.hanglose Idee etc; **~nt** zusammenhanglos; unfähig, s. klar auszudrücken; inkonsequent
[bar
incombustible [inkəm'bʌstibl] un(ver)brennbar
incom|e ['inkəm] Einkommen, Einkünfte; **~e-tax** [~-´tæks] Einkommen- (u. Lohn-)Steuer; **~ing** [~-´kʌmiŋ] hereinkommend; neu eintretend

incommensurate [inkə'menʃərit] unvereinbar *(to, with* mit); nicht zu vergleichen; unangemessen
incommode [inkə'moud] belästigen, Ungelegenheiten bereiten
incommunica|ble [inkə'mjuːnikəbl] nicht mitteilbar; **~do** [----'kɑːdou] ohne Verbindung mit anderen, in Einzelhaft
incomparable [in'kɔmpərəbl] unvergleichbar, -lich
incompati|bility [inkəm,pæti'biliti] Unvereinbarkeit; **~ble** [---´tibl] unvereinbar *(with* mit); unverträglich
incompeten|ce [in'kɔmpitəns] Untauglichkeit, Unfähigkeit; Unzuständigkeit; **~t** untauglich, unfähig; unzuständig
incomplete [inkəm'pliːt] unvollständig
incom|prehensible [inkɔmpri'hensibl] unbegreiflich; **~pressible** [--'presibl] nicht zus.drückbar, unelastisch
inconceivable [inkən'siːvəbl] unbegreiflich; unfaßlich
inconclusive [inkən'kluːsiv] nicht überzeugend, nicht schlüssig
incongru|ity [inkɔŋ'gruiti] Unangemessenheit; Mißverhältnis; Widerspruch; **~ous** [in'kɔŋgruəs] nicht übereinstimmend; widerspruchsvoll; unangemessen
inconsequent [in'kɔnsikwənt] unerheblich; nicht folgerichtig; sprunghaft; **~ial** [-,--'kwenʃəl] unwichtig; = **~**
inconsidera|ble [inkən'sidərəbl] unbedeutend; **~te** [---´-rit] unbesonnen; rücksichtslos; **~teness** Unbesonnenheit; Rücksichtslosigkeit
inconsiste|ncy [inkən'sistənsi] Unvereinbarkeit; Inkonsequenz; Widerspruch; **~nt** unvereinbar *(with* mit); (in s.) widerspruchsvoll; inkonsequent
inconsolable [inkən'souləbl] untröstlich
inconspicuous [inkən'spikjuəs] unscheinbar; unauffällig
inconstan|cy [in'kɔnstənsi] Unbeständigkeit, Veränderlichkeit; **~t** unbeständig, veränderlich; wankelmütig
incon|testable [inkən'testəbl] unbestreitbar; **~tinence** [in'kɔntinəns] Unbeherrschtheit; Unsittlichkeit; **~tinent** [in'kɔntinənt] unbeherrscht; unsittlich, ausschweifend
incontrovertible [inkɔntrə'vəːtibl] unbestreitbar, unwiderlegbar
inconvenien|ce [inkən'viːniəns] Unbequemlichkeit; Unannehmlichkeit *(to put s-b to some* **~***ce* = **to** **~***ce s-b* j-m U. bereiten); **~t** unbequem; lästig; unbehaglich; ungelegen
inconvertible [inkən'vəːtibl] unveränderlich; nicht umtauschbar, inkonvertiebel
incorpor|ate [in'kɔːpəreit] (s.) verbinden; einverleiben; (als Mitglied) aufnehmen; (amtlich) eintragen; inkorporieren; **~ated company** *US* Aktien-, Kapitalgesellschaft; **~ate** [---´-rit] einverleibt; vereinigt; **~ation** [-,--'reiʃən] Vereinigung; Einverleibung; Inkorporation; (amtl.) Eintragung; **~eal** [--'pɔːriəl] körperlos, unstofflich

incor|rect [inkə'rekt] unrichtig; fehlerhaft; **~rigible** [-'kɔridʒibl] unverbesserlich; **~ruptible** [-kə'rʌptibl] unbestechlich; unverderblich
increase [in'kriːs] zunehmen; (s.) vergrößern, (s.) steigern; ~ [-́-] Zunahme; Erhöhung (*in salary* Gehalts-); Vermehrung; Zuwachs; *on the* ~ im Wachsen
incred|ible [in'kredibl] unglaublich; **~ulous** [-́djuləs] ungläubig
increment ['inkrəmənt] Zunahme; Zuwachs (*unearned* ~, ~ *value* Wert-); Erhöhung
incriminate [in'krimineit] e-s Verbrechens beschuldigen; anklagen; belasten
incub|ate ['inkjubeit] ausbrüten; **~ation** [--'beiʃən] Brüten; ⚇ Inkubation; **~ator** [-́-́-tə] Brutapparat; **~us** ['inkjubəs], *pl* ~uses Alp(traum, -drücken)
inculcate ['inkʌlkeit, *bes US* -́-́-] einprägen, -schärfen
inculpate ['inkʌlpeit, *bes US* -́-́-] beschuldigen; tadeln; belasten
incumbent [in'kʌmbənt] liegend (*on* auf); *to be* ~ *on* Pflicht sein für; *to make* ~ *on* j-m zur Pflicht machen; *BE* kirchl. Amtsträger, Pfarrer; im Amt (Parlament) befindlich, amtierend; derzeitiger Amtsinhaber
incur [in'kəː] s. aussetzen; s. zuziehen; (Kosten etc) machen; **~able** [-'kjuərəbl] unheilbar(e Person); **~ious** [-'kjuəriəs] gleichgültig; uninteressiert; **~sion** [in'kəːʃən] *mil* Einfall; **~sive** [-'kəːsiv] angriffslustig, Einfälle verübend
incurved [in'kəːvd] (ein)gebogen
indebted [in'detid] verschuldet; (zu Dank) verpflichtet; **~ness** Verschuldung
indecen|cy [in'diːsənsi] Unanständigkeit, Unsittlichkeit; Ungehörigkeit; **~t** unanständig, unsittlich; ungehörig
indeci|sion [indi'siʒən] Unentschlossenheit; Schwebe; **~sive** [--'saisiv] nicht entscheidend; schwankend, unentschieden
indecor|ous [in'dekərəs] unschicklich, unanständig; **~um** [-di'kɔːrəm] unanständiges Verhalten
indeed [in'diːd] wirklich, in der Tat; allerdings; so?; nicht möglich!
indefatigable [indi'fætigəbl] unermüdlich
inde|feasible [indi'fiːzibl] unverletzlich, unantastbar; **~fectible** [--'fektibl] unvergänglich; makellos, **~fensible** [--'fensibl] unhaltbar; unentschuldbar
indefin|able [indi'fainəbl] unbestimmbar; **~ite** [-'definit] unbestimmt; unbeschränkt
indelible [in'delibl] unauslöschbar; ~ **pencil** Tintenstift
indelica|cy [in'delikəsi] Unfeinheit; Taktlosigkeit; **~te** [-́-́-kit] unfein; taktlos
indemni|fication [in,demnifi'keiʃən] Sicherung; Entschädigung; **~fy** [-́-́-fai] sichern (*from, against* gegen); j-n entschädigen (*for*); **~ty** [-́-́-ti] Entschädigung; Schadenersatz; Sicherstellung; Straflosigkeit
indent ['indent] Vertiefung, Einschnitt; *BE* Requisition; *BE* (Auslands-)Auftrag; ~ [-́-] Vertiefung machen in; eindrücken; *bes* ⚇ einrük-

ken, -ziehen; Einbuchtungen (Vertiefungen) machen in; kerben, auszacken; *(BE)* ~ *upon s-b for s-th* etwas bei j-m requirieren; (Waren) bestellen; **~ation** [--'teiʃən] Einschnitt; ⚇ Einzug; **~ion** [-́-ʃən] ⚇ Einzug; Einschnitt, Kerbe; tiefe Einbuchtung; **~ure** [-́-ʃə] (doppelt ausgefertigter) Vertrag (*bes* Lehr-)
independe|nce [indi'pendəns] Unabhängigkeit; hinreichendes Auskommen; **~ncy** unabhängiger Staat; **~nt** unabhängig (*of* von), selbständig; *bes pol* Unabhängiger
inde|scribable [indis'kraibəbl] unbeschreiblich; **~structible** [--'trʌktibl] unzerstörbar; **~terminate** [--'təːminit] unbestimmt, unsicher
ind|ex ['indeks], *pl* **~exes** Zeigefinger; Hinweis; Stichwortverzeichnis, Register; *pl* **~ices** [-́isiːz] *math etc* Exponent; Index; ein Register machen zu; in ein Register aufnehmen
India ['indjə] Indien; ~ **ink** *US* chines. Tusche; **~man** [-́-mən], *pl* **~men** ⚓ Indienfahrer; ~ **paper** Dünndruckpapier; **~-rubber** (Radier-) Gummi
Indian ['indjən] indisch; indianisch; Inder; Indianer; ~ **club** ⚑ Keule; ~ **corn** Mais; ~ **file** Gänsemarsch; ~ **ink** *BE* chines. Tusche; ~ **summer** Altweibersommer
indic|ate [in'dikeit] anzeigen, hinweisen auf; kurz angeben; ⚇ erforderlich machen; **~ation** [--'keiʃən] Anzeige; Anzeichen, Hinweis, Anhaltspunkt; ⚇ Indikation; **~ative** [-'dikətiv] anzeigend (*to be* ~ative *of* ein Hinweis sein für); Indikativ; **~ator** [-́-́dikeitə] Anzeiger; ☼ Zähler, Messer, Anzeigetafel; **~es** [-́disiːz] *siehe* index
indict [in'dait] (vor Gericht) anklagen; **~able** (an)klagbar; **~able offence** Kriminalverbrechen; **~ment** Anklage(schrift)
Indies ['indiz]: *the East* ~ Ostindien; *the West* ~ Westindien
indifferen|ce [in'difərəns] Gleichgültigkeit; Unwichtigkeit *(a matter of* ~ *ce)*; **~t** gleichgültig *(to* gegenüber); mittelmäßig; *very* ~*t* sehr schlecht
indigen|ce [in'didʒəns] Armut; **~ous** [-́-dʒinəs] einheimisch *(to* in); eingeboren; **~t** [-́-dʒənt] (sehr) arm, verarmt
indigest|ible [indi'dʒestibl] unverdaulich; **~ion** [-́-́-stʃən] Verdauungsstörung
indign|ant [in'dignənt] entrüstet, empört *(at s-th, with s-b* über); **~ation** [--'neiʃən] Entrüstung, Empörung; **~ation meeting** Protestversammlung; **~ity** [-́-niti] unwürdige Behandlung; Beschimpfung, Schmach
indigo ['indigou] Indigo; ~ **blue** blauviolett
indirect [indi'rekt] indirekt; mittelbar; nicht gerade
indiscernible [indi'səːnibl] nicht wahrnehmbar, unmerklich
indis|creet [indis'kriːt] unüberlegt, unvorsichtig; taktlos; **~crete** [--'kriːt] ungesondert, vermischt; amorph; **~cretion** [--'kreʃən] Unüberlegtheit, Unvorsichtigkeit; Taktlosigkeit
indiscriminate [indis'kriminit] unterschiedslos; wahl-, kritiklos

Indispensable [indis'pensəbl] unentbehrlich
Indispos|e [indis'pouz] j-n untauglich machen (*for* für); abgeneigt machen (*towards, from* für); **~ed** [---zd] unpäßlich, unwohl; indisponiert; **~ition** [--pə'ziʃən] Unwohlsein, Unpäßlichkeit; Abneigung (*towards, to* gegen)
Indis|putable [indis'pju:təbl, ----] unbestreitbar; **~soluble** [--'sɔljubl, --səljubl] un(auf)löslich
Indistinct [indis'tiŋkt] undeutlich
Indite [in'dait] ab-, verfassen
Individual [indi'vidjuəl] einzeln; individuell; persönlich; Einzelwesen, Individuum; **~ism** Individualismus; **~ist** Individualist; **~istic** [----'listik] individualistisch; **~ity** [----'æliti] Individualität; Persönlichkeit; *pl* individuelle Neigungen (Eigenschaften); **~ize** [---'-laiz] individualisieren, kennzeichnen
Indivisible [indi'vizibl] unteilbar
Indoctrinate [in'dɔktrineit] (be)lehren; schulen (*into* in)
Indolen|ce ['indələns] Trägheit, Untätigkeit; **~t** träge, untätig
Indomitable [in'dɔmitəbl] unbezähmbar
Indoor ['indɔ:] *adj* häuslich; Haus-; **~** *games* Spiele im Zimmer; ♜ Hallenspiele; Zimmer-; **~s** [--z] zu Hause; im (ins) Haus
Indorse [in'dɔ:s] *siehe* endorse
Indubitable [in'dju:bitəbl] unzweifelhaft
Induc|e [in'dju:s] veranlassen; verursachen; ⚡ induzieren; schließen auf; **~ement** Veranlassung; Anlaß; Anreiz; **~t** [in'dʌkt] (feierl.) einführen, -setzen; *bes US mil* einberufen; **~tee** [-dʌk'ti:] *US* Einberufener; **~tion** [-'dʌkʃən] Einführung, Einsetzung; *bes US mil* Einberufung; Induktion; **~tive** [-'dʌktiv] induktiv
Indue [in'dju:] *bes US* = endue
Indulge [in'dʌldʒ] nachgeben, befriedigen (*s-b* j-n; *s-th, in s-th* etwas); **~** *in* s. hingeben, gütlich tun an; **~nce** [--əns] Hingabe (*in* an); Sichgehenlassen, Genießen; Genuß; Nachgiebigkeit; *eccl* Ablaß; **~nt** [--ənt] nachgiebig, nachsichtig
Industr|ial [in'dʌstriəl] industriell; Industrie-; Betriebs-; **~ial art (design)** Industriedesign; **~ial arts** *US* Werkzeug-, Verfahrenkunde; **~ious** [--triəs] fleißig, arbeitsam; **~y** [--dəstri] Fleiß; Industrie; Gewerbe; **~ies fair** Industriemesse
Inebriate [in'i:briit] (be)trunken; Trunkenbold; **~** [--eit] (s.) berauschen
Inedible [in'edibl] ungenießbar
Ineffable [in'efəbl] unaussprechlich
Ineffect|ive [ini'fektiv] wirkungslos; untüchtig; dienstunfähig; **~ual** [---tjuəl] wirkungs-, fruchtlos; unwirksam
Ineffic|acious [inefi'keiʃəs] *bes* ⚇ wirkungslos, unwirksam; **~iency** [ini'fiʃənsi] Unfähigkeit, -tüchtigkeit; Unwirksamkeit; **~ient** unfähig, -tüchtig; unwirksam
Inelastic [ini'læstik] unelastisch
Inelegan|ce [in'ələgəns] Schwerfälligkeit; Geschmacklosigkeit; **~t** schwerfällig; unfein, unelegant

Ineligible [in'elidʒibl] nicht wählbar; ungeeignet
Inept [in'ept] unangebracht; töricht, albern; **~itude** [--itju:d] Albernheit
Inequ|ality [ini:'kwɔliti] Ungleichheit; Ungleichmäßigkeit; **~itable** [in'ekwitəbl] ungerecht, unbillig; **~ity** [in'ekwiti] Ungerechtigkeit, Unbilligkeit
Ineradicable [ini'rædikəbl] unausrottbar
Inert [i'nə:t] träge; inert; **~ia** [i'nə:ʃiə] Trägheit (*a. fig*), Beharrung(svermögen)
Inescapable [inis'keipəbl] unausweichlich
Inestimable [in'estiməbl] unschätzbar
Inevitable [in'evitəbl] unvermeidlich; unausweichlich; zwangsläufig
Inexact [inig'zækt] ungenau; unrichtig
Inexcusable [iniks'kju:zəbl] unentschuldbar
Inexhaustible [inig'zɔ:stibl] unerschöpflich; unermüdlich
Inexorable [in'eksərəbl] unerbittlich
Inexpedien|cy [iniks'pi:diənsi] Unzweckmäßigkeit; **~t** unzweckmäßig; unpassend
Inexpensive [iniks'pensiv] nicht teuer, billig
Inexper|ience [iniks'piəriəns] Unerfahrenheit; **~ienced** [----st] unerfahren; **~t** [ineks'pə:t, ----] ungeübt, unerfahren
Inexpiable [in'ekspiəbl] unsühnbar; unversöhnlich
Inexplicable [in'eksplikəbl] unerklärlich
Inexpress|ible [ineks'presibl] unaussprechlich; **~ive** [ineks'presiv] ausdruckslos
Inextricable [in'ekstrikəbl] unentwirrbar; unentrinnbar; untrüglich
Infallible [in'fælibl] unfehlbar; sicher
Infam|ous ['infəməs] schändlich, niederträchtig; **~y** [--mi] Schande; Schandtat
Infan|cy ['infənsi] Kindheit, frühe Jugend; Frühzeit; ⚖ Minderjährigkeit; *is in its* **~cy** steckt in d. Kinderschuhen; **~t** [-fənt] (Klein-)Kind; ⚖ Minderjährige(r); Baby-, (Klein-)Kinder-; **~ticide** [-'fæntisaid] Kindesmord; -mörder; **~tile** [--tail] kindlich; Kinder-; infantil; **~tile paralysis** [pə'rælisis] Kinderlähmung; **~try** [-fəntri] (*oft pl vb*) Infanterie; **~tryman** [--trimən], *pl* **~trymen** Infanterist
Infatuat|e [in'fætjueit] verblenden, betören; **~ed with** ver narrt in, unsterblich verliebt in; **~ion** [-,--'eiʃən] Verblendung, Vernarrtheit; sinnlose Leidenschaft; Schwarm
Infect [in'fekt] infizieren; anstecken (*a. fig*); **~ion** [--ʃən] Infektion; Ansteckung (*a. fig*); **~ious** [--ʃəs] ansteckend (*a. fig*); **~ive** [--iv] = **~ious**
Infer [in'fə:] folgern, schließen (*from* aus); schließen lassen auf; (unausgesprochen) andeuten; **~ence** ['infərəns] Schlußfolgerung; *to draw an ~ence from* = *to ~ from;* **~ior** [in'fiəriə] niedriger; unter(geordnet); gering; *to be ~ior to* j-m nachstehen; Untergebene; **~iority** [-,fiəri'ɔriti] Unterlegenheit; geringerer Wert; **~iority complex** Minderwertigkeitskomplex; **~nal** [in'fə:nəl] höllisch; teuflisch; abscheulich; Höllen-(Maschine etc); **~nal regions** Unterwelt

infest [in'fest] verseuchen; heimsuchen

infidel ['infidəl] glaubenslos; ungläubig(e Person); atheistisch; **~ity** [--'deliti] Unglaube; (*bes* eheliche) Untreue

infiltra|te [in'filtreit, *bes BE* --́-] einsickern (in), durchdringen; einträufeln, durchdringen; **~tion** [--'treiʃən] Einsickern, Durchdringen; Infiltration

infinit|e ['infinit] unbegrenzt; unendlich; unzählig; *the I~ e* Gott; *the ~ e* der Weltenraum; **~esimal** [---'tesiməl] unendlich klein; **~ive** [--́-tiv] Infinitiv; **~ude** [--́-tju:d] Unendlichkeit; unendliche Größe (Zahl); **~y** [--́-ti] = ~ude *(a. math)*

infirm [in'fə:m] *(bes* alters)schwach; kraftlos; **~ of purpose** ['pə:pəs] unentschlossen; **~ary** [--́əri] Krankenraum; Revier; Krankenhaus; **~ity** [--́-iti] Schwäche, Hinfälligkeit; Gebrechen; Mangel

inflam|e [in'fleim] (s.) entzünden; entflammen; **~mable** [-'flæməbl] leicht entzündlich; feuergefährlich; erregbar; **~mation** [-flə'meiʃən] **$** Entzündung; **~matory** [-'flæmətəri] **$** entzündlich (*~matory condition* = ~mation); aufreizend, Hetz-

inflat|e [in'fleit] aufblasen, -blähen *(a. fig)*; **~ed with pride** aufgeblasen; inflationieren; **~ion** [-'fleiʃən] Aufblasen; -geblasenheit; Inflation; **~ionary** [-'fleiʃənəri] inflationistisch

infle|ct [in'flekt] beugen; flektieren; die Tonhöhe ändern; **~ction** (*BE a.* **~xion**) [-'flekʃən] Biegung; Flexion(sendung); Intonation, Modulation; **~xible** [-'fleksibl] unbiegsam; unbeugsam

inflict [in'flikt] zufügen (*on s-b* j-m); verhängen (*on* über); **~ion** [-'flikʃən] Zufügung; Verhängung; Plage; Übel

inflow ['inflou] Einströmen; Zufluß

influ|ence ['influəns] Einfluß; beeinflussen; einwirken auf; **~ential** [--'enʃəl] einflußreich; wirkungsvoll; **~enza** [--'enzə] Grippe; **~x** ['inflʌks] Einströmen; Zufluß; Zustrom, Zufuhr

info ['infou] *umg* = information

infold [in'fould] = enfold

inform [in'fɔ:m] unterrichten, mitteilen; *to keep s-b ~ed* [-'fɔ:md] j-n auf d. laufenden halten; *~ against* Anzeige erstatten gegen, denunzieren; *~ with* erfüllen mit; **~al** [--́məl] form-, zwanglos; regelwidrig; **~ality** [--'mæliti] Formlosigkeit; Zwanglosigkeit; Regelwidrigkeit; **~ant** [--́mənt] Auskunftgeber, Nachrichtenquelle; **~ation** [--'meiʃən] Nachricht(en), Information(en), Auskunft; Anzeige (*to lay* [*an*] *~ation against s-b*); Unterrichtung; **~ative** [--́mətiv] informatorisch; lehrreich, aufschlußreich; **~er** = ~ant, *bes* Spitzel

infra ['infrə] weiter unten; **~ction** [in'frækʃən] Verletzung, Übertretung; *~ dig* [--'dig] *umg* unter j-s Würde; **~red** [--́'red] infrarot; **~structure** [--strʌktʃə] *mil* Infrastruktur, Unterbau

infrequen|cy [in'fri:kwənsi] Seltenheit; **~t** selten

infringe [in'frindʒ] verletzen, übertreten; *~ on* eingreifen in; **~ment** Verletzung, Übertretung (*bes* Verstoß gegen Warenzeichen, Copyright)

infuriate [in'fjuərieit] wütend machen, erbosen

infus|e [in'fju:z] einweichen; (Tee) aufgießen; ziehen (lassen); einflößen (*into s-b* j-m); erfüllen (*with* mit); **~ion** [-'fju:ʒən] Einweichen; Aufguß; Infusion; Einflößen

ingen|ious [in'dʒi:njəs] geschickt, erfinderisch; sinnreich, genial; geistreich; **~uity** [indʒi'nju:iti] Geschick, Erfindergabe; Genialität; Einfallsreichtum; **~uous** [in'dʒenjuəs] freimütig, offen; arglos; naiv; schlicht; **~uousness** Freimütigkeit, Offenheit

ingle-nook ['iŋglnuk] Kaminecke; *in the ~* am Kamin

inglorious [in'glɔ:riəs] unrühmlich

ingot ['iŋgət] (Gold-)Barren; **✿** Rohblock; **~ mould** Hartgußform, Kokille

ingrain [in'grein] *siehe* engrain

ingrat|e [in'greit, *US* --́-] undankbar(er Mensch); **~iate** [-'greiʃieit] *o.s. with* sich beliebt machen bei; **~itude** [in'grætitju:d] Undankbarkeit

ingredient [in'gri:diənt] Bestandteil; Zutat

ingress ['ingres] Eintreten; Eingang

in-group ['ingru:p] (soziolog.) Gruppe

ingrowing ['ingrouiŋ] (hin)einwachsend

inhabit [in'hæbit] bewohnen; **~able** bewohnbar; **~ant** [--́-tənt] Bewohner

inhale [in'heil] einatmen; inhalieren

inher|ent [in'hiərənt] innewohnend; angeboren; inhärent; **~it** [in'herit] erben; vererbt bekommen haben; **~itance** [-'heritəns] Erbschaft; Erbteil; Vererbung

inhibit [in'hibit] hindern, hemmen *(a. fig)*; untersagen (*s-b from s-th* j-m etwas); *eccl* j-m d. amtl. Tätigkeit untersagen; **~ion** [--'biʃən] Hinderung; *bes* Hemmung

inhospitable [in'hɔspitəbl] ungastlich; unwirtlich

inhuman [in'çu:mən] unmenschlich; gefühllos; **~ity** [--'mæniti] Unmenschlichkeit; Gefühllosigkeit

inimi|cal [i'nimikəl] feindlich; abträglich (*to* für); **~table** [--́-təbl] unnachahmlich

iniqui|tous [i'nikwitəs] niederträchtig; ungerecht; **~ty** [--́-ti] Niederträchtigkeit; Ungerechtigkeit

initia|l [i'niʃəl] Anfangs-; anfänglich; Anfangsbuchstabe; Initiale; (mit Anfangsbuchst.) unterzeichnen, versehen; **~te** [--́ʃieit] einleiten; (j-n) einführen (*into* in); einweihen (*into* in); **~te** [--́ʃiit] eingeweiht(e Person); **~tion** [--ʃi'eiʃən] Einweihung; **~tive** [--́ʃiətiv] Initiative (*on, of, one's own ~tive* auf eigene I.); *to take the ~tive* in d. I. ergreifen bei; einleitend

inject [in'dʒekt] (ein)spritzen; **~ion** [--́ʃən] Einspritzung; Spritze

injudicious [indʒu'diʃəs] unüberlegt; unklug

injunction [in'dʒʌŋkʃən] Befehl; gerichtliche Verfügung

injur|e ['indʒə] verletzen; kränken; schädigen; **~ious** [-'dʒuəriəs] schädlich (*to* für); krän-

kend; ~y [᷉dʒəri] Verletzung (*to* an); (Be-)
Schädigung; Kränkung
injustice [in'dʒʌstis] Ungerechtigkeit; Unrecht
ink [iŋk] Tinte (*in* ~ mit T.); Tusche; Druckerschwärze; (mit T.) beklecksen; 🕮 einfärben;
~ *in* (od *over*) (mit T.) nachziehen; ~**-pad** [᷉
pæd] Stempelkissen; ~**-pot** Tintenfaß; ~**-stand**
[᷉stænd] Schreibgarnitur; ~**-well** [᷉wel] Tintenfaß; ~**ling** [᷉liŋ] Ahnung; Wink; ~y tintig,
Tinten-; pechschwarz
inlaid ['in'leid] eingelegt; *siehe* inlay
inland ['inlənd] Binnenland; Binnen-; inländisch, einheimisch; Inlands-; ~ *revenue* ['re-
vinjuː] *BE* Steueraufkommen; ~ [in'lænd]
landeinwärts; im Inland
in-law ['inlɔː] *umg* Angeheirateter
inlay ['in'lei] (*s. S. 318*) einlegen; ~ [᷉] Einle-
gearbeit; 🜛 Füllung
inlet ['inlet] Einbuchtung; Meeresarm; Einlaß
inmate ['inmeit] Insasse; Hausgenosse
inmost ['inmoust] innerste
inn [in] Gasthof; *Inns of Court* Kammern der
höheren englischen Anwaltschaft (in London); ~**-keeper** [᷉kiːpə] Gastwirt
innate [i'neit] angeboren
inner ['inə] innere; ~ **man** d. Seele, *umg* Magen; ~ *tube* 🚗 Schlauch; ~**most** = inmost
inning ['iniŋ] *US* = ~s; *US* Landgewinnung;
zurückgewonnenes Land; ~s (*pl* ~ *s, umg* ~ses)
🜨 Am-Spiel-Sein, (Kricket) Verteidigung; *fig*
Blütezeit; Macht-, Amtszeit
innoc|ence ['inəsəns] Unschuld; Schuldlosig-
keit; ~**ent** [᷉sənt] unschuldig (*of* an); harmlos; einfältig; ~**uous** [i'nɔkjuəs] harmlos, unschädlich
innova|te ['inəveit] Neuerungen einführen;
~**tion** [᷉᷉ʃən] Neuerung; ~**tor** [᷉᷉tə] Neue-
rer
innuendo [inju'endou], *pl* ~**es** (versteckte) Andeutung
innumerable [i'njuːmərəbl] unzählig
inoculate [i'nɔkjuleit] impfen; 🜛 okulieren; *fig*
anstecken
inoffensive [inə'fensiv] harmlos; gutartig
inopera|ble [in'ɔpərəbl] nicht (zu) operie-
ren(d), unheilbar; ~**tive** [᷉᷉᷉tiv] unwirksam,
ungültig
inopportune [in'ɔpətjuːn] ungelegen
inordinate [in'ɔːdinit] unmäßig; maßlos
inorganic [inɔː'gænik] anorganisch
in-patient ['inpeiʃənt] Patient (e-s Kranken-
hauses); stationär
inquest ['inkwest] 🜨 Untersuchung
inquir|e [in'kwaiə] sich erkundigen
nach; ~ *e after* s. erkundigen nach; ~ *e for* fragen nach; ~ *e into* untersuchen; ~ *of* s. erkundigen bei; ~**ing** [᷉᷉riŋ] forschend; ~**y** [᷉᷉ri,
US 'inkwəri] Erkundigung; Untersuchung
inquisi|tion [inkwi'ziʃən] (*bes* 🜨) Untersu-
chung; Inquisition; ~**tive** [᷉᷉zitiv] neugierig;
wißbegierig; ~**tor** [᷉᷉᷉tə] Untersuch(ungs-
richt)er; Inquisitor
inroad ['inroud] *mil* Einfall; Eingriff, Übergriff

insan|e [in'sein] wahn-, irrsinnig; ~**itary** [᷉'sæ-
nitəri] ungesund, unhygienisch; ~**ity** [᷉'sæniti]
Wahn-, Irrsinn
insatia|ble [in'seiʃiəbl] unersättlich; ~**te** [᷉᷉
ʃiit] unersättlich
inscri|be [in'skraib] ein(be)schreiben; be-
schriften; widmen; ~ *bed stock* (*BE*) Namens-
aktie; *fig* einprägen; ~**ption** [᷉'skripʃən] Inschrift; Widmung
inscrutable [in'skruːtəbl] unerforschlich; unergründlich
insect ['insekt] Insekt; ~**icide** [᷉᷉tisaid] Insek-
tenmittel
insecur|e [insi'kjuə] unsicher; ~**ity** Unsicher-
heit
insens|ate [in'senseit] sinnlos (Wut); gefühl-,
leblos (Fels); ~**ibility** Unempfindlichkeit (*to*
für); Bewußtlosigkeit; Stumpfsinn; ~**ible** [᷉᷉
sibl] unempfindlich; bewußtlos; stumpf; nicht
gewahr (*of the danger*); unmerklich; ~**itive**
[᷉᷉sitiv] unempfindlich (*to* gegen)
inseparable [in'sepərəbl] untrennbar; unzer-
trennlich
insert [in'səːt] hineintun; einfügen; (Anzeige)
aufgeben; ~**ion** [᷉'səːʃən] Einfügung; Inserat;
Einsatz
inset ['inset] Ein-, Beilage; Nebenbild, -karte;
Einsatz
inshore ['in'ʃɔː] nahe d. Küste; Küsten-
insid|e [in'said] I. Innenseite, d. Innere; **2.**
(Weg) Außenseite; ~ *e out* umgekehrt; **3.** *umg*
Magen; **4.** Innen-; ~ *e left* (*right*) 🜨 Halblinks
etc; **5.** *adv* im Innern, hinein; ~ *e of* innerhalb;
6. *prep* innerhalb, in d. Innere(n); ~**er** [᷉᷉də]
Eingeweihter; ~**ious** [in'sidiəs] heimtückisch;
hinterlistig
insight ['insait] Einblick; Lebenserfahrung
insign|e [in'signiː], *pl* ~**ia** [᷉᷉niə] (*sg US*) (*bes*
mil Ab-)Zeichen; ~**ificance** Bedeutungslosig-
keit; ~**ificant** [᷉᷉'nifikənt] bedeutungslos, unbedeutend
insincer|e [insin'siə] unaufrichtig; ~**ity** [᷉᷉'se-
riti] Unaufrichtigkeit
insinua|te [in'sinjueit] (versteckt) andeuten;
~ *te o.s. into* s. einschleichen in; hinein-
schmuggeln; einflößen; ~**tion** (versteckte) Andeutung
insipid [in'sipid] geschmacklos; fade
insist [in'sist] *on* Gewicht legen auf; ~**ence** [᷉᷉
əns] Bestehen (*on* auf); Beharrlichkeit; ~**ent**
drängend; beharrlich
insole ['insoul] Brandsohle; Einlegesohle
insolent ['insələnt] frech, unverschämt
insol|uble [in'sɔljubl] un(auf)löslich; unlös-
bar; ~**vency** [᷉᷉vənsi] Zahlungsunfähigkeit;
~**vent** [᷉᷉vent] zahlungsunfähig
insomnia [in'sɔmniə] Schlaflosigkeit
insomuch [insou'mʌtʃ] *that* dermaßen, daß;
~ *as* insofern als
inspect [in'spekt] besichtigen; prüfen; ~**ion**
[᷉'spekʃən] Besichtigung; Prüfung; ~**or** [᷉᷉tə]
Inspektor
inspir|ation [inspi'reiʃən] Eingebung; Anre-
gung; ~**e** [᷉'spaiə] beseelen; einflößen (*into s-b*

j-m); inspirieren; ~it [in'spirit] anfeuern, begeistern; beleben

instability [instə'biliti] Unsicherheit; *fig* Unbeständigkeit; Labilität

instal|l [in'stɔːl] (in ein Amt) einführen; installieren; einrichten; ~**lation** [-stə'leiʃən] Einführung; Installation; Einrichtung; ☼ ⚡ Anlage; ~**ment**, *US* ~**lment** Teillieferung; Fortsetzung; Rate

instan|ce ['instəns] I. Beispiel (*for* ~*ce* zum B.); **2.** Bitte (*at the* ~*ce* auf B. von); **3.** ♒ Instanz; *in the first* ~*ce* in erster Linie, zunächst; **4.** (als Beispiel) anführen; ~**t** [-t] unmittelbar, sofortig; dieses Monats; Augenblick (*on the* ~*t* im A., sofort); *the* ~*t* (*that*) sobald; ~**taneous** [instən'teinjəs] augenblicklich; gleichzeitig; ▥ Moment-; ~**tly** sofort, augenblicklich

instead [in'sted] statt dessen; ~ *of* statt

instep ['instep] Spann, Rist

instiga|te ['instigeit] anstiften; aufreizen; veranlassen; ~**tion** [--'geiʃən] Anstiftung; Aufreizung; Veranlassung

instil, *US* ~**l** [in'stil] einflößen

instinct ['instiŋkt] Instinkt; ~ [-⸺] *pred* erfüllt (*with* von); ~**ive** [-⸺tiv] instinktiv; instinktmäßig

institut|e ['institjuːt] Gesellschaft, Institut; einsetzen, -leiten, -führen; ~**ion** [--⸺ʃən] Einsetzung, -leitung, -führung; Einrichtung (*to become an* ~*ion* Brauch werden); Institut, Anstalt

instruct [in'strʌkt] unterrichten; anweisen, Anweisung geben; ~**ion** [-⸺ʃən] Unterricht(en); Lehre, -beruf; *pl* (An-)Weisungen; ~**ive** [-⸺tiv] lehrreich; ~**or** [-⸺tə] Lehrkraft; -buch; *mil* Ausbilder

instrument ['instrumənt] Instrument, Gerät; ~ *flying* Blindflug; *fig* Werkzeug, Ursache; Medium; Urkunde, Papier; ~**al** [--⸺təl] behilflich, förderlich; Instrumental-; ~**ality** [--⸺'tæliti] Wirksamkeit, Mittel (*bes: by the* ~*ality of*)

insubordinate [insə'bɔːdinit] unbotmäßig

insubstantial [insəb'stænʃəl] unwirklich; gehaltlos

insufferable [in'sʌfərəbl] unerträglich

insufficien|cy [insə'fiʃənsi] Unzulänglichkeit; Mangel; ~**t** [---ʃənt] unzulänglich; mangelhaft

insul|ar ['insjulə] insular, Insel-; beschränkt; ~**arity** [--'læriti] insulare Lage; (insulare) Beschränktheit; ~**ate** [-⸺leit] ☼ *fig* isolieren; ~**ation** [--'leiʃən] Isolierung; ~**ator** [-⸺leitə] Isolator; ~**in** [-⸺lin] ⚡ Insulin

insult ['insʌlt] Beleidigung; ~ [-⸺] beleidigen, beschimpfen

insuperable [in'sjuːpərəbl] unüberwindlich

insupportable [insə'pɔːtəbl] unerträglich

insur|ance [in'ʃuərəns] Versicherung(sprämie, -summe); ~**ant** [-⸺rənt] Versicherungsnehmer; ~**e** [--'ʃuə] versichern; *bes US* sichern, gewährleisten (*siehe* ensure); ~**er** [-⸺rə] Versicherer

insurgent [in'sɜːdʒənt] Aufrührer; aufrührerisch

insurmountable [insəː'mauntəbl] unüberwindlich; unschlagbar

insurrection [insə'rekʃən] Empörung; Aufstand

insusceptible [insə'septibl] unempfänglich, unempfindlich (*of, to* für)

intact [in'tækt] unberührt; intakt

intake ['inteik] Einlaß(menge); Aufnahme

intangible [in'tændʒibl] unberühr-, unfühlbar; unfaßlich; *pl* Imponderabilien

integ|er ['intidʒə] ganze Zahl; Ganzes; ~**ral** [-⸺grəl] integrierend; vollständig; ganze Zahlen betreffend; Integral-; ~**rate** [-⸺greit] integrieren; ergänzen; zus.fügen; ~**ration** [--'greiʃən] Integration; Ergänzung; ~**rity** [-'tegriti] Lauterkeit; Vollständigkeit, Unversehrtheit; ~**ument** [-'tegjumənt] Hülle, Schale

intel|lect ['intilekt] Intellekt, Verstand; *konkr* Intelligenz ~**ectual** [inti'lektjuəl] geistig; vernünftig; intellektuell; Intellektueller; ~**igence** [in'telidʒəns] Intelligenz; Nachrichten (-material, -dienst); ~**igent** [in'telidʒənt] intelligent; verständig; ~**igentsia** [in͵teli'dʒentsiə] d. Gebildeten, Intelligenz; ~**igible** [in'telidʒibl] verständlich

intempera|nce [in'tempərəns] Un-, Übermäßigkeit; Trunksucht; ~**te** un-, übermäßig; trunksüchtig

inten|d [in'tend] beabsichtigen; wollen; meinen (*by* mit); bestimmen; ~**ded** Verlobte(r); ~**se** [-'tens] (sehr) stark, heftig; angespannt; (Farbe) lebhaft; intensiv; äußerst/stark; ~**sification** [-͵-sifi'keiʃən] Verstärkung; Steigerung; ~**sify** [-⸺sifai] (s.) verstärken, steigern; ~**sity** [-⸺siti] Intensität; Stärke; Heftigkeit; Anspannung; Lebhaftigkeit; ~**sive** [-⸺siv] konzentriert; stark (wirkend); *bes* ↓ intensiv; Verstärkungs(wort); ~**t** [-'tent] Absicht ♦ *to all* ~*ts and purposes* ['pəːpəsiz] im Grunde genommen, so gut wie; bedacht, erpicht (*on* auf); gespannt; ~**tion** [-⸺ʃən] Absicht; ~**tional** [-⸺ʃənəl] absichtlich

inter [in'təː] begraben, beerdigen

inter- [intə] zwischen-; gegenseitig; ~**act** [intər'ækt] aufeinander wirken; ~**action** [--r'ækʃən] Wechselwirkung; ~**breed** [--'briːd] (s.) kreuzen; ~**cede** [--'siːd] s. verwenden (*for* für, *with* bei); ~**cept** [--'sept] ab-, auffangen; stellen; ~**cession** [--'seʃən] Fürsprache; ~**cessor** [intə'sesə] Fürsprecher, Vermittler

interchange [intə'tʃeindʒ] austauschen; abwechseln; ~ [--] Austausch; Abwechslung; Kreuzungsbauwerk; ~**able** [---⸺əbl] austauschbar

intercollegiate [intəkə'liːdʒiit] Hochschul-

intercom ['intəkɔm] (Gegen)Sprechanlage; = ~**munication** [intəkə͵mjuːni'keiʃən] Eigenverständigung, gegenseitige Verbindung

intercourse ['intəkɔːs] Verkehr, Umgang

interdepende|nce [intədi'pendəns] gegenseitige Abhängigkeit; ~**nt** [---⸺dənt] gegenseitig abhängig

interdict [intə'dikt] verbieten; ~ [´-–] Verbot; Interdikt; ~**ion** [--'dikʃən] Verbot
interest ['intrist] Interesse; Einfluß (with bei); (An-)Recht; Anteil; Zins(en); pl Belange; business ~ Geschäftsanteil; business ~s Geschäftswelt; landed ~s die Grundeigentümer; with ~ mit Zinsen (a. fig), doppelt; interessieren; ~**ed** interessiert; beteiligt; eigennützig; ~**ing** [´-iŋ] interessant, anregend
interface ['intəfeis] Grenzfläche; Nahtstelle; Zus.spiel; Verhältnis; Wechselwirkung
interfere [intə'fiə] dazwischenkommen; s. einschalten, -mischen (in, with); stören (with s-th etwas); ~**nce** [---rəns] Einmischung; Störung; Interferenz
interfuse [intə'fju:z] (s.) vermischen
interim ['intərim] einstweilig; Zwischen-; in the ~ einstweilen
interior [in'tiəriə] innere; Innen-; binnenländisch; einheimisch; d. Innere; Binnenland; innere Angelegenheiten;
interject [intə'dʒekt] einwerfen; ~**ion** [--'dʒekʃən] Ausruf, Interjektion
inter|lace [intə'leis] ineinanderflechten, (s.) verschränken; ~**lard** [--'lɑ:d] vermischen; spicken; ~**leave** --'li:v] 📖 durchschießen; ~**line** [--'lain] zwischen d. Zeilen schreiben; zwischenzeilig versehen mit (Bemerkungen); ~**linear** [--'liniə] zwischenzeilig
interlock [intə'lɔk] ineinandergreifen; miteinander verbinden; ~ [´--] Interlockware; Blokkierung
inter|locutor [intə'lɔkjutə] Gesprächspartner; ~**loper** [´--loupə] Eindringling; wilder Händler; ~**lude** [´--lu:d] 🎵 Pause; 🎵 Zwischenspiel; fig Intermezzo
intermarr|iage [intə'mæridʒ] Mischehe; ~**y** [---ri] s. durch Heirat verbinden; eine Mischehe schließen
intermeddle [intə'medl] s. einmischen
intermedia|ry [intə'mi:djəri] vermittelnd; dazwischenliegend; Vermittler; Zwischenstelle; ~**te** [---diit] dazwischenliegend; Zwischen-; Zwischenglied; ~**te** [---dieit] vermitteln
interment [in'tə:mənt] Beerdigung
intermezzo [intə'medzou], pl ~**s** 🎵 Intermezzo
interminable [in'tə:minəbl] endlos
inter|mingle [intə'miŋgl] (s.) vermischen; ~**mission** [--'miʃən] Pause (a. 🎭); ~**mittent** [--'mitənt] intermittierend; aussetzend; Wechsel(fieber etc)
intern [in'tə:n] internieren; ~ [´--] US (als) Medizinalassistent (arbeiten); US Internierter; ~**al** [-´-əl] innere(r,s), innerlich; inländisch, Binnen-; ~**al revenue** ['revinju:] US Steueraufkommen; ~**al-combustion engine** [kəm'bʌstʃən 'endʒin] 🚗 Verbrennungsmotor
international [intə'næʃ(ə)nəl] international; Welt-, Völker-; ~**ize** [intə'næʃnəlaiz] internationalisieren; ~ **(public) law** Völkerrecht
internecine [intə'ni:sain] **war** (gegenseitiger) Vernichtungskrieg
intern|ee [intə:'ni:] Internierter; ~**ment** [-´-mənt] Internierung (~ment camp -slager)

interpella|te [BE in'tə:pəleit, US intə'peleit] e-e Interpellation richten an; ~**tion** [-,tə:pe'leiʃən] Interpellation
inter|play ['intə'plei] Wechselwirkung; ~**polate** [in'tə:pəleit] (fälschend) einschieben; ~**pose** [--'pouz] dazwischen-, einschieben; dazw.treten, vermitteln; ~**position** [--pə'ziʃən] Dazwischentreten; Vermittlung
interpret [in'tə:prit] deuten, auslegen; interpretieren; dolmetschen; ~**ation** [-,--'teiʃən] Deutung, Auslegung; Interpretation; Dolmetschen; ~**er** [-´-tə] Dolmetscher
interregnum [intə'regnəm] Interregnum
interroga|te [in'terəgeit] be-, ausfragen; verhören; ~**tion** [---'geiʃən] Befragung, Frage; Verhör; note(od. mark, point) of ~ tion, ~ tion point Fragezeichen; ~**tive** [intə'rɔgətiv] fragend; Frage(wort)
interrupt [intə'rʌpt] unterbrechen; stören; ~**ion** [--'rʌpʃən] Unterbrechung; Störung
intersect [intə'sekt] durchschneiden; (s.) schneiden; ~**ion** [--´-ʃən] Durchschneiden; Schnittpunkt; Kreuzung
intersperse [intə'spə:s] (ein)streuen (between, among); durchsetzen (with)
inter|state [intə'steit] US zwischenstaatlich; ~**stellar** [--'stelə] (Welt-)Raum-; ~**stice** [in'tə:stis] Zwischenraum; Spalt; ~**twine** [--'twain] (s.) verflechten; ~**urban** [--'rə:bən] zwischenstädtisch; Fern-; Überland-
interval ['intəvəl] Pause (a. 🎭); Abstand (at ~s in A.); 🎵 Intervall
interven|e [intə'vi:n] dazwischenkommen; intervenieren, vermitteln; dazwischenliegen; ~**tion** [--'venʃən] Intervention; Vermittlung
interview ['intəvju:] Unterredung, Interview; e-e Unterredung haben mit, interviewen; ~**ee** [---'i:] Befragte, Interviewte; ~**er** [´---ə] Fragesteller
interweave [intə'wi:v] (s. S. 319) (mit-)verweben, verflechten (a. fig)
intest|acy [in'testəsi] Sterben ohne Testament; Fehlen e-s Test.; ~**ate** [in'testit] ohne Testament (Verstorbener); ~**inal** [-´-inəl] Darm-; ~**ine** [-´-in] Darm (large ~ine Dickdarm; small ~ine Dünndarm)
intima|cy [in'timəsi] Vertraulichkeit; Vertrautheit; Intimität; ~**te** --'mit] innerste; intim; vertraut; eng(er Freund); ~**te** [-´-meit] andeuten, zu verstehen geben; ~**tion** [--'meiʃən] Andeutung; Wink
intimida|te [in'timideit] einschüchtern (into doing zu tun); ~**tion** [-,---´-ʃən] Einschüchterung
into ['intu] in (... hinein); auf; zu
intoler|able [in'tɔlərəbl] unerträglich; ~**ant** [-´-rənt] unduldsam (of gegen)
inton|ation [intou'neiʃən] Anstimmen; singendes Rezitieren; Stimmlage; Tonfall; ~**e** [in'toun] singend rezitieren; mit besonderem Tonfall (aus)sprechen
intoxic|ant [in'tɔksikənt] berauschend(es Getränk), Rausch(mittel); ~**ate** [-´-keit] berauschen (a. fig); ~**ation** [-,--'keiʃən] Rausch(vergiftung)

Intractable [in'træktəbl] störrisch; eigensinnig
Intrastate [intrə'steit] *US* innerstaatlich
Intransige|nce [in'trænsidʒəns] Unnachgiebigkeit; **~nt** [-'-dʒənt] unversöhnlich, unnachgiebig
Intransitive [in'trænsitiv] intransitiv
Intrepid [in'trepid] unerschrocken; **~ity** [-tri'piditi] Unerschrockenheit; unerschrockene Tat
Intrica|cy ['intrikəsi] Verwicklung; Schwierigkeit, Kompliziertheit; **~te** [-'-kit] verwickelt, schwierig, kompliziert
Intrigu|e [in'triːg] intrigieren; Liebeshändel haben; Intrige, Ränke(spiel); Liebeshandel; **~ing** (hoch)interessant
Intrinsic [in'trinsik] innere, innerlich; eigentlich, wirklich
Introduc|e [intrə'djuːs] einführen; vorstellen; einleiten; **~tion** [--'dʌkʃən] Einführung; Vorstellung; Einleitung; **~tory** [--'dʌktəri] einleitend
Introspec|tion [intrə'spekʃən] Selbstbetrachtung, -prüfung; **~tive** [---'tiv] nach innen schauend
Intru|de [in'truːd] (s.) aufdrängen (*upon s-b* j-m); eindringen (*upon* in); **~der** Eindringling; **~sion** [-'-ʒən] Eindringen; Aufdrängen; Zudringlichkeit; **~sive** [-'-siv] auf-, zudringlich; eingedrungen; eingeschoben
Intrust [in'trʌst] *siehe* entrust
Intui|tion [intju'iʃən] Intuition; **~tive** [in'tjuːitiv] intuitiv
Inunda|te ['inʌndeit] überschwemmen *(a. fig)*; **~tion** [--'-ʃən] Überschwemmung
Inure [i'njuə] gewöhnen (*to* an)
Invade [in'veid] überfallen; heimsuchen; eindringen in; verletzen; **~r** [-'-də] Eindringling, Angreifer
Invalid ['invəliːd, *US* -'-lid] krank, gebrechlich; Kranken-; Invalide; **~** [--'liːd, *US* -'-lid] zum Inval. machen; als dienstunfähig entlassen; **~** [in'vælid] (rechts)ungültig; wertlos; **~ate** [in'vælideit] ungültig machen; entkräften; **~ation** Ungültigmachen; Entkräftung
Invaluable [in'væljuəbl] unschätzbar
Invaria|ble [in'vɛəriəbl] unveränderlich; beständig; **~bly** *adv a.* immer, stets
Invasion [in'veiʒən] Einfall, Invasion; Störung; Ein-, Übergriff (*of* auf)
In|vective [in'vektiv] Schmähung, Beschimpfung; **~veigh** [-'vei] *against* schimpfen, herziehen über
Inveigle [in'viːgl, -'veigl] verleiten (*into* zu); **~ment** Verleitung
Invent [in'vent] erfinden; ersinnen; **~ion** [in'venʃən] Erfindung(sgabe); Lüge; **~ive** [-'-iv] erfinderisch; **~ory** ['invəntri] Inventar(verzeichnis); Inventur; *US* Vorrat; inventarisieren; *pl* Lager-, Warenbestände
Inver|se [in'vəːs] umgekehrt, entgegengesetzt; **~sely** [-'-li] in umgekehrtem Verhältnis; **~sion** [-'vəːʃən] Umkehrung; Inversion; **~t** [-'vəːt] umkehren; **~ted commas** *BE* Anführungszeichen

Invertebrate [in'vəːtibrit] wirbellos(es Tier); rückgratlos(er Mensch)
Invest [in'vest] anlegen, investieren; *umg* Geld ausgeben (*in* für); bekleiden; ausstatten (*with* mit); *mil* einschließen; **~igate** [-'-tigeit] (gründl.) untersuchen; **~igation** [-,-ti'geiʃən] (gründl.) Untersuchung; **~igator** [-'vestigeitə] (Er-)Forscher; Untersucher; **~iture** [--'-itʃə] Investitur; **~ment** [-'-mənt] (Kapitals-)Anlage; Investition; *mil* Einschließung; Investitur; **~or** [-'-ə] Kapital-, Geldgeber, Investor
Inveterate [in'vetərit] eingewurzelt; eingefleischt; passioniert; hartnäckig
Invidious [in'vidiəs] anstoß-, haß-, neiderregend; gehässig; neidisch
Invigila|te [in'vidʒileit] *BE* (Prüflinge) beaufsichtigen; **~tion** [-,---ʃən] *BE* Beaufsichtigung; **~tor** [-'---tə] *BE* Aufsichtführender (bei Prüfungen)
Invigora|te [in'vigəreit] kräftigen stärken; **~ting** kräftigend; stärkend; **~tion** [-,--'reiʃən] Kräftigung, Stärkung
Invinci|bility [in,vinsi'biliti] Unbesiegbarkeit; Unüberwindlichkeit; **~ble** [-'-sibl] unbesiegbar; unüberwindlich
Inviol|able [in'vaiələbl] unverletzlich; **~ate** [-'-lit] unverletzt, unverbrüchlich
Invisi|bility [in,vizi'biliti] Unsichtbarkeit; **~ble** [-'-zibl] unsichtbar
Invit|ation [invi'teiʃən] Einladung; **~e** [in'vait] einladen (*to one's house* zu s.); erbitten; auffordern; ermuntern; herausfordern; *umg* Einladung
In|vocation [invə'keiʃən] Anrufung; Beschwörung; **~voice** [-'vɔis] (Waren-)Rechnung; e-e Rechnung ausstellen über; **~voke** [in'vouk] anrufen; beschwören; erflehen
Involuntary [in'vɔləntəri] unwillkürlich; unfreiwillig
Involve [in'vɔlv] verwickeln (in); komplizieren; mit s. bringen, bedingen; **~d** [-'vɔlvd] kompliziert; *~d in debt* verschuldet; *... is ~d* es handelt sich um...; **~ment** [-'mənt] Verwicklung; Verschuldung; Engagement, Mitwirkung (*in* bei)
Invulnerable [in'vʌlnərəbl] unverwundbar; *fig* unangreifbar
Inward ['inwəd] innere(r, s), innerlich; *pl* **~s** ['inədz] *umg* Eingeweide; **~ly** innerlich; heimlich; **~ness** Inneres, Seele; Geistigkeit; **~(s)** [-'-(z)] einwärts, nach innen
Inwrought ['in'rɔːt] hineingearbeitet (*in, on* in); versehen (*with* mit)
Iodine ['aiədiːn, *bes US* -'dain] Jod
Iota [ai'outə] Jota; bißchen
IOU ['aiou'juː], *pl* **~'s** Schuldschein
Ir|ascible [i'ræsibl] reizbar, jähzornig; **~ate** [ai'reit] zornig, wütend; **~e** [aiə] Zorn; **~eful** ['aiəful] zornig
Ir|eland ['aiələnd] Irland; **~ish** ['aiəriʃ] irisch; *the ~ish* d. Irische; d. Iren; **~ishism** [-'riʃizm] irische Spracheigenheit (im Englischen); **~ishman**, *pl* **~ishmen** Ire; **~ishwoman** [-'riʃwumən], *pl* **~ishwomen** [-'riʃwimin] Irin

iri|descent [iri'desənt] schillernd, irisierend; **~dium** [i'ridiəm] Iridium; **~s** ['aiəris], pl ~ses Regenbogenhaut; bot Iris

irk [əːk] verdrießen; **~some** [⸗səm] beschwerlich; verdrießlich; lästig

iron [aiən] Eisen; Bügeleisen; pl Fesseln; eisern, Eisen-; with a rod of ~, with an ~ hand mit eiserner Hand; vt bügeln; in Eisen legen; **~ age** [⸗'eidʒ] Eisenzeit; **~bound coast** Steilküste; **~-clad** [⸗klæd] gepanzert; fig eisern; Panzerschiff; ~ **curtain** Eiserner Vorhang; Satelliten-; **~-foundry** [⸗faundri] Eisengießerei; **~ing** [⸗niŋ] Bügeln, Plätten; **~ing board** Bügelbrett; **~monger** [⸗mʌŋgə] BE Eisenhändler; **~mongery** BE Eisenwaren(geschäft); **~-mould** [⸗mould] Eisen-, Rostfleck; **~work** [⸗wəːk] Eisenwerk (e-s Baus); **~works** [⸗wəːks] sg vb Eisenhütte

iron|y ['aiərəni] Ironie (~y of fate I. des Schicksals); **~ical** [⸗'rɔnikl] ironisch

irradiate [i'reidieit] beleuchten, bestrahlen (a. $); erleuchten; ausstrahlen

irrational [i'ræʃənəl] unvernünftig; unsinnig; unlogisch; irrational

irreconcilable [i'rekənsailəbl] unversöhnlich; unvereinbar

irrecoverable [iri'kʌvərəbl] unwiederbringlich, -ersetzlich; unheilbar

irredeemable [iri'diːməbl] nicht einlösbar; nicht tilgbar; nicht rückkaufbar; unverbesserlich; nicht wiedergutzumachen(d)

irreducible [iri'djuːsibl] äußerste(r, s); ~ **to** nicht zu ... zu bringen(d)

irrefutable [i'refjutəbl] unwiderleglich

irregular [i'regjulə] unregelmäßig; irregulär; **~ity** [-,--'læriti] Unregelmäßigkeit

irrelevant [i'reləvənt] unerheblich, belanglos

irreligious [iri'lidʒəs] unreligiös; religionsfeindlich

irremediable [iri'miːdiəbl] unheilbar; unersetzlich

irreparable [i'repərəbl] nicht wiedergutzumachen(d)

irreplaceable [iri'pleisəbl] unersetzbar, -lich

irrepressible [iri'presibl] nicht zu unterdrücken(d)

irreproachable [iri'proutʃəbl] tadellos

irresistible [iri'zistibl] unwiderstehlich

irresolu|te [i'rezəluːt] unentschlossen, -schlüssig; **~tion** [-,---ʃən] Unentschlossenheit, Unschlüssigkeit

irrespective [iris'pektiv] ohne Rücksicht (of auf), unabhängig (of von)

irresponsible [iris'pɔnsibl] verantwortungslos, unverantwortlich; verantwortungsfrei; unzuverlässig

irretrievable [iri'triːvəbl] unersetzlich; nicht wiedergutzumachen(d)

irreverent [i'revərənt] unehrerbietig

irrevocable [i'revəkəbl] unwiderruflich; unabänderlich

irriga|te ['irigeit] bewässern, berieseln; $ ausspülen; **~tion** [---ʃən] Bewässerung, Berieselung; Ausspülung

irrit|able ['iritəbl] reizbar (a. $); Reiz-; leicht entzündlich; **~ant** [⸗-tənt] reizend; Reiz(mittel); **~ate** [⸗-teit] reizen (a. $), auf-, hochbringen; $ entzünden

irruption [i'rʌpʃən] Einbruch (a. $); mil Einfall, Überfall

is [iz] siehe be

isinglass ['aizinglɑːs] Hausenblase

island ['ailənd] Insel (a. Verkehrs-); ⚓ Brücke; **~er** [⸗-ə] Inselbewohner

isle [ail] (kleine) Insel; **~t** [⸗it] Inselchen

ism [izm] Ismus, Theorie, System

iso|bar ['aisoubɑ:] Isobare; **~late** ['aisəleit] isolieren, abschneiden; **~lation** [aisə'leiʃən] Isolierung, Isolation; **~sceles** [ai'sɔsəliːz] math gleichschenklig; **~therm** ['aisouθəːm] Isotherme; **~tope** ['aisoutoup] Isotop

issue ['iʃuː] 1. Ausfluß, -tritt, Abzug; 2. (Her-)Ausgabe; 3. (Börse) Emission; 4. Erlaß; 5. (Neu-)Auflage; 6. Problem; at ~ in Frage stehend, strittig; the question at ~ d. Frage, um d. es geht; to join (od take) ~ with s-b on s-th etw mit j-m erörtern; 7. Ergebnis, Konsequenz; 8. Nachkommenschaft (without ~); 9. vi (heraus)strömen (from aus); 10. vt (her)ausgeben; veröffentlichen; ausstellen, erteilen; 11. bes mil ausstatten (with mit)

isthmus ['ismɔs] pl **~es** Landenge

it [it] es; mit prep da- (by ~ dadurch, from ~ davon etc); that's ~! das ist es ja!, das ist das Ende!; su das gewisse Etwas; italienischer Wermut (gin and ~)

Ital|ian [i'tæljən] italienisch; Italiener(in); **~y** ['itəli] Italien

italic [i'tælik] kursiv; **~s** Kursivschrift, -druck; **~ize** [⸗-saiz] kursiv setzen, drucken

itch [itʃ] Jucken; Krätze; Gelüste (for nach); jucken (he ~es es j. ihn); darauf brennen ♦ to have an ~ing palm auf Geld scharf sein, s. leicht bestechen lassen; **~y** juckend; krätzig; nervös

item ['aitəm] (Programm- etc)Punkt; Artikel; Posten, Position; Nachricht; **~ize** [⸗-maiz] spezifieren, detaillieren

itera|te ['itəreit] wiederholen; wiederholt vorbringen; **~tion** [--'reiʃən] Wiederholung

itiner|ant [i'tinərənt] (umher)reisend; Reise-, Wander-; **~ary** [-⸗-rəri] (Reise-)Weg; Reiseplan, -beschreibung

its [its] sein, ihr (it's = it is!)

itself [it'self] sich; selbst; siehe herself

iv|ied ['aivid] efeubewachsen; **~y** Efeu

ivory ['aivəri] Elfenbein; pl Würfel; Klaviertasten; Zähne; ~ **tower** ['tauə] fig Glashaus, Klause; innere Zurückgezogenheit; innerer Halt

J

J [dʒei] J; a ~ pen breite Schreibfeder

jab [dʒæb] stoßen, schlagen; Stoß, Schlag; **~ber** ['dʒæbə] fig schnattern, rattern; Geschnatter, Geplapper

Jack [dʒæk] Hans; Kerl; Arbeiter; ~ *Frost* d. Winter; ~ *of all trades* [‒əv'ɔːltreidz] Hans Dampf in allen Gassen; ~ *in office* (wichtigtuerischer) Bürohengst; ~ *Tar* Teerjacke; *before you could* (od *one can*) *say* ~ *Robinson* ['rɔbinsən] eh' man sich's versah; ~ *and Jill (Gill)* [dʒil] Hans und Grete

Jack [dʒæk] Bube (Karte); Matrose; Männchen; *every man* ~ jeder (ohne Ausnahme); ✿ Hebebock, Winde; Klinke, Buchse; ⚓ Gösch; ~ *(up)* (hoch)winden, heben; ~ *up* aufgeben, j-n triezen; ~**al** [‒ɔːl] Schakal; *fig* Handlanger; ~**anapes** [‒əneips] Naseweis, Schlingel; Laffe; ~**ass** [‒æs] (männl.) Esel; Dummkopf, Esel; *laughing* ~*ass* Rieseneisvogel; ~**-boot** [‒buːt] hoher Stiefel; ~**daw** [‒dɔː] Dohle

jacket ['dʒækit] Jacke(tt); ✿ Mantel; Schale; ▢ Schutzumschlag

jack|-in-the-box ['dʒækinðəbɔks] Schachtelmännchen; ~**-knife** [‒naif], *pl* ~**-knives** [‒naivz] Klappmesser; ~**-o'-lantern** [‒əlæntən] Irrlicht; (Kürbis-)Laterne; ~**-pot** [‒pɔt] Einsatz (bei Poker) ◆ *to hit the* ~*-pot* großen Dusel haben, d. Vogel abschießen; ~ **rabbit** [‒'ræbit] großer amerikanischer Hase; ~**-staff** [‒staːf] ⚓ Göschstock; ~**-straw** [‒strɔː] Strohpuppe; Mikadostäbchen; *pl* Mikadospiel; ~**-towel** [‒tauəl] (Rollen-)Handtuch

jade [dʒeid] Jade, Nephrit; Mähre; Frauenzimmer; *the lying* ~ d. Gerücht; ~**d** erschöpft; abgehetzt

jag [dʒæg] Zacke; Riß; Sauftour; ~**gy**, ~**ged** [‒id] gezackt, gekerbt

jaguar ['dʒægjuə, *US* ‒waː] Jaguar

jail [dʒeil] *bes US* = gaol

jalopy [dʒə'lɔpi] *sl* 🚗 Klapperkasten

jam [dʒæm] (s.) (ver)klemmen; (s.) pressen; versperren; ⚡ stören; Pressen; Gedränge; Stockung; Verkehrsstau; *umg* Klemme, Schwierigkeit; Marmelade (~*-jar*, ~*-pot* M.glas, -topf)

jamb [dʒæm] (Fenster-, Tür-)Pfosten; ~**oree** [‒bə'riː] (Pfadfinder-)Treffen

jangle [dʒæŋgl] schrill läuten; schrilles Geräusch

janitor ['dʒænitə] Pförtner; Hausmeister

January ['dʒænjuəri] Januar

Jap [dʒæp] *umg* = ~anese; ~**an** [dʒə'pæn] Japan; ~**anese** [dʒæpə'niːz] japanisch; (*pl* ~anese) Japaner(in)

japan [dʒə'pæn] Japanlack; japan. Lackarbeit; (mit Japanlack) lackieren

japonica [dʒə'pɔnikə], *pl* ~**s** Kamelie; japanische Quitte, Feuerquitte

jar [dʒaː] (Einmach-)Glas, Topf; Krug; Erschütterung, Stoß; (knarrender) Mißton; Zank; erschüttern *(a. fig)*, mitnehmen; knarren, quietschen; ~ *on* ein Tort sein für, auf d. Nerven gehen; disharmonieren (*with, against* mit); ~**ring** [‒riŋ] mißtönend (~*ring note* Mißton); aufreibend

jargon ['dʒaːgən] Kauderwelsch; Jargon

jasmine ['dʒæsmin] Jasmin

jasper ['dʒæspə] Jaspis

jaundice ['dʒɔːndis] Gelbsucht; Neid, Eifersucht; ~**d** [‒dist] gelbsüchtig; neidisch, eifersüchtig

jaunt [dʒɔːnt] Ausflug (machen); ~**y** munter, übermütig; flott

javelin ['dʒævlin] Speer

jaw [dʒɔː] Kiefer (*upper* ~ Ober-, *lower* ~ Unter-); Kinnlade; *pl* Mund, Gebiß; ~*s of death* [deθ] Klauen d. Todes; *pl fig* Rachen; *pl* ✿ Backe, Kopf; *umg* Moralpauke; Getratsche; *umg.* quasseln; e-e Standpauke halten; schimpfen; ~**-breaker** [‒breikə] Zungenbrecher

jay [dʒei] Eichelhäher; Quasselstrippe; ~**walk** [‒wɔːk] achtlos d. Straße überqueren; ~**walker** achtloser Fußgänger

jazz [dʒæz] Jazz(musik); Jazztanz; Quatsch; Kram, Zeug; ~**(y)** wild, grell, schreiend; ~ Jazz spielen, tanzen; verjazzen; ~*up* aufpulvern; ~ **band** [‒bænd] Jazzkapelle

jealous ['dʒeləs] neidisch; eifersüchtig (*of* auf); besorgt (*of* um); ~**y** Neid; Eifersucht; Achtsamkeit (*of* auf)

jean [dʒiːn] starker Baumwollköper; *pl* Jeans(hose)

jeep [dʒiːp] Jeep; in e-m Jeep fahren

jeer [dʒiə] höhnen, spotten (*at* über); Hohn, Spott

jehu ['dʒiːçuː] 🚗 Raser; Fahrer

jejune [dʒi'dʒuːn] trocken, dürftig; fad

jell [dʒel] gelieren; konkret werden; sich konkretisieren; *US* Gelee

jelly ['dʒeli] Gelee; Sülze; Gallerte; zu Gallerte machen (werden); gelieren (lassen); ~**-fish**, *pl* ~**-fishes** Qualle

jemmy ['dʒemi], *US* **jimmy** Brecheisen

jenny ['dʒeni] Jennymaschine (zum Spinnen)

jeopard|ize ['dʒepədaiz] aufs Spiel setzen, gefährden; ~**y** [‒‒di] Gefahr

jeremiad [dʒeri'maiəd] Klagelied, Jammergeschichte

Jericho ['dʒerikou] Jericho; *go to* ~ ! zum Teufel mit dir!

jerk [dʒəːk] 1. Ruck, ruckartige Bewegung; 2. ⚕ Reflex; 3. Stoß; *(physical)* ~*s BE* Gymnastik; 4. (ruckweise) stoßen; 5. (hoch)schnellen; 6. hervorstoßen; 7. ruckweise fahren; ~**y** ruckartig, stoßweise; krampfhaft

jerkin ['dʒəːkin] Wams

jerry ['dʒeri] *BE sl* Nachttopf; ~**(-shop)** Spelunke; ~**-built** [‒bilt] unsolide gebaut; ~*-built house* Bruchbude

jerrycan ['dʒerikæn] *BE mil sl* Benzinkanister (20 l)

jersey ['dʒəːzi] (Sport-)Pullover; Strickjacke

Jerusalem [dʒə'ruːsələm] Jerusalem; ~**artichoke** ['aːtitʃouk] Topinambur

jest [dʒest] Scherz, Spaß (*in* ~ zum S.; *a standing* ~ etwas, worüber immer gelacht wird); scherzen, im Scherz sagen; ~**er** (Hof-)Narr; Spaßmacher

jet [dʒet] Strahl; Düse; ✈ Strahl-, Düsen-; *umg* Düsenflugzeug; Gagat, Jett; tiefschwarz(e Farbe); hervorsprudeln; ~**sam** [‒

səm] über Bord geworfene Ladung; haltloser Mensch; *flotsam and ~sam (bes fig)* Strandgut; **~tison** [‑isən] über Bord werfen *(a. fig);* Seewurf; **~ty** [‑ti] Hafendamm; Landungsbrücke

Jew [dʒuː] Jude ♦ *to go to the ~s* Geld leihen gehen; **~-baiting** [‑beitiŋ] Judenhetze; **~ess** [‑is] Jüdin; **~ish** [‑iʃ] jüdisch; **~ry** [‑ri] Juden(viertel)

jew [dʒuː] betrügen; ~ *down* herunterhandeln *(to* auf); **~'s-harp** [‑z'hɑːp] Maultrommel

jewel ['dʒuːəl] Edelstein, Juwel *(a. fig);* Schmuckstück; Stein (Uhr); mit Edelsteinen schmücken (besetzen); **~ler** Juwelier; **~ry,** *BE* **mst ~lery** [‑‑ri] Schmuck(sachen)

jib [dʒib] ⚓ Klüver; ☼ Ausleger ♦ *the cut of one's* ~ j-s Äußere; *BE* scheuen *(at* vor), störrisch, bockig sein

jibe [dʒaib] = gibe; übereinstimmen *(with* mit), passen *(with* zu)

jiff(y) ['dʒif(i)] Augenblick, Nu *(in a ~)*

jig [dʒig] Gigue; ☼ (Spann-)Vorrichtung; *the ~ is up (fig)* d. Spiel ist aus; Gigue tanzen; umhertanzen, schaukeln; (auf u. ab)hüpfen; **~saw** [‑sɔː] Laubsäge; **~saw puzzle** [pʌzl] Puzzlespiel

jilt [dʒilt] (Liebhaber) den Laufpaß geben; launische Liebhaberin

Jim Crow ['dʒim 'krou] *US* Nigger

Jimmy ['dʒimi] *US* = jemmy

jingle ['dʒiŋgl] Klingeln, Klimpern; Reimgeklingel; klingeln, klimpern (mit)

jingo ['dʒiŋgou], *pl* **~es** Chauvinist; **~ism** [‑‑izm] Chauvinismus; **~ist** = ~

jink [dʒiŋk] ⚓ ausweichen; **~s** *(bes: high ~s)* Ausgelassenheit, lautes Feiern

jinricksha, jinrikisha [dʒin'rikʃə, *US* ‑‑ʃɔː] Rikscha

jinx [dʒiŋks] Unheilbringer; verhexen

jitney ['dʒitni] *US sl* Fünfcentstück; billiger Bus; in e-m billigen Bus fahren

jitter|s ['dʒitəz] *sl* Heidenangst *(to have the ~s* wahnsinnig nervös sein); **~bug** [‑‑bʌg] Jitterbug; **~y** [‑‑ri] wahnsinnig nervös; vor Angst schlotternd

jiu-jitsu [dʒuː'dʒitsu] *siehe* ju-jutsu

jive [dʒaiv] Swingmusik(erjargon); Swingmusik spielen; (zu) Swing tanzen

job [dʒɔb] **1.** Arbeit; *odd ~s* Gelegenheitsarbeiten; *by the ~* im Akkord; *to do a good (bad) ~* seine Arbeit gut (schlecht) machen; *to make a good ~ of it* seine Sache gut machen; **2.** Geschäft(chen); **3.** Stellung, Beruf; **4.** Arbeitsplatz; **5.** schwierige Sache; **6.** Vehikel; ~ *lot* Partieware; ~ *printing* Akzidenzdruck; ~ *work* Akkordarbeit; **7.** *vt* Gelegenheitsarbeiten machen; **8.** Amtsmißbrauch treiben; **9.** Zwischenhandel treiben mit; **10.** Schiebungen machen; (j-n) durch Schiebung unterbringen; **~ber** Gelegenheitsarbeiter; Akkordarbeiter; Großhändler; Jobber; Zwischenhändler; Schieber (im Amt); **~bing** Zwischen-, Großhandel; Akkordarbeit; **~bing man** Gelegenheitsarbeiter; **~bing work** 📖 Akzidenzen

jockey ['dʒɔki] Jockei; betrügen, prellen *(out of* um); ~ *for position* s. (unfair) in e-e gute Position zu bringen suchen

jocos|e [dʒə'kous] scherzhaft, lustig; **~eness,** **~ity** [dʒou'kɔsiti] Scherzhaftigkeit, Lustigkeit

jocu|lar ['dʒɔkjulə] scherzhaft, spaßhaft; **~larity** [‑‑'læriti] Scherz-, Spaßhaftigkeit; **~nd** ['dʒɔkənd] fröhlich, munter; **~ndity** [dʒou'kʌnditi] Fröhlich-, Munterkeit; lustige Bemerkung

jog [dʒɔg] rütteln, stoßen, schaukeln; *fig* e-n Stoß geben; ~ *on, along* voran-, weitergehen; Stoß, Rütteln; Dauerlauf; **~-trot** [‑trɔt] Dauerlauf; gemächlicher Trott

John Bull ['dʒɔn'bul] der (die) Engländer

johnny ['dʒɔni] Kerl

join [dʒɔin] (s.) verbinden (~ *forces with* s. verbünden mit); eintreten in; zus.treffen mit, s. anschließen *(in* bei), kommen zu; ~ *in* einstimmen; ~ *up (umg)* in d. Heeresdienst eintreten; Verbindung(sstelle), Fuge; **~er** Tischler *(~er's bench* Hobelbank); **~ery** Tischlerei; Tischlerarbeit

joint [dʒɔint] **1.** Verbindung, Fuge; **2.** Dichtung; **3.** Scharnier; **4.** Gelenk; *to put out of ~* verrenken; **5.** Bratenstück; **6.** Bumslokal; **7.** gemeinsam, gemeinschaftlich; **8.** Mit-; ~ *stock* Aktienkapital; ~ *stock company* ['kʌmpəni] *BE* Aktiengesellschaft, *US* Kommanditgesellschaft auf Aktien; **9.** *vt* (ab)dichten, verfugen; **10.** (sich) zus.fügen; **11.** (Fleisch) zerlegen

joist [dʒɔist] Dielenbalken; Träger

joke [dʒouk] Scherz, Spaß *(in ~* zum S.); Streich *(mst: practical ~); that's no ~* das ist bitterer Ernst; *the best of the ~* der Witz dabei; *vi* Spaß machen; **~r** [‑kə] Spaßmacher; Joker; Kerl; Clou

joll|ify ['dʒɔlifai] feiern, trinken; lustig machen; **~ification** [‑lifi'keiʃən] Feier; Gelage; Lustbarkeit; **~ity** [‑liti] Lustigkeit; Festlichkeit; **~y** [‑li] lustig, gesellig; blau; *BE* fein, prima, *iron.* schön *(a ~y fool); adv BE* sehr, riesig

jolt [dʒoult] rütteln, stoßen; ~ *(along)* (dahin)rumpeln; Stoß, Gerüttel

jonquil ['dʒɔŋkwil] Jonquille (Narzisse)

jostle ['dʒɔsl] stoßen; drängen; Stoß

jot [dʒɔt] *down* notieren; *not a ~* nicht ein bißchen; **~ting** (kurze) Notiz

journal ['dʒəːnəl] Tageblatt; Zeitschrift; Tagebuch; ☼ (Dreh-)Zapfen; **~ese** [‑‑'liːz] Zeitungsstil, -sprache; **~ism** [‑‑lizm] Journalismus, Publizistik; **~ist** Journalist, Publizist; **~istic** journalistisch, publizistisch

journey ['dʒəːni] (größere) Reise *(to go on a ~, to make a ~),* Fahrt; reisen; **~man** [‑‑mən], *pl* **~men** Geselle

joust [dʒaust, *BE a.* dʒuːst, *bes US* dʒʌst] Turnier(kampf); T. austragen

Jove [dʒouv] Jupiter; *by ~!* bei Gott!

jovial ['dʒouviəl] lustig, heiter, jovial; **~ity** [‑‑'æliti] Lustig-, Heiterkeit, Jovialität; *pl* lustige Worte

jowl [dʒaul] (Unter-)Kiefer; Wange; untere Gesichtshälfte; *cheek by* ~ dicht beieinander
joy [dʒɔi] Freude *(for, with* ~ vor F.; *tears of* ~ *-*tränen); s. freuen; **~ful** freudig; erfreulich; **~less** freudlos, traurig; **~ous** [-əs] fröhlich, froh; **~-ride** [-ʹraid] Vergnügungs-, Schwarzfahrt
jubil|ant [ʹdʒuːbilənt] frohlockend, triumphierend; **~ation** [--ʹleiʃən] Jubel(n); **~ee** [--ʹliː] Jubiläum(sfeier)
Judas [ʹdʒuːdəs] Verräter, Judas
judg|e [dʒʌdʒ] ♫, ♠ Richter; Kenner; (be-, ab)urteilen, richten; ansehen als; **~ment** *(BE a.* **~ement**) [-mənt] Urteil(sspruch); *(to give, pass, render* ~*ment* Urteil fällen; *to bring to* ~*ment* vor Gericht bringen; *to sit in* ~*ment on* zu Gericht sitzen über); Urteil(skraft); Ansicht *(in my* ~*ment)*
judic|ature [ʹdʒuːdikətʃə] Rechtspflege; Richterschaft; **~ial** [dʒuːʹdiʃəl] gerichtlich, Gerichts-, richterlich; Justiz- *(murder)*; unparteiisch; **~iary** [-ʹdiʃəri] Richterschaft; Rechtswesen; **~ious** [-ʹdiʃəs] urteilsfähig, verständig
judo [ʹdʒuːdou] Judo; **~man** Judosportler
jug [dʒʌg] Krug; *umg* Kittchen, Loch; dämpfen; *umg* j-n einlochen; **~ged** blau
Juggernaut [ʹdʒʌgənɔːt] Moloch; ~ Schwerlastzug
juggle [ʹdʒʌgl] jonglieren (mit) *(a. fig)*; **~r** [-lə] Jongleur
jugular [ʹdʒʌgjulə] Hals-, Kehl-
juic|e [dʒuːs] Saft; 🚗, ⚡ *umg* Saft; **~y** [-i] saftig
ju-jutsu, *bes US* **ju-jitsu** [dʒuʹdʒutsu, *US* -ʹdʒitsu] Jiu-Jitsu
juke-box [ʹdʒuːkbɔks] Musikautomat
July [dʒuːʹlai] Juli
jumble [ʹdʒʌmbl] durcheinanderwerfen, vermengen; Durcheinander, Wirrwarr; **~-sale** [-seil] *BE* Wohltätigkeitsbasar; Ramschverkauf
jump [dʒʌmp] **1.** springen (lassen) (über); (Preise) emporschnellen; überspringen; ~ *the rails (track)* entgleisen; ~ *a train* in e-n Zug springen; ~ *at* mit beiden Händen greifen nach; ~ *into* verleiten zu; ~ *on* losfahren auf j-n; ~ *the lights* d. Rotlicht überfahren; **2.** Sprung *(long, high, pole* ~ Weit-, Hoch- Stabhoch-); **3.** Auffahren *(to give a* ~*)*; **~er** Springer; *BE* Jumper; **~ing** ♠ Sprung-; ~ **seat** [si:t] 🚗 Klappsitz; **~y** aufgeregt, nervös, zerfahren; holprig
junct|ion [ʹdʒʌŋkʃən] Verbindung; 🚂 Knotenpunkt; *(road)* ~*ion* Straßeneinmündung; **~ure** [-tʃə] Verbindung(sstelle); Fuge; (kritischer) Zeitpunkt
June [dʒuːn] Juni
jungle [ʹdʒʌŋgl] Dschungel
junior [ʹdʒuːnjə] (dienst)jünger; untere; Jüngere(r, s), Junior; *he is my* ~ *by five years* er ist 5 Jahre jünger als ich; jüngeres *(US* 5./6.*)* Semester; **~ity** [-niʹɔriti] jüngeres (Dienst-)Alter
juniper [ʹdʒuːnipə] Wacholder
junk¹ [dʒʌŋk] Altmaterial; *vt US* zum alten Eisen werfen; **~man** *US* Altwarenhändler; ~ **yard** *US* Altwarenlager, Autofriedhof

junk² [dʒʌŋk] Dschunke; **~et** [-it] Süßquark mit Sahne; Schmaus(erei); Festessen; (Informations)Reise *(US* auf Staatskosten); *vi* feiern; picknicken; *US* (auf Staatskosten) (herum)reisen
junt|a [ʹdʒʌntə], *pl* **~as** Junta; = **~o** [-tou], *pl* ~ **os** *pol* Clique; Führungsgruppe
Jupiter [ʹdʒuːpitə] Jupiter *(a. astr)*
jur|idical [dʒuəʹridikl] gerichtlich; rechtlich; Rechts-; **~isdiction** [-risʹdikʃən] Rechtsprechung; Gerichtsbarkeit; Zuständigkeit; **~isprudence** [-risʹpruːdəns] Rechtswissenschaft; **~ist** [-rist] Rechtsgelehrter, -kundiger; **~or** [-rə] Geschworener; **~y** [-ri] Geschworenen(gericht); Jury; **~y-box** [-ribɔks] Geschworenenbank; **~yman** [-rimən], *pl* **~ymen** Geschworener; **~y-mast** [-riʹmɑːst] ⚓ Notmast
just [dʒʌst] **1.** *adv* gerade; ~ *so!* genau!; *(only)* ~ gerade noch; ~ *as well* genauso gut, ~ *now* soeben, gerade jetzt; **2.** nur *(*~ *a moment, please;* ~ *one!)*; **3.** doch nur *(*~ *listen to him!)*; **4.** *(vor Fragew.)* eigentlich; **5.** *adj* gerecht; berechtigt; rechtschaffen; Gerechtig-*; Recht, Justiz; *to administer* [ədʹministə] ~*ice* Recht sprechen; *to bring to* ~*ice* vor Gericht bringen; *to do* ~*ice to* j-m gerecht werden; *to do o.s.* ~*ice* sein Bestes bieten; Friedens-*; **~ifiable** [-iʹfaiəbl] zu rechtfertigen(d); aus Notwehr; **~ification** [-ifiʹkeiʃən] Rechtfertigung; Berechtigung; ⚙ Justierung; **~ify** [-ifai] rechtfertigen; ~*ified in doing* berechtigt zu tun; ⚙ justieren
jut [dʒʌt] Vorsprung; ~*out* hinausragen, vorspringen
jute [dʒuːt] Jute
juvenile [ʹdʒuːvənail] jugendlich; Jugend-; Jugendlicher; ♥ jugendlicher Liebhaber; *pl* Jugendbücher
juxtapos|e [dʒʌkstəʹpouz] nebeneinanderstellen; **~ition** [--pəʹziʃən] Nebeneinanderstellung

K

K [kei] K
Kaffir [ʹkæfə] Kaffer
kaki [ʹkɑːki], *pl* **~s** Kakipflaume
kale [keil] Grün-, Braunkohl; *US umg* Moneten, Kohlen
kaleidoscope [kəʹlaidəskoup] Kaleidoskop
kanaka [ʹkænəkə, kəʹnækə] Kanake
kangaroo [kæŋgəʹruː] Känguruh
kaolin [ʹkeiəlin] Kaolin
kapok [ʹkeipɔk] Kapok(faser)
kaput [kəʹput] kaputt, erledigt
katydid [ʹkeitidid] amerikan. Laubheuschrecke
kayak [ʹkaiæk] Kajak
keel [kiːl] Kiel; *on an even* ~ gleichlastig, *fig* gleichmäßig; *to lay down a* ~ ein Schiff auf K. legen; (Schiff) kielholen; ~ *over* kentern (lassen)

keen [ki:n] scharf *(a. fig)*; kalt (Luft); groß, stark; tief; eifrig; erpicht *(on* auf), darauf aus *(on doing* zu tun)

keep¹ [ki:p] behalten; ~ *hold of* festhalten; ~ *in mind* behalten; *that news will* ~ das braucht nicht gleich erzählt zu werden; ~ *one's temper* ruhig bleiben; aufheben; *mil* halten; vorenthalten *(from s-b* j-m); j-n unterhalten, sorgen für; s. j-n halten; (Waren) führen; (Tiere) halten; (Gesetz, Versprechen) halten; j-n auf-, festhalten; *(mit adj)* halten, dafür sorgen, daß etw ... bleibt (ist); bleiben; s. halten *(to the left, off the grass)*; ~ *good time* genau gehen; (Tagebuch, Haushalt, Bücher) führen; (Konto) führen, unterhalten; (Fest) feiern; (Essen) s. halten; ~ *in power* (sich) an der Macht halten; ~ *relations* Beziehungen unterhalten *(with* mit, zu); ~ *at* an etwas bleiben; j-n bedrängen; ~ *away* (s.) fernhalten; ~ *back* (s.) zurückhalten, vorenthalten *(from s-b* j-m); ~ **down** niedrig halten; niederhalten, bezähmen; ~ *from* ab-, vorenthalten; sich enthalten; daran hindern; ~ *in* drinnen bleiben (festhalten); einsperren, nachsitzen lassen; (Feuer) in Gang halten; ~ *in with* s. vertragen mit; ~ *one's hand (eye) in* in Übung halten; ~ *off* wegbleiben; abhalten; ~ *on* weitermachen, -gehen; (auf)behalten; ~ *on doing* weiter(-hin) tun; ~ *on at s-b* j-n bedrängen, j-m zusetzen; ~ *out* draußen bleiben; ~ *out of* s. heraushalten aus; ~ *to* s. halten an, bleiben bei; ~ *o.s. to o.s.* für s. bleiben; ~ *s-th to o.s.* etw für s. behalten; ~ **under** nieder- (unter Kontrolle) halten; ~ **up** aufrechterhalten; beibe-, durchhalten; (Straße) unterhalten; andauern; mitkommen, Schritt halten; in Verbindung bleiben; ~ **up** with Schritt halten mit; ~ + *ppr* weiter (~ *smiling!* bleib guter Dinge!); ~ *s-b waiting* j-n warten lassen; ~ *going* in Betrieb halten, j-m weiterhelfen

keep² [ki:p] Unterhalt; Futter; Bergfried; *for ~s (umg)* für immer, zum Behalten; **~er** Wärter; Aufseher; Torwart; **~ing** Verwahrung; Obhut; Unterhalt; *to be in (out of) ~ing with* (nicht) übereinstimmen mit, passen zu; **~sake** [~seik] Andenken

keg [keg] Fäßchen (20–40 l)

kelp [kelp] Braunalgen; Kelp; **~ie** [~i] Wassergeist (der Wanderer ertränkt)

kelter ['keltə], *US* **kilter** ['kiltə] Ordnung *(mst: out of* ~ nicht in O.)

ken [ken] Gesichtskreis *(mst: in, within, out of, beyond s-b's* ~); wissen

kennel ['kenəl] Hundehütte *(a. fig)*; Rinnstein

kept [kept] *siehe* keep¹

kerb [kə:b], *US* **curb** Bordstein

kerchief ['kə:tʃif], *pl* **~s** Kopftuch

kernel ['kə:nəl] Kern; Korn; Kern(punkt); Wesen, Hauptsache

kerosene ['kerəsi:n] Leuchtöl, Petroleum

kestrel ['kestrəl] Turmfalke

ketch [ketʃ] Ketsch (Art Jacht)

ketchup ['ketʃəp], *US* **catchup** Ketchup

kettle [ketl] (Wasser-)Kessel; *US* (Koch-)

Topf; *a pretty* ~ *of fish* e-e schöne Bescherung; **~drum** [~drʌm] Kesselpauke

key [ki:] Schlüssel *(a. fig)*; Taste; ♪ Tonart; *fig* Ton; *all in the same* ~ alles dasselbe; Kennziffer; *vt* mit e-r Kennziffer versehen; ~ *up (umg)* aufbringen, erregen; **~-bit** Schlüsselbart; **~board** [~bɔ:d] Tastatur; **~-hole** [~houl] Schlüsselloch; **~note** [~nout] ♪, *fig* Grundton; **~stone** [~stoun] Schlußstein

khaki ['ka:ki] Khaki; khakifarbig

kibitzer ['kibitsə] Kiebitz, Besserwisser

kick [kik] 1. stoßen; ~ *one's heels* s. d. Beine in d. Bauch stehen; 2. ausschlagen; s. wehren, meckern; ~ *off* wegschleudern; anspielen; ~ *up* hochschleudern; ~ *up a dust (a fuss, a row* [rau]) lärmen, Streit anfangen; ~ *up one's heels* herumtollen, s. vergnügen; 3. Stoß; Tritt; 4. Ausschlagen; 5. *mil* Rückstoß; *more* ~*s than halfpence* ['heipəns] mehr Prügel als gute Worte; *to get the* ~ hinausfliegen; 6. Kikker; 7. Mumm, Kraft; *to get a big* ~ *out of* viel Spaß haben an; **~er** Schläger (Pferd); **~-off** Anspiel

kid [kid] Zicke, Kitz; Gör; Kind; Glacé; *umg* aufziehen, Spaß machen; **~dy** [~i] Kind; **~-glove** [~glʌv] Glacéhandschuh *(a. fig)*; **~nap** [~næp] (Kind) entführen; **~napper**, *US* **~naper** Entführer, Kidnapper

kidney ['kidni] Niere; *fig* Art, Schlag

kill [kil] töten; schlachten; umbringen; vernichten; (Zeit) totschlagen; zu Fall bringen; um seine Wirkung bringen; (Jagd-)Beute; **~er** Totschläger; Schwertwal; tödliche Krankheit, Todesursache; **~ing** mörderisch; unwiderstehlich; komisch

kiln [kiln, *US* kil] Brenn-, Röstofen; Darre

kilo ['ki:lou] Kilogramm, -meter; **~cycle** ['kiləsaikl] Kilohertz; **~gramme**, *US* **~gram** ['kiləgræm] Kilogramm; **~litre**, *US* **~liter** ['kiləli:tə] 1000 Liter; **~metre**, *US* **~meter** ['kiləmi:tə] Kilometer; **~watt** ['kiləwɔt] Kilowatt (~ *watt-hour* [~~~'auə] -stunde)

kilt [kilt] Schottenrock; **~er** *siehe* kelter

kimono [ki'mounou], *pl* **~s** Kimono

kin [kin] Verwandtschaft, Verwandte; *near of* ~ nah verwandt; *next of* ~ Nächstverwandte(r)

kind [kaind] 1. Art; 2. Gattung *(these* ~ *of men* = *men of this* ~); *what* ~ *of* was für ein; *of a* ~ von derselben Art, von schlechter Sorte; *a* ~ *of* so 'ne Art von; ~ *of (adv)* halb w. halb, irgendwie; 3. Art, Wesen; *in* ~ in natura, *fig* mit gleicher Münze; 4. nett, freundlich; **~-hearted** ['kaind'ha:tid] gutherzig, gütig

kindergarten ['kindəga:tən] Kindergarten

kindl|e [kindl] (s.) ent-, anzünden; leuchten; **~ing** ['kindliŋ] Anfeuerholz

kind|ly ['kaindli] *adv* freundlich(erweise); leicht; *adj* gütig; wohltätig; angenehm; **~liness** Freundlichkeit; Güte; Wohltätigkeit; **~ness** Freundlichkeit, Liebenswürdigkeit *(to show, do s-b a* ~ *ness* j-m e-e Fr. (L.) erweisen)

kindred ['kindrid] Verwandtschaft; *pl vb* Verwandte; *attr* verwandt

kine [kain] Kühe, Vieh *(pl zu ,cow')*

kine|ma ['kinimə] *siehe cinema;* ~**tic** [kai'netik] kinetisch; ~**tics** *sg vb* Kinetik

king [kiŋ] König *(a. fig); the K~'s English* reines Englisch; ~**dom** [-dəm] Königreich; (Natur-etc)Reich; *gone to ~ come (umg)* in e-e andere Welt eingegangen; ~**fisher** Eisvogel; ~**let** Goldhähnchen; ~**ly** königlich; majestätisch; ~**ship** Königtum

kink [kiŋk] Verschlingung, ⚓ Kink; Knoten; Schrulle; verschlingen, Knoten bilden; ~**y** verschlungen; wollig (Haar)

kin|sfolk ['kinzfouk] *pl vb* (Bluts-)Verwandte; ~**ship** Verwandtschaft; ~**sman** [-zmən], *pl* ~**smen** Verwandter; ~**swoman** [-zwumən], *pl* ~**swomen** [-wimin] Verwandte

kiosk [*BE* 'ki:ɔsk, *US* ki'ɔsk] Kiosk; *BE* Telefonzelle

kipper ['kipə] Räucherhering

kirk [kə:k] (schottische) Kirche

kismet ['kismet, *bes US* 'kiz-] Schicksal

kiss [kis] küssen; ~ *the book* d. Bibel küssen; ~ *the rod* d. Rute küssen, s. der Zucht fügen; ~ *one's hand to* j-m e-e Kußhand zuwerfen; Kuß; ~**proof** [-pru:f] kußfest

kit [kit] *mil* Ausrüstung; ~**bag** [-bæg] *mil* Kleidersack; ~ *inspection (mil)* Sachenappell; Handwerkszeug; (Werkzeug-)Kasten, Tasche; 🪚 Ausrüstung

kitchen ['kitʃin] Küche; *unit* ~ [ju:nit] Einbauküche; ~**ette** [--'net] Kochnische; Kleinküche

kite [kait] Drachen *(to fly a ~* D. steigen lassen); *fig* Versuchsballon; ✝ *sl* Kiste; *orn* Gabelweihe, Milan

kith [kiθ] **and kin** Freunde und Verwandte

kitt|en ['kitn] Kätzchen; ~**iwake** ['kitiweik] Dreizehenmöwe; ~**y** Kätzchen

klaxon ['klæksən], *pl* ~**s** Mehrklanghorn

kleptomani|a [kleptou'meinjə] Kleptomanie; ~**ac** [---'niæk] Kleptomane

klieg light ['kli:g lait] Jupiterlampe

knack [næk] (erlernte) Geschicklichkeit; Trick, Kunstgriff; Gewohnheit; *to have the ~ of* es verstehen, d. Bogen 'raus haben; *to get into the ~ of* d. Bogen 'rausbekommen; ~**er** *BE* Pferdeschlächter; *BE* Schrotthändler

knapsack ['næpsæk] Tornister, Affe

knav|e [neiv] Schurke, Bube *(a. Karte);* ~**ery** [-əri] Schurkerei; ~**ish** [-iʃ] schurkisch, bübisch

knead [ni:d] kneten; massieren

knee [ni:] Knie; *to go on one's ~s* niederknien; ~**cap** [-kæp] Kniescheibe; -schützer; ~**pan** [-pæn] Kniescheibe

kneel [ni:l] *(s. S. 318)* (s. hin-, nieder-)knien

knell [nel] Grabgeläute; *fig* Totenglocke; traurig tönen; z. Grabe läuten

knelt [nelt] *siehe* kneel

knew [nju:] *siehe* know

knicker|bockers ['nikəbɔkəz] Knickerbocker; ~**s** [-z] = ~bockers; Schlüpfer

knick-knacks ['niknæks] Nippsachen

kni|fe [naif], *pl* ~**ves** [naivz] Messer; (er)stechen; (dahin)gleiten (durch, über)

knight [nait] Ritter; Springer (Schach); zum Ritter schlagen; ~**-errant** [-'erənt], *pl* ~s-errant fahrender Ritter; ~**hood** [-hud] Rittertum, -würde; -schaft; ~**ly** ritterlich

knit [nit] *(s. S. 318)* stricken; verstricken *(into zu);* verbinden, zus.fügen; fest werden; (Brauen) zus.ziehen; ~**ting** Stricken; Strickware; -zeug; Strick-

knives [naivz] *siehe* knife

knob [nɔb] (⚓, Tür- etc)Knopf; Brocken

knock [nɔk] stoßen, schlagen; klopfen; *umg* überraschen; *umg* 'runtermachen; 🚗 klopfen; Stoß, Schlag; Klopfen; ~ **about** s. herumtreiben in; *fig* umherwerfen, mitnehmen; ~ **against** stoßen auf; ~ **at** klopfen an; ~ **down** niederschlagen, umhauen, -fahren *(you could have ~ed me down with a feather* ich dachte, mich rührt d. Schlag); abreißen; zuschlagen *(to s-b* j-m); herunterhandeln; ⚙ zerlegen; ~ **in** einschlagen; ~ **off** wegschlagen; abziehen, nachlassen; (Arbeit) einstellen; schnell erledigen, 'runterhauen; ~ **on** fest-, anschlagen; ~ *s-th on the head (fig)* erledigen; ~ **out** ausklopfen, -schlagen; k. o. schlagen; überwältigen; ~ **over** umwerfen; ~ **together** zus.schlagen; zimmern; ~ **up** hochschlagen; 'rausklopfen, wecken; erschöpfen; machen, zus.hauen; ~**about** [-əbaut] umherstreifend; Strapazier-; ♟ Radau(stück); ~**down** [-daun] niederschmetternd; äußerst (Preis); zerlegbar; ~**er** (Tür-)Klopfer; ~**kneed** [-ni:d] X-beinig; ~**out** [-aut] Nieder-, K.o.-Schlag

knoll [noul] Kuppe; Hügel

knot [nɔt] Knoten; *to tie o.s. (up) in(to) ~s* sich in Schwierigkeiten verwickeln; *to cut the ~* d. Knoten durchschlagen; Ast *(~hole* Astloch im Brett); Gruppe; Knoten (1,853 km/h); *fig* Bund; (zu-, ver)knoten; s. verknoten, verwikkeln; ~**ty** knotig; astig; *fig* verwickelt, knifflig

knout [naut] Knute

know [nou] *(s. S. 318)* wissen; ~ *how to* können; *there's no ~ing* man kann nicht wissen; ~ *better than* klug genug sein, nicht zu ...; kennen(lernen); erkennen; ~ *one's own business* ['biznis], ~ *what's what,* ~ *a thing or two,* ~ *the ropes* s. auf seine Sache verstehen, s. auskennen, Bescheid wissen; ~**n** bekannt *(to make o.s. ~n* sich b. machen); ~ *about, of* wissen (gehört haben) von, kennen; ~ *from* unterscheiden (können) von; erleben; ~**how** [-hau] Sach-, Fach-, technische Kenntnisse; ~**ing** [-iŋ] intelligent; wissend; verständnisinnig; ~**ingly** absichtlich; wissentlich; ~**ledge** ['nɔlidʒ] Kenntnis(se); *to my ~ledge* soviel ich weiß; *to the best of my ~ledge* nach bestem Wissen; Nachricht; Wissen; ~**ledgeable** [-lidʒəbl] intelligent; unterrichtet; kennt 's-reich

knuckle [nʌkl] Knöchel; ~ *down to work* s. entschlossen an d. Arbeit machen; ~ *under* nachgeben; *brass ~s* = ~**-duster** [-dʌstə] Schlagring

kodak ['koudæk] *umg* Kamera

kohlrabi [koul'rɑ:bi] Kohlrabi

kotow ['kou'tau], *US* **kowtow** ['kau'tau] Kotau;
K. machen *(a. fig)*
kraal [krɑːl] Kral
kraft [krɑːft] **(~paper)** Packpapier
kremlin ['kremlin] Kreml
kudos ['kjuːdɔs] Ruhm, Bewunderung

L

L [el] L
la [lɑː] ♪ la (a)
lab [læb] Labor
label ['leibəl] Etikett, Zettel, Anhänger; mit
Etikett etc. versehen; etikettieren; auszeichnen; einstufen; (radioaktiv) markieren
labial ['leibiəl] Lippen-
labor|atory [lə'bɔrətəri, *US* 'læbrətɔːri] Labora-
torium; **~ious** [lə'bɔːriəs] arbeitsam; mühsam;
schwer(fällig), mühselig
labour ['leibə] (schwere, Hand-)Arbeit; *hard*
~ Zwangsarbeit; Arbeitskraft, -kräfte; Arbei-
terschaft; *L~* Labour(partei); ⚥ Wehen;
(schwer, mit den Händen) arbeiten; sich be-,
abmühen; mühsam fahren; ~ *under* leiden
an; ausarbeiten, herumreiten auf; **~ed** [-bəd]
mühsam; schwerfällig; **~er** [-bərə] Arbeiter;
L~ Exchange BE Arbeitsamt; ~ **force** Arbeitskräfte, Belegschaft; **~-saving** [--seiviŋ] ar-
beitssparend; ~ **union** Gewerkschaft
laburnum [lə'bəːnəm] *bot* Goldregen
labyrinth ['læbirinθ] Labyrinth *(a. fig)*
lace [leis] Spitze; Tresse; Schnürsenkel;
(zu)schnüren; mit Spitze besetzen
lacera|te ['læsəreit] zerreißen, -fleischen; **~tion**
[--'reiʃən] Zerreißung, -fleischung; Riß;
Wunde
lachrym|al ['lækriməl] Tränen-; **~ose** [-kri-
mous] weinerlich; tränenreich
lack [læk] Mangel *(for ~ of* aus M. an); nicht
haben, es fehlen lassen an; *to be ~ing* fehlen;
to be ~ing in es fehlen lassen an; **~adaisical** [-
ə'deizikəl] lustlos; schlapp; affektiert; **~ey** [-i]
Lakai *(a. fig);* **~lustre** [-lʌstə] glanzlos
lacon|ic [lə'kɔnik] lakonisch; **~icism** [---sizm]
= **~ism** ['lækənizm] lakonische Kürze; lakoni-
scher Ausspruch
lacqu|er ['lækə] (Cellulose-)Lack(waren); *BE*
Haarspray; lackieren; **~ey** [-i] *siehe* lackey
lacrosse [lə'krɔs] Lacrosse (Spiel)
lact|ation [læk'teiʃən] Säugen; **~eal** [-iəl] mil-
chig; Milch-; **~ic** [-ik] Milch-
lacun|a [lə'kjuːnə], *pl* **~ae** [--niː]; **~as** Lücke
lacy ['leisi] spitzenartig
lad [læd] Junge, Bursche; **~die** [-i] = ~
ladder ['lædə] (⚓ Strick-)Leiter *(a. fig); BE*
Laufmasche (bekommen); **~-proof** *BE* ma-
schenfest
lad|e [leid] *(s. S. 318)* (be)laden; **~en** beladen,
bedrückt; **~ing** Ladung
la-di-da [lɑːdi'dɑː] Etui; geckenhaft
ladle ['leidl] (Schöpf-, Suppen-)Löffel; ~ *out*
auslöffeln *(a. fig)*

lady ['leidi] Dame, Frau, Lady; weiblich (~
doctor Ärztin); *L~ Chapel* Marienkapelle;
L~ Day Mariä Verkündigung (25. März); *Our
L~* Gottesmutter; **~-bird**, *US* **~-bug** Marien-
käfer; **~-in-waiting** [--in'weitiŋ], *pl* ladies-
in-w. Hofdame; **~like** damenhaft; **~ship** gnädige Frau (Anrede)
lag [læg] zögern; ~ *behind* zurückbleiben;
Verzögerung *(time ~* zeitliche V.); *sl* Knast-
bruder; **~er** ['lɑːgə] Lagerbier; **~gard** ['lægəd]
saumselig(e Person)
lagoon [lə'guːn] Lagune
lai|d [leid] *siehe* lay[1]; **~n** [lein] *siehe* lie[2]
lair [lɛə] Lager (e-s Tiers); *fig* Nest
laird [lɛəd] (schott.) Gutsherr
laissez-faire ['leisei'fɛə] Laissez-faire; wirt-
schaftlicher Liberalismus
laity ['leiiti] Laien(schaft)
lake [leik] (der) See; ~ *dwellings* Pfahlbauten
lama ['lɑːmə] Lama (buddhist. Mönch)
lamb [læm] Lamm *(a. fig); fig* Schäfchen;
Lammfleisch; lammen; **~ent** ['læmbənt] zün-
gelnd; glänzend; funkelnd; **~kin** [-kin]
Lämmchen; **~skin** [-skin] Lammfell
lame [leim] lahm *(a. fig);* lähmen; ~ *duck* lahmes Huhn; *US* Präsident, der nicht wiederge-
wählt werden kann
lament [lə'ment] beklagen, jammern; Wehklage; **~able** ['læməntəbl] beklagenswert; jäm-
merlich; **~ation** [læmen'teiʃən] Wehklage,
Jammer; Klage
lamin|a ['læminə], *pl* **~ae** [--niː] Plättchen,
(dünne) Schicht, Lamelle; **~ate** [--neit] aus-
walzen; in Blätter spalten; lamellieren, schich-
ten; **~ated** Schicht-
lamp [læmp] Lampe; Leuchte; **~-black** Lam-
penruß; **~-shade** Lampenschirm
lampoon [læm'puːn] Schmähschrift, Spottge-
dicht (schreiben gegen)
lamprey ['læmpri] *zool* Neunauge
lance [lɑːns] Lanze; *free ~* (*siehe* free); mit e-r
Lanze angreifen; ⚥ aufschneiden, -stechen; **~r**
[-sə] Ulan; *pl* Lancier (Tanz); **~-corporal** [-
kɔːpərəl] *BE* Ober-, Hauptgefreiter; **~-sergeant**
[-'sɑːdʒənt] *BE* Stabsunteroffizier; **~t** [-sit]
Lanzette
land [lænd] Land; *to go by ~* den Landweg
nehmen; *to come to ~* in e-n Hafen kommen;
⚓ Boden; Grundbesitz; landen, an Land bringen; ausladen; *to be ~ed* s. (be)finden; s. angeln; (Schlag) versetzen; ~ **agent** [-eidʒənt]
Gütermakler; Gutsverwalter; **~au** [-ɔː] Land-
auer; ~ **breeze** Landwind; **~ed** Land-, Grund-;
~holder [-houldə] Grundbesitzer, *mst* -päch-
ter; **~ing** Landung; Ausladen; **~ing-net** Hamen, Fangnetz; **~ing(-place)** Landeplatz;
~ing-stage [-iŋsteidʒ] Landebrücke; (Trep-
pen-) Absatz; Flur; **~lady** Wirtin; Gutsherrin;
~-locked landumschlossen; **~lord** Wirt; Gutsherr; **~lubber** ⚓ Landratte; **~mark** Grenz-
stein; *fig* Markstein, Wahrzeichen; ⚓ Land-
marke; **L~ Register** ['redʒistə] Grundbuch;
~scape [-skeip] Landschaft (-sbild, -smalerei);
~slide [-slaid] Erdrutsch *(bes fig);* **~slip** *bes BE*

Erdrutsch; **~sman** [⌐zmən], pl ~ men [⌐zmen]
Landbewohner; **~ward** [⌐wəd] landwärts gelegen; **~wards** adv landwärts
lane [lein] Pfad, Landweg; Gasse (a. fig); ⚓
Route; 🚃 Fahrspur, -bahn
language ['læŋgwidʒ] Sprache; bad ~ häßliche Worte, Schimpfworte
langu|id ['læŋgwid] schlaff, matt; **~ish** [⌐gwiʃ]
schlaff, matt werden; schmachten; dahinsiechen; **~or** [⌐gə] Schlaffheit, Mattigkeit;
Schmachten; Schwüle, Stille; **~orous** [⌐gərəs]
adj schlaff, matt; schwül
lank [læŋk] aufgeschossen; (Haar) glatt; **~y**
schlaksig
lantern ['læntən] Laterne (dark ~ Blend-);
~-jawed [⌐⌐dʒɔːd] hohlwangig; ~ **lecture** [⌐⌐
'lektʃə] Lichtbildervortrag; ~ **slide** [⌐⌐slaid]
Diapositiv, Glasbild
lanyard ['lænjəd] ⚓ Taljereep; Halsschnur
lap [læp] Schoß, Knie (on the ~ im S., auf d.
K.); Zipfel, Rockschoß; Wickel; 🏃 Runde;
Lecken; Plätschern; ein-, umwickeln; umschlagen; übereinanderlegen, -liegen, s. über-
lappen; auflecken; in s. einsaugen, -schlürfen;
plätschern
lapel [lə'pel] Rockaufschlag, Revers
lapse [læps] Zeitraum, Fehler; Abgleiten,
-fall; Ver-, Ablauf; 𝄡 Wegfall e-s Rechtes;
ab-, verfallen (into in); verfallen, ablaufen;
verstreichen
lapwing ['læpwiŋ] Kiebitz
larboard ['lɑːbɔːd] ⚓ Backbord
larcen|ist ['lɑːsənist] Dieb; **~y** [⌐sni] . Dieb-
stahl
larch [lɑːtʃ] Lärche(nholz)
lard [lɑːd] (Schweine-)Schmalz; spicken (a.
fig); **~er** Speisekammer
large [lɑːdʒ] groß; großzügig; weitreichend; at
~ frei, ausführlich, im allgemeinen, willkürlich; adv prahlerisch (to talk ~); by and ~ alles in allem; **~ly** weitgehend; freigebig;
~-minded [⌐'maindid] groß-, weitherzig;
~-scale [⌐skeil] Groß-, groß; umfassend
largess(e) [lɑː'dʒes] (Verteilung) reiche(r) Ga-
ben; Freigebigkeit
lark [lɑːk] (Feld-)Lerche; Spaß, Streich;
(herum)tollen; **~spur** [⌐spəː] Rittersporn
larv|a [lɑːvə], pl **~ae** [⌐viː] Larve
laryn|x ['læriŋks], pl **~xes** Kehlkopf; **~gal**
[lə'riŋgəl], **~geal** [⌐⌐dʒiəl] Kehlkopf-
lascivious [lə'siviəs] lüstern, geil
lash [læʃ] (aus)peitschen; fig geißeln; aufstacheln (into zu); binden; schlagen; Peitschenschnur; -riemen; Peitschenhieb; Peitschen;
Geißeln; Wimper; **~ing** Peitschen; Geißeln; pl
umg Mengen
lass [læs] Maid, Mädchen; **~ie** [⌐i] = ~;
~itude [⌐itjuːd] Mattheit; Teilnahmslosigkeit
lasso ['læsou], pl **~s, ~es** Lasso
last [lɑːst] **1.** letzte (~ but one vor-); vergangen
(~ week; the week before ~ vorletzte W.);
neuste; at ~ zuletzt, endlich; to breathe
[briːð] one's ~ sein Leben aushauchen; the ~
word d. Allerneueste; **2.** vi dauern; anhalten;

(aus)reichen; **3.** Leisten (to stick to one's ~ bei
seinem L. bleiben); **~-ditch** [⌐ditʃ] allerletzte;
verzweifelt; adv zuletzt, als letzte(r); zum letzten Mal; **~ly** schließlich
latch [lætʃ] Riegel; on the ~ (nur) eingeklinkt;
Schnappschloß; **~-key** [⌐kiː] Drücker; zuriegeln; vi schließen
late [leit] (zu) spät; ~ dinner Abendessen;
kürzlich; jüngst; of ~ (years) kürzlich; verstorben; ehemalig; **~ly** in d. letzten Zeit; **~r on**
später; **~st** neueste(r, s); at (the) ~st spätestens
lateen [lə'tiːn] sail ⚓ Lateinsegel
latent ['leitənt] latent, verborgen
lateral ['lætərəl] seitlich, Seiten-
latex ['leiteks] Milchsaft, Latex
lath [lɑːθ], pl **~s** [⌐θs, -ðz] Latte; **~e** [leið] ⚙
Drehbank; **~e hand** Dreher; **~e tool** [tuːl]
Drehstahl, -werkzeug
lather ['lɑːðə] (Seifen-)Schaum; einseifen;
schäumen; verprügeln
lathi ['lɑːti] Eisenstange
Latin ['lætin] lateinisch; römisch; romanisch
latitud|e ['lætitjuːd] geog Breite; 📷 Belich-
tungsspielraum; fig Spielraum, Freiheit; **~ina-
rian** [⌐⌐⌐di'nɛəriən] bes eccl liberal einge-
stellt(e Person)
latrine [lə'triːn] Latrine; Klosett
latter ['lætə] spätere; letztere; **~ly** letzthin
lattice ['lætis] Gitter(-); Gitterfenster, -tür;
vergittern
laud [lɔːd] preisen, loben; Lob(eshymne);
~able löblich, lobenswert; **~anum** ['lɔːdənəm]
Opiumtinktur; **~atory** [⌐ətəri] lobend
laugh [lɑːf] lachen(d sagen); ~ at lachen über,
auslachen; ~ away d. Lachen verscheuchen,
vertreiben; ~ in one's sleeve [sliːv] heimlich (s.
ins Fäustchen) lachen; ~ off s. lachend hin-
wegsetzen über; ~ out of j-n durch Lachen abbringen von; ~ over lachen über, bei; Lachen
(to give a loud ~); to join in the ~ mitlachen;
to break into a ~ loslachen; to give a short ~
auflachen; to raise a ~ ein Gelächter verursachen; to have (od get) the ~ of s-b d. Spieß
umdrehen gegen; **~able** lustig; lächerlich;
~ing lachend; no ~ing matter nichts zum Lachen; Lachen; **~ing-stock** Gespött, Zielscheibe des Lachens; **~ter** [⌐tə] (lautes, länge-
res) Lachen, Gelächter
launch [lɔːntʃ] **1.** vom Stapel lassen; ⚓ katapultieren, (Rakete) abschießen; fig starten,
lancieren; ~ an attack zum Angriff ansetzen;
schleudern (a. fig); ~ out beginnen, loslegen;
~ (out) into s. ergehen in, s. stürzen in; **2.** Sta-
pellauf, Start, Abschuß; **3.** Barkasse; **~ing** Sta-
pellauf etc
laund|er ['lɔːndə] waschen (u. bügeln); sich wa-
schen lassen; **~erette** [⌐⌐'ret] Münzwäscherei;
~ress [⌐dris] Wäscherin; **~ry** [⌐dri] Wäscherei;
Wäsche(sachen); Waschküche
laureate ['lɔːriit] lorbeergekrönt; Preisträger;
Poet L~, pl Poets L~ Hofdichter
laurel ['lɔrəl, US 'lɔ:-] (edler) Lorbeer; Lor-
beerrose, Kalmie; pl fig Lorbeer

lava ['lɑːvə] Lava; **~tory** ['lævətəri] (Waschraum mit) WC

lave [leiv] waschen; baden; fließen

lavender ['lævində] Lavendel(farbe); lavendel(farben)

lavish ['læviʃ] verschwenderisch, freigebig (*of money* mit G., *in giving*); (über)reichlich; verschwenden, überreichlich beschenken

law [lɔː] Gesetz; Recht; Jura (*to read* ~ J. studieren); *to lay down the* ~ Vorschriften machen, anmaßend auftreten; *to go to* ~ d. Rechtsweg beschreiten; *to have* (od *take*) *the* ~ *on s-b* j-n verklagen; *to take the* ~ *into one's own hands* gewaltsam vorgehen; (Spiel- etc)Regel; **~-abiding** [⁻əbaidiŋ] gesetzestreu, ordnungsliebend; **~court** [⁻kɔːt] Gerichtshof; **~ful** gesetzlich; rechtmäßig; gültig; **~giver** Gesetzgeber; **~less** gesetzlos; ungesetzlich; zügellos; **~suit** [⁻sjuːt] Prozeß; **~yer** [⁻jə] Rechtsanwalt; Jurist

lawn [lɔːn] Rasen; Batist

lax [læks] locker, lax; $ gut arbeitend; **~ative** [⁻ətiv] (milde) abführend(es Mittel); **~ity** [⁻iti] Lockerheit, Laxheit; Nachlässigkeit

lay¹ [lei] *(s. S. 318)* (ver)legen; ~ *eyes on* erblicken; ~ *hands on* in d. Hände bekommen, pakken, finden; ~ *violent* ['vaiələnt] *hands on o.s.* Hand an sich legen; *s-th to* (od *at*) *s-b's door* (od *to s-b's charge*) j-m etw in die Schuhe schieben, zuschreiben; (Eier) legen; (Staub) niederschlagen; (Zweifel) beruhigen; ~ *bare* bloßlegen (*one's heart* [hɑːt] sein Herz ausschütten); ~ *s-b low* j-n hinstrecken, $ ans Bett fesseln; ~ *(fast) by the heels* dingfest machen, d. Handwerk legen; ~ *open* aufdecken, bloßlegen, s. etwas auffallen, -reißen; ~ *o.s. open to* s. aussetzen; ~ *waste* verwüsten; ~ *the table* s. Tisch decken; (Feuer) anlegen; etwas vorlegen, vorbringen; (Anspruch) erheben; etwas belegen (*with* mit); (Wette) abschließen mit, wetten; ~ *about* um s. schlagen; ~ *aside* beiseite legen; sparen; aufgeben; ~ *by* beiseite legen, sparen; ~ *down* nieder-, hinlegen; (Leben) hingeben; kaufen und einlagern; aufzeichnen, -stellen; ⚓, ⚒ in Angriff nehmen, bauen; ⬇ bebauen *(in, to, with, under grass, clover)*; ~ *in* einlagern; ~ *into s-b* feste prügeln; ~ *off* ⚓ wegsteuern; aussetzen; entlassen; ~ *on* kräftig versetzen, zuschlagen; auftragen; ~ *it on thick*, ~ *it on with a trowel* ['trauəl] *fig* es dick auftragen; auferlegen; ⚒ verlegen, einrichten; ~ *out* ausbreiten; (Leichnam) ankleiden; *umg* j-n umlegen; verausgaben; (Park) anlegen; ⬜ aufmachen, umbrechen; ~ *o.s. out* sich anstrengen, krummlegen; ~ *under necessity* [ni'sesiti] nötigen; ~ *under obligation* verpflichten; ~ *up* lagern; sparen; außer Dienst stellen; *to be laid up* bettlägerig, ans Haus gebunden sein (*with* wegen, mit)

lay² [lei] Lage, Richtung (*siehe* lie²); Ballade, Lied; Laien-; *vi siehe* lie²; **~er** ['leiə] Schicht; Leger; Leghuhn; *bot* Ableger; ablegen; **~ette** [lei'et] Babyausstattung; **~man** [⁻mən], *pl*

~men Laie; **~-off** Entlassung; Arbeitsunterbrechung; **~out** Anlage, Plan; ⬜ Aufmachung, Umbruch; Layout

laz|e [leiz] faulenzen, bummeln; **~y** faul, träge; **~y-bones** [⁻ibounz] Faulpelz

lea [liː] Au, Flur; Garnmaß (80–300 Yards)

leach [liːtʃ] auslaugen

lead¹ [led] Blei; ⚓ Senkblei (*to cast, heave* [hiːv] *the* ~ d. S. werfen); *red* ~ Mennige; *pl* Bleidach; *(black)* ~ Graphit; Bleistiftmine; ~ *pencil* Bleistift; **~-works** [⁻wɔːks] *sg vb* Bleihütte; ⬜ Durchschuß; ~ *(out)* ⬜ durchschießen; *(BE) to swing the* ~ s. drücken; **~en** Blei-; bleiern

lead² [liːd] *(s. S. 318)* **1.** führen; ~ *the way* vorangehen *(a. fig)*; ~ *by the nose* an d. Kandare haben; **2.** anführen, Führer sein; ~ *nowhere* zu nichts führen; **3.** j-n veranlassen; **4.** (Karten) ausspielen; ~ *astray* in d. Irre, *fig* (ver)führen; ~ *away* wegführen; abbringen; ~ *off* anfangen; ~ *on* (weiter)führen; verlocken; ~ *up to* lenken auf, hinführen zu; **5.** *su* Führung; **6.** Hinweis, Hilfe *(to give s-b a* ~ *)*; **7.** 🎭 Vorsprung; **8.** (Hunde-)Leine; **9.** 🎭 Hauptrolle, -darsteller(in); **10.** Vorhand, Ausspielen; **11.** Kanal; **~er** [⁻ə] Führer, Leiter; *BE* Leitartikel; *bot* Gipfeltrieb; 🎭 Sehne; **~erette** [⁻də'ret] *BE* kurzer Leitartikel; **~ership** [⁻dəʃip] Führerschaft; **~ing** führend, Haupt-; Leit-; **~ing article** *BE* Leitartikel; **~ing case** ⚖ Präzedenzfall; **~ing lady** 🎭 Hauptdarstellerin; **~ing question** Suggestivfrage; **~ing-strings** [⁻iŋstriŋz] Gängelband *(a. fig)*

leaf [liːf], *pl* **~ves** [liːvz] Blatt; *in* ~*f* belaubt; *to come into* ~*f* Blätter ansetzen; ⬜ Blatt ♦ *to turn over a new* ~*f* ein neues Leben beginnen; *to take a* ~*f out of s-b's book* s. ein Beispiel nehmen an; (Tür-)Flügel; (Tisch-)Klappe, Zug; *US* durchblättern; **~fless** blattlos; **~flet** Blättchen; Werbeblatt, Prospekt; **~fy** belaubt; blätterig; Laub-

league [liːg] Bund (*L~ of Nations* Völker-); 🎭 Liga (~ *match* -spiel); *in* ~ *with* verbündet mit; (s.) verbünden; Meile (= 4,8 km)

leak [liːk] Leck, Loch; d. auslaufende Wasser, Gas etc; durchsickern (lassen) *(a. fig)*; lecken, leck sein; **~age** [⁻idʒ] Lecken; Leckage; Durchsickern; **~y** leck, kaputt; unzuverlässig

lean [liːn] *(s. S. 318)* (s.) neigen, biegen; (s.) stützen *(on* auf); s. lehnen; ~ *over backwards* s. krummlegen; Neigung; **~ing** *fig* Neigung; **~-to** [⁻tuː], *pl* ~-*tos* Anbau; angebaut

lean [liːn] mager *(a. fig)*; **~ness** Magerkeit

leap [liːp] *(s. S. 318)* springen ♦ *look before you* ~ erst wägen, dann wagen; überspringen (lassen); ~ *at (fig)* ergreifen; ~ *on* losspringen auf; Satz, Sprung; *by* ~*s and bounds* in großen Sätzen, sprunghaft; **~-frog** Bockspringen (machen) *(over* über); überspringen; **~-year** [⁻jə:] Schaltjahr

learn [lə:n] *(s. S. 318)* lernen; erfahren; **~ed** [⁻nid] gelehrt; bewandert *(in)*; **~er** Lernender; Studierender; (Fahr-)Schüler; **~ing** Lernen; Gelehrsamkeit

lease [li:s] 1. Pacht, Miete(zeit, -frist); 2. Pacht-, Mietvertrag; *to put out to* ~ verpachten, -mieten; *to hold on* (od *by*) ~ in Pacht (Miete) haben; *to take on* ~ pachten, mieten; *a new* ~ *on life* neue Lebensaussicht; 3. (ver)pachten, mieten; **~hold** [⸚hould] Pacht(besitz); **~holder** Pächter

leash [li:ʃ] Koppel(leine); *to hold in* ~ an d. Leine haben; *to strain at the* ~ an d. Leine zerren, ungeduldig warten; koppeln; an der Koppel führen

least [li:st] kleinste(r, s); geringste(r, s), wenigste; *adv* am wenigsten ♦ ~ *said soonest mended* Reden macht's nur schlimmer; *to say the* ~ *of it* gelinde gesagt; *at* ~ wenigstens; *not* ~ nicht zum wenigsten; ~ *of all* am wenigsten; *not in the* ~ nicht im mindesten

leather ['leðə] Leder; **~y** [⸚ri] ledern, lederartig

leave[1] *(s. S. 318)* [li:v] verlassen, abfahren (*for* nach); ~ *school* von d. Schule abgehen; kündigen; (Arbeit) aufgeben; (liegen)lassen (*on the left* links etc); lassen (~ *s much to be desired* läßt viel zu wünschen übrig); zurücklassen; *to be left unsaid* ungesagt bleiben; ~ *alone* nicht anfassen, in Ruhe, auf s. beruhen lassen; ~ *go* (od *hold*) *of* loslassen; ergeben *(3 from 7* ~ *s 4)*; überlassen (*left* übrig); hinterlassen (*word with* Nachricht bei), bringen; *to be left till called for* postlagernd; etwas belassen, überlassen; (als Toter) hinterlassen, vermachen; ~ *at that* dabei belassen; ~ *behind* zurück-, hinterlassen; ~ *off* aufhören (mit, zu tragen); ~ *out* aus-, weglassen; ~ *over* übriglassen; unentschieden lassen; ~ *s-b to himself* (od *to his own devices*) sich selbst überlassen; ~ *to chance* d. Zufall überlassen; ~ *with* zurücklassen bei

leave[2] [li:v] 1. Erlaubnis ♦ *without so much as a 'by your* ~ ' ohne auch nur um Erlaubnis zu fragen; 2. Urlaub (*on* ~ auf U.); 3. Abschied (*to take one's* ~ A. nehmen; *to take* ~ *of s-b* A. nehmen von) ♦ *to take* ~ *of one's senses* verrückt werden

leaven [levn] Hefe; Sauerteig; *(a. fig)*; säuern; durchsetzen (*with* mit)

leav|ings ['li:viŋz] Reste; **~es** [li:vz] *siehe* leaf

lecher|ous ['letʃərəs] wollüstig; **~y** Wollust

lectern ['lektən] Lese-, Chorpult

lecture ['lektʃə] Vortrag; Vorlesung; Standpauke; e-n Vortrag, Kolleg halten; abkanzeln; **~r** [⸚rə] Dozent, Lektor; Vortragender; **~-room** [⸚⸚rum] Hörsaal, Vortragsraum

led [led] *siehe* lead[2]

ledge [ledʒ] Rand, Sims, Leiste; Riff; **~r** [⸚ə] Hauptbuch; **~r-line** ♪ Hilfslinie

lee [li:] (Wind-)Schutz; windgeschützter Platz; ~ (**side**) Lee(seite); mit dem Wind kommend (Flut)

leech [li:tʃ] Blutegel; *to stick like a* ~ *to s-b* wie e-e Klette hängen an j-m; *fig* Blutsauger

leek [li:k] Lauch, Porree

leer [liə] (lüsterner, verschlagener) Seitenblick; lüstern schauen (*at* auf)

lees [li:z] *pl vb* Bodensatz, Hefe

lee|ward ['li:wəd, ♃ 'lu:əd] leewärts; Lee(seite); **~way** ['li:wei] Leeweg, Abdrift ♦ *to make up* ~ *way* Nachteile, Verlust ausgleichen; *much* ~ *way to make up* großer Rückstand; *US* Spielraum

left [left] *siehe* leave[1]; linke(r, s), links; *to the* ~ (nach) links; **~-hand** [⸚hænd] linke(r, s); **~-handed** [⸚'hændid] linkshändig; ungeschickt, unglücklich (Kompliment); **~hander** [⸚'hændə] Linkshänder; Linker; **~ist** linksradikal(er Politiker); **~over** Überbleibsel, Rest

leg [leg] Bein, *pl fig* Füße ♦ *all* ~ *s* aufgeschossen; *to stretch one's* ~ *s* sich die Beine vertreten; *to set s-b on his* ~ *s* j-n (wieder) auf d. Beine bringen; *to pull s-b's* ~ j-n aufziehen; *to give s-b a* ~ *up* j-m aufs Pferd, (*fig* weiter)helfen; *to shake a* ~ *(umg)* tanzen; *not to have a* ~ *to stand on* keine Ausrede etc (mehr) haben; *to run s-b off his* ~ *s* von e-r Arbeit zur andern jagen; *on one's last* ~ *s* in den letzten Zügen; *to feel (find) one's* ~ *s* seine Beine gebrauchen lernen; Keule; (Hosen-, Strumpf-, Tisch-)Bein; *math* Schenkel; *bes* ⸙ (Teil-)Strecke

lega|cy ['legəsi] Vermächtnis, Legat; **~l** ['li:gəl] Rechts-, rechtlich; gesetzlich; rechtsgültig; *to take* ~ *l action* ein Rechtsverfahren einleiten; **~lity** [⸚'gæliti] Gesetzlichkeit; **~lize** [⸚⸚laiz] rechtskräftig machen, legalisieren; **~te** ['legit] (päpstlicher) Legat; **~tee** [legə'ti:] Vermächtnisnehmer, Erbe; **~tion** [li'geiʃən] Gesandtschaft; Legation

legend ['ledʒənd] Legende, Sage; (Inschrift-)Text, Bildtext, Legende; (Karten) erläuternder Text; **~ary** [⸚⸚dəri] legendär; sagenhaft

leger ['ledʒə] *siehe* ledger [Gaukelei *(a. fig)*

legerdemain [ledʒədə'mein] Taschenspielerei,

leg|gings ['leginz] Gamaschen; **~gy** langbeinig; **~horn** [⸚hɔ:n] Strohhut; [li'gɔ:n, *US* 'legən] Leghornhuhn

leg|ible ['ledʒibl] lesbar; leserlich; **~ion** ['li:dʒən] Legion *(a. fig)*

legisla|te ['ledʒisleit] Gesetze geben, machen; **~tion** [⸚⸚'ʃən] Gesetzgebung; **~tive** [⸚⸚⸚tiv] gesetzgebend; Gesetzgebungs-; **~tor** [⸚⸚⸚tə] Gesetzgeber, Mitglied d. Legislative; **~ture** [⸚⸚⸚tʃə] gesetzgebende Körperschaft, Parlament

legitima|cy [li'dʒitiməsi] Gesetzlichkeit; Rechtmäßigkeit; Ehelichkeit; Berechtigung; **~te** [⸚⸚⸚mit] gesetzlich; rechtmäßig; ehelich; berechtigt [sen; Hülse, Schote

legume ['legju:m] Hülsenfrüchte, Leguminosen; *the* ~ *d classes* die Wohlhabenden; **~ly** [⸚⸚li] *adj, adv* gemächlich

leisure ['leʒə, *US* 'li:-] Freizeit, Muße; *at* ~ frei, ohne Beschäftigung; *at one's* ~ wenn man Zeit hat; Muße; **~d** [⸚ʒəd] frei, unbeschäftigt;

lemon ['lemən] Zitrone(nbaum); zitronengelb; **~ade** [⸚⸚'neid] Zitronenlimonade; ~ **squash** [skwɔʃ] Zitronenwasser

lend [lend] *(s. S. 318)* (ver)leihen; ~ *to* beitragen zu; ~ *o.s. to s.* hergeben zu; **~er** Verleiher; Kreditgeber; **~ing** Leih-

length [leŋθ] Länge; *at* ~ endlich, ausführlich; *at full* ~ ausführlich, der Länge nach; *to go all* ~*s, to any* ~ alles Erdenkliche tun; *to go to the* ~ *of doing* soweit gehen (zu tun); Stück, Länge (Stoff etc); ~**en** verlängern; länger werden; ~**wise** [-waiz] d. Länge nach; ~**y** überlang; weitschweifig

leni|ency ['li:njənsi] Milde; ~**ent** [-jənt] mild; ~**tive** ['lenitiv] lindern(des Mittel); ~**ty** ['leniti] Milde

lens [lenz], *pl* ~**es** (Augen-, ▥) Linse; ~**hood** [-hud], ~ **shade** Gegenlichtblende

lent [lent] *siehe* lend

Lent [lent] Fasten(zeit); ~ **lily** Narzisse

lentil ['lentil] *bot* Linse

leo|nine ['li:ənain] Löwen-; ~**pard** ['lepəd] Leopard; Panther

lep|er ['lepə] Leprakranker, Aussätziger; ~**rosy** ['leprəsi] Aussatz, Lepra; ~**rous** [-rəs] aussätzig, leprakrank

lese-majesty ['li:z,mædʒisti] Hoch-, Landesverrat; schwerer Affront

lesion ['li:ʒən] ♀ krankhafte Veränderung, Schaden; Verletzung

less [les] weniger, geringer; abzüglich; *none the* ~ nichtsdestoweniger; *much* ~ geschweige denn; ~ *than* nicht gerade

less|ee [le'si:] Pächter, Mieter; ~**en** [lesn] verkleinern, -mindern, -ringern; geringer werden, abnehmen; ~**er** kleiner, geringer; ~**on** [lesn] Lektion *(a. fig)*; Lehre; Unterrichtsstunde (als Stoff); ~**or** ['lesɔ:, le'sɔ:] Verpachter, Vermieter

lest [lest] damit nicht; *to fear* ~ fürchten, daß

let [let] **1.** *(s. S. 318)* (zu)lassen; vermieten, -pachten; *s.* vermieten lassen; ~ *drive at* losschlagen, -feuern auf; ~ *drop* fallen lassen; ~ *fly* schleudern; loswettern; ~ *go (of)* loslassen; ~ *s-th pass* übersehen, nicht beachten; ~ *alone* nicht anrühren, in Ruhe lassen, geschweige denn; ~ *by* vorbeilassen; herunterlassen; (Haar) offen fallen lassen; j-n aufsitzen lassen; ~ **s-b down** j-n im Stich lassen; ~ *s-b down gently (easily)* j-n gnädig davonkommen lassen; ~ **in** hereinlassen; ~ *o.s. in with* hereinkommen lassen (mit e-m Schlüssel); j-n 'reinlegen; ~ *s-b in for* j-m etwas einbrocken; ~ **into** einsetzen; einweihen in; ~ **off** abfeuern; j-n laufenlassen; ~ **out** herauslassen; (Kleid) auslassen; ausplaudern; vermieten; ~ **out** at losgehen auf; ~ **up** nachlassen, aufhören; **2.** *su* Vermietung; *to get a* ~ *for* vermieten; Hindernis ♦ *without* ~ *or hindrance* unbehindert; ~**-down** [-daun] Enttäuschung; ~**-up** [-ʌp] Nachlassen, Aufhören

leth|al ['li:θəl] tödlich, todbringend; ~**argic** [le'θɑ:dʒik] stumpf, träge, lethargisch; ~**argy** ['leθədʒi] Stumpfheit, Trägheit, Lethargie

letter ['letə] Buchstabe; Drucktype; Schriftart; Brief; *by* ~ brieflich; *pl* Literatur, Wissenschaft; ~**s patent** ['peitənt] Patenturkunde; ~**-balance** [-bæləns] Briefwaage; ~**-box** [-bɔks] *bes BE* Briefkasten; ~**-card** [-kɑ:d] *BE*

Kartenbrief; ~**-carrier** [-kæriə] Briefträger; ~**-case** [-keis] Brieftasche; ~**ed** [-əd] gebildet; gedruckt; ~**gram** [-græm] *US* Brieftelegramm; ~**head(ing)** [-hed(iŋ)] Briefkopf; Kopfpapier; ~**ing** [-riŋ] Beschriftung, Titeldruck; ~**-perfect** [-'pɔ:fikt] ♥ rollensicher; genau; ~**press** [-pres] ◫ Drucktext; Satz; Hochdruck; ~**-weight** [-weit] Briefwaage, -beschwerer

lettuce ['letis] (Garten-)Lattich, Salat

levee ['levi] Morgenempfang; *US* Uferdamm; *US* Landestelle

level ['levl] **1.** (glatte) Fläche; **2.** (gleiche) Höhe, Niveau *(a. fig)*; Kote, Maßlinie auf e-r Karte; ~ *of the sea, sea-*~ Meeresspiegel; *on a* ~ *with* auf gleicher Höhe wie *(a. fig)*; *on the* ~ *(umg)* ehrlich; *to find one's own* ~ d. Menschen finden, d. zu e-m passen; **3.** Wasserwaage; **4.** eben, horizontal; ~ *crossing (BE)* schienengleicher Bahnübergang; **5.** ausgeglichen, ruhig, vernünftig *(a.:* ~*-headed); to do one's* ~ *best* sein möglichstes tun; **6.** (ein)ebnen; gleichmachen, egalisieren, nivellieren; **7.** richten, zielen *(at* auf); ~ *off* ✈ abfangen; zu steigen aufhören

lever ['li:və, *US* 'levə] Hebel; ~**age** [-ridʒ] Hebelkraft, -wirkung; ~**et** ['levərit] Junghase; Häschen

leviathan [li'vaiəθən] Ungetüm; Riesenschiff

levi|tate ['leviteit] schweben (lassen); ~**tation** [--'teifən] Schweben; Heben; ~**ty** ['leviti] Leichtfertigkeit; -sinn

levy ['levi] **1.** Eintreibung; **2.** *mil* Aushebung; **3.** (eingetriebene) Steuer; **4.** *mil* Aufgebot; *capital* ~ Kapitalabgabe; **5.** eintreiben; **6.** ausheben; ~ *war upon* (od *against*) Krieg (vorbereiten u.) führen gegen; ~ *blackmail* ['blækmeil] Geld erpressen; ~ *on* ⚖ beschlagnahmen

lewd [lu:d] liederlich, grobsinnlich

lexico|grapher [leksi'kɔgrəfə] Wörterbuchverfasser; ~**graphy** [---grəfi] Lexikographie; ~**n** [-kən], *pl* ~**ns** Wörterbuch; Wortschatz; Gesamtbereich

liab|ility [laiə'biliti] Verpflichtung; ~*ility for military service* Wehrpflicht; Verbindlichkeit, Schuld, *pl* Passiva; Haftpflicht; ~*ility to* Neigung zu, Empfänglichkeit für; ~**le** [-bl] haftbar, -pflichtig; ~*le to s-th* ... pflichtig; *to be (make o.s.)* ~*le to s.* aussetzen; *to be* ~*le to do* leicht tun (können); *to be* ~*le to s-th* neigen zu, empfänglich sein für

liaison [li'eizn, *US* --'zɔ:n] Verbindung (~ *officer* -soffizier); Liaison

liar [laiə] Lügner

lib [lib] Befreiung; *gay* ~ Befreiung d. Homosexuellen

libel ['laibəl] Schmähschrift, veröffentlichte Verleumdung; ~ *on (fig)* Verunglimpfung, Herabsetzung; (öffentl.) verleumden; *umg* nicht gerecht werden; ~**lous**, *US* ~**ous** verleumderisch

liberal ['libərəl] freigebig, großzügig; vorurteilsfrei; liberal(er Politiker); ~ **arts** d. freien

Künste, Kunst und Wissenschaft, Universitäts(aus)bildung; **~ education** gute Allgemeinbildung; **~ism** Liberalismus; **~ity** [--'ræliti] Freigebigkeit, Großzügigkeit; Vorurteilslosigkeit

libera|te ['libəreit] befreien; **~tion** [---ʃən] Befreiung; Emanzipationsbewegung; **~tor** [---tə] Befreier

libert|ine ['libəti:n] Wüstling; Freigeist; **~y** [--ti] (persönl.) Freiheit; *to set at ~y* freilassen; *to be at ~y* frei sein, nicht benutzt werden; *he is at ~y to do* es steht ihm frei (zu tun); *to take ~ies with* s. Freiheiten herausnehmen bei, frei umspringen mit

libi|dinous [li'bidinəs] wollüstig; **~do** [-'bi:dou] (Sexual-)Trieb

Libra ['laibrə] *astr* Waage

librar|ian [lai'brɛəriən] Bibliothekar; **~y** [--brəri] Bibliothek; *public ~y* Volksbücherei; Studierzimmer

librett|o [li'bretou], *pl* **~os**, **~i** [--i:] Libretto, Operntext

lice [lais] *siehe* louse

licen|ce *US* **~se** [laisəns] Genehmigung, Erlaubnis; Schein; Lizenz, Konzession; (dichterische) Freiheit; Zügellosigkeit; **~se** lizenzieren, konzessionieren; **~sed** *BE* für Alkoholausschank (Prostitution) freigegeben; **~see** [--'si:] Lizenz-, Konzessionsinhaber; **~tious** [-'senʃəs] zügellos, ausschweifend

lichen ['laikən] *bot*, **$** Flechte

lich-gate ['litʃgeit] Friedhoftor

licit ['lisit] erlaubt (**~ly** -erweise)

lick [lik] (auf)lecken ♦ **~** *the dust* ins Gras beißen; **~** *s-b's boots* katzbuckeln; **~** *into shape* in Form bringen; züngeln, lecken; verprügeln; *fig* schlagen, überwinden, -treffen; Lecken; Bißchen; Salzlecke; **~ing** Prügel; Niederlage

licorice ['likəris] *US* = liquorice

lid [lid] Deckel; Lid; *fig* Sperre; **~o** ['li:dou], *pl* **~os** *BE* (Frei-)Schwimmbad

lie¹ [lai] Lüge (*white ~* Not-); *to give s-b the ~* j-n der Lüge bezichtigen; *to give the ~ to* Lügen strafen; *vt (lying, ~d)* lügen; *to ~ to s-b* j-n anlügen

lie² [lai] (*s. S. 318*) **1.** liegen; **~** *low* am Boden liegen, s. abwartend verhalten; *to find out how the land ~s...* wie die Dinge liegen; *as far as in me ~s* was an mir liegt; **2.** 𝄞 zulässig sein; **~ back** sich zurücklegen; -lehnen; **~ down** sich hinlegen; **~** *down under* feige hinnehmen; *to take s-th lying down...* ohne zu mucken; **~ in** im Bett bleiben; in die Wochen kommen; **~ over** *fig* liegenbleiben; **~** *to* beiliegen, -drehen; **~ up** das Bett hüten; ruhen *(a. fig)*; **3.** *su* Lage, Richtung; *the ~* (*US lay*) *of the land* die Lage der Dinge; **~-down** [-'daun]: *to have a ~-down* s. hinlegen; **~-in** ['lai'in] *BE* Ausschlafen

lied¹ [laid] *siehe* lie¹ (lügen)

lied² [li:d], *pl* **~er** ['li:də] (deutsches) Lied

lief [li:f] gern

liege [li:dʒ] Lehnsherr, -mann; Lehns-

lien ['li:ən, *bes US* li:n] Pfandrecht

lieu [lju:]: *in ~ of* anstelle von

lieutenant [lef'tenənt, ⚓ le'ten-, *US* lu:'ten-] *allg* Leutnant; *second ~ (BE, US)* Leutnant (beim Heer); **~** *(BE)* Oberleutnant; *BE, US* Kapitänleutnant; *first ~ (US)* Oberleutnant; **~** *(junior grade) US* Oberleutnant zur See; **~** *commander (BE, US)* Korvettenkapitän; *flight ~ (BE)* Hauptmann; **~** *colonel* ['kə:nəl] *BE, US* Oberstleutnant; **~** *general (BE, US)* Generalleutnant

life [laif], *pl* **lives** [laivz] **1.** Leben (**~-and-death** *struggle* Kampf auf L. u. Tod); *the struggle for ~* Kampf ums Dasein; *I can't for the ~ of me* ich kann beim besten Willen nicht...; **2.** Lebenszeit (*for ~* auf L.); *to have the time of one's ~* sich königlich amüsieren; **3.** Lebensbeschreibung; **4.** Lebenskraft, Schwung; **~** *(and soul) (fig)* Seele; *to the ~* (lebens)echt; *as large as ~* lebensgroß, *umg* in voller Lebensgröße; **5.** *fig*, ⚙ Lebensdauer; **~** *annuity* [ə'njuiti] Leibrente; **~-belt** Rettungsgürtel; **~-blood** [-blʌd] Herzblut; **~-boat** Rettungsboot; **~-buoy** [-bɔi] Rettungsboje; **~-guard** [-gɑ:d] Leibwache; Rettungsschwimmer; **~-jacket** [-dʒækit] Schwimmweste; **~less** leblos; tot; öde; **~-like** [-laik] lebensecht, -ähnlich; **~-line** Rettungsleine; (Hand) Lebenslinie; *fig* Versorgungsroute; **~-long** [-lɔŋ] lebenslang, fürs ganze Leben; **~-office** [-ɔfis] Lebensversicherungsbüro; **~-preserver** [-prizə:və] *BE* Totschläger; Rettungsgürtel, -ring; **~r** [-fə] *sl* Lebenslänglicher; **~-saver** [-seivə] Lebensretter; Rettungsschwimmer; **~** **sentence** (Urteil auf) lebenslängl. Gefängnis; **~-size** [-'saiz] lebensgroß; **~-strings** *pl vb* Lebensfaden; **~-time** Leben(szeit); **~-work** [-wə:k] Lebensarbeit, -werk

lift [lift] (auf-, er)heben; sich heben lassen; stehlen; (Kartoffeln) ernten; (Nebel) sich heben; Hub(höhe), Heben; *to give s-b¨ a ~* j-n (im Wagen) mitnehmen, j-m helfen; Aufzug, Fahrstuhl; Luftfracht; Steigung; *fig* Auftrieb

liga|ment ['ligəmənt] **$** Band, Sehne; **~ture** [--tʃuə] **$** Verband; **$**, **🞄**, **♪** Ligatur

light [lait] **1.** (Tages-)Licht; *in a good ~* gut sichtbar; *to stand in s-b's ~* j-m im Licht (*fig* im Weg) stehen; *to see the ~* das Licht der Welt erblicken; **2.** Lampe, Kerze; **3.** Feuer, Streichholz (*have you a~?* haben Sie F.?); *by the ~ of nature* ['neitʃə] ganz aus sich heraus; **4.** *pl* Fähigkeiten; **5.** *fig* Leuchte, Licht; **6.** *adj* hell; blond; **7.** leicht; **~** *engine* ['endʒin] Lok ohne Zug; **~** *touch* leichte, geschickte Hand, Takt; **8.** untergewichtig; **9.** oberflächlich; *to make ~ of* etwas leichtnehmen; **10.** gedankenlos, leichtfertig; **11.** *adv* leicht; **12.** ohne Gepäck; **13.** *vt/i (s. S. 318)* anzünden; er-, beleuchten; **~ up** das Licht anmachen; die Zigarette anstecken, *fig* erleuchten; j-m leuchten; **~ on** fallen, stoßen auf (*siehe* alight); **~en** erleuchten, (s.) erhellen; blitzen; leichter, fröhlicher machen (werden); **~er** Anzünder; Feuerzeug, ⚓ Leichter; ⚓ leichtern; **~-fingered** [-'fiŋgəd] geschickt (im Stehlen); **~** *-fingered person* Langfinger; **~-haired** [-'hɛəd] blond;

~-headed [⌐'hedid] wirr, gedankenlos, unbesonnen; **~-hearted** [⌐'hɑːtid] heiter, fröhlich; **~-house** [⌐haus], pl **~-houses** [⌐hauziz] Leuchtturm; **~ly** adv leicht(herzig), leichthin; **~-minded** [⌐'maindid] leichtfertig, -sinnig; **~ning** Blitz (~-ning-rod, -conductor -ableiter); **~ning bug** US Leuchtkäfer; **~ship** Feuerschiff; **~some** [⌐səm] anmutig, fröhlich; flink; hell; **~-weight** [⌐weit] ♞ Leichtgewicht; ~ **year** [⌐jəː] Lichtjahr

lights [laits] siehe light 4; Tierlunge
lignite ['lignait] Braunkohle
likable ['laikəbl] nett, sympathisch
like [laik] 1. gleich, ähnlich (~ as two peas wie zwei Tropfen Wasser) ♦ ~ master ~ man wie der Herr, so's Gescherr; 2. wie (a man ~ you); what is he ~? wie sieht er aus?, wie ist er?; there is nothing ~ nichts übertrifft; ~ that so(lch); something ~ so etwa; nothing ~ as good nicht annähernd so gut; is just ~ him sieht ihm ähnlich; it looks ~ es sieht nach ... aus; I don't feel ~ ich bin zu ... nicht aufgelegt; 3. su Gleiche(r); his ~ seinesgleichen; the ~ (of that) etw Derartiges; and the ~ und dergleichen; ~s and dis~s Neigungen und Abneigungen; 4. mögen, gern haben (essen etc); ~ doing (to do) gern (tun); don't ~ nicht wollen; should (would) ~ möchte gern; as you ~ wie Sie wollen; 5. (j-m) bekommen; 6. conj umg wie; als ob; **~lihood** [⌐lihud] Wahrscheinlichkeit (in all ~lihood aller W. nach); **~ly** wahrscheinlich; to be ~ly to do wahrscheinlich tun; vernünftig, plausibel; aussichtsreich; 7. adv wahrscheinlich (as ~ly as not ziemlich w.); **~-minded** [⌐'maindid] gleichgesinnt; **~n** [⌐ən] vergleichen; **~ness** Ähnlichkeit; Bild; to have one's ~ness taken s. malen lassen; **~wise** [⌐waiz] ebenso, gleichfalls
liking ['laikiŋ] Neigung, Gefallen; to s-b's ~ nach j-s Geschmack
lilac ['lailək] (spanischer) Flieder; pl Fliederbusch
Lilliput ['lilipʌt] Liliput; **~ian** [-ˈpjuːʃən] winzig, Liliputaner-
lilt [lilt] ♪ Rhythmus; rhythmisches Lied; (rhythmisch) singen; trällern
lily ['lili] Lilie; ~ of the valley Maiglöckchen; lilienweiß; rein; zart
limb [lim] Glied; Ast; Range; with life and ~ mit Leib und Leben; **~er** [⌐bə] mil Protze; ~er up aufprotzen; **~er** [⌐bə] geschmeidig (machen); **~o** [⌐bou], pl **~os** Vorhölle, Limbus; Gefängnis; fig Rumpelkammer; Vergessenheit; fig Sackgasse
lime [laim] Vogelleim; Kalk (~-kiln -ofen); ~ (-tree) Linde(nbaum); Saure Limette, Limonelle; leimen, fangen; kalken; **~light** [⌐lait] Kalklicht; Bühnenlicht; fig Licht der Öffentlichkeit, Mittelpunkt des Interesses; **~stone** [⌐stoun] Kalkstein
limit ['limit] 1. Grenze; to set a ~ to eine Grenze ziehen für; that's the ~! das ist die Höhe!; 2. Höchstbetrag; 3. Schranke; off ~s (US) Betreten verboten!; 4. begrenzen (to auf);

~ation [--ˈteiʃən] Begrenzung; Grenze; **~ed** begrenzt; **~ed (liability) company** ['kʌmpəni] (Aktien-)Gesellschaft mit beschränkter Haftung; **~ed (bus, train)** US Schnellbus, Fernschnellzug; **~less** grenzenlos
limn [lim] malen; schildern
limousine ['limuziːn] Limousine
limp [limp] schlaff, weich; Humpeln; to walk with a ~, to have a ~ = to ~ humpeln, hinken; **~ingly**, with a ~ humpelnd
limpet ['limpit] Napfschnecke; zäher Tintenkuli; Bürohengst; **~id** klar, durchsichtig; **~idity** [-ˈpiditi] Klar-, Durchsichtigkeit
limy ['laimi] kalkig, Kalk-
linage ['lainidʒ] Zeilenzahl; -honorar
linchpin ['lintʃpin] Vorstecker (Rad)
linctus ['liŋktəs] ♀ Sirup-Präparat
linden ['lindən] Linde(nbaum)
line [lain] 1. Leine, Schnur; Linie; ⚡ Leitung; Strich; Falte, Runzel; pl Konturen, Linienführung; pl ♫ Linienriß; Reihe, fig Schlange; to draw up in ~ antreten lassen; to come into ~ sich anschließen, mitmachen; to bring s-b into ~ j-n dazu bringen, mitzumachen; in ~ with in Übereinstimmung mit; 2. Grenze (dividing ~, ~ of division Trennungslinie); (Verkehrs-) Linie; ▓ Gleis; Route; Strecke; 3. Abstammungsreihe, Familie; 4. Zeile; pl Strafarbeit, ♥ (Rollen-)Text; 5. mil Front(linie); (to go up the ~ an d. F. gehen); all along the ~ auf d. ganzen Linie (a. fig); Linie zu zwei Gliedern; mil Linien-; ~ abreast [əˈbrest] ♫ Dwarslinie; 6. pl Lebensschicksal (hard ~s! Pech!); 7. Beruf(ssparte); Branche; Waren(gattung), Artikel(serie) ♦ that's not much in my ~ das liegt mir nicht sehr; 8. pl Richtlinien, Grundsätze; to take a strong ~ entschlossen vorgehen; to take (od keep to) one's own ~ seinen eigenen Weg gehen; 9. vt/i linieren; 10. fig zeichnen, furchen; 11. umsäumen; to put a ~ through durchstreichen; US Schlange stehen; 12. ✿ auskleiden; (mit Stoff) füttern; ~ one's purse (od pocket) sich die Taschen füllen; ~ up (s.) aufstellen, sich zus.tun (with mit); **~age** ['linidʒ] Abstammung(slinie); **~age** ['lainidʒ] = linage; **~al** ['liniəl] gerade (abstammend); **~ament** ['liniəmənt] (Gesichts-)Zug; **~ar** ['liniə] Strich-; linear; Längen-; **~-fishing** ['lainfiʃiŋ] Angeln; **~man** [⌐mən], pl **~men** Fernmeldemonteur; BE Streckenwärter; **~r** ['lainə] Passagierdampfer; Verkehrsflugzeug; **~sman** [⌐zmən], pl **~smen** ⚡ Streckenarbeiter; Linienrichter; ▓ Streckenwärter; **~-up** [⌐ʌp] ♞ Aufstellung; Gruppierung
linen ['linin] Leinen; Wäsche; **~closet** [⌐⌐klɔzit] Wäscheschrank; **~draper** [⌐⌐dreipə] BE Wäschegeschäft
ling [liŋ] Heidekraut, Erika
linger ['liŋgə] (zögernd) bleiben; s. aufhalten, herumdrücken (over bei); s. hinschleppen, -siechen; **~ing** [⌐riŋ] schleppend, schleichend; sehnsüchtig
lingerie ['lænʒəri, bes US laːnʒəˈrei] Damenwäsche

lingo [liŋgou], *pl* ~es fremdes Kauderwelsch; Fachsprache, Jargon

lingu|a franca ['liŋgwə'fræŋkə] Verkehrs(misch)sprache, Lingua franca; ~ist [-gwist] Fremdsprachler; ~istic [-'gwistik] sprach(wissenschaft)lich; ~istics *sg vb* Sprachwissenschaft, Linguistik

lin|iment ['liniment] Einreibemittel, Liniment; ~ing ['lainiŋ] Futter(stoff); ✿ Auskleidung ♦ *every cloud has a silver ~ing* jede Wolke hat e-n Silberstreifen

link [liŋk] Glied *(a. fig)*; Link (= 20,12 cm); *pl* (Gras-)Dünen; *sg vb* Golfplatz; (s.) verbinden, (s.) verknüpfen; ~man [-mən], *pl* ~men Fackelträger

linnet ['linit] Hänfling

lino|leum [li'nouliəm] Linoleum; ~type ['lainətaip] 🖾 Zeilensetzmaschine

linseed ['linsi:d] Leinsamen; ~oil Leinöl

linsey-woolsey ['linzi'wulzi] Halbwollzeug; Mischmasch, Unsinn

lint [lint] 🖢 Scharpie; Fusseln; ~el [-l] (Tür-, Fenster-)Sturz

lion [laiən] Löwe (~ *'s share* -nanteil); Salonlöwe; ~ess Löwin; ~-hearted [-'ha:tid] mutig; ~ize [-aiz] anhimmeln; feiern; die Sehenswürdigkeiten zeigen (bestaunen)

lip [lip] Lippe; *to curl one's ~* die Lippen aufwerfen (schürzen); *to keep a stiff upper ~* (*umg*) d. Ohren steif halten; *to open one's ~s* den Mund aufmachen; Rand; Unverschämtheit *(none of your ~ !)*; ~reading [-ri:diŋ] Ablesen (vom Mund); ~service [-sə:vis] Lippenbekenntnis; ~stick Lippenstift

liqu|efaction [likwi'fækʃən] Flüssigmachung; ~efy [-fai] flüssig machen (werden); ~eur [li'kjuə, *US* -'kə:] Likör; ~id [-kwid] flüssig; klar; *fig* fließend; Flüssigkeit; ~idate [-kwideit] tilgen; liquidieren; in Liquidation treten; ~idation Tilgung; Liquidation; ~idity [-'kwiditi] (Geld-)Flüssigkeit; ~or [likə] Flüssigkeit; Alkohol; alkohol. Getränk; *to be in ~or, the worse* [wə:s] *for ~or* betrunken sein; ~orice, *US* **licorice** ['likəris] Lakritze

lir|a ['liərə], *pl* ~e [-ri], ~as Lira

lisle [lail] Florgarn; Flor-

lisp [lisp] lispeln(de Aussprache)

lissom, *bes US* ~e ['lisəm] geschmeidig; wendig

list [list] List; Webekante; ⚓ Schlagseite; *pl* Schranken (*to enter the ~s* in die S. treten); eintragen, verzeichnen; ⚓ Schlagseite haben; lauschen; mögen; ~en ['lisn] (hin-, zu)hören; ~*en in* Radio hören; ~*en in to s-th* etwas im Radio hören; ~ener ['lisənə] (Zu-, Rundfunk-) Hörer; ~less ['listlis] matt, teilnahmslos

lit [lit] *siehe* light; ~up angeheitert

litany ['litəni] *eccl* Litanei

litera|cy ['litərəsi] Kenntnis des Lesens u. Schreibens; ~l [-rəl] wörtlich; sachlich; exakt; Buchstaben-; ~lly wört-, buchstäblich; ~ry [---ri] literarisch; schriftstellerisch; ~te [-rit] des Lesens u. Schreibens kundig; gebildet; ~ture ['litrətʃə] Literatur

lithe [laið] geschmeidig; gewandt

lithograph ['liθəgra:f] Lithographie, Steindruck; lithographieren; ~y [li'θɔgrəfi] Lithographie, Steindruckkunst

litig|ant ['litigənt] Prozeßpartei; ~ate [-geit] prozessieren (um etwas); ~ation [--'geiʃən] Prozeß; ~ious [-'tidʒəs] prozeßfreudig; strittig

litmus ['litməs] Lackmus (~ *paper* -papier)

litre ['li:tə] Liter

litter ['litə] Sänfte; Tragbahre; Überreste, umherliegende Dinge; Unordnung; Streu; Wurf (Tiere); *vt* vollrümpeln, mit Resten bestreuen (verunreinigen); Junge werfen; ~ *down* mit Streu versorgen

little [litl] klein, nett, niedlich (*the ~ ones* die Kleinen; kurz; unwichtig; gemein; wenig; *a ~* ein wenig; *not a ~* nicht wenig; kaum (denken etc)

littoral ['litərəl] Küsten-; Küstenland

liturgy ['litədʒi] Liturgie

livable ['livəbl] lebenswert; bewohnbar; umgänglich

live [liv] 1. leben, am Leben bleiben, weiterleben; wohnen; 2. bestehen, durchhalten; ~ *to see* erleben; ~ **s-th down** durch einwandfreien Lebenswandel vergessen machen; ~ **in** in der Firma wohnen; ~ **off** zehren von; ~ **on** weiterleben; leben von; ~ *on one's wits* sich irgendwie durchschlagen; ~ **out** durch-, erleben; außerhalb der Firma wohnen; ~ **through** durchleben; ~ **to o.s.** für sich leben; ~ **up** *to s-th* etwas im Leben erreichen, nach (entsprechend) etwas leben (handeln); ~ [laiv] 3. lebendig; lebhaft; glühend; 4. (Patrone) scharf; 🔥 geladen; unbenutzt; 📻 Live(-Sendung); 📺 erst; Theater-; ~**lihood** ['laivlihud] Lebensunterhalt; ~**long** ['livlɔŋ] ganz; ~**ly** ['laivli] lebhaft; schnell; stark; *to make it ~ly for* j-m (tüchtig) einheizen; ~**n** [laivn] lebhaft machen (werden); ~**r** ['livə]: *good (clean etc) ~r* j-d, der gut (anständig) lebt

liver ['livə] Leber; ~**ish** [--riʃ] leberleidend

livery ['livəri] Livree; *fig* Kleid; ~ **company** ['kʌmpəni] (Londoner) Handelszunft; ~ (**stable**) Mietstall; ~**man** [---mən], *pl* ~men Zunftmitglied; Pferdeverleiher

livestock ['laivstɔk] Viehbestand, lebendes Inventar

livid ['livid] blau(grau); stinkwütend

living ['liviŋ] 1. lebend; *within ~ memory* ['meməri] soweit man zurückdenken kann; ~ *image* ['imidʒ] genaues Ebenbild; 2. stark, fest; 3. (Fels) gewachsen; *the ~* die Lebenden; 4. Lebensunterhalt (*to make a ~ as* sich seinen L. verdienen als); 5. Leben(sweise); *good ~* üppiges Leben; *a ~ wage* auskömmlicher Lohn; 6. *eccl* Pfarrstelle, Pfründe; ~**room** [--rum] Wohnzimmer

lizard ['lizəd] Eidechse

llama ['la:mə], *pl* ~s Lama

Lloyd's [lɔidz] Lloyd's Versicherungsbörse; *A one at ~* erstklassig, allerbeste(ns)

lo [lou] schau!, schaut!

load [loud] Last *(a. fig)*; Ladung; ~*s of money* Geld wie Heu; ✿, ⚡ Belastung, Beanspruchung; (be)laden (~ *up* auf-); überladen; (Gewehr etc) laden; ~ *a camera* e-n Film einlegen; überhäufen (*with* mit); (Stock) beschweren; (Wein) verfälschen ◆ ~ *one's dice* die Würfel fälschen, *fig* seine Karten zinken; **~-line** Ladelinie; **~-star** *siehe* lode; **~-stone, lode-stone** Magnet(eisenstein); *fig* Magnet

loaf [louf], *pl* **loaves** Laib; Zuckerhut; *(meat)* ~ Hackbraten; *to have a* ~ = *to* ~ (herum)bummeln (~ *away* ver-); **~er** Herumbummler, Faulenzer; **~-sugar** [⁻ʃugə] Würfelzucker

loam [loum] Lehm; **~y** lehmig

loan [loun] Darlehen, Anleihe; **on** ~ leihweise; *to ask for the* ~ *of* sich leihen wollen; *to have the* ~ *of* etwas geliehen haben; *vt* (aus-, ver)leihen; **~-collection** Leihsammlung; ~ **shark** *US* Kredithai; **~-word** [⁻wɔːd] Lehnwort

loath (loth) [louθ] abgeneigt, nicht willens; **~e** [louð] nicht ausstehen können, verabscheuen; **~ing** ['louðiŋ] Ekel, Abscheu; **~some** ['louðsəm] widerlich, ekelhaft

loaves [louvs] *siehe* loaf

lob [lɔb] schwerfällig gehen, staksen; 🎾 (Ball) hochschlagen; Grundball; **~by** Hotelhalle; ⚑ Wandelgang, Foyer; *pol* Wandelhalle, Lobby; mit Hilfe e-r Lobby beeinflussen, (Gesetz) durchbringen

lobe [loub] Ohrläppchen; ✿ Lappen

lobster ['lɔbstə] Hummer; **~-pot** Hummerfalle; *spiny* ~ Languste

local ['loukəl] 1. örtlich; 2. Orts-; Lokal-; ~ *colour* Lokalkolorit; ~ *government* Kommunalverwaltung; ~ *name* einheimischer Name; 3. *su* Lokalbahn; 4. örtl. Nachricht; 5. *BE* (nächstgelegenes) Wirtshaus; 6. *US* Ortsgruppe; **~ism** [⁻izm] lokale Eigenheit; Provinzialismus; **~ity** [⁻'kæliti] Örtlichkeit; Lage; *a good bump* (od *sense*) *of* ~*ity* guter Ortssinn; **~ize** [⁻⁻aiz] lokalisieren; örtlich festlegen; (sich) konzentrieren (*on* auf); mit Lokalkolorit zeichnen

loca|te [lou'keit, *US* ⁻⁻] (Ort) finden, bestimmen; errichten, unterbringen *(a. fig* j-n), lagemäßig festlegen; *US* sich niederlassen; *to be* ~*ted* liegen; **~tion** [lou'keiʃən] Lage; Niederlassung; Ansiedlung; Ortsangabe; ⊞ Gelände für Außenaufnahmen; **~tion shots** Außenaufnahmen

loch [lɔk, lɔx] *(schott.)* See; Meeresarm, (von Land umschlossene) Bucht

lock [lɔk] 1. Locke; Strähne, *pl* Haar; Büschel; 2. Schloß (*under* ~ *and key* hinter Schloß und Riegel); Gewehrschloß ◆ ~ , *stock and barrel* ganz und gar, mit Sack und Pack; 3. Schleuse; 4. ver-, zuschließen (~ *away* weg-), zusperren (~ *in* ein-, ~ *out* aus-); ✿, ✿ sperren; ~ *up* verschließen, einsperren, (Geld) fest anlegen; **~er** Spind, Schrank ◆ *to go to Davy Jones's* ['dʒounzi] ~*er* ertrinken; **~et** [⁻it] Medaillon; **~-jaw** [⁻dʒɔː] ✿ Kaumuskelstarrkrampf; **~out**

[⁻aut] Aussperrung; **~smith** [⁻smiθ] Schlosser; **~-up** [⁻ʌp] Gewahrsam; Kittchen; feste Kapitalsanlage; verschließbar

locomo|tion [loukə'mouʃən] Bewegung(sfähigkeit); **~tive** [⁻⁻⁻tiv] bewegend, fahrend; Lokomotive

locum ['loukəm], *pl* **~s** (Ferien-, Stell-)Vertreter; ~ *tenens* [⁻⁻'tiːnenz] = ~

loc|us ['loukəs], *pl* **~i** [⁻sai] genauer Ort; Örtlichkeit; *math* Ort

locust ['loukəst] (Laub-)Heuschrecke; gemeine Robinie, Silberregen

locution [lou'kjuːʃən] Sprechstil; Redewendung

lode [loud] (Erz-)Ader, Erzgang; **~-star** Polar-, Leitstern *(a. fig)*; **~-stone** *siehe* load

lodg|e [lɔdʒ] 1. unterbringen, aufnehmen; (als Mieter) wohnen; 2. stecken (bleiben); (Kugel) jagen (in), (Schlag) versetzen; 3. sicher deponieren; einreichen; 4. Häuschen, Torhaus; Jagdhütte; 5. (Freimaurer-)Loge; **~ement** *siehe* ~ ment; **~er** (Unter-)Mieter; **~ing** Unterkunft; *pl* gemietete(s) Zimmer; *furnished* ~ *ings* möbl. Zimmer, Wohnung; **~ing-house** [⁻iŋhaus], *pl* ~ing-houses [⁻iŋhauziz] billige Pension; *common* ~*ing-house* Nachtasyl; **~ment** fester Halt; ✿ Ablagerung; Einreichung

loess ['louis] Löß

loft [lɔft] (Dach-)Boden; Empore; Taubenhaus; *US* durchgehendes Obergeschoß, Speicher; **~y** (eindrucksvoll) hoch; überlegen, stolz

log [lɔg] (Baum-)Klotz; ⚓ Log; **~(-book)** Logbuch; ⛟ Fahrtenbuch; zersägen; ⚓ loggen; zurücklegen; ~ = **~arithm** [⁻əriðm] Logarithmus

loganberry ['lougənbəri] Loganbeere (Kreuzung von Him- u. Brombeere)

loggerhead ['lɔgəhed] Blödkopf ◆ *to be at* ~*s with* s. in d. Haaren liegen mit

logging ['lɔgiŋ] Holzfällen und -sägen

logic ['lɔdʒik] Logik; **~al** logisch; **~cian** [lou'dʒiʃən] Logiker; **~stics** [lou'dʒistiks] *sg vb mil* Logistik, militärisches Nachschubwesen

loin [lɔin] Lende(nstück), Nierenstück; **~-cloth** [⁻klɔθ] Lendenschurz

loiter ['lɔitə] trödeln (~ *away* ver-)

loll [lɔl] sich rekeln; ~ *out* heraushängen (lassen)

lone [loun] allein, einsam ◆ *to play a* ~ *hand* etw im Alleingang tun; **~ly** einzeln; einsam; **~liness** Alleinsein, Einsamkeit; **~some** [⁻səm] = ~ly

long [lɔŋ] (~*er* [⁻gə], ~*est* [⁻gist]) lang; *a* ~ *dozen* ['dʌzn] 13; ~ *head* Vorausblick; ~ *home* letzte Ruhestätte; ~ *sight* Weitsicht(igkeit); *to have a* ~ *tongue* [tʌŋ] zuviel schwätzen; *to take the* ~ *view* vorausblickend sein; *to have a* ~ *wind* lange laufen (reden) können; *don't be* ~ mach nicht so lang; *to be (a)* ~ *(time) (in) doing s-th* lange brauchen, etwas zu tun; *the* ~ *and the short of it* mit einem Wort; *at (the)* ~*est* längstens; *adv* lang; *so* (od *as*) ~ *as* sofern, wenn nur; *all day* ~ d. ganzen Tag; *no* (od *not* *any)* ~*er* nicht mehr; *so* ~ *(umg)* bis nachher!; *vi* sich sehnen *(for* nach); ~**bow** [‐'bou] Langbogen ♦ *to draw the* ~*bow* aufschneiden; ~**distance** [‐'distəns] ✆ Fernverkehr, Fern-(Gespräch), langfristig(e Vorhersage); ~**eval** [lɔn'dʒiːvəl] langlebig; ~**evity** [lɔn'dʒeviti] Langlebigkeit, Lebensdauer; ~**hand** [‐'hænd] Langschrift; ~**headed** [‐'hedid] schlau, klug; ~**ies** *umg* lange Unterhosen; ~**ing** [‐'iŋ] sehnsüchtig; Sehnsucht; ~**itude** ['lɔndʒitjuːd] *geog* Länge; ~**-legged** [‐'legd] langbeinig; ~**-lived** [‐'livd, ‐'laivd] langlebig; alt; ~**shoreman** [‐ʃɔːmən], *pl* ~shoremen Hafenarbeiter; ~**sighted** [‐'saitid] weitsichtig; ~**suffering** [‐'sʌfəriŋ] langmütig; ~**-term** [‐'təːm] langfristig; ~**ways**, ~**wise** *siehe* lengthwise; ~**-winded** [‐'windid] langatmig

loo [luː] *bes BE* Klo

loofah ['luːfə] Luffa(schwamm)

look [luk] 1. (hin)sehen; ~ *! sieh mal!*; ~ *one's thanks (consent etc)* seinen Dank (Zustimmung etc) durch Blicke ausdrücken; ~ *daggers at* j-n durchbohrend anblicken; 2. aussehen (wie), das Aussehen haben von; ~*s a perfect dream* sieht traumhaft schön aus; ~ *black at* finster ansehen; ~ *one's age* so alt aussehen, wie man ist; ~ *o.s. again* gut (wie früher) aussehen; ~ *alive! ~ sharp!* mach voran!, Tempo!; ~ **about** *one* umherschauen, suchen *(for* nach) ~ *about one* sich umsehen, sich Zeit lassen; ~ **after** sich kümmern um, sorgen für; ~ **ahead** vorausschauen *(a. fig)*; ~ **at** ansehen, betrachten; ~ *at him* den Aussehen nach; überprüfen; ~ **back** zurückblicken *(to, upon* auf); *not* ~ *back* nicht den Mut verlieren, stetig Fortschritte machen; ~ **down** hinunterse-hen *(at* auf); ~ *down on (fig)* herabsehen auf ♦ ~ *down one's nose at (umg)* j-n scheel anse-hen; ~ **for** suchen; erwarten; ~ **forward to** sich freuen auf; ~ **in** hereinschauen *(on s-b* bei j-m); ~ *s-b in the face* j-m ins Gesicht sehen; ~ **into** hineinschauen, untersuchen; ~ **on** anse-hen ♦ ~ *on the bright (dark) side of things* die Dinge von der positiven (negat.) Seite sehen; ~ *on … as …* ansehen als; ~ *on* zuschauen *(with s-b* mitlesen mit j-m); ~ **on** *(the garden etc)* hinausgehen auf; ~ **out** hinausgehen *(of, at the window)*; sich vorsehen; Ausschau hal-ten nach; ~ *out!* Vorsicht!; ~ *s-th out* etwas aussuchen; ~ *out on* hinausgehen auf, Aus-sicht bieten auf; ~ **over** durchsehen, prüfen; übersehen; ~ **round** sich umschauen *(a. fig)*; ~ **through** durchsehen; durchdringend ansehen; durchschauen; ~ **to** achten, achtgeben auf; sich verlassen auf; ~ **up** hinaufsehen *(at* auf); sich erholen, steigen; ~ *up to* hinaufsehen zu; ~ *s-th up* etwas nachschlagen; ~ *s-b up* j-n aufsuchen; ~ *s-b up and down* j-n von oben bis unten mustern; ~ **upon** = ~ on; 3. *su* Blick *(to have a* ~ *at s-th)*; Aussehen, Aus-druck, Blick *(an ugly* ~ *in his eye* ein häßlicher Bl. in seinen Augen); *pl* (hübsches) Äußere, Schönheit; ~**er-on** [‐ər'ɔn], *pl* ~ers-on Zu-schauer; ~**-in** [‐'in] *to have a* ~ *-in* ♟ e-e Sie-

geschance haben; ~**ing-glass** [‐'iŋglɑːs] Spie-gel; ~**-out** [‐'aut] *bes* ⚓ Ausguck; Ausblick, -sicht; *to keep a good* ~ *-out* ein wachsames Auge haben; *that's his own* ~ *-out* das ist seine Sache

loom [luːm] Webstuhl; (groß, drohend) er-scheinen, auftauchen; ~ *large* sich deutlich zeigen, in Erscheinung treten

loon [luːn] *zool* Seetaucher, *bes* Eistaucher; ~**y** meschugge; saublöd; Spinner

loop [luːp] Schlinge, Schlaufe; ✈ Überschlag, Looping; Krümmung; umbiegen, verschlin-gen; ~ *the* ~ ✈ e-n Überschlag machen; ~ *up* (Haar) aufstecken; ~**-hole** [‐'houl] Guck-loch; Schießscharte; *fig* Ausweg, Masche, Lücke; ~**(-line)** ✆, 🚂 Schleife

loose [luːs] 1. los(e), frei; locker; *to ride with a* ~ *rein* mit lockerer Hand reiten *(fig* regieren); *to have a* ~ *tongue* [tʌŋ] eine lose Zunge ha-ben; *to come* ~ los-, abgehen; *to work* ~ lok-ker werden; *he has (there is) a screw* ~ bei ihm ist 'ne Schraube locker (da stimmt was nicht); *at a* ~ *end* ohne Beschäftigung; 2. *fig* locker, lax; *on the* ~ ungehemmt ♦ *to be on the* ~ sich amüsieren; *to go on the* ~ über die Stränge schlagen; 3. ungenau; plump; ⚡ wak-kelig; 4. *vt* auf-, losmachen, -binden; lösen; ~**n** locker machen, (s.) lockern; lösen

loot [luːt] plündern; Beute; ~**er** Plünderer

lop [lɔp] *off* abschneiden, -hacken; (schlaff) herabhängen; ~**-ears** [‐iəz] Schlappohren; ~**-sided** [‐'saidid] schief

lope [loup] (in großen Sprüngen) rennen; *at a* ~ in großen Sprüngen

loquac|ious [lou'kweiʃəs] geschwätzig; ~**ity** [‐'kwæsiti] Schwatzhaftigkeit

Lord [lɔːd] Gott, der Herr; *Our* ~ Christus; *the* ~*'s Prayer* [prɛə] das Vaterunser; *the* ~*'s Day* Sonntag; *the* ~*'s Supper* das Abendmahl

lord [lɔːd] Herr; Lord; *to live like a* ~ fürstlich leben; *as drunk as a* ~ sternhagelvoll; *to act the* ~ den Herrn spielen; ~ *it over* den Herrn 'rauskehren gegen; ~**ly** vornehm; Herren-; hochmütig; ~**ship** Herrschaft; Gut; Lord-schaft, Gnaden

lore [lɔː] (Volks-)Wissen, Sagenschatz; Kunde, Lehre *(bird* ~)

lorn [lɔːn] einsam, verlassen

lorry ['lɔri] Lore; *bes BE* Lastwagen

lose [luːz] *(s. S. 318)* 1. verlieren; ~ *one's way*, ~ *o.s., to be lost* sich verirren, sich nicht zu-rechtfinden können; ~ *one's place* die Stelle (im Buch) nicht finden können; ~ *track of* aus den Augen verlieren; 2. loswerden; ~ *one's reason (od senses)* sich wahnsinnig aufregen; ~ *one's temper* die Beherrschung verlieren; ~ *interest* an Interesse verlieren; 3. (j-n) bringen um, kosten; 4. verpassen, aus d. Augen verlie-ren, nicht mitbekommen; 5. (Uhr) nachgehen; ~**er** [‐ə] Verlierer; ~**ing** aussichtslos

loss [lɔs] Verlust *(to sell at a* ~) mit V. verkau-fen; *at a* ~ in Verlegenheit; *to be never at a* ~ *for a word* nie um ein Wort verlegen sein

lost [lɔst] *siehe* lose

lot [lɔt] Los (*by* ~ durch d. L.; *to cast, draw* ~*s* L. werfen, ziehen); Schicksal; Anteil; Stück Land, Parzelle, Bauplatz; Partie, Posten; (Auktion) Los; *a bad* ~ übler Kerl; *(studio, film)* ~ Filmgelände; die ganze Menge (*the* ~ das Ganze, alles); *a* ~ *of (umg)* sehr viel(e), e-e Menge, ~*s of (umg)* e-e große Menge; *a* ~ viel, sehr

loth [louθ] *siehe* loath

lotion ['louʃən] (Augen-, Haut-, Rasier-, Wund-)Wasser, Lotion

lottery ['lɔtəri] Lotterie; Glückssache

lotus ['loutəs], *pl* ~es Lotos(blume)

loud [laud] laut; auffallend, grell; ~ness Lautstärke; ~-speaker [-'spiːkə] ⚡ Lautsprecher

lounge [laundʒ] sich herumlümmeln, sich rekeln; *to have a* ~ = to ~; Gesellschaftsraum, Halle; ~-chair (*od* seat) Klubsessel; ~suit [-sjuːt] Straßenanzug

lour [lauə] finster, drohend (aus)sehen (*at, on* auf); *siehe* lower

louse [laus], *pl* lice [lais] Laus; ~y ['lauzi] verlaust, -dreckt; *sl* mistig

lout [laut] Lümmel, Trampel; ~ish lümmelhaft

lovable ['lʌvəbl] liebenswert

love [lʌv] **1.** Liebe (*for, of* zu); *to give* (od *send*) *s-b one's* ~ j-m freundl. Grüße schicken; *not . . . for* ~ *or money* nicht für Geld u. gute Worte; *to play for* ~ um nichts (ohne Einsatz) spielen; **2.** 🎾 null, nichts ♦ ~ *game (set)* Spiel mit null Punkten (für den Verlierer); **3.** Liebe, Eros; *to fall in* ~ *with* sich verlieben in; *to be in* ~ *with* verliebt sein in; *to fall out of* ~ *with s-b* aufhören, j-n zu lieben; *to make* ~ *to* werben um, schlafen mit; **4.** Liebling, Schatz; *a (little)* ~ *of* e. entzückendes (Kind); **5.** Amor; **6.** lieben (sehr gern haben); ~ *to do (doing)* sehr gern tun; ~-affair [-əfɛə] Liebschaft; ~-bird [-bəːd] Unzertrennliche (Papagei); ~-child [-tʃaild], *pl* ~-children [-tʃildrən] Kind der Liebe; ~less lieblos, liebeleer; ~-letter [-letə] Liebesbrief; ~ly entzückend; wundervoll, herrlich; ~-lorn [-lɔːn] vor Liebe vergehend; ~-match [-mætʃ] Liebesheirat; ~-philtre [-filtə], ~-potion [-pouʃən] Liebestrank; ~r [-ə] Liebhaber *(of music etc)*; Liebender; *pair of* ~*rs* Liebespaar; ~-sick [-sik] liebeskrank; ~-token [-toukən] Liebespfand

loving ['lʌviŋ] liebevoll; ~-kindness [-'kaindnis] Herzensgüte

low [lou] **1.** niedrig; **2.** leise, tief; **3.** gemein, vulgär; **4.** schwach, gedrückt; ~ *diet* ['daiət] leichte (magere) Kost; ~ *life* Leben einfacher Leute; ~ *opinion* [ə'pinjən] keine hohe Meinung; ~ *tide* (od *water*) Niedrigwasser; *the* L~ *Countries* ['kʌntriz] Niederlande (u. Belgien); L~ *Germain* Plattdeutsch; L~ *Latin* Spätlatein; L~ *Mass* [mæs] stille Messe; L~ *Sunday* Weißer Sonntag; *to lay* ~ (um)stürzen; *to be laid* ~ umgeworfen(-gebracht) werden; ans Bett gefesselt sein; *to lie* ~ flach (da)liegen; sich still verhalten; *to run* ~ zu Ende gehen, knapp werden; **5.** *vi* brüllen, mu-

hen; **6.** Tief; Tiefstand; ~-born [-'bɔːn] von niedriger Geburt, einfach; ~-bred [-'bred] ungebildet, grob; ~-brow [-brau] geistig anspruchslos(er Mensch); ~-browed [-'braud] mit niedriger Stirn; (Raum) düster, niedrig; ~-down [-daun] unehrlich, gemein; Interna, wahre Tatsachen, Hintergründe; ~er niedriger; ~*er case* 🅐 Kleinbuchstaben; ~*er chamber* (od *house*) Unterhaus; ~*er deck* ⚓ die Mannschaften; ~*er regions* ['riːdʒənz] Unterwelt; senken; herunterlassen; niedriger machen; schwächen; dämpfen; erniedrigen; sinken; ~*er* [lauə] = lour; ~*lands* [-ləndz] Flachland; ~ly *adj* bescheiden, demütig; ~(-necked) [-'nekt] ausgeschnitten; ~(-priced) [-'praist] billig

loyal ['lɔiəl] treu, loyal; ~ty Treue, Loyalität

lozenge ['lɔzindʒ] Pastille, *bes* Hustenbonbon; Raute

lubber ['lʌbə] Tölpel; ~ly tölpelhaft

lubric|ant ['luːbrikənt] Schmiermittel; ~ate [-keit] schmieren; *fig* erleichtern; ~ation [--'kei-ʃən] Schmieren; Erleichterung; ~ator [-keitə] Schmierbüchse; Schmierer

luc|ent ['luːsənt] glänzend, (durch-)scheinend; ~erne [-'sɔːn] Luzerne; ~id [-id] klar; hell; (durch)scheinend; ~idity [-'siditi] Klarheit; Helle; ~ifer [-ifə] Luzifer; Venus, Morgenstern

luck [lʌk] Zufall, Geschick; *good* ~ Glück, *bad* ~ Pech; *to be down on one's* ~ vom Pech verfolgt sein; *just my* ~! Pech wie immer!; Glück; *for* ~ als Glücksbringer; ~less unglücklich; ~y glücklich; *to be* ~y Glück haben; gut; Glücks-

lucr|ative ['luːkrativ] einträglich, lukrativ; ~e ['luːkə] Gewinn(sucht)

ludicrous ['luːdikrəs] lächerlich; spaßig

luff [lʌf] ⚓ (auf)luven; Luv(en)

lug [lʌg] schleppen; zerren; ~e [luːʒ] (kufenloser) Rodelschlitten; rodeln; ~gage [-idʒ] *bes BE* Gepäck; ~ger [-gə] ⚓ Logger, Lugger; ~sail ['lʌgseil, ⚓ -sl] ⚓ Luggersegel

lugubrious [luː'guːbriəs] traurig, kläglich

lukewarm ['luːkwɔːm] lauwarm

lull [lʌl] einlullen; einschläfern; sich beruhigen, sich legen; Pause, Stille *(the* ~ *before the storm)*; ~aby [-əbai] Wiegenlied

lumbago [lʌm'beigou] Hexenschuß

lumber ['lʌmbə] Bau(nutz)holz; Gerümpel; vollrümpeln, -stopfen; fällen; Nutzholz fällen u. sägen; rumpeln; ~jack [--dʒæk] *US* Holzarbeiter; ~man [--mən], *pl* ~men *US* = ~jack; Holzhändler; ~mill Sägemühle; ~yard [--jaːd] Holzlager

lumin|ary ['luːminəri] Gestirn; *fig* Leuchte; ~osity Glanz, Helligkeit; ~ous [--nəs] Leucht-; *fig* klar; ~ous body Himmelskörper

lump [lʌmp] Klumpen; Beule, Schwellung; Stück (~ *sugar* Würfelzucker); ~ *in the throat* Kloß im Hals; *in the* ~ in Bausch u. Bogen; Pauschal-; Klumpen bilden, klumpen; *fig* zus.werfen; gleich behandeln ♦ *if you don't like it you can* ~ *it . . .* müssen Sie's eben hinnehmen; ~**ish** untersetzt, plump; blöd; ~**y** klumpig; kabbelig (See); schwer (Gang)

lun|acy ['lu:nəsi] Irresein; Wahnsinn; ~**ar** [‐ə] Mond-; ~**natic** [‐‐tik] irr, wahnsinnig(er Mensch)

lunch [lʌntʃ] Mittagessen *(with late diners)*; zweites Frühstück *(with midday diners)*; US Imbiß; zu Mittag essen etc; ~**eon** [‐ən] = ~

lung [lʌŋ] Lungenflügel; *pl* Lunge *(a. fig)*; ~**power** Stimmkraft

lunge [lʌndʒ] (Fechten) Ausfall, Stoß; ausfallen, stoßen

lupin ['lu:pin] Lupine; ~**e** *bes US* = ~

lurch [ləːtʃ] Ruck, Torkeln; torkeln ♦ *to leave in the* ~ im Stich lassen

lur|e [ljuə] Köder *(a. fig)*; Reiz, Lockung; (ver-, an)locken; ~**id** [‐rid] düster, unheimlich; schauerlich

lurk [ləːk] sich versteckt halten; lauern; ~**ing** verborgen; ~**ing-place** Schlupfwinkel

luscious ['lʌʃəs] köstlich; (über)süß; (Stil) üppig, saftig

lush [lʌʃ] üppig, saftig (Gras etc)

lust [lʌst] Lust, Wollust, Gier; begehren, gieren *(for, after* nach); ~**ful** lüstern, wollüstig

lust|re ['lʌstə] Glanz; Ruhm; ~**rous** [‐trəs] glänzend, strahlend

lusty ['lʌsti] kräftig, stark; lebhaft

lute [lu:t] Laute; Kitt; verkitten

luxur|iance [lʌg'ʒuəriəns, *US* -'ʒuriəns] Üppigkeit, Reichtum; ~**iant** [‐‐‐ənt] üppig *(a. fig)*; ~**iate** [‐‐rieit] schwelgen in, genießen; ~**ious** [‐‐riəs] luxuriös, Luxus-; üppig; schwelgerisch; ~**y** ['lʌkʃəri] Luxus(artikel)

lyceum [lai'si:əm], *pl* ~**s** Lehrstätte, Vortragssaal; literarischer Verein

lychgate ['litʃgeit] *siehe* lich-gate

lye [lai] Lauge

lying ['laiiŋ] lügend; liegend *(siehe* lie[1, 2]); ~**in** [‐‐'in] Niederkunft, Entbindung

lymph [limf] Lymphe; ~**atic** [-'fætik] Lymph(gefäß); lymphatisch

lynch [lintʃ] lynchen; ~ *law* Lynchjustiz

lynx [liŋks], *pl* ~**es** Luchs; ~**-eyed** [‐aid] mit Luchsaugen, scharfsichtig

lyr|e [laiə] Leier, Lyra; ~**ic** ['lirik] lyrisches Gedicht; lyrisch; ~**ical** *bes fig* lyrisch, schwärmerisch

M

M [em] M

ma [mɑ:] *umg* Mama

ma'am [mæm, *umg* məm] gnä' Frau

macabre [mə'kɑːbr] düster, makaber; *danse* [dɑːns] ~ Totentanz

macadam [mə'kædəm] Makadam (~ *road* M.straße); Schotter

macar|oni [mækə'rouni] Makkaroni; ~**oon** [‐‐'ru:n] (Mandel-, Kokos-)Makrone

macaw [mə'kɔː] *orn* Ara

mace [meis] Keule; Amtsstab; Muskatblüte; ~**-bearer** [‐bɛərə] Stabträger

machin|ation [mæki'neiʃən] Anschlag; Ränkeschmieden; *pl* Ränke; ~**e** [mə'ʃiːn] Maschine; *umg* (Fahr-)Rad; *fig* Roboter; Parteileitung, Organisation; ~**e-gun** Maschinengewehr; ~**ery** [mə'ʃiːnəri] Maschinen; Werk, Mechanismus; *fig* Maschinerie; ~**e-tool** [mə'ʃiːntuːl] Werkzeugmaschine; ~**ist** [mə'ʃiːnist] Maschinenbauer; Maschinist; Maschinennäherin

mackerel ['mækrəl], *pl* ~ Makrele

mackintosh ['mækintɔʃ] (wasserdichter) Mantel

mad [mæd] verrückt, wahnsinnig (*to drive, send s-b* ~ j-n w. machen); wahnsinnig aufgeregt, wild *(about* über, *for* auf); *like* ~ wie verrückt; toll *(to have a* ~ *time* sich toll amüsieren); wütend; vernarrt *(about* in); ~**cap** Tollkopf; toll; ~**den** verrückt, wahnsinnig machen; ~**-doctor** [‐dɔktə] Irrenarzt; ~**-house** [‐haus], *pl* ~ **-houses** [‐hauziz] Irrenhaus; ~**man** [‐mən], *pl* ~**men** Irrer; ~**ness** Verrücktheit, Wahnsinn; ~**-woman** [‐wumən], *pl* ~**women** [‐wimin] Irre

madam ['mædəm] gnädige Frau; ~**e** ['mædəm], *pl* **mesdames** ['meidæm] = ~

made [meid] *siehe* make; ~ *of, from* gemacht aus

mademoiselle [mædmɔ'zel], *pl* **mesdemoiselles** [meidmɔ'zel] (gnädiges) Fräulein

madonna [mə'dɔnə], *pl* ~**s** Madonna; ~ *lily* weiße Lilie

madrigal ['mædrigəl] Madrigal

maelstrom ['meilstrəm] Wirbelstrom; Strudel; *fig* Wirren, Chaos

magazine [mægə'ziːn] Zeitschrift; (Waffen-, Gewehr-)Magazin

maggot ['mægət] Made; ~**y** madig

Magi ['meidʒai] *pl* die Weisen aus dem Morgenlande; *magus* ['meigəs] Magier

magic ['mædʒik] Zauberei, Magie; *fig* Zauber; *attr* Zauber-; ~ *lantern* Laterna magica; ~ *square* [skwɛə] magisches Quadrat; ~**al** zauberisch, magisch; ~**ian** [mə'dʒiʃən] Zauberer

magist|erial [mædʒis'tiəriəl] obrigkeitlich; maßgeblich; überlegen; ~**rate** [‐‐treit] richterlicher Beamter; Friedensrichter

magn|animous [mæg'næniməs] großmütig; ~**animity** [‐‐'nimiti] Großmut; ~**ate** [‐neit] Magnat, Großgrundbesitzer; ~**esia** [‐'niːʃə] Magnesia; ~**esium** [‐'niːzjəm] Magnesium

magnet ['mægnit] Magnet *(a. fig)*; ~**ic** [‐'netik] magnetisch; *fig* anziehend; ~**ism** [‐‐izm] Magnetismus; *fig* Anziehungskraft; ~**ize** [‐‐aiz] magnetisieren; *fig* anziehen, beeinflussen; ~**o** [mæg'niːtou], *pl* ~**os** Magnet(zünder), Zündmagnet

magn|ificent [mæg'nifisənt] prächtig; großartig; ~**ificence** Herrlichkeit; Pracht; ~**ifier** [‐ni'faiə] Vergrößerungsglas; ~**ify** [‐ifai] vergrößern; ~**iloquence** [‐'niləkwəns] Großsprecherei; ~**iloquent** großsprecherisch; pompös; ~**itude** [‐nitjuːd] Größe, Wichtigkeit

magnolia [mæg'nouliə], *pl* ~**s** Magnolie

magpie ['mægpai] Elster; *fig* Schwatzamsel

mahogany [mə'hɔgəni] Mahagoni(-holz)

maid [meid] Mädchen; old ~ alte Jungfer; ~ of honour [⸗əv'ɔnə] BE Ehrendame, US (erste) Brautjungfer; **~en** = ~; jungfräulich; Mädchen-, Jungfern-; **~enhood** [⸗ənhud] Jungfernschaft; **~enly** mädchenhaft, jungfräulich; **~servant** [⸗sə:vənt] Dienstmädchen

mail [meil] Post(sendung); Post-; bes US mit der Post schicken; **~box** bes US Briefkasten; **~carrier** [⸗kæriə] bes US Briefträger; ~ order Postbestellung; **~order firm** Versandgeschäft

maim [meim] zum Krüppel machen, verstümmeln (a. fig)

main [mein] Hauptrohr, -leitung; pl ⚡ Netz; ♦ with might and ~ mit aller Kraft; in the ~ in der Hauptsache; die See; adj hauptsächlich; Haupt-; by ~ force mit aller Kraft; **~deck** Hauptdeck; **~land** [⸗lənd] Festland; **~ly** hauptsächlich; **~mast** [⸗mɑ:st] Großmast; **~spring** Uhrfeder; fig (Haupt-)Triebfeder; **~stay** [⸗stei] ⚓ Großstag; fig Hauptstütze

main|tain [mein'tein] aufrecht-, unterhalten; behaupten; **~tenance** [⸗tinəns] (Aufrecht-)Erhaltung; Behauptung; Unterhalt; Instandhaltung

maize [meiz] bes BE Mais(gelb)

majest|ic [mədʒestik] majestätisch; **~y** ['mædʒisti] Erhabenheit; Würde; Majestät

major ['meidʒə] Major; Mündiger; US Hauptfach; größer; wichtig(er); bevorrechtigt (Straße); US als Hauptfach wählen; **~-domo** [⸗⸗'doumou], pl **~-domos** Hofmeister; ~ **general** ['dʒenərəl] Generalmajor; **~ity** [mə'dʒɔriti] (bes US absolute) Mehrheit; Stimmenvorsprung; Volljährigkeit; Majorsrang

make [meik] (s. S. 319) 1. machen (of, from aus); verarbeiten (into zu) ♦ ~ hay of in Unordnung bringen; bilden, formen; 2. ausmachen; 3. (Geld) verdienen; (Gewinn etc) erzielen; (Verlust) erleiden; 4. ~ enemies ['enimiz] of s. zu Feinden machen, his fortune is made sein Glück ist gemacht; he has made a name for himself er hat sich e-n Namen gemacht; ~ (s-th) good (Verlust) ersetzen, (Versprechen) erfüllen, (Flucht) schaffen, (Behauptung) beweisen; schätzen, halten für (what time do you ~ it?); 5. (veran)lassen; 6. ~ s-th do, ~ do with s-th auskommen mit; 7. erreichen (port den Hafen) ⚓ sichten; 8. ergeben (12 inches ~ 1 foot); werden, abgeben (a good teacher); (Antwort) geben; ~ haste sich beeilen; ~ a good meal ein gutes Essen zu sich nehmen; ~ war Krieg führen (upon gegen); (Frieden) schließen; ~ much (little) of viel (wenig) Aufhebens machen von, viel (wenig) erzielen bei; ~ the most (od best) of soviel wie möglich herausholen bei, das beste machen aus; 9. ~ believe so tun (that als ob); ~ certain (od sure) s. vergewissern; 10. bewegen, gehen; 11. su Anfertigung, Arbeit; Machart; Gestalt; Fabrikat; on the ~ (sl) auf Profit aus; **~ after** verfolgen; ~ **against** nachteilig sein für; ~ **away** s. aus d. Staub machen; ~ **away with** vertun; umbringen; ~ **for** losgehen auf; gut sein für; ~ **of** halten von; ~ **off** ausrücken; ~ **out** (Liste) zus-, aufstellen; fig vollmachen; hinstellen (that als ob); begreifen; herausfinden; unterscheiden; sich machen; ~ **over** vermachen, übertragen (to an); umändern; ~ **up** (Rezept) anfertigen; verarbeiten (into zu); fig vollmachen; erfinden, erdichten; (j-n) herrichten, zurechtmachen, schminken; beilegen; (Liste) zus-, aufstellen; ersetzen; 📖 umbrechen; ~ **up one's mind** sich entschließen; ~ **up for** aufholen; gutmachen; ~ **up to** sich anbiedern bei; **~believe** [⸗bili:v] Vorwand; Schein; vorgeblich; **~r** Hersteller, Fabrikant; Schöpfer; **~r-up** ['meikər⸗ʌp] Konfektionär; 📖 Metteur; **~shift** [⸗ʃift] Ersatz, Notbehelf; behelfsmäßig, Not-, Ersatz-; **~up** [⸗ʌp] Herrichtung, Make-up; Schminken; 📖 Umbruch; Beschaffenheit; Schnitt; **~weight** [⸗weit] Zugabe; Lückenbüßer; Ergänzung

making ['meikiŋ] Machen; Arbeit; Herstellung; pl Verdienst ♦ to have the ~s of das Zeug haben zu; to be the ~ of s-b j-n zu etw machen, etw aus j-n machen; pl US umg Tabak u. Papier (für Zigarette)

mal- [mæl] schlecht-, miß-, un-; **~adjusted** [⸗ə'dʒʌstid] unausgeglichen; schwer erziehbar, milieugeschädigt; **~adroit** [⸗ə'drɔit] ungeschickt

malady ['mælədi] Krankheit; Gebrechen

malaprop|ism ['mæləprɔpizm] lächerlicher Sprachschnitzer; **~os** [⸗'æprəpou] unangebracht

malaria [mə'lɛəriə] Malaria; **~l** Malaria-

malcontent ['mælkəntənt] mißvergnügt(e Person)

male [meil] männlich (a. ✿); Mann; männliches Tier; **~diction** [mæli'dikʃən] Verwünschung; **~factor** [mæli'fæktə] Übeltäter; **~volence** [mə'levələns] Böswillig-, Boshaftigkeit; **~volent** [mə'levələnt] böswillig, boshaft; feindselig (to gegen)

malfeasance [mæl'fi:zəns] (bes Amts-)Vergehen

malform|ation [mælfɔ:'meiʃən] Mißbildung; **~ed** [⸗'fɔ:md] mißgestaltet

malic|e ['mælis] Bosheit, Tücke; Groll; ⚖ böse Absicht; **~ious** [mə'liʃəs] boshaft, tückisch; heimtückisch

malign [mə'lain] böse, schädlich; boshaft, böswillig; verleumden; **~ancy** [⸗'lignənsi] bes 🏥 Bösartigkeit; **~ant** [⸗'lignənt] bes 🏥 bösartig; tückisch; **~ity** Bosheit, Tücke; 🏥 Bösartigkeit

malinger [mə'liŋgə] bes mil simulieren; **~er** [⸗⸗rə] Simulant

mallard ['mæləd] Stockente(nerpel)

malleable ['mæliəbl] (kalt-)hämmerbar; schmiegsam, anpassungsfähig; **~et** [⸗it] (Holz-, Krocket-)Hammer

mallow ['mælou] Malve

mal|nutrition ['mælnju:triʃən] Unter-, unzureichende Ernährung; **~odorous** [⸗'oudərəs] übelriechend; **~practice** [⸗'præktis] 🏥 falsche Behandlung; standeswidriges Verhalten; Amtsmißbrauch

malt [mɔːlt] Malz; malzen; Malz werden; mit Malz versetzen

maltreat [mæl'triːt] mißhandeln

mamm|a [mə'mɑː] Mama; ['mæmə], pl ~ae [-iː] weibl. Brust; ~al [-əl] Säugetier

mammo|n ['mæmən] Mammon; ~th [-məθ] Mammut

mammy ['mæmi] Mama; US (farbiges) Kindermädchen

man [mæn], pl **men** [men] 1. Mann (a ~ of the world ein Mann von Welt; the ~ in the street der Durchschnittsmensch; to be one's own ~ sein eigener Herr sein, im Vollbesitz seiner Kräfte sein; ~ and boy von Jugend an; 2. Mensch; to a ~ bis auf den letzten, ohne Ausnahme; 3. Diener, Arbeiter, Soldat; 4. (Schach-)Figur; 5. bemannen

manacle ['mænəkl] (Hand-)Fessel (a. fig); fesseln; fig hindern

manage ['mænidʒ] handhaben; lenken (a. fig); umgehen mit; führen, leiten; zurechtkommen mit, fertig werden mit; es fertig bringen; can ~ benutzen, umg 'runterbringen (another slice); ~able [-əbl] umgänglich, lenkbar; ~ment Handhabung; Lenkung; (Geschäfts-)Leitung, Direktion; ~r [-ə] (Abteilungs-)Leiter; Verwalter; Direktor; Manager; ~ress [-ə'res] Leiterin; ~rial [-ə'dʒiəriəl] Betriebsführungs-, Leitungs-; leitend

managing ['mænidʒiŋ] leitend; geschäftsführend; wirtschaftlich; herrisch

Manchester ['mæntʃistə] goods BE Baumwollstoffe

mandarin ['mændərin] Mandarin; Mandarindialekt; Mandarine; Bürokrat

mandat|e ['mændeit] Befehl, Auftrag; Mandat; unter ein Mandat stellen; ~ory [-dətəri] befehlend; verbindlich, unabdingbar; Bevollmächtigter; Mandatar(staat)

mandible ['mændibl] (bes Unter-)Kiefer; orn Ober-, Unterschnabel

mandolin ['mændəlin] Mandoline

mandr|ake ['mændreik] Alraun; ~ill [-dril] Mandrill

mane [mein] Mähne

man-eater ['mæniːtə] Menschenfresser; menschengefährl. Hai (Tiger)

manes ['meiniːz] pl vb Manen, Totengeister

maneuver [mə'nuːvə] US = manoeuvre

manful ['mænful] mannhaft, tapfer

manganese [mæŋgə'niːz] Mangan

mange [meindʒ] ⚕ Räude; ~l, ~l-wurzel ['mæŋgl(wɔːzl)] = mangold

manger ['meindʒə] Krippe ♦ dog in the ~ Neidhammel

mangle [mæŋgl] Mangel; mangeln; zerfleischen, verstümmeln (a. fig)

mangold ['mæŋgəld] Futter-, Runkelrübe

mangrove ['mæŋgrouv] Mangrove

mangy ['meindʒi] räudig; schäbig

man|-handle ['mænhændl] durch Menschenkraft bewegen; umg grob (an-)packen; ~-hole [-houl] ⚙ Mann-, Einsteigloch; ~hood [-hud]

Mannesalter; **Männlichkeit**; **Männer(welt)**; ~-**hour** [-'auə] Arbeitsstunde pro Mann

mani|a ['meiniə] Raserei, Wahnsinn; Manie; ~ac [-niæk] wahnsinnig, besessen, rasend; Wahnsinniger, Besessener, Rasender; ~acal [mə'naiəkl] = ~ac adj; ~c ['mænik] wahnsinnig, manisch

manicur|e ['mænikjuə] Maniküre; to have a ~ e sich maniküren lassen; vt maniküren; ~ist [-kjuərist] Maniküre

manifest ['mænifest] ⚓ Ladeverzeichnis; offenbar, deutlich; offenbaren; sich zeigen; in ein Ladeverzeichnis aufnehmen; ~ation [--- 'teiʃən] Offenbarung; Kundgebung; Bekundung, Beweis; ~o [---'tou], pl ~os, US ~oes Manifest

mani|fold ['mænifould] mannigfaltig, vielfältig; vervielfältigen; ~kin [-kin] Männlein, Zwerg; anatom. Modell; Gliederpuppe; Schaufensterpuppe

Manila [mə'nilə] Manilazigarre; -faser; -papier

manipula|te [mə'nipjuleit] handhaben; beeinflussen; manipulieren; ~tion [-ˌ---ʃən] Handhabung; Beeinflussung; Manipulation

man|kind [mæn'kaind] Menschheit; [-] Männer(welt); ~like [-laik] männlich; unweiblich; ~ly männlich, mannhaft; ~-made ['mænmeid] künstlich; synthetisch; ~ made fibre Chemiefaser

mann|a ['mænə] Manna; ~equin ['mænikin] Mannequin; Schaufensterpuppe

manner ['mænə] 1. Art u. Weise (in this ~ auf diese W.); to the ~ born von Jugend auf gewöhnt; in a ~ of speaking sozusagen; 2. Benehmen; 3. pl Sitten, Manieren, gesellschaftl. Auftreten; 4. Stil, Manier ♦ all ~ of alle Arten von, alle möglichen; by no ~ of means unter keinen Umständen; in a ~ bis zu e-m gewissen Grade; ~ism [-rizm] Manier, Eigenart; Künstelei; ~ly [--li] gesittet, manierlich

mannish ['mæniʃ] unweiblich; männlich

manoeuvre, US **maneuver** [mə'nuːvə] Manöver (a. fig); manövrieren (lassen) (a. fig); manipulieren

man-of-war ['mænəv'wɔː], pl **men-of-war** ['men-] Schlachtschiff

manor ['mænə] (Ritter-)Gut; lord of the ~ Gutsherr; ~-house [--haus], pl ~-houses [-- hauziz] Herren-, Gutshaus; ~ial [mə'nɔːriəl] herrschaftlich; Ritterguts-

manpower ['mænpauə] verfügbare Arbeitskräfte (Soldaten)

manse [mæns] (schottisches) Pfarrhaus; ~ion [-ʃən] (herrschaftl.) Wohnhaus, Palais; pl BE Mietshaus

manslaughter ['mænslɔːtə] Totschlag, fahrlässige Tötung

mantel [mæntl], ~piece [-piːs] Kaminsims

mantilla [mæn'tilə], pl ~s Mantille

mantis ['mæntis], pl ~es Gottesanbeterin

mantle [mæntl] Mantel (a. fig); Glühstrumpf; Hülle, verhüllen; ~ on bedecken; ~ with sich überziehen mit

man-trap ['mæntræp] Fußangel

manu|al ['mænjuəl] Hand-; ~al training Werkunterricht; Handbuch, Leitfaden; Manual; ~factory [--'fæktəri] Fabrik, Werkstatt; ~facture [--'fæktʃə] herstellen, erzeugen; verarbeiten (into zu); fig fabrizieren; su Herstellung etc; pl Fabrikate, Waren; ~facturer Fabrikant; Erzeuger

manure [mə'njuə] Dünger; düngen

manuscript ['mænjuskript] Manuskript (in ~ als M., ungedruckt)

many ['meni] viele (a good ~, a great ~ sehr viele); as ~ ebenso viele; ~ a time viele Male; ~ a man viele Leute; one too ~ einer zu viel ♦ to be one too ~ for s-b j-m über sein; the ~ die große Masse; ~-sided [--'saidid] vielseitig (a. fig)

map [mæp] astr, geog Karte; kartographisch aufnehmen; auf e-r Karte verzeichnen; ~ out planen, zurechtlegen

maple [meipl] Ahorn(holz)

mar [maː] (zer)stören, trüben; beeinträchtigen

Marathon ['mærəθən] race Marathonlauf

maraud [mə'rɔːd] marodieren, plündern; ~er Marodeur

marble [maːbl] Marmor; pl Skulpturen; Murmel (to play ~s); ~s sg vb Murmelspiel; ~d [maːbld] marmoriert

March [maːtʃ] März

march [maːtʃ] marschieren; (ab)führen; grenzen (on an), gemeinsame Grenze haben (with mit); Marsch (~ past Vorbei-); fig Gang, Fortschritt; ♪ Marsch (dead ~ Trauer-); (bes pl) Grenzland; ~ioness ['maːʃənis] Marquise, Markgräfin; ~pane [-pein] Marzipan

Mardi gras ['maːdiˈgraː] Fastnachtsdienstag

mare [mɛə] ~'s nest phantastische Entdeckung; ein einziges Durcheinander

marg|arine [maːdʒə'riːn] Margarine; ~e [maːdʒ] BE umg = ~arine

margin ['maːdʒin] Rand (a. fig); Spielraum, Spanne; Marge; ~al Rand-; knapp (nicht mehr) rentabel

marguerite [maːgə'riːt] Margerite, großes Maßlieb; Gänseblümchen

marigold ['mærigould] Tagetes; Ringelblume; marsh ~ : siehe marsh

marine [mə'riːn] Meer-; See-; Marine-; (Handels-)Flotte; Marine; pl Marinelandungstruppen ♦ tell that to the ~s mach das e-m andern weis; ~r ['mærinə] Seemann, Matrose; master ~r Kapitän

marionette [mæriə'net] Marionette

marital ['mæritl] ehelich; Ehe-; Gatten-

maritime ['mæritaim] See- (insurance, law); Küsten-

marjoram ['maːdʒərəm] Majoran

mark [maːk] 1. Fleck, Spur; 2. (Geburts-, Kenn-)Zeichen; 3. Note, Zensur, Punkt; 4. Ziel ♦ beside (od wide of) the ~ verfehlt, unrichtig; to hit the ~ ins Schwarze treffen; to miss the ~ sein Ziel verfehlen; 5. Ansehen, Bedeutung (a man of ~ ein Mann von B.); to make one's ~ sich durchsetzen, berühmt werden; below the ~ unter d. Durchschnitt; up to the ~ den Erwartungen entsprechend, auf d. Höhe; 6. Mark(stück); 7. vt (aus-)zeichnen, notieren; 8. zensieren; 9. markieren; kennzeichnen; 10. beachten ♦ ~ time auf der Stelle treten (a. fig); ~ down im Preis herabsetzen; ~ off abgrenzen, trennen; ~ out (durch Linien) bezeichnen; bestimmen (for für); ~ up im Preis heraufsetzen; ~ed [maːkt] deutlich, auffallend, ausgesprochen ♦ a ~ed man ein Gezeichneter; ~edly [-idli] adv (ganz) deutlich; ~er Markierung, Lesezeichen; Markör; ~ing Bezeichnung, Markierung

market ['maːkit] 1. Markt(halle, -platz); in the ~ zum Verkauf angeboten; 2. Absatz; to find a (ready) ~ (guten) Absatz finden; 3. Marktlage, -wert ♦ to bring one's eggs (hogs) to a bad (the wrong) ~ aufs falsche Pferd setzen; 4. auf d. Markt bringen, absetzen; 5. einkaufen (to go ~ing); ~able markt-, absatzfähig; ~garden [--'gaːdən] Handelsgärtnerei; ~place [--'pleis] Marktplatz; ~town [--'taun] Stadt mit Marktrecht

marks|man ['maːksmən], pl ~men [-mən] Schütze; ~manship Schießkunst

marl [maːl] Mergel; mergeln

marm|alade ['maːməleid] Orangenmarmelade; ~oset [-məzet] Krallenaffe, Marmosette; ~ot [-ət] Murmeltier; Präriehund

maroon [mə'ruːn] (kastanien)braun; Feuerwerkskörper; j-n aussetzen

marqu|e [maːk] (Auto-)Marke; letters of ~ee Kaperbrief; ~ee [-'kiː] Vordach; BE (großes) Zelt; ~is, ~ess ['maːkwis] Marquis, Markgraf

marr|iage ['mæridʒ] Ehe; Trauung, Heirat; to give (take) in ~iage (ver)heiraten; by ~iage angeheiratet; ~iage lines Trauschein; ~iage portion Mitgift; ~iageable [--əbl] heiratsfähig; ~ied [-id] verheiratet; Ehe-

marrow ['mærou] Mark (to the ~ bis aufs M.); BE Gartenkürbis

marry ['mæri] (ver)heiraten; trauen; ~ off verheiraten, an d. Mann bringen

Mars [maːz] astr Mars

marsh [maːʃ] Marsch, Sumpf; ~ fever Sumpffieber; ~ gas Sumpfgas; ~ mallow ['mælou] Eibisch; ~ marigold ['mærigould] Sumpfdotterblume; ~al [-əl] Marschall; Hofmarschall; BE Gerichtsschreiber; US Vollzugsbeamter, Polizei-, Feuerwehrchef; ordnen; führen; ~alling yard Verschiebebahnhof; ~y sumpfig

marsupial [maː'sjuːpiəl] Beuteltier

mart [maːt] Marktplatz; Auktionsraum; ~en [-ən] Marder; ~ial ['maːʃəl] kriegerisch; Kriegs-; ~ial law Kriegs-, Standrecht; ~ial music Militärmusik

Martian ['maːʃən] Marsbewohner; Mars-

martin ['maːtin] Mehl-, BE Uferschwalbe; ~et [--'net] mil Drillmeister; Schinder; ~i [-'tiːni] Martini(-Cocktail)

Martinmas ['maːtinmæs] Martinstag (11. November)

martyr ['maːtə] Märtyrer; fig Opfer (to gout der Gicht); zum M. machen; martern

marvel ['maːvəl] Wunder; sich sehr verwundern (*at* über); bewundern; sich fragen; **~lous**, *US* **~ous** wunderbar, -voll

Marx|ian ['maːksiən] Marxist; marxistisch; **~ist** [-ist] = **~ian**

marzipan [maːzi'pæn] Marzipan

mascot ['mæskət] Maskottchen

masculine ['mæskjulin] männlich

mash [mæʃ] Maische; Mengfutter; Brei; Mischmasch; Flirt, Flamme; maischen; zerstampfen, zu Brei verarbeiten; **~ed** [mæʃt] **potatoes** Kartoffelbrei

mask [maːsk] Maske *(a. fig)*; *to throw off one's* ~ d. Maske fallen lassen; maskieren; tarnen; **~ed** [maːskt] **ball** Maskenball

mason ['meisn] (Frei-)Maurer; **~ic** [mə'sɔnik] freimaurerisch; **~ry** Mauerwerk; Maurerarbeit

masque [maːsk] Maskenspiel; **~rade** [mæskə'reid] Maskerade *(a. fig)*, Maskenfest; sich verkleiden, sich maskieren

mass [mæs] Masse, Menge, Haufen; *the ~ of* die Mehrzahl; *eccl* Messe (a. ♪); *High M~* Hohe Messe, Hochamt; *Low M~* stille Messe; (s.) (an)sammeln

massacre ['mæsəkə] Blutbad, Massaker; abschlachten, massakrieren

mass|age ['mæsaːʒ, *US* mə'saːʒ] Massage; massieren; **~eur** [mæ'sɔː] Masseur; **~euse** [mæ'sɔːz, *US* -'suːs] Masseuse; **~ive** ['mæsiv] massiv; massig; schwer; **~y** ['mæsi] massig, fest

mast [maːst] ♦ *to sail before the* ~ Matrose sein; **~-head** [-hed] Topp; Impressum; Zeitungskopf

master ['maːstə] 1. Meister; 2. Prinzipal, Dienstherr; 3. Kapitän; 4. (Haus-)Herr; *to be* ~ *of* beherrschen, verfügen über; 5. Lehrer; 6. (akadem. Titel) Magister, Assessor; 7. (Anrede) junger Herr; 8. beherrschen; zügeln; **~-builder** [-'bildə] Baumeister; **~-craftsman** [-kraːftsmən] Handwerksmeister; **~ful** herrisch, gebieterisch; eigenwillig; **~-key** [-kiː] Hauptschlüssel; **~ly** meisterhaft; ~ **mind** überlegener Geist, überl. Kopf; **~piece** [-piːs] Meisterstück; **~ship** Herrschaft; Lehramt, -stelle; **~y** [-ri] Herrschaft; Oberhand; Meisterschaft, Beherrschung

masticate ['mæstikeit] kauen

mastiff ['mæstif] englische Dogge

mat [mæt] Matte; Untersetzer, Deckchen; Verfilzung; mit Matten bedecken (auslegen); verfilzen

mat² [mæt] stumpf, matt(iert); Rand; stumpf machen (werden)

matador ['mætədɔː] Matador

match [mætʃ] 1. Streichholz; 2. Lunte; 3. (Wett-, Einzel-)Spiel; 4. ebenbürtiger Gegner, Meister *(he has met his* ~ *)*; 5. passendes Stück, Gegenstück; *not a* ~ *for* (j-m) nicht gewachsen; *to be a good* ~ *(konkr)* genau (zueinander) passen, e-e gute Partie sein; *to make a* ~ *of it* die Ehe eingehen; 6. messen *(with, against* mit, gegen); 7. passen zu; *to* ~ (dazu)

passend (zu); 8. etw Passendes geben zu *(can you* ~ *me this silk?)*; 9. abstimmen *(to* auf, mit mit); 10. es j-m gleichtun, j-n erreichen (in); 11. ehelich verbinden, verheiraten *(with* mit); **~-box** Streichholzschachtel; **~less** unvergleichlich, unerreicht; **~lock** Luntenschloß, -gewehr; **~-maker** [-meikə] Ehevermittler(in); Kuppler(in)

mate [meit] Gefährte, Genosse, Kamerad; *orn* Männchen, Weibchen; Gatte, Gattin; ⚓ Maat; Schachmatt; (s.) paaren; (s.) verheiraten; ♣ verbinden; matt setzen

mater ['meitə] *umg* alte Dame

materia [mə'tiəriə] **medica** ['medikə] Arzneimittelkunde

material [mə'tiəriəl] Material, Stoff; Gewebe, Stoff; *pl* Zeug *(writing* ~s Schreib-); *raw* ~s Rohstoffe; stofflich; materiell; wesentlich *(to* für); **~ism** [-izm] Materialismus; **~ist** Materialist; **~istic** [-,--'listik] materialistisch; **~ize** [-,--laiz] (s.) verwirklichen, zustande kommen; (s.) materialisieren

materiel [mə,tiəri'el] Kriegsmaterial, -gerät

mater|nal [mə'təːnəl] mütterlich; **~nally** mütterlich(erseits); **~nity** [mə'təːniti] Mutterschaft; Mütterlichkeit; **~nity dress** Umstandskleid; **~nity hospital** Entbindungsheim

matey ['meiti] *siehe* maty

math(s) [mæθ] *umg* = mathematics

mathematic|al [mæθi'mætikəl] mathematisch; **~ian** [--mə'tiʃən] Mathematiker; **~s** [---tiks] *sg vb* Mathematik; *pl vb* mathematische Rechnungen

matinée ['mætinei, *US* ---] ⚑ Nachmittagsvorstellung

matri|c [mə'trik] *BE umg* = ~culation; **~ces** *siehe* ~x

matricide ['meitrisaid] Muttermord; -mörder

matri|culate [mə'trikjuleit] (j-n) zur Universät zulassen, (s.) einschreiben (lassen); **~culation** [mətrikju'leiʃən] Zulassung(sexamen) zur Universität; Einschreibung

matrimon|ial [mætri'mouniəl] ehelich, Ehe-; **~y** ['mætriməni] Ehe(bund), Heirat

matri|x [*bes* 🕮 'meitriks, *bes* ⑤ 'mei-], *pl* **~ces** [-trisiːz], **~xes** Matrize, Mater; ⑤ Gebärmutter, Matrix; Nagelbett

matron ['meitrən], *pl* **~s** Oberin; Matrone; **~ly** matronenhaft; gesetzt

matt [mæt] = mat² *(bes* 🕮); **~ed** [-id] struppig; verworren

matter ['mætə] 1. Angelegenheit, Sache; *as a* ~ *of fact* tatsächlich, in Wirklichkeit, eigentlich, übrigens; *a* ~ *of course* e-e Selbstverständlichkeit; *for that* ~, *for the* ~ *of that* was das betrifft; *in the* ~ *of* hinsichtlich; *to make* ~s *worse* die Dinge verschlimmern; *to take* ~s *easy* die Dinge leichtnehmen; *it is (makes) no* ~ es macht nichts aus, bleibt sich gleich; *no* ~ *what* ganz gleich was; *have you (is there) anything the* ~ *with* ...?; ist etw los (nicht in Ordnung) mit ...?; 2. Gedrucktes, Sache *(printed* ~ Druck-, *postal* ~ Post-); 3. Stoff, Materie (a. fig); 4. ⑤ Eiter; 5. ausmachen (*what does it ~ ?*); darauf ankommen *(that's what ~s now)*; **~-of-fact** [⸗-rəvfækt] sachlich; alltäglich; nüchtern

matting ['mætiŋ] Matten; Mattieren; Verfilzen

mattock ['mætək] Breithacke, Karst

mattress ['mætris] Matratze; *(a.* **spring** ~*)* Bettrost

matur|e [mə'tjuə] reif *(a. fig)*; reiflich; wohlerwogen; fällig; reifen (lassen); fällig werden; **~ity** [⸗-⸗riti] Reife

maty, -ey ['meiti] umgänglich, kameradschaftlich

maudlin ['mɔːdlin] weinerlich, rührselig

maul [mɔːl] miß-, schlecht behandeln; *fig* mitnehmen; *fig* verreißen

maunder ['mɔːndə] faseln; dahinlatschen

mausoleum [mɔːsə'liːəm], *pl* ~s Mausoleum

mauve [mouv] malvenfarbig, hellviolett

mavis ['meivis], *pl* ~es *BE* Singdrossel

maw [mɔː] (Tier-)Magen; *orn* Kropf; *fig* Rachen; **~worm** [⸗-wəːm] Spulwurm

mawkish ['mɔːkiʃ] schal, fade; kitschig

maxill|a [mæk'silə], *pl* **~ae** [⸗-iː] *(bes* Ober-) Kiefer

maxim ['mæksim] Maxime, Lebensregel; **~um** [⸗-məm], *pl* **~a** [⸗-ə], **~ums** Maximum, Höchstzahl, -betrag; Höchst-, Maximal-

may [mei] *(s. S. 319)* dürfen; können *(he ~ come* er kommt vielleicht); Grund haben zu, können; (Frage, Wunsch) mögen; (nach *so that, in order that)* können *(oder unübersetzt)*; fig Jugend, Blüte; *BE* Weiß-, Hagedorn

May [mei] Mai

maybe ['meibi] vielleicht

mayonnaise [meiə'neiz] Mayonnaise

mayor [mɛə, *US* 'meiər] Bürgermeister; **~alty** [⸗-rəlti] Amt(sdauer) e-s Bürgermeisters; **~ess** [⸗-ris] Bürgermeisterin

may|pole ['meipoul] Maibaum; **~-tree** [⸗-triː] Weiß-, Hagedorn

maze [meiz] Irrgarten; Verwirrung; *in a ~* verwirrt; **~d** [meizd] verwirrt

mazurka [mə'zəːkə], *pl* ~s Mazurka

me [miː] mir, mich; *it's ~* ich bin's

mead [miːd] Met; Wiese; **~ow** ['medou] Wiese; **~ow saffron** Herbstzeitlose

meagre ['miːgə] mager *(a. fig)*; dürftig

meal [miːl] (Grob-)Mehl; Mahl(zeit); **~-time** [⸗-taim] Essenszeit; **~y** mehlig; mehlbedeckt; bleich; **~y-mouthed** [⸗-imauðd] zimperlich, leisetreterisch

mean [miːn] *(s. S. 319)* **1.** bedeuten; meinen *(~business* ['biznis] es ernst meinen); im Sinn haben; **2.** wollen *(I ~ you to go . . .* daß du gehst); **3.** (vor)bestimmen; *~ well by* (od *to*) es gut meinen mit; **4.** *adj* mittlere; mittelmäßig, durchschnittlich; **5.** geizig; **6.** gering, ärmlich; **7.** niedrig; *no ~* tüchtig; **8.** gemein *(don't be so ~ to him)*; geizig; **9.** *US* schlecht, bösartig; **10.** *US* kränkl.; beschämt; **11.** *US* Mitte(-lweg) *(the golden* [od *happy*] ~ der goldene Mittelweg); **12.** *math* Mittel; ~s *(sg vb od pl vb)* Mittel; *by ~s of* mit Hilfe von; *by all ~s* auf jeden Fall,

gewiß; *by no ~s* keineswegs, durchaus nicht; *by some ~s or other* irgendwie; *by fair ~s or foul* mit allen (erdenklichen) Mitteln; ~s *(pl vb)*, Geldmittel, Wohlstand; *a man of ~s* wohlhabender Mann; *to live within one's ~s* nicht mehr ausgeben, als man verdient; **~ing** Bedeutung *(with ~ing* bedeutungsvoll); Sinn; **~ingful** bedeutungsvoll, bedeutsam; **~ingless** bedeutungs-, sinnlos; **~t** [ment] *siehe ~ vb*; **~time** [⸗-taim] inzwischen; Zwischenzeit; **~while** [⸗-wail] = ~time

meander [mi'ændə] sich winden; sich schlängeln; umherstreifen; faseln

measl|es [miːzlz] *sg vb* Masern; *German ~es* Röteln; **~y** [⸗-li] fleckig; armselig

measur|able ['meʒərəbl] meßbar; *within ~able distance of* nahe an; **~e** [⸗-ʒə] **1.** Maß *(made to ~e [BE]* nach M.); *to give full (short) ~e* die ganze (nicht die ganze) Menge geben; *to take s-b's ~e* bei j-m Maß nehmen, *fig* j-n ab-, einschätzen; *for good ~e* obendrein; (Raum- etc) Maß *(~e of capacity* [kə'pæsiti] Hohl-); **2.** Bushel; **3.** Ausmaß; *a ~e of* ein gewisses Maß von; *beyond ~e* über alle Maßen, übergroß; *to set ~es to* Grenzen ziehen; *in some ~e* bis zu e-m gewissen Grad; *in (a) great (large) ~e* weitgehend, großenteils; *the ~e* d. Maßstab; **4.** *math* Teiler *(greatest common ~e* größter gemeinsamer T.); **5.** Maßnahme; **6.** Rhythmus, Versmaß; ♪ Takt (als Maß, *US a.* als Einheit); **7.** messen; Maß nehmen von; **8.** ab-, zumessen, -teilen ♦ *~e one's length* der Länge nach hinfallen; **9.** (s.) messen *(with* mit); **10.** beurteilen *(by* nach); **~ed** [⸗-ʒəd] (ab)gemessen *(a. fig)*; **~ement** [⸗-ʒəmənt] Messen, Messungen; Maßsystem; *(bes* Längen-)Maß, Abmessung

meat [miːt] Fleisch; *~ and drink* Speis u. Trank, *fig* gefundenes Fressen; *grace before ~* Tischgebet; *fig* Gehalt; **~y** fleischig; kräftig, gehaltvoll

meccano [me'kɑːnou] Metallbaukasten

mechan|ic [mi'kænik] Handwerker, *bes* (Maschinen-)Schlosser; Mechaniker; **~ical** [⸗-nikl] mechanisch, maschinell; Maschinen-; **~ics** [⸗-niks] *sg vb* Mechanik; **~ism** ['mekənizm] Mechanismus *(a. fig)*; **~ize** ['mekənaiz] mechanisieren; *mil* motorisieren

medal [medl] Medaille *(the reverse of the ~* die Kehrseite der Medaille); Denkmünze; **~list**, *US* **~ist** Inhaber einer Medaille; Graveur

meddle [medl] sich einmischen (in); sich zu schaffen machen *(with* mit); **~r** [⸗-lə] Naseweis, Eindringling; **~some** [⸗-səm] zudringlich, naseweis, lästig

medi|a ['miːdiə] *siehe ~um*; **~aeval** [medi'iːvəl] *siehe ~eval*; **~al** [⸗-əl] mittlere; durchschnittlich; **~an** [⸗-ən] mittlere, Mittel-; Seitenhalbierende; **~ate** [⸗-eit] vermitteln; durch Vermittlung zustande bringen; [⸗-it] mittelbar; **~ation** [⸗-'eiʃən] Vermittlung; **~ator** [⸗-eitə] Vermittler

medic ['medik] Mediziner; Medizinstudent; **~al** [⸗-əl] medizinisch, ärztlich; Sanitäts-; **~al**

history Krankengeschichte; ~*al jurisprudence* Gerichtsmedizin; ~*al man* Doktor, Mediziner; ~*al (health) officer* Amtsarzt; ~**ament** [--kəmənt] Arznei, Heilmittel; ~**ate** [--keit] medizinisch behandeln; ~**ated** Heil-, Medizin-; medizinisch; ~**ation** [--'keiʃən] medizin. Behandlung; ~**inal** [--sinəl] heilkräftig, medizinisch; ~**ine** ['medsin, *bes US* 'medisin] Medizin; *(general)*~*ine* innere Medizin; Heilmittel; ~**ine-man** ['medsinmæn], *pl* ~ine-men ['medsinmen] Medizinmann

medieval [medi'i:vəl], *bes US* mi:-] mittelalterlich

mediocr|e ['mi:dioukə] mittelmäßig; ~**ity** [--'ɔkriti] Mittelmäßigkeit; mittelmäßige Person, kleiner Geist

medita|te ['mediteit] nachdenken *(on* über); vorhaben, sinnen auf; ~**tion** [--'teiʃən] Nachdenken; *(innere)* Betrachtung; Meditation; ~**tive** [--teitiv] nachdenklich; sinnend

mediterranean [medite'reinjən] binnenländisch; landumgeben; M~ Mittelmeer

medi|um ['mi:diəm], *pl* ~**a** [--ə], ~**ums** Mittel; *through* (od *by) the* ~*um of* vermittels; Werbemittels; *phys* Medium; *(culture)* ~*um* Nährboden; Mitte(lweg); ~**um,** *pl* ~ums (spiritist.) Medium; *adj* mittlere; Mittel-; Durchschnitts-; ~**um-sized** [---'saizd] mittelgroß

medl|ar ['medlə] Mispel; ~**ey** [-li] Gemisch; ♪ Potpourri

meed [mi:d] Belohnung; *fig* Lohn

meek [mi:k] sanft(mütig)

meerschaum ['miəʃəm] Meerschaum(pfeife)

meet [mi:t] *(s. S. 319)* 1. (s.) treffen (mit), begegnen; 2. stoßen auf; 3. kennenlernen; 4. etwas begegnen, entgegentreten; ~ *one's death* [deθ] den Tod finden; 5. zus.kommen; ~ *with* erleben, (Unfall) erleiden; 6. (zufällig) finden; ~ *the train* den Zug abwarten, zum Zug gehen; 7. *fig* entgegenkommen; 8. entsprechen, erfüllen; 9. befriedigen; 10. (Rechnung, Gebühr) bezahlen; 11. (Hände) (s.) finden; 12. (Kleider) zugehen; *to make both ends* ~ sich nach der Decke strecken, mit seinen Mitteln auskommen; ~ *the eye (ear)* auffallen, Beachtung finden; 13. *su BE* Treffen zur Fuchsjagd; 14. Sportfest, -veranstaltung; 15. *adj* passend, recht; ~**ing** Zus.kunft, Versammlung; Tagung, Sitzung; Treffen; Sportfest, -veranstaltung

mega ['megə] groß-; ~**cycle** [--saikl] Megahertz; ~**lomania** [--lou'meinjə] Größenwahn; ~**phone** [--foun] Megaphon

melancholy ['melənkəli] Trübsinn, Melancholie; trübsinnig, düster; betrübend; nachdenklich

mêlée, *US* **melee** ['melei, *bes US* 'mei-] Handgemenge

meliorate ['mi:liəreit] (s.) verbessern

mellifluous [me'lifluəs] (honig)süß

mellow ['melou] reif, saftig; (Wein) mild, abgelagert; (Farbe, Ton, Stimme) voll, warm, weich; (Mensch) verständnisvoll, mitfühlend; (Boden) reich, schwer; *sl* angeheitert; lustig; reif etc machen (werden)

melo|dic [mi'lɔdik] ♪ melodisch, Melodie enthaltend; ~**dious** [-'loudiəs] wohltönend, melodisch; ~**drama** ['melədrɑːmə], *pl* ~dramas dramatisches Volks-, Rührstück; Melodrama; theatralisches Getue; ~**dramatic** [melədrə'mætik] pathetisch, theatralisch; ~**dy** ['melədi] Melodie

melon ['melən] (Zucker-, Wasser-)Melone

melt [melt] *(s. S. 319)* schmelzen *(away* weg-); sich auflösen, zergehen; *fig* zerschmelzen; rühren; ~ *down* einschmelzen; ~ *into* (unmerklich) übergehen in; ~**ing** zart; Schmelz-; ~**ing-point** Schmelzpunkt; ~**ing-pot** Schmelztiegel *(a. fig)*

member ['membə] (Mit-)Glied; Teil; ⚤ Glied; ~**ship** Mitgliedschaft; Mitgliederzahl

membrane ['membrein] Membran, Haut

memento [mi'mentou], *pl* ~**es**, ~**s** Erinnerung(szeichen); Mahnung; Warnung

memo ['memou], *pl* ~**s** *umg* = ~randum

memoir ['memwɑː] Denkschrift; *pl* Memoiren; wissenschaftl. Abhandlung

memora|ble ['memərəbl] denkwürdig; ~**ndum** [--'rændəm], *pl* ~nda [---də], ~ndums Notiz, Niederschrift, Aufzeichnung; Memorandum, Note

memor|ial [mi'mɔːriəl] Denkmal; Gedächtnisfeier; Eingabe, Bittschrift; *pl* histor. Urkunden; Gedächtnis-, Gedenk-; ~**ialize** [--laiz] feiern; eine Eingabe richten an; ~**ize** ['meməraiz] auswendig lernen; aufzeichnen; ~**y** ['meməri] Gedächtnis *(from* ~*y* aus d. G.); *to the best of my* ~*y* nach bestem Wissen; Erinnerung; Gedenken *(in* ~*y of* zum G. an); *within living* ~*y* soweit man zurückdenken kann; *of blessed* ['blesid] ~*y* seligen Angedenkens

men [men] *siehe* man

menace ['menis] Gefahr, Drohung *(to* für); (be)drohen

menagerie [mi'nædʒəri] Tierschau, Menagerie

mend [mend] 1. (aus)bessern, flicken; besser machen; ~ *the fire* Feuerung nachlegen; ~ *one's pace* den Schritt beschleunigen; ~ *one's ways* sich moralisch bessern; *to be* ~*ing* auf dem Wege der Besserung sein; 2. Flick-, Reparaturstelle; *on the* ~ auf dem Wege der Besserung; ~**acious** [-'deiʃəs] lügenhaft, verlogen; ~**acity** [--'dæsiti] Lügenhaftigkeit, Verlogenheit; ~**icant** [-'ikənt] Bettel(mönch); Bettler

menfolk ['menfouk] *pl umg* Männer, Mannsleute

menial ['mi:niəl] niedrig(e Arbeit verrichtend); Knecht

menin|gitis [menin'dʒaitis] Hirnhautentzündung; ~**x** ['mi:niŋks], *pl* ~ges [mi'nindʒi:z] Hirnhaut

mensuration [mensjuə'reiʃən, *US* menʃə--] Meßkunst; (Ver)Messung

menswear ['menzwɛə] Herrenkonfektion, -stoff

mental [mentl] geistig; Kopf-; Geistes-; ~ *patient* ['peiʃənt] Geisteskranker; ~ *hospital* Nervenheilanstalt; ~ *specialist* ['speʃəlist]

Psychiater; ~ *test* Intelligenzprüfung; ~**ity** [-'tæliti] Mentalität, Geistes-, Denkart; Intelligenz; ~**ly** im Geist; ~*ly defective* schwachsinnig

menthol ['menθɔl, *US* -θoul] Menthol

mention ['menʃən] Erwähnung; *to make ~ of = to* ~ erwähnen; *not to* ~ ganz zu schweigen von; *don't* ~ *it!* keine Ursache!, nicht der Rede wert!

mentor ['mentə] bewährter Freund, Mentor

menu ['menjuː], *pl* ~**s** Speisekarte; *off the* ~ gestrichen

mercantile ['məːkəntail] kaufmännisch; Handels-

mercenary ['məːsinəri] käuflich, gewinnsüchtig; Söldner

mercer ['məːsə] *BE* Textil- (*bes* Seiden-)Händler; ~**ize** [--raiz] merzerisieren

merchan|dise ['məːtʃəndaiz] (Handels-)Ware; ~ [--t] Kaufmann, *bes BE* Großhändler; Handels-; ~*t service* (od *navy*) -schiffahrt; ~**tman** [--tmən], *pl* ~tmen Handelsschiff; ~*t prince* Kauf-, Handelsherr

merci|ful ['məːsiful] barmherzig, gnädig; ~**iless** [--lis] unbarmherzig, erbarmungslos; ~**y** [-si] Barmherzigkeit, Mitleid; Gnade (*at the* ~*y of* preisgegeben); Segen, Glück, Glücksfall

mercur|ial [məːˈkjuəriəl] Quecksilber-; lebhaft; unbeständig; ~**y** [--ri] Quecksilber; **M~y** Merkur; Götterbote

mere [miə] bloß, rein, nur; *BE* Teich

meretricious [meriˈtriʃəs] flitterhaft, trügerisch; aufdringlich; kitschig

merge [məːdʒ] (s.) verschmelzen (*into* mit); zus.schließen (*into* zu); ~**r** [-ə] Verschmelzung, Zus.schluß; Fusion

meridian [məˈridiən] Meridian; Mittag; *fig* Gipfel; mittäglich; höchste

meringue [məˈræŋ] Baiser, Meringe; Eischaum

merino [məˈriːnou], *pl* ~**s** Merino(schaf)

merit ['merit] Verdienst (*a man of* ~ -voller Mann); Wert, wertvolle Seite; Vorzug; *pl* Wert oder Unwert; *on its* ~*s* nach seinem Für und Wider (Wert oder Unwert); *to make a* ~ *of* als verdienstvoll hinstellen; *vt* verdienen; ~**orious** [--ˈtɔːriəs] verdienstvoll

mermaid ['məːmeid] Meerjungfer

merl|e [məːl] Amsel; ~**in** [-in] *orn* Merlin (Falke)

merr|y ['meri] fröhlich, lustig; *to make* ~*y* lustig sein, sich lustig machen (*over* über); freundlich; ~**iment** Fröhlichkeit, Lustigkeit; ~**y-go-round** [--gouraund] Karussell *(a. fig)*; Wirbel; ~**-maker** fröhlich Feiernder; ~**y-making** [--meikiŋ] Vergnügen, Belustigung; Gelage, Fest

mésalliance [meiˈzæliəns] Mesalliance

mes|dames ['meidæm] *siehe* madame; ~**demoiselles** [meidməˈzel] *siehe* mademoiselle

mesh [meʃ] Masche(nzahl); *pl* Fäden, Netz *(a. fig)*; *in* ~ im Eingriff; *to be in* ~ = **to** ~ ein-, ineinandergreifen; passen (*with* zu); (mit e-m Netz) fangen *(a. fig)*

mesmer|ism ['mezmərizm] tierischer Magnetismus; Hypnose; ~**ist** [--rist] Heilmagnetiseur; Hypnotiseur; ~**ize** [--raiz] magnetisieren, hypnotisieren *(a. fig)*; verhexen

mess [mes] **1.** Durcheinander, Schmutz; *to make a* ~ *of* verhunzen; *to get into a* ~ in e-n Wirrwarr (in Dreck, in Schwierigkeiten) geraten; **2.** (Offiziers-)Messe, Kasino; *at* ~ bei Tisch; **3.** Gericht, *bes* Suppe; **4.** ~ (*up*) verhunzen, vermasseln; ~ *about* herummurksen; **5.** *mil* speisen; ~**ing** *mil* Verpflegung; ~**-jacket** [-dʒækit] Messejacke; ~**-kit** *US* = ~**-tin** *BE* Koch-, Eßgeschirr

mess|age ['mesidʒ] Nachricht, Mitteilung; Botschaft; *to go on a* ~*age* etw besorgen, erledigen; Gehalt, Sinn; ~**enger** [-sindʒə] Bote, Kurier

Messiah [meˈsaiə] Messias; Christus

messieurs [məˈsjəː] *siehe* monsieur

Messrs ['mesəz] die Herren; Firma

messy ['mesi] schmutzig, unsauber

met [met] *siehe* meet

metabolism [miˈtæbəlizm] Stoffwechsel

metal [metl] Metall; *(road-)*~ *(BE)* Straßenschotter; *pl BE* Geleise (*to leave the* ~*s* entgleisen); mit Metall versehen; *BE* beschottern; ~**lic** [miˈtælik] metallisch; Metall-; ~**lurgist** [miˈtælədʒist] Hüttenfachmann; ~**lurgy** [miˈtælədʒi] Hüttenkunde, Metallurgie

metamorpho|se [metəˈmɔːfouz] (s.) verwandeln; ~**sis** [---ˈfəsis], *pl* ~**ses** [---ˈsiːz] Verwandlung, Metamorphose

metaphor ['metəfə] Metapher, bildlicher Ausdruck; ~**ical** [--ˈfɔrikl] bildlich, übertragen

metaphys|ical [metəˈfizikl] metaphysisch; rein theoretisch; spitzfindig; phantastisch; ~**cs** [---ziks] *sg* od *pl* Metaphysik; reine Theorie

mete [miːt] *out* zumessen, austeilen

meteor ['miːtiə] Meteor; ~**ic** [--ˈɔrik] meteorisch; Wetter-; *fig* kometenhaft; ~**ite** [--rait] Meteorit; Meteor-; ~**ological** [--rəˈlɔdʒikl] meteorologisch, Wetter-; ~**ologist** [--ˈrɔlədʒist] Meteorologe; ~**ology** [--ˈrɔlədʒi] Meteorologie, Wetterkunde

meter ['miːtə] Meßapparat; ⚡ Zähler; (Gas-) Uhr; *siehe* metre

method ['meθəd] Methode, Verfahren; *a man of* ~ methodischer Mann; ~**ical** [miˈθɔdikl] methodisch; ~**ology** [--ˈdɔlədʒi] Methodenlehre, Methodologie

methyl ['meθil] Methyl (~ *alcohol* Methylalkohol); ~**ated** [--eitid] **spirit** vergällter Spiritus, Brennspiritus

meticulous [miˈtikjuləs] übergenau, penibel; *umg* sorgfältig, genau

met|re *US* ~**er** ['miːtə] Meter (= 39,37 Zoll); Versmaß, Metrum; ~**ric** ['metrik] metrisch; ~**ric system** Dezimalsystem, metrisches System; ~**rical** [-rikl] metrisch, Vers-; ~**rics** *sg* od *pl* Metrik; ~**rology** [miˈtrɔlədʒi] Metrologie

metropol|is [miˈtrɔpəlis], *pl* ~**ses** Metropole; ~**tan** [metrəˈpɔlitən] (haupt-)städtisch (*BE bes* London); erzbischöflich; Großstädter; Metropolit

mettle [metl] Charakter, Mut (*a man of* ~); Geist; *to be on one's* ~ sein Bestes tun, alle Kräfte anspannen; *to put on* (od *try*) *one's best* ~ auf die entscheidende Probe stellen; **~some** [⌐səm] feurig

mew [mjuː] Sturmmöwe; Miau; miauen; ~ *up* einsperren *(a. fig)*; **~s** *sg vb* (Mar-)Ställe, Stallung; *BE* Komfortwohnung

mezzanine ['mezəniːn] Zwischengeschoß

miaow [mi'au] Miau; miauen

miasma [mi'æzmə] Gifthauch, Miasma

mica ['maikə] Glimmer

mice [mais] *siehe* mouse

Michaelmas ['miklməs] Michaelis(tag)

mickle [mikl]: *many a little makes a* ~ viele Wenige machen ein Viel

micro [maikrou] klein-; **~be** [⌐-b] Mikrobe; **~cosm** [⌐-kɔzm] Mikrokosmos; **~film** [⌐-film] Mikrofilm; **~meter** [-'krɔmitə] Mikrometer; **~n** [⌐-krɔn], *pl* **~ns** Mikromillimeter, Mikron; **~phone** [⌐-krəfoun] Mikrophon; **~photography** [--fə'tɔgrəfi] Mikrodokumentation, Photomikrographie; **~scope** [-krəskoup] Mikroskop; **~scopic** [-krəs'kɔpik] mikroskopisch; verschwindend klein

mid [mid] mittlere; *in* ~ ... mitten in ...; *from* ~*-June to* ~*-August* von Mitte Juni bis Mitte August; **~day** [⌐-'dei] Mittag; [⌐-] Mittags-; **~den** [midn] Mist-, Abfallhaufen

middle [midl] Mitte; *in the* ~ *of* in der Mitte von, mitten am, gerade beim; mittlere; ~ **age** mittleres Alter; **~-aged** [⌐-'eidʒd] mittleren Alters; **the M~ Ages** Mittelalter; **the** ~ **class(es)** Mittelstand; ~ **course** [kɔːs] Mittelweg; **~ distance** ['distəns] Mittelgrund; **the M~ Kingdom** das Reich der Mitte; **~man** [⌐-mæn], *pl* **~men** [⌐-men] Zwischenhändler; **~-of-the-road** bürgerlich; konventionell; **~-sized** [⌐-saizd] mittelgroß

middling ['midliŋ] mittelgroß; mittelmäßig, leidlich; *pl* Mittelsorte

middy ['midi] *umg* = midshipman; ~ **blouse** [blauz] Matrosenbluse

midge [midʒ] *zool* Zuck-, Büschelmücke; *umg* (kl.) Mücke; Zwerg

midget ['midʒit] Zwerg, Knirps; winzig

midland ['midlənd] Binnenland; *the M~s (BE)* Mittelengland

midmost ['midmoust] mittelste; **~-night** [⌐-nait] Mitternacht; mitternächtlich ♦ *to burn the* ~*night oil* bis tief in die Nacht arbeiten; **~riff** [⌐-rif] Zwerchfell

midshipman ['midʃipmən], *pl* **~men** *mil* Fähnrich zur See

midst [midst] *in the* ~*st of* inmitten; Mitte *(in our* ~*st)*; *prep* inmitten; **~summer** [⌐-sʌmə] Hochsommer; Sommersonnenwende; **~summer day** Johannis(tag); **~way** [⌐-wei] in der Mitte (befindlich); auf halbem Wege; **~wife** [⌐-waif], *pl* **~wives** [⌐-waivz] Hebamme; **~wifery** [⌐-wifəri, *US* ⌐-waifəri] Geburtshilfe; **~winter** [⌐-'wintə] tief(st)er Winter; Wintersonnenwende

mien [miːn] Äußeres, Aussehen, Gebaren

might [mait] *siehe* may; Macht; Kraft; **~y** mächtig, gewaltig ♦ *high and* ~*y* sehr stolz; *adv* sehr, äußerst; **~ily** = ~*y adv*

mignonette [minjə'net] Reseda(grün)

migrant ['maigrant] Zugvogel; **~ate** [mai'greit, *bes US* ⌐-] (aus)wandern; *orn* ziehen; **~ation** [-'greiʃən] Wanderung; (Vogel-)Zug; **~atory** [⌐-grətəri] wandern; Zug-; nomadisch

mike [maik] *umg* Mikrofon

milage ['mailidʒ] *siehe* mileage

milch [miltʃ] Milch-, Melk-

mild [maild] mild; leicht; *to put it* ~*ly* gelinde gesagt; **~ew** ['mildjuː] Mehltau; Stockflecken (bekommen)

mile [mail] Meile (= 1760 yards = 5280 feet = 1609,3 Meter); ~*s easier (better etc)* viel, viel leichter etc; **~age** [⌐-idʒ] Meilen-, Kilometerzahl, -geld; **~-stone** [⌐-stoun] Meilenstein *(a. fig)*

milfoil ['milfɔil] Schafgarbe

militant ['militənt] streitend, militant; **~rism** [⌐-tərizm] Militarismus; **~ry** [⌐-təri] militärisch; Kriegs-; *the* ~*ry* das Militär; **~te** [⌐-teit] widerstreiten, (wider)sprechen *(against* gegen)

militia [mi'liʃə] Miliz; **~man** [--mən], *pl* ~men Milizsoldat

milk [milk] Milch *(whole* ~ Voll-; *skim* ~ Mager-); *bot* Milchsaft; melken *(a. fig)*; Milch geben; **~man** [-mən], *pl* ~men Milchhändler; **~sop** [⌐-sɔp] Muttersöhnchen, Weichling; **~weed** [⌐-wiːd] Seidenpflanze; **~wort** [⌐-wɔːt] Kreuzblume; **~y** milch(art)ig; **M~y Way** Milchstraße

mill [mil] 1. Mühle *(a. ✿)*; Spinnerei, Weberei, Werk; (Kaffee-, Pfeffer-)Mühle; *fig* Mühle, harte Schule; 2. mahlen; (Erz) zerkleinern; (Stahl) walzen; fräsen; walken; (Münze) rändeln; schaumig schlagen; herumlaufen; **~-board** [⌐-bɔːd] Hartpappe; **~-dam** [⌐-dæm] Mühlwehr; **~er** Müller; Fräser, Fräsmaschine; **~-hand** [⌐-hænd] Spinnerei-, Webereiarbeiter; **~ing** Fräsen; Fräs-; Walken-; Walk-; **~-pond** [⌐-pɔnd] Mühlteich; **~-race** [⌐-reis] Mühlgerinne, -bach; **~-stone** [⌐-stoun] Mühlstein *(a. fig)*; **~-wheel** [⌐-wiːl] Mühl(en)rad; **~-wright** [⌐-rait] Mühlenbauer; Maschinenschlosser

millennium [mi'leniəm], *pl* **~s** tausend Jahre; Paradies auf Erden

millepede, milli- ['milipiːd] Doppelfüßer

millet ['milit] (Rispen-)Hirse; *(Indian* ~) Sorghum; *(pearl* ~) Negerhirse

milli|ard ['miljɑːd] *BE* Milliarde; **~gram, BE ~gramme** [⌐-græm] Milligramm; **~litre** [⌐-liːtə] Milliliter, Kubikzentimeter; **~metre** [⌐-miːtə] Millimeter

milliner ['milinə] Hut-, Putzmacherin; **~y** [⌐--ri] Mode-, Putzwaren

million ['miljən] Million; **~aire** [miljə'nɛə] Millionär; **~th** [⌐-θ] millionster (Teil)

millipede ['milipiːd] *siehe* ~epede

Mills [milz] **bomb** [bɔm], ~ **grenade** [gri'neid] Eierhandgranate

milt [milt] (Fisch-)Milch; Milz; **~er** Milchner
mim|e [maim] Mimus; Mime; mimen;
~eograph ['mimiəgrɑːf] Vervielfältigungsapparat; vervielfältigen; **~ic** ['mimik] nachahmend;
Schein-; **~ic art** Mimik; **~ic coloration**
[kʌlə'reiʃən] Schutzfärbung; Nachahmer,
Mime; vt nachmachen; -äffen; **~icry** [-ikri]
Mimikry, Schutzfärbung; Nachahmung
mimosa [mi'mouzə, US -´-sə], pl **~s** Mimose
minaret ['minəret] Minarett
minc|e [mins] 1. zerhacken, zerkleinern, durchdrehen; 2. sich zieren, geziert reden (gehen) ♦
not to **~** it matters (one's words) kein Blatt vor
den Mund nehmen; 3. BE Haschee; **~e-meat**
[-´-miːt] (etwa:) Rosinen-Apfel-Füllung ♦ to
make **~e-meat** of (fig) zu Kleinholz machen;
~e-pie [-´-pai] (etwa:) Pastete mit Rosinen-Apfel-Füllung; **~ing** [-siŋ] geziert, affektiert;
~ing-machine [-siŋməʃiːn] BE Fleischwolf
mind[1] [maind] 1. Gedächtnis, Erinnerung; to
bear (od keep) in **~** im Gedächtnis festhalten,
denken an; to call (od bring) to **~** sich ins Gedächtnis zurückrufen, sich erinnern; to pass
(od go) out of (one's) **~** j-m entfallen; to put s-b
in **~** of j-n erinnern an; with ... in **~** unter
Berücksichtigung von ...; out of sight, out of
~ aus den Augen, aus dem Sinn; 2. Geist; 3.
Verstand, Denken; 4. Gedanken, Gefühle; 5.
Sinn; so many men, so many **~s** soviel Köpfe,
soviel Sinne; body and **~** Leib und Seele; to
make up one's **~** s. ent-, beschließen; sich abfinden (to mit); to change one's **~** seinen Sinn
(seine Meinung) ändern; to be in two **~s** zögern, unschlüssig sein; to know one's **~** wissen, was man will, entschlossen sein; not to
know one's **~** zögern, voll Zweifel sein; to
speak one's **~** seine Meinung frei heraus sagen; to tell s-b one's **~** j-m deutlich seine Meinung sagen; to give s-b a piece (bit) of one's **~**
j-m gründlich die Meinung sagen; to be of s-b's
~ mit j-m übereinstimmen; to be of a (one) **~**
e-s Sinnes sein; to be of the same **~** e-r Meinung (noch derselben Meinung) sein; to have
a good (od great) **~** to do große Lust haben zu
tun; to have half a **~** to do eigentlich (mehr
oder weniger) tun wollen; to set one's **~** on doing sich vornehmen zu tun, sein Streben richten auf; to give one's **~** to seine Aufmerksamkeit richten auf; to keep one's **~** on seine Aufmerksamkeit haben bei; to take one's **~** off
sich abwenden von; to have a weight [weit]
(s-th) on one's **~** sich Sorgen machen (um); to
keep an open **~** sich nicht festlegen; frame (od
state) of **~** Geistes-, Gemütsverfassung; to my
~ meiner Meinung nach; not just to my
~ nicht ganz nach meinem Geschmack; out of
one's (right) **~** nicht bei Trost, verrückt; the
~ 's eye das geistige Auge; absence of **~** Geistesabwesenheit; presence of **~** Geistesgegenwart; 6. fig Kopf, Geist
mind[2] [maind] sich kümmern um; achten auf,
aufpassen (auf); auf j-n hören; **~** (out)! Achtung!, Vorsicht!; **~** and do vergiß nicht zu
tun; **~** (you) wohlgemerkt; (verneint, fragend)

nichts haben gegen (my doing wenn ich tue); I
wouldn't **~** ich würde (hätte) gern; never **~**!
macht nichts!, schon gut!; never **~** ... denk
jetzt nicht an..., laß jetzt ...; **~ed** gesonnen,
gewillt; (in Zssg) -gesinnt; **~ful** [-ful] achtsam
auf, eingedenk, **~less** unbekümmert (of um);
geistlos
mine [main] mein(e)s, Mine, Bergwerk; mil
Mine; graben (for nach); ☿ fördern; verminen; (unter)minieren (a. fig); fig Fundgrube;
~-layer [-´-leiə] Minenleger; **~r** [-nə] Bergarbeiter; mil Mineur; **~-sweeper** Minenräumer
mineral ['minərəl] Mineral; mineralisch; **~
water** Mineralwasser; **~ogy** [--'rælədʒi, US --
'rɔlədʒi] Mineralogie
mingle [miŋgl] (s.) (ver)mischen
mingy ['mindʒi] bes. BE sl knickerig
mini ['mini] Minicar; Minirock; **~bike** [-´-baik]
Kleinmotorrad; **~cab** [-´-kæb] Minicar
miniature ['minjətʃə] Miniatur(malerei); Miniatur-; **~ camera** ['kæmərə] Kleinbildkamera
minim ['minim] ♪ halbe Note (**~** rest halbe
Pause); Tröpfchen; Knirps; **~al** [--əl] (aller-)
kleinste, (aller-)geringste; **~ize** [--aiz] verringern; fig verkleinern; **~um** [--əm], pl **~a** [--ə]
~ums Minimum, Mindestmaß; -betrag; Mindest-, Minimal-
mining ['mainiŋ] Berg-, Abbau; Berg(bau-),
Gruben-
minion ['minjən] Günstling, fig Lakai; ⚏ Kolonel, Mignon (7 Punkt)
minist|er ['ministə] Minister (a. = Prime Minister); pol Gesandter; (Sekten-)Pfarrer; Ausführender; dienen (to s-th e-r Sache); **~erial** [--
-'tiəriəl] ministeriell; geistlich; **~rant** [--trənt]
dienend; **~ration** [--'treiʃən] (geistl.)
Dienst (to an); **~ry** [--tri] Ministerium; Kabinett; Minister-, geistlich. Amt(szeit); to enter
the **~ry** Pfarrer werden
mink [miŋk] Nerz(fell)
minnow ['minou] Elritze; etwas Kleines
minor ['mainə] 1. kleiner, geringer; **~ interval**
♪ kleines Intervall; **~ key (scale, chord)** Molltonart (-akkord); Smith **~** Smith der Jüngere;
2. Minderjähriger; 3. US Nebenfach; **~ity** [-
'noriti] Minderjährigkeit; Minderheit
minster ['minstə] Klosterkirche; Dom, Münster
minstrel ['minstrəl] (Minne-)Sänger, Spielmann; **~s** Negersänger; **~sy** [--si] Spielmannsdichtung; Spielleute
mint [mint] Münze; Münzamt; a **~** of money
e-e Menge Geld; fig Quelle; bot Minze; münzen, prägen (a. fig)
minuet [minju'et] Menuett
minu|s ['mainəs] minus, weniger; negativ; umg
ohne; (pl **~ses**) Minus, Minuszeichen; negative Quantität; **~te** [mai'njuːt] winzig; sehr genau; **~te** ['minit] 1. Minute (five **~tes** to six fünf
vor sechs); Augenblick; to the **~te** auf die Minute, genau; the **~te** (that) sobald); 2. Notiz,
Memorandum; 3. pl Protokoll, Niederschrift
(to take [down the] **~tes** P. führen); **~te-book**

[⌐-buk] Protokollbuch; **~te-hand** [⌐-hænd] Minutenzeiger; **~tiae** [mai'njuːʃiː] kleine Details

minx [miŋks], pl **~es** freche Kröte, Range

mirac|le ['mirəkl] Wunder; **~le (play)** Mirakelspiel; **~ulous** [mi'rækjuləs] wunderbar; übernatürlich; überraschend

mirage [mi'rɑːʒ] Fata Morgana, Luftspiegelung; Illusion, Wahn

mir|e [maiə] Sumpf; schlammige Stelle; in the ~e in der Patsche; mit Schlamm bedecken; im Sumpf stecken (lassen); in die Patsche bringen; beschmutzen; **~y** ['maiəri] schmutzig, schlammig

mirror ['mirə] Spiegel (a. fig); spiegeln (a. fig)

mirth [mɔːθ] Fröhlichkeit; **~ful** [-ful] fröhlich; **~less** [-lis] unfroh; trüb

misadventure ['misəd'ventʃə] Mißgeschick; 𝕊 Unfall

misalliance ['misə'laiəns] = mésalliance

misanthrop|e ['misənθroup] Menschenhasser, -feind; **~ic** [⌐-'θrɔpik] menschenfeindlich

misappl|ication ['misæpli'keiʃən] falsche Anwendung; Mißbrauch; **~y** [⌐-ə'plai] falsch anwenden; mißbrauchen

misapprehen|d ['misæpri'hend] mißverstehen; **~sion** [⌐---⌐ʃən] Mißverständnis; falsche Auffassung

misappropriate ['misə'prouprieit] unrechtmäßig verwenden; unterschlagen

misbehav|e ['misbi'heiv] sich schlecht benehmen; **~iour** [⌐--viə] schlechtes Benehmen

misbeliever ['misbi'liːvə] Irrgläubiger

miscalculat|e ['mis'kælkjuleit] falsch (be)rechnen; **~tion** [⌐--'leiʃən] falsche (Be-)Rechnung; Rechenfehler

miscall ['mis'kɔːl] irrtümlich (be-)nennen

miscarr|iage [mis'kæridʒ] Fehlschlag, Mißlingen (~iage of justice Fehlurteil); Verlorengehen (von Post); Fehlgeburt; **~y** [⌐-ri] fehlschlagen, mißlingen; fehl-, verlorengehen; Fehlgeburt haben

miscellan|eous [misi'leinjəs] ge-, vermischt; vielseitig; **~y** [mi'seləni, US 'misəleini] Gemisch; Sammelband; pl Vermischtes, Miszellen

mischance [mis'tʃɑːns] Mißgeschick, unglücklicher Zufall

mischie|f ['mistʃif] 1. Schaden; to do s-b a ~f (umg) j-n verletzen; to play the ~f with verletzen, durcheinanderbringen; 2. Unheil (to work ~f U. anrichten); to make ~f (between) Zwist säen, böses Blut verursachen (unter); 3. Dummheit, Unfug (up to ~f zu D. aufgelegt); 4. fig Schalk, Schelmerei; a ~f ein Racker, Range; **~f-maker** [⌐-meikə] Unheil-, Unruhestifter; **~vous** [⌐-vəs] Schaden anrichtend, nachteilig; zu Dummheiten aufgelegt, mutwillig, übermütig; schelmisch

miscon|ceive ['miskən'siːv] falsch auffassen, beurteilen; **~ception** [⌐-'sepʃən] Mißverständnis, falsche Auffassung

misconduct [mis'kɔndəkt] schlechtes Verhalten; Ehebruch; schlechte Verwaltung; ~ [⌐-

kən'dʌkt] schlecht verwalten; ~ o.s. sich schlecht aufführen; die Ehe brechen

misconstr|uction [⌐-kən'strʌkʃən] Mißdeutung; **~ue** [⌐-'struː] mißdeuten

miscount ['mis'kaunt] falsch zählen; sich verzählen, -rechnen; verrechnen, -zählen; Rechenfehler

miscreant ['miskriənt] Bösewicht, Übeltäter

misdeal ['mis'diːl] (s. S. 319) (Karten) falsch ausgeben; (Karten) falsches Ausgeben

misdeed ['mis'diːd] Missetat, Untat

misdemeanour ['misdi'miːnə] 𝕊 Vergehen; schlechtes Betragen; Missetat

misdirect ['misdi'rekt] fehlleiten (a. fig); 𝕊 falsch belehren; **~ion** Fehlleitung; falsche Belehrung

misdoing ['mis'duːiŋ] Missetat

miser ['maizə] Geizhals; **~able** ['mizərəbl] elend; erbärmlich; **~ly** ['maizəli] geizig; **~y** ['mizəri] Elend, Jammer; pl Nöte; to suffer (od be in) ~y from Not leiden an

misfire ['mis'faiə] mil versagen; fehlzünden; Versager; Fehlzündung

misfit ['misfit] schlecht passendes Stück; is a ~ paßt nicht; Außenseiter

mis|fortune [mis'fɔːtʃən] Mißgeschick, Unglück(sfall); **~give** [-'geiv] siehe ~give

misgive [mis'giv] (s. S. 319): his mind (od heart) ~es him ihm ahnt Böses, er ist voller Zweifel; **~ing** [⌐-iŋ] böse Ahnung

misgovern [mis'gʌvən] schlecht regieren, verwalten; **~ment** schlechte Regierung, Verwaltung

misguide ['mis'gaid] irreleiten

mis|handle [mis'hændl] miß-, falsch behandeln; **~hap** [-'hæp, ⌐-] Unglück; Panne

misinform ['misin'fɔːm] falsch informieren; **~ation** [⌐---'meiʃən] falsche Information

misinterpret ['misin'tɔːprit] falsch erklären, mißdeuten; **~ation** [⌐---'teiʃən] falsche Erklärung, Mißdeutung

misjudge ['mis'dʒʌdʒ] falsch beurteilen; falsch (ein)schätzen

mis|lay ['mis'lei] (s. S. 319) etwas verlegen; **~lead** [-'liːd] (s. S. 319) irreführen; verleiten (into zu)

mismanage ['mis'mænidʒ] schlecht verwalten; **~ment** [⌐--mənt] schlechte Verwaltung; Mißwirtschaft

mis|name ['mis'neim] falsch (be-)nennen; **~nomer** [⌐-'noumə] falsche Bezeichnung

misplace ['mis'pleis] an die falsche Stelle legen (tun); **~d** [⌐-t] (Gefühl) fehlgeleitet, unangebracht

misprint ['misprint, ⌐-⌐] Druck-, Tippfehler; [⌐-⌐] falsch drucken, verdrucken, vertippen; falsch schreiben

mispro|nounce ['misprə'nauns] falsch aussprechen; **~nunciation** [⌐-nʌnsi'eiʃən] falsche Aussprache

misquote ['mis'kwout] falsch zitieren; **~ation** [⌐-'teiʃən] falsches Zitat

misread ['mis'riːd] (s. S. 319) falsch lesen, deuten

misrepresent ['misrepri'zent] falsch darstellen; verdrehen; **~ation** [-----'teiʃən] falsche Darstellung; Verdrehung

misrule ['mis'ruːl] schlecht regieren; schlechte Regierung

miss [mis] verfehlen, vorbeitreffen; *to ~ one's mark* sein Ziel verfehlen, nicht gut genug sein; *fig* verfehlen; versäumen; verpassen; entgehen; nicht begreifen; vermissen; *I ~ ...* mir fehlt ...; *~ out* auslassen; *to be ~ing* abgehen, fehlen; *the ~ing* die Vermißten; Fehltreffer, -schuß; *a ~ is as good as a mile* Fehlschlag bleibt Fehlschlag

Miss [mis] Fräulein; Mädchen

missal ['misəl] *eccl* Meßbuch

mis-shapen ['mis'ʃeipən] mißgestaltet

miss|ile ['misail] Wurfgeschoß; *mil* Fernlenkgeschoß, Flugkörper; **~ion** ['miʃən] Sendung, Auftrag *(a. mil)*; Mission *(a. eccl; home ~ion* Innere M.); *pol* Gesandtschaft; **~ionary** [-ʃə-nəri] Missionar; **~ionary meeting** Missionsfest

missis ['misiz] *umg* (Ehe-, Haus-)Frau

missive ['misiv] (Send-)Schreiben

mis-spell ['mis'spel] *(s. S. 319)* falsch buchstabieren, schreiben; **~-spend** [-'spend] *(s. S. 319)* vergeuden, vertun; **~-state** [-'steit] falsch darstellen; **~-statement** falsche Darstellung (Angabe)

missy ['misi] (kleines) Fräulein

mist [mist] (feuchter) Dunst; leichter Nebel; Trübung *(a. fig)*; *it is ~ing* es bildet sich Dunst; (s.) trüben, verschleiern; **~y** dunstig, diesig; *fig* nebelhaft; verschwommen

mistake [mis'teik] Fehler; Fehlgriff; Irrtum; *by ~* aus Versehen; *and no ~ (umg)* wirklich, weiß Gott; *vt/i (s. S. 319)* falsch verstehen, mißverstehen; verwechseln *(for* mit); *to be ~n* sich irren *(about* in); **~n** irrtümlich; falsch verstanden; **~nly** irrtümlicherweise

mister ['mistə] *(siehe Mr)* Herr *(Mr Brown)*; *umg* mein Herr!, Meister!

mistimed ['mis'taimd] unzeitig

mistletoe ['misltou] Mistel

mis|took [mis'tuk] *siehe ~take*

mis|translate [-træns'leit] falsch übersetzen; **~treat** [-'triːt] schlecht (falsch) behandeln

mistress ['mistris] Herrin, Hausfrau; Frau *(siehe Mrs)*; Kennerin, Meisterin; *fig* Herrscher(in); Geliebte, Mätresse

mistrust ['mis'trʌst] mißtrauen; Mißtrauen; **~ful** [-'ful] mißtrauisch

misunderstand ['misʌndə'stænd] *(s. S. 319)* miß-, falsch verstehen; **~ing** Mißverständnis

misus|age [-'juːzidʒ] falsche, schlechte Behandlung; **~e** [-'juːz] falsch verwenden; mißhandeln; **~e** [-'juːs] falsche Verwendung; Mißhandlung

mite [mait] Heller, Scherflein; *a ~ (of a child)* ein Wurm (von e-m Kind); bißchen; Milbe

mitiga|te ['mitigeit] lindern, mildern; besänftigen; **~tion** [--'geiʃən] Linderung, Milderung; Besänftigung

mitre ['maitə] Mitra; ✿ Gehrung; gehren

mitt [mit] = **~en**; *umg* Sport-, Boxhandschuh; **~en** Fausthandschuh ♦ *to give s-b the ~en* j-m e-n Korb geben; *to get the ~en* e-n Korb bekommen, entlassen werden

mix [miks] (ver)mischen, sich mischen (lassen); verkehren *(with* mit); *he doesn't ~ well* ist nicht sehr umgänglich; **~ up** vermischen, durcheinanderbringen; *to be ~ed* [mikst] *up in (with)* verwickelt sein in; **~ed** gemischt; verwirrt; **~ed bathing** ['beidiŋ] Familienbad; **~marriage** ['mæridʒ] Mischehe; **~er** Mischer; Mixer; ✪, ▥ Mischpult; *he is a good (bad) ~er* er ist ein (wenig) umgänglicher Mensch; **~ture** [-tʃə] Mischung; Mixtur

mizzen [mizn] Besan; **~mast** [-maːst] Besanmast

mnemonic [ni'mɔnik] mnemotechnisch; Mnemotechnik

moan [moun] stöhnen, ächzen; Stöhnen, Ächzen

moat [mout] Burg-, Stadtgraben; **~ed** mit e-m Burg-, Stadtgraben

mob [mɔb] Pöbel, Mob; Volk; Menge; anpöbeln; tätlich angreifen

mobil|e ['moubail] beweglich; fahrbar; *mil* motorisiert; Bewegungs-; **~ity** [-'biliti] Beweglichkeit; Motorisierung; **~ize** [-bilaiz] mobilisieren

moccasin ['mɔkəsin] Mokassin; Mokassinschlange

Mocha ['moukə] Mokka

mock [mɔk] verspotten; sich lustig machen *(at* über); *fig* spotten; täuschen; *to make a ~ of* = *to ~ (at)*; Schein-, scheinbar; **~-up** [-ʌp] Attrappe, Nachbildung; **~er** Spötter; **~ery** [-əri] Spötterei, Gespött; *fig* Hohn *(of* auf); **~ing bird** Spottdrossel

mode [moud] Art und Weise; *the ~* Mode, Sitte; ♪ (Kirchen-)Tonart; *gram* Modus (= *mood)*; **~l** ['mɔdl] Modell *(a. ✿, ✿)*, Muster; Ebenbild; Vorbild, Muster; Mannequin; vorbildlich; modellieren; formen, gestalten *(on, after* nach); **~ller**, *US* **~ler** Modellierer

moder|ate ['mɔdərit] mäßig; (Preis) niedrig; gemäßigt, maßvoll(e Person); [-reit] (er)mäßigen; nachlassen; **~ately** [--ritli] ziemlich; **~ation** [--'reiʃən] Mäßigung; Maß *(in ~ation* mit M.); **~ator** [-əreitə] Vermittler; Vorsitzender; Schiedsrichter; Diskussionsleiter; Moderator

modern ['mɔdən] neu(zeitlich), modern; heutig; *~ history* neuere Geschichte; *~ languages* ['læŋgwidʒiz] neuere Sprachen; *~ school* Realschule; **~ism** [-dənizm] moderne Einstellung; Modernismus; moderner Ausdruck; **~ize** [--naiz] modernisieren

modest ['mɔdist] bescheiden; unaufdringlich, sittsam; **~y** [--i] Bescheidenheit; Unaufdringlichkeit; Sittsamkeit; Zartgefühl

mod|icum ['mɔdikəm] kleine Menge, Mindestmaß; **~ify** [-ifai] mäßigen; (ver)ändern; einschränken; *gram* näher bestimmen; **~ification** [-ifi'keiʃən] Mäßigung; (Ver-)Änderung; Einschränkung; **~ish** ['moudiʃ] modisch; **~ulate**

[˗juleit] ♭, ♪ modulieren; anpassen, einstellen; **~ulation** Modulation; Anpassung, Einstellung

mohair ['mouhɛə] Angorawolle; Mohair

moiety ['mɔiiti] Hälfte; (An-)Teil

moist [mɔist] feucht; **~en** [mɔisn] feucht werden; anfeuchten; **~ure** [˗tʃə] Feuchtigkeit

molar ['moulə] Backen-; Backenzahn

molasses [mə'læsiz] *sg vb* Melasse; *US* (Zucker)sirup

mold(er, ~ing, ~y) [mould-] *siehe* mould-

mole [moul] Leberfleck, Muttermal; Maulwurf ♦ *to make a mountain out of a ~-hill* aus e-r Mücke e-n Elefanten machen; ♫, Mole; **~cular** [mou'lekjulə] Molekular-; **~cule** ['mɔlikjuːl] Molekül

molest [mə'lest] belästigen; **~ation** [––'teiʃən] Belästigung

mollify ['mɔlifai] besänftigen; mildern

mollusc, *US* **~sk** ['mɔləsk] Weichtier, Molluske

molly-coddle ['mɔlikɔdl] Weichling; verweichlichen, verzärteln

molt [moult] *siehe* moult; **~en** ['moultən] geschmolzen (*siehe* melt)

moment ['moumənt] Augenblick (*at the ~* im A.; *at any ~* jeden A.); *the ~ (that)* sobald; *to the ~* pünktlich; Bedeutung (*an affair of great ~*); = **~um**; **~ary** [––əri] augenblicklich, momentan; **~ous** [–'mentəs] bedeutsam; **~um** [–'mentəm], *pl* **~ums** *phys* Impuls, Bewegungsgröße; *fig* Schwungkraft

monarch ['mɔnək] Monarch; *fig* König; **~ical** [mɔ'nɑːkikl] monarchisch; **~ism** [––izm] Monarchismus; **~y** Monarchie

monast|ery ['mɔnəstri] Kloster; **~ic** [mə'næstik] mönchisch, klösterlich, Kloster-

Monday ['mʌndi] Montag

monetary ['mʌnitəri, 'mɔn–] Geld, Währungs-; finanziell, geldlich

money ['mʌni], *pl* **~s** Geld; *pl* ♫♫ Geldbetrag; Geldsorte, Währung; *to make ~* Geld verdienen ♦ *to coin ~* Geld wie Heu verdienen; *(to pay) ~ down* bar (bezahlen); **~bag** [˗bæg] Geldsack; *pl* Reichtum, *sg vb fig* Geldsack; **~-box** [––bɔks] Sparbüchse; **~ed** [˗d] vermögend, reich; **~-grubber** [––grʌbə] geldgieriger Mensch; **~-market** [––mɑːkit] Geldmarkt; **~-order** [––ɔːdə] Postanweisung

monger ['mʌngə] *BE* Händler

mongoose ['mɔŋguːs], *pl* **~s** *zool* Mungo

mongrel ['mʌngrəl] Straßenköter; Mischling, Bastard; Bastard-

monitor ['mɔnitə] (Schule) Klassensprecher, -ordner; ♫, Monitor; ✆ Abhörer; ✆ abhören; ♥ überwachen; (auf Radioaktivität) prüfen

monk [mʌŋk] Mönch

monkey ['mʌŋki] Affe; ✿ Rammbär; Schlingel ♦ *to put s-b's ~ up* j-n auf die Palme bringen; *to get one's ~ up* sich (grün und blau) ärgern; *~ about* herumalbern; -murksen; **~-nut** [––nʌt] *BE* Erdnuß; **~-wrench** [––rentʃ] ✿ Engländer

monk|hood ['mʌŋkhud] Mönchtum; **~ish** mönchisch

mono [mɔnə] allein-; ein-; **~cle** [––kl] Monokel; **~gamous** [–'nɔgəməs] monogam; **~gamy** [–'nɔgəmi] Einehe; **~gram** [––græm] Monogramm; **~graph** [––grɑːf] Monographie; **~lith** [––liθ] Monolith; **~lithic** [––'liθik] monolith; wie aus einem Guß, (ganz) einheitlich; **~logue**, *US* **~log** [––lɔg] Monolog; **~mania** [–nou'meiniə] Monomanie; **~plane** [––plein] Eindecker; **~polist** [mə'nɔpəlist] Monopolist; **~polize** [mə'nɔpəlaiz] monopolisieren, allein beherrschen; j-n völlig in Anspruch nehmen; **~poly** [mə'nɔpəli] Monopol(gesellschaft); **~syllable** [––siləbl] einsilbiges Wort; **~theism** [–nouθiːizm] Monotheismus; **~tone** [––toun] eintönige Sprechweise (*in a ~ tone* eintönig); **~tonous** [mə'nɔtənəs] eintönig; **~tony** [mə'nɔtəni] Eintönigkeit; **~xide** [mɔ'nɔksaid] Monoxyd (*carbon ~xide* Kohlenoxyd)

monsieur [məsjəː], *pl* **messieurs** [mə'sjəː] (mein) Herr

monsoon [mɔn'suːn] Monsun; Regenzeit

monst|er ['mɔnstə] Ungeheuer (*a. fig*); Riesentier; riesig, Riesen-; **~rosity** [mɔn'strɔsiti] Ungeheuer(lichkeit); **~rous** [˗strəs] ungeheuer(lich)

montage [mɔn'tɑːʒ] ▥ Montage; Fotomontage

month [mʌnθ] Monat; *this day ~* heute in e-m Monat; **~ly** monatlich; Monatszeitschrift

monument ['mɔnjumənt] Denkmal; **~al** [–––təl] Denkmals-; monumental; riesig

moo [muː] muhen

mood [muːd] Stimmung; *in the ~* aufgelegt; *gram* Modus; ♪ = mode; **~y** launenhaft; düster; mürrisch

moon [muːn] Mond; Mondschein (*is there a ~ tonight?*); *a new ~* Neumond; *a full ~* Vollmond; Monat ♦ *once in a blue ~* alle Jubeljahre einmal; *~ away* vertrödeln, verträumen; **~-beam** [˗biːm] Mondstrahl; **~light** [˗lait] Mondschein; mondhell; **~lit** mondhell; vom Mond beschienen; **~shine** [˗ʃain] Mondschein; Unsinn; Geschwafel; schwarzgebrannter Schnaps; **~struck** [˗strʌk] mondsüchtig

moor[1] [muə] *BE* Moor (*high ~* Torf-, Hochmoor; *low ~* Flachmoor); Heideland; **~-cock** [˗kɔk] schott. Morrschneehahn; **~-fowl** [˗faul] schott. Moorschneehuhn; **~-hen** [˗hen] schott. Moorschneehenne; Teichralle; **~land** [˗lənd] Heideland

moor[2] [muə] (s.) vertäuen, verankern; **~ings** [˗riŋz] Vertäuungen; Ankerplatz

moose [muːs], *pl* **~** amerikan. Elch; Riesenelch

moot [muːt] erörtern; *a ~ point* ein strittiger Punkt

mop [mɔp] Mop; Haarwust; (mit dem Mop) reinigen, wischen (*a. fig*) ♦ *~ the floor with s-b* (*fig*) zu Kleinholz machen; *~ up* aufwischen; herunterschlingen; aufarbeiten; *mil* säubern, durchkämmen

mope [moup] 1. (trübsinnig) herumhängen *(a.: ~ about)*; *to ~ o.s., to be ~d* sich langweilen; 2. Trauerkloß; *pl* Trübsinn

moraine [mɔ'rein] Moräne

moral ['mɔrəl] 1. sittlich, moralisch; 2. *(bes* sexuell) anständig; *~ philosophy* Moralphilosophie; *~ certainty* etwas, das so gut wie sicher ist; *~ sense* sittliches Urteilsvermögen; 3. Moral, Lehre; 4. *pl* sittliches Verhalten; **~e** [mɔ'raːl] Moral, Geist, innerer Halt; **~ist** [-̱ist] Sittenlehrer; Moralist; anständiger Mensch; **~ity** [mɔ'ræliti] Sittlichkeit, Moral(ität); Morallehre; ♥ Moralität(en); **~ize** [-̱aiz] moralisieren *(on* über); moralisch erläutern; sittlich heben; **~ly** moralisch, in moralischer Hinsicht; praktisch, wahrscheinlich

morass [mɔ'ræs] Sumpf, Morast

morato|rium [mɔrə'tɔːriəm], *pl* **~ria**, **~riums** Moratorium, Zahlungsaufschub

morbid ['mɔːbid] krankhaft, morbid; pathologisch; **~ity** [-'biditi] Krankhaftigkeit, Morbidität; Erkrankungsziffer

mordant ['mɔːdənt] beißend, schneidend; Beize

more [mɔː] (noch) mehr; *what ~?* was noch?; *and what is ~* und außerdem; eher *(it's ~ grey than brown)*; *once ~* noch einmal; *no ~* nicht mehr (wieder); *to be no ~* nicht mehr leben (existieren); *~ and ~* immer mehr; **~over** [-'rouvə] überdies; ferner

morel [mɔ'rel] Morchel

morganatic [mɔːgə'nætik] morganatisch

morgue [mɔːg] Leichenschauhaus; (Zeitungs-)Archiv

moribund ['mɔribʌnd] sterbend *(a. fig)*

morn [mɔːn] *poet* Morgen

morning ['mɔːniŋ] Morgen; **~-coat** [-̱kout] Cut(away); **~-glory** [-̱glɔːri] Prunk-, Trichterwinde; *~ performance* [pə'fɔːməns] Matinee

morocco [mɔ'rɔkou] Saffian(leder)

moro|n ['mɔːrɔn] Schwachsinniger; **~nic** [mɔ'rɔnik] schwachsinnig; **~se** [mɔ'rous] mürrisch, finster

morph|ine ['mɔːfiːn], **~ia** [-̱fjə] Morphium

morris dance ['mɔris'daːns] Moriskentanz

morrow ['mɔrou] d. folgende Tag; *fig* Morgen

morsel ['mɔːsəl] (Lecker-)Bissen; Stück

mortal ['mɔːtl] sterblich; tödlich; Tod-, Todes-; *umg* fürchterlich; Sterblicher; *umg* Kerl; **~ity** [-'tæliti] Sterblichkeit(sziffer); Menschheit

mortar ['mɔːtə] Mörtel; Mörser *(a. mil)*; **~-board** [-̱bɔːd] Mörtelbrett; viereckiges Brett (der Studenten); mit Mörtel verbinden

mortgag|e ['mɔːgidʒ] Hypothek; Verpfändung; verpfänden, hypothekarisch belasten; *~e o.s.* sich verpflichten, verschreiben *(to s-th)*; **~ee** [mɔːgə'dʒiː] Hypothekengläubiger; **~or** [mɔːgə'dʒɔː] Hypothekenschuldner

mort|ician [mɔː'tiʃən] *US* Leichenbestatter; **~ification** [-tifi'keiʃən] Verletzung, Demütigung; Abtötung; **~ify** [-̱tifai] verletzen, demütigen; *fig* abtöten; ♀ brandig werden; *to be ~ified* bestürzt sein; **~ise (~ice)** [-tis] ♀ Zapfenloch; einstemmen, verzapfen; **~main** [-̱

mein] ♫ Tote Hand; **~uary** [-̱tjuəri] Leichenhalle, -haus; Toten-, Begräbnis-

mosaic [mou'zeiik] Mosaik; ⌨ Reihenbild

mosque [mɔsk] Moschee

mosquito [mas'kiːtou], *pl* **~es** Stechmücke; *(house ~* gemeine St.; *tropical ~* Moskito); **~boat** *US mil* Schnellboot

moss [mɔs] Moos; (Torf-)Moor; **~back** *US* Erzkonservativer; **~-grown** [-̱groun] bemoost; *~y* bemoost; Moos-

most [moust] meiste; größte, höchste; *at (the) ~* höchstens; *for the ~ part* größtenteils; *to make the ~ of* das Beste machen aus; die meisten; *adv* höchst, ganz; am meisten; *US umg* = almost; **~ly** größtenteils

mote [mout] Stäubchen; *fig* Splitter; **~l** [-'tel] Autohotel, Motel; **~t** [-'tet] Motette

moth [mɔθ], *pl* **~s** Motte; Nachtfalter; **~-ball** [-̱bɔːl] Mottenkugel; einmotten; **~-eaten** [-̱iːtn] mottenzerfressen

mother ['mʌðə] 1. Mutter; 2. *fig* Nährboden ♦ *necessity* [ni'sesiti] *is the ~ of invention* Not macht erfinderisch; 3. bemuttern; **~country** ['kʌntri] Vater-, Mutterland; **~hood** [-̱hud] Mutterschaft; **~-in-law** [-̱rinlɔː] Schwiegermutter; **~ly** mütterlich; **~-of-pearl** [-̱rə(v)'pəːl] Perlmutt; **~ tongue** [tʌŋ] Muttersprache; **~ wit** Mutterwitz

moti|f [mou'tiːf] ⚑, ♪, ⌨ Motiv; **~vate** [-̱tiveit] begründen; veranlassen; **~ve** [-̱tiv] (Beweg-) Grund; = **~f**; **~ve power** *(od* **force)** Antriebs-, Triebkraft

motion ['mouʃən] *bes* ✿ Bewegung, Gang *(to put, set, in ~* in Gang setzen); körperliche Bewegung, Geste; Antrag; ✿ Stuhl(gang); durch e-n Wink auffordern; **~less** bewegungslos; *~ picture* ['piktʃə] Film, Kino

motley ['mɔtli] bunt(scheckig) ♦ *to wear the ~* den Narren spielen

motor ['moutə] Motor; *BE ~ ~-car*; ✿ Muskel; motorisch(er Nerv); (im) Auto fahren; j-n irgendwohin fahren; **~-car** [-̱kaː] (Kraft-)Wagen, Auto; **~-cycle** [-̱saikl] Motorrad; **~ing** [-̱riŋ] Autofahren; Kraftfahrsport; **~ist** [-̱rist] Kraft-, Autofahrer; **~ize** [-̱raiz] motorisieren; **~man** [-̱mən], *pl* **~men** Fahrer (e-r El-Lok, Straßenbahn); *~ scooter* [-̱skuːtə] 🛵 Roller; *~ spirit* Kraftstoff; **~way** [-̱wei] *BE* Autobahn

mottle [mɔtl] sprenkeln, marmorieren

motto ['mɔtou], *pl* **~es** Motto, Sinnspruch

mould, *US* **mold** [mould] 1. (Guß-)Form; Schablone; ⌨ Mater, Matrize; *fig* Art; feine Erde, Gartenerde; Schimmel; 2. formen, gestalten; *US* schimmeln; **~er** zerbröckeln, verfallen; **~ing** Formen, Gestalten; Form; *pl* Gesims, Fries; **~y** schimmelig, modrig; *to go ~y* (ver)schimmeln

moult, *US* **molt** [moult] (s.) mausern; Mauser

mound [maund] (Erd-, Grab-)Hügel

mount [maunt] 1. klettern, steigen auf; besteigen; 2. *fig* steigen *(~ up* sich summieren, auflaufen); 3. (Bild) aufziehen; 4. (Geschütz) aufstellen; 5. (Krieg) beginnen; 6. (Stein) fassen;

7. ⚙ montieren, ein-, anbauen; ~ *guard over* bewachen, e-e Wache stellen für; 8. Reitpferd; 9. *mil* Lafette; 10. Aufziehkarton; 11. Objektträger; 12. Fassung; 13. = ~ain; **~ain** [-in] Berg *(a. fig)*, *pl* Gebirge; **~ain ash** Eberesche, Vogelbeere; **~ain dew** [dju:] schott. Whisky; **~aineer** [-i'niə] Bergbewohner, -steiger; **~aineering** [-i'niəriŋ] Bergsteigen, Alpinismus; **~ainous** [-inəs] bergig, gebirgig; riesig; **~ebank** [-ibæŋk] Quacksalber; Gauner; **~ing** Einbau, Montage; Beschlag(teil); Einfassung; Aufstieg; Aufziehen

mourn [mɔ:n] (be)trauern *(for, over* um, über); **~er** Leidtragender, Trauernder; **~ful** traurig; **~ing** Trauer(n), -kleidung; *to go into (out of)* ~*ing* Trauer an- (ab)legen

mouse [maus], *pl* **mice** [mais] Maus; ~ [mauz] Mäuse fangen

moustache, *US* **mus-** [məs'ta:ʃ, *US* 'mʌstæʃ] Schnurrbart; Schnurrhaare

mouth [mauθ], *pl* **~s** [mauðz] Mund ♦ *down in the* ~ niedergeschlagen; Maul; Mundloch; Mündung; Öffnung, Loch; Grimasse; ~ [mauð] überbetont, affektiert sprechen; *in den Mund nehmen*; **~ful** [-ful] Mundvoll; bißchen; **~-organ** [-ɔ:gən] Mundharmonika; **~piece** [-pi:s] Mundstück; *fig* Sprachrohr

movable ['mu:vəbl] beweglich; *pl* Mobilien

move [mu:v] 1. (s.) bewegen; rücken; 2. (Schach) ziehen; e-n Zug machen *(a. fig)*; ~ *(house)* umziehen; ~ *heaven* [hevn] *and earth* Himmel und Hölle in Bewegung setzen; ~ *the bowels* ₷ abführen; 3. *fig* bewegen, rühren; 4. veranlassen; 5. beantragen; 6. s. rühren, vorankommen; ~ *along* weitergehen; ~ *away* sich entfernen; ~ *for* etwas beantragen; ~ *in* einziehen; ~ *off* sich davonmachen; ~ *on* (veranlassen) weiter(zu)gehen; *fig* fortschreiten; ~ *out* ausziehen; ~ *up* j-n versetzen; 7. *su* Umzug; 8. (Schach-)Zug *(a. fig; it's your* ~ du bist am Zug); 9. *fig* Schritt; *to make a* ~ woandershin gehen, (anfangen zu) handeln; *to get a* ~ *on (umg)* ein bißchen Trab machen; *on the* ~ in Bewegung

mov|ement ['mu:vmənt] Bewegung; *fig* Handlung; *mil* Marsch; ⚙ Gang; ♪ Satz; ₷ Stuhlgang; *fig* Bewegung; **~ie** [-i] Film, Kino; **~iedom** [-idəm] *US* Filmwelt; **~ie-goer** [-igouə] Kinobesucher; **~ie song** Filmschlager; **~ing** [-iŋ] erregend; bewegend, Trieb-; **~ing picture** ['piktʃə] Film; **~ing staircase** ['stɛəkeis] Rolltreppe; **~ing van** Möbelwagen

mow [mou] *(s. S. 319)* mähen (~ *down* nieder-); (Heu-, Stroh-)Haufen, Stapel; **~er** Mäher; Mähmaschine

Mr ['mistə] Herr; **Mrs** ['misiz] Frau

Ms [miz] Frau/Fräulein *(Familienstand bleibt offen)*

much [mʌtʃ] 1. viel; *as* ~ *again* noch mal soviel; *said as* ~ sagte so (das); *it's nothing* ~ ... nichts Schlimmes; *not so* ~ *as* (noch) nicht einmal; 2. *adv* viel, sehr; ~ *the best* bei weitem ...; 3. beinahe *(~ the same thing)*; *I thought as* ~ das dachte ich mir schon; *not* ~

of a kein große(r); ~ *of a* ~*ness (umg)* so ziemlich gleich

mucilage ['mju:silidʒ] *bot* Schleim; *bes US* Klebgummi

muck [mʌk] Mist, Dung; Schmutz *(a. fig)*; verdrecken; ~ *about (sl)* herummurksen; ~ *up* verkorksen; **~-rake** [-reik] Skandale kolportieren; **~raker** Schnüffler, Kolporteur von Skandalen; **~y** schmutzig, dreckig

muc|ous ['mju:kəs] schleimig; Schleim-; **~us** [-kəs] Schleim

mud [mʌd] Schlamm; Schmutz *(a. fig)*; **~-bath** [-ba:θ], *pl* **~-baths** [-ba:ðz] Moorbad; **~guard** [-ga:d] Schutzblech; Kotflügel; **~dy** schlammig, schmutzig, trüb; dunkel; verworren

muddle [mʌdl] Wirrwarr; *to make a* ~ *of* verkorksen, verhunzen; durcheinanderbringen; verkorksen; ~ *on* (od *along*) weiterwursteln; **~-headed** [-hedid] wirrköpfig, konfus

muesli ['mju:zli] Müsli

muff [mʌf] Muff; 🏉 unsportlicher Mensch, Niete; Versager, schlechtes Fangen; (Ball) verfehlen; **~in** [-in] rundes Toastgebäck; **~le** [-l] (s.) warm ein-, umhüllen; dämpfen; **~ler** [-lə] (warmer) Schal; ♪ Dämpfer; *bes US* 🚗 Auspufftopf; 🏉 Boxhandschuh; Fausthandschuh

mufti ['mʌfti] Zivilkleidung *(in* ~ in Zivil)

mug [mʌg] Krug, Becher; *umg* Dussel; *sl* Visage; *sl* Streber, Examen, büffeln; **~gy** [-i] drückend, schwül

mulatto [mju'lætou], *pl* **~s**, *US* **~es** Mulatte

mulberry ['mʌlbəri] Maulbeerbaum

mulch [mʌltʃ] Mulch; mulchen

mulct [mʌlkt] j-n bestrafen *(£5, in £5* mit 5 Pfund); prellen *(of* um)

mul|e [mju:l] Maultier; Wagenspinner; Pantoffel; bockiger Kerl; Bastard; Dealer; **~eteer** [-li'tiə] Maultiertreiber; **~ish** [-liʃ] bockig, störrisch

mull [mʌl] Mull; *bes BE* verkorksen *(to make a* ~ *of* = to ~); nachgrübeln *(over* über); **~ed** [-d] **beer** Warmbier; **~ed claret** ['klærit] Glühwein; **~et** [-it] Meeräsche; **~igatawny** [-igə'tɔ:ni] Curry-Reissuppe; **~ion** [-jən] Mittelpfosten (e-s Fensters); abteilen

multi|coloured ['mʌlti'kʌləd] vielfarbig; **~farious** [-fɛəriəs] mannigfaltig; **~form** [-fɔ:m] vielgestaltig; *US* **~lateral** [--'lætərəl] mehrseitig; **~lingual** [--'liŋgwəl] mehrsprachig; **~ple** [--pl] vielfach; *~ple shop (BE)* Filialbetrieb; Vielfache *(least common* ~*ple* kleinstes gemeinsames Vielfache); **~plication** [--pli'keiʃən] Multiplikation; **~plication table** Einmaleins; **~plicity** [--'plisiti] Vielfalt; Mannigfaltigkeit; **~ply** [--plai] malnehmen *(by* mit); (s.) vermehren; **~tude** [--tju:d] große Zahl; Menge; die Masse; Vielheit; **~tudinous** [--'tju:dinəs] (sehr) zahlreich

mum [mʌm] 1. still; *to keep* ~ *about s-th* den Mund halten über etwas; ~ *'s the word!* Mund halten!; 2. *umg* Mama; **~ble** [-bl] murmeln, mummeln; Gemurmel; **~mer** der Pantomime; Schmierenschauspieler; **~mery** [-məri] die

Pantomime; *fig* lächerliches Theater; ~my Mumie; Mama

mumps [mʌmps] *sg vb* Mumps

munch [mʌntʃ] mampfen

mundane ['mʌndein] weltlich, irdisch

municipal [mju:'nisipəl] städtisch, Stadt-; von der Stadt betrieben; **~ity** [-,---'pæliti] (selbstverwaltete) Stadt, Kreis; Stadt-, Kreisverwaltung

muni|ficence [mju:'nifisəns] Freigebigkeit; **~ficent** freigebig; **~tion** [-'niʃən] *pl* Kriegsmaterial; mit Kr. versehen

mural ['mjuərəl] Wand-; Wandgemälde, Fresko

murder ['mə:də] Mord; (er)morden; (völlig) verhunzen; **~er** [---rə] Mörder; **~ess** [---ris] Mörderin; **~ous** [---rəs] mörderisch; Mord-

mur|ky ['mə:ki] trüb, düster; **~mur** [---mə] Summen, Gemurmel; Murren; murmeln; murren; **~phy** [---fi] *sl* Kartoffel

murrain [mʌrin] Tierseuche

musc|le [mʌsl] Muskel; Muskulatur; *a man of* ~**le** ein muskulöser Mann; ~**le in** gewalttätig eindringen; ~**le-bound** mit Muskelkater; **~ular** [---kjulə] Muskel-; muskulös

muse [mju:z] sinnen, nachdenken (*on, over* über); *the* ~ die Muse; **~um** [-'zi:əm], *pl* ~ums Museum (~*um piece* M.stück, *a. fig*)

mush [mʌʃ] *BE* Brei; *US* Maismehlbrei; **~room** [---rum] (*mst* eßbarer) Pilz; Champignon; Parvenu; ~*room growth* plötzliches Wachstum

music ['mju:zik] Musik(stück); Noten; **~al** [---əl] musikalisch; Musik-; wohlklingend; ~**al box** *BE* Spieldose; ~**al comedy** Musical; ~ **box** *US* = ~al box; **~-hall** Varieté(gebäude); 💠 bunter Abend; **~ian** [-'ziʃən] Musiker; Komponist; **~ology** [---'kɔlədʒi] Musikwissenschaft; **~-paper** [---peipə] Notenpapier; **~-stand** [---stænd] Notenständer; **~-stool** [---stu:l] Klavierstuhl

musk [mʌsk] Moschus; **~-deer** [---diə], *pl* ~-deer Moschushirsch; **~et** [---it] Muskete; **~eteer** [-i'tiə] Musketier; **~etry** [---itri] Gewehrschießen; Musketiere; **~-melon** [---melən] (Zukker-) Melone; **~-rat** [---ræt] Bisamratte; Bisam(fell); **~-ox** [---ɔks], *pl* ~-oxen Moschusochse; **~y** Moschus-

muslin ['mʌzlin] *US* Musselin; *BE* Mull

musquash ['mʌskwɔʃ] Bisamratte

muss [mʌs] *US umg* Durcheinander; durcheinanderbringen; schmutzig machen; zerknittern

mussel [mʌsl] (zweischalige) Muschel

must¹ [mʌst] 1. müssen; ~ *not* nicht dürfen; 2. *umg* unbedingt notwendig; unbedingt notwendige Sache

must² [mʌst] Most; Schimmel, Moder

mustache ['mʌstæʃ] *siehe* moustache

must|ang ['mʌstæŋ] Mustang; **~ard** [---təd] Senf; **~er** [---tə] Appell, Musterung; *to pass* ~*er* (*fig*) an-, durchgehen; (s.) sammeln; (Mut) aufbringen, -bieten; **~y** [---ti] moderig, muffig; schimmelig; veraltet

mut|able ['mju:təbl] veränderlich; wankelmütig; **~ation** [-'teiʃən] (Ver-)Änderung; Mutation; **~atis ~andis** [-'teitis mju:'tændis] mutatis mutandis; **~e** [mju:t] stumm; Stummer; ♥ Statist; ♪ Dämpfer; ♪ dämpfen (*a. fig*); **~ilate** [---tileit] verstümmeln; **~ilation** [-ti'leiʃən] Verstümmelung

mutin|eer [mju:ti'niə] Meuterer; **~ous** [---nəs] meuterisch, rebellisch; **~y** [---ni] Meuterei; meutern, rebellieren

mutt|er ['mʌtə] murmeln; murren; (Donner) rollen; Gemurmel; **~on** [mʌtn] Hammelfleisch; **~on chop** Hammelkotelett, *pl* Backenbart

mutual ['mju:tjuəl] gegen-, wechselseitig; gemeinsam

muzz|le [mʌzl] Maul, Schnauze; Maulkorb; Mündung (e-r Waffe); e-n Maulkorb anlegen (*a. fig*); **~y** ['mʌzi] wirr; stupide; benommen, benebelt

my [mai] mein; **~self** [-'self] mich; selbst (*siehe* herself)

myop|ia [mai'oupiə] Kurzsichtigkeit; **~ic** [-'ɔpic] kurzsichtig

myria|d ['miriəd] Myriade, *pl* Zehntausende; unzählig; **~pod** [---pɔd] Tausendfüßer

myrmidon ['mə:midən] Scherge, Helfershelfer

myrrh [mə:] Myrrhe; Süßdolde, Myrrhenkerbel

myrtle [mə:tl] Myrte; *US* Immergrün

myself [mai'self] *siehe* my

myst|erious [mis'tiəriəs] geheimnisvoll; **~ery** [---teri] Geheimnis; Rätsel; *fig* Dunkel; *pl* Mysterien; **~ery (novel)** Kriminalroman; **~ery (play)** Mysterienspiel; **~ery tour** Fahrt ins Blaue; **~ic** [---tik] mystisch; geheimnisvoll; Mystiker; **~ical** = ~ic; **~icism** [---tisizm] Mystizismus; **~ification** [-tifi'keiʃən] Betrug, Täuschung; **~ify** [---tifai] (j-n) hereinlegen, irreführen; in Dunkel hüllen

myth [miθ] Mythe, Sage; *fig* Fabel; **~ical** [---θikl] mythisch, sagenhaft; erdichtet; **~ology** [-'θɔlədʒi] Mythologie; Sagenwelt; Sagenschatz

N

N [en] N

nab [næb] *umg* schnappen, erwischen

nacelle [nə'sel] ✈ Gondel; Ballonkorb; (Flugzeug)Rumpf

nadir ['neidiə, *US* ---də] Nadir; *fig* Tiefpunkt

nag [næg] Pony, kl. Reitpferd; Klepper; triezen (*into doing* zu tun); herumnörgeln (*at* an)

nail [neil] 1. (💠, Finger- etc)Nagel; *to hit the* ~ (*right*) *on the head* den Nagel auf den Kopf treffen; *as hard as* ~*s* von eiserner Gesundheit, *fig* steinhart ♦ *to pay on the* ~ auf der Stelle zahlen; 2. nageln (~ *down* zu-, fest-; ~ *up* ver-, zu-); ~ *s-b down to* j-n festnageln auf; ~ *one's colours to the mast* eindeutig Farbe bekennen; ~ *a lie (to the counter)* e-e Lüge festnageln

naive [nɑːˈiːv] naiv; **~té** [-ˊtei, US --ˊ] Naivität

naked [ˈneikid] nackt; kahl; bloß

name [neim] 1. Name (*by* ~ mit N., *dem* N. nach); *to call s-b ~ s-j-n* beschimpfen; 2. (guter) Ruf; *to have a ~ for* bekannt sein für; *to win a ~ for o.s.* sich e-n Namen machen; 3. nennen (*after, for s-b* nach j-m); 4. be-, ernennen; **~less** unbekannt; unaussprechlich; unerwähnt; **~ly** nämlich; **~sake** [-ˋseik] Namensvetter

nanny [ˈnæni] *bes BE* Kindermädchen; **~-goat** Ziege

nap [næp] 1. Nickerchen, Schläfchen (*to have, take a ~* ein Schläfchen halten); 2. Noppe; 3. dösen, schlummern ♦ *to be caught ~ping* überrumpelt werden

nape [neip] Nacken; **~ry** [-ˊpəri] Tischwäsche

naphtha [ˈnæfθə] Naphtha

nap|kin [ˈnæpkin] Serviette; *BE* Windel; **~py** [-i] *BE umg* Windel

narciss|us [nɑːˈsisəs], *pl* **~i** [-ˊsai], **~uses** Narzisse

narco|sis [nɑːˈkousis], *pl* **~ses** [-ˊsiːz] Narkose; **~tic** [-ˋkɔtik] Narkotikum; Morphinist; betäubend, narkotisch; **~tize** [-ˊkətaiz] narkotisieren

narra|te [næˈreit, *US a.* -ˊ-] erzählen, berichten; **~tion** [-ˊʃən] Erzählung, Geschichte; **~tive** [-ˊrətiv] erzählend; Bericht, Erzählung; **~tor** [-ˊtə] Erzähler

narrow [ˈnærou] eng, schmal; *fig* knapp; dürftig (~ *circumstances* d. Verhältnisse); engherzig; beschränkt; genau; *pl* Meerenge; einengen; beschränken; **~-gauge** [-ˊ-geidʒ] Schmalspur-; **~-minded** [-ˊ-ˊmaindid] engherzig

narwhal [ˈnɑːwəl] Narwal, Einhornwal

nasal [ˈneizəl] Nasen-; Nasal(laut)

nascent [ˈnæsənt] werdend, (heran-)wachsend

nasturtium [nəsˈtəːʃəm], *pl* **~s** Kapuzinerkresse

nasty [ˈnɑːsti] widerlich, ekelhaft; unanständig; böse, gefährlich; schlimm; abscheulich

natal [ˈneitəl] Geburts-; **~ity** [nəˈtæliti] Geburtenziffer

nation [ˈneiʃən] Volk, Nation; **~al** [ˈnæʃənəl] National-; Volks-; Staats-; staatlich; das ganze Land er-, umfassend; *~al paper* überregionale Zeitung; Staatsangehöriger; **~alism** [ˈnæʃənəlizm] Nationalismus; **~ality** [næʃəˈnæliti] Staatsangehörigkeit, Nationalität; **~alize** [ˈnæʃənəlaiz] zu e-m Staat machen; verstaatlichen; nationalisieren; **~alization** Verstaatlichung; Nationalisierung; **~hood** [-ˊhud] nationale Eigenständigkeit; **~-wide** [-ˊwaid] das ganze Land um-, erfassend

nativ|e [ˈneitiv] Geburts-; Heimat-; Mutter-(Sprache); einheimisch; angeboren; gediegen (Metall); Eingeborener; *a ~e of (London etc)* ein geborener (Londoner usw.); einheimisches Tier (Pflanze); **~ity** [nəˈtiviti] (Christi) Geburt; Horoskop

natterjack [ˈnætədʒæk] Kreuzkröte

natty [ˈnæti] adrett, chic; geschickt

natur|al [ˈnætʃərəl] natürlich; Natur-; (an)geboren; unehelich; ♪ ohne Vorzeichen; *su* Idiot(in); ♪ weiße Taste, Note ohne Vorzeichen; Auflösungszeichen; **~alist** Naturforscher, -freund; naturalistisch; **~alize** [-ˊ--laiz] einbürgern (*a. bot, zool, fig*); **~ally** natürlich; von Natur aus; **~e** [ˈneitʃə] Natur; Natürlichkeit; natürliche Anlage, Naturell; Art; *good ~e* Gutmütigkeit, Selbstlosigkeit; Art; *in* (od *of*) *the ~e of a* fast ein

naught [nɔːt] *siehe* nought; **~y** unartig, ungezogen

nausea [ˈnɔːsiə, *US* -ˊʃə] Übelkeit; Ekel; **~ted** [-ˊsieitid, *US* -ˊʃieitid] schlecht, übel; überdrüssig; ganz krank (*for* vor); **~ting** übel-, ekelerregend

nautical [ˈnɔːtikəl] nautisch; See-; Schiffs-

nav|al [ˈneivəl] Marine-; See-; Schiffs-; **~e** [neiv] (Kirchen-)Schiff, Mittelschiff; **~el** [ˈneivəl] Nabel; **~el orange** Navelorange; **~icert** [ˈnævisəːt] Geleitschein

navig|able [ˈnævigəbl] schiffbar; fahrtüchtig; **~ate** [-ˊ-geit] steuern, navigieren; befahren; **~ation** [--ˊgeiʃən] Navigation; Schiffahrt; Schiffsverkehr; **~ator** [-ˊ--geitə] Steuermann, Navigator, Nautiker; Seemann

navvy [ˈnævi] *BE* Erdarbeiter; Löffelbagger

navy [ˈneivi] (Kriegs-)Marine

nay [nei] nein; vielmehr

neap [niːp] ♪ Nippflut (*a.* **~-tide**)

near [niə] 1. nahe; ~ *at hand* in der Nähe, bald; ~ *by* in der Nähe; ~ *upon* kurz vor; 2. = ~ly; *nowhere* ~ *enough* nicht annähernd genug; 3. *prep* nahe bei (an); 4. *adj* nahe; *a ~ thing* knappes Entkommen; ~ *miss* (od *hit*) Nahtreffer, *fig* fast e. Erfolg; *to be* ~ *and dear to* j-m nahestehen; 5. linke (Pferd, Seite etc); 6. knauserig; 7. *vt/i* (s.) nähern; **~by** [-ˊbai] nahegelegen, benachbart; **~ly** fast, beinahe; *not ~ly* nicht annähernd; sehr; **~-sighted** [-ˊsaitid] kurzsichtig

neat [niːt] sauber; wohlgeformt; hübsch; schmuck, adrett; geschickt, gut; treffend; unverdünnt

nebul|a [ˈnebjulə], *pl* **~ae** [-ˊ-liː] Nebel(-fleck); **~ous** [-ˊ-ləs] neblig; nebelhaft

necess|arily [ˈnesisərili] notwendigerweise, zwangsläufig; **~ary** [-ˊ--ri] notwendig, erforderlich (*to, for* für); *pl* Bedürfnisse (*of life* Lebens-); **~itate** [niˈsesiteit] notwendig machen, erfordern; **~itous** [niˈsesitəs] (be)dürftig; **~ity** [niˈsesiti] Not(wendigkeit); Armut (*to be in* ~*ity*); *pl* lebensnotwendige Dinge ♦ *~ity knows no law* Not kennt kein Gebot; *~ity is the mother of invention* Not macht erfinderisch; *to bow* [bau] *to* ~*ity* sich der Notwendigkeit beugen; *to make a virtue of* [ˈvəːtjuː] *of* ~*ity* aus der Not eine Tugend machen; *of* ~*ity* notwendigerweise, zwangsläufig

neck [nek] 1. Hals; Genick (*to break one's* ~ sich das Genick brechen); 2. 🐎 Halslänge; *and* ~ Seite an Seite; ~ *or nothing* alles oder nichts ♦ *to get it in the* ~ eins aufs Dach bekommen; *a stiff* ~ Halsstarrigkeit; 3. Hals-

stück; ~ *of land* Landenge; **4.** (s.) knutschen;
~erchief [-kətʃif] Halstuch; **~lace** [-lis] Hals-
kette; **~tie** [-tai] Krawatte; **~wear** [-wɛə] Kra-
watten und Halstücher

necromancy ['nekrəmænsi] Nekromantie,
Zauberei

nectar ['nektə] Nektar *(a. bot)*; **~ine** [--rin]
Nektarine (Pfirsichart)

née [nei] geborene

need [niːd] **1.** Hilfsverb: müssen, brauchen; **2.**
Vollverb: müssen, brauchen; benötigen; *it ~s
doing* es muß erledigt werden; **3.** Mangel,
Not; **4.** Notwendigkeit; Bedürfnis; *to be in ~
of = to ~*; *there's no ~ for that* das ist nicht
notwendig; *in case of ~*, *if ~ be* im Notfall,
erforderlichenfalls; **~ful** nötig; *to do the ~ful
= to do what is ~ful*; *sl* Zaster; **~less** unnötig;
~less to say natürlich; *(nur in Verbindung mit
‚must')* **~s** *adv* notgedrungen; zwangsläufig;
notwendigerweise; **~y** arm, (be)dürftig

needle [niːdl] (Näh-, Strick-, Häkel-)Nadel *(a.
bot, ♪, ♫)*; *pins and ~s* Kribbeln; auf-, anstacheln; **~case** Nadelbüchlein; **~woman** [-wu-
mən], *pl ~-women* [-wimin] Näherin; **~-work**
[-wəːk] Hand-, Näharbeit

ne'er-do-well ['nɛəduwel] Taugenichts

nefarious [ni'fɛəriəs] ruchlos, schändlich

nega|tion [ni'geiʃən] Verneinung; **~tive** ['negə-
tiv] verneinend; negativ; *(a. ♪, ♫, math)*; Verneinung; *in the ~tive* verneinend; ♫ Negativ;
math negative Größe; verneinen; widerlegen;
unwirksam machen

neglect [ni'glekt] vernachlässigen; versäumen; Vernachlässigung; **~ful** nachlässig *(of
in)*; *to be ~ful of = to ~*

négligé ['negliːʒei], *US* **negligee** [neglə'ʒei]
Negligé; formlos

negligen|ce ['neglidʒəns] Nachässigkeit; ♫
Fahrlässigkeit; **~ent** nachlässig; gleichgültig;
to be ~ent of = to neglect; **~ible** [--dʒibl]
unerheblich, belanglos

negoti|able [ni'gouʃəbl] verkäuflich; begeb-
bar; passierbar; **~ate** [--eit] verhandeln; zu-
standebringen; begeben; (Kurve etc) nehmen,
bewältigen; **~ation** [-,--'eiʃən] Verhandlung;
Begebung; Bewältigung

negr|ess ['niːgris] Negerin; **~o** [-grou], *pl ~oes*
Neger

neigh [nei] wiehern; Wiehern

neighbour ['neibə] Nachbar(in); Nächstste-
hender; *fig* Nächster; grenzen *(upon* an); **
~hood** [--hud] Nachbarschaft; Gegend; *the
whole* [houl] *~hood* alle Nachbarn; Nähe; *in
the ~hood of* in Höhe von etwa; **~ly**
(freund)nachbarlich

neither ['naiðə, *US* 'niːðər] keiner (von beiden); **~ ... nor** weder ... noch ♦ *that's ~
here nor there* das ist unerheblich; auch nicht

neologism [ni'ɔlədʒizm] Neuwort, Neubil-
dung

neon ['niːən] Neon; **~ light** Neonlicht, -lampe;
~ sign Neonreklame

neophyte ['niːəfait] Anfänger; Konvertit; Novize; Jungpriester

nephew ['nevjuː, *US* 'nefjuː] Neffe

nephritis [ni'fraitis] Nierenentzündung

nepotism ['nepətizm] Vetternwirtschaft

nerve [nəːv] **1.** Nerv; **2.** *pl* Nervosität, *fig* Nerven *(that noise gets on my ~s ...* geht mir auf
die Nerven); **3.** Kraft, Nerv; *a man of ~* ein
energischer Mann; **4.** Sehne ♦ *to strain every
~* alle Kraft zusammennehmen; **5.** (Blatt-)
Rippe; **6.** stärken, Kraft geben; *~ o.s.* sich zusammennehmen; **~less** kraftlos, schwach

nerv|ous ['nəːvəs] Nerven-; nervös; ängstlich;
kräftig; **~ousness** Nervosität; **~y** stark; kühn;
sl dreist, irritierend

nest [nest] **1.** Nest; *to take a ~* ein Nest ausnehmen ♦ *to feather one's ~* sich bereichern;
2. Satz (Tische etc); **3.** nisten; *to go ~ing* Ne-
ster ausnehmen gehen; **~le** [nesl] (sich ein)ni-
sten; sich anschmiegen *(to* an); schmiegen,
zärtlich nehmen; **~ling** ['neslin] Nestling

net [net] Netz *(a. fig)*; Tüll; netto; Netto-;
Rein-; (netto) erbringen, abwerfen, verdienen;
(mit dem Netz) fangen *(a. fig)*; mit Netzen ausfischen, bedecken; **~ting** Netz; Tüll; Filetar-
beit; **~work** [-wəːk] Netz(werk); (Verkehrs-,
Rundfunk-)Netz, Sendergruppe

nether ['neðə] nieder; **~ garments** Beinkleider;
~ regions (world) Unterwelt

Netherlands ['neðələndz] Niederlande

nettle [netl] Nessel; *~ o.s.* sich brennen; ärgern; **~rash** [-ræʃ] Nesselfieber

neur|al ['njuərəl] Nerven-; **~algia** [-'rældʒiə]
Neuralgie; **~algic** [-'rældʒik] neuralgisch;
~asthenia [-rəs'θiːniə] Nervenschwäche; **~as-
thenic** [-rəs'θenik] nervenschwach; Neuras-
theniker; **~itis** [-'raitis] Nervenentzündung;
~ology [-'rɔlədʒi] Nervenlehre; **~osis** [-'rou-
sis], *pl ~oses* [-'rousiːz] Nervenleiden, Neu-
rose; **~otic** [-'rɔtik] nervenleidend; Neuroti-
ker

neuter ['njuːtə] sächlich; geschlechtslos; Neutrum; geschlechtsloses Tier

neutral ['njuːtrəl] neutral(er Staat); Neutraler;
🚗 Leerlaufstellung; **~ity** [-'træliti] Neutrali-
tät; **~ize** [--laiz] für neutral erklären; neutrali-
sieren

neutron ['njuːtrən], *pl ~s* Neutron

never ['nevə] nie(mals); durchaus nicht; *well, I
~!*, *I ~ did!* das ist die Höhe; **~more** [--'mɔː]
nie wieder; **~theless** [---ðə'les] nichtsdestoweniger, trotzdem

new [njuː] neu *(to* für); frisch; unerfahren;
~born [-bɔːn] neugeboren; **~fangled** [-
fæŋgld] neumodisch; **~ly** neu; frisch; neulich;
~s [njuːz] *sg vb* Nachricht(en), Neuigkeit(en);
what's the ~s? was gibt's Neues?; *to be (no) ~s
to s-b* j-m (nicht) neu sein; *to break the ~s to
s-b* j-m e-e unangenehme Nachricht mitteilen;
~s-agency [-'zeidʒənsi] Nachrichtenbüro; **~s-
agent** [-zeidʒənt] *BE* Zeitungshändler; **~sboy**
Zeitungsjunge; **~scast** [-kɑːst] Nachrichten-
sendung; **~s dealer** *US* = ~s-agent; **~s item**
['aitəm] Nachricht; **~spaper** [-speipə] Zeitung;
~s photographer [-z fə'tɔgrəfə] Bildberichter;
~sprint [-zprint] Zeitungspapier; **~s reader**

Nachrichtensprecher; **~sreel** [ˊ-zri:l] Wochenschau; **~sstand** Zeitungsstand; **~sy** [ˊ-zi] inhaltsreich, voll Neuigkeiten
newt [nju:t] Molch
next [nekst] **1.** nächst; ~ *door (to me)* nebenan; ~ *(door) to* fast, so gut wie; *the ~ best (thing)* der nächst-, zweitbeste (*to* nach); **2.** *adv* als nächstes, dann; **3.** *prep* ~ *(to)* neben
nexus ['neksəs] Verbindung; (Wort-)Gruppe
nib [nib] (Schreib-)Federspitze; *BE* (Schreib-) Feder; Schnabel; **~ble** [nibl] knabbern, nagen (*at* an); *~ble at* zögern bei, 'rumnörgeln an; Knabbern, Beißen
nice [nais] schön, nett (*to* für); ~ *and* sehr, ganz; hübsch; fein (Unterschied etc); heikel; **~ly** nett; schön, prima; **~ty** [ˊ-siti] Genauigkeit ♦ *to a ~ty* aufs Haar (genau); Einzelheit, Feinheit
niche [nitʃ] Nische; *fig* Stelle, Platz
nick [nik] Kerbe ♦ *in the ~ of time* (gerade) zur rechten Zeit; 📖 Signatur(-rinne); (ein)kerben); *Old N~* der Deubel; **~el** [nikl] Nickel; *US* 5-Cent-Stück; vernickeln; **~name** [ˊ-neim] Spitzname; j-n mit Spitznamen ... nennen
nicotine ['nikəti:n] Nikotin
niece [ni:s] Nichte
niggard ['nigəd] Knicker, Geizhals; **~(ly)** knauserig, geizig
nigger ['nigə] Neger, Schwarzer; **~(-minstrel)** Negersänger
niggl|e [nigl] *BE* penibel sein, mähren; **~ing** penibel
nigh [nai] nahe
night [nait] Nacht (*all ~ long* die ganze Nacht); *at ~, o'~s* (des) nachts; *last ~* gestern abend; *to have a ~ out* (od *off*) e-n Abend woanders (nicht zu Hause) verbringen; *to make a ~ of it* die Nacht durchmachen; *to turn ~ into day* die Nacht zum Tage machen; **~-bird** [ˊ-bə:d] Nachtvogel *(a. fig)*; **~-cap** [ˊ-kæp] Getränk vor dem Zubettgehen; **~-club** [ˊ-klʌb] Nachtklub; **~-dress** [ˊ-dres] (Damen-) Nachthemd; **~-fall** [ˊ-fɔ:l] Abend(anbruch); **~-gown** [ˊ-gaun] Nachtgewand; **~ie** [ˊ-i] Nachthemd; **~ingale** [ˊ-iŋgeil] Nachtigall; **~-long** [ˊ-lɔŋ] die ganze Nacht andauernd; **~ly** [ˊ-li] nächtlich, abendlich; nachts; **~mare** [ˊ-mɛə] Alpdrücken; etwas Entsetzliches; **~marish** [ˊ-mɛəriʃ] entsetzlich; **~-school** [ˊ-sku:l] Abendkurse; **~shade** [ˊ-ʃeid] Nachtschatten; *deadly* ['dedli] *~shade* Tollkirsche; **~-shirt** [ˊ-ʃə:t] (Herren-)Nachthemd; **~stick** *US* Gummiknüppel; **~watch** [ˊ-'wɔtʃ] Nachtwache; **~-watchman** [ˊ-'wɔtʃmən], *pl* ~-watchmen Nachtwächter
nihil|ism ['naiilizm] Nihilismus; *pol* revolutionärer Radikalismus; **~ist** Nihilist
nil [nil] nichts; null (*bes* ⛩)
nimble [nimbl] gewandt; flink
nimb|us ['imbəs], *pl* **~i** [ˊ-bai], **~uses** Heiligenschein; Regenwolke
nincompoop ['ninkəmpu:p] Schwachkopf, Trottel
nine [nain] neun ♦ *a ~ days' wonder* e-e kurzlebige Sensation; *the N~* die neun Musen ♦ *dressed up to the ~s* picobello hergerichtet; **~pins** [ˊ-pinz] *BE* Kegeln; **~teen** [ˊ-'ti:n] neunzehn ♦ to *talk ~teen to the dozen* ['dʌzən] reden wie e. Wasserfall; **~teenth** [ˊ-ti:nθ] neunzehnte; **~tieth** [ˊ-tiiθ] neunzigste; **~ty** [ˊ-ti] neunzig; *the ~ties* die 90er Jahre
ninny ['nini] Dummkopf, Simpel
ninth [nainθ] neunte(r, s); Neuntel
nip [nip] **1.** kneifen, zwicken, beißen; **2.** klemmen; **3.** (v. Frost, Wind) schädigen, kaputt machen ♦ ~ *in the bud* im Keim ersticken; **4.** klauen; ~ *along (BE)* sich beeilen; ~ *away, off (BE)* fortwitschen; ~ *in (BE)* hineinwitschen; ~ *on ahead (BE)* nach vorne rennen; **5.** Kneifen; **6.** Klemmen; Biß; Frost *(a cold ~ in the air)*; Schluck (Alkohol); ~ *and tuck (US)* ⛩ Seite an Seite; **~per** j-d, etwas, das kneift, klemmt, beißt; *BE* Junge, Stift; *pl* (Kneif-) Zange; **~ping** beißend (kalt), scharf; **~ple** Brustwarze; Sauger; ⚙ Nippel
Nippon ['nipɔn, *bes US* -ˊ] Japan
Nisei ['ni:'sei], *pl ~ US* (in USA geborener) Japan-Amerikaner
nitery ['naitəri] *US sl* Nachtklub
nitr|ate ['naitreit] Salpetersäuresalz, Nitrat; **~e** ['naitə] Salpeter; **~ic** [ˊ-trik] Salpeter- (*~ic acid* -säure)); **~ogen** [ˊ-trədʒən] Stickstoff; **~ous** [ˊ-trəs] Stickstoff-; **~ous oxide** ['ɔksaid] Stickstoffoxydul, Lachgas
nitwit ['nitwit] Holz-, Dummkopf
no [nou] **1.** nein; *he won't say ~ to* er wird nicht nein sagen bei; *the ~es* die Neinstimmen, Stimmen dagegen; **2.** kein; *there's ~ doing* ... es läßt sich nicht machen ...; ~ *one* niemand; ~ *one man* kein einzelner; *in ~ time* im Nu; ~ *man's land* ['noumænzlænd] Niemandsland; **3.** *adv* keineswegs *(he's ~ better yet)*; *or ~* oder nicht; ~ *more* kein ... mehr, nicht mehr, nie wieder, auch nicht
Noah's ark ['nouəz 'ɑ:k] Arche Noah
nob [nɔb] Birne, Dez; *BE* großes Tier
nob|ility [nou'biliti] Adel; die Adligen; **~le** [noubl] adlig; edel; großartig, prächtig; Adliger; **~leman** [ˊ-blmən], *pl ~* lemen Adliger, Edelmann
nobody ['noubədi] niemand, keiner; *fig* Null, Hohlkopf
nocturnal [nɔk'tə:nəl] nächtlich; Nacht-
nod [nɔd] **1.** nicken (*to s-b* j-m zu-); dösen(d den Kopf sinken lassen); **2.** e-n Fehler machen ♦ *Homer* ['houmə] *sometimes ~s* jeder kann sich mal irren; *~ding acquaintance* [ə'kweintəns] oberflächliche Bekanntschaft; **3.** federn; **4.** schwanken; **5.** Nicken; *to give a ~* = to ~; *the land of ~* Schlaf
nod|e [noud] *bot* Knoten; (Gicht-)Knoten; Überbein; **~ular** ['nɔdjulə] knotenartig, Knoten-
Noel [nou'el] Weihnacht(slied)
nois|e [nɔiz] Lärm, (lautes) Geräusch; **~e (abroad** [ə'brɔ:d]) (allgemein) verbreiten; **~eless** [ˊ-lis] geräuschlos; **~ome** ['nɔisəm] widerlich; schädlich; **~y** [ˊ-zi] lärmend, laut, geräuschvoll

nomad ['noumæd] Nomade; ~**ic** [nou'mædik] nomadisch; Nomaden-
nomenclature ['noumənkleitʃə, nou'men-klətʃə] Nomenklatur; Terminologie
nomin|al ['nɔminəl] nominell; Nominell-; (ganz) gering; Namens-; ~**ate** [⸗neit] ernennen; nominieren; ~**ation** [⸗⸗'neiʃən] (Wahl-) Vorschlag(srecht); ~**ative** [⸗nətiv] Nominativ; ~**ee** [⸗⸗'niː] Kandidat, Vorgeschlagener
non- [nɔn] nicht-, un-
nonce [nɔns] Augenblick; *for the* ~ für den Augenblick; ~ **word** Augenblicksprägung
non|chalant ['nɔnʃələnt] lässig, gelassen; ~**combatant** [⸗'kɔmbətənt] Nichtkämpfer; Zivilist; ~**commissioned** [⸗kə'miʃənd] **officer** Unteroffizier; ~**committal** [⸗kə'mitl] unverbindlich, unbestimmt; ~**conformist** [⸗kən'fɔːmist] Dissident, Freikirchler; ~**conformity** [⸗kən'fɔːmiti] Dissidenten(tum); Mangel an Übereinstimmung; Nichtbefolgung (*to a rule* e-r Vorschrift); ~**contributory** [⸗kən'tribjutəri] beitragsfrei; ~**descript** [⸗diskript] unbestimmbar, seltsam(e Person, Sache)
none [nʌn] 1. keiner; ~ *but* nur; ~ *of that!* Schluß damit! ~ *of your impudence* ['impjudəns] ich verbitte mir diese Unverschämtheit; *it is* ~ *of your business* ['biznis] das geht Sie nichts an; 2. *(vor 'so', 'too', Komparativ)* keineswegs; ~ *the less* trotzdem
nonentity [nɔ'nentiti] etwas, das nicht existiert; Phantasiegebilde; *fig* e-e Null
non|-fiction [⸗'fikʃən] Fachliteratur; Sachbücher; ~**pareil** [*bes BE* ⸗pərel, *bes US* ⸗⸗⸗] unvergleichlich, unerreicht; *zool* Papstfink; □ Nonpareille (6 Punkt); ~**partisan** [⸗paːti'zæn, *US* ⸗'paːtəzən] unparteiisch; (partei-) unabhängig; ~**plus** [⸗'plʌs] verblüffen; ~**profit** gemeinnützig
nonsens|e ['nɔnsəns] Unsinn; albernes Benehmen; ~**ical** [⸗'sensikl] unsinnig
non|-stop [⸗stɔp] durchgehend(er Zug, Flugzeug etc); durch-(fahren etc); ~**union** [⸗'juːnjən] nicht gewerkschaftlich organisiert; ungewerkschaftlich
noodle [nuːdl] Dummkopf; *pl*(Band-)Nudeln
nook [nuk] Ecke; *fig* Winkel
noon [nuːn] Mittag; ~**day**, ~**tide** = ~
noose [nuːs] Schlinge; e-e Schlinge machen; (mit der Schlinge) fangen
nor [nɔː] noch, und auch nicht; ~ *do (can, must etc) I* ich auch nicht; *(am Satzanfang)* auch nicht
norm [nɔːm] Norm, Regel; ~**al** [⸗əl] normal; *math* senkrecht; ~**al school** Lehrerbildungsanstalt; der normale Zustand; *math* Senkrechte; ~**alcy** [⸗əlsi], ~**ality** [nɔː'mæliti] Normalzustand; ~**ally** normalerweise, gewöhnlich
Norse [nɔːs] Norweger; Normannen; norwegisch(e Sprache); skandinavisch
north [nɔːθ] Nord(en); nach Norden; N~ *BE* Nordengland; *the N~ Star* Polarstern; N~-**Country** *BE* Nordengland; ~**east** [⸗'iːst] Nordost(en); nordöstlich; ~**easter** [⸗'iːstə] Nordostwind; ~**erly** [⸗ðəli] nördlich; ~**ern** [⸗

ðən] nördlich, Nord-; ~**erner** [⸗ðənə] Bewohner des Nordens; N~**man** [⸗mən], *pl* N~**men** Wikinger; Skandinavier; ~**ward(s)** nördlich; nordwärts; ~**west** [⸗'west] Nordwest(en); nordwestlich; ~**wester** [⸗'westə] Nordwestwind
Nor|way ['nɔːwei] Norwegen; ~**wegian** [⸗'wiːdʒən] Norweger; norwegisch
nose [nouz] 1. Nase; Spitze ♦ *to follow one's* ~ immer der Nase nachgehen; *to lead s-b by the* ~ j-n völlig beherrschen; *to pay through the* ~ e-n viel zu hohen Preis bezahlen; *to turn up one's* ~ *at* die Nase rümpfen über, nichts wissen wollen von; *to put s-b's* ~ *out of joint* j-m alles vermasseln; 2. (be)schnüffeln; schnuppern; ~ *s-th out* wittern *(a. fig)*; ~**bag** [⸗bæg] Futterbeutel; ~**cone** [koun] Raketenspitze; ~**dive** [⸗daiv] Sturzflug (machen); ~**gay** [⸗gei] Blumenstrauß
nostalgia [nɔs'tældʒiə] Heimweh; Sehnsucht
nostril ['nɔstril] Nasenloch; Nüster
nostrum ['nɔstrəm], *pl* ~**s** Wundermittel; Allheilmittel
not [nɔt] nicht; ~ *to say* um nicht zu sagen; ~ *to speak of* ganz zu schweigen von; ~ *but what* jedoch, freilich; ~ *half (sl)* sehr, äußerst; ~ *at all!* bitte sehr!, nichts zu danken!
nota|bility [noutə'biliti] Bedeutung; angesehene Person; ~**ble** [⸗təbl] bedeutend, angesehen; = ~bility; ~**bly** ganz besonders; ~**rize** [⸗təraiz] *US* notariell beglaubigen; ~**ry** [⸗təri] *(mst:* ~ry *public)* Notar; ~**tion** [⸗'teiʃən] Zeichensystem; Notenschrift; *US* Aufzeichnung
notch [nɔtʃ] Kerbe; Nut; *US* Hohlweg; *US* Grad; (ein-)kerben
note [nout] 1. *pol*, ♪ Note; 2. Ton; 3. Taste; *whole, half, quarter etc* ~ *(US)* ganze, halbe, Viertelnote; 4. Notiz, Aufzeichnung; Anmerkung; *to make a* ~ *of s-th* sich etwas aufschreiben, *fig* sich etwas merken; *to take* ~*s* sich Notizen machen; 5. (kurzer) Brief; 6. Zeichen (~ *of exclamation* Ausrufe-; ~ *of interrogation* Frage-); 7. *fig* Ton, Klang; 8. Beachtung; *to take* ~ *of* Beachtung schenken; 9. achten auf; ~ *down* (auf)notieren; ~**book** [⸗buk] Notizbuch; Kladde; ~**case** [⸗keis] *BE* Geldscheintasche; ~**d** [⸗d] bekannt, berühmt *(for* wegen); ~**paper** [⸗peipə] Briefpapier; ~**worthy** [⸗wəːði] beachtenswert
nothing ['nʌθiŋ] nichts (*to* im Vergleich zu); *for* ~ umsonst, ohne Grund; *to come to* ~ scheitern; *to make* ~ *of* nicht klug werden aus, etwas leicht nehmen, nicht für wichtig halten, ungenutzt lassen; *to say* ~ *of* ganz zu schweigen von; ~ *like* nichts besseres als; ~ *much* nicht viel, sehr wenig; ~ *if not* überaus, durchaus; ~**ness** Nichts; Nichtvorhandensein; Nichtigkeit; Leere
notice ['noutis] 1. Nachricht, Notiz, Anzeige; 2. Kenntnis, Beachtung; *to take* ~ *of* bemerken, be(ob)achten; *to take no* ~ *of* keine Notiz nehmen von; *to bring to s-b's* ~ j-m zur Kenntnis bringen; *to escape* ~ unbemerkt bleiben; *to come under s-b's* ~ j-m zur Kenntnis gelan-

gen; *until further* ~ bis auf weiteres; *to give* ~ mitteilen; **3.** Kündigung(sfrist); *they have* ~ *to quit* ihnen wurde gekündigt; *to give s-b* ~ j-m kündigen; *to get a month's* ~ auf nächsten Monat gekündigt werden; *at short* ~ kurzfristig, bald; **4.** (Buch- etc) Besprechung; **5.** *vt/i* bemerken; **6.** aufpassen; **7.** beachten; **8.** erwähnen; **9.** rezensieren; **~able** [⸚əbl] bemerkbar; **~-board** [⸚bɔːd] Anschlagtafel

noti∥fiable ['noutifaiəbl] meldepflichtig; **~fication** [──fi'keiʃən] Anzeige; Meldung; Unterrichtung; **~fy** [⸚fai] (offiziell) unterrichten (*of* von); melden, berichten

notion ['nouʃən] Begriff, Vorstellung; *pl US* Kurzwaren

notor∥iety [noutə'raiəti] Überallbekanntsein, Aufsehen; allbekannte Person; · **ious** [‒'tɔːriəs] offenkundig; berüchtigt, notorisch

notwithstanding [nɔtwið'stændiŋ] ungeachtet, trotzdem; obwohl

nought, *bes US* **naught** [nɔːt] Nichts; Null; *to care* ~ *for* gering achten; *to come to* ~ mißlingen, scheitern; *to bring to* ~ ruinieren

noun [naun] Substantiv

nourish ['nʌriʃ] (er)nähren *(a. fig)*; düngen; **~ing** nahrhaft; **~ment** Nahrung

nouveau riche ['nuːvou'riːʃ], *pl* **~x riches** [⸚⸚] Neureicher, Parvenü

novel ['nɔvəl] neu(artig); überraschend; Roman; *short* ~ Novelle; **~ette** [──'let] Novelle; **~ist**, **~-writer** Romanschriftsteller; **~ty** Neu(art)igkeit; etwas Neuartiges, Seltsames; *pl* Neuheiten; Modeartikel

November [nou'vembə] November

nov∥ice ['nɔvis] Novize; Konvertit; Anfänger, Neuling; **~ciate**, **~tiate** [nou'viʃiit] Noviziat; Probezeit; Novize

now [nau] **1.** jetzt, nun; *up to (till)* ~ bis jetzt; *not* ~ nicht mehr; *(every)* ~ *and again*, ~ *and then* hin und wieder; *just* ~ soeben, gerade (jetzt); **2.** *conj:* ~ *(that)* jetzt wo; **~adays** [⸚ədeiz] heutzutage

no∥where ['nouwɛə] **1.** nirgendwo(hin), nirgends; *that will take you* ~*where* das führt zu nichts; ~*where near* nicht annähernd; **2.** kein Ort, kein Platz; **~wise** [⸚waiz] keineswegs

noxious ['nɔkʃəs] schädlich, verderblich (*to* für)

nozzle [nɔzl] Schnauze; Düse; Tülle

nuance ['njuːɑːns] Nuance, Schattierung

nub [nʌb] Klümpchen; *fig* Kern

nucle∥ar ['njuːkliə] nuklear; Kern-; Atom-; atomgetrieben; **~onics** [──kli'ɔniks] (angewandte) Kernphysik; **~us** [⸚kliəs], *pl* ─i [⸚kliai] Kern *(a. fig)*; Atomkern; Grundstock

nud∥e [njuːd] nackt, bloß; 🎨, 🖼 Akt; **~ist** Anhänger der Nacktkultur; **~ity** Nacktheit

nudge [nʌdʒ] leichter Rippenstoß; j-m e-n Schubs geben, schubsen

nugget ['nʌgit] (Gold-)Klumpen

nuisance ['njuːsəns] **1.** Plage; **2.** Ärgernis, Belästigung; *to make a* ~ *of o.s.* lästig werden; **3.** 🚫 grober Unfug; *commit no* ~ *!* keine Verun-

reinigung!; *what a* ~ *!* wie ärgerlich!; lästiger Mensch

null [nʌl] nichtig; ~ *and void* null und nichtig; nichtssagend; **~ify** [⸚ifai] ungültig machen; aufheben, zunichte machen

numb [nʌm] empfindungslos, starr *(a. fig)*; betäuben

number ['nʌmbə] **1.** Anzahl, Menge; *in* ~ an Zahl, zusammen; *times without* ~ ungezählte Male; *to the* ~ *of* in Höhe von; **2.** Zahl; Ziffer; **3.** Nummer; *to look after* (od *take care of)* ~ *one (umg)* s. um seinen eigenen Laden kümmern; **4.** (Zeitschriften- etc) Nummer (*back* ~ frühere N., ein Rückständiger, etwas Altmodisches); **5.** *mst pl* Verse; **6.** numerieren (*consecutively* durch-); **7.** zählen; **8.** rechnen (*among* zu)

numer∥al ['njuːmərəl] Zahlwort; Ziffer; Zahl; **~ation** [──'reiʃən] Zählung; Numerierung; **~ator** [⸚reitə] *math* Zähler; **~ical** [‒'merikl] zahlenmäßig; **~ous** [⸚rəs] zahlreich

numismatics [njumiz'mætiks] *sg vb* Münzkunde

numskull ['nʌmskʌl] Blödkopf

nun [nʌn] Nonne; **~nery** Nonnenkloster

nuncio ['nʌnʃiou], *pl* **~s** Nuntius

nuptial ['nʌpʃəl] Hochzeits-; **~s** *pl vb* Vermählung, Hochzeit

nurs∥e [nəːs] **1.** [Baby] die Brust geben; **2.** (Kind, Kranken) pflegen; **3.** hätscheln; **4.** *bot* pflegen, hegen *(a. fig)*; **5.** (Kinder-, Kranken-) Schwester; *male* ~*e* Krankenwärter; **6.** Kindermädchen *(a.:* ~*e-maid)*; **7.** Pflege (*to put out to* ~*e* in Pflege geben); **8.** *fig* Hüterin, Mutter; **~eling** siehe **~ling**; **~ery** [⸚əri] Kinderzimmer; *day* ~*ery* Tagesraum für Kinder, Tageskinderheim; *night* ~*ery* Kinderheim; Baumschule *(a.:* ~*ery garden)*; *fig* Pflegestätte; **~eryman** [⸚ərimən], *pl* ~erymen Baumschulbesitzer, -fachmann; **~ery nurse** Kindergärtnerin; **~ery rhyme** [raim] Kindervers; **~ery school** Kleinkinderschule; **~ing** Krankenpflege; **~ing home** *BE* Privatklinik; **~ling** *(a.* **~eling)** [⸚liŋ] Brustkind, Säugling

nurture ['nəːtʃə] Aufziehen, Erziehung; Ernährung; Umwelt; auf-, erziehen; (er-)nähren; fördern

nut [nʌt] Nuß; *a hard* ~ *to crack (fig)* e-e harte Nuß; *sl* Birne, Bonje; *off one's* ~ plemplem; ~*s* = off one's ~; ⚙ Mutter; **~cracker** [⸚krækə] *zool* Tannenhäher; *pl* Nußknacker; **~gall** [⸚gɔːl] Gallapfel; **~hatch** [⸚hætʃ] *zool* Kleiber; **~meg** [⸚meg] Muskatnuß; **~shell** [⸚ʃel] (Nuß-)Schale; *in a* ~*shell* in aller Kürze; **~ting** Nüssesammeln; **~ty** nußartig; *sl* plemplem; verrückt (*on* nach)

nutri∥a ['njuːtriə], *US* Nutria; Nutriafell; **~ent** [⸚ənt] Nährstoff, -substanz; **~ment** [⸚mənt] Nahrung; **~tion** [─'triʃən] Nahrung; Ernährung; **~tional** ernährungsmäßig, Nahrungs-, Ernährungs-; **~tionist** Ernährungswissenschaftler; **~tious** [─'triʃəs] nahrhaft; **~tive** [⸚tiv] nahrhaft, Nähr-

nuzzle [nʌzl] (mit d. Nase) schubsen; d. Nase pressen (*into* in, gegen); (s.) kuscheln

nylon ['nailən] Nylon

nymph [nimf] Nymphe; schöne Maid

O

O (ou] O; ♂ Null; oh!, ach!; **o'** = of

oaf [ouf], *pl* ~s Wechselbalg *(a. fig)*; Idiot

oak [ouk] Eiche(nholz); Eichen-; *Hearts of ~ (BE)* die Marine; **~-apple** [-æpl] Gallapfel; **~en** [-ən] eichen; **~um** [-əm] Werg

oar [ɔː] Ruder, Riemen; *to put one's ~ in* sich einmengen; *to rest on one's ~s* blau machen; = **~sman**; **~lock** [-lɔk] *bes US* [Riemen-) Dolle; **~sman** [-mən], *pl* ~smen Ruderer

oas|is [ou'eisis], *pl* **~es** [-'siːz] Oase *(a. fig)*

oast-house ['ousthaus], *pl* **-houses** [-hauziz] *BE* Hopfendarre

oath [ouθ], *pl* ~s [ouðz] Eid (*to take, make, an ~* Eid ablegen; *on ~* unter Eid; *to put s-b on his ~* j-n schwören lassen); *false ~* Meineid; Fluch

oat|meal ['outmiːl] Hafermehl; **~s** *pl vb* Hafer; *he feels his ~s (umg)* ihn sticht der Hafer; *to sow one's wild ~s* sich austoben, sich die Hörner abstoßen

obdura|cy ['ɔbdjurəsi] Hartherzigkeit, Verstocktheit; **~te** [-rit] hartherzig, verstockt

obedien|ce [ə'biːdjəns] Gehorsam; *in ~ce to* gehorsam; **~t** gehorsam

obeisance [ou'beisəns] Ehrbezeigung; *to do* (od *make, pay*) *~ to* j-m huldigen

obelisk ['ɔbilisk] Obelisk; 💭 Kreuz

obese [ou'biːs] fettleibig

obey [ə'bei] gehorchen; befolgen

obfuscate ['ɔbfʌskeit, *bes US* -'--] *fig* trüben, verdunkeln

obituary [ə'bitjuəri, *US* ə'bitʃ-] Todesanzeige, Nachruf; Liste der Sterbefälle

object ['ɔbdʒikt] Gegenstand; Ziel, Zweck; ... *(is) no ~* ... Nebensache; *gram* Objekt; *umg* abscheuliche Sache, erbärmliche Person; ~ [ə'bdʒekt] Einwendungen machen (*to* gegen), Einspruch erheben; etwas einzuwenden haben; einwenden (*against* gegen); **~ion** [ə'bdʒekʃən] Einwand, Einspruch; *to take ~ion to* = *to ~ to*; **~ionable** [ə'bdʒekʃənəbl] nicht einwandfrei; unangenehm; ~ive [ə'bdʒektiv] objektiv, tatsächlich; unpersönlich; *gram* Objekts-; Ziel-; *(bes mil)* Ziel; Zweck; 💭 Objektiv; Objektsfall; **~or** [ə'bdʒektə] Protestierender, Opponent

objet d'art [ɔbʒe'dɑː], *pl* **~s d'art** [---] Kunstgegenstand, -werk

oblig|ation [ɔbli'geiʃən] Verpflichtung; Verbindlichkeit; Obligation; *to be under (an) ~ation to s-b for s-th* j-m wegen etwas zu Dank verpflichtet sein; **~atory** [ɔb'ligatəri] bindend, verbindlich; **~e** [ə'blaidʒ] verpflichten, zwingen; j-m zu Gefallen sein, j-m entgegenkommen; j-m den Gefallen tun (*by doing* zu tun); *to be ~ed to do* tun müssen; *to be ~ed to s-b* j-m

zu Dank verpflichtet sein; **~ing** hilfsbereit, entgegenkommend, höflich

oblique [ə'bliːk] schräg; mittelbar; ~ **angle** spitzer oder stumpfer Winkel

obliterate [ə'blitəreit] verwischen, auslöschen *(a. fig)*; ausstreichen

oblivi|on [ə'bliviən] Vergessen(heit); **~ous** [---əs] vergeßlich; *to be ~ous of* vergessen, außer acht lassen

oblong ['ɔblɔŋ] rechteckig; Rechteck

obloquy ['ɔbləkwi] Schmähung

obnoxious [əb'nɔkʃəs] widerwärtig, verhaßt; ~ *to* ausgesetzt

obo|e ['oubou] Oboe; **~ist** [---ist] Oboist

obscen|e [əb'siːn] unanständig, schlüpfrig; **~ity** [---niti] Obszönität

obscur|e [əb'skjuə] undeutlich, dunkel *(a. fig)*; obskur; verdunkeln *(a. fig)*; in den Schatten stellen; **~ity** [---riti] Dunkel(heit); Unbekanntheit

obsequies ['ɔbsikwiz] *pl vb* Bestattungsfeier

obsequious [əb'siːkwiəs] willfährig, unterwürfig

observ|able [əb'zəːvəbl] bemerkbar, -enswert; **~ance** [---vəns] Beachtung, Befolgung; Brauch; *eccl* Observanz; **~ant** beobachtend, aufmerksam; beachtend (*of s-th* etwas); **~ation** [ɔbzə'veiʃən] Beobachtung(sgabe); *to take an ~ation* 🕯 den Standort bestimmen; Bemerkung; **~ation car** 🚃 Aussichtswagen; **~atory** [---ətəri] Beobachtungsstelle; Observatorium; **~e** [əb'zəːv] be(ob)achten; (Fest) feiern; befolgen; (Stille) bewahren; bemerken, äußern; **~er** Be(ob)achter; **~ing** = **~ant**

obsess [əb'ses] in den Bann schlagen, verfolgen, quälen; **~ed** [---st] *by, with* besessen von; **~ion** [---ʃən] fixe Idee; Besessenheit

obsole|scent [ɔbsə'lesənt] veraltend; **~te** [---liːt] veraltet, altmodisch

obstacle ['ɔbstəkl] Hindernis (*to* für)

obstetric|ian [ɔbsti'triʃən] Geburtshelfer; **~s** [---triks] *sg vb* Geburtshilfe

obstina|cy ['ɔbstinəsi] Hartnäckigkeit; Halsstarrigkeit; Widerspenstigkeit; **~te** [---nit] hartnäckig; halsstarrig

obstruct [əb'strʌkt] versperren, hemmen, hindern; **~ion** [---ʃən] Versperrung, Hinderung, Obstruktion; Hindernis; **~ive** [---iv] hinderlich; hindernd

obtain [əb'tein] erlangen; erhalten, bestehen, herrschen; **~able** erhältlich

obtru|de [əb'truːd] (s.) aufdrängen (*upon s-b* j-m); **~sive** [---siv] aufdringlich [pide

obtuse [əb'tjuːs] *math* stumpf; dumpf; stupide

obvi|ate ['ɔbvieit] erübrigen; umgehen, vorbeugen; **~ous** [---əs] offensichtlich; klar, eindeutig

occasion [ə'keiʒən] **1.** Gelegenheit, Anlaß; *to be equal* (od *up*) *to the ~* d. Situation gewachsen sein; *to rise to the ~* sich der Situation gewachsen zeigen; *to have* (od *take*) *~ to do* Veranlassung nehmen (d. Gelegenheit benutzen), zu tun; **2.** Veranlassung; **3.** Anlaß, Ursache; **4.** *pl* Angelegenheiten, Geschäfte; **5.** *vt* verursa-

chen, bewirken; **~al** gelegentlich; Gelegen-
heits-; Gebrauchs- (Möbel etc)
Occident ['ɔksidənt] Abendland, der Westen
occult [ɔ'kʌlt] geheim; okkult
occup|ant ['ɔkjupənt] Inhaber; Bewohner;
Okkupant; **~ation** [--'peiʃən] Besitz(ergrei-
fung); Besatzung; Beschäftigung; Beruf(sstel-
lung); **~ational** Berufs-; **~y** [--pai] besitzen;
bewohnen; besetzen; einnehmen (a. fig); fig
erfüllen; beschäftigen (to be ~ied with, to ~y
o.s. with)
occur [ə'kəː] sich ereignen, passieren; vorkommen; ~ to s-b j-m einfallen; **~rence** [ə'kʌrəns]
Vorkommnis, Ereignis; Auftreten, Vorkommen
ocean ['ouʃən] Ozean; Ozean-, See-; **~-going**
[--gouiŋ] Hochsee-, Ozean-; **~ic** [ouʃi'ænik]
ozeanisch; Ozean-
ocelot ['ousilət] Ozelot, Pardelkatze
ochre ['oukə] Ocker
o'clock [ə'klɔk]: what ~ ? wieviel Uhr?; six
(etc) ~ sechs (etc) Uhr
oct|agon ['ɔktəgən, US -gɔn] Achteck; **~ago-
nal** [-'tægənəl] achteckig; **~ave** ['ɔktiv] Ok-
tave; **~et** (a. **~ette**) [ɔk'tet] Oktett
October [ɔk'toubə] Oktober
octopus ['ɔktəpəs], pl **~es** Krake; umg Tintenfisch
ocul|ar ['ɔkjulə] Augen-; sichtbar; **~ist** [--list]
Augenarzt
odd [ɔd] 1. ungerade; 2. einzeln (Schuh etc); 3.
überzählig; 4. (nach Zahlen) gut, über; ten
pounds ~ gut (über) £10 ; ~ job Gelegenheits-
arbeit; 5. seltsam, eigenartig; **~ity** Seltsam-
keit; **~-looking** [--lukiŋ] seltsam aussehend;
~ly enough [i'nʌf] seltsamerweise; **~ments** übri-
rig(gebliebene) Stücke; Rest-, Einzelstücke;
~s [ɔdz] 1. Ungleichheiten; 2. Umstände (the
~s are against us); 3. widrige Umstände,
Übermacht; 4. Unterschied (by long ~s mit
großem U.); it makes no ~s es macht nichts
aus; what's the ~s? was macht's? 5. ♞ Vor-
gabe, Handikap; 6. Wahrscheinlichkeit; 7.
Buchmacherkurs, Odds (~s against Odds gegen; ~s on Odds auf); to lay ~s of 3 to 1 on
Odds (e-n Kurs) von 3 : 1 bieten auf; to take ~s
of 3 to 1 against Odds von 3 : 1 bieten gegen; at
~s im Streit (with mit); **~s and ends** Reste,
Krimskrams; **~s-and-ends** Ramsch-
od|e [oud] Ode; **~ious** [--iəs] verhaßt; abscheu-
lich; **~ium** [--iəm] Verhaßtsein; Haß; Odium;
~our [--ə] (unangenehmer) Geruch; fig Ruf
(with bei)
o'er [ɔː] = over
oesophag|us, US **eso-** [iː'sɔfəgəs], pl **~i** [--
dʒai], **~uses** Speiseröhre
of [ɔv, əv] 1. zum Ausdruck des Genitvs: the
wall of the garden; the son of my sister; 2. von;
3. (gemacht) aus; 4. Apposition: a piece of
cake ein Stück Kuchen, a bottle of wine e-e Flasche Wein etc (vgl. die su, adj, vt, vi, von denen
of abhängt)
off [ɔːf, ɔf] adv (mit to be) ab(gestellt), aus(ge-
schaltet); weg, fort; I must be ~ ich muß fort;

aus, zu Ende; to be well (badly) ~ gut
(schlecht) dran (gestellt) sein; a long way ~
weit weg, not far ~ nicht weit weg; (mit anderen Verben, siehe diese) weg-, ab-, fern-; on
and ~ (siehe on); prep herunter von; abseits
von, neben; ₺ auf der Höhe von, gegenüber;
von, aus; 10% ~ the price abzüglich 10% vom
Preis; ~ duty dienstfrei; ~ the cuff aus dem
Stegreif; ~ colour nicht auf dem Damm, US
umg riskant, anstößig; - one's head meschugge; ~ the map verschwunden; ~ the
mark am Ziel vorbei, verfehlt; adj abgelegen;
rechte (Pferd, Seite etc); gering (Chance);
(Nahrung) (etwas) verdorben; $ 'runter (feel-
ing rather ~ today); arbeitsfrei; still, tot (Saison); I am ~ ich muß jetzt gehen
offal ['ɔfəl] Abfall; bes pl Innereien
offen|ce US **~se** [ə'fens] Verstoß, Vergehen;
Anstoß (to cause, give ~ce Anstoß erregen; mil
Angriff; **~d** [ə'fend] beleidigen; verletzen; verstoßen (against gegen); **~der** Missetäter; **~sive**
[--siv] Offensive; Offensiv-, Angriffs-; abstoßend; verletzend; beleidigend
offer ['ɔfə] (an)bieten; offerieren; darbringen;
fig vorbringen; drohen mit; sich an-, erbieten
(zu tun); Miene machen; sich bieten; (An-)Ge-
bot; Antrag (of marriage); on ~ (zum Verkauf) angeboten; **~ing** [--riŋ] Anbieten; Angebot; Spende; **~tory** [--əri] eccl Kollekte
off-front ['ɔffrʌnt] vordere rechte; **~hand** [--
'hænd] aus dem Stegreif, unvorbereitet; grob,
kurz; **~handed** = **~hand**; **~-hind** [--haind] hin-
tere rechte
offic|e ['ɔfis] Amt; in (out of) ~e (nicht) an der
Regierung; to take ~ Minister haben, Minister
sein; Amt, Ministerium; Büro; Schalter; Filiale; pl Wirtschaftsräume: Aufgabe, Dienst;
good ~es gute Dienste, Vermittlungsdienste;
~e-bearer [--bɛərə], **~-holder** [--houldə]
Amtsinhaber, Beamter; **~er** Beamter; ~er of
state Staatsminister; Vereinsfunktionär; Offizier; **~ial** [ə'fiʃəl] offiziell; Amts-; amtlich; Beamter; **~ialdom** [ə'fiʃəldəm] Beamtenschaft;
Amtsstellung; **~iate** [ə'fiʃieit] amtieren, fungieren; **~inal** [ɔ'fisinəl] offizinell; **~ious** [ə'fi-
ʃəs] übertrieben diensteifrig, übergeschäftig;
offiziös
off|ing ['ɔfiŋ] offene See; in the ~ing landnah,
fig bevorstehend; **~ish** zurückhaltend; **~-print**
[--print] Sonder(ab)druck; **~set** [--set] Kröpfen,
Abbiegen; ~set (printing) ⬜ Offsetdruck;
kröpfen; ausgleichen, aufrechnen; **~shoot** [--
ʃuːt] Sproß, Schößling; Ausläufer; Ableger;
~shore [--ʃɔː] ⬳ ablandig; Hochsee-; Off-
shore-; **~side** [--said] ♞ Abseits; **~spring** [--
spriŋ], pl **~spring** Kind(er), Junges; Nach-
komme, Abkömmling
oft [ɔft, US ɔːft] oft; **~en** [ɔfn, US ɔːfn] oft; (as)
~en as not (sehr) oft
ogle [ougl] (bedeutungsvoll, verliebt) ansehen,
liebäugeln (at mit)
ogre ['ougə] Menschenfresser; Unhold
oh [ou] siehe o
oho [ou'hou] ha!, hei!

oil [ɔil] Öl; Ölbild; *to pour* [pɔ:] ~ *on troubled* [trʌbld] *waters* die Wogen zu glätten suchen; *to pour* (od *throw*) ~ *on the flames* Öl ins Feuer gießen; *to strike* ~ auf (Erd-)Öl (*fig* auf e-e Goldgrube) stoßen; ölen; ~ *s-b's palm* j-n schmieren; **~-cloth** [-klɔθ], *pl* ~ *-cloths* Wachstuch; **~-fuel** [-fjuəl] Treiböl; **~er** Öltanker; Öler; Ölkanne; **~-man** [-mən], *pl* ~ *-men* Öllieferant; **~skin** Ölhaut; **~-well** Ölquelle; **~y** [-i] ölig (*a. fig*); glatt

ointment ['ɔintmənt] Salbe

O. K. ['ou'kei] in Ordnung!; O.K.!

okapi [ou'ka:pi], *pl* ~**s** *zool* Okapi

okay ['ou'kei] = O.K.

old [ould] alt; ~ *age* Alter; *the* ~ *man* mein Alter, der Alte, Chef; *the* ~ *woman* meine Alte; *O*~ *Glory* (*US*) die amerik. Flagge; ~ *boy (BE)* ehemaliger Schüler, Alter Herr; ~ *man!* mein Lieber!; **~-fashioned** [-'fæʃənd] altmodisch; **~ish** ältlich; **~-time** [-taim] alt(ertümlich); **~-timer** *US* erfahrener Alter; **~-world** [-wə:ld] altmodisch; altertümlich; *zool* Altwelt-

oleander [ouli'ændə] Oleander, Rosenlorbeer

olfactory [ɔl'fæktəri] Geruchs-, Riech-

oligarchy ['ɔliga:ki] Oligarchie

olive ['ɔliv] Olive(nbaum); Olivgrün; Roulade

Olymp|iad [ɔ'limpiæd] vier Jahre zwischen den Olympischen Spielen; **~ian** [-iən] olympisch, göttlich; **~ic** [-ik] olympisch; **~ic games** Olympiade

omelette, -let ['ɔmlit] Omelett

om|en ['oumən] Vorzeichen, Omen; Vorbedeutung; **~inous** ['ɔminəs] unheilvoll

omi|ssion [ə'miʃən] Unter-; Aus-, Weglassung; **~t** [ə'mit] unter-; aus-, weglassen

omnibus ['ɔmnibəs], *pl* ~**es** Omnibus; (*a.:* ~ *book, volume*) Sammelband

omni|potence [ɔm'nipətəns] Allmacht; **~potent** [-tənt] allmächtig; **~presence** [-'prezəns] Allgegenwart; **~present** [-'prezənt] allgegenwärtig; **~science** [-siəns, -ʃəns] Allwissenheit; **~scient** [-siənt, -ʃənt] allwissend; **~vorous** [-vərəs] allesfressend; *fig* alles verschlingend (Leser)

on [ɔn] (Ort) auf, an; (Zeit) an; ~ *time* pünktlich; (gleich) nach (~ *our arrival*); *fig* über; gegen; auf (*to go* ~ *an excursion*); im (Radio); aus (~ *business* geschäftlich); Mitglied bei (*to be* ~ *a committee*); (Zustand) ~ *fire* in Brand, ~ *guard* auf der Hut, ~ *duty* im Dienst; (*mit gerund* hängend); ~ + *the* + *adj* auf ... Weise (*to buy s-th* ~ *the cheap; to do s-th* ~ *the sly*); *adv* (mit Verben) weiter; *to be* ~ an(gestellt, -geschaltet) sein, im Gange sein, bei etwas dabeisein; *to have s-th* ~ etwas anhaben, etwas vorhaben; ~ *and off* hin und wieder, immer wieder; ~ *and* ~ immer weiter; ~ *to*, ~ *to* auf; *what's* ~ *?* was gibt's (im Programm)?

once [wʌns] einmal; ~ *or twice* [twais], ~ *and again*, ~ *in a way* (od *while*) hin u. wieder;

more than ~ öfters; ~ *for all* ein für allemal; früher, einmal; ~ *upon a time* (früher) einmal; *at* ~ sofort, gleichzeitig, ebenso (... *and* wie); *all at* ~ alle miteinander, plötzlich; *for (this)* ~ einmal, dies eine Mal; *conj* wenn (einmal); **~-over** [-ouvə] *umg* musternder Blick (*to give s-b the* ~ *-over*)

on-coming ['ɔnkʌmiŋ] entgegenkommend; herannahend; Nahen

one [wʌn] eine(r); der eine; ~ *who* jemand der; ~ *by* ~, ~ *after another* einer nach dem andern; *for* ~ jedenfalls (*I for* ~); *for* ~ *thing* einmal; ~ *another* einander; ~ *day* eines Tages; einzig (*the* ~ *thing*); *su* Eins; *BE* £1-Note; *all in* ~ alles in einem; *to make* ~ *of* teilnehmen an, sich anschließen; *to be made* ~ ein Paar werden; *all* ~ *to* j-m alles gleich; *pron* (nach *adj*, unübersetzt); man, einer; ~ *'s best, [US] his best* man muß sein Bestes tun); **~ness** [-nis] Einssein; Einheit; Identität; **~self** [-'self] sich; **~-sided** [-'saidid] einseitig; **~-time** [-taim] früher; **~-way** [-wei] Einbahn- (Straße); *US* ♜ einfach

onerous ['ɔnərəs] lästig, drückend

onion ['ʌnjən] Zwiebel; **~-domed** zwiebeltürmig; **~-skin** Durchschlagpapier

onlooker ['ɔnlukə] Zuschauer

only ['ounli] einzig; nur; erst; *conj* nur (daß); *if* ~ wenn (doch) nur

onomato|poeia [ɔnəmætə'pi:ə] Lautmalerei; **~poeic** [-----ik] lautmalend

on|rush ['ɔnrʌʃ] Ansturm; **~set** [-set] Angriff; § Ausbruch, Anfall; **~slaught** [-slɔːt] wilder Angriff; § Anfall

onto ['ɔntu] = on to (*siehe* on)

onus ['ounəs] (*kein pl*) (Beweis-)Last

onward ['ɔnwəd] vorwärts(schreitend); *adv* **~(s)** vorwärts; *from* ... ~ von ... an

onyx ['ɔniks], *pl* ~**es** Onyx

oodles [u:dlz] *umg* Unmengen

oof [u:f] *sl* Kies, Zaster; Mumm

oomph [u:mf] *sl* das gewisse Etwas, Sex-Appeal; Schwung, Schmiß

ooze [u:z] Schlamm, Schlick; (durch-)sickern (lassen); ~ *away* schwinden

opa|city [ou'pæsiti] Stumpfheit; Unverständlichkeit; **~l** ['oupəl] Opal; **~que** [ou'peik] undurchsichtig; *fig* stumpf

open ['oupən] **1.** offen; ~ *to* ausgesetzt, zugänglich für, möglich für; *to lay o.s.* ~ *to* sich aussetzen; *to be* ~ *to an offer* ein Angebot (zu) berücksichtigen (bereit sein); *in the* ~ *air* im Freien; **2.** (Wetter, Winter) frost-, schneefrei; **3.** *mil* geöffnet; ~ *season* Jagdzeit; ~ *shop (bes US)* gewerkschaftlich nicht gebundener Betrieb; *to have an* ~ *mind about s-th* sich noch nicht auf etwas festgelegt haben; ~ *verdict* ['və:dikt] Freispruch aus Mangel an Beweisen; ~ *cheque* Inhaberscheck; **4.** *su* das Freie (*in the* ~); *to come into the* ~ ganz offen sein, mit seinen Gedanken herauskommen; **5.** *vti* (sich) öffnen, aufmachen; **6.** eröffnen, erschließen; **7.** beginnen; ~ *into (on to)* gehen auf; ~ *out* ausbreiten, sich eröffnen; ~ *up* (er)öffnen, erschließen; **~cast** [⸚-kɑ:st] (im) Tagebau (gewonnen); **~-air** [⸚-ɛə] Freiluft, ♥ Freilicht-, im Freien; **~er** Öffner; **~-eyed** [⸚-'aid] mit offenen Augen, aufmerksam, überrascht; **~-handed** [⸚-'hændid] freigebig; **~-hearted** [⸚-'hɑ:tid] offenherzig; **~ing** Öffnung; Eröffnung, Beginn; offene Stelle; günstige Gelegenheit; einleitend; **~-minded** [⸚-'maindid] aufgeschlossen, weitherzig; **~-work** [⸚-wɔ:k] durchbrochen(e Arbeit)

opera ['ɔpərə] Oper(nhaus); **~-cloak** [⸚--klouk] Abend-, Theatermantel; **~-glasses** [⸚--glɑ:siz] *pl vb* Opernglas; **~te** [⸚-eit] arbeiten, funktionieren; betätigen; betreiben, leiten; (zus.-)wirken; ⚡ operieren (*on s-b* j-n); *mil* operieren; **~tic** [⸚-'rætik] Opern-; **~ting** [⸚-reitiŋ] Operations-; Betriebs-; **~tion** [⸚-'reiʃən] Betrieb, Gang; Wirkung, Wirksamkeit; *mil* Operation (*bes pl*); ⚡ Operation (*on s-b* an j-m; *for s-th* wegen); **~tional** Betriebs-; betriebsfähig; **~tive** [⸚--tiv] wirksam; ⚡ operativ; (Maschinen-)Arbeiter; **~tor** [⸚-reitə] Unternehmer; Bedienungsmann, Arbeiter; ⚙ Techniker; Telephonist(in); ⚡ Operateur; Kameramann; gerissener Bursche

operetta [ɔpə'retə], *pl* ~s Operette

ophthalm|ia [ɔf'θælmiə] Augenentzündung; **~ology** [⸚-'mɔlədʒi] Augenheilkunde

opiate ['oupiit] Opiumpräparat

opin|e [ou'pain] meinen; **~ion** [ə'pinjən] Meinung, Ansicht; *matter of* ~*ion* Ansichtssache; *in my* ~*ion* meiner Meinung nach; *to be of (the)* ~*ion* der Meinung sein; *to have no* ~*ion of* nichts halten von; **~ionated** [ə'pinjəneitid] eigen-, starrsinnig

opium ['oupjəm] Opium (~ *-den* -höhle)

opossum [ə'pɔsəm], *pl* ~s Opossum, Beutelratte

opponent [ə'pounənt] *bes* ♣ Gegner

opportun|e ['ɔpətju:n, *US* --⸚] günstig; passend; **~ist** [⸚--ist, *US* --⸚ist] Opportunist; **~ity** [---iti] Gelegenheit

oppos|e [ə'pouz] bekämpfen, sich widersetzen; entgegentreten; *to be* ~ *ed* [⸚--zd] *to* gegen etwas sein; ~ *e with (against) s-th* gegenüberstellen; **~ite** ['ɔpəzit] gegenüber(liegend); entgegengesetzt; entsprechend; ~ *ite number* Gegenspieler, entsprechende Person; Gegenteil, -satz; **~ition** [ɔpə'ziʃən] Widerstand; -spruch; Gegensatz; Opposition(sparteien); Gegenüberstellung

oppress [ə'pres] unter-, *fig* bedrücken; **~ion** [ə'preʃən] Unter-, Bedrückung; **~ive** [⸚--iv] grausam, unter-, bedrückend; **~or** [⸚--ə] Unter-, Bedrücker

opprobri|ous [ə'proubriəs] schändlich; Schimpf-; **~um** [⸚--əm] Schande (*to* für); Verdammung

optic ['ɔtik] Seh-; **~al** optisch; Seh-; **~al system** Optik; **~ian** [⸚-ʃən] Optiker; *ophthalmic* [ɔf'θælmik] ~*ian* Augenoptiker; *dispensing* ~*ian* Brillenhändler; **~s** *sg vb* Optik (als Wissenschaft)

optim|ism ['ɔptimizm] Optimismus; **~ist** [⸚--mist] Optimist; **~istic** [⸚--'mistik] optimistisch; **~um** [⸚--məm] Optimum; optimal

option ['ɔpʃən] Wahl(möglichkeit);

optometr|ist [ɔp'tɔmitrist] *bes US* Augenoptiker; **~y** [⸚---tri] Sehschärfebestimmung, Optometrie

opulen|ce ['ɔpjuləns] Reichtum, Überfluß; **~t** [⸚--lənt] reich(lich); üppig

op|us ['oupəs], *pl* **~era** ['ɔpərə] Werk, Opus

or [ɔ:] oder; ~ *(else)* sonst; beziehungsweise; ~ *so* etwa

orac|le ['ɔrəkl] Orakel(stätte, -spruch); **~ular** [ə'rækjulə] orakelhaft; Orakel-; weise; unfehlbar

oral ['ɔ:rəl] mündlich; Mund-; mündl. Prüfung

orange ['ɔrindʒ] (*sweet* ~) Apfelsine, (süße) Orange; (*bitter, sour* ~) Pomeranze, bittere Orange; orange(farben)

orang|-outang ['ɔ:rəŋ'u:tæŋ], **~-utan** [ou'ræŋu:tæn] Orang-Utan

ora|tion [ɔ'reiʃən] Rede (*a. gram*); **~tor** ['ɔrətə] Redner; **~torical** [ɔrə'tɔrikl] rednerisch; **~torio** [ɔrətɔ:riou], *pl* ~torios Oratorium; **~tory** ['ɔrətəri] Redekunst, Rhetorik; Betraum, Kapelle

orb [ɔ:b] Himmelskörper; Kugel, Ball; **~it** [⸚it] (Umlauf)Bahn; Augenhöhle; *fig* (Wirkungs-)Bereich; kreisen; auf eine (Umlauf)Bahn bringen

orchard ['ɔ:tʃəd] Obstgarten; **~ist** Obstbauer

orchestra ['ɔ:kistrə], *pl* ~s Orchester(-raum); **~ (stalls)** *US* Sperrsitz, 1. Parkett; **~l** [ɔ:'kestrəl] Orchester-; **~te** [⸚-treit] orchestrieren, instrumentieren

orchi|d ['ɔ:kid] Orchidee; **~s** [⸚kis], *pl* ~ses Knabenkraut; = ~d

ordain [ɔ:'dein] bestimmen; *eccl* weihen

ordeal [ɔ:'di:l] Gottesurteil; (Feuer-)Probe (*a. fig*); Martyrium

order ['ɔ:də] 1. Ordnung; (ordentlicher) Zustand; 2. Reihenfolge; *in* ~ *of (size etc)* der (Größe etc) nach; ~ *of battle, battle* ~ Schlachtordnung; *out of* ~ nicht in Ordnung (*a.* ⚡), kaputt; *(is) the* ~ *of the day* (ist an der) Tagesordnung; 3. Befehl, Anweisung; *is under* ~ *s* hat Befehl; *by* ~ *of* auf B. von); 4. Bestellung (*for* auf), Auftrag (*for* auf, über; *to fill an* ~ einen Auftrag ausführen); *on* ~ bestellt, in Auftrag gegeben; *made to* ~ auf Bestellung, nach Maß angefertigt; *a large* (od *tall*) ~ e-e schwierige Aufgabe; 5. (Geld-)Anweisung; 6. *pol* Geschäftsordnung; 7. Klasse, Stand; Orden(szeichen); *to take holy* ~ *s* in den heiligen Stand treten; Art (*of a high* ~); (klassischer) Stil; *zool, bot* Ordnung; *in* ~ *to* um zu; *in* ~ *that* damit; 8. *vt* befehlen, anweisen; bestimmen; ordnen; bestellen (*from* bei); ⚡ verordnen; ~ *about* herumkommandieren; **~book** [⸚-buk] Auftragsbuch; **~-form** [⸚-fɔ:m] Bestellschein; **~ly** [⸚-li] ordentlich, ruhig; methodisch; diensttuend; ~ *ly room (mil)* Geschäftszimmer; Ordonnanz; Melder; ⚡ Krankenwärter

ordina|l ['ɔːdinəl] Ordnungs-(Zahl); **~nce** [-nəns] An-, Verordnung; *US* Ortsstatut; **~rily** [-nərili] ordentlich; gewöhnlich; **~ry** ['ɔːdnri] gewöhnlich; alltäglich; *~ry share* Stammaktie; *in an ~ry way* unter normalen Umständen; *su BE* festes Menü; Hochrad; Stammaktie; *out of the ~ry* außergewöhnlich; **~te** [-nit] Ordinate; **~tion** [--'neiʃən] Ordination, Weihe
ordnance ['ɔːdnəns] Artillerie, Feldzeugwesen; *piece of ~* Geschütz; *~ map (BE)* Meßtischblatt; *~ survey* ['sɜːvei] *BE* Landesvermessung
ordure ['ɔːdjuə, *US* -dʒə] Dünger; *fig* Schmutz
.ore [ɔː] Erz
organ ['ɔːgən] Organ; Mittel, Werkzeug (*~ of speech* Sprechw); Zeitung, Organ; Orgel; (*a.: reed, American ~*) Harmonium; **~-blower** [-blouə] Blasebalgtreter; **~dy** (*BE a.: ~die)* [-di] Organdy; **~-grinder** [--graində] Orgeldreher, Leierkastenmann; **~ic** [-'gænik] organisch; **~ism** [--izm] Organismus; **~ist** Organist; **~ization** [--nai'zeiʃən] Organisation, Einrichtung; Bau; **~ize** [--naiz] organisieren; bilden; aufbauen; (s.) zus.schließen; **~ized** [--naizd] organisiert, organisch; **~-loft** [--lɔft] Orgelempore
orgy ['ɔːdʒi] Orgie; Schwelgerei
orient ['ɔːriənt] Orient; östlich; **~** [--ent] (nach Osten etc) ausrichten (*a. fig, to* nach), orientieren; **~al** [--'entl] östlich; orientalisch; Orientale; **~alist** Orientalist; **~ate** [--enteit] = to **~** ; **~ation** [--en'teiʃən] Orientierung
orifice ['ɔrifis] Öffnung, Mündung
origin ['ɔridʒin] Ursprung; Herkunft; **~al** [ə'ridʒənl] ursprünglich; originell; Original-; Grund- (*~al sin* Erbsünde); Original; Sonderling; **~ality** [ə,ridʒi'næliti] Originalität; **~ate** [ə'ridʒineit] entstehen, entspringen (*from. in* aus; *with, from s-b* bei, durch j-n); ins Leben rufen; verursachen
oriole ['ɔːrioul] Pirol, Goldamsel
ornament ['ɔːnəmənt] Schmuck(gegenstand); Schmuck, Zierde (*to* für); ♪ Verzierung; *~* [--ment] schmücken, verzieren; **~al** [--'mentl] schmückend; Zier-; **~ation** [--men'teiʃən] Schmücken; Schmuck; Verzierung
ornate [ɔː'nit] (reich) geschmückt, überladen; überschwenglich
ornithology [ɔːni'θɔlədʒi] Vogelkunde
orphan ['ɔːfən] (Halb-)Waise(nkind); Waisen-; verwaisen; **~age** [--idʒ] Waisenhaus
orthodox ['ɔːθədɔks] rechtgläubig; orthodox; herkömmlich, anerkannt; **~y** [---i] Rechtgläubigkeit; Festhalten an herkömmlichen Ideen
orthograph|ic (*a. ~ical)* [ɔːθə'græfik] orthographisch, Rechtschreib-; **~y** [ɔː'θɔgrəfi] Orthographie, Rechtschreibung
orthopaed|ic [ɔːθə'piːdik] orthopädisch; **~ics** *sg vb* Orthopädie; **~ist** [---dist] Orthopäde
oscilla|te ['ɔsileit] schwingen (lassen); oszillieren; schwanken *(a. fig)*; **~tion** [---ʃən] Schwingung; Oszillation

osier ['ouʒə]: (*basket ~*) Hanfweide; (*red ~*) Purpurweide
osprey ['ɔspri] Fischadler
ossi|fication [ɔsifi'keiʃən] Verknöcherung; **~fy** [--fai] verknöchern *(a. fig)*
osten|sible [ɔs'tensibl] an-, vorgeblich; **~tation** [--'teiʃən] Zurschaustellung, Protzen; Prunk; **~tatious** [--'teiʃəs] prunkend; prahlerisch; protzig
osteopathy [ɔsti'ɔpəθi] (e-e Art) Chiropraktik
ostler, *bes US* **hostler** ['ɔslə] Stallknecht
ostrac|ism ['ɔstrəsizm] Verbannung; Boykott; **~ize** [--saiz] verbannen; boykottieren, meiden
ostrich ['ɔstritʃ] *zool* Strauß; *to have the digestion* [di'dʒestʃən] *of an ~* e-n Straußenmagen haben; *to bury one's head ~ -like in the sand* den Kopf in den Sand stecken, Vogel-Strauß-Politik treiben
other ['ʌðə] ander(s); *the ~ day* neulich, kürzlich; *some day (time) or ~* e-s Tages; *some one or ~* irgend jemand; *somehow or ~* irgendwie; *every ~* jede(r) andere; *on the ~ hand* andererseits; *~ things being equal* unter gleichen Voraussetzungen; *each ~, one an~* einander; **~wise** [--waiz] anders; sonst
otiose ['ouʃious] müßig; wirkungs-, zwecklos
otitis [ou'taitis] Ohrenentzündung; *~ media* ['miːdiə] Mittelohrentzündung
otology [ou'tɔlədʒi] Ohrenheilkunde
otter ['ɔtə] Fischotter; (*sea ~*) Seeotter, Kalan; **~-hound** (Art) Jagdhund
ottoman ['ɔtəmən] Ottomane, Diwan
ouch [autʃ] aua!, au! [len
ought [ɔːt] sollte; *~ to have done* hätte tun sollen
ounce [auns] Unze (= 28,35 g); *fluid ~* Unze (*BE* 28,41 ccm, *US* = 29,57 ccm); fig Deut, Gramm; *zool* Schneeleopard
our [auə] unser; **~s** [-z] unser(e, es); uns-rige(r); **~selves** [-'selvz] selbst; uns (*siehe* herself)
oust [aust] verdrängen; entfernen (*from* aus)
out [aut] **1.** *(mit to be)* draußen, heraus; (Buch) erschienen, verliehen; fort; zu Ende; *to be ~ in* sich verrechnet haben in; *to be ~* streiken; **2.** *(mit anderen Verben)* (her)aus-; los-; zu Ende; hervor-; *~ and ~* durch und durch; *the ~s: siehe* in; **3.** *vt/i* herauskommen, k.o.-schlagen, besiegen; *~ of (prep)* aus *(a. fig)*; außer(halb)
out|balance [aut'bæləns] überwiegen; **~bid** (*s. S. 319)* überbieten; **~board** [-bɔːd] Außenbord-; **~bound** [-baund] auf der Ausreise (begriffen); **~brave** [-'breiv] tapferer sein als; durchstehen; **~break** [-breik] Ausbruch; **~building** [-bildiŋ] Nebengebäude; **~burst** [-bəːst] Ausbruch; **~cast** [-kɑːst] ausgestoßen(e Person); **~caste** [-kɑːst] kastenlos(e Person); **~class** [-'klɑːs] überflügeln, -runden; -treffen; **~come** [-kʌm] Ergebnis; **~crop** [-krɔp] Zutagetreten; zutage getretenes Gestein; **~cry** [-krai] Aufschrei; (allgem.) Entrüstung; **~dated** [-'deitid] überholt; **~distance** [-'distəns] hinter

sich lassen, überholen; **~do** [-'duː] *(s. S. 319)* übertreffen; **~door** [-dɔː] im Freien, draußen (geschehend); **~doors** [-'dɔːz] *adv* draußen, im Freien; **~er** [-ə] äußere(r, s) Außen-; *the ~er man* das Äußere; **~er ear** Ohrmuschel; **~er space** Weltraum; **~ermost** [-əmoust] äußerste-; **~face** [-'feis] anstarren, aus der Fassung bringen; **~fall** [-fɔːl] Ausfluß; Mündung; **~fit** [-fit] Ausrüstung, Einrichtung; Apparat(ur); *umg* Gruppe; *mil* Einheit; ausrüsten (*with* mit); **~fitter** (Herren-)Ausstatter; **~flank** [-'flæŋk] *mil* überflügeln; **~flow** [-flou] Ausfluß, -bruch; **~go** [-gou], *pl* ~goes Ausgabe(n); **~going** [-gouiŋ] aus-, ablaufend; ausziehend; *pl* Ausgaben; **~grow** [-'grou] *(s. S. 319)* herauswachsen aus; schneller wachsen (größer werden) als; ~*grow one's strength* zu schnell wachsen, in die Höhe schießen; *fig* ablegen; **~growth** [-grouθ] Auswuchs; Folge; Entwicklung; **~house** [-haus], *pl* ~houses (-hauziz) Nebengebäude; **~ing** Ausflug (*to go for an ~ing* Ausflug machen); **~landish** [-'lændiʃ] fremdartig; **~last** [-'lɑːst] überdauern; länger durchhalten als; **~law** [-lɔː] Geächteter; Bandit; ächten; **~lawry** [-lɔːri] Ächtung; Geächtetsein; **~lay** [-lei] Ausgeben; Ausgabe; **~let** [-let] Auslaß, -fluß; Öffnung; *US* Steckdose; Markt, Verkaufsstelle; *fig* Ventil; **~line** [-lain] Umriß, Kontur; Überblick, Skizze; Abriß; umreißen, in großen Zügen darstellen; **~live** [-'liv] überleben; **~look** [-luk] Aussicht; *fig* Ausblick; *fig* Horizont, (Lebens-)Anschauung; **~lying** [-laiiŋ] abge-, entlegen; **~manœuvre**, *US* **~maneuver** [-'məˈnuːvə] (geschickt) umgehen; **~match** [-'mætʃ] übertreffen; **~moded** [-'moudid] veraltet, unmodern; **~number** [-'nʌmbə] an Zahl übertreffen

out of *siehe* **out**

out-of-|date [autəv'deit] altmodisch, veraltet; **~door** [-dɔː] = outdoor; **~fashion** [-'fæʃən] altmodisch, unmodern; **~the-way** [-ðə'wei] abgelegen; ungewöhnlich, seltsam

out|pace [-'peis] überholen; **~patient** [-peiʃənt] ambulanter Kranker; **~patient clinic** Poliklinik; **~play** [-'plei] besser spielen als, schlagen; **~port** [-pɔːt] Vor-, abgelegener Hafen; **~post** [-poust] Vorposten; **~pouring** [-pɔːriŋ] Erguß (*bes fig*); **~put** [-put] (Arbeits-)Leistung; Produktion, Ausstoß, -beute; Ertrag

outrage ['autreidʒ] (rohe) Gewalt (*act of ~tat*); Gewalttat, Verbrechen; gröbliche Beleidigung; Gewalt antun; gröblich beleidigen; (offen) verletzen; empören; **~ous** [-dʒəs] empörend; schändlich; übermäßig

out|range [aut'reindʒ] weiter reichen als; **~rank** [-ræŋk] (im Rang) höher stehen als; hinter sich lassen; **~relief** [-riliːf] Armenhilfe (im Haus); **~ride** [-'raid] *(s. S. 319)* schneller reiten als, entkommen; **~rider** [-ə] Vorreiter; **~right** [-rait] völlig, gänzlich; aufrichtig; *adv* [--] geradeheraus; sofort; völlig; **~rival** [-'raivəl] überbieten, schlagen; **~run** [-'rʌn] *(s. S. 319)* schneller laufen als; *fig* überschreiten; **~runner** [-rʌnə] *konkr* Vorläufer; Beipferd; Leithund; **~sell** *(s. S. 319)* (s.) besser verkaufen als; mehr einbringen; **~set** [-set] Beginn; **~shine** [-ʃain] *(s. S. 319)* überstrahlen

outside ['aut'said] Äußeres, Außenseite; *at the (very) ~* (aller)höchstens; *adj* [--] Außen-; maximal; *fig* abseitig; *prep* [--] außer(halb); über ... hinaus; *adv* [--] (nach) (dr)außen; ~ *of* außerhalb; *to get ~ of (sl)* verdrücken, runterspülen; **~** [-'saidə] Außenseiter

out|size [-saiz] Übergröße; **~skirts** [-skəːts] *pl vb* Randbezirk; Grenze; **~smart** [-'smaːt] *umg* j-n reinlegen; **~spoken** [-'spoukən] freimütig, offenherzig; **~spread** [-spred] ausgebreitet; **~standing** [-'stændiŋ] hervorragend, -ragend; ausstehend; unerledigt; **~stay** [-'stei] länger bleiben als (*one's welcome* als man erwünscht ist); **~stretched** [-'stretʃt] ausgestreckt; **~strip** [-'strip] überrunden, -treffen; **~vote** [-'vout] überstimmen, niederstimmen

outward ['autwəd] äußere; *the ~ man* das Äußere; *adj (mst ~s)* auswärts, nach außen; **~-bound** [--baund] auf der Ausreise (begriffen); **~ly** äußerlich

out|wear [aut'wɛə] *(s. S. 319)* überdauern; auftragen, abnutzen; **~weigh** [-'wei] über-, aufwiegen; **~wit** [-'wit] überlisten; **~work** [-wəːk] *mil* Außenwerk; Heimarbeit

ouzel [uːzl] Ringdrossel; (*water ~*) Wasseramsel

ov|al ['ouvəl] oval; Oval; **~ry** [--ri] Eierstock; **~tion** [-'veiʃən] Ovation

oven ['ʌvən] Back-, Bratofen; Trockenofen; Brennofen

over ['ouvə] vorbei; her-, hinüber; zu Besuch; übrig; ~ *there* dort drüben; um-; über-; ~ ⟨*and* ~⟩ *again*, *US a.* ~ immer wieder; *all* ~ ganz und gar; *John all* ~ ganz typisch für J.; *all* ~ *s-b* verknallt in j-n; übermäßig (*polite, tired etc*); *prep* über; oberhalb; bei, während *(the work)*; im (Radio); ~ *and above* über ... hinaus

over|act ['ouvər'ækt] chargieren; an die Wand spielen; **~all** [--ɔːl] Kittelschürze; *pl* Monteuranzug, Overall; ~**all** Gesamt-; **~arch** [--'aːtʃ] überwölben; **~awe** [--'ɔː] einschüchtern; **~balance** [--'bæləns] überwiegen; umkippen; Übergewicht; **~bear** [--'bɛə] *(s. S. 319)* überwältigen, niederringen; **~bearing** [--'bɛəriŋ] anmaßend; **~blown** [--'bloun] verblüht; **~board** [--bɔːd] über Bord *(a. fig)*; **~bold** [--'bould] (zu) dreist, unverschämt; **~burden** [--'baːdən] über(be)laden, -wältigen; **~cast** [--kaːst] bedeckt; düster; **~charge** [--'tʃaːdʒ] zuviel, überfordern; überladen; *su* [--] Überforderung, -ladung, -lastung; **~cloud** [--'klaud] (s.) bewölken, trüben; **~coat** [--koat] Mantel, Überzieher; **~come** [--'kʌm] *(s. S. 319)* überwinden; -wältigen; **~crowd** [--'kraud] überfüllen; **~do** [--'duː] *(s. S. 319)* übertreiben; zu sehr kochen (braten); **~draft** [--'draːft] Kontoüberziehung; überzogener Betrag; **~draw** [--'drɔː] *(s. S. 319)* überziehen über-, verzeichnen; outrieren; ~**dress** [--'dres] (s.) herausputzen; ~**drive** [-‿-'draiv] *(s. S. 319)* abhetzen; ~**due** [-‿-'dju:] überfällig; ~**eat** [-‿-'i:t] *(s. S. 319)* zu viel essen; (s.) überessen; ~**estimate** [-‿-'estimit] Überschätzung; *vt/i* [-‿-'estimit] überschätzen; ~**expose** [-‿-iks'pouz] überbelichten; ~**flow** [-‿-flou] Überschwemmung; -schuß; *vt/i* [--‿-] überschwemmen; über die Ufer treten; *fig* überfließen *(with* vor); ~**flow meeting** Parallelversammlung; ~**grow** [-‿-'grou] *(s. S. 319)* überwuchern; ~**grown** aufgeschossen; ~**growth** [-‿-grouθ] (Über-)Wucherung; übermäßiges Wachsen; ~**hang** [--‿'hæŋ] *(s. S. 319)* (hinaus)ragen (über); drohen; *su* [-‿-hæŋ] Überhang; ~**haul** [--‿'hɔ:l] untersuchen; überholen; *su* [-‿-hɔ:l] Untersuchung, Überholung; ~**head** [-‿-'hed]) oben, über uns; *adj* [-‿-hed] Hoch-, Ober-; ~*head (costs, expenses)* allgemeine Unkosten; ~**hear** [--‿'hiə] *(s. S. 319)* zufällig hören; erlauschen; ~**indulge** [--‿in'dʌldʒ] (zu sehr) verwöhnen; ~**joyed** [--‿-'dʒɔid] entzückt *(at* über); ~**land** [-‿-lænd] Überland-; *adv* [--‿-] über Land; ~**lap** [--‿'læp] übereinandergreifen; -ragen; (sich) überschneiden; ~**leaf** [--‿'li:f] umseitig; ~**leap** [--‿'li:p] *(s. S. 319)* springen über; ~*leap o. s.* über das Ziel hinausschießen; ~**load** [-‿-'loud) überladen; *su* [-‿--] Überlast; ~**look** [--‿'luk] überschauen; -sehen; durchgehen lassen; beaufsichtigen; ~**lord** [-‿-lɔ:d] Lehnsherr; ~**ly** [-‿-li] *bes US* übermäßig; ~**master** [--‿'ma:stə] überwältigen; ~**night** [-‿'nait] über Nacht; am Abend vorher; *adj* [--‿-] Nacht-; ~**night bag** Stadtköfferchen; ~**power** [--‿'pauə] überwältigen; ~**rate** [--‿'reit] überschätzen, -bewerten; ~**reach** [--‿'ri:tʃ] hinausreichen über; übervorteilen; ~*reach o.s.* sich ausrenken, über das Ziel hinausschießen; ~**ride** [--‿'raid] *(s. S. 319)* nieder-, zu Schanden reiten; sich hinwegsetzen über; beiseite schieben; ~**riding** unabdingbar; ~**rule** [--‿'ru:l] verwerfen; stärker sein als; ~**run** [--‿'rʌn] *(s. S. 319)* überschwemmen, -laufen; -wuchern; *fig* überschreiten; ~**sea(s)** [-‿-'si:(z)] nach Übersee, in Ü.; überseeisch; Übersee-; ~**see** [--‿'si:] *(s. S. 319)* beaufsichtigen; ~**seer** [-‿-siə] Aufseher; ~**shoe** [-‿-ʃu:] Überschuh; ~**shoot** [--‿'ʃu:t] über . . . hinausschießen; ~*shoot the mark (o. s.) fig* über das Ziel hinausschießen; ~**side** [-‿-said] über die Schiffsseite; ~**sight** [-‿-sait] Versehen; Aufsicht; ~**sleep** [--‿'sli:p] *(s. S. 319)* (o.s.) verschlafen; ~**state** [--‿'steit] übertreiben; ~**stay** [--‿'stei] länger bleiben als *(one's welcome* als man erwünscht ist); ~**step** [--‿'step] überschreiten; ~**stock** [--‿'stɔk] überfüllen, -sättigen; ~**strain** [--‿'strein] überanstrengen; *su* [-‿--] Überanstrengung; ~**t** *siehe* overt; ~**take** [--‿'teik] *(s. S. 319)* überholen; -raschen; -wältigen; ~**tax** [--‿'tæks] überbesteuern; übermäßig in Anspruch nehmen; ~**throw** [--‿'θrou] *(s. S. 319)* umstoßen; stürzen; *su* [-‿--] (Um-)Sturz; Niederlage; ~**time** [-‿-taim] Überstunden *(to work* ~*time, to be on* ~*time* Ü. machen); Überstundenbezahlung; ~**trump** [--‿'trʌmp] übertrump-

fen; ~**ture** *siehe* overture; ~**turn** [--‿'tə:n] umstürzen, -kippen; ~**weening** [--‿'wi:niŋ] anmaßend, eingebildet; ~**weight** [-‿-weit] Mehr-, Übergewicht; *adj* [-‿--] übergewichtig; ~**weighted** [-‿-'weitid] überladen; ~**whelm** [--‿'welm] überschwemmen, verschütten; überwältigen; -häufen; ~**work** [--‿'wə:k] überanstrengen; ~*work o.s.* sich überarbeiten; *su* [-‿--] übermäßige Arbeit, Überarbeitung; Mehrarbeit; ~**wrought** [--‿'rɔ:t] überarbeitet; überreizt

overt ['ouvə:t, -‿-] *fig* offen(kundig)

overture ['ouvətjuə, *bes US* -‿-tʃə] Ouvertüre; *pl* (Annäherungs-)Vorschläge, Avancen; *to make ~s to* j-m Avancen machen

ow|e [ou] schulden; verdanken; ~**ing** ['ouiŋ] ausstehend; *to have ~ing* ausstehen haben; ~*ing to* wegen, infolge

owl [aul] Eule; ~**ish** eulenhaft, -artig

own [oun] 1. besitzen; als seines anerkennen; einräumen; ~ *to* eingestehen; ~ *up (umg)* zugeben *(to s-th* etwas); 2. eigen; *all its ~* ganz besondere(r); *for my (very) ~* ganz zu eigen; 3. selbst *(she makes all her ~ dresses); of one's ~* eigen; *on one's ~* selbständig, auf eigene Faust; *in one's ~ right* selber; *to come into one's ~* zu seinem Recht kommen, die verdiente Anerkennung finden; *to hold one's ~* die Stellung halten *(a. fig),* $ sich (gut) halten; *to be on one's ~* unabhängig sein; *to get one's ~ back (umg)* es j-m heimzahlen; ~**er** Besitzer, Eigentümer; ~**erless** herrenlos; ~**ership** Besitz(recht), Eigentum(srecht)

ox [ɔks], *pl* ~**en** [-‿ən] Ochse, Rind *(bes pl);* ~**eye** [-‿ai] Margerite; ~**eyed** groß-, kuhäugig; ~**hide** [-‿haid] Rindsleder; ~**lip** [-‿lip] weiße Schlüsselblume

Oxford ['ɔksfəd]: ~ **blue** dunkelblau; ~ **shoes** Halbschuhe

oxford ['ɔksfəd] = Oxford shoe

oxid|e ['ɔksaid] Oxyd; ~**ize** [-‿sidaiz] oxydieren

oxygen ['ɔksidʒən] Sauerstoff

oyes (oyez) [ou'jes, *US* -‿-] Achtung!, Ruhe!

oyster ['ɔistə] Auster; ~**bed** Austernbank

ozone ['ouzoun, -‿-] Ozon

P

P [pi:] P ♦ *to mind one's p's* [pi:z] *and q's* [kju:z] sehr auf Anstand bedacht sein

pa [pa:] Papa, Paps

pace [peis] 1. Schritt(länge); 2. Tempo *(to set the ~* das Tempo bestimmen); *to go the ~* schnell machen, flott leben; 3. Paß(-gang); 4. Gang(art) (e-s Pferdes) ♦ *to put s-b through his ~s* auf Herz und Nieren prüfen; 5. (auf und ab)schreiten (in); 6. (im) Paß gehen; 7. 🐎 Schrittmacher sein für; ~ *out (off)* abschreiten; ~**maker**, ~**setter** Schrittmacher

pachyderm ['pækidə:m] Dickhäuter *(a. fig)*

pacific [pə'sifik] friedliebend, -lich; beruhigend; *the P~* der Pazifik; ~**ation** [pæsifi'kei-

ʃən] Befriedung; Beruhigung; ~ism [-̣-̣-sizm], ~ist [-̣-̣-ist] *BE neben* pacifism, pacifist
pacif|ism ['pæsifizm] Pazifismus; ~ist [-̣-fist] Pazifist; ~fier [-̣-faiə] *US* Schnuller; ~y [-̣-fai] besänftigen; befrieden
pack [pæk] Bündel, Pack; Rudel, Koppel, Volk (Rebhühner); *fig* Bande, Haufen; Spiel (Karten); *US* Päckchen (Zigaretten); Packmenge, -methode; Packeis; packen (*up* zus.-, ein-); sich packen lassen; bepacken; zus.drängen, (voll)pferchen; sich drängen in; *to send s-b ~ing* j-n (schnell) abschieben; ⚙ abdichten; etwas mit seinen Leuten besetzen; ~ *off* wegschicken; ~ *o.s. off* sich packen; ~ *up* (*umg*) zus.packen, aufhören; ~age [-̣idʒ] Pack, Ballen; Paket; (Ver-)Packung; ~animal [-̣æniməl] Packtier; ~er [Ver-]Packer; Packmaschine; ~et [-̣it] Päckchen, Stoß; Packung (Zigaretten); ~et(-boat) Postschiff; ~et-soup [-̣itsu:p] Suppenpulver; ~ice [-̣ais] Packeis; ~ing [-̣iŋ] Verpackung(smaterial); Pack-; ⚙ Dichtung; ~man [-̣mən], *pl* ~men Hausierer; ~thread [-̣θred] (starker) Bindfaden
pact [pækt] Übereinkommen, Vertrag
pad [pæd] Polster, Kissen; (Schreibetc)Block; (Farb-)Kissen); 🐾 Beinschiene; Ballen (am Fuß); Pfote; polstern, wattieren; ~ *out* (*fig*) auffüllen; ~ding Polstermaterial, Wattierung; *fig* Füllmaterial
paddle ['pædl] Paddel; Rührholz, Spachtel; ⚓ Schaufel; paddeln; ◆ ~ *one's own canoe* [kə'nu:] auf sich selbst angewiesen sein; planschen; *US* (ver-)prügeln; ~box [-̣bɔks] ⚓ Radkasten; ~-steamer [-̣sti:mə] Raddampfer; ~-wheel [-̣wi:l] Schaufelrad
paddock ['pædək] (Pferde-)Koppel
paddy ['pædi] Rohreis, Paddy; *BE* Wutanfall; P~ (Spitzname für) Ire; ~field Reisfeld
padlock ['pædlɔk] Vorhängeschloß; mit einem Vorhängeschloß verriegeln
padre ['pɑːdri] *eccl* Vater; *sl* Kaplan
paean ['piən] Dankes-, Siegeslied
paediatric|lan, *US* **pedi-** [piːdiə'triʃən] Kinderarzt; ~s (-̣-'ætriks) *sg vb* Kinderheilkunde
pagan ['peigən] Heide; heidnisch; ~ism [-̣-izm] Heidentum
page [peidʒ] Seite; Page; Boy; j-n holen lassen (im Hotel); *paging Mr Smith!* Mr. S. wird verlangt!, Mr. S., bitte!; paginieren; *US* durchblättern
pageant ['pædʒənt] historisch. Festspiel, -zug; ~ry [-̣-ri] Gepränge, Prunk
pagoda [pə'goudə] *pl* ~s Pagode
pah [pɑː] igitt(egitt); pfui
paid [peid] *siehe* pay
pail [peil] Eimer
pain [pein] Schmerz(en); *to be in* ~ leiden; *under* (*od on*) ~ *of death* bei Todesstrafe; *to take* ~*s* sich bemühen; *to spare no* ~*s* keine Mühe scheuen; *vt/i* schmerzen; ~ful schmerzhaft, -lich; ~less schmerzlos; ~staking [-̣zteikiŋ] arbeitsam; sorgfältig
paint [peint] Farbe; (an)malen, (an)streichen; ~ *s-th in* hineinmalen; ~ *s-th out* übermalen;

fig schildern ◆ ~ *the town red* die Stadt auf den Kopf stellen; ~-box [-̣bɔks] Malkasten; ~-brush [-̣brʌʃ] Pinsel; ~er Maler; Anstreicher; ⚓ Fangleine; ~ing Malen; Gemälde, Bild
pair [pɛə] Paar; *a* ~ *of (trousers, pincers, scissors, etc)* eine (Hose, Zange, Schere etc); ~ *(of stairs, steps)* Treppe ◆ *two* ~ *front* Wohnung (Mieter) im 2. Stock vorn; (s.) paaren; ~ *off* paarweise ordnen, *umg* verheiraten
pajamas [pə'dʒɑːməz] *US* = pyjamas
pal [pæl] *sl* Freund, Kumpan; ~ *up with* sich anfreunden mit; ~ly freundlich
palace ['pælis] Palast
palan|quin (*a.* ~keen) [pælən'kiːn] Sänfte
palat|able ['pælətəbl] schmackhaft; angenehm; ~e [-̣it] Gaumen (*hard* ~*e* G., *soft* ~*e* G.segel); Geschmack(ssinn)
palatial [p'leiʃəl] palastartig, prächtig
palaver [pə'lɑːvə] (endlose) Besprechung; Palaver; palavern
pale [peil] bleich; hell-; Pfahl; *fig* Grenze (des Anstands); bleich werden, erblassen; ~-face [-̣feis] Bleichgesicht
palette ['pælit] Palette
palfrey ['pɔːlfri] (Damen-)Reitpferd
paling ['peiliŋ] Pfahlzaun [pen
palisade [pæli'seid] Palisade; *pl US* Steilklippall [pɔːl] Bahrtuch; *fig* Decke, Mantel; schal, reizlos werden (*on s-b* für j-n); ~bearer [-̣bɛərə] Hauptleidtragender, Sargträger
pallet ['pælit] (Stroh-)Matratze, -lager
pallia|te ['pælieit] beruhigen, lindern; beschönigen; ~tion [-̣-'eiʃən] Linderung; Beschönigung; ~tive [-̣-ətiv] Linderungsmittel; Beschönigung; lindernd; beschönigend [Blässe
pall|id ['pælid] bleich; ~or [-̣lə] (Gesichts-)
palm [pɑːm] Handfläche; -breite; Palme; *fig* Sieg; *to bear* (*od carry off*) *the* ~ d. Sieg davontragen; *vt* in der Hand verbergen; ~ *s-th off on s-b* j-m etwas andrehen; ~er [-̣ə] Pilger; ~ist [-̣ist] Handleser; ~istry Handlesekunst, Chiromantie; ~oil Palmöl; ~y [-̣i] palmenartig, -reich; herrlich
palp|able ['pælpəbl] fühlbar; handgreiflich; ~itate [-̣piteit] *bes ♥* heftig schlagen, klopfen; ~itation Herzklopfen
palsy ['pɔːlzi] ♥ Lähmung (*a. fig*); lähmen
palt|er ['pɔːltə] *with* ausweichen bei, feilschen mit j-m, leichtfertig umgehen mit; ~ry [-̣tri] armselig; erbärmlich
pampas ['pæmpəz] *pl vb* Pampas, Grassteppe
pamper ['pæmpə] verwöhnen; verzärteln
pamphlet ['pæmflit] Flugschrift, Broschüre; ~eer [-̣-'tiə] Verfasser e-r Fl.
pan [pæn] Pfanne; Waagschale; Schüssel (z. Goldwaschen); *sl* Visage; verreißen; ~ *off* (*od out*) (Gold) waschen, *fig* Erfolg haben
panacea [pænə'siə], *pl* ~s Allheilmittel
pancake ['pænkeik] Eierkuchen
pancreas ['pæŋkriəs] Bauchspeicheldrüse
pandem|ic [pæn'demik] allgemein verbreitet(e Krankheit); ~onium [pændi'mouniəm] Höllenlärm, wilder Tumult; Hölle

pander ['pændə] (ver)kuppeln; ~ to Vorschub leisten

pane [pein] (Fenster-)Scheibe

panegyric [pæni'dʒirik] Lobrede

panel ['pænəl] Tafel, Feld (d. Täfelung); (Tür-) Füllung; (Stoff-)Streifen; ⚡ Schalttafel; Verzeichnis (d. Geschworenen, BE a. d. Kassenärzte); on the ~ kassenärztlich zugelassen; (Diskussions-)Gruppe; ~ discussion [dis-'kʌʃən] öffentl. Diskussion (a. ⟨ts⟩); ~ling Täfelung; ~list Diskussionsteilnehmer

pang [pæŋ] stechender Schmerz, Weh(en)

panic ['pænik] Panik; panisch; mit panischer Angst erfüllen; von pan. Angst erfüllt werden; ~ky [--ki] (leicht) von panischer Angst erfüllt

pannier ['pæniə] Tragkorb; ~kin [--kin] bes BE Pfännchen; Kännchen

panoply ['pænəpli] Rüstung (a. fig)

panorama ['pænə'rɑ:mə], pl ~as Panorama; ~ic [--'ræmik] panoramaartig; 🚌 Rundsicht-

pansy ['pænzi] Stiefmütterchen; sl Homosexueller; sl weibisch

pant [pænt] keuchen (out hervor-); lechzen, verlangen (for nach); Keuchen; ~aloon [-ə'lu:n] Hanswurst, Pantalone; pl Hose (mst ~s, siehe pants)

pantechnicon [pæn'teknikən], pl ~s BE Möbelspeicher; (~ van) Möbelwagen

panther ['pænθə] Leopard, Panther

panties ['pæntiz] (kl.) Schlüpfer, Höschen; Kindershorts

pantihose ['pæntihauz] Strumpfhose

pantomime ['pæntəmaim] Pantomime

pantry ['pæntri] Speisekammer; Wäsche- und Geschirrkammer

pants [pænts] BE Unterhose; lange Hose

pantskirt ['pæntskə:t] Hosenrock

pap [pæp] Brei (a. fig)

papa [pə'pɑ:, bes US 'pɑ:pə] Papa; ~cy ['peipəsi] Amt des Papstes; Papsttum; ~l ['peipəl] päpstlich, Papst-; the P~l States d. Kirchenstaat

papaw [pə'pɔ:], papaya [pə'paiə] Melonenbaum, Papaya

paper ['peipə] Papier; Dokument; pl Papiere, Akten ♦ to send in one's ~s zurücktreten (in Papiergeld; Wertpapier; Zeitung; schriftl. (Examens-)Arbeit; Vortrag, Arbeit (on über); vt tapezieren; ~ bag Tüte; ~chase [--tʃeis] Schnitzeljagd; ~clip Büroklammer; ~fastener [--'fɑ:snə] Musterklammer; ~hanger [--hæŋə] Tapezierer; ~mill [--mil] Papierfabrik; ~weight [--weit] Briefbeschwerer

papier-mâché ['pæpjei'mæʃei, US 'peipəmə'ʃei] Pappmaché, Papiermaché

papist ['peipist] Katholik, Papist

papoose [pə'pu:s] (Indianer)Baby

pappy ['pæpi] breiig

paprika [BE 'pæprikə, US pæ'pri:kə] Paprika

papyrus [pə'paiərəs], pl ~i [--rai] Papyrusstaude; Papyrus(-rolle, -text)

par [pɑ:] Gleichheit; on a ~ with ebenbürtig; Pari, Nennwert (at ~ zum N.)

parable ['pærəbl] Parabel, Gleichnis

parabola [pə'ræbələ], pl ~s math Parabel

parachute ['pærəʃu:t] Fallschirm; ~ist [--tist] Fallschirmspringer

parade [pə'reid] 1. Schaustellung, Prunk; 2. mil Parade; 3. Appell, Exerzieren; ~ (ground) Exerzierplatz; Promenade; to make a ~ of protzen mit; 4. vt/i auf-, vorbeimarschieren (lassen); 5. protzen mit, herauskehren

paradigm ['pærədaim, US --dim] Paradigma

paradise ['pærədais] Paradies

paradox ['pærədɔks] Paradoxon; ~ical [--ikl] paradox, widersinnig

paraffin ['pærəfin] Paraffin; (~ oil) BE Leuchtöl, Petroleum

paragon ['pærəgən], pl ~s Vorbild, Ausbund; ⌨ US Text (20 Punkt)

paragraph ['pærəgrɑ:f] Absatz, Abschnitt

parakeet ['pærəki:t] Sittich

parallel ['pærəlel] 1. parallel (to, with mit); 2. vergleichbar, entsprechend; ~ bars 🦯 Barren; 3. Parallele; 4. Vergleich; 5. Gegenstück; 6. parallel machen (sein); 7. gleichmachen (sein); 8. vergleichen; 9. entsprechen; ~ism [--izm] Parallelität; ~ogram [--ə'græm] Parallelogramm (of forces P. der Kräfte)

paralyse, US ~ze ['pærəlaiz] lähmen (a. fig); ~sis [pə'rælisis], pl ~ses [--lisi:z] Lähmung, Paralyse; ~tic [--'litik] Lähmungs-; gelähmt(e Person)

paramount ['pærəmaunt] oberste; überragend; höher (to als); ~mour [--muə] Geliebte(r); ~noia [--'nɔiə] Paranoia, Wahnvorstellung(-en), -sinn; ~pet [--pit] Brustwehr; Geländer; ~phernalia [--fə'neiliə] pl vb Gerät(schaften), Utensilien; ~phrase [--freiz] Umschreibung; umschreiben; ~psychology [--sai'kɔlədʒi] Parapsychologie; ~site [--sait] Parasit, Schmarotzer; ~sitic(al) [--'sitik(l)] schmarotzerisch; ~sol [--sɔl] Sonnenschirm; ~typhoid [--taifɔid] Paratyphus; ~troops [--tru:ps] Fallschirmtruppen; ~vane [--vein] Minenräumschneidegerät

parboil ['pɑ:bɔil] ankochen; erhitzen

parcel ['pɑ:sl] Bündel; Paket; Posten, Partie; Parzelle; part and ~ wesentlicher Teil; ~ (out) (aus)teilen, parzellieren

parch [pɑ:tʃ] leicht rösten; (aus)dörren; ~ment Pergament(papier)

pardon [pɑ:dn] Verzeihung (I beg your ~ entschuldigen Sie, verzeihen Sie, wie bitte?); eccl Ablaß; verzeihen; begnadigen; ~able verzeihlich; ~er [--ənə] Ablaßverkäufer

pare [pɛə] (be)schneiden (a. fig); abschneiden

parent ['pɛərənt] Elternteil, Vater, Mutter; Vorfahr; Stamm-; fig Quelle; ~age [--idʒ] Abstammung; Elternschaft; ~al [pə'rentl] elterlich

parenthesis [pə'renθisis], pl ~ses [pə'renθisi:z] Parenthese; runde Klammer; ~tic [pærən'θetik] parenthetisch

parget ['pɑ:dʒit] verputzen; Verputz, Bewurf

pariah [BE 'pæriə, US pə'raiə] Paria

pari mutuel ['pɑːriː'mjuːtuəl], *US* 'pæri 'mjuːt[uəl] Totalisatorwette

paring ['pɛəriŋ] Schale, Späne *(mst pl)*

parish ['pæriʃ] Gemeinde, Kirchspiel ♦ *to go on the ~* von der Gemeinde unterstützt werden; ~ **clerk** [klɑːk] Küster; ~ **register** ['redʒistə] Kirchenbuch; ~**ioner** [pə'riʃənə] Gemeindemitglied

parity ['pæriti] Gleichheit, Parität

park [pɑːk] 1. Park *(a. mil)*; *car* ~ *(BE)* Parkplatz; *national* ~ Naturschutzgebiet; 2. aufstellen; 3. 🚗 parken; ~**a** [-ə], *pl* ~**as** Anorak; ~**ing** Park-; ~*ing lot (US)* Parkplatz; ~*ing meter* Parkuhr

parl|ance ['pɑːləns] Redeweise; ~**ey** [-li] *bes mil* Unterhandlung; unterhandeln

parliament ['pɑːləmənt] Parlament; ~**arian** [--men'tɛəriən] parlamentarisch; (geschickter) Parlamentarier; ~**ary** [--'mentəri] parlamentarisch; höflich

parlour ['pɑːlə] Wohnzimmer; (Empfangs-)Raum; *US* (Friseur- etc) Salon; ~ **car** *US* Salonwagen; ~-**maid** *BE* Serviermädchen

parlous ['pɑːləs] gefährlich; äußerst

parochial [pə'roukiəl] Gemeinde-, Pfarr-; engstirnig; ~ **school** *US* Konfessionsschule

parody ['pærədi] Parodie; parodieren

parole [pə'roul] Ehrenwort *(on* ~ *auf E. freigelassen)*; auf Ehrenwort freilassen; 🚓 bedingte Strafaussetzung (gewähren)

paroquet ['pærəket] *siehe* parakeet

paroxysm ['pærəksizm] Paroxysmus; Anfall

parquet ['pɑːkei, -kit, *US* -'kei] Parkett (*US a.* 🚗); mit Parkett versehen

parricide ['pærisaid] Vater-, Muttermord, -mörder(in)

parr|ot ['pærət] Papagei *(a. fig)*; ~**y** [-i] (Schlag) parieren; Parade, Abwehr

parse [pɑːz, *US* pɑːrs] (Wort) grammatisch bestimmen

parsec ['pɑːsek] Parsek (= 3,26 Lichtjahre)

parsimon|ious [pɑːsi'mouniəs] (über-)sparsam, knauserig; ~**y** [--məni] (große) Sparsamkeit; Knappheit

pars|ley ['pɑːsli] Petersilie; ~**nip** [-nip] Pastinake

parson ['pɑːsn] Pfarrer; Geistlicher; ~**age** ['pɑːsənidʒ] Pfarrhaus; Pfarrei

part [pɑːt] 1. Teil-; *for the most* ~' größtenteils; *in* ~ teilweise; 2. 🎭 Rolle *(a. fig)*; 3. Anteil; *to take* ~ teilnehmen *(in* an); *for my* ~ meinerseits; *on the* ~ *of, on his* ~ *etc* auf seiten von, seinerseits etc ♦ *to have neither* ~ *nor lot in* nichts zu tun haben mit; *to take s-th in good* ~ etwas gut aufnehmen; 4. *pl* Gegend; 5. *pl* Fähigkeiten; 6. Pflicht, Interesse; 7. Partei *(to take s-b's* ~ j-s Partei ergreifen); 8. 🎵 Partie, Stimme; 9. *US* Scheitel; 10. *vt/i* (s.) teilen; 11. (s.) trennen; ~ *friends* als Freunde scheiden; ~ *company* ['kʌmpəni] *with* auseinandergehen, sich trennen von, anderer Meinung sein als; ~ *with* aufgeben, entlassen; ~-**song** [-sɔŋ] mehrstimmiges Lied; ~-**time** verkürzte Arbeitszeit; halbtags; nebenberuflich

partake [pɑː'teik] *(s. S. 319)* teilhaben an; ~ *of* essen, (Mahl) einnehmen, etwas ... aufweisen; ~ [--kə] jemand, der teil hat

parterre [pɑː'tɛə] Blumengarten; 🎭 2. Parkett, Parterre

partial [pɑːʃəl] teilweise, Teil-; parteiisch; *to be* ~ *to* e-e Vorliebe haben für; ~**ity** [-ʃi'æliti] Vorurteil, Parteilichkeit; Vorliebe *(for, to* für); ~**ly** teilweise, halb

participa|nt [pɑː'tisipənt] Teilnehmer; ~ [--peit] teilnehmen *(in* an); ~**tion** [-,--'peiʃən] Teilnahme

partici|pial [pɑːti'sipiəl] Partizipial-; ~**ple** [--sipl] Partizip

parti|cle ['pɑːtikl] Partikel(chen), Teilchen; Partikel; ~-**coloured** [--kʌləd] buntfarbig; gescheckt

particular [pə'tikjulə] besondere; eingehend; wählerisch; Einzelheit, *pl* Näheres; *in* ~ insbesondere; *to go into* ~s ins einzelne gehen; ~**ity** [-,--'læriti] Besonderheit; Genauigkeit; Eigenheit; ~**ize** [--raiz] einzeln aufführen; ~**ly** besonders; eingehend

parting ['pɑːtiŋ] Abschied *(with* von); Trennung(sstelle); Scheitel; Abschieds-

partisan ['pɑːtizən] 1. Partisane; 2. [*US* ---, *BE* --'zæn] Parteigänger, Partei-; *mil* Partisan; ~**ship** [---ʃip, *US* ---ʃip] Parteigängertum, Parteilichkeit

partition [pɑː'tiʃən] Teil(ung); Abteil; Trenn-, Zwischenwand; (auf)teilen; ~ *off* abtrennen

partitive ['pɑːtitiv] partitiv, Teilungs-

partizan *siehe* partisan (2. Bedtg.)

partly ['pɑːtli] teilweise, zum Teil; teils

partner ['pɑːtnə] Partner; Teilhaber; Partner sein von; als Partner zusammenbringen; ~**ship** [--ʃip] Partnerschaft; (offene Handels-)Gesellschaft; *to enter into* ~*ship with* sich assoziieren mit

partook [pɑː'tuk] *siehe* partake

partridge ['pɑːtridʒ], *pl* ~**s** Rebhuhn; Feldhuhn

part-song, part-time *siehe* part

party ['pɑːti] 1. Partei(wesen); 2. Einladung *(to give a* ~ e-e E. geben, Gäste haben); *to make one of the* ~ sich anschließen; 3. Beteiligter; *to be a* ~ *to* beteiligt sein an; 4. 🚓 Partei; 5. *mil* Kommando, Trupp; 6. Kerl; ~-**coloured** [--kʌləd] *siehe* parti-; ~ **line** ⚙ Gemeinschaftsanschluß; Parteilinie; ~ **spirit** Parteigeist, -eifer; ~ **wall** [wɔːl] Grenzmauer, Zwischenwand

parvenu ['pɑːvənjuː, *US* --nuː] Emporkömmling, Parvenü

pasha ['pɑːʃə, 'pæʃə], *pl* ~**s** Pascha

pass[1] [pɑːs] 1. (vorwärts-, vorbei-)gehen, fahren (an j-m); 2. gehen, fahren durch (über); 3. (Zeit) verstreichen, verbringen; 4. übergehen *(from ... to* von ... zu; *to s-b* an j-n); ~ *the time of day with s-b* j-m die Tageszeit bieten, j-n grüßen; 5. (j-m etwas) reichen; 6. gehen, gleiten lassen; 7. 🏉 (Ball) weiterspielen; 8. (Falschgeld) in Umlauf bringen; 9. herumreicht werden, herumgehen; 10. (Gesetz) annehmen, angenommen werden, durchgehen; 11. (Examen) bestehen; 12. durchkommen (im Examen); 13. verschwinden; 14. sich ereignen, vorkommen; 15. an sich vorüberziehen lassen *(a. fig)*; 16. (Urteil) fällen (*on* über), (Meinung) sich bilden (*on* über); 17. (Wort) verpfänden, (Eid) schwören; 18. (beim Spiel) aussetzen; ~ **away** vergehen; sterben; ~ **back** zurückreichen, -geben; ~ **by** vorüber-, vorbeigehen, -fließen; etwas übergehen, außer acht lassen; ~ *by the name of* bekannt sein als; ~ **for** gelten als; ~ **off** (ver)schwinden; nachlassen; verlaufen, sich abspielen; andrehen (*on s-b* j-m); etwas (s.) ausgeben (*as* als); die Aufmerksamkeit ablenken von; ~ **on** weitergehen; übergehen (*to* zu); weiterreichen (*to s-b* j-m); sterben; ~ **out** *sl* ohnmächtig werden; ~ **over** gehen über; übergehen; überreichen, -tragen; ~ **round** herumreichen; ~ **through** erleben, durchmachen; stoßen durch; ~ **up** vorbeigehen lassen; aus-, weglassen; ablehnen

pass² [pɑːs] **1.** *BE* Bestehen (im Examen); *to get a* ~ *(BE)* (in mehreren Fächern) mit „befriedigend" bestehen; **2.** (kritische) Lage ♦ *things have come to a pretty* ~ die Lage ist recht bedenklich geworden; *to bring to* ~ bewerkstelligen, zustande bringen; *to come to* ~ sich ereignen; **3.** 🤺 (Fecht-)Stoß; **4.** (Passier-)Schein; **5.** Frei(fahr)karte; **6.** Handbewegung (des Zauberers etc); **7.** (Berg-)Paß; *to hold the* ~ *(fig)* die Stellung halten; **~able** [-əbl] passierbar; annehmbar, ausreichend

passage ['pæsidʒ] (Hin-)Durchgehen; Übergehen; -gang, -fahrt; *bird of* ~ Zugvogel *(a. fig)*; (See-, Flug-)Reise, Überfahrt; Weg *(through a crowd)*; **~way** [-weɪ] Korridor, Gang; (Text-)Abschnitt, Stelle; *pl* Wortwechsel; ~ *of* (od *at*) *arms* Waffengang *(a. fig)*

pass|book ['pɑːsbuk] Kontobuch; Anschreibbuch (beim Kaufmann); **~enger** ['pæsindʒə] Reisender, Passagier; Personen-; **~e-partout** [pɑːspɑːtuː] Hauptschlüssel; Passepartout; **~er-by** [-ɔˈbaɪ], *pl* ~ers-by Vorübergehender; **~im** ['pæsim] überall, laufend; **~ing** ['pɑːsiŋ] vorübergehend; beiläufig; sehr; Verstreichen; Durchgang, -gehen; *in* ~ *ing* beiläufig

passion ['pæʃən] Leidenschaft; Wut; heiße Liebe; Ausbruch; *to fly into a* ~ e-n Wutanfall bekommen; **P~** *eccl* Passion; **~ate** [-it] leidenschaftlich; jähzornig; **~-flower** Passionsblume; **P~ Week** Karwoche

passiv|e ['pæsiv] passiv, untätig; **~ity** [-ˈsiviti] Passivität

pass|key ['pɑːskiː] Hauptschlüssel; Drücker; **~man** [-mən], *pl* ~men *BE* j-d, der das allgemeine Examen (in mehreren Fächern) mit „befriedigend" besteht; **~port** [-pɔːt] (Reise-)Paß; Geleitbrief; Schlüssel, Weg (*to* zu); **~-sheet** [-ʃiːt] *BE* Kontoauszug; **~word** [-wɔːd] Losung(swort)

past [pɑːst] **1.** vergangen, letzte; *for...* ~ seit; ~ *tense* Vergangenheit, Imperfekt; ~ *master* Meister, Könner; **2.** *su* Vergangenheit (*with a*

~ *mit nicht einwandfreier V.*); = ~ tense; **3.** *adv* vorbei; **4.** *prep* vorbei an; **5.** über ... hinaus; *half* ~ *two* halb drei, 2.30 Uhr; ~ *cure* unheilbar; ~ *hope* hoffnungslos; ~ *work* [wɔːk] zu schwach zum Arbeiten; ~ *bearing* unerträglich; ~ *praying for* hoffnungslos (krank)

paste [peist] Teig; Kleister; *US* Teigwaren(sorte); (Mandel- etc, *BE bes* Fisch-)Paste; Glaspaste; kleben (*up* an-, zu-); **~board** [-bɔːd] Pappdeckel, Klebekarton; Papp-; leicht, gehaltlos

pastel ['pæstəl] *bot* (Färber-)Waid; [pæs'tel, -´-] Pastellpaste, -stift; Pastell(-technik, -bild); Pastell-

pastern ['pæstɔːn, *US* -ən] *zool* Fessel

pasteurize ['pæstəraiz] pasteurisieren

pastil|le [pæs'tiːl] Pastille (*a.* ~)

pastime ['pɑːstaim] Zeitvertreib

pastor ['pɑːstə] Pfarrer, Seelsorger; **~al** [-´-rəl] Hirten-; Weide-; ländlich; geistlich; *su* Hirtengedicht, -spiel; *eccl* Hirtenbrief; **~al staff** [stɑːf] Krummstab; **~ate** [-´-rit] Pfarramt

pastry ['peistri] Torte(ngebäck), Pasteten; **~-cook** [-´-kuk] Konditor

pastur|age ['pɑːstʃɔridʒ] Weide(land); **~e** [-tʃə] Weide(land); Futter; (ab-)weiden

pasty ['peisti] teigig; ['pæsti] *BE* Pastete

pat [pæt] Klaps, Patsch; Klümpchen (Butter); klapsen, patschen (~ *s-b [o.s.] on the back* j-m auf die Schulter klopfen, j-n [s.] beglückwünschen); *adv* gerade recht; bereit; *to stand* ~ fest bleiben, bei dem Gesagten bleiben

Pat [pæt] (*Abk von* Patrick) Ire

patch [pætʃ] **1.** Fleck, Flicken; **2.** 💲 Pflaster; **3.** 💲 Augenbinde; **4.** Schönheitspflästerchen; **5.** Stück Land; **6.** *fig* Fleck(en) ♦ *to be not a* ~ *on* nicht das Wasser reichen können; *to strike a bad* ~ eine Pechsträhne haben; **7.** e-n Flecken setzen auf; **8.** als Flecken dienen; ~ *up* flicken *(a. fig)*; zusammenschustern, regeln; **~-pocket** aufgesetzte Tasche; **~work** [-wɔːk] bunt zusammengesetzter Stoff; *fig* Flickwerk; **~y** (aus Flicken) zus.gesetzt; zus.gestoppelt

pate [peit] *umg* Schädel, Kopf

pâté de foie gras [ˈpætei, (*US* pɑːˈtei) dɔ fwaː ˈgrɑː] Gänseleberpastete

patell|a [pɔˈtelə], *pl* ~ae [-´-iː] Kniescheibe

patent ['peitənt] offenkundig; *letters* ~ ['pætənt] Patenturkunde; **P~** *Office* ['pætənt ˈɔfis] Patentamt; ~ ['peitənt, 'pæ-, *US* 'pæ-] patentiert; *fig* patent; *su* Patent(ierte Erfindung), -urkunde; patentieren; ~ *boot, leather* ['pei-, *US* 'pæ-] Lackstiefel, -leder; **~ee** [peitən'tiː, pæ-, *US* pæ-] Patentnehmer

pater ['peitə] *BE sl* alter Herr; **~familias** [-fɔˈmiliæs] Familienoberhaupt; **~nal** [pɔˈtɔːnəl] väterlich(erseits), Vater-; **~nity** [pɔˈtɔːniti] Vaterschaft *(a. fig)*; **~noster** ['pætɔˈnɔstə] Vaterunser

path [pɑːθ], *pl* ~s [pɑːðz] Pfad *(a. fig)*; (Fuß-)Weg *(a. fig)*; 🤺 Bahn

path|etic [pɔˈθetik] rührend, ergreifend; *the* ~ *etic fallacy* ['fælɔsi] die Vermenschlichung (der Natur); **~ological** [pæθə'lɔdʒikəl] Krankheits-; krankheitsbedingt; pathologisch; **~ology** [pə'θɔlədʒi] Pathologie; pathologische Symptome; **~os** ['peiθɔs] das Rührende, Ergreifende

patien|ce ['peiʃəns] Geduld; Ausdauer; *the ~ce of Job* [dʒoub] e-e Engelsgeduld; *to be out of ~ce with, to have no ~ce with* nicht (länger) ertragen können; *bes BE* Patience(spiel); **~t** ['peiʃənt] geduldig; *to be ~t of* ertragen; Patient

patina ['pætinə] Patina

patio ['pætiou], *pl* **~s** Innenhof

patois ['pætwɑː], *pl* ~ [–wɑːz] (gesprochener) Dialekt; Kauderwelsch

patri|arch ['peitriɑːk] Familien-, Stammesoberhaupt; Patriarch; **~archal** [––'ɑːkəl] patriarchalisch; **~cian** [pə'triʃən] Patrizier; aristokratisch; **~cide** ['pætrisaid] Vatermord, -mörder; **~monial** [pætri'mouniəl] ererbt, Erb-; **~mony** ['pætriməni] väterliches Erbteil *(a. fig)*; Kirchenvermögen

patriot ['pætriət, *US* 'pei–] Patriot; **~ic** [pætri'ɔtik, *US* pei–] patriotisch; **~ism** ['pætriətizm, *US* 'pei–] Patriotismus

patrol [pə'troul] Patrouille; Streife; patrouillieren, abgehen; die Runde machen; **~man** [––mən], *pl* **~men** *US* Polizist; **~ wagon** ['wægən] *US* Polizeigefangenenwagen

patron ['peitrən] Schutzherr, Patron; Gönner; (Stamm-)Kunde; **~** *saint* Schutzheiliger; **~age** ['pætrənidʒ, *US* 'pei–] Gönnerschaft, Förderung; Patronatsrecht; Kundschaft; gönnerhafte Art; **~ize** ['pætrənaiz, *US* 'pei–] (als Gönner) fördern; gönnerhaft behandeln; Kunde sein bei

patten [pætn] (hoher) Holzschuh

patter ['pætə] (Diebes- etc)Sprache; Rattern, Schnellsprechen; Gebrabbel, Gerede; *fig* Trommeln; etw herunterrattern; *fig* rattern; *fig* trommeln, hämmern

pattern ['pætən] Muster *(a. fig)*; Modell; Vorlage; Schema; (Stoff-, Schnitt-)Muster; *behaviour* [bi'heivjə] **~** Verhaltensweise; Vorbild; Struktur; vorbildlich; mustern; gestalten, bilden *(on, after* nach)

patty ['pæti] Pastetchen

paucity ['pɔːsiti] geringe Menge, Zahl; Knappheit

Paul [pɔːl] Paul(us) ♦ *to rob Peter to pay* **~** ein Loch stopfen, indem man ein anderes aufreißt

paulownia [pɔː'louniə], *pl* **~s** *bot* Kaiserbaum

paunch [pɔːntʃ] Wanst, Bauch; **~y** fett

pauper ['pɔːpə] Armer; Almosenempfänger; Armen-; **~ism** [––rizm] Armutselend; **~ize** [––raiz] gänzlich arm machen, verarmen

pause [pɔːz] Pause; *to give* **~** *to s-b* j-n innehalten lassen; ♩ Fermate; e-e Pause machen; innehalten

pav|e [peiv] pflastern; *fig* bedecken; *~e the way for* den Weg bahnen für; **~ement** Pflaster, Decke; *BE* Bürgersteig; **~ement artist** *BE* Gehsteigzeichner; **~ing** Pflaster(ung)

pavilion [pə'viljən], *pl* **~s** Pavillon; großes Zelt

paw [pɔː] Pfote, Tatze *(a. fig)*; (mit den Pfoten) schlagen, kratzen, berühren; mit dem Vorderhuf scharren; grob behandeln

pawl [pɔːl] ⚙ Sperrklinke; ⚓ Pall

pawn [pɔːn] (Schachspiel) Bauer; *fig* Schachfigur; Pfand(stück); *in (at)* **~** verpfändet; **~broker** [–broukə] Pfandleiher; **~shop** [–ʃɔp] Pfand-, Leihhaus

pawpaw ['pɔːpɔː], *siehe* papaw

pax [pæks] Friede; *sl* Ruhe!

pay [pei] *(s. S. 319)* 1. (be)zahlen; 2. (be)lohnen; **~** *one's way* sein Auskommen haben, keine Schulden machen; 3. sich rentieren; 4. (Besuch, Kompliment) machen; 5. (Aufmerksamkeit) schenken; **~** *back* zurückzahlen; **~** *off* aus(be)zahlen, entlassen; **~** *out* auszahlen, -geben, j-m heimzahlen; **~** *up* voll bezahlen; 6. **~** *(~ed, ~ed)* ⚓ *BE* abdichten; **~** *out (od away)* ⚓ (Tau) ablaufen lassen; 7. *su* Bezahlung, Entlohnung; 8. Lohn, Gehalt; 9. Sold *(a. fig)*; **~able** [–əbl] zahlbar; fällig; rentabel; **~ee** [–'iː] Zahlungsempfänger; Wechselinhaber; **~ing** lohnend, rentabel; Zahlungs-; **~load** [–loud] Nutzlast; **~ment** [Be-]Zahlung; Lohn *(a. fig)*; **~-off** *fig* Lohn, Erfolg; **~roll** [–roul], **~-sheet** [–ʃiːt] Lohnliste; (gesamte) Lohnsumme; **~ station** ['steiʃən] *US* öffentlicher Fernsprecher

pea [piː] Erbse *(slit ~s* getrocknete E.); *as like as two ~s* wie ein Ei dem andern; **~flour** [–flauə] Erbsmehl; **~-shooter** [–ʃuːtə] Blasrohr; **~-soup** [–suːp] Erbsensuppe; **~-souper** Waschküche, Nebel

peace [piːs] Frieden; *a breach* [briːtʃ] *of the* **~** Friedensbruch; *at* **~** im Frieden(szustand); Ruhe; *the (King's)* **~** Landfrieden; *to keep the* **~** Ruhe halten; *to hold one's* **~** still sein; **~able** [–əbl] friedfertig; friedlich; **~ful** friedliebend, -voll; ruhig; **~maker** [–meikə] Friedensstifter; **~-offering** [–ɔfəriŋ] Friedenszeichen

peach [piːtʃ] Pfirsich(farbe); *umg* duftes Mädel; **~** *upon (against)* j-n verpfeifen

pea|cock ['piːkɔk] Pfau *(bes männl.)*; **~fowl** [–faul] Pfau; **~hen** Pfau *(bes weiblich)*; **~jacket** [–dʒækit] kurze Seemannsjacke

peak [piːk] *(bes* Berg-, Bart-)Spitze *(a. fig)*; **~** *(and pine)* sich abhärmen; **~ed** [–t] spitz; verhärmt; schwach, kränklich

peal [piːl] Läuten; Geläut; Glockensatz, -spiel; Dröhnen, Donnern; läuten; dröhnen

peanut ['piːnʌt] Erdnuß

pear [pɛə] Birne; Birnbaum

pearl [pəːl] Perle *(a. fig)*; **~barley** [–'bɑːli] Perlgraupen; **~diver** [–daivə] Perlentaucher; **~ies** [–iz] *BE* (Perlen-)Festgewand (Londoner Straßenhändler); **~-oyster** [–ɔistə] Perlmuschel; **~-shell** [–ʃel] Perlmutt; **~y** perlenartig; perlengeschmückt

peasant ['pezənt] (Klein-)Bauer; bäuerlich; **~ry** Bauernschaft [*BE* Erbsbrei

pease [piːz] *BE* Erbsen; **~-pudding** [–pudiŋ]

peat [piːt] Torf(stück); **~-bog** [´-bɔg], **~-moss** [´-mɔs] Torfmoor

pebble [pebl] (großer) Kieselstein; **~y** [´pebli] kieselig, steinig

pecan [pi´kæn] Pecannuß(baum)

peccable [´pekəbl] sündig, -haft

peccadillo [pekə´dilou], pl **~es** (kleiner) Verstoß, Fehler, läßliche Sünde

peck [pek] Viertelscheffel (BE = 9,1 Liter, US = 8,8 Liter); Viertelscheffelmaß, -gefäß; fig e-e Menge; Picken, Schnabelhieb; -wunde; umg Bahnhofs-, Gewohnheitskuß; (auf)picken; hacken (at nach); ~ at häppchenweise essen; **~er** pickender Vogel ♦ to keep one's ~er up bei Laune bleiben; **~ish** hungrig; US reizbar

pectin [´pektin] Pektin; **~oral** [´-tərəl] Brust-

peculate [´pekjuleit] unterschlagen, veruntreuen; **~tion** [---´ʃən] Veruntreuung

peculiar [pi´kjuːliə] eigen(tümlich) (to für); besonders; seltsam, eigenartig; **~ity** [---´æriti] Eigentümlichkeit; Eigenart; **~ly** persönlich; besonders; seltsam

pecuniary [pi´kjuːniəri] geldlich, Geld-

pedagogic(al) [pedə´gɔdʒik(l)] pädagogisch; Erziehungs-; **~ics** [---´iks] sg vb Pädagogik; **~ue** [´pedəgɔg] Pauker; Lehrmeister, Pedant; **~y** [´pedəgɔgi, ´---dʒi, US ´-goudʒi] Lehren, Lehrtätigkeit; Pädagogik

pedal [pi:dl, BE a. pedl] Fuß-; ~ [pedl] Pedal (a. ♪); fahren, treten; **~o** [´pedəlou] Tretboot

pedant [´pedənt] Schulmeister, Pedant; Wissensprotz; **~ic** [pi´dæntik] pedantisch; angeberhaft, protzig; **~ry** Pedanterie; Wissensprotzerei

peddle [pedl] hausieren gehen; als Hausierer vertreiben; sich mit Kleinkram abgeben; **~er** [´-lə] US = pedlar; Dealer; **~ing** kleinlich; geringfügig

pedestal [´pedistəl] Postament; Podest (to set s-b on a ~ j-n aufs P. erheben)

pedestrian [pi´destriən] Fußgänger; Fuß-; schwunglos, nüchtern

ped|iatr- siehe paediatr-; **~cure** [´pedikjuə] Fußpflege, Pediküre; **~gree** [´pedigri:] Ahnen-, Stammtafel; Vorfahren; Stammbaum; Ableitung (e-s Wortes); Zucht-; **~greed** mit Stammbaum; **~ment** [--mənt] Giebelfeld

pedlar, US **peddler** [´pedlə] Hausierer

peek [pi:k] spähen, gucken

peel [pi:l] (s.) schälen (off ab-); (Kleider) abstreifen; abblättern; Schale; candied [´kændid] ~ Orangeat, Zitronat; **~ings** (Obst-, Kartoffel-)Schalen

peep [pi:p] piepsen; (verstohlen) gucken, blikken; ~ out hervorgucken; auftauchen (a. fig); Piepsen; teilweise Ansicht; verstohlener Blick; ~ (of day) Tagesanbruch; **~er** Gucker; sl Auge; **~ing Tom** neugieriger Kerl; **~-hole** [´-houl] Guckloch

peer [piə] forschend blicken, spähen (~ at begucken); hervorschauen; Gleichgestellter, Ebenbürtiger; Angehöriger des Hochadels, Pair; **~age** [´-ridʒ] Hochadel(sstand); Adels-

buch; **~ess** [´-ris] Gattin e-s Pairs; Angehörige des Hochadels; **~less** unvergleichlich, beispiellos

peeve [pi:v] (j-n) ärgern, verdrießen; **~ed** [´-d] eingeschnappt; **~e** su Ärger; **~ish** reizbar, grämlich; quengelig

peewit [´pi:wit] siehe pewit

peg [peg] **1.** Pflock ♦ a square ~ in a round hole ein Mann am unrechten Platz; **2.** Haken, (Zelt-)Hering; **3.** Zapfen; **4.** fig Nagel, Vorwand; **5.** ♪ Wirbel (Geige); **6.** BE Whisky mit Soda ♦ to take s-b down a ~ or two j-n ducken; **7.** mit e-m Pflock befestigen; **8.** (Kurs) stützen; **9.** festsetzen, ~ at schlagen nach; ~ away (on) los-, weiterarbeiten (at an); ~ down befestigen, fig j-n festnageln auf; ~ out abgrenzen, -stecken, umg kaputtgehen, k. sein; **~-top** [´-tɔp] Kreisel

Pegasus [´pegəsəs] Pegasus; dichterische Begabung

peignoir [´peinwɑ:] Frisiermantel

pejorative [´pi:dʒərətiv, pi´dʒɔrətiv] verschlechternd, pejorativ

peke [pi:k] BE = Pekinese [pi:ki´ni:z] BE, US **Pekingese** [-ki´ŋi:z] Pekinese

pekoe [´pi:kou, BE a. ´pe-] Pekoe (feiner Tee)

pelargonium [pelə´gounjəm], pl **~s** Geranie, Pelargonie

pelf [pelf] Mammon

pelican [´pelikən] Pelikan

pelisse [pe´li:s] (pelzgefütterter) Damenmantel

pellet [´pelit] Kügelchen; Schrot; Pille

pell-mell [´pel´mel] durcheinander; wirr; Durcheinander, Mischmasch

pellucid [pe´lu:sid] durchsichtig, klar

pelt [pelt] Fell (roh); bewerfen; (Regen etc) (heftig) trommeln, prasseln; Schlag; at full ~ in voller Geschwindigkeit

pelvis [´pelvis], pl **~es** [´-vi:z] Becken

pemmican [´pemikən] Pemmikan (Dörrfleisch)

pen [pen] Pferch, Hürde; Ställchen; (U-Boot-)Unterstand; (Schreib-)Feder; ~ (up, in) einpferchen; schreiben; **~-and-ink** Feder-; **~-case** [´-keis] Federkasten; **~-holder** [´-houldə] Federhalter

penal [´pi:nəl] strafend; Straf-; **~ize** [´--aiz] für strafbar erklären; ⚔ mit Strafpunkt belegen, benachteiligen; **~ty** [´penəlti] Strafe; Strafmaß; ⚔ Strafpunkt, Handikap, Straf- (~ty area [´ɛəriə] -raum; ~ty kick -stoß)

penance [´penəns] Buße

pence [pens] siehe penny

penchant [´pɑ:nʃɑ:n, US ´pentʃənt] Neigung, Vorliebe

pencil [pensl] Bleistift; Farbstift; fig Stift; Strahlenbündel; (hin)schreiben; zeichnen; anstreichen; (Braue) nachziehen; **~led** [´-d] (fein)gezeichnet

pend [pend] hängen (a. fig); **~ant** (a.: ~ent)[´-ənt] Anhänger; Pendant; ♫ = pennant; **~ent** (a.: ~ant) [´ənt] (über)hängend; fig schwebend; **~ing** [´-iŋ] fig schwebend; während; bis zu;

~**ulous** [⁻julǝs] hängend, schwingend; ~**ulum** [⁻julǝm], *pl* ~ulums Pendel

penetra|ble ['penǝtrǝbl] durchdringbar; ~**te** [⁻⁻treit] durchdringen (durch); *fig* durchsetzen (*with* mit); durchschauen; ein-, vordringen (*into* in, bis zu); ~**tion** [⁻⁻'treiʃǝn] Durch-, Eindringen; Durchdringung; Scharfsinn; ~**tive** [⁻⁻treitiv] durchdringend, scharf

penguin ['peŋgwin] Pinguin

penicillin [peni'silin] Penicillin

peninsula [pi'ninsjulǝ], *pl* ~**s** Halbinsel; ~**r** [⁻⁻⁻lǝ] Halbinsel-

peniten|ce ['penitǝns] Reue; ~**t** [⁻⁻tǝnt] reuig, reuevoll; Bußfertiger; ~**tial** [peni'tenʃǝl] Reue-, Buß-; bußfertig; ~**tiary** [⁻⁻⁻ʃǝri] Besserungsanstalt; *US* Zuchthaus; Reue-; Besserungs-

penkni|fe ['pennaif], *pl* ~**ves** [⁻naivz] Federmesser, kleines Taschenmesser

pen|man ['penmǝn], *pl* ~**men** Schönschreiber; *a good (bad)* ~*man* j-d, der e-e schöne (schl.) Handschrift hat; ~**manship** [⁻mǝnʃip] Schönschreiben; Handschrift; ~~**name** [⁻neim] Schriftstellername

penn|ant ['penǝnt] ⚓ Stander; Wimpel; ~**on** [⁻nǝn] *bes mil* Wimpel; Flagge

penn|iless ['penilis] mittellos, arm; ~'**orth** [⁻ǝθ] *siehe* ~**yworth**; ~**y** [⁻i], *pl* pence, ~**ies** Penny (¹⁄₁₂ Shilling), (*new*) Penny (¹⁄₁₀₀ Pfund); *US* Cent ♦ *a pretty* ['priti] ~*y* ein schöner Batzen; *to turn an honest* ['ɔnist] ~*y* sich etwa (dazu)verdienen; *in for a* ~*y, in for a pound* A sagt, muß auch B sagen; ~**y-a-liner** [⁻iǝ'lainǝ] *BE* Zeilenschinder, Schreiberling; ~**y-farthing** [⁻ifɑ:ðiŋ] *BE* Hochrad; ~**y-wise and pound-foolish** sparsam im Kleinen, verschwenderisch im Großen; ~**yworth** [⁻iwǝ:θ] Pennywert, -betrag, für e-n Penny (Tabak etc)

pension ['penʃǝn] Pension, Ruhegehalt; ['pɑːŋsiɔːŋ] Pension (*to live in* ~ in P. wohnen); j-m e-e Pension zahlen; ~ *off* j-n pensionieren; ~**able** ['penʃǝnǝbl] pensionsberechtigt; ~**er** Pensionär

pensive ['pensiv] nachdenklich, gedankenvoll; ernst, traurig

pent [pent] eingesperrt, -gepfercht

pentagon ['pentǝgǝn, *US* -gon], pl ~**s** Fünfeck; ~**al** [⁻'tægǝnǝl] fünfeckig

pentameter [pen'tæmitǝ] Pentameter

pentathlon [pen'tæθlǝn], *pl* ~**s** Fünfkampf

Pentecost ['pentikɔst] Pfingsten; ~**al** [⁻⁻⁻ǝl] Pfingst-; pfingstlich

penthouse ['penthaus], *pl* ~**s** [⁻⁻ziz] Seiten-, Vor-, Schutzdach; Nebengebäude; Penthouse, Dachterrassenwohnung

pent-up ['pentʌp] *fig* aufgestaut

penultimate [pi'nʌltimit] vorletzt

penu|rious [pi'njuǝriǝs] geizig; karg; ~**ry** ['penjuri] (große) Armut; Mangel

peon ['piːɔn, *BE a.* pjuːn] (Indien) Infanterist; Polizist; Bote(njunge); ['piːǝn] (südamer.) Tagelöhner; ~**age** ['piːǝnidʒ] Frondienst; ~**y** ['piǝni] Pfingstrose

people [piːpl] *pl vb* Leute, Volk (*the* ~ das gemeine V.); Angehörige, Familie; ~, *pl* ~**s** Volk, Völkerschaft; bevölkern

pep [pep] Mumm, Schwung; ~ *up* aufmöbeln; ~ **pill** Aufputschmittel; ~ **talk** [tɔːk] Ermunterungsrede

pepper ['pepǝ] (schwarzer, weißer) Pfeffer; Cayenne-, roter Pfeffer; Paprika; pfeffern; bombardieren *(a. fig)*; ~~**and-salt** Pfeffer und Salz (Muster); ~~**box** [⁻⁻bɔks] Pfefferstreuer; ~**mint** [⁻⁻mint] Pfefferminze, -öl; Pfefferminz; ~**y** [⁻ri] gepfeffert, scharf; hitzig

pep|sin ['pepsin] Pepsin; ~**tic** [⁻tik] Verdauungs-; verdauungsfördernd

per [pǝ:] pro, per, durch; ~ **cent** vom Hundert, *siehe* ~**cent**

peradventure [pǝrǝd'ventʃǝ] vielleicht; etwa; Zufälligkeit; Zweifel

perambula|te [pǝ'ræmbjuleit] umherwandern in; bereisen; ~**tor** [⁻⁻⁻⁻tǝ] *BE* Kinderwagen

per|annum [pǝ'rænǝm] jährlich; ~ **capita** [pǝ'kæpitǝ] pro Person

perceive [pǝ'siːv] wahrnehmen; erkennen

percent, *BE a.* **per cent** [pǝ'sent] Prozent (%); ~**age** [⁻idʒ] Prozentsatz; Anteil, Gehalt; Provision

percept|ible [pǝ'septibl] wahrnehmbar; ~**ion** [⁻'sepʃǝn] Wahrnehmung(svermögen)

perch[1] [pǝ:tʃ] Sitzstange (für Vögel), Ast; *fig* sichere Stellung, Thron; Rute (= 5,03 m); sich niederlassen, setzen; (auf)bäumen; ~**ed** [⁻t] sitzend, liegend, thronend

perch[2] [pǝ:tʃ], *pl* ~ (Fluß-)Barsch

perchance [pǝ'tʃɑːns] vielleicht

percola|te ['pǝ:kǝleit] durchsickern, filtern (durch); ~**tor** [⁻⁻⁻⁻tǝ] Kaffeefiltermaschine

percussion [pǝ'kʌʃǝn] (Aneinander-)Schlagen; Erschütterung; Stoß; *the* ~ ♪ Schlaginstrumente; ♪ Perkussion; ~**ist** Schlagzeuger

perdition [pǝ'diʃǝn] Verderben; Verdammnis

peregrination [perigri'neiʃǝn] Wanderung, Wandern; Reise

peremptory [pǝ'remptǝri, 'perǝmptǝri] zwingend, unbedingt (gültig); bestimmt (*on s-th* in e-r Sache); herrisch; 🔱 *mst* [⁻⁻⁻⁻] endgültig, zwingend

perennial [pǝ'reniǝl] (das ganze Jahr) dauernd; immerwährend; *bot* mehrjährig(e Pflanze)

perfect ['pǝ:fikt] vollendet, -kommen; vollständig; völlig, gänzlich; ~ *(tense)* Perfekt; ~ [pǝ'fekt] vervollkommnen; vollenden; ~**ible** [⁻ibl] vervollkommnungsfähig; ~**ion** [⁻'fekʃǝn] Vervollkommnung; Vollendung; Vollkommenheit; *fig* Gipfel; ~**ly** [⁻⁻li] vollkommen; einfach

perfid|ious [pǝ'fidiǝs] verräterisch; treulos; ~**y** ['pǝ:fidi] Treulosigkeit; Verrat

perfora|te ['pǝ:fǝreit] durchbohren, -löchern; perforieren; ~**tion** [⁻⁻'reiʃǝn] Durchbohrung; Loch; Perforation

perforce [pǝ'fɔːs] notgedrungen

perform [pǝ'fɔːm] aus-, ♟ auf-, vorführen; ~**ance** [⁻⁻ǝns] Aus-, ♟ Aufführung; Vorstellung; ✿ Leistung; **~er** Darsteller, Künstler; **~ing** dressiert (Tier)

perfume ['pə:fju:m] Duft; Parfüm; ~ [pə'fju:m] mit Duft erfüllen; **~ry** [pə'fju:məri] Parfüme(rieladen)

perfunctory [pə'fʌŋktəri] pflichtmäßig; interesselos; mechanisch, routinemäßig

pergola ['pə:gələ], *pl* **~s** Pergola

perhaps [pə'hæps, præps] vielleicht

peril ['peril] Gefahr (in ~ *of* ... in G., ... zu verlieren; *at one's* ~ auf eigene G.); gefährden; **~ous** [--əs] gefährlich

perimeter [pə'rimitə] *math* Umfang

period ['piəriəd] Zeit(raum, -abschnitt); Periode (*a.* ♀, *gram*); Punkt (.); *to put a* ~ *to* ein Ende machen; *pl* periodenreiche Sprache; ♭ Periodendauer; Unterrichtsstunde; *adj* Stil-; **~ic** [-ri'ɔdik] *bes astr* periodisch; periodenreich; rhetorisch; **~ical** [-ri'ɔdikəl] periodisch; regelmäßig erscheinend; Zeitschrift, Zeitung

peripatetic [peripə'tetik] umherwandernd, -reisend

periphery [pə'rifəri] *math* Peripherie, Oberfläche

periscope ['periskoup] Periskop, Sehrohr

perish ['periʃ] umkommen, zugrunde gehen; *(umg) to be ~ed* [--t] umkommen (*with* vor); **~able** [--əbl] vergänglich; verderblich(e Ware); **~ing** [--iŋ] vernichtend

peristyle ['peristail] Säulengang

periton|eum [perito'ni:əm], *pl* **~eums** Bauchfell; **~itis** [----'naitis] Bauchfellentzündung

periwig ['periwig] Perücke; **~ged** [--d] mit Perücke

periwinkle ['periwiŋkl] *bot* Immergrün; *zool* Strandschnecke

perjur|e ['pə:dʒə] *o.s.* e-n Meineid schwören; **~ed** [--d] meineidig; **~er** [--rə] Meineidiger; **~y** [--ri] Meineid(igsein)

perk [pə:k] *(mst: ~ up)* (d. Kopf) hochwerfen, keck aufrichten; ~ *o.s. up* sich herausputzen, sich aufmöbeln; **~y** lebhaft, froh; keck, frech

perm [pə:m] Dauerwelle; in Dauerwellen legen

permanen|ce ['pə:mənəns] Andauern; Dauerhaftigkeit; **~cy** [----si] Dauerhaftigkeit; etwas Dauerhaftes; **~t** [--nənt] bleibend; ständig; dauerhaft; ~ **wave** = perm; **~t way** 🚂 Bahnoberbau

permeate ['pə:mieit] durchdringen; sättigen; s. verbreiten

permiss|ible [pə'misibl] zulässig; **~ion** [-'miʃən] Erlaubnis, Genehmigung; **~ive** [-'misiv] zulassend, gestattend

permit [pə'mit] erlauben, gestatten; ~ *of s-th (fig)* zulassen; ~ ['pə:mit] Genehmigung(sschein), Passierschein

permutation [pə:mju'teiʃən] Vertauschung; *bes math* Permutation

pernicious [pə'niʃəs] verderblich, schädlich

pernickety [pə'nikiti] *umg* pedantisch; kitzlig, heikel

peroration [perə'reiʃən] (zus.fassender) Redeschluß

peroxide [pə'rɔksaid] *su* Peroxyd (~ *of hydrogen* ['haidrədʒən] Wasserstoff-); (Haar) bleichen; ~ *blonde* Wasserstoffblondine

perpendicular [pə:pən'dikjulə] senkrecht (*to* zu); sehr steil; Senkrechte; *out of the* ~ nicht senkrecht; Perpendikel; ~ **style** englische Spätgotik

perpetra|te ['pə:pitreit] begehen, verüben; **~tion** [--'treiʃən] Verübung; **~tor** [--tə] (Übel-)Täter

perpetu|al [pə'petjuəl] *bes US* -'petʃu-] ewig, immerwährend; dauernd; **~ate** [--jueit, *bes US* --tʃu-] verewigen; **~ity** [pə:pi'tjuiti] ewige Dauer; lebenslängliche Rente (Besitz); *in ~ity* auf ewig

perplex [pə'pleks] verwirren, verblüffen; komplizieren; **~ed** [--t] verwirrt; verworren; **~ity** [--iti] Verwirrung; Verworrenheit; etwas Verwirrendes

perquisite ['pə:kwizit] Nebeneinnahme; Vorrecht

persecu|te ['pə:sikju:t] j-n verfolgen; j-m zusetzen (*with* mit); **~tee** [---'ti:] Verfolgter; **~tion** [--'kju:ʃən] Verfolgung; **~tor** [---tə] Verfolger

persever|ance [pə:si'viərəns] Beharrlichkeit, Ausdauer; **~e** [--'viə] beharren (*in* bei); beharrlich fortsetzen (*in s-th* etwas); beharrlich weitermachen (*with* mit); **~ing** [---riŋ] beharrlich; standhaft

persiflage ['pə:siflɑ:ʒ] Persiflage

persimmon [pə'simən], *pl* **~s** Persimone (Art Dattelpflaume); Persimonenholz

persist [pə'sist] beharren (*in* bei, auf); nachdrücklich behaupten; fortbestehen, sich hartnäckig halten; **~ence** [--əns] Fortdauer; Beharrlichkeit; **~ency** [--ənsi] Ausdauer; Beharren; **~ent** [--ənt] beharrlich, hartnäckig; bleibend; beständig

person ['pə:sn] Person; Kerl; *in* ~ persönlich; Äußeres; **~able** [-sənəbl] gutaussehend; **~age** [-sənidʒ] Persönlichkeit; **~al** [-sənəl] persönlich; privat; anzüglich; äußere; Personal-, Familiennachricht; *pl* Anzüglichkeiten; **~ally** [-sənəli] persönlich; als Person; für mein Teil; **~alty** [-sənəlti] 🔒 persönl. bewegl. Eigentum; **~ate** [-səneit] darstellen; verkörpern; **~ification** [pə:sɔnifi'keiʃən] Personifizierung, Verkörperung; **~ify** [pə'sɔnifai] personifizieren, verkörpern; **~nel** [pə:sə'nel] Personal; Belegschaft; Mannschaft

perspective [pə'spektiv] Perspektive (*in* ~ perspektivisch richtig); perspektivische Zeichnung; An-, Ausblick *(a. fig)*

perspic|acious [pə:spi'keiʃəs] scharfsinnig, schnell begreifend; **~acity** [--'kæsiti] Scharfsinn, gutes Verständnis; **~uity** [--'kjuiti] Klarheit, Deutlichkeit; **~uous** [pə'spikjuəs] klar, deutlich

perspir|ation [pə:spi'reiʃən] Schwitzen; Schweiß; **~e** [pə'spaiə] schwitzen

persua|de [pə'sweid] *of* überzeugen von; ~ *de that* überzeugen, daß; ~ *de to do* überreden, ... zu tun; ~ *de (o.s.)* (sich) einreden; **~sion** [--

ʒən] Überredung, -zeugung(skraft); (überzeugter) Glaube *(bes eccl); sl* Art, Sorte; **~sive** [-ːsiv] überzeugend; Überredungs-
pert [pəːt] dreist, vorlaut, keck
pertain [pə'tein] gehören *(to* zu); sich beziehen *(to* auf)
pertinac|ity [pəːti'næsiti] Hartnäckigkeit; Beharrlichkeit; **~ious** [--'neiʃəs] hartnäckig; beharrlich
pertinent ['pəːtinənt] passend, angemessen; ~ *to* sich beziehend auf
perturb [pəˈtəːb] stören; beunruhigen; **~ation** [pəːtəˈbeiʃən] Störung; Beunruhigung
peruke [pəˈruːk] Perücke
perus|al [pəˈruːzəl] Durchlesen; Durchsicht; **~e** [pəˈruːz] (durch)lesen, studieren
perva|de [pəˈveid] durchdringen; **~sion** [-'veiʒən] Durchdringung; **~sive** [-'veisiv] durchdringend, beherrschend
perver|se [pəˈvəːs] schlecht, verstockt; pervers; störrisch; launisch; falsch, verquer; **~sion** [--ʃən] Verkehrung; Abkehr; Verdrehung; Perversion; **~sity** [--siti] Verstocktheit; Perversität; Eigensinn; **~t** [-'vəːt] verkehren, -drehen; verderben, pervertieren; **~t** ['pəːvəːt] Abtrünniger; Perverser
pervious ['pəːviəs] *to* durchlässig für; *fig* zugänglich für
peseta [pəˈseitə], *pl* **~s** Pesete
pesky ['peski] *US umg* verflixt, lästig
peso ['peisou], *pl* **~s** Peso
pessim|ism ['pesimizm] Pessimismus; **~ist** [--mist] Pessimist; **~istic** [---stik] pessimistisch
pest [pest] Schädling, *pl a.* Ungeziefer; **§** Pest, Plage *(a. fig)*; **~er** [--ə] belästigen, plagen; **~iferous** [-'tifərəs] verpestend; verderblich; **~ilence** [-'iləns] (Beulen-)Pest, Seuche; **~ilent** [--ilənt] verderblich; *umg* unangenehm, ärgerlich; **~ilential** [-i'lenʃəl] Pest-; verderblich; abscheulich, widerwärtig
pestle [pesl] Stößel
pet¹ [pet] 1. Haus-, Schoßtier; 2. zahmes Tier; ~ *shop* Tierhandlung; 3. Liebling; ~ *name* Kosename; ~ *aversion* [ə'vəːʃən] besondere Abneigung; 4. Lieblings-; 5. hätscheln, schmusen
pet² [pet] üble Laune; *to be in a* ~ schlecht gelaunt sein; schmollen
petal [petl] Blütenblatt
petard [pi'taːd] Petarde, Sprengkörper ♦ *hoist with his own* ~ in seiner eigenen Falle gefangen
Peter ['piːtə] Peter; Petrus; *siehe* Paul
peter ['piːtə] *out* weniger werden; sich verlaufen, versanden, versickern
petite [pə'tiːt] zierlich, zart
petition [pi'tiʃən] Bitte; Bittgesuch; Gebet; Eingabe; e-e Eingabe machen, bitten *(for* um); **~er** [---ə] Bittsteller
petrel ['petrəl] Sturmvogel; Sturmschwalbe; *stormy* ~ Unruhestifter
petrif|action [petri'fækʃən] Versteinerung; *fig* Erstarrung; **~y** [--fai] versteinern; *fig* erstarren

petrol ['pətrəl] *BE* Benzin; ~ *station (BE)* Tankstelle; **~eum** [pi'trouliəm] Petroleum; Erd-, Rohöl
pett|icoat ['petikout] Unterrock; Petticoat; Weibsbild; ~*icoat government* ['gʌvənmənt] Weiberherrschaft; **~ifogger** [-ːifɔgə] Winkeladvokat; Pedant; **~ifogging** kleinlich; unwesentlich; **~ish** [-ːiʃ] launisch, reizbar; **~y** [-ːi] klein, unerheblich; kleinlich, engstirnig; **~y cash** Handkasse, geringe Beträge; **~y officer** Bootsmann; *chief ~y officer (BE)* Oberbootsmann, *US* (Ober-)Stabsbootsmann
petulant ['petjulənt] reizbar, nörglerisch
petunia [pi'tjuːniə], *pl* **~s** Petunie
pew [pjuː] Kirchenbank, -sitz; Sitz(-bank)
pew|it ['piːwit, 'pjuːit] Kiebitz; Lachmöwe; **~ter** ['pjuːtə] Zinn(legierung); Zinngerät, -geschirr [wagen)
phaeton [feitn] Phaeton (leichter Kutschier-
phalan|x ['fælæŋks, *US* 'fei-], *pl* **~xes** *mil, fig* Phalanx; *pl mst* **~ges** [fə'lændʒiːz] (Finger-, Zehen-)Glied
phantas|m ['fæntæzm] Trugbild; Wahnvorstellung; **~mal** [--zməl], **~mic** [--zmik] trügerisch; gespenstisch; **~y** [-ːtəsi] *siehe* fantasy
phantom ['fæntəm] Gespenst, Erscheinung, Phantom; Trugbild; Gespenster-
phari|saic [færi'seiik] pharisäisch; pharisäerhaft; **~see** [--siː] Pharisäer
pharmac|eutical [faːmə'sjuːtikəl] pharmazeutisch; **~eutics** [--'sjuːtiks] *sg vb* Pharmazie; **~ist** [--sist] Pharmazeut; Apotheker; **~ology** [--'kɔlədʒi] Pharmakologie; **~opoeia** [--kə'piːə] Pharmakopoe, amtliches Arzneibuch; **~y** [-ːsi] Pharmazie; Apotheke
pharynx ['færiŋks], *pl* **~es** Rachenhöhle
phase [feiz] *bes astr, phys,* **⚡** Phase; stufenweise planen (durchführen); staffeln
pheasant ['fezənt] Fasan
phenomen|al [fi'nɔminəl] phänomenal, sinnfällig, Erscheinungs-; *umg* außergewöhnlich; **~on** [--nən], *pl* **~a** [--nə] Phänomen, Erscheinung; *fig* Genie, Wunder
phial [faiəl], *bes US* **vial** [vaiəl] Phiole
philander [fi'lændə] flirten
philanthrop|ic [filən'θrɔpik] menschenfreundlich, gütig; **~ist** [-'lænθrəpist] Menschenfreund; **~y** [-'lænθrəpi] Menschenliebe; philanthrope Einrichtung
philatel|ic [filə'telik] philatelistisch; **~ist** [-'lætəlist] Briefmarkensammler; **~y** [-'lætəli] Markensammeln; Philatelie
Philistin|e ['filistain, *bes US* --tiːn] Philister *(a. fig)*; Spießbürger; **~ism** [--tinizm] Philisterei, Spießbürgertum
philolog|ical [filə'lɔdʒikəl] philologisch; **~ist** [-'lɔlədʒist] Philologe; **~y** [-'lɔlədʒi] Philologie
philosoph|er [fi'lɔsəfə] Philosoph *(a. fig)*; **~ers' stone** Stein der Weisen; **~ic** [-lə'sɔfik] philosophisch; **~ical** = **~ic**; weise, gelassen; **~ize** [---faiz] philosophieren (über); **~y** [---fi] Philosophie; **~y (of life)** Lebens-, Weltanschauung

philtre ['filtə] Liebestrank

phlebitis [fli'baitis] Venenentzündung

phlegm [flem] $ Schleim, Auswurf; Phlegma; ~**atic** [fleg'mætik] phlegmatisch

phlox [flɔks], *pl* ~**es** Phlox

phobi|a ['foubiə], *pl* ~**ae** krankhafte Furcht, Phobie

phoenix ['fiːniks], *pl* ~**es** Phoenix; *fig* Wunder

phon [fɔn] Phon; ~**e** [foun] Telefon (*to be on the* ~*e* Telefon haben, im T.verzeichnis stehen); telefonieren; anrufen

phone [foun] Laut; ~**tic** [-'netik] phonetisch; ~**tician** [-ni'tiʃən] Phonetiker; ~**tics** [-'netiks] *sg vb* Phonetik; *pl vb* Aussprache

phoney ['founi] *siehe* phony

phonograph ['founəgrɑːf] *US* Grammophon, Plattenspieler; ~**ic** [--'græfik] phonographisch

phonology [fou'nɔlədʒi] Phonologie; Lautsystem

phony ['founi] *sl* gefälscht, unecht; Fälschung; Schwindler

phos|gene ['fɔzdʒiːn] Phosgen; ~**phate** [-feit] Phosphat; *bes pl* (Ph.-)Dünger

phosphor|escence [fɔsfə'resəns] Phosphoreszieren; ~**escent** [---ənt] phosphoreszierend; ~**us** [-rəs] Phosphor

photo ['foutou], *pl* ~**s** Foto; ~**engrave** [--in'greiv] klischieren; ~**engraving** [--in'greiviŋ] Klischeeherstellung, Chemigraphie; Klischee(abzug); ~**finish** ⚡ durch Zielfotografie entschiedener Endspurt; ~**graph** [-təgrɑːf] Foto(-grafie), Lichtbild; fotografieren; ~**grapher** [fə'tɔgrəfə] (Berufs-)Fotograf; ~**graphic** [-tə'græfik] fotografisch; ~**graphy** [-'tɔgrəfi] Fotografie, Lichtbildnerei; ~**gravure** [--grə'vjuə] Rakel-, Kupfertiefdruck; ~**micrography** [--mai'krɔgrəfi] Mikrofotografie; ~**play** [-plei] Filmschauspiel; ~**stat** [-stæt] Fotokopie; fotokopieren; ~**telegraphy** [--ti'legrəfi] Bildfunk

phrase [freiz] (Rede-)Wendung; (treffender) Ausdruck; ♪ Phrase; ausdrücken; ~**ology** [-zi'ɔlədʒi] Ausdruckswahl; Redewendungen, Phraseologie

phrenetic [fri'netik] rasend; *bes eccl* fanatisch

phthisis ['θaisis] Auszehrung, Schwindsucht

phut [fʌt] Platzen, Zischen, zischendes Geräusch; *to go* ~ platzen *(a. fig)*

physic ['fizik] Medizin; Abführmittel; j-n verarzten; ~**al** [-kəl] materiell, physisch; äußerlich; körperlich; physikalisch; ~**al training** Turnen; ~**ian** [-'ziʃən] (prakt.) Arzt; ~**ist** [-sist] Physiker; ~**s** [-s] *sg vb* Physik

physio|gnomy [fizi'ɔgnəmi, --'ɔnəmi] Physiognomik; Physiognomie; Erscheinungsbild; ~**logical** [--ə'lɔdʒikəl] physiologisch; ~**logist** [--'ɔlədʒist] Physiologe; ~**logy** [--'ɔlədʒi] Physiologie

physique [fi'ziːk] Körperbau

pi [pai] π (= 3,14159); *BE sl* fromm; ~ **jaw** [dʒɔː] Moralpauke

pian|ist [pi'ænist, 'piənist] Pianist, Klavierspieler; ~**o** [pi'ænou], *pl* ~**os** Klavier, Piano; *cot-*

tage ['kɔtidʒ] ~*o* Kleinklavier; *grand* ~*o* Flügel; *upright* ['ʌprait] ~*o* Pianino, Klavier; ~**o** [pi'ɑːnou] piano (gespielte Stelle); ~**oforte** [piˌænou'fɔːti] Piano; ~**ola** [piə'noulə], *pl* ~**olas** Pianola; ~**o-player** mechan. Klavierspielapparat

piazza [pi'ætsə, *US* pi'æzə], *pl* ~**s** öffentlicher Platz; *BE* Arkaden; *US* Veranda

pica ['paikə] ⊞ Cicero (12 Punkt); ~**resque** [pikə'resk] Abenteurer-, Schelmen-; ~**roon** [pikə'ruːn] Abenteurer; Pirat(enschiff); ~**yune** [pikə'juːn] *US* Fünfer; *fig* Heller; etwas Wertloses; unbedeutend, klein

picca|lilli ['pikəlili], *pl* ~**lillis** (Art) scharfe Pickles (in Essig-Senfsoße); ~**ninny** [--'nini] *siehe* picka-

piccolo ['pikəlou], *pl* ~**s** Pikkoloflöte

pick [pik] 1. (Spitz-)Hacke, Picke; 2. picken, (ver)lesen; 3. pflücken; 4. herausfinden, -lesen; ~ *one's words* seine Worte (sorgfältig) setzen; ~ *one's way (steps)* sich e-n Weg suchen; ~ *and choose* [tʃuːz] wählerisch suchen (sein); 5. auseinanderrupfen, -reißen; ~ *holes* am Zeug flicken; ~ *to pieces* ['piːsiz] *(fig)* zerpflücken; ~ ⟨*and steal* [stiːl] stehlen⟩; ~ *a lock* (*umg*) ein Schloß knacken; ~ *a pocket* e-e Tasche ,ausräumen', Taschendieb sein; ~ *s-b's brains* j-s Ideen klauen; ~ *one's nose* in der Nase bohren; ~ *one's teeth* [tiːθ] sich die Zähne säubern; ~ *a bone* ein Knochen abnagen; ~ *a quarrel* ['kwɔrəl] *with* Streit mit j-m anfangen; ~ *a winner* das Richtige wählen; 6. picken(d essen); 7. *bes US* (Bluh.) rupfen; 8. *US* (Banjo) spielen; ~ **at** herumnörgeln an; herumstochern in (Essen); ~ **off** (ab)pflücken, wegnehmen; (einzeln) abschießen; ~ **on** *US*, *BE sl* ärgern, necken, tadeln; ~ **out** (aus)wählen, herausfinden, -bekommen; ♪ (nach Gehör) spielen; (Farbe) absetzen (*with* gegen); ~ **over** (gründlich) durchgehen; ~ **up** aufhacken, aufnehmen, erheben, j-n mitnehmen, abholen, 🚢 hereinbekommen; (Bekanntschaften) machen, sich erholen (*a.* ⚡), 🚗 Fahrt aufnehmen; ~ *up* with s. anfreunden mit; ~**aback** [-əbæk] huckepack (*a.* ⚓); ~**axe**, *US* ~**ax** [-æks] = ~; ~**er** [-ə] Pflücker; ⚙ Picker; ~**et** [-it] Pfosten, Pfahl; *mil* Feldwache, Posten; *mst pl* Streikposten; durch Pfähle sichern; an e-n Pfahl binden; als Posten aufstellen; mit Streikposten umstellen, j-n (als Str.) anhalten (u. belästigen); Streikposten stehen; ~**ing** [-iŋ] Pikken; Pflücken, Stehlen; *pl* ⟨kleines⟩ Diebesgut; *pl* Überbleibsel, Reste; ~**le** [-l] Lake, Pökel, Essigsoße (zum Einlegen) ♦ *to have a rod in* ~*le for* die Rute (etwas ,Schönes') bereithalten für; *pl* Pickles; ⚙ Beize; (mißliche) Lage, Bescherung; Gör, Wildfang; einsalzen, einpökeln, in Essig einlegen; ⚙ abbeizen; ~**led** [-ld] Salz-; ~**lock** [-lɔk] Dietrich; Einbrecher; ~**-me-up** [-miʌp] Stärkungsmittel *(a. fig)*; ~**pocket** [-pɔkit] Taschendieb; ~**up** [-ʌp] 🚗 Tonab nehmer, -arm; 🚗 Beschleunigung(svermögen); (leichter, offener) Lieferwagen; *US* = -me-up; *sl* Straßenbekanntschaft

pickaninny, *BE a.* **picca-** ['pikənini] Neger-baby; kleines Kind; winzig
picnic ['piknik] Picknick; picknicken
pic|quet ['pikit] *siehe* picket *(mil)*; **~ric acid** [‡‑rik'æsid] Pikrinsäure
pictorial [pik'tɔːriəl] bildmäßig, -haft; male-risch; bebildert(e Zeitschrift)
picture ['piktʃə] Bild; Ebenbild; Verkörpe-rung; *pl* Kino; *(a.: moving ~)* Film; malen; beschreiben; sich ausmalen; **~-book** [‡‑buk] Bilderbuch; **~-card** [‡‑kaːd] Bild (Karten-spiel); **~gallery** [‡‑gæləri] Gemäldesamm-lung; **~ palace** ['pælis], **~ theatre** ['θiətə] *BE* Kino, Lichtspieltheater; **~ postcard** ['poustkaːd] Ansichtskarte, **~sque** [‑‑'resk] malerisch; anschaulich; originell
piddling ['pidliŋ] klein, unbedeutend
pidgin ['pidʒin] Pidgin-Englisch; *not my ~* nicht meine Sache
pie [pai] (Art) Fleisch-, Obstpastete, Pie; *US* Torte; Elster; ♦ *to have a finger in the ~ (fig)* seine Finger dazwischen haben; **~crust** [‑krʌst] (Teig-)Decke; **~plant** [‑plaːnt] *US* Rhabarber
piece [piːs] 1. Stück *(to ~s in S., Teile)*; *to ~s* kaputt; *~ by* ~ Stück für Stück; 2. Geschütz, Flinte; *a ~ of* ein(e) *(vor unzählbaren Substan-tiven: a ~ of advice, news, nonsense, work etc)*; 3. Theaterstück; 4. (Service-)Teil; 5. (Spiel-)Figur; 6. Rolle (Tapete, = 12 Yard); *by the ~* stückweise (verkaufen), im Akkord (bezah-len); 7. zusammenstücke(l)n; 8. anstücken *(on to* an); ~ *out* ergänzen; ~ *together* zusam-mensetzen *(a. fig)*; ~ *up* flicken; **~-goods** [‑gudz] Stück-, Meterware; Stückgüter; **~meal** [‑miːl] stückweise; **~-work** [‑wɜːk] Akkordar-beit
pied [paid] bunt(scheckig); **P~ Piper** ['paipə] *fig* Rattenfänger
pier [piə] Wellenbrecher; Pier; Landungs-brücke; Pfeiler; **~age** [‑ridʒ] Kaigeld; **~glass** [‑glaːs] hoher Spiegel
pierce [piəs] durchbohren, -stechen, -dringen; durchbrechen
pierrot ['piərou] Pierrot, Hanswurst
piety ['paiiti] Frömmigkeit; Pietät
piffl|e ['pifl] Blech, Quatsch; Blech reden, Quatsch machen; **~ing** dumm, sinnlos
pig [pig] *(bes US)* junges Schwein *(a. fig)*; Ekel; ✿ Massel, Block; ~ *(it, together)* zusam-mengepfercht leben; **~gery** [‑əri] Schweine-zucht; -stall; **~gish** [‑iʃ] schweinisch; gierig; **~gishness** schweinisches Benehmen *(a.* Zu-stand); **~gy** Schweinchen; gierig; **~gy-back** [‑ibæk] huckepack; **~gy bank** Sparschwein-chen; **~-headed** [‑'hedid] starrköpfig; **~-iron** [‑aiən] Roheisen; **~let** [‑lit] junges Schwein; **~skin** [‑skin] Schweinsleder; ╬ Leder; **~-sty** [‑stai] Schweinestall *(a. fig)*; **~tail** [‑teil] Zopf; **~-wash** [‑wɔʃ] Abwasser (für Schweine)
pigeon ['pidʒin] Taube; **~-breasted** [‑‑brestid] mit e-r Hühnerbrust; ~ **English** = pidgin; **~hole** [‑‑houl] Taubenloch; -nest; (Brief-)Fach; in ein Fach legen, ablegen; *fig* zurückle-gen, -stellen; **~house** [‑‑haus], *pl* ~houses [‑‑hauziz] Taubenschlag
pigment ['pigmənt] Farbstoff; Pigment; **~ation** [‑‑'teiʃən] Pigmentation, (Haut-)Fär-bung
pigmy ['pigmi] *siehe* pygmy
pike [paik] Pike, Spieß; *(pl ~)* Hecht; (Berg-)Spitze; Schlagbaum; Mautstraße; **~man** [‑mən], *pl* ~men Pikenträger; *BE* Häuer; Zöll-ner; **~staff** [‑staːf], *pl* ~staves [‑steivz] (Pi-ken-)Stange ♦ *as plain as a ~ staff* (so) klar wie dicke Tinte
pilaster [pi'læstə] Pilaster, Wandpfeiler
pilchard ['piltʃəd] Sardine, Pilchard
pile [pail] (Gründungs-)Pfahl; Stapel, Stoß; Scheiterhaufen; (Riesen-)Kasten; ⚡ Batterie, galvan. Säule; Reaktor; Faser; Haar(decke), Noppe; Flor; ⚕ *pl* Hämorrhoiden; mit Pfählen versehen; stapeln, häufen, beladen; (Ge-wehre) zusammenstellen; ~ *it on (umg)* dick auftragen; ~ *on* aufhäufen; ~ *up* aufspei-chern; -stapeln; ~ *into (out of)* nacheinander steigen in (aus); **~-driver** [‑draivə] Pfahl-ramme; **~-dwelling** [‑dweliŋ] Pfahlbau; **~-up** [‑ʌp] ⚙ Massensturz
pilfer ['pilfə] klauen, stehlen; **~age** [‑‑ridʒ] kleiner Diebstahl
pilgrim ['pilgrim] Pilger; **P~ Fathers** die Pilger-väter; **~age** [‑‑midʒ] Pilgerfahrt
pill [pil] Pille, Tablette; *to gild the ~* die Pille versüßen; ⚙ *sl* Ball; **~-box** [‑bɔks] Pillen-schachtel; Bunker; MG-Unterstand
pillage ['pilidʒ] Plünderung; Raub; plündern; **~r** Plünderer
pillar ['pilə] Pfeiler; *fig* Säule ♦ *driven from ~ to post* hin und her getrieben; **~-box** [‑‑bɔks] *BE* Briefkastensäule
pillion ['piljən] zweiter Sattel; Soziussitz; *to ride* ~ im Damensitz mitreiten; *BE* auf dem Sozius fahren
pillory ['piləri] Pranger *(a. fig)*; an den Pranger stellen *(a. fig)*
pillow ['pilou] (Kopf-)Kissen ♦ *to take counsel with one's ~* e-e Sache beschlafen; auf ein Kissen lagern; **~-case** [‑‑keis], **~-slip** [‑‑slip] Kopfkissenbezug
pilot ['pailət] Lotse; *to drop the ~* den Lotsen absetzen, *fig* e-n Ratgeber in die Wüste schik-ken; Pilot; *fig* Führer; Versuchs-, Probe-; als Lotse arbeiten; ✈ führen; *fig* leiten; **~-cloth** [‑‑klɔθ] dunkelblauer Fries; **~less** [‑‑lis] füh-rerlos, unbemannt; **~-light** [‑‑lait] Kon-trollampe; **~ officer** ['ɔfisə] *BE* ✈ Leutnant; ~ **plant** [plaːnt] Versuchsanlage
pimento [pi'mentou] Jamaikapfeffer; Pi-ment(baum)
pimpl|e ['pimpl] Pickel; **~ed** [‑d], **~y** [‑i] pick-lig
pin [pin] Nadel (Steck- etc); Stift, Dorn; Bol-zen; ♪ Wirbel (Geige) ♦ *not care a* ~ sich nichts draus machen; *~s and needles* Prickeln; (an)heften, -stecken; ~ *one's faith to* sich völ-lig verlassen auf; ~ *down* festhalten, *fig* bin-den *(to* an), festnageln *(to* auf); **~-cushion**

[–kuʃən] Nadelkissen; **~-prick** [–prik] Nadelstich *(a. fig)*

pinafore ['pinəfɔː] (Kinder-)Schürze

pincenez ['pænsnei, *pl* –neiz] Kneifer

pincer ['pinsə] *mil* Zangen-; **~s** *pl vb* Kneif-, Beißzange; Zangenbewegung

pinch [pintʃ] (ein)klemmen; drücken; knauserig sein; stibitzen, j-n schnappen; *su* Klemmen, Drücken; Prise; *fig* Druck, Not; **~ed** [–t] schmal, beengt; **~ed with cold** blaugefroren; **~ed with poverty** elend vor Armut; **~ed for money** in Geldnot; *at a ~* im Notfall; *if it comes to the ~* wenn es die Not gebietet; **~beck** [–bek] Tombak; *fig* Talmi; unecht; **~-hit** [–'hit] *US* einspringen (*for* für)

pine [pain] Kiefer, Föhre(nholz); *umg* Ananas; dahinsiechen; sich sehnen (*for, after* nach); **~apple** [–æpl] Ananas

ping [piŋ] Pfeifen (Kugel); pfeifen; **~-pong** [–pɔŋ] Tischtennis

pinion ['pinjən] *zool* Daumenfittich; *zool* Schwungfeder; Schwinge; ✿ (Zahn-)Ritzel; die Flügel stutzen; festbinden (*to* an), fesseln

pink [piŋk] Rosa; Nelke; *fig* Gipfel; *in the ~* in Form, intakt; *pol* gemäßigter Roter; rosa; durchbohren; **~** *(out)* auszacken; 🚗 klopfen

Pinkster ['piŋkstə] *US* Pfingsten

pinn|a ['pinə], *pl* **~ae** [–niː] Ohrmuschel; **~ace** [–nəs] Pinasse, Beiboot; **~acle** [–nəkl] Fiale, Pinakel; (steiler Berg-)Gipfel *(a. fig)*; mit Fialen schmücken; krönen; **~ate** [–nit] *bot* gefiedert

pinny ['pini] (Kinder-)Schürze

pint [paint] Pinte (⅛ Gallone, = *BE* 0,57 Liter, *US* 0,47 Liter)

pioneer [paiə'niə] *mil, fig* Pionier; Pionier sein; bahnen; den Weg bahnen für

pious ['paiəs] fromm, religiös; scheinheilig

pip [pip] (Obst-)Kern; 🐔 Pips; Leiden; *(BE sl) to have the ~* nicht auf dem Damm sein; *(BE sl) gives me the ~* hängt mir zum Hals 'raus; *BE* Auge (im Spiel); *BE mil* Stern (Uniform); *BE* Ton (Zeitzeichen); *BE* j-m ein e aufbrennen, etwas beenden; **~ out** eingehen, sterben

pipe [paip] 1. Rohr, Röhre; 2. ♪ Pfeife; *pl* Blasinstrument, *bes* Dudelsack; *Pan's ~s* Panflöte; 3. Pfeifen(ton); 4. 🐔 Röhre; 5. (Tabak-) Pfeife ♦ *put that in your ~ and smoke it* das kannst du dir hinter die Ohren schreiben; 6. Wein-, Ölfaß; Pipe (Weinmaß, = 477 Liter); 7. pfeifen (*up* los-); **~ down** nicht so große Bogen spucken; 8. piepsen; 🎵 herbei-, zusammenpfeifen; 9. mit Röhren versehen; 10. durch Röhren leiten; 11. mit Biesen besetzen; 12. mit feinem Guß verzieren; **~clay** [–klei] Pfeifenton; mit Pf. reinigen; **~ dream** Wahn(sinns)idee; **~-line** [–lain] Rohr(fern)leitung, Ölleitung; **~r** (Dudelsack-)Pfeifer ♦ *to pay the ~* die Zeche bezahlen

piping ['paipiŋ] Pfeifen(ton); piepsige Stimme; Rohrleitung, Verrohren; Biese; feiner Zuckerguß; piepsend; *the ~ times of peace* die geruhsamen Zeiten ...; *~ hot* kochend heiß, dampfend

pipit ['pipit] *orn* Pieper

pippin ['pipin] (Art) Apfel; *BE* Knüller

piquant ['piːkənt] pikant; *fig* anregend

pique [piːk] Groll, Gereiztheit; verletzen, reizen; etwas erregen; *~ o.s. on* sich brüsten mit

piqué ['piːkei, *US* pi–] Piqué, Pikee

piquet [pi'ket] Pikett (Spiel); *siehe* picket

pir|acy ['paiərəsi] Seeräuberei; unerlaubter Nachdruck, Plagiat; **~ate** [–rit] Seeräuber, Pirat(enschiff); Plagiator; unerlaubt nachdrucken; 📻 (Welle) illegal benutzen; **~atical** [–'rætikəl, pi–] räuberisch

pirouette [piru'et] Pirouette (tanzen)

pis aller [piːzæ'lei] der letzte Ausweg

Pisces ['pisiːz, *bes US* 'pai–] *astr* Fische

pish [piʃ] pfui!, pah!

piste [piːst] (Ski-)Piste

pistil ['pistil] *bot* Stempel, Griffel

pistol [pistl] Pistole; mit e-r Pistole schießen

piston ['pistən] ✿ Kolben; **~-rod** Kolbenstange

pit [pit] Grube *(a. 🃏)*; Zeche; Hölle; ♟ *BE* Parkett, Parterre; 🐔 Pockennarbe; 🥊 Boxe; *US* Maklerstand; *US* Stein (Obst); in e e Grube tun; mit Narben bedecken; *US* entsteinen; *~ against* stellen gegen, gegenüberstellen; (Kraft) messen mit

pit-a-pat, *US* **pitapat** ['pitə'pæt] klippklapp, tack-tack

pitch[1] [pitʃ] 1. (Zelt) aufschlagen; *~ one's tent (fig)* seine Zelte aufschlagen; 2. schleudern, werfen; 3. (Heu) aufladen ♦ *~ a yarn (fig)* ein Garn spinnen; 4. ♪ (in e-r Tonart) ansetzen, spielen; 5. (vornüber) stürzen, hinschlagen; 6. 🎵 stampfen; 7. (aus)pichen, 🎵 teeren; **~ed** [–t] *battle* regelrechte Schlacht; *~ in* loslegen; *~ into* j-n anfallen, -greifen; *umg* hineinhauen, essen; *~ upon* sich entscheiden für

pitch[2] [pitʃ] Händlerstand, Stelle (wo j-d arbeitet) ♦ *to queer s-b's ~* j-m das Konzept verderben; 🎵 Spielfeld; 🏏 Wurf; Werfen, Wurfweite; ♪ Tonhöhe; *fig* (höchster) Grad (*to the highest ~*); *at the ~ of her voice* mit ganz hoher Stimme; 🎵 Stampfen; Neigung (*bes* des Daches); ✿ Steigung, Teilung (e-s Gewindes); Pech; **~-blende** [–blend] Pechblende; **~-dark** [–'dɑːk] pechschwarz, völlig dunkel; **~er** [–ə] (Henkel-) Krug; *US* Kännchen; 🏏 (Ball-) Werfer; **~-fork** [–fɔːk] Heugabel; mit der Heugabel heben, werfen etc; *fig* j-n irgendwohin befördern, drängen; **~pine** [–pain] Pechkiefer; **~y** pechartig; pechschwarz; voll Pech

piteous ['pitiəs] mitleiderregend

pitfall ['pitfɔːl] Fallgrube, Falle *(a. fig)*

pith [piθ] *bot* Mark; Haut (Orange etc); **~kenmark**, *fig* Kern; Kraft, Gewicht; **~y** [–i] mark(art)ig; *fig* markig, kraftvoll

piti|able ['pitiəbl] mitleiderregend, erbarmungswürdig; erbärmlich; **~ful** [–ful] mitleidig, -voll; mitleiderregend; erbärmlich; **~less** [–lis] mitleidlos

pittance ['pitəns] Hungerlohn; (kleines) bißchen, Häppchen

pituitary [pi'tjuitəri] **(gland)** Hirnanhangdrüse, Hypophyse

pity ['piti] **1.** Mitleid (*to have, take* ~ *on* Mitleid haben mit); *it is a* ~ es ist schade; *the* ~ *is that* es ist ein Jammer, daß ♦ *it's a thousand* ['θauzənd] *pities* es ist jammerschade; **2.** *vt* bemitleiden

pivot ['pivət] (Dreh-)Zapfen; Angel; *mil* Flügelmann; Schwenkungspunkt; *fig* Dreh-, Angelpunkt; mit Zapfen (Angel) versehen; ~ *on* sich drehen um; ~**al** [‑‑təl] Zapfen-, Angel-; entscheidend, Wende-

pix|y, ~ie ['piksi] Kobold; koboldartig

placard ['plækɑːd] Plakat, Anschlag; mit P. bekleben; durch P̌. bekanntmachen

placate [plə'keit, *US* 'plei-] versöhnlich stimmen, befrieden

place [pleis] **1.** Ort, Stelle; ~ *of business* ['biznis] Geschäft; Büro; ~ *of worship* ['wəːʃip] Kirche; **2.** Platz; **3.** Stadt, Ort; **4.** Anstellung, Stelle; *in* ~ *of* anstelle von; *to take the* ~ *of* an j-s Stelle treten; *to take* ~ stattfinden; *to give* ~ *to* Platz machen (den Platz räumen) füɪ; *in* ~ am rechten Ort, angemessen; *out of* ~ am unrechten Ort, unangebracht; **5.** ¶ Stelle; **6.** Rang, Stellung ♦ *to keep s-b in his* ~ j-n auf Distanz halten; **7.** Raum *(a. fig)*; **8.** *umg* Haus, Wohnung; **9.** Landhaus; **10.** *math* Stelle; *to five* ~*s of decimals* auf 5 Dezimalstellen; ~*s (umg)* (irgend)wohin; **11.** *vt* stellen, setzen; **12.** (Geld) anlegen; **13.** (Bestellung) aufgeben, (Auftrag) erteilen; **14.** (j-n) unterbringen (in e-r Stellung, j-n identifizieren); **15.** (j-n) ein-, abschätzen; *to be* ~*d* [‑t] 🐎 unter den ersten Drei sein; ~**kick** [‑kik] 🐎 Freistoß; ~**ment** [‑mənt] Placieren, Besetzung; Anordnung; Einstufung; ~**ment test** Einstufungsprüfung; ~**name** [‑neim] Ortsname; ~**r** [‑ə] erzhaltiger Sand (Kies)

placid ['plæsid] sanft; gelassen; ~**ity** [‑‑diti] Sanftheit; Ruhe

plagiar|ism ['pleidʒiərizm] Plagiat; ~**ist** [‑‑rist] Plagiator; ~**ize** [‑‑raiz] ein Plagiat begehen, plagiieren

plagu|e [pleig] Plage; Seuche; Pest; *the* ~*e* die (Beulen-)Pest; *the white* ~*e* Tbc; plagen, quälen; ~**e-spot** [‑spɔt] Pestbeule *(a. fig)*; ~**y** [‑i] *adj* lästig; *adv* verdammt, sehr

plaice [pleis], *pl* ~ Scholle, Goldbutt

plaid [plæd] Plaid(tuch)

plain [plein] klar, leicht, einfach ♦ ~ *sailing (fig)* e-e einfache Sache; ungemustert, glatt; uni; Schwarzweiß-; (Essen) einfach, bürgerlich; offen, ehrlich; hausbacken, wenig anziehend; *adv* klar; *su* Ebene; ~**clothes man** Detektiv; ~ **dealing** Ehrlichkeit; ~ **clothes** [klouðz] einfache Kleider (*in* ~ *cl.* in Zivil); ~ **sewing** ['souiŋ] Weißnähen; ~**spoken** [‑'spoukən] freimütig

plaint [pleint] Klage; 🐟 (An-)Klage; ~**iff** [‑if] 🐟 Kläger(in); ~**ive** [‑iv] klagend, wehmütig; Klage-

plait [plæt, *US* pleit] Zopf; (zu e-m Zopf) flechten

plan [plæn] Plan (*a.* ✿); Riß; Karte, Stadtplan; e-n Plan machen von, planen; ~ *out* (vor)planen, planmäßig ordnen; ~**ned** [‑d] **economy** Planwirtschaft

plane [plein] (Grund-)Ebene, Fläche; *fig* Ebene, Höhe; Hobel; Flugzeug; Tragfläche; Platane; eben, flach; ~ **sailing** Plansegeln; (ab)hobeln, glätten; ♪ gleiʈen; ~**tree** [‑triː] Platane

planet ['plænit] Planet; ~**ary** [‑‑əri] Planeten-; planetarisch; irdisch

plangent ['plændʒənt] laut tönend

planish ['plæniʃ] ✿ glätten; polieren

plank [plæŋk] Planke, Diele; *allg* Brett; (Parteiprogramm-)Punkt; dielen, verschalen; ~ *down (umg)* (Geld) hinlegen, zahlen; *US* auf e-m Brett braten und servieren; ~**bed** [‑bed] (Gefängnis-)Pritsche; ~**ing** Dielenboden; Verschalung

planograph ['pleinəgrɑːf] 📖 Flachdruck; ~**y** [plə'nɔgrəfi] Flachdruck(-technik)

plankton ['plæŋktən] Plankton

plant [plɑːnt] Pflanze; Betrieb(sanlage), Maschinerie; Apparatur; Fabrik; *sl* Betrug, Schwindel; (be)pflanzen; aufpflanzen, hinstellen; ~ *o.s.* sich hinstellen; gründen; j-n ansiedeln; *sl* verstecken; ~ *s-th on s-b* j-m etwas andrehen

plantain ['plæntin] Wegerich; Mehl-, Pferdebanane

plant|ation [plæn'teiʃən] Pflanzung; Plantage; Ansiedlung; Kolonie; ~**er** ['plɑːntə] Pflanzer; Pflanzmaschine

plaque [plɑːk, *US* plæk] (Gedenk-)Tafel; (Schmuck-, Ordens-)Schnalle

plash [plæʃ] Klatschen (v. Rudern); klatschen; plätschern; ~**y** plätschernd; matschig, feucht

plasma ['plæzmə] Plasma

plaster ['plɑːstə] Mörtel, Putz; ~ ⟨*of Paris* ['pæris]⟩ Gipsmörtel, Stuck, ¶ Gips; (Senf-, Heft-)Pflaster; ¶ Gips-; verputzen; ver-, bepflastern *(a. fig)*; ~ *cast* [kɑːst] Gipsabdruck, -verband; ~**er** [‑‑rə] Verputzer; Gips-, Stuckarbeiter

plastic ['plæstik] plastisch, verformbar; bildsam; ~ *arts* Bildhauerkunst; ¶ plastisch; Kunststoff; ~**ine** [‑‑siːn] Plastilin; ~**ity** [‑'tisiti] Plastizität; ~**ize** [‑‑saiz] plastifizieren

plate [pleit] Teller (*eccl* Kollekten-); Tafelgeschirr; ✿ Platte, Scheibe; ✿ Grobblech, Blechtafel; 📖, 📖 Platte; 📖 Bildseite, -tafel; Namensschild; 🐎 Pokal(rennen); (*dental* ~) Zahn-, Gebißplatte; *vt* panzern; plattieren (versilbern etc); 📖 Platten machen von; ~**ful** Tellervoll; ~**glass** [‑glɑːs] Spiegelglas; ~**layer** [‑leiə] 🚂 Streckenarbeiter; ~**powder** [‑paudə] Silberputzmittel

plateau ['plætou, *US* ‑‑], *pl* ~**s** Plateau

platen ['plætən] 📖 Tiegel; (Schreibmaschinen-)Walze

platform ['plætfɔːm] Plattform; Rednerbühne; *BE* Bahnsteig; *US* 🚋 Plattform; Parteiprogramm, programmatische Wahlerklärung

plating ['pleitiŋ] Plattierung (Gold etc); Panzerung

plati|num ['plætinəm] Platin; **~tude** [-–tjuːd] Plattheit; Seichtigkeit

Platonic [plə'tɔnik] platonisch

platoon [plə'tuːn] *mil* Zug

platter ['plætə] (flache) Schüssel, Platte

platypus ['plætipəs], *pl* **~es** Schnabeltier

plaudits ['plɔːdits] *pl vb* Beifall

plausible ['plɔːzibl] einleuchtend, plausibel; bestechend

play [plei] 1. spielen; 2. ~ *the fool* s. töricht benehmen, dummes Zeug machen; 3. ♟ (j-n) nehmen; *as goal-keeper* als Torwart); 4. sich gut zum Spielen eignen; 5. gegen j-n spielen; 6. ausspielen, (Figur) ziehen; ~ *the game* sich an die Regeln halten *(a. fig)*; ~ *the man* sich wie ein Mann benehmen; ~ *s-b false* [fɔːls] j-n betrügen; 7. ♟ spielen lassen, richten; ♟ arbeiten; ~ *at* etwas spielen; sich mit halbem Herzen befassen mit; ~ *away* verspielen; ~ *back* ♟ wiedergeben; ~ *off* ausspielen *(against* gegen); ~ *on* ausnutzen; ~ *a trick on s-b* j-m e-n Streich spielen; ~ *on words* [wəːdz] mit Worten spielen; **to be ~ed out** am Ende sein; ~ *up* sich ins Zeug legen; j-n hochbringen; ~ *up to* ♟ j-m zuspielen; schmeicheln; ermuntern; ~ *with* mit j-m, etwas spielen *(a. fig)*; 8. Spiel(en) *(at ~* beim Spielen); *child's* ~ kinderleicht(e Sache); *in* ~ im Scherz; ~ *of words* Spiel mit Worten; ~ *on words* Wortspiel; 9. ♟ Stück, Spiel; *as good as a* ~ sehr unterhaltsam; 10. ♟ Spiel(weise); *fair* ~ anständiges, faires Spiel, Ehrlichkeit; *foul* ~ unfaires Spiel, Verrat, Gewalt(tat); 11. ♟ Spiel(raum); *to give free* ~ *to* freien Lauf lassen; 12. Wirken; *to bring into* ~ in Gang setzen, benutzen; *to come into* ~ in Tätigkeit treten; **~-actor** [-æktə] (Schmieren-)Schauspieler; **~back** Abspielen; Plattenspieler; **~bill** [-bil] Theaterzettel; **~-book** [-buk] Schauspielbuch; Textbuch; **~-box** [-bɔks] Spielzeugkasten; **~boy** [-bɔi] Lebemann; **~er** [-ə] Spieler *(a. ♟, ♪)*; *BE* Kricket-Profi; **~er-piano** automatisches Klavier; **~fellow** [-felou] Spielkamerad; **~ful** spielerisch; scherzhaft; **~goer** [-gouə] Theaterbesucher; **~ground** [-graund] Spielplatz; **~house** [-haus], *pl* **~houses** [-hauziz] Schauspielhaus; *US* (Spielzeug-)Haus; **~ing-card** [-iŋkaːd] Spielkarte; **~ing-field** [-iŋfiːld] Sportplatz; **~let** [-lit] Spielchen; **~mate** [-meit] Spielkamerad; **~-off** [-ɔf] ♟ Entscheidungsspiel; Stichkampf; **~thing** [-θiŋ] Spielzeug *(a. fig)*; **~wright** [-rait] Bühnenschriftsteller, -autor, Dramatiker; **~-writing** [-raitiŋ] Theaterstücke

plea [pliː] ♟ Einrede, Einwand; Ausrede; Vorwand; (dringende) Bitte

plead [pliːd] ♟ einwenden, geltend machen; plädieren; dringend bitten *(for* um; *with s-b* j-n); ~ *guilty* [gilti] sich schuldig bekennen; sich einsetzen *(for* für); vorbringen, sich entschuldigen mit; **~er** Plädeur, Verteidiger; **~ing** Plädieren, *pl* Parteivorbringen, Prozeßakten

pleasant [pleznt] angenehm; freundlich; erfreulich; **~ry** Scherz(haftigkeit)

please [pliːz] gefallen, befriedigen; ~ *yourself* tun Sie nach Belieben; ~ *God* wenn es Gott gefällt; belieben, wollen *(as I* ~ wie es mir gefällt); *(if you)* ~ bitte; *now, if you* ~ stell dir mal vor; **~d** [-d] erfreut, zufrieden; *will be ~d* ist gern bereit

pleasing ['pliːziŋ] angenehm; anziehend

pleasur|able ['pleʒərəbl] angenehm, vergnüglich; **~e** [-ʒə] Freude, Vergnügen; *to take ~e in* Vergnügen finden an; Wille, Wunsch *(at ~e* nach Wunsch); Vergnügungs-; **~e-ground** [-graund] Vergnügungspark

pleat [pliːt] (Rock- etc) Falte; **~ed** gefältelt, plissiert

pleb|eian [pli'biːən] plebejisch; Plebejer; **~iscite** ['plebisit, *bes US* -–sait] (Entscheidung durch) Volksabstimmung

plebs [plebz] das gewöhnliche Volk, Plebs

plectr|um ['plektrəm], *pl* **~a** [-ə], **~ums** ♪ Plektron

pledge [pledʒ] 1. Pfand; 2. versetzter Gegenstand; *to put in* ~ verpfänden; *to take out of* ~ auslösen; 3. *fig* Unterpfand; 4. *fig* Kind; 5. Versprechen ♦ *to take* (od *sign) the* ~ das Versprechen geben, nichts mehr zu trinken; *under* ~ *of secrecy* ['siːkrəsi] unter dem Siegel der Verschwiegenheit; 6. *vt* verpfänden *(a. fig)*; 7. j-n verpflichten *(to* zu, auf); 8. j-m zutrinken; **~t** [-it] ♟ Tampon

plenary ['pliːnəri] völlig; Voll-; Plenar-; ~ *powers* Vollmacht

pleni|potentiary [plenipə'tenʃəri] bevollmächtigt; Voll-; Bevollmächtigter; **~tude** [-–tjuːd] Fülle; Überfluß

plent|eous ['plentiəs] reich(lich); **~iful** [-tiful] reichlich; **~y** Fülle, Überfluß; *in* ~*y* in Hülle und Fülle; *horn of* ~*y* Füllhorn; ~*y of* reichlich; ~*y more* noch reichlich; *adv* durchaus, reichlich

plethora ['pleθərə] Fülle; Schwall; ♟ Plethora, Blutandrang

pleur|a ['pluːrə], *pl* **~ae** [-iː] Rippenfell; **~isy** [-isi] Rippenfellentzündung

plexus ['pleksəs], *pl* **~es** Nervengeflecht, Plexus; *fig* Netz, Gewirr

pli|able ['plaiəbl] biegsam, geschmeidig; beeinflußbar; **~ant** [-ənt] = ~able; **~ers** ['plaiəz] *pl vb* (Draht-)Zange

plight [plait] (mißliche) Lage; Versprechen; verpfänden, versprechen; verloben

Plimsoll ['plimsəl] **line (mark)** ♟ Freibordmarke; **p~** *BE* Turnschuh

plinth [plinθ] Fußplatte, Plinthe

plod [plɔd] *(one's way, on one's way)* (mühsam) daherstapfen; ~ *(away)* sich abrackern (an); **~der** Büffler, schwerfällig Arbeitender; **~ding** schwerfällig

plop [plɔp] Plumps, Knallen (e-s Korkens); plumpsen; knallen; plumps!

plot [plɔt] Stück (Land), Beet; Komplott, Verschwörung; Geheimplan; Handlung, Fabel; *(US* Lage)Plan, Diagramm; planen, anzetteln;

Anschlag machen gegen; Zeichnung machen von; eintragen; ~ *out* parzellieren; **~ter** Verschwörer

plough [plau] Pflug(land); **the P~** *astr* Großer Bär (Wagen); pflügen (*up* um-) ♦ ~ *the sands* sinnlose Arbeit tun; ~ *a lonely furrow* ['fʌrou] einsam seinen Weg gehen; sich (seinen Weg) bahnen; durchfallen (lassen); **~man** [‒'mən], *pl* ~men Pflüger; **~share** [‒'ʃɛə] Pflugschar

plover ['plʌvə] Regenpfeifer; *umg* Kiebitz

plow [plau] *US* = plough

pluck [plʌk] 1. pflücken; 2. (Huhn) rupfen; 3. (j-n) rupfen, ausnehmen; 4. auflesen; ergattern; ~ *at* schnappen nach, ziehen an; ~ *out* herausreißen, ausjäten; ~ *up* (her)ausreißen, (Mut) zusammennehmen; 5. Zerren; 6. Geschlinge; 7. Mut, Schneid; **~ed** [‒t], **~y** tapfer, schneidig

plug [plʌg] Pflock; Stöpsel; Priem; ⚡ Stecker; (~ *socket* Steckdose, Steckkontakt); 🚗 Zündkerze; Hydrant; Druckspüler (WC); *US sl* Mähre; Werbespruch, Reklamehinweis; stöpseln (*up* zu-); zu-, verstopfen; j-m e-e in den Bauch jagen, j-m e-e reingeben; (*umg)* ~ *away* sich abrackern (*at* an); ~ *in* ⚡ hineinstecken, einstöpseln; 🎵 (Lied) immer wieder spielen; werben für, anpreisen, propagieren

plum [plʌm] Pflaume; (im Kuchen, Auflauf) Rosine *(a. fig)*; ~ **duff** [‒'dʌf] *BE* (einfacher) Plumpudding, engl. Rosinenauflauf

plumage ['plu:midʒ] Gefieder

plumb [plʌm] Lot, Senkblei; *out of* ~ nicht senkrecht; lot-, senkrecht; völlig; *adv* senkrecht; genau; *US sl* total; *vt* (aus)loten; *fig* sondieren, untersuchen; senkrecht machen; **~ago** [‒'beigou] Graphit; **~er** [‒'mə] Klempner; Installateur; **~ing** [‒'miŋ] Klempnerarbeit; Installation; Rohrleitungen; **~line** [‒'lain] Lot, Senkblei

plume [plu:m] (Schmuck-)Feder; Federbusch; (Federn) glätten, (s.) putzen; mit Federn versehen; ~ *o.s. on* stolz sein auf

plummet ['plʌmit] Lot, Senkblei

plump [plʌmp] mollig, rundlich; unverblümt; *adv* plumps; geradeheraus; ~ *(up)* rundlich machen (werden); plumpsen (lassen); ~ *for BE* j-n ausschließlich wählen; *su* Plumps(er)

plunder ['plʌndə] plündern; Plündern; Raub, Beute; **~er** [‒'rə] Plünderer

plunge [plʌndʒ] (mit Gewalt) tauchen; (Waffe) stoßen *(a. fig)*; sich stürzen (*into* in; *a. fig*); ⚓ eintauchen, stampfen; *umg* hasardieren, etwas riskieren; (Ein-)Tauchen; Stoß; Sturz; *to take the* ~ *(fig)* ins Wasser springen; **~r** [‒ə] Taucher; ⚙ Tauchkolben; *umg* Hasardeur, Spekulant

plunk [plʌŋk] plumpsen (lassen); ~ *down US* blechen; *US* treffen; 🎵 zupfen; Zupfen; *US* doller Schlag

pluperfect ['plu:'pə:fikt] Plusquamperfekt

plural ['pluərəl] mehrfach; Mehrzahl; **~ism** [‒‒izm] Innehaben mehrerer Ämter (Pfründen); **~ity** [‒'ræliti] das mehrfache Vorhandensein;

größere, große Anzahl; (*US* einfache) Stimmenmehrheit; = ~ism

plus [plʌs] *math*, ⚡, *allg* plus; Pluszeichen; **~fours** [‒'fɔːz] *pl vb* (weite) Knickerbocker

plush [plʌʃ] Plüsch

plutocra|cy [plu:'tɔkrəsi] Geldherrschaft, Plutokratie; **~t** [‒'tɔkræt] Plutokrat

plutonium [plu:'touniəm] Plutonium

ply [plai] Schicht (Holz, Stoff); Strähne; *two-~*, *three-~ etc* zwei-, dreifach (Garn etc); (Gewerbe) ausüben; eifrig handhaben; ~ *with* (Essen) j-m ständig anbieten; j-n überhäufen; *bes* ⚓ regelmäßig verkehren; (auf Kundschaft) warten; **~wood** [‒'wud] Sperrholz

pneum|atic [nju:'mætik] pneumatisch; (Preß-) Luft-; **~onia** [‒'mouniə] Lungenentzündung

poach [poutʃ] stoßen (*into* in); ~ *(up)* aufwühlen; wildern, als Wilderer fangen; **~ed** [‒t] **eggs** verlorene Eier; **~er** Wilderer

pock [pɔk] Pocke, Pustel; **~-mark** [‒'maːk] Pockennarbe; **~-marked** [‒'maːkt] pockennarbig

pocket ['pɔkit] 1. Sack (Hopfen, = 76 kg); 2. Tasche ♦ *to put one's hand in one's* ~ tief in die Tasche greifen; *to put one's pride in one's* ~ seinen Stolz überwinden; *to have s-b in one's* ~ j-n in der Tasche haben; 3. Finanzen, Geld (*to suffer in one's* ~ Geld einbüßen); *to be a few shillings in (out of)* ~ ein paar Shilling gewonnen (eingebüßt) haben; *out-of-* ~ *expenses* [iks'pensiz] Barauslagen; 4. *geol* Nest; 5. (Billard) Loch; 6. ✈ Luftloch; 7. in die Tasche, einstecken (*a. fig*); 8. (Billard) ins Loch spielen; 9. (Stolz etc) überwinden, unterdrücken; 10. *US* (Gesetz) nicht unterschreiben; **~-book** [‒‒buk] Taschenbuch; Notizbuch; Brieftasche; *US* Handtasche; **~-borough** [‒‒bʌrə] von e-m einzelnen beherrschter Wahlbezirk

pod [pɔd] Same, Frucht (von Bohnen etc); enthülsen, -schoten, brockeln; Schoten ansetzen

podgy ['pɔdʒi] *bes BE* untersetzt, dicklich (*siehe* pudgy)

poe|m ['pouim] Gedicht; **~sy** [‒‒si, ‒‒zi] Poesie; **~t** [‒‒t] Dichter; **~tess** Dichterin; **~tic** [‒'etik] dichterisch; poesievoll; ~ *tic licence* ['laisəns] dichterische Freiheit; **~tical** [‒'etikəl] poetisch; **~tics** *sg vb* Poetik; **~tize** [‒'taiz] dichten (*about* über); dichterisch verherrlichen; **~try** [‒‒tri] Dichtkunst; Dichtwerke

pogrom ['pɔgrəm, *bes US* pə'grɔm] Pogrom, Ausschreitung

poignant [‒'njənt] bitter, scharf; ergreifend; gewürzt

poinsettia [pɔin'setiə], *pl* ~**s** *bot* Poinsettie, Weihnachtsstern

point [pɔint] 1. Spitze (*on the* ~ *of one's toes* auf Zehenspitzen; *a* ~ *of land* Land-); *at the* ~ *of the sword* [sɔːd] unter (Androhung von) Gewalt ♦ *not to put too fine a* ~ *on it* rundheraus gesagt; 2. *math, phys*, ⚓, ✈ Punkt; *(gram) full* ~ Punkt; 3. (Kompaß)Strich; 4. Himmelsrichtung; 5. *BE* Steckdose; *pl BE* 🚉 Weiche; 6. = **~-lace**; 7. *fig* Stelle; *sore* ~ wunde Stelle; 8. Charakteristikum; Vorzug; 9. Seite (*strong* ~); **10.** *fig* Punkt, das Wesentliche; **11.** Sache (~ *of conscience* Gewissens-; ~ *of honour* Ehren-); *I don't see your* ~ ... worauf Sie hinauswollen; *to come to the* ~ zur Sache kommen, ernst werden; *to carry (gain) one's* ~ sein Ziel erreichen; *off, beside the* ~ nicht zur Sache gehörig; *to get away from the* ~ vom Thema abschweifen; *to the* ~ zur Sache gehörig; *to make* (od *score*) *a* ~ die Richtigkeit des Gesagten beweisen, (Jagdhund) stehen; *to make a* ~ *of* es sich angelegen sein lassen, Wert legen auf; *in* ~ hierhergehörig, passend; *in* ~ *of fact* tatsächlich; ~ *in doing s-th* Sinn (Zweck), etwas zu tun; **12.** Pointe, Wirkung; **13.** (Zeit-)Punkt, Augenblick (*at this* ~); *to be on the* ~ *of doing* im Begriff sein zu tun; *at all* ~*s* völlig, in jeder Hinsicht; ~ *of view* Standpunkt (*a. fig*); *to give* ~ *tq* Nachdruck verleihen; *to give* ~*s to s-b* es aufnehmen können mit; **14.** *vt/i* spitzen, mit e-r Spitze versehen; **15.** richten (*at* auf); **16.** Nachdruck, Pointe geben; (mit dem Finger etc) deuten (*at* auf); **17.** zeigen, (*bes fig*) deuten (*to* auf); ~ *out* zeigen, hinweisen auf, darauf hinweisen (*that* daß); ~ *up* unterstreichen; **~-blank** [~'blæŋk] Fleck-(Schuß); *at* ~ *-blank range* auf Kernschußweite; glatt (Ablehnung); unverblümt, rundheraus; **~-duty** [~'dju:ti] *BE* Verkehrs(regelungs)dienst; **~ed** (zuge)spitz(t) (*a. fig*); treffend, scharf; **~er** (Zeige; Zeige-) Stock; Pointer, (engl.) Vorstehhund; *umg* Hinweis; **~-lace** [~leis] Nadel-, Nähspitze; **~less** stumpf; zweck-, sinnlos, ohne Pointe; ohne Punkte (Spiel); **~sman** [~smən], *pl* ~smen *BE* Weichensteller; *BE* Verkehrspolizist

poise [pɔiz] Gleichgewicht; Beherrschung; Haltung; Schwebe; (im Gleichgewicht) halten; schweben; tragen

poison [pɔizn] Gift (*a. fig*); vergiften (*a. fig*); infizieren; ~ *s-b's mind against* j-n verderben für; **~er** Giftmischer, -mörder; **~ing** Vergiftung; Giftmord; **~-ivy** [~aivi] Giftbaum; **~ous** [~əs] giftig, Gift-; verderblich; ekelhaft

poke [pouk] stoßen, schubsen (*s-b in the ribs*); stochern in, schüren; stecken; ~ *one's nose into (fig*) seine Nase stecken in; ~ *fun at* Spaß machen, sich lustig machen über; sich einmischen (*into* in); ~ *about* herumtasten, -schnüffeln; Stoß, Schubs; Sack ♦ *to buy a pig in a* ~ die Katze im Sack kaufen; **~-bonnet** [~bɔnit] Schute; **~r** [~ə] Poker; Schürhaken; **~r-face** [~ə'feis] *umg* eisernes Gesicht; **~r work** [~ə'wəːk] Brandmalerei

poky, *US a.* **-key** ['pouki] klein, beengt; öde, langweilig; *US* träge; *US* Knast

Pol|and ['pouland] Polen; ~ e[poul] Pole; **~ish** [~liʃ] polnisch

polar ['poulə] Polar-, polar (*a.* ⚡); ~ *bear* [bɛə] Eisbär; magnetisch; entgegengesetzt; **~ity** [~'læriti] Polarität; **~ize** [~raiz] polarisieren

pole [poul] *geog, phys,* ⚡ Pol; Polargegend; Gegensatz; *they are* ~*s apart* Welten trennen sie; Stange; Rute (= 5,03 m); ⚡ Stab; *under bare* ~*s* ohne Segel; ⚓, staken; stängeln;

~-axe, *US* **~ax** [~æks] Streitaxt; Schlachtbeil; **~cat** [~kæt] Iltis; *US* Skunk; **~-star** [~staː] Polarstern; *fig* Leitstern; ~ **vault** [vɔːlt] ⚡ Stabhochsprung; ~ **vaulter** Stabhochspringer

polemic [pɔ'lemik] Streit, Polemik; *pl* Streiten, Polemisieren; Polemiker; polemisch; **~al** *adj* = ~; Streit-

police [pɔ'liːs] *pl vb* Polizei; *a* ~ (*sg vb*) Polizeitruppe; *kitchen* ~ (*mil*) Küchendienst; (polizeilich) überwachen; ~ (*up*) säubern, sauberhalten; **~-constable** [~~'kʌnstəbl] *BE* Polizist; ~ **court** [kɔːt] Polizeigericht; ~ **force** Polizeitruppe; **~man** [~~mən], *pl* ~men Polizist; ~ **office** ['ɔfis] *BE* Polizeipräsidium; ~ **officer** Polizeibeamter; ~ **station** ['steiʃən] Polizeirevier

policlinic [pɔli'klinik] Poliklinik

policy ['pɔlisi] politische Linie, Politik; Staatskunst; kluges Verhalten; Schlauheit; Versicherungsschein; **~-holder** [~~houldə] Versicherungsnehmer

polio(myelitis) ['pouliou(maiə'laitis)] spinale Kinderlähmung

polish ['pɔliʃ] polieren (*up* auf-); sich polieren lassen; glätten, (ab)schleifen; ~ *off (sl)* wegputzen, erledigen; Politur, Glanz (*a. fig*); Poliermittel; **~er** Polierer

Polish *siehe* Pole

polite [pɔ'lait] höflich; fein, schön

polit|ic ['pɔlitik] klug; schlau; überlegt, diplomatisch; politisch; *the body* ~ *ic* Staatskörper; **~ical** [pɔ'litikəl] politisch; Staats-; **~ical economy** [iː'kɔnəmi] Volkswirtschaftslehre; **~ician** [~~'tiʃən] (*US* prinzipienloser Partei-)Politiker; **~ics** [~tiks] *sg vb* Politik; *pl vb* politische Ansichten (Handlungen, Tätigkeit); **~y** [~ti] Regierungs-, Staatsform; (staatliche) Gesellschaft

polka ['poulkə], *pl* ~s Polka (tanzen)

poll[1] [poul] **1.** Einzelperson, Kopf; **2.** Wahlberechtigtenliste; **3.** Stimmenzählung, -zahl; **4.** Wahl(vorgang), -ort; *public-opinion* ~ Meinungsumfrage; **5.** beschneiden, kappen; **6.** ~, *to be* ~*ed* abstimmen lassen; **7.** (Stimme) abgeben, abstimmen; **8.** . . . Stimmen auf sich vereinigen; **~ed** [~d] hornlos; **~ing enquiry** Meinungsumfrage; **~er** [~ə] , **~ster** [~stə] Meinungsforscher; **~-tax** [~tæks] Kopfsteuer; Wahlsteuer

poll[2] [pɔl] Papagei (*a. fig*); Nachbeter; **~ack, ~ock** [~ək] *zool* Polack; Köhler; **~ard** [~əd] gekappter Baum; hornloses Tier; **~en** [~n] Blütenstaub, Pollen; **~inate** [~ineit] bestäuben

pollu|te [pə'luːt] verunreinigen; beflecken; **~tion** [~'luːʃən] Verunreinigung; Unreinheit; (Umwelt)Verschmutzung

polo ['poulou] Polo; Wasserball

polonaise [pɔlə'neiz] Polonaise

poltergeist ['pɔltəgaist] Poltergeist

poltroon [pɔl'truːn] armseliger Feigling; **~ery** [~əri] Feigheit

poly|andry ['pɔliændri] Vielmännerei; **~clinic** [~~'klinik] allgem. Krankenhaus; **~gamist** [~~gəmist] Polygamist; **~gamous** [~~gəməs] polygam; **~gamy** [~~gəmi] Polygamie; Vielweiberei; **~glot** [⸗–glɔt] vielsprachig, polyglott(er Mensch); mehrsprachiges Buch (Bibel); **~gon** [⸗–gən] Vieleck; **~p** [⸗–p] (See-)Polyp, Krake; = **~pus** [⸗–pəs], *pl* **~pi** [⸗–pai], **~puses §** Polyp; **~phonic** [––'fɒnik] mehr-, vielstimmig, -tönend; polyphon; phonetisch mehrdeutig; **~phonous** [–⸗–fənəs] = ~phonic; **~phony** [pə'lifəni] polyphoner Satz, Kontrapunkt; Polyphonie; **~syllabic** [––si'læbik] mehrsilbig; **~syllable** [––'siləbl] mehrsilbiges Wort; **~technic** [––'teknik] polytechnisch(es Institut); **~theism** [⸗–θiizm] Vielgötterei, Polytheismus

poma|de [*BE* pə'mɑːd, *US* pə'meid], **~tum** [pə'meitəm] Pomade; pomadisieren

pome|granate ['pɔmgrænit] Granatapfel(baum); **~lo** ['pɔmilou], *pl* ~los Pampelmuse

pommel [pʌml] (Sattel-, Schwert-)Knauf; mit den Fäusten bearbeiten

pomp [pɔmp] Pomp, Gepränge; **~ous** [⸗–əs] pomphaft, prunkvoll; hochtrabend

pom-pom ['pɔmpɔm] *sl* Flakgeschütz

pond [pɔnd] Teich, Weiher

ponder ['pɔndə] erwägen, überlegen; nachdenken (*on, over* über); **~able** [⸗–rəbl] wägbar; *pl* wägbare Dinge, Ponderabilien; **~ous** [⸗–rəs] gewichtig; schwer(fällig)

pongee [pɔn'dʒiː] Pongé (Gewebe)

poniard ['pɔnjəd] Dolch; erdolchen

pontif|f ['pɔntif] Papst; Bischof; Oberpriester; **~ical** [–'tifikəl] päpstlich; bischöflich; *pl* Bischofsgewand; **~icate** [–'tifikit] Pontifikat; **~icate** [–'tifikeit] sich für unfehlbar halten, dogmatisch auftreten

pontoon [pɔn'tuːn] Ponton; ⚓ Schwimmer; Caisson; *BE* Vingt-et-un

pony ['pouni] Pony, kleines Pferd; *BE sl* £25; *US sl* Schwarte, Übersetzungshilfe; **~-tail** [⸗–teil] Pferdeschwanz

pooch [puːtʃ] *sl* Köter, Wauwau

poodle [puːdl] Pudel

pooh [puː] pah!, pfui! **~-pooh** puː'puː] lächerlich machen, geringachten

pool [puːl] Teich; Lache; (Fluß) tiefe Stelle; Poule (Art Billard); (Gesamt-)Einsatz (Glücksspiel); *pl* Toto; Kartell, Ring, Pool; gemeinsamer Fonds; zusammenlegen, einsetzen; ein Kartell bilden; (Gewinne) teilen

poop [puːp] Heck; ⚓ Hütte, Kampanje

poor [puə] arm; armselig; unmaßgeblich; schlecht, schwach, mangelhaft; **~-box** [⸗bɔks] Armenbüchse, -kasse; **~house** [⸗haus], *pl* ~houses [⸗hauziz] Armenhaus; **~-law** [⸗lɔː] Armenrecht; **~ly** *adv* arm(selig); *adj* schwächlich, unpäßlich; **~-rate** [⸗reit] Armensteuer; **~-spirited** [⸗'spiritid] verzagt, energielos

pop [pɔp] 1. (Kork) knallen (lassen); 2. *sl* verpfänden; 3. *US* (Mais) rösten ♦ – *the question* (*umg*) e-n Heiratsantrag machen; 4. (hinein-, hinaus)huschen; ~ *in* 'reinschauen, -platzen; ~ *off* abhauen, abkratzen; ~ *up* (plötzl.) auftauchen; 5. Knall(en); 6. *sl* Brause; 7. *sl* Schuß; *in* ~ (*sl*) verpfändet; 8. *US* Papa; **~-corn** [⸗kɔːn] Röstmais; **~-eyed** [⸗aid] *umg*

glotzäugig; **~-gun** [⸗gʌn] Knallbüchse; **~injay** [⸗indʒei] Papagei; Geck, Fant

pop|e [poup] Papst; **~edom** [⸗dəm] Papsttum; **~ery** [⸗pəri] Papismus; **~ish** [⸗piʃ] papistisch

poplar ['pɔplə] Pappel

poplin ['pɔplin] Popeline

poppy ['pɔpi] Mohn; **~cock** Quark, Geschwafel; **~-seed** [⸗siːd] Mohn(-samen)

popsy(-wopsy) ['pɔpsi('wɔpsi)] netter Käfer, süßes Mädchen

popul|ace ['pɔpjulis] das Volk; Pöbel; **~ar** [⸗lə] Volks-; volkstümlich, populär; beliebt (*with* bei); des Volkes; **~arity** [––'læriti] Beliebtheit; **~arize** [⸗ləraiz] popularisieren; gemeinverständlich darstellen; **~ate** [⸗leit] bevölkern; **~ation** [––'leiʃən] Bevölkerung; Bestand; **~ous** [⸗ləs] volkreich

porcelain ['pɔːslin] (Hart-)Porzellan

porch [pɔːtʃ] Vorhalle, -bau; *US* Veranda; **~-climber** *US* Fassadenkletterer

porcupine ['pɔːkjupain] Stachelschwein

pore [pɔː] Pore; eifrig studieren (*over* in); nachdenken, sinnen (*upon, at* über)

porgy ['pɔːgi] *zool* Goldbrassen [schwein

pork [pɔːk] Schweinefleisch; **~er** Mast-

porn [pɔːn] Porno(graphie, -film)

pornograph|ic [pɔːnə'græfik] pornographisch; **~y** [–'nɔgrəfi] Pornographie; Schmutzliteratur

por|osity [pɔː'rɔsiti] Porosität; **~ous** [⸗rəs] porös, durchlässig

porphyry ['pɔːfiri] Porphyr

porpoise ['pɔːpəs] (kleiner) Tümmler, Meerschwein; *US* Delphin

porri|dge ['pɔridʒ] (engl.) Haferbrei; **~nger** [––ndʒə] (Brei-)Napf, Schüssel

port [pɔːt] Hafen(stadt); Backbord; links steuern, halten; Pfortluke; Portwein; Haltung; **~able** [⸗əbl] trαgbar; Koffer-; **~age** [⸗idʒ] Ladung, Fracht(-kosten); Transport (von Fluß zu Fluß); Landbrücke; (Boot, Waren) von Fluß zu Fluß tragen; **~al** [⸗l] Portal, Pforte (*a. fig*); **~cullis** [–'kʌlis] Fallgatter

porten|d [pɔː'tend] (vor)bedeuten; **~t** [⸗–t] (böses) Vorzeichen; Wunder; Vorbedeutung; **~tous** [–'tentəs] unheilvoll; wundersam; ungeheuer(lich)

port|er ['pɔːtə] (Gepäck-)Träger; dunkles Bier, Porter; *US* (Schlafwagen-)Schaffner; Pförtner; **~folio** [–'fouliou], *pl* ~folios Aktenmappe; Portefeuille; Portefeuille; **~hole** [–houl] ⚓ Pfortluke; **~ico** [⸗ikou], *pl* ~icos, ~icoes Säulenhalle

portion ['pɔːʃən] (An-)Teil; Erbschaftsanteil; Portion; Schicksal; austeilen (*out* aus-; *to s-b* zu-); aussteuern; **~less** ohne Aussteuer (Erbteil)

portly ['pɔːtli] stattlich

portmanteau [pɔːt'mæntou], *pl* ~s *BE* große Reisetasche; ~ **word** Schachtelwort (z. B. *smog*, aus *smoke + fog*)

portrait ['pɔːtrit] Porträt; anschauliche Beschreibung; **~ure** [⸗–tʃə] Porträtmalerei; Porträt(sammlung)

portray [pɔː'trei] porträtieren, abmalen; ♥ darstellen; anschaulich schildern; **~al** Abmalen, Porträtieren; Porträt, Bild; Schilderung

Portug|al ['pɔːtjugəl] Portugal; **~uese** [--'giːz], pl **~uese** Portugiese; portugiesisch

pos|e [pouz] Pose; sich in Positur stellen, setzen; (Frage) aufwerfen; sich ausgeben (as als); verwirren; **~er** [-ə] knifflige Frage; **~eur** [pou'zaː] Poseur

position [pə'ziʃən] Stellung (a. mil; in [out of] ~ in der richtigen [falschen] Stellung); Stelle, Position; Haltung (a. fig); Rang (people of ~); Lage (to be in a ~ to do in der Lage sein zu tun); an den rechten Platz stellen, bringen

positive ['pɔzitiv] definitiv, bestimmt; überzeugt; eigensinnig; wirklich, tatsächlich, umg entschieden (Narr etc); ⟨►, ⚡, math, phys positiv; su Positiv

poss [pɔs] BE möglich; if poss wenn's geht

posse ['pɔsi] (Polizei-)Aufgebot

possess [pə'zes] besitzen; ~ o.s. of sich aneignen; ~ o.s. in patience ['peiʃəns] sich in Geduld fassen; to be ~ed [--t] of in Besitz haben; to be ~ed by besessen sein von; **~ion** [--ʃən] Besitzung ♦ ~ion is nine points (od tenths) of the law wer im Besitz ist, ist im Recht; pl Besitzungen, Habe; Beherrschung; **~ive** [--iv] Besitz-; gram besitzanzeigend; Possessiv; **~or** [--sə] Besitzer(in)

possi|bility [pɔsi'biliti] Möglichkeit; **~ble** [-ibl] möglich; ⚙ Höchstzahl, -leistung; ⚙ möglicher Spieler; **~bly** [--bli] möglicherweise, irgendwie; cannot ~bly kann unmöglich

possum ['pɔsəm] Opossum, Beutelratte ♦ to play ~ sich krank (tot) stellen

post [poust] 1. Pfosten; 2. mil Posten; last ~ (BE) Zapfenstreich; 3. Stellung; 4. bes BE Post(amt, -sendung); by return of ~ umgehend; 5. Briefpapier; 6. (Plakat) anschlagen (a.: ~ up); 7. (Wand) bekleben (a.: ~ over); 8. anschlagen, bekanntgeben (as als); well ~ed gut informiert; 9. (auf)stellen, postieren; 10. bes BE mit der Post schicken, zur Post geben; 11. mit der Postkutsche fahren; 12. eilen; 13. mil (e-n Soldaten) versetzen; 14. ~ (up) (Konto) (ins Hauptbuch) übertragen, (Kontobuch) in Ordnung bringen; adv ~ ~haste; **~age** [-idʒ] Porto; **~age meter** US Frankiermaschine; **~age stamp** Briefmarke; **~al** Post-; postalisch; su US = **~al card** Postkarte (mit eingedruckter Marke); **~al code** BE = ~-code); **~al order** Postanweisung; **~al tuition** [tju'iʃən] Fernunterricht; **~boy** [-bɔi] BE Postbote; Postillion; **~card** [-kaːd] Postkarte; **~chaise** [-ʃeiz] Post(reise)wagen; **~code** [-koud] BE Postleitzahl; **~date** [-'deit] nachdatieren; später ansetzen; **~er** [-ə] Plakat(-anschläger); ~ restante ['poust 'restaːnt, US ---] (BE Abteilung für) postlagernde Sendung(en); **~exchange** US mil Marketenderei, Einkaufsstelle

poster|ior [pɔs'tiəriə] später (to als); hintere; (a. pl) Hinterteil; **~ty** [-'teriti] Nachkommenschaft; Nachwelt

postern [BE 'pɔstən, US 'pou-] Hinter-, Seitentür; geheimes Pförtchen

post|-free ['poust'friː] BE portofrei, frankiert; **~graduate** [-'grædjuit] nach dem Examen (p. work gehobene wissenschaftliche Tätigkeit); (etwa:) Doktorand, Akademiker; **~haste** [-'heist] in großer Eile; **~humous** ['pɔstjuməs] nachgeboren; nachgelassen; postum; **~ilion, BE a. ~illion** [pɔs'tiljən] Postillion; **~ing** Plakatierung; Übertragung (to in); **~man** [-mən], pl **~men** Briefträger; **~mark** [-maːk] (Post-)Stempel; stempeln, entwerten; **~master** [-maːstə] Postamtsleiter; P**~master General** Postminister; **~mistress** [-mistris] Postamtsleiterin; **~-mortem** [-'mɔːtəm] (examination) Autopsie, Leichenöffnung; **~office** [-ɔfis] Post(amt); **~office order** Postanweisung; **~paid** [-'peid] portofrei, unfrankiert; **~pone** [-'poun] ver-, aufschieben; **~ponement** Verschiebung, Aufschub; **~script** [-skript] Postskriptum, Nachsatz; -wort; BE ⚡ (Nachrichten-)Kommentar; **~war** [-'wɔː] Nachkriegs-

postulate ['pɔstjuleit] (er)fordern; postulieren, voraussetzen; ~ [--lit] Forderung; Postulat

posture ['pɔstʃə] Haltung (a. fig); fig Lage; hinstellen; posieren

posy ['pouzi] Blumenstrauß

pot [pɔt] 1. Topf; 2. Kanne; ♦ to keep the ~ bo:ling das Nötige verdienen, die Sache in Gang halten; the ~ calls the kettle black (etwa:) er hat ja selber Dreck am Stecken; to go to ~ kaputtgehen; 3. umg Haufen Geld, großes Tier, ⚙ Silberpokal; 4. (Nah-)Schuß; 5. in e-n Topf tun (einmachen); 6. einpflanzen (in e-n Topf); 7. (Billard) ins Loch spielen; 8. schießen, (zufällig) erlegen; **~belly** [-beli] Schmerbauch; **~boiler** [-bɔilə] Brotarbeit, Routinewerk; **~boy** Bierkellner; **~hat** [-'hæt] Melone; **~herb** [-həːb, US -əːrb] Küchenkraut; **~hole** [-houl] Schlagloch; **~hook** [-huk] Kesselhaken; **~house** [-haus], pl **~houses** [-hauziz] Kneipe; ~house manners rüpelhaftes Benehmen; **~luck** [-lʌk] was es gerade zu essen gibt (come and take ~ -luck with us); **~shot** [-ʃɔt] Nahschuß; Zufallstreffer; **~ted plant** Topfpflanze

potage [pɔ'taːʒ] Suppe

pota|sh ['pɔtæʃ] Pottasche, Kaliumkarbonat; **~ssium** [-'tæsiəm] Kalium

potation [pou'teiʃən] Trinken; pl Trank, Trunk

potato [pə'teitou], pl **~es** Kartoffel

poten|cy ['poutənsi] Stärke; Wirksamkeit; **~t** [--t] mächtig; überzeugend; stark, wirksam; **~tate** [--teit] Potentat; **~tial** [-'tenʃəl] potentiell, möglich; ~ tial (mood) Potentialis; Potential (a. ⚡); ⚡ Spannung; **~tiality** [-tenʃi'æliti] innere Kraft; pl potentielle geistige Kräfte; Möglichkeiten

pother [pɔðə] Aufruhr, Lärm

potion ['pouʃən] (Gift-)Trank (a. ⚕)

potpourri [pou'puri, US -pu'riː], pl **~s** Dose mit duftenden Blättern; bes ♪ Potpourri

potsherd ['pɔtʃəːd] Topf-, Abfallscherben

pottage ['pɔtidʒ] dicke Suppe ♦ *a mess of* ~ ein teuer erkaufter Vorteil

potter[1] [pɔtə] Töpfer; ~'**s field** Armenfriedhof; ~**s wheel** [wiːl] Töpferscheibe; ~**y** [‐ri] Töpfer-, Keramik-, Tonwaren; Töpferei

potter[2] ['pɔtə], *US* **putter** ['pʌtə] trödeln, pusseln (*at, in* mit, bei); ~ *about* herumwursteln; ~ *away* vertun, verwursteln

potty ['pɔti] *sl* klein; leicht; verrückt

pouch [pautʃ] Tasche; Beutel *(a. zool)*; Sack (unter den Augen); in e-n Beutel tun; zu e-m Beutel formen, (s.) beuteln; ~**ed** [‐t] mit e-m, wie ein Beutel

pouf [puːf] Puff, Polstersitz

poult|erer ['poultərə] *BE* (Wild- und) Geflügelhändler; ~**ice** [‐tis] warme Packung; e-e Packung machen um; ~**ry** [‐tri] *pl vb* Geflügel, Federvieh

pounce [pauns] Klaue; Sprung, Stoß; *to make a* ~ = *to* ~ herabstoßen auf und fangen; ~ *upon* plötzlich angreifen, losstürzen auf, herfallen über *(a. fig)*

pound [paund] Pfund (= 453,59 g; = 20 Shilling; = 100 Penny); Lärm; heftiger Schlag; Pferch; (Hunde- etc) Asyl; hämmern (auf), schlagen; (zer-)stampfen; einpferchen; ~**age** [‐idʒ] Provision, Prozentsatz pro Pfund (Sterling, Gewicht); ~**er** [‐ə] ...pfünder; ~**foolish** *siehe* penny; ~**ing** Lärm; heftiger Schlag

pour [pɔː] 1. gießen; 2. schütten; 3. einschenken; *it never rains but it* ~ *s* ein Unglück kommt selten allein; es kommt immer alles zusammen; 4. (ver)strömen; ~ *out* ausströmen, -schütten; *it is* ~ *ing with rain* es gießt in Strömen

pout [paut] (Lippen) aufwerfen; schmollen; Schmollen

poverty ['pɔvəti] Armut; Dürftigkeit; Mangel; ~**stricken** [‐‐‐strikən] arm, dürftig

powder ['paudə] Pulver *(not worth* ~ *and shot* das Pulver nicht wert); Puder; pudern; pulverisieren; ~**magazine** [‐‐‐mægəziːn] Pulvermagazin; ~**puff** [‐‐pʌf] Puderquaste; ~**y** [‐‐ri] puderig; bepulvert

power ['pauə] 1. Macht; *is not within (is out of) my* ~ liegt nicht in meiner Macht; *in* ~ an der Macht; 2. Kraft; 3. Stärke *(a.* **ɪ▷** Linsen-) ♦ *more* ~ *to your elbow!* guten Erfolg!; 4. *bes pl* Rechte, Vollmacht; 5. führender Staat, Macht ♦ *the* ~ *s that be* die Obrigkeit; 6. *math* Potenz; 7. ⚡ (Kraft-)Strom, Leistung; *(umg) a* ~ *of* e-e Menge; 8. *attr* Kraft-, Strom-; ~**boat** [‐‐bout] Motorboot; ~**ful** mächtig; kräftig; ~**house**, ~**station** Kraftwerk; ~**less** macht-, kraftlos; ~**plant** [‐‐plɑːnt] Kraftwerk; Triebwerk; ~ **politics** ['pɔlitiks] Machtpolitik; ~ **steering** Servolenkung

powwow ['pauwau] (Indianer-)Freudenfest; indian. Medizinmann; Konferenz, Treffen; Besprechung; Besprechung abhalten, konferieren *(about* über); palavern

pox [pɔks] Pocken, Blattern; Windpocken; Syphilis

pract|icable ['præktikəbl] aus-, durchführbar; gangbar; ~**cal** [‐‐kəl] praktisch; erfahren; durchführbar; ~**cal joke** Streich; ~**cally** praktisch, so gut wie; ~**ce** [‐tis] Praxis *(a.* **⚖**), Übung *(in* ~ *ce* in der Übung, *out of* ~ *ce* aus der Übung); Brauch, Gewohnheit; *pl* Praktiken, Ränke; ~**cian** [‐'tiʃən] Praktiker; ~**se**, *US* ~**ce** [‐tis] üben (**♞**, **♪**, *allg*); ausüben, betreiben; praktizieren, regelmäßig tun; ~ *se on* ausnutzen, hereinlegen; ~**tioner** [‐'tiʃənə] praktischer Arzt; **⚖** Rechtsanwalt; Praktiker

pragma|tic [præg'mætik] pragmatisch; ~**tical** übereifrig; eigensinnig; = ~tic; ~**tism** [‐‐tizm] Übereifrigkeit; Pedanterie; Sachlichkeit; Pragmatismus

prairie ['prɛəri] Prärie, Grasland; *US* Sumpfland; ~ **dog** Präriehund; ~ **schooner** ['skuːnə] *US* Planwagen; ~ **wolf** [wulf], *pl* ~ **wolves** [wulvz] Präriewolf, Kojote

praise [preiz] loben; preisen, verherrlichen; Lob; *pl* Lob(sprüche); Preis, Ehre *(* ~ *be to God!)* ♦ ~ *be!* Gott sei Dank!; ~**worthy** [‐wəːði] lobenswert

pram [præm] *BE umg* Kinderwagen

prance [prɑːns] sich bäumen; einherstolzieren; *umg* umhertollen

prank [præŋk] Streich; Ulk; schmücken; prunken

prat|e [preit] schwatzen; prahlen; Geschwätz; ~**tle** [prætl] quasseln; Gequassel; ~**tler** ['prætlə] Quaßler

prawn [prɔːn] Geißelgarnele(n fischen)

pray [prei] beten *(to* zu, *for* um); anflehen; dringend bitten *(to s-b* j-n, *for* um); ~ *?bitte?;* ~**er** [‐ə] Beter; Bittender; ~**er** ['prɛə] Gebet; dringende Bitte; *pl* Andacht; ~**er-meeting** ['prɛəmiːtiŋ] Gebetsstunde

preach [priːtʃ] predigen *(a. fig)*; ~**ify** [‐ifai] (Moral) predigen

preamble [priː'æmbl] Präambel, Vorrede

precarious [pri'kɛəriəs] unsicher, prekär; widerruflich

precaution [pri'kɔːʃən] Vorsicht(smaßnahme); ~**ary** [‐‐əri] vorbeugend

precede [pri'siːd] vorangehen (lassen); führen; *fig* vorgehen; ~**nce** [‐‐dəns] Vorhergehen; Vorrang; *to take* ~ *nce of* den Vorrang haben vor; Vorfahrtsrecht; ~**nt** [‐‐dənt] vorhergehend, vorig; ~**nt** ['presidənt] Präzedenzfall

precept ['priːsept] Vorschrift; ~**or** [‐'septə] Lehrer

precinct ['priːsiŋkt] Bezirk; *US* Wahlbezirk, Polizeirevier; Grenze; *pl* Umgebung; *pl* Bereich; Zone

precious ['preʃəs] kostbar, edel; Edel-; *umg fig* nett, recht; sehr

precipice ['presipis] Abgrund; steile Wand

precipit|ance [pri'sipitəns] Hast, Übereilung; ~**ant** [‐‐‐tənt] *chem* Fällmittel; *adj* = ~ate; ~**ate** [‐‐‐teit] (hinunter-)stürzen; *fig* überstürzen, (plötzl., unbedacht) verursachen; (sehr) beschleunigen; *chem* fällen, (s.) niederschlagen; ~**ate** [‐‐‐tit] Niederschlag; überstürzt, unüberlegt; ~**ation** [‐‐‐'teiʃən] Niederschlag;

überstürzte Hast, Übereilung; ~ous [-ᴗ-təs] steil(abstürzend)

précis ['preisi:, US -ᴗ-], pl ~ [-ᴗ-z] Zusammenfassung; zusammenfassen

precis|e [pri'sais] genau; peinlich, pedantisch; ~ely genau, fig gerade; ganz richtig; ~ian [-'siʒən] Pedant; ~ion [-'siʒən] Genauigkeit, Präzision; ✿ Präzisions-, Fein-

preclude [pri'klu:d] fig ausschließen; unmöglich, unwirksam machen

precoci|ous [pri'kouʃəs] frühreif; ~ty [-'kɔsiti] Frühreife

precon|ceived ['pri:kən'si:vd] vorgefaßt; ~ception [-ᴗ-'sepʃən] vorgefaßte Meinung; ~certed [-ᴗ-'sə:tid] vorgeplant, verabredet; abgekartet

precursor [pri'kə:sə] Vorläufer, -bote

preda|cious [pri'deiʃəs] zool räuberisch; ~tion [-'deiʃən] zool Verfolgung, Vernichtung (on von); ~tor ['predətə] Raubtier; räuberische Person; ~tory ['predətəri] zool, allg räuberisch, Raub-; schädlich

predecessor ['pri:disesə, US 'predi-ᴗ-] Vorfahr; Vorgänger; Vorläufer

predestin|ate [pri'destineit] bes eccl vorherbestimmen; ~ate [-ᴗ-nit] vorherbestimmt; ~ation [-ᴗ-'neiʃən] Vorherbestimmung; ~e [-ᴗ-tin] vorherbestimmen (to do zu tun)

predetermin|ation ['pri:ditə:mi'neiʃən] Vorherbestimmung; ~e [-ᴗ-min] vorherbestimmen, vorher festsetzen

predic|ament [pri'dikəmənt] heikle, schwierige Lage; ~ate ['predikeit] (als wahr) feststellen, behaupten; ~ate on begründen mit, auf; ~ate [-ᴗ-kit] Prädikat; Prädikats-, prädikativ; ~ative [pri'dikətiv] prädikativ

predict [pri'dikt] vorhersagen; ~ion [-'dikʃən] Vorhersage, Prophezeiung

predilection [pri:di'lekʃən] Vorliebe

predispos|e [pri:dis'pouz] geneigt, geeignet machen (to für); ~ition [-ᴗ-'ziʃən] Neigung, Empfänglichkeit (to für)

predomin|ance [pri'dɔminəns] Vorherrschaft; Übergewicht; ~ant [-ᴗ-nənt] vorherrschend; überwiegend; ~ate [-ᴗ-neit] die Oberhand haben (over über); vorherrschen

pre-eminen|ce [pri:'eminəns] Überlegenheit; Vorrang; ~t über-, hervorragend; to be ~t hervorstechen

pre-empt [pri:'empt] vorher (durch Vorkauf) erwerben; ~ion [-'empʃən] Vorkauf(srecht); ~ive Vorkaufs-

preen [pri:n] (Gefieder) putzen (a. fig); stolz sein (on auf)

pre-exist ['pri:ig'zist] in e-m früheren Leben dasein; vorher existieren; ~ence [-ᴗ-əns] Präexistenz

prefab ['pri:'fæb] Fertighaus; ~ricate [-ᴗ-rikeit] vor(be)arbeiten, vorfabrizieren

prefa|ce ['prefis] Vorwort; einleiten, beginnen; ~tory [-fətəri] einleitend, Vorwort-; ~tory note einleitende Bemerkung

prefect ['pri:fekt] Präfekt; BE Klassenordner; ~ure [-ᴗ-tʃə] Präfektur

prefer [pri'fə:] vorziehen (rather than statt); befördern (to zu); einreichen (to bei, against gegen); ~able ['prefərəbl] vorzuziehen(d); ~ably besser; ~ence ['prefərəns] Vorliebe; Bevorzugung; Priorität; by ~ence vorzugsweise; attr BE Vorzugs-(Aktien etc); ~ential [prefə'renʃəl] bevorzugt; Vorzugs-; ~ment [-ᴗ-mənt] Beförderung

prefigure [pri:'figə] (vorher) zeigen, darstellen; s. vorstellen

prefix [pri:'fiks] voranstellen; ~ [-ᴗ-] Vorsilbe; Titel

pregnan|cy ['pregnənsi] Schwangerschaft; Fülle, Tiefe, Bedeutung; ~t schwanger; phantasiereich; gewichtig, bedeutsam

preheat [pri:'hi:t] vorwärmen

prehensile [pri'hensail] Greif-

prehistor|ic [pri:his'tɔrik] vorgeschichtlich; ~y [-'histəri] Vorgeschichte

prejudg|e ['pri:'dʒʌdʒ] vorher be-, vorweg aburteilen; ~ment, BE a. ~ement (Be-)Urteil(ung) ohne Prüfung

prejudic|e ['predʒudis] vorgefaßte Meinung; Vorurteil; ♊ Schaden, Nachteil; to the ~e of zum Nachteil von; without ~e ohne Rechtsnachteil, unbeschadet; (j-n) einnehmen (in favour of für, against gegen); beeinträchtigen, benachteiligen; ~ial [-ᴗ-'diʃəl] nachteilig (to für)

prela|cy ['preləsi] Prälatur; Prälatenschaft; ~te [-lit] Prälat

prelim [pri'lim] umg Vorprüfung; ~inary [-ᴗ-inəri] vorläufig; Vor-; Vorprüfung; pl Einleitung, Präliminarien

prelude ['prelju:d] Vorspiel; Einleitung; Präludium; einleiten; präludieren

premature [premə'tjuə, -ᴗ-, US pri:mə'tur] vorzeitig, -schnell; verfrüht; ⚑ Früh-; ~ birth Frühgeburt

premeditate [pri:'mediteit] vorplanen

prem|ier ['premjə, US pri'miə] Premier(minister); erste, oberste; ~ière ['premiɛə, US pri'miə] Premiere

premise ['premis] Prämisse; pl Haus mit Grundstück; on the ~s an Ort und Stelle, im Hause; ~ vt [pri'maiz, bes US 'premis] fig vorausschicken

premium ['pri:miəm], pl ~s (Versicherungs-, allg) Prämie (die man zahlt); to put a ~ on ermutigen, verleiten zu; Auf-, Zuschlag; Ausbildungshonorar, Lehrgeld; at a ~ über Pari, fig sehr gesucht

premonit|ion [pri:mə'niʃən] Vorwarnung; ~ory [pri'mɔnitəri] warnend

prentice ['prentis] = apprentice; to try one's ~ hand sich versuchen (at an)

preoccup|ation [pri:ɔkju'peiʃən] vorheriges Besetzen, Besitz; Versunkensein; vorrangige Beschäftigung (with mit); Vorurteil; ~ied [-ᴗ-paid] versunken, gedankenverloren; ~y [-ᴗ-pai] vorher besetzen; ausschließlich erfüllen, beschäftigen

preordain [pri:ɔ:'dein] vorherbestimmen

prep [prep] = ~aration; = ~aratory

prepar|ation [prepə'reiʃən] Vorbereitung; *BE* Schularbeit(en), Stunde für Schularbeiten; Zubereitung; Präparat; **~ative** [pri'pærətiv] vorbereitend; Vorbereitung; **~atory** [pri'pærətəri] vorbereitend; ~*atory to* bevor; **~atory (school)** *BE* Vorbereitungsschule für die höhere Schule, *US* private höhere Schule; **~e** [pri'pɛə] (s.) (vor)bereiten; zubereiten; (aus)rüsten; **~ed** bereit, willens; **~edness** *bes mil* Bereitschaft

prepay [pri:'pei] *(s. S. 319)* vorher bezahlen, freimachen; **~able** vorher zahlbar

prepense [pri'pens] vorbedacht; **malice ~** böswillige Absicht *(of m.)*

preponder|ance [pri'pɔndərəns] Übergewicht; **~ant** [-ᵊ-rənt] überwiegend; **~ate** [-ᵊ-reit] überwiegen

preposition [prepə'ziʃən] Präposition; **~al** [-ᵊ-ᵊ-əl] präpositional

preposses [pri:pə'zes] beeinflussen; beeindrucken; **~ing** einnehmend, anziehend; **~ion** [-ᵊ-ʃən] (Vor-)Eingenommensein; Vorurteil, -liebe

preposterous [pri'pɔstərəs] widersinnig, grotesk; verdreht

prerequisite [pri:'rekwizit] Vorbedingung, Voraussetzung *(to* für)

prerogative [pri'rɔgətiv] Vorrecht; Prärogativ(-)

presage ['presidʒ] (böses) Vorzeichen; Vorahnung; ~ [pri'seidʒ] *(mst* Böses) ankündigen; deuten auf

presbyter ['prezbitə] Presbyter; Gemeindevertreter; **~ian** [--'tiəriən] presbyterianisch; Presbyterianer; **~y** [---ri] Hochaltarraum, Sanktuarium; Presbytergericht; katholische Pfarrei

prescien|ce ['preʃiəns, -si-] *US* 'pri:-] Voraussicht; Vorahnung; **~t** voraussehend, vorahnend

prescri|be [pri'skraib] vorschreiben; **$** verschreiben; **~pt** ['pri:skript] Vorschrift; **~ption** [pri:'skripʃən] Vorschreiben; Vorschrift; **$** Rezept; **~ptive** [pri'skriptiv] Vorschriften gebend

presen|ce ['prezəns] Anwesenheit; Gegenwart; Vorhandensein; Erscheinung, Äußeres; ~*ce of mind* Geistesgegenwart; **~t** [-ᵊzənt] **1.** anwesend; ~*t company* ['kʌmpəni] die Anwesenden; **2.** gegenwärtig, derzeitig; ~*t (tense) gram* Gegenwart; *the* ~*t day* Gegenwart, heutzutage; **3.** *su* Gegenwart; *at* ~*t* jetzt, zur Zeit; *for the* ~*t* für d. Augenblick, einstweilen; **4.** *pl* 𝌆 Dokument *(by these* ~*ts)*; **5.** Geschenk; **6.** ~*t* [pri'zent] Präsentierstellung *(at the* ~*t)*; **7.** ~*t* [pri'zent] (be)schenken; **8.** einreichen, vorlegen; **9.** verteilen, vorstellen, einführen; ~*t o. s.* erscheinen *(for* zu); **10.** bieten, zeigen; **11.** vorbringen, präsentieren *(a. mil)*; **12.** (Waffe) richten; **13.** *eccl* vorschlagen; **~table** [pri'zentəbl] präsentierbar, anständig (angezogen); **~tation** [prezən'teiʃən] Vorstellung *(a. 𝌆)*; Vorlage; *on* ~*tation* gegen Vorlage; Überreichung; Gabe; Vorschlag(srecht); **~tation copy**

Widmungsexemplar; **~timent** [pri'zentimənt] (böses) Vorgefühl; **~tly** ['prezəntli] (so)gleich, bald (darauf); **~tment** [pri'zentmənt] Darstellung; Beschreibung; Bild *(a. fig)*

preserv|able [pri'zə:vəbl] erhaltbar; **~ation** [prezə'veiʃən] Erhaltung, Bewahrung; **~ative** [pri'zə:vətiv] erhaltend, schützend; Schutz-, Konservierungsmittel; **~e** [pri'zə:v] bewahren, erhalten; einmachen, konservieren; (Wild) hegen, für private Jagd (Angeln) schützen; *su (mst pl)* Eingemachtes; *BE* privates Jagd-, Angelgebiet, -revier

preside [pri'zaid] den Vorsitz führen *(over* bei, über); ~ *over* leiten; ~ *at* ♩ spielen; **~ncy** ['prezidənsi] Vorsitz; Präsidium; Präsidentschaft; **~nt** ['prezidənt] Präsident; Direktor; Vorsitzender; Rektor; **~ntial** [--'denʃəl] Präsidenten-; Präsidial-

press [pres] **1.** pressen, drücken *(the button* auf den Kopf drücken, *a. fig)*; **2.** bügeln; **3.** umarmen; **4.** (be)drängen; **5.** (Angriff) energisch durchführen; **6.** nachdrücklich vorbringen; dringend bitten; ~ *on* weiterdrängen; **~ed** [-ᵊt] bedrängt; ~*ed for* knapp an; **7.** *su* Druck; 𝌆 Presse; **8.** Gedränge, Andrang; **9.** (Leinen-)Schrank; **10.** Druck(erei); *in the* ~ im Druck; *to send to the* ~ in Druck geben; **11.** Presse *(a. fig)*; **~ agency** ['eidʒənsi] PR-Agentur; **~-agent** [-ᵊeidʒənt] PR-Agent; **~-box** [-ᵊbɔks] Presseloge, -tribüne; ~ **clipping** *bes US*, ~ **cutting** *BE* Zeitungsausschnitt; ~ **copy** 𝌆 Rezensionsexemplar; **~-gallery** [-ᵊgæləri] Pressetribüne; **~gang** [-ᵊgæŋ] *mil* Anwerbetrupp; **~ing** dringend; drängend; ~**man** [-ᵊmən], *pl* ~**men** Drucker(eileiter); *BE* Zeitungsmann; 𝌆 Stanzer; **~-mark** [-ᵊmɑːk] Bibliotheksnummer; ~ **release** [ri'li:s] Pressemitteilung; **~work** [-ᵊwə:k] Druckarbeit

pressur|e ['preʃə] Druck; Luftdruck; 🗲 Spannung; *fig* (Hoch-)Druck *(to work at high* ~*e* mit Hochdruck arbeiten); **~e cooker** Schnellkochtopf; **~e gauge** [geidʒ] Druckmesser; ~ **group** [gru:p] Interessen(ten)gruppe; **~ize** [-ᵊraiz] ✈ druckfest machen

prestidigitation [prestididʒi'teiʃən] Taschenspielerei, Fingerfertigkeit

prestige [pres'ti:ʒ] Ansehen; Prestige

presum|able [pri'zju:məbl] (recht) wahrscheinlich; **~e** [-ᵊ] (als sicher) annehmen; sich erdreisten; ~*e upon* sich zuviel herausnehmen aufgrund von, ausnützen; **~ing** anmaßend, keck; **~ption** [-ᵊzʌmpʃən] Annahme; Wahrscheinlichkeit; Anmaßung; **~ptive** [-ᵊzʌmptiv] mutmaßlich; **~ptuous** [-ᵊzʌmptjuəs] dreist; anmaßend

presuppos|e [pri:sə'pouz] vorher annehmen, voraussetzen; **~ition** [-sʌpə'ziʃən] vorherige Annahme, Mutmaßung

preten|ce **~se** [pri'tens] Schein; Vorwand; *false* [fɔːls] ~*ces* Vorspiegelung falscher Tatsachen; Prunk, Prätention; **~d** [-ᵊtend] vorspiegeln; vorgeben, so tun *(that* als ob); ~*d to* Anspruch erheben auf; so tun als ob, spielen *(we are only* ~*ding)*; **~ded** angeblich; **~der** Heuch-

ler; Prätendent; **~sion** [-'tenʃən] Anspruch (*to* auf); Anmaßung; **~tious** [pri'tenʃəs] anspruchsvoll; anmaßend, protzig
preterit(e) ['pretərit] *gram* Vergangenheit, Präteritum
preternatural [pri:tə'nætʃərəl] übernatürlich; un-, außergewöhnlich
pretext ['pri:tekst] Vorwand
prett|iness ['pritinis] Hübschheit, Niedlichkeit; Geziertheit; **~y** [´--] hübsch; fein; *bes fig* schön ♦ *a ~y penny* ein schöner Batzen; *my ~y* mein Kind; *pl* hübsche Kleider; *adv* ziemlich; *~y much* ziemlich; *sitting ~y (sl)* gutgestellt; **~y-~y** geziert
pretzel ['pretsəl] Brezel
prevail [pri'veil] sich durchsetzen (*over, against* gegen); die Oberhand gewinnen; vorherrschen; *~ on s-b to do* j-n dazu bringen zu tun
prevalen|ce ['prevələns] Übergewicht; Vorherrschen; **~t** vorherrschend
prevarica|te [pri'værikeit] Ausflüchte machen; **~tion** [-,---´ʃən] Ausflucht
prevent [pri'vent] verhindern, verhüten; hindern (*from* an; *from doing* zu tun); **~able** verhüt-, vermeidbar; **~ative** [--´tətiv] = ~ive; **~ion** [-'venʃən] Verhinderung, Verhütung; Vorbeugung; **~ive** [--´tiv] vorbeugend; prophylaktisches Mittel
pre-view ['pri:vju:] (Film-)Probevorführung, Vorschau; Vorbeurteilung; *US* 🎞 (Reklame-) Vorschau; vorher sehen (prüfen, beurteilen)
previous ['pri:viəs] vorherig, früher; *~ to* vor; Vor-; *~ question (pol)* Antrag, daß abgestimmt werden soll (*BE* um eigentl. Antrag zu verschieben, *US* um Debatte abzukürzen); *umg* voreilig; **~ly** früher; vorher
prevision [pri:'viʒən] Voraussicht; Vorahnung
pre-war ['pri:'wɔ:] Vorkriegs-
prey [prei] Beute; ... *of ~* Raub-; *to fall a ~ to* zum Opfer fallen; *fig* Beute, Opfer (*to* des); *~ upon* leben von, fressen; (aus)rauben, plündern; zehren, nagen an, zusetzen
price [prais] **1.** Preis ♦ *every man has his ~* jeden kann man bestechen; *beyond* (od *without*) *~* unbezahlbar; **2.** Wert; **3.** Odds; *what ~? (sl)* wie steht's mit?; **4.** *vt* bewerten, abschätzen; **5.** den Preis festsetzen von, auszeichnen; **~ curve** Preisgefälle; **~less** unschätzbar; unbezahlbar; *umg* amüsant, köstlich
prick [prik] Dorn ♦ *to kick against the ~s* wider den Stachel löcken; (Nadel-)Stich *(a. fig)*; *~ of conscience* ['kɔnʃəns] (*remorse* [ri'mɔ:s]) Gewissensbisse; stechen; *fig* stacheln; (Loch) bohren; *~ in (out)* einpflanzen (um-); *~ up one's ears* die Ohren spitzen *(a. fig)*; **~er** Stecher; Pfriem; **~ing** Stechen, st. Schmerz; **~le** Dorn, Stachel; Prickeln; stechen; prickeln; **~ly** stachelig; **~ly pear** [pɛə] Feigenkaktus; **~ly heat** ⚕ Frieseln
pride [praid] Stolz; *to take (a) ~ in* stolz sein auf; Hochmut; *~ goes before a fall, ~ will have a fall* Hochmut kommt vor dem Fall; Blüte; Gruppe (*bes* von Löwen); *~ o.s. on* stolz sein auf, sich etwas einbilden auf
priest [pri:st] (*bes* katholischer) Priester; **~craft** [´kra:ft] Pfaffenpolitik; **~ess** [´is] Priesterin; **~hood** [´hud] Priesteramt; Priesterschaft; **~ly** priesterlich; **~-ridden** [´ridən] von Pfaffen regiert
prig [prig] selbstgerecht-pedantischer Besserwisser; **~gish** [´iʃ] selbstgerecht, pedantisch-besserwisserisch
prim [prim] steif, zimperlich; sich steif geben
prima|cy ['praiməsi] Vorrang, Primat; Amt des Erzbischofs; **~ donna** ['pri:mə'dɔnə] Primadonna; **~ facie** ['praimə'feiʃii:] dem (ersten) Anschein nach, offenbar; glaubhaft (gemacht); **~l** [´məl] früheste, ursprünglich; wesentlich; **~rily** [´-rili, *US* -´merili] in erster Linie; **~ry** [´-ri] früheste; ursprünglich; Primär-; Elementar-; *~ry school* Grundschule; wesentlich, hauptsächlich; Primärfarbe; *orn* Hauptfeder; *US pol* Versammlung zur Kandidatenwahl; **~te** [´mit] Erzbischof; *zool* Primat
prime [praim] erste; oberste; erstklassig; Anfangszeit; Blüte(zeit); Frühgottesdienst; Minutenzeichen ('); *mil* mit Zünder versehen, scharfmachen; (Pumpe) anlassen; 🚗 Anlaßkraftstoff einspritzen; grundieren; mit Tatsachenmaterial versorgen, instruieren; *umg* vollstopfen, -schütten (mit Bier etc); **~ cost** Gestehungskosten; **~ minister** ['ministə] Ministerpräsident; **~ mover** ['mu:və] Antriebskraft, -maschine; treibende Kraft; **~ number** Primzahl; **~r** [´ə] Zündmittel, Sprengkapsel; 🚗 Anlaßkraftstoff; Grundiermittel; [´ə, *US* 'primə] Anfängerbuch; Fibel; **~r** ['primə] 📖 *great ~r* Tertia(schrift); *long ~r* Korpus, Garmond (10 Punkt)
primeval [prai'mi:vəl] uranfänglich; Ur-
priming ['praimiŋ] Zündung; Grundierung
primitive ['primitiv] ursprünglich; Ur-; primitiv; Grund-; Primitiver *(a. fig)*; naiver Maler; Grundlinie
prim|ogeniture [praimou'dʒenitʃə] Primogenitur, Erstgeburtsrecht; **~ordial** [-'ɔ:diəl] ursprünglich, uranfänglich
primrose ['primrouz] Primel; **evening ~** gemeine Nachtkerze; **the ~ path (way)** Vergnügungsleben
primula ['primjulə], *pl* **~s** Primel
primus ['praiməs], *pl* **~es** Spirituskocher
prince [prins] Prinz; Fürst; (*P~ of the Church* Kirchen-); *merchant ~* Kaufherr; **~dom** [´dəm] Fürstentum, -würde; **~ly** [´li] fürstlich *(a. fig)*; **~ss** [-'ses, *US* ´sis] Prinzessin; Fürstin
princip|al ['prinsipəl] hauptsächlich, Haupt- (*~al thing* -sache); Hauptperson; *bes US* Schulleiter; Leiter, Auftraggeber; Duellant; Hauptbalken, Bindersparren; Haupttäter, -schuldner; Kapital, Darlehnssumme; **~ality** [--'pæliti] Fürstentum; **the P~ality** *BE* Wales; **~ally** im wesentlichen; **~le** [´-pl] Urstoff; Grundgesetz, Prinzip; *chem* (Haupt-)Bestandteil; Grundsatz, -sätze *(a man of ~le)*; *on ~le*

grundsätzlich; *in ~le* im Prinzip, an sich
prink [priŋk] *o.s. (up)* sich herausputzen, sich herrichten
print [print] **1.** ⓂDruck; *in ~* im Druck; vorrätig; *out of ~* vergriffen; **2.** *allg* Abdruck, Spur *(a. fig)*; **3.** ✿ Stempel, Form; **4.** ▶ Abzug, Kopie; **5.** bedruckter Stoff, Kattun; **6.** *bes US* Druckschrift, Zeitung; *(a.: news ~)* Zeitungspapier; **7.** (be)drucken (lassen); **8.** auf-, eindrücken, *fig* einprägen; **9.** in Druckschrift schreiben; *~ (off)* ▶ Abzug machen; **10.** sich drucken (abziehen) lassen; **~able** druckbar, -fähig; **~er** Drucker(eibesitzer); **~er's devil** [devl] Druckereigehilfe; **~er's error** ['erə] Druckfehler; **~er's ink =** ~ing ink; **~ery** [‑əri] *bes US* Druckerei; **~ing** Druck(en); ▶ Kopieren; **~ing-ink** [‑‑iŋk] Druckerschwärze; **~ing-machine** [‑‑məʃiːn] ▶ Kopiermaschine; **~ing-office** [‑‑ɔfis] Druckerei; **~ing (-out) paper** ▶ Kopierpapier; **~ing-press** [‑‑pres] Druckpresse; Druckerei; Maschinenraum; **~-shop** [‑ʃɔp] Geschäft für Stiche, Drucke etc
prior [praiə] früher *(to* als), vorausgehend; *~ to* (be)vor; Vor-; Prior; **~ity** [‑'ɔriti] Vorrang; Dringlichkeit, Priorität *(over* vor); **~y** [‑ri] Kloster
prism [prizm] Prisma; **~atic** [‑'mætik] prismatisch; Prismen-; Regenbogen-; **~atic compass** ['kʌm] Prismenbussole
prison [prizn] Gefängnis; **~-breaking** [‑breikiŋ] Ausbruch aus dem Gefängnis; **~er** [‑ə] Gefangener *(p. of war* Kriegs-); ♋ Untersuchungsgefangener; *to keep (take) ~er* gefangenhalten (-nehmen)
pristine ['pristiːn] ursprünglich, unverdorben
prithee ['priði] bitte
priva|cy ['praivəsi] Zurückgezogenheit; Alleinsein; Heimlichkeit; **~te** [‑vit] persönlich; privat; nicht öffentlich; geheim; *for s-b's ~te ear* vertraulich; ungestört; einfacher Soldat, Gemeiner; **~te bill** Gesetzesvorlage *s-s* einzelnen Abgeordneten; **~te hospital** *(US)* Privatklinik; **~te life** Privatleben; Pensionierung; **~te means** Privateinkommen; **~te soldier** ['souldʒə] *siehe ~te su;* **~teer** [‑‑'tiə] Kaperschiff; Kaperer; kapern; **~tion** [‑'veiʃən] Fehlen; Entbehrung
privet ['privit] *bot* Liguster, Rainweide
privilege ['privilidʒ] Vorrecht, Privileg; bevorrechtigen, privilegieren
privy ['privi] geheim; nicht öffentlich, privat; *su* Abort; *~ to* eingeweiht in; **P~ Council** geheimer Staatsrat; *~ parts* Geschlechtsteile; **P~ Purse** Schatulle (des engl. Königs)
prize [praiz] Preis, Prämie; (Lotterie-)Gewinn; Prise, Beute; preisgekrönt; Preis-; Prisen-; (sehr) schätzen; aufbringen, kapern; (mit dem Hebel) aufbrechen; **~ bounty** ['baunti] **(money)** Prisengeld; **~ court** [kɔːt] Prisengericht; **~-fight** [‑fait] (Berufs-)Boxkampf; **~-fighter** (Berufs-)Boxer; **~man** [‑mən], *pl* ~men Preisträger; *BE* Stipendiengewinner; **~-ring** [‑riŋ] Boxring
pro¹ [prou] *umg* Profi

pro² [prou] : *the ~s and cons* d. Für und Wider
proba|bility [prɔbə'biliti] Wahrscheinlichkeit; *in all ~bility* aller Wahrscheinlichkeit nach; **~ble** [‑bəbl] wahrscheinlich(er Kandidat); **~te** ['proubeit] gerichtl. Testamentsbestätigung; beglaubigte Abschrift *e-s* Testaments; **~te court** [kɔːt] Nachlaßgericht; **~tion** [prou'beiʃən] Probe(zeit); Bewährungsfrist, bedingte Verurteilung; *on ~tion* auf Probe, ♋ mit Bewährungsfrist, bedingt verurteilt; **~tionary** [prə'beiʃənəri] Bewährungs-; **~tioner** 💲 Lernschwester; ♋ bedingt Verurteilter; **~tion officer** ['ɔfisə] Betreuer *e-s* bedingt Verurteilten
probe [proub] 💲, *allg* Sonde; Untersuchung; sondieren; **~ity** [‑iti] Redlichkeit
problem ['prɔbləm] Problem; **~atic(al)** [‑‑'mætik(əl)] problematisch
proboscis [prou'bɔsis], *pl* ~es *zool* Rüssel
procedure [prə'siːdʒə] Verfahren; *pl* Verfahrensregeln
proceed [prə'siːd] sich begeben; weitergehen, -fahren; fortfahren *(with* mit, *in* in); *~ to* übergehen zu; *~ against* (gerichtl.) vorgehen gegen; hervorgehen, kommen *(from* von); **~ing** Vorgehen; *pl* ♋ Verfahren; *to take ~ings against =* ~ against; *pl* Sitzungsberichte; **~s** ['prousiːdz] *pl vb* Erlös, Ertrag, Einnahmen
process ['prouses, *US* 'prɔ-] Vorgang; Verlauf, Fortschritt; Verfahren, Prozeß *(a.* ♋, *chem,* ✿); Auswuchs, Fortsatz; *bes* ✿, *chem* behandeln, verarbeiten, veredeln; prozessieren; *~* **block** Ⓜ Klischee; *~* **cheese** Streichkäse; **~ion** [prə'seʃən] (Um-)Zug, Prozession; **~ional** Prozessions(lied)
procl|aim [prə'kleim] ausrufen, (Krieg) erklären; verbieten; Belagerungszustand verhängen über; Bekanntmachung; **~amation** [prɔklə'meiʃən] Proklamation; Bekanntmachung
proclivity [prou'kliviti] Neigung, Hang *(to* zu)
proconsul [prou'kɔnsəl] Prokonsul; Gouverneur
procrastina|te [prou'kræstineit] zögern; **~tion** [‑‑‑‑ʃən] Zögern
proctor ['prɔktə] *BE* (Universitäts-)Präfekt; *US* Aufsichtführender; ♋ Prokurator; *US* beaufsichtigen
procur|able [prə'kjuərəbl] beschaffbar; **~ator** ['prɔkjureitə] Anwalt, Bevollmächtigter; **~e** [prə'kjuə] besorgen, beschaffen; *fig* herbeiführen
prod [prɔd] stechen, pieksen, stoßen, anstacheln; Stich, Stoß
prodigal ['prɔdigəl] verschwenderisch *(of* mit); *~ son* der verlorene Sohn; *su* Verschwender; *= ~* son; verschwenderische Fülle; Verschwendung
prodig|ious [prə'didʒəs] ungeheuer, erstaunlich; **~y** ['prɔdidʒi] Wunder
produc|e [prə'djuːs] vorzeigen, beibringen; Ⓜ, ♥ herausbringen; herstellen, erzeugen; schaffen; hervorbringen; **~e** ['prɔdjuːs] Erzeugnis(se), Produkt(e); Ertrag; **~er** Hersteller, Erzeuger; ♥ Regisseur; ▶ Produzent; **~er gas**

production 228 promptitude

Generatorgas; ~t ['prɔdəkt] Erzeugnis, Produkt *(a. math)*; Ergebnis; ~tion [-'dʌkʃən] Herstellung, Erzeugung; 🅥 Inszenierung; ~tive [-'dʌktiv] ertragreich; produktiv; *to be* ~tive of erzeugen; ~tive industry Produktionsmittelindustrie; ~tivity [prɔdʌk'tiviti] Produktivität, Ergiebigkeit
proem ['prouem] Einleitung, Vorrede
profan|ation [prɔfə'neiʃən] Entweihung; ~e [prə'fein] profan, weltlich; heidnisch; gotteslästerlich; entweihen, profanieren; ~ity [prɔ'fæniti] Ruchlosigkeit; Fluch; Profanität
profess [prə'fes] erklären, behaupten; eingestehen; sich bekennen zu; so tun, als ob; als Beruf ausüben; lehren; religiöses Gelübde ablegen; ~ed [-᷃t] erklärt; vorgeblich; ~edly [-᷃idli] eingestandenermaßen; angeblich; ~ion [-'feʃən] *(bes akademischer)* Beruf; Stand; Bekenntnis; Beteuerung; *eccl* Gelübde(ablegung); ~ional (frei)beruflich; Berufs-; berufsmäßig; ~ional classes höhere Berufe; 🎭 Berufsspieler; Künstler von Beruf; ~or [-᷃ə] Professor; Bekenner; ~orial [prɔfe'sɔːriəl] Professoren-; ~orship Professur
proffer ['prɔfə] anbieten; Anerbieten
proficien|cy [prə'fiʃənsi] Geschicklichkeit; Tüchtigkeit; Erfahrung; ~t [-᷃t] geschickt; tüchtig; erfahren
profile ['proufail] Profil, Seitenansicht; Kurzbiographie; *vt* im Profil darstellen; kurz darstellen, skizzieren
profit ['prɔfit] Nutzen; Gewinn, Ertrag; nützen; den Nutzen haben; ~ by Nutzen ziehen aus, benutzen; ~able [-᷃təbl] gewinnbringend, einträglich, nützlich; ~eer [-᷃tiə] Profitmacher, Schieber; Wuchergewinne erzielen; ~less gewinnlos; nutzlos; ~ margin ['mɑːdʒin] Gewinnspanne; ~-sharing [-᷃ʃɛəriŋ] Gewinnbeteiligung der Arbeitnehmer
profliga|cy ['prɔfligəsi] Verworfenheit; Verschwendung; ~te [-᷃git] verworfen; verschwenderisch(er Mensch)
pro|found [prə'faund] tief; unendlich (Tiefe); tiefgründig; gründlich; *su* unendliche Tiefe (Weite); ~fundity [-'fʌnditi] *bes fig* Tiefe
profuse [prə'fjuːs] überreichlich, verschwenderisch; ~ion [-᷃ʒən] Überfluß; Verschwendung
prog [prɔg] *umg* Reiseproviant; Progressiver
progen|itor [prə'dʒenitə] (direkter) Vorfahre; Vorgänger; ~y ['prɔdʒini] Nachkommenschaft
prognos|is [prɔg'nousis] *pl* ~es [-᷃iːz] Voraussage, Prognose; ~tic [-'nɔstik] prognostisch; Warn-; Zeichen, Omen; ~ticate [-'nɔstikeit] prognostizieren, voraussagen
program|me, *US* ~ ['prougræm] 🅥, ♪, 📽 Programm *(a. fig)*; Tanzkarte; 📽 Programm gestalten; ⚙ programmieren
progress ['prougres, *US* 'prɔ-] Fortschritt; Lauf; *in* ~ im Gang; *BE* (königl.) Reise; ~ [prə'gres] fortschreiten; Fortschritte machen; ~ion [-'greʃən] Fortschreiten, -bewegung; *math* Progression; ~ive [-'gresiv] fortschreitend; progressiv; fortschrittlich; *pol* Fortschrittler
prohibit [prə'hibit] verbieten *(from doing* zu tun); ~ion [proui'biʃən] Verbieten; Verbot; Prohibition; ~ionist [proui'biʃənist] Anhänger der Prohibition; ~ive [-᷃iv] verhindernd; Sperr-, Prohibitiv-; unerschwinglich; ~ory [-᷃əri] einschränkend; = ~ive
project ['prɔdʒekt] Plan, Projekt; [prə'dʒekt] schleudern, (Strahl) werfen; projektieren; projizieren; ersinnen, planen; ~ o.s. into sich versetzen in; vorspringen; ~ile [prə'dʒektail] treibend; Wurf(geschoß); ~ion [prə'dʒekʃən] Werfen; Entwurf; Projektion; Projektieren; Vorsprung; 📽 Vorführen; ~ionist 📽 Vorführer; ~or [prə'dʒektə] Plänemacher; 📽 Projektionsgerät; Gründer
proletari|an [prouli'tɛəriən] proletarisch; Proletarier; ~at [-᷃-᷃ət] Proletariat, Arbeiterklasse
prolif|erate [prə'lifəreit] (durch Zellvermehrung) rasch anwachsen; ~ic [-'lifik] fruchtbar, reich *(in* an); *to be ~ic of* reichlich hervorbringen
prolix [prou'liks, -᷃] weitschweifig; ~ity [-᷃iti] Weitschweifigkeit
prologue ['proulɔg] Vorrede, Prolog; *fig* Auftakt
prolong [prə'lɔŋ] verlängern; prolongieren; ~ation [proulɔŋ'geiʃən] Verlängerung; ~ed [-᷃d] anhaltend, sich hinziehend
prom [prɔm] *BE umg* Promenade; Promenadenkonzert; *US* (College-)Tanzfest
promenade [prɔmi'nɑːd, *US* -᷃'neid] Promenade; Spaziergang, -ritt; 🅥 Wandelgang; *BE* ~ concert = prom; *US* Einzug der Ballgäste; *US* = prom; promenieren
prominen|ce ['prɔminəns] Vorsprung, Erhebung; Hervorragen(dsein); Bedeutung; ~t [-᷃-᷃t] hervortretend *(a. fig)*, -ragend *(a. fig)*; auffallend
promiscu|ity [prɔmis'kjuiti] Ge-, Vermischtheit; Verworrenheit; Durcheinander; ~ous [prə'miskjuəs] ge-, vermischt; verworren; gemeinsam (Baden, etc); wahllos; sexuell zügellos
promis|e ['prɔmis] Versprechen; Hoffnung, Aussicht; *a man of* ~e vielversprechend. M.; *land of* e = ~ed land; versprechen; ~e o.s. sich freuen auf; ~ed [-᷃t] land das gelobte Land; ~ing hoffnungsvoll, vielversprechend; aussichtsreich; ~sory [-᷃səri] note Eigen-, Solawechsel
promontory ['prɔməntəri] Vorgebirge
promot|e [prə'mout] befördern (zu); fördern; *US* (Schüler) versetzen; werben für; ~er Förderer; Gründer; 🎭 Veranstalter; ~ion [-'mouʃən] (Be-)Förderung; *US* Versetzung; Werbung; ~ional Beförderungs-, Werbe-
prompt [prɔmpt] schnell, rasch; sofortig; prompt; bar; antreiben; einflößen; veranlassen; 🅥 soufflieren; Zahlungsziel; Soufflieren; ~ book Regie-, Textbuch; ~ box Souffleurkasten; ~er Souffleur; ~itude [-᷃itjuːd] Schnellig-

keit; (rasche) Bereitschaft; **~-note** [´-nout] Mahnzettel

promulga|te [´prɔmǝlgeit, *US a.* prǝ´mʌlgeit] verkünden; verbreiten; **~tion** [--´geiʃǝn] Verkündung; Verbreitung

prone [proun] hingestreckt; abschüssig; ~ *to* mit e-m Hang zu, geneigt zu

prong [prɔŋ] Zinke; Heu-, Mistgabel; Sprosse (des Geweihs); heben; durchbohren; . . . **~ed** [´-d] mit . . . Zinken

pro|nominal [prǝ´nɔminǝl] pronominal; **~noun** [´prounaun] Fürwort, Pronomen

pronounce [prǝ´nauns] aussprechen; verkünden, erklären; sich aussprechen (*for, in favour of* für; *against* gegen); **~d** [-´-t] ausgesprochen, entschieden

pronto [´prontou] *umg* sofort, fix

pronunciation [prǝˌnʌnsi´eiʃǝn] Aussprache

proof [pru:f], *pl* **~s** Beweis; Probe ♦ *the ~ of the pudding* [´pudiŋ] *is in the eating* Probieren geht über Studieren; Korrekturbogen, Abzug; Normgehalt (an Alkohol etc); widerstandsfähig, beständig; wasserdicht machen, imprägnieren; **~-reader** [´-ri:dǝ] Korrektor; **~-sheet** [´-ʃi:t] Korrekturbogen

prop [prɔp] Stütze *(a. fig)*; (unter)stützen

propag|anda [prɔpǝ´gændǝ] Propaganda(organisation); **~ate** [´prɔpǝgeit] (s.) fortpflanzen; verbreiten; **~ation** [--´geiʃǝn] Fortpflanzung; Ver-, Ausbreitung

propel [prǝ´pel] vorwärtstreiben, antreiben; fortbewegen; **~lant** [-´-ǝnt] ☼, *mil* Treibmittel, -ladung; **~lent** (an)treibend(es Mittel), *a. fig*); ☼, *mil* Treibmittel; **~ler** [-´-ǝ] Propeller; **~ler shaft** [ʃɑ:ft] ☼ Kardanwelle; **~ling** Treib-, Antriebs-; **~ling charge** Treibladung; **~ling pencil** *BE* Drehbleistift

propensity [prǝ´pensiti] Neigung, Hang

proper [´prɔpǝ] eigen(tlich); richtig, passend; anständig; ~ *to* gehörend zu; *(nachgestellt)* eigentlich; *umg* gehörig; **~ly** anständig, gehörig; **~ly speaking** richtig(er) gesagt, eigentlich

proper|tied [´prɔpǝtid] (land)besitzend; **~y** [-´-ti] (Grund-)Besitz; Eigentum; *a man of ~y* begüterter Mann; *is common ~y* ist jedermann bekannt; *chem* Eigenschaft; ♥ *pl* Requisiten; **~y man** ♥ Requisiteur

prophe|cy [´prɔfisi] Prophetie; Prophezeiung; **~sy** [´-sai] prophezeien; **~t** [´-fit] Prophet; **~tess** [´-tis] Prophetin; **~tic** [prǝ´fetik] prophetisch; ~ *tic of* weissagend; **~tical** Propheten-

prophyla|ctic [prɔfi´læktik] vorbeugend(es Mittel); **~xis** [---´ksis] vorbeugende Behandlung, Prophylaxe

propinquity [prǝ´piŋkwiti] Nähe

propiti|ate [pr´piʃieit] günstig stimmen; versöhnen; **~ation** [----´eiʃǝn] Versöhnung, Besänftigung; Sühnegabe; **~atory** [--´-ǝtǝri] versöhnlich; Sühne-; **~ous** [-´-ʃǝs] günstig (*to, for* für)

proportion [prǝ´pɔ:ʃǝn] Verhältnis (*in ~ to* im V. zu, *out of ~ to* in keinem V. zu); Proportion; *pl* Ausmaße; (An-)Teil; ins richtige Verhältnis bringen (*to* zu); einteilen; **~able** =

~al; **~al** verhältnismäßig, proportional; **~ate** [-´-it] anteilig; angemessen; = ~al

propos|al [prǝ´pouzǝl] Vorschlag(en); Heiratsantrag; **~e** [-´-z] vorschlagen (*doing* zu tun); Toast ausbringen auf; beabsichtigen (*to do* zu tun); ~ *e to* anhalten um (j-n); s. vornehmen, planen; **~ition** [prɔpǝ´ziʃǝn] Feststellung; *math* Lehrsatz; (geschäftl.) Vorschlag, Plan; *umg* Angelegenheit; Geschäft

propound [prǝ´paund] vorlegen, vortragen

propriet|ary [prǝ´praiǝtǝri] Eigentums-; gesetzlich geschützt, Marken-; **~or** [---´-tǝ] Eigentümer, Inhaber; *BE* (Zeitungs-)Verleger; **~orship** Eigentum(srecht); **~ress** [---´-tris] Eigentümerin; **~y** [---´-ti] Anstand (*pl* -sregeln); Angemessenheit

propuls|ion [prǝ´pʌlʃǝn] Antrieb(skraft); **~ive** [-´-siv] (an)treibend

pro|rata [prou´reitǝ, -´rɑ:-] im richtigen Verhältnis, anteilig; **~rate** [-´reit] anteilmäßig verteilen (berechnen)

prorog|ation [prourǝ´geiʃǝn] Vertagung; **~ue** [prǝ´roug] (s.) vertagen

prosaic [prou´zeiik] prosaisch, nüchtern; Prosa-

proscen|ium [prou´si:niǝm], *pl* **~ia** [-´-niǝ] Proszenium

proscri|be [prous´kraib] ächten; als gefährlich verurteilen; **~ption** [-´kripʃǝn] Ächtung

prose [prouz] Prosa; Alltäglichkeit; langweilig erzählen

prosecut|e [´prɔsikju:t] fortsetzen; ⚖ verfolgen; **~ion** [---´ʃǝn] Fortsetzung; ⚖ Verfolgung; Anklage; *witness for the ~ion* Belastungszeuge; **~or** [-´---tǝ] Ankläger; *public ~ or* Staatsanwalt

proselyt|e [´prɔsilait] Konvertit; *bes US* konvertieren; **~ize** [´-´-litaiz] konvertieren; werben (*for* für)

prosiness [´prouzinis] Langweiligkeit

prosody [´prɔsǝdi] Prosodie

prospect [´prɔspekt] Aussicht *(a. fig)*; *fig* Prospekt; Interessent; Reflektant; ~ [prǝ´spekt] schürfen (*for* nach); **~ive** [prǝ´spektiv] voraussichtlich; künftig; weitsichtig; **~ive customer** Interessent; **~or** [prǝ´spektǝ] Erzschürfer; **~us** [prǝ´spektǝs], *pl* **~uses** (Werbe-)Prospekt

prosper [´prɔspǝ] gedeihen; **~ity** [-´periti] Wohlstand, Florieren; **~ous** [´--rǝs] gut gedeihend, erfolgreich, blühend

prosthesis [´prɔsθisis] 🩺 (Einsetzen einer) Prothese

prostitut|e [´prɔstitju:t] Prostituierte; ~ *e o.s.* sich prostituieren; entwürdigen, preisgeben; **~ion** [---´ʃǝn] Prostitution; Preisgabe, Entwürdigung

prostra|te [´prɔstreit] hingestreckt; unterwürfig; erschöpft; *vt* [-´-, *US* ´--] hinstrecken, niederwerfen; *fig* niederschmettern; entkräften; **~tion** [-´-ʃǝn] Unterwerfung; Erschöpfung; Niedergeschlagenheit

prosy [´prouzi] langweilig

protagonist [prou´tægǝnist] Hauptperson, -rolle; *a.* Vorkämpfer (*of* für)

protean ['proutiən] vielseitig, gewandt
protect [prə'tekt] schützen (*from* gegen);
(Wechsel) honorieren; durch Zölle schützen;
~ion [-'tekʃən] Schutz (-zollpolitik); Schutzbrief; **~ionism** [-ʃənizm] Schutzzollpolitik;
~ive [-tiv] schützend; Schutz-; **~or** (Be-)
Schützer; Schutzherr; Regent; **~orate** [-tərit]
Protektorat
protégé ['prɔtiʒei] *pl* **~s** Schützling
protein ['proutiːn] Protein, Eiweiß
pro tem(pore) [prou'tem(pəriː)] zur Zeit; stellvertretend
protest [prɔtest] beteuern; protestieren (gegen); **~** ['proutest] Protest, Einspruch; **~ant**
['prɔtistənt] j-d, der protestiert; **P~ant** Protestant, protestantisch; **~ation** [prɔtes'teiʃən] Beteuerung; Protest(ieren)
protocol ['proutəkɔl] *pol* Protokoll; protokol-
lieren
proto|n ['proutɔn], *pl* **~ns** Proton; **~plasm** [-tə-
plæzm] Protoplasma; **~type** [-tətaip] Ur-, Vorbild, Prototyp; **~zoon** [-tə'zouən], *pl* ~zoa [-
tə'zouə] Urtier, Protozoon
protract [prə'trækt] in die Länge, hinziehen;
maßstabgerecht zeichnen; **~ion** [-ʃən] Hinziehen; Ausstrecken; maßstabgerechte Zeichnung; **~or** [-tə] Winkelmesser, Transporteur
protru|de [prə'truːd] hervortreten (lassen);
~sion [-ʒən] Hervorstoßen; -treten; Vorsprung; **~sive** [-siv] hervortretend; ausstreck-
bar
protuberan|ce [prə'tjuːbərəns] Hervortreten,
-quellen; Auswuchs; **~t** [----t] hervortretend,
-quellend
proud [praud] stolz; hochmütig; prächtig; **~**
flesh ⚥ wildes Fleisch
prov|able ['pruːvəbl] beweisbar; **~e** [pruːv]
beweisen; prüfen, *math* die Probe machen
auf; ⚥ (Testament) bestätigen (lassen); **~e**
(o.s.) sich erweisen als; **~ed** [-d], **~en** [-ən] bewährt
provender ['prɔvində] (Vieh-, *umg allg*) Futter
proverb ['prɔvəːb] Stichwort; **~ial** [prə'vəːbiəl]
sprichwörtlich; *he is ~ial for...* sein... ist
sprichwörtlich
provid|e [prə'vaid] beschaffen (*for* für); versor-
gen (*with* mit); **~ *e for* sorgen für; **~ *e against*
sich sichern, Vorkehrungen treffen gegen; **~ *e**
that vorsehen, daß; **~ed** vorausgesetzt; **~ence**
['prɔvidəns] Fürsorglichkeit; Vorsehung (*a*
special ~ence ein Akt der V.); **~ent** ['prɔvidənt]
vorsorgend; haushälterisch; **~ential**
[prɔvi'denʃəl] durch die Vorsehung bewirkt,
schicksalhaft; glücklich; **~ing** [-diŋ] vorausgesetzt
provinc|e ['prɔvins] Provinz (*the ~es* die Pr.);
Gebiet; Aufgabe; **~ial** [prə'vinʃəl] Provinz-;
provinziell; ländlich; Provinzbewohner; Pro-
vinzler; **~ialism** ländliche Eigenheit; Provinzialismus
provision [prə'viʒən] Beschaffung; Vorsorge
(*to make ~ for* Vorsorge treffen für); ⚥ Bestimmung, Vorschrift; Vorrat; *pl* Lebensmittel
(*~ merchant* ['mɔːtʃənt] Lebensmittelhändler);

vt mit Lebensmitteln (Vorräten) versorgen;
~al vorläufig, provisorisch
proviso [prə'vaizou], *pl* ~s, *US a.* **~oes** ⚥ Vor-
behalt(sklausel)
provo|cation [prɔvə'keiʃən] Erregung, Aufrei-
zung; **~cative** [prə'vɔkətiv] herausfordernd;
aufreizend (*of* zu); **~ke** [prə'vouk] hervorrufen, erregen; reizen, aufbringen; (an)treiben
provost ['prɔvəst] *BE* Rektor (e-s College);
Bürgermeister (Schottl.); **~** [prə'vou, *US*
'prouvou] **marshal** Kommandeur der Militär-
polizei
prow [prau] Bug; **~ess** [-is] Tapferkeit; Ver-
wegenheit
prowl [praul] umherstreifen; durchstreifen; *on*
the ~ auf Streife (Beutegang); **~ car** *US*
Funkstreife(nwagen)
proxim|ate ['prɔksimit] nächste; unmittelbar;
~ity [--miti] Nähe; **~o** [--mou] nächsten Mo-
nat(s)
proxy ['prɔksi] (Stell-)Vertretung (*to stand ~*
for in V. handeln von; *by ~* in V.); Vertreter;
Vollmacht; Fern-
prud|e [pruːd] zimperlicher Mensch, Prüder;
~ence [-əns] Klugheit, Vorsicht; **~ent** [-ənt]
klug, vorsichtig, überlegt; **~ential** [-'denʃəl]
von Berechnungen diktiert, ausgeklügelt; **~ery**
[-əri] Prüderie, Ziererei; **~ish** [-iʃ] zimperlich,
prüde
prune[1] [pruːn] Backpflaume
prun|e[2] [pruːn] *bot* beschneiden *(a. fig)*; **~e**
away, off weg-, abschneiden *(a. fig)*; **~ing-**
shears [-iŋʃiəz] Baumschere
prurien|ce ['pruːriəns] Lüsternheit; **~t** lüstern,
lasziv
prussic acid ['prʌsik'æsid] Blausäure
pry [prai] neugierig schauen, spähen; mit e-m
Hebel öffnen; *fig* herausholen; Hebel(wirkung)
psalm [saːm] Psalm; **~ist** Psalmist; **~ody**
['saːmodi, 'sæl-] Psalmodie; Psalmenbuch
psalter ['sɔːltə] Psalter; **~y** [--ri] ♪ Psalter
pseudonym ['sjuːdənim] Pseudonym
pshaw [ʃɔː] pah!
psych|e ['saiki] Seele; **~iatric(al)** [-ki'ætrik(əl)]
psychiatrisch; **~iatrist** [-'kaiətrist] Psychiater;
~iatry [-'kaiətri] Psychiatrie; **~ic** [--kik] seelisch (krank); übersinnlich *(~ic forces)*; medial
(Person); **~ical** [--kikəl] seelisch; übersinnlich
(*~ical research* Parapsychologie); **~ics** *sg vb*
Seelenkunde; (Para-)Psychologie; **~o** [--ou]
Spinner, Verrückter; Psychoanalyse
psychoanaly|se [saikou'ænəlaiz] psychoanaly-
tisch behandeln; **~sis** [--ə'nælisis] Psychoanalyse; **~st** [---list] Psychoanalytiker; **~tic**
[----'litik] psychoanalytisch
psycho|logical [saikou'lɔdʒikəl] psycholo-
gisch; **~logist** [-'kɔlədʒist] Psychologe; **~logy**
[-'kɔlədʒi] Psychologie; **~path** [--paːθ] Geisteskranker, Psychopath; **~pathic** [--'pæθik]
geisteskrank, psychopathisch; **~pathist** [-
'kɔpəθist] Psychiater; **~pathy** [-'kɔpəθi] Gei-
steskrankheit; **~sis** [--sis], *pl* ~ses [--siːz] Psy-
chose, krankhafter Geisteszustand

ptarmigan ['tɑːmigən] Schneehuhn

ptomaine ['toumein] Leichengift; ~ **poisoning** ['pɔizniŋ] Fleischvergiftung

pub [pʌb] *BE umg* (Bier-)Lokal, Pub

puberty ['pjuːbəti] Pubertät

public ['pʌblik] öffentlich; staatlich; Staats-; *BE* Universitäts-; *su* (*mst pl vb*) Öffentlichkeit, Publikum; *in* ~ öffentlich; *sg vb* = pub; ~**an** [ǁ-kən] *BE* (Gast-)Wirt; ~**ation** [ǁ-'keiʃən] Bekanntgabe, Veröffentlichung; Veröffentlichen; Publikation; ~**address** [ǁ-ə'dres] **system** öffentl. Lautsprecheranlage; ~ **house** *BE* Bierlokal; ~**ist** [ǁ-sist] Völkerrechtler; Publizist; ~**ity** [-'blisiti] Öffentlichkeit; Reklame, Werbung; ~**ize** [ǁ-saiz] bekanntmachen, durch Werbung herausstellen, propagieren; ~ **man** Mann der Öffentlichkeit; ~~**minded** [ǁ-'maindid] = ~-**spirited**; ~ **relations** [ri'leiʃənz] Public Relations; Öffentlichkeitsarbeit, Kontaktpflege; ~ **school** [skuːl] *BE* höhere Privatschule (*mst* mit Internat); *US* öffentl. Schule; ~ **spirit** Gemein(schafts)sinn, allgemein soziale Einstellung; ~~**spirited** [ǁ-'spiritid] verantwortlich eingestellt

publish ['pʌbliʃ] allgemein bekanntmachen, veröffentlichen; (offiziell) bekanntgeben; ⌧ verlegen, veröffentlichen; ~*ed price* Ladenpreis; ~**er** Verleger; Verlag(sbuchhändler); *bes US* (Zeitungs-)Verleger; ~**ing** Herausgabe; Verlag

puce [pjuːs] dunkel(rot)braun

puck [pʌk] Kobold; ⌧ Scheibe, Puck; ~**a** (*a*.

pukka [ǁ-ə] echt, dauerhaft; erstklassig; ~**er** (*s*.) falten; (*s*.) runzeln; Runzel; ~**ish** koboldhaft

pudding ['pudiŋ] (Art) Auflauf; Süßspeise; **black** ~ Blutwurst

puddle ['pʌdl] Pfütze; Ton-, Lehmmischung; (Ton) mischen; mit Tonmischung bestreichen; ✿ puddeln; ~ *about* waten, mantschen

pudgy ['pʌdʒi] dicklich, untersetzt

puerile ['pjuːərail] kindlich, kindisch; ~**ity** [ǁ-'riliti] Torheit; Kinderei

puff [pʌf] Hauch, (Wind-)Stoß; Paff(en); Wölkchen; Puderquaste; aufdringliche Reklame, übertrieben lobende Rezension; pusten (*away* weg-, *out* aus-); blasen; schnaufen; außer Atem bringen; paffen (*at* an); aufdringlich anpreisen, loben; ~ *up* (Preis) hochtreiben; aufblähen (*bes fig*); ~*ed* [ǁt] Puff-(Ärmel); *sl* atemlos; ~~**adder** [ǁ-ædə] Puffotter; ~~**ball** [ǁ-bɔːl] *bot* Bovist; ~~**box** [ǁbɔks] Puderdose; ~**er** j-d (etwas), d. pafft, pufft; Marktschreier; ~**in** [ǁ-in] Papageitaucher, Lund; ~~**pastry** [ǁ-peistri] Blätterteig; ~**y** aufgebläht, geschwollen; böig; keuchend

pug [pʌg] Mops; ~~**nose** [ǁnouz] Stupsnase

pugilism ['pjuːdʒilizm] Faustkampf, Boxen; ~**ist** [ǁ-list] Boxer

pugnacious [pʌg'neiʃəs] kampflustig; ~**ty** [ǁ-'næsiti] Kampflust, Streitsucht

puissant ['pjuːisənt, 'pwis-] stark

pukka [pʌkə] *siehe* pucka

pule [pjuːl] wimmern, jammern

pull [pul] **1.** Ziehen, Zug (*to take a* ~ *at*. , . e-n Zug aus . . . nehmen); **2.** Rudern; **3.** Anstrengung (*long* ~ große A.); **4.** Einfluß (*with* bei); **5.** Werbe-, Zugkraft; **6.** ⌧ Fahne; **7.** ziehen, reißen (*to pieces* zer-, *fig* zerfetzen); **8.** sich ziehen lassen; **9.** ⌧ abziehen, drucken; **10.** rudern (~ *a good oar* gut rudern); ~ *one's weight* [weit] geschickt, tüchtig rudern, *fig* sich voll einsetzen; **11.** ⌧ (Pferd) pullen ♦ ~ *one's punches* ⌧ lasch kämpfen (*a. fig.*); **12.** (Gesicht) schneiden ♦ ~ *s-b's leg* j-n auf den Arm nehmen; ~ *strings* Drahtzieher sein; ~ **about** umherzerren; ~ **down** (Haus) abreißen; j-n schwächen; (Fahne) einziehen; ~ **in** einziehen; ⌧ einfahren; ~ **off** abreißen; ausziehen; ⌧ abziehen; *fig* etwas schmeißen; ~ **out** ausziehen; wegrudern (*from* von); ⌧ aus-, abfahren; ~ **round** j-n gesundmachen; gesund werden; ~ **through** j-n durchbringen (*a.* ✚); etwas durchbringen; durchhalten, -kommen; ~ *o.s.* **together** sich sammeln, sich zusammennehmen; ~ **up** ausreißen; (Zügel) anziehen, anhalten; ~ **up with** einholen; ~**er** j-d (etwas), d. zieht; ~*et* [ǁit] Hühnchen; ~**ey** [ǁi] ✿ (Riemen-)Scheibe; ~**ey-block** [ǁiblɔk] Flaschenzug; ~~**out** [ǁaut] ausklappbare Seite (Tafel); ~~**over** [ǁouvə] Pullover; ~~**through** [ǁθruː] Gewehrreiniger

pulmonary ['pʌlmənəri] Lungen-

pulp [pʌlp] *bot* Fleisch; Mark; Papierbrei, Zellstoff; billige Zeitschrift; zu Brei machen (werden); ~**y** breiig

pulpit ['pulpit] Kanzel(reden; -redner)

pulsate [pʌl'seit, *bes US* ǁ-] schlagen, pulsieren; vibrieren; (Fahne) einziehen; ~**tion** [-'seiʃən] Pulsieren; (Puls-)Schlag

pulse [pʌls] Hülsenfrüchte; -frucht; Puls; *to stir s-b's* ~*s* j-n erregen; ϟ Impuls; pochen, pulsieren

pulverize ['pʌlvəraiz] pulverisieren, zu Staub machen (werden); *fig* zermalmen

puma ['pjuːmə], *pl* ~**s** Puma, Kuguar

pumice ['pʌmis] Bimsstein

pummel ['pʌməl] mit den Fäusten bearbeiten

pump [pʌmp] Pumpe; ~~*room* (Kurort) Trinkhalle; *BE* Sportschuh; *US* Pumps; pumpen (*a. fig*); (j-n) ausholen, (etwas) herausholen (*out* aus j-m); außer Atem bringen

pumpkin ['pʌmpkin] (Garten-)Kürbis

pun [pʌn] Wortspiel; Wortspiele machen (*on* mit); witzeln

punch [pʌntʃ] Lochzange; ✿ Stempel; Punze; Punsch; (Faust-)Schlag; *umg* Mumm, Saft; *P*~ Hanswurst, Kasperle; (durch)lochen; stanzen; punzen; (hart) schlagen; *US* (Vieh) treiben; ~*ed card* Lochkarte; ~**ing-bag** [ǁiŋbæg] Punchingball

puncheon ['pʌntʃən] Faß (324 Liter u. mehr)

punctilio [pʌŋk'tiliou], *pl* ~**os** Förmlichkeit, Punkt der Etikette; peinliche Genauigkeit; ~**ous** [ǁ-ǁ-əs] peinlich (genau); förmlich; pedantisch

punctual ['pʌŋktjuəl] pünktlich; ~**ality** [ǁ-'æliti] Pünktlichkeit; ~**ate** [ǁ-eit] Satzzeichen setzen in; unterbrechen (*with* mit); *fig* unterstreichen; ~**ation** [–'eiʃən] Interpunktion, Zeichensetzung; Unterbrechung; ~**re** [–'tʃə] Loch (*bes* 🚗), Reifenpanne; (durch-)stechen; ruinieren; 🚗 ein Loch haben, platzen

pundit ['pʌndit] gelehrter Brahmane; gelehrter Mann

pungen|cy ['pʌndʒənsi] Schärfe *(a. fig)*; ~**t** [–'–t] scharf, beißend *(a. fig)*

punish ['pʌniʃ] (be)strafen; j-m zusetzen; ~**able** strafbar; ~**ment** Bestrafung; Strafe; schwere Niederlage

punitive ['pju:nitiv] strafend; Straf-

punk [pʌŋk] Zunderholz; miserabel (-bles Zeug); Rowdy; Strichjunge; Aussteiger, Punk

punster ['pʌnstə] Witzling, Wortspielmacher

punt [pʌnt] Punt; flacher Flußkahn; 🚣 Stoß; Einsatz, Wette; staken; mit e-m Punt fahren, befördern; 🚣 stoßen; (riskant) wetten, (Geld) einsetzen

puny ['pju:ni] schwächlich; klein(lich); unbedeutend

pup [pʌp] Welpe; Junges; Laffe ♦ *to sell s-b a ~* j-n reinlegen

pup|a ['pju:pə], *pl* ~**ae** [–i:] *zool* Puppe; ~**ate** [–eit] sich verpuppen

pupil ['pju:pl] Schüler; ~ *teacher* (etwa:) Seminarist, Junglehrer; Pupille

puppet ['pʌpit] Marionette, Puppe *(a. fig)*

puppy ['pʌpi] junger Hund, Welpe; Fatzke

purblind ['pə:blaind] halbblind; kurzsichtig; blöde, dumm

purchas|e ['pə:tʃəs] (er)kaufen; erstehen; ⚓ hochwinden; Kauf(en); ⚙ Erwerbung; (*bes* Jahres-)Wert ♦ *not worth a day's ~e* keinen Pfifferling mehr wert; ⚓ Talje; Griff, Halt; Hebel(wirkung) *(a. fig)*; *fig* Mittel, Einfluß; ~**ing power** Kaufkraft

pure [pjuə] rein, klar; ~**ness** Reinheit

purée ['pjuərei, *US* –'–] Püree

purg|ation [pə:'geiʃən] Reinigung; 💊 Abführen; ~**ative** [–ətiv] abführend(es Mittel); ~**atory** [–gətəri] Fegefeuer *(a. fig)*; ~**e** [pə:dʒ] reinigen; *bes pol* säubern; 💊 abführen (lassen); Reinigen; Säubern; 💊 Abführen

pur|ification [pjuərifi'keiʃən] Reinigung; Läuterung; ~**ify** [–rifai] reinigen; läutern; ~**ism** [–rizm] Purismus; ~**ist** [–rist] Purist, *bes* Sprachreiniger; ~**itan** [–ritən] Puritaner; puritanisch; ~**itanical** [–'tænikəl] puritanisch, sittenstreng; ~**ity** [–ti] Reinheit *(a. fig)*

purl [pə:l] Gold-, Silberlitze, -borte; Linksstrikken; Murmeln (des Baches); *umg* Sturz; linksstricken; murmeln; *umg* umstürzen; ~**er** harter Schlag ♦ *to come* (od *take*) *a* ~**er** lang hinschlagen

purlieus ['pə:lju:z] *pl vb* Rand, (ärmliche) Außenbezirke

purloin [pə:'lɔin] entwenden

purple [pə:pl] purpur(ne Farbe); purpurrot *(a. fig)*; **the ~** der Purpur ♦ *to be raised to the ~* zum Kardinal ernannt werden; *US* obszön

purport ['pə:pət, *US* –'pɔ:t] (offenbarer) Kern, Gehalt (e-s Dokuments, schwierigen Texts); *vt*

[–'–, *bes US* pə:'–] (Dokument, Rede) besagen, beinhalten; den Anspruch erheben, sein wollen; ~**ed** [–id] angeblich

purpose ['pə:pəs] 1. Zweck; *turn to good ~* gut ausnützen; *to serve the ~* den Zweck erfüllen; *to be to little (no) ~* wenig (keinen) Zweck haben; *to the ~* nützlich, hierhergehörig; *(to do) to little (no) ~* mit wenig (keinem) Erfolg; *novel with a ~*, ~**-novel** Tendenzroman; 2. Absicht; 3. Entschlußkraft; *on ~* absichtlich; 4. *vt* beabsichtigen; ~**ful** zielbewußt, entschlossen; bedeutungsvoll; ~**less** zweck-, ziellos; ~**ly** absichtlich

purposive ['pə:pəsiv] zweckdienlich; entschlossen

purr [pə:] (Katze) schnurren

purse [pə:s] Geldbeutel, Portemonnaie; 🐈 Börse *(a. fig)*; *long (light) ~* volle (leere) Kassen; *public ~* Staatssäckel; *to make up a ~ for* Geld sammeln für; ~ *up* (Lippen) aufwerfen, (Stirn) runzeln; ~**-proud** [–'praud] geldstolz; ~**r** ⚓ Zahlmeister; ~**-strings** *pl vb fig* Geldbeutel; *to hold the ~-strings* über den Geldbeutel verfügen; Beutel

purs|uance [pə'sjuəns] Verfolgung, Ausführung (*in* ~*uance of* zufolge, auf Grund von); ~**uant** [–'–ənt] *to* gemäß, zufolge; ~**ue** [–'sju:] verfolgen *(a. fig)*; fortsetzen, (weiter) betreiben; e-r Sache nachgehen; ~**uit** [–'sju:t] Verfolgung *(a. fig)*; Betätigung, Beschäftigung; Streben (*of* nach); ~**uivant** ['pə:s(w)ivənt] Bote, Herold; Anhänger

pursy ['pə:si] fett; kurzatmig; faltig

purulent ['pjuərulənt] eitrig

purvey [pə:'vei] liefern (*to* an, *for* für); ~**or** [–'–ə] (Lebensmittel-)Lieferant

purview ['pə:vju:] Wirkungs-, Gesichtskreis; Bereich, Rahmen

pus [pʌs] Eiter

push [puʃ] 1. schieben, stoßen (*to* zu-); ~ *one's way* sich e-n Weg bahnen, *fig* vorwärtskommen; 2. j-n drängen; 3. nachdrücklich verfolgen, betreiben; 4. sich verwenden für; Reklame machen für; *to be* ~*ed* [–t] *for time (money)* in Zeit-(Geld-)Not sein; 5. Stoß(en), Schubs; 6. Vorstoß; *at the* ~ im Notfall; *to get the* ~ 'rausfliegen, *to give s-b the* ~ 'rausschmeißen; ~ *along* (od *on. forward*) weiter-, voranmachen; ~ *off* losgehen, abhauen; ~ *through* durchbringen, -setzen; 7. Energie, Entschlossenheit

push|-bicycle ['puʃbaisikl], ~**-bike** [–'baik] (Fahr-)Rad; ~**-button** [–'bʌtn] ⚡ Druckknopf, -taste; ~**er** Streber; ~**ful** streberhaft, auf den eigenen Vorteil aus; ~**ing** = ~**ful**: unternehmend; auf-, zudringlich

pusillanim|ity [pju:silə'nimiti] Kleinmut; ~**ous** [–'læniməs] kleinmütig

puss [pus] Katze, Pussi; Range; ~**y(-cat)** [–i(kæt)] Mieze(katze); *bot* Kätzchen; ~**y-foot** [–ifut] Abstinenzler; Leisetreter

pustule ['pʌstju:l] Pustel, Pickel

put [put] (*s. S. 319*) stehen, legen; stecken; gießen; (Unterschrift) setzen (*on* auf); (Zeichen) machen; ~ *right* verbessern, in Ordnung bringen; ✍ ~ *the weight* (od *a shot*) Kugel stoßen; ausdrücken (*in French* auf franz.); *to ~ it mildly* gelinde gesagt; vorlegen (*to s-b* j-m); (Frage) stellen (*to the vote* zur Abstimmung); *I ~ it to you* ich appelliere an Sie; festsetzen (*on* für); j-n bestimmen (*to* für); ~ *an end to* ein Ende machen; ~ *in a hole* in e-e üble Lage bringen; ~ *in mind of* erinnern an; ~ *one's mind on (to)* sich konzentrieren auf; ~ *s-b in(to)* j-n versetzen in (Lage, Unrecht); ~ *o.s. in* sich versetzen in; ~ *out of one's head* sich aus dem Kopf schlagen; ~ *on one's oath* j-n unter Eid nehmen; ~ *s-th to s-th* versehen mit; ~ *to bed* ins Bett bringen; ~ *to the blush* schamrot werden lassen; ~ *to death* [deθ] töten; ~ *s-b to expense (inconvenience)* j-m Unkosten (Unannehmlichkeiten) verursachen; ~ *to flight* in die Flucht schlagen; ~ *to sea* in See gehen; ~ *to the sword* [sɔːd] mit dem Schwert umbringen; ~ *to torture* ['tɔːtʃə] quälen; ~ *to a good use* [juːs] gut verwenden; *to be (hard) ~ to it* in e-r üblen Lage sein, übel dran sein; ~ *two and two together* seine Schlüsse ziehen; ~ **about** ⚓ wenden; verbreiten; quälen; ~ **across** übersetzen; bei-, anbringen, *fig* verkaufen; durchsetzen, erledigen; ~ **aside** beiseite tun, schieben; auf die hohe Kante legen; ~ **away** wegtun, -räumen; sparen; *umg* loswerden, j-n fortschaffen; *sl* verdrücken; aufgeben; ⚓ wegfahren; ~ **back** zurücktun; (Zeiger) zurückstellen; hemmen; ⚓ zurücksteuern; ~ **by** auf die hohe Kante legen; (Sache) beiseite schieben, j-n übergehen; ~ **down** hinstellen; unterdrücken; zum Schweigen bringen; erniedrigen; aufschreiben (*for £10* als Spender von £10); *fig* herunterschrauben; j-n zurückweisen, tadeln; ansehen als, einschätzen; (Waren) anschreiben (*to* für); zuschreiben (*to s-th*); ~ **forth** ausstrecken, *bot* treiben; (Kraft) aufbieten; (Ansicht) vorbringen; ▢ herausbringen; ~ **forward** (Zeiger) vorrücken, (Uhr) vorstellen; *fig* vorbringen, -legen; ~ *o.s. forward* sich vordrängen; ~ **in** einsetzen (*a. fig*); einreichen, vorlegen; (Wort) einlegen (*for* für), (Bemerkung) einwerfen; (Schlag) versetzen; (Zeit) verbringen; ~ *in an appearance* [ə'piərəns] erscheinen; ⚓ einlaufen; ~ *in for* sich bewerben um; ~ **into port** ⚓ einlaufen; ~ **off** verschieben; vertrösten (*with* mit); j-n abbringen (wollen) von, j-m die Lust nehmen; j-n aus dem Konzept, 'rausbringen; *bes fig* ablegen; ⚓ wegfahren; ~ **on** anziehen; zulegen, steigern; *fig* einsetzen, vorsehen; (Zeiger) vorstellen; ♥ herausbringen; sich zulegen, annehmen; *is all ~ on* ist gemacht, unecht; ~ **out** (her)ausstrecken; (aus)löschen; 🗲 verrenken; verwirren, verärgern, aufbringen; (Kraft) aufbieten, einsetzen; auslaufen, ~ *out to sea* in See gehen; (Arbeit) außer Haus geben; verleihen, anlegen; ♣ ausstoßen; ~ **over** ⚓ hinüberfahren (*to* zu); *fig* verkaufen, an den Mann bringen; ~ **through** durchführen, -bringen; ☎ verbinden (*to* mit); ~ **together** zus.setzen, -stel-

len; ~ **up** (Schirm) aufspannen; aufhängen; hochheben; hissen; (Preis) erhöhen; (Waren) anbieten (*for sale* zum Verkauf); (Schwert) einstecken; zus.-, weglegen, -tun; (Laden) herunterlassen; (ein)packen; (Gebet) schicken (*to God* zu Gott); j-n unterbringen, bei sich aufnehmen, einkehren (*at* in); (Wild) aufjagen; (Bau) errichten; (Notiz) anschlagen; (Preis) ausschreiben; (Geld) bereitstellen, bezahlen; j-n vorschlagen, nominieren; sich bewerben, s. aufstellen lassen (*for* für); fingieren, fälschen; (Kampf) liefern; ~ *s-b up to* j-n unterrichten von, j-n aufstacheln zu; ~ *up with* sich abfinden mit, hinnehmen; ~ **upon** reinlegen, hintergehen

putative ['pjuːtətiv] vermeintlich

putr|efaction [pjuːtri'fækʃən] Fäulnis; Verfaultes; ~**efy** [-'-fai] (ver)faulen (lassen); ~**escence** [-'tresəns] Fäulnis; Faulendes; ~**escent** [-'tresənt] (ver)faulend; faulig; verderbt, korrupt; ~**id** [-'trid] verfault, verrottet; faulig; *umg* hundsmiserabel

putt [pʌt] (Golf) leicht schlagen; leichter Schlag; ~**er** (Golf) Putter; *US* = to potter[2]; ~**ing-green** [-'iŋgriːn] (Golf) Grün

putt|ee ['pʌti] Wickelgamasche; ~**y** [-'i] Glaserkitt; Kalkkitt; Zinnasche; *vt* kitten

puzzle [pʌzl] (verwickeltes) Problem; Rätsel; Geduldspiel; Verwirrung; verwirren, zu schaffen machen; ~ *one's brains* sich den Kopf zerbrechen; ~ *out* (her)ausknobeln; ~ *over* knobeln an; ~**ment** Verwirrung; ~**r** [-ə] schwierige Frage

pygmy, pi- ['pigmi] Zwerg; Elf; Null; zwergenhaft

pyjamas, *US* **pa-** [pə'dʒaːməz] *pl vb* Pyjama

pyramid ['pirəmid] Pyramide

pyre [paiə] Scheiterhaufen

Pyrex ['paiəreks] Jenaer Glas

pyro|mania [paiərə'meiniə] Brandstiftungstrieb; ~**technic(al)** [--'teknik(əl)] pyrotechnisch, Feuerwerks-; brillant; ~**technics** [--'tekniks] Feuerwerk(erei); (Rede-)Feuerwerk

Pyrrhic victory ['pirik 'viktəri] Pyrrhussieg

python ['paiθən], *pl* ~s Python-, Riesenschlange; ~**ess** [--nes] Weissagerin

Q

Q [kjuː] Q

qua [kwei] (in der Eigenschaft) als, qua

quack [kwæk] (Ente) quaken; *fig* posaunen; Quaken; Quacksalber, Kurpfuscher; quacksalberisch; ~**ery** [-'əri] Kurpfuscherei

quad [kwɔd] = quadrangle, quadruple(t), quod

quadrang|le ['kwɔdræŋgl] Schul-, Universitätshof; ~**ular** [-'-gjulə] viereckig

quadr|ant ['kwɔdrənt] Quadrant; ~**ilateral** [-ri'lætərəl] vierseitig; ~**ille** [kwə'dril] Quadrille; ~**uped** [-'ruped] Vierfüßer; ~**uple** [-'rupl] vierfach, -teilig; viermal; d. Vierfache; (s.) vervierfachen; ~uplet [´-ruplit] Vierergruppe; Vierling

quaff [kwɑːf] in langen Zügen (aus-)trinken; ~ off hinunterstürzen

quagmire [´kwægmaiə] Sumpf; *fig* Klemme

quail [kweil], *pl* ~ Wachtel; verzagen, zurückschrecken (*before, to* vor)

quaint [kweint] altertümlich-anheimelnd; wundersam; eigenartig; wunderlich

quake [kweik] beben, zittern (*with* vor); (Erd-) Beben; Zittern

Quaker [´kweikə] Quäker; ~'s meeting Quäkerversammlung; *fig* mühsames Gespräch

quali|fication [kwɔlifi´keiʃən] Fähigkeit; Qualifikation; Einschränkung; ~fied [´-faid] befähigt; geeignet; eingeschränkt; ~fier [´-faiə] Bestimmungswort; ~fy [´-fai] befähigen; ausbilden; einschränken; näher bestimmen; bezeichnen (*as* als); mäßigen; verdünnen; ~fy *for* seine Befähigung nachweisen für, die Bestimmungen erfüllen für; ~fying examination Eignungsprüfung, ~tative [´-tətiv] qualitativ; ~ty [´-ti] Qualität, Güte; (Güte-)Sorte; Eigenschaft; Beschaffenheit

qualm [kwɑːm, kwɔːm] Übelkeit, Schwäche; Bedenken; ~ish übel, schwach

quandary [´kwɔndəri, *BE a.* -´dɛəri] Verlegenheit, Dilemma

quantit|ative [´kwɔntitətiv] quantitativ; ~y [´-ti] Menge, meßbare Größe; Quantität; *math* Größe; *unknown* ~y unbekannte Größe

quantum theory [´kwɔntəm ´θiəri] Quantentheorie

quarantine [´kwɔrəntiːn, *US* ´kwɔː-] Quarantäne; unter Quarantäne halten; untersuchen

quarrel [´kwɔrəl] Streit; Beschwerde; streiten; unzufrieden sein, sich beklagen; ~some [´-səm] streitsüchtig; zänkisch

quarry [´kwɔri] Steinbruch; Quelle; (Jagd-) Beute; Opfer; abbauen, brechen; *fig* zusammentragen; forschen *(in)*

quart [kwɔːt] Quart (= *BE* 1,14 Liter, *US* 0,95 Liter) ♦ *to try to put a* ~ *into a pint* [paint] *pot* die Quadratur des Kreises (das Unmögliche) versuchen

quarter [´kwɔːtə] Viertel(-jahr, -stunde, *US* - dollar, -mond); *for (a)* ~ *(of) the price* für ein Viertel des Preises; *not a* ~ nicht annähernd; (Himmels-)Richtung *(a. fig)*, Seite; *fig* Stelle; *pl* Unterkunft, Quartier; *from every* ~ *, from all* ~*s* von überall her; *at close* ~*s* nahe (zusammen); Schonung, Gnade; ⚓ Posten; *BE* Quarter (Getreidemaß, = 8 Bushel; *BE* Viertelzentner (= 12,6 kg); vierteilen, vierteln; (ein)quartieren; ~-day [´-dei] Quartalstag (*BE* 25. 3., 24. 6., 29. 9., 25. 12.; *US* 1. 1., 1. 4., 1. 7., 1. 10.); ~-deck [´-dek] ⚓ Achterdeck; ⚓ Offiziere; ~ly vierteljährlich; Vierteljahres-(schrift); ~master [´-mɑːstə] Quartiermeister; ⚓ Steuermann; ~n [´-n] Viertelpint (*BE* = 0,14 Liter, *US* 0,12 Liter); ~n loaf Vierpfundbrot; ~ sessions [´seʃənz] *BE* Schöffengericht; ~staff [´-stɑːf], *pl* ~staves [´-steivz] Stab (als Waffe), ~tone ♪ Viertelton

quar|tet(te) [kwɔː´tet] ♪ Quartett; Vierergruppe; ~to [´-tou], *pl* ~tos 📖 Quart(band)

quartz [kwɔːts] Quarz

quash [kwɔʃ] ⚖ aufheben; unterdrücken

quasi [´kweisai, ´kwɑːzi] halb-

quaver [´kweivə] zittern; ♪ trillern; ~ *out* mit zitternder Stimme sagen; Zittern; Triller; *BE* Achtelnote

quay [kiː] Kai, Landeplatz

queasy [´kwiːzi] (Nahrung) ekelhaft; empfindlich, schwach; heikel, übel

queen [kwiːn] Königin *(a. zool, fig)*; Dame (Schach); ~ *it* die Königin spielen; ~ly königlich; Königinnen-

queer [kwiə] merkwürdig, seltsam; zweifelhaft, fragwürdig; unwohl; wunderlich; *sl* gefälscht; *in* Q~ *Street* in Schulden, Schwierigkeiten; schwul, homo; *vt sl* verderben, stören

quell [kwel] niederwerfen, bezwingen; unterdrücken

quench [kwentʃ] (aus)löschen; ⚙ kühlen; unterdrücken; *sl* d. Maul stopfen; ~less un(aus)löschbar

querulous [´kweruləs] nörgelig, unzufrieden, mürrisch

query [´kwiəri] (unangenehme) Frage; Fragezeichen; d. Frage aufwerfen (*whether* ob); in Frage stellen, bezweifeln

quest [kwest] Suche (*in* ~ *of* auf d. S. nach); d. Gesuchte; Gesuchen (*for* nach)

question [´kwestʃən] 1. Frage; Thema *(that is not the* ~*)*; *in* ~ in Frage kommend; *to come into* ~ besprochen, wichtig werden; *out of the* ~ ausgeschlossen (*is out of the* ~ kommt nicht in Frage); *to put the* ~ abstimmen lassen; 2. Zweifel (*beyond, out of, past, without* ~ ohne Zweifel, Einwand); *to call in* ~ in Zweifel ziehen; *to put s-b to* ~ j-n foltern); 3. (aus)fragen; 4. (be)zweifeln; ~able fraglich, -würdig; zweifelhaft, ~er Fragesteller; ~naire [kwestʃə´nɛə] Fragebogen

queue [kjuː] Zopf; Reihe, Schlange (*to stand in a* ~ S. stehen); ~ *up* sich anstellen

quibble [kwibl] Wortspiel; Ausflucht, Spitzfindigkeit; Ausflüchte machen

quick [kwik] schnell, rasch; behende, geweckt; *fig* scharf (Ohr); erregbar, hitzig; lebendig; empfindliches Fleisch; *to the* ~ bis ins Innerste; ~-change [-tʃeindʒ] actor Verwandlungskünstler; ~en (s.) beschleunigen; (s.) beleben; ~lime [-laim] ungelöschter Kalk; ~march Eilmarsch; ~sand [-sænd] Quick-, Treibsand; ~set hedge *BE* (lebende) Hecke (*bes* Hagedorn); ~silver [-silvə] Quecksilber; ~ step Marschschritt; ~ time *mil* Marschtempo; ~witted [-´witid] schlagfertig, geistig beweglich

quid [kwid] Priem (Tabak); ~, *pl* ~ *sl* 1 Pfund Sterling; ~ pro quo [-´prou´kwou] Ausgleich, Gegenleistung; *sl* Moneten

quiescen|ce [kwai´esəns] Untätigkeit, Ruhe; Stille; ~t untätig, ruhig, still

quiet [´kwaiət] still; ruhig; versteckt; geheim; *to keep s-th* ~ etw geheimhalten; *on the* ~ insgeheim; Stille; Ruhe; Frieden; (s.) beruhigen;

~en *vb* = ~; ~ude [–'tju:d] ruhiges Verhalten, Ruhe

quietus [kwai'i:təs] Ende, Tod(esstoß); *to give the ~ to* d. Todesstoß versetzen, ein Ende machen

quill [kwil] Federkiel; Schwanz-, Flügelfeder; *zool* Stachel; Schreibfeder; ~-driver [–'draivə] Federfuchser

quilt [kwilt] Steppdecke; steppen

quince [kwins] Quitte

quinine [kwi'ni:n, *US* 'kwainain] Chinin

quinsy ['kwinzi] Mandelentzündung

quintal ['kwintl] (engl.) Zentner (*BE* = 112 pounds = 50,80 kg; *US* = 100 pounds = 45,36 kg); Doppelzentner (= 100 kg)

quintessen|ce [kwin'tesəns] Quintessenz; makelloses Vorbild; ~tial [––'senʃəl] wesentlich

quintet(te) [kwin'tet] Quintett; Fünfergruppe

quintuple ['kwintjupl] fünffach; (s.) verfünffachen; ~ts [––'plits] Fünflinge

quip [kwip] geistreiche Bemerkung, Witz; Stichelei, Hieb; geistreiche Bemerkung etc machen

quire [kwaiə] 🕮 Buch (24 Bogen); *in ~s* in Lagen

quirk [kwə:k] Eigenheit; Ausflucht; plötzliche Wendung; Schnörkel

quisling ['kwizliŋ] Kollaborateur, Verräter

quit [kwit] *(s. S. 319)* verlassen; aufgeben; ~ *hold of* d. Halt verlieren; ausziehen, weggehen (*notice to* ~ Kündigung); aufhören (mit); frei (*of* von), los; ~s quitt (*with* mit); ~tance [–əns] Begleichung; Ausgleich (*in ~tance of* zum A. für); Erlassen e-r Schuld; Quittung; ~ter [–ə] *umg* Drückeberger

quite [kwait] ganz; fast, beinah; ziemlich (~ *a few* z. viele); ~ *(so)* ganz recht, ja

quiver ['kwivə] Köcher (~ *of arrows* K. voll Pfeile); *to have an arrow left in one's* ~ nicht alle Pfeile verschossen haben; ~ful *fig* Stall voll Kinder; zittern, beben; schnell bewegen

Quixot|e ['kwiksət] (e.) Don Quichotte; ~ic [–'sɔtik] weltfremd; übergenerös; ~ic project Donquichotterie

quiz [kwiz], *pl* ~zes Aus-, Abfragen; Klassenarbeit; Quiz; exzentrischer Mensch; *vt BE* j-n necken; ab-, ausfragen; ~dom d. Reich d. Quiz, Quizspiele; ~zee [–'zi:] d. in e-m Quiz Gefragte; ~zer, ~-master Fragesteller, Quizmaster; ~zical [––'kəl] neckend, neckfreudig; spöttisch; komisch

quod [kwɔd] *BE sl* Knast, Loch

quoin [kɔin, kwɔin] Eckstein, Ecke; ✿ Keil; 🕮 Schließzeug; mit e-m Keil befestigen, heben

quoit [kɔit, *US* kwɔit] Wurfring; *pl (sg vb)* Wurfringspiel

quondam ['kwɔndæm] ehemalig, frühere

quorum ['kwɔ:rəm], *pl* ~s beschlußfähige Mehrheit (Mitgliederzahl)

quota ['kwoutə], *pl* ~s Anteil; (Einwanderer-etc)Quote; Kontingent

quot|able ['kwoutəbl] zitierbar; interessant; ~ation [–'teiʃən] Zitieren; Zitat; Preisangabe,

Notierung; Kostenvoranschlag; ~ation marks Anführungszeichen; ~e [kwout] zitieren; (als Beispiel) nennen; (Preis) angeben, berechnen; in Anführungszeichen setzen; Zitat; Anführungszeichen

quoth [kwouθ] *poet* sagte

quotient ['kwouʃənt] Quotient; Teilzahl

R

R [ɑ:] R ♦ *the three R's* [ɑ:z] (= *reading, [w]riting, [a]rithmetic*) Elementarkenntnisse, Grundwissen

rabbi ['ræbai], *pl* ~s Rabbiner; Priester

rabbet ['ræbit] ✿ Falz; falzen

rabbit ['ræbit] Kaninchen; *US* Hase; ~-warren [–'wɔrən] Kaninchen-(verseuchte) Gegend; überfüllte Gegend (Straße); 🡒 Niete, schlechter Spieler

rabble [ræbl] Pöbel, Mob

rabi|d ['ræbid] toll(wütig) *(a. fig)*; ~es ['reibi:z] Tollwut

raccoon [rə'ku:n] = racoon

race[1] [reis] 1. (Wett-)Rennen *(a. fig)* (*to run a* ~ e. R. veranstalten); 2. *fig* Jagd; ~ *against time* Wettlauf mit d. Zeit; *his* ~ *is nearly run* seine Zeit ist so ziemlich abgelaufen; *the ~s* Pferderennen; 3. Strömung; 4. ✿ Bahn; 5. rennen, schnell fahren (lassen); 6. e. Rennen laufen; 7. um d. Wette laufen (fahren) mit; 8. Rennpferde halten, (Pferd) Rennen laufen lassen; 9. (s.) rasend drehen; ~course [–kɔ:s] Rennbahn; Mühlgerinne, -bach; ~r [–ə] Rennpferd, -boot, -wagen; ~ track (Pferde-)Rennbahn

race[2] [reis] Rasse; Abstammung; *fig* Klasse

raceme [ræ'si:m] (Blüten-)Traube

rachitis [rə'kaitis] Rachitis

rac|ial ['reiʃəl] Rassen-, rassisch; ~ialism [––izm] (angewandte) Rassenlehre, Rassismus; ~iness ['reisinis] Würze; Lebhaftigkeit; ~ing ['reisiŋ] Rennsport; Renn-; ~*ing motorist* Rennfahrer; ~ism ['reisizm] = racialism

rack[1] [ræk] Gestell; (Heu-)Raufe; Hutablage; ✿ Zahnstange; 🡒 Gepäcknetz; Folterbank; *to put on the* ~ foltern *(a. fig)*; *to be on the* ~ gefoltert werden *(a. fig)*; *vt* foltern *(a. fig)*; plagen; ~ *one's brains* s. d. Kopf zerbrechen; (Pacht) herauspressen, (Pächter) Wucherzins erpressen von; ~ *railway* Zahnradbahn; ~-rent [–rent] Wucherzins

rack[2] [ræk] treibende Wolken ♦ *to go to* ~ *and ruin* völlig zugrunde gehen

racket ['rækit] (Tennis-)Schläger; *pl*(Art) Ballspiel; Lärm, Spektakel, Trubel ♦ *to stand the* ~ d. Folgen tragen, d. Tadel auf sich nehmen; Erpressung, Schiebung, Schiebergeschäft; Geschäft, Betrieb; ~eer [––'tiə] Erpresser, Gangster; ~eering [––'tiəriŋ] Erpressung, Gangsterpraktiken; ~y [––i] lärmend; ausschweifend

raconteur [rækɔn'tə:] Erzähler

racoon [rə'ku:n] Waschbär

racquet ['rækit] = racket (Schläger)

racy ['reisi] würzig, rassig; lebhaft
radar ['reida:] Radar; **~scope** [⌐–skoup] Radarschirm
radi|al ['reidiəl] radial; Strahlen-; **~al (engine)** Sternmotor; **~al tyre** Gürtelreifen; **~ance** [⌐–əns] Strahlen; **~ant** strahlend *(a. fig)*; Strahlungs-; **~ate** [⌐–eit] aus-, bestrahlen *(a. fig)*; *fig* ausgehen *(from* von); **~ation** [--'eifən] (Aus-)Strahlung *(a. fig)*; **~ator** [⌐–eitə] Heizkörper; 🚗 Kühler; **~cal** ['rædikəl] grundlegend; Grund-; radikal; *math* Wurzel-; *math* Wurzel(-zeichen); *chem* Grundstoff; *pol* Radikaler
radio ['reidiou], *pl* **~s** (Rund-)Funk, Radio *(on the ~* im R.); Radioapparat; Funkspruch; funken; durch Funk benachrichtigen; **~active** [⌐–'æktiv] radioaktiv; **~activity** [⌐–æk'tiviti] Radioaktivität, **~beacon** [⌐–'bi:kən] Funkbake, -feuer; **~element** [⌐–'elimənt] radioaktives Element; **~gram** [⌐–græm] Funkspruch; *BE* Röntgenaufnahme; *BE* Musikschrank; **~graph** [⌐–gra:f] Röntgenaufnahme; röntgen; **~graphic** [---'græfik] röntgenologisch; **~link** [⌐–'liŋk] Richtfunkverbindung; **~location** [⌐–lou'keifən] Funkortung; **~phone** [⌐–foun] Funksprechgerät; per F. sprechen (mit); **~phonograph** ['founəgra:f] *US* Musiktruhe; **~photogram** [⌐–'foutəgræm] Funkbild; **~ play** Hörspiel; **~sonde** [⌐––'sɔnd] Radiosonde; **~scopy** [--'ɔskəpi] Röntgenuntersuchung; **~telegraphy** [⌐––ti'legrəfi] Funktelegraphie; **~telephony** [⌐––ti'lefəni] drahtloser Fernsprechverkehr; **~therapy** [⌐––'θerəpi] Strahlen-, Röntgentherapie
radish ['rædiʃ] Radieschen; **large ~** Rettich; **horse ~** Meerrettich
radium ['reidiəm] Radium
radi|us ['reidiəs], *pl* **~i** [⌐–ai] Radius; Umkreis; *(fig)* Bereich; 💲 Speiche
raffia ['ræfiə] Raffiabast
raffish ['ræfiʃ] liederlich, sittenlos
raffle [ræfl] Verlosung; verlosen; Los erwerben *(for* für)
raft [ra:ft] Floß; flößen; mit e-m Floß überqueren; **~er** Flößer; Dachsparren; **~sman** [⌐–smən], *pl* **~smen** Flößer
rag[1] [ræg] Lumpen *(a. fig)*; Fetzen *(a. fig)*; **~-and-bone-man** [–ən'bounmæn] Altwarenhändler
rag[2] [ræg] *umg* necken, verulken; *BE* j-m (derbe) Streiche spielen; schelten; *BE* (Studenten-)Streiche; Lärm; **~ging** Lärmen; Streiche(spielen); Necken; Tadel(n)
ragamuffin ['rægəmʌfin] zerlumpter Kerl; Straßenjunge
rage [reidʒ] Wut, Zorn(ausbruch); Heftigkeit; Leidenschaft; (Gefühls-)Ausbruch; wüten, toben *(a. 💲, fig)*
rag|ged ['rægid] zerfetzt; -zaust; -lumpt; verwildert; mangelhaft; (Stein) spitz(ig); (Stimme) rauh; **~man** [⌐–mən], *pl* **~men** Lumpenhändler; **~tag (and bobtail)** [⌐–tæg(ən'bɔbteil)] Pöbel, Abschaum; **~time** [⌐–taim] 🎵 Ragtime; lächerlich
ragout ['rægu:, *US* –⌐] Ragout

raid [reid] Über-, Einfall; Luftangriff; Razzia; überfallen; e-n Überfall unternehmen; **~er** Angriffsflugzeug; 🚢 Handelsstörer; Überfallender
rail[1] [reil] Querholz, Geländer; *to force to the* **~s** 🐎 (Pferd) ans Geländer abdrängen, *fig* j-n (unfair) benachteiligen; (Treppe) Handlauf; Stange (zum Aufhängen); 🐛 Schiene; *by ~* mit d. Bahn; *pl* Schienennetz; *off the* **~s** entgleist, *fig* durcheinander; mit e-m Geländer umgeben; mit d. Bahn befördern; **~-bus** [⌐–bʌs] Schienenbus; **~car** [⌐–ka:] Triebwagen; **~head** [⌐–hed] End-, mil Ausladebahnhof; **~ing** Geländer; 🚢 Reling; **~man** [⌐–mən], *pl* **~men** *BE* Bahnangestellter; **~-motor** [⌐–moutə] *BE* Triebwagen
rail[2] [reil] *zool* Ralle; **~ at, against** beschimpfen; tadeln, schmähen; **~ing** Beschimpfen, Tadeln; Höhnen, Spott; **~lery** [⌐–əri] (gutmütiger) Spott, Spötterei
rail|road ['reilroud] *US* Eisenbahn; *US* mit d. Bahn befördern; (Gesetz etc) durchjagen, -peitschen; **~way** [⌐–wei] *BE* Eisenbahn(gleis), Bahn-; *US* Neben-, Lokalbahn; **~way guide** [gaid] *BE* Kursbuch; **~wayman** [⌐–weimən], *pl* **~waymen** *BE* Bahnangestellter; **~way siding** Abstellgleis
raiment ['reimənt] Gewand(ung)
rain [rein] Regen(fall) *(the* **~s** -zeit); regnen (lassen) *(a. fig)*; **~bow** [⌐–bou] Regenbogen; **~coat** [⌐–kout] Regenmantel; **~fall** [⌐–fɔ:l] Regenguß; -menge; **~proof** [⌐–pru:f] wasserdicht(er Mantel); **~y** [⌐–i] regnerisch; Regen-
raise [reiz] (er)heben; (Hut) lüften; **~ from the** *dead* wieder zum Leben bringen; errichten; erhöhen; steigern; hervorrufen; (Frage) aufwerfen, vorbringen; anbauen, züchten; etw *(bes US* j-n) aufziehen; *mil* ausheben; 🚢 sichten; (Geld) zus.-, aufbringen; (Lager) abbrechen; *su US* Lohn-, Gehaltserhöhung; **~ a dust** Staub aufwirbeln *(a. fig)*; **~ hell (the devil)** Krach schlagen; **~ the wind** *(umg)* d. Zaster auftreiben
raisin ['reizn] Rosine
raison d'être ['reizɔ:n'deitr, *US* 'reizoun'detr] (Existenz-)Berechtigung
rake [reik] Rechen, Harke; Lebemann, Wüstling; 🚢 Neigung(swinkel); (zus.-)rechen, harken; **~e up** *(fig)* zus.bringen, ausgraben; durchstöbern; *mil* (mit Feuer) bestreichen; (mit d. Augen) mustern; 🚢 j-n) neigen, geneigt sein (machen); **~ish** 🚢 schnittig; *fig* verwegen; liederlich, wüst
rally ['ræli] (s. wieder) sammeln; *fig* (s.) zus.nehmen; s. erholen (💲, Preise); j-n necken, aufziehen; Sammeln, Sammlung; Wiederaufleben, Erholung; (Massen-)Versammlung, Treffen; 🎾 Schlagwechsel
ram [ræm] Widder; Rammbär, Ramme, Sturmbock; *bes* ⚙, 🚢 rammen; (fest)stoßen ♦ **~ s-th down s-b's throat** j-m etw immer wieder predigen, vorhalten
rambl|e [ræmbl] umherwandern, -streifen; daherreden; *bot* kriechen, wuchern; Fußwande-

rung, Bummel, Streifzug; ~er [⁻blə] Wanderer; Kletterrose; ~ing [⁻bliŋ] umherstreifend, Wander-; ~ing club Wanderverein; (Haus) weitläufig; unzus.hängend; bot kriechend, kletternd, wuchernd

ramie ['ræmi] Ramie, Chinagras

rami|fication ['ræmifi'keiʃən] Verzweigung; Zweig(gesellschaft); ~fy [⁻⁻fai] (s.) verzweigen; Zweige (Äste) bilden

ramp [ræmp] Rampe; BE sl Erpressung, Schiebung; umg Wutausbruch; (Löwe) wütend sein, s. auf d. Hinterbeine stellen; toben, rasen; bot (dicht) wuchern; flach ansteigen; mit e-r Rampe versehen; ~ant [⁻pənt] wütend; wuchernd (a. fig); fig üppig, verbreitet; be ~ant grassieren

rampage [ræm'peidʒ, US ⁻⁻] Toben, wildes Benehmen; to be (od go) on the ~ = vi ~ [⁻⁻] toben, s. wild benehmen; ~ous [⁻⁻əs] wütend, wild

rampart ['ræmpɑːt] (Schutz-)Wall (a. fig)

ram|rod ['ræmrɔd] Ladestock ♦ as stiff as a ~rod als wenn er e-n Stock verschluckt hätte; ~shackle [⁻ʃækl] baufällig

ran [ræn] siehe run

ranch [rɑːntʃ, BE a. rɑːntʃ] (amerikan.) Viehfarm, Ranch; auf e-r R. arbeiten, e-e R. leiten; ~er Viehzüchter, Rancher

ranc|id ['rænsid] ranzig; ~orous ['ræŋkərəs] erbittert, gehässig; ~our ['ræŋkə] Erbitterung, Haß

random ['rændəm] beiläufig; ziellos; zufällig; ~ test Stichprobe; at ~ aufs Geratewohl

rang [ræŋ] siehe ring¹

range [reindʒ] (Berg- etc)Kette; Schuß-, Reichweite; Entfernung; Ausdehnung, (ausgedehnte) Fläche; Spielraum; Bereich; (Waren-)Kollektion; Schießstand; (Küchen-)Herd; aufstellen; (ein)ordnen; umherstreifen (in); zool, bot s. finden, vorkommen; (Preise) schwanken, reichen (from ... to von ... bis); s. erstrecken; mil e-e Reichweite haben von; einschießen (on auf); ~-finder [⁻faində] mil, 🔔 Entfernungsmesser; ~r [⁻ə] Forstheger; BE (königl.) Parkaufseher; pl bewaffnete (Ordnungs-(Truppe); R~r US mil Angehöriger e-r Kommandotruppe

rank [ræŋk] 1. Reihe, mil Glied; the ~s, the ~ and file Mannschaften, fig breite Massen; to reduce (ri'djuːs] to the ~s zum Gemeinen machen; to rise from the ~s vom Gemeinen zum Offizier aufsteigen, fig es zu etw bringen, aufsteigen; 2. Rang; Dienstgrad; 3. Klasse, Stand; 4. (in e-e Klasse) einordnen; 5. einschätzen (as als); 6. (s.) rechnen (with zu); 7. zählen (with, among zu); 8. US d. Vorrang haben vor; 9. bot üppig, dichtwuchernd; 10. überwuchert (with von); 11. stinkend, widerlich; 12. fig kraß, rein; ~er BE Offizier (aus d. Mannschaftsstand); US Ranghöchster

rankle ['ræŋkl] schwären, eitern; fig nagen, fressen   [of berauben

ransack ['rænsæk] plündern; durchwühlen; ~

ransom ['rænsəm] Lösegeld (to hold to ~ zur

Erpressung von L. gefangenhalten); a king's ~ e-e Riesensumme; fig Gegenleistung; j-n loskaufen; Lösegeld verlangen von (für); nach Zahlung e-s Lösegelds freilassen; = to hold to ~; j-n erlösen

rant [rænt] schwadronieren; prahlen; leeres Gerede; Wortschwall

rap [ræp] Klaps (~ on the knuckles [nʌklz] K. auf d. Finger, a. fig); Klopfen; Rüffel; fig Pfifferling; klopfen; to ~ s-b over the knuckles j-m eins auf d. Finger geben; ~ out hervorstoßen, durch Klopfen (Ticken) mitteilen

rapac|ious [rə'peiʃəs] räuberisch, gierig; ~ity [⁻'pæsiti] (Raub-)Gier

rape [reip] vergewaltigen; entführen; Vergewaltigung, Notzucht; Entführung; Raps; ~ oil Rapsöl

rapid ['ræpid] schnell; reißend; steil; su pl Stromschnellen; ~ness, ~ity [rə'piditi] Schnelligkeit

rapier ['reipiə] Rapier; messerscharf

rapine ['ræpain, bes US ⁻in] Raub

rapport [ræ'pɔː] Übereinstimmung, mst: to be in (od en [ɑːn]) ~ in Übereinstimmung sein, gut harmonieren

rapprochement [ræ'prɔʃmɑːn, US ⁻⁻⁻] fig (Wieder-)Annäherung

rapscallion [ræp'skæliən] Schuft, Schurke

rapt [ræpt] hingerissen, entzückt; versunken (in a book); ~ure [⁻tʃə] Entzücken, Verzükkung; to go into ~ures in Entzücken geraten; ~urous [⁻tʃərəs] entzückt, hingerissen; verzückt

rar|e [rɛə] dünn; selten; ungewöhnlich; ausgezeichnet, umg herrlich; halbgar; adv umg selten, sehr; ~efy [⁻rifai] dünn machen (werden); verfeinern; ~ity [⁻riti] Seltenheit; Dünne; etw Seltenes

rascal ['rɑːskl] Schurke, Schuft; ~ly schurkisch, schuftig

rash [ræʃ] ℞ Ausschlag; vorschnell; unbedacht; ~er Scheibe (Speck, Schinken)

rasp [rɑːsp] Raspel(n); raspeln, glattfeilen; kratzen; fig peinigen; ~berry [⁻'rɑːzbəri] Himbeere; H.-busch ♦ to give (blow) s-b a ~berry j-m auszischen

rat [ræt] Ratte ♦ to smell a ~ d. Braten riechen; ~s! Quatsch!; fig Überläufer, Abtrünniger; BE sl Streikbrecher; Ratten jagen; ~ on im Stich lassen, nicht einhalten

rat|able ['reitəbl] BE ortssteuerpflichtig; (ab)schätzbar; anteilmäßig; ~al ['reitəl] BE steuerl. Schätzwert

ratan [rə'tæn] siehe rattan

rat-a-tat [rætə'tæt] siehe rat-tat

ratch [rætʃ] = ~et(-wheel); ~et [⁻it] ⚙ Ratsche, Knarre; Sperrad; ~et-wheel [⁻itwiːl] Sperrad

rat|e [reit] 1. Maß(stab), Verhältnis; 2. Höhe, Satz; ~e of exchange [iks'tʃeindʒ] Devisenkurs, Kursverhältnis; 3. Geschwindigkeit; 4. (Geburten- etc)Zahl, -ziffer; 5. (Gebühren-)Betrag; 6. Preis(-ansatz); 7. BE Ortssteuer, Kommunalabgabe; 8. Klasse (first, second ~e) ♦ at *any* ~*e* auf jeden Fall; *at this* ~*e* auf diese Weise, unter den derzeitigen Umständen; *at that* ~*e* wenn das d. Fall ist, unter diesen Umständen; **9.** *vt/i* (ein)schätzen, bewerten; **10.** *BE* d. Steuersatz festsetzen für, besteuern; **11.** *US* erzielen, erfordern; **12.** eingeschätzt werden, gelten; **13.** *US* etw gelten, d. Vorrang haben; schelten, böse Worte geben; **~eable** [⁻əbl] *siehe* ratable; **~ed** [⁻id] ✿ Nenn-; **~ification** [rætifi'keiʃən] Bestätigen, Ratifizierung; **~ify** ['rætifai] bestätigen, ratifizieren; **~ing** (Ein-) Schätzung; Einstufung; *BE* Steuersatz; ⚓, 🚃 Klasse; ⚓ Dienstgrad, Matrose; *pl* Mannschaftsstand; ⚡ Leistung; *US* Note, Zensur; Schelte, (scharfer) Tadel

rather ['rɑːðə, *US* 'ræ-] lieber, eher; (so) ziemlich; vielmehr; *BE umg* (*oft* [⁻'ðɔː]) und ob!; ja sehr!

ratio ['reiʃiou], *pl* ~**s** Verhältnis; Anteil; ~**cination** [rætiɔsi'neiʃən, *US* ræʃi-] logisches Folgern, Denken

ration ['ræʃən] Ration; Zuteilung; *to put on* ~*s* rationieren; bewirtschaften; mit Lebensmitteln versorgen; **~al** [⁻⁻nəl] vernünftig, verständig; Vernunft-; rational *(a. math)*; **~ale** [ræʃə'nɑːl, *US* --'næl] Begründung, begründete Darstellung; **~alism** [⁻⁻nəlizm] Rationalismus; **~alist** Rationalist; **~alist(ic)** [⁻⁻nə'list(ik)] rationalistisch; rein begriffsmäßig; **~alize** [⁻⁻nəlaiz] vernunftmäßig erklären; rationalistisch handeln (reden); *math* rational machen; rationalisieren; **~card** Lebensmittelkarte;

ratlin(e) ['rætlin] ⚓ Webleine

ratsbane ['rætsbein] Rattengift

rattan, ratan [rə'tæn] Schilf-, Rohrpalme; Peddigrohr; Rohrstock

rat-tat [ræt'tæt] Rattatat, poch-poch

ratter ['rætə] Rattenfänger

rattl|e [rætl] rasseln, rattern, klappern (lassen); rütteln an; plappern (*on, along* los-, weiter-); ~*e off* runterrattern; erbosen; Rassel (~*e box* R. für Babys); *zool* Rasselschwanz; Rattern, Rasseln; Röcheln; **~e-brain** [⁻brein] Hohlkopf; **~er** [⁻ə] *US* Klapperschlange; *BE umg* prima Sache (Kerl); *US umg* Güterschnellzug; **~esnake** [⁻sneik] Klapperschlange; **~ing** [⁻liŋ] rasselnd, klappernd; (Wind) stark; rasend; prima

raucous ['rɔːkəs] rauh, heiser

ravage ['rævidʒ] verwüsten, verheeren; Verwüstung, Verheerung

rav|e [reiv] *a.* ⚡ toben, rasen (*with* vor); ~*e about, of* schwärmen von; **~ing** tobend; **~ing mad** verrückt bis zum Wahnsinn; **~ings** *pl vb* Delirien; wildes Getobe

ravel [rævl] (s.) verwirren, (s.) verwickeln; ausfransen; ~ (*out*) entwirren, auseinanderklauben; Knoten; Verwirrung; Verwicklung; ausgefranstes Ende

raven[1] ['reivn] Rabe

raven[2] [rævn] rauben(d umherstreifen); gierig (fr)essen; **~ing** ['rævəniŋ] wild, (beute)gierig; **~ous** ['rævənəs] ausgehungert, wild

ravine [rə'viːn] Schlucht

ravish ['ræviʃ] entreißen; hinreißen, entzücken; vergewaltigen; **~ment** Vergewaltigung; Entzücken

raw [rɔː] roh; Roh-; wund, schmerzhaft; blutig; (Wetter) feucht, unwirtlich; ungeübt; (Alkohol) unverdünnt; ~ *deal* unangenehme (unehrliche) Sache ♦ *to touch* [tʌtʃ] *one on the* ~ j-n an d. empfindlichsten Stelle treffen; **~boned** [⁻bound] knochig; **~hide** [⁻haid] Rohleder

ray [rei] Strahl *(a. fig)*; *zool* Rochen; aus-, bestrahlen; *US umg* Röntgenaufnahme machen von; **~on** [⁻ɔn] Reyon, Kunstseide

raze [reiz] niederreißen, schleifen; bis auf d. Grund zerstören

razor ['reizə] Rasiermesser; *electric* ~ Rasierapparat; **~blade** [⁻bleid] Rasierklinge; **~edge** scharfe Kante, kritische Situation

re [riː] ⚓ in Sachen; betreffend

reach [riːtʃ] (aus)strecken, greifen (*for* nach); reichen; holen; erreichen; Greifen, Ausholen; Bereich, Reichweite; *within easy* ~ *of* leicht zu erreichen von; *out of* ~ *of* unerreichbar für; (Fluß-)Strecke (zwischen 2 Biegungen); **~me-down** [⁻midaun] *BE sl* Konfektion(sartikel)

react [ri'ækt] *bes chem,* ⚗ reagieren (*to* auf); wirken (*on* auf; *a. fig*); **~ion** [⁻⁻ʃən] Gegen-, Rückwirkung; *chem, allg* Reaktion (*to* auf); **~ionary** [⁻⁻ʃənəri] reaktionär; Reaktionär; **~or** [⁻⁻tər] ✿ Reaktor

re-act ['riː'ækt] noch einmal, wieder aufführen

read [riːd] *(s. S. 319)* lesen (*to s-b* vor-); *BE* studieren (~ *law* Jura st.); ~ *on* weiterlesen; ~ *out* laut lesen; ~ *over (through)* durch-, zu Ende lesen; ~ *s-th up* etw durcharbeiten; *fig* deuten; ✿ anzeigen; s. lesen lassen; Lesen; Lektüre; ~ [red] belesen; **~able** [⁻əbl] interessant zu lesen; leserlich; **~er** Leser; Lektor; 📖 Korrektor; Vortragender; *BE* (etwa) außerordentl. Professor; Lesebuch, Anthologie; **~ing** Lesen, Lesefähigkeit; Belesenheit; Lesung *(a. pol)*; Lesestoff, -stücke; Deutung; Stand (e-s Zeigers etc); vielseitig, belesen; Lese-; **~ing copy** 📖 Prüfungsexemplar

readdress ['riːə'dres] wieder ansprechen; neu adressieren

read|ily ['redili] bereitwillig; leicht; ohne Zögern; **~iness** [⁻⁻nis] Bereitschaft, -willigkeit; Schnelligkeit; ~*iness of wit* Geistesgegenwart; **~y** [⁻i] bereit(-willig); geneigt; (gebrauchs)fertig; gewandt; *vt* bereit, fertig machen; **~y-made** [⁻⁻'meid] gebrauchsfertig, Konfektions-; nicht originell; **~y money** ['mʌni] Bargeld; **~y reckoner** ['rekənə] Rechentabelle

readjust ['riːə'dʒʌst] wieder in Ordnung bringen; sanieren; **~ment** Wiederherstellung; Sanierung; Neuorientierung

reagent [ri'eidʒənt] *chem* Reagens; *fig* wirkende Kraft

real [riəl] wirklich, echt; ✿ Grund-(Besitz); *adv umg* = ~**ly**; **~ism** [⁻lizm] Realismus; **~ist** Realist; **~istic** [⁻'listik] realistisch, wirklichkeitsnah; **~ity** [ri'æliti] Wirklichkeit (*in ~ity* in W.); Echtheit; wirkliche Tatsache; **~ization** [-lai'zeiʃən] Einsehen, Verstehen; Erfüllung; Realisierung, Verkauf; **~ize** [-laiz] einsehen, verstehen; verwirklichen; zu Geld machen, realisieren; einbringen, erzielen (Preis); **~ly** wirklich; *not ~ly* eigentlich nicht; **~tor** [-tə] *US* (Grundstücks-)Makler; **~ty** Grundbesitz

realm [relm] Reich *(a. fig)*; Gebiet

ream [ri:m] Ries *(BE* 480, *US* 500 Bogen Papier); *pl umg* Mengen; **~er** ✿ Reibahle

reanimate ['ri:'ænimeit] wieder beleben, neue Kraft geben

reap [ri:p] (ab)ernten; **~er** Schnitter; Mähmaschine; **~er-binder** Bindemäher; **~ing-hook** [-iŋhuk] Sichel

reappear ['ri:ə'piə] wieder erscheinen; **~ance** [---rəns] Wiedererscheinen

reappraisal ['ri:ə'preizəl] Neubeurteilung (der Lage)

rear [riə] 1. Hinterseite; *mil* Rücken; Nachhut; *to bring up the ~* d. Schluß bilden; *at the ~ of* hinter; 2. Rücken-, Heck-, Hinter-; rückwärtig; 3. erheben; 4. errichten; 5. züchten, aufziehen; **~** *(up)* s. (auf)bäumen; **~ admiral** ['ædmirəl] Konteradmiral; **~-guard** [-gɑ:d] Nachhut; **~-most** [-moust] hinterste; **~ward** [-wəd] rückwärtig *(a.: ~wards) adv* rückwärts; rückwärtige Stellung

rearm ['ri:'ɑ:m] wieder-, neu-, umbewaffnen; **~ament** [-'-məmənt] Wieder-, Neubewaffnung; Aufrüstung

rearrange ['ri:ə'reindʒ] wieder, neu ordnen; **~ment** Wiederherstellung; Neuordnung, -gestaltung

reason [ri:zn] 1. Grund; 2. Anlaß; *with ~* mit Recht; *by ~ of* wegen; 3. Vernunft; 4. Verstand; *to listen to (hear) ~* auf d. Vernunft hören, s. überzeugen lassen ♦ *it stands to ~* es ist einleuchtend, selbstverständlich; *in ~* in vernünftigen Grenzen; 5. vernünftig denken; 6. schließen *(from* aus); 7. erörtern; 8. vorbringen *(that* daß); **~** *with s-b* zu überzeugen suchen; 9. ausdiskutieren; **~** *away* wegdiskutieren; **~** *s-b into (out of) s-th* j-m etw ein-(aus)reden; **~able** [-zənəbl] vernünftig; angemessen, reell; **~ably** [-zənəbli] ziemlich, einigermaßen; **~ing** [-zəniŋ] Folgern, Denken; Denkvermögen; Beweisführung; vernunftbegabt; Vernunfts-; **~less** ohne Vernunft

reassur|ance [ri:ə'ʃuərəns] Beruhigung; Rückversicherung; **~e** [---'] (wieder) beruhigen; rückversichern

rebate ['ri:beit] Nachlaß, Abzug; Rabatt; **~** [ri'beit] nachlassen, abziehen

rebel ['rebəl] Aufrührer, Rebell; Rebellen-; **~** [ri'bel] s. empören, rebellieren; s. auflehnen; **~lion** [ri'beljən] Empörung; **~lious** [ri'beljəs] aufrührerisch; rebellisch; widerspenstig

re|bind ['ri:baind] *(s. S. 319)* neu einbinden; **~birth** [-bə:θ] Wiedergeburt; **~born** [-'bɔ:n] wiedergeboren

rebound [ri'baund] neu-, wieder eingebunden; **~** [ri'baund] zurückprallen; *fig* zurückfal-

len *(on* auf); s. wieder beleben; Zurückprall(en); Reaktion

rebuff [ri'bʌf] (schroffe) Abweisung; ab-, zurückweisen, vor d. Kopf stoßen

rebuke [ri'bju:k] rügen, scharf tadeln; Tadel; Zurechtweisung

rebus ['ri:bəs], *pl* **~es** Bilderrätsel

rebut [ri'bʌt] zurückstoßen, -weisen; widerlegen; **~tal** [-'-əl] Zurückweisung; Widerlegung, Gegenbeweis

recalcitran|ce [ri'kælsitrəns] Widerspenstigkeit; **~t** [-'---t] widerspenstig, aufsässig *(to* gegenüber)

recall [ri'kɔ:l] zurück-, abberufen; s. erinnern; j-n erinnern *(to* an); aufheben, widerrufen; Ab-, Rückberufung; Zeichen zum Sammeln; *beyond (od past) ~* unwiederbringlich; vergessen

recant [ri'kænt] (Ansicht) aufgeben; *bes eccl* widerrufen; **~ation** [ri:kæn'teiʃən] Widerrufung

recapitula|te [ri:kə'pitjuleit] zusammenfassen(d wiederholen); **~tion** [----'leiʃən] Zus.fassung; kurze Wiederholung

recast [ri:'kɑ:st] *(s. S. 318)* umgießen; neu herstellen (fassen); neu (er)rechnen; ♥ neu besetzen; Neugestaltung; d. Neugestaltete

recede [ri'si:d] (zurück)weichen *(a. fig)*; zurücktreten; (ab)sinken, fallen; **~** *into the background* in d. Hintergrund treten

receipt [ri'si:t] Empfang, Erhalt; *in ~ of* in Besitz; Quittung; Beleg; Kochrezept; Empfangsstelle; *pl* Einkünfte, -nahmen; **~s side** Aktivseite; quittieren

receiv|able [ri'si:vəbl] erhältlich; ausstehend; **~e** [-'si:v] erhalten; empfangen *(a. ⚡)*; erleben; aufnehmen *(a. fig)*; ♫ hehlen; **~ed** [-'-vd] empfangen; (allgemein) anerkannt; **~er** [-'-və] ⚡ Empfänger; (Geld-)Einnehmer; ♫ Hehler; Konkurs-, Vermögensverwalter; ♥ Hörer; **~ership** Amt(szeit) e-s Konkursverwalters; **~ing** [-'-viŋ] ♫ Hehlerei; **~ing set** ⚡ = **~er**

recent ['ri:sənt] kürzlich; neu(ere), modern; **~ly** kürzlich, neulich

recept|acle [ri'septəkl] Behälter; Raum; *US* Steckdose; **~ion** [-'ʃən] Empfang *(a. ⚡)*; Aufnahme; **~ion clerk** [klɑ:k] *BE* Empfangschef; **~ionist** Empfangsdame; **~ive** [-'-tiv] rezeptiv; empfänglich *(to* für)

recess [ri'ses] freie Tage, Ferien; *US* (Schul-) Pause; (Schlupf-)Winkel; Nische, Alkoven; Vertiefung machen in; in e-e Nische stellen; (Haus) zurücksetzen; *US* Ferien machen, s. vertagen; **~ion** [-'seʃən] *(a.* wirtschaftl.*)* Rückgang; Zurücktreten; Vertiefung; **~ional** [-'seʃənəl] Schluß-; Ferien-; *eccl* Schlußgesang; **~ive** [-'-siv] zurückweichend

recidiv|ist [ri'sidivist] ♫ Rückfälliger

recip|e ['resipi] Kochrezept; **~ient** [ri'sipiənt] Empfänger; empfänglich

reciproc|al [ri'siprəkəl] reziprok(er Wert); wechsel-, gegenseitig; **~ate** [-'-keit] hin- u. hergehen, pendeln; erwidern *(with* mit);

~ating ✿ pendelnd; Kolben-; **~ity** [resi'prɔsiti] Gegenseitigkeit

recit|al [ri'saitəl] Vortragen; Aufzählen; eingehender Bericht; ♪ Darbietung; **~ation** [resi'teiʃən] Aufzählen; Rezitation, Deklamation(stext); *US* Abfrage-, Übungsstunde; **~ative** [resitə'tiːv] Rezitativ; **~e** [ri'sait] vortragen, rezitieren; aufzählen

reck [rek] (s.) kümmern (um); **~less** unbekümmert (*of* um); sorg-, rücksichtslos

reckon ['rekən] (be-, er-)rechnen; *fig* ansehen, betrachten; *to be* ~*ed* gelten; ~ *without one's host* [houst] seine Rechnung ohne d. Wirt machen; ~ **for** berücksichtigen; ~ **in** einbeziehen; ~ **on** s. verlassen auf; ~ **up** zus.rechnen; ~ **with** *fig* abrechnen mit, in Betracht ziehen; **~er** [‑‑nə] Rechner; Rechentabelle; **~ing** [‑‑niŋ] Rechnen, Berechnung; Rechnung *(to pay the* ~*ing, a. fig); the day of* ~*ing* d. Tag d. Abrechnung (Buße); *to be out in one's* ~*ing* s. verrechnen *(a. fig)*; ⚓ (beobachtetes) Besteck; *dead* ~*ing* ⚓ gegißtes Besteck

reclaim [ri'kleim] (Land) zurückgewinnen, kulturfähig machen; ✿ regenerieren; j-n bessern, reformieren; zurückfordern; *beyond* (od *past*) ~ nicht zu bessern; **~able** (ver)besserungs-, kultur-, regenerierfähig

reclamation [reklə'meiʃən] Urbarmachung; Besserung; Zurückforderung

recline [ri'klain] (s.) zurücklehnen; s. hinlegen; s. verlassen *(upon* auf)

recluse [ri'kluːs, *US* 'rek-] Einsiedler

recogn|ition [rekəg'niʃən] (Wieder-)Erkennen; Anerkennung; **~izable** [‑‑naizəbl] (an)erkennbar; **~izance** [ri'kɔgnizəns] ⚓ Sicherheit(sleistung), Kaution(ssumme); **~ize** [‑‑naiz] (an-) erkennen; grüßen

recoil [ri'kɔil] zurückprallen, rückstoßen; zurückschrecken *(from* vor); *fig* zurückfallen *(on* auf); Zurückprallen, -schrecken; *mil* Rückstoß; Rückwirkung

recollect [rekə'lekt] ins Gedächtnis zurückrufen, s. erinnern; **~ion** [‑‑‑'ʃən] Erinnerung(svermögen, -szeit) *(of* an)

re-collect ['riːkə'lekt] wieder sammeln; ~ *o.s.* sich fassen, s. sammeln

recommend [rekə'mend] empfehlen; anvertrauen *(to s-b* j-m); **~ation** [‑‑‑'deiʃən] Empfehlung; Vorzug; *to speak in* ~*ation of* lobend sprechen von

recompense ['rekəmpens] j-n, etw belohnen, vergelten *(with* mit); Belohnung; Vergeltung; Entschädigung

reconcil|e ['rekənsail] versöhnen; (Streit) beilegen; in Übereinstimmung bringen; ~ *o.s.* sich abfinden *(to* mit); **~iation** [‑‑sili'eiʃən] Aus-, Versöhnung; Ausgleich; Verbindung

recondit|e ['rekəndit, ri'kɔndait] *fig* dunkel; tiefgründig; **~ion** ['riːkən'diʃən] wieder in Ordnung bringen, herrichten

recon|naissance [ri'kɔnisəns] *mil* Aufklärung *(~naissance in force* gewaltsame A.); Erkundung(s-); Untersuchung; **~noitre** [rekə'nɔitə] aufklären; erkunden

reconsider ['riːkən'sidə] wieder erwägen, erörtern

reconstruct ['riːkən'strʌkt] neu konstruieren; wiederaufbauen; rekonstruieren; **~ion** [‑‑‑ʃən] Wiederaufbau; Rekonstruktion

record [ri'kɔːd] auf-, verzeichnen; *fig* festhalten; ♪ aufnehmen; ~ ['rekɔːd, *US* ‑kəd] Aufzeichnung; Bericht; *a matter of* ~ e-e verzeichnete Tatsache; *on* ~ verzeichnet, bis jetzt bekannt; *to bear* ~ *to* bezeugen; Urkunde, Dokument; *off the* ~ inoffiziell; ~ *office (BE)* Staatsarchiv; Schallplatte *(~ library* -narchiv); ⛝ Rekord *(to break, beat the* ~ d. R. brechen); Ruf *(to have a good* ~*)*; **~er** [‑‑də] j-d, der verzeichnet; ⚖ (Polizei-)Richter; Registriervorrichtung; ♪ Blockflöte; **~ing** *bes* ♪ Aufnehmen; Aufnahme(material); Bandsendung

re|count [ri'kaunt] erzählen; **~-count** ['riː-'kaunt] noch einmal zählen; zweite Zählung

recoup [ri'kuːp] ⚖ (Summe) abziehen, einbehalten; j-n entschädigen; ~ *o.s.* sich schadlos halten

recourse [ri'kɔːs] Zuflucht *(to have* ~ *to* seine Z. nehmen zu)

recover [ri'kʌvə] wiederfinden, -erlangen; zurückgewinnen; gesund werden, s. erholen; ~ *o.s.* wieder zu s. kommen, s. wieder beruhigen; ~ *one's legs* wieder aufstehen; wieder ausgleichen, wiedergutmachen; **~y** [‑‑‑ri] Gesundung, Erholung; Wiedererlangung; Wiederherstellung

re-cover ['riː'kʌvə] wieder bedecken

recre|ant ['rekriənt] feige; wortbrüchig; ehrlos; Feigling; Verräter; **~ate** [‑‑eit] erfrischen; s. erholen; **~ation** [rekri'eiʃən] Erfrischung, Erholung; **~ation ground** *BE* Sport-, Spielplatz

recrimination [re,krimi'neiʃən] Gegenbeschuldigung

recrudescence [riːkruː'desəns] Wiederauf-, -ausbrechen

recruit [ri'kruːt] Rekrut; *fig* Neuling; rekrutieren; Rekruten werben; wiederherstellen; s. erholen

rectang|le ['rektæŋgl] Rechteck; **~ular** [-'tæŋgjulə] rechteckig

recti|fication [rektifi'keiʃən] Berichtigung; Rektifikation; **~fier** [‑‑faiə] ⚡ Gleichrichter; **~fy** [‑‑fai] berichtigen; verbessern; rektifizieren; ⚡ gleichrichten

rect|ilinear [rekti'liniə] geradlinig; **~itude** [‑itjuːd] Richtigkeit; Geradheit; Redlichkeit; **~or** [‑ə] Pfarrer; Rektor; **~ory** [‑əri] Pfarrei; Pfarrhaus; **~um** [‑əm], *pl* ~ums Mastdarm

recumbent [ri'kʌmbənt] zurücklehnend; liegend

recupera|te [ri'kjuːpəreit] gesundmachen; erlangen; wiedergutmachen; s. erholen; **~tion** [-,‑‑'reiʃən] Erholung; Gesundung

recur [ri'kəː] *fig* zurückkehren *(to* zu); wiederkehren; **~rence** [‑'kʌrəns] Wieder-, Rückkehr; **~rent** [ri'kʌrənt] wiederkehrend; **~ring** [-'kəːriŋ] *math* periodisch

red [red] rot *(a. pol)* ♦ *to paint the town ~ (umg)* Rabatz machen, auf d. Pauke hauen; *to paint the map ~* d. brit. Empire vergrößern; *to have ~ hands* Blut an d. Händen haben; *su* Rot; *pol* Roter; rote Zahlen, Minusseite; *to be in the ~* Schulden, Verluste haben; **~breast** [⌐brest] Rotkehlchen; **~-brick** *BE* (Universität) modern, naturwissenschaftl. eingestellt; **~coat** [⌐kout] Rotrock (engl. Soldat); **~ deer** Rotwild; **~den** [⌐ən] rot machen (werden); erröten; **~dish** [⌐iʃ] rötlich; **~-handed** [⌐'hændid] blutbefleckt ♦ *to be caught ~-handed* auf frischer Tat ertappt werden; **~ herring** Bückling ♦ *to draw a ~ herring across the track* (od *path*) Ablenkungsmanöver machen; **~-hot** [⌐'hɔt] (rot)glühend; **R~ Indian** Indianer; **~ lead** [led] Mennige; **~-letter** [⌐'letə] **day** Feiertag; Glücks-, Festtag; **~skin** Rothaut; **~ tape** Bürokratie, bürokrat. Methoden, Amtsschimmel; **~-tapism** [⌐'teipizm] Bürokratismus
redecorate [ri'dekəreit] (Raum) herrichten
redeem [ri'di:m] zurück-, loskaufen; ablösen; (Versprechen) erfüllen; (er)retten, *eccl* erlösen; ausgleichen; entschädigen; **~able** ein-, auslösbar; künd-, tilgbar; **~er** *eccl* Erlöser
redempt|ion [ri'dempʃən] Loskaufen; Erlösung; *in the year of our ~ion* im Jahre d. Heils; Rückkauf; Amortisierung, Ablösung; *beyond* (od *past*) *~ion* unwiederbringlich (unrettbar) verloren; **~ive** [⌐tiv] erlösend
rediffusion [ri:di'fju:ʒən] ⌐ *BE* Ausstrahlung von Sendungen über Draht
redirect [ri:di'rekt] um-, neu adressieren
re-do [ri:'du:] *(s. S. 318)* neu machen, herrichten
redolent ['redələnt] duftend; erinnernd, gemahnend *(of* an*)*
redouble [ri'dʌbl] *fig* (s.) verdoppeln
redoubt [ri'daut] *mil* Redoute, Schanze; **~able** mächtig, furchtbar
redound [ri'daund] *(to)* steigern, fördern; zurückfallen (auf), zugute kommen
redress [ri'dres] *fig* wiederherstellen; wiedergutmachen; *fig* abstellen; Wiederherstellung (d. Rechts); Wiedergutmachung, Abstellung, Abhilfe
reduc|e [ri'dju:s] herabsetzen, senken; (be)zwingen; *math* kürzen; *~e to* machen zu, verwandeln in, zu; j-n bringen zu; *fig* zurückführen auf, *mil* degradieren zu; *~e to writing* schriftl. niederlegen; **~ed** [⌐t] herabgesetzt; verkleinert; *in ~ed circumstances* in beschränkten Verhältnissen; **~ible** [⌐'sibl] zurückführbar *(to* auf); **~tion** [ri'dʌkʃən] Herabsetzung, Senkung, Abbau *(of wages* Lohn-); Rabatt; *fig* Zurückführung; verkleinerte Wiedergabe; **~tion gear** ⌐ Untersetzungsgetriebe
redundan|cy [ri'dʌndənsi] reichliche Fülle; Wortfülle; *BE* Stellenlosigkeit; *BE* freigesetzte Arbeitskraft; **~t** [⌐t] überflüssig; *BE* nicht mehr benötigt, stellenlos; überreichlich, -voll
reduplicate [ri'dju:plikeit] verdoppeln; wiederholen

red|wing ['redwiŋ] Rotdrossel; **~wood** [⌐wud] eibennadliger Mammutbaum; Redwood
reed [ri:d] (Schilf-, Pfahl-)Rohr; *pl* Dachstroh; Rohrflöte; Pfeil; ♪ Rohrblatt; *the ~s* ♪ Rohrblattinstrumente; **~y** rohrreich; rohrartig; schrill
reef [ri:f] Riff; Erzader; ⚓ Reff; *to take in a ~* = *to ~* reffen; verkürzen; **~er** ⚓ j-d, der refft; (Art) Jacke; Doppelknoten; *US* ⚓ *umg* Kühlwagen, -schiff; **~-knot** [⌐nɔt] Doppelknoten
reek [ri:k] Rauch; starker Geruch; rauchen, dampfen; (übel) riechen *(of* nach*)*
reel [ri:l] (Garn-)Rolle, Haspel; (Film-)Spule; Reel (schott. Tanz); Taumeln; aufwinden, -rollen; *~ off* abrollen, herunterschnurren; e-n Reel tanzen; taumeln; *fig* schwimmen, s. drehen
re-enforce [ri:in'fɔ:s] *siehe* reinforce
reeve [ri:v] richterlicher Beamter; Verwalter; *zool* Kampfläuferweibchen
refect|ion [ri'fekʃən] Erfrischung; Imbiß; **~ory** [⌐təri] Speisesaal
refer [ri'fə:] *to* zurückführen auf; zuschreiben; verweisen an, s. beziehen auf; nachsehen in; erwähnen; anspielen auf; **~ee** [refə'ri:] Schieds-, ⚽ (Ring-)Richter; **~ence** ['refərəns] Verweisung; Nachschlagen *(to make ~ence to* nachschlagen in*)*; Referenz; Hinweis(zeichen), Aktennummer; Beziehung, Bezug *(in, with, ~ence to* mit B. auf*)*; *cross ~ence* Querverweis; **~ence book** Nachschlagewerk; **~ence number** Aktenzeichen; **~endum** [refə'rendəm], *pl* ~endums Volksentscheid
refill ['ri:fil] Ersatzfüllung; Ersatzmine, -batterie; *~* [⌐'fil] neu füllen
refine [ri'fain] ⚙ raffinieren; läutern; (s.) verfeinern, veredeln *~ on* verbessern, herumtüfteln, -klügeln an; **~ment** Raffination; Verfeinerung, Feinheit; Raffinesse; **~ry** [⌐nəri] Raffinerie
refit ['ri'fit] *bes* ⚓ neu ausstatten, herrichten
reflect [ri'flekt] zurückwerfen, *(fig* wider)spiegeln; *fig* werfen *(on* auf*)*; *~ on* nachdenken über, in Zweifel ziehen, s. schlechtes Licht werfen auf; **~ion** [⌐ʃən] Rückstrahlung, (Wider-)Spiegelung; Spiegelbild; Reflex; (tiefes) Nachdenken *(on ~ion* nach gründl. Überlegung; *pl* Gedanken; abfällige Bemerkung; Mißbilligung; **~ive** [⌐tiv] gedankenvoll, sinnend; **~or** [⌐tə] Reflektor; 🚗 Rückstrahler
reflex ['ri:fleks] Spiegelung; Spiegelbild; Reflex; reflektierend; rückwirkend; **~ action** Reflex; **~ (camera)** Spiegelreflexkamera; **~ion** [ri'flekʃən] *siehe* reflection; **~ive** [ri'fleksiv] reflexiv
reflux ['ri:flʌks] Rückfluß; Ebbe
reforest [ri:'fɔrist] aufforsten
re-form ['ri:'fɔ:m] (sich) neu ordnen
reform [ri'fɔ:m] reformieren; (s.) bessern; Reform; (Ver-)Besserung; **~ation** [refə'meiʃən] Reformierung; (Ver-)Besserung; *eccl* Reformation; **~ative** [⌐mətiv] bessernd; **~atory** [⌐mətəri] Besserungsanstalt; bessernd; **~er** Reformer; Reformator; **~ist** Reformer

refract [ri'frækt] (Strahl) brechen; **~ion** [-ʹ-ʃən] Brechung; **~ory** [-ʹ-təri] widerspenstig, eigensinnig; ✿ feuerfest

refrain [ri'frein] Refrain; s. enthalten (*from s-th* e-r Sache); zurückhalten

refresh [ri'freʃ] er-, auffrischen; **~er** *BE* zusätzl. Anwaltshonorar; *umg* Erfrischung(sgetränk); Auffrischungs-; **~ing** er-, auffrischend; **~ment** Erfrischung

refrigera|te [ri'fridʒəreit] *bes* ✿ kühlen; **~tion** [-ʹ---reiʃən] Kühl(halt)ung; **~tor** [-ʹ---tə] Kühlschrank, -apparat

refuge ['refju:dʒ] Zuflucht(sstätte); *BE* Verkehrsinsel; **~ee** [--'dʒi:] Flüchtling

refulgen|ce [ri'fʌldʒəns] (strahlender) Glanz; **~t** [-ʹ--t] strahlend

refund [ri'fʌnd] (Geld) erstatten, zurückzahlen; **~** ['ri:-] Rückzahlung

refus|al [ri'fju:zəl] Ablehnung; (Ver-)Weigerung; *to take no ~al* s. nicht abweisen lassen; Ablehnungsrecht, Vorwahl; **~e** [-ʹ-] ablehnen; verweigern; s. weigern; **~e** ['refju:s] Abfall, Müll

refut|able ['refjutəbl] widerlegbar; **~ation** [--'teiʃən] Widerlegung; Gegenargument; **~e** [ri'fju:t] widerlegen

regain [ri'gein] wieder erlangen, erreichen; **~** *one's feet* (od *legs*) wieder auf die Beine kommen

regal ['ri:gəl] königlich; Königs-; **~e** [ri'geil] (festlich) bewirten, erfreuen (*with* mit); *~e o.s. on* s. delektieren an; **~ia** [ri'geiliə] (königl.) Insignien

regard [ri'ga:d] **1.** betrachten (*as* als); **2.** betreffen, berühren; *as ~s* was ... betrifft; **3.** beobachten; **4.** berücksichtigen, beachten; **5.** (bedeutsamer) Blick; **6.** Achtung; **7.** Beachtung; Rücksicht (*to have, pay, ~ to* B. schenken, R. nehmen auf; *without ~ to, for* ohne Rücksicht auf; **8.** Hinsicht (*in, with, ~ to* mit❦Bezug auf, hinsichtlich; *in this ~* in dieser H.); **9.** *pl* Grüße; **~ful** rücksichtsvoll; **~ing** hinsichtlich; **~less** rücksichtslos; ohne Rücksicht (*of* auf)

regatta [ri'gætə], *pl* **~s** Regatta

regency ['ri:dʒənsi] Regentschaft

regenera|te [ri'dʒenəreit] (sich) erneuern; (sich) regenerieren; **~te** [-ʹ--rit] neu geboren; gebessert; **~tion** [----ʹ-ʃən] Erneuerung; Regeneration

reg|ent ['ri:dʒənt] Regent; regierend; **~icide** [-ʹdʒisaid] Königsmörder; -mord

regime [rei'ʒi:m] Regierung(ssystem), Regime; **~n** ['redʒimen] ⚕ bestimmte Lebensweise; Diät; Therapie; **~nt** ['redʒimənt] Regiment; *pl* Scharen; organisieren; reglementieren; **~ntal** [redʒi'mentəl] Regiments-; **~ntation** [redʒimen'teiʃən] Organisierung; Reglementierung

region ['ri:dʒən] Region, Gebiet (*a. fig*), Gegend (*a.* ⚄)

regist|er ['redʒistə] Verzeichnis; *parish ~er* Kirchenbuch; *Lloyd's* **~er** Lloyd's Register; Registrierapparat; ♪ Stimmlage; Schieber; verzeichnen; s. merken; anzeigen, registrieren; *umg* erkennen lassen, zeigen; ↻

einschreiben; ☛ *BE* aufgeben; s. einschreiben (*US a.* Univers.), registrieren (lassen); ▯ Register halten; *bes* 🌐 (Gefühl) ausdrücken, verraten; **~er (office)** Registratur; Stellenvermittlung *BE* Standesamt; **~rar** [-ʹ--tra:] Registrator; Urkundsbeamter; *BE* Standesbeamter; *BE* Facharzt (in d. Ausbildg.); **~ration** [--'treiʃən] Registrierung; Eintrag(ung); 🚗 Zulassung; **~ry** [-ʹ--tri] Registratur; Registeramt; **~ry (office)** *BE* Standesamt; Stellenvermittlung

Regius ['ri:dʒiəs] *BE* von der Krone geschaffen (Professur)

regnant ['regnənt] regierend

regress ['ri:gres] Rückkehr; -gang; **~** [ri-ʹ] *astr* zurückgehen; *fig* sinken; **~ion** [ri'greʃən] Rückschritt; **~ive** [ri'gresiv] zurückschreitend

regret [ri'gret] bedauern; nachtrauern, vermissen; Bedauern; Schmerz, Kummer; **~ful** bedauernd, ... des Bedauerns; **~table** [-ʹ--təbl] bedauerlich

regula|r ['regjulə] regelmäßig; regulär; regelrecht; Berufssoldat; *fig* Stammkunde; Ordensgeistlicher; **~rity** [--'læriti] Regelmäßigkeit; **~rize** [-ʹ--raiz] (rechtlich) regeln; **~rly** [-ʹ--li] regelmäßig; beständig; *umg* völlig; **~te** [-ʹ--leit] ordnen; regulieren, regeln; **~tion** [--'leiʃən] Regelung; Vorschrift; vorschriftsmäßig; **~tor** [-ʹ--leitə] ✿ Regler, Regulator

rehabilita|te [ri:ə'biliteit] rehabilitieren; wieder aufbauen; **~tion** [--,--'teiʃən] Rehabilitation; Wiederaufbau; Wiederherstellung (d. Arbeitsfähigkeit)

rehash ['ri:'hæʃ] wieder aufwärmen; aufgewärmter (literar.) Schinken

rehears|al [ri'hə:səl] ❦ Probe(n); Wiederholung; Bericht; **~e** [-ʹ-] wiederholen; berichten; ❦ proben

rehouse ['ri:'hauz] j-n neu unterbringen

reign [rein] Regierung; Herrschaft; regieren; herrschen

reimburse [ri:im'bə:s] erstatten, zurückzahlen; entschädigen; **~ment** Erstattung; Rückzahlung; Entschädigung

rein [rein] **1.** Zügel; *to draw ~* anhalten, s. langsamer bewegen (*a. fig*); *to keep a tight ~ on* fest in der Hand halten; *to give ~* (od *the ~s*) *to one's imagination* seiner Phantasie freien Lauf lassen; **2.** zügeln, lenken; **~** *in* (s.) zurückhalten; **~** *up* anhalten

reincarna|te [ri:in'ka:neit] wieder inkarnieren; **~te** [----nit] wiedergeboren; **~tion** [----ʹ-ʃən] Wiedergeburt, Reinkarnation

reindeer ['reindiə], *pl* **~** Ren, Renntier

reinforce [ri:in'fɔ:s] (ver)stärken; **~d** [---ʹ-t] **concrete** Stahlbeton; **~ment** (Ver-)Stärkung; ✿ Armierung

reinstate ['ri:in'steit] wiedereinsetzen

reinsur|ance ['ri:inʃuərəns] Rückversicherung; **~e** [-ʹ--] (s.) rückversichern

reissue ['ri:'iʃu:] neu (her)ausgeben, neu auflegen; Wiederausgabe, -auflage

reitera|te ['ri:'itəreit] (mehrfach) wiederholen; **~tion** [----ʹ-ʃən] Wiederholung

reject [ri'dʒekt] ablehnen, zurückweisen; ausscheiden; ~ ['ri:-] *mil* Ausgemusterter; Ausschußartikel; **~ion** [-ʃən] Ablehnung; Ausscheidung; Ausschußartikel

rejoic|e [ri'dʒɔis] er-, s. freuen; *~e in* s. (e-r Sache) erfreuen; **~ing** Freude; *mst pl* (Freuden-)Feier, Fest

rejoin [ri'dʒɔin] zurückkehren zu; erwidern; **~der** [-də] Erwiderung

rejuvenate [ri'dʒu:vineit] (s.) verjüngen

rekindle [ri'kindl] (s.) wieder entzünden

relapse [ri'læps] e-n Rückschlag (-fall) haben, zurückfallen (*into* in); Rückschlag, -fall

relat|e [ri'leit] erzählen; in Beziehung setzen (*to, with* mit); in Beziehung stehen (*to* mit); *to be ~ed to* verbunden, verwandt, sein mit; **~ion** [-ʃən] **1.** Erzählen; Erzählung; **2.** Beziehung (*in ~ion with* in bezug auf); *to bear no (be out of all) ~ion to* in keinerlei Verhältnis stehen zu; **3.** Verwandter; *what ~ion is he to?* wie ist er verwandt mit?; **~ionship** Verwandtschaft; Beziehung; **~ive** ['relətiv] s. beziehend (*to* auf); relativ; verhältnismäßig (groß); bedingt (*to* durch); Relativpronomen; Verwandter; **~ively** verhältnismäßig, relativ; ziemlich; **~ivity** [relə'tiviti] Relativität

relax [ri'læks] (s.) entspannen; nachlassen; (s.) lockern; schwächen; **~ation** [ri:læk'seiʃən] Entspannung; Lockerung; Erholung; Vergnügen

relay [ri'lei] Ersatzpferde, -hunde; -mannschaft; ⚡ Relais; 🚂 Staffel; 📻 Übertragung; ~ ['ri:'lei] 📻 übernehmen; ~ **race** ['ri:lei'reis] Stafettenlauf

re-lay ['ri:'lei] *(s. S. 319)* neu (ver)legen

release [ri'li:s] loslassen, -machen; freilassen; 🐎 aufgeben; *fig* freigeben; befreien; Befreiung; Freigabe(schein); Los-, Auslösen; freigegebener Film (Nachricht); ✿. 📷 Auslöser

relegate ['releigeit] *fig* verweisen, verbannen (*to* an, in)

relent [ri'lent] sich erweichen lassen; **~less** mitleids-, gnadenlos

relevan|ce ['relivəns] Erheblichkeit; Bedeutung; **~t** [-t] erheblich (*to* für)

reli|ability [ri,laiə'biliti] Zuverlässigkeit; Bonität; **~able** [-əbl] zuverlässig, **~ance** [-əns] Vertrauen (*on, in* auf); **~ant** [-ənt] vertrauensvoll

relic ['relik] Reliquie; Überrest; Andenken

relie|f [ri'li:f] Erleichterung; 🐎 (Ab-)Hilfe; Unterstützung (*for* für; *to be on ~f* U. beziehen); *mil* Entsatz; Ablösung; Relief; Abwechslung; **~f map** Reliefkarte; **~f works** [wə:ks] Notstandsarbeiten; **~ve** [-'li:v] erleichtern; j-m (lindernd) helfen; *~ve one's feelings* s. erleichtern, s. Luft machen; *~ve o.s. (nature* ['neitʃə]) austreten, e. Bedürfnis verrichten; (Arme) unterstützen; ablösen; *~ve of* befreien von, erleichtern um; entlassen; beleben

religi|on [ri'lidʒən] Religion; **~ous** [-dʒəs] religiös; Religions-; kirchlich; gewissenhaft; Mönch, Nonne

relinquish [ri'liŋkwiʃ] aufgeben

reliquary ['relikwəri] Reliquienschrein

relish ['reliʃ] Genuß (*for* an); angenehmer Geschmack; Würze; *fig* Reiz; genießen; angenehm finden; würzen; e-n Beigeschmack haben (*of* von, nach)

reluctan|ce [ri'lʌktəns] Widerstreben; **~t** [-t] widerstrebend; nicht geneigt

rely [ri'lai] *on* s. verlassen auf, vertrauen

remain [ri'mein] bleiben; **~der** [-də] *(a. math)* Rest; Restposten (*~der price* Ramschpreis); verramschen; **~s** *pl vb* (sterbliche Über-)Reste; Überbleibsel, Spuren, Ruinen

remake ['ri:'meik] *(s. S. 319)* neu machen; 🎬 Remake, Neuverfilmung

remand [ri'ma:nd] in Untersuchungshaft behalten; *on* ~ in Untersuchungshaft; ~ **home** (centre) *BE* Jugendhaftanstalt

remark [ri'ma:k] bemerken; e-e Bemerkung machen (*on* zu); Bemerkung; Beachtung; *worthy* ['wə:ði] *of* ~ = **~able** un-, außergewöhnlich; auffallend

remarr|iage ['ri:'mæridʒ] Wiederverheiratung; **~y** [-ri] (s.) wieder(heiraten)

remed|iable [ri'mi:diəbl] heilbar; **~ial** [-əl] heilend; Heil-; **~y** ['remidi] 💲 (Heil-)Mittel; Abhilfe; (Rechts-)Mittel; (Münze) Remedium, Toleranz; in Ordnung bringen

remember [ri'membə] (s.) erinnern an; behalten; denken an; Trinkgeld geben; *~ er me to him* grüße ihn von mir; **~rance** [-brəns] Erinnerung (*in ~rance of* zur E. an); Gedächtnis; Geschenk; *pl* Grüße

remind [ri'maind] erinnern (*of* an); **~er** Mahnung, Erinnerung

reminisce [remi'nis] in Erinnerungen schwelgen; **~nce** [-əns] Sicherinnern; Spur (die an etw erinnert); Erlebnis; *pl* Erinnerungen; **~nt** [-ənt] (im Gedanken an d. Erinnerung) gesprächig; (s.) erinnernd (*of* an)

remiss [ri'mis] (nach)lässig *(in s-th)*; **~ion** [-ʃən] Vergebung; Erlaß (e-r Schuld); Aufgabe, Nachlaß; 💲 Nachlassen

remit [ri'mit] vergeben, erlassen; nachlassen (in); übersenden, (Geld) überweisen; 🐎 zurückverweisen, verschieben; **~tance** [-əns] Geldüberweisung; **~tance man** *BE* (im Ausland von Überweisungen lebender) Bummler, Lebemann

remnant ['remnənt] (Über-)Rest; ~ **sale** Resteverkauf

remonstrance [ri'mɔnstrəns] Einspruch, Protest; **remonstrate** [*BE* 'remənstreit, *bes US* ri'mɔn-] Vorstellungen erheben (*with* bei)

remorse [ri'mɔ:s] Gewissensbiss(e); *without* ~ mitleidlos; **~ful** reuig; **~less** unbarmherzig, mitleidlos

remote [ri'mout] fern, entfernt (*from* von); fernliegend; gering; ~ **control** Fernsteuerung, -bedienung

remount [ri:'maunt] wieder steigen auf; mit frischen Pferden ausstatten; 🐎 neu aufziehen; ~ [-] frisches Reitpferd

remov|able [ri'mu:vəbl] zu beseitigen(d); absetzbar; **~al** [-vəl] Beseitigung; Umzug (*~al* *van BE* Möbelwagen); Entlassung (*~al from office* Amtsenthebung); **~e** [-́-́] ab-, wegnehmen; *~e o.s.* weggehen; entlassen; nehmen (*from school* aus d. Schule); beseitigen ♦ *~e mountains* Berge versetzen; *su BE* Versetzung; *BE* Schulklasse; Strecke, Entfernung; Stufe, (Verwandtschafts-)Grad; *a first cousin* [kʌzn] *at two ~es* Vetter 3. Grades; **~ed** [-́-́d] entfernt; *a first cousin twice ~ed* Vetter 3. Grades; **~er** [-́-́və] (Möbel-)Spediteur

remunera|te [ri'mjuːnəreit] ent-, belohnen; **~tion** [-,---́ʃən] Ent-, Belohnung; **~tive** [-́-́rətiv] lohnend, einträglich

renaissance [rə'neisəns, *US* renə'saːns] Renaissance; Wiederaufleben

renal ['riːnəl] Nieren-

renascence [ri'næsəns] Wiedergeburt, -belebung

rend [rend] *(s. S. 319)* zerreißen, spalten; wegreißen

render ['rendə] geben; *mil* übergeben; (Dienst, Hilfe) leisten; vorlegen; *~ an account of* beschreiben, begründen; *(mit adj)* machen; ♪, ♥ wiedergeben; übersetzen; (Fett) auslassen; **~ing** [-́-riŋ] Wiedergabe; Übersetzung; Auslassen

rendezvous ['rɔndivuː, *US* 'raːn-], *pl* ~ [-́-vuːz] Treffen; Treffpunkt; sich treffen

rendition [ren'diʃən] Übersetzung; Wiedergabe

reneg|ade ['renigeid] Renegat; Abtrünniger; **~e**, *BE mst* **~ue** [ri'niːg, *US* -'niːg] (Karten) nicht bedienen; nicht einhalten (*on a promise* e. Versprechen)

renew [ri'njuː] *(s.)* erneuern; (Wechsel) prolongieren; **~al** [-́-əl] Erneuerung; (Wechsel-)Prolongation

rennet ['renit] Lab

renounce [ri'nauns] verzichten; nicht anerkennen; aufgeben, entsagen

renova|te ['renouveit] erneuern; renovieren; **~tion** [---́ʃən] Erneuerung; Renovierung

renown [ri'naun] Ruhm, Ruf

rent[1] [rent] *siehe* rend; Riß; Spalt(ung)

rent[2] [rent] Miete; Pacht; (ver)mieten; (ver)pachten; **~al** [-́təl] Miet-, Pachtbetrag; **~(al fee)** Leihgebühr; *US* Mietshaus; *US* Leihwagen; **~er** (Ver-)Pächter; Ⅲ Verleiher

rentier ['raːntiei] Rentier

renunciation [ri,nʌnsi'eiʃən] Verzicht; Entsagung

reopen ['riːoupən] wieder aufmachen; wieder beginnen

reorganiz|e ['riːˈɔːgənaiz] umgestalten, reorganisieren; **~ation** [-́---́ˈzeiʃən] Umgestaltung, Reorganisation; Sanierung

rep [rep] Rips; = repertory, representative, reputation

repair [ri'pɛə] *s.* begeben (*to* nach); ausbessern, reparieren; wiedergutmachen; Ausbesserung, Reparatur (*to do ~s* R. vornehmen); Umbau; (baulicher) Zustand; **~able** [-́-rəbl] reparierbar; **~er** [-́-rə] j-d, der repariert

repar|able ['repərəbl] wiedergutmachen(d); **~ation** [--́reiʃən] Wiedergutmachung, -herstellung; *pl* Reparationen; **~tee** [-paː'tiː, *US* -pəˈtiː] schlagfertige Antwort(en)

repast [ri'paːst] Mahlzeit, Essen

repatriate [riː'pætrieit, *US* -'pei--] j-n repatriieren

repay [riː'pei] *(s. S. 319)* zurückzahlen; entschädigen; vergelten; **~able** rückzahlbar; **~ment** Rückzahlung(ssumme); Abdeckung *(of credits)*

repeal [ri'piːl] ♫ aufheben; widerrufen; Aufhebung; Widerruf

repeat [ri'piːt] wiederholen; (Essen) aufstoßen; nachbestellen; ♪ Wiederholung(szeichen); ~ *(order)* Nachbestellung; **~ing** Repetier-; **~er** Repetieruhr, -gewehr; periodischer Dezimalbruch

repel [ri'pel] zurücktreiben; abweisen; *phys, fig* abstoßen; **~lent** [-́-lənt] abstoßend(er Stoff)

repent [ri'pent] bereuen (*of s-th* etw); **~ance** [-́-təns] Reue; Buße; **~ant** reuig

repercussion [riːpəˈkʌʃən] Rückschlag, Echo; Rück-, Nachwirkung

repert|oire ['repətwaː] Repertoire; **~ory** [-́-təri] Lager; *fig* Fundgrube; Repertoire (*~ory theatre* R.bühne)

repetition [repi'tiʃən] Wiederholung; (Stück zum) Aufsagen; Nachbildung

repine [ri'pain] *at, against* murren über, hadern mit

replace [ri'pleis] ersetzen; an d. Stelle treten von; **~able** [-́-səbl] ersetzbar; **~ment** Ersetzung; Ersatz(-)

replenish [ri'pleniʃ] (wieder) auffüllen, vervollständigen

reple|te [ri'pliːt] *with* (ganz) voll von; wohlversehen mit; **~tion** [-́-ʃən] Überfülle

replica ['replikə], *pl* **~s** Kopie (von d. Hand des Künstlers)

reply [ri'plai] antworten (*to* auf); Beantwortung, Antwort (*to* auf); ~ **postage** ['poustidʒ] Rückporto

report [ri'pɔːt] berichten; *(s.)* melden (*to* bei); Berichter(statter) sein (*for* für); *~ed speech* indirekte Rede; ungewisse Nachrichten, Gerücht(e); Ruf; Bericht; Schulzeugnis; (Geschoß-)Knall; **~er** Berichterstatter

repos|e [ri'pouz] (aus)ruhen (lassen), legen (*on* auf); *fig* beruhen (*on* auf); (Vertrauen) setzen *(in s-th)*; Ruhe; Stille; **~itory** [-'pɔzitəri] Behältnis; Lager(raum); Museum; *fig* Fundgrube

reprehen|d [repri'hend] tadeln, schelten; **~sible** [---́sibl] tadelnswert

represent [repri'zent] erklären, klarmachen; darstellen (*a.* ♥); behaupten, vorgeben; bedeuten; eindringlich vorhalten; ♥ spielen; entsprechen; vertreten; **~ation** [---́teiʃən] Darstellung; Vertretung; *bes pl* Vorstellung (*to make ~ations to* V. erheben bei); **~ative** [---́tətiv] darstellend; *to be ~ative of* darstellen, vertreten; typisch; *pol* repräsentativ; typisches Beispiel; Vertreter

repress [ri'pres] unterdrücken; **~ion** [–´ʃən] Unterdrückung; **⚥** Verdrängung; verdrängtes Gefühl; **~ive** [–´siv] unterdrückend; hemmend

reprieve [ri'priːv] ♫ e-e Gnadenfrist gewähren; *fig* e-e Pause geben; ♫ (Gnaden-)Frist

reprimand ['reprimɑːnd] streng tadeln, zurechtweisen; schwerer Tadel

reprint [riː'print] nach-, neu drucken; [–´–] Nach-, Neudruck; Faksimile; Sonder(ab)druck

reprisal [ri'praizəl] Vergeltung(smaßnahme), Repressalie

reproach [ri'proutʃ] vorwerfen (*s-b with s-th* j-m etw); etw tadeln; Vorwurf, Tadel; Schimpf; Schande; **~ful** vorwurfsvoll; tadelnswert, schändlich

reprobate ['reprəbeit] scharf mißbilligen; verworfen(er Mensch)

reproduc|e [riːprə'djuːs] (s.) fortpflanzen, wiedererzeugen; wiederhervorbringen; reproduzieren; **~er** Wiedergabegerät; **~tion** [––'dʌkʃən] Fortpflanzung, Wiedererzeugung; -gabe; Nachbildung; Nachbau; Reproduktion; Kopie

reproof [ri'pruːf] Tadel; Vorwurf

reprov|al [ri'pruːvəl] Tadeln; Vorwurf; **~e** [–´] tadeln, schelten

reptile ['reptail] Reptil

republic [ri'pʌblik] Republik; **~an** [–´–kən] republikanisch; Republikaner

repudia|te [ri'pjuːdieit] nicht anerkennen; ablehnen, vorwerfen; **~tion** [–,––'eiʃən] Nichtanerkennung; Ablehnung

repugnan|ce [ri'pʌgnəns] Widerwille; Unvereinbarkeit; **~t** [–´nənt] *to* widerwärtig für; s. widersetzend; unvereinbar mit

repuls|e [ri'pʌls] *mil* zurückschlagen; widerlegen; vor d. Kopf stoßen, zurückweisen; Zurückschlagen; Zurück-, Abweisung; **~ion** [–´ʃən] *phys* Abstoßung; Widerwille; **~ive** [–´siv] abstoßend; widerlich

reput|able ['repjutəbl] ehr-, achtbar; **~ation** [––'teiʃən] Ruf (*to have a ~ation for* bekannt sein wegen); Ruhm, Ehre; **~e** [ri'pjuːt] ansehen als; *to be ~ed* gelten als, beleumundet sein; (guter) Ruf; **~ed** angeblich

request [ri'kwest] ersuchen, (er)bitten; Ersuchen, Bitte; Aufforderung; Nachfrage

requiem ['rekwiəm] Requiem

require [ri'kwaiə] verlangen (*of* von); benötigen, brauchen; bedürfen; **~d** Pflicht-; **~ment** Erfordernis; Forderung; Bedürfnis; Pflichtfach

requisit|e ['rekwizit] notwendig, erforderlich; Erfordernis; **~ion** [––'ziʃən] Verlangen; Erfordernis; Anforderung(sschein), Requisition; *to make a ~ion on s-b for s-th* etw bei j-m requirieren; *to put in* (od *call into*) *~ion* mit Beschlag belegen; requirieren; *~ion for* etw verlangen von

requit|al [ri'kwaitl] Rückerstattung; Belohnung, Vergeltung; **~e** [–´] rückerstatten; belohnen, vergelten

rescind [ri'sind] ♫ aufheben; **~ssion** [–'siʒən] ♫ Aufhebung

rescript ['riːskript] Edikt, Erlaß; päpstl. Erwiderung

rescue ['reskjuː], befreien, (er)retten; Rettung; Hilfe *(to come to the ~)*

research [ri'səːtʃ, 'riːsəːtʃ] (Er-, Nach-)Forschung; **~** *into* (er)forschen

reseat ['riː'siːt] wieder hinsetzen; mit neuem Sitz versehen

resembl|ance [ri'zembləns] Ähnlichkeit (*to* mit); **~e** [–´] ähneln, gleichen

resent [ri'zent] übelnehmen, s. ärgern über, nicht leiden können; **~ful** übelnehmerisch; grollend; ärgerlich; **~ment** Ärger, Groll (*of, at* über)

reserv|ation [rezə'veiʃən] Zurückhalten; Vorbehalt; (Indianer-)Reservation; Vorbestellung; *to make one's ~ation(s)* d. Fahrkarte kaufen, ⚓ Platz buchen, Zimmer bestellen etc; **~e** [ri'zəːv] zurückbehalten, aufheben; (s.) vorbehalten; vorbestellen, reservieren (lassen); Reserve; Reservat(ion); Einschränkung; Vorbehalt; *~e price* Ansatz-, Mindestpreis; *fig* Reserve, Zurückhaltung; **~ed** [ri'zəːvd] reserviert *(a fig)*; **~ist** [ri'zəːvist] Reservist; **~oir** [–´–vwɑː] Staubecken, Reservoir *(a. fig)*; Behälter; Speicher

re-set ['riː'set] *(s. S. 319)* bes 📖 neu setzen; (Ring) neu fassen

resettle [ri'setl] neu an-, umsiedeln

resid|e [ri'zaid] wohnen; *fig* liegen; s. finden; **~ence** ['rezidəns] Aufenthalt(sort); Wohnsitz; **~ent** ['rezidənt] ansässig; in e-r Dienstwohnung lebend; Ansässiger; *BE* Hausgast; Resident; **~ential** [rezi'denʃəl] Wohn-; herrschaftlich; internatsartig; **~ual** [–'zidjuəl] *bes math, chem, phys* restlich, Rest-; Rest(betrag); **~uary** [–'zidjuəri] *bes* ♫ restlich; **~ue** ['rezidjuː] (Über-)Rest; ♫ Restbestand e-s Erbes; **~uum** [–'zidjuəm], *pl* ~ua *math, chem, phys* Rest(betrag); Rückstand; *fig* Abschaum

resign [ri'zain] aufgeben; anvertrauen; **~** *o.s.* sich überlassen, s. abfinden (*to* mit); **~ed** [–´–d] ergeben (*to* in); **~ation** [rezig'neiʃən] Aufgabe; Rücktritt(sgesuch); Ergebung, Resignation

resilien|ce (~cy) [ri'ziliəns] Elastizität; Spannkraft; *fig* Beweglichkeit; **~t** [–´–t] elastisch, federnd; *fig* beweglich

resin ['rezin] (Natur-, synthet.) Harz; **~ous** [–´əs] harzig

resist [ri'zist] Widerstand leisten; widerstehen; **~ance** [–´təns] Widerstand (*a. ⚡*); **~ant** widerstehend; **~er** j-d, d. Widerstand leistet; **~or** [–´tə] ⚡ Widerstand; **~less** unwiderstehlich; widerstandslos

reso|lute ['rezəluːt] entschlossen; standhaft; **~lution** [––'luːʃən] Entschlossenheit, Standfestigkeit; Entschluß; Resolution; *a.* ♪ Auflösung; **~lve** [ri'zɔlv] entscheiden; beschließen (*on doing* zu tun); e-e Resolution fassen; beschließen; beheben, beseitigen; überwinden; *a.* ♪, *phys* auflösen; Entschluß; Entschlossenheit

resonan|ce ['rezənəns] (Wider-)Hall; Resonanz; **~t** [⌐--t] widerhallend

resort [ri'zɔːt] *fig* greifen (*to* zu); s. begeben nach, besuchen; Greifen (*to* nach), Zuflucht (*to* zu); *in the last* ~ als letztes Mittel, letzten Endes; Besuchen; Ferien-, Badeort

resound [ri'zaund] widerhallen (lassen) (*with* von); verkünden, vorbereiten

resource [ri'sɔːs] *mst pl* Vorräte, Besitz; Ausweg, Zuflucht (*his only* ~ *was . . .; at the end of his* ~*s* am Ende seiner Mittel); Muße, Erholung; Findigkeit *(a man of* ~*); pl* Hilfsmittel, -quellen, Rohstoffquellen); **~ful** findig, geschickt

respect [ri'spekt] Achtung, Respekt (*for* vor); *pl* Grüße; *to pay one's* ~*s to* j-m seine Aufwartung machen; Rücksicht, Beachtung; *to have* (od *pay*) ~ *to* berücksichtigen; *with* ~ *to, in* ~ *of (to)* hinsichtlich; Beziehung, Hinsicht *(in some* ~*s etc);* berücksichtigen, (be)achten; ~ *o.s.* Selbstachtung zeigen; **~ability** [-,-tə'biliti] Ehr-, Achtbarkeit; angesehene Person; **~able** [-⌐təbl] ehr-, achtbar; (zu) förmlich, konventionell; schicklich; beachtlich, groß; *the* ~*able* d. angesehenen Leute: **~er** [-⌐tə]: *no* ~*er of persons* j-d, der keine gesellschaftl. Unterschiede macht; **~ful** ehrerbietig, respektvoll; **~ing** in bezug auf; **~ive** je(weilig); jedem zugehörig; **~ively** je(weils); beziehungsweise

respell [riː'spel] (phonet.) transkribieren

respir|ation [respi'reiʃən] Atmung, Atemzug; **~ator** [⌐---tə] Atemgerät; Beatmungsgerät; **~atory** [ri'spaiərətəri] Atem-; . . . der Atmungswege; **~e** [ris'paiə] atmen

respite ['respit, *BE mst.* ⌐ait] (Straf-)Aufschub; Frist; Pause; Aufschub gewähren; aufschieben; Erleichterung geben; erleichtern

resplendent [ri'splendənt] strahlend

respon|d [ri'spɔnd] *(eccl* im Chor) antworten; ~*d to* eingehen auf, reagieren auf; **~dent** [-,-dənt] Beklagter; **~se** [-⌐s] Antwort; Beantwortung; Reaktion; **~sibility** [--si'biliti] Verantwortung; **~sible** [-⌐sibl] verantwortlich; verantwortungsbewußt; -svoll; *to be* ~*sible for* d. Ursache sein für, d. Schöpfer sein von; **~sive** [-⌐siv] antwortend; leicht reagierend (*to* auf); **~sory** [-⌐səri] Responsorium

rest [rest] **1.** Ruhe; Pause; *a good night's* ~ e-e gute Nacht; *to go to* ~ zu Bett gehen; *to be laid to* ~ zur (ewigen) Ruhe gebettet werden; *at* ~ ruhig, im Grab; *to set s-b's mind at* ~ beruhigen; **2.** ⚓ Wohnheim für Seeleute; **3.** Unterstand; **4.** Stütze; ♈ Gabel; **5.** ♪ Pause; **6.** *the* ~ d. Rest; d. übrige(n); *for the* ~ was d. übrige(n) betrifft; **7.** Reserve(fonds); **8.** Pause machen (lassen); (be)ruhen (lassen); **9.** Ruhe ergeben, erfrischen; stützen, liegen, ruhen (*on* auf); ~ *on one's oars* zu rudern aufhören, *fig* verschnaufen; vertrauen (*in* auf); bleiben; ~ *assured* [ə'ʃuəd] versichert sein; ~ *with (fig)* bei j-m liegen; **~cure** [-⌐kjuə] Liegekur; **~day** Ruhe-, Ferientag; **~ful** ruhevoll, geruhsam; **~-house** [⌐haus], *pl* ~-houses [⌐hauziz] Rasthaus; **~ing-place** Ruheplatz, -stätte; **~ive** [⌐tiv]

widerspenstig, störrisch; **~less** unruhig, ruhelos

restate ['riː'steit] neu, besser formulieren; **~ment** bessere Formulierung

restaurant ['restərɔːŋ, *US* ⌐-rənt] Restaurant; ~ *car BE* Speisewagen

restitution [resti'tjuːʃən] Ersetzung, Erstattung; Wiedergutmachung; Freigabe (*of property* von Eigentum) [hen, auffüllen

restock ['riː'stɔk] mit neuen Vorräten verse-

restor|ation [restə'reiʃən] Wiederherstellung; Restauration; Wiederaufbau; **~ative** [ris'tɔːrətiv] Stärkungsmittel; kräftigend; **~e** [ris'tɔː] wiederherstellen (*a ruin etc; to health* j-s Gesundheit); heilen, stärken; wieder einsetzen (*to* in); zurückgeben

restrain [ris'trein] zurückhalten; hindern (*from* an); *bes* ⚓ einsperren; **~ed** [-⌐d] beherrscht; **~t** [-⌐t] Zurückhaltung, Beherrschung; Zwang, Hemmnis

restrict [ris'trikt] be-, einschränken; **~ion** [ris'trikʃən] Be-, Einschränkung; **~ive** [-⌐tiv] be-, einschränkend

result [ri'zʌlt] s. ergeben (*from* aus); enden (*in* mit), hinauslaufen (*in* auf); Ergebnis, Erfolg; Resultat; **~ant** s. ergebend; Resultante; *fig* Ergebnis

resum|e [ri'zjuːm] wieder ein-, aufnehmen; wieder übernehmen; wiedergewinnen; zus.fassen; **~ption** [-'zʌmpʃən] Wiederaufnahme

résumé ['rezjumei, *US* rezu'mei] Zusammenfassung; *US* Lebenslauf

resurgent [ri'səːdʒənt] s. (wieder) erhebend

resurrect [rezə'rekt] wiederbeleben; ausgraben, exhumieren; wieder zum Leben bringen (kommen); **~ion** [rezə'rekʃən] Auferstehung; Wiedererwecken, -erwachen; Exhumierung

resuscitate ri'sʌsiteit] wieder ins Leben rufen; wiedererwecken, -erstehen

retail ['riːteil] Einzelhandel, -verkauf; *by* ~, *(US) at* = ~ *adv*; Einzelhandels-; *adv* im Einzelhandel; ~ [-⌐⌐] im Einzelhandel, direkt verkaufen (verkauft werden); (Gerücht) verbreiten; **~er** Einzelhändler; Nachrichtenverbreiter

retain [ri'tein] (zurück-, bei)behalten; ♘ (Anwalt) s. nehmen; **~er** Gefolgsmann; *old family* ~*er* altes Faktotum; ♘ Bestellung (e-s Anwalts); Prozeßvollmacht; **~ing fee** Anwaltsvorschuß

retalia|te [ri'tælieit] (es) heimzahlen (*upon s-b* j-m), vergelten; **~tory** [-⌐-ətəri] Vergeltungs-; **~tion** Vergeltung

retard [ri'tɑːd] verzögern, verlangsamen; ~*ed* zurückgeblieben; **~ation** [riːtɑː'deiʃən] Verzögerung

retch [retʃ] Brechreiz haben, würgen

retent|ion [ri'tenʃən] (Zurück-, Bei-)Behalten; Festhalten; **~ive** [-⌐tiv] be-, festhaltend; (Boden) undurchlässig; (Gedächtnis) gut

reticen|ce ['retisəns] Schweigsamkeit; Verschwiegenheit; Zurückhaltung; **~t** [⌐--t] schweigsam; verschwiegen

reti|cle ['retikl] *opt* Fadenkreuz; **~cule** [-́-kju:l] (Seiden-)Beutel; = **~cle**; **~na** [-́-nə], *pl* **~nas**; **~nae** [-́-ni:] Netzhaut

retinue ['retinju:] Gefolge

retir|e [ri'taiə] (s.) (ins Bett) zurückziehen *(a. mil)*; s. zur Ruhe setzen; pensionieren; *mil* zurücknehmen; Rückzugssignal; **~ed** zurückgezogen; abgelegen; p~nsioniert; Pensions-; **~ement** Zurückziehung; Abgeschiedenheit; Rücktritt, Pensionierung; **~ing** [-́-riŋ] zurückhaltend; Pensions-

retort [ri'tɔ:t] zurückgeben, heimzahlen (*upon s-b* j-m); (scharf, schlagfertig, wütend) antworten; (schlagfertige, wütende) Antwort, Entgegnung; Retorte

retouch [ri:'tʌtʃ] retuschieren; Retusche

retrace [ri'treis] *fig* zurückverfolgen; **~** *one's steps* zurückgehen, etwas ungeschehen machen, etwas überdenken

retract [ri'trækt] (Kralle etc) einziehen; (Wort) zurücknehmen, brechen; **~able** einzieh-, zurücknehmbar; **~ion** [ri'trækʃən] Einziehen; Zurücknahme

retrain ['ri:'trein] umschulen

retreat [ri'tri:t] s. zurückziehen; (*bes* Schach) zurücknehmen; Rückzug (*to sound the* ~ zum R. blasen); *to beat a* ~ = to ~; Zuflucht(sort); Zurückgezogenheit

retrench [ri'trentʃ] *fig* beschneiden; s. einschränken; **~ment** Beschneidung; Sparmaßnahmen

retribut|ion [retri'bju:ʃən] (gerechte) Strafe, Vergeltung; **~ive** [ri'tribjutiv] Vergeltungs-, Straf-

retriev|al [ri'tri:vəl] Wiedergewinnung; = **~e** *su*; **~e** [-́-] apportieren; wiedererlangen, -gewinnen; wiedergutmachen, -herstellen; *su* Wiederbringen ♦ *beyond* (od *past*) **~e** (unwiederbringlich) verloren; **~er** engl. Apportierhund

retro|active ['retrouæktiv] rückwirkend; **~grade** [-́-greid] rückläufig, -gängig; zurückgehen *(a. fig)*; **~gression** [--'greʃən] rückläufige Bewegung; Rückgang, -schritt; **~gressive** [--'gresiv] rückläufig, -schrittlich; **~spect** Rückschau, -blick; **~spection** [--'spekʃən] Rückschau, Reflexion; **~spective** [--'spektiv] rückschauend; rückwirkend; Rück-

return [ri'tə:n] 1. zurück-, umkehren; zurückgeben, -tun, -bringen; wählen (*to* in); (Gewinn) erbringen; amtlich, offiziell feststellen; (Schuldspruch) fällen; 2. Rückkehr; Rückgabe; Erwiderung; *many happy* **~s** herzliche Glückwünsche zum Geburtstag; *by* ~ postwendend; *in* ~ *for* als Gegenleistung für; 3. Gewinn, Ertrag; offizielle Feststellung; (Einkommens-)Erklärung; (Wahl-)Ergebnis; Rückfahrkarte; Rück-

reun|ification [ri:junifi'keiʃən] Wiedervereinigung; **~ion** [-'ju:njən] Wiedervereinigung; Erneuerung d. Freundschaft; Freundschaftstreffen; **~ite** [--'nait] (s.) wiedervereinigen

rev [rev] Umdrehung; *pl* Drehzahl; ~ *up* auf Touren bringen (kommen)

revamp [ri'væmp] neue Vorderkappe setzen auf, flicken, *fig* neu machen, umgestalten, -bilden

reveal [ri'vi:l] enthüllen, offenbaren

reveille [ri'væli, *US* 'reveli] *mil* Wecken, Morgenappell

revel [revl] s. (laut) vergnügen, (lärmend) feiern; schwelgen (*in* in); Feiern, Rummel; **~ation** [revi'leiʃən] Enthüllung; Offenbarung; **~ler** Zecher, Feiernder; **~ry** lärmendes Feiern, Rummel

revenge [ri'vendʒ] rächen; ~ *o.s. on* sich rächen an; Rächen; Rache; 🎾 Revanche; **~ful** rachsüchtig

revenue ['revinju:] (Staats-)Einnahmen; Steueramt; Betriebseinkommen; ~ *cutter* Zollboot; ~ *office* Finanzamt; ~ *officer* Zollbeamter; ~ *stamp* Banderole

reverberat|e [ri'və:bəreit] zurückwerfen, -strahlen; widerhallen; **~ion** [-,--'reiʃən] Zurückwerfen; Widerhall

rever|e [ri'viə] verehren, hochachten; **~ence** ['revərəns] Ehrerbietung, hohe Achtung; Ehrwürden; = **~e**; **~end** ['revərənd] ehrwürdig; *R~end* Hochwürden; *Right R~end* Hochwürdigste Exzellenz; **~ent** ['revərənt] ehrerbietig; -fürchtig; **~ential** [revə'renʃəl] = **~ent**; **~ie, ~y** ['revəri] *(a.* ♪) Träumerei

rever|sal [ri'və:səl] Umkehr(ung); Vertauschung; 🚗 Umstoßung; **~se** [-́-] rückwärtig; umgekehrt; entgegengesetzt; umkehren; s. in d. Gegenrichtung bewegen; 🚗 zurückstoßen; umschalten; 🚗 aufheben (Urteil), umstoßen; *su* Gegenteil; Rückseite; Niederlage, Rückschlag; Verlust; **~sible** umkehr-, umschaltbar; (Stoff) reversibel; **~sion** [-́-ʃən] 🚗 Rück-, Heimfall; *bot, zool* Rückartung; **~t** [-́-] *to* 🚗 zurückfallen an; *fig* zurückkommen auf; s. zurück(ver)wandeln zu

review [ri'vju:] 1. an s. vorbeiziehen lassen; nachprüfen; 2. rezensieren; Parade abnehmen bei; Rückblick; Nachprüfung; *to come under* ~ erwogen, geprüft werden; 3. Truppenschau; 4. Rezension, Besprechung (~ *copy* -sexemplar); *period under* ~ Berichtszeit; **~er** [-́-ə] Rezensent

revile [ri'vail] schmähen, beschimpfen

revis|e [ri'vaiz] durchsehen; Revision lesen von; revidieren; 📖 Revisionsbogen; **~er** Korrektor; **~ion** [-'viʒən] 📖 Revision, 2. Korrektur; revidierte Fassg.

reviv|al [ri'vaivəl] Wiedererwachen, -erwekkung *(a. eccl)*; **~e** [-́-] (s.) (wieder)beleben; erneuern

revo|cable ['revəkəbl] widerruflich; **~cation** [--'keiʃən] Widerruf, Zurücknahme; **~ke** [ri'vouk] widerrufen; zurücknehmen, aufheben; (Karten) nicht bedienen

revolt [ri'voult] abfallen (*from* von); s. empören (*against* gegen); *fig* s. empören (*at, against* über); s. voll Abscheu wenden (*from* von); Empörung, Revolte

revolution [revə'lu:ʃən] Kreisen; Umdrehung; Revolution; **~ary** [--́-nəri] revolutionär; Re-

volutionär; ~**ize** [−−́−naiz] revolutionieren
(a. fig)

revolv|e [ri'vɔlv] (s.) drehen; umlaufen; überlegen; ~**er** [−−́ə] Revolver; ~**ing** Dreh-

revue [ri'vju:] Kabarett

revulsion [ri'vʌlʃən] Umschlag(en)

reward [ri'wɔːd] Belohnung, Lohn; belohnen; ~**ing** lohnend

reword [ri:'wɔːd] neu formulieren

rewrite ['ri:'rait] *(s. S. 319)* neu-, umschreiben; *US* redigieren, druckfertig machen

rhapsod|y ['ræpsədi] Rhapsodie *(a. ♪)*; Ekstase; *to go into* ~*ies over* in Ekstase geraten über

Rhenish ['reniʃ. 'ri:-] rhein(länd)isch; Rheinwein

rheostat ['ri:oustæt] Rheostat

rhetoric ['retərik] Rede-, Schreibkunst; Rhetorik, *US* Stilkunde; ~**al** [ri'tɔrikəl] rednerisch; rhetorisch, schönrednerisch; ~**ian** [−−'riʃən] Berufsredner; Lehrer d. Redekunst; Rhetoriker

rheum [ru:m] **§** Ausfluß; Schnupfen; ~**atic** [−'mætik] rheumatisch; Rheumatiker; ~**atics** *BE umg* = ~**atism** [−ətizm] Rheuma(tismus)

rhinestone ['rainstoun] (imitierter) Rheinkiesel

rhino ['rainou] Zaster; ~, *pl* ~**s** = ~**ceros** [−'nɔsərəs], *pl* ~**ceros(es)** Rhinozeros, Nashorn

rhododendron [roudə'dendrən], *pl* ~**s** Rhododendron

rhomb [rɔm] = ~**us** [−bəs], *pl* ~**uses**, ~**i** [−bai] *math* Rhombus

rhubarb ['ru:bɑːb] Rhabarber; *US* Krach

rhyme *(a. **rime**)* [raim] Reim(wort, -dichtung) ♦ *without* ~ *or reason* ohne Sinn u. Verstand; (s.) reimen(d dichten)

rhythm [riðm] Rhythmus; ~**ic(al)** rhythmisch

rib [rib] Rippe *(a. bot, ✿)*; Leiste; rippen

ribald ['ribəld] gemein, unflätig(er Mensch); ~**ry** gemeine Sprache (Witze)

riband ['ribənd] = **ribbon**

ribbon ['ribən] (Ordens-, Farb-)Band; Streifen; *pl* Fetzen

rice [rais] Reis; durchpressen; ~**r** [−ə] *US* Kartoffelpresse

rich [ritʃ] reich; fettreich; ♪, ✿ voll; *umg* sehr lustig (Witz); glücklich; ~**es** [−iz] *pl vb* Reichtum; ~**ly** reich(lich)

rick [rik] Heuschober, Getreidemiete; aufschobern; ~**ets** [−its] *sg vb* Rachitis; ~**ety** [−iti] rachitisch; wacklig; ~**rack** [−ræk] Zackenlitze; ~**shaw** [−ʃɔ:] Rikscha

rid [rid] *(s. S. 319)* befreien *(of* von); *to be (get)* ~ *of* los sein (werden); ~**dance** [−əns] Befreiung; Befreitsein

ridden [ridn] *siehe* ride; beherrscht von

riddle [ridl] Rätsel; (grobes) Sieb; in R. sprechen; erraten, lösen; ~ *me (this)* rate mal; sieben; durchlöchern *(a. fig)*

ride [raid] *(s. S. 319)* reiten (über); (Rad, in e-m Fahrzeug) fahren ♦ ~ *for a fall* wild (daher)reiten, *fig* waghalsig handeln; ~ *to hounds (BE)* auf Fuchsjagd gehen; schwim-

men, schweben; ~ *at anchor* ['æŋkə] vor Anker liegen; *fig* quälen, bedrücken; ~ **down** niederreiten; einholen; *fig* erreichen; ~ **out** ⚓ (Sturm) überstehen; Ritt; Fahrt; Reitweg; Schneise; ~**r** [−ə] Reiter; (Mit-)Fahrer; Anhängsel, Zusatz(klausel)

ridge [ridʒ] Kamm(linie); Bergkette, Grat; Wasserscheide; ⟂ Balken; (s.) furchen; ~**piece** [−pi:s], ~**pole** [−poul] Firstbalken; ~**tile** [−tail] Firstziegel

ridicul|e ['ridikju:l] Hohn, Spott; *to pour ~e on* verspotten; *fig* to hold up to ~e lächerlich machen; verspotten, lächerlich machen; ~**ous** [−−́−ləs] lächerlich

riding ['raidiŋ] *BE* Bezirk; Reiten; Reit-; ~**light** [−−lait] ⚓ Ankerlicht

rife [raif] weitverbreitet; voll *(with* von)

riff-raff ['rifræf] Abschaum, Gesindel

rifle [raifl] durchwühlen, plündern; (Gewehr) mit Zügen versehen; Büchse, Gewehr; Zug (des Gewehrs); ~**range** [−reindʒ] Schießstand; Schußweite; ~**shot** [−ʃɔt] Gewehrschuß; guter Schütze; Schußweite

rift [rift] Riß *(a. fig)*; Spalte; spalten

rig [rig] ⚓ takeln; ⊤ (auf)rüsten; manipulieren; ~ *the market* sl. Markt (betrügerisch) beeinflussen; ~ *out* ausstatten, herausputzen; ~ *up* = ~ *out*, schnell herrichten, zus.basteln; ⚓ Takelung; ⊤ (Auf-)Rüstung; *umg fig* Auftakelung; Manipulieren; Börsenmanöver; ~**ger** [−ə] ⊤ (Rüst-)Mechaniker; ~**ging** [−iŋ], ⚓, ⊤ = ~ *su*

right [rait] **1.** *adj* rechte, rechts; *my* ~ *arm (fig)* meine r. Hand; ~**hand** rechte; ~**hand man** d. Rechtstehende, *(fig)* r. Hand; ~**handed** [−'hændid] rechtshändig, ✿ rechts-; ~**hander** Rechtshänder, ✋ Rechter; *a* ~ *turn* Rechtswendung (um 90 Grad); (ge)recht; richtig; *to put s-th* ~ in Ordnung bringen; *to get s-th* ~ etw klarbekommen; ~*o* [−'tou], ~ *oh (BE)* gut!, recht!; *all* ~: *siehe* all; *on the* ~ *side of* noch unter (50 Jahre alt etc); gesund, gut; *to be in one's* ~ *mind* (od senses) richtig im Kopf sein; *not* ~ *in the head* verrückt! **2.** *adv* (nach) rechts; richtig; gerade; genau; ~ *away* sofort; ~ *now* gerade jetzt, im Augenblick; ganz, gänzlich; **3.** *su* rechte Seite; *bes mil.* Rechte; *to the* ~ (nach) rechts; Recht; *by* ~*(s)* von Rechts wegen; *by* ~ *of* auf Grund von; *to set* (od *put*) *s-th to* ~*s* in Ordnung bringen; *the* ~*s (and wrongs) of a case* die wahren Tatsachen; *in one's own* ~ aus eigenem Recht, durch Geburt, ganz selbständig, unabhängig; ~ *of way* Weg(erecht), Vorfahrt, *US* Trasse; **4.** *vt* aufrichten; in Ordnung bringen (~ *o.s.* in O. kommen); wiedergutmachen; ~**about turn** Kehrtwendung; *fig* Abkehr; ~**angled** [−'æŋgld] rechtwinklig; ~**down** völlig, durch und durch; ~**eous** ['raitʃəs] rechtschaffen; berechtigt; ~**ful** rechtmäßig; gerecht; ~**ist** rechtsparteiisch; rechtsstehend; ~**ly** richtig, recht; mit Recht; ~**minded** [−'maindid] gerecht; vernünftig

rigid ['ridʒid] starr; steif; streng; ~**ity** [−−́−diti] Starrheit; Strenge

rigmarole ['rigməroul] Geschwafel

rig|or ['rigə] *siehe* ~our; ~**or** ['raigɔː] **mortis** ['mɔːtis] Todesstarre; ~**orous** ['rigərəs] streng, rigoros; peinlich genau; ~**our** [‐ə] Strenge, Härte; *pl* Unbilden; **⚡** Schüttelfrost; Starre; *siehe* ~or

rile [rail] *umg* reizen, ärgern

rill [ril] kleiner Bach

rim [rim] Felge; Rand; einfassen; rändern

rim|e [raim] Rauhreif; mit R. bedecken; *siehe* rhyme; ~**y** [‐i] bereift

rind [raind] Rinde; Schale; Hülse

ring[1] [riŋ] *(s. S. 319)* 1. läuten, klingeln *(for nach)*; 2. (wider)hallen *(~ out* ver‐); ~ *true* echt, wahr klingen; ~ *the changes* ständig variieren *(on* mit); 3. Läuten; *there was a* ~ es hat geklingelt; 4. Klang; 5. Anruf *(to give s-b a* ~*)*; ~ **down** d. Zeichen zum Fallen (des Vorhangs) geben *(a. fig)*; ~ **in (out)** etw einläuten (aus‐); ~ **off** ✆ einhängen; ~ **(up)** ✆ anrufen; ~ **up** d. Zeichen zum Aufziehen (d. Vorhangs) geben; ~**er** Glöckner; Läutewerk

ring[2] [riŋ] Ring *(a. 🐾)*; Manege; Kartell; *the* ~ d. Buchmacher; umringen; zus.treiben; mit e-m Ring versehen; ~**leader** [‐liːdə] Rädelsführer; ~**let** [‐lit] Ringlein; lange Locke; ~**master** [‐maːstə] Manegenleiter; ~**snake** [‐sneik] Ringelnatter; ~**worm** [‐wəːm] **⚡** Ringelflechte; Ringwurm, Tinea

rink [riŋk] (Kunst‐)Eis(lauf)bahn; Rollschuhbahn; auf e-r E.bahn (etc) laufen

rinse [rins] spülen *(~ down* herunter‐)

riot [raiət] Aufruhr; *the R~ Act (BE)* Aufruhrgesetz ♦ *to read the R~ Act* (als letzte Warnung) d. Aufruhrgesetz verlesen lassen, ernstlich verwarnen; Tumult, Krawall; *to run* ~ (sich aus)toben, *bot* wild wuchern; *a* ~ e-e Pracht, Fülle; toben; schwelgen; ~**ous** [‐əs] aufrührerisch; zügellos; wild wuchernd; ~**squad** [skwɔd] Überfallkommando

rip [rip] reißen; (Stoff) trennen; (dahin)rennen; *let things* ~ laß d. Dingen ihren Lauf; ✿ längssägen; Riß, Schlitz; Klepper; Taugenichts; wildes Wasser

ripe [raip] reif; ~**n** [‐ən] reifen

ripping ['ripiŋ] *BE* herrlich, großartig

ripple [ripl] Welle(ngekräusel); (Haar‐)Welle; s. kräuseln; perlen; plätschern

rise [raiz] *(s. S. 319)* aufgehen, auf(er)stehen; s. erheben; (an‐, auf)steigen; (Teig) gehen; schrill werden; anschwellen; ~ *to* s. gewachsen zeigen; entspringen *(a. fig)*; Hügel, Anstieg *(a. fig)*; Aufstieg; Lohnerhöhung; Steigerung; Anbeißen d. Fische; Ursprung; *to give* ~ *to* Anlaß geben zu ♦ *to take* (od *get*) *a* ~ *out of s-b* j-n auf d. Palme bringen

risible ['rizibl] lachfreudig; Lach‐

rising ['raiziŋ] Ansteigen; Erhebung *(a. fig)*; Auferstehen; aufgehend; (an)steigend; ~ **generation** junge Generation

risk [risk] Risiko, Gefahr; riskieren; ~**y** riskant, bedenklich; ~ **issé**

risqué ['riskei, *US* ‐‐] gewagt (Witz)

rissole ['risoul, *US* ri'soul] Frikadelle

rite [rait] Ritus, Brauch

ritual [ritʃuəl] Ritual, Zeremoniell; Ritus; rituell

ritzy ['ritsi] feudal, hoch elegant

rival [raivl] Mitbewerber; Rivale; Konkurrent; *without a* ~ unerreicht; wetteifern, konkurrieren mit; gleichkommen; ~**ry** [‐vəlri] Wetteifern, ‐bewerb; Konkurrenz; Rivalität

rive [raiv] *(s. S. 319)* reißen, spalten

river ['rivə] Fluß *(a. fig)*; ~**basin** [‐‐beisn] Stromgebiet; ~ **craft**, *pl* ~ craft Flußfahrzeug; ~ **front** [frʌnt] (Fluß‐)Ufer; ~ **head** Flußquelle; ~**side** [‐said] (Fluß‐)Ufer; Ufer‐

rivet ['rivit] Niete; (ver)nieten; *fig* richten (auf); *fig* fesseln

rivulet ['rivjulit] Flüßchen, Bach

roach [routʃ], *pl* ~ Plötze; *pl* ~es (Küchen‐)Schabe, Kakerlak

road [roud] (Land‐)Straße; *on the* ~ unterwegs; *to take the* ~ losfahren ♦ *to take to the* ~ Straßenräuber werden; *fig* Weg; *in the* ~ im Weg; *to get in s-b's* ~ j-m in d. Quere kommen; *mst pl* ~ = ~stead; ~**bed** Straßenbett; 🚂 Bahnkörper; Schotter; ~**block** Straßensperre; Problem; ~**hog** [‐hɔg] rücksichtsloser Fahrer, Straßenschreck; ~**holding** [‐houldiŋ] Straßenlage; ~**house** [‐haus], *pl* ~houses [‐hauziz] 🍴 Rasthaus; ~**man** [‐mən], *pl* ~men Straßenarbeiter; ~**mender** *BE* = ~man; ~**metal** [‐metl] (Straßen‐)Schotter; ~**side** [‐said] Seitenstreifen; an d. Straße gelegen; ~**stead** [‐sted] Reede; ~**ster** [‐stə] 🚗 offener Sportwagen; Tourenrad; ~ **test** Probefahrt; ~**user** [‐juːzə] Verkehrsteilnehmer; ~**way** Fahrbahn

roam [roum] umherwandern, ‐fahren; durchstreifen

roan [roun] gefleckt, scheckig; Schecke

roar [rɔː] brüllen *(a. fig)*; röhren; Brüllen, Gebrüll; ~**ing** [‐riŋ] Gebrüll; laut; wild; (Handel) schwunghaft

roast [roust] braten, rösten *(a. fig)*; aufziehen, hänseln; *attr adj* gebraten; Braten(stück) ♦ *to rule the* ~: *siehe* roost

rob [rɔb] (be‐, aus)rauben; ~**ber** [‐ə] Räuber; ~**bery** [‐əri] Raub; Räuberei

robe [roub] Amtskleid, Robe; Talar; (s.) ankleiden   [sel

robin ['rɔbin] Rotkehlchen; *US* Wanderdrossel

rob|ot ['roubət] Roboter; ~**ust** [rou'bʌst, *US* ‐bʌst] kräftig(end); robust

roc [rɔk] Roch (Fabelvogel)

rock [rɔk] Fels(en), Gestein; *on the* ~s 🍸 aufgelaufen; in Geldnöten; *US* Stein; Fels‐, Berg‐; Schaukeln; schaukeln; ~ **bottom** *fig* Tiefpunkt; ~**bottom** äußerster (Preis); ~**er** Schaukelbrett, ‐stuhl; Rocker; Rocksänger; ~**ery** [‐əri] Steingarten; ~**ing** Schaukel‐; ~**y** felsig, Felsen‐; wacklig

rocket ['rɔkit] Rakete; hochschießen; ~**eer** [‐‐'tiə] R.fachmann; ~**ry** [‐‐ri] R.technik

rococo [rə'koukou] Rokoko

rod [rɔd] (Rund‐)Stange; (Walz‐)Draht; Rute (5,03 m; *a. fig*) ♦ *to make a* ~ *for one's own back* s. etw einbrocken; Züchtigung

rode [roud] *siehe* ride

rodent ['roudənt] Nagetier; nagend

rodeo [rou'deiou, *US* ⁻diou], *pl* ~s Zus.treiben d. Viehs; Cowboy-Turnier, Rodeo

roe [rou] Rogen; *pl* ~ Reh; **~-buck** [⁻bʌk] Rehbock

Roentgen [*BE* 'rɔntjən, *US* 'rentgən] *siehe* Röntgen

rogu|e [roug] Betrüger, Schuft; Schlingel; **~ery** [⁻əri] Betrügerei, Schurkerei; Schelmerei; *pl* Streiche; **~ish** [⁻iʃ] schurkisch; schelmisch

roister ['rɔistə] lärmen(d prahlen, feiern); **~er** [⁻⁻rə] Krakeeler

role [roul] ♉ Rolle *(a. fig)*

roll [roul] **1.** rollen; (s.) wälzen; *to be ~ing in (wealth etc)* in großem (Reichtum etc) leben; **2.** ♌ schlingern, schwanken; **3.** ✿ walzen (*~ed gold* Walzgold); **4.** grollen, wirbeln; ~ *in* hereinströmen, einlaufen; ~ *over* s. umdrehen; ~ *up* s. aufhäufen, aufkreuzen, zus.falten; **5.** Rolle *(a. ✝)*; Verzeichnis, Liste ♦ *to call the* ~ d. Namensliste verlesen; **6.** Brötchen; Röllchen; **7.** Grollen, (Trommel-)Wirbel; **~-call** [⁻kɔːl] Namensaufruf, Appell; **~er** Walze; Rolle; rollende Welle; **~er-skate** [⁻əskeit] Rollschuh (laufen); **~er-towel** [⁻ətauəl] Rollhandtuch; **~ick** ['rɔlik] herumtollen, ausgelassen sein; lustiger Streich; Ausgelassenheit; fröhlicher Ton; **~ing** Rollen; Walzen; rollend; (Land) wellig; **~ing-mill** [⁻iŋmil] ✿ Walzwerk; **~ing-pin** [⁻iŋpin] Teigrolle; **~ing stock** ⚒ rollendes Material; **~-top desk** Sekretär

roly-poly ['roulipouli] Pummelchen; *BE* Biskuitrolle

romaine [rə'mein] *US* Binde-, Kochsalat

Roman ['roumən] römisch; Römer; Katholik; ▥ Antiqua, Normalschrift

roman-à-clef [rou'maːnaː'klei] Schlüsselroman

roman|ce [rou'mæns] Ballade; Romanze; Romantik; *fig* Märchen; **R~ce** romanisch(e Sprachen); *vi* ausschmücken; **~cer** Romanzenschreiber; Übertreiber; **R~esque** [⁻mə'nesk] romanisch(er Stil), Romanik; **R~ic** [⁻'mænik] (Sprache) romanisch; (Kultur) römisch; **R~ism** [⁻mənizm] Lehren der katholischen Kirche

romantic [rou'mæntik] romantisch; Romantiker; *pl* romantische Gefühle; **~ism** [⁻⁻⁻sizm] Romantik; **~ist** [⁻⁻⁻sist] Romantiker; **~ize** [⁻⁻⁻saiz] romantisieren

Romany ['rɔməni] Zigeuner(wesen, -sprache)

Rome [roum] Rom; d. kathol. Kirche ♦ *when in* ~, *do as the Romans do* man muß mit den Wölfen heulen

romp [rɔmp] herumspielen, -tollen; (Pferd) davonziehen; Wildfang; Toben, Tollen; **~ers** *pl vb* Spielanzug

Röntgen, *US* **Roentgen** ['rɔntjən, *US* 'rentgən] Röntgen-; **~ogram**, *US* **roent-** [rɔnt'genəgræm, *US* 'rentgənəgræm] Röntgenaufnahme

rood [ruːd] Kruzifix; Viertelmorgen (= 10,12 Ar); **~-screen** [⁻skriːn] Lettner

roof [ruːf], *pl* ~s Dach; 🚗 Verdeck; ~ *of the mouth* Gaumen; überdachen; **~ing** Beda-

chung; **~ing felt** Dachpappe; **~less** ohne Dach; *fig* heimatlos

rook [ruk] Saatkrähe; Falschspieler; (Schach) Turm; betrügerisch, gewinnen; j-n sehr überfordern; **~ery** Krähenhorst; *zool* Kolonie; Elendsviertel; Mietskaserne

room [ru(ː)m] Zimmer, Raum; Platz; Gelegenheit; *US* wohnen, e. Z. haben; **~er** Untermieter; **~y** geräumig

roost [ruːst] Zweig (f. Vögel z. Schlafen;) Hühnerstange, -stall ♦ *to rule the* ~ herrschen; *to go to* ~ zu Bett gehen ♦ *to come home to* ~ auf d. Urheber zurückfallen; schlafen, zu Bett gehen; **~er** Haushahn

root [ruːt] *gram, math,* ♐, *fig* Wurzel; *to take* ~ Wurzel schlagen *(a. fig)*; *to strike at the* ~ *of* etw an d. Wurzel treffen; *to get to* (od *at*) *the* ~ *of s-th* e-r Sache auf d. Grund gehen; ~ *and branch* mit Stumpf und Stiel, ganz und gar; *attr* Großgrund-, Ur-; fest einwurzeln, *fig* verankern; Wurzel fassen; sich einwurzeln; ~ *out* (od *up*) mit der Wurzel ausreißen; aufwühlen; gründlich durchsuchen; laut rufen, durch Zurufe anfeuern

rope [roup] Seil, Tau; *the* ~ der Strick *(a. fig)*; *the* ~*s* 🏇 d. Seile; *to know the* ~*s* sich auskennen; Seilschaft; *on the* ~ angeseilt; *to give s-b* ~ j-m Spielraum lassen; Schnur (Perlen etc); mit e-m Seil befestigen; anseilen; ~ *in* einschließen, abgrenzen; j-n einfangen; **~-dancer** [⁻daːnsə] Seiltänzer; **~-ladder** [⁻lædə] Strickleiter; **~-walker** [⁻wɔːkə] Seiltänzer; **~-way** Seilbahn; **~-yard** [⁻jaːd] Seilerei

rosary ['rouzəri] Rosenkranz; Rosengarten

rose [roz] *siehe* rise

rose [rouz] Rose ♦ *to gather (life's)* ~*s* sein Leben genießen; *under the* ~ insgeheim; **~ate** [⁻eit] rosa, rosenfarben; **~bud** [⁻bʌd] Rosenknospe *(a. fig)*; **~-coloured** [⁻kʌləd] rosa, rosenfarben; anziehend; **~mary** [⁻məri] Rosmarin; **~tte** [⁻'zet] Rosette; **~-water** [⁻wɔːtə] Rosenwasser; **~wood** [⁻wud] Rosenholz

rosin ['rɔzin] Geigenharz, Kolophonium

roster ['rɔstə] Verzeichnis; *mil* Dienstplan

rostrum ['rɔstrəm], *pl* ~s Rednerbühne, Podium

rosy ['rouzi] rosig *(a. fig)*; rosengeschmückt

rot [rɔt] Fäulnis; (Schaf) Leberfäule; *BE sl* Blödsinn, Quatsch; (ver)faulen, modern; *BE* Quatsch reden; *BE* necken

rota ['routə], *pl* ~s *BE* Dienstturnus; Dienstplan; **~ry** [⁻ri] rotierend; drehend; Dreh-; ▥ Rotations-; *US* Verkehrsrondell; **~te** [⁻'teit] (s.) rotieren, drehen; (s.) abwechseln; **~tion** [⁻'teiʃən] Rotation, Umdrehung; Kreislauf; ~*tion of crops* Fruchtfolge; **~tory** [⁻⁻təri] = ~ry

rote [rout] *by* ~ auswendig, mechanisch

rotogravure [routəgrə'vjuə] (Rakel-, Kupfer-) Tiefdruck

rotor ['routə] ✿ Drehteil; ✈ Rotor

rott|en ['rɔtn] faul; verdorben; *umg* miserabel; **~er** [⁻ə] *BE* Saukerl

rotund [rou'tʌnd] rundlich; dick; volltönend; (Stil) reich, blumig

rouble ['ru:bl] Rubel

rouge [ru:ʒ] rote Schminke; Rouge; Rouge auflegen

rough [rʌf] **1.** rauh; uneben; strubbelig; ♫ grob, stürmisch; grob, roh; (Leben) hart; derb; ~ *and ready* grob (Methode etc); ~ *book* Kladde; ~ *customer* ['kʌstəmə] grober Bursche; ~ *diamond* ['daiəmənd] ungeschliffener Diamant, *fig* Rauhbein; ~ *house* lärmende Zus.kunft, Schlägerei; **2.** *su* grobe Strecke; *to take the* ~ *with the smooth* für die Härten des Lebens gewappnet sein; ~ *and tumble* wilder Kampf; *attr* regellos, wild; **3.** grober Kerl, Rowdy; **4.** Rohzustand; **5.** *vt (up)* grob machen; j-n grob behandeln; ~ *in* (od *out*) grob angeben, zeichnen; ~ *it* ein hartes Leben führen; ~**age** [-idʒ] grobe Nahrung; Rauhfutter; ~**cast** [-kɑ:st] Rauhputz; *vt (s. S. 319)* grob verputzen, grob ausarbeiten; ~**dry** [-'drai] trocknen (ohne zu bügeln); ~**en** [-ən] rauh, grob machen (werden); ~**hew** [-çu:] grob behauen; ~**neck** [-nek] *US* Rowdy, Rohling; ~**rider** [-raidə] Zureiter; verwegener Reiter; ~**shod** [-ʃɔd] scharf beschlagen ♦ *to ride* ~*shod over* grob behandeln, rücksichtlos hinweggehen über; ~**spoken** [-'spoukən] grobschnäuzig

round [raund] **1.** *adj* rund *(a. fig)*; lebhaft (Schritt); klar, deutlich; volltönend; ~ *dance* Rundtanz; ~ *game* Gesellschaftsspiel; ~ *trip* Rundreise, *US* (Hin- u.) Rückreise; **2.** *adv* (rund)herum; *(all)* ~ ringsherum; **3.** im Umfang; *the year* ~ d. Jahr hindurch; *to go* ~ *(fig)* reichen; **4.** *prep* rund um (... herum); **5.** *su* rundes Stück; Sprosse; Runde *(a. ♫)*; Kreislauf; Rundtanz; Kanon; *a good* ~ langer Spaziergang; Schuß, Salve *(a. fig)*; *the daily* ~ d. täglichen Pflichten (Arbeiten); **6.** *vt/i* (sich) (ab)runden; herumgehen, -fahren; ~ *off* abrunden; ~ *on* herfallen über; ~ *up* zus.treiben; ~**about** [-əbaut] umwegig, Um-; weitschweifig; *BE* Karussell; *BE* (Platz mit) Kreisverkehr; Umweg; ~**house** ♫ Kabine; Lokomotivschuppen; ~**ish** [-ʃ] rundlich; ~**ly** rundheraus; schwungvoll; ~**up** [-ʌp] Zusammentreiben; Razzia

rouse [rauz] (Tier) aufjagen; aufwecken; *fig* aufrütteln; erregen, aufstacheln; rühren *(bes* Bier); aufwachen

roustabout ['raustəbaut] *US* ungelernter Gelegenheits-, Hafenarbeiter

rout [raut] lärmende Gesellschaft, Fest; wilde Flucht; *to put to* ~ = **to** ~ in die Flucht schlagen; aufwühlen, heraustreiben

route [ru:t] Strecke, Kurs; *en* [ɑ:n] ~ unterwegs; *mil of* [raut] Marschbefehl; Marsch-; ~ **march** Übungsmarsch

routine [ru:'ti:n] (gewöhnlicher) Geschäftsgang; (alltägliche) Arbeit; *to be* ~ d. Regel sein; *to make a* ~ *of* zur Regel machen; ~**ly** routinemäßig

rov|e [rouv] umherstreifen, -wandern; ~**er** Umherstreifer; Räuber; ~**ing** auf Reisen befindlich

row [rou] Reihe; *a hard* ~ *to hoe* e-e schwierige Nuß; Rudern; Ruderfahrt, -strecke; rudern; ~**(ing)-boat** [-(iŋ)bout] Ruderboot; ~ [rau] Lärm, Krach; Streit; *to kick up a* ~ Lärm schlagen, streiten; Krach machen; schelten; ~**an** ['rauən, *bes US* 'rouən] Eberesche, Vogelbeere; ~**dy** ['raudi] lärmend, flegelhaft; Flegel; ~**el** ['rauəl] Spornrädchen; ~**er** Ruderer; ~**lock** ['rɔlək, 'rʌ-] *bes BE* (Riemen-)Dolle

royal ['rɔiəl] königlich; prächtig, Prachts-; ~**ty** Königtum; königliche Person(en); Tantieme; Lizenzgebühr

rub [rʌb] **1.** reiben; ~ *along umg s.* durchschlagen; ~**down** abreiben; ~ *in* einreiben, *fig* unter d. Nase reiben; ~ *out* ausradieren; ~ *up* polieren *(a. fig)*; ~ *shoulders with s-b* mit j-m verkehren; **2.** Reiben; **3.** Schwierigkeit *(there's the* ~*)*; ~**ber** [-ə] Reiber; Gummi; Radiergummi; *US* Überschuh; *BE* Turnschuh; (Spiel) Robber; mit Gummi überziehen, behandeln; ~**berize** [-əraiz] = to ~ber; ~**berneck** [-ənek] *US* Gaffer, *umg* Tourist; ~**bish** [-iʃ] Abfall; Plunder; Blödsinn; ~**bishy** miserabel; Schund-; ~**ble** [-l] Schutt

rub|icund ['ru:bikʌnd] rötlich; ~**ric** [-brik] (Kapitel) Überschrift; *eccl* Rubrik; ~**y** [-bi] Rubin; Rubinfarbe; rubinrot; *BE* Pariser Schrift (5¼ Punkt)

ruche [ru:ʃ] Rüsche (~*d* [ru:ʃt] mit R.)

ruck [rʌk] *fig* d. große Haufe; Falte; zerknittern; ~**sack** ['rʌksæk] Rucksack

ruction ['rʌkʃən] *sl* Krawall

rudd [rʌd] *zool* Rotfeder; ~**er** [-ə] ♫ Ruder; ✝ Seitenruder; Schwanz; *fig* Richtschnur; ~**y** [-i] rötlich; frisch

rude [ru:d] grob, unhöflich; heftig, unsanft; roh, primitiv; robust

rudiment ['ru:dimənt] *pl* Anfangsgründe, Anfänge; Rudiment; ~**ary** [--'mentəri] elementar, rudimentär

rue [ru:] (Garten-)Raute; Bedauern, Mitleid; bereuen *(to live to* ~ *it* es noch b.); ~**ful** traurig; kläglich; bedauernd

ruff [rʌf] Halskrause *(a. zool)*; Halsgefieder; *orn* Kampfläufer; ~**ian** [-jən] Rohling, Schurke; ~**le** [-l] knüllen, zerknittern, zerzausen; (s.) kräuseln; *fig* aus d. Ruhe bringen; Krause; Halsgefieder; Gekräusel; Aufregung

rug [rʌg] ♫ Läufer, Brücke; *US* Teppich; Wolldecke; ~**ged** [-id] rauh, uneben; rauhbeinig; ~**ger** *umg* Rugby

ruin ['ru:in] Ruin, Zerstörung; Ruine; *to bring to* ~ = **to** ~ ruinieren, zerstören; ~**ation** [--'eiʃən] Ruin(ieren); ~**ous** [-əs] vernichtend, ruinös; verfallen

rul|e [ru:l] Vorschrift (~*e of the road* Verkehrs-); Regel *(as a* ~*e* in d. R.; ~*e of thumb* [θʌm] Faustregel); Herrschaft; Lineal, Maß(stab); Zollstock; ♫ Verfügung, Gedankenstrich; (be-)herrschen, regieren; *to be* ~*ed s.* leiten lassen; entscheiden; (Preis) stehen; linieren *(~ed paper)*; ~*e out* ausschließen, ablehnen, durchstreichen; ~**er** Herrscher; Lineal; ~**ing** regierend, herrschend *(~ing passion*

h. Prinzip); Herrschaft, Regieren; 🐎 Entscheidung

rum [rʌm] Rum; *US* alkohol. Getränk; *sl* komisch, ulkig (~ *customer* k. Kauz)

rumble ['rʌmbl] rumpeln, dröhnen(d fahren); Rumpeln, Grollen

rumin|ant ['ru:minənt] wiederkäuend; nachdenklich; Wiederkäuer; **~ate** [$\stackrel{-}{-}$ neit] wiederkäuen; sinnen (*on* über)

rummage ['rʌmidʒ] durchsuchen; herumstöbern in; ~ *out* (od *up*) zutage fördern; Durchsuchung; alter Kram, Plunder; ~ **sale** Ramschverkauf, Basar

rummer ['rʌmə] Römer *(Glas)*

rummy ['rʌmi] *BE* komisch, ulkig; Rommé

rumour ['ru:mə] Gerücht(e); ~ *has it that* ... gerüchteweise verlautet, daß ... ; *it is ~ed* [$\stackrel{-}{-}$ d] es wird gemunkelt, es geht das Gerücht

rump [rʌmp] Steiß; Bürzel; Gesäß; **~le** [-l] zerknittern, knüllen; **~us** [-əs] Krawall, Spektakel *(to kick up a ~us)*

run [rʌn] *(s. S. 319)* **1.** laufen, (davon)rennen; stürzen *(also ran* ferner liefen; *an also ran* ein letzter Sieger); **2.** 🚃, 🛥 verkehren, fahren; **3.** *fig* verlaufen; **4.** fließen, strömen, laufen; **5.** (Masche) laufen, fallen; **6.** s. ausbreiten; **7.** (Farbe) auslaufen; **8.** liegen *(in the family);* **9.** lauten; gelten; **10.** *mit adj:* ~ *dry* austrocknen; ~ *high* hochgehen; ~ *short* (od *low*) knapp werden; ~ *cold* (Blut, *fig*) gerinnen; ~ *wild* außer Rand und Band geraten, verwildern; **11.** (Betrieb) leiten, betreiben; (Zeitung etc) herausbringen; ~ *the show* d. Laden schmeißen; **12.** 🚃, 🛥 fahren lassen; **13.** (Gefahr) auf s. nehmen; (Blockade) brechen; **14.** ~ *errands* (od *messages*) (Boten-)Gänge machen; **15.** (Pferd, Wasser etc) laufen lassen; **16.** ~ *close* hart zusetzen, *fig* nahe-, gleichkommen; **17.** etw schmuggeln; **18.** leicht vernähen; **19.** ~ *about* umherlaufen; ~ **across** in d. Weg laufen, treffen; ~ **after** nachlaufen *(a. fig)*; ~ **against** anrennen gegen; ~ *one's head against the wall* mit d. Kopf durch d. Wand wollen; ~ **at** losgehen auf; ~ **away** wegrennen, fliehen; ~ *away with* entlaufen mit j-m, etw; durchgehen mit j-m, etw; ~ *away with the idea* voreilig annehmen; ~ **down** ab-, auslaufen; einholen; auffinden, erreichen; umstoßen, -fahren; hetzen gegen; ~ **for** kandidieren für; ~ **in** herüberkommen; j-n einlochen; 🔧, 🚗 einfahren; ~ **into** geraten in; stoßen auf, zus.stoßen mit; ~ *into six editions* 📖 6 Auflagen erleben; ~ *s-th into* s. stoßen, rennen in; ~ **off** ablaufen lassen; entlaufen; abfließen von *(a. fig);* herunterschreiben, -sagen; 📖 abziehen; erledigen, entscheiden; ~ **on** weiterlaufen, -machen, -reden; s. drehen um; ~ **out** zu Ende gehen; ablaufen *(a. konkr);* hinausragen; nicht mehr haben; ~ **over** überfließen; *fig* durcheilen; überfahren; ~ **through** (Geld) vertun; schnell durchgehen; durchstreichen; 🛥 durchfahren, ~ *through six-b's head* durch d. Kopf gehen; ~ *through six editions* 📖 *siehe* ~ *into;* ~ *s-b through* j-n durchstoßen; ~ **to** s.

belaufen auf; s. leisten können; reichen für; tendieren zu; ~ **up** hissen; (Schuppen) aufschlagen; zus.rechnen; zus.kommen (lassen); (Auktion) hochtreiben; ~ *up against* stoßen auf; ~ **upon** stoßen auf; **20.** Lauf *(a. fig.* ♪); *at a* ~ im L.; *on the* ~ auf d. Flucht, *fig* in Betrieb); 🐎 Anlauf; **21.** kurze Fahrt; Kurs; **22.** *fig* Sturz; **23.** Lauf-, 🏏 Spielzeit; ~ *of ill luck* Pechsträhne; *in the long* ~ letzten Endes, schließlich; **24.** Ansturm, Run; **25.** (Durchschnitts-)Gruppe, Art, Schlag; **26.** Weideplatz; Hühnerhof; **27.** Herde; (Fische) Schwarm; **28.** freier Zutritt *(of* zu); Laufmasche; *US* kleiner Fluß; **~about** [$\stackrel{-}{-}$ əbaut] unsteter Kerl; leichtes Motorboot; Kleinauto; **~away** [$\stackrel{-}{-}$ əwei] Ausreißer; wild gewordenes Pferd; durchgebrannt; **~down** [$\stackrel{-}{-}$ daun] heruntergekommen, erschöpft; **~ner** [$\stackrel{-}{-}$ ə] Läufer, Renner; Bote; Schmuggler; Kufe; (Teppich) Läufer; *bot* Ableger; **~ner-up** [$\stackrel{-}{-}$ ər'ʌp] 🐎 d. Zweite; **~ning** [$\stackrel{-}{-}$ iŋ] laufend, fließend; nacheinander; 🏏 eiternd; Laufen; *to make the* ~*ning* d. Tempo angeben *(a. fig);* *to take up the* ~*ning* d. Führung übernehmen *(a. fig);* **~way** [$\stackrel{-}{-}$ wei] *US* Flußbett; *zool* Wechsel; Schneise; (✈ Start-)Bahn

rune [ru:n] Rune *(a. fig)*

rung [rʌŋ] Sprosse *(a. fig);* Speiche

runt [rʌnt] Zwergrind; Zwergtier

rupee ['ru:pi:] Rupie

rupture ['rʌptʃə] 🏏 Riß, Ruptur; 🏏 Bruch *(a. fig);* zerreißen, zersprengen

rural ['ruərəl] ländlich; Land-

ruse [ru:z] Kniff, List; betrügen

rush [rʌʃ] **1.** stürzen, jagen; schnell transportieren; drängen; j-m abverlangen; im Sturm nehmen; überschnell erledigen; ~ *into print* übereilt in -Druck geben; ~ *s-b off his feet (fig)* j-n überfahren; ~ *to a conclusion* voreilig folgern; **2.** Stürzen, Stürmen; Hast; Ansturm; Ansteigen, Anschwellen; lebhafte Nachfrage *(for* nach); ~ *-hour* [$\stackrel{-}{-}$ auə] Hauptverkehrszeit; **3.** Binse(n); **~y** [$\stackrel{-}{-}$ i] binsenreich, -artig; aus Binsen

rusk [rʌsk] (süßer) Zwieback

russet ['rʌsit] rötlichbraun(er Stoff; Apfel)

Russia ['rʌʃə] Rußland; **~n** [$\stackrel{-}{-}$ n] russisch; Russe

rust [rʌst] Rost; *bot* Rost (Krankheit); *fig* rosten; (ver-, zus.-)rosten (lassen); *a. fig*); vom Rost befallen werden

rustic ['rʌstik] ländlich; bäuerlich; bäurisch; roh (bearbeitet); Bauer *(a. fig);* **~ate** [$\stackrel{-}{-}$ eit] auf d. Land leben, ein ländliches Leben führen, *BE* zeitweilig relegieren; **~ity** [$\stackrel{-}{-}$ tisiti] Ländlichkeit; bäuerliches (bäurisches) Wesen

rustl|e [rʌsl] rascheln; rauschen; (Stoff) knistern; *US* (Vieh) stehlen; Rascheln; Rauschen; **~er** [$\stackrel{-}{-}$ ə] *US* Viehdieb; **~ing** [$\stackrel{-}{-}$ iŋ] Rascheln, Rauschen

rust|less ['rʌstlis] rostfrei; -beständig; **~proof** [$\stackrel{-}{-}$ pru:f] ~less; ~y rostig; rostfarben; *fig* eingerostet, rückständig; (Stoff) verschossen; *to turn ~y* ärgerlich, böse werden

. **rut** [rʌt] Rad-, Wagenspur; *fig* altes Geleise, Trott; *zool* Brunft
rutabaga [ruːtə'beigə] *US* Kohl-, Steckrübe
ruthless ['ruːθlis] unbarmherzig, mitleidlos
rye [rai] Roggen; **~-grass** [⸗grɑːs] Raigras, Lolch
ryot ['raiət] indischer Bauer

S

S [es] S
Sabbath ['sæbəθ] Sabbat; Sonntag; *a witches'* ~ Hexensabbat
sabbatical [sə'bætikəl] Sabbat-; Sonntags-; ~ **year** Urlaubs- u. Studienjahr
sable [seibl] Zobel(fell); Schwarz; *pl* Trauerkleider; schwarz; düster
sabot ['sæbou] Holzschuh; **~age** ['sæbətɑːʒ] Sabotage; sabotieren; Sabotage treiben (gegen); **~eur** [⸗'təː] Saboteur
sabre ['seibə] Säbel; mit d. Säbel kämpfen, stechen
sac [sæk] ⚜ Sack
saccharin ['sækərin] Saccharin; **~e** ['sækəriːn, -rain] zuckerartig, -süß; übersüß
sacerdotal [sæsə'doutl] priesterlich; Priester-
sachet ['sæʃei, *US* -⸗] Parfümbeutelchen; Parfümpulver; Beutel
sack [sæk] Sack; Entlassung; Plünderung; Hänger; Umhang; (span.) Weißwein; in einen Sack füllen; entlassen; plündern; **~cloth** [⸗klɔθ] Sackleinen; **~ing** = ~cloth; Plünderung; ~ **race** Sackhüpfen
sacrament ['sækrəmənt] Sakrament; Abendmahl; **~al** Abendmahl-
sacred ['seikrid] heilig; geweiht; religiös
sacrific|e ['sækrifais] opfern; mit Verlust verkaufen; Opfer; Verlust (*at a* ~*e* mit V.); **~ial** [⸗'fiʃl] Opfer-
sacrileg|e ['sækrilidʒ] Entweihung; Kirchenschändung; **~ious** [⸗⸗əs] kirchenschänderisch; frevelhaft
sacrist|an ['sækristən] Küster, Mesner; **~y** [⸗⸗i] Sakristei
sacrosanct ['sækrousæŋkt] heilig, sakrosankt
sad [sæd] traurig; düster; böse; ~ *dog* Schuft; **~den** [⸗ən] *tr.* machen (werden)
saddle [sædl] Sattel; satteln; *fig* belasten; **~r** [⸗lə] Sattler; **~ry** [⸗ləri] Sattelzeug; Sattlerei
sadis|m ['sædizm] Sadismus; **~t** Sadist; **~tic** [sæ'distik] sadistisch
safari [sə'fɑːri], *pl* ~s Großwildjagd
safe [seif] sicher, heil; ungefährlich; verläßlich; *to be on the* ~ *side* um sicherzugehen; ~ *to do* sicher tun; *su* Safe; Schrank; **~-conduct** [⸗'kɔndəkt] freies Geleit; Schutzbrief; **~guard** Schutz, Geleitbrief; schützen; sicher(stelle)n; **~-keeping** [⸗'kiːpiŋ] sichere Aufbewahrung
safety ['seifti] Sicherheit; Sicherheits-; *to play for* ~ kein Risiko eingehen; **~-curtain** [⸗⸗kəːtn] ⚑ eiserner Vorhang; **~-pin** Sicherheitsnadel; **~-razor** [⸗⸗reizə] Rasierapparat; **~-valve** [⸗⸗vælv] Sicherheitsventil (*a. fig*)

saffron ['sæfrən] Safran(gelb); safrangelb
sag [sæg] nachgeben (*a. fig*); sinken; Vertiefung; Delle; Sinken
saga ['sɑːgə], *pl* ~s Sage
sagaci|ous [sə'geiʃəs] urteilsfähig; klug; (Tier) intelligent; **~ty** [⸗'gæsiti] Klugheit, Urteilsfähigkeit
sage [seidʒ] Weiser; weise (aussehend); ernst; Salbei; **~-brush** [⸗brʌʃ] (nordamerik.) Beifuß
Sagittarius [sædʒi'tɛəriəs] *astr* Schütze
sago ['seigou] Sago; **~-palm** [⸗⸗pɑːm] Sagopalme
Sahara [sə'hɑːrə] Sahara; **s~** *fig* Wüste
said [sed] *siehe* say
sail [seil] Segel (*in full* ~ mit vollen S.); *to take in* ~ d. Segel reffen, *fig* zurückstecken; *to take the wind out of s-b's* ~ *s* j-m d. Wind aus d. Segeln nehmen; (Windmühlen-)Flügel; Schiffsreise; ~, *pl* ~ Segelschiff; segeln (*a.* ⚓); ~ *near* (od *close*) *to the wind* nahe am Wind segeln, *fig* d. Grenze d. Anstands (Rechts) streifen; ~ *in* (*fig*) losgelen; ~ *into* (*umg*) schelten, attackieren; (Schiff) führen; durchfahren; **~boat** [⸗bout] *US* Segelboot; **~-cloth** [⸗klɔθ] Segeltuch; **~er** Segler; **~ing** Segeln; Abfahrt; **~ing-boat** [⸗iŋbout] Segelboot; **~ing orders** ⚓ Fahrtanweisungen; **~ing-vessel** [⸗iŋvesl] Segelschiff; *vor* (od ⸗) Seemann, Matrose; Matrosen-; *he is a good (bad)* ~ *or* er wird nie (oft) seekrank
saint [seint] Heiliger; heiligsprechen; **~ed** [⸗id] heilig(gesprochen); **~like**, **~ly** heilig, fromm
sake [seik]: *for the* ~ *of*, *for my (his etc)* ~ *um . . . willen*; *for God's* ~ um Gottes willen
salable ['seiləbl] leicht verkäuflich
salacious [sə'leiʃəs] unanständig, geil
salad ['sæləd] Salat; ~ **dressing** Salatsoße
salamander ['sæləmændə] Salamander; j-d, der Hitze gern hat
salar|y ['sæləri] Gehalt, Besoldung; **~ied** [⸗⸗rid] im Gehalt stehend, besoldet
sale [seil] Verkauf (*on*, *for* ~ zum V.); *pl* Ab-, Umsatz; Auktion; Saison-, Schlußverkauf; **~able** [⸗əbl] *siehe* salable; **~sman** [⸗zmən], *pl* ~smen Verkäufer; **~smanship** Verkaufskunst, -fertigkeit; **~swoman** [⸗zwumən], *pl* ~swomen [⸗zwimin] Verkäuferin
salient ['seiljənt] (her)vortretend; hervorstechend
saline ['seilain] salzig; Salz-; salzige Substanz
saliva [sə'laivə] Speichel; **~ry** ['sælivəri] Speichel-
sallow ['sælou] *bot* Salweide; blaß; gelblich
sally ['sæli] witziger Einfall; *mil* Ausfall; e-n A. machen; *umg* aufbrechen
salmon ['sæmən], *pl* ~ Lachs; lachsfarben
salon ['sælɔn] Empfangs-, Ausstellungsraum
saloon [sə'luːn] Empfangsraum; ⚜ Salon; ⚑ *BE* Salonwagen; *US* Gaststätte; ~ **bar** *BE* vornehmes Gastzimmer (in e-m Lokal); ~ **car** *BE* Limousine; ~ **keeper** *US* Gaststätteninhaber
salsify ['sælsifai, *US* -fiː] *bot* Haferwurzel, Salsifis; *black* ~ Schwarzwurzel

salt [sɔːlt] Salz ♦ *with a grain of* ~ cum grano salis, mit e-r gewissen Einschränkung; *(old)* ~ alter Seebär; *fig* Würze; (ein)salzen; **~(y)** salzig; **~-cellar** [⸗selə] Salzfäßchen; **~petre** [-'piːtə] Salpeter

salubri|ous [sə'luːbriəs] gesund(heitsfördernd); **~ty** [⸗-ti] Heilsamkeit

salut|ary ['sæljuːtəri] heilsam, gesund; **~ation** [--'teiʃən] Gruß (*in* ~*aton* z. G.); **~e** [sə'luːt] Gruß; Salut; *to stand at the* ~*e* salutieren; *vt/i* grüßen; salutieren

salva|ge ['sælvidʒ] Bergung; -sgut; -sgeld; bergen; **~tion** [sæl'veiʃən] Rettung; Sicherheit; Erlösung; **Salvation Army** Heilsarmee

salv|e [saːv] (Wund-)Salbe, *(a. fig)* Pflaster; beruhigen; **~e** [sælv] bergen; **~er** ['sælvə] Tablett; **~o** ['sælvou], *pl* ~oes, ~os Salve *(a. fig)*

same [seim] selbe; *the very* ~, one and the ~ genau derselbe; *to come to the* ~ *thing* aufs gleiche hinauslaufen; *all the* ~ *to me* mir ganz gleich; *all* (od *just*) *the* ~ trotzdem, gleichwohl; *at the* ~ *time* trotzdem; **~ness** Gleichheit; Eintönigkeit

sample [saːmpl] (Waren-)Probe; Muster (*up to* ~ d. M. entsprechend); *fig* Beispiel; ausprobieren, erproben; bemustern; **~r** Probenehmer; Sticktuch

sanato|rium [sænə'tɔːriəm], *pl* ~riums, ~ria Sanatorium; **~ry** [⸗-təri] heilend

sancti|fication [sæŋktifi'keiʃən] Heiligung; Weihung; **~fy** [⸗-fai] heiligen; hochachten; **~monious** [--'mouniəs] scheinheilig

sanct|ion ['sæŋkʃən] Unterstützung; Billigung; Antrieb, Beweggrund; Sanktion; unterstützen; genehmigen; sanktionieren; **~ity** [⸗titi] Heiligkeit; *pl* heilige Pflichten, Gefühle; **~uary** [⸗tjuəri] heilige Stätte, Sanktuarium; Asyl; Freistätte, Schutzgebiet; **~um** [⸗təm], *pl* ~ums heilige Stätte; Studierzimmer

sand [sænd] Sand ♦ *to plough the* ~ unnütze Arbeit tun; *to make ropes of* ~ d. Unmögliche versuchen; *to build on* ~ auf Sand bauen; *pl* Sandufer, -strand; *pl* Zeit; *the* ~*s are running out (fig)* die Uhr läuft ab; mit Sand bestreuen; **~-bag** Sandsack; (mit e-m Sandsack) schlagen *(a. fig)*; **~-bank**, **~-bar** Sandbank; **~glass** [⸗glaːs] Sanduhr; **~paper** [⸗peipə] Sandpapier; mit S. glätten; **~piper** [⸗paipə] Flußuferläufer; **~stone** [-stoun] Sandstein; **~storm** [-stɔːm] Sandsturm; **~wich** ['sænwidʒ, *US* 'sændwitʃ] belegtes Brot; (ein)zwängen; **~wichman** Plakatträger; **~y** sandig; rotblond

sandal [sændl] Sandale

sane [sein] (geistig) gesund; vernünftig

sang [sæŋ] *siehe* sing

sanguin|ary ['sæŋgwinəri] blutig; blutgierig; grausam; **~e** [--] (Gesicht) frisch, rot; hoffnungsvoll, fröhlich

sanit|arium [sæni'tɛəriəm], *pl* ~ariums, ~aria bes *US* Sanatorium; **~ary** [⸗-təri] sanitär; hygienisch; Gesundheits-; **~ation** [--'teiʃən] sanitäre Einrichtungen; Gesundheitspflege; **~y** [⸗-ti] (geistige) Gesundheit; Vernünftigkeit

sank [sæŋk] *siehe* sink

sanserif, *US* **sans-erif** [sæn'serif] ☐ Grotesk(schrift)

Santa Claus ['sæntə 'klɔːz] Nikolaus, Weihnachtsmann

sap [sæp] *bot* Saft; *fig* Kraft, Energie; *mil* Sappe, Laufgraben; schwächen; untergraben, -minieren; **~id** ['sæpid] würzig, schmackhaft; **~ience** ['seipiəns] Klugtun; **~ient** ['seipiənt] klugtuend; **~less** [⸗lis] kraftlos; **~ling** [⸗liŋ] junger Baum (Mensch); **~per** [⸗ə] *mil* Pionier; **~phire** ['sæfaiə] Saphir; **~py** [⸗i] saftig; kraftvoll, energisch; *umg* töricht, dumm

sarc|asm ['saːkæzm] Sarkasmus; sarkastische Bemerkung; **~astic** [-'kæstik] sarkastisch

sarcophag|us [saː'kɔfəgəs], *pl* ~i [-⸗-dʒai], ~uses Sarkophag

sardine [saː'diːn] Sardine

sardonic [saː'dɔnik] hämisch, sardonisch; zynisch

sarong [sə'rɔŋ] Sarong, Lendentuch

sarsaparilla [saːsəpə'rilə] Sarsaparille; -präparat; *US* Sodawasser mit S.geschmack

sartorial [saː'tɔːriəl] Schneider-; Kleider-

sash [sæʃ] Schärpe; Schieberahmen; **~-window** Schiebefenster

sassafras ['sæsəfræs] Sassafras(wurzel)

Satan [seitn] Satan; **s~ic** [sə'tænik] satanisch, teuflisch

satchel [sætʃl] (Schul-)Ranzen

sate [seit] = satiate

sateen [sæ'tiːn] Woll-, Baumwollsatin

satellite ['sætəlait] ⚙, *astr, fig* Satellit; ~ **town** Trabantenstadt; Trabant

sati|ate ['seiʃieit] (über)sättigen; **~ety** [sə'taiti] (Über-)Sättigung

satin ['sætin] Satin; Atlas-

satir|e ['sætaiə] Satire; **~ical** [-'tirikəl] satirisch; **~ize** [⸗təraiz] verspotten

satis|faction [sætis'fækʃən] Befriedigung; Zufriedenheit; Genugtuung; **~factory** [--'fæktəri] zufriedenstellend; **~fy** [⸗-fai] befriedigen, stillen; zufriedenstellen; erfüllen; überzeugen *(of)*

satrap ['sætrəp] Satrap, Gouverneur

satura|te ['sætʃəreit] *chem, fig* sättigen; *fig* erfüllen; **~tion** [--'reiʃən] Sättigung

Satur|day ['sætədi] Samstag, Sonnabend

saty ['sæti] Satyr; geiler Kerl

sauc|e [sɔːs] Soße; *US* Kompott; *umg* Frechheit, Keckheit; **~e-boat** [⸗bout] Sauciere; **~epan** [⸗pən] Kasserolle, Stieltopf; **~er** [⸗ə] Untertasse; **~er-eyed** ['sɔːsəraid] mit aufgerissenen Augen; **~y** [⸗i] frech, keck; flott

sauerkraut ['sauəkraut] Sauerkraut

sauna ['saunə] Sauna

saunter ['sɔːntə] schlendern; Bummel

sausage ['sɔsidʒ, *US* 'sɔ-] Würstchen, Wurst

sauté ['soutei, *US* -⸗] (in wenig Fett) kurz gebraten

savage ['sævidʒ] Wilder; Rohling; Barbar; wild; grausam; *umg* rasend; angreifen, verletzen; **~ry** [⸗-ri] Wildheit; Grausamkeit

savanna [sə'vænə] Savanne, Grassteppe

savant ['sævənt, *US* -'vaːnt] Weiser

sav|e [seiv] (er)retten; ~*e one's face* d. Gesicht wahren; (er)sparen; außer; unbeschadet; **~er** [-ə] Retter; Sparer; **~ing** [-iŋ] sparsam; rettend; Vorbehalts-; Sparen; Rettung; *pl* Ersparnisse; **~ings-bank** [-iŋzbæŋk] Sparkasse; **~iour** [-jə] Retter; Heiland

savoir| faire ['sævwɑː'fɛə] Gewandtheit, Takt; **~ vivre** [--'viːvr] Lebensart, -gewandtheit

savory ['seivəri] Bohnenkraut

savour ['seivə] Geschmack; Würze, Reiz; schmecken (*of* nach); *fig* verraten; **~y** [--ri] schmackhaft; *BE* Vor-, Nachspeise

savoy [sə'vɔi] Wirsing

saw[1] [sɔː] *siehe* see

saw[2] [sɔː] Spruch; Säge; (zer)sägen; ~ *the air* herumfuchteln; **~dust** [-dʌst] Sägemehl; **~-mill** [-mil] Sägewerk; **~yer** [-jə] Säger

sax|horn ['sækshɔːn] ♪ Saxhorn; **~ifrage** [-ifridʒ] *bot* Steinbrech; **S~on** [-ən] (angel)sächsisch; (Angel-)Sachse; **~ophone** [-əfoun] Saxophon

say [sei] (*s. S. 319*) (auf)sagen; *it goes without* ~*ing* es ist selbstverständlich; *that is to* ~ mit anderen Worten; *I* ~*!* hören Sie mal!; *is said to* soll; *to* ~ *nothing of* ganz zu schweigen von; *su: to have* (od *say*) *one's* ~ seine Meinung sagen; *to have a* ~ *in the matter* etw zu sagen haben in d. Sache; **~ing** [-iŋ] Sprichwort, Ausspruch

scab [skæb] Schorf; Räude; Gewerkschaftsfeind, Streikbrecher; **~bard** [-əd] *mil* Scheide; **~by** [-i] räudig

scaffold ['skæfəld] (Bau-)Gerüst; Schafott; **~ing** [-iŋ] Gerüst (Material); Gerüstbau

scalawag ['skæləwæg] Nichtsnutz, Schuft, Lump

scald [skɔːld] verbrühen; heiß machen (spülen); Verbrühung

scale [skeil] 1. Waagschale; *(a pair of)* ~*s* (*pl vb*) Waage; *to turn the* ~ *at* wiegen; *to turn the* ~ d. Ausschlag geben; 2. *zool*, ♣ Schuppe; 3. Kesselstein; Zahnstein; 4. Skala; Lineal; Tonleiter; Maßstab (*on a large* ~ in großem M.); 5. wiegen; (s.) schuppen, schälen; abblättern; erklettern; maßstäblich festlegen; ~ *up (down)* (linear) erhöhen (senken)

scallawag, scallywag ['skæləwæg, -iwæg] *BE* = scalawag

scall|ion ['skæljən] *bot* Schalotte; Lauch; **~op** ['skɔləp] Kammuschel; (Kleid) Feston

scalp [skælp] Kopfhaut; Skalp; skalpieren; **~el** [-l] Skalpell; Impfmesser

scaly ['skeili] schuppig; abblätternd

scamp [skæmp] Nichtsnutz; (zus.)pfuschen; **~er** davonlaufen; herumtollen

scan [skæn] absuchen, prüfen; (kurz) durchsehen; ⚓ rastern, abtasten; abfragen; skandieren

scandal ['skændəl] Schande, Skandal; Ärgernis; (übler) Klatsch; **~ize** [--aiz] schockieren; **~monger** [--mʌŋgə] Klatscher; **~ous** schändlich; verleumderisch

Scandinavia [skændi'neivjə] Skandinavien; **~n** skandinavisch; Skandinavier

scant [skænt] knapp; **~iness** [-inis] Knappheit; Unzulänglichkeit; **~y** [-i] knapp

scape|goat ['skeipgout] Sündenbock; **~grace** [-greis] Taugenichts

scar [skɑː] Narbe; Schramme, Kratzer; *fig* Spur; schrammen; vernarben; **~ab** ['skærəb] *zool* Blatthornkäfer; Skarabäus (Stein)

scarc|e [skɛəs] knapp; selten; **~ely** [-li] knapp; kaum; **~ity** [-iti] Knappheit, Verknappung; Mangel

scare [skɛə] erschrecken, entsetzen; ~ *away* (od *off*) verscheuchen; Entsetzen, Schrecken; **~crow** [-krou] Vogelscheuche; **~head** [-hed] Riesenschlagzeile; **~monger** [-mʌŋgə] Schreckensapostel, Miesmacher

scar|f [skɑːf], *pl* ~**fs**, *bes BE* ~**ves** [-vz] Halstuch, Schal; Krawatte; **~f-pin** [-pin] Krawattennadel

scarify ['skærifai] ♣ ritzen; *fig* verreißen

scarl|et ['skɑːlit] scharlachrot; **~et fever, ~atina** [-lə'tiːnə] Scharlach

scath|e [skeið] schaden; **~eless** [-lis] unbeschädigt; **~ing** [-iŋ] *fig* beißend, vernichtend

scatter ['skætə] ver-, (s.) zerstreuen; **~-brain** [--brein] fahriger Kerl; **~-brained** [--breind] fahrig, unstet

scavenger ['skævindʒə] Straßenkehrer; *fig* Schmierfink

scenario [si'nɑːriou, *US* -'nɛəriou], *pl* ~**s** (Roh-)Drehbuch

scen|e [siːn] Szene; Szenenbild; *behind the* ~*es* hinter d. Kulissen; Landschaft(sbild); **~ery** [-əri] Kulissen, Szenerie; Landschaft; **~ic** [-ik] Bühnen-, szenisch; dramatisch; malerisch; **~ic artist** Bühnenmaler

scent [sent] (würziger) Duft; Geruch; Parfüm; Witterung *(a. fig)*; Spur (*on the* ~ *of* e-r Sache auf d. S.); *off the* ~, *on a wrong* ~ auf d. falschen Fährte; Geruchssinn; riechen; wittern *(a. fig)*; parfümieren; **~less** [-lis] duftlos

sceptic, *US* **sk-** ['skeptik] Skeptiker; **~al** skeptisch

sceptre ['septə] Zepter

schedule ['ʃedjuːl, *US* 'skedʒul] Verzeichnis, Aufstellung; Zeit-, *US* Fahr-, Flugplan; *(according) to* ~ (fahr)planmäßig; auf-, verzeichnen; ansetzen; vorsehen, planen

scheme [skiːm] (Arbeits-, Geheim-)Plan; System; Aufeinanderabstimmung, Harmonie; planen; Ränke schmieden

schism ['sizm] (Kirchen-)Spaltung; **~atic** [-'mætik] spalterisch; Abtrünniger

schlock [ʃlɔk] *US* Plunder; mies

schmaltzy ['ʃmɔːltsi] rührselig

scholar ['skɔlə] Schüler; Gelehrter; (Leistungs-)Stipendiat; Gebildeter; **~ly** [--li] gebildet, beschlagen; **~ship** [--ʃip] Gelehrsamkeit; wissenschaftliche Eignung; Stipendium

scholastic [skə'læstik] gelehrt; Lehr-; scholastisch; Scholastiker

school[1] [skuːl] Schule (*a. fig; of the old* ~ alter S.); erziehen; bezähmen; **~-days** [-deiz] Schulzeit; **~-doctor** Schul-, Internatsarzt; **~fellow** [-felou] Schulkamerad, Mitschüler; **~ing** [-iŋ]

Schulausbildung; Schulgeld; ~**master** [-̣maːstə] Schullehrer; ~**mistress** [-̣mistris] Schullehrerin

school² [skuːl] *zool* Schwarm; Schwärme bilden

schooner ['skuːnə] ⚓ Schoner

schuss [ʃus] Schußfahrt

sciatica [sai'ætikə] Ischias

scien|ce ['saiəns] Wissenschaft; Naturwissenschaft; ⚕ Können, Kenntnisse; ~**tific** [—'tifik] (natur)wissenschaftlich; ⚕ gekonnt, kunstfertig; ~**tist** [-̣tist] (Natur-)Wissenschaftler

scintill|a [sin'tilə], *pl* ~**as** Funken *(a. fig); ~***ate** [-̣leit] funkeln *(a. fig)*

scion ['saiən] *bot* Pfropfreis; *fig* Sprößling

scissors ['sizəz] *pl vb* Schere

scoff [skɔf] höhnen, spotten *(at* über); Hohn, Spott

scold [skould] schelten, tadeln; Zankweib; ~**ing** [-̣iŋ] Schelte, Tadel

scollop ['skɔləp] *siehe* scallop

sconce [skɔns] Wandleuchter; Kerzenhalter

scone [skɔn, *US* skoun] Fladen (Kuchen)

scoop [skuːp] Schaufel (für Zucker, Mehl etc); Schaufeln *(in one ~* mit einmal S., *fig* mit e-m Schlag); Erstveröffentlichung, Nachrichtenschlager; (aus-)schaufeln; graben; (j-n) durch e-e Erstveröffentlichung schlagen

scoot [skuːt] *umg* davonjagen; ~**er** Roller *(a.* 🏍)

scope [skoup] Fassungsvermögen, Horizont; Bereich; Spielraum

scorch [skɔːtʃ] anbrennen; versengen; *fig* verletzen; *umg* (dahin)rasen; Sengstelle; *umg* Rasen, rasende Fahrt; ~**er** [-̣ə] heißer Tag; *umg* rasender Fahrer

score [skɔː] **1.** Kerbe; **2.** Strich; **3.** Schuld(-posten) *(to run up a ~* Schulden machen); *to settle old* ~*s (fig)* alte Rechnungen begleichen; **4.** Grund; *on the* ~ *of* wegen; *on that* ~ deswegen, was das betrifft; **5.** ~, *pl* ~ 20; *pl* Dutzende, -zig, viele; **6.** ⚕ Spielergebnis, Punktzahl; *to keep (the)* ~ = to ~; **7.** *umg* Gewinn; **8.** Partitur; **9.** (ein)kerben, furchen *(a. fig);* **10.** markieren *(~ out* durchstreichen); **11.** ⚕ Punkte zählen, aufschreiben; **12.** (Punkte) erzielen *(a. fig);* **13.** *US* scharf tadeln

scorn [skɔːn] Verachtung; *to laugh to* ~ verlachen; Spott; Verachtung zeigen für; *to* ~ *to do* (als unwürdig) ablehnen zu tun; ~**ful** verächtlich

scorpion ['skɔːpjən] Skorpion

scorzonera [skɔːzɔ'niərə] Schwarzwurzel

Scot [skɔt] Schotte; ~**ch** [-ʃ] schottisch; schottische Sprache; *umg* schottischer Whisky; ~**chman** [-ʃmən], *pl* ~**chmen** Schotte; ~**land** [-̣lənd] Schottland; ~**s** [-s] schottisch; ~**sman** [-̣smən], *pl* ~**smen** Schotte; ~**tish** [-̣iʃ] schottisch

scotch [skɔtʃ] verwunden; außer Gefecht setzen; energisch vorgehen gegen; ein Ende machen; vereiteln; Schnitt

scot-free ['skɔt'friː] straffrei

scoundrel ['skaundrəl] Schurke

scour ['skauə] scheuern, schrubben; *fig* säubern *(of* von); (durch)streifen, -suchen; Scheuern

scourge [skəːdʒ] Geißel *(a. fig);* geißeln *(a. fig)*

scout [skaut] Späher; ✈ Aufklärer; Pfadfinder; *BE* (Univ.) Fuchs; erkunden; spähen; als lächerlich ablehnen

scow [skau] ⚓ Prahm, Schute

scowl [skaul] finsterer Blick; finster blicken

scrag [skræg] (Hammel) Halsstück; *fig* Gerippe; j-m d. Hals umdrehen, erwürgen; ~**gy** [-i] spindeldürr

scramble ['skræmbl] krabbeln, klettern; s. balgen *(for* um); Kletterei; Balgerei, Kampf; Motocrossfahrt; ~**d eggs** Rührei

scrap [skræp] Fetzen *(a. fig); pl* Reste, Brokken; *pl* Bilder, Ausschnitte (z. Einkleben); ~-**book** [-̣buk] Sammelbuch; Abfall, Schrott; *umg* Keilerei; z. alten Eisen werfen; *umg* sich schlagen

scrap|e [skreip] kratzen, schaben; graben; (auf)schürfen, schrammen; Kratzfuß machen; ~*e along* s. durchschlagen; ~ *through* gerade noch durchkommen; ~*e up* zus.scharren; Kratzen; Scharren; Kratzer; Schramme; dumme Lage; *bread and* ~*e* Brot mit wenig drauf; ~**er** [-̣ə] Kratzer; ~**ing** [-̣iŋ] *pl* Abgekratztes; Ersparnisse

scrappy ['skræpi] zus.gestückelt; bruchstückartig

scratch [skrætʃ] **1.** (an)kratzen *(~ one's head* s. d. Kopf k.); **2.** kritzeln; ~ *out* (od *through)* durchstreichen; **3.** aufgeben, zurückziehen; **4.** Kratzer, Schramme; **5.** ⚕ Startlinie; *to come up to* ~ *(fig)* d. Erwartungen entsprechen; *to start from* ~ ganz von vorn anfangen, von d. Pike auf dienen; **6.** *adj* zus.gekratzt; ~**y** kritzelig; kratzend

scrawl [skrɔːl] (hin)kritzeln, schmieren; Gekritzel

scrawny ['skrɔːni] dürr, mager

scream [skriːm] schreien; kreischen; brüllen *(with* vor); Schrei, Kreischen; *a (perfect)* ~ *(umg)* wahnsinnig komisch; ~**er** [-̣ə] etwas Tolles; *bes US* sensationelle Schlagzeile

scree [skriː] Geröll

screech [skriːtʃ] (Eule) schreien; kreischen; 🚗 quietschen; Schrei, Kreischen

screed [skriːd] langer Text, Litanei

screen [skriːn] **1.** (Ofen) Schirm; spanische Wand; *eccl* Schranke; **2.** Fliegenfenster; **3.** *fig* Schutz, Deckung; Vernebelung; **4.** 🎬 (Film-)Leinwand; 📺 Bildschirm; *fig* d. Film; **5.** 🚗 *BE* Windschutzscheibe; **6.** Sieb; **7.** 📺 Raster; **8.** ⚡ Schirm; **9.** abschirmen; ~ *off* abteilen; **10.** *fig* schützen; **11.** (ver)filmen, s. filmen lassen; **12.** sieben; *fig* j-n überprüfen

screw [skruː] Schraube (ohne Mutter); Schiffsschraube; Propeller; Drehung; *to put the* ~ *on (fig)* d. Schraube anziehen bei, Druck ausüben auf; *BE* Tütchen; *BE* Geizkragen; *BE* Lohn, Gehalt; *BE* alter Klepper; (ver-, fest)schrauben; verzerren, pressen, quetschen; drehen;

BE geizig sein; ~ *up one's courage* all seinen Mut zus.nehmen; ~ *up* verzerren; **~-driver** [⸗draivə] Schraubenzieher; **~-thread** [⸗θred] Gewinde

scribble ['skribl] kritzeln; Gekritzel; **~r** [⸗ə] Kritzler; *umg* Schreiber(ling)

scribe [skraib] Abschreiber; *US umg* Schreiber, Autor

scrimmage ['skrimidʒ] Handgemenge; sich balgen

scrimp [skrimp] *siehe* skimp

scrimshank ['skrimʃæŋk] *umg* sich drücken

scrip [skrip] Beutel; (Waren-)Gutschein; Zwischenschein; Besatzungsgeld

script [skript] (Hand-)Schrift; 🕮 Schreibschrift; ✎ Manuskript; ▭ Drehbuch

scriptur|e ['skriptʃə] heiliges Schrifttum; *(Holy) S~e, the S~es* Bibel; Religions-**scrivener** ['skrivnə] Abschreiber

scrofula ['skrɔfjulə] Skrofulose

scroll [skroul] (Schrift-)Rolle; ♪ Schnecke; Schnörkel

scrounge [skraundʒ] *umg* klauen, organisieren

scrub [skrʌb] scheuern, schrubben; Gestrüpp; Busch; Zwerg *(a. fig.)*; **~bing-brush** [⸗iŋbrʌʃ] Scheuerbürste; **~by** [⸗i] klein, struppig

scruff [skrʌf] Genick, *fig* Kragen

scrum(mage) ['skrʌm(idʒ)] (Rugby) Gedränge; *BE* Gewühl

scrumptious ['skrʌmpʃəs] *umg* herrlich, großartig

scrup|le ['skru:pl] Skrupel, Bedenken; Skrupel (= 1,3 g); Skrupel, Bedenken haben; **~ulous** [⸗juləs] gewissenhaft

scrutin|eer [skru:ti'niə] Wahlprüfer; **~ize** [⸗⸗aiz] genau prüfen; **~y** [⸗⸗i] genaue Prüfung

scud [skʌd] eilen, jagen; ⚓ lenzen; Jagen; windgetrieb. Bö

scuff [skʌf] schlurfen (Schuhe) austreten; schrammen; Schramme; **~le** [⸗l] raufen; schlurfen

scull [skʌl] ⚓ Skull (Riemen); skullen; **~ery** [⸗əri] Spülküche; **~ion** [⸗jən] Küchenjunge

sculpt|or ['skʌlptə] Bildhauer; **~ress** [⸗tris] Bildhauerin; **~ure** [⸗tʃə] Bildhauerei, Skulptur, Plastik; skulptieren, (aus)meißeln

scum [skʌm] Schaum; *fig* Abschaum

scupper ['skʌpə] ⚓ Speigatt; *BE umg* vernichten; durcheinanderbringen; *BE* (Schiff) versenken

scurf [skə:f] Schuppen, Kopfgrind; **~y** schuppig

scurrilous ['skʌriləs] pöbelhaft; (derb) zotig

scurry ['skʌri] hastig rennen; Hasten; (Schnee-)Schauer

scurvy ['skə:vi] gemein, abscheulich; Skorbut

scutcheon ['skʌtʃən] Wappenschild ♦ *a blot on the* ~ e-e Familienschande

scuttle ['skʌtl] Kohlenkasten; (Dach-, Schiffs-)Luke; Falltür; (feige) Flucht; ⚓ anbohren, versenken; (feige) davonlaufen

scythe [saið] Sense; mit d. Sense schneiden

sea [si:] Meer, See (*on the* ~ auf S., an d. S.); *at* ~ auf See, *fig* verwirrt *(mst: all at* ~*)*;

Woge; *half* ~*s over* betrunken; *fig* Meer, Ströme; **~board** [⸗bɔːd] Meeresküste; **~-borne** [⸗bɔːn] See-; Marinelande-; ~ **change** *fig* Umwandlung; **~-dog** [⸗dɔg] Seemann; Seehund; **~farer** [⸗fɛərə] Seefahrer; **~faring** [⸗fɛəriŋ] seefahrend; Seefahrer-; **~food** [⸗fu:d] Meeresfrüchte; ~ **front** [frʌnt] Seeseite; Ufer(straße); **~-going** [⸗ouiŋ] Hochsee-; **~-horse** [⸗hɔːs] Seepferdchen; ~ **lane** Seeweg; ~ **level** Meereshöhe; ~ **lion** [⸗laiən] Seelöwe; **~man** [⸗mən], *pl* ~**men** Seemann; **~manship** [⸗mənʃip] Seemannskunst; **~plane** [⸗plein] Wasserflugzeug; **~port** [⸗pɔːt] Seehafen; **~shore** [⸗'ʃɔː] Küste, Strand; **~sick** [⸗sik] seekrank; **~side** [⸗said] Küste; *to go to the* ~ *side* an d. See gehen; ~ **urchin** [⸗ə:tʃin] Seeigel; **~ward** [⸗wəd] seewärts; **~weed** [⸗wi:d] Seealge(n); **~worthy** [⸗wɔːði] seetüchtig

seal[1] [si:l] Robbe, Seehund(fell); Robben fangen; **~er** Robbenfänger

seal[2] [si:l] Siegel *(a. fig.)*; Stempel; (Brief) zukleben; (ver)siegeln; abdichten; regeln; *fig* besiegeln; **~ed book** Buch mit 7 Siegeln; **~ing-wax** [⸗iŋwæks] Siegellack

seam [si:m] Naht, Saum; Fuge; Furche; Flöz; furchen; **~less** [⸗lis] nahtlos; **~stress** ['semstris] Näherin; **~y** [⸗i] Naht-; *the* ~ *y side* Nahtseite; *fig* Schattenseite

sear [siə] vertrocknen; verbrennen; *fig* verhärten; verdorrt

search [sə:tʃ] (durch-, unter-)suchen; prüfen; (Kälte) durchdringen; ~ *out* ausfindig machen; Suche; Durchsuchung; **~-light** Scheinwerfer; **~-warrant** [⸗wɔrənt] Haussuchungsbefehl

season [si:zn] **1.** Jahreszeit; **2.** Saison; *is in (out of)* ~ gibt es jetzt (nicht); *in* ~ *and out of* ~ zu jeder Zeit; *a word in* ~ ein Rat zu rechter Zeit; **3.** Weile; ~(*ticket*) *BE* Zeitkarte, ✎ Dauerkarte; **4.** ✿ ablagern, altern; **5.** würzen *(a. fig.)*; **6.** mildern; **~able** [⸗əbl] jahreszeitlich; passend; rechtzeitig; **~al** [⸗əl] (jahres-)zeitbedingt; **~ing** [⸗iŋ] Würze; Gewürz

seat [si:t] Sitz; Platz *(to take a* ~ Platz nehmen; *to take one's* ~ seinen P. einnehmen; *to keep one's* ~ sitzen bleiben; Landsitz; Reitsitz; hinsetzen; *to* ~ *o.s., to be* ~*ed* s. hinsetzen; Sitzplätze haben für; mit e-m neuen Sitz versehen

sece|de [si'si:d] *bes eccl* austreten *(from* aus); **~ssion** [⸗'seʃən] Austritt; Abfall

seclu|de [si'klu:d] abschließen; **~de o.s.** zurückgezogen leben; **~sion** [⸗'klu:ʒən] Abgeschlossenheit *(to live in* ~*sion)*

second ['sekənd] **1.** zweite; ~ *to none* unübertroffen, unerreicht; **2.** d. Zweite; **3.** ~ *(of exchange)* Sekundawechsel; **4.** Sekundant; **5.** *pl* Waren zweiter Wahl; *bes pol)*; **7.** sekundieren; **8.** ~ [si'kɔnd] *BE* abkommandieren; **9.** ~ [⸗⸗] Sekunde (~*-mark* S.zeichen); **10.** Augenblick; **~-best** zweitbeste; *to come off* ~*-best* d. kürzeren ziehen; **~-class** zweitklassig; ~ **floor** *BE* zweiter Stock, *US* erster Stock; **~-hand** gebraucht, getragen; antiquarisch; aus zweiter Hand; ~ **nature** ['neitʃə] zweite Natur, Gewohnheit; ~**-rate** zweitklassig; ~**ary** [–-əri] sekundär; Neben-; ~**ary school** [sku:l] höhere Schule; ~**er** [–̣-ə] Sekundant, Unterstützer

secre|cy ['si:krisi] Heimlichkeit; Verschwiegenheit; *in (with)* ~*cy* insgeheim; ~**t** [–̣-t] heimlich; geheim; verborgen; ~**t service** Geheimdienst; Geheimnis; *in the* ~*t* eingeweiht; *to let s-b into a* ~*t* (j-n) in ein Geheimnis einweihen; *in* ~*t* insgeheim; ~**tarial** [sekrə'tɛəriəl] Büro-; ~**tariat** [sekrə'tɛəriət] Sekretariat; ~**tary** ['sekritəri] (Botschafts-)Sekretär; *S*~*tary of State (BE)* Minister, *US* Außenminister; (Schreib-)Sekretär; ~**te** [si'kri:t] verbergen; absondern; ~**tion** [si'kri:ʃən] Geheimhaltung; Absonderung; ~**tive** ['si:krətiv, si'kri:tiv] verschlossen; verschwiegen

sect [sekt] Sekte; ~**arian** [–'tɛəriən] sektiererisch; engstirnig; Sektierer; ~**ion** [–̣-ʃən] Schnitt; Sektion; Teil; Ⓠ Paragraph; ~**ion-mark** [–̣-ʃənma:k] Paragraphzeichen (§); ~**ional** [–̣-ʃənl] Teil-, Abschnitts-; Lokal-, Einzel-; zus.setzbar; ~**or** [–̣-ə] *math, mil* Sektor

secular ['sekjulə] weltlich; jahrhundertealt; ~**ize** [–̣--raiz] säkularisieren

secur|e [si'kjuə] sicher, verläßlich; gefahr-, sorgenfrei; fest; (s.) sichern; versichern; festmachen; ~**ity** [–̣-riti] Sicherheit(s-); Sicherung; Bürge; Bürgschaft; *to give* ~*ity* Bürgschaft leisten; *pl* Wertpapiere

sedan [si'dæn] Sänfte; 🚗 *US* Limousine

sedate [si'deit] gesetzt; gemessen; ~**ive** ['sedətiv] beruhigend(es Mittel)

sedentary ['sedəntəri] sitzend; seßhaft

sedge [sedʒ] Segge, Riedgras

sediment ['sedimənt] Niederschlag; Ablagerung; ~**ary** [–̣--təri] abgelagert

sedit|ion [si'diʃən] Aufruhr; ~**ious** [–̣-ʃəs] aufrührerisch

seduc|e [si'dju:s] verführen; verlocken; ~**tion** [–'dʌkʃən] Verführung; Verlockung; ~**tive** [–'dʌktiv] verführerisch

sedulous ['sedjuləs] emsig; beharrlich

see¹ [si:] *(s. S. 319)* **1.** sehen (~ *the back of* j-n von hintens.); ~ *the last of (fig)* d. Ende erleben von; ~ *things* Gespenster sehen; **2.** erleben ♦ ~ *service* Erfahrung haben, abgenutzt sein; **3.** sprechen, aufsuchen; ~ *(to it)* s. darum kümmern; **4.** nachsehen, feststellen; **5.** nachdenken *(let me* ~ laß mal sehen); **6.** begreifen *(I* ~ ich b., ach so; *you* ~ wie du weißt, weißt du); ~ *fit* für richtig halten; ~ **about** nachgehen; überlegen; ~ **after** s. kümmern um; ~ **over** untersuchen, prüfen; ~ **s-b off** j-n zur Bahn etc begleiten; ~ **s-b out** j-n hinausbegleiten; ~ **over s-th** s. gut ansehen; ~ **through s-th** etw durchschauen; ~ **s-th through** etw durchstehen, durchsetzen; ~ **s-b through** j-m durchhelfen; ~ **to** s. kümmern um, sorgen für *(I'll* ~ *to it that . . .),* erledigen

see² [si:] (Erz-)Bischofssitz; *Holy See* Heiliger Stuhl

seed [si:d] Samen, Saat; *pl* Saatgut; *to run (od go) to* ~ in Samen schießen, *fig* kraftlos wer-

den; Nachkommenschaft; (aus)samen; besäen; entsamen; -kernen; ~**er** Sämaschine; Entkerner; ~**less** samen-, kernlos; ~**ling** Sämling; ~**sman** [–̣-zmən], *pl* ~**smen** Samenhändler; ~**y** samenreich; schäbig; elend

seek [si:k] *(s. S. 319)* (auf)suchen; versuchen; s. bemühen (um); (Rat) einholen; untersuchen; ~ *after* suchen; ~ *out* herausfinden

seem [si:m] (er)scheinen; ~**ing** anscheinend, scheinbar; ~**ly** anständig

seep [si:p] (durch)sickern; ~**age** [–̣-idʒ] Durchsickern, Lecken

see|r [siə] Seher(in); ~**saw** ['si:sɔ:] Schaukel(n); schaukeln; auf u. ab

seethe [si:ð] kochen, sieden *(with* vor)

segment ['segmənt] Teil; *math* Segment; (s.) in Segmente teilen

segrega|te ['segrigeit] (s.) trennen, absondern; ~**tion** [–̣--ʃən] *(bes* Rassen-)Trennung

seine [sein] Wadenetz; mit d. Wadenetz fischen (fangen)

seiz|e [si:z] pfänden, beschlagnahmen; packen, ergreifen *(a. fig);* begreifen; ~*e upon* begierig aufgreifen; ~*e (up)* 🔩 stehenbleiben, ausfallen; ~**ure** [–̣-ʒə] Pfändung, Beschlagnahme; ⚕ Attacke; Klemmen

seldom ['seldəm] selten; ~ *or never* kaum je(mals)

select [si'lekt] auswählen, -lesen; auserlesen; exklusiv; ~**ion** [–̣-ʃən] Auswahl; Auslese; ~**ive** [–̣-tiv] auswählend; ~**ivity** [–-'tiviti] ⚡ Trennschärfe

self [self], *pl* **selves** [selvz] Selbst, Ich; Eigennutz; *your good* ~ *(selves)* Sie; *(d. Zus.setzungen mit* ~ *haben doppelte Betonung. auf* ~ *u. d. folgenden Wort)* ~**-absorbed** in s. vertieft; selbstsüchtig; ~**-acting** selbsttätig; ~**-assertion** Geltendmachung seiner Rechte; Sichvordrängen; ~**-assertive** s. vordrängend, rechthaberisch; ~**-assurance** Selbstbewußtsein; ~**-centred** egozentrisch; ~**-command** Selbstbeherrschung; ~**-complacency** Selbstzufriedenheit; ~**-complacent** selbstzufrieden; ~**-confidence** Selbstvertrauen; ~**-confident** selbstvertrauend, -bewußt; ~**-conscious** befangen; ~**-contained** beherrscht; in s. vollständig; ~**-control** Selbstbeherrschung; ~**-defence** Selbstverteidigung; Notwehr; ~**-denial** Selbstverleugnung; ~**-destruction** Selbstmord; ~**-determination** Selbstbestimmung; freier Wille; ~**-distrust** Mangel an Selbstvertrauen; ~**-esteem** (zu) hohe Meinung von s. selbst; ~**-evident** selbstverständlich; ~**-explanatory** aus s. heraus verständlich; ~**-government** Souveränität; unabhängige (demokrat.) Regierung; Selbstverwaltung; ~**-herrschung**, ~**-governing** unabhängig; ~**-important** eingebildet; ~**-indulgent** schwächlich, ungehemmt, zügellos; ~**-interest** Eigennutz; -interesse; ~**-ish** [–̣-iʃ] selbstsüchtig, egoistisch; ~**-knowledge** Selbsterkenntnis; ~**-less** [–̣-lis] selbstlos; ~**-love** Eigenliebe; ~**-made** selbstgemacht; durch eigene Kraft hochgekommen; ~**-mastery** Selbstbeherrschung; ~**-neglect** Vernachlässigung d. Äußeren; ~**-opinionated**

rechthaberisch; **~-possessed** beherrscht, gefaßt; **~-preservation** Selbsterhaltung; **~-reliance** Selbstvertrauen; **~-reliant** selbstvertrauend, -sicher; **~respect** Selbstachtung; **~-restraint** Selbstbeherrschung; **~righteous** selbstgerecht; **~-sacrifice** Selbstaufopferung; **~same** [⸗seim] ebenderselbe; **~-satisfaction** Selbstzufriedenheit; **~-satisfied** selbstzufrieden; **~-seeker** Egoist; **~-seeking** selbst-, ichsüchtig; **~-service** Selbstbedienung(s-); **~-starter** 🚗 (Selbst-)Starter; **~-sufficient** s. selbst versorgend; -bewußt; **~-supporting** auf eigenen Füßen stehend; **~-taught** selbstgebildet, -erworben; **~-timer** 📷 Selbstauslöser; **~-will** Eigensinn, -wille; **~-willed** eigensinnig, -willig

sell [sel] *(s. S. 319)* 1. (s.) verkaufen *(a. fig.)*. absetzen; 2. *umg* reinlegen *(a.: ~ s-b a pup); ~ off* ausverkaufen; *~ out* ausverkaufen *(we are sold out of small sizes* . . . in kleinen Größen), realisieren; *~ up* j-s Besitz versteigern; *~ s-th to, ~ s-b on (US)* j-m etw „verkaufen", j-n überzeugen von; 3. *su sl* Reinfall; **~er** Verkäufer, Händler; **~ing** Absatz; Verkaufs-

sellotape ['seləteip] *BE* Tesafilm

selvage, selvedge ['selvidʒ] Webkante, Salband [tungs-] **~s** *sg vb* Semantik

semantic [si'mæntik] semantisch, Bedeu-

semaphore ['seməfɔ:] Semaphor; Winken; winken; signalisieren

semblance ['sembləns] (An-)Schein

semester [si'mestə] Semester

semi|- ['semi] halb-; *(d. Zus.setzungen mit ~ haben doppelte Betonung, auf- u. d. folgenden Wort)* **~annual** halbjährlich; **~breve** [⸗bri:v] *BE* ganze Note; **~breve rest** *BE* ganze Pause; **~circle** [⸗sə:kl] Halbkreis; **~colon,** *pl* **~colons** Semikolon; **~-detached house** *BE* Doppelhaushälfte; **~final** 🏑 Vorschlußrunde; **~-finished** halbfertig; **~-manufacture** Halbfabrikat; **~-official** halbamtlich, offiziös, **~quaver** [⸗kweivə] *BE* 16tel Note; **~-skilled** angelernt; **~tone** [⸗toun] Halbton; **~-tropical** subtropisch; **~-vowel** Halbvokal

seminar ['seminɑ:] Seminar(klasse); **~y** [⸗'nəri] (Priester-)Seminar

semolina [seməli:nə] *BE* Grieß

sempstress ['semstris] = seamstress

senat|e ['senit] Senat; **~or** [⸗ətə] Senator; **~orial** [⸗ə'tɔ:riəl] senatorisch

send [send] *(s. S. 319)* senden, (ab-)schicken (~ *word* Nachricht s.); *(mit adj, ppr)* machen; *~ away* entlassen; *~ away for* von weither kommen lassen; *~ down* fallenlassen; *BE* relegieren; *~ for* schicken nach, holen lassen, bestellen; *~ forth* fortschicken; hervorbringen; verbreiten; *~ in* einsenden, -reichen; *~ in one's name* s. anmelden lassen; *~ off* absenden; wegbegleiten; *~ on* voraus-, weiterschicken; *~ out* ausstrahlen, aus-, versenden; hervorbringen; *~ up* hochtreiben; hinaufschicken; **~-off** [⸗ɔːf] Abschied, Verabschiedung

sen|escence [si'nesəns] Altern; **~escent** [⸗sənt] alternd; **~ile** ['si:nail] altersschwach, senil; **~ility** [si'niliti] Altersschwäche, Senilität

senior ['si:njə] (dienst)älter, ranghöher; Ober-; (Dienst-)Älterer; *bes US* Abschlußsemester; **~ity** [⸗ni'ɔriti] höheres (Dienst-)Alter; (Rang); längere Dienstzeit

senna ['senə] Sennesblätter

sens|ation [sen'seiʃən] Empfindung; Wahrnehmung; (Gefühls-)Erregung; Sensation; **~ational** [⸗⸗nəl] Wahrnehmungs-; (Aufsehen) erregend; sensationell; **~e** 1. Sinn; 2. *pl* Verstand; 3. Vernunft; 4. Gefühl *(~e of duty* Pflichtg.), Sinn *(~e of humour* S. für Humor, *~e of locality* Ortss.); 5. Vernünftiges; 6. Bedeutung *(in a ~* in gewisser Hinsicht); *to make ~e* Sinn geben, *to make ~e of* Sinn finden in; *to talk ~e* vernünftig reden; 7. *vt* spüren; **~eless** [⸗lis] bewußtlos; töricht; sinnlos; **~ibility** [⸗si'biliti] Empfindungsvermögen; Empfindsamkeit *(to* für); *pl* Empfindlichkeit; **~ible** vernünftig; spürbar; wahrnehmbar; *to be ~ible of* s. bewußt sein; **~itive** [⸗itiv] Medium; sensitiv; 📷 (licht)empfindlich *(to* bei, gegenüber); geheim; gefährdet; **~itivity** [⸗si'tiviti] Empfindlichkeit; Anfälligkeit; **~itize** [⸗si'taiz] lichtempfindlich machen; **~ory** [⸗səri] Sinnes-, Empfindungs-; **~ual** ['senʃuəl] sinnlich; **~uality** [⸗ʃu'æliti] Sinnlichkeit; **~uous** ['senʃuəs] (Eindruck etc) sinnlich; sinnenfreudig

sent|ence ['sentəns] (Straf-)Urteil; Strafe *(to serve a ~ence* e-e S. absitzen); Satz; verurteilen; **~entious** [⸗'tenʃəs] sentenzenreich, geziert; **~ient** [⸗ʃənt] empfindend; empfindungsreich

sentiment ['sentimənt] Empfindung, Gefühl; Sentimentalität; Ansicht; **~al** [⸗⸗'mentl] gefühlvoll, Gefühls-; sentimental, rührselig; *~al value* Liebhaberwert; **~alist** [⸗'mentəlist] sentimentaler Mensch; **~ality** [⸗men'tæliti] Sentimentalität; **~alize** [⸗⸗'mentəlaiz] rührselig machen (werden) [sten]

sentinel ['sentinəl] Wache; **~ry** [⸗tri] *mil* Posten

sepal ['sepəl, *US* 'si:-] *bot* Kelchblatt

separa|ble ['sepərəbl] trennbar; **~te** [⸗⸗rit] getrennt; einzeln; [⸗⸗reit] s. trennen *(from* von); teilen *(into* in); *US* entlassen; **~tion** [⸗⸗'reiʃən] Trennung(szeit); *US* Entlassung; **~tist** [⸗⸗rətist] Sonderbündler, Separatist; **~tor** [⸗⸗reitə] ⚙ (Ab-)Scheider

sepia ['si:piə] Sepia; Tintenfisch

sep|sis ['sepsis] Sepsis, Blutvergiftung; **~tic** [⸗tik] septisch

September [sep'tembə] September

sepul|chral [si:pʌlkrəl] Grab(es)-; düster, feierlich; **~chre** ['sepəlkə] Grab (-mal, -stätte); **~ture** ['sepəltʃə] Begräbnis

seque|l ['si:kwəl] Folge *(in the ~l* in d. F.); Fortsetzung; **~nce** [⸗kwəns] (Reihen-)Folge; 📽 Szene; *~nce of tenses (gram)* Zeitenfolge; **~nt** [⸗kwənt], **~ntial** [si'kwenʃəl] (örtlich, zeitlich) folgend

sequest|er [si'kwestə] beschlagnahmen, sequestrieren; *~er o.s.* sich zurückziehen; **~rate** [⸗⸗treit] = *~er;* **~ration** [si:kwes'treiʃən] Beschlagnahme

seren|ade [seri'neid] Serenade; Ständchen; (j-m) ein Ständchen bringen; ~e [si'riːn] heiter; ruhig, gelassen; ~ity [si'reniti] Heiterkeit; Gelassenheit

serf [səːf] Leibeigener; *fig* Sklave; ~dom [-dəm] Leibeigenschaft; Sklaverei

serge [səːdʒ] Serge, Sersche

sergeant ['saːdʒənt] Feldwebel (*master* ~ Stabsf.); Polizeiwachtmeister; ~-major [-'meidʒə] Hauptfeldwebel

serial ['siəriəl] serienmäßig; Fortsetzungs-; (Nummer) laufend; ~l **(story)** Zeitungs-, Fortsetzungsroman; ~lize [-riəlaiz] in Fortsetzungen veröffentlichen; ~tim [-ri'eitim] serienweise, nacheinander

sericulture ['serikʌltʃə] Seidenraupenzucht

seri|es ['siəriːz, *US* 'siriz], *pl* ~es Reihe, Serie; ~ous [-riəs] ernst(haft, -lich); ~ousness [-riəsnis] Ernst(haftigkeit)

sermon ['səːmən] Predigt *(a. fig)*

serpent ['səːpənt] (große) Schlange *(a. fig)*; ~ine [-tain] s. windend; verschlagen

serr|ate ['serit], ~ated [-'reitid] gezackt; ~ied [-id] dicht gedrängt

ser|um ['siərəm], *pl* ~ums, ~a [-rə] Serum

serv|ant ['səːvənt] Diener(in); *public* ~ant Staatsdiener; *civil* ~ant Staatsbeamter; ~e 1. dienen, arbeiten; 2. behilflich sein; j-n bedienen; 3. versorgen; 4. aufgeben, servieren; 5. s. verwenden lassen; 6. genügen; 7. j-n behandeln ♦ *it* ~*es him right* es geschieht ihm recht; 8. (Zeit) abdienen ♦ ~*e time* Strafe absitzen; 9. 🗝 ~*e s-th on,* ~*e s-b with* j-m etw zustellen; 10. 🎾 aufschlagen; 11. ~*e out* austeilen; heimzahlen; 12. *su* 🎾 Aufschlag; ~er [-ə] Servierer(in); Tablett; Ministrant; ~ice [-vis] 1. Stellung (als Diener: *to be in* ~*ice* in S. sein; *in our* ~*ice* bei uns in S.); 2. Dienst (*civil* ~*ice* Staats-, Verwaltungsd.; *on, in active* ~*ice* im a. D.; *to be of* ~*ice* to j-m zu D. sein; *at s-b's* ~*ice* j-m zu D., zur Verfügung); Dienst-; Verkehr; Truppengattung; 3. Bedienung; 4. Service; 5. Gottesdienst; 6. 🗝 Zustellung; 7. 🎾 Aufschlag; 8. *vt* 🚗, 🛠 warten, instand halten, i.setzen; ~ice**able** [-visəbl] dienst-, gebrauchsfähig; nützlich, hilfreich; ~ic**ing** [-isiŋ] 🚗 Wartung; ~i**ette** [-vi'et] Serviette; ~**ile** [-vail] Sklaven-; kriecherisch; ~i**tude** [-vitjuːd] Sklaverei, Knechtschaft; *penal* ['piːnəl] ~*itude* Zuchthaus(strafe)

session ['seʃən] Sitzung (*in* ~ ... tagt); Sitzungszeit; *US* Blockstunde; *bes US* Semester; Lehrabschnitt; *Petty S~s (BE)* Gerichtsverfahren ohne Schöffen; *Quarter S~s (BE)* Schöffengericht; ~al Sitzungs-

set [set] *(s. S. 319)* 1. *astr* untergehen; 2. stellen, setzen *(a.* 📖*);* ~ *sail* 🚢 abfahren; 3. (Tisch) decken; 4. *bot BE* pflanzen; 5. etw ansetzen, halten an *(a match to a fire);* ~*fire* (od *light) to* anzünden; ~ *the axe to* die Axt anlegen an *(a. fig);* 6. (Uhr, Falle) stellen; 7. ❀ (ein)stellen, justieren; 8. 💲 einrichten, -renken; 9. schärfen; 10. *(mit adj, ppr, adv)* machen, lassen; ~ *going* in Gang bringen; ~ *right* berich-

tigen, in Ordnung bringen ♦ ~ *s-b's teeth on edge* auf die Nerven gehen; ~ *things to rights* in Ordnung bringen, (ver)bessern; ~ *s-b on his feet* j-n auf d. Beine bringen *(a. fig);* 11. j-n anstellen *(to do s-th)* ♦ ~ *a thief to catch a thief* einen von derselben Zunft zur Lösung des Falles ansetzen; 12. (Frage, Aufgabe) stellen, (Beispiel) geben; ~ *the pace* Tempo angeben, Schrittmacher sein; 13. festsetzen, bestimmen; 14. (Juwelen) fassen; 15. ❀ fest werden, abbinden; 16. starr werden (lassen); gelieren; (Zähne) zus.pressen; 17. *bot* reifen, Frucht ansetzen; 18. strömen, wehen; 19. (Kleid) sitzen; 20. ♪ vertonen, komponieren, setzen; 21. ~ *s-th about* verbreiten; ~ *about* in Angriff nehmen, anpacken; losgehen auf; ~ *against* entgegenstellen; *fig* einnehmen gegen; s. einstellen gegen; ~ *one's face against* s. entgegenstellen; ~ *apart* beiseite tun; ~ *aside* reservieren *(for* für); *fig* beiseite schieben; 🗝 aufheben; ~ *at* (ver)setzen in etw; ~ *one's cap at* nach j-m angeln, j-n zu gewinnen suchen; ~ *back* (Uhr) zurückstellen -setzen; zurückwerfen, verzögern; ~ *by* beiseite tun, sparen; ~ **down** ab-, niedersetzen; abladen, aussteigen lassen; nieder-, aufschreiben; ~ *down as* ansehen als; ~ *down to* zuschreiben; festsetzen; tadeln; ~ **forth** aufbrechen; darlegen; ~ **in** einsetzen; strömen; einpflanzen; sich anbahnen; ~ **off** aufbrechen; in Gang bringen; *fig* hervorheben; abtrennen; ausgleichen; ~ **on** losgehen, angreifen; aufhetzen *(to* zu); ~ *one's heart on* versessen sein auf; ~ **out** aufbrechen, anfangen; darlegen; schmücken; pflanzen; anlegen, anordnen; zur Schau stellen; s. bemühen; ~ **to** loslegen, anfangen; ~ **up** errichten; ~ etablieren; (j-n) setzen *(over* über); vorbringen; ausstoßen; versorgen; 🎾 trainieren; 📖 setzen; 💲 verursachen; s. niederlassen *(as* als); ~ *up for* s. ausgeben als; 22. Satz (Geräte); Service; Garnitur; 23. (Personen-)Kreis; *the smart* ~ die modisch tonangebenden Leute, feine Gesellschaft; Haufe; 24. *bes* 🗝 Apparat; 25. Haltung; (Kleid) Sitz; 26. Strömung *(a. fig);* 27. 🗝, 📺 Szenerie; 28. Pflasterstein; 29. 🎾 Satz; 30. Setzling; 31. *astr* Untergang; 32. ♦ *to make a dead* ~ *at* angreifen, herfallen über; zu beeinflussen, zu gewinnen suchen; 33. *adj* fest, starr; bestimmt, festgesetzt; ~ *form* Formular; feststehend; ~**back** [-bæk] Rückschlag; ~**-off** [-ɔːf] Gegen-, Aufrechnung; Ausgleich; ~**-screw** [-skruː] Stellschraube; ~**-square** [-skwɛə] Zeichenwinkel; ~**tee** [-'tiː] Polsterbank; ~**ter** [-ə] Setter, Vorstehhund; ~**ting** [-iŋ] Fassung; Szenerie, Rahmen; Komposition; *astr* Untergang; Festwerden; ~**-to** [-tuː] Schlägerei; ~**-up** [-ʌp] Aufbau, Organisation; Einrichtung

settle ['setl] 1. regeln, festlegen; erledigen; ~ *upon* beschließen; 2. bezahlen; s. vergleichen *(with* mit); 3. s. niederlassen; ~ *in* einziehen; 4. siedeln; 5. ~ *(down)* s. hinsetzen, niederlassen *(to work);* s. hineinfinden *(to* in), s. gewöhnen *(to* an); e-n Hausstand begründen; 6. ~

(down) (s.) beruhigen; beständig werden; **7.** (Staub) niederschlagen, s. legen, setzen; **8.** (ab)sinken, s. setzen; **9.** ♫ (über)geben (*on* an), aussetzen (*on* für); **10.** Sitzbank; **~d** [-'d] beständig; entschieden, fest; festverwurzelt; seßhaft; **~ment** [-mənt] Regelung, Abkommen; Beilegung; (An-)Siedlung, Kolonie; (städtische) Siedlung; soziales Hilfswerk; **~r** Siedler

seven ['sevn] sieben; **~fold** [-fould] siebenfach; **~teen** [-'ti:n] siebzehn; **~teenth** [-'ti:nθ] siebzehnte(l); **~th** [-θ] siebte(l); **~tieth** [-tiiθ] siebzigste(l); **~ty** [-ti] siebzig

sever ['sevə] (ab)trennen; scheiden; (zer)reißen; **~al** [--rəl] mehrere; einzeln, besondere; **~ance** [--rəns] Trennung; **~e** [si'viə] streng; stürmisch, heftig; *fig* scharf; (Stil) schmucklos, herb; **~ity** [si'veriti] Strenge; Heftigkeit; Härte

sew [sou] nähen (~ *on* an, ~ *up* zu-); **~er** [-ə] Näherin; **~ing** [-iŋ] Nähen

sew|age ['sju:idʒ] Abwasser; **~age farm** Rieselfelder; **~er** [-ə] Abwasserkanal, Kanalisationsrohr; Kanalisationsanlagen; *pl* **~er-gas** [-əgæs] Faulgas; **~erage** [-əridʒ] Kanalisation; Abwässer

sex [seks] Geschlecht; Sex; *to have sex with* schlafen mit; Geschlechts-; **~less** [-lis] geschlechtslos; unfraulich; **~ology** [sek'sɔlədʒi] Sexualwissenschaft

sex|tant ['sekstənt] Sextant; **~tet** [-'tet] Sextett; Sechsergruppe; **~ton** [-tən] Küster, Totengräber

sexual ['seksjuəl] geschlechtlich; sexuell; Geschlechts-; **~ity** [--'æliti] Sexualität; Geschlechtsleben;

sexy ['seksi] sexy; erotisch; gepfeffert

shabby ['ʃæbi] schäbig *(a. fig)*

shack [ʃæk] Bretterbude; Hütte; **~les** [-lz] *pl vb* Fesseln *(a. fig)*; fesseln *(a. fig)*; behindern

shad [ʃæd], *pl ~* zool Alse; **~dock** [-ək] (Art) Pampelmuse

shad|e [ʃeid] Schatten; *pl* Dunkelheit; Weinkeller; (geschützter) Winkel; Schattierung, Nuance; Schirm; *US* Rollo; beschatten, beschirmen; schattieren, abtönen; **~ow** ['ʃædou] (bestimmter) Schatten; *pl* Dunkel; verdunkeln; beschatten *(a. fig)*; **~owy** ['ʃædoui] schattig; schattenhaft; **~y** [-i] schattig; *umg fig* zweifelhaft, anrüchig

shaft [ʃɑ:ft] Schaft; Pfeil; Stiel; ✿ Welle; Deichsel; Schacht; Strahl

shag [ʃæg] zottiges Haar; Shag, Plüsch; Shag-Tabak; **~gy** [-i] zottig

shagreen [ʃæ'gri:n] Chagrin (Leder)

shak|e [ʃeik] *(s. S. 319)* schütteln (*~e off* ab-, *~e up* auf-, um-); rütteln an; erschüttern *(a. fig)*; zittern *(with vor)*; *~e down* hinschütten, -streuen; s. setzen; s. eingewöhnen; Schütteln; *umg* Augenblick ♦ *in two ~es, in half a ~e* sofort; ♪ Triller; **~edown** [-daun] Strohlager; **~er** [-ə] Mixbecher; Mixer; **~y** [-i] wackelig; unzuverlässig; zitternd

shale [ʃeil] Schieferton; **~ oil** Schieferöl

shall [ʃæl] *(s. S. 319)* soll; werde, wird; *nach so that*, Verben di Wünschens, unpersönlichen Ausdrücken: unübersetzt; **should** [ʃud] *a.* dürfte *(he should be there by now, I think)*

shallop ['ʃæləp] ♫ Schaluppe

shallot [ʃə'lɔt] Schalotte

shallow ['ʃælou] seicht *(a. fig)*; *pl* Untiefe

sham [ʃæm] Imitation; Betrug; Betrüger; unecht; Schein-; vortäuschen; s. (tot etc) stellen; s. verstellen

shamble ['ʃæmbl] watscheln; wackliger Gang; **~s** [-z] *sg vb* Schlachthaus; Blutbad; Trümmer; Durcheinander

shame [ʃeim] Scham(gefühl); Schande; *to put s-b ~ to* j-n beschämen; *vt* beschämen; Schande bringen über; **~faced** [-feist] bescheiden; schüchtern; **~ful** schändlich; **~less** schamlos

sham|my ['ʃæmi] Sämischleder; **~poo** [-'pu:] Haarwäsche; Haarwaschmittel; (Haar) waschen, j-m die Haare waschen; **~rock** [-rɔk] (Faden-)Klee; Kleeblatt

shandy(gaff) ['ʃændi(gæf)] *BE* Bier mit Limonade

shanghai [ʃæŋ'hai] ♫ schanghaien

shank [ʃæŋk] Unterschenkel

shantung [ʃæn'tʌŋ] Schantungseide

shanty ['ʃænti] Bude, Hütte (*~-town* Barackenstadt); Seemannslied

shape [ʃeip] Gestalt (*to take ~* G. annehmen); Form; *to put* (od *get*) *into ~* gestalten, formen; Zustand; Form, Modell; (Stürz-)Pudding; *out of ~* verzerrt; (s.) gestalten, formen; **~less** [-lis] gestaltlos; **~ly** wohlgestaltet

shard [ʃɑ:d] zool Schale; ✿ (Ton-)Scherbe, Splitter

share [ʃɛə] (An-)Teil; Aktie (*original ~* Stammaktie); *to go ~s* mit anderen teilen; Pflugschar; (ver)teilen; s. beteiligen; teilnehmen; **~holder** Aktionär

shark [ʃɑ:k] Haifisch; Schwindler

sharp [ʃɑ:p] **1.** scharf; **2.** spitz; **3.** schrill; **4.** scharfsinnig, intelligent; **5.** gerissen; **6.** schnell, munter; **7.** ♪ um e-n Halbton erhöht; **8.** *adv* pünktlich; *look ~!* beeil dich!; *to sing ~* zu hoch singen; **9.** ♪ erhöhte Note, Kreuz, schwarze Taste; **10.** ♪ erhöhen; **~en** schärfen; **~er** Gauner; **~-eyed** [-'aid]; **~-sighted** [-'saitid] scharfäugig; **~-set** [-'set] hungrig; **~-witted** [-'witid] scharfsinnig, intelligent

shatter ['ʃætə] zertrümmern; zerbrechen

shav|e [ʃeiv] rasieren; dünn abschneiden; knapp vorbeikommen an; Rasur; knappes Berühren, Streifen; **~en** rasiert; **~er** Barbier; *young ~er* junger Kerl; **~ing** Rasier-, *pl* (Hobel-)Späne

shawl [ʃɔl] Hals-, Umschlagtuch

she [ʃi:] sie

shea|f [ʃi:f], *pl ~ves* [-vz] Garbe; Bündel; Haufen, Stapel

shear [ʃiə] *(s. S. 319)* (Schaf) scheren; *fig* berauben; ✿ glatt abschneiden; **~s** *pl vb* große Schere

sheatfish ['ʃi:tfiʃ] (Fluß-)Wels

sheath [ʃiːθ], pl ~s [ʃiːðz] mil Scheide; Futteral; ~e in d. Scheide stecken; ✿ verkleiden, umhüllen

shed [ʃed] Schuppen, Stand; vergießen; abwerfen, (Haare) verlieren; verbreiten

sheen [ʃiːn], Glanz, Schein

sheep [ʃiːp], pl ~ Schaf; schüchterner Kerl; ~-fold [⁻fould] Schafhürde; ~ish schüchtern, blöd; ~-run [⁻rʌn] Schafweide; ~skin Schaffell(mantel, -teppich), -leder; Pergament; Diplom

sheer [ʃiə] rein; (hauch)dünn; senkrecht, steil; ⚓ gieren, scheren; ~ off. away abschwenken, weglaufen

sheet [ʃiːt] Laken, Bettuch; to get between the ~s sich ins Bett verziehen; Bogen (Papier); ✿ (Fein-)Blech (a. ~ metal); Fläche; Zeitung; ⚓ Schot(e) ♦ three ~s in the wind sternhagelvoll; ~-anchor [⁻æŋkə] Not-, Pflichtanker; fig Zuflucht, Stütze; ~ing Bettleinen

shelf [ʃelf], pl ~ves [⁻vz] (Wand-, Schrank-)Brett; pl Regal; Sims; Sandbank

shell [ʃel] zool. allg Schale, Hülse; Muschel; mil Granate, Geschoß; US Patrone; (racing-)~ Rennboot; schälen, enthülsen; bombardieren, beschießen; ~ out (umg) blechen; ~ egg Frischei

shellac [ʃe'læk] Schellack; mit S. überziehen; US umg (vernichtend) schlagen

shellfish [ʃelfiʃ], pl ~ Muschel

shelter [ʃeltə] Schutz(raum, -dach; a. fig); Schutz geben (suchen)

shelve [ʃelv] mit Brettern versehen; auf ein Brett stellen; fig beiseite schieben; entlassen; sich sanft neigen

shepherd [ʃepəd] Hirte (a. fig); hüten, leiten; ~ess [⁻⁻is] Hirtin

sherbet [ʃɑːbət] Scherbett, Sorbet (Eisgetränk)

sheriff [ʃerif] Sheriff (BE etwa: Landrat, US Polizeichef)

sherry [ʃeri] Sherry

shew [ʃou] siehe show

shield [ʃiːld] (Wappen-, Schutz-)Schild (a. fig); schützen (from vor)

shift [ʃift] (s.) (ver)schieben ♦ ~ one's ground seinen Standpunkt ändern; (Wind) umspringen; s. durchschlagen; Veränderung, Verschiebung, Wechsel; List, Kniff; to make (a) ~ s. behelfen; (Arbeits-)Schicht; ~work [⁻wɑːk] Schichtarbeit; ~less unbeholfen, faul; ~y verschlagen; falsch

shilling [ʃiliŋ] Schilling

shilly-shally [ʃiliʃæli] unentschlossen (sein); Unentschlossenheit

shimmer [ʃimə] schimmern; Schimmer

shin [ʃin] Schienbein; ~ up hinaufklettern

shindy [ʃindi] umg Krach, Radau

shine [ʃain] (s. S. 319) scheinen, leuchten (a. fig); polieren; Politur; Sonnenschein ♦ rain or ~ bei jedem Wetter; = shindy

shingle [ʃiŋgl] BE Strandkies(elsteine); Schindel; US Schild; (Damen-)Herrenschnitt; mit Schindeln decken; kurzschneiden; ~s sg vb ⚕ Gürtelrose

ship [ʃip], Schiff; bes US Flugzeug, Luftschiff; Raumschiff; verschiffen, verfrachten, versenden; ⚓ einsetzen; anheuern; (Ruder) einlegen; ~ water (od a sea) e-e Sturzsee bekommen; s. einschiffen, s. anheuern lassen; ~-breaker [⁻breikə] Schiffsaufkäufer; ~-broker [⁻broukə] Schiffsmakler; ~ canal [kə'næl] Seekanal; ~-load [⁻loud] Schiffsladung, Passagierzahl; ~ment [⁻mənt] (Waren-)Sendung; (Schiffs-)Ladung; Verladung, Versendung; ~-owner [⁻ounə] Reeder; ~per [⁻ə] Verschiffer; Versender; Spediteur; ~ping [⁻iŋ] Schiffsbestand; Handelsflotte; Verschiffung; Schiffs-; ~ping company Reederei; Verlade-; ~'s papers Schiffspapiere; ~-shape [⁻ʃeip] in Ordnung, ordentlich; ~wreck [⁻rek] Schiffbruch (a. fig); Wrack; scheitern (lassen); ~wrecked [⁻rekt] schiffbrüchig; ~wright [⁻rait] Schiffbauer; ~yard [⁻jɑːd] Schiffswerft

shire [ʃaiə] Grafschaft

shirk [ʃɑːk] s. drücken (vor); ~er Drückeberger

shirt [ʃɑːt] (Herren-)Hemd; ~, US ~waist [⁻weist] Hemdbluse; ~-front [⁻frʌnt] Hemdeneinsatz; ~ing [⁻iŋ] Hemdenstoff

shiver [ʃivə] zittern (with vor); zersplittern (lassen); Zittern; pl Schauer; Splitter; ~y [⁻⁻ri] zitternd

shoal [ʃoul] Menge; (Fisch-)Schwarm; Untiefe; Sandbank; pl Tücken; seicht; Schwärme bilden; seichter werden

shock [ʃɔk] Stoß, Prall, Schlag (a. ⚡); ⚕ Schock (a. fig); Getreidestiege, Mandel; Haarschopf; erschüttern; schockieren; ~-absorber [⁻əbsɔːbə] ⇔ Stoßdämpfer; ~ing [⁻iŋ] anstößig, schockierend; miserabel; gräßlich; ~troops Stoßtruppen

shod [ʃɔd] siehe shoe; beschuht; verkleidet

shoddy [ʃɔdi] Alt-, Reißwolle; Shoddy; schäbig(es Zeug), Talmi

shoe [ʃuː] Schuh; Hufeisen; ~ (s. S. 319) beschuhen; beschlagen; verkleiden; ~-black [⁻blæk] Schuhputzer; ~-horn [⁻hɔːn] Schuhlöffel; ~-lace [⁻leis], ~-string [⁻striŋ] US Schnürsenkel; ~-maker [⁻meikə] Schuhmacher

shoo [ʃuː] verscheuchen

shoot [ʃuːt] (s. S. 319) 1. (hervor-)schnellen, stoßen, werfen; 2. abladen; 3. (Riegel) auf-, zustoßen; 4. (ver-, ab-)schießen; 5. jagen (auf e-m Grundstück); 6. aufbrechen, sprießen; 7. fig dahinschießen; -jagen; 8. hinausragen; 9. hinwegschießen über; 10. 📷 filmen, drehen, fotografieren; (sich) spritzen, fixen; ~ ahead voranstürzen, j-n überholen; ~ away weiter-, verschießen; ~ off abschießen; ~ out vorspringen; herausschleudern; ~ through durchzucken; ~ up aufschießen; emporschnellen; 11. Schößling; 12. Stromschnelle; 13. Jagdgruppe; -gebiet; 14. Rutsche, Rutschbahn; ~ing Jagen; Jagdrecht, -gebiet; ~ing-iron [⁻inaiən] Schießeisen; ~ing star Meteor

shop [ʃɔp] Laden, Geschäft; Betrieb, Beruf; to set up ~ e-n Laden eröffnen; to shut up ~ s. Laden dichtmachen, aufhören; to talk ~ fachsimpeln; to come (od go) to the wrong ~

sich an d. falsche Adresse wenden; *all over the
~ (umg)* überall (hin), verstreut; ✿ Werkstatt,
Betrieb; **~-assistant** [-əsistənt] *BE* Verkäufer;
~-boy [-bɔi] Ladenjunge; **~-girl** [-gəːl] La-
denmädchen; **~ hours** [auəz] Verkaufszeit;
~keeper [-kiːpə] Ladeninhaber, Einzelhändler; **~lifter** [-liftə] Ladendieb; **~per** [-ə] (Ein-)
Käufer; **~ping** [-iŋ] Einkaufen *(to go ~ping)*;
~-window Schaufenster
shore [ʃɔː] Küste *(in ~ nahe d. K.; on ~* auf d.
K.); ✿ Stütze, Stützbalken; **~ (up)**
shorn [ʃɔːn] *siehe* shear
short [ʃɔːt] **1.** kurz; klein; niedrig ♦ *to have a
~ temper* leicht erregbar sein; *to make ~
work of* kurzen Prozeß machen mit; **2.** knapp,
unzureichend; *to be ~ of* knapp sein an; weg
sein von; *to cut ~ fig* abschneiden; *to come
(od fall) ~ (of)* unzureichend sein, enttäuschen; *to run ~* ausgehen *(we ran ~ of oil* uns
ging d. Öl aus); *~ of* außer (daß); *nothing ~
of* nichts anderes als; **3.** kurz (angebunden) *(to
be ~ and to the point* k. u. präzise sein); *for ~,
in ~* kurz; **4.** (Kuchen) mürbe; **5.** (Wechsel
etc) auf kurze Sicht; **6** *adv* (zu) kurz; **7.** plötzlich; **8.** *su* Kurzfilm; **9.** Kurzschluß; **10.** *BE*
harter Drink; **11.** kurze Silbe; **12.** *pl* Turnhose,
Shorts; **~age** [-idʒ] Knappheit; Verknappung,
Mangel; *~ circuit* [-ˈsəːkit] ⚡ Kurzschluß;
~coming [-kʌmiŋ] Unzulänglichkeit, Fehler;
~ cut Abkürzung(sweg); **~-dated** [-deitid]
kurzfristig; *~ drink* (unverdünnter) Cognac,
Rum, Gin etc; **~en** verkürzen; kürzer werden;
~ening [-niŋ] Backfett; **~hand** [-hænd] Kurz-
schrift; **~-handed** [-hændid] unterbesetzt; **~ish**
[-iʃ] ziemlich kurz; **~lived** [-livd, *US* -laivd]
kurz(lebig); **~ly** bald; kurz; schroff; *~ sight*
Kurzsichtigkeit; **~-sighted** [-ˈsaitid] kurzsichtig *(a. fig)*; **~-spoken** [-ˈspoukn] kurz angebunden; *~ story* [-ˈstɔːri] Kurzgeschichte; **~-tem-
pered** [-ˈtempəd] leicht erregbar; **~-term**
[-təːm] kurzfristig; *~ time* Kurzarbeit; Arbeits-
zeitverkürzung; **~-timed** [-ˈtaimd] kurzfristig;
~ ton Tonne (= 2000 pounds); *~ weight*
[-ˈweit] Mindergewicht, Untergewicht; **~-
winded** [-ˈwindid] kurzatmig
shot [ʃɔt] Schuß; *like a ~* wie d. Blitz; 🎯
Stoß, Schlag; *fig* Hieb; Schütze; Schußweite;
mil Kugel; 🎯 Kugel *(putting the ~* Kugelstoßen); *~, pl ~* Schrot(kugel); ▣ Filmszene; 💉
Spritze; *adj* (Stoff) changierend, schillernd;
~-gun [-gʌn] Schrotflinte; **~-put** Kugelstoßen
should [ʃud] *siehe* shall
shoulder [ˈʃouldə] Schulter; *to put one's ~ to
the wheel* kräftig zupacken; (Straße) Bankett;
schultern; auf sich nehmen; s. durchdrängen;
~-blade [-bleid] Schulterblatt; **~-strap** [-
stræp] Achselklappe, (Unterkleid) Träger
shout [ʃaut] Ruf; Schrei; laut sprechen; rufen,
schreien; brüllen; **~ing** Rufen, Geschrei; Jubel
shove [ʃʌv] schieben, stoßen; *~ along* (od *up*)
weitergehen; (sich) drängen; *~ off* abstoßen,
umg losgehen; Schub, Stoß; **~l** [-l] Schaufel;
schaufeln

show [ʃou] *(s. S. 319)* **1.** zeigen; **2.** (Unterkleid)
vorkommen (lassen); **3.** ausstellen; *to be ~ing*
▣ laufen; **4.** er-, nachweisen; **5.** (herum)füh-
ren *(about a town, over a house);* **6.** zu sehen
sein; *~ off* zur Schau stellen, *fig* angeben; *~
up* j-n hinaufführen; entlarven; *umg* aufkreuzen; deutlich hervortreten; **7.** *su* Zeigen; *by (a)
~ of hands* durch Handaufheben; **8.** Schau,
Ausstellung *(travelling ~* Wander-); *on ~* zur
Besichtigung, ausgestellt; **9.** *fig* Bild; **10.** *fig*
Schein; **11.** *fig* Angabe; **12.** *umg* Betrieb, Laden *(to run the ~* d. L. schmeißen); *to give the
(whole) ~ away* d. Schwächen verraten; **13.** *fig*
Chance *(give him a fair ~);* **14.** Vor-, Aufführung; **~-case** [-keis] Schaukasten; **~-down** [-
daun] Aufdecken d. Karten *(a. fig);* entscheidende Kraftprobe, Entscheidungskampf; **~er**
[ˈʃauə] Schauer, Guß; *fig* Hagel, Fülle; *US*
(etwa:) Brautfest; schütten *(a. fig);* strömen;
~er-bath [ˈʃauəbɑːθ] Dusche; **~ery** [ˈʃauəri]
regnerisch; **~ing** [-iŋ] *fig* Bild, Eindruck; **~-
man** [-mən], *pl* ~men Schausteller; **~manship**
Schaustellerkunst; geschickte Propaganda; **~-
off** [-ɔːf] *umg* Angeber, Großmaul; **~-place**
[-pleis] Sehenswürdigkeit; **~-room** [-ruː)m]
Ausstellungsraum; **~-window** [-windou]
Schaufenster; **~y** [-i] prunkhaft; angeberisch
shrapnel [ˈʃræpnəl] Sprengladung (e-s Schrap-
nells); Schrapnell
shred [ʃred] Fetzen; Bruchstück; zerreißen;
schroten
shrew [ʃruː] Zankweib; **~(-mouse)** Spitzmaus;
~d [-d] (Wind, Verstand) scharf; geschickt;
treffend
shriek [ʃriːk] kreischen; schreien; Schrei
shrill [ʃril] schrill, gellend
shrimp [ʃrimp] Garnele; elender Wicht; Gar-
nelen fangen
shrine [ʃrain] Schrein *(a. fig)*
shrink [ʃriŋk] *(s. S. 319)* schrumpfen, eingehen; dekatieren; zurückschrecken *(from* von,
vor); **~age** [-idʒ] Schrumpfung *(a. fig);*
Schwund
shrive [ʃraiv] *(s. S. 319)* j-m d. Beichte abnehmen
shrivel [ʃrivl] vertrocknen; zus.schrumpfen,
verschrumpeln
shroud [ʃraud] Leichentuch; *fig* Hülle; *pl* ⚓
Wanten; einhüllen *(a. fig)*
Shrove Tuesday [ˈʃrouvˈtjuːzdi] Fastnacht-
dienstag
shrub [ʃrʌb] Busch, Staude; **~bery** [-əri] Gebüsch
shrug [ʃrʌg] *(one's shoulders), to give a ~ of
the shoulders* mit d. Schulter zucken, d. Ach-
seln zucken
shrunken [ˈʃrʌŋkən] eingefallen *(siehe* shrink)
shuck [ʃʌk] Hülse, Schote, Schale; *US*
Schwindel; enthülsen, entschoten
shudder [ˈʃʌdə] schaudern; Schauer
shuffle [ˈʃʌfl] **1.** schlurfen, schleifen; *~ one's
feet* mit d. Füßen schlurfen, scharren; **2.** s.
drücken, Ausflüchte machen; **3.** durcheinan-
derwühlen, (Karten) mischen; *~ off (on)* ab-

(über-)streifen; 4. *su* Schlurfen; 5. Mischen; 6. Ausflucht; 7. Unehrlichkeit

shun [ʃʌn] s. fernhalten von; vermeiden

shunt [ʃʌnt] *bes* 👁 verschieben, rangieren; ⚡ ableiten; *umg* beiseite schieben; kaltstellen; 👁 Weiche; ⚡ Nebenschluß; **~ing** Rangier-; Rangieren

shut [ʃʌt] *(s. S. 319)* (ver-, zu)schließen, zumachen; sich schließen lassen; einklemmen; **~down** (Werk) schließen; sperren; **~ in** einschließen; **~ off** abschließen, -stellen; ausschließen; **~ out** ausschließen, sperren; **~ to** zuschließen, -sperren; **~ up** verschließen, zumachen; zum Schweigen bringen; d. Mund halten; **~down** [⁼daun] Stillegung; **~ter** (Fenster-)Laden; 👁 Verschluß

shuttle [ˈʃʌtl] (Weber-)Schiffchen, Schützen; hin u. her fahren; **~cock** [⁼kɔk] 🏸 Federball; *fig* schwankendes Rohr

shy [ʃai] schüchtern, scheu; *to be ~ of doing* zögern zu tun; *to fight ~ of* zu vermeiden suchen; *~ at (fig* zurück-)scheuen vor; *umg* werfen; Wurf; *to have a ~ at* e-n Versuch machen; **~ster** [⁼stə] *bes Us umg* Winkeladvokat; gerissener Kerl

sibilant [ˈsibilənt] Zischlaut; zischend

sibling [ˈsibliŋ] Bruder, Schwester; *pl* Geschwister

sick [sik] *attr* krank; *to be ~ (pred) BE* übel sein, brechen müssen; *US* krank sein; *to fall ~* krank werden; *to go ~* s. krank melden; *~ for* sehnsüchtig nach; *~ of* überdrüssig, satt; **~-bed** [⁼bed] Krankenbett; **~-benefit** [⁼benifit] *BE* Krankengeld; **~en** Anzeichen zeigen (*for* von); Ekel empfinden (*at* bei); überdrüssig werden (*of* von); krank, übel machen; *~ fund* [⁼fʌnd] Krankenkasse; *~ headache* [⁼hedeik] Migräne; **~ish** [⁼iʃ] kränklich; **~le** [⁼l] Sichel; **~leave** [⁼liːv] Krankheitsurlaub; **~ly** [⁼li] kränklich; matt; ungesund; widerlich; **~ness** [⁼nis] Krankheit (*~ness benefit* Krankengeld); Übelkeit

side [said] Seite (*~ by ~* S. an S.; *to stand by s-b's ~* j-m zur S. stehen); *by the ~ of, by s-b's ~* neben; *to take ~s with* j-s Partei ergreifen; Arroganz (*he has, puts on, too much ~* er ist zu arrogant); **~board** [⁼bɔːd] Anrichte; **~-car** [⁼kɑː] 🏍 Beiwagen; **~-effect** [⁼ifekt] Nebenwirkung; **~-glance** [⁼glɑːns] Seitenblick; **~-issue** [⁼iʃu] Randproblem; **~light** [⁼lait] Stand-, Seiten-, *fig* Streiflicht; **~line** [⁼lain] Nebenzweig, -beruf; **~long** [⁼lɔŋ] seitlich; **~-scene** [⁼siːn] 👁 Kulisse; **~-show** [⁼ʃou] Nebenvorstellung, Sonderschau; **~-slip** [⁼slip] ✈, 🏍 (Ab-)Rutschen; **~step** [⁼step] Schritt zur Seite; (Schlag) entgehen *(a. fig);* zur Seite treten; **~-track** [⁼træk] Nebengeleise; auf ein N. schieben; *fig* beiseite schieben; ablenken; **~walk** [⁼wɔːk] *US* Bürgersteig; **~ways** [⁼weiz] seitlich

siding [ˈsaidiŋ] Nebengleis

sidle [ˈsaidl] *up to* sich (schüchtern) heranmachen an; *~ away from* s. heimlich verziehen

siege [siːdʒ] Belagerung

sieve [siv] Sieb

sift [sift] sieben, sondern; (fein) streuen; *fig* sichten; **~er** Sieb

sigh [sai] Seufzer *(a. fig):* seufzen; *~ for* sich sehnen nach

sight [sait] 1. Sehkraft, *fig* Augen; *by ~* vom Sehen; 2. Sicht; *to have (od get, catch) (a) ~ of* erblicken; *to lose* [luːz] *~ of* aus d. Augen verlieren; *at ~* bei Sicht, 🎵 vom Blatt; *at first ~* auf d. ersten Blick; *at the ~ of* beim Anblick von; 3. Sicht(weite) (*in ~* in S.; *out of ~* außer S.); 4. Urteil; 5. Sehenswürdigkeit (*to see the ~s* sich die S. ansehen); Anblick; *a ~ for sore eyes* ein erfreulicher Anblick; 6. komisches Gebilde, Schauspiel; 7. Visier, Korn; *to take (a) ~* anvisieren; 8. *umg* Menge *(a ~ of money); not by a long ~* nicht annähernd; 9. sichten; 10. mit Visier versehen; anvisieren; 11. zielen (*~ing shot* Probeschuß); 12. (Wechsel) mit Sichtvermerk versehen; **~less** [⁼lis] blind; **~ly** [⁼li] ansehnlich, stattlich; **~seer** [⁼siə] Tourist; **~seeing** Besichtigung von Sehenswürdigkeiten

sign [sain] Zeichen; Wink; (unter-)zeichnen; ein Zeichen geben; *~ away* übertragen, weggeben; *~ off* 📻 beenden, abschalten; schließen, kündigen; *~ on* j-n anstellen; *~ up for* s. anwerben lassen für; **~board** [⁼bɔːd] (Aushänge-)Schild; **~-post** [⁼poust] Wegweiser

signal [ˈsignəl] Signal; 📻 Impuls, Signal; *adj* hervorragend; auffallend; *vt/i* Signal geben, signalisieren; **~-box** *US* **~ tower** [⁼bɔks] *BE* Stellwerk; **~-man** [⁼mən], *pl* **~-men** Stellwärter

sign|atory [ˈsignətəri] Unterzeichner; unterzeichnend; **~ature** [⁼tʃə] Unterschrift; 📻 Kennmelodie; 🎵 Vorzeichen; 📖 Signatur, Druckbogen; **~et** [⁼it] Siegel; **~et-ring** Siegelring

signi|ficance [sigˈnifikəns] Bedeutung; Bedeutsamkeit; **~icant** [――kənt] bedeutend, bedeutsam; **~ication** [――fiˈkeiʃən] Bedeutung; **~y** [――fai] zu erkennen geben, kundtun; bedeuten; von Bedeutung sein

silage [ˈsailidʒ] Gärfutter

silen|ce [ˈsailəns] Stille; (Still-)Schweigen; z. Schweigen bringen; **~cer** [⁼sə] *BE* Schalldämpfer, Auspufftopf; **~t** [⁼t] still; stumm; *to be ~t on* nichts sagen über

silhouette [silu'et] Silhouette

silk [silk] Seide; *pl* Seidenkleider; **~en** seiden; seidig *(a. fig);* **~ hat** Zylinder; **~worm** [⁼wəːm] Seidenraupe; **~y** seidenartig, glänzend; *fig* (aal)glatt

sill [sil] Fensterbrett; Schwelle

silly [ˈsili] töricht; Dummkopf

silo [ˈsailou], *pl* **~s** Silo; in e. S. einlagern

silt [silt] Schlick, Schlamm; *~ up* verschlammen

silvan *siehe* sylvan

silver [ˈsilvə] Silber *(table ~* Tafel-) ♦ *every cloud has a ~ lining* alles hat sein Gutes; versilbern; silbern machen (werden); **~-plate** [⁼pleit] Silberzeug, Tafelsilber; *~ screen* 📽 Bild-, Silberschirm; *~ thaw* [⁼'θɔː] Glatteis;

~-tongued [⸗-tʌŋd] beredt; **~ware** [⸗-wɛə] *US* = **~-plate**; **~y** [⸗-ri] silbrig, rein

simian ['simiən] affenartig; Affe

simil|ar ['similə] ähnlich; **~arity** [--'læriti] Ähnlichkeit; **~e** [⸗-li] Gleichnis; **~itude** [-⸗litjuːd] (ähnl.) Gestalt; = **~e**

simmer ['simə] leicht sieden, gerade kochen; summen; kochen (*with* vor); **~ down** (*fig*) s. abkühlen

simper ['simpə] einfältig lächeln; einfältiges Lächeln

simpl|e ['simpl] einfach; ehrlich, arglos; einfältig, töricht; **~eton** [-tən] Einfaltspinsel, Trottel; **~icity** [-'plisiti] Einfachheit, Ehrlichkeit, Einfältigkeit; **~ify** [⸗ifai] vereinfachen; erleichtern

simulate ['simjuleit] vortäuschen; heucheln; nachmachen

simultaneous [siməl'teinjəs, *US* sai-] gleichzeitig

sin [sin] Sünde (*original ~* Erb-); sündigen; unrecht tun; **~ful** sündig; **~less** sündenfrei; **~ner** Sünder

since [sins] seit; da ja; *adv* seitdem; *ever ~* seit d. ganzen Zeit; *long ~* seit, vor langer Zeit

sincer|e [sin'siə] aufrichtig; echt, wahr; **~ity** [-'seriti] Aufrichtigkeit; Ehrlichkeit

sinecure ['sainikjuə] Sinekure, Pfründe

sine die ['saini'daiiː] auf unbestimmte Zeit

sine qua non ['sainikwei'nɔn] unabdingbare Voraussetzung

sinew ['sinjuː] Sehne; *pl* Kraft ♦ *~s of war* nervus rerum,, Geld; **~y** [⸗-i] sehnig; stark

sing [siŋ] (*s. S. 319*) singen (*~ out* laut s.; *~ up* lauter s.); (Ohr) klingen; summen

singe [sindʒ] (ver)sengen

single ['siŋgl] einzeln; einzig; ledig; ehrlich, unentwegt; *bot* einfach; Einzel-; *~ combat* Zweikampf; *su* ♠ Einzel; (*vt*) *~ out* aussondern; **~-breasted** [⸗brestid] (Anzug) einreihig; **~-handed** [-'hændid] ohne Hilfe; allein, selbständig; **~-hearted** [-'hɑːtid], **~-minded** [-'maindid] ehrlich; zielbewußt; **~t** [-lit] *BE* (Herren-)Unterhemd; **~ton** [-tən] (Spiel) Einzelkarte; Einzelkind; **~-track** [⸗træk] eingleisig (*a. fig*)

singsong ['siŋsɔŋ] Singsang; *BE* (gemeinsames) Singen

singular ['siŋgjulə] einzigartig; eigenartig; Singular; **~ity** [--'læriti] Einzigartigkeit; Eigenartigkeit

sinister ['sinistə] böse; unheilvoll

sink [siŋk] (*s. S. 319*) sinken, untergehen; (Boden) abfallen, nachgeben; versinken (*a. fig*). dahinschwinden; sinken lassen, versenken; geheimhalten, beiseite schieben; (Geld) fest anlegen; Ausguß; *fig* Sammelstätte

Sino- ['sinou] chinesisch

sinuous ['sinjuəs] s. windend, gewunden

sinus ['sainəs], *pl* **~es** Stirnhöhle; **~itis** [--'saitis] Nebenhöhlenentzündung

sip [sip] nippen, schlürfen; Schlückchen

siphon ['saifən] Saugheber; Siphon; *~ off* abziehen, herausholen (*a. fig*); ablaufen

sir [səː] Herr; **~e** [saiə] Herr; Vater, Vorfahr; Zeuger

siren ['saiərin] *mil*, ⚓ Sirene (*a. fig*)

sirloin ['səːlɔin] *BE* Lendenstück; *US* Rumpsteak

sirup ['sirəp] *US* = syrup

sisal ['saisl] Sisal(hanf)

sissy ['sisi] Schwächling, Weichling; weichlich

sister ['sistə] Schwester (*a. fig*); ⚕ Stationsschwester; Schwester-; **~hood** [⸗-hud] *fig* Schwesternschaft; Frauenverein; **~-in-law** [⸗-rinlɔ:], *pl* **~s-in-law** Schwägerin; **~ly** [⸗-li] schwesterlich

sit [sit] (*s. S. 319*) sitzen (*to s-b* j-m); Mitglied sein (*in Parliament, on a committee*); Sitzung halten; lasten (*on* auf); brüten; **~ down** s. (hin)setzen; *~ down under* (*fig*) hinnehmen; **~ for** *an examination* e-e Prüfung machen; **~ in** babysitten; bleiben (*with* bei); **~ on** untersuchen; j-m eins aufs Dach geben; **~ out** ⚓ bis zu Ende bleiben; länger bleiben als; (Tanz) aussetzen; **~ under** zu j-s Gemeinde gehören; **~ up** aufbleiben; aufrecht sitzen ♦ *to make s-b ~ up* j-n vor den Kopf stoßen, alarmieren; **~-down** [⸗daun] **strike** Sitzstreik; **~ter** [-⸗ə] Sitzender; ⚕ Modell; Bruthenne; **~ter-in** [-ər'in], *BE* Babysitter; **~ting** [⸗iŋ] Sitzung(szeit, *a.* ⚓); *at a ~ting* auf e-r Sitzung; Gelege; **~ting-room** [⸗iŋruːm] Wohnzimmer

site [sait] Lage; Örtlichkeit; Schauplatz; Baustelle; errichten

situat|ed ['sitjueitid] gelegen; situiert; **~ion** [-⸗-ʃən] Stellung; Lage

six [siks] sechs ♦ *~ of one and half a dozen of the other* dasselbe in Grün; *at ~es and sevens* in großer Unordnung; **~fold** [⸗fould] sechsfach; **~pence** [⸗pəns], *pl* **~pences** Sixpenny(stück); **~teen** [-'tiːn] sechzehn; **~teenth** [-'tiːnθ] sechzehnte(l); **~th** [-θ] sechste(l); **~tieth** [-tiiθ] sechzigste(l); **~ty** [-ti] sechzig

siz|able ['saizəbl] recht groß, beträchtlich; **~e** [saiz] Größe; Umfang; Leim; (nach der Größe etc) sortieren; **~e up** abschätzen; leimen

sizzle ['sizl] brutzeln; zischen

skat|e [skeit] Schlitt-, Rollschuh; *zool* (Glatt-) Rochen; Schlittschuh (Rollschuh) laufen; **~ing-rink** [⸗iŋriŋk] Eislauf-, Rollschuhbahn

skedaddle [ski'dædl] *umg* türmen, abhauen

skein [skein] Strähne, Strang

skeleton ['skelitn] Skelett ♦ *a ~ in the cupboard, the family ~* Familiengeheimnis; ✿ (Stahl- etc)Skelett, Gerüst; *fig* Entwurf, Rahmen; *mil* Rahmen-; **~ key** [kiː] Dietrich

skeptic ['skeptik] *US* = sceptic

sketch [sketʃ] ✿, ♣, *allg* Skizze; Entwurf; skizzieren; *~ out* entwerfen; **~-book** Skizzenbuch; **~y** skizzenhaft

skew [skjuː] ✿, *math* schräg, schief; **~er** [-⸗ə] Bratspieß

ski [skiː] *pl* **~s**, Ski; *~* (*BE ~'d, ~ed*) Ski laufen; **~er** [-⸗ə] Skiläufer; **~ing** [-⸗iŋ] Skisport; **~-jump** [-dʒʌmp] Skisprung; -schanze; **~-tow** [-tou] Skilift

skid [skid] (ab)rutschen; 🚗 schleudern; Rutschen; Hemmschuh; ~-**mark** [⸚ma:k] Bremsspur

skil|ful, US **skill-** ['skilful] geschickt; ~**l** Geschick(lichkeit); Kunst; ~**led** [⸚d] geschickt, erfahren; gelernt; ~*led worker* Facharbeiter; ~**let** [⸚it] BE Stieltopf; US Bratpfanne; ~**ly** [⸚i] BE Hafersuppe

skim [skim] abrahmen; hingleiten über; ~ *through (fig)* überfliegen; ~ *along (over, through)* obenhin berühren, hinweggehen über; ~**mer** [⸚ə] Schaumlöffel; *zool* Scherenschnabel; ~**milk** Magermilch

skimp [skimp] sparen an; (zu) sparsam sein; ~**y** zu knapp

skin [skin] Haut ♦ *by the* ~ *of one's teeth* mit knapper Not; Fell; Schale; (Wein-)Schlauch; (ab)häuten; (s.) schälen; ~ *over* s. mit Haut überziehen; *umg* hereinlegen; ~**ny** mager; knickerig

skip [skip] hüpfen, springen; ~ *off* weglaufen; auf e-n kurzen Sprung fahren (*to* nach); überspringen; Sprung; ~**per** Kapitän; 🚣 Mannschaftsführer

skirmish ['skə:miʃ] Scharmützel, Gefecht; Plänkeln

skirt [skə:t] Rock; *pl* Rand(gebiet); *sl fig* Weiberrock; s. entlang bewegen an; ~**ing-board** [⸚iŋbɔ:d] BE Scheuerleiste

skit [skit] *lit* lustiges Stück (*on s-b* auf j-n); ~**tish** [⸚iʃ] lebhaft; mutwillig

skittle ['skitl] *away (fig)* vertun; BE Kegel; ~**s** *sg vb* Kegeln; ~**-alley** [⸚æli] BE Kegelbahn

skulk [skʌlk] sich feige verbergen; sich drükken; lauern

skull [skʌl] Schädel; *to have a thick* ~ einen Dickschädel haben

skunk [skʌŋk] Stinktier, Skunk(fell); Schuft

sky [skai] Himmel; *pl* Klima, Wetter; 🎾 (Ball) in die Luft schlagen; ~**lark** [⸚la:k] Feldlerche; Unfug treiben; ~**light** [⸚lait] Dachfenster; Oberlicht; Oberfenster; ~**line** [⸚lain] Horizontlinie, Silhouette; ~**-rocket** [⸚rɔkit] (Feuerwerks-)Rakete; emporschnellen; ~**ward(s)** [⸚wəd(z)] himmelwärts

slab [slæb] Platte, Tafel; Fliese

slack [slæk] träge; schlaff, lasch; lustlos, flau; Stillstand; Kohlengrus; *pl* (Sport-)Hose; schlaff, langsam sein (werden); ~ *off (od up)* langsamer fahren (arbeiten); ~**en** (s.) verlangsamen; (s.) lockern; nachlassen; ~**er** fauler Kerl; Drückeberger

slag [slæg] Schlacke; BE Schlampe

slain [slein] *siehe* slay

slake [sleik] löschen *(a. fig);* stillen

slalom ['sla:ləm] ⛷, 🎿 Slalom(rennen)

slam [slæm] zuschlagen, -fallen; (hin-)knallen; Knall; Schlag; (Spiel) Schlemm

slander ['sla:ndə] Verleumdung; verleumden, in falschen Verdacht bringen; ~**ous** [⸚rəs] verleumderisch

slang [slæŋ] Slang, saloppe Umgangssprache; (Sonder-)Sprache; *vt* j-n ausschimpfen; ~**y** [⸚i] slangartig, -liebend

slant [sla:nt] (s.) neigen (lassen); Neigung; Abhang; Ansicht, Einstellung; ~**ingly, ~wise** [⸚waiz] schräg

slap [slæp] 1. klatschen, schlagen; ~ *down* hinknallen; 2. Klaps, Schlag; *a* ~ *in the eye* (od *face*) *umg* Ohrfeige *(a fig); adv umg* schnurstracks; direkt; ~**-bang** [⸚bæŋ] knallend; heftig; ~**-dash** [⸚dæʃ] schlampig; ungestüm; ~**-up** [⸚ʌp] *sl* BE erstklassig, ganz modern

slash [slæʃ] (auf)schlitzen; peitschen; *fig* geißeln; ~ *at* losschlagen auf; *fig* beschneiden; Hieb; Schnitt; Schlitz

slat [slæt] (schmale) Latte, Leiste

slate [sleit] Schiefer(tafel); *clean* ~ *(fig)* reine Weste; schieferfarben; mit Schiefer decken; US vorschlagen, vorsehen; *umg* beschimpfen, verreißen; ~ **pencil** [⸚'pensl] Schiefergriffel

slattern ['slætən] Schlampe; US Nutte; ~**ly** schlampig

slaughter ['slɔ:tə] Schlachten; Blutbad; Gemetzel; schlachten; ~**er** [⸚rə] Schlächter; ~**-house** [⸚-haus], *pl* ~**houses** [⸚-hauziz] Schlachthaus

Slav [sla:v] Slawe; slawisch; ~**ic** ['slævik] slawisch (e Sprache); ~**onic** [slə'vɔnik] slawisch

slav|e [sleiv] Sklave; s. abrackern; ~**er** [⸚ə] Sklavenhändler; -schiff; ~**ery** [⸚əri] Sklaverei *(a. fig);* ~**ish** [⸚iʃ] sklavisch

slaver ['slævə] Geifer; geifern

slaw [slɔ:] Kohlsalat

slay [slei] *(s. S. 319)* erschlagen; ~**er** [⸚ə] Mörder

sled [sled] Last-, Rodelschlitten; mit dem Schlitten fahren; rodeln

sledge [sledʒ] (Ausflug-, Pferde-) Schlitten; mit dem Schlitten fahren; ~**(-hammer)** [⸚(hæmə)] Vorschlaghammer; ~**r** Rodler

sleek [sli:k] glatt; ölig *(a. fig);* aalglatt; glätten *(a. fig)*

sleep [sli:p] Schlaf; *to go to* ~ einschlafen; *to get to* ~ (ein)schlafen können; *(s. S. 319)* schlafen *(~ like a top, log* wie ein Sack s.); ~ *on* weiterschlafen; ~ *on (od over)* etw überschlafen; ~ *off* durch Schlaf wegbekommen; unterbringen; ~**er** 🚂 BE Schwelle; Schlafwagen; ~**ing-bag** [⸚iŋbæg] Schlafsack; ~**ing-car** [⸚iŋka:] Schlafwagen; ~**ing sickness** Schlafkrankheit; ~**less** schlaflos; rastlos; ~**-walker** [⸚wɔ:kə] Schlafwandler; ~**y** schläfrig; ~**head** [⸚ihed] Schlafmütze

sleet [sli:t] BE Schneeregen; US Graupeln; US Eisüberzug (auf Bäumen etc), Glatteis

sleeve [sli:v] Ärmel ♦ *to laugh up one's* ~ sich ins Fäustchen lachen; *to wear one's heart on one's* ~ d. Herz auf d. Zunge tragen; *to have s-th up one's* ~ etw bereithalten, im Schilde führen; ~**-link** [⸚liŋk] BE Manschettenknopf

sleigh [slei] (Transport-, Pferde-)Schlitten; mit dem Schlitten fahren

sleight [slait] Geschicklichkeit; ~ *of hand* Fingerfertigkeit

slender ['slendə] schlank, schmal *(a. fig);* knapp

sleuth ['slu:θ] Detektiv; **~-hound** [⸗haund] Bluthund; = ~

slew [slu:] *siehe* slay; ~ *round* (s.) drehen

slice [slais] Scheibe; *fig* Stück; ⚡ Schlag mit Drall; (auf)schneiden; ⚡ mit Drall schlagen

slick [slik] schlüpfrig; (aal-)glatt; geschickt, raffiniert; *adv* geradewegs; **~er** Gauner; *US* Regenmantel

slid|e [slaid] *(s. S. 319)* rutschen; schlittern; gleiten; *let things ~e* laß die Dinge auf s. beruhen; geraten in (zu); gleiten lassen; schieben; rutschen; Rutschbahn; Diapositiv; Objektträger ✿ Schieber; Erdrutsch; **~e-rule** [⸗ru:l] Rechenschieber; **~ing scale** Gleitskala

slight [slait] schlank; schmächtig; schwach; leicht; geringschätzig behandeln; geringschätzige Behandlung; **~ly** schlank; leicht, etwas

slim [slim] schlank, dünn; armselig; *BE* gerissen; *BE* e. Abmagerungskur machen

slim|e [slaim] Schlamm; Schleim; **~y** schlammig; schleimig *(a. fig)*

sling [sliŋ] Schlinge *(a.* ✺*)*; Schleuder(n); ~ *(s. S. 319)* schleudern; ~ *mud at (fig)* mit Schmutz bewerfen; aufhängen; hochwinden

slink [sliŋk] *(s. S. 319)* (davon)schleichen, s. drücken

slip [slip] (ab-, ent)gleiten; (aus)rutschen; (ent)schlüpfen; sich versehen; (heimlich) stecken; frei laufen lassen; (Masche) fallen lassen; ~ *on (off)* an-(aus-)ziehen; ~ *up* s. versehen; Rutschen; Fehler, Versehen (~ *of the tongue* Sprech-; ~ *of the pen* Schreib-); Unterrock; Kissenbezug; *bot* Setzling; Streifen; **~per** Pantoffel; **~pery** [⸗əri] glitschig, rutschig; aalglatt, gerissen; **~py** *BE* flink, schnell; **~shod** [⸗ʃɔd] schlampig; **~way** [⸗wei] ✺ Helling

slit [slit] *(s. S. 319)* (auf)schlitzen, schneiden; Schlitz; Spalt(e)

slither ['sliðə] schlittern; rutschen(d) gehen

sliver ['slivə] Splitter; abspalten; zersplittern

slobber ['slɔbə] geifern, sabbern; übersentimental sein; besabbern; verschütten; Geifer; sentimentales Gewäsch

sloe [slou] Schlehe, Schwarzdorn

slog [slɔg] *bes* ⚡ hart (zu)schlagen; schuften; harter Schlag; **~an** ['slougən] Schlagwort; Werbespruch

slop [slɔp] überlaufen; verschütten; *pl* Spül-, Schmutzwasser; *BE* (dünne) Brühe; *pl bes* ✇ Kleider; *BE sl* Schupo; **~py** naß, matschig; wässerig; unsauber, schlampig; sentimental

slope [sloup] Neigung; Abhang; (s.) neigen

slot [slɔt] Spalt(e); Schlitz; Nut; Kerbe; schlitzen, kerben; **~-machine** [⸗məʃi:n] (Verkaufs-)Automat; **~meter** [⸗mi:tə] Münzzähler

sloth [slouθ] *pl* **~s** Faulheit; *zool* Faultier; **~ful** faul, träge

slouch [slautʃ] latschen; s. hinflegeln; schlaksige Haltung, latschiger Gang; **~-hat** [⸗hæt] Schlapphut; **~y** schlaksig, latschig

slough [slau] Morast; ~ [slu:] *US* Schilfteich; -bucht; ~ [slʌf] abgeworfene Haut; Schorf; abwerfen *(a. fig)*; sich häuten, schälen

sloven ['slʌvn] Schlampe; **~ly** schlampig

slow [slou] langsam *(a.* ⚡*)*; schwerfällig, dumm; *to be* ~ (Uhr) nachgehen; *to be* ~ *to do* (nur) langsam tun; (zu) spät; langweilig; *to go* ~ vorsichtig vorgehen; ~ *down* (od *up*) (Geschwindigkeit) verlangsamen; **~-coach** [⸗koutʃ] *fig BE* Leimsieder; ~ *motion* ▶ Zeitlupe; **~train** Personenzug; **~-worm** [⸗wə:m] *zool* Blindschleiche

sludge [slʌdʒ] Schlamm; Matsch; Treibeis

slug [slʌg] Wegschnecke; Metallstück; ⊞ Setzmaschinenzeile; ⊞ Reglette; *vt/i US* = slog; **~gard** [⸗əd] Faulenzer; **~gish** [⸗iʃ] träge

sluice [slu:s] Schleuse; ✿ Gerinne; ausströmen (lassen); durch-, ausspülen

slum [slʌm] Bruchbude; Elendsstraße; *pl* Elendsviertel

slumber ['slʌmbə] schlummern; ~ *away* vertun; *su mst pl* Schlummer

slump [slʌmp] plötzlich fallen, stürzen; sich fallen lassen; (Kurs-, Preis-)Sturz, Baisse

slung [slʌŋ] *siehe* sling

slunk [slʌŋk] *siehe* slink

slur [slə:] zus.ziehen, verschleifen; ~ *over (fig)* hinweggehen über; ♪ binden; Tadel; Verschleifen; ♪ Bindung, Bindebogen

slush [slʌʃ] (Schnee-)Matsch; sentimentales Geschwafel

slut [slʌt] Schlampe; Nutte; Göre

sly [slai] schlau, verschlagen; mutwillig; *on the* ~ insgeheim

smack [smæk] 1. leichter Geschmack; Spur; 2. Klaps; 3. Schmatzen; ~ *on the lips* Schmatz; ~ *in the eye* ein Schlag ins Kontor; 4. ✇ Schmacke; Smeck (Heroin); 5. ~ *of* (leicht) schmecken nach, e-e Spur haben von; 6. ~ *one's lips* schmatzen; 7. e-n Klaps geben, schlagen; 8. *adv* geradewegs

small [smɔ:l] klein; ~ *matter* Kleinigkeit; gering; wenig; *to sing* ~ kleinlaut sein; *pl BE umg* kleine Wäsche; ~ *arms* Handfeuerwaffen; ~ *change* Kleingeld; ~ *hours* [auəz] späte Nachtstunden; **~-minded** [⸗'maindid] engstirnig, kleinlich; **~pox** [⸗pɔks] *sg vb* ✺ Pocken; ~ *talk* Plauderei

smart [sma:t] 1. schmerzen *(from* von); weh tun; ~ *under* leiden unter (an); ~ *for* zu leiden haben wegen; 2. (stechender) Schmerz; 3. scharf; 4. schnell, lebhaft; 5. klug, geschickt; smart; 6. forsch, frech; 7. schmuck, fesch; modisch; 8. *umg* ziemlich groß, stark; ~ *en up* auffrischen, herausputzen; sauber werden; interessierter werden

smash [smæʃ] 1. zerbrechen; zerschlagen; ~ *in (od down)* einschlagen; ~ *up* zerschmettern; ~ *into* rennen gegen; 2. Zerschmettern; 3. Krach; 4. Zus.bruch; *to go (to)* ~ kaputtgehen; *umg* prima phantastisch, prima; **~-up** [⸗ʌp] Zus.stoß, Zus.bruch

smatterings ['smætəriŋz] geringe Kenntnisse

smear [smiə] schmieren; Fleck

smell [smel] Geruch; *to take (have) a* ~ *at* riechen an; *vt/i (s. S. 319)* riechen (an); ~ *out* aufspüren, *fig* herausfinden; ~ *round (od about)* herumschnüffeln *(a. fig)*; **~y** übelriechend

smelt [smelt] ✣ (er)schmelzen; *zool* Stint, Spierling

smile [smail] lächeln (*at* über); ~ *on* begünstigen; Lächeln; *to be all* ~*s* hochbefriedigt sein; *pl* Gunst

smirch [smɔːtʃ] beschmutzen *(a. fig)*; Schmutzfleck *(mst fig)*

smirk [smɔːk] blöde lächeln; blödes Lächeln

smite [smait] *(s. S. 319)* schlagen; schleudern; vernichten; treffen

smith [smiθ] Schmied; ~**ereens** [smiðə'riːnz] Fetzen, Splitter; ~**y** ['smiði, *bes US* 'smiθi] Schmiede

smock [smɔk] Hausschürze, Arbeitskittel

smog [smɔg] Smog; ~~**control** [–kən'troul] Smogbekämpfung; ~**gy** [–i] neblig-dunstig, smogbedeckt

smok|e [smouk] Rauch; Dampf; *to have a* ~*e* = to ~e; *umg* Zigarre, Zigarette; rauchen; qualmen, dampfen; (ver)räuchern; ~*e (out)* ausräuchern; ~**e-dried** [–'draid] geräuchert; ~**er** Raucher(-abteil); ~**e-screen** [–skriːn] *mil* Nebelschleier; ~**e-stack** [–stæk] ⚓, ✣ Schornstein; ~**ing** Rauch-, Raucher-, ~**y** rauchig

smooth [smuːð] glatt; eben; glätten; beseitigen, ausräumen; ~ *down* s. glätten, s. beruhigen; ~~**tempered** [–'tempəd] gutartig

smote [smout] *siehe* smite

smother ['smʌðə] ersticken; unterdrücken; überschütten *(a. fig)*; ganz zudecken; Rauch-, Staubwolke

smoulder, *US* **smolder** ['smouldə] schwelen, glimmen *(a. fig)*; schwelendes Feuer

smudge [smʌdʒ] Schmutzfleck; Reisigfeuer; (be-, ver)schmieren

smug [smʌg] selbstzufrieden; spießig; blasiert(er Kerl)

smuggle [smʌgl] schmuggeln

smut [smʌt] (Ruß-, Schmutz-)Fleck; Zoten; *bot* Brand; beschmutzen; brandig machen (werden)

snack [snæk] Imbiß; ~~**bar** [–baː] Imbißstube

snaffle [snæfl] Trense; mit der Trense lenken; *BE umg* klauen

snag [snæg] Baumstumpf; Zweig, Stein unter Wasser; Riß, Loch; *fig* Haken

snail [sneil] Schnecke (mit Haus); *at a* ~'*s pace* im Schneckentempo

snak|e [sneik] Schlange *(a. fig)*; ~**e-charmer** [–tʃaːmə] Schlangenbeschwörer; ~**y** schlangenartig, -haft

snap [snæp] **1.** schnappen (nach); ~ *s-th up* zugreifen; aufkaufen; ~ *s-b's head* (od *nose*) *off* j-n zus.stauchen; **2.** (knallend) reißen, (zu)knallen; (Worte) hervorstoßen; **3.** fotografieren, e-n Schnappschuß machen von; ~ *into it!* mach zu!; **4.** Schnappen, Knacken, Reißen; **5.** Schnappschloß; Druckknopf; **6.** *umg* Schwung; *a cold* ~ Kältewelle; **7.** = ~shot; **8.** Plätzchen; **9.** *attr* plötzlich, unerwartet; ~**dragon** [–'drægən] Löwenmaul; ~~**fastener** [–faːsnə] Druckknopf; ~**pish** bissig *(a. fig)*; ~**py** = ~pish; forsch; *make it* ~*py!* mach zu!; ~**shot** Foto, Schnappschuß

snare [snɛə] Falle, Schlinge *(a. fig)*; Versuchung; (in e-r Falle) fangen

snarl [snaːl] knurren *(a. fig)*; wild hervorstoßen; (sich) völlig verwirren; Knurren; Wirrwarr, Durcheinander

snatch [snætʃ] schnappen (*at* nach); erhaschen; (schneller) Griff; (Bruch-)Stück; *in* ~*es* in Stücken, ruckweise

sneak [sniːk] schleichen; klauen; *BE* petzen, Schleicher; *BE* Petzer; ~**ers** *pl vb US umg* Turnschuhe; ~**ing** heimlich, geheim

sneer [sniə] höhnen (*at* über); Hohn(-lächeln)

sneeze [sniːz] Niesen; niesen

snicker ['snikə] *BE* wiehern; *bes US* kichern(d sagen); Kichern

sniff [snif] schniefen; ~ *at* schnuppern an, Nase rümpfen über; durch d. Nase einatmen; *fig* wittern; Schniefen; ~**y** *umg* schnippisch; naserümpfend

sniffle [snifl] heftig schniefen

snigger ['snigə] = snicker

snip [snip] schnipseln, schneiden; ~**pet** [–it], ~**ping** Schnipsel, Fetzen

snipe [snaip], *pl* ~ Schnepfe; *sl* Kippe; aus d. Hinterhalt (er)schießen; ~**r** Scharf-, Heckenschütze

snivel [snivl] schluchzen, jammern; rotzen

snob [snɔb] Snob, Laffe; ~**bery** [–əri] Snobismus; ~**bish** snobistisch

snooker ['snuːkə] (Art) Billard; *to be* ~*ed BE* in der Patsche sitzen

snoop [snuːp] (herum)schnüffeln; Schnüffler

snooze [snuːz] Nickerchen

snore [snɔː] schnarchen; Schnarchen

snort [snɔːt] schnauben *(a. fig)*; ~**y** ungeduldig; übellaunig

snot [snɔt] Rotz; ~**ty** rotzig, übellaunig

snout [snaut] *zool, fig* Schnauze

snow [snou] Schnee; *pl* -massen; *sl* Kokain; schneien; *fig* regnen; ~ *in (fig)* hereinschneien; ~ *up (in, US under)* zu-, verschneien; ~**ball** [–bɔːl] Schneeball; *fig* immer größer werden; ~~**bound** [–baund] eingeschneit; ~~**drift** [–drift] Schneewehe; ~~**drop** [–drɔp] Schneeglöckchen; ~**plough**, *US* ~**plow** [–plau] Schneepflug; ~~**shoe** [–ʃuː] Schneeschuh; ~**storm** Schneesturm; ~**y** [–i] schneebedeckt, -weiß; Schnee-

snub [snʌb] schelten; anfahren; Tadel; ~ *nose* Stupsnase

snuff [snʌf] *siehe* sniff; Schnupftabak; *up to* ~ gerissen; (Kerze) Schnuppe; (Kerze) putzen; ~ *out* auslöschen *(a. fig)*; *fig* einschlafen; ~~**coloured** [–'kʌləd] braungelb; ~**le** [–l] schniefen, schnaufen; schnuppern; näseln; *pl* Schnupfen

snug [snʌg] gemütlich; ordentlich; eng (anliegend); ~**gle** [–l] s. zus.kuscheln; an sich schmiegen, drücken

so [sou] **1.** so; ~ ... *(that)* so daß; ~ *far* soweit, bis jetzt; ~ *far as* so weit; ~ *far from* weit entfernt (...zu tun); ~ *many (much)* so und so viel(e); ~ *much* the um so; *not* ~ *much as* nicht einmal; ~ *much* ~ so sehr; ~ *much* *for* soviel über; ~ *much (nonsense, lost time etc)* rein; *and* ~ *on* [ən'souɔn], *and* ~ *forth* und so weiter; **2.** *(als Objekt)* das, es; *you don't say* ~ *!* was Sie nicht sagen!; **3.** *so* + *Subjekt* + *Hilfsverb* wirklich, natürlich *("It was cold yesterday." "So it was!");* **4.** ~ + *Hilfsverb* + *Subjekt* auch *("He can swim." "So can I!");* ~ ~ so lala; **5.** *conj* daher; ~ *that's that!* so, das wär's!

soak [souk] (durch)nässen; einweichen; *umg* treffen; betrügen, schröpfen; s. vollsaugen, ziehen; s. betrinken; ~ *o.s. in (fig)* s. versenken in; ~ *up* aufsaugen; Durchnässen, Einweichen; **~er** Regenguß; **~ing** Durchnässen

soap [soup] Seife; (ein)seifen *(a. fig)*; **~-bubble** [⌐bʌbl] Seifenblase; ~ **opera** ['ɔpərə] 📺 (rührselige) Hörspiel(-/Fernseh)reihe; **~-suds** [⌐sʌdz] *pl vb* Seifenschaum; **~y** seif(enart)ig; (ein)schmeichelnd

soar [sɔ:] aufsteigen, hochfliegen *(a. fig)*

sob [sɔb] schluchzen (~ *out* -d hervorbringen); Schluchzen; Keuchen; **~-stuff** [⌐stʌf] rührseliges Zeug, Schnulze

sob|er ['soubə] nüchtern *(a. fig)*; ruhig; ~ *er (down)* (s.) ernüchtern; **~er-minded** [⌐⌐'maindid] besonnen, nüchtern; **~riety** [⌐'braiiti] Nüchternheit; **~riquet** [⌐brikei] Beiname

soccer ['sɔkə] *umg* Fußball

soci|able ['souʃəbl] umgänglich, gesellig, zutraulich; *US* gesell. Beisammensein; **~al** [⌐ʃəl] gesellschaftlich; sozial; gesellig; Gesellschafts-; bunter Abend; **~al climber** ['klaimə] Hochstapler; **~alism** [⌐ʃəlizm] Sozialismus; **~alist** [⌐ʃəlist] Sozialist; sozialistisch; **~alite** [⌐ʃəlait] Prominente(r); **~alize** [⌐ʃəlaiz] sozialisieren; **~ety** [sə'saiəti] Gesellschaft; **~ology** [sousi'ɔlədʒi] Soziologie

sock [sɔk] Socken; *BE* Einlegesohle; *s/* Faustschlag

socket ['sɔkit] (Augen-)Höhle; (Gelenk-)Pfanne; ⚡ (Steck-)Dose; ⚡ Fassung

sod [sɔd] Rasen(stück), Rasen

soda ['soudə] Soda *(washing* ~ Wasch-; *baking* ~ Backnatron); **~(-water)** [⌐(-wɔ:tə)] Soda(wasser), Selters; **~-fountain** Erfrischungshalle, Eisbar

sodden ['sɔdn] durchweicht; teigig; dumm

sodium ['soudiəm] Natrium

sofa ['soufə], *pl* ~s Sofa

soft [sɔft] weich; matschig; glatt; sanft; nichtalkoholisch; blöde; schwächlich; *fig* leicht; *a* ~ *thing* e-e ergiebige Sache; **~en** [sɔfn] erweichen; **~ener** ['sɔfnə] Weichmacher; (Wasser-)Enthärter; ~ **goods** Webwaren; **~-headed** [⌐'hedid] blöde; ~ **soap** flüssige Seife; Schmeichelei; **~-soap** (ein)seifen; **~-spoken** [⌐'spoukən] mit sanfter Stimme; freundlich; **~ware** [⌐wɛə] Software; ~ **wood** Nadelbaum(holz); Weichholz

soggy ['sɔgi] durchnäßt; feucht

soil [sɔil] (Acker-)Krume; Boden; *one's native* ~ Heimatland, -boden; (s.) beschmutzen, (s.) beflecken *(a. fig)*

sojourn ['sɔdʒəːn, *US* 'sou-] Aufenthalt; s. (e-e Weile) aufhalten

solace ['sɔlis] Trost; trösten

solar ['soulə] Sonnen-; sonnenbetrieben

solder ['sɔldə, 'soul-, *US* 'sɔdə] Lötzinn; (ver)löten; **~ing iron** Lötkolben

soldier ['souldʒə] Soldat; *an old* ~ alter Hase; ~ *of fortune* ['fɔːtʃən] Glücksritter; Soldat sein; **~ly**, **~like** soldatisch, **~y** [⌐⌐ri] Soldaten; Kriegsvolk

sole [soul] Sohle; *zool* Seezunge; einzig; besohlen; **~ly** [⌐li] allein, nur

solecism ['sɔlisizm] Sprachschnitzer

solemn ['sɔləm] feierlich; **~ity** [sə'lemniti] Feier(lichkeit); **~ize** [⌐⌐naiz] feiern, feierlich begehen (machen); vollziehen

solicit [sə'lisit] (dringend) (er)bitten; um Kundschaft, Aufträge werben; ansprechen, belästigen; **~ation** [⌐,⌐⌐'teiʃən] dringende(s) Bitte(n); **~or** [⌐⌐⌐tə] Bitter; *BE* Rechtsanwalt für niedere Gerichte; *US* Werber, (Werbe-)Agent; **~ous** [⌐⌐⌐təs] besorgt *(about* um); strebend *(for* nach); **~ude** [⌐⌐⌐tjuːd] Sorge *(for* für, um); Besorgnis

solid ['sɔlid] fest *(on* ~ *ground* auf f. Boden, *a. fig)*; massiv; gediegen; solid *(a. fig)*; *fig* stark; einmütig; *umg* ganz; *math* räumlich; 📖 kompreß; fester Körper; *pl* feste Nahrung; **~arity** [⌐⌐'dæriti] Solidarität; **~ify** [sə'lidifai] fest werden (machen); **~ity** [sə'liditi] Festigkeit; Stärke; Solidität

soliloqu|ize [sə'liləkwaiz] Selbstgespräche halten; **~y** [⌐⌐⌐kwi] Selbstgespräch

solit|aire [sɔli'tɛə, *US* ⌐⌐⌐] (Juwel) Solitär; *US* Patience; **~ary** [⌐⌐təri] einsam; einzeln, allein; **~ude** [⌐⌐tjuːd] Einsamkeit; Alleinsein

solo ['soulou], *pl* ~s Solo; Alleinflug; Solo-; Allein-; allein fliegen; **~ist** Solist

solstice ['sɔlstis] Sonnenwende

solu|ble ['sɔljubl] löslich; lösbar; **~tion** [sə'luːʃən] Lösung; Auflösung

solve [sɔlv] (auf)lösen; **~able** lösbar; **~ency** [⌐ənsi] Zahlungsfähigkeit; **~ent** [⌐ənt] zahlungsfähig; Lösungsmittel

sombre ['sɔmbə] düster

sombrero [sɔm'brɛərou], *pl* ~s Sombrero

some [sʌm] etwas; einige, manche; irgendein; welche *(if I find* ~); etwa; ~ *day (time)* eines Tages (mal); **~body** [⌐bədi] jemand; **~how** [⌐hau] irgendwie; aus irgendeinem Grund *(oft:* ~ *how or other)*; **~one** [⌐wʌn] jemand; **~thing** [⌐θiŋ] etwas *(it is ~ thing* es ist schon e.); etwa; **~time** [⌐taim] irgendwann; ehemalig; **~times** [⌐taimz] manchmal; **~what** [⌐wɔt] *adv* etwas, ziemlich; **~where** [⌐wɛə] irgendwo; etwa

somersault ['sʌməsɔːlt] Salto; Purzelbaum; e. S. machen

somnambul|ism [sɔm'næmbjulizm] Schlafwandeln; **~ist** Schlafwandler

somnolen|ce ['sɔmnələns] Schläfrigkeit; **~t** [⌐⌐⌐t] schläfrig

son [sʌn] Sohn *(the S~ of Man* d. Menschen S.); **~ny** [⌐i] Söhnchen; **~-in-law** [⌐inlɔː], *pl* ~s-in-law [⌐z-⌐] Schwiegersohn

sonata [sə'nɑːtə], *pl* ~s Sonate

song [sɔŋ] Lied; Gesang ♦ *for a* ~ für e-n Pappenstiel; *nothing to make a* ~ *about* nicht der Rede wert; Singen; ~**-bird** [ˈ-bəːd] Singvogel; ~**ster** [ˈ-stə] Sänger; Liederdichter; = ~*-bird*

sonic ['sɔnik] Schall- (~ *barrier* -mauer)

son|net ['sɔnit] Sonett; ~**orous** [sə'nɔːrəs] volltönend, sonor; eindringlich

soon [suːn] bald, *as* ~ *as* sobald; *no* ~ *er* ... *than* kaum ... als; ~ *er or later* früher oder später; *just as* ~ genauso gern; *would* ~ *er* möchte lieber

soot [sut] Ruß; ~ *(up)* verrußen; ~**y** rußig

sooth [suːθ] Wahrheit; ~**e** [suːð] beruhigen; lindern; ~**sayer** [ˈ-seiə] Wahrsager(in); ~**saying** Wahrsagen

sop [sɔp] eingetunktes Brot; Beruhigungspille; (Brot) einweichen; ~ *up* aufwischen; ~**ping** triefend (naß)

soph|ism ['sɔfizm] Trugschluß; ~**ist** [ˈ-ist] Sophist; ~**istic(al)** [sə'fistik(l)] sophistisch; ~**isticated** [sə'fistikeitid] vielgereist, welterfahren, -offen; abgeklärt; überkultiviert, blasiert; ~**istication** [sə,fisti'keiʃən] Welterfahrenheit; Abgeklärtheit; Blasiertheit; ~**istry** [ˈ-istri] Sophistik; Trugschluß; ~**omore** [ˈ-əmɔː] *US* Student im 2. Jahr (3./4. Semester)

soporific [sɔpə'rifik] einschläfernd; Schlafmittel

soppy ['sɔpi] (trief)naß; regnerisch; *BE umg* rührselig, süßlich

soprano [sə'prɑːnou], *pl* ~s Sopran

sorcer|er ['sɔːsərə] Zauberer; ~**ess** [ˈ--ris] Zauberin; ~**y** [ˈ--ri] Zauberei

sordid ['sɔːdid] schmutzig; gemein

sore [sɔː] **1.** wund, entzündet; ~ *throat* Halsweh; **2.** traurig; **3.** verärgert; ~ *subject* wunder Punkt; **4.** wunde Stelle; *fig* Wunde; ~**ly** hart, scharf; sehr

sorority [sə'rɔriti] *US* Studentinnenverbindung

sorrel ['sɔrəl] Sauerampfer; (Pferd) Fuchs; rotbraun

sorr|ow ['sɔrou] Kummer; Bedauern; Sorge; s. grämen; ~**owful** bekümmert, sorgenvoll; ~**y** [ˈ-i] betrübt; *I'm* ~ *y* es tut mir leid; *I'm* ~ *y for him* er tut mir leid; *(I'm so)* ~ *y!* Entschuldigung!

sort [sɔːt] **1.** Art; **2.** Sorte; **3.** Marke; *all* ~ *s of* alle möglichen; *nothing of the* ~ nichts Derartiges; *a ... of a* ~, *... of a* ~ kein besonderer, kein rechter; *these* ~ *of* ... solche, derartige; *a* ~ *of* so etwas wie; ~ *of* irgendwie; *a good* ~ ein guter Kerl; *after a* ~ einigermaßen; *out of* ~ *s* unpäßlich, verdrießlich; ~ *(out over)* (aus)sortieren; **4.** assortieren; ~**ie** [ˈ-i] Ausfall; Feindflug; ⚓ Auslaufen

sot [sɔt] Trunkenbold; ~**tish** versoffen

sough [sau, sʌf] (Wind-)Rauschen, Sausen

soul [soul] Seele; Verkörperung, Inbegriff; Negerkultur; ~**ful** gefühlvoll; ~**less** seelenlos; egoistisch

sound [saund] **1.** gesund *(a. fig)*; **2.** intakt; **3.** vernünftig; **4.** tüchtig; **5.** gründlich; **6.** *adv* tief

(schlafen); **7.** Geräusch; **8.** Schall; **9.** Hörweite; **10.** *fig* Klang; **11.** Sund; **12.** Fischblase; **13.** ⚓ Sonde; **14.** e-n Ton geben, klingen; *he* ~ *s strange* was er sagt, klingt seltsam; **15.** (er)klingen lassen; spielen; **16.** ⚕, ⚓ abhören; **17.** ⚓ loten; sondieren; **18.** *fig* (Lob etc) verbreiten; **19.** ~ *(out)* j-n aushorchen; **20.** tief tauchen; ~**-absorbing** [ˈ-əbsɔːbiŋ] schallschluckend; ~**-box** [ˈ-bɔks] Schalldose; ~ **camera** 📷 Tonkamera; ~ **engineer** [endʒi'niə] 📷 Tontechniker; ~**-film** [ˈ-film] Tonfilm; ~**ing** Lotung; gelotete Tiefe; *pl* seichtere Gewässer; ~**less** lautlos; ~**ness** Gesundheit; Stabilität; Stärke; Zuverlässigkeit; Solidität, Bonität; ~**-proof** [ˈ-pruːf] schalldicht (machen); ~ **track** 📷 Tonstreifen, -spur; ~**wave** [ˈ-weiv] Schallwelle

soup [suːp] Suppe ♦ *in the* ~ in d. Tinte; *to soup up* (Auto) frisieren

sour [sauə] sauer; *fig* bitter, übellaunig; sauer (übellaunig) werden (lassen)

source [sɔːs] Quelle *(a. fig)*

souse [saus] einlegen, -pökeln; durchnässen; schütten *(over* über); ~ *d* [ˈ-t] *sl* voll; Salzbrühe; Eisbein; Eintauchen

south [sauθ] Süden; Süd-; nach Süden; ~**-east** [ˈ-'iːst] Südosten; Südost-; ~**-easter** [ˈ-'iːstə] Südostwind; ~**-easterly** südöstlich; ~**-eastern** südöstlich; ~**erly** ['sʌðəli] südlich; ~**ern** ['sʌðən] südlich; Süd-; ~**ward** [ˈ-wəd] nach Süden gelegen; ~**ward(s)** [ˈ-wəd(z)] südwärts; ~**-west** [ˈ-'west] Südwesten; Südwest-; ~**-wester** [ˈ-'westə] Südwestwind; Südwester; ~**-westerly** südwestlich; ~**-western** südwestlich

sou'wester [sau'westə] ⚓ Südwester

sovereign ['sɔvrin] Souverän; (Münze) Sovereign; oberst; souverän; unübertrefflich; § hochwirksam; ~**ty** [ˈ--ti] höchste Macht; Souveränität, höchste Stelle; selbständiger Staat

soviet ['souviet] Sowjet, Rat; sowjetisch

sow¹ [sou] *(s. S. 319)* (be-, aus)säen *(a. fig)*

sow² [sau] Sau

soy [sɔi] = ~**a** [ˈ-ə] Sojabohne; ~**bean**, ~**a-bean** (Frucht der) Sojabohne

sozzled ['sɔzld] stockbesoffen

spa [spɑː] Mineral-, Heilquelle; Kurort

spac|e [speis] Raum; Weltraum; Entfernung; Zeitraum; Weile; 📖 Spatium; in Abständen anordnen; ~ *e out* 📖 sperren *(~ ed type* Sperrdruck); ~**e-bar** [ˈ-bɑː] Leertaste; ~**-craft** Raumfahrzeug; ~**lab** Weltraumlabor; ~**man** Raumfahrer; Weltraumbewohner; ~**e medicine** ['medsin] Raumflugmedizin; ~**port** Raumfahrtzentrum; ~**e ship** Raumschiff; ~**-suit** [ˈ-suːt] Raumanzug; ~**e-time** [ˈ-'taim] Raumzeit(kontinuum); ~**e travel** Raumfahrt; ~**ious** ['speiʃəs] geräumig

spade [speid] Spaten; (Spiel) Pik ♦ *to call a* ~ *a* ~ Ding beim rechten Namen nennen; ~**-work** [ˈ-wəːk] *fig* Kleinarbeit; *vt* (um)graben

spaghetti [spə'geti] Spaghetti; *fine* ~ -nudeln

Spain [spein] Spanien

span [spæn] (Zeit-)Spanne; ⚙ Spannweite; Gespann; (um-, über)spannen; ~**ner** ⚙ *BE* Schraubenschlüssel

spangle [spæŋgl] Paillette; Flitter; beflittern, *fig* übersäen; **the star-~d banner** Flagge d. USA, Sternenbanner

Span|iard ['spænjəd] Spanier; **~ish** [-iʃ] spanisch(e Sprache)

spaniel ['spænjəl] Spaniel

spank [spæŋk] klapsen, (ver)prügeln; Klaps, Schlag mit d. flachen Hand; **~ing** Prügel; *umg* lebhaft; großartig; ganz (u. gar)

spar [spɑ:] ♣ sparren; sich streiten; Sparren; Streit; ♣ Spier; ♣ Holm

spar|e [spɛə] übrig; Reserve-, Ersatz-; mager, karg; Ersatzteil; sparen (mit); übrig haben; *enough and to ~e* mehr als genug; *fig* ersparen; (ver)schonen

spark [spɑ:k] Funke(n); lustiger Kerl; funken; **~ing-plug** [-iŋplʌg] *BE* Zündkerze; **~le** [-l] funkeln; perlen, schäumen; **~-plug** [-plʌg] *US* = ~ing-plug

sparrow ['spærou] Sperling, Spatz; **~-hawk** [-hɔ:k] Sperber

sparse [spɑ:s] spärlich, dünn

spasm [spæzm] Krampf, Spasmus; **~odic** [-'mɔdik] krampfhaft, spastisch

spat [spæt] Gamasche (f. Schuhe); *US* Kabbelei; *US* Klaps; *US* = ~ter; *siehe* spit; **~e** [speit] *BE* Flut *(a. fig.)*; **~ial** ['speiʃəl] räumlich, Raum-; **~ter** [-ə] bespritzen; tropfen; (Regen-)Guß; *fig* Hagel

spatula ['spætjulə, *US* -tʃələ], *pl* **~s** Spatel, Spachtel(messer)

spavin ['spævin] ♣ Spat

spawn [spɔ:n] Laich; *fig* Brut; laichen; **~ing** Laiche

speak [spi:k] *(s. S. 319)* sprechen, reden *(to mit, about über)*; ~ e sprechende Ähnlichkeit haben; Rede, Vortrag halten; *not on ~ing terms with* verkracht, nicht bekannt mit; ~ *one's mind* seine Meinung (frei) sagen; ♣ durch Signale sprechen mit; *mil.* ♪ ertönen; ~ *for* sprechen, eintreten für, zeugen für; ~ *out (up)* laut, freiheraus sagen; **~er** Redner; Unterhaus-Präsident

spear [spiə] Speer; durchbohren; **~head** [-hed] Angriffsspitze, Vorhut *(a. fig)*; an d. Spitze stehen von; ~ **side** der männliche Teil der Familie

spec [spek *umg* Spekulation; *pl* Brille]

special [speʃl] besondere; Sonder-; speziell; Fach-; Sonderzug, -ausgabe; ~ **area** ['ɛəriə] *BE* Notstandsgebiet; ~ **delivery** *US* Eilzustellung; ~ **election** *US* Nachwahl; **~ist** ['speʃəlist] Spezialist, Fachmann; fachlich, Fach-; **~ity** [-ʃi'æliti], *BE* ♣, *US* **~ty** ['speʃəlti] Besonderheit; Spezialartikel, -fach; **~ize** ['speʃəlaiz] s. spezialisieren *(in auf)*

speci|e ['spi:ʃi] Münze, Hartgeld; **~es** [-ʃi:z], *pl* ~ *zool. bot. fig* Art; Spezies; **~fic** [spi'sifik] (ganz) bestimmt; speziell; typisch; spezifisch *(~fic gravity* sp. Gewicht, Wichte); Arten-; **~fication** [spesifi'keiʃən] Spezifizierung; (Bau-, Patent-, Einzel-)Beschreibung; **~fy** ['spesifai] spezifizieren; einzeln, genau angeben; **~men** ['spesimən] Probe(-stück); Muster; Probe-;

~men copy Freiexemplar; **~ous** ['spi:ʃəs] scheinbar richtig; Schein-; bestechend

speck [spek] Fleck; Stückchen; **~ed** [-t] gefleckt, fleckig; **~le** [-l] Fleck; sprenkeln; **~less** fleckenlos, rein

spect|acle ['spektəkl] Schauspiel; Anblick; *pl* Brille; **~acular** [-'tækjulə] aufsehenerregend, eindrucksvoll; **~ator** [-'teitə] Zuschauer; **~re** [-tə] Geist(ererscheinung)

speculat|e ['spekjuleit] grübeln *(on über)*; spekulieren; **~ion** [-'ʃən] Nachsinnen; Ansicht; Mutmaßung; Spekulation, Spekulieren; **~ive** [-tiv] grüblerisch; spekulativ; **~or** [-tə] Spekulant

sped [sped] *siehe* speed

speech [spi:tʃ] Sprache; Sprechen, Reden; Ansprache; **~-day** [-dei] *BE* Schulschlußfeier; **~less** stumm; sprachlos

speed [spi:d] Geschwindigkeit, Tempo; ▥ Lichtstärke; ✿ Drehzahl, Gang; Schnell-; ~ *(s. S. 319)* (dahin)eilen; (zu) schnell fahren; Lebewohl sagen, Glück bringen; ~ *up* beschleunigen; **~-boat** [-bout] Rennboot; **~-cop** [-kɔp] *umg* Verkehrspolizist; **~ing** zu schnelles Fahren; ~ **limit** Geschwindigkeitsbeschränkung; **~ometer** [-'dɔmitə] Tachometer; **~y** schnell; baldig

spell [spel] *(s. S. 319)* buchstabieren; richtig schreiben; (Wort) bilden; ~ *out (fig)* zus.reimen; bedeuten, zur Folge haben; Zauber(-wort) Zeit(-raum); Periode; **~-bound** [-baund] (wie) gebannt; **~ing** Buchstabieren; Schreibung

spelt [spelt] *siehe* spell; Dinkel, Spelz

spen|d [spend] *(s. S. 319)* ausgeben; verbrauchen; verbringen ♦ ~ *d a penny (BE umg)* „mal verschwinden"; **~dthrift** [-θrift] Verschwender; verschwenderisch; **~t** erschöpft, matt

sperm [spə:m] Sperma; **~-oil** Walöl

spew [spju:] (aus-, er)brechen

spher|e [sfiə] Kugel; Himmel(skörper); Sphäre, Bereich, Gebiet; **~ical** ['sferikəl] kugelförmig; sphärisch

spic|e [spais] Gewürz(e); Würze; würzen *(a. fig)*; **~y** [-si] würzig; fesch

spick [spik] **and span** nagelneu; sauber

spider ['spaidə] Spinne; **~y** [-ri] dünn

spigot ['spigət] Spund; Hahn

spik|e [spaik] *bes* ♣ Nagel; Spitze (an Gitter etc); ♣ Laufdorn; Ähre; *vb* mit Spitzen, etc versehen; durchbohren; **~enard** [-nɑ:d] Narde(nöl); **~y** spitz(ig)

spill [spil] *(s. S. 319)* überlaufen (lassen); abwerfen; ~ *blood* Blut vergießen; Sturz; Fidibus; **~way** ✿ Überfall, -lauf

split [split] *siehe* spilt

spin [spin] *(s. S. 319)* spinnen *(a. fig)*; (~ *out* ausspinnen *fig*; ~ *a yarn (fig)* e. Garn s.); in schnelle Drehung versetzen ♦ ~ *a coin* Münze hochwerfen; s. (schnell) drehen; (Wäsche) schleudern; ♣ trudeln; Drehung; ✿ Spin, Drall; kurze Fahrt (Ritt); ~ **dryer** Trockenschleuder; **~ning-wheel** [-iŋwi:l] Spinnrad

spinach ['spinidʒ] Spinat

spinal ['spainəl] Rücken-; Rückgrat-; ~ **column** ['kɔləm] Wirbelsäule

spindl|e [spindl] ✿ Spindel; ~y [-li] spindeldürr

spindrift ['spindrift] Gischt

spin|e [spain] Rückgrat, Wirbelsäule; Dorn; Grat; Buchrücken; ~**eless** rückgratlos; ~y [-i] dornig

spinster ['spinstə] unverheiratete Frau; alte Jungfer

spir|al ['spaiərəl] spiralig; schraubenförmig; Spirale; s. spiralförmig bewegen; ~**e** [spaiə] Turmspitze, -helm; Dachreiter; (steile) Spitze, Gipfel

spirit ['spirit] 1. Geist; Seele; 2. Geist(wesen); 3. Fee, Elf; 4. Mut, Tatkraft; 5. Gemütsverfassung; -zustand; 6. pl Lebensgeister; Stimmung; 7. Spiritus; pl alkoholische Getränke; 8. ~ away, off heimlich wegschaffen, -zaubern; ~**ed** lebhaft; beherzt; geistreich; ~**less** kraftlos, matt; ~-**level** [-'levl] Wasserwaage; ~**ual** [-'juəl] geistig; geistlich; Negro Spiritual; ~**ualism** [-'juəlizm] Spiritismus; Spiritualismus; spirituelle Qualität; ~**ualist** Spiritist; ~**ualize** [-'juəlaiz] vergeistigen; ~**uous** [-'juəs] alkoholisch, geistig

spirt [spə:t] spritzen, herausschießen; Strahl; siehe spurt

spit [spit] (s. S. 319) (aus)spucken; ~ upon (fig) spucken auf; (Worte) hervorstoßen; - it out nun sag's schon; aufspießen; Spucke(n); Spieß; Landzunge

spite [spait] Bosheit (from pure ~, in ~, out of ~ aus reiner B.); Groll; in ~ of trotz; kränken, ärgern ♦ to cut off one's nose to ~ one's face s. ins eigene Fleisch schneiden; ~**ful** boshaft

spitt|le [spitl] Spucke, Speichel; ~**oon** [spi'tu:n] Spucknapf

spiv [spiv] BE Schieber; ~**very** BE Schiebungen; ~**vy** BE aufgedonnert

splash [splæʃ] (be)spritzen; s. spritzend bewegen (durch); Spritzer; P(l)atschen; (Farb-) Fleck, Klecks ♦ to make a ~ Aufsehen erregen

splay [splei] ausschrägen; Ausschrägung; ~**foot** [-fut], pl ~feet [-fi:t] Spreizfuß; ~**footed** [-futid] spreizfüßig

spleen [spli:n] Milz; üble Laune, Groll; Niedergeschlagenheit; ~**y** launisch

splend|id ['splendid] prächtig, großartig; herrlich; ~**our** [-də] Pracht

splice [splais] ⚓, ✿ spleißen; Spleiß

splint [splint] ⚕ Schiene; schienen; ~**er** [-ə] Splitter; zersplittern

split [split] (s. S. 319) (s.) spalten (~ open auf-); ~ (up) (s.) aufteilen ♦ ~ one's sides vor Lachen platzen; ~ hairs Haarspaltereien treiben; ~ the difference s. auf halbem Wege einigen; a ~ second Bruchteil e-r Sekunde; ~ peas halbe gelbe Erbsen; ~ on s-b (sl) j-n verpetzen, verraten; Riß; Spaltung; halbe Flasche Soda (Schnaps); ~**ting** (Schmerz) rasend; blitzschnell

splodge [splɔdʒ], BE **splotch** [splɔtʃ] Klecks

splurge [splə:dʒ] große Sache, auffällige Anstrengung; verschwenderischer Aufwand; mit vollen Händen Geld ausgeben

splutter ['splʌtə] (vor Wut) stottern; hervorsprudeln; zischen, spucken; (Hervor-)Sprudeln

spoil [spɔil] (s. S. 319) verderben; verziehen, verwöhnen; plündern, rauben; to be ~ing for brennen auf; mst pl Beute, Gewinn; ~-**sport** Spielverderber

spoke¹ [spouk] Speiche

spoke² [spouk] siehe speak; ~**n** [-n] siehe speak; ~**sman** [-smən], pl ~smen Sprecher, Vertreter

spoliation [spouli'eiʃən] Plünderung

spong|e [spʌndʒ] Schwamm ♦ to throw up the ~e d. Handtuch in d. Ring werfen, fig es aufgeben; aus-, abwaschen, -wischen; ~e out (fig) auslöschen; ~e on schmarotzen bei; etw schnorren; ~e **cake** [-'keik] Biskuitkuchen; ~y [-i] schwammig; matschig; porös

sponsor ['spɔnsə] Pate, Patin; Bürge; Unterstützer; Auftraggeber für Werbesendung; Pate sein von; Patenschaft übernehmen von; für; fördern, betreuen, tragen; veranstalten

spontane|ity [spɔntə'ni:iti] Freiwilligkeit; Selbsttätigkeit; ~**ous** [-'teinjəs] freiwillig; unwillkürlich; spontan

spook [spu:k] Spuk; ~**y** geisterhaft

spool [spu:l] Spule, Rolle

spoon [spu:n] Löffel; ~ up (od out) auslöffeln; umg verknallt sein (in); ~-**fed** [-fed] auf-, hochgepäppelt (a. fig)

spoor [spuə] (Wild-)Spur

spor|adic [spɔ'rædik] sporadisch; unregelmäßig; ~**e** [spɔ:] Spore

sport [spɔ:t] Spaß (in ~ zum S.), Kurzweil; to make ~ of s. lustig machen über; Betätigung im Freien, Spiel; Sport; pl Sportwettkampf; Spielzeug; fig Zielscheibe; umg anständiger Kerl (be a ~!); s. belustigen; stolz zur Schau tragen; ~**ing** sportliebend; Sport-; sportsmännisch; gewagt; ~**ive** [-iv] lustig, scherzhaft; ~**sman** [-smən], pl ~smen Sportsmann; fairer Wettkämpfer, Mensch; ~**smanlike** sportlich, sportlerisch; ~**smanship** Sportlichkeit; ritterliche, faire Haltung

spot [spɔt] 1. Ort; 2. Fleck (a. fig); on the ~ auf d., zur Stelle, an Ort u. Stelle ♦ to put on the ~ (umg) j-n in d. Klemme bringen, kaltmachen; 3. BE Drink; BE Schuß (Whisky); Bißchen; 4. (Spiel) Auge; 5. beflecken (a. fig); 6. erkennen, ausfindig machen; 7. fleckig werden; 8. bes ⚙ Lokal-; ~ cash Sofortzahlung; ~ price Preis bei Sofortzahlung; ~**less** fleckenlos; makellos; ~-**light** [-lait] ⚙ Punktscheinwerfer; 🚗 Suchscheinwerfer; fig Mittelpunkt d. Interesses; vt besonders herausstellen; ~**ty** fleckig; unbeständig

spouse [spauz] Gatte, Gattin; pl Eheleute

spout [spaut] hervorschießen; prusten; pompös daherreden; Tülle, Schnauze; Regenrohr; (Wasser-, Dampf-)Strahl

sprain [sprein] verstauchen; Verstauchung
sprat [spræt] Sprotte; Knirps
sprawl [sprɔːl] s. hinrekeln, alle viere von s. strecken; (aus)spreizen; wuchern
spray [sprei] Blütenzweig; Sprühregen; Spray, Zerstäuber; zerstäuben; besprengen; **~er** [⁻ə] Zerstäuber; Spritzpistole
spread [spred] *(s. S. 319)* (s.) aus-, verbreiten; (s.) ausdehnen; (Brot etc) (be-)streichen; bedecken; ~ *the table* d. Tisch decken; s. erstrecken, (s.) ausdehnen; Aus-, Verbreitung; Spannweite; Fest(-schmaus); Brotaufstrich (Bett-)Decke; Preisdifferenz; Zinsaufschlag
spree [spriː] lustige Zeit, Feierei; (Kauf-, Spar-)Welle; *to go on the* ~ auf e-n Bummel gehen
sprig [sprig] Zweigchen, Schößling; Blumen(verzierung); Sprößling
sprightly ['spraitli] munter, lebhaft
spring [spriŋ] *(s. S. 319)* 1. (auf)springen; 2. ~ *(up)* (Wind) aufkommen; 3. *bot* aufschießen; 4. *to be sprung from (fig)* kommen aus; 5. (Falle) stellen; explodieren lassen; 6. plötzlich herauskommen mit (Überraschung); 7. (Holz) s. werfen; *to be* (od *have*) *sprung* e-n Riß haben; ~ *a leak* e. Leck bekommen; 8. ⚙ federn; 9. Sprung; 10. Quelle; 11. Frühling; 12. ⚙ Feder; Elastizität; 13. (Holz) Verwerfung, Riß; Leck; 14. ~ **bed** Bett mit Sprungfedermatratze; ~ **mattress** Bettrost; ~**-board** Sprungbrett; ~**-tide** [⁻taid] Springflut; = ~**-time** [⁻taim] Frühling; ~**y** [⁻i] elastisch
sprinkl|e [spriŋkl] (be)sprengen, (be-)streuen; sprenkeln; Sprühregen; ~**ing** [⁻liŋ] geringer (An-)Teil
sprint [sprint] sprinten; Kurzstrecke(nlauf); ~**er** Sprinter, Kurzstreckenläufer
sprite [sprait] Fee, Elf
sprocket ['sprɔkit] Kettenrad(-zahn)
sprout [spraut] (auf)sprießen (lassen); Sproß, Knospe; *pl* Rosenkohl *(Brussels ~s)*
spruce [spruːs] Fichte(nholz); adrett, schmuck; ~ *up* (s.) herausputzen
spry [sprai] munter, flink
spud [spʌd] Kartoffel; Jätmesser
spue [spjuː] *siehe* spew
spume [spjuːm] Schaum; Gischt
spun [spʌn] *siehe* spin
spunk [spʌŋk] Mumm; ~**y** mutig; hitzig
spur [spəː] Sporn *(to win one's ~s* sich d. Sporen verdienen)*; Antrieb; *on the ~ of the moment* aus d. Augenblick heraus; Zacken; (an)spornen; scharf reiten
spurious ['spjuːriəs] unecht, falsch
spurn [spəːn] verächtlich behandeln
spurt [spəːt] herausspritzen; spurten; starker Strahl; Ausbruch; Spurt
sputter ['spʌtə] (hervor)spucken; (vor Wut) stottern; zus.stottern
sputum ['spjuːtəm] Speichel; ⚕ Auswurf
spy [spai] Spion; spionieren *(~ into. out* aus-); ~ *upon* bespitzeln; erspähen
squabble [skwɔbl] s. kabbeln; Zank
squad [skwɔd] Gruppe *(a. mil)*; ~ **car** *US*

Funkstreife(nwagen); ~**ron** [⁻rən] ⚓ Geschwader; ✈ Staffel; (Panzer-)Bataillon; Schwadron
squal|id ['skwɔlid] schmutzig, verkommen; ~ **or** [⁻ə] Verkommenheit [~**y** böig
squall [skwɔːl] kreischen; Schrei; (Regen-)Bö;
squander ['skwɔndə] verschwenden; ~**er** [⁻rə] Verschwender
square [skwɛə] 1. Quadrat; 2. (Stadt-)Platz; Häuserblock; *US* Häuserblockseite; 3. (Zeichen-)Winkel; 4. *on the* ~ anständig; 5. quadratisch; 6. eckig *(a. fig)*; 7. *to get* ~ regeln, ausgleichen; mit j-m abrechnen *(a. fig)*; 8. unzweideutig, glatt; 9. *umg* ehrlich, anständig; ~ *meal* ordentliche Mahlzeit; 10. Quadrat-; 11. *adv* rechtwinklig; 12. *fig* voll, genau; 13. ehrlich; 14. quadratisch machen; 15. quadrieren; 16. rechtwinklig machen; 17. (Schultern) straffen; 18. regeln, ausgleichen; ~ *accounts with (fig)* abrechnen mit; 19. (Gewissen) beruhigen; 20. (j-n) überreden, bestechen; 21. ~ *off* in Quadrate einteilen; 22. ~ *with* (od *to*) übereinstimmen (lassen) mit; ~**ly** rechtwinklig; *fig* ehrlich
squash [skwɔʃ] aus-, zerquetschen, -drücken; zum Schweigen bringen; Zerquetschtes; dichte Menge; *BE* Fruchtsaft; Riesenkürbis; Moschuskürbis
squat [skwɔt] (s. hin)hocken, -legen; (Land, Haus) in Besitz nehmen; ~**ter** unrechtmäßiger Siedler; ~**(ty)** untersetzt
squaw [skwɔː] Indianerin, -frau
squawk [skwɔːk] (Vogel) kreischen
squeak [skwiːk] quieken, piepsen; quietschen; *umg* verraten; Piepsen; Quietschen; *a narrow* ~ fast ein Reinfall; ~**er** Verräter; Quietschpuppe
squeal [skwiːl] laut quietschen; *umg* verraten; s. beklagen; Quietschen; ~**er** Verräter; j-d, d. s. beklagt
squeamish ['skwiːmiʃ] empfindlich, zimperlich; heikel
squeeze [skwiːz] (aus)pressen, drücken; j-m zusetzen; etw eng packen; s. (e-n Weg) bahnen; ~ *in* (s.) hineinzwängen; Pressen; *(tight)* ~ (große) Enge; *a close* (od *narrow*) ~ knappes Entkommen; ~**r** [⁻ə] Drück(end)er; Presse
squelch [skweltʃ] zer-, unterdrücken; glucksen, patschen, quatschen; Matsch; entwaffnende Antwort
squib [skwib] Schwärmer; Frosch; Satire
squid [skwid] Tintenfisch
squiffy ['skwifi] *BE* beschwipst
squint [skwint] ⚕, *umg* Schielen; schielen
squire [swaiə] Gutsbesitzer, Junker; Squire; Galan; *US* (Art) Friedensrichter
squirm [skwəːm] winden *(a. fig)*
squirrel ['skwirəl] Eichhörnchen
squirt [skwəːt] (dünn) spritzen; (dünner) Strahl; (Kinder-)Spritze
stab [stæb] stechen *(at* nach), durchbohren; *fig* bohren; Stich(wunde)
stab|ility [stə'biliti] Festigkeit; Stabilität; ~**ilize** ['steibilaiz] festigen, stabilisieren; ~**le** [steibl]

fest, beständig; stabil; dauerhaft; (Pferde-) Stall *(a. fig);* einstellen

stack [stæk] (Heu-)Haufen; (Holz-)Stoß; ⚓, ⚙ Schornstein; aufschichten, -häufen

stadium ['steidiəm], *pl* ~s 🏛 Stadion; 🇫 Stadium

staff [stɑ:f], *pl* ~s, bei 1/4 staves 1. Stab, Stütze; 2. (Fahnen- etc)Stange; 3. Belegschaft, Personal; Lehrkörper; *bes mil* Stab; 4. ♪ Liniensystem

stag [stæg] Hirsch (~ *beetle* H.käfer); ~ **party** Herrenabend; *US* Polterabend

stage [steidʒ] 1. Bühne *(a. fig);* 2. *fig* Theater; 3. Schauplatz; 4. Haltestelle; Fahrstrecke ♦ *by easy* ~*s* in bequemen Abschnitten; 5. = ~ -**coach**; 6. Stadium; 7. ⚙ Objektträger; 8. auf d. Bühne bringen; veranstalten; 9. s. inszenieren lassen; ~**-coach** [-koutʃ] Postkutsche; ~**craft** Regie(-kunst), Bühnenerfahrung; ~ **director** Regisseur, Spielleiter; ~ **fever** Theaterleidenschaft; ~ **fright** Lampenfieber; ~**hand** [-hænd] Bühnenarbeiter; ~ **manager** Inspizient; ~ **master** techn. Spielleiter; ~**-struck** [-strʌk] theaterbesessen

stagger ['stægə] taumeln (lassen); wankend machen; schockieren; staffeln; Taumeln; ~**ing** [--riŋ] überraschend; heftig

staging ['steidʒiŋ] Gerüst; Inszenierung

stagn|ant ['stægnənt] stehend; stockend; ~**ate** [-neit] stehen; stocken

stagy ['steidʒi] theatralisch

staid [steid] gesetzt, seriös

stain [stein] Fleck; Farbe, Farbstoff; Makel; beflecken *(a. fig);* färben; schmutzig werden; ~**less** fleckenlos; rostfrei

stair [stɛə] Treppenstufe; *pl* Treppe(nflucht); *a flight of* ~*s* (Einzel-)Treppe; ~**-carpet** [-kɑ:pit] Treppenläufer; ~**case** [-keis] Treppe(nhaus); ~**-rod** Teppichstab; ~**way** [-wei] Treppe

stake [steik] (Marter-)Pfahl; 🏹 (Wett-)Einsatz; *pl* Preis(-rennen); *to be at* ~ *(fig)* auf d. Spiel stehen; stützen; einsetzen, riskieren; ~ *out* (od *off)* abgrenzen

stale [steil] alt(backen); muffig; schal; fade; verjährt; ~**mate** [-meit] (Schach) Patt; *fig* Stillstand, Sackgasse; patt setzen *(a. fig)*

stalk [stɔ:k] Stengel, Stiel; (s. heran-)pirschen (an); stolzieren, stapfen

stall [stɔ:l] Stand (im Stall); (Verkaufs-)Stand; *BE* 🪑 Sperrsitz; Fingerling; im Stall halten; 🚗 stehenbleiben; 🚗 abwürgen; ✈ überziehen; ✈ durchsacken; *umg* hinhalten(d taktieren), Ausflüchte machen; aufhalten, verzögern

stallion ['stæljən] Hengst

stalwart ['stɔ:lwət] robust; entschlossen; ganzer Kerl; treuer Parteigänger

stam|en ['steimən], *pl* ~**ens** *bot* Staubblatt; ~**ina** ['stæminə] *sg vb* Ausdauer

stammer ['stæmə] stottern (~ *out* hervor-); Gestotter; ~**er** [--rə] Stotterer

stamp [stæmp] 1. ⚙ prägen, pressen, stanzen; 2. (ab)stempeln *(a. fig; as* als); 3. (auf)stampfen mit, auf etw; ~ *down (flat)* niedertrampeln; 4. ~ *out* zertrampeln, vernichten; 5.

(Erz) zerkleinern; 6. Stempel *(a. fig);* 7. (Brief-)Marke; 8. ⚙ Stampfer; 9. *fig* Schlag

stampede [stæm'pi:d] wilde Flucht; davonstürmen; in Panik versetzen

stance [stæns] 🏹 Stellung, Auslage

stanch, staunch [stɑ:ntʃ] 🇫 zum Stillstand bringen, stillen; *adj siehe* staunch

stanchion ['stɑ:nʃən] Pfosten, Stütze

stand [stænd] *(s. S. 319)* 1. stehen (*up* auf-); ~*s six foot two* ist 1,85 m groß; 2. stehen bleiben; ~ *firm* (od *fast)* unnachgiebig sein; 3. treten (~ *clear* zurück-); ~ *aloof* sich beiseite-, zurückhalten; 4. bereitstehen, *fig* liegen; ~ *in need of* benötigen; *I* ~ *corrected* ich gebe meinen Irrtum zu; *he* ~*s convicted* er ist überführt; ~ *well with* s. gut stehen mit; ~ *alone* allein (ohnegleichen da-)stehen; 5. unverändert bleiben, gültig sein; 6. ⚓ steuern; 7. (hin)stellen *(a.* 🐴); 8. aushalten, er-, vertragen; dulden; (Prüfung) bestehen; ~ *one's ground* s. behaupten; ~ *a chance* e-e Chance haben; 9. ~ *s-b s-th* j-n freihalten mit; ~ *treat* freihalten; 10. ~ *trial* vor Gericht erscheinen; 11. ~ **about** umherstehen; ~ **back** zurücktreten; ~ **by** danebenstehen; beistehen; (s-m Wort) treu bleiben; ~ **down** d. Zeugenstand verlassen; abtreten; ~ **for** bedeuten; eintreten für; *BE* kandidieren für; *umg* dulden, hinnehmen; ~ **in** s. beteiligen; ~ *in for* einspringen für j-n; ~ **off** s. zurück-, fernhalten von; vorübergehend entlassen; ~ **on** bestehen auf; ~ **out** herausragen *(from* aus); aus-, durchhalten; ~ *over* verschoben werden; ~ **to** (Wort) halten; treu bleiben; bereit sein; ~ *to it that* fest behaupten, daß; ~ **up for** eintreten für; ~ **up to** (j-m) entgegentreten, (etw) aushalten; 12. Ständer; 13. (Verkaufs-)Stand *(a. fig);* 14. Tribüne; 15. *US* Zeugenstand; 16. Halt; *to make a* ~ *for* s. einsetzen für; *to make a* ~ *against* Widerstand leisten; 17. Ernte (~ *of wheat* Weizen-); ~**-by** [-bai] Ersatzmann; Hilfe; Ersatz-; ~**-in** [-in] Vertreter, Ersatzmann; 🎭 Double; ~**ing** Stellung; Bestand, Dauer; Ruf; stehend; (Korn) auf d. Halm; 🏹 aus d. Stand; Dauer-; Steh- (~*ing room* -platz); ~**-offish** [-'ɔfiʃ] (allzu) zurückhaltend, unnahbar; ~**point** Standpunkt; ~**still** Stillstand; *to be at a* ~*still* stillstehen, ruhen

standard ['stændəd] Fahne, Standarte; Pfosten; Ständer; Norm; Standard; Maßstab; Qualität; *attr* Standard-, Norm-; *bot* hochstämmig; ~ *lamp* Ständerlampe; ~**ize** [--daiz] norm(alisier)en

stank [stæŋk] *siehe* stink

staple¹ [steipl] Krampe; Heftklammer; mit Krampen befestigen; zus.heften

staple² [steipl] Haupterzeugnis; Rohstoff; *fig* Hauptpunkt; (Textil-)Stapel, Faserbüschel; Haupt-; (Wolle etc) nach Qualität sortieren

star [stɑ:] Stern; ⚘, 🎭 Star; 📖 Sternchen; mit Sternchen kennzeichnen; besternen; als Star herausstellen (auftreten); ~*ring . . . mit . . .* in d. Hauptrolle; ~**board** [-bəd] ⚓ Steuerbord; (Ruder) steuerbord legen; ~**fish** [-fiʃ] Seestern; ~let Sternchen; Starlet; ~-light [⁻lait] Sternenlicht; sternhell; ~lit sternhell; ~ry [⁻ri] gestirnt; (stern-)hell; ~-spangled [⁻spæŋgld] sternenbesät (*siehe* spangle)

starch [stɑ:tʃ] Stärke; *fig* Steifheit; stärken; ~y stärkehaltig; *fig* steif

star|e [stɛə] starren (*at* an-); ~*e s-b down* (od *out of countenance*) j-n (durch Anstarren) aus d. Fassung bringen; (An-)Starren; ~ing [⁻riŋ] *BE* lebhaft, knallig; ~ing mad *BE* total verrückt

stark [stɑ:k] starr; öde; kraß; völlig (*a. adv*)

starling ['stɑ:liŋ] *zool* Star

start [stɑ:t] 1. aufbrechen, abfahren (*for* nach); 2. anfangen, beginnen (*on, with* mit); *to ~ with* zunächst, am Anfang; 3. in Gang bringen, setzen; (be-)gründen; ~ *s-b doing* j-n zum ... bringen; ~ *s-b in business* j-n etablieren; 4. auf-, hochfahren; 5. (Holz) s. lockern; 6. ⚘ (j-n) starten; 7. aufscheuchen; 8. ~ back zurückschrecken, -fahren; ~ in (*with*) loslegen (mit); ~ out losgehen; anheben, anfangen; ~ up hochfahren, aufspringen; plötzlich auftauchen (losgehen); 9. Beginn; Start; 10. Vorsprung (*a. fig*); 11. Auffahren; Ruck; ~er [⁻ə] Teilnehmer e-s Rennens; Starter; ⚘ Anlasser; ~ing-point Ausgangspunkt; ~le [⁻l] erschrecken; ~ling erschreckend; überraschend

starv|ation [stɑ:'veiʃən] Hungertod; Verhungern; Hunger-; ~e (ver)hungern (lassen); ~e for (*fig*) hungern nach; *to be ~ed* hungern; *to be ~ed of* knapp sein an; ~eling [⁻liŋ] Hungerleider

stash [stæʃ] *US* Versteck; beseite tun

state [steit] Zustand; Stellung; Pracht, Gala, Staat (*to lie in ~* aufgebahrt liegen); (*oft; S~*) *pol* Staat; Staats-; darlegen, feststellen; ~craft [⁻krɑ:ft] Staatskunst; ~d [⁻id] festgesetzt, bestimmt; ~ly stattlich; würdevoll; prächtig; ~ment Darlegung; Feststellung; Aussage; Bericht; Kontoauszug; ~room [⁻rum] Einzelkabine (*US* -abteil); ~side [⁻said] *US* US-amerikanisch; in USA; ~sman [⁻smən], *pl* ~smen Staatsmann; Politiker; ~smanlike staatsmännisch; ~smanship Staatskunst

static ['stætik] stationär; statisch; ⚡ Störungen; ~s *sg* Statik

station ['steiʃən] Platz, Stelle; Haltestelle; ⚑ Station (*a. eccl*). Bahnhof; *mil* Standort; ⚡ Sender; (soziale) Stellung; stationieren, postieren; ~ary [⁻⁻əri] stationär, ortsfest; gleichbleibend; ~er [⁻⁻ə] Schreibwarenhändler; ~ery [⁻⁻əri] Schreibwaren, -papier

stat|ism ['steitizm] wirtschaftl. Staatsallmacht, Dirigismus; ~istical [stə'tistikəl] statistisch; ~istician [stætis'tiʃən] Statistiker; ~istics [stə'tistiks] Statistik (*sg vb* stat. Wissenschaft; *pl vb* stat. Angaben); ~uary ['stætjuəri] (Rund-)Skulptur; Statuen-; ~ue ['stætju:] Standbild; ~uesque [stætju'esk] statuenhaft; ~ure ['stætʃə] Wuchs, Statur; *fig* Bedeutung; ~us [⁻əs], *kein pl* (Rechts-)Stellung; Zustand; Status; (geschäftl.) Lage; ~ute ['stætju:t] Gesetz; Statut; ~ute-book ['stætju:tbuk] Gesetzes-

sammlung; ~ute law geschriebenes Recht; ~utory ['stætjutəri] gesetzlich; satzungsmäßig

staunch [stɔ:ntʃ], *US* stanch [stɑ:ntʃ] getreu, standhaft; *vt siehe* stanch

stave [steiv] derber Stock; Faßband; ♩ Liniensystem; Strophe; ~ (*s. S. 319*) in ein-, zus.schlagen; ~ off abwehren

stay [stei] 1. bleiben (~ *in* drinnen, zu Haus b.; ~ *out* draußen b.; ~ *up* auf-); 2. s. aufhalten (*with* bei); 3. (Hunger) stillen; 4. verschieben; 5. hemmen; 6. ~ *one's hand* s. zurückhalten; 7. durchhalten; 8. ~ (*up*) stützen; 9. Aufenthalt, Besuch; 10. ⚙ Aufschub; 11. Beschränkung; 12. Ausdauer; 13. ⚓ Stag; 14. Stütze; *pl* Korsett; ~-at-home [⁻əthoum] Stubenhocker; häuslich; ~-in [⁻in] strike *BE* Sitzstreik

stead [sted] Statt, Stelle (*in his etc ~*); *to stand s-b in good ~* zustatten kommen; ~fast [⁻fɑ:st] unverwandt; beständig; ~y fest, stabil; stetig; gleichmäßig; beständig; ordentlich, tüchtig; ~y! Ruhe!, ruhig Blut!; fest, regelmäßig machen (werden); fester Freund

steak [steik] (Fleisch-, Fisch-)Scheibe; (Beef-)Steak

steal [sti:l] (*s. S. 319*) stehlen (~ *away*, in s. weg-, hinein-); ~ *a march on s-b* j-m zuvorkommen; ~th [stelθ] Heimlichkeit; ~thy ['stelθi] heimlich

steam [sti:m] Dampf (*a. fig*); dampfen; ~-boiler [⁻bɔilə] Dampfkessel; ~-engine [⁻endʒin] Dampfmaschine; ~er Dampfer; Dampfkocher; ~ fitter Heizungsinstallateur; ~-roller [⁻roulə] Dampfwalze (*a. fig*); (*fig* nieder)walzen; durchpeitschen; ~ tug Schleppdampfer; ~y dampfend; dunstig

stedfast ['stedfɑ:st] *siehe* steadfast

steed [sti:d] Roß

steel [sti:l] Stahl (*a. fig*); stählern; Stahl-; (ver)stählen (*a. fig*); *fig* verhärten; ~y stählern; stahlgrau, -hart

steep [sti:p] steil, jäh; (Forderung) unsinnig; einweichen; wässern; *fig* eintauchen; ~en steil machen (werden); ~le [⁻l] hoher Kirchturm; -spitze; Dachreiter; ~lechase [⁻ltʃeis] ☆ Steeplechase; Hindernisrennen; -lauf

steer [stiə] *BE* junger Ochse; (Mast-)Ochse; steuern, lenken; ~ *clear of* (*fig*) umschiffen; ~age [⁻ridʒ] Steuerung; Zwischendeck; ~ing-gear [⁻riŋgiə] ⚓ Ruderanlage; ✛, ⚘ Steuerung; ~ing-wheel [⁻riŋwi:l] ⚓ Steuer-, ⚘ Lenkrad; ~sman [⁻zmən], *pl* ~smen Steuermann

stein [stain] *US* Bierkrug

stellar ['stelə] Stern-, Sternen-

stem [stem] *bot* Stamm, Stiel (*a. fig*); ⚓ Vorsteven; hemmen, aufhalten; ankämpfen gegen; stammen (*from* von, aus)

stench [stentʃ] Gestank

stencil ['stensil] Schablone; (Wachs-)Matrize; schablonieren; auf M. schreiben

step [step] 1. Schritt (*a. fig;* ~ *by* ~ S. für S.; *in* ~ im S., *out of* ~ nicht im S.; *to keep* ~ *with* S. halten mit; *to break* [breik] ~ d. S. verlieren); 2. Fußstapfen (*to follow in s-b's* ~*s in* j-s F. treten); 3. Stufe (*a. fig*, ♪); *pl* = ~-*ladder;* 4. treten; schreiten; gehen; **5.** etw abschreiten; **6.** ⚓ errichten; **7.** ~ **aside** beiseite-, *fig* zurücktreten; ~ **in** hineingehen, -kommen, *fig* dazwischentreten; ~ **into** unvermutet bekommen; ~ **on;** ~ *on it,* ~ *lively!* mach zu, mach voran!; ~ **out** zugehen; ausgehen, s. vergnügen; ~**up** steigern; ~-**ladder** [⁻lædə] Trittleiter; ~**ping-stone** [⁻iŋstoun] Trittstein; *fig* Stufe

step- [⁻step-] Stief- (~-*parent* [⁻pɛːrənt] Stiefvater, -mutter)

stereo ['stiəriou, 'steriou], *pl* ~s Stereo(gerät, -platte); = ~**scope;** = ~**type;** ~**scope** [⁻⁻⁻skoup] Stereoskop; ~**type** [⁻⁻⁻taip] Stereotypie; stereotypieren; von Platten drucken; ~**typed** [⁻⁻⁻taipt] *fig* stereotyp

steril|e ['sterail] *zool.* ♀ steril; unfruchtbar (*a. fig);* ~**ity** [ste'riliti] Sterilität; Unfruchtbarkeit; ~**ize** [⁻⁻laiz] *zool.* ♀ sterilisieren

sterling ['stəːliŋ] Sterling; echt; gediegen

stern [stəːn] streng; hart; Heck

stevedore ['stiːvidɔː] ⚓ Stauer

stew [stjuː] schmoren; Schmorgericht; *Irish* ~ gedünstetes Hammelfleisch mit Zwiebeln; *fig* Tinte (*to be in a fine* ~)

steward ['stjuːəd] ⚓ Steward; Verwalter; Hausmeister; (Fest-)Ordner

stick [stik] **1.** Stecken; **2.** Stock (*a. fig);* **3.** Stück (Seife etc); **4.** 🐎 Hürde; ~ (*s. S. 319)* **5.** stechen, stecken; (Jagd) erstechen; **6.** kleben; **7.** (*a.: to be stuck)* (sich fest)klemmen, steckenbleiben; **8.** ~ (*out)* aus-, durchhalten; ~ *it!* halt durch!; **9.** ~ **at** bei etw bleiben; zögern, s. aufhalten bei; ~ **it on** dick auftragen; viel abknöpfen; ~ **out** herausragen, -st(r)ecken; ~ *out for* hartnäckig fordern; ~ **to** treu bleiben, erfüllen; ~ **together** zus.halten, -kleben; ~ **up** aufragen; (hin)stecken; *sl* überfallen u. ausrauben; ~ *up for* s. einsetzen für; ~ *up to* s. widersetzen; ~**er** Klebezettel; ~**ing-plaster** [⁻iŋplɑːstə] Heftpflaster; ~**ler** [⁻lə] pedantischer Verfechter, Eiferer (*for* für); ~**pin** [⁻pin] *US* Schlipsnadel; ~**up** [⁻ʌp] *sl* Raubüberfall; ~**y** klebrig, stickig, schwül

stiff [stif] steif (*to keep a* ~ *upper lip* d. Ohren steifhalten); fest; *fig* scharf; schwierig; stark (Getränk); hoch (Preis); *sl* Leiche; ~**en** [⁻n] (s. ver-)steifen; steif werden; ~-**necked** [⁻'nekt] halsstarrig

stifle [staifl] ersticken (*a. fig);* unterdrücken

stigma ['stigmə], *pl* ~s Makel; *bot* Narbe; (*pl* ~**ta** [⁻tə]) Stigma; ~**tize** brandmarken, kennzeichnen

stile [stail] Stufen (über e-n Zaun)

still [stil] **1.** still; **2.** ~ **birth** Totgeburt; ~-**born** totgeboren; ~ **life** Stilleben; **3.** Stille; **4.** Destillierapparat; **5.** beruhigen; **6.** noch; doch

stilt [stilt] Stelze; ~**ed** geziert

stimul|ant ['stimjulənt] anregend; Reizmittel, Stimulans, ~**ate** [⁻⁻leit] anregen; (an)reizen; ~**us** [⁻⁻ləs], *pl* ~**i** [⁻⁻lai] Ansporn, Antrieb; Reizmittel

stimy ['staimi] = stymie

sting [stiŋ] (*s. S. 319)* stechen; aufstacheln; *fig* verwunden; Stachel (*a. fig);* Stich; stechender Schmerz; ~**er** [⁻ə] heftiger Schlag; ~**y** ['stindʒi] geizig; karg

stink [stiŋk] (*s. S. 319)* stinken; ~ *out* ausräuchern; Gestank

stint [stint] knausern mit; j-n kurzhalten (*of* mit); Einschränkung (*without* ~); (bestimmte) Arbeit(smenge)

stipend [⁻staipend] Gehalt; Pension; ~**iary** [⁻⁻iəri] besoldet; *BE* Polizeirichter

stipula|te ['stipjuleit] ausbedingen (*for s-th* etw); ~**tion** [⁻⁻⁻ʃən] Bedingung

stir [stəː] s. rühren (in) (*a. fig);* erregen; ~ *up* um-, aufrühren; aufrütteln; Regung; Bewegung; Aufsehen

stirrup ['stirəp] Steigbügel

stitch [stitʃ] Stich; Masche; *to have not a* ~ *on* keinen Faden anhaben; ♀ stechender Schmerz; nähen, heften

stock [stɔk] **1.** (unterer) Stamm; ⚘ (Pfropf-)Unterlage; **2.** *fig* Klotz; **3.** Gewehrschaft; **4.** Stamm, Geschlecht; **5.** ✿ (Papier-)Stoff; **6.** (Fleisch-, Gemüse-)Brühe; **7.** Vorrat (*in* ~ vorrätig, *out of* ~ nicht vorrätig; *to be out of* ~ *of* nicht vorrätig haben); Inventar; *to take* ~ Inventur machen; *to take* ~ *of* abschätzen, s. klarwerden über; *fig* Schatz; **8.** (*live)* ~ Vieh(bestand); **9.** *BE* Grundkapital; *US* Aktien(kapital); *pl BE* Staatspapiere, Obligationen; **10.** *pl* (Strafe) Stock; **11.** *pl* ⚓ Hellingegerüst (*on the* ~*s* im Bau, in Reparatur); **12.** Halsbinde; **13.** Levkoje; **14.** ☙ Repertoirestück(e); = **company;** **15.** *attr* vorrätig; Routine-, stehend; **16.** bevorraten, ausrüsten; **17.** (Waren) führen; ~**breeder** [⁻briːdə] Viehzüchter; ~**broker** [⁻broukə] Börsenmakler; ~ **company** ['kʌmpəni] ☙ Repertoiregruppe; Aktiengesellschaft; ~ **exchange** [iks'tʃeindʒ] Börse; ~**pot** Topf für Brühe; ~ **raiser** Viehzüchter; ~**still** [⁻'stil] regungslos; ~**taking** [⁻teikiŋ] Inventur, Erfassung

stockade [stɔ'keid] Einzäunung, Palisade

stock|inet [stɔki'net] *bes BE* Trikot; ~**ing** [⁻kiŋ] Strumpf; ~**y** [⁻ki] stämmig

stodgy ['stɔdʒi] schwer (verdaulich); spröde

stoic ['stouik] Stoiker; stoisch; ~**al** [⁻⁻kl] stoisch; ~**ism** [⁻isizm] Stoizismus; stoische Haltung

stoke [stouk] (Ofen) unterhalten, heizen; (schnell) futtern; ~**r** [⁻ə] Heizer

stole [stoul] *siehe* steal; Stola

stolid ['stɔlid] träge, stur; stumpf

stomach ['stʌmək] Magen; Verlangen (*for* nach); Neigung; Unterleib; ertragen, hinnehmen; ~-**ache** [⁻⁻eik] Magen-, Unterleibsschmerzen

ston|e [stoun] Stein (*a.* ♀, *bot,* Edel-); *to leave no* ~*e unturned* nichts unversucht lassen; ♀ Gallen-, Nierensteine (*an operation for*~*e*); *BE* Stone (= 6,35 kg); Hagelkorn; steinigen; entsteinen; mit Steinen verkleiden; S~**e Age** Steinzeit; ~**e-fruit** [⁻fruːt] Steinobst; ~**e-mason** [⁻meisn] Steinmetz; ~**e-pit** [⁻pit] Steinbruch;

~e-ware [⁻wɛə] Steinzeug; ~y steinig; *fig* steinern; ~y broke, *US* ~e-broke pleite, bankrott
stood [stud] *siehe* stand
stooge [stu:dʒ] ♉ Partner, der Stichworte liefert; *fig* Strohmann, Kreatur
stool [stu:l] Schemel, (Klavier-)Stuhl; ⚕ Stuhl; ~-pigeon [⁻pidʒən] Lockvogel
stoop [stu:p] (sich) bücken, vornüber beugen; *fig* sich erniedrigen; gebeugte Haltung; *US* Vorhalle, -bau
stop [stɔp] 1. (etw) anhalten; 2. hindern (*from* an); 3. aufhören (mit); anhalten; 4. (d. Zahlung von etw) einstellen, sperren; 5. (zu)stopfen; ⚕ füllen; ~ *a gap* e-e Lücke füllen; ~ *the way* d. Weg versperren *(a. fig.);* 6. stillstehen, stehenbleiben; *umg* bleiben (~ *up* auf-); *(US umg)* ~ *by, in* vorbeischauen, s. kurz verweilen; ~ *over* unterbrechen, s. aufhalten; 7. *BE* interpunktieren; 8. ~ *down* ▥ abblenden; ~ *up* füllen; 9. *bes* ♉ Halt; *to come to a* ~ anhalten; *to put a* ~ *to, to bring to a* ~ beenden; Haltestelle; 10. Satzzeichen *(full* ~ *BE* Punkt); *to come to a full* ~ zu Ende gehen, aufhören; 11. ♪ Klappe, Griff, Register; 12. (Holz-)Keil; 13. ▥ Blende(neinstellung); 14. Verschlußlaut; 8. ~ *down* ▥ abblenden; ~-**cock** [⁻kɔk] ⚙ Absperrhahn; ~-**gap** [⁻gæp] Lückenbüßer; ~-**light** [⁻lait] Stopplicht; ~-**over** [⁻ouvə] Unterbrechung, kurzer Aufenthalt; ~-**page** [⁻idʒ] Stockung; Einstellung; Anhalten; ~-**per** [⁻ə], ~**ple** [⁻l] Stöpsel; (zu)stöpseln; ~-**press** [⁻pres] *BE* (Raum für) letzte Meldungen; ~-**watch** [⁻wɔtʃ] Stoppuhr
stor|age ['stɔ:ridʒ] Lager(raum, -geld, -ung); ~**age battery** Akku(mulator); ~**e** [stɔ:] Vorrat (*in* ~ *e* vorrätig, auf Lager *a. fig.* ♦ *to set* ~ *e by* Wert legen auf; Lager(halle); *bes US* Geschäft; *pl BE* Warenhaus; ausstatten; ~ *e (up)* (auf-)speichern *(a. fig.);* in e. Lager stellen; ~**ehouse** [⁻haus], *pl* ~**ehouses** [⁻hauziz] Lagerhaus, Speicher; *fig* Schatz; ~**ekeeper** Lagerverwalter; *US* Kaufmann; ~**e-room** [⁻rum] Vorratskammer
stor|ey ['stɔ:ri] *BE, siehe* ~y; ~**ied** [⁻d] geschichtsberühmt; ... stöckig
stork [stɔ:k] Storch
storm [stɔ:m] Sturm (~ *in a tea-cup* S. im Wasserglas; *to take by* ~ im S. nehmen); stürmen; toben; ~-**beaten** [⁻bi:tən] sturmgepeitscht; ~-**bound** [⁻baund] durch Sturm festgehalten; ~y stürmisch
story ['stɔ:ri] 1. Geschichte *(a. fig.);* Erzählung; Artikel; Märchen *(a. fig.);* 2. *(BE a.: ~ey)* Stock(werk), Etage
stout [staut] stark, deftig; beleibt; entschlossen; ~-*hearted* [⁻ha:tid] tapfer; starker Porter (Bier)
stove [stouv] Ofen; Treibhaus; *siehe* stave
stow [stou] (ver)stauen, packen; ~ *away* wegräumen, *umg* verputzen; ~-**away** [⁻əwei] blinder Passagier
straddle [strædl] (die Beine) spreizen (über); rittlings sitzen auf; schwanken, zögern; Spreizen

strafe [stra:f, *US* streif] im Tiefflug angreifen; *umg* j-n ausschimpfen
straggle [strægl] sich zerstreuen, zerstreut gehen; abkommen; hier u. da wuchern; ~**r** Versprenger, Nachzügler
straight [streit] 1. gerade; (Haar) glatt; 2. ordentlich, aufgeräumt (*to put* ~ in Ordnung bringen, aufräumen); *to keep a* ~ *face* das Gesicht nicht verziehen; 3. ehrlich, aufrichtig ♦ *to keep* ~ anständig leben; 4. *umg* verläßlich; 5. *US* ohne Abzug; 6. unverdünnt; 7. *adv* gerade(swegs); 8. unmittelbar ♦ *to run* ~ anständig leben; ~ *away* sofort; 9. *su* gerade Stellung (*out of the* ~ schief); 10. *bes* 🏇 Gerade; ~**en** [⁻n] gerade machen (werden); ~ *en (out)* in Ordnung bringen; ~**forward** [⁻'fɔ:wəd] freimütig; einfach, klar; ~**way** [⁻wei] sogleich
strain [strein] 1. (an)spannen; 2. (über-)anstrengen; ⚕ verzerren; 3. *fig* überspannen; 4. drücken, pressen; 5. durchseihen; 6. ziehen, zerren; 7. s. anstrengen; ~ *after* streben nach; 8. ⚙ Spannung; 9. (Über-)Anstrengung, Belastung (*on* für); 10. Zerrung, Verrenkung; 11. Abstammung, Geschlecht; 12. Anlage, Neigung; 13. *fig* Ton; 14. Melodie, Weise; ~**er** Seiher
strait [streit] Meerenge, Straße; *pl* Zwangslage; eng; ~**en** [⁻n] beengen (*in* ~**ened** *circumstances*); ~-**jacket**, ~**waistcoat** ['weiskout] Zwangsjacke *(a. fig.);* ~-**laced** [⁻leist] engherzig, prüde
strand [strænd] Ufer; (Seil) Litze; Strang; Strähne; *fig* Richtung; stranden; ~**ed** in Not, hilf-, mittellos
strange [streindʒ] fremd; seltsam (~ *to say* seltsamerweise); ~ *to s-th* nicht gewohnt; ~**r** [⁻ə] Fremder; Unbekannter
strangle [strængl] (er)würgen; *fig* ersticken; ~**le-hold** [⁻glhould] Würgegriff; *fig* Zwangsjacke; ~**ulate** [⁻gjuleit] ⚕ abschnüren; ~**ulation** ⚕ Abschnürung
strap [stræp] Riemen, Gurt, Lasche; Träger; festschnallen; schlagen; (Messer) abziehen; ~**less** trägerlos, schulterfrei; ~**ping** [⁻iŋ] stämmig
strat|a ['stra:tə] *siehe* ~**um**; ~**agem** ['strætədʒəm] List; ~**egic(al)** [strə'ti:dʒik(l)] strategisch; ~**egist** ['strætidʒist] Stratege; ~**egy** ['strætidʒi] Strategie *(a. fig.);* ~**um** ['stra:təm, *US* 'strei-], *pl* ~**a** [⁻ə] Schicht; Klasse
straw [strɔ:] 1. Stroh(halm) ♦ *the last* ~ *(that breaks the camel's back)* der Tropfen, der das Faß zum Überlaufen bringt; *not a* ~ keinen Pfifferling; *a man of* ~ Schwächling, Strohmann; 2. = ~ *hat;* 3. Stroh-, strohgelb; ~**berry** [⁻bəri] Erdbeere ~ *hat* Strohhut; ~ *vote* (*od* ballot [⁻bælət]) Probeabstimmung
stray [strei] umher-, s. verirren; abirren (*from* von); verirrt; vereinzelt(es Tier, Irregehender); *pl* ⚡ Störungen
streak [stri:k] Streifen; *like a* ~ *(of lightning)* wie d. Blitz; *fig* Spur; *fig* Strähne; *umg* dahinjagen; ~**ed** [⁻t] gestreift; ~**y** streifig; (Speck) durchwachsen

stream [striːm] Fluß; *bes fig* Strom; Strömung *(a. fig);* strömen; wehen; **~er** [-ə] Wimpel; Papierschlange; (breite) Schlagzeile; **~line** [-lain] stromlinienförmig (wirkungsvoller, zügiger) gestalten; verbessern; Stromlinienform; **~line(d)** stromlinienförmig; schnittig

street [striːt] (Orts-)Straße; *the man in the ~* d. Durchschnittsbürger; **~ arab** Straßenjunge; **~car** *bes US* Straßenbahn

strength [strenθ] Stärke; Kraft ♦ *on the ~ of* auf Grund von, auf ... hin; **~en** (ver)stärken; stark werden

strenuous ['strenjuəs] eifrig, tätig; anstrengend

stress [stres] Druck; Zwang; *gram* Betonung *(a. fig);* Nachdruck *(to lay ~ on s-th);* ✿ Spannung, Beanspruchung; ⚕ Belastung, Streß; betonen, hervorheben; **~ful** durch Streß gekennzeichnet, Streß-

stretch [stretʃ] 1. (s.) (aus)strecken, (an)spannen; j-n hinstrecken; s. strecken, spannen lassen; **~** *one's legs* s. d. Beine vertreten; s. erstrecken; 2. *fig* dehnen, überschreiten; 3. Sichstrecken *(to give a ~* s. strecken); 4. Überschreitung, -spannung; *at a ~* hintereinander; *on the ~* (an)gespannt; 5. Strecke, Fläche; **~er** [-ə] Tragbahre; Spanner

strew [struː] *(s. S. 319)* (ver-, be)streuen

striated [strai'eitid] ⚓ gestreift; gerieselt

stricken [strikn] *fig* geschlagen

strict [strikt] streng; strikt; **~ure** [-tʃə] scharfe Kritik; ⚕ Verengung

stride [straid] *(s. S. 319)* schreiten; e-n großen Schritt machen *(over* über); gespreizt stehen über; (großer) Schritt; *to make great ~s* große Fortschritte machen ♦ *to take s-th in one's ~* mühelos etw tun; **~nt** [-ent] schrill, scharf; grell

strife [straif] (Wett-)Streit; Kampf

strik|e [straik] *(s. S. 319)* 1. j-n schlagen, treffen; (Schlag) versetzen, führen; (Blitz) einschlagen; **~e** *cold* kalt wehen; 2. (sich) anzünden (lassen), brennen; 3. stoßen auf *(e oil, gold);* s. schlagen *(into the woods);* 4. (Flagge, Segel) streichen *(a. fig);* 5. (Münze) prägen, schlagen; 6. (Geschäft, Bilanz) abschließen; 7. (Uhr) schlagen; (Ton) anschlagen; 8. (mit *adj* machen *(~e s-b blind, dumb);* Eindruck machen auf, gefallen, vor-, in den Sinn kommen; 9. streiken; 10. (Wurzel) schlagen, treiben; 11. Schlag; 12. Streik *(on ~e* streikend); 13. Glücksfall, Treffer; 14. Luftangriff; 15. **~e** *at* zielen auf; **~e in** s. einschalten, unterbrechen; **~e into** stoßen in; (Schrecken) einjagen; plötzlich verfallen in; **~e off** abschlagen; durchstreichen; ▭ drucken; **~e out** (drauf)losschlagen; losschwimmen, -laufen; sich ausdenken; ausstreichen; **~e through** durchstreichen; durchschlagen; **~e up** (zu spielen) beginnen; **~e upon** plötzlich verfallen auf; **~e-bound** [-baund] bestreikt; **~ing** [-iŋ] auffallend; eindringlich

string [striŋ] 1. Schnur, Bindfaden ♦ *to have two ~s to one's bow* [bou] mehr als e-e Möglich-

keit haben; *to pull (the) ~s (fig)* an den Drähten ziehen; 2. Band, Schnürsenkel; 3. Saite *(pl* S.instrumente); Streich-; 4. Kette *(a. fig);* 5. einschränkende Bedingung; 6. **~** *(s. S. 319)* bespannen, besaiten; **~ed** [-d] bespannt, Saiten-; 7. auffädeln, -reihen; auf Schnüre hängen; 8. (Bohnen) abziehen; 9. Fäden bilden, ziehen; 10. **~** *up (umg)* j-n aufknüpfen; *strung (up)* angespannt, aufgeregt, sensibel; **~ bean** *bes US* grüne Bohne; **~ent** ['strindʒənt] strikt; (Markt) gedrückt, knapp; **~y** [-i] faserig; (Fleisch) zäh

strip [strip] wegnehmen, -reißen; (s.) entblößen, -kleiden *(a. fig);* ausräumen, ⚓ abtakeln; Streifen, Leiste; **~e** [straip] Streifen, Tresse; Hieb; streifen; **~ling** [-liŋ] schmächtiger Kerl

strive [straiv] *(s. S. 319)* sich bemühen *(for* um), streben *(after* nach); ringen

strode [stroud] *siehe* stride

stroke [strouk] 1. *bes* 🐎 Schlag, Stoß; **~** *of luck* Glücksfall; 2. ⚕ Schlag(anfall); 3. Sonnenstich; 4. Schwimmen, -bewegung; (Schwimm-, Ruder-)Tempo; 5. 🚗 Hub; 6. (Pinsel-)Strich; 7. (Uhren-, Glocken-)Schlag *(on the ~* mit d. G.); 8. Streicheln; 9. 🐎 Schlagmann; als S. fungieren bei; 10. streicheln

stroll [stroul] schlendern, bummeln; Spaziergang

strong [strɔŋ] stark, groß, kräftig, fest; **~** *language* ['læŋgwidʒ] starke Sprache, Flüche; **~** *point* j-s starke Seite; übelriechend; **~** *meat (fig)* derbe Kost; (Preis) anziehend; **~ly** sehr, nachdrücklich; **~-box** [-bɔks] (Stahl-)Kassette; **~hold** [-hould] Festung *(a. fig);* **~-minded** [-'maindid] willensstark

strop [strɔp] Streichriemen; abziehen

strove [strouv] *siehe* strive

struck [strʌk] *siehe* strike

structur|al ['strʌktʃərəl] baulich; Bau-; **~e** [-tʃə] Bau; Struktur; Gebäude

struggle [strʌgl] kämpfen; s. wehren, sträuben; s. anstrengen; Kampf; Anstrengung

strum [strʌm] herumzupfen, -klimpern (auf)

strut [strʌt] (einher)stolzieren; verstreben; Stolzieren; Strebe(band)

stub [stʌb] Stumpf; Stummel; Kontrollabschnitt (am Scheck); (aus)roden; (mit der Zehe) anstoßen an; (Zigarette) ausdrücken; **~ble** [-l] Stoppel *(a. fig);* **~born** [-ən] hartnäckig; eigensinnig; **~by** [-i] stummelartig, dicklich

stucco ['stʌkou] Stuck; mit S. versehen

stuck [stʌk] *siehe* stick; **~-up** [-'ʌp] *umg* hochnäsig

stud [stʌd] Gestüt; Kragenknopf; Knauf; ✿ Bolzen, Stiftschraube; **~ded** [-id] mit Knöpfen, Bolzen versehen; übersät; **~-farm** [fɑːm] = ~; **~-horse** [-hɔːs] Zuchthengst

stud|ent ['stjuːdənt] Studierender, Student; Forscher, Kenner; Lern-; **~ied** ['stʌdid] wohlüberlegt, vorsätzlich; **~io** ['stjuːdiou], *pl* **~ios** 🎨, ▣ Atelier; *pl* ▣ Ateliers, Filmgelände; ⚙ Senderaum; **~ious** ['stjuːdiəs] Studien-; sorgfältig; = ~ied; **~y** ['stʌdi] Studien, Studium;

Untersuchung, Studie; Träumerei ♦ *in a brown ~y* in Gedanken versunken; Arbeitszimmer; ♪ Etüde; Bemühung; studieren, betreiben, lernen; untersuchen, prüfen; s. befassen mit
stuff [stʌf] Material, Stoff, Zeug; *~ and nonsense* dummes Zeug; Gewebe, Stoff; (s.) (voll)stopfen; täuschen; (Tiere) ausstopfen; (Geflügel) füllen; **~ing** [-iŋ] (Kissen, Geflügel) Füllung ♦ *to knock the ~ing out of s-b* j-m s-e Einbildung austreiben; *fig* j-n schlagen, kaputtmachen; **~y** [-i] dumpf; *umg* miefig; langweilig
stultify ['stʌltifai] dumm erscheinen lassen; wirkungslos machen
stumble ['stʌmbl] stolpern *(a. fig);* *~e along* dahintaumeln; **~ing-block** [-iŋblɔk] Hindernis
stump [stʌmp] Stumpf *(a. ♪),* ♔ Torstab; *~ speeches* Stegreif-, Volksreden *(on the ~* V. haltend); j-n verwirren, in Verlegenheit bringen; *~ the country* Volksreden halten (im Land); *~ about* (od *along*) umherstapfen; *~ up (BE umg)* blechen; **~er** [-ə] *fig* harte Nuß; **~y** [-i] untersetzt, plump
stun [stʌn] betäuben, lähmen; **~ning** [-iŋ] *umg* herrlich
stung [stʌŋ] *siehe* sting
stunk [stʌŋk] *siehe* stink
stunt [stʌnt] (Flug-)Kunststück; Schaunummer; Kunststücke machen; verkümmern lassen; **~ed** verkrüppelt
stupefaction [stju:pi'fækʃən] Bestürzung; **~fy** [-fai] abstumpfen; bestürzen
stupendous [stju:'pendəs] gewaltig; erstaunlich; **~id** [-pid] dumm, blöd(er Kerl); **~idity** [-piditi] Dummheit, Blödheit; **~or** [-pə] Betäubung; Stumpfsinn
sturdy ['stə:di] stämmig; fest
sturgeon ['stə:dʒən] (echter) Stör
stutter ['stʌtə] stottern
sty [stai] Schweinestall *(a. fig);* ♫ Gerstenkorn
style [stail] Stil *(in ~e* stilvoll); Mode; Art; Anrede; Griffel; Stilkunde; anreden, bezeichnen; **~ish** [-iʃ] modisch; elegant; **~istic** [-'listik] stilistisch
stymie ['staimi], *BE a.* **stimy** *fig* lahmlegen
suasion ['sweiʒən] Überredung
suave [sweiv] verbindlich, glatt; mild; **~ity** ['swɑ:viti] verbindliches Wesen; Milde
sub [sʌb] *umg* U-Boot; Ersatz; einspringen *(for* für)
subaltern ['sʌbəltən] untergeordnet; *BE mil* Subalternoffizier
subcommittee ['sʌbkə'miti] Unterausschuß
subconscious ['sʌb'kɔnʃəs] unterbewußt; Unterbewußtsein
subcontinent ['sʌb'kɔntinənt] Subkontinent
subcontractor ['sʌbkəntræktə] Subunternehmer, Unterlieferant
subcutaneous ['sʌbkju'teiniəs] ♫ subkutan, unter der Haut
subdivide ['sʌbdi'vaid] unterteilen; **~sion** ['sʌbdiviʒən] Unterteilung
subdue [səb'dju:] unterwerfen; dämpfen
subedit ['sʌb'edit] *BE* redigieren

subhead(ing) ['sʌbhed(iŋ)] Unterabteilung; Zwischentitel
subhuman ['sʌbçu:mən] halbtierisch, unmenschlich
subject ['sʌbdʒikt] 1. Untertan; Staatsbürger; 2. Thema; 3. *gram* Subjekt; 4. Gegenstand; Fach; 5. Anlaß; 6. (hysterische etc) Person; 7. unterworfen, abhängig; *to be ~ to* leicht bekommen, abhängen von; 8. *~* [səb'dʒekt] unterwerfen; aussetzen *(o.s.* sich); **~ion** [səb'dʒekʃən] Unterwerfung; Abhängigkeit; **~ive** [səb'dʒektiv] subjektiv
subjoin ['sʌb'dʒɔin] hinzu-, beifügen; **~der** [-də] nachträgliche Bemerkung
subjugate ['sʌbdʒugeit] unterjochen
subjunctive [səb'dʒʌŋktiv] Konjunktiv; konjunktivisch
sublease ['sʌb'li:s] Untervermietung, -pachtung; in U. nehmen, geben
sublet ['sʌb'let] untervermieten, -pachten
sublieutenant ['sʌbləf'tenənt] *BE* Oberleutnant zur See; *amer* Leutnant ~ *(BE)* Leutnant z. S.
sublimate ['sʌblimeit] erhöhen, verfeinern; *chem* sublimieren; [-mit] *chem* Sublimat; **~ation** [--'meiʃən] Sublimation; **~e** [sə'blaim] erhaben; unbekümmert; sublim; *the ~e* das Erhabene; **~ity** [sə'blimiti] Erhabenheit
submachine-gun [sʌbmə'ʃi:ngʌn] Maschinenpistole
submarine ['sʌbməri:n] untermeerisch; U-Boot
submerge [səb'mə:dʒ] untertauchen; *fig* versinken; **~gence** [--dʒəns] Untertauchen; **~se** [-'mə:s] versenken; **~sion** [--ʃən] Versenkung; Versinken
submission [səb'miʃən] Unterwerfung; Gehorsam, Achtung; Ausschreibung; Vorlage; *bes* ♫ Behauptung; **~ssive** [--siv] unterwürfig; **~t** [-'mit] (s.) unterwerfen; vorlegen *(to s-b* j-m); meinen, zu bedenken geben
subnormal ['sʌb'nɔ:məl] unterdurchschnittlich, unternormal; minderbegabt
subordinate [sə'bɔ:dinit] untergeordnet; *~te to* niedriger als, unterstellt; *~te clause* Nebensatz; Untergebener; [--neit] unterordnen; **~tion** [-,--'neiʃən] Unterordnung
suborn [sə'bɔ:n] (zu falscher Zeugenaussage) bestechen
subpoena [səb'pi:nə], *pl ~s* ♫ Vorladung; vorladen
subscribe [səb'skraib] (Geld) zeichnen *(to, for* für); *~be for* subskribieren; *~be to* abonnieren, *fig* billigen; **~ber** [--bə] Abonnent; Spender; **~ption** [-'skripʃən] (Unter-)Zeichnung; gezeichnete Summe, Spende; Abonnement(sgebühr)
subsequent ['sʌbsikwənt] (nach)folgend; *to* später als; **~ly** hinterher
subserve [səb'sə:v] förderlich sein; **~ience** [--viəns] Dienlichkeit; Unterwürfigkeit; **~ient** [--viənt] übereifrig, unterwürfig; dienlich
subside [səb'said] (Wasser etc) absinken; sinken *(into a chair);* nachlassen; **~ence** [--dəns] Absinken; **~iary** [-'sidiəri] Hilfs-; ergänzend;

Tochtergesellschaft; ~**ize** ['sʌbsidaiz] subventionieren; ~**y** ['sʌbsidi] Subvention
subsist [səb'sist] (fort)bestehen; leben (*on* von); ~**ence** [–ᵗtəns] Existenz(-minimum)); ~**ence money** Unterhaltszu-, -vorschuß
subsoil ['sʌbsɔil] Unter-, Baugrund; ~ **water** Grundwasser
subsonic [səb'sɔnik] Unterschall-
substan|ce ['sʌbstəns] Substanz, Stoff; Wesen; Vermögen; ~**tial** [səb'stænʃəl] stofflich; fest; (Essen) nahrhaft; wohlhabend; wesentlich; ~**tiate** [səb'stænʃieit] d. Richtigkeit (Echtheit) erweisen von; ~**tive** [–ᵗtiv] selbständig; wirklich; Substantiv
substation ['sʌbsteiʃən] Unterwerk; Umspannwerk; Nebenstelle
substitu|te ['sʌbstitju:t] Ersatz(mann); an d. Stelle setzen (*for* von); a. an d. Stelle treten von; ~**tion** [––'tju:ʃən] Einsetzung, Verwendung (*of* von, *for* anstelle von); a. Ersetzung
substrat|um ['sʌbˈstraːtəm, *US* –'streitəm], *pl* ~**a** Unter-, Grundlage (a. *fig*)
subtenant ['sʌb'tenənt] Untermieter
subterfuge ['sʌbtəfjuːdʒ] Ausflucht, (gemeiner) Trick
subterranean ['sʌbtə'reiniən] unterirdisch; verborgen
subtitle ['sʌbtaitl] Untertitel (a. ▥)
subtle ['sʌtl] unfaßbar, fein; scharf; raffiniert; verschlagen; ~**ty** [–ti] Feinheit; Raffiniertheit; Verschlagenheit
subtract [səb'trækt] abziehen; ~**ion** [–ᵗʃən] Abziehen; Abzug
subtropical ['sʌb'trɔpikəl] subtropisch
suburb ['sʌbəːb] Vorort; Stadtrandsiedlung; ~**an** [sə'bəːbən] Vorort-; *fig* kleinstädtisch
subver|sion [sʌb'vəːʃən] Umsturz; umstürzlerische Tätigkeit; ~**sive** [––siv] umstürzlerisch; ~**y** [–ᵗt] (um)stürzen; untergraben
subway ['sʌbwei] *BE* Unterführung; *US* U-Bahn
succeed [sək'siːd] Erfolg haben (*in* mit); he ~**ed** in doing es gelang ihm zu tun; folgen auf; ~ *to* übernehmen
success [sək'ses] Erfolg; ~**ful** erfolgreich; ~**ion** [–'seʃən] Reihe(nfolge); Rechtsnachfolge; *in* ~*ion* hintereinander; ~*ion to the throne* Thronfolge; ~*ion to* Übernahme von; ~**ive** [––siv] aufeinanderfolgend, hintereinander; ~**or** [–ᵗsə] Nachfolger; Erbe; Folge
succinct [sək'siŋkt] knapp und klar, kurz; lakonisch
succour ['sʌkə] helfen; Hilfe
succulent ['sʌkjulənt] saftig
succumb [sə'kʌm] unter-, erliegen; sterben
such [sʌtʃ] solch, derart(ig); so (~ *is life*); ~ *as* wie (z. B.); ~ *that* so daß; *and* ~ und dgl.; *as* ~ ebenso; ~**like** [–ᵗlaik] derartig
suck [sʌk] (auf-, aus)saugen (a. *fig*); lutschen; ~ *up to* (*umg*) s. einschmeicheln bei; Saugen; *to give* ~ *to* d. Brust geben; ~**er** [–ᵗə] Saug(end)er; *umg* Grünschnabel, blöder Kerl, Tropf; ~**le** [–l] säugen; ~**ling** [–ᵗliŋ] Säugling
suction ['sʌkʃən] Saugen; Sog; Saug-

sudden ['sʌdən] plötzlich; *all of a* ~ = ~**ly** (ganz) plötzlich
suds [sʌdz] *pl vb* Seifenlauge, -schaum; *US sl* Bier; ~**y** [–zi] schaumig
sue [sjuː] (ver)klagen (*for* auf); (an-)flehen (*for* um); werben, freien um
suède [sweid] Velour-, Wildleder
suet ['sjuit] (Rinder-)Talg
suffer ['sʌfə] (er)leiden (*from* von); bestraft werden; zulassen, dulden; ~**able** [–ᵗrəbl] erträglich; ~**ance** [–ᵗrəns] Dulden; ~**ing** *mst pl* Leiden
suffic|e [sə'fais] genug sein, genügen (für); ~**iency** [–'fiʃənsi] ausreichendes Einkommen, Auskommen; ausreichende Menge; ~**ient** [–'fiʃənt] ausreichend(e Menge); genug
suffocate ['sʌfəkeit] ersticken (a. *fig*)
suffrag|an ['sʌfrəgən] Weihbischof; Suffragan; ~**e** [–ridʒ] Stimme; Zustimmung; Stimmrecht; ~**ette** [–rə'dʒet] Frauenrechtlerin
suffuse [sə'fjuːz] (er)füllen (a. *fig*)
sugar ['ʃugə] Zucker; (ein-, über-)zuckern; ~**basin** [–beisn] *BE* Zuckerdose; ~**bowl** [–boul] = ~-basin; ~**loaf** [–louf], *pl* ~-loaves [–louvz] Zuckerhut; ~**y** [–ri] zuckrig; zuckersüß; schmeichelnd
suggest [sə'dʒest, *US* səg-ᵗ] vorschlagen, anregen; deuten, schließen lassen auf; erinnern an; nahelegen; (die Meinung) aussprechen, meinen; ~**ion** [–ᵗʃən] Vorschlag, Anregung; Suggestion; *fig* Spur; ~**ive** [–ᵗiv] anregend, suggestiv; andeutend (*of* s-th etw)
suicid|al [sjui'saidl] selbstmörderisch; ~**e** [–ᵗsaid] Selbstmord; Selbstmörder
suit [suːt] **1.** Satz, Garnitur; ~ *of armour* Panzer, Rüstung; **2.** ~ (*of clothes*) Anzug, Kostüm; **3.** (Heirats-)Ersuchen; **4.** ♤ Klage; **5.** (Karten) Farbe ♦ *to follow* ~ Farbe bekennen, das gleiche tun; **6.** *vt/i* passen; ~ *o.s.* nach Belieben handeln; **7.** *fig* stehen; ~ *to* anpassen an; ~ *with* übereinstimmen mit, passen zu; ~**able** passend, geeignet; ~**case** [–keis] Koffer; ~**e** [swiːt] (a. ♪) Suite; (Möbel) Garnitur; Zimmerflucht; ~**ed** [–id] geeignet; ~**ing** [–iŋ] Anzugstoff; ~**or** [–ᵗə] Bittsteller; Freier; ♤ Kläger
sulk [sʌlk] schmollen; ~**s** *pl vb* Schmollen, üble Laune; *to be in the* ~*s* = to ~; ~**y** [–i] schmollend, mißgestimmt; 🜊 Sulky
sull|en ['sʌlən] mürrisch, schmollend; düster; ~**y** [–i] *fig* beflecken
sulphur, sulfur ['sʌlfə] Schwefel; ~**eous** [–'fjuəriəs] schwefel(art)ig; ~**ic** [–'fjuərik] schwefelhaltig; ~**ous** [–ᵗrəs] = ~eous; wütend
sultan ['sʌltən] Sultan; ~**a** [səl'taːnə], *pl* ~as *BE*
sultry ['sʌltri] schwül |Sultanine
sum [sʌm] Summe; Rechnung; *pl* Rechnen; *to do* ~*s* rechnen; Zus.fassung; *in* ~ kurz (gesagt); Geldsumme; ~ *up* zus.ziehen, addieren; zus.fassen; ~ *total* = ~; ~**marize** [–əraiz] zus.fassen; ~**mary** [–əri] zus.fassend, kurz; summarisch; 🜊 Schnell-; Zus.fassung
summer ['sʌmə] Sommer (*Indian* ~ Spätsommer, warme Herbsttage); d. Sommer verbrin-

gen; **~-house** Gartenlaube, **~lightning** Wetterleuchten; **~ school** [skuːl] Ferienkurs(e); **~y** [ː–ri] sommerlich

summit ['sʌmit] Gipfel *(a. fig)*

summon ['sʌmən] holen lassen; ⚖ vorladen; auffordern; einberufen; **~ up** *fig* zus.raffen; **~s** [ː–z], *pl* **~ses** [ː–ziz] ⚖ Vorladung; Aufforderung; ⚖ vorladen

sump [sʌmp] ✿ Schachtsumpf; 🚗 Ölsumpf, **-wanne**; **~ter** [ː–tə] Saumtier

sumptu|ary ['sʌmptjuəri] d. Aufwand regelnd; **~ous** [ː–əs] kostspielig

sun [sʌn] Sonne; *vt* sonnen; **~beam** [ː–biːm] Sonnenstrahl *(a. fig)*; **~-blind** [ː–blaind] *BE* Markise; **~burn** [ː–bəːn] Sonnenbrand; **~burnt** [ː–bəːnt] sonnenverbrannt; **S~day** [ː–di] Sonntag; **~dial** [ː–daiəl] Sonnenuhr; **~down** [ː–daun] Sonnenuntergang; **~fast** [ː–fɑːst] *US* lichtecht; **~-glasses** [ː–glɑːsiz] Sonnenbrille; **~hat** [ː–hæt] = **~ helmet** Tropenhelm; **~ lamp** Höhensonne; **~less** [ː–lis] sonnenlos; **~light** [ː–lait] Sonnenlicht; **~lit** [ː–lit] sonnenbeschienen; **~ny** [ː–i] sonnig *(a. fig)*; **~rise** [ː–raiz] Sonnenaufgang; **~set** [ː–set] Sonnenuntergang; **~shade** [ː–ʃeid] Sonnenschirm; 📷 Gegenlichtblende; **~shine** [ː–ʃain] Sonnenschein *(a. fig)*; sonniges Wetter; **~shiny** [ː–ʃaini] sonnig; sonnenhell; **~spot** [ː–spɔt] Sonnenfleck; **~stroke** [ː–strouk] ✚ Sonnenstich; **~tan** [ː–tæn] Bräune; *US mil* Uniform

sund|er ['sʌndə] (sich) trennen; **~ry** [ː–dri] verschieden; *pl* allerlei Dinge; Verschiedenes

sung [sʌŋ] *siehe* sing

sunk [sʌŋk] *siehe* sink; **~en** [ː–ən] (ein-)gesunken

sup [sʌp] zu Abend essen, knabbern, nippen (an)

super ['sjuːpə] *umg* 🎭 Statist; unwichtiger Kerl; erstklassig

superabundant [sjuːpərə'bʌndənt] überreichlich

superannuat|e [sjuːpə'rænjueit] pensionieren; **~ion** [–,––'eiʃən] Pensionierung

superb [sjuː'pəːb] prächtig; herrlich

supercargo [sjuːpə'kɑːgou], *pl* **~es**, **~s** ⚓ Frachtaufseher

super|charge [sjuːpə'tʃɑːdʒ] ✿ aufladen, vorverdichten; **~cilious** [––'siliəs] hochmütig

supererogat|ion [sjuːpərərə'geiʃən] Mehrleistung; *a work of* **~ion** (e-e gute, aber) unnütze Tat; **~ory** [–––'rɔgətəri] unnütz; übereifrig

superficial [sjuːpə'fiʃəl] oberflächlich; **~ity** [–––ʃi'æliti] Oberflächlichkeit

superfine ['sjuːpə'fain] besonders feiⁿ

superflu|ity [sjuːpə'fluːiti] Überfluß; etwas Überflüssiges; **~ous** [ː–'pəːfluəs] überflüssig

super|human [sjuːpə'çuːmən] übermenschlich

superimpose [sjuːpərim'pouz] doppelt belichten; darüberlegen

superintend [sjuːpərin'tend] beaufsichtigen; leiten; **~ence** [––––ː–dəns] Leitung; **~ent** Oberaufseher; Leiter

superior [sjuː'piəriə] überlegen; besser (*to* als); ausgezeichnet; erhaben (*to* über); höher (gele-

gen, gestellt); Höhergestellter; Vorgesetzter; **~ity** [–,––'ɔriti] Überlegenheit

superlative [sjuː'pəːlətiv] hervorragend; höchst; Superlativ

super|man ['sjuːpəmæn], *pl* **~men** [ː––men] Übermensch; **~nal** [–'pəːnəl] himmlisch; **~natural** [––'tʃɔrəl] übernatürlich; **~normal** [–– 'nɔːməl] außergewöhnlich; überdurchschnittlich; **~numerary** [––'njuːmərəri] überzählig; etwas Überzähliges; 🎭 Statist

superscri|be ['sjuːpə'skraib] überschreiben; beschriften; **~ption** [––'skripʃən] Über-, Aufschrift

superse|de [sjuːpə'siːd] verdrängen, ersetzen; **~ssion** [––'seʃən] Ersetzung, Verdrängung

supersonic [sjuːpə'sɔnik] schneller als der Schall, Überschall-

superstit|ion [sjuːpə'stiʃən] Aberglaube; **~ious** [–––ʃəs] abergläubisch

super|structure ['sjuːpəstrʌktʃə] Oberbau; Hochbau; **~vene** [––'viːn] hinzu-, dazwischenkommen

supervis|e ['sjuːpəvaiz] beaufsichtigen, überwachen; **~ion** [––'viʒən] Beaufsichtigung, Aufsicht; **~or** [–––ə] Aufseher; **~ory** [–––əri] überwachend, Überwachungs-, Aufsichts-

supine ['sjuːpain] auf dem Rücken liegend; schwunglos, untätig

supper ['sʌpə] Abendessen; *the Last S~* Abendmahl; *the Lord's S~* Abendmahlsfeier

supplant [sə'plɑːnt] verdrängen, ersetzen

supple [sʌpl] beweglich, geschmeidig; beeinflußbar; katzbuckelnd

supplement ['sʌplimənt] Ergänzung; Nachtrag(sband); Beilage; **~** [ː––ment] ergänzen; **~ary** [––'mentəri] ergänzend; Ergänzungs-

suppl|iant ['sʌpliənt] Bittsteller; demütig flehend; **~icant** [ː–ikənt] = **~iant**; **~icate** [ː–ikeit] demütig (an)flehen (*for* um); **~ier** [sə'plaiə] Lieferer, Lieferant; **~y** [sə'plai] (be)liefern; versorgen; (Bedarf) befriedigen, (Mangel) ausgleichen; Versorgung (*pl* -güter) Vorrat; Angebot; *pl* Etat; Vertreter (*bes* Lehrer)

support [sə'pɔːt] tragen, stützen; unterstützen, -halten; ertragen, dulden; 🎭 (Rolle) durchhalten; (Unter-)Stützung; Stütze; Unterhalt(ung); **~er** Stütze; Träger; Anhänger, Befürworter

suppos|e [sə'pouz] annehmen, meinen; *to be* **~ed** [ː–d] *to* sollen; **~e we go** gehen wir ...; voraussetzen; **~ed** vermeintlich; **~edly** [ː–idli] wie man annimmt, angeblich; **~ed** as genommen; **~ition** [sʌpə'ziʃən] Annahme, Vermutung; Meinung

suppress [sə'pres] unterdrücken; untersagen; entstören; **~ion** [–'preʃən] Unterdrückung

suppurate ['sʌpjureit] eitern

suprem|acy [su'premæsi] Oberhoheit; Vorrang; **~e** [–'priːm] höchste, oberste, Ober-

surcease [səː'siːs] Ende, Aufhören

surcharge ['səːtʃɑːdʒ] Überladung, -lastung; Zuschlag; Strafporto; **~** [–ː] überladen, -lasten; Zuschlag, Strafporto fordern

surcoat ['səːkout] Überwurf

sure [ʃuə] sicher (*he is* ~ *to come* er wird s. kommen); *to be* ~ gewiß; *adv* gewiß; *US* ja; *to make* ~ sich vergewissern; verläßlich; **~ly** (wohl) sicher; **~ty** [~ti] Sicherheit; Gewißheit; *of a* ~*ty* bestimmt; Bürgschaft, Bürge ♦ *to stand* ~*ty* Bürgschaft leisten

surf [sɔːf] Brandung (~-*riding* [~raidiŋ] Wellenreiten)

surface ['sɔːfis] (Ober-)Fläche; Äußeres, *on the* ~ äußerlich; *attr* äußerlich, oberflächlich; glätten, polieren; (U-Boot) auftauchen; ~ **craft** ⚓ Überwasserfahrzeug; ~ **mail** ✈ gewöhnliche Post

surfeit ['sɔːfit] Übermaß; -sättigung; überfüttern

surge [sɔːdʒ] (hoch)branden (*a. fig*); Brandung; *fig* Welle

surg|eon ['sɔːdʒən] Chirurg; Sanitätsoffizier; **~ery** [~dʒəri] Chirurgie; Operation(en); Operationsraum; *BE* Behandlungszimmer; *BE* Sprechstunde(n); **~ical** [~dʒikəl] chirurgisch

surly ['sɔːli] mürrisch; ruppig

surmise [sɔːmaiz] Vermutung; [~~] vermuten

surmount [sɔːmaunt] überwinden; **~ed** überragt, bedeckt

surname ['sɔːneim] Nachname; Beiname; *to be* ~*d* d. Beinamen ... erhalten

surpass [sɔːpɑːs] übertreffen, -steigen; **~ing** [~~iŋ] überragend, unübertroffen

surplice ['sɔːplis] *eccl* Chorhemd

surplus ['sɔːpləs] Überschuß; Mehrertrag; überschüssig

surprise [sɔːpraiz] Überraschung; überraschen

surrender [sɔːrendə] über-, aufgeben; aushändigen; ~ (*o.s.*) *fig* sich ergeben; (Police) zurückkaufen; Übergabe; Aushändigung; ~ **value** Rückkaufwert

surreptitious [sʌrəptiʃəs] verstohlen, heimlich; ⚓ erschlichen

surrogate ['sʌrəgit] *BE* Vertreter (*bes* e-s Bischofs)

surround [sɔːraund] umgeben, einschließen; **~ing** [~~iŋ] umliegend; **~ings** *pl vb* Umgebung; Milieu

surtax ['sɔːtæks] Mehrsteuer, Steuerzuschlag; zusätzlich besteuern

surveillance [sɔːveiləns] Überwachung, Aufsicht

survey [sɔːvei] genau betrachten, untersuchen; inspizieren; e-n Überblick geben über, durchgehen; (Land) vermessen; ~ [~~] genaue Betrachtung; Inspektion; Überblick; Vermessung; **~or** [~~ə] Aufseher; Landmesser

surviv|al [sɔːvaivəl] Überleben; Überbleibsel; **~e** [~vaiv] über-, fortleben; nicht untergehen; **~or** Überlebender

suscepti|bility [sə,septi'biliti] Empfänglichkeit, Anfälligkeit; *pl* Gefühle, Empfindlichkeiten; **~ble** [~~bl] empfindlich; empfänglich (*to* für); $ anfällig (*to* für); *to be* ~*ble of* zulassen

suspect [sɔːspekt] vermuten; verdächtigen; bezweifeln; ['sʌs-] verdächtig; verdächtige Person

suspen|d [sɔːspend] herabhängen lassen (*from* von); *to be* ~*ded* hängen, schweben; verschieben, (Zahlung) aussetzen, (Vorschrift) außer Kraft setzen; j-n suspendieren; **~der** [~~də] *BE* Straps, Strumpfband; *pl US* Hosenträger; **~se** [~~s] Ungewißheit, Spannung; **~sion** [~~ʃən] Aufschub; Einstellung; Suspendierung; **~sion bridge** Hängebrücke

suspici|on [sɔːpiʃən] Verdacht; Mutmaßung; *fig* Spur; **~ous** [~~ʃəs] argwöhnisch, mißtrauisch; verdächtig

suss [sʌs] *BE* Verdacht; ~ *out* klarkriegen; ~ *it* d. Braten riechen

sustain [sɔːstein] tragen (*a. fig*); erhalten, Kraft geben; durch-, aufrechterhalten; ⚓ bestätigen, billigen; *fig* stützen; erleiden; aushalten; **~ed** [~~d] anhaltend

sustenance ['sʌstinəns] Nahrung; Nährkraft

suture ['sjuːtʃə] $ (Wund-)Naht, Faden; $ nähen

svelte [svelt] schlank

swab [swɔb] Putzlappen; $ Tupfer; $ Abstrich; ~ (*down, up*) aufwischen; $ tupfen

swaddl|e ['swɔdl] einwickeln, windeln; **~ing clothes** Windeln (*a. fig*)

swag [swæg] *umg* Diebesgut, Beute; Unmenge

swage [sweidʒ] ⚙ Gesenk; im G. schmieden; tiefziehen

swagger ['swægə] einherstolzieren; aufschneiden

swain [swein] junger Landmann; Liebhaber

swallow ['swɔlou] (herunter)schlucken (*a. fig*); (s-e Worte) zurücknehmen; ~ *up* verschlucken, *fig* verschlingen; Schluck(en); Schwalbe

swam [swæm] *siehe* swim

swamp [swɔmp] Sumpf; überschwemmen; *fig* verschlingen; ~*y* sumpfig

swan [swɔn] Schwan; **~like** [~laik] schwanenartig

swank [swæŋk] aufschneiden; protzen; Protzerei; **~er** [~ə] Aufschneider, Angeber; **~y** [~i] protzig; chic

swap [swɔp] *siehe* swop

sward [swɔːd] Rasen

swarf [swɔːf] (Holz-, Metall-)Späne

swarm [swɔːm] Schwarm; strömen, s. drängen; schwärmen; ~ *with* wimmeln von

swarthy ['swɔːði] dunkelhäutig

swashbuckl|er ['swɔʃbʌklə] Aufschneider, Mutprotz; **~ing** [~~liŋ] prahlerisch(es Benehmen, Wesen)

swastika ['swɔstikə] Hakenkreuz

swat [swɔt] patschen, schlagen

swatch [swɔtʃ] Stoffmuster(stück)

swath [swɔːθ], *pl* ~s ↓ Schwaden; **~e** [sweið] einhüllen; (ein)wickeln

sway [swei] schwanken (lassen); beeinflussen; Schwanken, Wogen; Einfluß, Gewalt (*to hold* ~ *over* in der G. haben)

swear [sweə] (*s. S. 319*) (be)schwören (~ *an oath* e-n Eid s.); fluchen; ~ *a charge against* j-n unter Eid belasten; vereidigen (*to* auf); ~ *by* schwören bei, auf; ~ *off* abschwören; ~ *to* beschwören

sweat [swet] Schweiß; Schwitzen; *in a ~, all of a ~ (umg)* schweißgebadet; Plackerei; schwitzen *(a. fig)*; schwitzen lassen; j-n ausbeuten; **~er** Pullover; **~-shop** [⌐ʃɔp] Ausbeutungsbetrieb; **~y** schweißig; anstrengend
swede [swiːd] Kohl-, Steckrübe
Swede [swiːd] Schwede; **~en** [⌐n] Schweden; **~ish** [⌐iʃ] schwedisch(e) Sprache
sweep [swiːp] *(s. S. 319)* 1. kehren, fegen; ~ *all before one* dauernd großen Erfolg haben; 2. *mil* bestreichen; 3. (Minen) räumen; 4. ♪, ⚓ absuchen; 5. rauschen *(on to the stage)*; 6. streichen, sich erstrecken; 7. ~ *away* fortreißen *(a. fig)*; ~ *off* wegreißen, dahinraffen; 8. ~ *up* zus.fegen; 9. Zus.fegen, Auskehren; 10. Schornsteinfeger; 11. Schwung, Wogen; 12. Bereich; 13. weiter Bogen, Kurve; 14. weiter Blick; 15. Schwengel (am Brunnen); 16. (stehend bewegtes) Ruder; **~er** Feger; Kehrmaschine; **~ing** weitreichend; umfassend; summarisch; **~ings** [⌐iŋz] *pl vb* Kehricht; **~stake(s)** [⌐steik(s)] Sweepstake (Wettspiel bei Pferderennen)
sweet [swiːt] süß ♦ *to have a ~ tooth* e. Süßschnabel sein; (Milch, Butter etc) frisch, ungesalzen; duftend; angenehm, lieb, sanft ♦ *to be ~ on* verliebt sein in; Süßigkeit; *BE* Bonbon; *pl BE* Nachtisch; Liebling; **~bread** [⌐bred] Kalbsmilch, Bries(chen); **~brier (~briar)** [⌐ˈbraiə] Zaunrose; **~en** [⌐n] (ver)süßen; süß werden; **~heart** [⌐haːt] Liebling; **~meat** [⌐miːt] kandierte Frucht; Süßigkeit
swell [swel] *(s. S. 319)* (an)schwellen (lassen); ~, sich ~ to swollen s. aufblähen *(a. fig)*, swell with pride vor Stolz; Anschwellen *(bes ♪)*; ⚓ Dünung; Stutzer; hohes Tier; *a ~ at* e. Könner in etw; *adj* chic, modisch; prima, großartig; **~ing** Schwellung, Geschwulst
swelter [ˈsweltə] drückend heiß sein; schwitzen, verschmachten
swept [swept] *siehe* sweep; **~-up** hochgekämmt
swerve [swəːv] aus d. Richtg. kommen (bringen), 🚗 schleudern; ausweichen
swift [swift] schnell (auftretend); ~ *to anger* scnell zornig; *zool* Segler
swig [swig] Schluck; trinken
swill [swil] spülen; saufen; Abspülen; Schweinefutter, *fig* -fraß; Gesöff
swim [swim] *(s. S. 319)* schwimmen *(a. fig)*; durchqueren (lassen); schwindlig sein; Schwimmen; *to be in (out of) the ~* (nicht) auf d. laufenden sein; **~mingly** [⌐iŋli] *fig* leicht, glatt
swindle [ˈswindl] betrügen, beschwindeln *(out of* um), erschwindeln *(out of* von); Schwindel, Betrug
swine [swain] *pl ~ zool, fig* Schwein
swing [swiŋ] *(s. S. 319)* 1. schwingen; 2. (ein)schwenken; 3. sich drehen; 4. *umg* beeinflussen, umstimmen; 5. ~ *for s-th (umg)* baumeln für (e-e Tat); 6. Schwingen; Schaukeln; *in full ~* in vollem Gang; 7. ♪ Rhythmus; *to go with a ~* Rhythmus haben, *fig* glatt über

die Bühne gehen; 8. Schaukel; 9. 🎯 Schwinger; 10. ♪, 🎵 Swing; **~-boat** [⌐bout] Schiffsschaukel; **~ing** [⌐dʒiŋ] (Schlag) hart; riesig; **~ing** [⌐iŋ] schwingend; rhythmisch; modisch; (sexuell) freizügig
swipe [swaip] *umg* hauen; klauen; Hieb
swirl [swəːl] wirbeln; Wirbel; Locke; (Spitzen-)Besatz
swish [swiʃ] zischen, sausen (lassen); prügeln; Zischen [zer(in)
Swiss [swis] schweizerisch; *su, pl ~* Schwei-
switch [switʃ] 1. Gerte; 2. unechter Haarknoten; 3. ⚡ Schalter; 4. 🐎 Weiche; 5. peitschen; 6. zucken mit; 7. ⚡ verschieben; 8. ⚡ schalten (~ *on* an-; ~ *off* ab-); 9. *fig* lenken, umschalten; **~back** [⌐bæk] Serpentinenstraße; **~board** [⌐bɔːd] Schalttafel; (Telefon) Klappenschrank; **~man** [⌐mən], *pl* ~men Weichensteller
Switzerland [ˈswitsələnd] Schweiz
swivel [ˈswivəl] ⚙ Drehteil, (Kette) Wirbel; Dreh-; ⚙ schwenken; s. drehen; ~ *chair* Drehstuhl; **~-eyed** [⌐ˈaid] schielend
swollen [ˈswoulən] *siehe* swell
swoon [swuːn] ohnmächtig werden; Ohnmacht(sanfall)
swoop [swuːp] *(down on)* herabstoßen (auf), plötzlich überfallen; ~ *up* (ganz) packen; Herabstoßen; plötzl. Angriff
swop, swap [swɔp] *umg* ver-, austauschen, ~ *yarns* sich Geschichten erzählen; (Aus-)Tausch
sword [sɔːd] Schwert; *to put to the ~* über d. Klinge springen lassen;
swore [swɔː], **sworn** [swɔːn] *siehe* swear
swot [swɔt] *BE* büffeln, ochsen; *BE* Büffelei; Streber
swum [swʌm] *siehe* swim
swung [swʌŋ] *siehe* swing
syllab|ary [ˈsiləbəri] Silbenverzeichnis; **~ic** [⌐ˈlæbik] Silben-; silbisch; **~icate** [⌐ˈlæbikeit] in Silben trennen, abtrennen; **~ify** [⌐ˈlæbifai], **~ize** [⌐⌐baiz] = ~icate; **~le** [⌐əbl] Silbe; **~us** [⌐⌐bəs], *pl* ~uses, ~i [⌐⌐bai] Unterrichts-, Lehrplan
sylvan [ˈsilvən] Wald-; bewaldet; Waldbewohner
symbol [ˈsimbəl] Symbol; **~ic** [⌐ˈbɔlik] symbolisch; **~ical** [⌐ˈbɔlikl] = ~ic; **~ism** [⌐⌐lizm] Symbolik; Symbolismus; **~ize** [⌐⌐laiz] versinnbildlichen
symmetr|ical [siˈmetrikl] symmetrisch; **~y** [⌐itri] Symmetrie
sympath|etic [simpəˈθetik] mitfühlend; freundlich; harmonisch; **~ize** [⌐⌐θaiz] *with* sympathisieren, mitfühlen mit; angetan sein von; **~y** [⌐⌐θi] Mitgefühl; Sympathie; Mitleid; *pl* Teilnahme
symphon|ic [simˈfɔnik] sinfonisch; **~y** [⌐fəni] Sinfonie
symposi|um [simˈpouziəm], *pl* **~ums**, **~a** Sammlung v. Beiträgen; Symposium
symptom [ˈsimptəm] Symptom, Anzeichen; **~atic** [⌐⌐ˈmætik] symptomatisch

synagogue ['sinəgɔg] Synagoge

synchro|mesh ['siŋkrou'meʃ] 🚗 Synchrongetriebe; **~nize** [‑krənaiz] gleichzeitig sein, geschehen; (Uhr) gleichgehend machen; zeitlich übereinstimmend machen; 📻 synchronisieren

syncop|ate ['siŋkəpeit] synkopieren; **~e** [‑‑pi], *pl* **~es $** schwere Ohnmacht, Kollaps; ♩ Synkope

syndic ['sindik] Syndikus; **~alism** [‑‑əlizm] Gewerkschaftssozialismus, Syndikalismus; **~ate** [‑‑it] Konsortium, Syndikat; (Art) Korrespondenzbüro; **~ate** [‑‑eit] zu e-m Syndikat zus.schließen; durch e. Korrespondenzbüro vertreiben

synonym ['sinənim] Synonym, sinnverwandtes Wort; **~ous** [‑'nɔniməs] gleichbedeutend, sinnverwandt

synop|sis [si'nɔpsis], *pl* **~ses** [‑‑si:z] zus.fassende Übersicht; **~tic** [‑‑tik] zus.fassend, synoptisch; Übersichts-

synta|ctical [sin'tæktikəl] syntaktisch; **~x** [‑tæks] Syntax, Satzlehre

synthe|sis ['sinθisis], *pl* **~ses** [‑‑si:z] Synthese, Zus.setzung; **~size** [‑‑saiz] synthetisch herstellen; **~tic** [‑'θetik] synthetisch; **~tize** [‑‑taiz] = ~size

syphili|s ['sifilis] Syphilis; **~tic** [‑‑'litik] syphilitisch; Syphilitiker

syringe ['sirindʒ] $ Spritze; spritzen

syrup, *US* **sirup** ['sirəp] Sirup; ~y sirupartig

system ['sistim] System; Systematik; $ der ganze Körper; **~atic** [‑‑'mætik] systematisch; planmäßig; **~atize** [‑‑ətaiz] systemat. ordnen, systematisieren

T

T [ti:] T; t-förmig; **T-square** ['ti:skwɛə] Reißschiene

ta [ta:] *BE umg* danke

tab [tæb] Streifen; Öse; Aufhänger; (Kartei) Reiter ♦ *to keep ~(s) on* kontrollieren, überwachen, Buch führen über

tabby ['tæbi] gestreift(e Katze); Klatschbase; Moiré; moirieren

tabernacle ['tæbənækl] (Prediger-)Zelt; Kirche; *eccl* Tabernakel

table ['teibl] Tisch(runde); Tafel *(a. fig);* Tabelle; auf den Tisch tun, auftischen; *BE etw* (z. Besprechung) vorlegen; *US* hinausschieben, verzögern; (als Tabelle) verzeichnen; **~-cloth** [‑klɔθ], *pl* ~-cloths [‑klɔθs] Tischtuch, -decke; **~-cover** [‑kʌvə] Tischdecke ; **~-land** [‑lænd] flache Hochebene; **~-linen** [‑linin] Tischwäsche; **~-spoon** [‑spu:n] Eß-, Suppenlöffel; **~ tennis** Tischtennis; **~-ware** [‑wɛə] Eßgeschirr u. Besteck

tabl|eau ['tæblou], *pl* **~eaux** [‑‑z], **~eaus** lebendes Bild; überraschende Szene; **~et** ['tæblit] (Gedenk-)Tafel; Schreibblock; Tablette; **~oid** ['tæblɔid] Tablette; (sensationelle) Bildzeitung

taboo [tə'bu:] Tabu; tabu; für verboten erklären

tabor ['teibə] kleine Trommel, Tamburin

tabul|ar ['tæbjulə] tafelförmig; tabellarisch; **~ate** [‑‑leit] tabellenförmig anordnen; **~ator** [‑‑leitə] Tabulator

tacit ['tæsit] stillschweigend; **~urn** [‑‑tə:n] schweigsam, verschlossen

tack [tæk] Zwecke, Drahtstift; *carpet* ~ Teppichnagel; Heftstich; Klebrigkeit; Essen *(hard* ~ Schiffszwieback); ⚓ Schlag, Gang; *fig* Kurs; Politik; nageln; (Stoff) heften *(a.* ⚙); anfügen *(on to* an); ⚓ lavieren *(a. fig);* **~le** [‑l] Flaschenzug; Gerät, Ausrüstung; ⚓ Talje; ⚓ Takel; (an)packen *(a. fig);* **~y** [‑i] klebrig

tact [tækt] Takt; **~ful** taktvoll; **~less** taktlos; **~ical** [‑tikl] taktisch *(a. fig);* **~ician** [‑'tiʃən] Taktiker; **~ics** [‑tiks] *sg vb mil* Taktik; *pl vb* taktische Maßnahmen, *fig* Taktik; **~ile** [‑tail] Tast-; fühlbar; **~ual** [‑tjuəl] Tast-; Gefühls-

tadpole ['tædpoul] Kaulquappe

taeni|a ['ti:niə], *pl* **~ae** [‑‑i:] Bandwurm

taffeta ['tæfitə] Taft

taffy ['tæfi] *siehe* toffee; **T~** *BE umg* Waliser

tag [tæg] Anhänger, Etikett, Preiszettel; loses Ende; (Stiefel-)Strippe; Spitze (des Schnürsenkels); ⚑ Schlußwort; stehende Redensart, Refrain; (Spiel) Fangen; mit Anhänger versehen; auf d. Fersen folgen; fangen

tail [teil] Schwanz ♦ *to turn* ~ davonlaufen; *pl* (Münze) Rückseite; *pl* = ~-coat; mit e-m Schwanz versehen; (hartnäckig) verfolgen, beschatten; (Beeren) zupfen; ~ *after* auf d. Fersen folgen; ~ *away* (od *off*) abhängen, zurückbleiben; **~-coat** [‑kout] Frack; **~-end** [‑end] *fig* Schwanz; - ngl Rück-, Schlußlicht; **~or** [‑ə] Schneider; schneidern; **~oress** [‑əris] Schneiderin; **~or-made** [‑əmeid] geschneidert; Schneider-; **~spin** [‑spin] ✈ Trudeln; Zus.brechen; Panik; ~ **wind** Rückenwind

taint [teint] Fleck, Makel; erbliche Belastung, Spur; verderben, anstecken

take [teik] 1. nehmen (~ *easy, ill* leicht, übel n.; ~ *to heart* sich zu Herzen n.); (er)greifen; ~ *hold of* ergreifen; 2. annehmen, bekommen, (Zeitung) halten; holen; 3. bringen; 4. wegnehmen; 5. (Essen) (ein)nehmen; (Luft) atmen, holen; 6. (heraus)nehmen, wählen; ~ *a chair (seat)* Platz nehmen; ~ *the chair (command)* den Vorsitz (Befehl) übernehmen; 7. s. nehmen (~ *your time);* brauchen, benötigen *(he ~ s, it ~ s him, three hours to do it);* erforderlich sein; 8. (Stolz, Interesse etc) empfinden; 9. packen; fangen (~ *fire);* ~ *cold* s. erkälten; *to be ~n ill* krank werden; 10. beeindrucken; ✈, 📻, *fig* ankommen *(the play did not ~);* 11. (Notizen, 📷 Bild) machen; 12. begreifen, auffassen; halten für; *I* ~ *it that* ich nehme an, daß; *to* ~ *(it) for granted* als erwiesen ansehen, für selbstverständlich halten; *you may* ~ *it from me* Sie können es mir glauben; 13. *bes* $ wirken; 14. 📻 s. aufnehmen lassen; 15. ~ *care* vorsichtig sein, aufpassen; ~ *care of* s. kümmern um; ~ *courage* ['kʌridʒ] mutig sein; ~ *fright* s. entsetzen; ~ *a look* e-n Blick werfen; ~ *notice of* Notiz nehmen von; ~ *the* *trouble* ['trʌbl] s. d. Mühe machen; **16.** *su* Menge; Einnahmen; (Film) Einzelaufnahme; **17.** *to be ~n aback* überrascht sein; **~ after** j-m nachschlagen; **~ away** wegnehmen, -bringen; **~ back** *fig* zurücknehmen; **~ down** hin-, niederschreiben; (Bau) abreißen; herunterwürgen; **~ from** (ver)mindern; **~ in** hineinbringen, -nehmen; jemanden aufnehmen; für Heimarbeit annehmen; enger, kürzer nähen; ⚓ einziehen; **in** s. aufnehmen; hereinlegen; (Falsches) glauben; umfassen; (Zeitung) halten; **~ into** hineinführen; *~ it into one's head* es s. in d. Kopf setzen; *~ s-b into one's confidence* j-n ins Vertrauen ziehen; **~ off** wegnehmen, ausziehen; *~ o.s. off* s. fortmachen; abziehen, nachlassen; imitieren, nachäffen; ✈ abspringen; ⚓ starten; ⚓ absetzen; **~ on** übernehmen; j-n anstellen; (als Gegner) annehmen; *umg* sich sehr aufregen; **~ out** hinaus-, herausbringen, beseitigen; *~ it out of s-b* j-n kaputtmachen; s. ausstellen lassen; j-n ausführen; **~ over** (Betrieb, Pflicht) übernehmen; **~ s-b through s-th** etw durchnehmen mit j-m; **~ to** sich begeben, eilen zu, nach; liebgewinnen; s. gewöhnen an; s. verlegen auf; **~ up** aufnehmen; (Raum, Zeit) einnehmen; (Redner) ins Wort fallen; **~ up with** s. anfreunden mit; **~ (it) upon o.s.** es auf s. nehmen; **~ with s-b** ziehen bei j-m, j-n entzücken; **~-in** [᷆in] Schwindel, Betrug; **~-off** [᷆ɔ:f] Imitation, Nachäffung; ✈ Absprung(stelle); ⚓ Start, Abflug; **~r** [᷆ə] j-d, der etwas nimmt; Wette(nde)r

taking ['teikiŋ] anziehend; **~s** *pl vb* Einnahmen

tale [teil] Geschichte; Märchen; *to tell ~s* aus d. Schule plaudern; **~-bearer** [᷆bɛərə], **~-teller** [᷆telə] Klatschbase

talent ['tælənt] Begabung, Talent; **~ed** [᷆-tid] begabt; **~less** [᷆-lis] unbegabt

talk [tɔ:k] **1.** sprechen; *~ing of* da wir gerade davon sprechen; **2.** klatschen; **3.** besprechen; **~ shop** fachsimpeln; **~ nonsense (sense)** (keinen) Unsinn reden; **~ s-b out of s-th** j-m etw ausreden; **~ over** besprechen; **~ s-b over** (od *round*) j-n überreden; **~ to** schelten; **4.** Gespräch; **5.** Gerede, Geschwätz; *small ~* belangloses Gespräch; **6.** Ansprache, Vortrag; **~ative** [᷆-ətiv] gesprächig, geschwätzig; **~er** [᷆-ə] Sprecher; Schwätzer; **~ie** [᷆-i], **~ing film** Tonfilm; **~ing-to** [᷆-iŋtu:] Schelte, Standpauke, Lektion

tall [tɔ:l] groß, hoch; *umg* prahlerisch, übertrieben

tallow ['tælou] (ausgelassener) Talg

tally ['tæli] Kerbholz; (Ab-)Rechnung; Schild, Anhänger; übereinstimmen (*with* mit); rechnen; **~-ho** [᷆-'hou] hallo!, hussa! (rufen); **~man** [᷆-mən], *pl* **~men** *BE* Inhaber e. Abzahlungsgeschäfts; *BE* ✈ Punkteanschreiber

talon ['tælən] *orn* Kralle, Fang; Talon

tam|able ['teiməbl] zähmbar; **~e** [teim] zahm; *fig* lahm; (be)zähmen; **~eless** [᷆-lis] unzähmbar; **~er** Bändiger

tamp [tæmp] (Bohrloch) besetzen; feststampfen, -stopfen; **~er** [᷆-ə] *with* herumbasteln,

-doktern an; betrügerisch ändern (wollen); **~on** [᷆-ən] ⚕ Tampon

tan [tæn] Gerbrinde; -stoff; Gelbbraun; Bräunung; gelbbraun; gerben; (s.) bräunen; durchprügeln; **~-bark** [᷆-bɑ:k] Gerbrinde; **~-liquor** [᷆-likə] Gerberlohe; **~ner** [᷆-ə] Gerber; *BE* Sixpence; **~nery** [᷆-əri] Gerberei; **~nic acid** [᷆-ik'æsid], **~nin** [᷆-in] Gerbsäure

tandem ['tændəm] Tandem; hintereinander

tang [tæŋ] (scharfer) Geschmack, Geruch; Tang; schrill klingen

tang|ent ['tændʒənt] berührend; Tangente ♦ *to go* (od *fly*) *off at a ~* plötzlich abspringen; **~ential** [᷆-'dʒenʃəl] tangential; **~erine** [᷆-dʒə'ri:n] Mandarine; **~ible** [᷆-dʒibl] fühlbar, greifbar

tangle ['tæŋgl] Wirrwarr, Gewirr; Tang; (s.) verwirren, verwickeln

tank [tæŋk] Behälter; 🚗, *mil* Tank; **~ard** [᷆-əd] (Bier-)Humpen, Deckelkrug; **~-car** [᷆-ɑ:] 🚃 Tank-, Kesselwagen

tant|alize ['tæntəlaiz] quälen; **~amount** [᷆-əmaunt] *to* gleichbedeutend mit; **~rum** [᷆-rəm], *pl* **~rums** (üble) Laune

tap [tæp] (Wasser- etc)Hahn; *on ~* angestochen, *fig* reichlich vorhanden; Getränk, „Stoff"; ✿ Gewindebohrer; Klaps, Klopfen; *US pl vb* Signal z. Bettruhe; anzapfen (*a.* 📞, *fig*; *for* wegen); abhören; ✿ (Gewinde) bohren; tippen, klopfen (mit, an); **~-dance** [᷆-dɑ:ns] Steptanz; Step tanzen; **~-water** [᷆-wɔ:tə] Leitungswasser

tape [teip] schmales Band, Streifen; Tonband; ✈ Zielband (*to breast the ~* d. Z. zerreißen) ♦ *red ~* Bürokratie; mit Band versehen, binden; **~(-line** [᷆-lain], **-measure** [᷆-meʒə]) Bandmaß; **~ recorder** Tonbandgerät; **~worm** [᷆-wə:m] *zool.* ⚕ Bandwurm

taper ['teipə] dünne Kerze, Wachsfaden; ✿ Kegel; spitz zulaufen, s. verjüngen; langsam abnehmen

tapestr|ied ['tæpistrid] mit Gobelin behangen, stoffüberzogen; **~y** [᷆-tri] Gobelin; Dekorationsstoff

tar [tɑ:] Teer; Seemann; teeren

taradiddle, tarra- [*BE* 'tærədidl, *US* tærə'didl] Schwindel, Flunkerei

tarantula [tə'ræntjulə], *pl* **~s** *zool* Tarantel

tardy ['tɑ:di] langsam, träge; spät

tare [tɛə] (Saat-)Wicke; Tara; tarieren

targe [tɑ:dʒ] Rundschild; **~t** ['tɑ:git] (*mil*, Produktions-)Ziel; =

tariff ['tærif] (Zoll- etc) Tarif

tarmac ['tɑ:mæk] Teermakadam; *BE* Teerstraße; *BE* Rollfeld

tarn [tɑ:n] kleiner Bergsee; **~ish** [᷆-niʃ] (s.) trüben, anlaufen (lassen); Trübung [zeug

tarpaulin [tɑ:'pɔ:lin] ⚓ Persenning; Plane; Öl-

tarradiddle [tærə'didl] *siehe* taradiddle

tarragon ['tærəgən] *bot* Estragon

tarry¹ ['tɑ:ri] geteert, teerig; Teer-

tarry² ['tæri] bleiben; zögern, warten

tart [tɑ:t] *BE* Obstkuchen; *sl* Nutte; sauer; scharf *(a. fig)*; **~an** [᷆-ən] Schottenstoff, -muster; **~ar** [⁻ə] Zahnstein; Weinstein; **~aric** [⁻'tærik] Weinstein-

task [tɑːsk] Aufgabe; Arbeit ♦ *to take to* ~ Vorhaltungen machen *(for* wegen); *fig* belasten; ~ **force** *mil* gemischter Kampf-, Sonderverband; **~master** [⁻mɑːstə] Arbeitanweiser; Zuchtmeister

tassel ['tæsl] Quaste, Troddel; mit Quasten versehen

tast|e [teist] 1. probieren, (ab)schmecken; 2. (Essen) anrühren; 3. genießen; 4. schmecken *(of* nach); 5. *~e of* kennenlernen; 6. Geschmack *(a. fig: to have a ~e for* G. finden an); *in good (bad)* ~*e* (un)fein; 7. Stückchen; Probe; **~eful** geschmackvoll; **~eless** geschmacklos; **~er** [⁻ə] (Tee- etc)Prüfer; **~y** [⁻i] schmackhaft, wohlschmeckend

tat [tæt] Frivolitäten, Schiffchenarbeit machen; **~ting** [⁻iŋ] Frivolitäten

tatter ['tætə] *mst pl* Lumpen, Fetzen; **~demalion** [⁻⁻dəˈmeiljən] Lumpenkerl; **~ed** [⁻⁻d] zerrissen, zerlumpt

tattle ['tætl] schwätzen; Geschwätz

tattoo [təˈtuː] *mil* Zapfenstreich, abendliches Trommel-, Hornsignal; Hämmern; Tätowierung; Abendsignal ertönen lassen; hämmern; tätowieren

taught [tɔːt] *siehe* teach

taunt [tɔːnt] Hohn, Spott; ~ *with s-th* etw höhnisch vorwerfen

Taurus ['tɔːrəs] *astr* Stier

taut [tɔːt] straff; (an)gespannt

tavern ['tævən] Schenke, Gasthaus

taw [tɔː] weiß-, alaungerben

tawdry ['tɔːdri] aufgedonnert; kitschig

tawny ['tɔːni] gelbbraun

tax [tæks] Steuer; *fig* Last, Belastung; besteuern; belasten, viel verlangen von; ~ *with s-th* j-m etw vorwerfen; **~able** [⁻əbl] steuerbar, -pflichtig; *~able value* Einheitswert; **~ation** [⁻ˈseiʃən] Besteuerung; ~ **consultant** Steuerberater; **~collector** [⁻kəlektə] Steuereinnehmer; **~free** [⁻ˈfriː] steuerfrei; **~payer** [⁻peiə] Steuerzahler; ~ **relief** [riˈliːf] Steuerermäßigung; ~ **return** Steuererklärung

taxi ['tæksi] *pl* **~s** Taxi, Taxe; mit e-r Taxe fahren; ✈ rollen; **~cab** [⁻⁻kæb] = ~; **~dermy** [⁻⁻dəːmi] Dermoplastik; **~meter** [⁻⁻miːtə] Fahrpreisanzeiger, Taxameter; **~way** [⁻⁻wei] ✈ Rollbahn

tea [tiː] Tee; *high ~. meat* ~ Abendessen mit Tee; Brühe; Tee trinken; ~ **ball** Tee-Ei; **~caddy** [⁻kædi] Teebüchse; **~cloth** [⁻klɔθ], *pl* **~cloths** [⁻klɔθs] Teetischdeckchen; Geschirrtuch; **~cup** [⁻kʌp] Teetasse ♦ *a storm in a ~cup* Sturm im Wasserglas; **~dance** [⁻dɑːns] Tanztee; **~fight** [⁻fait] *umg* Tee-Einladung; **~gown** [⁻gaun] Nachmittagskleid; **~party** [pɑːti] Tee-Einladung; -gesellschaft; **~room** [⁻ruːm] Teestube, Tea-room; **~service** [⁻səːvis], **~set** [⁻set], **~things** [⁻θiŋz] Teegeschirr; **~shop** [⁻ʃɔp] = ~room; *BE* Teegeschäft; **~trolley** [⁻trɔli] Teewagen; **~urn** [⁻əːn] Teemaschine

teach [tiːtʃ] *(s. S. 319)* beibringen; lehren; unterrichten; **~able** [⁻əbl] belehrbar, gelehrig; **~er** [⁻ə] Lehrer; **~ing** [⁻iŋ] Lehre; Lehrfach; Lehr-

teal [tiːl] Krickente

team [tiːm] *bes* 🐎 Mannschaft; Gespann; ~ *up with* (s.) zus.spannen mit; **~mate** [⁻meit] Mitarbeiter, Partner; ~ **spirit** Gemeinschaftsgeist; **~ster** [⁻stə] Gespannführer; **~work** [⁻wəːk] Zusammenarbeit; 🐎 Zusammenspiel

tear[1] [tɛə] *(s. S. 319)* (zer-, auf)reißen; (Haare) raufen; s. (zer)reißen lassen; rasen, schießen; Riß; **~off calendar** [⁻rɔfˈkælində] Abreißkalender

tear[2] [tiə] Träne; **~ful** tränenreich, traurig; **~less** [⁻lis] tränenlos, unsäglich

tease [tiːz] necken; quälen, reizen; (Stoff) aufrauhen; *US* toupieren; **~l** [⁻l] *bot* Kardendistel; *bot* Weberkarde; ✿ Karde; Aufrauhen

teat [tiːt] Zitze, Brustwarze

techn|ic ['teknik] = ~ique; **~ics** *sg vb* Technik (als Wissenschaft); **~ics** *pl vb* technische Einzelheiten, Verfahren; **~ical** [⁻⁻l] technisch; fachlich; Fach-; *~ical office* Konstruktionsbüro; **~icality** [⁻⁻ˈkæliti] technische Einzelheit; Fachausdruck; **~ician** [⁻ˈniʃən] Fachmann; Techniker; **T~icolor** [⁻⁻kʌlə] Technikolor; **~ique** [⁻ˈniːk] ✿, ♪, 🎵 Technik; Praxis; Arbeitsweise; **~ological** [⁻nəˈlɔdʒikl] techn(olog)isch; **~ology** [⁻ˈnɔlədʒi] Technologie

techy ['tetʃi] *siehe* tetchy

teddy bear ['tedi 'bɛə] Teddybär; ~ **boy** *BE* Halbstarker

tedi|ous ['tiːdiəs] langweilig, öde; **~um** [⁻⁻əm] Langeweile; Langweiligkeit

tee [tiː] (Golf) Abschlag; (bei *quoits:*) Ziel(stab); T-Träger; ~ *off* (Golf) abschlagen, *fig* loslegen

teem [tiːm] wimmeln *(with* von)

teen|-age ['tiːneidʒ] nicht erwachsen, jugendlich, im Backfischalter; **~ager** [⁻⁻ə] Jugendlicher, junger Mensch zwischen 12 u. 20 Jahren; Backfisch, Teenager; **~s** [⁻z]: *in one's ~s* im Teenageralter, noch nicht erwachsen

teeth [tiːθ] *siehe* tooth; **~e** [tiːð] zahnen; **~ing troubles** ['tiːðiŋˈtrʌblz] Schwierigkeiten beim Zahnen; *fig* Kinderkrankheiten

teetotal [tiːˈtoutəl] abstinent; **~ler**, *US* **~er** [⁻'⁻ə] Abstinenzler

tegument ['tegjumənt] *zool* Haut, Schale

tele|cast ['telikɑːst] *(s. S. 319)* im Fernsehen senden, bringen; Fernsehsendung; **~communication** [⁻⁻kəmjuːniˈkeiʃən] Fernmeldewesen; **~genic** [⁻⁻ˈdʒenik] telegen, für Fernsehen geeignet; **~gram** [⁻⁻græm] Telegramm; **~graph** [⁻⁻grɑːf] Telegraf; telegrafieren (mit, nach); **~grapher** [tiˈlegrəfə] Telegrafist; **~graphic** [⁻⁻ˈgræfik] telegrafisch; Telegramm-; **~graphist** [tiˈlegrəfist] Telegrafist; **~graphy** [tiˈlegrəfi] Telegrafie; **~pathic** [⁻⁻ˈpæθik] telepathisch; **~pathist** [tiˈlepəθist] Telepath; **~pathy** [tiˈlepəθi] Telepathie, Gedankenübertragung; **~phone** [⁻⁻foun] Telefon; telefonieren (mit); **~phonist**

[ti'lefəni] Telefonist; ~**phony** [ti'lefəni] Telefonie; ~**photo** [⸚-'foutou] Telefoto; Bildtelegramm; ~**photo lens** Teleobjektiv; ~**photograph** [⸚-'foutəgraːf] Telefoto; Bildtelegramm; ~**photography** [⸚-fə'tɔgrəfi] 🕮 Telefotografie; ⚡, ⚓ Bildtelegrafie; ~**picture** [⸚-piktʃə] Fernsehfilm; ~**printer** [⸚-printə] Fernschreiber; ~**receiver** [⸚-risiːvə] Fernsehempfänger; ~**scope** [⸚-skoup] Teleskop; (s.) ineinanderschieben; ~**scopic** [⸚-s'kɔpik] ⚙, 🕮, astr teleskopisch; s. ineinanderschiebend; weitsichtig; ~**studio** [⸚-stjuːdiou] Fernsehstudio; ~**type** [⸚-taip] Fernschreiber, Fernschreibnetz; fernschreiben, durch Fernschreiben mitteilen; ~**typewriter** [⸚-'taipraitə] bes US = ~-type; ~**view** [⸚-vjuː] im Fernsehen sehen; ~**viewer** [⸚-vjuːə] Fernsehteilnehmer; ~**vise** [⸚-vaiz] im Fernsehen senden; ~**vision** [⸚-viʒən] Fernsehen; ~**vision screen** Bildschirm

tell [tel] (s. S. 319) 1. sagen (don't ~ me s. Sie bloß nicht; you're ~ing me! wem s. Sie das?) ◆ I'll ~ you what ich mache Ihnen e-n Vorschlag; 2. erzählen; 3. befehlen; ~ him to do it sag ihm, er soll es machen; 4. unterscheiden (from von); ~ apart auseinanderhalten; (Unterschied etc) erkennen; you never can ~ man kann nie wissen; there is no ~ing man kann nicht wissen; ~ the time d. Uhr lesen; 5. zählen; all told alles in allem; 6. ~ of berichten von; ~ off j-n absondern; -stellen; die Leviten lesen; ~ on (fig) mitnehmen; Spuren hinterlassen bei; verraten, verpetzen; ~**er** [⸚ə] Erzähler; Stimmenzähler; Kassierer; ~**ing** [⸚iŋ] wirkungsvoll, wirksam; ~**tale** [⸚teil] Petzer; verräterisch

telly ['teli] BE Fernseher; -sehen

temer|arious [temi'rɛəriəs] kühn; ~**ity** [ti'meriti] Kühnheit

temper ['tempə] 1. Gemütsart, Temperament; 2. (ohne adj) Zorn; in good (bad) ~ bei guter (übler) Laune; to have a quick ~ leicht erregbar sein; to get (fly) into a ~ about in Wut geraten über; to lose one's ~ d. Geduld verlieren, wütend werden; to keep (od control) one's ~ s. in d. Gewalt haben, ruhig bleiben; out of ~ with zornig über, böse mit; 3. ⚙ Härte; 4. ⚙ vergüten; 5. anmachen, mischen; 6. mäßigen, mildern; ~**a** [⸚-rə] Tempera; ~**ament** [⸚-rəmənt] Temperament; Leidenschaftlichkeit; ~**amental** [⸚-rə'mentl] veranlagungsmäßig; leicht erregbar; ~**ance** [⸚-rəns] Mäßigkeit; Enthaltsamkeit, Temperenz; ~**ate** [⸚-rit] mäßig, beherrscht; gemäßigt; ~**ature** [⸚-pritʃə] Temperatur

tempest ['tempist] Sturm (a. fig); ~**uous** [-'pestjuəs] stürmisch

temple ['templ] Tempel; Schläfe

temp|o ['tempou], pl ~**os**, ~**i** [⸚iː] ♪, allg Tempo; ~**oral** [⸚-pərəl] weltlich; zeitlich; ~**orality** [-pə'ræliti] weltlicher Besitz; pl Temporalien; ~**orary** [⸚-pərəri] zeitweilig, vorübergehend; ~**orize** [⸚-pəraiz] Zeit zu gewinnen suchen, zaudern; sich nach den Umständen (ein)richten

tempt [tempt] verlocken; dazu bringen (suchen); eccl versuchen; at the ~ing moment im Augenblick d. Versuchung; ~**ation** [-'teiʃən] Verlockung; Versuchung; ~**er** [⸚ə] Versucher; Verführer; ~**ress** [⸚ris] Verführerin

ten [ten] zehn; ~ times um vieles; the upper ~ d. oberen Zehntausend

tenable ['tenəbl] haltbar (a. fig); logisch

tenaci|ous [ti'neiʃəs] zäh; zäh festhaltend (of an); (Gedächtnis) gut; ~**ty** [-'næsiti] Zähigkeit; Beharrlichkeit

tenan|cy ['tenənsi] Pacht(besitz, -dauer); ~**t** [⸚t] Mieter; Pächter; bewohnen; ~**try** [⸚-tri] Mieter-, Pächterschaft

tench [tentʃ], pl ~ Schleie

tend [tend] hüten; ⚙ bedienen; die Tendenz haben, dazu neigen; beitragen (to zu); ~**ency** [⸚-ənsi] Neigung, Tendenz; Richtung; ~**entious, ~encious** [-'denʃəs] tendenziös

tender ['tendə] 1. Hüter, Wärter; 2. 🚂, ⚓ Tender; 3. (Lieferungs-, Kosten-)Angebot machen; (als Zahlungsmittel) anbieten; einreichen; 4. (Bedauern etc) aussprechen; 5. (Zahlungs-, Kosten-)Angebot; to invite ~s for ausschreiben; legal ~ gesetzliches Zahlungsmittel; 6. zart (~ plant z. Pflänzchen, a. fig), weich; ~ spot wunder Punkt; ~ subject heikles Thema; ~**foot** [⸚-fut], pl ~**foots, ~feet** [⸚-fiːt] Neuling; Greenhorn; ~**hearted** [⸚-'haːtid] weichherzig

tend|on ['tendən] Sehne; ~**ril** [⸚-ril] bot Ranke

tenebrous ['tenibrəs] dunkel, düster

tenement ['tenimənt] ⚖ Miet-, Pachtbesitz; Mietswohnung, -haus

tenet ['tiːnet, 'tenit] Lehr-, Grundsatz

ten|fold ['tenfould] zehnfach; ~**ner** [⸚ə] BE umg Zehnpfundnote; US umg Zehndollarschein

tennis ['tenis] Tennis; Tischtennis

tenon ['tenən] Zapfen; verzapfen

tenor ['tenə] Verlauf; Grundhaltung, Tenor; ♪ Tenor

tenpins ['tenpinz] sg vb Kegeln; pl vb Kegel

tens|e [tens] gram Zeit, Tempus; straff, gespannt (a. fig); anspannen; (s.) spannen; ~**ile** [⸚-ail] Spannungs-; Zug-, Zerreiß-; ~**ile strength** Zerreißfestigkeit; ~**ion** [⸚-ʃən] ⚙, ⚡, allg Spannung; ⚙ Spann- (~ion spring Zugfeder); ~**ive** [⸚-iv] Spannungs-

tent [tent] Zelt; ~**acle** [⸚-əkl] zool Fühler, Fangarm; bot Fanghaar; fig Arm; ~**ative** [⸚-ətiv] vorläufig, Vor-; versuchsweise, Probe-; vorsichtig, zögernd

tenter ['tentə] Spann-, Trockenrahmen; ~**hook** [⸚-huk] Spannhaken; on ~-hooks (wie) auf d. Folter

tenth [tenθ] zehnte(l)

tenuous ['tenjuəs] dünn (a. fig); dürftig

tenure ['tenjuə] Besitz(en); Dauer

tepee ['tiːpiː] indian. Stangenzelt

tepid ['tepid] handwarm, lau (a. fig)

ter|centenary [təːsen'tiːnəri, US -⸚-'tənəri] Dreihundertjahrfeier; dreihundertjährig; ~**cet** [⸚sit] ♪ Triole

term [tə:m] 1. (Lauf-)Zeit, Frist; 2. Semester, Quartal; 3. Grenze; Termin; 4. Bedienung; *to come to ~s, to make ~s* sich einigen; *to be on good (bad) ~s with* auf gutem (schlechtem) Fuß stehen mit; 5. Gebühr, Preis; 6. Fachausdruck; Begriff 7. *math* Glied; 8. nennen, bezeichnen; **~agent** [⸗əgənt] Zankteufel, Drache; **~inable** [⸗inəbl] begrenzt, befristet; **~inal** [⸗minəl] letzte(r, s), End-; Abschluß; ♭ (Draht-)Klemme; ☜ Endstation; Ende, Grenze; **~inate** [⸗ineit] (be)enden; *~inate in* enden auf (mit); **~ination** [⸗mi'neiʃən] Beendigung; Ende; **~inological** [⸗inə'lɔdʒikl] terminologisch; fachsprachlich; **~inology** [⸗i'nɔlədʒi] Terminologie; Fachsprache; **~inus** [⸗inəs], *pl* **~ini** [⸗inai], **~inuses** Endpunkt; ☜ Endstation; **~ite** [⸗ait] Termite
tern [tə:n] Seeschwalbe
terr|ace ['terəs] Terrasse; *BE* (Höhen-, Panorama-)Weg, (Garten-)Straße; terrassieren; **~ace-house** Reihenhaus; **~a-cotta**, *US* **~a cotta** [⸗rə'kɔtə] Terrakotta; rötlichbraun; **~ain** [*BE* te'rein, *US* tə⸗, 'terein] Gelände; **~apin** [⸗rəpin] (*bes* Diamant-)Schildkröte; **~estrial** [ti'restriəl] Erd-; Land- (*a. zool*); **~ible** [⸗ibl] schrecklich; **~ier** [⸗riə] Terrier; **~ific** [tə'rifik] fürchterlich; äußerst, riesig; **~ify** [⸗rifai] (sehr) erschrecken, entsetzen; **~ifying** [⸗rifaiiŋ] entsetzlich
territor|ial [teri'tɔ:riəl] Gebiets-, Hoheits-; *~ial army (BE)* Landwehr; Landwehrmann; **~y** [⸗təri] Land; Gebiet; Hoheitsgebiet; *pol* Territorium
terror ['terə] (schreckliche) Angst, Schrecken; **~ism** [⸗⸗rizm] Schreckensherrschaft, Gewaltmethoden; **~ist** [⸗⸗rist] Terrorist; **~ize** [⸗⸗raiz] terrorisieren
terry ['teri]; *~ towel* Frottiertuch
terse [tə:s] knapp, kurz (u. bündig)
tertiary ['tə:ʃəri] Tertiär
tessellated ['tesileitid] mosaikartig; Mosaiktest [test] 1. (Übungs-)Aufgabe; 2. Prüfung, Probe (*to put to the ~* auf d. P. stellen, ausprobieren); Test; *a ~ (match) BE* Kricket-Nationalspiel; *fig* Prüfstein; 3. *chem* Analyse; Reagens; 4. untersuchen (*for* auf); 5. auf d. Probe stellen, viel verlangen von; **~ament** [⸗əmənt] ♫, *eccl* Testament; **~amentary** [⸗ə'mentəri] testamentarisch; **~ate** [⸗eit] *adj* d. e. Testament gemacht hat; **~ator** [⸗'teitə] Erblasser; **~atrix** [⸗'teitriks], *pl* **~atrices** [⸗'teitrisi:z] Erblasserin; **~ify** bezeugen; aussagen; *~ify to* bestätigen; **~imonial** [⸗i'mouniəl] Zeugnis; Ehrengeschenk; **~imony** [⸗iməni] (Zeugen-)Aussage, Zeugnis; *to bear ~imony to* bezeugen; *in ~ imony of* als, zum Beweis von; **~-paper** [⸗peipə] Klassenarbeit; Reagenzpapier; **~-tube** [⸗tju:b] Reagenzglas; künstlich erzeugt; **~y** [⸗i] reizbar, leicht eingeschnappt
tetanus ['tetənəs] (Wund-)Starrkrampf, Tetanus
tetchy ['tetʃi] reizbar, leicht eingeschnappt
tête-à-tête ['teitɑ:'teit] ganz allein (*with* mit); vertraulich(e Unterhaltung)

tether ['teðə] Haltestrick; *fig* Bereich; *fig* Kraft; anbinden
tetter ['tetə] ♯Flechte
Teuton ['tju:tən] Germane; **~ic** [⸗'tɔnik] germanisch
text [tekst] (Ur-, Druck-, Lied-)Text; Textteil; Bibeltext; Thema; *bes US* = ~-book; **~-book** [⸗buk] Lehr-, Schulbuch; Schullektüre; **~ile** [⸗ail] Web-; Textil-; Webstoff, Gewebe; **~ual** [⸗juəl] textlich; Text-; **~ure** [⸗ʃə] Textur; Gewebe (*a. biol*); Struktur, Gefüge
than [ðæn] (*nach Komparativ*) als
thank [θæŋk] danken; *~ you* danke, ja bitte; *no, ~ you* danke nein; **~s** *pl vb* Dank; *~s to* dank; **~ful** dankbar; **~less** [⸗lis] undankbar; **~sgiving** [⸗sgiviŋ, *bes US* ⸗⸗⸗] Dankgebet; *US eccl* Dankfest
that [ðæt], *pl* **those** [ðouz] 1. diese(r), jene(r); das, jenes; 2. [ðət] welcher, der; 3. [ðət] daß; damit; weil; 4. [ðət] *adv* so (*~ many* so viele)
thatch [θætʃ] Strohdach (*a.: ~ed roof*); Dachstroh; Haarschopf; (mit Stroh) decken
thaw [θɔ:] Tau(wetter; *a. pol*); (auf-)tauen (*a. fig*)
the [ðə], *vor Vokal* [ði], *betont* [ði:] 1. der, die, das; 2. (*vor Komparativ*) je, desto; *all ~* um so
theat|re ['θiətə] 1. Theater; 2. Vortrags-, ♯ Operationsraum; 3. (*bes mil* Kriegs-)Schauplatz; 4. ♯ Operations-; **~rical** [θi'ætrikl] Theater-, Bühnen-; theatralisch
thee [ði:] *poet* dich
theft [θeft] Diebstahl
their [ðɛə] ihr; **~s** [⸗z] ihrige, ihrs [allein
them [ðem] sie, ihnen; **~selves** [⸗'selvz] sich; **them|atic** [θi'mætik] thematisch; **~e** [θi:m] Thema (*a. ♪*); *bes US* (Schul-)Arbeit, Aufsatz; ▥ Haupt-
then [ðen] dann; damals; damalig; also; ferner; **~ce** [⸗s] von da; daher; **~ceforth** [⸗s'fɔ:θ], **~ceforward** [⸗s'fɔ:wəd] von da an
theo|dolite [θi'ɔdəlait] Theodolit; **~logian** [θiə'loudʒiən] Theologe; **~logical** [θiə'lɔdʒikl] theologisch; **~logy** [θi'ɔlədʒi] Theologie; **~retical** [θiə'retikl] theoretisch; **~rist** ['θiərist] Theoretiker; **~rize** ['θiəraiz] Theorien entwickeln, theoretisieren; **~ry** ['θiəri] Theorie; *in ~ry* theoretisch
therap|eutic [θerə'pju:tik] therapeutisch; **~eutics** [⸗⸗⸗tiks] *sg vb* Therapeutik, Therapie; **~ist** [⸗⸗pist] Therapeut; **~y** [⸗⸗pi] Therapie, Behandlung
there [ðɛə] 1. dort(hin; *in ~* d. drin; *over ~* d. drüben); *~ and back* hin u. zurück; *~ you are* bitte sehr, da hast du es; 2. an, in diesem Punkt; 3. [ðə] es; *~ is* es ist, es gibt; **~about(s)** [⸗rəbaut(s)] in d. Nähe, so etwa; **~after** [⸗r'ɑ:ftə] danach; **~at** [⸗r'æt] an d. Stelle; deswegen; **~by** [⸗'bai] dadurch; in d. Nähe; in d. Hinsicht; **~for** [⸗'fɔ:] dafür; **~fore** [⸗fɔ:] deshalb; **~from** ['frɔm] davon; **~in** [⸗r'in] dort drin; in d. Hinsicht; **~inafter** [⸗rin'ɑ:ftə] ♫ im folgenden; **~of** [⸗r'ɔv] davon; dessen, deren; **~on** [⸗r'ɔn] darauf; danach; **~to** [⸗'tu:] dazu; **~under** [⸗r'ʌndə] darunter; **~upon** [⸗rə'pɔn]

daraufhin; ~**with** [–'wið] damit; danach; ~**withal** [–wið'ɔːl] = ~with; darüber hinaus

therm|al ['θɜːməl] Wärme-, Heiz-; Thermal-; *British* ~*al coil* (*Abk* BTU, = 0,25 kcal, = 0,0029 kWh, = 1055 Joule); ~**ocouple** [–moukʌpl] Thermoelement; ~**ometer** [θəˈmɔmitə] Thermometer (*a.* ℥); ~**os** [–məs] (**flask, bottle**) Thermosflasche

thesaur|us [θiˈsɔːrəs], *pl* ~**i** [–ˈrai], ~**uses** Schatzkammer; (Wort-)Sammlung

these [ðiːz] *siehe* this

thes|is ['θiːsis], *pl* ~**es** [–siːz] These; Dissertation; Diplomarbeit

thews [θjuːz] *pl vb* Muskeln; Kraft

they [ðei] sie; man

thick [θik] 1. dick; 2. dicht; voll (*with* mit); 3. dick befreundet; 4. (Stimme) belegt; 5. dumm; 6. das Dicke; *in the* ~ *of* mitten in; ~**en** [–ən] (s.) verdicken, verdichten; dick(er) werden; ~**et** [–it] Dickicht, Gestrüpp (*a. fig*); ~**head** [–hed] Dummkopf; ~**-headed** [–'hedid] vernagelt; ~**ness** [–nis] Dicke; Schicht; Heiserkeit; ~**set** [–'set] untersetzt; dicht; ~**-skinned** [–'skind] dickfellig; ~**-skulled** [–'skʌld] *fig* vernagelt

thie|f [θiːf], *pl* ~**ves** [θiːvz] Dieb; ~**ve** [θiːv] stehlen; ~**very** ['θiːvəri] Stehlen; Diebstahl; ~**vish** ['θiːviʃ] diebisch; diebesgleich; *fig* verstohlen, heimlich

thigh [θai] Oberschenkel

thimble [θimbl] Fingerhut; ~**ful** Fingerhut voll

thin [θin] 1. dünn; 2. mager (*a. fig.*); 3. knapp; 4. *fig* dürftig; 5. verringern; 6. (s.) verdünnen, dünn(er) werden

thine [ðain] *poet* dein(s)

thing [θiŋ] 1. Ding, Gegenstand; *not a* ~ (gar) nichts; 2. *pl* Sachen, Zeug; (*mit folg. adj*) alles; 3. Thema, Sache; 4. *pl* Umstände, die Dinge, es; *of all* ~*s* ausgerechnet; 4. Kerl (*poor* ~, *sweet little* ~); 6. *the* (*very*) ~ (gerade) d. Richtige; *the* ~ *is* d. Hauptsache ist; *for one* ~ einmal, e-n Grund ist; *first* ~ als allererstes; *no small* ~ keine Kleinigkeit

think [θiŋk] (*s. S. 319*) 1. (nach)denken (*about, of* an, über); ~ *of* s. erinnern an, (viel etc) halten von, vorschlagen; ~ *of doing* beabsichtigen zu tun; ~ *better of* s. e-s bessern besinnen, mehr halten von; ~ *nothing of doing* für selbstverständlich halten zu tun; 2. glauben, meinen; halten für; 3. vorhaben (*he* ~*s to deceive us* er will uns täuschen); 4. s. denken, vorstellen; ~**able** [–əbl] denkbar

third [θɜːd] dritte; Drittel; ♪ Terz; ~ *degree bes US* verschärftes Verhör; ~**ly** [–li] drittens; ~ **party** Dritter

thirst [θɜːst] Durst; Sucht; trinken wollen; *fig* dürsten (*for* nach); ~**y** durstig; trocken; erhitzend

thir|teen ['θɜːˈtiːn] dreizehn; ~**teenth** –θ] dreizehnte(l); ~**tieth** [–tiiθ] dreißigste(l); ~**ty** [–ti] dreißig

this [ðis], *pl* **these** [ðiːz] dies(er, e); *like* ~ so; *by* ~ (bis) jetzt; ~ *day week BE* heute in 8 Tagen; *adv* so

thistle ['θisl] Distel

thither ['ðiðə, *US* θiðə] dorthin

tho [ðou] *bes US* = though

thole [θoul] ♫ Ruder-, Riemendolle

thong [θɔŋ] schmaler Lederriemen; Peitschenschnur

thorax ['θɔːræks], *pl* ~**es** Brustkorb, Thorax

thorn [θɔːn] Dorn; ~**y** dornig (*a. fig*)

thorough ['θʌrə] vollkommen; absolut; gründlich; ~**-bass** [–'beis] ♪ Generalbaß; ~**bred** [––bred] Vollblut-; edel, vollblütig; gesittet; Vollblüter; ~**fare** [––fɛə] Hauptverkehrsstraße; *no* ~*fare* keine Durchfahrt; ~**going** [––gouiŋ] gründlich, echt; ~**paced** [––peist] absolut, ausgemacht

those [ðouz] *siehe* that

thou [ðau] *poet* du

though [ðou] obgleich, obwohl; *as* ~ als ob; (*am Satzende*) aber, freilich

thought [θɔːt] 1. Denken, Denkweise; 2. Fürsorge; 3. Gedanke; *on second* ~/nach reiflicher Überlegung; 4. *a* ~ (*fig*) e-e Idee; 5. *siehe* think; ~**ful** gedankenvoll; rücksichtsvoll (*of* gegenüber); ~**less** [–lis] gedankenlos, rücksichtslos

thousand ['θauzənd] tausend; ~**fold** [––fould] tausendfach; ~**th** [–zənθ] tausendste(l)

thral|dom, *US* ~**ldom** ['θrɔːldəm] Sklaverei; ~**l** [θrɔːl] Sklave (*a. fig.*); Sklaverei

thrash [θræʃ] (ver)dreschen (*a.* ↓); ~ *out* gründlich besprechen, klären; ~**ing** [–iŋ] Prügel

thread [θred] 1. Faden (*a. fig; to hang by a* ~ an e-m F. hängen), Garn; *fig* Strahl; 2. ✿ Gewinde(gang); 3. einfädeln; aufreihen; 4. ✿ Gewinde schneiden; 5. ~ (*one's way*) s. schlängeln; ~**bare** [–bɛə] fadenscheinig; abgetragen, -droschen; ~**like** [–laik] fadenartig, dünn

threat [θret] Drohung; Gefahr; ~**en** [–n] (be)drohen

three [θriː] drei; ~**-cornered** [–'kɔːnəd] dreieckig; ~**-dimensional film** [–di'menʃənəl] plastischer, 3-D-Film; ~**fold** [–fould] dreifach; ~**pence** ['θrepəns], *pl* ~**pence** drei Penny(stücke); ~**penny-bit** Drei-Penny-Stück; ~**phase** [–feiz] ≯ Drehstrom-

thresh [θreʃ] ↓ dreschen (*a. fig*); ~**er** [–ə] Drescher; Dreschmaschine; *zool* Fuchshai; ~**old** [–ould] Schwelle (*a. fig*)

threw [θruː] *siehe* throw

thrice [θrais] dreimal

thrift [θrift] Sparsamkeit; ~**less** [–lis] verschwenderisch; ~**y** [–i] sparsam

thrill [θril] durchschauern; begeistern, aufwühlen; (vor Erregung) zittern; vibrieren; Erregung, Schauer; ~**er** [–ə] aufregendes Buch (Stück, Film); ~**ing** packend, erregend

thrive [θraiv] (*s. S. 319*) gedeihen

throat [θrout] Kehle; ~**y** [–i] belegt, heiser

throb [θrɔb] schlagen, pochen; hämmern; *fig* beben; Schlag; Hämmern

throe [θrou] *mst pl* starke Schmerzen, Wehen; *in the* ~*s of* mitten in (d. Kampf gegen)

throne [θroun] Thron
throng [θrɔŋ] Menge; Gedränge; s. drängen; ~ed with gedrängt voll von
throstle ['θrɔsl] BE Singdrossel
throttle ['θrɔtl] erdrosseln; ☿ (ab)drosseln; Gurgel; ☿ Drossel
through [θru:] 1. (hin)durch; ~ with fertig mit (a. fig); you are ~ ⚓ BE Sie sind verbunden; 2. ☞ durchgehend; 3. prep durch; während; infolge; ~out [-'aut] überall (in), ganz durch
throve [θrouv] siehe thrive
throw [θrou] (s. S. 319) 1. (her-, hin-, zu-)werfen (~ up hoch-); ~ open aufstoßen, (für d. Öffentlichkeit) freigeben; 2. schleudern, gewaltsam bringen; 3. (Reiter, Haut) abwerfen; 4. (Junge) werfen; 5. (Seide) mulinieren, zwirnen; 6. (Töpferei) freidrehen; 7. ~ a party e-e Einladung geben; 8. ~ about herumwerfen (mit); fuchteln (mit); ~ away vertun, verschwenden (upon an); ~ back biol s. rückbilden; ~ down hinwerfen; zerstören; ~ in obendrein dazugeben; (Bemerkung) einwerfen; ~ in one's hand (Spiel, fig) aufgeben; ~ into fig s. stürzen in; ~ off abwerfen; loswerden, abschütteln; (Vers etc) hinwerfen; ~ on s. umwerfen; ~ o.s. on sich ganz anvertrauen; ~ out hinauswerfen; ausstrecken; ablehnen; (Bemerkung) hinwerfen; (dr)anbauen; aus d. Konzept bringen; ~ over aufgeben, verlassen; ~ up erbrechen; (Arbeit) hinschmeißen; 9. Wurf; ~-back [-bæk] biol Rückbildung
thru [θru:] US = through
thrum [θrʌm] klimpern, klopfen, hämmern
thrush [θrʌʃ] Drossel; ⚕ Soor, Schwämmchen
thrust [θrʌst] (s. S. 319) 1. stoßen; ~ o.s. sich (voran)arbeiten, drängen (forward vor-); 2. überstülpen; 3. Stoß (a. ⚒); Stich; mil Vorstoß; fig Hieb
thud [θʌd] dumpfer Aufschlag, aufschlagen
thug [θʌg] Gangster, Rowdy
thumb [θʌm] Daumen (rule of ~ Faustregel) ♦ his fingers are all ~s er ist sehr ungeschickt; umblättern; to ~ a ride trampen; ~-screw [-skru:] Daumenschraube; ☿ Flügelschraube; ~tack [-tæk] US Reißzwecke
thump [θʌmp] (Faust-)Schlag; hämmern (gegen); ~ing [-iŋ] schwer; riesig
thunder ['θʌndə] Donner (a. fig); fig Sturm, Wettern; donnern (a. fig); wettern; (Drohung) schleudern; ~bolt [-boult] (Blitz u.) Donnerschlag; fig Schlag; ~clap [-klæp] Donnerschlag; fig Schlag; ~ing [-riŋ] donnernd; riesig; ~ous [-rəs] donnernd; ~storm Gewitter; ~struck wie vom Donner gerührt; ~y [-ri] gewittrig
Thursday ['θə:zdi] Donnerstag
thus [ðʌs] so; deshalb; ~ far so weit
thwack [θwæk] durchbleuen; Hieb
thwart [θwɔ:t] behindern; vereiteln; durchkreuzen; ⚓ Ducht, Ruderbank
thy [ðai] poet dein; ~self [-'self] selbst
thyme [taim] Thymian
thyroid ['θairɔid] (gland) Schilddrüse
tic [tik] Tick, nervöses Muskelzucken

tick [tik] 1. Ticken; 2. BE Moment; 3. Haken; 4. Zecke, Holzbock; 5. (Matratzen-)Drell, Inlett; 6. Pump, Kredit; 7. ticken; 8. ~ (off) an-, abhaken; ~ s-b off, to give s-b a ~ing off (umg) j-n ausschimpfen; ~ over BE ⚙ leerlaufen; BE funktionieren; ~ing [-iŋ] Inlett(stoff), Drell
ticket ['tikit] 1. 🎫, ⚑ Karte; 2. Zettel, Schein; 3. (Preis-)Etikett; 4. ⚙ Strafzettel; 5. US Kandidatenliste; 6. mit e-m Zettel versehen; ~ of leave (BE) 🔒 Schein für bedingte Strafaussetzung; ~-of-leave [-əv'li:v] man BE bedingt Strafentlassener
tickle ['tikl] kitzeln; Kitzeln; ~er [-ə] BE Problem, Rätsel; US Notizbuch; ~ish [-iʃ] kitzlig; heikel
tidal ['taidl] Flut-; d. Gezeiten ausgesetzt; ~e [taid] Gezeiten; high ~e Flut; low ~e Ebbe; fig Strom; Zeit; ~e over (s.) hinwegbringen über, durchschleusen
tidbit ['tidbit] US = titbit
tidings ['taidiŋz] sg/pl Neuigkeit
tidy ['taidi] ordentlich, sauber; fig nett, gehörig (~ price); Schoner; Abfallkorb; aufräumen; ~ away wegräumen; ~ o.s. sich herrichten, nett machen
tie [tai] Schlips; Band; Verbindungsstück; US 🚂 Schwelle; pl Bande; fig Fessel; ⚑ Ausscheidungsspiel, Unentschieden; ♪ Haltebogen; binden, knüpfen; ~ down nieder-, festbinden; zwingen zu; ~ up zubinden, -schnüren, 🔒 beschränken; ⚑ unentschieden enden; s. binden lassen; ~-up [-ʌp] Stillegung, Stillstand
tier [tiə] Sitzreihe; ~ce [-s] ⚑, ♪ eccl Terz; Weinfaß (mit 42 Gallonen, 159 l)
tiff [tif] Kabbelei; ~in [-in] BE Mittagessen
tiger ['taigə] Tiger; ~ress [-gris] Tigerin; Teufel (von Weib)
tight [tait] 1. fest; 2. dicht; 3. prall (voll); (zu) eng; a ~ corner (od place) (fig) Klemme, Enge; 4. umg blau; 5. gespannt; 6. fig knapp; 7. knauserig; 8. schmuck; 9. to sit ~ s. hartnäckig verteidigen; ~en [-n] festmachen (werden); spannen; verknappen; ~-rope [-roup] Zirkusseil; ~s pl vb BE Strumpfhose; Trikot (e-s Akrobaten)
tike [taik] siehe tyke
tilde ['tildi] Tilde (~)
tile [tail] Platte, Fliese; Dachziegel; ~r Dachdecker
till [til] Ladentischkasse; ⚒ bebauen; bis; ~age [-idʒ] Bebauung, Bodenbearbeitung; Ackerland; ~er [-ə] Landmann, Bauer; ⚓ Ruderpinne
tilt [tilt] 1. (um)kippen; ~ at (mit eingelegter Lanze) losreiten gegen; fig attackieren ♦ ~ at a windmill gegen Windmühlenflügel kämpfen; 2. Lanzenbrechen; full ~ mit voller Wucht; 3. Neigung; 4. fig Zusammenstoß
tilth [tilθ] = tillage; Bodengare
timber ['timbə] 1. Nutz-, Bauholz; 2. Wald(bestand), Nutzbäume; 3. Balken; 4. zimmern; ~ed [-d] Fachwerk-; waldbestanden

timbre ['tæmbr, *US* 'timbə] Klangfarbe
timbrel ['timbrəl] Tamburin
time [taim] **1.** Zeit (*period of* ~ Z.raum; *point
of* ~ Z.punkt); *all the* ~ d. ganze Zeit, *bes US*
stets u. ständig, durch u. durch; *in no* ~ im
Nu; **2.** Uhrzeit; *what* ~ *is it? what is the* ~?
wie spät ist es?; *to keep good (bad)* ~ (un)ge-
nau gehen; *to pass the* ~ *of day with s-b* j-m
guten Tag wünschen; **3.** Zeitpunkt, -raum;
Frist; *it's (high)* ~ es ist (höchste) Zeit; ~ *is up*
d. Zeit ist um; *in* ~ rechtzeitig, mit d. Zeit; *at
one* ~ früher mal; *at the same* ~ gleichzeitig,
trotzdem; *against* ~ mit größtem Tempo; *by
the* ~ *(conj)* bis; *for a* ~ e-e Zeitlang; *on* ~
pünktlich, *US* auf Raten; *to do* ~ „sitzen"; **4.**
oft pl Zeit(en, -läufte); *the good old* ~*s; in my*
~ zu meiner Zeit; *to have a good* ~ s. vergnügen, es genießen; *the* ~ *of one's life* d. glück-
lichste Zeit seines Lebens; **5.** mal (*a dozen* ~*s*
dutzendmal; *the* ~ *before last* d. vorletzte
Mal); ~ *and again* immer wieder; *at* ~*s* zu-
weilen; **6.** *pl math* mal (*five* ~*s six* 5 × 6); *ten* ~*s
the size of* zehnmal so groß wie; **7.** ♪ Takt;
common ~ 4/4-Takt; *in (out of)* ~ (nicht) im
T.; **8.** *vt* zeitlich festlegen, anbringen; **9.** messen, stoppen; anpassen (*to* an); **10.** ~ **bomb**
[bɔm] Zeitbombe; **~card** [‑kɑːd] Steckkarte;
~-clock [‑klɔk] Stech-, Kontrolluhr; **~deposit**
[di'pɔzit] *US* Festgeld; **~-expired** [‑ikspaiəd]
mil ausgedient; **~exposure** [iks'pouʒə] ⑩ Zeit-
aufnahme; **~fuse** [‑fjuːz] Zeitzünder; **~hon-
oured** [‑ɔnəd] (alt)ehrwürdig; **~keeper** [‑kiːpə]
Zeitmesser, Chronometer; Kontrolleur; ~ **lag**
zeitliche Lücke; Verzögerung; **~lapse** [‑læps]
⑩ Zeitraffer; **~less** [‑lis] zeitlos; **~ly** [‑li]
rechtzeitig; aktuell; **~piece** [‑piːs] Uhr;
~-server [‑səːvə] Opportunist; **~-serving** [‑
səːviŋ] opportunistisch, **~-sheet** [‑ʃiːt] Arbeits-
blatt; Kontrollkarte; **~-signal** [‑signəl] Zeitsi-
gnal; ~ **signature** ['signətʃə] ♪ Taktvorzeich-
nung; **~-table** Fahrplan; Stundenplan; **~-work**
nach Zeit bezahlte Arbeit
tim|id ['timid] furchtsam; **~idity** [‑'miditi]
Furchtsamkeit; **~orous** [‑ərəs] ängstlich,
furchtsam
timothy ['timəθi] **(grass)** *bot* Wiesenlieschgras
timpan|ist ['timpənist] ♪ Pauker; **~o** [‑ou], *pl
~i* [‑iː] Kesselpauke
tin [tin] Zinn; *BE* Blechbüchse, Dose; verzinnen; *BE* einmachen, eindosen; **~-foil** [‑fɔil]
Zinnfolie; **~-man** [‑mən], *pl* ~men = ~-smith;
~ner [‑ə] = ~-smith; **~-plate** [‑pleit] Weiß-
blech; *vt* verzinnen; **~-smith** [‑smiθ] Klempn-
ner
tincture ['tiŋktʃə] Tinktur; *fig* Spur, Anflug;
färben, Anstrich geben (*with* von)
tinder ['tində] Zunder; **~-box** [‑‑bɔks] Zun-
derdose; *fig* Pulverfaß
tine [tain] Zinken; (Geweih-)Sprosse
ting [tiŋ] Kling(en); klingen
tinge [tindʒ] färben (*a. fig*); leichte Färbung,
Anflug
tingle ['tiŋgl] kitzeln, brennen; kribbeln; beben; Kitzeln, Brennen; Kribbeln

tinker ['tiŋkə] Kesselflicker; Stümper;
(Herum-)Gebastel; herumbasteln (*at, with*
an); ~ *(up)* zurechtflicken
tinkle ['tiŋkl] klingeln; Klingeln
tinny ['tini] zinnartig; *fig* blechern
tinsel ['tinsl] Rauschgold, Lametta; Flitter *(a.
fig)*; pompös; herausputzen
tint [tint] zarte Farbe; (heller) Farbton, Auf-
hellung; abtönen, aufhellen
tintinnabulation ['tintinæbju'leiʃən] Geläute;
Glockenläuten
tiny ['taini] winzig
tip [tip] **1.** Spitze; **2.** (Zigaretten-)Filter; **3.**
Trinkgeld; **4.** Wink, Tip; **5.** *BE* Müllabfuhrplatz; **6.** leichter Schlag, Klaps; **7.** mit e-r
Spitze versehen; **8.** (um-)kippen; **9.** ~ *the
scale* d. Waage z. Ausschlagen bringen, *fig* aus-
schlaggebend sein; ~ *the scale at* wiegen; **10.**
(als Trinkgeld) geben; **11.** leicht berühren
tippet ['tipit] Umhang
tipple ['tipl] zechen; Getränk; **~r** [‑ə] Zecher;
Säufer
tipsy ['tipsi] beschwipst; unstet
tiptoe ['tiptou]: *on* ~ auf Zehenspitzen; angespannt; auf Zehenspitzen gehen
tiptop ['tip'tɔp] höchste Spitze; tipptopp, hervorragend
tirade [tai'reid, *US* ‑‑] Hetzrede, große Attacke; Standpauke
tire¹, *bes BE* **tyre** ['taiə] (Rad-, 🚗) Reifen
tire² ['taiə] ermüden; ~ *of* überdrüssig werden; **~y** [‑d] müde, erschöpft; ~*d of* überdrüssig; **~less** [‑lis] unermüdlich; **~some** [‑səm] ermüdend; langweilig; ärgerlich
tiro, *bes US* **tyro** ['taiərou], *pl* ~*s* Anfänger,
Neuling
tissue ['tiʃu] feines Gewebe, Stoff; (Zell-, Lü-
gen- etc)Gewebe; **~-paper** [‑‑peipə] Seidenpa-
pier
tit [tit] Meise; Pieper; ~ *for tat* Gleiches mit
Gleichem; **~bit** [‑bit], *US* **tidbit** Leckerbissen;
~lark [‑lɑːk] *zool* Pieper; **~mouse** [‑maus], *pl*
~*mice* [‑mais] Meise
titanic [tai'tænik] titanenhaft
tithe [taið] d. Zehnte; *fig* Zehntel
titillate ['titileit] kitzeln, prickeln
titivate, titti- [‑ 'titiveit] *umg* (s.) herausputzen,
schmücken
title ['taitl] **1.** Titel; Titelseite; **2.** Anrecht; ♋
Rechtstitel; **3.** ⑩ Untertitel; **~-deed** [‑diːd] Ei-
gentumsurkunde; **~-page** [‑peidʒ] Titel(blatt)
titter ['titə] kichern; Kichern
tittle ['titl] Tüpfelchen; **~-bat** [‑bæt] *BE zool*
Stichling; **~-tattle** [‑tætl] Klatsch, Geschwätz;
klatschen, schwätzen
titular ['titjulə] Titular-; Titel-
to [tuː, tu, tə] **1.** zu, nach; bis zu; (Uhr) vor *(five
minutes* ~ *two);* bis *(from . . . ~ . . .);* ~ *a man*
bis auf d. letzten Mann; *an (my letters* ~ *her);*
2. *(entspricht d. dt. Dativ): I wrote* ~ *him. This
belongs* ~ *me. I spoke* ~ *him . . .* mit ihm. *It
seems* ~ *me* mir scheint; **3.** (fest) an, (passend)
für; *not* ~ *one's liking (od taste)* nicht nach j-s
Geschmack; *to dance* ~ *a tune* nach e-r Melo-

die tanzen; ~ *my knowledge* meines Wissens; **4.** (im Verhältnis) zu *(6 ~ 1); nothing ~* nichts im Vergleich zu; *true ~ life* lebensecht; (Abneigung etc) gegen; **5.** (Wirkung) zu *~ my surprise; he drank himself ~ death* er trank s. zu Tode); **6.** *(vor Inf:)* um zu; **7.** [tu:] *adv zu (push the door ~); (he came ~* er kam zu sich); *~ and fro* hin und her, auf und ab

toad [toud] Kröte *(a. fig);* **~stool** [⸗stu:l] *bot (bes* Blätter-)Pilz; *umg* Giftpilz; **~y** [⸗i] Speichellecker; niedrig schmeicheln, kriechen vor

toast [toust] Toast (geröstete Brotschnitte; Trinkspruch); gefeierte Person; rösten, toasten; e-n Trinkspruch ausbringen auf; **~er** [⸗ə] Toaströster

tobacco [tə'bækou], *pl* **~s** Tabak(pflanze, -blätter); **~nist** [⸗kənist] Tabakhändler

toboggan [tə'bɔgən] Toboggan, Indianerschlitten; Rennrodel; rodeln

today [tə'dei] heute; Heute; **~'s** heutig

toddle ['tɔdl] (Baby) torkeln; tapsen; bummeln; Tapsen; Bummel; **~r** [⸗ə] Knirps

toddy ['tɔdi] (Art) Grog

to-do [tə'du:], *pl* **~s** Theater, Lärm

toe [tou] Zehe; Strumpf-, Schuhspitze; mit d. Zehe berühren, stoßen; mit e-r Spitze versehen ♦ *~ the line* s. d. Parteizwang fügen; **~~cap** [⸗kæp] Schuhspitze [bon

toff [tɔf] *BE* Beau; **~ee**, **~y** [⸗i] *BE* Sahnebon-

tog [tɔg] *o.s. up* (od *out) umg* s. herausputzen, zurechtmachen; **~s** *pl vb* Kleider, Kledasche

together [tə'geðə] zusammen; nacheinander; *for hours (days etc) ~* stunden-(tage-)lang

toil [tɔil] **1.** schuften, s. abmühen *(at* an); **2.** s. quälen *(up the hill);* **3.** Plackerei; Mühe; **4.** *pl vb* Netz, Falle; *fig* Fänge; **~er** [⸗ə] *fig* Arbeitstier; **~ful** mühevoll; **~some** [⸗səm] mühselig

toilet ['tɔilit] Toilette *(to make one's ~* T. machen); Waschraum, Toilette; **~-paper** [⸗peipə] T.papier; **~-set** [⸗set] Toilettengarnitur; **~-table** [⸗teibl] Frisiertoilette

token ['toukən] **1.** Zeichen *(as a ~ of his love); by the same ~* dementsprechend; **2.** Andenken; **3.** Spielgeld, (Spiel-)Marke; **4.** *attr* nominell; **~ payment** Anerkennungszahlung

told [tould] *siehe* tell

tolera|ble ['tɔlərəbl] erträglich; leidlich (gut); **~nce** [⸗rəns] Duldsamkeit, Toleranz *(a. ✿);* **~nt** [⸗rənt] tolerant; **~te** [⸗reit] dulden; ertragen; **~tion** [⸗⸗'reiʃən] Duldsamkeit, Duldung

toll [toul] **1.** läuten; **2.** Läuten, Geläut; **3.** (Straßen-)Zoll, Wege-, Brückengeld; Marktgeld; **4.** Verlustziffer; *road ~* Verkehrsunfälle ♦ *to take a ~ of (fig)* Tribut fordern von, mitnehmen

tom [tɔm] Männchen; Kater; **~boy** [⸗bɔi] Wildfang, Range; **~cat** [⸗kæt] Kater; **~fool** [⸗'fu:l] Narr; sinnlos; **~foolery** [⸗'fu:ləri] Torheit; Narretei; **~my** [⸗i] Tommy; **~my-gun** [⸗igʌn] Maschinenpistole; **~myrot** reinster Blödsinn; **~tit** [⸗tit] *BE* Meise; *BE* Zaunkönig

tomato [tə'mɑ:tou, *US* ⸗'meitou], *pl* **~es** Tomate

tomb [tu:m] Grabmal; *fig* Tod, Grab; Grabstein

tome [toum] schwerer Band, Schinken

tomorrow (tə'mɔrou) morgen; Morgen; **~'s** morgig

ton [tʌn] **1.** *US (a.: short ~)* Tonne (= 2000 pounds = 907,18 kg); **2.** *BE (a.: long ~)* Tonne (= 2240 pounds = 1016,05 kg); **3.** *(a.: metric ~)* Tonne (= 1000 kg); **4.** *(a.: register ~)* Registertonne (= 100 Kubikfuß = 2,83 m³)

tone [toun] **1.** Ton; **2.** Stimme *(in an angry ~);* **3.** Tonfall; **4.** Geist, Haltung; **5.** Farbton; **6.** § Spannkraft, Tonus; **7.** ♪ Ganzton; **8.** tönen, färben; *~ down* besänftigen, mildern; s. legen; *~ up* kräftigen; *~ (in) with* passen zu

tongs [tɔŋz] *pl vb* Zange

tongue [tʌŋ] **1.** Zunge *(a ready ~* e-e leichte Z.); *to give ~* Laut geben, anschlagen, *fig* laut reden; *to hold one's ~* d. Mund halten ♦ *to have one's ~ in one's cheek* Hintergedanken haben; **2.** Sprache *(the gift of ~s* Begabung für fremde S.); **3.** Lasche; **4.** (Glocke) Klöppel; **~-tied** [⸗taid] stumm; reserviert

tonic ['tɔnik] Tonikum, Stärkungsmittel; ♪ Grundton, Tonika; stärkend; Ton-

tonight [tə'nait] heute abend

tonn|age ['tʌnidʒ] Tonnage, Tonnengehalt; **~e** [tʌn] (metrische) Tonne (= 1000 kg)

tonsil ['tɔnsl] § Mandel; **~litis** [⸗si'laitis] Mandelentzündung

ton|sorial [tɔn'sɔ:riəl] Barbier-, Haarschneide-; **~sure** [⸗ʃə] Tonsur

too [tu:] **1.** auch; noch dazu; **2.** zu, allzu; *umg* sehr

took [tuk] *siehe* take

tool [tu:l] Werkzeug *(a. fig),* Gerät; Arbeitsstahl; ✿ bearbeiten; *~ up* (s.) maschinell einrichten; **~ing** Bearbeitung, Einrichten; **~-kit** [⸗kit] Werkzeugtasche, -kasten; **~maker** [⸗meikə] Werkzeugschlosser

toot [tu:t] blasen, tuten; ⊟ hupen; Blasen; Hupzeichen

tooth [tu:θ], *pl* **teeth** [ti:θ] Zahn *(a. ✿); to cast s-th in s-b's teeth* j-m etw ins Gesicht schleudern; *in the teeth of* im Kampf gegen, trotz; *to fight ~ and nail* (od *claw)* wie wild kämpfen; *long in the ~* alt; **~pick** [⸗pik] Zahnstocher; **~some** [⸗səm] wohlschmeckend

tootle ['tu:tl] blasen, tuten

top [tɔp] **1.** Spitze; oberer Teil, Ende; *from the ~* von oben; *on ~* oben; *on (the) ~ of* oben; *on ~ of that* obendrein; *from ~ to toe* von Kopf bis Fuß; **2.** *fig* Gipfel, d. Äußerste; *at the ~ of his voice (speed)* mit größter Lautstärke (Geschwindigkeit); ⊟ schnellster Gang *(in ~* im s. G.); **3.** Pflanze, Kraut; **4.** ⚓ Mars; **5.** Kreisel; *to sleep like a ~* wie e. Sack schlafen; **6.** ⊟ Verdeck; **7.** d. Ober(st)e; Ober-; höchste; **8.** (oben) bedecken; **9.** oben ab-, beschneiden; **10.** d. Spitze erreichen von; **11.** an d. Spitze stehen von; **12.** *fig* krönen, übertreffen; **~boot** [⸗'bu:t] Stulpenstiefel; **~coat** [⸗kout] Überzieher; *~ dog sl fig* Herr, Sieger; **~flight** [⸗flait] prima, fabelhaft; **~gallant** [⸗'gælənt] ⚓

Bram(segel); ~hat [-'hæt] Zylinder; ~heavy [-'hevi] kopf-, vorderlastig; ~hole [-'houl] BE fabelhaft, tipptopp; ~knot [-nɔt] Haarknoten; orn (Feder-)Haube; umg Kopf; ~less [-lis] riesig hoch; busenfrei(e Kellnerin, Tänzerin); ~mast [-mɑːst] ♎ Marsstenge; ~most [-moust] höchste, oberste; ~notch [-nɔtʃ] erstklassig, prima; ~per [-ə] Zylinder; BE feiner Kerl; ~ping [-iŋ] prima; ~sail [-sl] ♎ Marssegel

topaz ['toupæz] Topas; true ~ Edel-; false ~ Rauchtopas

tope [toup] saufen, zechen

topic ['tɔpik] Thema; ~al [-l] aktuell

topograph|er [tə'pɔgrəfə] Topograph; ~ic(al) [tɔpə'græfik(l)] topographisch; ~y [-́--fi] Topographie; Stadt-, Landschaftsbild

topple ['tɔpl] (over, down) umkippen

topsyturvy ['tɔpsi'təːvi] auf d. Kopf, drunter und drüber, durcheinander; ~dom [-́--́-dəm] wildes Durcheinander

torch [tɔːtʃ] Fackel (a. fig); BE Taschenlampe; Lötlampe; Schweißbrenner

tore [tɔː], **torn** [tɔːn] siehe tear

toreador ['tɔriədɔː] Stierkämpfer

torment ['tɔːmənt] Qual(en); fig Quälgeist, Kummer; ~ [-'ment] quälen; ~or [-'mentə] Peiniger

tornado [tɔː'neidou], pl ~es Wirbelwind

torpedo [tɔː'piːdou], pl ~es Torpedo; torpedieren (a. fig); ~-tube T.rohr; US Seemine; US Sprengpatrone

torp|id ['tɔːpid] starr; träge, schlaff; ~idity [-'piditi] Erstarrung; Schlaffheit; ~or [-pə] Trägheit, Schlaffheit; = ~idity

torque [tɔːk] ⚙ Drehmoment

torrent ['tɔrənt] Sturzbach; fig Strom, Schwall; ~ial [-'renʃəl] reißend, strömend, sturmartig; ungestüm

torrid ['tɔrid] ausgedörrt; (sengend) heiß

torsion ['tɔːʃən] Verdrehung, Torsion

torso ['tɔːsou], pl ~s Rumpf; Torso

tort [tɔːt] ⚖ unerlaubte Handlung; ~oise [-əs] (bes Land-)Schildkröte; ~oise-shell [-əʃel] Schildpatt; ~uous [-juəs] gewunden (a. fig); unehrlich; ~ure [-ʃə] Folter(methode), Tortur; to put s-b to the ~ure = to ~ure; Qual(en); foltern, quälen; fig entstellen

Tory ['tɔːri] Tory, englischer Konservativer, konservativ; Tory-

toss [tɔs] 1. (hin-, zu-, hoch)werfen; ~ (up) a coin e-e Münze in d. Luft werfen; ~ up, ~ for it (darum) knobeln; ~ off (Getränk) 'runterstürzen, (Arbeit) 'runterhauen; 2. ~ (about) (s.) herumwerfen, schütteln; 3. hin u. her schwanken, (See) rollen; 4. (Hoch-)Werfen, Wurf; to take a ~ stürzen

tot [tɔt] 1. Knirps; 2. BE Schluck; fig Häppchen; 3. ~ up zus.rechnen; ~ up to sich belaufen auf; 4. BE (zu addierende) Zahlenkolonne

total ['toutl] 1. Gesamt-, gänzlich, total; 2. zus.rechnen; s. belaufen (to auf); 3. Gesamtsumme; ~itarian [-tæli'tɛəriən] totalitär; Ein-

parteien-; ~itarianism [-tæli'tɛəriənizm] Einparteiensystem; ~ity [-'tæliti] Gesamtheit, Vollständigkeit; astr Totalfinsternis; ~izator [-́--aizeitə], ~izer [-́--aizə] BE 🐎 Totalisator

tote [tout] BE umg Totalisator; US schleppen; transportieren

totter ['tɔtə] torkeln, wackeln; ~y [-́--ri] torkelig; wackelig

touch [tʌtʃ] 1. berühren, anfassen; berühren lassen; 2. erreichen; ~ bottom d. Boden berühren, d. Tiefpunkt erreichen, fig auf Grund kommen ♦ ~ the spot das Richtige sein (herausfinden); 3. drücken auf, (Tasten etc) anschlagen; 4. legen (to an), leicht stoßen; 5. herankommen an, s. vergleichen mit; 6. anrühren, rühren an; fig färben; 7. in Mitleidenschaft ziehen; 8. fig rühren; reizen; 9. umg j-n angehen (for um; 10. ~ed [-t] fig angeknackst; 11. ~ at ♎ anlaufen; ~ off abschießen; fig in Gang setzen; ~ on (fig) berühren; ~ up erneuern; retuschieren; 12. Berührung (at a ~ bei leisester B.); Kontakt Fühlung in (out of) ~ with (nicht) in K. (F.) mit; 13. Tastsinn (a. = sense of ~); soft (etc) to the ~ weich anzufassen; 14. Pinsel(strich); 15. Spur, Anflug; 💲 leichter Anfall (~ of flu leichte Grippe); a ~ of frost (the sun) leichter Frost (Sonnenstich); 16. Stil, Zug; ♪ Anschlag; ~-and-go [-́ən'gou] riskant; to be ~-and-go auf Messers Schneide stehen; ~ing [-iŋ] rührend; prep betreffend; ~stone [-stoun] fig Prüfstein; ~y [-i] reizbar, leicht eingeschnappt

tough [tʌf] 1. zäh; 2. grob; 3. hartnäckig; 4. schwierig; 5. gangsterhaft; 6. schwerer Junge, Rowdy; ~en [-ən] zäh machen (werden)

tour [tuə] (Rund-)Reise, Tour; (be-)reisen; ~ing [-riŋ] Reise-, Touren-; ~ing trade Fremdenverkehr; ~ism [-rizm] Touristik; ~ist [-rist] Reisender

tourn|ament ['tuənəmənt, 'tɔː-] Turnier (a. 🐎); ~ey [-ni, 'tɔːni] Turnier; ~iquet [-nikei, US -́-ket] 💲 Stau-, Abschnürbinde

tousl|e ['tauzl] zerzausen; ~y [-i] zerzaust, zottig

tout [taut] Kunden werben, ständig bearbeiten; BE Renngeheimnisse ausspionieren; (Kunden-)Werber

tow [tou] (ab)schleppen; Schlepp (in ~ im Schl., fig im Schl.tau); to give s-b a ~ j-n abschleppen; Werg; ~boat [-bout] US ♎ Schleppdampfer; ~(ing)-line [-(iŋ)lain] Schleppseil, -tau; ~(ing)-path [-(iŋ)-pɑːθ], pl ~(ing)-paths [-(-)pɑːðʒ] Leinpfad, Treidelweg

toward ['touəd, US tɔːrd] vielversprechend, gelehrig; im Gange, im Kommen; ~ [tɔːrd], BE mst ~s [tə'wɔːdz] in Richtung auf, gegen; zu, gegenüber; für

towel ['tauəl] Handtuch; trocknen; ~ling, US ~ing Handtuchstoff

tower ['tauə] Turm; (auf)ragen; ~ above weit ragen über, überragen; ~ing [-́--riŋ] überragend; rasend

town [taun] Stadt; Stadt-; man about ~ Lebemann; ~ clerk [klɑːk, US klɑːrk] Stadtsyndi-

kus; ~ **council** Stadtrat; ~ **councillor** Stadt-
rat(smitglied); ~ **hall** Rathaus; ~**sfolk** [-́
zfouk] *pl vb* Städter, Stadtleute; ~**ship** [-́ʃip]
US Verwaltungsbezirk; Township (= 6 Qua-
dratmeilen); ~**sman** [-́zmən], *pl* ~smen Städter; ~**speople** [-́zpi:pl] *pl vb* Städter, Stadtleute
tox|aemia [tɔk'si:miə] Blutvergiftung; ~**ic** [-́ik]
toxisch; ~**in** [-́in] Toxin
toy [tɔi] Spielzeug *(a. fig);* Spiel-; ~ *with (fig)*
spielen mit; ~ **shop** [-́ʃɔp] (Spielzeug-)Kaufla-
den; ~**shop** [-́ʃɔp] Spielwarengeschäft
trace [treis] 1. ~ *(out)* zeichnen, anreißen; 2.
~ *(over)* durchpausen; 3. sorgfältig, mühsam
schreiben; 4. aufspüren; ~ *back to* (s.) zurückverfolgen (lassen) auf; 5. ausmachen, kaum erkennen; 6. Spur *(a. fig);* 7. Strang (*kick over the*
~*s* über d. S. schlagen); ~**able** [-́əbl] nachweis-
bar; ~ **element** Spurenelement; ~**r** [-́ə] Leucht-
spurgeschoß; Isotopenindikator; ~**ry** [-́əri] ☥
Maßwerk; *fig* Blumen, Linienspiel
trache|a [trə'ki:ə, *US* 'treikiə], *pl* ~**ae** [-́i:], ~**as**
Luftröhre
tracing ['treisiŋ] Pause; ~**-paper** Pauspapier
track [træk] 1. Spur (*on his* ~ ihm auf d. S.) ♦
to make ~*s* sich verziehen (*for* nach); 2. Pfad
(*the beaten* ~ der ausgetretene P.), Weg (*in
one's* ~*s* mitten auf d. W.); *to keep* ~ *of* in
Fühlung bleiben mit; 3. Gleis, Schienenstrang
(*single, double* [dʌbl] ein-, zweigleisiger S.); 4.
🐾 Bahn; ~ *events* Laufdisziplinen; ~ *and
field events* Leichtathletik; 5. ⚙ Gleiskette; 6.
verfolgen; ~ *down* ausfindig machen, fangen;
~**-layer** [-́leiə] Gleiskettengerät; *US* Streckenarbeiter; ~**less** [-́lis] wegelos; gleislos
tract [trækt] Strecke, Trakt; ✝ Bahn, Trakt;
Traktat; ~**able** [-́əbl] gelehrig, umgänglich; ⚙
(leicht) bearbeitbar; ~**ion** [-́ʃən] Zug(kraft);
Bodenhaftung; ~**ion-engine** [-́ʃənendʒin] Zug-
maschine; ~**or** [-́ə] Traktor, Schlepper
trade [treid] 1. Gewerbe; *by* ~ von Beruf; **the**
~ *BE* die Bierindustrie; 2. Handel; *Board of
T~ (BE)* Handelsministerium; 3. *the T~s* Pas-
satwinde; 4. handeln (*in* mit), Handel treiben
(*with* mit); ~ *for* (aus)tauschen gegen; ~ *in*
mit in Zahlung geben; ~ *upon* spekulieren
auf; ~ **bill** Warenwechsel; ~ **cycle** ['saikl] *BE*
Konjunkturzyklus; ~**journal** [-́dʒə:nəl] Fach-
blatt; ~**mark** [-́mɑ:k] Warenzeichen; ~**name**
[-́neim] Handelsbezeichnung; Firmenname;
~ **price** Großhandelspreis; ~**r** [-́ə] Händler,
Kaufmann; Handelsschiff; ~ **school** [sku:l]
Gewerbeschule; ~**sman** [-́zmən], *pl* ~smen *BE*
Kaufmann; Handwerker; ~**speople** [-́zpi:pl]
Geschäftsleute; Kaufmannsstand; ~ **union**
['ju:njən] Gewerkschaft; ~**unionism** [-́'ju:njə-
nizm] Gewerkschaftswesen; ~**unionist** Gewerkschaftler; ~ **wind** Passatwind
tradition [trə'diʃən] Überlieferung, Tradition;
~**al** [-́-nəl] überliefert, traditionell; ~**ary**
[-́-nəri] = ~al
traffic ['træfik] 1. Verkehr (*motor* ~ Fahr-); 2.
Handel; *bes fig* Tausch; 3. handeln (*in* mit);
~**ator** [-́-eitə] *BE* 🚗 Winker; ~ **block**, ~ **jam**
Verkehrsstockung; ~**ker** [-́-ə] Händler; ~ **lane**

Fahrstreifen, Spur; ~ **light** Verkehrsampel; ~
warden *BE* Politesse
trag|edian [trə'dʒi:diən] Tragödie; Tragödien-
schreiber; ~**edienne** [--di'en] Tragödin; ~**edy**
['trædʒidi] Tragödie *(a. fig),* Trauerspiel; ~**ic**
['trædʒik] tragisch; traurig; ~**i-comedy**
['trædʒi'kɔmidi] Tragikomödie; ~**i-comic**
['trædʒi'kɔmik] tragikomisch
trail [treil] 1. Fährte, Spur (*hot on the* ~ dicht
auf der F.); 2. (ausgetretener) Weg (*to blaze the*
~ den W. bahnen, bahnbrechend wirken); 3.
auf-, nachspüren; 4. hinter s. herziehen,
-schleppen; 5. s. schleppen; ziehen, fahren; 6.
bes bot s. ausbreiten; wuchern; kriechen; ~**er**
[-́ə] 🚐 Anhänger, Wohnwagen; 🎞 Vorschau;
Verfolger
train [trein] 1. 🚆 Zug; *by* ~ mit d. Bahn; 2.
Schleppe; 3. Gefolge *(a. fig);* 4. *fig* Kette (~ *of
thought* Gedanken-, -gang); 5. Zündlinie; *in* ~
bereit; 6. ausbilden, erziehen; beibringen;
trainieren; 7. *bot* ziehen; 8. richten; zielen; 9.
in d. Ausbildung stehen, s. ausbilden lassen;
~**ee** [-'ni:] in der Ausbildung Stehender; An-
lernling; ~**er** [-́ə] Ausbilder, Trainer; ~**ing** [-́-
iŋ] Ausbildung; Training; *in* ~*ing* in Form, *out
of* ~*ing* aus der Übung; ~**ing-college** [-́iŋk-
ɔlidʒ] Lehrerseminar; ~**ing-ship** [-́iŋʃip] Schul-
schiff; ~**oil** [-́ɔil] Fischtran
trait [trei, *US* treit] (Charakter-)Zug; ~**or** [-́tə]
Verräter; ~**orous** [-́tərəs] verräterisch; ~**ress**
[-́tris] Verräterin
trajectory [trə'dʒektəri] Flugbahn
tram [træm] 1. *(a.* ~-car Straßenbahn(wagen);
2. ⚒ Hund; 3. *(a.* ~-line Straßenbahngleis;
-strecke; ~**way** = ~-line; ⚒ Grubenbahn
trammel ['træml] behindern; *su pl vb fig* Fesseln
tramp [træmp] 1. stampfen; 2. (durch)wan-
dern; ~ *it* gehen; 3. Tramp, Vagabund *(a. fig);*
4. Wanderung; 5. ⚓ Tramp(schiff); 6. Stampf-
fen
trample ['træmpl] (zer)trampeln (~ *down* nie-
der-); herumtrampeln (*on* auf); ~ *about* umherstapfen; Trampeln
trance [trɑ:ns] Verzückung; Trance
tranquil ['træŋkwil] ruhig; ~**lity** [--iti] Ruhe;
~**lize**, *US* ~**ize** [--aiz] beruhigen
trans- [træns-, *BE a.* trɑ:ns] *(auch wenn im folgenden nur* [træns] *gegeben wird)*
transact [træn'zækt, *US* træn'sækt] abwickeln,
durchführen; ~**ion** [træn'zækʃən, *US*
træn'sækʃən] Geschäft(sabschluß); *pl* Sitzungsberichte
transatlantic ['trænzət'læntik, *US* 'træns-́-́]
überseeisch, transatlantisch
transcend [træn'send] übersteigen, -treffen;
~**ent** [--dənt] überragend; transzendent; ~**en-
tal** [--'dentl] transzendental; *umg* phantastisch
transcri|be [træn'skraib] umschreiben; 📀 auf
Band aufnehmen; ~**pt** [-́skript] Ab-, Umschrift; ~**ption** [-'skripʃən] Umschreiben;
-schrift; Bandsendung
transept ['trænsept] ☥ Querschiff

transfer [træns'fɔː] 1. verlegen; übertragen; übereignen; 2. (Beruf, Schule) wechseln; 3. 🚂, ⚓ umsteigen; 4. [-ˊ-] Übertragung; Verlegung; 5. Transfer (~ *business* Giroverkehr); 6. Wechsel; 7. Umsteigefahrkarte; 8. Abziehbild; ~**able** [-ˊ-rəbl] übertragbar; ~**ence** [-ˊfə-rəns, *US* -'fɔːrəns] Übertragung; Verlegung

transfigur|ation [træns͵figju'reiʃən] Umgestaltung; *eccl* Verklärung; ~**e** [-'figə, *US* -ˊgjər] umgestalten; verklären

transfix [træns'fiks] durchbohren; *fig* lähmen

transform [træns'fɔːm] umgestalten, verwandeln; ~**ation** [-fə'meiʃən] Umgestaltung, Verwandlung; ~**er** [-ˊ-ə] Umgestalter; ⚡ Transformator

transfus|e [træns'fjuːz] umgießen; 🩸 übertragen; ~**ion** [-'fjuːʒən] Umgießung; (Blut-)Übertragung

transgress [træns'gres] überschreiten; übertreten, verletzen; sich vergehen; ~**ion** [-'greʃən] Übertretung; Vergehen

transient ['trænziənt, *US* -ˊʃənt] vorübergehend; Durchreisender; Gelegenheitsarbeiter

transit ['trænsit] Durchgang *(a. astr)*, -sverkehr; Transport *(in ~ auf d. T.)*; Durchgangs-; ~**ion** [-'siʒən, -'ziʃən] Übergang; Übergangs- *(a.: ~ional)*; ♩ Modulation; ~**ive** [-ˊ-tiv] *gram* transitiv; ~**ory** [-ˊ-təri] vergänglich; flüchtig

translat|able [træns'leitəbl] übersetzbar; ~**e** [træns'leit] übersetzen; versetzen; *eccl* entrücken; ~**ion** [træns'leiʃən] Übersetzung; ~**or** Übersetzer

transliterate [trænz'litəreit, *US* træns-] translitierieren, transkribieren

translucent [trænz'luːsənt, *US* træns-] durchscheinend

transmigration [trænzmai'greiʃən] (Seelen-)Wanderung

transmi|ssible [trænz'misibl, *US* træns-] übertragbar; ~**ssion** [-'miʃən] Übertragung; Senden; 🚗 Getriebe; ~**t** [-'mit] weitergeben; übertragen; vererben; 📡 senden; ~**ttable**, ~**ttible** [-'mitəbl] = ~ssible; ~**tter** [-'mitə] Übertrager; 📡 Sendevorrichtung; 🎤 Mikrophon

transmogrify [trænz'mɔgrifai] verwandeln, verzaubern

transmut|able [trænz'mjuːtəbl, *US* træns-] um-, verwandelbar; ~**ation** [-'teiʃən] Um-, Verwandlung; ~**e** [-ˊ-] um-, verwandeln

transoceanic ['trænzouʃi'ænik, *US* træns-] transozeanisch

transom ['trænsəm] Oberlicht; 🏛 Kämpfer(holz); quergeteiltes Fenster; Querbalken (zw. Tür u. Fenster)

transonic [træn'sɔnik] schallnah, transsonisch

transparen|cy [træns'pɛərənsi] Durchsichtigkeit; Transparent; Diapositiv; ~**t** [-ˊ-t] durchsichtig; offensichtlich; klar

transpire [træns'paiə] transpirieren; *fig* durchsickern; *umg fig* passieren

transplant [træns'plɑːnt] verpflanzen *(a. fig)*; ~**ation** [-'teiʃən] Verpflanzung

transport [træns'pɔːt] befördern, transportieren; verbannen; hinreißen; ~ [-ˊ-] Beförderung, Transport; *mil* Transporter (~ *glider* Lastensegler); *mst pl* Ausbruch; Entzücken; ~**ation** [--'teiʃən] Beförderung, Transport; Verbannung

transpos|e [træns'pouz] umstellen; ♩ transponieren; ~**ition** [-pə'ziʃən] Umstellung; Transponierung

transship [træns'ʃip] 🚂, ⚓ umladen; ~**ment** Umladung

transverse ['trænzvɔːs, *US* træns-ˊ] quer (laufend, liegend); Quer-; ~**ly** quer

trap [træp] 1. Falle *(a. fig)*; 2. ⚙ Geruchverschluß, Traps; 3. *BE* zweirädriger Einspänner; 4. *(a.: ~-door* [-ˊdɔː]) Falltür; 5. (in e-r Falle) fangen; hereinlegen; 6. Fallen stellen; ~**pings** [-ˊiŋz] *pl vb (fig)* Putz, Prunk

trapez|e [trə'piːz] 🤸 Trapez; ~**ium** [-ˊ-iəm], *pl* ~**iums** *BE* Trapez, *US* Trapezoid; ~**oid** ['træpizoid] *BE* Trapezoid, *US* Trapez

trash [træʃ] *bes US* Abfall; *fig* Schund; Kitsch; ~**y** [-ˊi] Schund-; kitschig

travail ['træveil] 🩸 Wehen; Leiden; in den Wehen liegen; sich abrackern

travel ['trævl] 1. (durch)reisen; 2. als Vertreter arbeiten *(for* für); 3. *astr*, ⚙ s. bewegen; 4. *fig* wandern; 5. Reise(n); 6. ⚙ Bewegung, Gang, Lauf; ~**led**, *US* ~**ed** [-ˊd] (weit)gereist; (viel)befahren; ~**ler**, *US* ~**er** [-ˊ-ə] Reisender

traverse ['trævəs] 1. durchqueren; 2. *fig* durchgehen; 3. bestreiten, bekämpfen; 4. ⚙ verschieben, laufen; 5. quer; 6. Durchquerung; 7. Traverse; 8. ⚙ Verschiebung, Lauf

trawl [trɔːl] *mit* d. Schleppnetz fischen; (Netz) schleppen; ~(*-net*) [-ˊnet] Schleppnetz; ~(*-line*) *US* Langleine; ~**er** [-ˊ-ə] Fischtrawler

tray [trei] Tablett

treacher|ous ['tretʃərəs] verräterisch; tükkisch; trügerisch; ~**y** [--ˊri] Treulosigkeit; *pl* Verrätereien

treacle ['triːkl] *BE* Zuckersirup; *BE* Melasse

tread [tred] *(s. S. 319)* 1. (auf)treten; ~ *grapes* keltern; ~ *under foot (fig)* zertreten; 2. aus-, betreten ♦ ~ *the boards* Schauspieler sein; 3. Tritt; 4. Trittstufe; 5. 🚗 Spur, (Reifen-)Profil; ~**le** ['tredl] ⚙ Tritt, Tretvorrichtung, treten; ~**mill** ['tredmil] Tretmühle *(a. fig)*

treason ['triːzn] *(a.: high ~)* Hochverrat; Verrat *(to* an); ~**able** [-ˊəbl], ~**ous** [-ˊənəs] verräterisch

treasur|e ['treʒə] Schatz *(a. fig)*; Reichtum; *fig* Perle; (an)sammeln, aufbewahren; hochschätzen; ~**er** [--ˊri] Schatzmeister; ~**e trove** [--'trouv] Schatz(fund); ~**y** [--ˊri] Schatzkammer; Kasse; *fig* Schatz; ~**y** (Board *BE*, Department *US*) Schatzamt, Finanzministerium; **T~y bench** *BE* Ministerbank; **T~y bill** kurzfristiger Schatzwechsel; ~**y note** *BE* Geldschein (£1, 10/-), *US* Schatzschein

treat [triːt] 1. behandeln *(a.* 🩸, *for* wegen, auf); 2. ansehen *(as* als); 3. ~ *(of)* s. befassen mit, behandeln; 4. ~ *to* bewirten, freihalten mit; ~ *o.s. to* s. etw leisten; 5. ~ *with* verhandeln mit; 6. Genuß; Freihalten; *this is my* ~ diesmal zahle ich; *to stand* ~ d. Zeche bezahlen; **~ise** [⸚iz, *US* ⸚is] Abhandlung; **~ment** [⸚mənt] Behandlung *(a. 💲)*; **~y** [⸚i] Vertrag; Unterhandlung

treble ['trebl] dreifach; ♪ Diskant-; Diskant, Sopran; (s.) verdreifachen

tree [tri:] Baum ♦ *up a* ~ in d. Klemme; (Stiefel) Leisten; auf e-n Baum jagen; **~-frog** [⸚frɔg] Laubfrosch

trefoil ['trefɔil, *bes US* 'tri:-] *bot* Klee; 🏛 Kleeblatt

trellis ['trelis] Gitterwerk; Spalier

trem|ble ['trembl] zittern *(at* bei; *with* vor; *for* um); Schauer, Zittern; **~endous** [tri'mendəs] furchtbar; gewaltig; **~olo** ['treməlou], *pl* ~olos Tremolo; **~or** ['tremə] Zittern, Beben *(a. fig)*; **~ulous** ['tremjuləs] zitternd; furchtsam

trench [trentʃ] (senkrechter) Graben *(a. mil)*; (aus-, um)graben; Gräben anlegen (in); **~ant** [⸚ənt] scharf; markig; **~er** [⸚ə] Holzbrett; Speise(n); **~erman** [⸚əmən], *pl* ~ermen Esser

trend [trend] allgemeine Richtung, Tendenz; tendieren; **~y** *BE* (super)modern

trepidation [trepi'deiʃən] Furcht

trespass ['trespəs] *on* unerlaubt betreten; übergreifen auf; (zu sehr) in Anspruch nehmen; ~ *against* verstoßen gegen; unbefugtes Betreten; Vergehen; Sünde; **~er** [⸚ə] Eindringling; Übertreter; **~ers will be prosecuted** Unbefugten Zutritt (Betreten) verboten

tress [tres] Strähne, Locke; *pl* üppiges Haar

trestle ['tresl] ⚙ Bock; **~ bridge** Bockbrücke

trey [trei] (Karten etc) Drei

triad ['traiæd] Dreiergruppe; ♪ Dreiklang

trial ['traiəl] 1. Versuch, Probe *(on* ~ auf P., bei d. Erprobung); *to give a* ~ ausprobieren, erproben; Geländefahrt; Versuchs-, Probe-; 2. Belästigung, *fig* Last; 3. Gericht(sentscheidung; *on* ~ vor G.); Prozeß; **~ and error** Experimentieren

triang|le ['traiæŋgl] Dreieck; Triangel; *(oft: the eternal ~le)* Dreiecksverhältnis, -ehe; **~ular** [⸚⸚julə] dreieckig; Dreier-

trib|al ['traibl] Stammes-; **~e** [traib] (Eingeborenen-)Stamm, *fig* Zunft; *bot, zool* Klasse; **~esman** [⸚zmən], *pl* ~esmen Stammesangehöriger

tribulation [tribju'leiʃən] Drangsal, Leiden

tribun|al [trai'bju:nl] Richtersitz; Tribunal; **~e** ['tribju:n] Tribun; Tribüne

tribut|ary ['tribjutəri] tributpflichtig; abhängig; Neben-; tributpflichtiger Staat; Nebenfluß; **~e** [⸚ju:t] Tribut *(to lay under~e* T. auferlegen); Anerkennung *(to pay ~e* A. zollen); Gabe

trick [trik] 1. Kniff, Kunstgriff; 2. Streich *(dirty ~* übler S.); 3. Trick; *to do the ~* d. Sache schaffen; 4. Eigenheit; 5. (Karten-)Stich; 6. ♪ Rudertörn; 7. j-n (durch Kniffe) dazu bringen *(into doing* zu tun); betrügen *(out of* um); 8. ~ *out* herausputzen; **~ery** [⸚əri] Betrügerei; **~le** [⸚l] tröpfeln; rieseln; Tröpfeln, Rinnsal; **~ster** [⸚stə] Betrüger; **~y** [⸚i] gaunerisch; knifflig, heikel

tri|colour ['trikələ, *bes US* 'traikʌlə] Trikolore; **~cycle** ['traisikl] Dreirad; (Kinder-)Rädchen; **~dent** ['traidənt] Dreizack

tried [traid] erprobt; bewährt *(siehe* try)

triennial [trai'eniəl] dreijährig, -lich; dreijährige Pflanze; Dreijahresfeier

trifl|e ['traifl] Nichtigkeit; Kleinigkeit; *a~e* ein wenig; *BE* Biskuitauflauf; *~ e with* herumspielen mit; *~ e over, with* trödeln bei; *~ e away* vertun *(on* mit); **~ing** [⸚iŋ] unerheblich; leichtfertig

trig [trig] schmuck; **~ger** [⸚ə] Drücker; ⓑ Auslöser

trilby ['trilbi] *BE* Filzhut

trill [tril] trillern; das R rollen; Trillern; ♪ Triller

trillion ['triljən] *BE* Trillion; *US* Billion

trim [trim] 1. (be-, zurecht)schneiden; 2. besetzen, einfassen; ~ *up* s. herrichten; 3. ♪ trimmen; 4. *umg* übers Ohr hauen; j-n 'runtermachen; 5. *pol* d. Mantel nach d. Wind hängen; 6. (guter) Zustand; *in (out of)* ~ (nicht) in Form; 7. schmuck, sauber; 8. **~ming** [⸚iŋ] Schneiden; Putzen; **~mings** *pl vb* Besatz, Posamenten; Zusätze; Beilagen

trinity ['triniti] Dreieinigkeit; **T~ Sunday** Trinitatis

trinket ['triŋkit] (wertloses) Schmuckstück; Kleinigkeit

trio ['tri:ou], *pl* ~s Dreiergruppe, Trio *(a. ♪)*; Terzett

trip [trip] 1. trippeln; 2. ~ *up, ~ on, over* s-th stolpern (über); straucheln; 3. ~ *(up)* e. Bein stellen, zu Fall bringen; ertappen; 4. schnell tanzen; 5. Ausflug, Reise; 6. Stolpern; Trippeln; 7. Fehler, Versprechen; **~per** [⸚ə] Ausflügler; **~ping** [⸚iŋ] flink

tripartite [trai'pɑːtait] dreiseitig; dreiteilig

tripe [traip] Kaldaunen, Kutteln; *umg* Quatsch, Käse

tripl|e ['tripl] dreifach; dreiteilig; ~ *point (phys)* Tripelpunkt; (s.) verdreifachen; **~et** [⸚it] Dreiergruppe; Drilling; ♪ Triole; **~ex** [⸚eks] dreifach; dreiteilig; **~ex (glass)** Sicherheitsglas; **~icate** [⸚ikit] dreifach; dreiteilig; verdreifachen; *in ~icate* in dreifacher Ausfertigung

tripod ['traipɔd] Stativ

trite [trait] abgedroschen; platt

triumph ['traiəmf] Triumph; triumphieren; frohlocken; **~al** [⸚'ʌmfl] Triumph-; frohlockend; **~ant** [⸚'ʌmfənt] triumphierend; frohlockend

trivet ['trivit] Dreifuß ♦ *as right as a* ~ in schönster Ordnung

trivia ['triviə] *pl vb* Kleinigkeiten, Banalitäten; **~l** [⸚l] unbedeutend, trivial; *the ~l round* der Alltag

trod(den) [trɔd(n)] *siehe* tread

Trojan ['troudʒən] trojanisch; Trojaner; *to work like a* ~ wie e. Pferd arbeiten

troll [troul] trällern; Troll

trolley ['trɔli] 1. *BE* Handkarren; Servierwagen; 2. ⚙ Laufkatze, Förderkarren; 3. (Obus-)Kontaktrolle; 4. *US* ~ *(car)* Straßen-

bahnwagen; ~-bus [-́-bʌs] Obus; ~-pole [-́-
poul] Stromabnehmer; ~-wire Oberleitung,
Fahrdraht
trollop ['trɔləp] Schlampe; Hure
trombone [trɔm'boun, -́-] Posaune
troop [tru:p] 1. Trupp; 2. Schwadron; 3. *pl*
Truppen; 4. drängen, strömen ♦ ~ *the colours*
(BE) Fahnenparade abnehmen; ~er [-́-ə] Ka-
vallerist; *BE* Panzersoldat; *to swear like a ~er*
wie e. Landsknecht fluchen; *US* berittener Polizist; Kavalleriepferd; *BE* Truppentranspor-
ter; Fallschirmjäger; ~ship [-́-ʃip] Truppen-
transporter
trophy ['troufi] Trophäe; (Sieger-)Preis
tropic ['trɔpik] *astr* Wendekreis; *pl* Tropen;
~al [-́-l] tropisch
trot [trɔt] (Pferd) traben (lassen; *a. fig*); ~ *out*
(fig) vorführen, hinstellen; Trab; Dauerlauf;
on the ~ *(fig)* in Betrieb; ~ter [-́-ə] Traber; *pl*
Schweine-, Hammelfüße
troth [trouθ] Wahrheit; Ehre; Treuegelöbnis
trouble ['trʌbl] 1. beunruhigen; plagen; 2. ~
s-b for bitten um; 3. trüben; 4. s. d. Mühe machen; 5. s. sorgen, aufregen; 6. Kummer,
Sorge(n); 7. Schwierigkeiten; *in* ~ in S., Not;
to get into ~ in S., Unannehmlichkeiten geraten (bringen); *to ask (look) for* ~ S. herausfordern; 8. Mühe (*it will be no* ~ es macht keine
M.; *to put s-b to* ~ j-m M. machen; *to take* ~
over s. M. machen, geben mit); 9. *pol* Un-
ruhe(n); 10. *fig* Last; 11. ♫ Störung, Leiden; *to
have* ~ *with* es zu tun haben mit; ~-shooter
Störungssucher; ~some [-́-səm] unangenehm,
lästig
troublous ['trʌbləs] unruhig
trough [trɔf] Trog; Mulde; Wellental
trounce [trauns] verprügeln *(a. fig)*; j-n herun-
terputzen
troupe [tru:p] ♟ Truppe
trouser|s ['trauzəz] *pl vb* Hose; ~ Hosen-; ~ing
Hosenstoff
trousseau ['tru:sou, -́-], *pl* ~s, ~x Aussteuer
trout [traut], *pl* ~ Forelle; *brown* ~ Bachf.
trowel ['trauəl] Maurerkelle; ♃ Pflanzkelle
Troy [trɔi] Troja; t~ Feingewicht *(1 pound* ~
= 373,24 g)
truan|cy ['tru:ənsi] Schulschwänzerei, schuld-
hafte Schulversäumnisse; ~t [-́-t] Schul-
schwänzer; *to play* ~t die Schule schwänzen;
müßig, herumschweifend
truce [tru:s] Waffenruhe; *a* ~ *to (fig)* Ruhe mit
truck [trʌk] 1. ♞ offener Güterwagen; Lore;
2. zweirädriger Karren; ♞ Gepäckkarren; 3.
Lastwagen; 4. Tausch ♦ *to have no* ~ *with*
nichts zu tun haben mit; 5. Lohnzahlung in
Waren; 6. *US* Marktgemüse; ~er, ~ farmer
US Gemüsegärtner; ~ farm, ~ garden *US* Ge-
müsegärtnerei
truckle ['trʌkl] zu Kreuze kriechen (*to* vor)
truculen|ce ['trʌkjuləns] Wildheit; ~t [-́-lənt]
wild, trotzig
trudge [trʌdʒ] mühsam stapfen, sich schleppen
true [tru:] 1. wahr; echt; *to come* ~ *(fig)* ein-

treffen; *(it is)* ~ allerdings, zwar; 2. treu; 3.
genau; 4. *(adv) to breed* ~ sich reinrassig fort-
pflanzen; *to aim* ~ genau zielen; 5. *vt* ♦ ~
(up) auf genaues Maß bringen, ausrichten
tru|ism ['tru:izm] Binsenwahrheit; ~ly [-́li] auf-
richtig; wahr(heitsgemäß); wirklich; *Yours*
~*ly* Ihr ergebener
trump [trʌmp] 1. Trumpf(karte; ~s -farbe); 2.
umg feiner Kerl; 3. Trompete; 4. stechen; ~
up erdichten; ~ery [-́-əri] Flitterkram; Plunder;
Unsinn; prunkhaft, kitschig; *fig* billig
trumpet ['trʌmpit] Trompete ♦ *to blow* [blou]
one's own ~ s. herausstreichen; Trompetenstoß; Hörrohr; *zool. fig* trompeten; ~er [-́-ə]
Trompeter
truncate [trʌŋ'keit, *US* -́-] stutzen
truncheon ['trʌntʃən] *bes BE* (Polizei-)Knüp-
trundle ['trʌndl] (schwer) rollen   [pel
trunk [trʌŋk] Stamm; Rumpf, Körper;
(Schrank-)Koffer; Rüssel; *pl* Badehose; *BE*
kurze Herrenunterhose; Haupt-; ~-call [-́-kɔ:l]
BE ♥ Ferngespräch
truss [trʌs]: ~ *(up)* zus.-, festbinden; (mit
Fach-, Sprengwerk) tragen; (Heu-)Bündel; ✿
Fachwerkträger, Tragwerk; ♣ Bruchband
trust [trʌst] 1. Vertrauen (*in* zu); *on* ~ auf
Treu und Glauben, auf Kredit; 2. Verantwortung, Pflicht; 3. ♫ Treuhand(gut); *in* ~ treu-
händerisch; 4. Trust; 5. vertrauen (*to, in* auf);
6. anvertrauen (*to s-b* j-m); betrauen (*with*
mit); 7. ~ *s-b to do* sich auf j-n verlassen,
daß (wenn) er etw tut; 8. (ernstlich) hoffen; 9.
Kredit einräumen (*for* für); ~ee [trʌs'ti:] Treu-
händer; (Vermögens-)Verwalter; ~ee-ship
[trʌs'ti:ʃip] Treuhänderschaft; Kuratorium;
~ful, ~ing vertrauensvoll; ~worthy [-́-wə:ði] zuverlässig
truth [tru:θ], *pl* ~s [tru:ðz, tru:θs] Wahrheit;
Wahrhaftigkeit; ~ful wahr(haftig); wahrheits-
liebend
try [trai] 1. versuchen; 2. ~ *for* sich bemühen
um; 3. (aus)probieren, es versuchen mit; 4. vor
Gericht stellen; (Fall) verhandeln; 5. ermüden, auf d. Probe stellen; 6. schmelzen, auslassen; ~ *on* anprobieren; ~ *out* gründlich erproben; 7. Versuch; 8. ~ing [-́-iŋ] ermüdend,
unangenehm; ärgerlich
tsar [za:, tsa:] *siehe* czar
tub [tʌb] 1. Badewanne; 2. Zuber, Kübel; 3.
BE umg Bad; 4. *umg* Kasten (Boot); 5. *BE*
(sich) baden; ~by [-́-i] faßartig
tuba ['tju:bə], *pl* ~s Tuba
tube [tju:b] Rohr, Rohrstahl; Tube; U-Bahn-
(-Tunnel); *US* ♣ Röhre
tuber ['tju:bə] *bot* Knolle
tuberc|le ['tju:bə:kl] Tuberkel; ~ular [-́-kjulə]
= ~ulous; ~ulosis [-,-kju'lousis] Tuberku-
lose; ~ulous [-́-kjuləs] tuberkulös
tub|ing ['tju:biŋ] Rohr; Röhrenwerk; ~ular [-́-
bjulə] röhrenförmig; Rohr-; Stahlrohr-; Röh-
ren-
tuck [tʌk] 1. (weg)stecken; ~ *in* hineinstek-
ken; ~ *up (in)* warm zudecken, einpacken; ~
up hochstecken; 2. ~ *up* aufrollen; 3. ein-

schlagen, Falten machen in; 4. ~ *away, in* verdrücken; ~ *into* einhauen in (Braten etc); 5. Falte, Einschlag; 6. *BE umg* Futter, Süßigkeiten; ~-in [⸗in] Festessen, Schmaus; ~-shop [⸗ʃɔp] *BE* Süßwarenladen

Tuesday ['tjuːzdi] Dienstag

tuft [tʌft] (Haar-, Gras-)Büschel; Schopf

tug [tʌg] zerren, ziehen (*at* an); Zug, Ruck; ~ *of war* 🏴 Tauziehen *(a. fig)*; ⚓ Schlepper

tuition [tjuˈiʃən] Unterricht; Schulgeld, Studiengebühren

tulip ['tjuːlip] Tulpe

tulle [tjuːl] Tüll

tumble ['tʌmbl] 1. fallen, stürzen; 2. ~ *(about)* sich wälzen; 3. akrobatische Bodenübungen machen; 4. zerzausen, durcheinanderbringen; 5. ~ *to an idea* auf e-e Idee springen; 6. Fall, Sturz; 7. Purzelbaum; 8. Durcheinander; ~r [⸗ə] Wasserglas, Becher; Bodenakrobat; *orn* Tümmler; ⚙ Zuhaltung

tum|escent [tjuːˈmesənt] leicht anschwellend (geschwollen); ~id [⸗mid] geschwollen; bombastisch

tumour ['tjuːmə] Tumor, Geschwulst

tumult ['tjuːmʌlt] Aufruhr, Tumult; ~uous [⸗juəs] tumultartig, tosend

tun|e [tjuːn] 1. Melodie; 2. ♪ Stimmung; *in (out of)* ~*e* gestimmt (verstimmt); *to sing out of* ~*e* falsch singen; 3. Einklang *(in (out of)* ~*e with* (nicht) im E. mit); 4. *fig* Haltung (*to change one's* ~*e, to sing another* ~*e* s-e H. ändern); 5. *to the* ~*e of* in Höhe von (£500); 6. ♪ (Instrumente) stimmen; ~ *up* (Orchester) stimmen, einsetzen; *umg* losheulen; 7. ⏚ einstellen; ~*e in* (Sender) einstellen; ~*e to* auf (e-e Welle) gehen; 8. ~*e up* instand setzen; ~eful melodisch; ~er [⸗ə] Klavierstimmer; ~ing [⸗iŋ] Stimmgabel; ~ing indicator ⏚ magisches Auge; ~ing scale ⏚ Skala

tungsten ['tʌŋstən] Wolfram

tunnel ['tʌnl] Tunnel; Stollen; (Berg) durchbohren; e-n Tunnel bohren; ~ling Tunnelbau

tunny ['tʌni] Thunfisch

tuppence ['tʌpəns] *BE umg* zwei Pennies

turban ['təːbən] Turban

turb|id ['təːbid] trüb *(a. fig)*; verworren; ~ine [⸗in] Turbine; turbinengetrieben; ~o-jet [⸗bouˈdʒet] ✈ Turbinen-Luftstrahltriebwerk; ~o-prop [⸗bouˈprɔp] ✈ Turbinen-Propellertriebwerk

turbot ['təːbət], *pl* ~ Steinbutt

turbulen|ce ['təːbjuləns] Unruhe, Aufruhr; ~t [⸗––t] wild, aufrührerisch

tureen [təˈriːn] Terrine

turf [təːf] Rasen, Grasnarbe; 🏇 Turf; Torf; mit Rasen bedecken

turgid ['təːdʒid] geschwollen *(a. fig)*

Turk [təːk] Türke; *umg* Wildfang; ~ey [⸗i] Türkei; ~ish [⸗iʃ] türkisch (e Sprache); ~ish bath Dampfbad; ~ish towel Frottiertuch

turkey ['təːki] Truthahn, -henne

turmoil ['təːmɔil] Aufruhr, Unruhe

turn [təːn] 1. (sich) (um)wenden, (sich) (um)drehen (lassen); (Purzelbaum) schlagen;

~ *s-b's head* j-n d. Kopf verdrehen; 2. biegen um (Ecke etc); umgehen; ~ *the corner* die Krise überstehen; 3. (ab)lenken; sich ablenken, abbringen lassen *(from* von); 4. *(mit adj)* machen, werden; ~ed *pred* der ... geworden ist; ~ *(red)* (Laub) sich verfärben; ~ *traitor etc* (z.) Verräter werden; 5. ⚙ (s.) drehen (lassen); drechseln *(a. fig)*; 6. erreichen; 7. benutzen; *he can* ~ *his hand to anything* er ist zu allem zu gebrauchen; ~ *s-th to account* etw ausnutzen; 8. ~ **about** (sich) umdrehen; wenden; ~ **against** sich wenden gegen; aufreizen; ~ **aside** abwenden; beiseite treten; ~ **away** (sich) abwenden; wegschicken; entlassen; ~ **down** (s.) umlegen (lassen); mit d. Oberseite nach unten legen, umlegen; (Gas etc) kleiner stellen, ⏚ Radio leiser stellen; ablehnen; einbiegen in; ~ **in** ein-, nach innen biegen; *umg* zu Bett gehen; ~ **into** (sich) verwandeln zu; übersetzen in; ~ **off** ab-, ausdrehen, ausstellen; entlassen; abbiegen, abzweigen; liefern, leisten; *fig* hinwerfen; ~ **on** andrehen, anstellen; abhängen von; s. wenden gegen, angreifen; ~ **out** hinaus-, verjagen, entlassen; nach außen biegen; leisten, liefern; ausräumen; ausstatten, herrichten; aus-, abdrehen; losziehen; zus.kommen; aufstehen; s. erweisen, ergeben, ~ *out well* gut enden; ~ **over** (sich) umdrehen, umstürzen ♦ ~ *over a new leaf* sich (gründlich) bessern; überdenken; übergeben; umsetzen; e-n Umsatz haben von; ~ **round** umdrehen; s-e Ansicht ändern; ~ **to** lenken auf; s. wenden an, zu; loslegen; s. verwandeln zu; ~ **up** nach oben drehen, falten ♦ ~ *up one's nose at* die Nase rümpfen über, bei; um-, aufgraben; auftauchen; (Buch) aufschlagen; 9. Drehung, Wendung *(~ for the better); on the* ~ auf dem Wendepunkt, (Milch) sauer werdend; *done to a* ~ gerade richtig (gekocht), durch; 10. Biegung, Kurve; 11. Punkt in d. Reihenfolge; *it's your* ~ du bist dran; *wait your* ~ warte, bis du dran bist; *my* ~ *will come* ich komm' schon noch dran, meine Zeit kommt noch; *in* ~ nacheinander, seiner-, ihrerseits; *out of* ~ außerhalb d. Reihenfolge; *by* ~s abwechselnd; *to take* ~s s. abwechseln (*at* bei); 12. (kurze) Betätigung; ~ *of work* Stück Arbeit; *to take a* ~ *at* für einige Zeit an ...; gehen; *to take a* ~ *in* e-n kurzen Gang machen im (Garten etc); ♟ Nummer; 13. Tat *(he did me a good* ~); *one good* ~ *deserves another* e-e gute Tat ist e-e andere wert; 14. *(oft: ~ of mind)* Art zu denken, Begabung, Einstellung; 15. Zweck *(this won't serve my* ~); 16. Form(ung), Gestaltung; 17. ♪ Doppelschlag; 18. *fig* Stoß, Schock; 19. ~about [⸗əbaut] Wendung, Kurswechsel; ~coat [⸗kout] Überläufer, Abtrünniger; Konjunkturritter; ~er [⸗ə] Dreher; Drechsler; ~ery [⸗əri] Drechslerarbeit; ~ing [⸗iŋ] (Straßen-)Biegung; Abzweigung; ~ing-lathe [⸗iŋleið] Drehbank; ~ing-point [⸗iŋpoint] Wendepunkt; ~key [⸗kiː] Schließer; ~-out [⸗'aut] Versammlung, Zuschauermenge; Equipage; Ausstoß; Ausräumung; Aufmachung; Ausrüstung; *BE* Ausstand; ~over [⸚ouvə] Umsatz; (Arbeiter-)Wechsel; Pastetentasche; ~pike [⸚paik] Schlagbaum; Mautstraße; *US* (gebührenpfl.) Schnellstraße; ~round [⸚raund] Ent- und Beladezeit; ~stile [⸚stail] Drehkreuz; ~table [⸚teibl] 🛞 Drehscheibe; 🛞 Plattenteller

turnip ['tə:nip] Wasser-, Stoppelrübe
turp|entine ['tə:pəntain] Terpentin; ~itude [⸚itju:d] Verworfenheit
turquoise ['tə:kwɔiz, *US* ⸚kɔiz] Türkis(farbe)
turret ['tʌrit] Türmchen; Gefechts-, Geschützturm
turtle ['tə:tl] (See-)Schildkröte ♦ *to turn* ~ kentern; Turteltaube
tusk [tʌsk] Stoßzahn; Hauer
tuss|ah ['tʌsə] *siehe* tussore; ~le [⸚l] Rauferei; s. raufen; ~ock [⸚ək] (Gras-)Büschel; ~ore [⸚ɔ:] Tussahseide
tutel|age ['tju:tilidʒ] Vormundschaft; Mündelsein; ~ary [⸚ləri] schützend; Vormundstutor ['tju:tə] Privatlehrer; Tutor; privat unterrichten; Unterricht geben
tuxedo [tʌk'si:dou], *pl* ~s *US* Smoking
twaddle ['twɔdl] Unsinn, Quark; quasseln
twain [twein] zwei
twang [twæŋ] Schwirren; Näseln; schwirren lassen; klimpern; näseln
tweak [twi:k] zwicken, zwacken; Zwicken
tweed [twi:d] Tweed
tweezers ['twi:zəz] *pl vb* Pinzette
twel|fth [twelfθ] zwölfte; ~ve [⸚v] zwölf; ~vemonth [⸚vmʌnθ] *BE* Jahr
twent|ieth ['twentiiθ] zwanzigste; ~y [⸚i] zwanzig
twice [twais] zweimal; doppelt
twiddle ['twidl] herumdrehen; ~ *one's thumbs* [θʌmz] Daumen drehen
twig [twig] Zweig; *BE umg* kapieren; ~gy schlank, zart
twilight ['twailait] Dämmerung (~ *of the Gods* Götter-); Zwielicht *(a. fig)*
twill [twil] Köper; Twill; köpern
twin [twin] Zwilling; Zwillings-; zwei
twine [twain] (*BE* dünner, *US* starker) Bindfaden; Zwirn; (s.) winden; zwirnen
twinge [twindʒ] stechender Schmerz
twinkl|e ['twiŋkl] funkeln; zwinkern; huschen; Funkeln; funkelndes Licht; Huschen; ~ing [⸚iŋ] Augenblick; *in a* ~*ing, in the* ~*ing of an eye* im Nu
twirl [twə:l] (herum)wirbeln; zwirbeln; Wirbel; Schnörkel
twist [twist] **1.** (sich) zus.-, (ver)drehen, winden; wringen; zwirnen; ~ *and turn* s. winden; ~ *off* losdrehen, abbrechen; **2.** 💲 (s.) verzerren; **3.** rotieren (lassen); **4.** verdrehen, entstellen; **5.** täuschen, unehrlich sein; **6.** Drehung; Windung; Zwirnung; **7.** Biegung; **8.** Twist; **9.** Zopf(-kuchen); **10.** Drall; ~er [⸚ə] Zwirner; Seildreher; Gauner; etw Kniffliges; *US* Wirbelwind; ~y windungsreich; gaunerisch
twit [twit] *s-b with* j-m etw vorwerfen, j-n aufziehen mit

twitch [twitʃ] zucken; reißen; Ruck; Zucken
twitter ['twitə] zwitschern; aufgeregt daherrattern; Gezwitscher; Gequassel; *in a* ~ aufgeregt
two [tu:] zwei; *one or* ~ einige; *in* ~ entzwei ♦ *to put* ~ *and* ~ *together* s-e Schlüsse ziehen; ~edged [⸚'edʒd] zweischneidig *(a. fig)*; ~faced [⸚'feist] unehrlich; ~fold [⸚fould] zweifach, doppelt; ~pence ['tʌpəns], *pl* ~pences 2 Pennies; ~penny [⸚pəni] zwei Penny wert; ~some [⸚səm] Tanz (Spiel) zu zweien; Zweiergruppe; ~stroke [⸚'strouk] 🚗 Zweitakt; ~time [⸚taim] betrügen
tycoon [tai'ku:n] *bes US* Industriekapitän, König
tyke [taik] Köter; *BE* Tölpel; Range
tympan|ic [tim'pænik] **membrane** Trommelfell; ~um [⸚pənəm], *pl* ~a Mittelohr; Trommelfell
type [taip] Urbild; Beispiel, Typ(us); Art; 🖴 Letter, Type(n); = ~*-face*; = ~*write*; ~ *area* ['ɛəriə] Satzspiegel; ~*-face* [⸚feis] Schrifttype, -art; ~*-foundry* [⸚faundri] Schriftgießerei; ~*page* Satzspiegel; ~*-script* maschinegeschriebener Text; ~*-setter* [⸚setə] Setzer; ~*write* [⸚rait] *(s. S. 320)* mit der Maschine schreiben, tippen; ~*writer* [⸚raitə] Schreibmaschine; 🖴 Schreibmaschinenschrift; ~*-writing* [⸚raitiŋ] Schreibmaschineschreiben; maschinegeschriebener Text
typh|oid ['taifɔid] typhusartig; ~oid *(fever)* (Darm-)Typhus; ~oon [⸚'fu:n] Taifun; ~us [⸚fəs] *(fever)* Fleckfieber
typ|ical ['tipikl] typisch; echt; charakteristisch *(of* für); ~ify [⸚fai] verkörpern; versinnbildlichen; ~ist [⸚'taipist] Maschinenschreiber(in); *(shorthand)* ~*ist* Stenotypistin
typograph|ical [taipə'græfikl] typografisch, Druck-; ~y [⸚'pɔgrəfi] Typografie, Buchdruck; typograf. Gestaltung
tyran|nical [ti'rænikl] tyrannisch; ~nize [⸚rənaiz] tyrannisch herrschen; ~*nize over* tyrannisieren; ~nous [⸚rənəs] tyrannisch; ~ny [⸚əni] Tyrannei; tyrannischer Akt; ~t ['taiərənt] Tyrann
tyre ['taiə] *siehe* tire
tyro ['taiərou] *siehe* tiro

U

U [ju:] U
ubiquit|y [ju:'bikwiti] Allgegenwart; ~ous [⸚⸚təs] allgegenwärtig
udder ['ʌdə] Euter
ugl|ify ['ʌglifai] häßlich machen, entstellen; ~y [⸚i] häßlich; unangenehm
ulcer ['ʌlsə] Geschwür, Ulcus; ~ ate [⸚⸚reit] Geschwüre bilden; eitern; ~ ous [⸚⸚rəs] geschwürig; eitrig
ullage ['ʌlidʒ] Schwund, Leckage
uln|a ['ʌlnə], *pl* ~ae [⸚ni:] 💲 Elle
ulterior [ʌl'tiəriə] verborgen; tiefer liegend (~ *motive* t. Motiv, Hintergedanke)

ultimat|e ['ʌltimit] letzte(r, s); schließlich; End-

ultra ['ʌltrə] extrem; ~~ über-, super-, hyper-; **~marine** [--mə'riːn] Ultramarin; **~short** ⏚ Ultrakurz-; **~sonics** [--'sɔniks] Ultraschall; **~violet** [--'vaiələt] ultraviolett; **~violet lamp** Höhensonne

umbrage ['ʌmbridʒ] Anstoß (to take ~ at A. nehmen an)

umbrella [ʌm'brələ] Schirm; Schutz

umpire ['ʌmpaiə] Schiedsrichter; Schiedsrichter sein (bei)

umpteen ['ʌmptiːn] umg zahllose; viele; ~ times x-mal

un- [ʌn-] un-, nicht (siehe Bemerkung in den Erklärungen); **~able** [-'eibl] unfähig; **~accountable** [-ə'kauntəbl] unverantwortlich; unerklärlich

unanim|ity [juːnə'nimiti] Einmütigkeit; **~ous** [-'næniməs] einmütig; einstimmig

un|answerable [ʌn'ɑːnsərəbl] unwiderleglich; **~assuming** [-ə'sjuːmiŋ] bescheiden, anspruchslos

unaware [ʌnə'wɛə] nicht wissend; to be ~ of nicht wissen, merken; **~s** [---z] unversehens, to take (od catch) ~s überraschen; unabsichtlich

unbeknown [ʌnbi'noun] to (umg) unbekannt; **~st** [---st] to ohne Wissen von

unbend [ʌn'bend] (s. S. 319) geradebiegen (-werden); fig entspannen; freundlich werden; **~ing** [---iŋ] unbiegsam; entschlossen; unbeugsam [los

un|blushing [ʌn'blʌʃiŋ] nicht errötend; schamlos **unborn** ['ʌnbɔːn] ungeboren; zukünftig

unbosom [ʌn'buzəm] offenbaren, anvertrauen; ~ o.s. sein Herz ausschütten

un|bounded [ʌn'baundid] grenzenlos; **~bowed** [-'baud] ungebeugt; **~bridled** [-'braidld] ohne Zügel; zügellos

unburden [ʌn'bəːdn] abladen; fig entlasten, ausschütten; ~ o.s. to s-b j-m sein Herz ausschütten [send

uncalled-for [ʌn'kɔːld fɔː] unverlangt; unpas**uncanny** [ʌn'kæni] unheimlich; unfehlbar (genau)

uncertain [ʌn'səːtn] ungewiß; unsicher; unzuverlässig; **~ty** [---ti] Ungewißheit; Unsicherheit; Unzuverlässigkeit

uncle ['ʌŋkl] Onkel

un|compromising ['ʌn'kɔmprəmaiziŋ] unnachgiebig; kompromißlos; **~conditional** [-kən'diʃənl] bedingungslos

uncon|scientious ['ʌnkɔnʃi'enʃəs] gewissenlos; **~scionable** [-'kɔnʃnəbl] unvernünftig; gewissenlos; **~scious** [-'kɔnʃəs] unbewußt; bewußtlos; d. Unbewußte

un|couple ['ʌn'kʌpl] losbinden; auskuppeln; **~couth** [-'kuːθ] plump; ungeschlacht; **~cover** [-'kʌvə] bloßlegen; entblößen; aufdecken, freilegen

unct|ion ['ʌŋkʃən] Salbung; salbungsvolle Redeweise; Genuß (to tell s-th with ~ion); **~uous** [-tjuəs] salbungsvoll

unde|ceive ['ʌndi'siːv] aufklären; **~cided** [-'saidid] unentschieden; unentschlossen; unbestimmt

under ['ʌndə] 1. unter; unterhalb; 2. nahe an (~ a wall); 3. weniger als (in ~ an hour ['auə]); ~ age minderjährig; 4. in (~ repair, ~ treatment); is ~ discussion wird besprochen; 5. (nach) unten; 6. untere(r, -s)

under|act ['ʌndər'ækt] ⏚ unterspielen; **~bid** [-'bid] (s. S. 319) unterbieten; **~bred** [-'bred] ungebildet; **~brush** [-brʌʃ] Unterholz; **~carriage** [--kæridʒ] ✈ Fahrwerk

undercloth|es ['ʌndəklouðz] pl vb Unterwäsche; **~ing** [---ðiŋ] = ~es

under|current ['ʌndəkʌrənt] Unterströmung (a. fig); **~cut** [-'kʌt] (s. S. 319) unterbieten; **~dog** [--dɔg] Unterdrückter; der immer Benachteiligte; **~done** [-'dʌn] nicht gar, durch; **~estimate** [--'estimeit] unterschätzen; [--estimit] zu niedrige Schätzung; **~expose** [-riks'pouz] 📷 unterbelichten; **~fed** [--'fed] unterernährt; **~foot** [--'fut] unter d. Füßen; **~garment** [--gaːmənt] (Stück) Unterkleidung; **~go** [--'gou] s. S. 319) s. unterziehen; durchmachen; erleiden; **~graduate** [--'grædjuit] Student; **~ground** [-'graund] unterirdisch; geheim; [--graund] unterirdisch (a. fig); Geheim-; Untergrundbahn; pol -bewegung; **~grown** [-'groun] zu klein gewachsen; **~growth** [-grouθ] Unterholz, Gestrüpp; **~hand** [--hænd] heimlich; hinterlistig; **~lain** [-'lein], **~lay** [--'lei] siehe ~lie; **~lie** [--'lai] (s. S. 319) liegen unter; zugrunde liegen; **~line** [--'lain] unterstreichen (a. fig); **~ling** [--'liŋ] Untergeordneter; fig Kuli; **~mine** [--'main] unterwühlen, -spülen, -minieren; fig untergraben; **~most** [--moust] unterste; zuunterst; **~neath** [--'niːθ] unter; unten

undernourish|ed [ʌndə'nʌriʃt] unterernährt; **~ment** [---mənt] Unterernährung

under|pass ['ʌndəpaːs] Unterführung; **~pay** [--'pei] (s. S. 319) unterbezahlen; **~pin** [--'pin] 🏛 unterfangen; **~populated** [--'pɔpjuleitid] unterbevölkert; **~privileged** [--'privilidʒd] unterprivilegiert, schlecht gestellt; **~production** [--prə'dʌkʃən] Unterproduktion; **~rate** [--'reit] unterschätzen; **~score** [--'skɔː] unterstreichen (a. fig); ♪ untermalen; **~secretary** [--'sekritəri] (Unter-)Staatssekretär; **~sell** [--'sel] (s. S. 319) unterbieten; **~signed** [--saind] unterzeichnet; **~shirt** [--'ʃəːt] US Unterhemd; **~sized** [--'saizd] kleiner als gewöhnlich

understand [ʌndə'stænd] (s. S. 319) verstehen; to make o.s. understood s. verständlich machen; ~ one another s. verstehen, sich verständigen; erfahren, hören; ~ from entnehmen aus; gesagt bekommen; I ~ he is ... wie ich höre (man mir sagt); am I to ~? soll d. etwa heißen?; do I ~? wollen Sie etwa sagen?; hinzudenken; **~able** [---əbl] verständlich; **~ing** [---iŋ] Verständnis (of für); Verständigung; on the ~ing that unter d. Voraussetzung, daß; verständig

understate [ʌndə'steit] untertreiben; **~ment** [-
-´mənt] Untertreibung

under|stood [ʌndə'stud] *siehe* ~stand; **~strap-
per** [-´-stræpə] *fig* Kuli, Handlanger; **~study**
[-´-stʌdi] ♟ Ersatzspieler; *fig* Kuli; für j-n einspringen, (Rolle) ersatzweise einüben

undertak|e [ʌndə'teik] *(s. S. 319)* unterneh-
men; über-, annehmen; auf s. nehmen; s. verpflichten; **~er** [-´--ə] *US* Unternehmer; **~er**
[-´--ə] Leichenbestatter; **~ing** [-´--iŋ] Unter-
nehmung; Verpflichtung; **~ing** [-´--iŋ] Lei-
chenbestattung

under|tone [ʌndə'toun] leiser Ton; Schattie-
rung; *fig* Unterton; **~took** [-'-'tuk] *siehe*
~take; **~tow** [-´-tou] Unterströmung; Rück-
strömung; **~value** [-'vælju:] unterbewerten;
~wear [-´-weə] Unterkleidung, -wäsche; **~
weight** [-'-'weit] untergewichtig; [-´-weit] Untergewicht; **~went** [-'-'went] *siehe* ~go; **~world**
[-´-wə:ld] Unterwelt

underwrite [ʌndə'rait] *(s. S. 319)* (Schiff etc)
versichern; (Versicherung) abschließen; (Ef-
fektenemission) garantieren; **~r** [-´--ə] Versi-
cherer

undesirable [´ʌndi'zaiərəbl] unerwünscht(e
Person)

undid [´ʌn'did] *siehe* undo

undies [´ʌn'diz] *umg* (Damen-)Unterwäsche

undo [ʌn'du:] *(s. S. 319)* **1.** aufmachen, (auf)lö-
sen; *to come* ~ne aufgehen; **2.** ungeschehen
machen; *what is done cannot be* ~ne geschehen ist geschehen; **3.** ruinieren; **~ing** [-´-iŋ]
Aufmachen; Ungeschehenmachen; Ruinie-
ren, Ruin; **~ne** [-'dʌn] ungetan

undoubted [ʌn'dautid] unzweifelhaft

undream|ed-of, ~t-of [ʌn'dremtɔv] ungeahnt,
nie erträumt

undu|e [´ʌn'dju:] übermäßig; ungebührlich;
~ly [-´-li] *adv* = ~e

undulat|e [´ʌndjuleit] wogen; sich wellenför-
mig bewegen, w. sein; **~ion** [-´--ʃən] wellen-
förmige Bewegung; Schwingung

undying [ʌn'daiiŋ] unvergänglich, unsterblich

unearth [ʌn'ə:θ] ausgraben; auftreiben; **~ly**
[-´-li] unirdisch; unheimlich; *umg* blödsinnig
früh

uneasy [ʌn'i:zi] unbehaglich; unruhig

unemploy|ed [´ʌnim'plɔid] arbeitslos; unbe-
nutzt, (Kapital) tot; **~ment** [-´--mənt] Arbeits-
losigkeit; Arbeitslosen-

un|ending [ʌn'endiŋ] endlos; **~erring** [-'ə:riŋ]
unfehlbar; **~exampled** [-ig'zɑːmpld] beispiellos; **~failing** [-'feiliŋ] unfehlbar; unerschöpflich; *bes*

unfathom|able [ʌn'fæðəməbl] unergründlich
(a. fig); **~ed** [-´--d] ungemessen; unverstanden

un|feeling [ʌn'fiːliŋ] gefühllos; **~fold** [-'fould]
(sich) entfalten; enthüllen; **~fortunate** [-
'fɔːtʃnit] unglücklich; **~founded** [-'faundid]
unbegründet; **~frock** [-´-frɔk] der Priester-
würde entkleiden; **~gainly** [-'geinli] linkisch,
plump; **~grounded** [-´'graundid] unbegründet;
ungeschult

unguent [´ʌŋgwənt] Wundsalbe

un|hand [ʌn'hænd] loslassen; **~heard** [-'hə:d]
nicht, ungehört; **~heard-of** [-'hɔːdɔv] uner-
hört, beispiellos; **~hinge** [-'hindʒ] (Tür) aus-
hängen; *fig* erschüttern; **~horse** [-´'hɔːs] (Reiter) werfen

unif|iable [´ju:nifaiəbl] zu vereinigen(d); zu ver-
einheitlichen(d); **~ication** [--fi'keiʃən] Vereinigung; Vereinheitlichung; **~y** [-´-fai] vereinigen; vereinheitlichen

uniform [´ju:nifɔːm] einheitlich; gleichartig,
-förmig; Uniform; **~ed** [-´--d] uniformiert;
~ity [-´--iti] Gleichartigkeit, -förmigkeit

unilateral [ju:ni'lætərəl] einseitig; willkürlich

unimpeachable [ʌnim'piːtʃəbl] unantastbar

union [´ju:njən] **1.** Vereinigung, Union; **2.** Einigkeit; Harmonie; **3.** Bund, Verbindung; Verband, Verein; *trade* ~ Gewerkschaft; **4.** ♟
Rohrverbindung; **~ism** [-´-izm] Unionismus;
Gewerkschaftswesen; **~ist** [-´-ist] Unionsan-
hänger; Gewerkschaftler; **~ize** [-´-aiz] zu e-r
Gewerkschaft zus.schließen, in e-e Gewerkschaft bringen; **~ shop** gewerkschaftspflichtiger Betrieb; **~ suit** [-´ sju:t] *US* Hemdhose

unique [ju:'nik] einzig (dastehend); ungewöhnlich

unison [´ju:nizn, -´-nəsn] Gleichstimmigkeit,
Einklang; *in* ~ unisono

unit [´ju:nit] Einheit *(a. mil);* Truppenverband,
Formation; ♟ Aggregat; **~ary** [-´--əri] Ein-
heits-; einheitlich; **~e** [-'nait] (sich) vereinigen, verbinden; **~ed** [-'naitid] verein(ig)t; einig; geeint; gemeinsam; **U~ed Kingdom** Groß-
britannien (und Nordirland); **U~ed Nations** *sg*
vb d. Vereinten Nationen; **U~ed States of
America** *sg vb* d. Vereinigten Staaten; **~y** [-´-i]
Einheit(lichkeit); Einigkeit; *math* eins

univers|al [ju:ni'vəːsl] weltweit, allgemein(gül-
tig); universal; *bes* ♟ Universal-; **~alize** [-´--
səlaiz] universal machen, als universal behandeln; **~e** [-´-vəːs] Universum; Welt(all);
Sternsystem; **~ity** [-´--siti] Universität, Hoch-
schule

unkempt [´ʌn'kempt] unordentlich, zerzaust

unknow|ing [´ʌn'nouiŋ] nicht wissend; unwis-
sentlich; **~n** [-'noun] unbekannt; Unbe-
kannte; *~n to* ohne Wissen von

un|learn [´ʌn'lə:n] *(s. S. 319)* verlernen; **~leash**
[-´'li:ʃ] loskoppeln; *fig* entfesseln

unless [ʌn'les] wenn nicht, außer (wenn); es
sei denn (daß); *not* ~ erst wenn

un|lettered [´ʌn'letəd] ungebildet; **~load** [-´
'loud] entladen; ausladen; *fig* abstoßen;
~make [-´'meik] *(s. S. 319)* rückgängig machen;
zerstören; j-n absetzen; **~man** [-´'mæn] die
Selbstbeherrschung verlieren lassen; entmutigen; verrohen; **~mask** [-´'mɑːsk] (s.) demaskieren; entlarven; **~matched** [-´'mætʃt] unvergleichlich; **~meaning** [-'miːniŋ] nichtssagend,
sinnlos; grenzenlos; hemmungslos; **~mention-
able** [-'menʃnəbl] unnennbar; **~mistakable** [-´
mis'teikəbl] unverkennbar; **~mitigated** [-'miti-
geitid] ungemildert; *fig* vollendet; **~natural** [-´
'nætʃrəl] unnatürlich; künstlich; **~nerve** [-´
'nə:v] entnerven; j-n d. Selbstbeherrschung

verlieren lassen; **~numbered** [-'nʌmbəd] ungezählt; zahllos; **~paralleled** [-'pærəleld] unvergleichlich; **~parliamentary** [-pɑːlə'mentəri] unparlamentarisch; wüst; **~pleasantness** [-'plezəntnis] Grobheit; Häßlichkeit; Unannehmlichkeit; Streit; **~precedented** [-'presidəntid] noch nicht dagewesen, einmalig, unerhört; **~pretending** [-pri'tendiŋ] bescheiden; anspruchslos; **~principled** [-'prinsəpld] grundsatzlos; gewissenlos; **~printable** [-'printəbl] nicht druckbar, wüst; **~professional** [-prə'feʃənl] berufslos; nicht berufsmäßig; **~ravel** [-'rævəl] (s.) entwirren (a. fig); **~read** [-'red] ungelesen; unbelesen, ungebildet; **~regarded** [-ri'gɑːdid] vernachlässigt; **~regenerate** [-ri'dʒenərit] geistig nicht erneuert, sündhaft; **~remitting** [-ri'mitiŋ] unablässig; **~requited** [-ri'kwaitid] unerwidert; nicht erstattet; ungerächt; **~rest** [-'rest] Unruhe; **~rivalled** [-'raivəld] unerreicht, unvergleichlich; **~ruly** [-'ruːli] störrig, unordentlich; **~salable** ['ʌn'seiləbl] **article** Ladenhüter; **~savoury** [-'seivəri] unschmackhaft; geschmacklos; ekelhaft; **~say** [-'sei] (s. S. 319) widerrufen; **~scrupulous** [-'skruːpjuləs] gewissenlos; **~searchable** [-'səːtʃəbl] unerforschlich; **~seat** [-'siːt] (Reiter) abwerfen; j-n absetzen, j-m s-n Sitz nehmen; **~seen** [-'siːn] ungesehen; unsichtbar; the **~ seen** d. unsichtbare Welt; **~settle** stören; in Unordnung bringen; erschüttern; **~sightly** [-'saitli] unansehnlich; unscheinbar; **~sleeping** nicht schlafend; wachsam; **~sophisticated** [-sə'fistikeitid] ungekünstelt; unverdorben; einfach; **~sparing** [-'spɛəriŋ] freigebig; schonungslos, grausam; **~speakable** unaussprechlich, unsäglich; **~strung** [-'strʌŋ] mit lockeren Saiten; abgespannt; ohne Beherrschung; **~suspected** [-səs'pektid] unverdächtig; unvermutet; **~swerving** [-'swəːviŋ] nicht abweichend; unerschüttert, treu; **~taught** [-'tɔːt] ungebildet; autodidaktisch; **~tenable** [-'tenəbl] unhaltbar; **~thankful** [-'θæŋkful] undankbar (a. fig) **unthink|able** [ʌn'θiŋkəbl] unvorstellbar; umg höchst unwahrscheinlich; **~ing** [-'-kiŋ] gedankenlos

until [ʌn'til] bis; not ... **~** erst wenn, erst als **un|timely** [ʌn'taimli] un-, vorzeitig; unpassend; **~tiring** [-'taiəriŋ] unermüdlich; **~to** [-'tu] = to; **~told** [-'tould] ungesagt; unermeßlich; unbeschreiblich; **~touchable** [-'tʌtʃəbl] unberührbar; Unberührbare(r); **~toward** [-'touəd] unglücklich; unangenehm **unturned** [-'ʌn'təːnd] ungewendet ♦ to leave no stone **~** nichts unversucht lassen **un|tutored** [-'ʌn'tjuːtəd] ungebildet, unwissend; **~utterable** [-'ʌtərəbl] unsagbar; unaussprechlich; **~varnished** [-'vɑːniʃt] ungefirnißt; fig ungeschminkt; **~wieldy** [-'wiːldi] unhandlich; schwerfällig; **~witting** [-'witiŋ] unwissentlich; unwissend; **~written** [-'ritn] un(auf)geschrieben; unbeschrieben

up [ʌp] **1.** adv (nach) oben; hoch (he looked **~**, three floors **~**); nördlich; hinauf; **2.** auf (was **~** late war lange auf); what's **~**? was ist los?; to be **~** and doing tätig sein; **3.** zu Ende, aus (the game is **~** (fig) d. Spiel ist a.); time is **~** d. Zeit ist um; **4.** **~** and down überall, auf u. ab; to be **~** against s. gegenübersehen; **~** to (heran, hin) zu, nach; bis zu; to be **~** to etw anstellen, machen; liegen bei (an); e-r Sache gewachsen sein; fähig sein zu; **~** to date auf d. neuesten Stand, modern; **5.** attr Auf-, Aufwärts-; 🚩 zur Stadt, nach London; **6.** prep hinauf; **~** country ins Innere, landeinwärts; **7.** **~**s and downs (fig) Auf u. Ab; **8.** vt aufspringen; (Preis) heraufsetzen, steigern; **~** with losschlagen mit

up|-and-down ['ʌpən'daun] Auf- und Ab-; **~braid** [-'breid] s-b with for j-m etw vorwerfen; **~bringing** [-briŋiŋ] Erziehung; **~country** [-'kʌntri] landeinwärts gelegen; [-'kʌntri] landeinwärts; **~heaval** [-'hiːvl] geol Hebung; fig Umwälzung; **~held** [-'held] siehe ~hold; **~hill** [-'hil] ansteigend mühevoll; bergauf; **~hold** [-'hould] (s. S. 319) ermutigen; billigen; aufrechterhalten

upholster [ʌp'houlstə] polstern; (Zimmer) dekorieren (und möblieren); **~er** [-'-rə] Polsterer; **~y** [-'-ri] Dekorationsgeschäft; Polstermöbel (und Gardinen); Möbelbezug; Möbel**up|keep** ['ʌpkiːp] Unter-, Instandhaltung(skosten); **~land** [-lənd] Hochland; hochgelegen; **~lift** [-'lift] (bes er-)heben; [-lift] (moralischer) Auftrieb; **~on** [ə'pɔn] = on

upper ['ʌpə] obere; to have the **~** hand of die Oberhand gewinnen über; the **~** storey das Oberstübchen; the **~** ten die obere Zehntausend; **~** case 📖 Versalien; su Oberleder ♦ to be (down) on one's **~**s herunter, am Ende sein; **~-cut** [-'-kʌt] 🥊 Aufwärtshaken; **~most** [-'-moust] höchste; oberste; (nach) oben **uppish** ['ʌpiʃ] hochnäsig, -fahrend **up|raise** [ʌp'reiz] erheben; **~rear** [-'riə] erheben, aufrichten **upright** ['ʌp'rait] aufrecht (a. fig); senkrecht; Ständer, Pfosten; **~ (piano)** Klavier; **~ly** [-'-li] aufrecht, ehrlich **upris|e** [ʌp'raiz] (s. S. 319) s. (er)heben; **~ing** [-'-iŋ] Erhebung, Aufstand **uproar** ['ʌprɔː] Aufruhr; Toben; **~ious** [-'-riəs] tobend; tosend **up|root** [ʌp'ruːt] (mit d. Wurzel) ausreißen (a. fig); entwurzeln, herausreißen; **~rose** [-'rouz] siehe ~rise; **~set** [-'set] (s. S. 319) umstoßen (a. fig); umkippen; stören, über d. Haufen werfen; in Unordnung bringen; [-set] Sturz; Kippen; Störung (bes 💲); Streit; 🚩 Überraschungsergebnis; **~shot** [-ʃɔt] Ergebnis; **~side-down** [-'said'daun] auf d. Kopf; drunter und drüber; **~stairs** [-'stɛəz] (nach) oben; obere; **~standing** [-'stændiŋ] aufrecht; kräftig, gesund; **~start** [-stɑːt] Parvenü; arrogant; **~stream** [-'striːm] stromaufwärts (gelegen); **~stroke** [-strouk] Aufstrich; **~surge** [-'səːdʒ] Aufwallung; **~surge** [-'səːdʒ] aufwallen; **~take** [-teik] Auffassung(svermögen); to be quick (slow) in the **~take** rasch (langsam) auffassen; **~-to-date** [-tə'deit] auf dem neuesten Stand;

modern; ~**town** [⸗'taun] *bes US* im (ins) Wohnviertel; stadtauswärts; ~**turn** [⸗'tə:n] Aufschwung, Besserung

upward ['ʌpwəd] aufwärts-; nach oben (gerichtet); ~**(s)** aufwärts; *and* ~*s* und mehr; ~*s of* mehr als, über

urban ['ə:bən] städtisch; Stadt-; ~**e** [–'bein] höflich; gebildet; ~**ity** [–'bæniti] (übertriebene) Höflichkeit; Bildung; ~**ize** [⸗–aiz] verstädtern, städtisch machen

urchin ['ə:tʃin] Bengel; Straßenjunge

urge [ə:dʒ] antreiben; drängen (auf); nachdrücklich vorbringen, vorhalten (*upon s-b* j-m); Drang; ~**ncy** [⸗ənsi] Dringlichkeit; *fig* Druck; ~**nt** [⸗ənt] dringend; drängend

urin|al ['juərinəl] Harnglas; Bedürfnisanstalt; ~**e** [⸗–] Urin, Harn

urn [ə:n] Urne; *fig* Grab; Tee-, Kaffeemaschine

us [ʌs] uns

us|able ['ju:zəbl] benutz-, verwendbar; betriebsfähig; ~**age** [⸗zidʒ] Behandlung; (Sprach-)Gebrauch; Sitte, Brauch

use [ju:z] 1. gebrauchen, benutzen; an-, verwenden; 2. ~ *(up)* verbrauchen; 3. j-n behandeln; 4. ~ [ju:s] Gebrauch (*to come into* ~ in G. kommen; *to go* (od *fall) out of* ~ außer G. kommen), Benutzung (*out of* ~ nicht in B.); Ver-, Anwendung; *to put to* ~ an-, verwenden; 5. (Verwendungs-)Zweck (*it's no* ~ *doing* es hat keinen Z. zu tun); Sinn; 6. Nutzen (*of* ~ *to* von N. für); 7. Verwendungsmöglichkeit; -recht; 8. Brauch

used 1. [ju:zd] *siehe* use; 2. ~ [ju:st] *to do* pflegte zu tun, tat früher; *it* ~ *to be said* früher sagte man; *...than he (etc)* ~ *to* als früher; 3. ~ [ju:st] *to* gewöhnt an, gewohnt; *to get* ~ *to* sich gewöhnen an

use|ful ['ju:sful] nützlich; brauchbar; Nutz-; ~**less** [⸗lis] nutzlos; unbrauchbar; ~**r** ['ju:zə] Benutzer; *road* ~*r* Verkehrsteilnehmer; Verbraucher

usher ['ʌʃə] Platzanweiser; Pedell; Pauker; hineinführen; ~ *in (fig)* einleiten; ~**ette** [––'ret] Platzanweiserin

usual ['ju:ʒuəl] üblich (*as is* ~ *with* wie es bei ... ü. ist), gewöhnlich; ~**ly** [⸗–i] (für) gewöhnlich

usufruct ['ju:sju(:)frʌkt] Nießbrauch, Nutznießung

usur|er ['ju:ʒərə] Wucherer; ~**ious** [–'zjuəriəs, *US* –'ʒuriəs] wucherisch; Wucher-; ~**y** [⸗–ri] Wucher(ei)

usurp [ju:'zə:p] an s. reißen, s. widerrechtlich aneignen; ~**ation** [––'peiʃən] widerrechtliche Aneignung; ~**er** [–⸗ə] widerrechtlicher Besitzer; Usurpator

utensil [ju:'tensl] Gerät

uter|us ['ju:tərəs], *pl* ~**i** [⸗–ai] Gebärmutter

util|itarian [ju:tili'tɛəriən] auf Nützlichkeit abgestellt, utilitaristisch; ~**ity** [––liti] Nützlichkeit; etwas Nützliches; *(public)* ~*ity* öffentlicher Versorgungsbetrieb, *pl* Stadtwerke; *attr* Gebrauchs-; ~**ization** [––lai'zeiʃən] Ausnut-

zung, Verwertung; ~**ize** [⸗–laiz] ausnutzen, verwerten

utmost ['ʌtmoust] äußerste; höchste; Äußerstes; *to do one's* ~ sein Möglichstes tun

utopia [ju:'toupiə] Idealland, -system; Utopie; ~**n** utopisch; Utopist

utter ['ʌtə] äußerste; entschieden; äußern; in Umlauf setzen; ~**ance** [⸗–rəns] Ausdruck (*to give* ~*ance to* = *to* ~); Sprechweise; Äußerung; ~**most** [⸗–moust] = utmost

uvul|a ['ju:vjulə], *pl* ~**as**, ~**ae** [⸗–i:] ♄ Zäpfchen

V

V [vi:] V

vaca|ncy ['veikənsi] Leere *(a. fig.)*; leere, freie Stelle; geistige Leere; ~**nt** [⸗–nt] leer *(a. fig.)*; unbesetzt; frei; Muße-; ~**te** [və'keit, *US* 'veikeit], räumen; frei machen *(a. fig.)* evakuieren; 🚗 ungültig machen; ~**tion** [və'keiʃən] (*bes BE* Gerichts-, Schul-)Ferien; Räumung; Aufgabe; ~**tionist** [və'keiʃənist] *US* Ferienreisender, Urlauber

vaccin|ate ['væksineit] vakzinieren; impfen; ~**e** [⸗i:n] Vakzine; Impfstoff

vacillat|e ['væsileit] *bes fig* schwanken; ~**ion** [––⸗ʃən] Schwankung

vacu|ity [və'kju:iti] Leere; Mangel an Verstand, Dummheit; Lücke; ~**ous** [–'vækjuəs] müßig; *bes fig* leer; dumm; ~**um** ['vækjuəm], *pl* ~ums, ~**ua** ['vækjuə] Vakuum; ~**um brake** Unterdruckbremse; ~**um cleaner** Staubsauger; ~**um flask** [flɑ:sk] Thermosflasche

vade-mecum ['veidi'mi:kəm], *pl* ~**s** Notiz-, Handbuch

vag|abond ['vægəbond] umherschweifend; unstet; Vagabund; *umg* Strolch; ~**ary** [və'gɛəri, *bes BE* 'veigəri] Laune, Einfall; ~**rancy** ['veigrənsi] Landstreicher(ei); ~**rant** ['veigrənt] Landstreicher; umherschweifend; Wander-; abschweifend; ~**ue** [veig] unbestimmt, vage

vain [vein] vergeblich; *in* ~ umsonst; leer; eitel; ~**glorious** [–'glɔːriəs] prahlerisch; ~**glory** [–'glɔːri] Prahlerei; *US* hohles Gepränge

valance ['væləns] Überhang; Lambrequin

vale [veil] *poet* (weites) Tal

valedict|ion [væli'dikʃən] Abschied(sworte); ~**ory** [–––'tɔri] Abschieds-; *US* Schulschlußansprache

valet ['vælit] (Herren-)Diener; bedienen; ~**udinarian** [––tju:di'nɛəriən] kränklich, um seine Gesundheit überbesorgt(er Mensch)

valiant ['væljənt] tapfer

valid ['vælid] gültig; begründet; triftig; ~**ate** [⸗eit] für gültig erklären; ~**ity** [və'liditi] Gültigkeit; Triftigkeit

valley ['væli] Tal; ~ **basin** [beisn] Talkessel

val|orous ['vælərəs] mutig, tapfer; ~**our** [⸗lə] (besondere) Tapferkeit

valu|able ['væljuəbl] wertvoll; *su pl* Wertsachen; ~**ation** [––'eiʃən] Abschätzung, Taxierung; Bewertung; Beurteilung; ~**ator** [⸗–eitə] Schätzer, Taxator; ~**e** [⸗ju:] 1. Wert *(a. math)*;

2. Preis; 3. Kraft, Wirkung; 4. ♪ Notenwert; 5. *pl* sittliche Werte; 6. (ab-)schätzen; 7. (hoch)schätzen; **~e-added tax** *BE* Mehrwertsteuer; **~ed** [–ju:d] (hoch)geschätzt; **~eless** [–ju:lis] wertlos; **~er** [–ju:ə] *BE* = ~ator

valv|e [vælv] Ventil; ⚡ Klappe; *zool* Muschelschale; *BE* **~** Röhre; **~ular** [–yjulə] Klappen

vamp [væmp] 1. (Schuh-)Vorderkappe; -flikken; 2. *fig* Flickwerk; 3. ♪ improvisierte Begleitung; 4. Vamp; 5. (Schuh)flicken; 6. **~** *up* zus.stoppeln, auffrischen; 7. ♪ improvisiert begleiten; Begleitung improvisieren; 8. j-n aus-, hochnehmen; **~ire** [–aiə] Vampir; *zool* Blattnase, Vampir

van [væn] 1. Last-, Möbelwagen; 2. *BE* 🚃 geschlossener Güterwagen, Gepäck-, Dienstwagen; 3. Polizeiwagen; 4. *BE* (Liefer-, Zigeuner-)Wagen; 5. *mil* Vorhut, Spitze

vane [vein] Wetterhahn, -fahne; ✿, ✝ Flügel; (Turbinen-)Schaufel

vanguard ['vænga:d] Vorhut *(a. fig)*

vanish ['væniʃ] (ver)schwinden; **~ing point** Fluchtpunkt; *umg fig* Nullpunkt

vanity ['væniti] Leere, Nichtigkeit; Eitelkeit; *US* Frisiertoilette; **~** **case (bag)** Kosmetiktäschchen

vanquish ['væŋkwiʃ] besiegen, überwinden

vantage ['va:ntidʒ] *bes* 🎾 Vorteil; **~-ground** [–graund], **point of ~** günstige Stellung *(a. fig)*

vap|id ['væpid] schal; öde; **~idity** [–'piditi] Schalheit, Leere; *pl* leeres Gerede; **~orize** ['veipəraiz] verdampfen, verdunsten (lassen); **~orous** ['veipərəs] dampfig, dunstig; gehaltlos; **~our** [–pə] Dampf, Dunst; Phantasterei

vari|ability [vɛəriə'biliti] Veränderlichkeit; **~able** [–əbl] veränderlich(e Größe); ✿ regelbar *(infinitely ~able* stufenlos r.); **~ance** [–əns] Veränderung; (Wider-)Streit *(with* zu); *at ~ance* im Streit (miteinander); **~ant** [–ənt] verschieden, abweichend; Variante; **~ation** [–ri'eiʃən] Schwankung, Abweichung; ♪, *biol* Variation; **~coloured** [–ikʌləd] bunt; **~cose** ['værikous] varikös; **~cose vein** Krampfader; **~ed** [–id] verschieden; mannigfaltig; abwechslungsreich; **~egate** [–igeit] bunt machen; **~egated** bunt; geflammt; mannigfaltig; **~egation** [–i'geiʃən] Buntheit; *fig* [və'raiəti] Abwechslung; Mannigfaltigkeit; Abart; Varieté(vorstellung); *~ety theatre* Varieté(theater); größere Zahl *(for a ~ety of reasons);* **~form** [–ifɔ:m] vielgestaltig; **~ous** [–iəs] verschieden(artig)

varnish ['va:niʃ] (Klar-)Lack, Firnis; glatte Fläche; *fig* äußerer Anstrich; lackieren; *fig* übertünchen, beschönigen [*umg* Studiker

varsity ['va:siti] *umg* Uni(versität); **~ man** *BE*

vary ['vɛəri] (s.) ändern, schwanken, wechseln; *bes* ♪ variieren; abweichen

vascular ['væskjulə] *zool, bot* Gefäß-

vase [va:z, *US* veis] Vase

vassal ['væsl] Vasall *(a. fig);* Trabant

vast [va:st] riesig, ungeheuer; Weite; **~ness** [–nis] ungeheure Größe, Weite

vat [væt] Bottich; Küpe; in e-n Bottich füllen; mischen; verküpen

vaudeville ['voudvil] Sketch (mit Gesang); Varieté(vorstellung)

vault [vɔ:lt] Gewölbe *(a.* Himmels-); Keller; Gruft; Stahlkammer; Höhle; (handgestützter) Sprung; (über)wölben; sich schwingen, springen (über); **~ing-horse** 🐴 Pferd

vaunt [vɔ:nt] s. rühmen (über); Prahlerei; **~er** Prahler

veal [vi:l] Kalbfleisch

veer [viə] (s.) drehen, schwenken; ⚓ lavieren; **~** *and haul* ⚓ fieren u. holen

veg [vedʒ] *BE* Gemüse; **~an** [*BE* 'vi:gən, *US* 'vedʒən] Rohköstler

veget|able ['vedʒitəbl] pflanzlich; Pflanzen-; Pflanze; *pl* Gemüse; **~arian** [––'tɛəriən] Vegetarier; vegetarisch; **~ate** [–'teit] vegetieren; e. ödes Leben führen; **~ation** [––'teiʃən] Vegetation *(a. fig)*

vehemen|ce ['vi:iməns] Heftigkeit; Leidenschaftlichkeit; **~t** [–––t] heftig; leidenschaftlich

vehic|le ['vi:ikl] Fahrzeug; Löse-, Bindemittel; ⚡ Vehikel; *fig* Ventil; **~ular** [–'hikjulə] Fahrzeug-

veil [veil] Schleier *(a. fig)* ♦ *beyond the ~* nach dem Tod; (s.) verschleiern

vein [vein] Vene; Ader *(a. fig); zool* Flügelader; *bot* Blattader; Erzader, Gang; Anlage, Stimmung

vellum ['veləm] Kalbspergament; Velinpapier

veloci|pede [vi'lɔsipi:d] Laufrad; Veloziped; *US* (Kinder-)Dreirad; **~ty** [–––ti] Schnelligkeit; Geschwindigkeit

vel|um ['vi:ləm], *pl* **~a** [–ə] Gaumensegel; **~ours** [ve'luə] Velours(hut)

velvet ['velvit] Samt; *zool* Bast; **~een** [––'ti:n] Schußsamt; **~y** [–i] samt(art)ig

venal ['vi:nl] käuflich; korrupt; **~ity** [–'næliti] Käuflichkeit

vend [vend] *bes* 🐍 verkaufen; **~ee** [–'di:] *US* Käufer; **~er** [–ə] (Straßen-)Verkäufer; **~ing machine** [mə'ʃi:n] Verkaufsautomat; **~or** [–ɔ:, –ə] *bes* 🐍 Verkäufer; Verkaufsautomat; **~ue** [–'dju:] *US* Auktion

veneer [vi'niə] furnieren; engobieren; *fig* übertünchen, beschönigen; Furnier(ung); *fig* Tünche

vener|able ['venərəbl] verehrungs-, ehrwürdig; **~ate** [–reit] verehren; **~ation** [––'reiʃən] Verehrung; **~eal** [vi'niəriəl] venerisch; geschlechtskrank

Venetian [vi'ni:ʃən] venezianisch; Venezianer; **~ blind** (Zug-)Jalousie

venge|ance ['vendʒəns] Rache *(to take ~ance upon* R. nehmen an); *with a ~ance* auf Deubel komm 'raus, von besonderer Güte; **~ful** [–ful] rachsüchtig

venial ['vi:niəl] verzeihlich

venison ['venzən, *US* –əzən] Wildbret

venom ['venəm] (Tier-)Gift *(a. fig);* **~ed** [–d] vergiftet; **~ous** [––əs] giftig *(a. fig)*

venous ['vi:nəs] Venen-; venös; *bot* geädert

vent [vent] (Luft-)Loch; Bohr-, Spund-, ♪ Tonloch; *fig* Auslaß; *to give ~ to* Luft machen; ein Loch machen in; sich Luft machen; **ventila|te** ['ventileit] (ent)lüften; (frei) erörtern; **~tion** [--´ʃən] Lüftung; freie Erörterung; **~tor** [´---ə] Ventilator

ventricle ['ventrikl] ✚ Kammer

ventriloqu|ism [ven'triləkwizm] Bauchreden; **~ist** Bauchredner

ventur|e ['ventʃə] Wagnis; Risiko; Spekulation; *at a ~ e* aufs Geratewohl; wagen, riskieren ♦ *nothing ~ e, nothing have* wer nicht wagt, gewinnt nicht; (Ansicht) vorbringen; s. wagen; s. erlauben; **~er** [´--rə] Abenteurer; **~esome** [´--səm] verwegen; riskant; **~ous** [´--rəs] = **~esome**

venue ['venjuː] ⚖ Gerichtsort; *umg* Treffpunkt

veraci|ous [və'reiʃəs] wahr(haftig); **~ty** [-'ræsiti] Wahrheit(sliebe)

verb [vəːb] Verb(um), Zeitwort; **~al** [´-l] Wort-; mündlich; wörtlich; Verbal-; **~ally** [´-əli] mündlich; **~atim** [-'beitim] wörtlich; **~iage** [´-iidʒ] Wortreichtum, -schwall; **~ose** [-'bous] (zu) wortreich; **~osity** [-'bɔsiti] Wortreichtum, -schwall

verd|ant ['vəːdənt] grün; unerfahren; **~ict** [´-ikt] ⚖ Wahrspruch; *fig* Urteil (*on* über); **~igris** [´-igris] Grünspan; **~ure** [´-dʒə] Grün; (Jugend-)Frische

verge [vəːdʒ] Rand *(a. fig);* Beet-, Seitenrand; *on the ~* nahe an; sich neigen; *~ on* herankommen an, grenzen an; **~r** [´-ə] *BE* Mesner

veri|fiable ['verifaiəbl] beweisbar; **~fication** [--fi'keiʃən] Nachprüfung; Bestätigung; Beweismittel; **~fy** [´--fai] die Richtigkeit nachprüfen (bestätigen, beweisen) von; **~ly** [´--li] wahrlich; **~similitude** [--si'militjuːd] Wahrscheinlichkeit; **~table** [´--təbl] wahr(-haftig); **~ty** [´--ti] (Grund-)Wahrheit

vermi|celli [vəːmi'seli] *sg vb* Fadennudeln; **~lion** [və'miljən] Zinnoberrot; zinnoberrot (färben); **~n** [´-min] Schädlinge (u. Ungeziefer); *fig* Schädlinge, Verbrecher; **~nous** [´-minəs] ungezieferverseucht; durch Ungeziefer verursacht; niederträchtig

vermouth ['vəːməθ, *US* -'muːθ] Wermut, Wermutwein

vernacular [və'nækjulə] Eingeborenen-; heimatsprachlich; einheimische Sprache; Mundart; Fachsprache; *in the ~* mundartlich; umgangssprachlich

vernal ['vəːnl] Frühlings-; frühlingshaft

versatil|e ['vəːsətail] vielseitig, wendig; unbeständig; **~ity** [--'tiliti] Vielseitigkeit; Unbeständigkeit

vers|e [vəːs] (Vers-)Zeile; Vers(e); Strophe; **~ed** [´-t] gewandt, bewandert; **~ification** [--ifi'keiʃən] Dichten; Versbau, -maß; **~ion** [´-ʃən] Fassung, Version; Übersetzung; **~us** [´-əs] gegen

vertebr|a ['vəːtibrə], *pl* **~ae** [´--briː] Wirbel; **the ~ae** Rückgrat; **~al** [´--brəl] Wirbel- (*~al column* W.säule); **~ate** [´--brit] Wirbel; Wirbeltier

vert|ex ['vəːteks], *pl* **~exes**, **~ices** [´-tisiːz] Scheitel(punkt); Vertex; **~ical** [´-tikl] senkrecht, vertikal; Scheitel-; *the ~ical* die Senkrechte; **~iginous** [-'tidʒinəs] wirbelnd; schwindel(erre)nd; **~igo** [´-tigou], *pl* **~igoes** Schwindel(gefühl)

very ['veri] **1.** wirklich, echt, wahr, eigentlich; *in ~ deed* tatsächlich; *in ~ truth* wahrhaftig; **2.** gerade, sogar; genau; schon (*the ~ idea* schon d. Gedanke!!) **3.** *(vor Superlativen)* aller- *(the ~ lowest price);* **4.** sehr (*~ good* s. gut; s. wohl, jawohl)

vessel ['vesl] *zool*, ✚, *allg* Gefäß; ⚓ Fahrzeug, Schiff

vest [vest] *BE* (Herren-)Unterhemd; *bes US* Weste; bekleiden; *fig* ausstatten (*with* mit); *~ s-th in s-b* j-m etw verleihen; *~ in (fig)* liegen bei; **~al** [´-l] vestalisch; Vestalin; Nonne; **~ed** [´-id] anerkannt; althergebracht; fest; **~ibule** [´-ibjuːl] Vorhalle, -raum; *US* ❤ Innenplattform (u. Faltenbalg); *~ibule train* D-Zug; **~ige** [´-idʒ] Spur *(a. fig);* Rudiment; **~ment** [´-mənt] Gewand, Robe; **~-pocket** [´-pɔkit] Westentaschen-; **~ry** [´-ri] **1.** Sakristei; **2.** Bet-, Gemeinderaum; **3.** Gemeindevertreter; **~ry clerk** *BE* Rechnungsführer der Gemeinde; **~ryman** [´-rimən], *pl* **~rymen** Gemeindevertreter; **~ure** [´-tʃə] Gewand(ung)

vet [vet] *umg* Tierarzt; *umg* tierärztlich untersuchen, behandeln; prüfen, kritisch untersuchen

vetch [vetʃ] Wicke; **~ling** [´-liŋ] Platterbse

veter|an ['vetərən] (alt und) erfahren; *fig* Veteran; *US* gedienter Soldat; **~inarian** [--ri'nɛəriən] Tierarzt; **~inary** [--rinəri] tierärztlich; Tierarzt

veto ['viːtou], *pl* **~es** Veto; Verbot; *to put a ~ on* = **to ~** sein Veto einlegen gegen; verbieten

vex [veks] (See) aufbringen *(a. fig);* reizen, ärgern; *~ed question* offene Streitfrage, leidiges Problem; **~ation** [-'seiʃən] Reizung; Ärgernis; Schikane; **~atious** [-'seiʃəs] ärgerlich; schikanös

via ['vaiə] über, durch; mit Hilfe von; **~bility** [-'biliti] Lebensfähigkeit; Durchführ-, Brauchbarkeit; **~ble** [´-bl] lebensfähig; durchführ-, brauchbar; praktikabel; **~duct** [´-dʌkt] Viadukt; **~l** [´-l] *(bes BE phial)* Phiole, (Glas)Fläschchen; **~nd** [´-nd] *mst pl* Lebensmittel

vibr|ant ['vaibrənt] vibrierend; zitternd (*with* vor); strotzend (*with* vor); **~ate** [-'breit, *US* ´--] vibrieren; zittern; schwingen (lassen); **~ation** [-'breiʃən] Vibration; Zittern *(a. fig);* Schwingung; **~ator** [-'breitə] Vibrator; ♪ Metallzunge

vicar ['vikə] *eccl* Stellvertreter; *BE* Gemeinde-, *US* Hilfspfarrer; **~age** [´--ridʒ] Pfarrhaus, -stelle; **~ious** [vai'kɛəriəs] delegiert, stellvertretend; ersatzweise

vice [vais] Laster; Fehler; *BE* Schraubstock, Spanner; *umg* Vize; Vize-; ['vaisi] an Stelle von; **~-chancellor** [-'tʃɑːnsələ] Vizekanzler; (Univ.-)Rektor; **~gerent** [-'dʒerənt] Statthalter; **~regal** [-'riːgl] vizeköniglich; **~reine** [´-

rein] Vizekönigin; **~roy** [⸚rɔi] Vizekönig;
~ versa [⸚i'vəːsə] umgekehrt
vicinity [vi'siniti] Nachbarschaft; Nähe
vicious [vi'ʃəs] lasterhaft; unsittlich; bösartig;
boshaft; fehler-, mangelhaft; **~ circle** Circulus
vitiosus
vicissitude [vi'sisitjuːd] Wechsel; *pl* -fälle
victim ['viktim] Opfer *(to fall a ~ to)*; **~ize** [⸚-
maiz] opfern; betrügen
victor ['viktə] Sieger; siegreich; **~ious** [-
'tɔːriəs] siegreich; **~y** [⸚-ri] Sieg
victual ['vitl] *mst pl* Lebensmittel, Proviant;
mit Proviant versorgen; Proviant einnehmen;
~ler [⸚-ə] Lebensmittellieferant; ⚓ Proviant-
schiff; *BE* Gastwirt
vide ['vaidi] siehe; **~licet** [vi'diːliset, *US* -'delə-
sit] nämlich *(siehe viz.)*; **~o** ['vidiou] Bild; *US*
Fernsehen; Fernseh-; **~tape** [⸚--teip] Video-
band
vie [vai] wetteifern *(with* mit)
view [vjuː] **1.** Sicht *(to come in ~* in S. kommen, erblicken); *in ~ (fig)* in Sicht, in Aussicht; *on ~* ausgestellt, zu besichtigen; **2.** Besichtigung; **3.** Blick, Szenerie; Aussicht; **4.**
Ansicht; **5.** *fig* Sicht, Vorstellung; **6.** *fig* Ansicht *(of* über); *in ~ of* angesichts; Plan; Absicht *(with a ~ to* mit der A. zu); **7.** betrachten,
prüfen *(a. fig)*; **8.** im Fernsehen sehen; **~er** [⸚-ə]
📺 Betrachter; 📺 Fernsehteilnehmer; **~-finder**
[faində] 📷 Sucher; **~less** [⸚-lis] unsichtbar;
ohne Meinung; **~point** [⸚-pɔint] Standpunkt
vigil ['vidʒil] Wache(n) *(to keep ~ over* wachen
bei); *pl* nächtliche Andacht; Vorabend (e-s
Kirchenfestes); **~ance** [⸚-ləns] Wachsamkeit;
~ant [⸚-lənt] wachsam; aufmerksam
vignette [vin'jet] 📖 Vignette; 📷 Brustbild; *fig*
(geschliffenes) Porträt
vigorous ['vigərəs] kräftig; **~our** [⸚-gə] Kraft;
Energie
viking ['vaikiŋ] Wiking
vile [vail] gemein, schändlich; übel; wertlos;
umg miserabel, scheußlich; **~ify** ['vilifai] verleumden
villa ['vilə], *pl* **~as** Villa; **~age** ['vilidʒ] Dorf;
~ager ['vilidʒə] Dorfbewohner; Bauer *(a. fig)*;
~ain ['vilən] Schurke; Schlingel; *siehe* **~ein**;
~ainous ['vilənəs] schurkisch; *umg* abscheulich; **~ainy** ['viləni] Schurkerei; **~ein** ['vilin]
Leibeigener
vim [vim] Mumm, Schwung
vindicate ['vindikeit] als berechtigt (einwandfrei) erweisen; rechtfertigen; **~ation** [--'kei-
ʃən] Verteidigung; Rechtfertigung; **~tive** [⸚-
tiv] rachsüchtig
vine [vain] (Wein-)Rebe; Kletterpflanze;
Wein-; **~gar** ['vinigə] (Wein-)Essig; **~gary** ['vi-
nigəri] sauer *(a. fig)*; **~yard** ['vinjəd] Weinberg
vino ['vainou] Wein
vintage ['vintidʒ] Weinlese; Jahrgang; erstklassig; echt
viol ['vaiəl] 🎵 Viola; **~a** [vi'oulə], *pl* **~as** 🎵 Brat-
sche; **~a** ['vaiələ] *bot* Viola
violate ['vaiəleit] entweihen; übertreten, verletzen; stören; vergewaltigen; **~ation** [-'leiʃən]

Entweihung; Übertretung, Verletzung; Störung; Vergewaltigung; **~ence** [⸚-ləns] Heftigkeit; Gewalt; **~ent** [⸚-lənt] heftig; gewaltig; gewaltsam
violet ['vaiəlit] Veilchen; Violett; violett
violin [vaiə'lin] Geige; **~ist** [vaiə'linist] Geiger, Violinist; **~oncello** [--lən'tʃelo, *US*
viːələn--], *pl* **~oncellos** Cello
viper ['vaipə] Kreuzotter; Viper, Giftschlange;
~'s grass *bot* Schwarzwurzel
virago [vi'reigou], *pl* **~s**, **~es** Zankteufel,
Mannweib
virgin ['vəːdʒin] Jungfrau; *the V~* die Jungfrau
Maria; jungfräulich, keusch; unberührt; *~
forest* Urwald; *~ gold* reines Gold; *~ soil*
jungfräulicher Boden *(a. fig)*; **~al** [⸚-əl] jungfräulich; rein; Virginal, Spinett; **V~ia** [⸚-jə]
creeper fünfblättrige Jungfernrebe, wilder
Wein; **~ity** [⸚-iti] Jungfräulichkeit
virile ['virail] männlich; mannhaft; **~ity** [-'ri-
liti] Männlichkeit; Mannhaftigkeit
virtual ['vəːtjuəl, ⸚-tʃ-] eigentlich, praktisch;
~ue [⸚-tjuː, ⸚-tʃuː] Wirkungskraft; *by ~ue of*
kraft; Tugend; Keuschheit; **~uosity** [-tju'ɔsiti,
-tʃu'---] Virtuosität; **~uoso** [-tju'ouzou,
-tʃu'ousou], *pl* **~uosos**, **~uosi** [---siː] Vir-
tuose; Kunstsachverständiger; **~uous** [⸚-tʃuəs]
tugendhaft
virulence ['viruləns] Virulenz; Bösartigkeit; **~t**
[⸚--t] virulent; bösartig
virus ['vaiərəs], *pl* **~es** Virus; *fig* Gift
visa ['viːzə] = visé
visage ['vizidʒ] Gesicht
vis-à-vis ['viːzaːˈviː, *US* ⸚əviː] Gegenüber; Visa-
vis
viscera ['visərə] *pl vb* Eingeweide, innere Or-
gane
viscid ['visid] klebrig, zäh; **~ose** [⸚-kous] Vis-
kose; **~osity** [vis'kɔsiti] Viskosität,
Zäh(flüss)igkeit; **~ous** ['viskəs] zäh, klebrig, sirupartig, zähflüssig
viscount ['vaikaunt] Vicomte; **~cy** [⸚--si] Vi-
comtewürde; **~ess** [⸚-is] Vicomtesse
visé ['viːzei], **visa** [⸚-ə] Visum; mit e-m Visum
versehen
vise [vais] *US* Schraubstock
visibility [vizi'biliti] Sicht(barkeit); **~le** [⸚--bl]
sichtbar; offensichtlich
vision ['viʒən] Sehkraft; *field of ~* Gesichts-
feld; Ein-, Voraussicht; Vision *(to see ~s* V.
haben); Anblick; Erscheinung; 📺 Bild; **~ary**
[⸚--əri] phantastisch, visionär; träumerisch;
Schwärmer
visit ['vizit] **1.** be-, aufsuchen; **2.** heimsuchen
(upon s-b j-n); **3.** *US* e-n Besuch machen *(with*
bei), s. aufhalten; *US umg* sich unterhalten *(~
over the telephone)*; **4.** Besuch *(on a ~* auf B.;
to bei, in); Aufsuchen; **~ant** [⸚--ənt] Besucher;
Zugvogel; **~ation** [--'teiʃən] Besuch, Besichtigung; Heimsuchung; **~or** [⸚--ə] Besucher; Ur-
lauber, Feriengast; Prüfer
visor ['vaizə] Visier
vista ['vistə], *pl* **~s** Durch-, Ausblick *(a. fig)*; *fig*
Reihe, Kette

visual ['viʒuəl] visuell; sichtbar, real; ~ize [-̈-aiz] s. klar vorstellen, ausmalen

vital ['vait(ə)l] lebenswichtig *(a. fig)*; Lebens-; ~ **statistics** Personenstandstatistik; (Stil) lebhaft, kräftig; entscheidend *(to* für); ~**ity** [-'tæliti] Lebenskraft, -fähigkeit; ~**ize** [-̈-aiz] mit Lebenskraft erfüllen, beleben; ~**s** [-̈z] d. lebenswicht. Teile; *fig* d. Wesentliche

vitamin ['vitəmin, 'vai-] Vitamin

vitiate ['viʃieit] verderben *(a. ǂ)*; ⚖ ungültig machen

vitr|eous ['vitriəs] Glas-; glas(art)ig, verglast; ~**ify** [-̈-fai] verglasen; ~**iol** [-̈-əl] Vitriol; Gehässigkeit; ~**iolic** [-̈-'ɔlik] Vitriol-; ätzend, gehässig

vituper|ate [vi'tju:pəreit, vai-̈] beschimpfen, schmähen; ~**tion** [-,-̈-'reiʃən] Schmähung(en); ~**tive** [-̈-rətiv] schmähend, Schmäh-

viva ['vi:və] lang lebe; heil!; ~ ['vaivə] mündliche Prüfung; mündlich prüfen; ~**cious** [vai'veiʃəs] lebhaft; ~**city** [vai'væsiti] Lebhaftigkeit; ~ **voce** ['vaivə-vousi] mündlich; mündliche Prüfung; mündlich prüfen

vivid ['vivid] strahlend; lebhaft; lebensecht

vixen ['viksn] Füchsin; Zankweib; ~**ish** [-̈-əniʃ] zänkisch, keifend

viz. ['neimli] *siehe* videlicet, namely

voca|bulary [və'kæbjuləri] Vokabular, Wortschatz; ~**l** ['voukl] Stimm-; Sing-; Vokal-; gesungen; tönend; laut; ~**lic** [vou'kælik] vokalisch; ~**list** ['voukəlist] Sänger; ~**tion** [vou'keiʃən] Berufung; Begabung; Beruf; ~**tional** [vou'keiʃənəl] Berufs-; ~**tive** ['vɔkətiv] Vokativ

vocifer|ate [vou'sifəreit] schreien; ~**ation** [-,-̈-'reiʃən] Geschrei; ~**ous** [-̈-rəs] schreiend; lärmend

vogue [voug] (herrschende) Mode *(all the* ~ die große M.); Blütezeit

voice [vɔis] 1. Stimme *(not in good* ~ nicht gut bei S.); *with one* ~ einstimmig; 2. Stimmhaftigkeit; 3. Sprache; Ausdruck *(to give* ~ *to)*; 4. *gram* Aktionsform; 5. Ausdruck geben; ertönen lassen; ~**d** [-̈d] stimmhaft; ~**less** [-̈lis] sprachlos, stumm; stimmlos

void [vɔid] 1. leer; 2. unbewohnt; 3. ~ *of* bar, ohne; 4. ⚖ ungültig; 5. Leere *(a. fig)*; *fig* Lücke; 6. ⚖ unbewohntes Gebäude; 7. ǂ ausscheiden; 8. ǂ aufheben

volatile ['vɔlətail] flüchtig; launisch

volcan|ic [vɔl'kænik] vulkanisch; *fig* explosiv; ~**o** [-'keinou], *pl* ~**oes** Vulkan

vole [voul] Wühlmaus

volition [vou'liʃən] Willensausübung, -akt; *of one's own* ~ aus eigenem Entschluß; ~**al** [-̈-əl] Willens-

volley ['vɔli] Salve; Hagel; *fig* Flut, Schwall; ⚟ Flugball; einen Flugball schlagen; Salven feuern; ~**-ball** [-̈-bɔ:l] Volleyball

volt [voult] Volt; ~**age** [-̈idʒ] ϟ Spannung; ~**e-face** ['vɔlt'fɑ:s] völlige Schwenkung *(a. fig)*

volub|ility [vɔlju'biliti] Redegewandtheit; Wortreichtum; ~**le** [-̈-bl] redegewandt; wortreich

volum|e ['vɔlju:m] 1. Band ♦ *to speak* ~ *es for* e. beredtes Zeugnis ablegen für; 2. Mappe; 3. Volumen *(~ e of traffic* Verkehrs-); Inhalt; 4. ♪ Umfang; ♧ Lautstärke; ~**inous** [-̈-inəs] vielbändig; produktiv; umfangreich

volunt|ary ['vɔləntəri] freiwillig; privat unterhalten, Stiftungs-, frei; absichtlich; ǂ willkürlich; Orgelvor-, -nachspiel; ~**eer** [-̈-'tiə] Freiwilliger; freiwillig; (s.) anbieten; *mil* freiwillig dienen; s. etw erlauben

voluptu|ary [və'lʌptjuəri] Genußmensch; ~**ous** [-̈-əs] wollüstig; üppig

volute [və'lju:t] ♨ Volute, Schnecke; ~**d** [-̈-id] schneckenförmig, Voluten-

vomit ['vɔmit] (er)brechen; *fig* ausspeien; *fig* ausspucken; (Er-)Brechen; Erbrochenes, *fig* Erguß; Brechmittel

voodoo ['vu:du:] Zauberkult; Medizinmann; behexen

voraci|ous [və'reiʃəs] gefräßig; gierig *(a. fig)*; ~**ty** [-'ræsiti] Gefräßigkeit; Gier

vort|ex ['vɔːteks], *pl* ~**ices** [-̈isiːz], ~**exes** Wirbel; *bes fig* Strudel

vot|aress ['voutəris] Geweihte; Anhängerin; Vorkämpferin; Liebhaberin; ~**ary** [-̈təri] Geweihter; Anhänger; Vorkämpfer; Liebhaber; ~**e** [vout] 1. *pol* Stimme(n); *to cast a* ~ *e* e-e S. abgeben; 2. Votum; 3. Abstimmung *(to put to the* ~ *e* zur A. bringen); *to take a* ~ *e on* abstimmen lassen über; Geldbewilligung; 4. Stimmrecht; 5. (ab)stimmen; ~ *e down* niederstimmen; ~ *e through* durchbringen; 6. bewilligen; entschließen; 7. erklären als, zu; 8. vorschlagen; ~**eless** [-̈lis] stimmenlos, ohne Wahlrecht; ~**er** [-̈tə] Wähler, Wahl-, Stimmberechtigter; ~**ive** [-̈tiv] Weih-

vouch [vautʃ] *for* sich verbürgen für; ~**er** [-̈ə] Quittung; Bestätigung, Beleg; Bürge; ~**safe** [-̈'seif] gewähren; (zugeben) geruhen

vow [vau] Gelübde; geloben; nachdrücklich erklären; ~**el** [-̈əl] Vokal

voyage ['vɔidʒ, 'vɔiidʒ] (See-, Luft-)Reise; reisen; ~**r** [-̈idʒə] See-, Luftreisender

vulcan|ite ['vʌlkənait] Ebonit; ~**ize** [-̈-aiz] vulkanisieren

vulgar ['vʌlgə] gewöhnlich; verbreitet; ~ *herd* große Masse; *the* ~ *tongue* d. Volkssprache; grob, vulgär; ~**ian** [-'gɛəriən] vulgärer Mensch; ~**ism** [-̈-izm] vulgärer Ausdruck; vulgäres Benehmen; ~**ity** [-'gæriti] vulgäres Benehmen, *pl* Grob-, Gemeinheiten; ~**ize** [-̈-raiz] vergröbern, verrohen

vulnerable ['vʌlnərəbl] verwundbar; *fig* angreifbar

vulture ['vʌltʃə] Geier *(a. fig)*

W

W ['dʌblju] W

wad [wɔd] Pfropf(en); Stoß, Paket (Papiere); zu Watte pressen; wattieren; (fest) zusammenrollen; ~**ding** Watte, Wattierung; ~**dle** [-̈l] watscheln

wade [weid] (durch)waten; s. mühsam durch-arbeiten; Waten; ~r [‑ə] Watvogel; pl hohe Wasserstiefel

wafer ['weifə] Waffel; Oblate; Klebsiegel

waffle [wɔfl] Waffel (~-iron [‑aiən] -eisen); Geschwafel; quatschen, schwafeln

waft [wɑːft, wɔft, US wæft] wehen, tragen; Wehen, Hauch

wag [wæg] Spaßvogel, Witzbold; wackeln (mit); wedeln (mit)

wage [weidʒ] mst pl Lohn; living ~ auskömm-licher Lohn; (Krieg etc) führen; ~-earner [‑əːnə] Lohnempfänger; ~-packet [‑pækit] [Lohntüte

wag|gery ['wægəri] Schalkhaftigkeit; Schelme-rei; ~gish [‑iʃ] schalkhaft

waggle [wægl] wackeln (mit); wedeln

waggon BE, **wagon** ['wægən] Lastwagen, BE 🚂 (offener) Güterwagen; ~er Fuhrmann; ~ette [‑‑'net] Jagdwagen

wagtail ['wægteil] Bachstelze

waif [weif] heimatloses Kind (Tier)

wail [weil] (laut) klagen, jammern; (Weh-)Kla-gen; Klage(ruf)

wainscot ['weinskət] (niedrige Wand-)Täfe-lung; ~ed getäfelt

waist [weist] Taille; bes US Mieder; bes US Bluse, Leibchen; ~-band [‑bænd] (Hosen-, Rock-)Bund; ~-coat [‑kout] BE Weste; ~-deep [‑diːp], ~-high [‑hai] bis zur Taille (Hüfte); hüfthoch

wait [weit] warten (for auf); to keep s-b ~ing j-n warten lassen; ~ up aufbleiben; abwarten; verschieben; ~ on bedienen, seine Aufwar-tung machen; j-n bedienen (at [US on] table bei Tisch); Warten, -zeit; pl BE Weihnachts-sänger; ~er Kellner; ~ing (Auf-)Warten; ~ing-list [‑iŋlist] Vormerkliste; ~ing-room [‑iŋruː(ː)m] Wartezimmer; ~ress Kellnerin

waive [weiv] bes ⚖ (stillschweigend) verzich-ten auf; ~r [‑ə] Verzicht

wake [weik] (s. S. 319): (mst: ~ up) (auf-)wa-chen; (auf-, er)wecken; wachrütteln; Toten-wache; ⚓ Kielwasser (a. fig); ~ful wachend; schlaflos; wachsam; ~n [‑n] aufwachen; auf-wecken

wale [weil] Striemen; (Stoff) Rippe

walk [wɔːk] 1. (🏃 im Schritt) gehen; 2. durch-laufen, -wandern ♦ ~ the boards Schauspieler sein; ~ the hospitals (BE) Medizin studieren; 3. gehen lassen; ~ s-b off his legs j-n müde laufen; 4. ~ away from 🏃 j-m davonlaufen, -rudern; ~ away with abhauen mit; ~ into 'reinhauen (~ into a cake); j-m eins aufs Dach geben; ~ off with abhauen mit; ~ s-b off j-n abführen; ~ out with s-b mit j-m „gehen"; ~ up entlanggehen; zugehen (to auf); 5. (Spa-zier-)Gang (to have a ~, to go for a ~ Sp. ma-chen); 6. Gangart, Schritt; 7. Weg; 8. (Le-bens-)Stellung, Beruf; ~er Spaziergänger; 🏃 Geher; ~ie-talkie [‑itɔːki] tragbares Sprech-funkgerät; ~ing Gehen, Wandern; ~ing-stick [‑iŋstik] Spazierstock; ~ing-tour [‑iŋtuə] Wan-derung; ~out [‑aut] Streik; ~-over [‑ouvə]

leichter Sieg; ~-up [‑ʌp] (Haus) ohne Fahr-stuhl

wall [wɔːl] Mauer, Wand; Wall ♦ to go to the ~ d. kürzeren ziehen; um-, ein-, zumauern; ~flower [‑flauə] Goldlack; fig Mauerblüm-chen; ~-paper Tapete

wall|aby ['wɔləbi] Wallaby(fell); ~et [‑lit] Brief-; Werkzeugtasche; ~op [‑ləp] feste prü-geln; harter Schlag; ~ow [‑lou] s. wälzen; fig schwimmen (in money); wüst schwelgen

walnut ['wɔːlnət] Walnuß(-baum, -holz)

walrus ['wɔːlrəs], pl ~es Walroß

waltz [wɔːls] Walzer; W. tanzen, ‚walzen'

wan [wɔn] bleich; fahl

wand [wɔnd] (Zauber-, Amts-)Stab

wander ['wɔndə] (umher-, durch-)wandern, laufen; ~ (away) abschweifen, s. verirren; ~ from abschweifen, -irren von; ~ in herein-schneien; ~ings [‑‑riŋz] (ziellose) Wanderun-gen, Reisen; Phantasieren; ~lust [‑‑lʌst] Rei-selust

wane [wein] schwinden; astr abnehmen; Ab-nehmen (on the ~ im A.)

wangle [wæŋgl] ergaunern, ‚managen'; hin-drehen; Trick; Schiebung

want [wɔnt] 1. Mangel (from ~ of aus M. an); 2. Bedürfnis; Armut; to be in ~ of brauchen, bedürfen; he is in ~ of er braucht, ihm fehlt; 3. pl Wünsche; 4. benötigen, brauchen; be ~ed gebraucht werden; gern gesehen sein; 5. (ha-ben) wollen; 6. müssen, sollen (~s doing muß getan werden); 7. to be ~ing fehlen; 8. es feh-len lassen an (he ~s courage) ♦ to be found ~ing für unzuverlässig befunden werden; 9. Mangel leiden; 10. ~ for entbehren; ~ for nothing alles haben, was man braucht; ~ing prep wenn ... fehlt, ohne ...

wanton ['wɔntən] ausgelassen; wild; wu-chernd; mutwillig; lüstern, sittenlos(es Weib); spielen, tollen (with mit)

war [wɔː] Krieg, Kampf (a. fig); kämpfen, Krieg führen; ~fare [‑fɛə] Krieg(führung); ~-head [‑hed] mil Gefechtskopf; Sprengkör-per, -kopf; ~-horse [‑hɔːs] Schlachtroß; Vete-ran, erfahrener Kämpe; ~like [‑laik] kriegs-mäßig; kriegerisch; ~-monger [‑mʌŋgə] Kriegs-hetzer; W~ Office BE Kriegsministerium; ~-rior ['wɔriə] Krieger; ~ship Kriegsschiff; ~-worn [‑wɔːn] vom Krieg erschöpft, beschädigt

warble [wɔːbl] singen; flöten; Vogelsang; ~r Grasmücke; Teichrohrsänger

ward [wɔːd] Vormundschaft; Mündel; Stadt-bezirk; Abteilung, bes § Station; ~ off abweh-ren; ~en [‑n] (bes Luftschutz-)Wart; (BE Schul-, US Gefängnis-)Direktor; ~er [‑ə] BE Gefängnisdirektor; ~robe [‑roub] Kleider-schrank; Garderobe; ~robe trunk Schrankkof-fer; ~room [‑ruːm] ⚓ Offiziersmesse

ware [wɛə] Artikel; pl Waren; ~ ... Ach-tung ...!; ~house [‑haus], pl ~houses [‑hau-ziz] Lagerhaus, Speicher; ~house [‑hauz] ein-lagern, unter Verschluß nehmen

warm [wɔːm] warm; fig heiß (~ work h., an-strengende Arbeit; ~ corner (fig) h. Boden) ♦

to make it (od *things*) ~ *for* j-m hart zusetzen; herzlich, mitfühlend; (Fährte) frisch; *to have a* ~ s. aufwärmen; (auf-, er)wärmen; warm werden *(a. fig);* ~ *to* s. erwärmen für; **~hearted** [⁻'hɑːtid] warmherzig; **~th** [⁻θ] Wärme; Herzlichkeit; Eifer, Hitze

warn [wɔːn] aufmerksam machen, ermahnen (*against doing* nicht zu tun); warnen (*of* vor); **~ing** Mahnung, Warnung; Zeichen (*of* für); *to take* ~*ing from* e-e Lehre ziehen aus; *to give* ~*ing* kündigen

warp [wɔːp] s. werfen, verziehen; *fig* verzerren, -drehen; Verwerfung; (Weben) Kette, Zettel

warrant ['wɔrənt] Befugnis; Berechtigungsschein; Haft-, Durchsuchungsbefehl; Garantie; *mil* Bestallungsurkunde; rechtfertigen; garantieren; ~ **officer** (etwa:) Oberstabsfeldwebel

warren ['wɔrən] kaninchenreiches Stück Land; Mietskaserne

warrior ['wɔriə] *siehe* war

wart [wɔːt] Warze

wary ['wɛəri] äußerst vorsichtig; wachsam

was [wɔz] *siehe* be

wash [wɔʃ] 1. (s.) waschen; 2. um-, bespülen; 3. (an-)schwemmen; 4. s. waschen lassen; 5. (Wellen) schlagen; 6. ~ *down (fig)* 'runterspülen; 🚗, ⚓, abspritzen; ~ *up* (Geschirr) spülen; **~ed** [⁻t] *out (fig)* erledigt; 7. Waschen (*to have a* ~ s. waschen; *to give a* ~ waschen); 8. Wäsche(rei); 9. (Wellen-)Schlag(en); 10. Spülwasser *(a. fig);* 11. Tünche; (Augen- etc) Wasser; **~able** [⁻əbl] waschbar, -echt; **~basin** [⁻beisn] *BE* Waschbecken; **~board** [⁻bɔːd] Waschbrett; **~bowl** [⁻boul] *US* = ~ -basin; **~cloth** [⁻klɔθ], *pl* ~ -cloths [⁻klɔθs] *BE* Geschirrlappen; *US* Waschlappen; **~er** [⁻ə] Wäscher(in); ⚙ Unterlegscheibe; **~erwoman** [⁻əwumən], *pl* ~erwomen [⁻əwimin] Waschfrau; **~ing** Waschen; Wäsche; **~ing-up** [⁻iŋ'ʌp] Abwaschen; **~leather** [⁻leðə] Fensterleder; **~out** [⁻aut] 🐛, 🚗 ausgewaschene Stelle; *sl* Reinfall; *sl* Versager; **~rag** [⁻ræg] *US* = ~cloth; **~stand** [⁻stænd] Waschtisch; **~y** [⁻i] wäßrig; bleich

wasp [wɔsp] Wespe; **~ish** reizbar; bissig

wast [wɔst] *siehe* be

wast|age ['weistidʒ] Vergeudung; Schwund, Verlust; **~e** [weist] unbebaut; wüst; *to lay* ~*e* verwüsten; wertlos; Ab(fall)-; vergeuden, verschwenden; verwüsten; aufzehren, schwächen; ~*e away* dahinsiechen; Verschwendung; *to go* (od *run*) *to* ~*e* vergeudet werden, ungenutzt bleiben; Abfall; Wüste, Öde; ~*e* **basket** *US* Papierkorb; **~e bin** *BE* Abfall-, Mülleimer; **~eful** verschwenderisch; **~e-paper-basket** [⁻'peipəbɑːskit] *BE* Papierkorb

watch [wɔtʃ] 1. beobachten; 2. zuschauen; 3. bewachen, Wache halten; 4. aufpassen *(a.:* ~ *over);* 5. 🪧 (Fall) vertreten; 6. ♦ ~ *one's time* d. günstigsten Augenblick abwarten; *a* ~*ed pot never boils* Wartenden vergeht die Zeit langsam; 7. wachen; 8. ~ *for* achten, warten auf; 9. Wache *(a. ⚓; to keep* ~ *); pl* wache Stunden;

10. (Taschen-, Armband-)Uhr; **~ful** wach(sam) [⁻meikə] Uhrmacher; **~man** [⁻mən], *pl* ~men Wächter; **~word** [⁻wɔːd] Losung, Parole *(a. fig)*

water ['wɔːtə] 1. Wasser (*by* ~ zu W.) ♦ *to keep one's head above* ~ s. über Wasser halten; *to hold* ~ stichhaltig sein; *like a fish out of* ~ wie e. Fisch auf d. Trockenen; *written in* ~ schnell vergessen, in d. Wind geschrieben; 2. *pl* Wasser(massen); 3. Flut (*high* ~ Hoch-; *low* ~ Niedrig-; *in low* ~ auf d. trocknen; bedrückt); 4. (Diamant-)Wasser ♦ *of the first* ~ *(bes fig)* reinsten Wassers; 5. (be-)wässern; (be)sprengen; 6. ~ *(down)* verdünnen, *fig* verwässern; 7. tränken; trinken; 8. Wasser einnehmen; 9. tränen ♦ *to make s-b's mouth* ~ j-m d. Wasser im Munde zus.laufen lassen; 10. (Stoff) moirieren; 11. **~blister** [⁻⁻blistə] 🩺 Blase; **~bus** [⁻⁻bʌs] *BE* (regelm.) Flußboot; **~cart** [⁻⁻kɑːt] Sprengwagen; **~closet** [⁻⁻klɔzit] *BE* Wasserklosett; **~colour** [⁻⁻kʌlə] Aquarell; *pl* Wasserfarben; *pl* Aquarellmalerei; **~course** [⁻⁻kɔːs] Wasserlauf; **~cress** [⁻⁻kres] Brunnenkresse; **~finder** [⁻⁻faində] Wünschelrutengänger; **~fowl** [⁻⁻faul], *pl* ~fowl Wasservogel; **~front** [⁻⁻frʌnt] Hafen-, Ufergelände; **~heater** [⁻⁻hiːtə] Warmwasserbereiter; **~ice** [⁻⁻rais] Gefrorenes; **~ing-can** [⁻⁻iŋkən] Gießkanne; **~ing-cart** [⁻⁻riŋkɑːt] Sprengwagen; **~ing-place** [⁻⁻riŋpleis] Tränke; *bes BE* Kurort; *bes BE* Badeort; **~level** [⁻⁻levl] (Grund-)Wasserspiegel; Wasserwaage; **~lily** [⁻⁻lili] Seerose; **~line** [⁻⁻lain] ⚓ Wasserlinie; **~main** [⁻⁻mein] Wasserhauptrohr; **~man** [⁻⁻mən], *pl* ~men Boots-, Fährmann; Ruderer; **~mark** [⁻⁻mɑːk] Wasserzeichen; -marke; ~ **parting** *US* Wasserscheide; ~ **polo** ⚽ Wasserball; **~power** [⁻⁻pauə] Wasserkraft; **~proof** [⁻⁻pruːf] wasserdicht(er Mantel); w. machen, imprägnieren; **~rat** [⁻⁻ræt] Schermaus; *US* Bisamratte; **~rate** [⁻⁻reit] *BE* Wassergeld; **~shed** [⁻⁻ʃed] *bes BE* Wasserscheide; Einzugsgebiet; **~side** [⁻⁻'said] Ufer, Küste; **~spout** [⁻⁻spaut] Regenabflußrohr; Wasserhose; **~supply** [⁻⁻səplai] Wasserversorgung; Bewässerungsanlage; **~table** [⁻⁻teibl] Grundwasserspiegel; **~tight** [⁻⁻tait] wasserdicht; stichhaltig; **~vole** [⁻⁻voul] *BE* = ~rat; **~way** [⁻⁻wei] Wasserstraße; **~works** [⁻⁻wɔːks] *mst sg vb* Wasserwerk ♦ *to turn on the* ~works losheulen; **~worn** [⁻⁻wɔːn] vom Wasser abgeschliffen (ausgehöhlt); **~y** [⁻⁻ri] wässerig; *fig* hohl, leer; regnerisch; feucht; verwässert

wattle [wɔtl] Flechtwerk, Hürde (~ *and daub* lehmbedecktes Fl.); austral. Akazie; *zool* Kinnlappen; zus.flechten, aus Flechtwerk machen

wav|e [weiv] 1. wehen; schwingen; wogen (lassen); 2. winken (~*e one's hand to* j-m zu:); ~*e aside (fig)* beiseite schieben; 3. in Wellen legen, liegen; 4. Welle *(a. phys, mil, ⚓, fig);* Woge *(a. fig);* 5. Wink(en); **~e-length** [⁻leŋθ] Wellenlänge; **~er** [⁻ə] schwanken *(a. fig);* **~y** [⁻i] wellig

wax [wæks] (Bienen-)Wachs; (ein-)wachsen; *astr* zunehmen; *vor adj:* werden; **~en** [-ən] *fig* wässern; Wachs-; **~y** wachsweich; bleich
way [wei] 1. Weg, Straße (*over the ~* jenseits d. S.); *~ out* Ausweg; *to lose* [lu:z] *one's (the) ~* s. verlaufen; *to make ~ for* Platz machen für; *to get s-th out of the ~* etw aus d. Weg räumen, regeln; *to put s-b out of the ~* j-n aus d. Weg räumen, umbringen; *to put s-b in the ~ of* j-m d. Chance zu etw geben; *to go out of the (one's) ~ to* s. alle Mühe geben; *out of the ~* außergewöhnlich; *by the ~* nebenbei bemerkt, übrigens; 3. Strecke; *a long ~* weit; *to go a long ~ towards* e. gutes Stück weiterhelfen bei; 4. Richtung; 5. Gegend; 6. Fortschritt (*to make ~* F. machen); *to gather (lose) ~* Tempo aufnehmen (verlieren); *to have ~ on ⚓* in Fahrt sein; *to be under ~* ⚓ in Fahrt sein, im Gang, im Bau sein; 7. (Art u.) Weise; *this is the ~ to do it* so macht man das; *the ~* so wie (*he didn't work the ~ he ought to...* wie er sollte); *~s and means (pol)* Geldbeschaffungsmaßnahmen, *allg* Mittel u. Wege; *to have (od get) one's (own) ~* seinen Willen durchsetzen; Art (*she has a winning ~ with her* sie hat e-e gewinnende A.; *it's only his ~* das ist so seine A.); Sitte; *the ~ of the world* d. Gang d. Welt; 8. Hinsicht (*in some ~s* in mancher H.; *in a ~* in gewisser H.); 9. Zustand ♦ *in a small ~* auf kleinem Fuß, bescheiden; *in the family ~ (BE)* in anderen Umständen; 10. Bereich; Verlauf (*in the ~ of business*); 11. *pl* ⚓ Helling; 12. *by ~ of* durch (e-n Ort), als *(by ~ of explanation)*, mit d. Absicht; 13. *adv* weit (*~ above 100*); 14. **~-bill** [-bil] Frachtbrief; Waren-, Passagierliste; **~farer** [-fɛərə] Reisender, Wanderer; **~lay** [-'lei] *(s. S. 319)* auflauern; **~side** [-said] Straßen-, Wegrand; Straßen-; **~ station** *US* 🚲 Zwischenbahnhof; **~ train** *US* Lokalbahn; **~ward** [-wəd] eigensinnig
we [wi:] wir
weak [wi:k] schwach; **~en** [-ən] schwächen; schwach werden; **~-kneed** [-ni:d] schwächlich; **~ling** [-liŋ] Schwächling; **~ly** *adj* schwächlich; **~-minded** [-'maindid] schwachsinnig; **~ness** Schwäche (*for* für)
weal [wi:l] Wohl (*~ and woe*); *siehe* wale; **~th** [welθ] Reichtum; Wohlstand; Fülle; **~thy** ['welθi] wohlhabend, reich
wean [wi:n] entwöhnen, abstillen; *~ (away)* j-n abbringen von, j-m etw abgewöhnen
weapon ['wepən] Waffe; **~ry** [-ri] Waffen(arsenal)
wear [wɛə] *(s. S. 319)* 1. tragen; 2. (Ausdruck) haben, zeigen; 3. abnutzen, -tragen, verschleißen; erschöpfen; 4. (Loch etc) hineinreißen, -treten; (Weg) austreten; 5. s. halten, s. tragen; 6. *~ away* abtragen, -treten; (s.) verwischen; *fig* dahinschleichen; *~ down* (s.) abnutzen, -tragen; niederringen; *~ off* (s.) abnutzen; vergehen; *~ on (fig)* dahinschleichen; *~ out* verschleißen; (s.) erschöpfen; 7. *su* Tragen; *in constant ~* ständig getragen; Gebrauch; Ab-

nutzung (*~ and tear* [tɛə] *bes* ⚙ Abn., Verschleiß); Haltbarkeit; Kleidung; **~y** ['wiəri] müde, ermüdend; ermüden; müde werden (*of* von)
weasel [wi:zl] Wiesel
weather ['weðə] Wetter; *fig* überstehen; ⚓ umsegeln; ⚙ ablagern; **~ed** [-d] verwittert; **~-beaten** [-bi:tn] verwittert, wetterhart; **~-bound** [-baund] schlechtwetterbehindert; **~ bureau** ['bjuərou] Wetteramt; **~-forecast** [-fɔ:ka:st] Wetterbericht; **~-side** Regenseite; **~ station** Wetterwarte
weave [wi:v] *(s. S. 319)* (ver)weben; flechten; (sch)wanken, ⚙ schlagen, flattern; Webart, Bindung
web [web] Gewebe; Gurt; (Spinnen-)Netz; *zool* Schwimmhaut; **~bed** [-d], **~toed** [-toud] *adj* mit Schwimmhaut versehen; **~-foot** [-fut] Schwimmfuß
wed [wed] *(s. S. 319)* heiraten; **~ded** Ehe-; verbinden (*to* mit); *~ded to* nicht zu trennen von; **~ding** Trauung, Hochzeit; Ehe-; **~lock** [-lɔk] Ehe(stand)
wedge [wedʒ] Keil; verkeilen, festklemmen; stopfen, zwängen
Wednesday ['wenzdi] Mittwoch
wee [wi:] winzig; *a ~ bit* e. kleines bißchen
weed [wi:d] Unkraut; hochgeschossene Person (Pferd); *pl* Trauerkleider; jäten; *~ out (fig)* aussortieren, -scheiden; **~y** voll Unkraut; hochgeschossen, mager
week [wi:k] Woche; *today ~ BE* heute in 8 Tagen; **~-day** [-dei] Wochentag; **~end** [-'end] Wochenende; **~-end** [-'end] d. Wochenende verbringen; **~-ender** [-'endə] Wochenendausflügler; **~ly** wöchentlich; Wochenzeitung
ween [wi:n] meinen
weep [wi:p] *(s. S. 319)* (be)weinen; vergießen; tropfen, schwitzen; **~ing** Trauer-
weevil ['wi:vil] Rüsselkäfer
weft [weft] ⚙ Einschlag, (Ein-)Schuß
weigh [wei] (ab)wiegen; (ab-, er-)wägen; *~ anchor* ['æŋkə] ⚓ Anker lichten; *~ down* niederdrücken *(a. fig)*; *~ in with* mit (e-m Argument) herauskommen; *su* Wiegen; *under ~ =* under way; **~ing-machine** [-iŋməʃi:n] (große) Waage; **~t** [-t] Gewicht *(a. fig)*; *to put on ~ t* zunehmen; *under (over) ~ t* zu leicht (schwer); *fig* Last; beschweren, belasten *(a. fig)*; **~tless** schwerelos; **~ty** schwer; lastend; gewichtig
weir [wiə] (Stau-)Wehr; Fischwehr; **~d** [-d] Schicksals-; übernatürlich; unheimlich; *umg* eigenartig
welcome ['welkəm] willkommen (*~ to* w. in); *(pred) to be ~ to s-th* gern benutzen können; *to be ~ to do* gern tun können; *you're ~* bitte sehr!; *su* Willkommen, Begrüßung; begrüßen; s. freuen über
weld [weld] (ver)schweißen *(a. fig)*; s. schweißen lassen; Schweißung, -stelle
welfar|e ['welfɛə] Wohlfahrt (*~e state* W.staat; *~e work* W.pflege)
well¹ [wel] Brunnen; Bohrloch; *fig* Quelle; Treppenhaus; quellen, strömen

well² [wel] **1.** *pred adj* gesund; **2.** gut dran, recht; **3.** ratsam; *it is as ~* es ist nicht unangebracht; *it's all very ~* es ist ja ganz schön u. gut (aber...); *~ and good* schön! **4.** Gutes *(to wish s-b ~)*; **5.** *adv* gut *(to do ~ to ...* g. daran tun zu ...); *to think ~ of* viel halten von; *to speak ~ of* loben; **6.** gründlich; e. gutes Stück, beträchtlich; durchaus; *(just) as ~* gerade so gut; **7.** *as ~* noch dazu, außerdem; *as ~ as* wie auch, und; **8.** nun, also, gut; **9.** **~-advised** [⁻əd'vaizd] wohlüberlegt; **~-appointed** [⁻ə'pɔintid] gut ausgerüstet; **~-balanced** [⁻'bælənst] ausgeglichen, vernünftig; **~-being** [⁻'biːiŋ] Wohl(sein); **~-bred** gut erzogen; reinrassig; **~-conducted** [⁻kən'dʌktid] gut gesittet; **~-disposed** [⁻dis'pouzd] freundlich, hilfsbereit; **~-doer** [⁻'duə] Wohltäter; **~-favoured** [⁻'feivəd] gut aussehend; **~-found** [⁻'faund] gut ausgerüstet, versorgt; **~-grounded** [⁻'graundid] begründet; gut geschult; **~-intentioned** [⁻in'tenʃənd] wohlgemeint; wohlmeinend; **~-knit** [⁻'nit] gut, kräftig gebaut; **~-marked** [⁻'mɑːkt] deutlich; **~-meant** [⁻'ment] wohlgemeint; **~-nigh** [⁻'nai] beinahe; **~ off** *(attr ~-off)* [⁻'ɔːf] gut dran, wohlhabend; **~-read** [⁻'red] belesen; **~-set** [⁻'set] = **~-knit**; **~-spoken** [⁻'spoukən] höflich; mit guter Aussprache; **~-timed** [⁻'taimd] rechtzeitig, im richtigen Augenblick; **~-to-do** [⁻tu'duː] wohlhabend; **~-tried** [⁻'traid] erprobt, bewährt; **~-trodden** [⁻'trɔdən] ausgetreten; **~-turned** [⁻'təːnd] wohlgeformt; gut formuliert; **~-wisher** [⁻'wiʃə] Freund, Gönner; **~-worn** [⁻'wɔːn] abgegriffen, -droschen

wellingtons ['weliŋtənz] *BE* Wasser-, Schaftstiefel

welsh [welʃ] (Wetter) betrügen; **~er** Wettbetrüger

Welsh [welʃ] walisisch(e Sprache); *the ~ (pl vb)* die Waliser; **~man** [⁻mən], *pl* ~men Waliser; **~woman** [⁻wumən], *pl* ~women [⁻wimin] Waliserin

welt [welt] (Schuh-)Rahmen, Leder; (Stoff-)Einfassung, Rand; Striemen; mit e-m Rahmen, Rand etc versehen; prügeln; **~er** s. suhlen; wälzen *(in blood)*; Wirrwarr, Aufruhr; Welter(gewicht)

wend [wend]: *~ one's way* s-e Schritte lenken

went [went] *siehe* go

wept [wept] *siehe* weep

were [wəː], **~t** [wəːt] *siehe* be

west [west] Westen; *the W ~* d. Westen, *BE* Westengland; *US* d. Weststaaten; westlich, West-; nach Westen; **~erly** [⁻əli] westlich; West-; **~ern** [⁻ən] westlich *(a. fig, pol)*; Wildwestfilm, -roman; **~erner** [⁻ənə] j-d aus d. Westen; *bes US* Weststaatler; **~ernmost** [⁻ənmoust] am weitesten westlich; **~ward** [⁻wəd] westlich; **~ward(s)** *adv* nach Westen

wet [wet] naß; von Alkoholverbot frei; *US* besoffen; *BE* doof; Nässe, Regen; naß machen

wether ['weðə] Hammel

whack [wæk] schlagen; e-e knallen; Schlag; *umg* (An-)Teil; **~ing** Prügel

whale [weil] Walfisch; **~ebone** [⁻boun] Fischbein; **~er** [⁻ə] Walfischfänger; **~ing** [⁻iŋ] Walfang *(to go ~ing* auf W. gehen)

wharf [wɔːf], *pl bes BE* **~fs**, *bes US* **~ves** [wɔːvz] Landestelle, Kai

what [wɔt] welcher, was für e.; alle(n, s) ... d. *(I will give you ~ help I can)*; was?; *~ for?* wozu; *~ ... like?* wie?; *~ about?* was ist (wie steht's) mit?; *to know ~'s ~* sich auskennen, Bescheid wissen; *~ with* infolge, durch; **~ever** [⁻'evə] was (auch) immer; überhaupt; **~-not** [⁻nɔt] Etagere; **~soever** [⁻sou'evə] = **~ever**

wheal [wiːl] *siehe* wale

wheat [wiːt] Weizen; **~en** [⁻n] Weizen-

wheedle [wiːdl] j-n über-, bereden *(into doing* zu tun); abluchsen *(out of s-b)*

wheel [wiːl] Rad *(a. = Fahr-)*; ⚙ Scheibe; Drehung, Salto; *mil* Schwenkung; fahren, schieben; (s.) drehen; *mil* schwenken; *~ chair* Rollstuhl; **~wright** [⁻rait] Stellmacher

wheeze [wiːz] schnaufen, keuchen *(~ e out* hervor-); Keuchen; *sl* 🎭 Gag; lustige Geschichte; **~y** [⁻i] schnaufend

whelk [welk] *zool* Wellhorn, Kinkhorn

whelm [welm] *siehe* overwhelm

whelp [welp] Welpe; Junges; *fig* Balg

when [wen] wann?; *conj* wenn, wo; als; immer wenn; wo ... doch; **~ce** [⁻s] von wo, *mst fig* woher; **~ever** [⁻'evə] wann (auch) immer; (immer) wenn; **~soever** [⁻sou'evə] = **~ever**

where [wɛə] wo(hin); in welchem Punkt, in welcher Hinsicht; **~abouts** [⁻rə'bauts] wo(hin) (wohl); *su* [⁻⁻⁻] *sg vb* Aufenthalt(sort); **~as** [⁻r'æz] wogegen, während; 🐍 in Anbetracht dessen, daß; **~by** [⁻'bai] wodurch, -mit; **~fore** [⁻fɔː] weshalb; **~in** [⁻r'in] worin; **~of** [⁻r'ɔv] wovon, -von [⁻r'ɔn] worauf; **~soever** [⁻sou'evə] wo(hin) auch immer; **~to** [⁻'tuː] wohin; **~upon** [⁻rə'pɔn] worauf(hin); **~ver** [⁻r'evə] wo(hin) auch immer; **~with** [⁻'wið] womit; **~withal** [⁻widɔːl] die erforderl. Mittel

whet [wet] schärfen, schleifen; anregen; **~stone** [⁻stoun] Schleifstein

whether ['weðə] ob

whey [wei] Molke

which [witʃ] welcher?; wer? *(of you* von euch); *pron* welcher, der; *that ~* das, was; *~ way* wie; **~ever** [⁻'evə] welcher (was) auch immer; **~soever** [⁻sou'evə] = **~ever**

whiff [wif] Hauch; 💲 Schuß (Narkotikum); (Rauchen) Zug; Zigarillo; wehen; riechen; paffen

while [wail] während; wogegen; Zeit, Weile; *once in a ~* gelegentlich; *the ~* währenddessen; *worth* [wəːθ] *(one's) ~* lohnend; *~ away the time* d. Zeit vertun

whilst [wailst] *bes BE* = while *conj*

whim [wim] Laune, Grille; **~per** [⁻pə] wimmern; winseln; Wimmern; Winseln; **~sical** [⁻zikəl] launisch; seltsam, wunderlich; **~sy** [⁻zi] Schrulle, Grille

whin [win] *BE* Stechginster

whine [wain] jaulen, winseln; Gewinsel

whinny ['wini] (leicht) wiehern

whip [wip] 1. prügeln, peitschen; 2. (schaumig) schlagen; 3. (weg)stürzen; 4. zus.binden, -heften; 5. *umg* aufs Haupt schlagen, übertreffen; 6. ~ off herunterreißen; ~ on durch Schläge vorantreiben; ~ out plötzlich zücken; (Worte) hervorstoßen; ~ round s. plötzl. umdrehen; ~ up durch Schläge antreiben; plötzl. zücken; aufraffen; 7. Peitsche; 8. *bes BE* Kutscher (*is a poor* ~ kutschiert schlecht); 9. *pol* Einpeitscher, Whip; *BE* Mahnschreiben (e-s Whip); ~ hand Peitschen-, rechte Hand ♦ *to have the* ~ *hand of* ... an d. Kandare haben; **~per-snapper** [ʹɔsnæpɔ] frecher Knirps; **~pet** [ʹit] Whippet (kleiner Rennhund); **~ping** Prügel (*a. fig*)

whirl [wɔːl] wirbeln; (s.) drehen; jagen, fahren; Wirbel (*bes fig*); **~igig** [ʹigig] Kreisel; Karussell; *fig* Wirbel; **~pool** [ʹpuːl] Strudel; **~wind** [ʹwind] Wirbelwind

whirr, *bes US* **whir** [wɔː] schwirren, sausen

whisk [wisk] (kl.) Besen; Schneebesen; (leichter) Schlag; (weg)schlagen, (weg-)scheuchen; schnellstens fahren (bringen); (heftig, schaumig) schlagen; **~ers** *pl vb* Backenbart; *zool* Schnurrhaare

whisky, *US* **~ey** [ʹwiski] Whisky

whisper [ʹwispɔ] flüstern; munkeln; Flüstern (*in a* ~, *in* ~*s* im Flüsterton); Andeutung; Gerücht

whistle [wisl] pfeifen, flöten (~ *away* drauflos-); Pfeife(n) ♦ *to wet one's* ~ s. d. Kehle anfeuchten

whit¹ [wit] bißchen (*mst: not a, no* ~)

Whit² [wit] Pfingst-; ~**sun** [ʹsɔn] = ~; **~sunday** [ʹsʌndi] Pfingstsonntag (~ *Monday,* ~ *Tuesday*); **~suntide** [ʹsntaid] Pfingsten; **~(sun)week** Woche nach Pfingsten

white [wait] weiß; Weiß(e); Eiweiß; ~ **ant** Termite; ~ **bear** [bɛɔ] Eisbär; **~caps** [ʹkæps] schaumgekrönte Wellen; **~-collar worker** [ʹkɔlɔʹwɔːkɔ] Angestellter, Kopfarbeiter; **~-hot** [ʹhɔt] weißglühend; ~ **lie** Notlüge; **~n** [ʹɔn] weiß machen (werden); bleichen; **~ning** [ʹniŋ] Schlämmkreide; **~wash** [ʹwɔʃ] Tünche; tünchen; *fig* reinwaschen

whither [ʹwiðɔ] wohin

whiting [ʹwaitiŋ] Schlämmkreide; *zool* Merlan

whitlow [ʹwitlou] 🕈 Umlauf

Whitsun(day) *siehe* Whit

whittle [witl] (zurecht)schnitzeln, schnipseln; ~ *down* stutzen, drücken

whiz [wiz] sausen, zischen (lassen)

who [huː] wer, wen?; welcher, der; **~ever** [ʹevɔ] wer auch immer

whole [houl] ganz; vollständig ♦ *to go the* ~ *hog* e-e Sache gründlich machen; heil; *su* Ganzes; *the* ~ *of (my money etc)* all (mein Geld), (mein) ganzes (Geld etc); *on the* ~ im ganzen; **~-hearted** [ʹhɑːtid] mit ganzem Herzen, aufrichtig; **~-meal** [ʹmiːl] Vollkorn(mehl); **~sale** [ʹseil] Großhandel; *by* ~ *sale* en gros; *adj* en gros; *fig* in großem Umfang; **~sale dealer** = **~saler** [ʹseilɔ] Großhändler; **~some** [ʹsɔm] gesund; heilsam, gut

wholly [ʹhoulli] ganz; gänzlich

whom [huːm] wen?; den

whoop [huːp] (Ge-)Schrei; Ziehen, Keuchen; schreien; ziehen, keuchen; **~ing-cough** [ʹiŋkɔf] Keuchhusten

whop [wɔp] *umg* schleudern; vertrimmen (*a. fig*); **~per** [ʹɔ] Mordsding; -lüge; **~ping** [ʹiŋ] riesig

whore [hɔː] Hure

whorl [wɔːl] *bot* Quirl; 🕈, *zool* Windung

whortleberry [ʹwɔːtlberi] Heidelbeere

whose [huːz] wessen; dessen; **~soever** [ʹsouʹevɔ] wer auch immer, alle die

why [wai] warum; nun, nanu, na

wick [wik] Docht; **~ed** [ʹid] schlecht, sündhaft; böse, gemein; boshaft; **~er** [ʹɔ] Weiden-, Korb-; **~erwork** [ʹɔwɔːk] Korbgeflecht; **~et** [ʹit] Pförtchen; Drehkreuz; Schalter(fenster); 🕈 Tor

wide [waid] breit; weit (~ *of* w. ab von); weitgehend, -reichend; **~awake** [ʹɔweik] hellwach; **~n** [ʹn] (s.) erweitern; **~-spread** [ʹspred] weitausge-, verbreitet

widgeon [ʹwidʒɔn] Pfeifente

widow [ʹwidou] Witwe; **~ed** [ʹd] verwitwet; **~er** [ʹɔ] Witwer; **~hood** [ʹhud] Witwenschaft, -stand

width [widθ] Breite; (... *in* ~ ... breit); Weite

wield [wiːld] handhaben; ausüben

wife [waif], *pl* **wives** [waivz] (Ehe-)Frau

wig [wig] Perücke; **~ged** [ʹd] mit Perücke; **~ging** [ʹiŋ] Schelte

wight [wait] *fig* Wicht

wild [waild] 1. wild; 2. (Tier) scheu; 3. sittenlos; *to run* ~ herumtoben, ungezügelt leben; 4. stürmisch; 5. wütend; versessen, verrückt; 6. unüberlegt, wild; 7. Wildnis (*the call of the* ~); *the* ~*s* d. Wilden; **~cat** [ʹkæt] Wildkatze; *bes US fig* wild, Schwindel-; **~erness** [ʹwildɔnis] Wildnis; *bes fig* Wüste; **~life** [ʹlaif] Wildtiere, Tiere auf freier Wildbahn

wile [wail] *mst pl* List(en), Ränke; ver-, weglokken; *a.* = while (away)

wilful, *US* **willful** [ʹwilful] halsstarrig, eigensinnig; vorsätzlich

will [wil] (*s. S. 320; regelm. in Bdtg. 7, 8*) 1. werde (*Futur*); **would** [wud] würde; 2. will (*I won't do it again*); ..., = *you?*bitte; 3. müssen (*accidents* ~ *happen* Unfälle müssen nun mal passieren, kommen nun mal vor; *it would rain on that day* es mußte natürlich regnen); 4. ~ *do* pflegt zu tun, tut gern (immer) (*he* ~ *sit there for hours*); 5. wohl (*this* ~ *be the right book* ... ist wohl ...); 6. wünschen, mögen, wollen (*would that it were otherwise* ich wollte, es wäre anders); 7. etw entschlossen wollen; durch Willenskraft (er)zwingen, bewegen; 8. testamentarisch vermachen; 9. Willen(skraft); *a* ~ Entschlossenheit, Energie; *to have one's* ~ s-n Willen durchsetzen ♦ *at* ~ nach Belieben; 10. letzter Wille; **~ing** [ʹiŋ] willig, willens; (hilfs)bereit; bereitwillig; **~ingly** gern; **~-o'-the-wisp** [ʹɔðɔʹwisp] Irrlicht; **~power** [ʹpauɔ] Willenskraft; **~y-nilly** [ʹiʹnili] wohl oder übel

willow ['wiləu] *bot* Weide(nholz); ~y [⁻⁻i] weidenartig, -reich; schlank

wilt [wilt] (ver)welken (lassen)

wily ['waili] verschlagen, listig

win [win] *(s. S. 320)* 1. erringen, gewinnen (~ *over* für s. g.; ~ *to do* dazu g., zu tun; ~ *hands down* mit leichter Hand g.); ~ *the day* (od *field*) siegreich sein; 2. erreichen; 3. s. durchschlagen; 4. *bes* ⚓ Sieg; **~ning** [⁻iŋ] *fig* siegreich; gewinnend; *su pl* (Spiel-)Gewinne

wince [wins] zusammenzucken

winch [wintʃ] ☿ Winde

wind[1] [wind] 1. Wind (*get* ~ *of* W. bekommen von; *to cast (fling) to the* ~*s* in d. W. schlagen; *to take the* ~ *out of s-b's sails* j-m d. W. aus d. Segeln nehmen); *the four* ~*s* alle Richtungen ♦ *in the* ~ in d. Luft, heimlich im Gange; ... *how the* ~ *blows* wie d. Aktien stehen ♦ *to raise the* ~ d. nötige Kleingeld auftreiben; 2. Atem(kraft); *to lose* [luːz] *one's* ~ außer A. kommen; *sound in* ~ *and limb* in bester körperlicher Verfassung; 3. 💲 Blähungen; 4. leeres Gerede; 5. 🎵 Blasinstrumente; 6. ~ [wind], ~*ed*, ~*ed* wittern; 7. erschöpfen; 8. Luft holen lassen; 9. ~ [waind] *(s. S. 320)* blasen, ertönen lassen; 10. **~bag** [⁻bæg] *umg* Windbeutel, Schwätzer; **~break** [⁻breik] Windschutz, Hecke; **~fall** [⁻fɔːl] Fallobst; Glücksfall; **~flower** [⁻flauə] Anemone; **~gauge** [⁻geidʒ] Windstärkemesser; **~-jammer** [⁻dʒæmə] ⚓ Segler; **~mill** [⁻mil] Windmühle; **~ow** [⁻əu] Fenster; **~ow-dressing** [⁻oudresiŋ] Schaufenstergestaltung; Fassade; Lockmittel; **~pipe** [⁻paip] 💲 Luftröhre; **~screen** [⁻skriːn] *BE* Windschutzscheibe; **~shield** [⁻ʃiːld] *US* = ~-screen; **~swept** [⁻swept] windumtost; **~tunnel** [⁻tʌnl] ✈ Windkanal; **~ward** [⁻wəd] Windseite; Wind-; windwärts; ~y [⁻i] windig; prahlerisch; ängstlich

wind[2] [waind] 1. *(s. S. 320)* (s.) winden, s. schlängeln; 2. ~ *(up)* aufwickeln, -rollen (~ *off* ab-); 3. ☿ drehen, aufziehen; *fig* anspannen; ~ *up* (her)aufziehen, hochwinden; 4. ~ *up* abschließen; (Geschäft) (s.) auflösen; Konkurs machen; **~er** [⁻ə] Spuler, Wickler; **~ing-sheet** [⁻iŋʃiːt] Leichentuch; **~ing staircase** ['stɛəkeis] Wendeltreppe; **~ing-up** [⁻iŋ'ʌp] Abschließen, -wickeln; Liquidation; **~lass** ['windləs] ☿ Winde; **~up** [⁻ʌp] Schluß

wine [wain] Wein; **~press** [⁻pres] Kelter

wing [wiŋ] 1. Flügel (*a. mil*, 🏛; *on the* ~ im Flug, auf Reisen; *under s-b's* ~*s* unter j-s Fittichen; 2. ✈ Tragfläche; 3. 🚗 *BE* Schutzblech; 4. *pl* 🎭 Kulissen; 5. *mil BE* Gruppe, *US* Geschwader; 6. beflügeln; 7. fliegen; 8. (Vogel) verwunden; **~ed** [⁻d] beflügelt *(a. fig)*

wink [wiŋk] blinzeln, zwinkern (~ *at s-b* j-m zu-; ~ *at s-th* e. Auge zudrücken bei); funkeln; Blinzeln, Zwinkern; Wink (*to tip s-b the* ~ j-m e-n W. geben); Augenblick; *forty* ~*s* Nickerchen

winkle ['wiŋkl] (eßbare) Strandschnecke

winner, winning *siehe* win

winnow ['winou] ↓ worfeln; *fig* sichten

winsome ['winsəm] gewinnend

wint|er ['wintə] Winter; überwintern; **~ry** [⁻ri] winterlich; *fig* frostig

wipe [waip] wischen, reiben (~ *off* ab-; ~ *up* auf-); s. wischen lassen; ~ *out* auswischen, *fig* -löschen ♦ ~ *the floor with s-b (fig)* j-n fertigmachen; Wischen

wire ['waiə] 1. Draht (*live* ~ 🗲 geladener D., *fig* aktiver Kerl); 2. Telegramm; 3. mit Draht befestigen; 4. ☿ bördeln; 5. 🗲 verdrahten, schalten; 6. mit Draht fangen; 7. telegrafieren; 8. ~ *in (BE)* feste drauflosarbeiten; **~less** [⁻lis] drahtlos; *BE* (Rund-)Funk; *BE* funken; **~less operator** ['ɔpəreitə] Bordfunker; **~puller** [⁻pulə] Drahtzieher *(a. fig)*; ~ **release** [ri'liːs] 📷 Drahtauslöser

wir|ing ['waiəriŋ] (Draht-)Leitung(en); Schaltung; Verdrahtung; ~y [⁻i] drahtig *(bes fig)*

wisdom ['wizdəm] Weisheit; Klugheit; Wissen

wise [waiz] klug, erfahren ♦ *to be none the* ~*r for* nicht klüger sein als (zu)vor; (Art u.) Weise; **~acre** [⁻eikə] Besserwisser; **~crack** [⁻kræk] witzige Bemerkung, Bonmot

wish [wiʃ] 1. wünschen (~ *s-b at the devil* j-n z. Teufel w.; *I* ~ *I knew* ich wollte, ich wüßte) (Gruß) sagen; ~ *(for)* s. etw wünschen; 2. hoffen (*it is to be* ~*ed* [⁻t] es ist zu h.); 3. Verlangen; Wunsch; Bitte; **~ful** sehnsüchtig; ~*ful thinking* Wunschdenken, Illusion(en); begierig *(to do)*

wishy-washy ['wiʃiwɔʃi] dünn, labbrig; *fig* gehaltlos, arm

wisp [wisp] Wisch, Bündel; Strähne; Strich (von Vögeln)

wistful ['wistful] sehnsüchtig

wit [wit] Verstand; *out of one's* ~*s* von Sinnen; *to have (od keep) one's* ~*s about one* s-e Sinne beisammen haben; *at one's* ~*'s end* mit s-r Weisheit am Ende; Witz, Esprit; *to* ~ nämlich

witch [witʃ] Hexe; *umg* faszinierende Frau; *siehe* wych-; **~craft** [⁻krɑːft] Hexerei, Zauberei; **~doctor** [⁻dɔktə] Medizinmann; **~ery** [⁻əri] = ~craft; *pl* Charme; **~hunt** [⁻hʌnt] Hexenjagd

with [wið] 1. mit; ~*no* ohne; 2. bei j-m; 3. vor (Kälte, Furcht usw); *I'm quite* ~ *you* ich bin ganz auf Ihrer Seite; 4. trotz; **~draw** [⁻'drɔː] *(s. S. 320)* zurücknehmen *(from* von); herausnehmen *(from* aus); (s.) zurückziehen; (Geld) abheben; **~drawal** [⁻'drɔːəl] Zurücknahme, -ziehung; Rückzug; Abhebung; **~hold** [⁻'hould] *(s. S. 320)* zurück-, vorenthalten *(from s-b* j-m); **~in** [⁻'in] (dr)innen; *prep* in(nerhalb); im Rahmen; **~out** [⁻'aut] außen; *prep* außerhalb; ohne; *times* ~*out number* zahllose Male; **~stand** [⁻'stænd] *(s. S. 320)* wider-, überstehen

with|e [wiθ, wið], ~y ['wiði] Weidenzweig, Gerte

wither ['wiðə] verwelken, verdorren (lassen); *su pl vb* Widerrist

witless ['witlis] sinnlos; töricht

witness ['witnis] Zeugnis; Zeugenaussage; Zeuge; *to be a* ~ *to* bezeugen; als Zeuge erleben; bezeugen; unterschreiben; beglaubigen;

zeugen, aussagen; **~box** [⸚bɔks] Zeugenstand; ~ **stand** *US* = **~box**

wit|ticism ['witisizm] witzige Bemerkung, Witz; **~tingly** [⸚iŋgli] wissentlich, absichtlich; **~ty** [⸚i] geistreich

wive [waiv] ehelichen; **~s** [⸚z] *siehe* wife

wizard ['wizəd] Zauberer; *fig* Hexenmeister, Genie; **~ry** [⸚i] Zauberei

wizened ['wiznd] verhutzelt, -schrumpelt

woad [woud] *bot* Färberwaid

wobbl|e ['wɔbl] schwanken; **~y** [⸚i] schwankend

woe [wou] Kummer, Weh; ~ *to* wehe; *pl* Nöte; **~begone** [⸚bigɔn] leidvoll; **~ful** jammervoll

wold [would] Ödland

wol|f [wulf], *pl* **~ves** [wulvz] Wolf ♦ *to keep the ~f from the door* s. schlecht u. recht durchschlagen; grausamer Kerl; Schürzenjäger; herunterschlingen; **~fish** [⸚iʃ] grausam, wild; **~verine** ['wulvəri:n] *zool* Vielfraß

woman ['wumən], *pl* **women** ['wimin] Frau; *fig* Weib; **~hood** [⸚hud] Weiblichkeit; Frauen; **~ish** [⸚iʃ] weibisch; Frauen-; **~kind** [⸚-'kaind] Frauen(welt); **~like** [⸚-laik], **~ly** [⸚-li] weiblich

womb [wu:m] Gebärmutter; *fig* Schoß

women ['wimin] *siehe* woman; **~folk** [⸚-fouk] *pl vb* Frauen(leute)

wonder ['wʌndə] Wunder (*for a* ~ wie e. W.); Staunen; s. wundern (*at* über), erstaunt sein; wissen wollen; s. fragen; *I* ~ *if I can* kann ich vielleicht; **~ful** wundervoll, herrlich; **~land** [⸚-lænd] Märchenland (*a. fig*); **~ment** [⸚-mənt] Staunen; **~struck** [⸚-'strʌk] von Staunen erfüllt

wondrous ['wʌndrəs] wundervoll

wonky ['wɔŋki] *umg* wankend, groggy

wont [wount] gewohnt; Gewohnheit; **~ed** [⸚id] üblich

woo [wu:], ~*ed*, ~*ed* werben, freien um; zu erlangen trachten; überreden, drängen; **~er** [⸚ə] Freier

wood [wud] (kl.) Wald, Forst (*can't see the ~ for the trees* sieht d. W. vor Bäumen nicht); *out of the* ~ aus d. Schwierigkeiten heraus; Holz; **~bine** [⸚bain], *BE a.* **~bind** [⸚baind] *bot* Geißblatt; **~-carver** [⸚kɑ:və] Bildschnitzer; **~-chuck** [⸚tʃʌk] Waldmurmeltier; **~cock** [⸚kɔk], *pl* **~-cock** Waldschnepfe; **~craft** [⸚krɑ:ft] Kenntnis d. Waldes, Weidmannskunst; **~cut** [⸚kʌt] Holzschnitt; **~ed** [⸚id] bewaldet; Holz-; **~en** [⸚n] hölzern (*a. fig*); Holz-; plump; ~ **grouse** [graus] Auerhahn; **~land** [⸚lənd] Waldland; Waldung; Wald-; **~lark** [⸚lɑ:k] Heidelerche; **~man** [⸚mən], *pl* **~men** Waldbewohner; Holzfäller; **~pecker** [⸚pekə] Specht; **~pigeon** [⸚pidʒən] Ringeltaube; **~pulp** [⸚pʌlp] Holz(zell)stoff; **~ruff** [⸚rʌf] *bot* Waldmeister; **~sman** [⸚zmən], *pl* **~smen** Jäger, Fallensteller; Holzfäller; **~wind** [⸚wind] ♪ Holzbläser; **~work** [⸚wə:k] Holzarbeit(en); Zimmermannsarbeit; Werkunterricht; **~working** Holzbearbeitung; **~y** [⸚i] bewaldet; hölzern, Holz-

woof [wu:f] Einschlag, Schuß

wool [wul] Wolle ♦ *to pull the ~ over s-b's eyes* j-m d. Fell über d. Ohren ziehen; *cotton* ~ (*BE*) Watte, (*US*) Rohbaumwolle; filziges Haar; **~gathering** [⸚gæðəriŋ] geistesabwesend; **~len**, *US* **~en** [⸚ən] wollen; Woll-; *su pl vb* Wollsachen; **~ly** [⸚i] wollig; wollartig; wollenes Kleidungsstück

word [wə:d] 1. Wort (*to put into* ~*s* in W. kleiden; *is not the* ~ *for it* ist nicht d. richtige W.; *in a* ~ mit e-m W.); *by* ~ *of mouth* mündlich; *von Mund zu Mund*; *in so many* ~*s* genau mit diesen Worten; *to have a* ~ *with* reden mit; *to have* ~*s* (*with*) streiten (mit); *to suit* [sju:t] *the action to the* ~ d. Worten d. Tat folgen lassen; *the last* ~ *in* d. Allerneueste in (an); 2. Nachricht, Bescheid; 3. Versprechen, Wort; *to be as good as one's* ~ s-n Versprechen voll erfüllen; 4. Befehl; Losung; 5. in Worte, abfassen; **~book** [⸚buk] Vokabular; Libretto; **~ing** [⸚iŋ] Wortlaut, Formulierung; **~-perfect** [⸚'pə:fikt] ♥ rollensicher; ausdruckssicher; **~y** [⸚i] wortreich; Wort-

wore [wɔ:] *siehe* wear

work [wə:k] 1. Arbeit (*at* ~ an d., auf d. A.); (*out of*) ~ (un)beschäftigt (arbeitslos) ♦ *to make short* (*quick*) ~ *of* kurzen Prozeß machen mit; ☼ Arbeitsgang; Werkstück; 2. Werk(e) (*a. fig*); 3. ~*s sg vb* Fabrik, Werk; *pl vb* Getriebe, (Uhr-)Werk; öffentliche Bauten; *mil* Befestigungen; ~*s* Betriebs-; 4. arbeiten (*at* in, an); ver-, bearbeiten; 5. funktionieren, arbeiten; 6. s. durchführen lassen, klappen; 7. ☼ bedienen, betreiben; 8. lösen, ausrechnen; 9. bearbeiten, betreiben, stellen; 10. arbeiten lassen; schinden; 11. (be)wirken, anrichten; 12. (s.) mit Mühe bewegen; s. arbeiten (*through the roof*); (Weg) s. bahnen; ~*o.s. into* s. steigern zu; 13. ☼ formen, gestalten; 14. stricken; 15. durch Arbeit abverdienen; 16. ~ **away** drauflos-, weiterarbeiten; ~ **in** eindringen; ~ *in with* s. einfügen in, passen zu; ~ *in (to)* hineinarbeiten in; verarbeiten zu; ~ **off** weg-, auf-, abarbeiten; ~ **on** weiterarbeiten; ~ **out** ausarbeiten, -rechnen (s. a. lassen); ~ *out well* (*badly*) e. gutes (schlechtes) Ergebnis haben; s. belaufen (*at* auf); bewerkstelligen; ☼ erschöpfen; ~ **through** durcharbeiten; ~ *through college* s. sein Studium verdienen; ~ **up** aufbauen; zustande bringen; erregen; verarbeiten (*into* zu); s. steigern (*to* zu); ~ **upon** beeinflussen, zusetzen; **~able** [⸚əbl] bearbeitbar; praktisch; durchführbar; **~aday** [⸚ədei] Alltags-; **~basket** [⸚bɑ:skit] Nähkorb; **~box** [⸚bɔks] Nähkasten; **~day** [⸚dei] Werktag; **~er** Arbeiter, Arbeitskraft; **~house** [⸚haus], *pl* **~houses** [⸚hauziz] *BE* Armenhaus; *US* Arbeitshaus; **~ing** [⸚iŋ] arbeitend; Arbeiter-; praktisch; Be-, Verarbeitung; Arbeits-, Betriebs-; ☼ Arbeitsgang, Grube; *pl vb* Arbeit(sweise); Wirken; **~ing day** Werktag, Arbeitstag; **~man** [⸚mən], *pl* **~men** Arbeiter; **~manlike** [⸚mənlaik] geschickt; fachkundig, -männisch; **~manship** [⸚mənʃip] Kunstfertigkeit; (fachmännische) Ausfüh-

rung, Bearbeitung; **~-people** [-piːpl] pl vb Arbeiter; **~room** [-rum] Arbeitsraum; **~shop** [-ʃɔp] Werkstätte; Arbeitsraum; Werk
world [wəːld] 1. Welt (for the whole ~ um alles in d. W.; a man of the ~ ein Mann von W.) ◆ all the ~ to him sein ein u. alles; who in the ~? wer um alles in d. W.? to be a noise in the ~ Aufsehen erregen; the other (od next) ~, the ~ to come Jenseits; the lower ~ Unterwelt; how goes the ~ with you? wie stehen die Aktien bei dir?; 2. d. materielle Welt; 3. d. Leute; 4. a ~ of unendlich; to the ~ völlig; 5. **~ly** [-li] weltlich; Welt-, Lebens-; **~ly-minded** [-liˈmaindid] weltlich eingestellt; **~ly-wise** [-liˈwaiz] weltklug
worm [wəːm] 1. Wurm (a. fig); 2. ✿ Schnecke (~-gear [-giə] S.getriebe); 3. schlängeln; ~ one's way s. schlängeln, s. einschleichen (into in); 4. ~ out of s-b j-m etw entlocken; **~wood** [-wud] bot Beifuß; Wermut, Absinth; **~y** [-i] wurm(art)ig
worn [wɔːn] siehe wear; **~-out** [-'aut] abgenutzt; verbraucht; abgestanden
worr|iment [ˈwʌrimənt] Qual, Quälerei; **~isome** [-səm] quälend, beunruhigend; sorgenvoll; **~y** [-] 1. quälen, zusetzen; beunruhigen; 2. schütteln, zausen; 3. s. sorgen, s. Sorgen machen (about, over über, wegen); 4. **~y along** s. so durchschlagen; **~y out** herausknobeln; 5. Kummer; Sorge
worse [wəːs] schlechter, schlimmer (a. ✿); is none the ~ for it ist nicht schlechter dran; ~off schlimmer dran; su Schlimmeres; **~n** [-n] (s.) verschlechtern, -schlimmern
worship [ˈwəːʃip] Verehrung; Gottesdienst; verehren; anbeten (a. fig)
worst [wəːst] schlechteste, schlimmste (a. ✿); su d. Schlimmste (if the ~ comes to the ~ wenn es z. S. kommt); at (the) ~ schlimmstenfalls; at his ~ in s-r schlimmsten Verfassung; to get the ~ of it d. kürzeren ziehen; vt überwältigen
worsted [ˈwustid] Kammgarn(stoff)
worth [wəːθ] wert (~ reading d. Lesen w., lesens-); for all one is ~ mit aller Macht; a shilling's ~ of (apples etc) für e-n Schilling ...; **~-while** [-wail] lohnend; Wert; **~y** [ˈwəːði] wert, to be ~y of verdienen; würdig, angesehen; Mann von Stand; ehrenwerter Mann
would [wud] siehe will; **~-be** [-bi] zukünftig; vor-, angeblich
wound [wuːnd] Wunde (a. fig); bot Verletzung; verwunden (a. fig); ~ [waund] siehe wind
wove [wouv], **~n** [-n] siehe weave
wow [wau] 🐸 Bombenerfolg
wrack [ræk] Seetang; to go to ~ and ruin, to ~ one's brain: siehe rack[1, 2]
wraith [reiθ] (Toten-)Geist
wrangle [ˈræŋgl] zanken; Zank
wrap [ræp] einwickeln, -hüllen (a. ~ up); ~ up well s. warm anziehen; to be ~ped [-t] up in beschlossen sein in, fig aufgehen in; pl vb Hüllen, Decken; **~per** [-ə] 🐍 Streifband; Schutzumschlag; **~ping** [-iŋ] Hülle; Verpackung

wrath [rɔːθ, US ræθ] Zorn; **~ful** zornig
wreak [riːk] (Rache etc) auslassen (upon)
wreath [riːθ], pl **~s** [riːðz] Kranz (a. fig); **~e** [riːð] flechten, winden; s. winden, ringeln
wreck [rek] Schiffsunglück, -bruch; Wrack (a. fig); Trümmer(haufen); fig Ruin; vt verunglücken, scheitern lassen; to be ~ed [-t] verunglücken, Schiffbruch erleiden; **~age** [-idʒ] (Schiffs-, Unfall-)Trümmer; **~er** [-ə] Strandräuber; 🔧 Bergungsarbeiter; US 🚗 Abschleppwagen; 🚂 Hilfszug
wren [ren] Zaunkönig
wrench [rentʃ] Zerrung, Verrenkung; to give a ~ to = to ~; fig Schmerz; ✿ Schraubenschlüssel; heftig reißen, s. verrenken; fig verdrehen, entstellen
wrest [rest] entwinden, -reißen; fig abringen; **~le** [-l] 🤼 ringen (mit j-m; a. fig); (Ring-)Kampf; **~ler** [-lə] Ringkämpfer
wretch [retʃ] armer Teufel; Schuft (a. fig); **~ed** [-id] elend; miserabel
wrick [rik] 💲 leicht verstauchen, verzerren; Verzerrung
wriggle [ˈrigl] (s.) winden; (s.) schlängeln
wring [riŋ] (s. S. 320) (aus)wringen, winden; umdrehen (~ s-b's heart j-m d. Herz u.); fest drücken; ~ing wet triefnaß; ~ one's hands d. Hände ringen; fig j-m abringen; quälen
wrinkl|e [ˈriŋkl] Falte; Wink, Kniff; in Falten legen, runzeln; runzlig werden
wrist [rist] Handgelenk; **~band** [-bænd] Armband; **~-watch** [-wɔtʃ] Armbanduhr
writ [rit] Erlaß; ⚖ Befehl; **Holy W~** Heilige Schrift
write [rait] (s. S. 320) schreiben; **~ down** hinschreiben; hinstellen, beschreiben (as als); abschreiben, -buchen; **~ for** für schriftlich bestellen; **~ off** fig hinhauen; (Schuld etc) abschreiben; **~ out** ausschreiben; **~ o.s. out** s. verausgaben; **~ up** (Text) weiterführen; ausarbeiten; loben(d besprechen), rausstreichen; **~r** [-ə] Schreiber; Schriftsteller; **~r's cramp** Schreibkrampf
writhe [raið] s. winden, krümmen; fig sehr leiden (under, at unter)
writing [ˈraitiŋ] Schreibarbeit(en); in ~ schriftlich; Text; Prosa; pl Werke; **~-desk** [-iŋ-desk] Schreibtisch
written [ˈritn] siehe write; schriftlich
wrong [rɔŋ] 1. schlecht, böse; 2. falsch; to be ~ unrecht haben, s. irren; on the ~ side of über ... hinaus ◆ to have (od get) hold of the ~ end of the stick d. Sache völlig verkehrt ansehen; to be in the ~ box auf d. Holzweg sein; to go ~ falsch gehen, fehlschlagen; to go ~, to take the ~ turning (od path) auf Abwege geraten; 3. nicht in Ordnung; what's ~ with? was ist auszusetzen an?; 4. Unrecht; Sünde; 5. unrechte Tat; 6. Ungerechtigkeit; 7. j-m unrecht tun; **~doer** [-duə] Übeltäter; **~doing** [-duiŋ] Missetat(en); Unrecht; ungesetzlich; **~ly** [-li] falsch, irrtümlich(erweise)
wroth [rouθ, bes US rɔːθ] zornig

wrought [rɔːt] *siehe* work; ~ **iron** ['aiən] Schweißstahl; ~**up** [-'ʌp] aufgebracht
wry [rai] schief, verzerrt

X

X [eks] X
xeno|n ['zenɔn, *US* 'ziː-] *phys* Xenon; ~**gamy** [zi'nɔgəmi] Fremdbestäubung; ~**phobia** [zenə'foubjə] Fremdenfeindlichkeit
xerox ['ziərɔks] fotokopieren
Xmas ['krisməs] Weihnachten
X-ray ['eksrei] röntgen; e-e Röntgenaufnahme machen von; mit Röntgenstrahlen behandeln; Röntgenbild; *pl* Röntgenstrahlen
xylo|graph ['zailəgrɑːf] Holzschnitt; ~**phone** [-foun] Xylophon

Y

Y [wai] Y
yacht [jɔt] Jacht; ⚓ Segelboot; mit e-r Jacht fahren; ⚓ segeln; ~**ing** [-iŋ] ⚓ Segelsport; ~**sman** [-smən], *pl* ~smen ⚓ Segler; Jachtfahrer
yank [jæŋk] *umg* Ruck; ruckartig reißen
Yank [jæŋk] *sl* Yankee; ~**ee** [-iː] *bes US* Neuengländer; Nordstaatler; *bes BE* Yankee, Amerikaner
yap [jæp] kläffen; schwatzen, quasseln; Gekläff
yard [jɑːd] 1. Yard (= 91,4 cm); 2. Yard(länge) Stoff; 3. ⚓ Rah; 4. Hof; Platz; *US* (Gemüse-)Garten; Rangierbahnhof; ~**man** [-mən], *pl* ~men Rangierarbeiter; ~**master** [-mɑːstə] Rangierleiter; ~**stick** [-stik] Zollstock; *fig* Maßstab
yarn [jɑːn] Garn; *vi* e. Garn spinnen, schwatzen; Erfahrungen austauschen
yarrow ['jærou] *bot* Schafgarbe
yaw [jɔː] ⚓ gieren
yawl [jɔːl] ⚓ Yawl (Art Jacht); Jolle; jaulen, heulen
yawn [jɔːn] gähnen *(a. fig)*; kläffen; Gähnen; Abgrund
ye [jiː] = you; = the
yea [jei] ja, in der Tat
year [jəː, *bes US* jiə] Jahr; ~**ling** [-liŋ] Jährling; ~**ly** [-li] jährlich
yearn [jəːn] s. sehnen *(for, after* nach); ~**ing** [-iŋ] Sehnsucht; sehnsüchtig
yeast [jiːst] Hefe; ~**y** [-i] schäumend; gärend; schaumschlägerisch
yell [jel] gellen(d schreien, lachen); Gellen, gellender Schrei
yellow ['jelou] gelb; feige; neidisch; Sensations-(Presse etc); Gelb; (s.) gelb färben; vergilben; ~**hammer** [-hæmə] *zool* Goldammer; ~**nish** gelblich
yelp [jelp] jaulen, kläffen; Kläffen
yeoman ['joumən], *pl* yeomen Freisasse; *BE* kleiner Gutsbesitzer; *BE* berittener Miliz-

soldat; *US Marine* Schreiber; ~**ry** [-ri] Freisassen etc; *BE* berittene Miliz
yes [jes] ja; *pl* ~es Ja
yesterday ['jestədi] gestern; *the day before* ~ vorgestern; ~'s gestrig; *of* ~ kürzlich; *pl* frühere Zeiten
yet [jet] 1. jetzt; 2. *(Frage)* schon; *not* ~ noch nicht; bis jetzt nicht; 3. noch; *as* ~ bis jetzt; *nor* ~ und auch nicht; 4. doch, aber
yew [juː] *bot* Eibe
yield [jiːld] 1. abwerfen, erbringen; 2. aufgeben (~ *up the ghost* d. Geist a.), überlassen; 3. *fig* einräumen; nachgeben; s. ergeben; 4. Ertrag, Rendite; ~**ing** nachgebend; nachgiebig
yog(h)urt [*BE* 'jɔgət, *US* 'jougərt] Joghurt
yoick [jɔik] (mit hussa) anfeuern
yoke [jouk] Joch; Trage; Schulterteil; *pl* ~ Gespann, Zugtiere; *fig* Joch, Band; anschirren; verbinden; ~**fellow** [-felou], ~**mate** [-meit] *fig* Partner
yokel ['joukl] Bauer(ntölpel)
yolk [jouk] Eigelb
yon [jɔn], ~**der** [-də] jener; dort drüben
yore [jɔː]: *of* ~ weiland, ehemals
you [juː] du, dich; ihr, euch; Sie; man; ~**r** [juə, jɔː] dein; euer; Ihr; ~**rs** [juəz, jɔːz] deinige, eurige, Ihrige; deins, eurs, Ihrs; ~**rself** [juə'self, jɔː-], *pl* ~**rselves** [-'selvz] sich; selbst
young [jʌŋ] jung; frisch; ungeübt; (Nacht, Jahr etc) am Anfang; Junge(s); *with* ~ trächtig; ~**ish** [-iʃ] recht jung, jugendlich; ~**ling** Kind; ~**ster** Junge
youth [juːθ], *pl* ~s [juːðz] Jugend; Jugendlicher; ~**ful** jugendlich; jung
yowl [jaul] (Katze) schreien; heulen
yule [juːl] Weihnachten
yummy ['jʌmi] lecker; chic

Z

Z [zed, *US* ziː] Z
zander ['zændə] *zool* Zander
zany ['zeini] Narr
zeal [ziːl] (großer) Eifer; ~**ot** ['zelət] Eiferer; ~**ous** ['zeləs] (sehr) eifrig
zebra ['ziːbrə], *pl* ~s Zebra; ~ **crossing** *BE* Zebrastreifen
zenith ['zeniθ, *US* 'ziː-] Zenit; *fig* Höhepunkt
zephir ['zefə] Westwind; Lüftchen; Zephir(wolle)
zero ['ziərou], *pl* ~**s**, ~**es** Null(zeichen, -punkt); Nichts *(a. fig)*; ~ **hour** ['auə] *mil* Angriffs-, X-Zeit *(a. fig)*
zest [zest] *mst fig* Würze; Eifer, Begeisterung; ~ *for life* Lebenshunger
zigzag ['zigzæg] Zickzack(linie); Serpentine; zickzackförmig; *adv* im Zickzack; im Zickzack, hin u. her gehen, fahren
zinc [ziŋk] Zink; mit Zink überziehen, verzinken
zip [zip] schwirren, zischen; *fig* Schwung; ~**fastener** [-fɑːsnə] *BE*, ~**per** *US* Reißverschluß

zither ['ziðə, *bes US* -θ-] Zither
zodiac ['zoudiæk] *astr* Tierkreis *the signs of the* ~ die Tierkreiszeichen
zon|al ['zounəl] zonenförmig; Zonen-; **~e** [zoun] Zone; *geol* Gürtel; Gebiet, Bereich; *US* Gebührenzone
zoo [zu:], *pl* **~s** Zoo; **~logical** [-ə'lɔdʒikl] zoo-

logisch; ~*logical garden* Zoo(logischer Garten); **~logist** [-'ɔlədʒist] Zoologe; **~logy** [-'ɔlədʒi] Zoologie
zoom [zu:m] ✝ *vi* hochziehen; fahren (*in* heran-)
zwieback ['zwi:bæk, *US* 'zwai-] Zwieback

Verzeichnis der unregelmäßigen Verben

Zusammengesetzte Verben, die hier nicht zu finden sind, suche man unter dem Grundwort.

abide (bleiben), abode, abode
abide (festhalten an), abided, abided
arise, arose, arisen
awake, awoke, awaked
backbite, backbit, backbitten *od* backbit
backslide, backslid, backslid
be, am, is, are, was, were, been
bear, bore, (getragen) borne, (geboren) born
   (im Perfekt und Passiv mit *by*: borne)
beat, beat, beaten
become, became, become
befall, befell, befallen
beget, begot, begotten
begin, began, begun
behold, beheld, beheld
bend, bent, bent
bereave (durch d. Tod berauben), bereaved,
   bereaved
bereave (berauben *fig*), bereft, bereft
beseech, besought, besought
beset *wie* set; bespeak *wie* speak; bestrew *wie*
   strew
bestride, bestrode, (bestridden)
bet, betted, betted (aber bei bestimmter Wette
   oder Summe: bet, bet, bet)
betake *wie* take; bethink *wie* think
bid (heißen), bade, bidden
bid (bieten), bid, bid
bind, bound, bound
bite, bit, bitten
bleed, bled, bled
blow, blew, blown
break, broke, broken
breed, bred, bred
bring, brought, brought
broadcast, broadcast, broadcast
browbeat, browbeat, browbeaten
build, built, built
burn, burnt, burnt
burst, burst, burst
buy, bought, bought
can, could
cast, cast, cast
catch, caught, caught
chide, chid, chidden *od* chid
choose, chose, chosen
cleave (spalten), clove, cloven (*a.* cleft), cleft)
cleave (festhalten), clave *od* cleaved, cleaved
cling, clung, clung
clothe, clothed, clothed *od poet* clad
come, came, come
cost, cost, cost (*als vt* costed, costed)
creep, crept, crept
crow, crowed *od poet* crew, crowed
cut, cut, cut
dare (wagen), dared *od poet* durst, dared
dare (herausfordern), dared, dared
deal, dealt, dealt
dig, dug, dug
dive, dived (*US a.* dove), dived
do, did, done

draw, drew, drawn
dream, dreamt, dreamt
drink, drank, drunk
drive, drove, driven
dwell, dwelt, dwelt
eat, ate, eaten
fall, fell, fallen
feed, fed, fed
feel, felt, felt
fight, fought, fought
find, found, found
flee, fled, fled
fling, flung, flung
fly, flew, flown
forbear, forbore, forborne
forbid, forbade (*a.* forbad), forbidden
forecast *wie* cast; forego *wie* go; foreknow *wie*
   know; foresee *wie* see; foretell *wie* tell
forget, forgot, forgotten
forgive, forgave, forgiven
forgo, forwent, forgone
forsake, forsook, forsaken
forswear, forswore, forsworn
freeze, froze, frozen
gainsay, gainsaid, gainsaid
get, got, got (*US a.* gotten)
give, gave, given
gnaw, gnawed, gnawed (gnawn *veraltet*)
go, went, gone
grind, ground, ground
grow, grew, grown
hamstring, hamstrung *od* -stringed, -strung *od*
   -stringed
hang (hängen), hung, hung
hang (henken), hanged, hanged
have, has, had, had
hear, heard, heard
heave, heaved, heaved (♪ hove, hove)
hew, hewed, hewn
hide, hid, hidden
hit, hit, hit
hold, held, held
hurt, hurt, hurt
inlay, inlaid, inlaid
keep, kept, kept
kneel, knelt, knelt
knit, knitted, knitted (*fig* knit, knit)
know, knew, known
lade, laded, laded (laden *veraltet*)
lay, laid, laid
lead, led, led
lean, leant *od* leaned, leant *od* leaned
leap, leapt *od* leaped, leapt *od* leaped
learn, learned *od* learnt, learned *od* learnt
leave, left, left
lend, lent, lent
let, let, let
lie, lay, lain
light, lit *od* lighted, lit *od* lighted
light on (stoßen auf), lighted, lighted
lose, lost, lost

make, made, made

may, might

mean, meant, meant

meet, met, met

melt, melted, melted *oder* (bei Metall) molten

misdeal *wie* deal; misgive *wie* give; mislay *wie* lay; mislead *wie* lead; misread *wie* read; mis-spell *wie* spell; mis-spend *wie* spend; mistake *wie* take; misunderstand *wie* understand

mow, mowed, mown

outbid, outbid, outbid *od* outbidden

outdo *wie* do; outgrow *wie* grow; outride *wie* ride; outrun *wie* run; outsell *wie* sell

outshine, outshone, outshone

outspread *wie* spread; outwear *wie* wear

overbear *wie* bear (tragen); overcome *wie* come; overdo *wie* do; overdraw *wie* draw; overdrive *wie* drive; overeat *wie* eat; overfeed *wie* feed; overgrow *wie* grow; overhang *wie* hang; overhear *wie* hear; overleap *wie* leap; override *wie* ride; overrun *wie* run; oversee *wie* see; overset *wie* set; overshoot *wie* shoot; oversleep *wie* sleep; overspread *wie* spread; overtake *wie* take; overthrow *wie* throw

overwork, overworked *od* overwrought, overworked *od* overwrought

partake, partook, partaken

pay, paid, paid

prepay, prepaid, prepaid

put, put, put

read, read, read

rebind *wie* bind; recast *wie* cast; re-do *wie* do

relay, relayed, relayed

re-lay, re-laid, re-laid

rend, rent, rent

repay *wie* pay; reset *wie* set; retell *wie* tell; rewrite *wie* write

rid, ridded, rid *od* ridden

ride, rode, ridden

ring, rang, rung

rise, rose, risen

rive, rived, riven

roast, roasted, roasted (*aber* roast meat)

rough-cast *wie* cast; rough-hew *wie* hew

run, ran, run

saw, sawed, sawn

say, said, said

see, saw, seen

seek, sought, sought

seethe, seethed, seethed (sodden *veraltet*)

sell, sold, sold

send, sent, sent

set, set, set

sew, sewed, sewn

shake, shook, shaken

shall, should

shear, sheared, sheared (*fig* shorn)

shed, shed, shed

shine, shone, shone (*vt* shined, shined)

shoe, shoed, shoed (*fig, poet* shod)

shoot, shot, shot

show, showed, shown

shrink, shrunk, shrunk

shrive, shrived (*a.* shrove), shrived (*a.* shriven)

shut, shut, shut

sing, sang, sung

sink, sank, sunk

sit, sat, sat

slay, slew, slain

sleep, slept, slept

slide, slid, slid

sling, slung, slung

slink, slunk, slunk

smell, smelt, smelt

smite, smote, smitten

sow, sowed, sown

speak, spoke, spoken

speed, sped, sped (*vt* speeded, speeded)

spell, spelt, spelt

spend, spent, spent

spill, spilt, spilt

spin, spun, spun

spit, spat, spat; (aufspießen) spitted, spitted

split, split, split

spoil (verderben), spoilt, spoilt

spoil (plündern), spoiled, spoiled

spread, spread, spread

spring, sprang, sprung

stand, stood, stood

stave, staved *od* stove, staved *od* stove

steal, stole, stolen

stick, stuck, stuck

sting, stung, stung

stink, stank, stunk

strew, strewed, strewn

stride, strode, stridden

strike, struck, struck

string, strung, strung

strive, strove, striven

swear, swore, sworn

sweep, swept, swept

swim, swam, swum

swing, swung, swung

take, took, taken

teach, taught, taught

telecast, telecast, telecast

tell, told, told

think, thought, thought

thrive, throve, thriven

throw, threw, thrown

thrust, thrust, thrust

tread, trod, trodden (*vt* treaded, treaded)

unbend *wie* bend; unbind *wie* bind

underbid, underbid, underbidden *od* underbid

undercut *wie* cut; undergo *wie* go; underlie *wie* lie; underpay *wie* pay; undersell *wie* sell; understand *wie* stand; undertake *wie* take; underwrite *wie* write

undo *wie* do; unlearn *wie* learn; unmake *wie* make; unsay *wie* say

uphold *wie* hold; uprise *wie* rise; upset *wie* set

wake, woke, (*Partizip Aktiv*) woken, (*Passiv*) waked *od* woken

waylay, waylaid, waylaid

wear, wore, worn

weave, wove, woven

weep, wept, wept
will, would
win, won, won
wind (winden), wound, wound
wind (♪ blasen), winded *od* wound, winded *od* wound
wind (Wind bekommen von etw), winded, winded

withdraw, withdrew, withdrawn
withhold, withheld, withheld
withstand, withstood, withstood
work, worked, worked (*vt a.* wrought, wrought)
wring, wrung, wrung
write, wrote, written

Wörterbuch

Deutsch-Englisch

A

A (the letter) A; *von* ~ *bis Z* from beginning to end; *d.* ~ *u. O* the beginning and the end ♦ *wer* ~ *sagt, muß auch B sagen* in for a penny, in for a pound; **A-Dur** A major; **a-Moll** A minor

Aal eel; **s. ~en** to be lazy; to bask *(in the sun)*; **~glatt** slippery (as an eel)

Aar eagle

Aas carrion; carcass; *fig* bitch; **~en** *mit* to waste; **~vogel** vulture

ab off; down; away; from (~ *Ostern* f. Easter on); ~ *2. Juli* on and after July 2; ~ *u. an (zu)* from time to time, at times; ~ *heute* from today; ~ *sein* to be all in

abänder|n to alter; *(völlig)* to change; *(mildern)* to modify; ♫ to amend; **~ung** alteration; change; modification; amendment

abarbeiten to work s-th off; *sich* ~ to toil, to work hard

Abart variety; **~en** to degenerate

Abbau working *(of a mine)*; *chem* decomposition, disintegration; reduction, cutting down; removal, cancellation; **~en** to break up; to work *(a mine)*, to extract *(coal)*; to dismantle *(factory)*; to relax *(controls)*; to discharge *(s-b)*

ab|beißen to bite off; **~bekommen** to get a share of; *(los-)* to get off; **~berufen** *pol* to recall; to call away

abbestell|en to countermand; to cancel; **~ung** countermand; cancellation

ab|betteln to wheedle s-th out of s-b; to get s-th from s-b by begging; **~bezahlen** to pay off; to pay by instalments

abbiegen *vt* to bend off *(od* aside); *vi* to turn (off); to branch off

Abbild copy; image; likeness; **~en** to copy; to portray; to model, to mould; **~ung** illustration; copy; representation

abbinden $ to tie (off), to ligature; *(los-)* to untie; to take off

Abbitte apology; ~ *tun wegen* to apologize for; **~n** to beg s-b's pardon for

abblasen to blow off *(od* away); *mil* to sound the retreat; *fig* to call off

abblättern to shed the leaves; to scale off

abblend|en to tone down; to soften *(light)*; ▥ to stop down; 🚗 to dim *(one's headlights)*; **~schalter** 🚗 dip-switch, dimming switch

abblitzen to be snubbed, to meet with a rebuff; ~ *lassen* to snub, to rebuff

ab|blühen to cease blooming; *fig* to fade, to wither; **~brausen** to douche; to water *(plants)*; *vi* to rush off; **~brechen** to pluck, to pick; *(Haus)* to pull down, to demolish; to strike *(tents)*; to raise *(a siege)*; to break off, to sever *(relations etc)*; *vi* to cease; to drop a subject; **~brennen** to burn down; to fire off; to let off *(fireworks)*; *vi* to be burn(t) down; **~bringen** *(los-)* to get off, remove; to lead away; *fig* to dissuade (*von* from)

Abbruch breaking off, break-off; pulling down, demolition; rupture, severance *(of rela-*

tions); damage, loss; ~ *tun* to damage, impair

ab|brühen to boil; to scald; **~bürsten** to brush (off); **~buchen** to write off; **~büßen** to atone for; *(Strafe)* to serve

Abc alphabet; *fig* the three R's, rudiments; **~schütze** beginner

abdach|en to slope; **~ung** slope; declivity

abdämmen to dam up

Abdampf exhaust steam; **~en** to evaporate; *umg* to move off, to depart

abdank|en to abdicate; to retire, to resign; **~ung** abdication; resignation

abdeck|en to uncover; to unroof; *(Tisch)* to clear; *(Bett)* to turn down; **~er** knacker; **~erei** knacker's yard

abdicht|en to stop up, to seal, to pack; ⚓ to caulk; **~ung** sealing; seal, packing

ab|dienen to serve *(one's time)*; **~drehen** *(Gas, Wasser)* to turn off; ⚡ to switch off; *(Hals)* to wring; ⚓ to veer

Abdruck impression; copy; reproduction; (▥ *Fahne)* proof; $ (plaster) cast; mark, stamp; **~en** to (re)print; **ᵘen** to press the trigger; to fire; to squeeze off

ab|dunkeln to darken; to black out; **~ebben** to ebb away; *fig* to die down

Abend evening; *d. Heilige* ~ Christmas Eve; *am* ~ in the evening, at night; *heute* ~ tonight; *gestern* ~ last night; *vorgestern* ~ the night before last; *neulich* ~ the other night; *es wird* ~ it is getting dark; *zu* ~ *essen* to have supper; **~blatt** evening paper; **~brot, ~essen** supper; **~dämmerung** dusk, twilight; **~füllend** full-length *(film)*; **~gottesdienst** *(prot)* evening service; *(kath)* vespers; **~kasse** box-office for evening performance; **~land** West, occident; **~ländisch** western, occidental; **~lich** evening; **~mahl** the Lord's Supper, Holy Communion; **~rot** sunset glow; **~s** in the evening, at night; **~schule** evening school; **~sonne** setting sun; **~zeitung** evening paper

Abenteuer adventure; *auf* ~*er ausgehen* to seek adventure; **~erlich** adventurous, venturesome; strange; **~ern** = *auf* ~*er ausgehen*; **~rer** adventurer

aber but; however; *adv* again; *tausend u.* ~ *tausend* thousands and thousands; **~glaube** superstition; **~gläubisch** superstitious; **~malig** repeated; **~mals** once more, again; **~witz** foolishness, craziness; **~witzig** foolish, crazy

aberkenn|en to deprive s-b of, to dispossess s-b of; ♫ to give a verdict against; **~ung** dispossession

abernten to harvest, to reap

abfahr|en *vt (Straße)* to wear out; *(Reifen)* to wear; *(weg-)* to cart away; *vi* to set out, ⚓ to set sail; 🚂 to start; to depart; *j-n* ~*en lassen* to send s-b about his business; **~t** departure; start

Abfall falling off; *(Blätter)* fall; slope; waste, refuse; defection, revolt; *eccl* apostasy; *fig* anticlimax; **~eimer** garbage pail; *BE* waste bin; **~en** to fall off; to slope, *(Straße)* to descend; to desert, revolt; *eccl* to apostatize (*von* from); to decrease; ~*en gegen(über)* to be worse than; to be left; ⸚**ig** derogatory; unfavourable; ~**produkt** by-product

ab|fangen to catch; to intercept; ✝ to flatten out; ⚙ to prop, to shore; ~**färben** to lose colour; *(Wand)* to come off; ~*färben auf* to stain, *fig* to influence

ab|fassen to write, to compose; ♊ to draw up; to catch s-b; ~**fassung** composition; writing; styling, style; drafting; ~**faulen** to rot off; ~**federn** to pluck; ⚙ to cushion; ~**fegen** to sweep off

abfertig|en to dispatch; to serve s-b; *kurz ~en* to send s-b about his business; ~**ung** dispatch; service; snub

abfeuern to fire (off), discharge

abfind|en to satisfy; to pay off; *s. ~en mit* to come to terms with, *fig* to put up with; ~**ung** settlement; compensation

ab|flachen to flatten; to level; ~**flauen** to abate; to decrease, to ease off; ~**fliegen** to fly off; ✝ to take off; ~**fließen** to flow away (*od* off, down); ~**flug** ✝ take-off

Abfluß flowing off; outlet; *(Straße)* gutter, gully; *(Küche)* sink; discharge; efflux; ~**röhre** (waste) pipe

ab|fordern to demand from; to require from; ~**fragen** to question; to interrogate; *(Aufgabe)* to hear; ~**fressen** to browse; to eat off; ~**frieren** to be nipped by frost; to be frost-bitten

Abfuhr removal; transport(ation); *fig* snub, rebuff; ⸚**en** to lead off; to carry away; to take away (into custody); *(Geld)* to pay over (*an* to); ⚕ to purge; ⸚**mittel** laxative, purgative, cathartic

ab|füllen to pour out; to decant; to draw off; *(in Flaschen)* to bottle; ~**füttern** to feed; *(Kleidung)* to line

Abgabe delivery; duty, tax, *(örtlich) BE* rate; ~**nfrei** duty-free; ~**npflichtig** taxable, dutiable

Abgang departure; leaving; sale; ♟ exit; loss, waste, deficiency; *(Tod)* decease; abortion; ~**szeugnis** school-leaving certificate, leaving certificate

Abgas waste (*od* exhaust) gas

abgearbeitet worn out

abgeben to deliver (up), to give; to hand over to; to share with s-b; to sell; to dispose of; *(Stimme)* to cast; *(Urteil)* to pass; *(Meinung)* to express; *s. ~ mit* to deal in, to have to do with, to go in for

abge|brannt *fig* stony-broke; ~**brüht** callous, hardened; ~**droschen** trite; commonplace; ~**feimt** crafty, cunning; ~**flacht** flat; ~**grast** *fig* well-covered; ~**griffen** worn-out; *(Buch)* thumbed

abgehen *vt* to measure by steps; to pace; *vi* to go away, to depart; to start; *(Straße, Fluß)* to branch off; *(Schule)* to leave; ♟ ... *geht ab* exit; *(s. lösen)* to come off; *vom rechten Wege ~* to lose one's way, *fig* to go astray; *~ lassen*

to send off; *s. nichts ~ lassen* to deny o.s. nothing; *hiervon geht ... ab* less ...

abge|kämpft worn-out, exhausted; ~**kartet:** *e-e ~kartete Sache* a put-up job, a frame-up; ~**klärt** mature, wise, dispassionate; ~**kürzt** abbreviated; abridged; ~**laufen** due, payable; expired; ~**legen** remote; ~**legt** *(Kleider)* cast-off

abgelten to meet, to (re)pay [off

abge|messen measured; calculated; ~**neigt** averse to; disinclined; ~**nutzt** worn-out; threadbare; hackneyed

Abgeordnete|r deputy, delegate, representative; member of Parliament; ~**nhaus** Chamber of Deputies, *(England)* House of Commons, *(USA, West-Berlin)* House of Representatives

abge|rahmt skim(med); ~**rissen** ragged; shabby; *fig* abrupt; disconnected; ~**rundet** rounded off; ~**sandter** envoy; delegate, deputy

abgeschieden retired; secluded; ~**heit** seclusion; solitude

abge|schliffen polished; refined; ~**schlossen** closed; concluded; complete; ~**schmackt** silly; insipid; in bad taste

abgesehen: ~ *von* apart from, *US a.* aside from, without regard to; *hiervon ~* besides this; *es ~ haben auf* to aim at

abge|spannt fatigued, enervated; tired out; ~**standen** *fig* flat, stale; ~**storben** dead, deceased; numb; ~**stumpft** blunted; *fig* dull; ~**tan** put off, finished; ~**tragen** threadbare; ~**treten** worn down

abgewinnen to win, obtain from; *Geschmack ~* to get to like, to get a taste for

abgewöhnen to wean from, to break s-b of the habit of (doing); *sich ~* to give up (doing)

ab|gießen to pour off, to decant; ⚙ to found, to cast; ~**glanz** reflection; (reflected) splendour; ~**gleiten** to slide (off), to slip (off); *alles an sich ~gleiten lassen* to be proof against everything

Abgott idol; ⸚**erei** idolatry; ⸚*erei treiben* to worship idols; ⸚**isch** idolatrous

abgraben to dig off; to drain (off); to draw off ♦ *j-m d. Wasser ~* to take the bread out of s-b's mouth

abgrenz|en to mark off; to fix the limits of; to demarcate; to define; ~**ung** demarcation; line of division; definition

Abgrund abyss; precipice; ⸚**ig** precipitous; *fig* inscrutable, impenetrable; ~**tief** abysmal

abgucken *(Schule)* to crib; to learn by watching s-b

Abguß cast, copy; pouring-off; casting

ab|hacken to chop off, to lop off; ~**haken** to unhook; to tick off

abhalt|en to keep off; to hinder, restrain, prevent; *(Stunde)* to give; *(Tagung)* to hold; *(Kind)* to hold out; ~**ung** holding; detention; hindrance

abhand|eln *(Preis)* to beat down; to get by bargaining; to treat of, to discuss; ~**lung** treatise, paper; dissertation; ~**en:** ~*en kommen* to get lost

Abhang slope, declivity; ˜en to take down; ◿
(ein-) to hang up; ☞ to tail off; vi ☞ to fall behind; ˜en von to depend on; ˜ig depending,
dependent (von on); ˜ige Rede gram indirect
(od reported) speech; ˜igkeit dependence (von
on)

ab|harken to rake off; ~härmen refl to grieve
(über at); to pine away

abhärt|en to harden; ☼ to temper; s. ~en ge-
gen to inure o.s. to; ~ung hardening; toughen-
ing

ab|haspeln to wind off, to unwind; fig to per-
form carelessly, to rattle off; ~hauen to cut,
hew off; umg fig to get away, to scram; ~heben
to lift (off), to take off; (Geld) (with)draw;
(Karten) to cut; s. ~heben to stand out (von, gegen against); ~hebung (Geld) withdrawal

ab|heilen to heal up; ~helfen to help, to rem-
edy; (Fehler) to correct; (Beschwerden) to redress; (Schwierigkeiten) to remove; dem ist
nicht abzuhelfen it cannot be helped; ~herzen
to hug (and kiss); ~hetzen (Tier) to hunt down;
fig to harass; refl to tire o.s. out, to rush about;
~hilfe remedy; ~hobeln to plane (off); to
smooth; fig to polish; ~hold averse, unfavourable to

abholen (Sachen) (to come and) fetch; to call
for s-b; to meet (at the train etc)

ab|holzen to cut down, to clear of trees, to de-
forest; ~horchen to learn by listening (von to);
to overhear; ⚕ to sound; ~hören to hear, examine s-b; ⊜ to listen (in) to, to monitor;
(Lektion) to hear, to test s-b on s-th

abirr|en to lose one's way; fig to go astray; to
deviate; ~ung deviation

Abitur school-leaving examination; ~ient sec-
ondary-school graduate; ~ientenexamen,
~ium = ~

abjagen vt to overdrive; (Pferd) to override;
j-m etw ~ to snap away from

ab|kanten to round off; to bevel; ~kanzeln to
take s-b to task, to blow up; ~kappen to lop
off; ~kapseln ⚕ to seal off, to wall off; refl fig
to avoid social contact; ~kauen to chew off;
~kaufen to buy, purchase from

Abkehr withdrawal; estrangement; aliena-
tion; about-face; ~en to sweep, to brush; s.
~en von to turn away from

abklär|en to clear; to clarify; ~ung clarifica-
tion

Ab|klatsch impression, copy; fig poor imita-
tion; ~klingen to die away; to fade out; ~klop-
fen to dust off; to knock off; ⚕ to sound; vi ♪
to cut off, to rap off; ~knallen to fire; to shoot
down; ~knappen, ~knapsen to stint s-th, to
stint s-b in s-th; ~knicken to break off, to snap
off; ~knöpfen to unbutton; (umg fig) j-m etw
~knöpfen to do s-b out of s-th; ~kochen to boil
(off); (Milch) to scald; sl to chisel; ~komman-
dieren to detach, to detail; to transfer

Abkomm|e descendant; offspring; ~en to de-
viate; ~en von to lose (one's way), to give up (a
plan), to change (the subject); to get away (od
off); to fall into disuse, to become obsolete; su

agreement; convention; arrangement; understanding; ˜ling = ~e

ab|konterfeien to portray; ~kratzen to scrape
off, to scratch off; sl to croak; ~kriegen umg to
get; etw ~kriegen to get hurt; ~kühlen to cool
(off); fig to calm, to damp; ~kühlung cooling;
refrigeration; ~kunft descent, origin; family

abkürz|en to shorten; to reduce; (Wort) abbre-
viate; (Text) to abridge; to curtail; ~ung shortening; reduction; abbreviation; abridgement

abküssen to kiss heartily, to smother with
kisses

ablad|en to unload; to dump; to discharge;
~eplatz dumping-ground; ~er unloader; ~ung
unloading; discharge

Ablage depot; dump; files; cloak-room; ~rn
to deposit; to store; ☼ to age, to season; ~rung
sediment; deposit

Ablaß eccl indulgence

ablassen to let off, to let go; to drain (off), to
draw off; to sell; ~ von to reduce (price), fig to
cease from, to desist from

Ablauf running off, flowing off; sink; expiration (of time); ~en to flow (off, down); to run
down; (Zeit) elapse; to expire; (Uhr) to run
down; (Wechsel) to fall due; ☞ to start; vt to
scour, to rove; (Schuhe) to wear out; s. d. Beine
~en to run o.s. off one's feet; gut, übel ~en to
end well, badly

ab|lauschen to learn by listening; to eaves-
drop; ~leben su decease, death

ablegen to put away, to lay aside, down; to
take off; (Gewohnheit) to give up; (Briefe) to
file; ⊞ to distribute; (Prüfung) to sit for, to go
in for, (bestehen) to pass; (Eid) to take;
(Gelübde) to make; bitte, legen Sie ab please,
take off your things (coat); wo kann ich ~?
where can I leave my things?

Ableger bot cutting, slip; layer; fig branch

ablehn|en to decline, to refuse; umg to say no
to; ⚘ to challenge; ~end negative; ~ung refusal, rejection

ab|leisten to perform (duly); (Eid) to take; mil
to serve (one's time); ~leiten to lead away; to
turn off; to divert; gram to derive; ~leitung
leading away; diversion; derivation, derivative

ablenk|en to turn off, to divert; to distract; to
deflect; fig to dissuade (von from); (Gefahr)
ward off; ~ung diversion; deflection; fig distraction; dissuasion; ~ungsangriff diversion

ab|lesen to read off; (Gerät) to read; (vom
Mund) to lip-read; er liest ihr alles von d. Augen
ab he anticipates her every wish; (Früchte) to
gather, to pick off; ~leugnen to deny, to disown

abliefer|n to deliver, to consign; to hand over;
(Waffen) to surrender, to turn in; ~ung delivery; transfer; surrender; ~ungssoll delivery
target (od quota)

ablös|en to loosen, to untie; to remove;
(Vorgänger) to replace; (Wache) to relieve;
(Kapital) to redeem; refl to come off, to scale
off; (s. abwechseln) to relieve one another, to

alternate; ~**ung** loosening; removal; redemption; relief

abluchsen to swindle s-b out of s-th

abmach|en to take off; to undo, to untie; *(Geschäfte)* to arrange, to finish, to settle; ~**ung** arrangement, settlement; agreement, convention

abmager|n to grow thin, to lose flesh; ~**ung** emaciation; ~**ungskur** reducing diet; ~*ungskur machen* to be on a (reducing) diet

ab|mähen to mow, to cut down; ~**malen** to paint, to portray; to depict

Abmarsch marching off; start; ~**bereit** ready to start; ~**ieren** to march off

abmeld|en to give notice of departure (of removal); to report off duty; ~**ung** notice of departure *(od removal)*

abmess|en to measure off; to survey; *fig* to weigh; ~**ung** measuring; measurement

ab|mieten to rent *(von* from); to hire *(von* from); ~**montieren** to dismount; to dismantle; to take to pieces; ~**mühen** *refl* to fatigue o.s., to exert o.s.; ~**nagen** to gnaw (off); *(Knochen)* to pick

Abnahme taking off, removal; sale, purchase; *es findet gute* ~ it sells well; **$** amputation; *astr* wane; decrease, diminution; *(Gewicht)* loss *(in weight)*

abnehm|en to take off (away); to gather, to pick; *(über-)* to take over; *(Waren)* to take *(into stock)*, to buy; *(Karten)* to cut; **$** to amputate; *(Stricken)* to take in; *(Eid)* to administer; *vi* to decrease, to diminish, to decline; to grow thin; *(Kräfte)* to fail; *astr* to wane; *(Tage)* to grow shorter; ~**er** buyer, customer

Abneigung dislike (of), aversion (to); *natürliche* ~ antipathy (to, against)

ab|norm abnormal; deformed; perverse; *umg* unusual, exceptional; ~**nötigen** to force, to extort *(j-m* from s-b)

abnutz|en to wear out (by use); ~**ung** wearing out; wear and tear

Abonn|ement subscription; ~**ementskarte** *BE* season-ticket; ~**ent** subscriber; ~**ieren** to subscribe to, to take *(a newspaper)*

abordn|en to delegate, to depute; ~**ung** delegation, deputation

Abort *BE* water-closet, WC; lavatory; latrine; **$** abortion, miscarriage

ab|pachten to rent from; ~**packen** to package; *(entladen)* to unload; ~**passen** to measure, to fit; to time; *(Gelegenheit)* to watch for, to wait for; ~**pellen** to peel; ~**pflücken** to pluck off, to pick, to gather; ~**placken**, ~**plagen** *refl* to work hard; to drudge *(bei, mit* at)

Abprall (re)bound, recoil; ~**en** to (re)bound, to recoil; *mil* to ricochet

ab|pressen to separate by pressing, to squeeze off; *fig* to force, to extort *(j-m* from s-b); ~**protzen** *mil* to unlimber; ~**putzen** to clean, to cleanse; to polish; *(Wand)* to rough-cast; ~**quälen** *refl* to worry o.s.; to toil, to work hard; ~**quetschen** to squeeze off; ~**rackern** *refl umg* to drudge, to slave

ab|rahmen to skim; ~**rasieren** to shave off; ~**raspeln** to rasp off; ~**raten** to dissuade *(von* from), to warn *(von* against), to advise *(von* against)

Abraum rubbish; ✿ waste; ⁓**en** to take away; to clear (away); to remove

abrechn|en to deduct; to discount; to clear, to settle (accounts); *vi (Haushalt etc)* to do one's accounts; to settle accounts *(mit* with); ~**ung** deduction; settlement, clearing; accounting; ~**ungsstelle** clearing house; accounts office; ~**ungsverkehr** clearing; ~**ungszeitraum** accounting period, period under account

Abrede agreement *(e-e* ~ *treffen* to make an a.); *in* ~ *stellen* to deny

abreib|en to rub off *(od* down); to scour; ~**ung** rubbing off, rub-down; thrashing

Abreise departure; ~**n** to depart, to leave *(nach* for), to set out *(nach* for)

abreiß|en to tear off, to pull off; *(Haus)* to pull down, to demolish; *vi* to break off; ~**kalender** tear-off calendar

abrennen to run away, to run off; *refl* to fag o.s. out; *s. d. Beine* ~ to run o.s. off one's feet

ab|richten to make fit, to adjust; *(Tier)* to train, to teach; *(Pferd)* to break in; ~**riegeln** to bolt; to close; ~**ringen** to wring *(j-m* from s-b), to wrest *(von* from s-b); ~**rinnen** to flow down, off; ~**riß** sketch; draft; abstract; summary; ~**rollen** to roll off, away; to forward, to cart away; ⬛ to unwind; *fig* to unroll, to unfold; ~*rollen lassen* ⚙ to pay out; ~**rücken** to move off; *vi* to march off; to depart *(a. fig)*; *su* departure

Abruf recall; calling (up); *auf* ~ on, at call; ~**en** to call off, away; to recall; *(Geld)* to call in; ⚑ to call out

ab|runden to make round; to round off; ~**rupfen** to pluck off; ~**rupt** abrupt

abrüst|en to disarm; ✿ to take down the scaffolding; ~**ung** disarmament

ab|rutschen to slide off, down; to glide down; ~**säbeln** to cut off (with a sword); *umg* to hack off; ~**sacken** to sink; to sag; ✈ to pancake; *fig* to slacken off

Absag|e refusal; ~**en** to cancel, to call off; to refuse, to decline

absägen to saw off; *umg* to sack, to fire

ab|sahnen to skim (the cream off); ~**satteln** to unsaddle; to dismount

Absatz paragraph; *(beim Diktat)* new paragraph, new line; stop, intermission; *(Treppe)* landing; *(Schuh)* heel; *(Waren)* sale(s); *(Zeitung)* circulation; ~**fähig** salable, marketable; ~**flaute** dullness in sales; ~**gebiet** market, outlet; ~**stockung** falling-off in sales; ~**werbung** sales promotion

ab|saugen to suck off; ~**schaben** to scrape off

abschaff|en to abolish; to remove; to do away with; ♐ to repeal; ~**ung** abolition; removal; ♐ repeal

ab|schälen to peel (off); to pare; ~**schalten** to switch off, to cut off; to disconnect; ~**schattieren** to shade (off)

abschätz|en to estimate; to value; to tax, to assess; **~er** appraiser; *BE* valuer, valuator; **~ig** derogatory, disparaging, depreciative; **~ung** valuation; assessment; appraisal

Abschaum scum *(a. fig)*; refuse; *der ~ der Menschheit* the dregs of society; **~en** to skim; to take off the scum

abscheiden to separate; to divide; to refine; to die; **~scheren** to shear (off)

Abscheu horror, abhorrence; abomination; *~ haben vor* to abhor; **~lich** abominable, horrible, detestable; **~lichkeit** abomination; atrocity

ab|scheuern to scrub, to scour; **~schicken** to send off, to dispatch; **~schieben** to push off, to shove off; to deport s-b; *vi umg* to clear off, to buzz off

Abschied parting, leave; departure; discharge; *~ nehmen von* to take leave of, to say farewell to; *s-n ~ nehmen* to send in one's resignation; *d. ~ bekommen* to be dismissed; **~sbrief** farewell letter

ab|schießen to shoot (off, down); to discharge; **✝** to down ♦ *d. Vogel ~schießen* to take the cake; *vi (Stoff)* to fade; **~schirmen** to screen off; to protect *(gegen* from); **⚡** to suppress; **~schirren** to unharness; **~schlachten** to slaughter; *fig* to butcher

Abschlag fall in price; reduction; *auf ~* on account, by instalment; **~en** to beat off; to cut off, to lop off; to cut down; *mil* to repel; *(Bitte)* to refuse; **⁓ig** negative; *⁓ige Antwort* refusal; **~szahlung** payment on account; instalment

abschleifen to grind (off); to polish

abschlepp|en to drag off; **🚗**, **⚓** to (take in) tow; *refl* to drag heavy loads; to tire o.s. out (by carrying things); **~dienst** *BE* car-tow, *US* recovery service; **~wagen** *BE* breakdown lorry, *US* wrecking car, wrecker

abschließ|en to lock (up), to shut off; *(Schloß)* to turn the key; *(beenden)* to conclude, to finish; *(Geschäft)* to strike, to make *(a bargain)*; to make up, to balance *(the accounts)*; to come to terms; **~end** final, conclusive; **~ung** separation; seclusion

Abschluß close, conclusion; settlement; *(Geschäft)* transaction, deal; sale; **~prüfung** final (examination), finals; **~zeugnis** school-leaving certificate

ab|schmecken to taste; **~schmeicheln** to cajole *(od* coax) out of s-b; **~schmieren 🚗** to grease; *umg* to copy carelessly; **~schminken** to remove the paint from s-b's face; **~schnallen** to unbuckle

abschneiden to cut off *(a. fig)*, to lop off; **⚡** to amputate; *gut ~ in* to pass well, to come off well

ab|schnellen to jerk off; to fly off with a jerk; **~schnitt** cut, cutting; division; period; *mil* sector; *math* segment; **📖** paragraph, passage; coupon, item; **~schnüren** to tie off; **~schöpfen** to skim off *(a. fig)*; **~schrägen** to bevel; to slant off; to slope; **~schrauben** to screw off; to unscrew

abschreck|en to frighten (away), to dishearten; *bes pol* to deter; **✳** to chill, to quench; **~end** *(Aussehen)* forbidding; *~endes Beispiel* lesson, warning; **~ung** deterrence; **~ungsmittel** deterrent

abschreib|en to copy; to write out; to plagiarize; *(Schule)* to crib, *US ~* pony; *(Summe)* to write off, to deduct; *j-m ~en* to send s-b a refusal; **~er** copyist; plagiarist; **~ung** writing off; sum set aside for depreciation, allowance for wear and tear

abschreiten to pace off, to measure; *(mil)* d. Front ~ to take the review

Abschrift copy; transcript; duplicate; **~lich** (*od* by) duplicate

abschuppen to scale off; *(Fisch)* to scrape

abschürf|en to scratch off, to abrade; *(Haut)* to bark, to graze; **~ung** abrasion

Abschuß firing off, discharge; **✝** downing, downed enemy plane

abschüssig steep, precipitous

ab|schütteln to shake off, down; **~schwächen** to weaken, to reduce; *refl* to fall off, to taper off; **~schwatzen** to talk s-b out of; **~schwefeln** to smoke with sulphur; **~schweifen** to stray; to deviate, to digress; **~schweifung** deviation, digression; **~schwellen** to grow less; **⚡** to go down; *fig* to die down; **~schwindeln** to cheat, to swindle out of; **~schwören** to abjure; to deny upon oath; **~segeln** to sail away, to put to sea

abseh|bar within sight; conceivable; *in ~barer Zeit* in the visible future; **~en** to learn by watching s-b; to copy; *es ~en auf* to aim at; *es ist schwer abzusehen* it is difficult to foresee; *~en von* to desist from, (to choose) not to do

ab|seifen to (clean with) soap; **~seihen** to strain; to filter (off); **~seilen** to rope down *(a.* 🏔); *refl* to descend on a rope; **~sein** to be loose; *umg* to be tired out

abseits aside, apart; *~ von* away from, back from; 🏃 off-side

absend|en to send off, away; to dispatch, to forward; **~er** sender; forwarder, shipper, consignor; **~ung** sending; dispatch(ing); shipment

absetz|bar removable; tax-deductible; salable, marketable; **~en** to put down; to deposit; **🚗** to drop s-b off; *(König)* to depose; to dismiss, to remove s-b; *(Waren)* to dispose of, to sell; *(Summe)* to deduct; *(streichen)* to cancel; **⚡** to take off; **📖** to set up, to compose; *vi* to stop, to pause; **~ung** dismissal; deposition; disposal

absichern *gegen* to secure against, to protect from

Absicht intention; *(Ziel)* aim; *(Zweck)* purpose; *mit, in d. ~ (zu tun)* with the intention (of doing), with a view (to doing); **~lich** intentional; designed; *(vorsätzlich)* premeditated; *adv* intentionally, on purpose

ab|singen to sing (at sight); **~sitzen** to dismount; *s-e Strafe ~sitzen* to serve a sentence, to do time

absolut absolute; ~ *nicht* by no means; ~ *nichts* nothing whatever; ~**ion** absolution

absolvieren to absolve; *d. Universität* ~ to finish one's studies

absonderlich odd, peculiar, strange

absonder|n to separate; to isolate; $ to secrete; *refl* to separate, to withdraw; to seclude o.s.; ~**ung** separation; isolation; secretion

absor|bieren to absorb; ~**ption** absorption

ab|sorgen *refl* to worry; ~**spalten** to split off; to separate

abspann|en to unharness; to unbend, to slacken; ~**ung** relaxation; fatigue

absparen to spare from; *s. etw vom Munde* ~ to stint o.s. in food to get s-th

ab|speisen to feed (*mit* with), to fob off; ~**spenstig machen** to entice away from; to alienate from; to estrange

absperr|en to shut off, out; to lock; to block, to bar; to isolate, to seclude; (*Straße*) to close to traffic; ~**hahn** stop-cock; ~**ung** shutting off; stoppage; isolation; barrage

ab|spiegeln to (be) reflect(ed), to mirror; ~**spielen** to play off; to play at sight; *refl* to happen, to take place; ~**splittern** to splinter off; to chip off; ~**sprache** arrangement; agreement

absprechen to deny (*j-m etw* s-b s-th), to deprive (s-b of s-th); to arrange, to settle (s-th with s-b)

ab|springen to leap off, down, to jump off; ✈ *bes BE* to bale out, *bes US* to bail out; *fig* to digress; ~**sprung** leaping off; ⚓ take-off; ✈ descent; ~**spulen** to unwind from a spool, to wind off

abspül|en to wash up; to wash off; to rinse; ~**wasser** dish-water

abstamm|en to descend from; (*Wort*) to be derived from; *fig* to stem from; ~**ung** descent; lineage; genealogy, ancestry; derivation; ~**ungslehre** theory of evolution

Abstand distance; interval; *fig* difference, contrast; *mit* ~ by a considerable margin; *zeitlicher* ~ time-lag; ~ *nehmen von* to desist from, to give up

ab|statten to render; (*Besuch*) to pay; (*Dank*) to return; ~**stauben** to dust

abstech|en to cut; ~ *von* to contrast with, to stand out against; ~**er** excursion, trip; detour; *fig* digression

ab|stecken to unpin; to mark (*with sticks, with poles*); to mark out; ~**stehen** to stand off; *fig* to desist (*von* from); to get stale

absteig|en to descend, to dismount, to alight; to put up (*in, bei* at); ~**equartier** accommodation; (night's) lodging

abstell|en to put down, away; (*Gas*) to turn off; (*Maschine*) to stop; 🚗 to park; *fig* to do away with; to abolish; (*Mißbrauch*) to remedy; to redress; ~**gleis** railway siding; ~**raum** lumber-room

ab|stempeln to stamp; 🏷 to cancel; ~**steppen** to quilt; ~**sterben** to die (away); *bot* to fade, to wither; (*Glied*) to grow numb; to perish; ~**stich**

contrast; shade; (*Hochofen*) tapping; ~**stieg** descent; (*sozial*) come-down

abstillen to wean a child (*from the breast*)

abstimm|en to tune; to shade off; to bring into harmony; (*Bücher*) to balance; *aufeinander* ~ *en* to co-ordinate; (*fig*) ~ *en auf* to attune to; *vi* to vote (*über* upon); ~**knopf** 📻 tuner; ~**skala** 📻 tuning-dial; ~**ung** 📻 tuning-in; vote, voting; *parl BE* division

abstinen|t *allg* abstemious; (*Alkohol*) teetotal; ~**z** teetotalism, (total) abstinence; ~**zler** teetotaller

abstoßen to knock off, to push off; ⚓ to put off; (*Waren*) to sell (off); to dispose of; ~**d** repellent; repulsive

abstra|hieren to abstract; ~**kt** abstract

ab|strapazieren to tire out; to wear out; ~**streichen** to scrape off, to wipe off; (*Messer*) to strop; (*Summe*) to deduct; ~**streifen** to strip off; to skin; (*Schuhe*) to wipe; (*Gegend*) to roam; ~**streiten** to deny; to dispute; ~**strich** deduction; cut; (*Schrift*) downstroke; $ swab (*e-n* ~ *strich machen* to take a s.); ~**stricken** to knit off

abstuf|en to form into steps; to grade, to graduate, to graduate; *refl* to grade (off); ~**ung** gradation, graduation; shading

abstumpfen to blunt, to dull; to stupefy; *fig* to become insensible (*gegen* to)

Absturz fall; ✈ crash; (*Abhang*) precipice; *zum* ~ *bringen* to bring (shoot) down; ~**en** to fall (off, down); ✈ to crash

ab|suchen to search; to scour; to sweep; ~**sud** decoction; abstract

absurd absurd; *ad* ~ *um führen* to show the absurdity of, to reduce to an absurdity; ~**ität** absurdity

Abszeß abscess

Abt abbot; ~**ei** abbey; ~**würde** abbotcy, abbotship

abtakeln ⚓ to unrig

Abteil 🚃 compartment; ~**en** to divide (off); to separate; ~**ung** division; section, partition; department; *mil* detachment, batallion; $ ward; ~**ungsleiter** department head, (departmental) manager

Äbtissin abbess

ab|tönen to tone (down); to shade off; ~**töten** to destroy, to deaden; to mortify

Abtrag *tun* to injure; ~**en** to carry off, away; to take off, away; to clear away; (*Haus*) to pull down; (*Anhöhe*) to level; (*Schuld*) to pay; (*Kleider*) to wear out; ~**lich** bad; detrimental (*für* to)

Abtransport transportation; evacuation

abtreib|en to drive away, off; (*Pferd*) to overdrive; ⚓ to drift (off); $ to procure abortion; ~**ung** driving off; abortion

abtrenn|en to rip (off), to undo; to separate; ~**ung** ripping; separation

abtret|en to tread off, to wear out; *j-m etw* ~ *en* to cede, to surrender; *vi* to retire, to leave; *j-m s-n Platz* ~ *en* to give up one's place to s-b; ~**ung** wearing out; session; surrender

Ab|trieb descent of the cattle; ~**trift** ⚓ leeway, drift; ~**tritt** ⚥ exit; = Abort; ~**trocknen** to dry (off, up); to wipe dry; ~**tropfen** to drop off, to drip (down); to trickle down

abtrünnig unfaithful, disloyal; ~ **werden** to desert; *eccl* to apostatize

ab|tun to take off, to pull off; to put away; to dispose of, to get rid of; to kill; ~**urteilen** to pass sentence on s-b; to decide s-th finally; ~**verdienen** to work off; ~**vermieten** to sublet; ~**wägen** to weigh; to consider, to balance; ~**wälzen** to roll off, down; *fig* to pass on, to shift on; ~**wandeln** to vary; *gram* to inflect, to decline, to conjugate

ab|wandern to migrate; to wander off; ~**warten** to wait for, to await; to wait and see; ~**wärts** downwards

abwasch|en to wash off, away; *(Geschirr)* to wash up; ~**wasser** dish-water

Abwasser sewage; waste water; ~**kanal** sewer

abwechs|eln to change, to vary; to alternate, to take turns; ~**elnd** changeable; alternate, alternative; *adv* alternately, by turns; ~**lung** change *(zur ~ lung* for a change); variety; alternation

Abweg wrong way; by-path; *auf ~ e geraten* to go astray; ~**ig** incorrect; misleading

Abwehr defence; ~**en** to ward off; to keep off; *(Hieb)* to parry; ~**maßnahmen** defence measures

abweich|en to deviate *(von* from), to depart *(von* from); to differ *(von* from); *phys* to decline; ~**end** devious; anomalous; to the contrary; ~**ung** deviation; declination; variation; aberration

abweiden to graze; to browse

abweis|en to send back, away; to refuse; *mil* to repel; ⚖ to dismiss; ~**end** stand-offish; ~**ung** refusal, rejection

ab~welken to wither (and fall off)

abwend|en to turn away, off; *(Übel)* to avert, to ward off; *s. ~ en von* to turn away from, to abandon; to desert; ~**ung** turning off; aversion; abandonment

abwerben to entice away

abwerfen to throw off, to cast off; *(Reiter)* to throw; to buck; ⚓ to drop; *bot* to shed; *(Gewinn)* to yield, to show

abwert|en to devaluate, to depreciate; ~**ung** devaluation, depreciation

abwesen|d absent *(von* from); *fig* absent-minded; ~**heit** absence

ab|wickeln to wind off, to unwind; *fig* to wind up, to finish; to settle; to clear up, to work off; ~**wimmeln** *umg* to keep off, to send away; to brush off; ~**winken** to warn off; ~**wischen** to wipe off; *(d. Staub von etw)* to dust; ~**wracken** ⚓ to break up; ~**wurf** throwing off; dropping; ~**würgen** to strangle, to throttle; *(Auto)* to stall

abzahl|en to pay off; to pay by instalments; ~**en** to count (off); ~**ung** payment (on account); instalment *(auf ~ung* by i.); ~**ung** counting off

abzapfen to draw (off); *fig* to fleece

abzehr|en to waste away; ~**ung** emaciation

Abzeich|en sign, mark (of distinction); badge; ~**nen** to copy; to draw; to initial; *refl* to stand out *(gegen* against)

Abzieh|bild transfer (picture); ~**en** to take off, to draw off, away; to take out; *(Bohnen)* to string; *(Bett)* to strip; *(Tier)* to skin; *(Messer)* to strop; *(Bier)* to draw off; *(Wein)* to bottle; *math* to subtract, to deduct; ⚞ to pull off, to strike off; to mimeograph, to xerox; *(ablenken)* to divert; *vi* to march off, to move off; *(Rauch)* to escape

abzielen to aim *(auf* at); to tend (to do)

Abzug departure, marching off; *math, Steuer* deduction; ⚞ proof, pull; ⚞ print; *(Rabatt)* discount, rebate; *(Rohr)* conduit, outlet; *(Gewehr)* trigger; ~**lich** less; ~**sfähig** deductible; ~**skanal** sewer; drain

ab|zupfen to pick off, to pull off; ~**zwacken** to squeeze out of s-b

abzweig|en to branch off; ~**ung** branching off; diversion; *fig* deduction

ach ah!, alas!; = *so!* (oh,) I see; = *was!* nonsense!; *mit ~ u. Krach* with great difficulty; by the skin of one's teeth

Achse ✿ axle; *astr, math* axis; *per ~* by road; *auf ~ (umg)* on one's legs, travelling; ~**n-** axial

Achsel shoulder; *über d. ~ ansehen* to look down upon s-b ♦ *auf d. leichte ~ nehmen* to make light of, to consider a trifle; ~**höhle** armpit; ~**klappe** shoulder-strap; ~**zucken** shrug(ging)

acht[1] eight; ~ *Tage* a week; *alle ~ Tage* once a week; *heute in ~ Tagen* BE this day week; *halb ~* half past seven; ~**e** eighth; ~**eck** octagon; ~**eckig** octagonal; ~**el** eighth; ~**el Note** BE quaver, US eighth note; ~**el Pause** BE quaver rest, US eighth rest; ~**ens** eighthly; ~**er** figure eight; eight-oared boat; ~**erbahn** BE switchback (railway), roller-coaster; ~**fach** eightfold; ~**hundert** eight hundred; ~**jährig** eight years old; ~**mal** eight times; ~**seitig** octagonal; ~**stundentag** eight-hour day; ~**tägig** lasting a week; ~**tausend** eight thousand; ~**zehn** eighteen; ~**zehnte** eighteenth; ~**zig** eighty; ~**zigste** eightieth

Acht[2] care, attention; *s. in ~ nehmen* to take care, to be on one's guard; *außer ~ lassen* to disregard, to take no notice of; *(Bann)* outlawry, ban; ~**bar** respectable, respected; ~**barkeit** respectability, dignity; ~**en** to esteem, to respect; ~*en auf* to take care of, to pay attention to, to see to; ~**en** to outlaw; ~**enswert** worthy of esteem; ~**geben** *auf* to pay attention to, to take notice of; ~**los** careless, unmindful, negligent; ~**losigkeit** carelessness; negligence; ~**sam** careful, mindful *(auf* of), attentive *(auf* to); ~**samkeit** carefulness; attentiveness; ~**ung** esteem, regard; attention; ~**ung!** look out!; *mil* attention!; *(hohe ~ung)* awe *(vor* of); ~**ung** outlawing, proscription; ~**unggebietend** commanding respect; ~**ungsvoll** respectful

achter ♫ aft; ~**deck** quarter-deck

ächzen to groan

Acker field; arable land; ~**bau** farming; agriculture; ~*bau treibend* agricultural; ~**bauer** farmer; ~**bestellung** tillage; ~**früchte** field crops; ~**gaul** farm-horse, cart-horse; ~**gerät** agricultural implement; ~**knecht** farm labourer; ~**land** arable land; ~**n** to till, to plough

acta: *ad ~ legen* to put on the shelf, to look upon s-th as settled

addieren to add (up), to sum up

ade farewell!; good-bye!

Adel nobility, aristocracy; *fig* nobleness; *niederer ~* gentry; ~**ig** noble; ~**n** to raise to the peerage; to ennoble; ~**sbrief** patent of nobility; ~**sstand** peerage; *in den ~sstand erheben* = ~n

Ader vein; *(Erz-)* vein, lode; *(Streifen)* streak; *(Wasser)* course; *j-n zur ~ lassen* to bleed s-b; ~**laß** bleeding, *fig* haemorrhage

Adhäsion §, *phys* adhesion

adieu farewell, good-bye

Adjektiv adjective; ~**isch** adjectival

Adjutant adjutant, aide-de-camp, *US* aid-de-camp

Adler eagle; ~~ aquiline; ~**horst** aerie, eyrie; ~**nase** aquiline nose

Admiral admiral; ~**ität** admiralty; ~**sschiff** flag-ship; ~**sstab** naval staff

adopt|ieren to adopt; ~**ion** adoption; ~**iveltern** adoptive parents; ~**ivkind** adopted child

Adress|at addressee; drawee; ~**buch** directory; ~**e** address ♦ *an die falsche ~e kommen* to knock at the wrong door; ~**ieren** to address; to direct

adrett neat, pretty, tastefully dressed, well-groomed

Advent advent; ~**szeit** advent season

Adverb adverb; ~**ial** adverbial

Advokat lawyer, counsellor, advocate

Aero|dynamik aerodynamics; ~**dynamisch** aerodynamic; ~**nautik** aeronautics; ~**nautisch** aeronautical

Affäre matter, incident; *(Liebes-)* affair, amour

Aff|e monkey; ape; *mil* knapsack; *er hat e-n ~en (umg)* he is tipsy; ~**en** to make a fool of, to mock; ~**enliebe,** foolish fondness, smother love; ~**enschande** awful shame, scandal; ~**entheater** buffoonery, ridiculous fuss; ~**erei** mockery; ~**ig** silly

Affekt excitement, passion; ~**iert** affected; ~*iertes Wesen* affection

After anus; buttocks

Agen|s agent; ~**t** (commission) agent; broker; canvasser; representative; ~**tur** agency

Aggregat aggregate; ~**zustand** physical condition

Aggress|ion aggression; ~**iv** aggressive

agi|eren to act; ~**tation** agitation; ~**tatorisch** inflammatory, inciting; ~**tieren** to agitate

Agonie death-struggle, death-agony

Agrar|- agrarian; ~**ier** big landowner; agricul-

turist; ~**kredit** farm credit; ~**produktion** farm production; ~**wirtschaft** farming; rural economy

Ahle awl

Ahn ancestor; forefather; ~**e,** ~**frau** ancestress; ~**en** ancestry; ~**entafel** pedigree, genealogical table; ~**herr** ancestor

ahnd|en to punish; to revenge; ~**ung** punishment; revenge

ähn|eln to resemble; ~**lich** similar, alike, like, resembling; *das sieht ihm ~lich* that's just like him; ~*lich sehen* to resemble; ~**lichkeit** similarity, likeness

ahn|en to have a presentiment of; to guess; to anticipate; ~**ung** presentiment; *(schlimme ~ung)* misgiving; *keine blasse ~ung haben* not to have the slightest notion (the faintest idea) ♦ *du hast e-e ~ung!* you have no idea; ~**ungslos** unsuspecting; ~**ungsvoll** full of forebodings

Ahorn maple (tree)

Ähre ear; *~n lesen* to glean; ~**nlese** gleaning; ~**nleser** gleaner

Air ♪, *fig* air

Ais ♪ A sharp

Akadem|ie academy; college; school; ~**iemitglied** academician; ~**iker** university graduate *(od man)*, *bes pl* professional man; ~**isch** academic

akklimatisieren to acclimatize, *US* to acclimate

Akkord ♪ chord; arrangement *(of creditor and debtor)*, composition; piece wages; piecework; ~**arbeit** piece-work; ~**arbeiter** piece worker; ~**lohn** piece-work pay *(od rates)*

Akkordeon accordion; ~**spieler** accordionist

akkredit|ieren to accredit (s-b to); ~**iv** letter of credit, *L/C*; *(Dokumenten-)* documentary credit; *e. ~iv stellen* to open a credit

Akku battery; ~**mulator** storage-battery; accumulator

akkurat accurate, exact; ~**esse** accuracy, exactness

Akkusativ accusative

Akontozahlung payment on account

Akrobat acrobat; ~**isch** acrobatic

Akt act; action, deed; ♥ act; ♞ nude model; ~**e** deed; ♘ bill; *pl* deeds, record, documents; papers; *zu d. ~en legen* to lay aside, to file, *fig* to put on the shelf, to look upon s-th as settled; ~**endeckel** file; ~**enmappe** briefcase, attaché case; ~**enmäßig** authentic, documentary; ~**ennotiz** note (memorandum) for the records; ~**enschrank** filing cabinet, *US* file cabinet; ~**enstück** document; ~**enzeichen** reference (number), file number

Aktie share, stock, *pl* stocks and shares ♦ *wie stehen d. ~n?* how are the chances?; what's the position?; ~**nbank** joint stock bank; ~**ngesellschaft** joint-stock company; *US* (stock) corporation; ~**ninhaber** shareholder, stockholder; ~**nkapital** share capital, (capital) stock; ~**nmakler** share broker, stock broker

Aktion campaign, drive; operation, raid; ~**är** = Aktieninhaber; ~**sradius** radius of action (*od* operation); 🚗 cruising range; ✝, *mil* range

aktiv active; favourable; on the assets side; *mil* on active service; ~*es Heer* regular (*od* standing) army; ~*er Soldat* regular soldier; *gram* active voice; ~**(um)** asset; ~**ieren** to make active; *(Kohle etc)* to activate; to capitalize, to put on the assets side; *fig* to mobilize; ~**ist** activist; ~**ität** activity; ~**legitimation** 𝔐 capacity to sue; ~**posten** asset *(a. fig)*; ~**saldo** credit balance; ~**seite** assets side

Aktualität topicality; ~**alitätenkino** news theatre; ~**ar** 𝔐 clerk of the court; ~**ell** topical; of current interest; up to date; present-day; urgent

Akustik acoustics; ~**isch** acoustic

akut $, *fig* acute; pressing, urgent; *su* acute accent

Akzent accent; stress; ~**uieren** to accentuate; to stress

Akzept acceptance; ~**ant** acceptor; ~**ieren** to accept

Akzidenzen 📖 jobbing work; ~**drucker** job printer; ~**schrift** fancy face

Akzise excise; ~**nbeamter** excise officer

Alarm alarm; *(Luftschutz)* (air-raid) warning, alert; ~ *schlagen* to sound (beat) the alarm; *blinder* ~ false alarm; ~**bereit** on the alert; ~**bereitschaft** (alert) stand-by; ~**ieren** to alert, to call, to summon; ~**ierend** *fig* alarming; ~**zeichen** alarm (signal); ~**zustand** alert

Alaun alum; ~**erde** alumina; ~**haltig** aluminous

Albatros albatross

albern silly, foolish; absurd; *vi* to talk (*od* behave) foolishly; ~*es Zeug* nonsense; ~**heit** silliness, foolishness; absurdity

Albino albino; ~**um** album

Alchimie alchemy; ~**ist** alchemist

Alfanzerei swindle; tomfoolery

Alge alga; seaweed

Algebra algebra; ~**isch** algebraic

Alibi alibi; ~**mente** (a father's) payments for his illegitimate child

Alkali alkali; ~**isch** alkaline

Alkohol alcohol; ~**frei** non-alcoholic, *umg* soft; ~**gehalt** alcoholic content; ~**iker** alcoholic; drunkard; ~**isch** alcoholic; ~**schmuggel** bootlegging; ~**schmuggler** bootlegger

All universe; *(ganz)* all, whole, entire; *(jeder)* every, each, any; ~ *u. jeder* each and every; ~*e Tage* every day; ~*e drei Tage* every three days; ~*e Welt* everybody; ~*e beide* both of them; *sie* ~*e* all of them; *vor* ~*em* above all; *vor* ~*en Dingen* above everything, in the first place; *trotz* ~*em* in spite of everything; ~*es in* ~*em* all in all, on balance, all things considered; *in* ~*er Eile* in a great hurry; *zu* ~*em Unglück* to crown it all; *(adv)* ~*e sein (umg)* to be gone, to be done; *(Geld)* to be spent; *(kaputt)* to be all in

Allee avenue, boulevard

allein alone, lone; by oneself; single; *(einsam)* solitary; *von* ~ without assistance; automatically; of one's own accord; *adv* only, merely; *conj* but; ~**betrieb** monopoly; ~**gang**: *im* ~*gang etw tun* to play a lone hand; ~**herrschaft** absolute power; autarchy; ~**ig** sole; exclusive; ~**sein** loneliness, solitude; ~**stehend** detached; single, unmarried; ~**verkauf** monopoly; ~**verkaufsrecht** exclusive selling right (*od* right of sale)

allemal always; at all times, at any time; *ein für* ~*mal* once for all; ~**nfalls** possibly, perhaps; if need be

allerbest best of all, very best; ~**dings** of course, certainly; I admit; though; ~**erst** first (and foremost), very first

Allergie allergy; ~**isch** allergic

allerhand of all kinds; a variety of, all sorts of; shocking; *das ist* ~*hand* that's a bit thick; ~**heiligen** All Saints' Day; ~**heiligste** *eccl* Holy of Holies; ~**höchst** highest of all, most high; ~**lei** divers, all kinds of; *su* medley; ~**letzt** very last; *zu* ~*letzt* last of all; ~**meist** most (of all); especially; ~**mindest** least (of all); ~**nächst** nearest (of all), the very next; ~**neu(e)st** very latest; ~**orten**, ~**orts** everywhere; ~**seelen** All Souls' Day; ~**seits** on all sides, on every side; from all parts; to all (of you); ~**weltskerl** a deuce of a fellow; ~**wenigst** least (of all); ~**wertester** *umg* behind

allesamt all together; ~**ezeit** always, at all times; ~**gegenwärtig** omnipresent; ~**gemach** gradually, by degrees

allgemein general; universal; broad *(fact)*; *im* ~*en* in general; ~**befinden** general health; ~**bildung** general background; ~**gut** *werden* to find universal acceptance; ~**heit** generality; universality; general public, community at large; ~**verständlich** popular

Allheilmittel universal remedy, panacea, cure-all

Allianz alliance; ~**gator** alligator; ~**iert** allied; ~**ierter** ally

alljährlich yearly, annual; every year; ~**macht** omnipotence; ~**mächtig** omnipotent; almighty; ~**mählich** gradual; *adv* gradually, by degrees; ~**monatlich** every month; ~**nächtlich** every night

Allopath allopathist; ~**ie** allopathy

Allotria tomfoolery

allseitig universal; versatile; ~**stromgerät** AC/DC receiver, *BE* all-mains set; ~**tag** week-day; work(ing)-day; *d. graue* ~*tag* the workaday world, the daily (humdrum) round; ~**täglich** daily; every-day; commonplace; ~**tagskleid** every-day dress; ~**tagsmensch** commonplace fellow; ~**tagswelt** workaday world; ~**umfassend** all-embracing; ~**wissend** omniscient; ~**wissenheit** omniscience; ~**zu** (much) too; ~**zuviel** too much

Alm Alpine pasture

Almanach almanac

Almosen alms; ~**empfänger** pauper

Alp(drücken) nightmare; *es liegt mir wie e.* ~ *auf d. Seele (Brust)* it's a load on my mind, it's a regular nightmare; ~**(e)** Alpine pasture; ~**en**

Alps; ~englühen Alpine glow; ~enveilchen cyclamen

Alpaka *zool* alpaca; ✿ German silver, nickel silver

Alphabet alphabet, ABC; ~isch alphabetical, abecedarian

Alpin|ist mountaineer, alpinist; ~istik, ~ismus mountaineering

Älpler native (inhabitant) of the Alps

Alraun(e) *bot* mandrake

als *conj* as, like; *(zeitlich)* as, when; *(nach Verneinung)* but; *kein anderer* ~ nobody but, none other than; *nichts* ~ nothing but; ~ *ob* as if, as though; *(nach Komparativ)* than; *zu* ... ~ *daß* too ... to do *(too hard to understand)*; ~**bald** soon; ~**dann** then; thereupon

also thus, so; in this manner, in this way; *conj* therefore, consequently; hence; so

Alt[1] ♪ alto; ~**istin** alto singer; ~**stimme** alto

alt[2] old, aged; *(Sprache, Geschichte etc)* ancient; antique; long-lived; *(nicht frisch)* stale; worn; ruinous, decayed; ~*er Herr (umg)* the old man, the governor; *alles beim*~*en lassen* to leave things as they are; *er war wieder d.* ~*e* he was himself again; *d.* ~*en* the ancients; ~**backen** stale; ~**bauwohnung** pre-war dwelling; ~**bewährt** proven, of long standing; ~**eisen** scrap iron; ~**gläubig** orthodox; ~**hergebracht** traditional, customary; ~**hochdeutch** Old High German; ~**jüngferlich** old-maidish; ~**klug** precocious; ~**material** scrap material, salvage; ~**meister** past-master, senior champion; *fig* old-timer; ~**modisch** old-fashioned, antique; ~**papier** waste paper; ~**philologie** the classics; ~**stadt** old part of the town, Old Town; ~**väterisch** old-fashioned, antiquated; ~**warenhändler** second-hand dealer; ~**weibersommer** gossamer; *(Jahreszeit)* Indian summer

Altar altar; ~**bild**, ~**gemälde** altar piece; ~**decke**, ~**tuch** altar cloth

Alter age *(hohes* ~ old a.); *in m-m* ~ of my own a.); *(Altertum)* antiquity; *von* ~*s her* of old, formerly; *im* ~ *von* aged

altern to grow old; to age

Alternative alternative

Alters|erscheinung symptom of old age; ~**genosse** person of the same age; contemporary; ~**grenze** age limit; ~**gruppe** age group; ~**heim** home for the aged *(od* old people); ~**klasse** age group; ~**pension**, ~**rente** old-age pension, annuity; ~**schwach** decrepit, weak (from age); ~**schwäche** weakness (of old age); decrepitude; senility

Altertum antiquity; *pl* antiquities; ~**lich** antiquarian, antique; archaic; ~**sforscher** archaeologist; antiquary; ~**skunde** archaeology

ältlich elderly; oldish

Aluminium aluminium, *US* aluminum

Alumn|at boarding-school; ~**e** boarding--school student

Amalgam amalgam; ~**ieren** amalgamate

Amateur amateur; ~**haft** amateurish

Amboß anvil

ambulan|t ♄ ambulatory *(~ter Kranker* out-patient); ~**tes Gewerbe** travelling vendors, pedlars and hawkers; ~**z** out-patient department; ambulance

Ameise ant; ~**nfresser** ant-eater; ~**nhaufen** ant-hill

Amen amen; *so sicher wie d.* ~ *in d. Kirche* as sure as fate, a dead certainty

Amerika America; ~**ner(in)** American; ~**nisch** American

Amethyst amethyst

Amme (wet-)nurse; ~**nmärchen** nursery tale

Ammer *orn* bunting

Ammoniak ammonia

Amnestie amnesty, pardon; ~**ren** to (grant a) pardon, to amnesty

Amok amuck; ~ *laufen* to run amuck

Amortis|ation redemption, amortization; *(Abschreibung)* depreciation; ~**ieren** to redeem, to amortize; *(Schulden)* to pay off

Ampel hanging lamp; hanging flower-pot; 🚦 traffic-light

Amphi|bie amphibian; ~**bisch** amphibian; ~**theater** amphitheatre

Ampulle ♄ ampoule

Amput|ation amputation; ~**ieren** to take off, to amputate; ~**ierter** limbless (person), amputee

Amsel blackbird, ouzel

Amt office; employment, post; duty; *(Behörde)* board, authority, agency; ⚖ court; *eccl* service, Mass; ✆ exchange; *Auswärtiges* ~ Foreign Office; *von*~*s wegen* ex officio, administratively, officially; *in* ~ *u. Würden sein* to be in office, to hold office; ~**ieren** to officiate; ~**lich** official; ~**mann** head of a department; magistrate; bailiff

Amts|antritt entry on the duties of an office; entering upon office; ~**befugnis** authority, competence; ~**bereich** sphere of office; jurisdiction; ~**blatt** (official) gazette; ~**bote** messenger; ~**dauer** term, tenure of office; ~**diener** beadle, usher; ~**enthebung** dismissal; removal from office; ~**führung** administration; ~**geheimnis** professional secret; official secret; ~**gericht** *(etwa:)* district court, local court; ~**gewalt** (official) authority; jurisdiction; ~**richter** district Judge, justice; ~**schimmel** red tape; officialism; ~**sprache** official language; officialese; ~**weg** official channels; ~**zeit** term of office

Amulett (protective) charm, amulet

amüs|ant entertaining, amusing; ~**ieren** to entertain s-b; *refl* to enjoy o.s., to have a wonderful time; *(belustigen)* to amuse

an 1. *prep* on, in, at; by, near, close to; *(wohin)* to; *bis* ~ up to; ~ *e-m Fluß* on a river; *es ist* ~ *ihm* it is his turn, it is up to him; *es ist nichts* ~ *der Sache* the matter *(od* report) is unfounded; *(etwa)* about *(* ~ *d. 500 Mark* about 500 marks) ♦ ~ *(u. für) sich* as such, in itself, in themselves, in theory, other things being equal; 2. *adv* on(ward); up; *von nun* ~ from now on, henceforth; *nahe* ~ hard by, nearly

analog analogous; ~*er Rechtsfall* precedent;

adv in a manner analogous to; ~ *anwenden* to apply mutatis mutandis; ~**ie** analogy

Analphabet illiterate

Analy|se analysis, breakdown; ~**sieren** to analyse; ~**tiker** *chem* analyst; ~**tisch** analytic

Anämie anaemia

Ananas pineapple

Anarch|ie anarchy; ~**isch** anarchic; ~**ist** anarchist

Anästhesie anaesthesia; ~**ieren** anaesthetize

Anastigmat ⊜, *phys* anastigmat

Anatom anatomist; ~**ie** anatomy; Anatomy Department, dissecting room

an|bahnen to open (up); to prepare a way for, to pave the way for; *refl* to begin, to set in; ~**bändeln** to flirt, to start flirting (*mit* with)

Anbau ⚶ sowing, planting, cultivation; addition(al building), annex; ~**en** to cultivate, to till; *(Getreide)* to grow; to build on, to add to; ~**fläche** acreage, area sown (*od* planted); ~**möbel** unit furniture; ~**motor** *(Fahrrad)* clip-on; ~**schrank** unit cupboard (bookcase etc)

An|beginn (the very) beginning; outset; ~**behalten** to keep on; ~**bei** enclosed; herewith

anbeißen to bite (at); to swallow (take) the bait *(a. fig)*; *sie ist z.* ~ I could eat her

an|belangen to concern; ~**bellen** to bark at; ~**beraumen** to schedule (fix) for

anbet|en to worship, to adore; ~**er** worshipper; adorer, admirer; ~**ung** worship; adoration

Anbetracht: *in* ~ considering, in view of

anbetreffen to concern; *was ... anbetrifft* as far as ... is concerned

an|betteln *um* to beg s-th of s-b, to solicit (alms) from s-b; ~**biedern** *refl umg* to make up *(bei* to), to chum up *(bei* with); ~**bieten** to offer; *refl* to offer (to do), to volunteer; ~**binden** to tie *(an* to), to fasten, to fix; *kurz angebunden sein* to be curt; ~**blasen** to blow up; to breathe at

An|blick sight, view; aspect; look; *beim ersten* ~ at first sight; *ein* ~ *für Götter* a sight for the Gods; ~**en** to look at, to glance at; ~**blinzeln** to wink at; ~**blitzen** to dart a look at; ~**bohren** to pierce, to bore; *(Faß)* to tap; ~**brechen** to break; to begin; to start using

an|brennen *(~zünden)* to light; *(Haus)* to set on fire; *vi* to catch fire; *(Essen)* to burn; ~**bringen** to bring; to fix, to put up, to apply; *(Waren)* to dispose of, to sell; *(Klage)* to lodge; *(Schlag)* to bring home

Anbruch beginning, opening; break; *bei* ~ *des Tages* at daybreak; *bei* ~ *der Nacht* before nightfall

anbrüllen to roar at

Anchovis anchovy

Andacht devotions, prayers; *(Schule)* act of worship; ~**ig**, ~**svoll** devout, pious

andauern to last, to continue; ~**d** lasting, continuous

Andenken memory, remembrance; keepsake, souvenir; *z.* ~ *an* in commemoration (*od* remembrance) of

ander other, another; different; second, next; *etw* ~*es* another thing, something different; *d. ist etwa* ~*es* that is a different thing; *ein* ~*mal* another time; *eins ums* ~*e Mal* alternately; *eins ums* ~*e* by turns, alternately; *e-n Tag um den* ~*en* every other day, on alternate days; *unter* ~*em* among other things; ⁓**n** to alter; to change; *ich konnte es nicht* ⁓*n* I could not help it; *refl* to alter; to change; to vary; ~**nfalls** otherwise; ~**s** otherwise; differently; *nichts* ~*s als* nothing but; *niemand* ~*s* nobody but; ~*s sein als* to be different from; *ich kann nicht* ~*s* I cannot help it; *ich weiß es* ~*s* I know better; ~*s werden* to alter; *s.* ~*s besinnen* to change one's mind; ~**sdenkend** of a different opinion, dissenting; ~**sgläubig** belonging to another denomination; heterodox; ~**sgläubiger** dissenter, heretic; ~**slautend** different, to the contrary; ~**swo** elsewhere; ~**swoher** from elsewhere; ~**swohin** to another place; ~**thalb** one and a half; ⁓**ung** alteration; change; ~**wärts** elsewhere; ~**weitig** other; elsewhere; otherwise; in another place

an|deuten to intimate, to hint; to indicate; ~**deutung** intimation, hint; indication; ~**donnern** to roar at; ~**drang** rush; crowd; § congestion; ~**drängen** to press against; to press on, to push on; ~**drehen** to turn on (*a. ⚡*, ⊜); *fig umg* to palm s-th off on s-b

androh|en to threaten with; ~**ung** threat, menace; *unter* ~*ung e-r Geldstrafe* under penalty of a fine

aneign|en *refl* to appropriate, to take possession of; ~**ung** appropriation

aneinander together; to one another; against one another; ~**fügen** to put together, to join; ~**geraten** to start quarrelling, to come to grips

Anekdote anecdote; ~**nartig** anecdotical

Anemone anemone

Anerbieten offer, tender; proposal

anerkannt recognized; accepted

anerkenn|en to acknowledge, to recognize; to allow, to admit; *(schätzen)* to appreciate; *(honorieren)* to honour; ~**enswert** praiseworthy; ~**ung** acknowledgement; recognition; appreciation

an|fächeln to fan at; ~**fachen** to blow; *fig* to inflame, to stimulate

anfahr|en to carry, to convey; to run into, to collide with; *fig* to shout at, to fly at; *vi* to drive up; ~**t** arrival; ⊜ drive; ⚓ landing-place

Anfall *bes* § attack, fit; assault; *(Menge)* amount, number; volume (of work); ~**en** to assault, to attack; to assail; ⁓**ig** susceptible (*für* to); ⁓**igkeit** susceptibility

Anfang beginning (*der* ~ *vom Ende* the b. of the end), start, outset; origin; *pl* rudiments; ~**en** to begin, to start; *(tun)* to do, to set about; *was fange ich (mit ihm) an?* what shall I do (with him)?; *ich weiß nicht, was ich* ~*en soll* I don't know what to do; ⁓**er** beginner; ⁓**lich** initial, original; *adv* at first, in the beginning; ~**s** = ⁓*lich*; ~**sbuchstabe** initial (letter); ~**sgehalt** commencing salary

anfassen to touch; to handle; to take hold of, to seize; *falsch* ~ to bungle

anfecht|bar contestable, voidable; **~en** to dispute, to contest; to attack, to assail; to call in question, to challenge; *(versuchen)* to tempt; **~ung** attack; temptation; vexation

anfeind|en to bear ill will; to be hostile to(wards); to oppose; **~ung** hostility, animosity

anfertig|en to make, to manufacture; *(Rezept)* to make up; **~ung** making, manufacture; production

an|fesseln to fetter; to chain *(an* to); **~feuchten** to moisten; to damp; to wet; **~feuern** to kindle; *fig* to inflame, to stimulate; to encourage; **~flehen** to implore, to entreat; **~flug** approach, landing at; *fig* touch, trace; smattering

anforder|n to demand, to exact; **~ung** demand; claim; *(Leistung)* requirement; *hohe ~ungen stellen an* to expect a great deal from

Anfrage inquiry; demand *(nach* for); **~n** to inquire, to ask

an|fressen to gnaw, to eat at; *chem* to corrode; **~freunden** *refl* to become friends, to make friends *(mit* with); **~fügen** to add, to attach; to join; **~fühlen** to touch; *refl* to feel

anführ|en to lead, to guide; *mil* to lead, to command; ♪ to conduct; *(zitieren)* to quote; *(als Beweis)* to adduce, to allege; *umg* to take in; **~ung** leadership; direction; *mil* command; quotation; **~ungszeichen** *pl* quotation marks, quotes, *BE* inverted commas

anfüllen to fill (up); to replenish

Angabe assertion, declaration; *(Darlegung)* statement, testimony; *pl* information, data; *nähere ~n* particulars; *~n machen* to give details, to make a statement

an|gaffen to gape at, to stare at; **~gängig** permissible, possible

angeb|en to declare, to state, *(einzeln)* to specify; *(Namen)* to give; to explain, to indicate; to inform against, to denounce; to pretend; ♠ to serve; *(Karten)* to deal first; *den Ton ~en* to set the fashion, to (take the) lead; *vi umg* to boast, to swagger; **~er** boaster, braggart, show-off; informer; **~erei** boasting, swaggering; denouncing, denunciation; **~lich** alleged; ostensible, pretended; supposed *(his supposed brother)*; *adv* allegedly; reportedly

Angebinde present, gift

angeboren innate *(modesty, courtesy)*, inborn *(talent,* ♀); inbred; hereditary

Angebot offer; *(Auktion)* bid; tender; *~ und Nachfrage* supply and demand

angebracht appropriate, suitable; apropos; *schlecht ~* unsuitable, out of place

ange|deihen *lassen* to grant, to bestow upon; **~denken** *siehe* Andenken; **~fressen** rotten; ♀ carious

angegossen *wie ~ sitzen* to fit like a glove

ange|griffen exhausted, tired; **~heiratet** (related) by marriage; **~heitert** slightly tipsy, merry

angehen *vt* to apply to; to ask s-b for; to concern; *vi* to begin; to catch fire; to be acceptable, passable; *(schlecht werden)* to go bad, to become tainted; ~ *gegen* to oppose, to fight against; *das geht dich nichts an* that's no business of yours; *was mich angeht* as for me; ... *geht noch an* is not so bad after all; **~d** beginning; incipient; young

angehör|en to belong to; *(verwandt)* to be related to; **~ig** belonging to; related to; **~iger** relative; member; *pl* dependents, *(my)* family, folks

Angeklagter defendant; accused

Angel fishing-hook; *(Tür)* hinge; *aus d. ~n heben* to revolutionize ♦ *d. Welt aus d. ~n heben* to set the Thames on fire; *zwischen Tür und ~* at the last moment, on the point of leaving; **~gerät** fishing-tackle; **~n** to fish, to angle; *fig* to fish, to angle *(nach* for); **~punkt** cardinal point, pivot; **~sachse** Anglo-Saxon; **~sächsisch** Anglo-Saxon; **~schnur** fishing-line

angelegen: *sich etw ~ sein lassen* to pay attention to, to make it one's business; **~heit** business, affair, matter; **~tlich** pressing, urgent; *~tlich empfehlen* to impress s-th strongly upon

angelernt semi-skilled

angemessen suitable; appropriate, adequate; proper; *(Preis)* reasonable; **~heit** suitability; adequacy; propriety

angenehm pleasant, agreeable; *d. ~e mit d. Nützlichen verbinden* to combine business with pleasure

angenommen *conj* suppose, supposing (that)

Anger green, common; pasture

ange|säuselt slightly tipsy; **~schlossen** affiliated to, attached to, member *(m. country)*; **~schrieben**: *gut ~schrieben sein bei* to be in s-b's good books; **~schwemmt** alluvial; **~sehen** esteemed; distinguished; **~sessen** settled; resident

Angesicht countenance, visage; *von ~* by sight; *von ~ zu ~* face to face; **~s** considering, in view of; in the face of

Angestellt|enversicherung employees' insurance fund; **~er** (salaried) employee, white-collar worker, *pl* (salaried) staff

ange|trunken tipsy; **~wandt** applied; practical; **~wiesen** dependent *(auf* on); **~wöhnen** to accustom to; *refl* to accustom o.s. to, to contract *(a habit)*; **~wohnheit** habit; practice; custom; **~wurzelt** (as if) rooted to the spot

Angina follicular tonsillitis; ~ **pectoris** angina (pectoris)

angleich|en to approximate; *a. refl* to assimilate; **~ung** approximation; assimilation; adjustment

Angler angler

anglieder|n to annex; to attach *(an* to); to affiliate; **~ung** annexation; affiliation

Angli|kaner Anglican; **~kanisch** Anglican; **~sieren** Anglicize; **~st** professor of English; student of English; **~stik** (study of) English philology; ~stisch of (pertaining to) English philology; ~zismus anglicism

Anglo- Anglo-

anglotzen to gaze at, to stare at

angreif|bar vulnerable; ~en to get hold of, to touch; to handle, to seize; *mil* to attack, to charge; *(Unternehmen)* to set about, to undertake, to tackle; **§** to affect; *(Schwächen)* to exhaust, to fatigue; *(Vorräte)* to break into, *(Kapital)* to touch; *refl* to feel; ~end trying, exhausting; corrosive; ~er aggressor (nation), assailant

angrenz|en to border on; to adjoin; ~en adjacent, adjoining; ~er neighbour

Angriff attack, charge; assault; *in ~ nehmen* to set about, to begin work on, to attack; ~skrieg offensive war; ~slustig aggressive; ~sziel target, objective

angrinsen to grin at

Angst anxiety, fear; anguish; *in ~ geraten* to be frightened, to take alarm *(wegen* at); *ich habe ~, mir ist ~* I am afraid, uneasy; *mir wurde ~ u. bange* I felt very frightened, I was scared stiff; *es mit d. ~ bekommen* to get frightened; *j-m ~ machen* to frighten s-b, to alarm s-b; ~igen to frighten; *refl* to be frightened, to be afraid *(vor* of), to worry *(um* about); ~lich anxious, uneasy; timid; *(genau)* srupulous; ~lichkeit uneasiness; timidity; scrupulousness; ~schrei scream of anguish; ~schweiß cold sweat; ~voll full of fear, fearful

angueken to look at

anhaben to have on, to wear; *kann ihm nichts ~* can't get at him, can't do him any harm

anhaften to stick to, to adhere to; ~d adherent

anhaken to hook (on) to; = *abhaken*

Anhalt support; evidence; ~en *vt* to stop, to pull up; to seize, *j-n zur Zahlung ~en* to demand payment from; to urge (to do); *vi* to continue; to persist in; to last; *~en um* to propose to s-b; *refl* to hold on (to); ~end lasting; continuous; persistent; ~er hitchhiker; *per ~er fahren* to hitch-hike, to thumb a ride; ~spunkt clue, indication, pointer

Anhang appendage; appendix; supplement; *fig* followers, adherence; ~en *vi* to stick to, to adhere to, to be attached to; ~en to hang on; to fasten, to fix; to add; *j-m etw ~en* to slander s-b, *(Waren)* to palm off on s-b; *vi, refl* to cling to, to stick to; ~er adherent, supporter; ⊟ trailer; *(Schmuck)* pendant, locket; ~lich attached; faithful; ~lichkeit adherence, attachment; allegiance; ~sel appendage; appurtenance

Anhauch *fig* touch, tinge; ~en to breathe upon; *umg* to tell off

anhäuf|en to heap up, to accumulate; to amass; ~ung accumulation

an|heben to lift, to raise; *vi* to commence; ~heften to fasten *(an* to)

anheim|eln to make s-b feel at home; ~fallen to fall to; to devolve upon; ~geben, ~stellen to

leave to; to submit to; to suggest for consideration

anheischig: *s. ~ machen* to pledge o.s., to promise; to offer, to volunteer (to do)

Anhieb first cut; *auf (ersten) ~* at the first attempt *(od* go), right away

An|höhe hill, elevation; ~hören to listen to; *refl* to sound

anim|alisch animal, natural; beastly; ~ieren to stimulate, to encourage; to egg on

Anis anise

ankämpfen to struggle *(gegen* against)

Ankauf purchase, acquisition; ~en to buy, to acquire; *refl* to buy property

Anker anchor; ⚡ armature; *~ werfen, vor ~ gehen =* ~n; *vor ~ liegen* to ride *(od* lie) at anchor; ~boje anchor-buoy; ~n to (cast) anchor; ~platz anchorage

an|ketten to chain *(an* to); ~kitten to cement *(an* to); ~kläffen to yelp at

Anklage accusation, charge; indictment; ~bank dock; ~n to accuse *(wegen* of), to charge *(wegen* with); ⚖ to indict; to impeach; ~r accuser; ~schrift (bill of) indictment

anklammern to fasten, to clamp; *refl* to cling *(an* to)

Anklang echo; reminiscence; *~ finden* to be approved of; to become popular

an|kleben to stick (on), to glue; *fig* to stick to, to adhere to; ~kleiden to dress *(a. refl)*; ~klingen to remind *(an* of); ~klopfen to knock *(an* at); ~knipsen ⚡ to switch on

anknüpf|en to tie *(an* to), to tie up; to fasten *(an* to); *fig* to begin; *(Beziehg.)* to establish; *vi* to refer *(an* to)

ankommen to arrive; *a.* ⚙ to be due; *fig* to sell *(the play sells)*; to approach, to reach; *gut (schlecht) ~* to be well (ill) received; *~ auf* to depend upon; *es darauf ~ lassen* to take the chance, to run the risk; *es soll mir nicht darauf ~* I shan't mind spending a little more *(money, trouble)*

Ankömmling newcomer, arrival

ankünd(ig)|en to announce; to proclaim; to advertise; ~ung announcement; proclamation; advertisement

An|kunft arrival; advent; ~kurbeln ⊟ to crank up; *fig* to stimulate, to get started, to speed up; ~lächeln to smile at; ~lachen to laugh at *(into s-b's face)*

Anlage plan, draft; lay-out; park, (pleasure) grounds; ⚒ plant, establishment; installation *(elektrische ~* electrical i., ⊟ electrical system); *(Talent)* heredity, inheritance, native ability and personality; tendency, predisposition; investment; *(Brief)* enclosure; ~kapital funds, business capital

anlangen *vt* to touch; *fig* to concern; *was ... anlangt* as regards, as for; *vi* to arrive

Anlaß occasion; cause; motive; inducement; *ohne jeden ~* without any reason at all

anlass|en to keep on; ⊟ to start; *s. gut ~en* to promise well; ~er (self-)starter

anläßlich on the occasion of

Anlauf start, ↗ run (-up); onset, attack; *e-n ~ nehmen* to take a starting run, *fig* to make an effort; ~**bahn** ↗ approach; ~**en** to run up, to run (*gegen* against); to take a run; 🚗 to start; 💲 to swell; *(Glas etc)* to tarnish; *(s. sammeln)* to mount up, to accumulate; *vt* ⚓ to call at; *im ~en sein* to be beginning; ~**frist** starting period; ~**zeit** initial period

Anlaut initial sound; ~**en** to ring up

anlegen to put to, against; *(Kleid)* to put on; to apply to; *(Ort)* to found; *(Gelände)* to lay out; *(Feuer)* to lay; *(Gewehr)* to aim (at); *(Geld)* to invest; *(gründen)* to establish; *Hand ~* to help, to begin to work; *d. letzte Hand ~* to put the finishing stroke to; *es ~ auf (fig)* to make a point of, to aim at; *vi* ⚓ to land

Anleg|estelle landing-place; ~**ung** laying out, planning; application

anlehn|en to lean against (upon); *(Tür)* to leave ajar; *refl* to lean against; *fig* to follow; to be patterned, modelled on; ~**ung** leaning against; support; *in ~ung an* in imitation of, following the pattern of

An|leihe loan; ~**leimen** to glue (*od* stick) s-th on s-th

anleit|en to guide; to instruct; ~**ung** guidance

anlern|en to train, to instruct; ~**ling** trainee, apprentice

anliegen to lie near, to be adjacent; to border on *(a. fig.)*; *(Kleid)* to fit well· *su* request; concern, wish; matter

anlocken to allure, to entice

an|löten to solder (*an* to); ~**lügen** to lie to; ~**machen** to fasten, to fix (*an* to); *(mischen)* to mix, to dress; *(Feuer)* to light; ~**malen** to paint; ~**marsch** approach, advance; *im ~marsch sein* to be advancing, approaching

anmaß|en *refl* to claim, to presume; to pretend; to assume; ~**end** arrogant; presuming; ~**ung** arrogance

anmeld|en *vt* to announce; to notify, to report; to register; to declare; *refl* to report (*bei* to), to make an appointment *(with a doctor etc)*; to send in one's name; ~**egebühr** registration fee; ~**epflichtig** subject to registration; 💲 *BE* notifiable; ~**eschein** registration form; ~**eschluß** closing date; ~**ung** announcement; report; notification; *nach vorheriger ~ung* on appointment

anmerk|en to note, to notice; to perceive; to make a note of; ~**ung** remark, observation; comment, (foot-)note

anmessen to measure for *(a suit)*

Anmut grace(fulness), charm; sweetness; ~**en** to seem to s-b; ~**ig** graceful; charming; *(Stil)* elegant

an|nageln to nail on (to); ~**nähen** to sew on (to)

annäher|n to approximate (*an* to); *vi* to approach, to draw near; ~**nd** approximate; ~**ung** approach; approximation; rapprochement

Annahme acceptance; assumption (*in d. ~, daß* on the a. that); supposition, hypothesis; *~ an Kindes Statt* adoption

annehm|bar acceptable; ~**en** to accept, to receive; *(Gestalt, Namen)* to assume; *(an Kindes Statt)* to adopt; *(vermuten)* to assume, to suppose; *(Gewohnheit)* to contract; *(Antrag)* to carry; *refl* to take care of, to take an interest in; ~**lichkeit** amenity

anne|ktieren to annex; ~**xion** annexation

Annonc|e advertisement, ad; ~**ieren** to advertise

annullieren *(Auftrag)* to cancel, withdraw; *(Urteil)* to quash; *(Vertrag)* to annul, to cancel; *(ungültig machen)* to nullify

anöden *umg* to bore (stiff)

anomal anomalous; abnormal; ~**ie** anomaly; ~**lität** abnormality

anonym anonymous; ~**ität** anonymity

Anorak anorak, parka

anordn|en to arrange, to dispose; to order; ~**ung** order; regulation; arrangement; disposition

anorganisch inorganic

anormal abnormal; anomalous; unusual

anpacken to grasp, to seize; *(grob)* to manhandle; to attack; *fig* to tackle

anpass|en to fit, to adapt (*an* to); to accommodate; to adjust (*an* to); *(Kleid)* to try on; ~**ung** adaptation; adjustment; ~**ungsfähig** adaptable; ~**ungsvermögen** adaptability

anpflanz|en to plant; to cultivate; ~**ung** plantation; cultivation

anpflaumen to kid

anpochen to knock (*an* at)

Anprall impact; collision; shock; ~**en** to bound, to strike (*gegen* against)

anprangern to pillory, to denounce

anpreisen to praise (up), to extol; to recommend; *(ausschreien)* to cry (up); to ballyhoo

Anprob|e fitting(-on), trying-on; ~**(ier)en** to try on

an|pumpen to borrow (money) from, to touch (for money); ~**ranzen** to scold

anraten to advise, to recommend; *su* advice, recommendation

anrauch|en to start to smoke; ~**ern** to smoke (a little); *chem* fo fumigate

anrechn|en to charge; *(Betrag)* ~**en auf** to count towards; *zuviel ~en* to overcharge; to take into account; *nicht ~en* to disregard; *hoch ~en* to value greatly, to rate high

Anrecht claim, title, right; *ein ~ haben auf* to be entitled to

Anrede address; ~**n** to address (*mit* as); to speak to

anreg|en to stir up; to stimulate, to excite; to suggest; ~**end** stimulating, interesting; ~**ung** stimulation; suggestion; *auf ~ung von* at the instigation of

an|reihen *(Perlen)* to string; to add; ~**reißen** to tear (partly); *fig* to break into

Anreiz stimulus; inducement

an|rempeln to jostle (against); ~**rennen** to run against, on

Anrichte dresser, sideboard; ~**n** to prepare; to do; *(Essen)* to serve up; *es ist angerichtet* dinner is ready; *was hat er angerichtet?* what has he been up to?

an|rollen to roll against; *umg* to arrive; ✈ to taxi; **~rüchig** disreputable, notorious; **~rücken** to approach, to draw near; to advance

Anruf (telephone) call; appeal; **~en** to call to s-b, to hail; ✆ to ring up; to call up; *mil* to challenge; *fig* to appeal to; to invoke; **~ung** invocation

anrühren to touch; *(Essen)* to stir, to mix

Ansage announcement; dictation; **~n** to announce; to declare; to notify; *(Karten)* to call; **~r** ♺ announcer

ansamm|eln to collect, to gather; to accumulate; to amass; *refl* to accumulate; to accrue; **~lung** collection, accumulation; heap, crowd, gathering

ansässig (permanently) resident; domiciled

Ansatz beginning, start; ♪ mouthpiece; valuation, estimate; *in ~ bringen* to take into account

ansaugen to suck

anschaff|en to procure, to provide; to buy; **~ung** purchase; **~ungskosten** original cost; **~ungspreis** cost price

anschalten to switch on, to turn on

anschau|en to look at; to contemplate; **~lich** vivid, graphic; clear, evident; **~lichkeit** vividness; clearness; **~ung** view, idea; aspect; contemplation; **~ungsmaterial** visual aids; illustrative material; **~ungsunterricht** object lesson

Anschein appearance (*allem ~ nach* to all a.); probability (*allem ~ nach* in all p.); *d. ~ haben* to seem, to bid fair; *d. ~ erwecken, s. d. ~ geben* to pretend, to look (as if); **~end** apparent, seeming

an|schicken *refl* to prepare, to set about; **~schießen** to wound; *fig umg* to challenge, to criticize

Anschlag stroke; striking; ⚙ stop; *mil* firing position; *im ~ halten* to point at; ♪ touch; *(Plakat etc)* poster, placard; notice, bill; *(Komplott)* plot, attempt *(on s-b's life)*; *(Schätzung)* estimate, valuation; *in ~ bringen* to take into account, to allow for; **~brett** notice-board, bulletin board; **~en** to strike (against), to bang; to ring; ♪ to touch; to nail on *(an* to), to affix; *(Zettel, Plakat)* to post up, to stick up; *fig* to estimate, to rate, to value; *vi* to strike; *(Hund)* to bark, *(Vogel)* to sing; *(Essen, mst negativ gebraucht)* to agree with s-b; $ to take effect; **~säule** advertisement pillar; **~tafel** = **~brett**

anschließen to chain *(an* to); to fasten (with a lock); to add; ⚡, ⚙ to connect; to affiliate *(an* to), to incorporate; *refl* to join; to follow; to agree with, to endorse *(a view)*; **~d** following; *adv* afterwards, then

Anschluß connection (*a.* ♺, ⚡); *habe ich ~ nach B.?* does the train connect for B.?; *(Gas, Wasser)* connection, supply; junction; communication; affiliation, incorporation; *pol* Anschluss; *d. ~ erreichen* ♺ to catch the con-

nection; *d. ~ verpassen* ♺ to miss the connection, *fig* to miss one's chance *(sl* the bus)

an|schmieden to chain *(an* to); **~schmiegen** *refl* to nestle to (against), to snuggle up (to); **~schmieren** to smear, to daub; *umg* to cheat, to take in; **~schnallen** to buckle on; **~schnauzen** *umg* to snarl at, to bawl out; **~schneiden** to cut; to carve; *(Thema)* to broach; **~schnitt** first cut (slice); **~schrauben** to screw *(od* bolt) on *(an* to)

anschreib|en to write down; *(Schuld)* to put to s-b's account, to charge; ♪ to score

anschreien to shout at

Anschrift address

anschuldig|en to charge (with), to accuse (of); **~ung** accusation, charge

an|schüren to kindle; *fig* to stir up; **~schwärmen** to adore; **~schwärzen** to blacken; *fig* to backbite, to slander

anschwell|en to swell (out); to rise, to increase; **~ung** swelling; rising

anschwemm|en to wash ashore; *geol* to form by alluvium; **~ung** alluvium

an|schwindeln to swindle; to lie to

ansehen to look at; to regard, to consider; to take for; *sieh dir das an* take a look at that; *man sieht ihm d. Russen auf 100 m an* you can tell he is a Russian from a hundred yards; *man sieht ihm keine Not an* he does not appear to be in want; *su* appearance; esteem, respect; authority; *ohne ~ d. Person* without respect of person; *in großem ~ stehen* to be held in high esteem

ansehnlich imposing; considerable, substantial

an|seilen ♪ to rope; **~sengen** to singe

ansetzen to put, to set to; to affix; to apply (to); to add (to); *(Zeit)* to appoint; *(Preis)* to fix, to charge; to estimate; *bot* to put forth; *(Gewicht)* to put on; to grow fat; *chem* to prepare, to mix; *refl* to be deposited, to crystallize

Ansicht view, sight; *fig* opinion (*meiner ~ nach* in my o.); *ich bin anderer ~* I beg to differ; *zur ~* on approval; **~ig werden** to catch sight of; **~sexemplar** approval *(od* inspection) copy; **~s(post)karte** picture postcard; **~ssache** matter of opinion

ansied|eln *vt* to settle *(a. refl)*; to colonize; **~ler** settler, colonist; **~lung** settlement, colony; colonization

Ansinnen demand; request

anspann|en to harness (to); to stretch, to strain; to bend; *fig* to strain, to exert; **~ung** strain(ing); exertion; tension

anspiel|en to play first, to begin to play; *(Karten)* to lead; *~en auf* to allude to, to hint at; **~ung** allusion, hint

an|spinnen to contrive, to plot; *refl* to begin, to develop; **~spitzen** to sharpen, to point

Ansporn stimulus, stir; **~en** to stimulate, to stir (on); to encourage

Ansprache address, (short) speech

ansprechen to speak to; to address, to accost;

fig to appeal to; ~ *auf* ♦ to answer to; ~d attractive, prepossessing

an|springen to leap (against), to jump at; 🚗 to start; ~**spritzen** to splash, to squirt at; to besprinkle

Anspruch claim, title; pretension; ~ *haben auf* to be entitled to; ~ *erheben auf* to lay claim to, to demand; *in* ~ *nehmen (Zeit)* to take up, to make a claim on, *(Aufmerksamkeit)* to absorb, *(j-n)* to call on the services of; ~**slos** unassuming, modest; ~**slosigkeit** modesty, plainness; ~**svoll** pretentious, ambitious; exacting

an|spucken to spit at; ~**spülen** to wash (ashore); ~**stacheln** to goad on; to incite

Anstalt institution, home, house; ♦ asylum; ~*en treffen* to make arrangements, to prepare; ~*en machen* to be about (to do); ~**sarzt** resident physician

Anstand decency, propriety; behaviour; *ohne* ~ without hesitation; *(Jagd)* stand; ~**ig** proper, decent; respectable; ~**igkeit** propriety, decency; respectability; ~**sbesuch** formal call; ~**sgefühl** tact; ~**shalber** for propriety's sake; ~**los** readily, without hesitation; ~**sregel** etiquette; ~**swidrig** improper, indecent

an|starren to stare at; to gaze at; ~**statt** instead of; in lieu of; ~**staunen** to gaze at; to marvel at; ~**stechen** to prick; *(Faß)* to broach, to tap

Ansteck|blume corsage; ~**en** to pin on, to fasten; *(Ring)* to put on; *(Zigarette)* to light; *(Haus)* to set fire to; ♦ to infect; *refl* to catch an infection, to get infected; ~**end** catching; ♦ infectious; ~**ung** ♦ infection, contagion

anstehen *bes* 🙂 to be due; ~ *nach* to queue up for; ~ *lassen* to postpone, to defer (payment of); *nicht* ~ *zu tun* not hesitate to do

ansteigen to ascend, to rise; to increase

anstell|en to hire, to engage, to take on; to employ; ⚡ to switch on; 🔌 to turn on; 🚗 to start; *e-n Vergleich* ~*en* to draw a parallel; *refl* to queue up; *umg* to make a fuss, to be fussy; *s.* ~*en als ob* to behave as if; ~**ig** skilful, able; ~**ung** appointment, employment; post

An|stich broaching *(of a cask)*; first draught *(from a cask)*; ~**stieg** rise; ascent; *fig* rising trend

anstift|en to instigate s-b; to plot, to contrive; *(Böses)* to abet; ~**er** instigator; abettor; ~**ung** instigation

anstimmen to (begin to) sing; to strike up

Anstoß impulse; shock; initiative; 🏈 kick-off; *ohne* ~ without difficulty, fluently; *Stein d.* ~*es* stumbling-block; ~ *erregen* to give offence; ~ *nehmen an* to take offence at; ~**en** *vt* to push, to knock against; *vi* to push, to bump *(gegen* against); *(redend)* to stammer; ~*en (auf)* to touch *(od* clink) glasses (in drinking a toast to s-b, in); ~*en an* to border on; ~*en bei* to give offence to, to hurt; ~**ig** offensive, shocking; scandalous

an|strahlen to shine on; 📷, 🏈 to floodlight; *fig* to beam upon; ~**streben** to strive for, after; to aim at; to aspire to

anstreich|en to paint; *(weiß)* to whitewash; to mark; ~**er** house-painter

anstreng|en to exert, to strain; *alle Kräfte* ~*en* to make every effort; *e-n Prozeß* ~*en gegen* to bring an action against; ~**end** straining, exhausting; gruelling; strenuous, arduous; ~**ung** exertion, strain; effort

Anstrich paint(ing); coat (of paint); *fig* touch, tinge; appearance; *e-r Sache e-n anderen* ~ *geben* to vary a thing, to strike a new note

an|stricken to knit on *(an* to); *(Strumpf)* to foot; ~**stückeln** to piece *(an* on to); to patch up, to lengthen by patching

Ansturm assault, attack; run, rush; ~**en** to assault, to storm against; to rush upon

Ansuchen request, petition; ~ *um* to request, to petition for

Antarkt|is Antarctic; ~**isch** antarctic

antasten to touch; *fig* to violate

Anteil share; part, portion; quota; *fig* interest, sympathy; ~ *nehmen an* to sympathize with, to take an interest in; ~**nahme** sympathy

antelefonieren to ring up, to give a ring, to call up

Antenne *zool* antenna; 📻 aerial, antenna

Anthrazit anthracite

Anthropolog|e anthropologist; ~**ie** anthropology

Antibiotikum antibiotic

antik ancient, antique; ~*er Kunstgegenstand* antique; ~**e** antiquity; Greek and Roman times

Anti|körper antibody; ~**lope** antelope; ~**mon** antimony; ~**pathie** antipathy *(gegen* to); *voll* ~*pathie gegen* antipathetic to

antippen to tap, to touch lightly

Antiqua|a 📖 Roman type; Roman letters; ~**ar** second-hand bookseller; dealer in works of ancient art; ~**ariat** second-hand bookshop; ~**arisch** second-hand; ~**iert** out-moded; ~**itäten** antiques; ~**itätenhändler** antique dealer

Antisemit anti-Semite; ~**isch** anti-Semitic

antiseptisch antiseptic; ~*es Mittel* antiseptic

Antlitz coutenance, face

Antrag proposal, offer; proposition; motion; application; *e-n* ~ *stellen* to file an application, *pol* to move; ~**steller** applicant; proposer; mover

an|trauen to marry to; ~**treffen** to meet; ~**treiben** to drive; to propel; to push on; *fig* to urge (on); *vi* to drift along, ashore; ~**treten** *vt* to start; *(Amt)* to enter upon, to take up; *e-e Reise* ~*treten* to set out *(nach* for), to set out on a journey; *(Beweis)* to produce *(evidence)*; *mil* to fall in

Antrieb impulse; incentive, *aus eigenem* ~ of one's own accord; ⚙ drive

Antritt entrance (upon); commencement; ~ *e-r Reise* setting out for a journey; ~**sbesuch** first visit; ~**srede** inaugural address, *pol* maiden speech

antun to put on; *j-m etw* ~ to do to; *Schande* ~ to bring disgrace on; *j-m Gewalt* ~ to offer violence to; *s. etw ~* to do violence to o.s.; *sie hat es ihm angetan* he has fallen for her

Antwort answer, reply; response; *d. ~ nicht schuldig bleiben* not to be at a loss for an answer; **~en** to answer, to reply; to respond; **~schein** (international). reply coupon; **~schreiben** written reply

anver|trauen to entrust s-b with s-th, to confide s-th to s-b; *refl* to confide in, to unbosom o.s. to; **~wandt** related

an|visieren to sight; **~wachsen** to grow on (to); *bot* to take root; *(Fluß)* to swell, to rise *(a. fig)*; *fig* to increase

Anwalt lawyer, counsel, advocate; *fig* defender; agent

anwand|eln to befall, to seize; **~lung** impulse; fit, attack

Anwärter candidate; **~schaft** candidacy; entitlement, qualification; *(Versicherung)* qualifying period

anweis|en to direct, to instruct; to assign; **~ung** direction, instruction; assignment; money-order; cheque

anwend|bar applicable; practicable; **~barkeit** applicability; **~en** to apply, to employ, to use; **~ung** application, use; *~ung finden auf, bei* to apply to

anwerb|en to enlist, to levy; **~ung** enlistment, levy

anwerfen 🚗 to start

Anwesen property, estate; premises; **~d** present; **~heit** presence; attendance

anwidern to disgust; *es widerte mich an* I was disgusted at it

An|wohner neighbour; **~wurf** plastering, roughcast; *fig* reproach

Anzahl number, quantity; **~en** to pay on account; to make a down payment for; **~ung** down payment; (first) instalment; payment on account, initial payment

anzapfen to tap *(a. fig)*; *umg* to borrow money from

Anzeichen sign, symptom; indication; omen

Anzeige notice; announcement; *(Zeitung)* advertisement; 👥 denunciation; information against; report; **~n** to report; to announce; to notify; to advertise; 👥 to lodge a complaint against, to inform against; **~nbüro** advertising office; **~npreis** advertising rate; **~ntext** (advertising) copy

anzetteln to plot, to scheme; to contrive

anzieh|en to draw, to attract; *(Schrauben)* to tighten; *(spannen)* to stretch; *(Zügel)* to draw in; *(Kleid)* to put on; *fig* to interest; *vi* to draw (near); *(Preise)* to rise, to look up; **~en** *su* stiffening *(of prices)*; **~end** attractive, interesting, catching; **~ung** attraction; **~ungskraft** (power of) attraction; appeal

Anzug suit; *im ~ sein* to be approaching, to be imminent; **⁓lich** personal, suggestive; sarcastic; **⁓lichkeit** personal remark; offensiveness; **~stoff** suiting

anzünd|en to kindle, to light; *(Haus)* to set on fire; **~er** lighter

anzweifeln to doubt

apart attractive, charming

Apath|ie apathy; **~isch** apathetic

Apfel apple ♦ *in d. sauren ~ beißen* to swallow the (bitter) pill; *d. ~ fällt nicht weit vom Stamm* like father, like son; **~baum** apple-tree; **~kuchen** apple-pie; **~most** cider; **~mus** apple-sauce; **~schimmel** dapple-grey horse; **~sine** orange

Aphorismus aphorism

Apostel apostle; **~elgeschichte** Acts (of the Apostles); **~olisch** apostolic

Apostroph apostrophe

Apotheke pharmacy, *BE* chemist's shop, *US* drugstore; **~r** (pharmaceutical) chemist, pharmacist; **~rpreise** exorbitant prices; **~rwaren** drugs

Apparat appliance, instrument; apparatus; ☎ telephone (extension); *bleiben Sie am ~!* hold the line!; 📷 camera; *(Personen)* body; organization; **~ur** apparatus, equipment

Appartement one-room flat; *(Hotel)* suite (of rooms)

Appell *mil* roll-call; inspection; *fig* appeal; **~ieren** to appeal (*an* to), to make an appeal (to)

Appetit appetite; **~anregend** appetizing; **~lich** appetizing, dainty

applau|dieren to applaud; **~s** applause

apportieren to fetch, to retrieve

Apposition apposition

appret|ieren to dress, to finish; **~ur** dressing, finish

Approb|ation approval, authorization; 💲 certification of a physician; *eccl* imprimatur; **~ieren** to approve, to authorize; *~ierter Arzt* qualified medical practitioner, *US* licensed doctor

Aprikose apricot

April April; **1. ~** April Fools' Day; *j-n in d. ~ schicken* to make an April fool of

apropos incidentally; apropos (of)

Aquamarin aquamarine

Aquarell water-colour, aquarelle; **~ieren** to paint in water-colour

Aquarium aquarium

Äquator equator

Ära era

Arab|er Arab; **~eske** arabesque; **~ien** Arabia; **~isch** Arab, Arabian, Arabic

Arbeit work; labour, toil; *(Stelle)* job, employment; *(Qualität)* workmanship; make; piece of work; *(wissenschaftlich etc)* paper; essay; **~en** to work; to make, to manufacture; to labour; *an s. ~en* to go to work on one's self; **~er** worker, *(bes ungelernter)* labourer; *gelernter ~er* skilled worker; workman; **~erfrage** labour question; **~erin** woman worker, work(ing) woman; **~erschaft** workers; working class; **~geber** employer; **~nehmer** employed person, workman; *pl* workers and employees; **~sam** industrious, diligent

Arbeits|amt *BE* Labour Exchange, employment exchange; **~anzug** *mil* fatigue dress;

boiler suit, overalls; ~**ausfall** loss of work; absenteeism; ~**beschaffung** creation of work; ~**dienst** labour service; ~**dienstpflicht** industrial conscription; ~**einkommen** earned income; ~**einsatz** direction to work, employment of labour; ~**einstellung** strike; ~**entgelt** wages, remuneration; ~**ertrag** earnings; ~**fähig** able-bodied; fit for work; ~**feld** sphere of action, field of activity; ~**gang** stage, phase; ~**gebiet** area covered; sphere of operation; domain; = ~feld; ~**gemeinschaft** working association; working group, study group; working party; ~**gericht** Labour Court; ~**haus** penitentiary, work-house; ~**kräfte** workers, labour force; manpower; ~**leistung** efficiency; ~**lenkung** direction of labour; ~**lager** labour camp; ~**lohn** wages; ~**los** unemployed, out of work; ~**losenfürsorge** unemployment relief; ~**losenunterstützung** unemployment benefit; ~*losenunterstützung erhalten BE* to be on the dole; ~**losenversicherung** unemployment insurance; ~**losigkeit** unemployment; ~**markt** labour market; ~**material** working material; ~**möglichkeit** possibility of work(ing), opportunity to work; ~**nachweis** Labour Exchange; certificate of employment; ~**platz** job, place of work; ~**reich** busy; ~**ruhe** rest from work; ~**scheu** work-shy; ~**sperre** lock-out; ~**stunde** working hour; man-hour; ~**teilung** division of labour; ~**unfähig** incapable of work, unfit for work; ~**unfallversicherung** industrial injury insurance; ~**vermittlung** employment agency; Labour Exchange; ~**versäumnis(se)** absenteeism; ~**vertrag** labour contract; ~**zeit** working hours; number of hours worked

Arbitrage margin dealings

Archäolog|ie archaeology; ~**isch** archaeological

Arche ark

Architekt architect; ~**onisch** architectural, architectonic; ~**ur** architecture

Archiv archives; *(Zeitung) sl* morgue

Arena (circus) ring; *fig* arena

arg bad, wicked; arrant; mischievous; *umg* awful; *(su) nichts ~es denken* to mean no harm; *im ~en liegen* to be in a bad way, to be in a mess; ~**list(igkeit)** craftiness, cunning, deceit; ~**listig** crafty, cunning; ~**los** harmless; innocent; unsuspecting; ~**losigkeit** harmlessness; innocence; ~**wohn** suspicion; mistrust; ~**wöhnen** to suspect, to mistrust; ~**wöhnisch** suspicious

Ärger annoyance, vexation; anger; worry; ~**lich** annoying; vexatious; provoking; bothersome; ~**n** to annoy, to vex, to irritate; *umg* to aggravate; *refl* to be annoyed, vexed (*über* at); ~**nis** offence; annoyance; vexation

Argument argument; ~**ieren** to argue

Arie aria

Aristokrat aristocrat; ~**ie** aristocracy; ~**isch** aristocratic

Arithmet|ik arithmetic; ~**isch** arithmetical

Arkade(n) arcade

Arkt|is Arctic; ~**isch** arctic

arm[1] poor; needy; penniless; *umg* hard-up; ~**enhaus** alms-house; ~**enpflege** care of the poor, poor-relief; ~**enrecht** (free) legal aid; ~**selig** poor, wretched, miserable; ~**seligkeit** wretchedness, misery

Arm[2] arm; *(Fluß)* tributary, branch *(a. fig)*; *j-m unter d. ~e greifen* to lend s-b a hand, to help out; *j-m in d. ~ fallen* to put a spoke in s-b's wheel; ~**band** bracelet; ~**banduhr** wrist-watch; ~**lehne** arm, elbow-rest; ~**leuchter** chandelier; ~**reif** bangle; ~**schiene** ⚑ splint

Armatur fitting; connection; ~**enbrett** 🚗 instrument panel, dashboard

Armee army; ~**korps** army corps

Ärmel arm, sleeve ♦ *aus d. ~ schütteln* to do without effort (extempore); ~**kanal** the Channel

armieren to arm, to equip; ⚡ to armour; ⚙ to reinforce

ärmlich poor, miserable

Armut poverty, want; *~ schändet nicht* poverty is no disgrace; *s. e. ~szeugnis ausstellen* to give o.s. away, to reveal one's own incapacity

Aroma flavour, aroma; ~**tisch** aromatic

Arrest arrest, *(bes Schule, mil)* detention; attachment of property; ~**ant** prisoner, person in custody

arretier|en ⚙ to stop, to lock; *fig* to arrest, to take into custody; ~**schraube** locking screw

arrogan|t arrogant; ~**z** arrogance

Arsen|(ik) arsenic; ~**ig** arsenic(al)

Art class, sort, kind; category, type; species, race; *~ (u. Weise)* way; *er hat keine ~* he has no manners; *das ist nicht s-e ~* that is not his way ♦ *aus d. ~ schlagen* to degenerate, to be quite unlike the rest (of the family); ~**en** to take after; ~**ig** *(Kind)* good; well-behaved; courteous; ~**igkeit** courtesy; *pl* compliments

Arterie artery; ~**nverkalkung** arteriosclerosis

Artik|el article *(a. gram)*; item; commodity; ~**ulieren** to articulate

Artiller|ie artillery *(leichte ~ie* field a.; *schwere ~ie* medium a.); ~**ist** artillery-man, gunner

Artist circus performer, variety artist; artiste; ~**isch** of (as) a circus performer

Arznei medicine; ~**kunde** pharmacology; ~**mittel** remedy, medicament; ~**pflanze** medicinal plant

Arzt doctor, *US oft* physician; *praktischer ~* general practitioner; ⸚**in** lady doctor; ⸚**lich** medical; ⸚*liches Rezept* doctor's prescription; ⸚*lichen Rat einholen* to consult a doctor

As ♪ A flat; ace

Asbest asbestos

Asch|e ashes; ash; ~**enbahn** cinder track; ~**enbrödel** Cinderella; *fig* domestic drudge; ~**ermittwoch** Ash Wednesday

äsen to browse, to graze

aseptisch aseptic

Asi|ate Asian; ~**atisch** Asian; ~**en** Asia

Aske|se asceticism; austerity; ~**t** ascetic; ~**tisch** ascetic

asozial antisocial

Aspekt *gram, astr, allg* aspect; *fig* consideration, bearing, factor

Asphalt asphalt; **~ieren** to asphalt

Aspir|ant candidate (for an office); aspirant; **~ation** tendency; (ambitious) endeavour; aspiration; **~in** aspirin

assimilieren to assimilate

Assisten|t assistant; aid; **~z** assistance; **~zarzt** assistant medical practitioner; *(Krankenhaus)* *BE* houseman, medical resident, *US* interne

assort|ieren to assort; **~iment** assortment

Assoziation association

Ast branch *(a. fig)*, bough; *fig* arm; *auf d. absteigenden ~* on the downgrade ♦ *s. e-n ~ lachen* to split one's sides with laughing

Aster *bot* aster

Ästhet aesthete; **~ik** aesthetics; **~isch** aesthetic

Asthma asthma; **~tiker** asthmatic; **~tisch** asthmatic

Astro|loge astrologer; **~logie** astrology; **~nom** astronomer; **~nomie** astronomy; **~nomisch** astronomical *(a. fig)*

Asyl asylum *(a. fig)*; refuge, sanctuary

Atelier studio; 🎬 *a.* sound stage

Atem breath *(außer ~* out of b.; *außer ~ kommen* to lose one's b.; *~ holen* to breathe; *in ~ halten* to keep on the move; *nicht zu ~ kommen* to have no time to draw breath; *... hat ihm d. ~ verschlagen* ... has quite stunned him; **~los** breathless; **~pause** breathing-space, respite; **~raubend** breath-taking, exciting; **~zug** breath; *im gleichen ~zug* in the same breath

Athe|ismus atheism; **~ist** atheist

Äther ether; **~isch** ethereal; *(Öl)* essential, volatile

Athlet wrestler, weight-lifter, *(Zirkus)* strongman; *fig* man of athletic build; **~ik** *(Leicht-)* athletics, track and field events; *(Schwer-)* heavy athletics; wrestling and weight-lifting; **~isch** *(Bau)* athletic; *(Übung)* strenuous

Atlantik Atlantic

Atlas atlas; 🛏 atlas; satin, sateen

atm|en to breathe; to draw breath; **~ung** breathing, respiration

Atmosphär|e atmosphere *(a. fig)*; *phys* atmosphere *(not used in BE, US)*; **~isch** atmospheric; *~ische Störungen* 📻 atmospherics

Atom atom; **~ar** nuclear; **~bombe** atom(ic) bomb, A-bomb; **~energie** atomic energy; **~isieren** to atomize; **~kern** atomic nucleus; **~kernspaltung** atomic fission; **~kraft** atomic power; **~kraftwerk** atomic power plant; **~krieg** atomic warfare; **~meiler** reactor; **~müll** atomic waste; **~physik** nuclear physics; **~sprengstoff** atomic explosive; **~versuch** nuclear test, A-test; **~waffen** nuclear weapons; **~zeitalter** atomic age; **~zerfall** atomic disintegration; **~zertrümmerung** nuclear fission

atonal 🎵 atonal; *allg* cacophonous, jarringly modern

Atroph|ie atrophy; **~ieren** to atrophy; **~isch** atrophic

Attaché attaché

Attacke *mil* cavalry charge; *fig* attack; ⚕ fit

Attentat attempt (on s-b's life); assault; *e. ~ verüben auf* to make an attempt on s-b's life, to attempt the life of; **~er** assailant; assassin

Attest (medical) certificate; **~ieren** to certify

Attrakt|ion *phys* attraction; *fig* draw; **~iv** attractive

Attrappe dummy

Attribut attribute; **~iv** attributive

ätz|en to corrode; to etch; ⚕ to cauterize; **~mittel** corrosive; caustic

auch too, as well, also; *~ nicht* nor, neither, not ... either; *sowohl ... als ~ ...* as well as, both ... and; *wer ~ (immer)* whoever; *was ~ (immer)* whatever; *wo ~ (immer)* wherever; *~ dann nur* then only; *wenn ~* even though

Audi|enz audience *(he had an a. of the king)*; **~torium** lecture-room, l.-hall; *(Zuhörer)* audience

Aue mead(ow); **~rhahn** capercaillie

auf on, upon; in, at; *(wohin)* (on) to, towards, in, at; *~ d. Lande* in the country; *~ d. Post* at the post office, *(wohin)* to the post office; *es geht ~ zehn* it is nearly ten o'clock *~ Erden* on earth; *~ Englisch* in English; *~ meine Bitte* at my request; *~ einmal* suddenly; *~ d. Minute* to a minute, this very minute; *es hat nichts ~ sich* it is of no consequence, it doesn't matter much; *~ sein* to be astir, *wieder ~ sein* to be up and about (again); *adv* up(wards); open; *von Jugend ~* from my youth; *~ u. ab* up and down; *~ u. davon* away, off; *(conj) daß* in order that

auf|arbeiten to work up; to finish; *(Rückstände)* to work off, to clear up; to upholster; **~atmen** to breathe again; to utter a sigh; *fig* to recover; **~bahren** to lay out; **~bahrung** lying in state

Aufbau structure; construction; organization; **~en** to build up; to erect, to construct; **~anleihe, ~darlehen** development loan, rehabilitation loan

auf|bäumen *refl* to prance, to rear; *fig* to rebel; **~bauschen** to exaggerate; **~begehren** to remonstrate; **~behalten** to keep on (open); **~beißen** to bite open, to crack; **~bessern** to raise; to improve

aufbewahr|en to keep, to preserve; to store; **~ung** preservation; storage; **~ungsort** store(house); warehouse

aufbieten to summon; to call up; *alles ~* to make every effort

auf|binden to untie, to undo; to tie on *(auf to)*; *fig* to impose upon; **~blähen** to puff up, to swell (out); *refl* to boast, to puff o.s. up; **~blasen** to blow up; to inflate; **~blättern** to open (the leaves of); **~bleiben** to stay up, to sit up; to remain open; **~blenden** 🚗 to turn the headlights on; **~blicken** to look up *(a. fig)*; **~blühen** to blossom, (to begin) to bloom; *fig* to flourish; **~brauchen** to use up; **~brausen** to foam up, to effervesce; *fig* to flare up; **~brechen** to break open; to force open; *vi* to burst (open);

(vor Kälte) to chap; *(Reise)* to set out, to depart; ~**bringen** to get open; *(Geld)* to raise; *(Neues)* to introduce, to start; *(Mut)* to summon up; ⚓ to capture, to bring in (as) a prize; *fig* to provoke, to irritate; ~**bruch** *(Eis)* breaking-up; departure, break-up; ~**bügeln** to iron, to press; ~**bürden** to burden with; to charge with; to impose upon; ~**bürsten** to brush up; ~**decken** to uncover; to discover; *fig* to disclose; ~**drängen** to force on to; *refl* to obtrude (o.s.) upon; ~**drehen** to turn on, open; to unscrew; to untwist; ~**dringlich** obtrusive, importunate; ~**dringlichkeit** obtrusiveness, importunity

Aufdruck imprint; impression; *(Stempel)* stamp; ✉ *mit* ~ overprinted; ~**en** to imprint; to stamp; ~**en** to press upon, on to; to stamp on; to press open, to force open; § to open

aufeinander one on top of the other; one after the other, successively; one against the other; ~**folgen** to succeed; ~**folgend** successive, consecutive; ~**stoßen** to clash (together), to collide; to conflict

Aufenthalt stay; delay, stop; 🚂 *wie lange haben wir ~ in B.?* how long does the train (etc) stop at B.?; residence; ~**serlaubnis** residence permit; ~**sort** whereabouts, present abode; ~**sraum** sitting-room; day-room; recreation room

aufer|legen to impose upon s-b, to inflict on s-b; ~**stehen** to rise from the dead; ~**stehung** resurrection; ~**wecken** to raise from the dead; to resuscitate

aufessen to eat up, to consume

auffahr|en *vt mil* to bring up, to mount; to run *(auf* into); to rise, to ascend; to jump up, to start up; *fig* to fly into a passion; ⚓ to run aground; *(vor-)* to drive up; ~**end** irascible; ~**t** ascent; 🚗 drive; driving up; 🚂 ramp

auffall|en *refl* to injure o.s. (by falling); *vi* to fall *(auf* on); *fig* to strike, to astonish; ~**end** conspicuous, striking; ~**ig** = ~**end**; suspicious

auffangen to catch (up); to collect; *(ab-)* to intercept; *fig* to absorb, to bear, to cope with

auffärben to (re)dye; to touch up

auffass|en to comprehend, to understand; to interpret; to conceive; ~**ung** comprehension, conception; view; interpretation; ~**ungsgabe** apprehension; intellect; ~**ungssache** matter of opinion; ~**ungsvermögen** intellectual grasp

auf|finden to find (out); to track down; to discover; ~**flackern** to flicker up; to flare up; ~**flammen** to flare up, to blaze up; ~**fliegen** to fly up (with), to soar (up); *fig* to be dissolved, to fail

aufforder|n to invite, to request; to demand, to summon; to call upon; ~**ung** invitation, request, demand, summons; order

aufforst|en to (re)afforest; ~**ung** (re)afforestation

auf|fressen to eat up, to devour; ~**frischen** to refresh; to touch up; *fig* to revive; *(Kenntnisse)* to brush up

aufführ|en *(Bau)* to erect; to raise, to set up; 🎭 to perform, to represent; ♪ to perform; *(Punkte)* to list; to enter, to specify; *refl* to behave; to make a fuss; ~**ung** erection; performance; specification; ~**ungsrechte** acting (performing) rights

auffüllen to fill in, up

Aufgabe task, duty; problem; *(Schule)* exercise, lesson, task; ✉ posting; *(Gepäck)* booking, registration; giving up, resignation; *(Geschäfts-)* retirement (from business), shutting down; ~**nheft** exercise-book; ~**ort** issuing station; ~**schein** certificate of posting; ~**stempel** ✉ postmark

auf|gabeln to pick up *(a. fig)*; ~**gang** ascent, rise; staircase

aufgeben to deliver, to surrender; *(Aufgabe)* to set; *(Rätsel)* to ask; ✉ to post, *(Telegramm)* to hand in; *(Gepäck)* to book, to register; to give up, to abandon; to resign

aufgeblasen puffed up, bumptious

Aufgebot notice; *eccl* banns; *mil* levy, body of men; array

aufge|bracht angry, furious; ~**dunsen** bloated

aufgehen to rise; *bot* to shoot, to bud, to blossom; to open, to break up; *(s. lösen)* to come undone; *math* to leave no remainder, to work out; *in Flammen ~* to be consumed by fire; *fig* to dawn on

aufge|klärt enlightened; ~**legt** disposed *(zu* for, to); in a good mood; ~**räumt** *fig* in good humour, merry; ~**regt** excited, nervous; ~**schlossen** enlightened: bright, intelligent; ~**weckt** bright, clever; quick-witted

auf|gießen to pour upon; *(Tee)* to infuse; ~**gliedern** to break down, to divide into, to classify; to analyse, to split up; ~**gliederung** breakdown, classification; analysis; composition; ~**greifen** to seize, to lay hold of; to take up; ~**guß** infusion; ~**haben** to have on; *(Mund)* to have open; *(Laden)* to be open; *(Aufgabe)* to have to do; ~**halsen** to saddle with; ~**halten** to stop, to stem; to delay; to keep open; to uphold, to support; *refl* to stay; *fig* to dwell on; *s. ~halten über* to find fault with

aufhäng|en to hang up; ~**er** loop

aufhäufen to heap up, to amass, to accumulate *(a. refl)*

aufheb|en to pick up; to lift (up), to raise; to keep, to preserve; *(Belagerung)* to raise; to abolish, to annul; to suspend; *(s. gegenseitig)* to cancel; *d. Tafel ~en* to raise from table; *(su) viel ~ens machen von* to make much of, to make a great to-do of; *wenig ~ens machen* to be modest about; *ohne viel ~ens zu machen* in a quiet way; ~**ung** lifting (up); raising; *(zeitweilig)* suspension; abolition, annulment; cancellation

auf|heitern *vt* to cheer up; *refl* to clear up; ~**helfen** to help up; *fig* to support, to succour; ~**hellen** *vt* to brighten; *refl* to clear up; ~**hetzen** to stir up, to rouse; *fig* to incite; to instigate;

~holen to make up for; to catch up with; ⚓ to haul up, to hoist up; 🏃 to gain on; **~horchen** to listen; **~hören** to stop, to cease, to leave off; to discontinue; *da hört doch alles auf!* well, that's the limit!; **~jagen** to rouse, to start up; **~jauchzen** to shout for joy

Aufkauf buying up; **~en** to buy up; **~̈er** buying agent; speculator

auf|kehren to sweep up; **~keimen** to shoot (up), to bud; **~klappen** to open

aufklär|en to clear (up); to explain, to solve; *mil* to reconnoitre; *fig* to enlighten s-b; **~ung** explanation; enlightenment; *mil* reconnaissance; **~ungsflug** reconnaissance flight

aufklebe|n to stick on (*auf* to), to paste on (*auf* to); 📷 to mount; **~zettel** stick-on label, sticker

auf|knacken to crack open; **~knöpfen** to unbutton; **~kochen** to boil (up)

aufkommen to get up; to arise; ⚕ to get well, to recover; *fig* to thrive, to prosper; to come into use, fashion; *(Sturm)* to gather; *~ für* to be responsible for; *(ersetzen)* to make good

auf|kratzen to scratch up; **~krempeln** to turn up; **~kriegen** to get open; to have *(a lesson)* set; to eat up; **~kündigen** to give notice; *(Kapital)* to call in; **~lachen** to give a short laugh; **~laden** to load; to saddle with; ⚡ to charge

Auflage 📖 edition; *unveränderte ~* impression; *(Zeitung)* circulation; tax, duty; instruction; condition; *~n machen* to impose conditions

auf|lassen to leave open; to keep on; *(Fabrik)* to shut down; ⚖ to transfer; **~lauern** to lie in wait for, to waylay

Auflauf crowd, ⚖ unlawful assembly; *(etwa)* pudding; soufflé; **~en** to accumulate; to increase; to accrue; ⚓ to run aground

auf|leben to revive; to cheer up; **~lecken** to lick up; **~legen** to put, to lay on; 📖 to publish, to bring out; *(Anleihe)* to issue; **~lehnen** *refl* to rebel (*gegen* against); **~lesen** to pick up, to gather; **~leuchten** to flash (up), to light up; **~liegen** top be exposed (for sale), to be on sale; *refl* ⚕ to develop bedsores; **~lockern** to break, to loosen, to ease

auflös|bar soluble; dissolvable; **~barkeit** solubility; **~en** to loose; to untie, to unravel; *mil* to disband, to dismiss; *(Rätsel)* to solve; ♪ to resolve; *chem* to analyse, to dissolve; to decompose; **~ung** loosening; disbandment; solution; ♪ resolution; decomposition; **~ungsmittel** solvent; **~ungszeichen** ♪ natural

aufmach|en to open; *~en (wenn's klingelt)* to answer the door (*od* bell); to undo, to unpack; to make up; *refl* to set out; **~ung** 📖 get-up, format; make-up; appearance

Aufmarsch marching-up; drawing-up assembly; *(Parade)* march-past; **~ieren** to march up, to draw up, to deploy

aufmerk|en to pay attention; to mark, to note; **~sam** attentive; mindful (of); *j-n ~sam machen auf* to draw s-b's attention to; **~samkeit** attention; attentiveness; mindfulness

aufmuntern to cheer (up), to encourage; to rouse

Aufnahme taking up, reception; admission, enrolment; 📷 exposure, photograph; *(Inventur)* stock-taking, registration; *(Geld)* borrowing, loan; *(Land)* survey; 🎙 record(ing); *(Annonce)* insertion; **~fähig** receptive; capable of understanding; **~fähigkeit** capacity; **~leiter** 📷 director of photography; **~prüfung** entrance examination

aufnehmen to pick up, to lift up, to take up; *(zu Hause)* to receive, to take in; 📷 to take a photograph of; *(Film)* to shoot; 🎙 to record; *(Besitz)* to make an inventory of; *(Land)* to survey; *(Protokoll)* to draw up; *(Telegramm)* to take down; *in sich ~* to absorb, to assimilate

auf|nötigen to force upon; **~opfern** to sacrifice; *refl* to sacrifice o.s., to devote o.s. (*für* to); **~packen** to load on to

aufpass|en *auf* to watch, to observe; to pay attention to; *j-m ~en* to waylay s-b; **~er** overseer, supervisor

auf|peitschen to stimulate (violently); **~pflanzen** to set up; *(Bajonett)* to fix; *refl* to plant o.s.; **~pfropfen** to graft (on); **~platzen** to burst open; **~plustern** *refl* to ruffle one's feathers; *fig* to give o.s. airs; **~polstern** to upholster; **~prägen** to imprint, to impress (on); **~prall** bounce; impact; **~prallen** to bounce (*auf* against); to rebound; to strike; **~preis** additional price; **~probieren** to try on; **~pulvern** *fig umg* to beef up; **~pumpen** to pump up; **~putz** finery, ornament; **~putzen** to adorn; to dress up, to smarten up; **~quellen** to swell up; **~raffen** to pick (snatch) up; *refl* to pull o.s. together; to get up (with an effort)

aufräum|en to tidy up; to clear up; *bes mil* to mop up; *(weg-)* to put away; **~ung** tidying up; clearing up

aufrechnen to reckon up, to count up; to balance, to offset; *gegen einander ~* to settle accounts

aufrecht upright, erect; **~erhalten** to maintain, to support; to keep up; **~erhaltung** maintenance; preservation

aufreg|en to arouse, to stir up; to excite; to agitate; *refl* to be (get) excited, to worry (greatly); **~ung** excitement; tumult; agitation

auf|reiben to rub open, to wound (by rubbing); *fig* to ruin, to destroy; *refl* to worry o.s. to death, to wear o.s. out; **~reibend** gruelling; **~reihen** to string; **~reißen** to tear open, to jerk open; *(Naht)* to rip up; *(Augen)* to open wide; **~reizen** to incite, to provoke; to excite; **~reizend** provoking; sexy

aufricht|en to set up(right), to erect; to rear; *fig* to comfort, to console; *refl* to sit up, to draw o.s. up; **~ig** sincere, candid; frank; **~igkeit** sincerity, candour; frankness

auf|riegeln to unbolt; **~ringeln** *refl* to coil up; **~riß** elevation; sketch, outlines; **~ritzen** to slit open; **~rollen** to roll up, to coil; to unroll *(a. refl)*; *fig* to broach; **~rücken** to move up; *mil* to close the rank; to advance; to be promoted

Aufruf call(ing-up); appeal; summons; ~en to call up; *(Geld)* to call in; *(namentlich)* to call the roll

Aufruhr riot, revolt; mutiny; rebellion; uproar; *in* ~ up in arms; ~en to stir up; to revive, to mention again; ~er rebel; rioter; agitator; ~erisch rebellious, mutinous; seditious; *(Rede)* inflammatory

aufrunden to round off; to make up to a round amount

aufrüst|en to (re)arm; ~ung rearmament

aufrütteln to shake up, to rouse; ~d provocative, challenging

auf|sagen to recite, to say; to give notice; ~sässig rebellious; hostile; ~satteln to saddle; ~satz essay, treatise; paper; headpiece, top; ~saugen to suck up; to absorb; ~scharren to scrape up, to dig up; ~schauen to look up; to glance up *(von* from); ~scheuchen to scare; ~scheuern to scour, to scrub; *(Haut)* to chafe; ~schichten to pile up

aufschieb|en to push open; *fig* to put off, to postpone; to delay; to adjourn ♦ *aufgeschoben ist nicht aufgehoben* postponed is not cancelled; ~ung postponement; delay; adjournment

aufschießen to shoot up; to leap up, to start

Aufschlag impact; lapel, facing; *(Preis)* increase *(in price)*; ⚓ service; ~en to break open; to open; *(Bett)* to put up; *(Zelt, Lager)* to pitch; *(Hose)* to turn up; *(Knie)* to cut; *(Preis)* to raise; *vi* to strike, to hit; to increase *(in price)*

auf|schließen to unlock; to open; *mil* to close the ranks; ~schlitzen to slit open; to rip up

Aufschluß explanation; information

auf|schlüsseln to break down; ~schlußreich informative, instructive; telltale, revealing

auf|schnallen to buckle on; *(lösen)* to unbuckle; ~schnappen to snap up; *fig* to pick up; *vi* to spring open

aufschneid|en to cut open, to cut (up); to rip up; *(Fleisch)* to carve; *fig* to brag, to swagger; ~er braggart, swaggerer

Auf|schnitt cold meat, cold cuts; ~schnüren to untie; to unlace; ~schrauben to screw on; *(lösen)* to unscrew; ~schrecken to frighten, to startle; *vi* to start (up), to jump; ~schrei scream, shriek; outcry; ~schreien to scream, to shriek; to cry out; ~schreiben to write down; to note; to charge (to account); ~schrift address; label; inscription; ~schub delay, deferment; postponement; adjournment; *(Frist)* respite; ~schürzen to tuck up; ~schütteln to shake up; ~schütten to heap up; ~schwatzen to talk s-b into buying (believing) s-th; ~schwingen *refl* to soar (up), to rise; ~schwung rise; progress, boom; ~ *schwung nehmen* to boom, to increase fast

aufseh|en to look up; *su* stir, sensation *(~en erregen* to cause a s.); ~er supervisor; keeper; custodian

auf|sein to be up; to be open; ~setzen to put on; to set up; *(Brief etc)* to draw up; to add, to

build on; *(Haufen)* to pile up; *(Wasser)* to put the kettle on; *vi* ✈ to touch down; *refl* to sit up (straight)

Aufsicht inspection; supervision; care, guardianship; charge; ~ *führen bei* to supervise, *(Schüler) BE* to invigilate; ~sbeamter supervisor; ~sbehörde supervisory authority; ~srat board of directors; *im* ~*srat* on the board

aufsitzen to sit up; to mount a horse; ⚓ to run aground; *fig* to be in the lurch; ~ *lassen* to leave in the lurch

aufspalt|en to split; to break down; ~ung splitting up

auf|spannen to stretch; to spread; ⚓ to hoist, to set; *(Schirm)* to put up; ♪ to string *(a violin etc)*; ~sparen to save (up), to lay by; to keep in store; ~sperren to unlock; to open wide; *Mund und Nase* ~*sperren* to gape open-mouthed; ~spielen to strike up, to play; *refl* to pose, to swagger; ~spießen to spit; to pierce through; to lift *(with a fork)*; to gore; ~sprengen to burst open, to force open; to blow up; to rouse; ~sprießen to sprout; ~springen to jump up; to (fly) open; *(Haut)* to chap; to crack; ~spüren to trace (out); to ferret out; to find out; ~stacheln to goad (on); to incite; ~stampfen to stamp one's foot; ~stand rebellion, revolt, uprising, insurrection; ~ständisch rebellious, revolutionary; ~stapeln to pile up, to stack up; ~stauen to dam up; ~stechen to prick open; ⚕ to lance; ~stecken to pin up; *(Haar)* to do up; *fig* to give up; ~stehen to get up, to rise; to stand open; to revolt, to rebel *(gegen* against); ~steigen to rise, to ascend; to mount; to climb *(a.* ✈*)*, *(*✈ *starten)* to take off

aufstell|en to put up, to set up, to erect; *(Liste)* to draw up, to make out; *(Rechnung)* to make out; *(Rekord)* to set up, to establish; *(Kandidat)* to nominate; *(Posten)* to post; *(Truppen)* to draw up; *(Falle)* to set; *(Behauptung)* to make *(assertion)*; *(Prinzip)* to lay down; *(Beweis)* to furnish; *(Bedingungen)* to establish, to impose; *(Bilanz)* to prepare; *(Tagesordnung)* to fix, to draw up; *refl* to place o.s. (in position); *mil* to draw up, to form up; ~ung putting-up; drawing-up; list, inventory, schedule; statement

auf|stemmen to prize open; *refl* to lean *(auf* upon); ~stieg ascent; *fig* rise; ~stöbern to ferret out, to beat up; to rouse; ~stocken to add a storey; to raise, to increase; ~stoßen to push open; to kick up; *vi* ⚓ to run aground; *(Magen)* to belch; *fig* to strike s-b; ~streben to rise; to aspire (to); ~streichen to spread (on); ~streifen to tuck up, to turn up; ~streuen to sprinkle *(auf* on); to strew *(auf* on); ~strich spread, paste; *(Schrift)* upstroke; ~stülpen to turn up; *(Hut)* to put on, to cock; ~stützen to prop up; *refl* to rest *(auf* on); ~suchen to look up, to visit; to inquire after

Auf|takt ♪ anacrusis, pick-up; *fig* prelude; initial phase; ~tanken ⚓, ✈ to refuel; 🚗 to fill up, to top up; ~tauchen to emerge; to appear;

umg to crop up; *(U-Boot)* to surface; **~tauen** to thaw; to melt; to break up; *fig* to warm up

aufteil|en to divide up; to partition; to distribute; *(Land)* to parcel out; **~ung** division; partition

auftischen to serve up, to dish up

Auftrag commission; *(Bestellung)* order; ☌ mandate, brief; *(Weisung)* instruction; assignment; *j-m e-n ~ geben* to give s-b a commission (to do), to commission s-b (to do); *etw in ~ geben* to order s-th; **~en** to put on, *(Farbe)* to lay on; *(Essen)* to serve; *(Kleid)* to wear out; *(Gruß)* to send; *dick ~en* to lay it on thick; **~geber** purchaser, customer; employer; consignor; **~sbestand** orders on hand; backlog of orders; **~seingang** new orders booked; *(Vorgang)* receipt of order; **~serteilung** placing of orders; **~süberhang** backlog of unfilled orders

auf|treiben to start; to hunt up, to get hold of, to obtain (with difficulty); *(Geld)* to raise; ⚕ to swell up; **~treten** to kick open; *vi* to tread *(auf upon)*; to appear, to make one's appearance; to behave, to act; *(vorkommen)* to be found; ⚕ to break out; *su* appearance; occurrence; ⚕ outbreak; behaviour, demeanour; **~trieb** buoyancy; quantity *(of cattle)* coming on to the market; stimulus, impetus; **~tritt** ☿ appearance, ☿, *fig* scene; **~trocknen** to dry up; **~tun** to open (up); *refl* to open; to arise; **~türmen** to pile up, to bank up; *refl* to accumulate; to tower up; **~wachen** to wake up, to awake; **~wachsen** to grow up; **~wallen** to boil up; to bubble; to effervesce; **~wallung** bubbling up; effervescence; emotion, fit

Aufwand expenditure; luxury

aufwärmen to warm up; to repeat; *alte Geschichten ~* to rake up by-gones

Aufwart|efrau charwoman; **~en** to wait on s-b; to serve; **︠︠er** attendant, servant; **~ung** visit;

aufwärts upward(s)   ⌊charwoman

auf|waschen to wash up; **~wecken** to wake up, to rouse; **~weichen** to soften; to soak; **~weisen** to show; to produce; to exhibit; to have; **~wenden** to spend *(für on)*; to employ; **~wendungen** expenditure; **~werfen** to fling open; to throw up; *(Graben)* to dig; *(Frage, Zweifel)* to raise; *refl* to set o.s. up *(als for)*

aufwert|en to revalue, to revalorize; **~ung** revaluation, revalorization

aufwickeln to roll up, to wind up; *(Haar)* to put in curls; to unroll, to unwind

auf|wieg|eln to incite, to stir up; **~elung** incitement, instigation; **~en** to counterbalance; to offset, to outweigh; to compensate for; **~ler** agitator; **~lerisch** inflammatory, seditious

Aufwind up-current; **~en** to wind up, to hoist; to haul up; *(Anker)* to weigh

auf|wirbeln *(Staub)* to raise; to whirl up; **~wischen** to wipe up; **~wühlen** to dig up, to root up; to turn up; *fig* to stir up; **~zählen** to count (up), to enumerate; to list, to specify; *(Geld)* to pay down; **~zäumen** to bridle ♦ *das*

Pferd beim Schwanz ~zäumen to put the cart before the horse; **~zehren** to consume, to eat up, to use up; to waste (away); **~zeichnen** to sketch, to draw; to note (down); to record; **~zeigen** to show, to exhibit; to produce; **~ziehen** to draw up, to pull up, to haul up; *(Vorhang)* to draw, ☿ to raise; *(Schleuse)* to open; ⚓ to hoist; *(Anker)* to weigh; *(Uhr)* to wind up; ⯊ to mount; *(aufkleben)* to paste on; *(Saiten)* to put on; *(Kind)* to bring up, to rear; *(Vieh)* to breed, to rear; *fig* to tease; to organize, to arrange; *vi* to march up; to approach; *(Sturm)* to gather, to draw near; **~zucht** breeding, rearing; **~zug** procession; parade, cavalcade; pageant; get-up, attire; ☿ act; ✿ lift, *bes US* elevator; **~zwingen** to press upon, to force upon

Auge eye *(blaues ~* black e.)*; *(Karten)* point, pip; *bot* bud ♦ *mit e-m blauen ~ davonkommen* to get off lightly; *von den ~n ablesen* to anticipate *(a wish)*; *die ~n gingen mir auf* that was an eye-opener; *im ~ behalten* to watch carefully, to keep one's eye on, to bear in mind; *in d. ~n fallen* to strike, to catch the eye of; *s. vor ~n halten* to remember, to realize; *große ~n machen* to look surprised *(od with astonishment)*; *ins ~ sehen* to face; *ins ~ stechen* to take s-b's fancy, to attract s-b's attention; *aus d. ~n verlieren* to lose sight of; *e. ~ werfen auf* to have an eye on; *kein ~ zutun* not to sleep a wink; *e. ~ zudrücken* to turn a blind eye to, to wink at, to connive at; *unter vier ~n* (strictly) between ourselves, in strict confidence; **︠︠n** to look about carefully

Augen|arzt oculist; **~blick** moment, instant; **~blicklich** instantaneous, momentary, present; *adv* at once, in a moment; **~blicks** instantly, immediately; **~braue** eyebrow; **~fällig** obvious, evident; **~heilkunde** ophthalmology; **~höhle** eye-socket; **~licht** eyesight; **~lid** eyelid; **~maß**: *e. gutes ~maß haben* to have a sure eye; **~merk** attention; **~pulver** a great strain on the eyes; **~ring** bag under the eye; **~schein** appearance, view; **~scheinlich** evident, apparent; **~weide** a feast for the eyes; **~wimper** eyelash; **~zahn** eye-tooth; **~zeuge** eye-witness

August August

Auktion auction; **~ator** auctioneer

Aula (general) assembly hall

aus out of, from; of; *(wegen)* for, on account of; *~ London* from London; *~ Holz* of wood; *~ Erfahrung* by experience; *~ Liebe* out of, for love; *~ Mangel an* for want of; *~ Unwissenheit* from ignorance; *~ dem Englischen übersetzen* to translate from the English; *adv* out, up; *(zu Ende)* over, at an end ♦ *weder (nicht) ein noch ~ wissen* not to know which way to turn, to be at one's wit's end; *es ist ~ mit ihm* he is done for

ausarbeit|en to work out; to elaborate, to perfect; **~ung** elaboration; perfecting

aus|atmen to breathe out, to exhale; **~baden** to suffer for; to face the music; **~baggern** to dredge

Ausbau extension, completion (of the interior); constructional alterations; ~en to complete; to convert into, to remodel into; to improve; ✿ to dismantle

aus|bauchen to puff out, to swell out; ~**bedingen** to stipulate (for); to reserve

ausbesser|n to mend, to repair; *(flicken)* to patch, to darn; to correct; ~**ung** mending, repair

Ausbeut|e gain, profit; yield; exploitation; ~**en** to exploit; *(Grube)* to work; *(Boden)* to exhaust, to deplete

aus|bezahlen to pay (and discharge); to make up a payment; ~**biegen** to bend; to turn aside, to make way for; ~**bieten** to cry (up), to offer for sale

ausbild|en to form, to perfect; to develop; to cultivate; to educate; to train, to drill; ~**ung** formation; development; cultivation; education; training

aus|bitten to ask for; to insist on; ~**blasen** to blow out; ~**bleiben** to stay out, away; to fail to appear, not to come; *su* non-appearance; absence; failure (to come); ~**bleichen** to bleach out; ~**blick** prospect, view; outlook; ~**blühen** to cease blooming; *fig* to fade; ~**bohren** to bore, to drill (out); ~**bomben** to bomb out, to blitz; ~**booten** to disembark; *fig* to turn out, to u... iss; ~**braten** to roast sufficiently; ~**brechen** to break out; to burst out; *in Gelächter* ~*brechen* to burst out laughing; ~**breiten** to spread (out); to stretch (out); to extend; *refl* to spread, to extend; to multiply; ~**brennen** *vt* to burn out; to scorch; to cauterize; *vi* to burn out; to cease burning; ~**bringen:** *j-s Gesundheit* ~*bringen* to propose s-b's health; ~**bruch** outbreak, eruption; escape; *fig* outburst; ~**brüten** to hatch; to brood *(a. fig)*; to contrive, to plot; ~**buchen** to take out of the accounts, to write off; ~**buchtung** indentation; ~**bügeln** to iron, to press; *fig umg* to settle, to correct; ~**bund** paragon; embodiment; ~**bürgern** to deprive of one's citizenship; ~**bürsten** to (give a good) brush

Ausdauer perseverance, endurance; stamina; assiduity; ~**nd** persevering; persistent; *bot* perennial

ausdehn|bar expansible; ductile; ~**barkeit** expansibility; ductility; ~**en** to expand, to stretch; to extend, to prolong; ~**ung** expansion; extension; extent, dimension

aus|denken to invent, to think out; to conceive, to contrive; *refl* to invent, to imagine; ~**deuten** to interpret; ~**drehen** to turn out; *(Hahn)* to turn off; ⚡ to switch off; to wring out

Ausdruck expression; term; ~**en** to print completely, to finish printing; ⁓**en** to squeeze out; *(Zigarette)* to put out; *fig* to express; *refl* to express o.s.; to speak; ⁓**lich** express, explicit; ~**slos** expressionless; blank

ausdünst|en to sweat out; to exhale; to perspire; *chem* to evaporate; ~**ung** exhalation; perspiration; evaporation

auseinander asunder, apart; separately; ~**brechen** to break (into); ~**bringen** to separate; ~**fahren** *vi* to separate suddenly; to scatter; ~**fallen** to go to pieces, to break up; ~**gehen** to separate; to break up; ~**halten** to distinguish between; ~**setzen** to explain, to set forth; *refl* to deal with; to settle; ~**setzung** explanation; statement; argument; dispute; 🔩 settlement; *s. auf e-e* ~*setzung einlassen* to take issue with

auser|koren chosen, picked; elect; ~**lesen** select, choice; exquisite; ~**sehen** to choose, to select; to destine

ausessen to empty (by eating); to eat up, to finish

ausfahr|en *vt* to take out for a drive, run; *vi* to go for a ride, drive; ~ to put to sea; *(Bergwerk)* to ascend; ~**t** drive, ride; departure; exit (road)

Ausfall *(Haar)* falling-out; *mil* sally, sortie; 🗡 lunge; loss, deficiency; absence, lack; stoppage; *fig* result, issue; ~**bürgschaft** deficiency guarantee; ~**en** to fall out; *mil* to sally out, to make a sortie; 🗡 to lunge; to be omitted; not to take place; to turn out, to prove; ~**end,** ⁓**ig** aggressive, insulting

aus|fasern to ravel out; to unravel; ~**fechten** to fight out; *umg* to have it out; ~**fegen** to sweep out; ~**feilen** to file out; *fig* to polish, to elaborate

ausfertig|en to draw up; to execute; to make out; to dispatch; ~**ung** drawing up; execution; dispatch; (original, copy of a) document; *in zweifacher (dreifacher)* ~*ung* in duplicate (triplicate)

aus|finden, ~**findig machen** to find out, to discover; ~**flicken** to patch; ~**fliegen** to fly out; to leave home; to make an excursion; ~**fließen** to flow out; ~**flucht** pretext; excuse; evasion; ~*flüchte machen* to beat about the bush, to shuffle; ~**flug** excursion, trip; flight; ~**fluß** flowing out; outlet; *(Fluß)* mouth; 🜨 discharge; *phys* emanation; *fig* result; expression; ~**folgen** to deliver, to hand over; ~**forschen** to search out; to inquire after; to explore; ~**fragen** to interrogate, to question

Ausfuhr export; *(ausgeführte Güter)* exports; ~**artikel** export item; ⁓**bar** practicable, feasible; exportable; ~**bewilligung** export licence; ⁓**en** to lead out, to take out; *(Waren)* to export; to execute, to perform; to carry out; to explain; ⁓**lich** detailed; full, ample; *adv* in detail, fully; ⁓**lichkeit** completeness; fullness of detail; ⁓**ung** execution; completion; performance; explanation; statement; finish; model; quality; ⁓**ungsbestimmungen** implementing regulations; ⁓**ungsgesetz** implementing law

ausfüll|en to fill up; to supply *(Formular)* to fill in, to complete, *bes US* to fill out; ~**ung** filling out; completion

Ausgabe distribution, issue; 📖 edition; ✍ delivery; 💰 issue; *(Geld)* expenditure, expense; *pl* (items of) expenditure; ~**stelle** issuing agency

Ausgang going out; exit, way out; end; conclusion; *(Freizeit)* day out, time off; *e-n guten ~ nehmen* to turn out well; **~sbasis** initial position; **~spunkt** starting-point; **~sverbot** curfew

ausgeben to give out; to distribute; *(Geld)* to spend; ♥ to deliver; *(Karten)* to deal; *s. ~ für* to pretend to be, to pass o.s. off for; *vi* to be sufficient, to last

ausge|baut elaborate; completed, improved; **~bombt** bombed-out, blitzed

Ausgeburt product, creature; *~ der Hölle* fiend

ausge|dehnt ample, vast, extensive; **~fallen** unusual, out-of-the-way; **~glichen** well-balanced; level-headed

ausgeh|en to go out; *(Haar)* to fall out; *(Farbe)* to fade; *(Geld)* to be spent; *(Waren)* to run out; to come to an end; *fig* to proceed from, on; *abends ~en* to have an evening out; *~en auf* to aim at, to be bent on; *leer ~en* to get nothing; **~verbot** curfew

ausge|kocht hard-boiled; **~lassen** unrestrained, wild; exuberant; **~lassenheit** exuberance; **~lastet sein** to work to capacity; **~macht** *fig* decided; downright; **~nommen** *prep* except, with the exception of

ausgerechnet just, precisely; *~ Fred!* it would be Fred!; *~ Sie! you* of all people!; *~ dieses Buch* this of all books; *~ in B.* in B. of all places; *als ~ Herr D. kam* when who should come but Mr D.

ausge|schlossen out of the question; impossible; **~schnitten** *(Kleid)* low(-necked); **~schrieben** written in full; **~sprochen** decided, marked; definite; **~sucht** selected; choice, exquisite; **~wogen** well-balanced, integrated; **~zeichnet** excellent; distinguished; outstanding

aus|giebig abundant; plentiful; **~gießen** to pour out; to empty

Ausgleich balancing, balance; equalization; offsetting; compensation; adjustment, regulation; evening out *(siehe* to even); arrangement; **~en** to make even, to even out; to equalize; to balance; to compensate; to spread evenly; **~getriebe** 🚗 differential (drive); **~ung** compensation; balance; settlement

aus|gleiten to slip; **~gliedern** to eliminate; to show separately; **~glühen** to anneal; **~graben** to dig out, up; to excavate; *(Leiche)* to exhume; **~greifen** to step out; **~guck** *bes* ⚓ lookout; **~guß** pouring out; sink, gutter; spout

aus|halten to hear, to stand (up to), to endure; *vi* to hold out; to persevere; **~handeln** to bargain; to negotiate; **~händigen** to deliver, to hand over

Aushang notice; **≈en** to hang out; *(Tür)* to unhinge; **≈eschild** sign-board

aus|harren to persevere; **~hauchen** to breathe out; to exhale; *d. Geist, Seele ~hauchen* to breathe one's last; **~hauen** to hew out; to carve; to cut (out); *(Baum)* to lop off; *(Wald)* to thin

ausheb|en to lift out, to take out; *(Tür)* to unhinge; *mil* to enlist, *(Armee)* to levy, to raise; **~ung** *mil* levy; conscription

aus|hecken to brew, to plot, to concoct; **~heilen** to heal up; to be (perfectly) healed; **~helfen** to help out, to assist *(mit* with); to supply *(mit* with); **~hilfe** (temporary) assistance; aid; stop-gap

ausholen *vt* to sound s-b; *vi* to lunge; *zum Schlag ~* to lift one's arm to strike *(a blow)*; *(fig) weit ~* to go far back

aus|horchen to sound, to pump s-b; **~hülsen** to shell; **~hungern** to starve out; **~jäten** to weed (out); **~kämmen** to comb out; **~kaufen** to buy out, up; **~kehren** to sweep out; **~kennen** *refl* to have a good knowledge of; to know (what's what); **~klang** end; **~klauben** to pick out; **~kleiden** to undress; to line; to case; to wainscot; to decorate; **~klingen** to die away; to end (with, in); **~klopfen** to beat (out); to trash; **~klopfer** carpet-beater; **~klügeln** to puzzle out; **~kneifen** to run away, *umg* to hook it; **~knipsen** ⚡ to switch off; **~knobeln** to gamble for, to toss for s-th, to toss up; to puzzle out

auskommen to get away, to escape; *~ mit j-m* to get along with, to get on with; *~ mit etw* to make do with, to manage with; *mit s-m Geld ~* to make both ends meet, to live within one's means; *su* livelihood; income

aus|kosten to taste; to enjoy (to the full); **~kramen** to turn out; to rummage up; **~kratzen** to scratch out; to erase; *umg* to bolt; **~kriechen** to creep out; **~kundschaften** to reconnoitre

Auskunft information; particulars; intelligence; **~sstelle** information bureau *(od* office), inquiries

auslachen to laugh at; to deride

auslad|en to unload; *umg* to cancel the invitation of; *vi* 🏛 to project; **~ung** unloading

Auslage outlay; expenses; display (of goods), window dressing

Ausland foreign country; *im ~, ins ~* abroad; *aus dem ~* from abroad; **≈er** foreigner, alien; **≈isch** foreign, alien; **~sgeschäft** foreign business; **~skredit** foreign credit; **~sreise** trip abroad; **~sschulden** foreign debts; **~svertreter** representative abroad

auslass|en to let out; to leave out, to omit; *(Fett)* to try out, to melt; *(Kleid)* to let down, out; *(Zorn)* to give vent to; *refl* to speak one's mind; **~ung** omission; statement; **~ungszeichen** apostrophe

Auslauf running out; departure; outlet; 🏃 finish; ✈ landing run; hen-run; **~en** to run out; to depart; to leak; ⚓ to put to sea; *fig* to expire; to mature; to end; **≈er** *(Berg)* spur; *bot* runner

aus|laugen to steep in lye; to leach out; *fig* to wear out; **~lauten** to end *(auf* in); **~leben** *refl* to enjoy life (to the full); to live a life of pleasure; **~leeren** to empty, to clear; to drain

ausleg|en to lay out; to display; *(Geld)* to advance; ✿ to inlay; *fig* to interpret; ~**ung** interpretation, meaning

ausleihen to lend; *refl* to borrow (*von* from)

Auslese selection, choice; élite; ~**n** to choose, to select; *(Buch)* to finish

ausliefer|n to deliver; ⚖ to extradite; ~**ung** delivery; ⚖ extradition

aus|liegen to be on show; ~**löffeln** to spoon out; ~**löschen** to extinguish, to put out; to quench; to wipe out, to blank out, to blot out; ~**löseknopf** ▣ shutter release; ~**losen** to draw by lot, to draw lots for; ~**lösen** to loosen; to redeem; *(Gefangenen)* to ransom; ✿ to release, to disengage; *fig* to cause; to awaken; ~**löser** ▣ release; ~**machen** *(Feuer)* to put out; ⚡ to switch off; ⚙ to turn off; to find out, to make out; to decide; *(ergeben)* to make; to constitute; to settle, to arrange; to agree upon; *d. macht nichts aus* that doesn't matter; *es macht 10 Mark aus* it amounts to 10 marks; ~**malen** to paint (out); *fig* to depict, to picture

Ausmarsch marching out; ~**ieren** to march out

Aus|maß extent, degree; scale; ~**mauern** to line with bricks; to wall up; ~**mergeln** to emaciate; to exhaust, to impoverish; ~**merzen** to eliminate; to remove; to reject; ~**messen** to measure; *(Land)* to survey; ~**messung** measuring; survey(ing); ~**mustern** to sort out; *mil* to reject, to muster out

Ausnahm|e exception; *mit* ~*e von* excepted, other than; ~**efall** exceptional case; ~**ezustand** (state of) emergency; ~**slos** without exception; ~**sweise** by way of exception; exceptionally

ausnehmen to take out; *(Huhn)* to draw; to except, to exclude; *(befreien)* to exempt; *fig* to bleed; *refl* to look; ~**d** exceptional, exquisite; *adv* extremely

aus|nutzen to use up, to utilize fully; to make the most of, to make good use of; to turn to account; to exploit; ~**packen** to unpack; to unburden one's heart; to inform against; ~**peitschen** to whip, to flog; ~**pfeifen** to hiss out; ~**pflanzen** to bed out, to pot out; ~**plappern, ~plaudern** to blab (out); to let out; ~**plündern** to plunder, to pillage; ~**polstern** to stuff, to pad; ~**posaunen** to blaze out, to blazon forth; ~**prägen** to coin, to mint; *refl* to be visible, to be marked; ~**pressen** to press out, to squeeze out; *fig* to extort from s-b; ~**probieren** to test, to try; to taste

Auspuff exhaust; ~**gas** exhaust gas; ~**rohr** exhaust pipe; ~**topf** *BE* silencer, *US* muffler; ~**ventil** exhaust valve

aus|pumpen to pump out; *fig* to exhaust; ~**punkten** 🥊 to out-point; ~**pusten** to blow out; ~**putzen** to clean; *(Baum)* to prune; ~**quetschen** to squeeze out; ~**radieren** to erase, to rub out; ~**rangieren** to cast off, to discard; ~**rauben** to rob, to pillage; ~**räumen** to clear away, to remove, to empty

ausrechn|en to reckon (out); to calculate; ~**ung** calculation, computation

Ausrede excuse, pretence; *umg* alibi; ~**n** *(vt)*

j-m etw ~*n* to dissuade s-b from s-th; *vi* to finish speaking

ausreichen to be sufficient; ~**d** sufficient, adequate; ample

Ausreise outward journey (voyage); ~**erlaubnis** exit permit; ~**n** *aus* to leave

aus|reiß|en to pull out, to tear out; to extract; *vi* to tear, to split; *fig* to bolt, to run away; ~**er** runaway, fugitive

aus|reiten to go for a ride (*od* airing); ~**richten** *(Nachricht)* to deliver; to execute, to do; to effect; *(Licht, Geschütz)* to train (*auf* on); to align; *mil* to dress; ~**richtung** orientation; alignment; dressing; ~**ringen** to wring out; ~**ritt** ride (on horseback); ~**roden** to root up; to clear; ~**rotten** to root up, out; to exterminate; ~**rücken** *mil* to decamp, to march out; *umg* to run away

Ausruf cry, shout; exclamation; ~**en** to call out; to cry out; 📢 to announce; to proclaim; ~**er** (town-)crier; ~**ezeichen, ~ungszeichen** exclamation-mark, note of exclamation; ~**ung** exclamation; proclamation

aus|ruhen to rest; ~**rupfen** to pull out; to pluck

ausrüst|en to furnish; *mil* to equip, to arm; to fit out; ~**ung** equipment, armament

aus|rutschen to skid, to slip; ~**saat** sowing; seed-corn; ~**saatfläche** area sown; ~**säen** to sow; *fig* to disseminate

Aussage declaration; statement; ⚖ deposition, evidence; *gram* predicate; ~**n** to say, to declare; to assert; ⚖ to depose, to give evidence

Aussatz ⚕ leprosy; ~**ig** leprous; ~**iger** leper

aussaugen to suck out; *fig* to drain, to bleed; ~**er** extortioner, parasite

aus|schachten to excavate; to sink; ~**schalten** to cut out, to eliminate; ⚡, ⚙ to switch off; ~**schank** selling of liquor; public bar

Ausschau ~ *halten nach* to be on the lookout for, to look out for; ~**en** to look out (for); *vi* to look speaking

ausscheid|en to separate; ⚕ to secrete; *vi* to withdraw, to retire; ~**ung** ⚕ secretion; ~**ungskampf** 🏃 qualifying round, eliminating round; ~**ungslauf** 🏃 preliminary heat, eliminator

aus|schelten to scold, to reprove; ~**schenken** to pour out; to sell (on draught); ~**schicken** to send out; ~**schießen** to shoot out; *fig* to cast out

ausschiff|en to put to sea, to disembark; *vi* to put to sea; ~**ung** disembarkation; landing

aus|schimpfen to scold, to berate; to abuse; ~**schlachten** to take out the entrails; *fig* to exploit, to make full use of; *(Auto etc)* to cannibalize; ~**schlafen** to have a good night's rest, to have enough sleep; *(Rausch)* to sleep off

Ausschlag *(Waage)* turn; *(Magnet)* deflection; ⚕ rash; (abrupt) movement; *fig* result; *d.* ~ *geben* to turn the scales, to decide the matter; ~**en** *vt* to beat out; to line; *(ablehnen)* to decline; *vi* to kick, to strike out; *bot* to sprout, to bud; to grow damp; *(Nadel)* to deflect; *fig* to turn out; **~gebend** decisive

ausschließ|en to shut out, to lock out; to exclude; ⚒ to disqualify; ⬚ to justify; **~lich** exclusive; **~ung** exclusion; ⚒ disqualification; ⬚ justification

ausschlüpfen to slip out

Ausschluß = Ausschließung; ⬚ quads and spaces; *unter ~ d. Öffentlichkeit* ⚯ in camera, in chambers, *pol* in closed session

aus|schmücken to adorn, to decorate; to embellish; **~schneiden** to cut out; **~schnitt** cut, cutting, opening; section; *(Kleid)* décolleté, low neck-line; **~schnitzen** to carve, to cut out; **~schöpfen** to drain (off), to empty; *fig* to exhaust

ausschreib|en to write out (in full); to copy; to announce; *(Arbeit)* to put up for tender; *(Stelle)* to advertise; to invite; **~ung** offering for public tender; invitation to apply for; public announcement

ausschreien to cry (out); to announce by crying

ausschreit|en to pace out; **~ung** riot; excess; *pl* facts of violence

Ausschuß committee, board; waste, rejects; **~sitzung** committee meeting; **~waren** rejects, sub-standard goods

aus|schütteln to shake out; **~schütten** to pour out, to empty; *(Dividende)* to pay out; to unburden *(one's heart)*

ausschweif|en to lead a dissolute life; **~end** dissolute; excessive; **~ung** excess; debauchery

aus|schwenken to rinse; **~schwitzen** to sweat out, to exude

aussehen to look, to appear; to look out *(nach* for); *es sieht nach ... aus* it looks like ...; *su* appearance; look; aspect; *d. ~ haben von* to look like; *dem ~ nach* to look at him (etc); *nach d. ~ urteilen* to judge by appearances

aussein to be out; to be over; *~ auf* to be after

außen outside; out of doors; outwardly; *von ~* from the outside; *~ befindlich* exterior, outer; **~antenne** outdoor aerial; **~aufnahme** ⬚ *BE* exterior shot, location shot; **~bahn** outside lane; **~bordmotor** outboard motor; **~dienst** outdoor service; field service; *mil* duties outside barracks, outpost service; **~handel** foreign trade; **~minister** Foreign Minister; **~politik** foreign policy; **~seite** outside; **~seiter** outsider; uninitiated layman; **~stände** outstanding debts; liabilities; **~stehender** outsider; **~stelle** branch (office); outside agency; **~welt** external (visible) world

aussenden to send out; *phys* to emit

außer 1. *prep* outside, out of; beyond; except, besides; *~ Betrieb* out of order; *~ Dienst* retired; *~ sich vor* beside o.s. with; *~ Kraft setzen* to annul; *~ Kurs setzen* to withdraw from circulation; 2. *conj* except; unless; save; *~ wenn* unless, except that; **~dem** besides, moreover; in addition; **~e** outward, outer; exterior,

external; *su* outside; *(external)* appearance; exterior; **~ehelich** illegitimate; **~gerichtlich** extra-judicial; **~gewöhnlich** extraordinary, unusual; **~halb** *prep* outside; *adv* on the outside; **~lich** outward; external; physical (fact); *fig* superficial; **~lich!** ⚕ external application only!; **~lichkeit** superficiality; **~n** to utter, to express; to show; *refl* to express o.s.; **~ordentlich** extraordinary; **~planmäßig** supernumerary; supplementary; additional; **~st** extreme, utmost; outermost; *sein ~stes tun* to do one's best; *aufs ~ste gefaßt sein* to be prepared for the worst; *adv* extremely; **~stande** unable, not in a position to; **~ung** expression, utterance; remark

aussetzen to set out; to expose; *(Belohnung)* to offer; *(Erbschaft)* to bequeath; ⚓ *(Boot)* to lower, *(Mannschaft)* to land; *(auf e-r Insel)* to maroon; to postpone, to interrupt; to stop; *vi* ☿ to break down, *umg* to conk out; *etw ~ an* to find fault with; *refl* to expose o.s. to

Aussicht view, prospect; look-out; *~ bieten auf* to look out on; **~slos** hopeless; losing; **~slosigkeit** hopeless outlook for

aussied|eln to evacuate, to deport; **~ler** emigrant settler; resettler; **~lung** emigration, resettlement; compulsory transfer

aussinnen to contrive, to devise

aussöhn|en to reconcile; *refl* to make one's peace with; **~ung** reconciliation

aus|sondern, ~sortieren to sort (out); to single out; to select; **~spähen** to explore; to look out *(nach* for)

ausspann|en to unharness; to spread (out); *refl, vi* to relax; **~ung** relaxation

aus|sparen to leave space for; to by-pass; **~speien** to spit (out); to belch; **~sperren** to lock out; **~spielen** to finish playing; *(Karten)* to lead; *fig* to play off *(one against another)*; **~spinnen** to spin out; *fig* to enlarge upon; to think out; **~spionieren** to spy out; **~sprache** pronunciation, articulation; accent; talk, discussion; **~sprechen** to pronounce, to articulate; to express; to utter; *refl* to speak one's mind; **~spreizen** to straddle; **~spritzen** to squirt out, to spout; ⚕ to syringe; **~spruch** utterance; saying; dictum; **~spucken** to spit out; **~spülen** to rinse, to wash out; **~spüren** to track (out), to trace; **~staffieren** to furnish, to equip; to decorate, to smarten up

Ausstand strike *(in d. ~ treten* to go on s.); outstanding debt; **~ig** on strike

ausstatt|en to equip; to appoint; to give a dowry to; **~ung** equipment, outfit; endowment; terms; get-up

ausstechen to dig out; to cut out; to engrave; *fig* to get the better of, to cut out; to outshine

ausstehen to bear, to endure; *nicht ~ können* to hate, to loathe; *vi* to be outstanding, to be still expected

aussteigen to get out; to get off *(the tram)*, 🚋 to leave; ⚓ to disembark

ausstell|en to expose; to exhibit, to display; *(Wache)* to post; *(Zeugnis, Paß)* to issue;

(Scheck, Wechsel) to draw; to make out; ~**ung** exhibition, exposition; show; *(Wechsel etc)* drawing; *~ungen machen* to find fault *(an with)*

aussterben to die out; to become extinct; to die one after the other

Aussteuer (marriage) dowry; trousseau, marriage-portion

aus|stopfen to stuff; ~**stoß** output; ~**stoßen** to push out; *(Schrei)* to utter; *fig* to cast out, to expel

ausstrahl|en to beam *(bes ⟨⟩)*; to emit, to radiate; ~**ung** emission, radiation; *fig* repercussion *(auf* on)

aus|strecken to stretch out, to extend; ~**streichen** to strike out, to cross out; to cancel; *(glätten)* to smooth out; ~**strömen** to pour forth; to flow out; to emanate; ~**suchen** to select, to choose

Austausch exchange; barter; ~**bedingungen** terms of trade; ~**en** to exchange; to barter; ~**geschäft** barter transaction; ~**stoff** substitute material

austeil|en to distribute; ~**ung** distribution

Auster oyster; ~**nfischer** oyster-dredger

Austrag decision; issue; ~**en** to deliver; to carry out; to distribute; 🠪 to decide, *e-n Wettkampf ~en* to contest an event; to carry *(child)* for the full term

austreib|en to drive out; to expel; ⟨⟩ to evict; to cast out; to exorcize; *j-m etw ~en* to break s-b of the habit of; ~**ung** expulsion; exorcism

austreten to tread out, to trample out; to wear out; *vi* to retire, to leave; to withdraw *(aus* from), *eccl* to secede *(aus* from); *(Toilette) umg (Herren)* to see a man about a dog, *(Damen)* to spend a penny, to powder one's pose

aus|trinken to drink up, to empty, to drain; ~**tritt** exit; stepping out; retirement, leaving, withdrawal *(aus* from); ~**trocknen** to dry up; to desiccate

ausüb|en to exercise, to practise; to execute; *(Einfluß)* to exert; *e. Geschäft ~en* to be engaged in business, to carry on a trade; ~**ung** exercise; practice

Ausverkauf clearance sale; ~**en** to sell off, to hold a clearance sale; ~**t** sold out

auswachsen *vt (Kleid)* to outgrow; *vi* to sprout; to germinate; *refl* to develop

Auswahl choice, selection; assortment, sample; ~**en** to choose, to select

Auswander|er emigrant; ~**n** to emigrate; ~**ung** emigration

auswärt|ig living elsewhere, out of town; outside; foreign; ~**iges Amt** Foreign Office; ~**s** outward(s); out of doors; abroad

auswaschen to wash out, away; to rinse

auswechsel|bar interchangeable; ~**n** to exchange, to change for; to interchange; ~**ung** exchange

Ausweg way out *(a. fig)*; expedient; loophole; ~**los** hopeless, aimless

ausweich|en to make way for; to avoid, to escape; to dodge, to parry; ~**end** evasive; ~**e** 🟊

siding; ~**klausel** escape clause; ~**stelle** 🚂 siding; emergency quarters *(od* office)

aus|weiden to disembowel, to draw; ~**weinen** *refl* to cry one's eyes out

Ausweis identity card, proof; document, statement, return; ~**en** to expel, to deport; *(in Tabelle)* to show; *refl* to establish (prove) one's identity; ~**papiere** identity papers; ~**ung** expulsion

auswendig outward, outer, exterior; *fig* by heart, by rote; from memory

auswerfen to throw out, to eject; ⚓ to cast; *(Summe)* to provide, *(Gehalt)* to fix; 💲 to expectorate

auswert|en to extract valuable material from, *umg* to get the meat out of; *(abwägen)* to evaluate; *(Nutzen ziehen)* to capitalize; *(Kurve)* to plot, to interpret; ~**ung** evaluation; interpretation

auswirk|en *refl* to operate; to bear *(auf* upon), to make o.s. felt *(auf* on); *s. ~en lassen* to bring to bear *(auf* upon); ~**ung** result, effect; repercussion

auswischen to wipe out; *j-m eins ~* to hit out at s-b, to deal s-b a blow

Aus|wuchs growth, excrescence; *fig* abuse; ~**wurf** refuse, scum; 💲 discharge, expectoration ⌈out; ~**ung** payment

auszahl|en to pay out, down; ~**en** to count

auszeichn|en to mark out, to note; to distinguish; to price; *refl* to distinguish o.s.; ~**ung** distinction; decoration

ausziehen to pull out, to extract; *(Kleid)* to take off; *(Zeichnung)* to ink in; *refl* to undress; *vi* to set out; to march off; *(um-)* to move (house), to remove

auszischen to hiss off the stage

Auszug excerpt, extract; departure; marching out; *(Um-)* removal

auszupfen to pluck out; *(Stoff)* to unravel

authentisch authentic

Auto (motor-)car; *~ fahren* to motor, to drive a car; ~**bahn** *BE* motorway, *US* superhighway; ~**biographie** autobiography; ~**brille** goggles; ~**bus** (motor-)bus; motor coach; ~**didakt** self-taught person; ~**droschke** taxi-cab; ~**fahrer** motorist, driver; ~**fahrt** motoring trip, motor ride; ~**falle** (police) trap; ~**friedhof** junkyard; ~**gen** autogenous; ~**gramm** autograph; ~**grammjäger** autograph hunter; ~**händler** motor-car dealer; ~**hupe** hooter, horn; ~**kratie** autarchy; ~**mat** automatic machine; slot-machine, vending machine; ⚙ automatic lathe; self-service restaurant; *fig* automaton, robot; ~**matenstahl** high-speed steel; ~**matik** automatism; ~**mation** automation; ~**matisch** automatic; ~**matisieren** to automate, to automatize; ~**matisierung** automation; ~**nom** autonomous; of one's own volition; ~**nomie** autonomy; ~**rennen** motor-race; ~**psie** post-mortem, autopsy; ~**schlosser** car mechanic; ~**schlüssel** car key; ~**typie** ⊞ halftone *(block, process)*; ~**unfall** car accident; ~**verkehr** motor traffic

Autor author, writer; **~enhonorar** author's royalty; **~isieren** to authorize; **~ritär** authoritarian; *adv* by authority; **~ität** authority; **~schaft** authorship
avancieren to advance, to be promoted
Axt axe; hatchet

B

B (the letter) B; ♪ b flat; **B-Dur** b flat major; **b-Moll** b flat minor
babbeln to babble
Baby baby; **~ausstattung** layette, baby-linen
Bach brook, rivulet; stream
Back ⚓ forecastle; mess; **~apfel** cooking apple; **~blech** cake tin, pie tin; **~bord** ⚓ port; **~e** cheek; **~enbart** whiskers; **~enknochen** cheekbone; **~enzahn** molar, grinder; **⁓̈er** baker; **⁓̈erei** baker's shop; bakery; **~fett** shortening; **~fisch** flapper, *bes US* bobby-soxer; teenager; **~obst** dried fruit; **~ofen** oven; **~pfeife** box on the ear; **~pflaume** prune; **~pulver** baking-powder; **~rohr** oven; **~schüssel** baking-dish; **~stein** brick; **~waren** pastry-cook's products; pastry
Bad bath(-room); watering-place, spa
Bade|anstalt swimming-pool; baths; **~anzug** bathing-costume, swimsuit; **~arzt** doctor (at a spa); **~gast** visitor to (patient at) a spa; bather; **~hose** (bathing-) trunks, bathing-shorts; **~kappe** bathing-cap; **~kur** taking the waters, course of baths; **~mantel** bathing-gown, bathrobe; **~meister** bath attendant; swimming-instructor; **~n** to have a bath, *bes BE* to bath; *(im Freien)* to bathe; **~ofen** bath-stove, *BE* geyser; **~ort** watering-place, spa; **~r** barber; **~strand** bathing-beach; **~tuch** bath-towel; **~wanne** bath(-tub); **~zeug** bathing-things; **~zimmer** bath(-room)
Bagage *mil* (baggage) train; luggage, baggage; *umg* rabble; *d. ganze ~* the whole caboodle
Bagatell|e a trifle, a trifling matter **~isieren** to make light of, to minimize
Bagger excavator; *(Naß-) BE* dredger, dredge; **~n** to excavate; to dredge
Bahn way, course; track (*a.* ⚽); lane, *BE* carriageway; *astr* orbit; *(Stoff)* panel, width; 🚂 railway, *US* railroad; *s. ~ brechen* to find a way, to make one's way; *aus d. ~ geworfen werden* to be thrown out of gear, to have one's career broken off ♦ *auf d. schiefe ~ geraten* to go wrong, to get into crooked ways; *per ~* by rail; **~anlagen** railway installations; **~arbeiter** railway man; **~beamter** railway official; **~brechend** pioneer(ing); epoch-making; **~brecher** *fig* pioneer; **~damm** (railway) embankment; **~en** to open a way, to beat a way (to, through); *fig* to pave the way for, to blaze a trail; *s. e-n Weg ~en durch* to force one's way through; **~gleis** track; **~hof** (railway) station; **~körper** permanent way; railway right-of-way; **~linie** (railway) line; **~netz** railway system; **~rennen** ⚽ track race; **~steig** platform; **~steigkarte** platform-ticket; **~strecke** (railway) line; **~übergang** railway crossing; bridge; **~wärter** signalman
Bahr|e ⚕ stretcher; barrow; *(Toten-)* bier; **~tuch** pall
Bai bay
Baiser meringue
Baisse *(Markt)* decline, depression; *(Preis)* drop, fall; slump
Bajonett bayonet; **~verschluß** bayonet joint
Bake beacon; **~lit** bakelite
Bakterie bacterium; *US umg* bug
Balanc|e equilibrium; balance (*die ~e halten* to keep one's b.; *d. ~e verlieren* to lose one's b.); **~ieren** to balance
bald soon, shortly; *~ ... ~* sometimes ... sometimes; *~ so, ~ so* sometimes one way and sometimes another; *möglichst ~* as quickly as possible, as soon as possible, at the earliest moment; almost, nearly; **⁓̈e**: *in ⁓̈e* soon; **~ig** quick; early
Balg skin, hide; bellows; *fig* brat; **~en** *refl* to romp; to fight
Balken beam, balk; *(Träger)* girder; *lügen, daß s. d. ~ biegen* to tell a thumping lie; **~werk** framework
Balkon balcony; *(Kino)* circle
Ball ball; globe, sphere; *(Tanz)* ball, dance; **~ade** ballad; **~ast** ballast; *fig* burden, impediment; dead weight; **~en** *su* bale, pack; *(Fuß)* ball; *vt* to bale; *(Faust)* to clench; *refl* to gather; **~ett** ballet; **~ettänzer** ballet-dancer; **~ettänzerin** ballet-dancer; *(Revue)* chorus-girl; **~kleid** evening dress; **~on** balloon; *(Behälter)* carboy, demijohn; **~onreifen** balloon tyre; **~saal** dancing-hall, ball-room; **~spiel** ⚽ game of ball
Balsam balm, balsam; **~ieren** to embalm; **~isch** balmy; **~tanne** balsam
Balt|e Baltic native; **~enland** Baltic territory; **~isch** Baltic
Balz pairing (time); **~en** to call, to pair
Bambus bamboo; **~rohr** bamboo cane
banal banal, trivial; **~ität** banality
Banane banana; **~nstecker** ⚡ banana plug
Banause philistine, lowbrow
Band 📖 volume ♦ *⁓̈e sprechen* to speak volumes, to be most revealing; ribbon, band; tape; *(Faß)* hoop; ⚕ ligament; ⚕ bandage; *fig* tie, bond; **~e** *pl* fetters; *laufendes ~* conveyor belt; *am laufenden ~* on the assembly line, *fig* uninterruptedly, all the time; **~e** band, gang; **~erole** revenue stamp; **⁓̈igen** to tame; to break in; *fig* to subdue; **~it** bandit, highwayman; **~maß** tape measure; **~nudeln** noodles; **~waren** narrow fabrics; haberdashery; **~wurm** tapeworm
bang|e alarmed, uneasy; *~e machen* to frighten; *su* worry, anxiety; *keine ~e!* don't worry!; **~emacher** alarmist; **~en** to be afraid; *refl* to be worried (*um* about); **~igkeit** fear, anxiety; **⁓̈lich** (rather) anxious, timid
Banjo banjo

Bank bank; *(Sitz-)* bench, seat; *(Schule)* form; *eccl* pew; *durch d.* ~ (one and) all, without exception ♦ *auf die lange* ~ *schieben* to put off, to delay; **~abschluß** balance-sheet; **~anweisung** cheque; **~beamter** bank clerk; **~guthaben** bank balance; **~halter** banker; **~konto** bank account; **~note** bank-note; **~satz** bank rate; **~wesen** banking (system)
Bankett banquet; (highway) shoulder
Bankier banker; financier
Bankrott bankruptcy; failure, insolvency; *adj* bankrupt (~ *machen* to go b.), broke; **~eur** bankrupt
Bann ban; *eccl* excommunication, anathema; *fig* spell; **~en** to banish; to excommunicate; **~er** banner, standard
Bar bar(-room); *adj* bare, naked; devoid of; *~er Unsinn* sheer nonsense; in cash; *~es Geld* ready money, cash; ~ *zahlen* to pay cash (down); *gegen* ~ for cash; *Lieferung gegen* ~ cash on delivery; **~auslage** outlay incurred; **~fuß, ~füßig** barefooted; **~geld** ready money, notes and coin, cash; **~geldlos** cashless; **~häuptig** bareheaded; **~preis** cash price; **~schaft** cash, ready money; **~scheck** cashable *(od* uncrossed) cheque; **~zahlung** cash payment, cash down
Bär bear; *d. Große* ~ *(astr)* the Great Bear, the Plough; *d. Kleine* ~ the Little Bear ♦ *j-m e-n ~en aufbinden* to pull s-b's leg; **~beißig** grumpy, surly
Baracke hut, barrack; **~nlager** wooden huts, hutment
Barbar barbarian; **~ei** barbarism; barbarity; barbarousness; **~isch** *(roh)* barbarous; *(ungebildet)* barbaric
Barett cap; biretta
Bariton baritone
Barkasse launch
barmherzig merciful, compassionate; **~keit** mercy, compassion
Barock baroque style *(od* architecture); *adj* baroque
Barometer barometer, *umg* glass *(d.* ~ *steigt* the g. is going up); *fig (Stimmungs-)* barometer of opinion
Baron baron; **~et** baronet; **~etsrang** baronetcy; **~in** baroness; **~srang** barony
Barre bar; *(Metall)* ingot; **~n** ingot; *(Gold)* bar, bullion; 🏋 parallel bars
Barriere barrier, bar; 🚪 gate
Barrikade barricade
Barsch *zool* perch, bass; *adj* harsh, gruff, rude, cavalier
Bart beard *(e-n* ~ *tragen* to wear a b.; *e-n* ~ *stehenlassen* to grow a b.); *(Hahn)* wattle; *(Katze)* whiskers; *zool* barb; *(Schlüssel)* bit ♦ *e. Streit um d. Kaisers* ~ a quarrel about trifles; *d.* ~ *ist ab* we're sunk; **~ig** bearded; **~los** beardless
Base cousin; *chem* base; **~ball** baseball; **~edow** 🩺 Graves' disease, exophthalmic goitre; **~ieren** *vt* to base, to found *(auf* on); *vi* to be based *(auf* on); **~ilika** basilica; **~ilisk** basi-

lisk; **~is** 🏛, *math, mil* base; *fig* basis; **~isch** basic
Bask|e Basque; **~enmütze** beret; **~isch** Basque
Basketball basket-ball
baß *adv* very; *su* ♪ bass; **~geige** bass viol; **~instrument** bass (instrumnent)
Bassist bass singer
Baß|sänger bass (singer); **~spieler** bass; **~stimme** bass (voice)
Bassin basin, reservoir; *(Schwimm-)* swimming-pool
Bast bast, bass; **~a:** *damit ~a!* so that's that, that's final!; **~ard** bastard, hybrid; **~ei** = **~ion;** **~eln** to work at a hobby, to be engaged in amateur handicrafts; to tinker, to potter *(an* at); **~ler** amateur; do-it-yourselfer; **~ion** bastion
Bataillon battalion
Batist cambric
Batterie ⚡, *mil* battery
Batzen lump; *e. hübscher* ~ *(Geld)* a tidy sum
Bau building, construction; edifice; structure; build, organism ♦ *vom* ~ *sein* to know the ropes, to be an expert; *(Fuchs)* kennel, earth; hole, burrow; **~abschnitt** stage of construction; **~amt** Board of Works; **~arbeiten** building works, construction works; **~arbeiter** building worker; **~art** style (of construction); ⚙ construction; **~behörde** building authority; **~fällig** dilapidated, tumble-down, ramshackle; **~führer** building foreman; **~genossenschaft** building cooperative, building society; **~gerüst** scaffolding; **~gewerbe** building industry, builder's trade; **~herr** promoter, sponsor; employer; purchaser, owner; client; **~klotz** block ♦ *~klötze staunen* to have the surprise of one's life; **~kosten** building costs; **~kostenzuschuß** housing subsidy; **~kunst** architecture; **~leute** workmen, builders; **~lich** architectural, constructional; **~meister** architect, (master-) builder; **~plan** building *(od* construction) plan; ⚙ blueprint; **~platz** (building) site, lot; **~polizei** official inspectors of buildings; **~polizeilich** official; **~polizeiliche Vorschriften** building-code provisions; **~sparen** saving through building and loan associations; **~sparkasse** building and loan association; **~sparvertrag** building society savings contract; **~stahl** engineering steel, structural steel; **~stein** brick; **~stelle** building site, construction site; **~stil** architectural style; **~stoff** building-material; **~unternehmer** building contractor; **~weise** construction method; **~werk** structure; building; **~wirtschaft** building trade; **~zeichnung** architectural plan
Bauch *(bes Tier, Gegenstand)* belly; *(Magen)* stomach, *umg* tummy; *(Unterleib)* abdomen ♦ *auf d.* ~ *liegen vor* to lick s-b's boots; *s. d.* ~ *halten vor Lachen* to split one's sides with laughing; *s. d.* ~ *vollschlagen* to gorge o.s.; **~ig** bellied, bulging; **~höhle** abdominal cavity; **~landung** ✈ belly landing; **~redner** ven-

triloquist; **~speicheldrüse** pancreas; **~weh** stomach-ache, *umg* the gripes

bauen to build, to construct; ⚒ to cultivate; *fig* to rely (**auf** on)

Bauer farmer, peasant; *(Bau)* builder, constructor, erector; *(Vogel)* bird-cage; *(Karten)* knave; *(Schach)* pawn; *fig* boor; **~in** farmer's wife, peasant woman; **~lich** rural, country; rustic; **~isch** rustic, boorish; **~nbursche** country lad; **~nfänger** crook; **~nhaus** farmhouse; **~nhof** farm; barnyard; **~nschaft** peasantry; **~nschlau** canny; **~nschläue**, **~nschlauheit** canniness, native cunning; **~sfrau** farmer's wife; **~sleute** peasants

Baum tree; pole; *(Web-)* warp beam; ⚓ boom ♦ *um auf die ~e zu klettern* enough to drive one crazy; **~eln** to dangle; **~en** *vt* to beam; *refl* to rear, to prance; **~heide** brier; **~lang** tall as a lamp-post; **~los** treeless; **~rinde** bark; **~schere** pruning-shears; **~schule** nursery; **~schütze** sniper; **~stamm** trunk; **~wolle** cotton; **~wollen** (made of) cotton; **~wollspinnerei** cotton-mill

Bausch pad, bolster; *in ~ und Bogen* lock, stock and barrel; in the lump; indiscriminately; **~en** to bag, to bulge, to belly; to swell out; **~ig** baggy, puffy

Bay|er Bavarian; **~risch** Bavarian

Bazar bazaar

Bazillus bacillus

beabsichtigen to intend, to mean

beacht|en to mark, to take notice of; to observe; **~enswert** worth consideration; noteworthy; **~ung** consideration; attention; *~ung schenken* to attend to

Beamte|napparat staff of officials; **~ngesetz** Civil Service Act; **~nlaufbahn** civil service career; *d. ~nlaufbahn einschlagen* to enter the civil service; **~nschaft** civil servants, public officials; **~ntum** officialdom; **~nwirtschaft** red-tapism, bureaucracy; **~r** (public) official; civil servant

beängstig|en to alarm

beanspruch|en to claim, to demand; *(Aufmerksamkeit)* to engross; *(Zeit)* to take up; *s-e Zeit wird sehr ~t* he has many calls on his time; *für s. ~ s.* to arrogate; **~ung** resort to; taking up; demands made on; arrogation

beanstand|en to object to; to criticize; to reject; **~et** claimed to be defective; **~ung** objection; complaint

beantrag|en to apply for, to make application for; *schriftlich ~en* to apply for in writing; to move, to propose

beantwort|en to answer, to reply to; **~ung** answer(ing), reply; *in ~ung* in answer to, answering . . .

bearbeit|en to work (on, at); *chem* to process; to fashion; to deal with; ✋, ☞ to adapt; *(redigieren)* to edit; *(als Vertreter)* to canvass; ⚒ to cultivate, to till; to treat, to prepare; **~er** editor; adapter; author; **~ung** adaptation; ♪ arrangement; *chem* process(ing); canvassing; ⚙ machining; manufacturing

beargwöhnen to suspect

beaufsichtigen to supervise, to superintend; to keep an eye on

beauftrag|en to commission; to instruct; **~ter** agent; deputy; representative; ⚖ mandatary

bebau|en to build on; ⚒ to cultivate; **~t** built-up

beben to tremble, to shake (*vor* with); *su* trembling, shaking

be|bildert illustrated; **~brillt** bespectacled

Becher cup; tumbler; mug; *(Würfel-)* dice-box; **~n** to tipple, to booze

Becken basin; 🩺 pelvis; swimming-pool; ♪ cymbals

Bedacht consideration; deliberation; *adj* mindful (of); intent (on); *~ sein auf* to be anxious to do, to be intent (on doing); **~ig** prudent, circumspect; slow; **~igkeit** circumspection; slowness; **~sam** considerate; careful; **~samkeit** considerateness, thoughtfulness; caution

bedank|en *refl* to thank; *ich ~e mich dafür!* no, thank you very much!

Bedarf requirement; demand (*für* for); *(dringend)* want, need; *~ haben an* to require, to be in need of; *nach ~* according to requirement; **~sartikel** article of consumption; *pl =* **~sgüter**; **~sfall:** *im ~sfall* in case of need, if necessary; **~sgüter** consumer goods, necessaries; **~shaltestelle** request stop; **~sträger** user, consumer; **~sweckung** consumptionism

bedauer|lich regrettable, deplorable; **~n** to regret; to pity, to be sorry for s-b; *su* regret (*zu m-m großen ~n* to my great r.); sympathy; **~nswert** deplorable; pitiable

bedeck|en to cover; *refl* to put on one's hat; **~t** *(Himmel)* overcast; **~ung** covering; protection; *mil* escort, convoy

bedenk|en *vt* to consider, to think over; to bear in mind· to provide (*mit* with); *(vererben)* to bequeath; *refl* to reflect; *s. anders ~en* to change one's mind; *su* consideration; hesitation; scruple; misgiving(s); *~en tragen* to hesitate; **~lich** doubtful, uncertain; critical, risky; scrupulous; **~zeit** time for reflection

bedeut|en to mean, to signify; *(durch Zeichen)* to motion (s-b to do); to inform; to be of importance; *es hat nichts zu ~en* it is of no consequence; *was soll d. ~en?* what does that mean?; **~end** important; significant; great; **~sam** significant; **~ung** meaning; significance; account, bearing (*von ~ung sein für* to have a b. on); **~ungsgleich** synonymous; **~ungslos** without significance, insignificant, of no account; meaningless; **~ungsvoll** momentous; significant

bedien|en to serve, to attend; ⚙ to work, to operate; *(Karten)* to follow suit; *refl* to help o.s., to make use of, to avail o.s. of; **~ter** servant; **~ung** service, attendance; servants

beding|en to stipulate; to imply; **~t** conditional; qualified; *adv* provisionally; **~ung** condition; stipulation; *pl a.* terms; **~ungslos** unconditional; **~ungssatz** conditional clause; **~ungsweise** conditionally

bedräng|en to press hard, to beset; to oppress; **~nis** distress; oppression; trouble

bedroh|en to threaten, to menace; **~lich** threatening, menacing; **~ung** threat, menace; *(tätliche)* assault

bedruck|en to imprint; **~en** to oppress, to harass; **~er** oppressor; **~t** depressed, blue; **~ung** oppression; distress, vexation

bedürf|en to need, to require; to want; **~nis** need, want; necessity; desire; **~nisanstalt** lavatory, public convenience; **~nislos** having no wants; frugal; unassuming; **~tig** needy; helpless; indigent; **~tigkeit** need(iness); indigence

Beefsteak (fillet-)steak; *deutsches ~* rissole steak

beehren to honour; to favour (*mit* with); *refl* to have the honour (to do)

beeidig|en to confirm by oath; to tender an oath to; **~t** sworn

beeilen *refl* to make haste, to hurry

beeindrucken to impress

beeinfluss|en to influence, to bias; **~ung** influencing

beeinträchtig|en to impair; to prejudice, to infringe; **~ung** impairment; prejudice; injury

beend(ig)|en to finish, to end; to terminate; **~ung** finish, end; termination

beeng|en to narrow; to hamper; *s. ~t fühlen* to feel oppressed

beerben to be heir to, to inherit s-b's property

beerdig|en to bury, to inter; **~ung** burial, funeral; **~ungsgottesdienst** funeral service

Beere berry; **~nobst** soft fruit

Beet bed; **~e** (red) beet, *bes BE* beetroot

befähig|en to enable, to qualify; **~t** qualified, fit; talented; **~ung** aptitude, capacity; qualification

befahr|bar passable, practicable; ⚓ navigable; **~en** to drive over; ⚓ to navigate

befallen to befall, to attack

befangen embarrassed, self-conscious; prejudiced, biased; *in e-m Irrtum ~ sein* to labour under a misapprehension; **~heit** confusion; prejudice, bias

befassen *vt* to ask s-b to deal with; *refl* to occupy o.s. (*mit* with), to be engaged (*mit* in)

befehden to be at feud with, to make war upon

Befehl order, command; mandate; *zu ~!* Right, Sir!; **~en** to order, to command; to dictate, to bid; *refl* to command o.s. to; **~end** imperative, commanding; mandatory; **~igen** to command; to lead; **~sausgabe**, **~serteilung** issue of orders; briefing; **~sform** imperative (mood); **~shaber** commander; **~shaberisch** imperious, dictatorial

befestig|en to fasten; *mil* to fortify; *(Straße)* to pave; *fig* to strengthen; **~ung** fastening; fortification; pavement

be|feuchten to wet, to moisten

befind|en to find, to think; *refl* to be; to feel; *su* (state of) health; state of affairs; *s. nach j-s ~en*

erkundigen to inquire after s-b; **~lich** being, existing; contained in

befingern to finger

be|flaggen to adorn with flags, to (be)flag; **~flecken** to blot, to stain, to spot; *fig* to pollute; **~fleißigen** *refl* to take great pains; to endeavour; to devote o.s. to

beflissen studious, assiduous; intent on; **~heit** assiduity

beflügeln to wing; to lend speed to

befolg|en to follow, to obey, to observe; **~ung** observance (of); adherence (to)

beförder|n to forward, to dispatch, to transport; to ship, to convey; *fig* to promote; **~ung** forwarding, dispatch; conveyance; *fig* promotion; **~ungskosten** (cost of) carriage

be|frachten to load, to freight; **~fragen** to question, to interrogate, to examine

befrei|en to (set) free; to deliver; to liberate; to release; *~en von* to exempt from, to excuse *(he has been excused gym)*; **~er** liberator; **~ung** liberation; deliverance; exemption, immunity

befremd|en to appear strange to, to surprise; to impress unfavourably; *su* surprise; dislike; **~lich** strange

befreund|en to befriend; *s. ~en mit* to make (*od* become) friends with

befried|en to pacify, to bring peace to; **~igen** to satisfy; to appease; **~igend** satisfactory; **~igung** satisfaction; appeasement

befrist|en to time, to limit (in time); to set a deadline for; **~et** time . . .

befrucht|en to fertilize; to impregnate; *fig* to inspire, to stimulate; **~ung** fertilization; impregnation

Befug|nis authority; right, permission; *(schriftl.)* warrant; ⚙ competence; *s-e ~nisse überschreiten* to override one's commission; **~t** authorized; entitled

befühlen to feel, to touch

Befund state; finding; report; ⚕ diagnosis

befürcht|en to fear, to apprehend; **~ung** fear, apprehension

befürwort|en to recommend; to advocate; **~ung** recommendation

begab|en to endow s-b (with); to bestow upon s-b; **~t** gifted, talented; **~ung** gift, talent; aptitude, abilities

be|gaffen to gape at; **~gaunern** to cheat

begeben *vt (Wechsel)* to negotiate; *refl* to go (*nach* to), to proceed (*nach* to); *s. ins Bett ~* to go to bed; *s. auf e-e Reise ~* to start on a journey; *es begab s.* it came to pass; **~heit** occurrence, happening

begegn|en to meet (with), to encounter; to treat; to deal with, to take measures against; **~ung** meeting, encounter; reception

begeh|en to walk on, to go over; to traverse; to celebrate; *(Irrtum etc)* to commit; **~ung** traversing; celebration; commission

Begehr desire; demand; **~en** to desire; to covet; to demand; *~t sein* to be sought after; to be in demand; *su* desire; **~enswert** desirable; **~lich** desirous; covetous

begeifern to beslaver, to beslobber; *fig* to slander

begeister|n to inspire, to rouse; to fill with enthusiasm, *umg* to enthuse; *refl* to be enthusiastic (*über* about); ~t enthusiastic; ~ung enthusiasm, ardour

Begier|de longing; avidity; lust; ~ig desirous, covetous; avid (*nach* of, for)

begießen to sprinkle; *(Land)* to water; *(Braten)* to baste

Beginn beginning, outset; ~en to begin, to start; *su* undertaking

beglaubig|en to certify, to attest; to prove true; *pol* to accredit (*bei* to); ~ te Abschrift certified copy; ~ung authentication; *(durch Notar)* attestation

begleichen to settle, to pay; to honour, to meet, to make good

begleit|en to accompany; to attend; *mil* to escort; ⚓ to convoy; *nach Hause* ~en to see s-b home; ~er companion; attendant; ♪ accompanist; ~erscheinung concomitant (symptom, phenomenon); ~ung company; attendance; escort; ♪ accompaniment

beglück|en to make happy; to bless (*mit* with); ~t happy; ~wünschen to congratulate (*zu* on)

begnad|en to bless (*mit* with); ~igen to pardon; ~igung pardon, reprieve; *bedingte* ~igung (BE) release on ticket of leave, US release on parole

begnügen *refl* to be satisfied, to content o.s. (*mit* with)

begraben to bury ♦ *da liegt d. Hund* ~ that's the rub (*od* snag); *du kannst dich* ~ *lassen!* go and boil your head!, go jump in the lake!

Begräbnis burial, *(-feier)* funeral; ~platz burial ground

begreif|en to understand, to grasp, to comprehend; *in s.* ~en to include, to imply; ~lich comprehensible, understandable; conceivable; ~licherweise as may be imagined, naturally, of course

begrenz|en to bound, to border; to limit, to confine; ~theit limitation; ~ung limitation; boundary

Begriff notion, idea; concept, *schwer von* ~ dull (of apprehension); *im* ~ *sein* to be on the point of (doing), to be about (to do); ~en sein *in* to be engaged in, to be now (doing); *im Bau* ~en sein in the course of building; ~lich notional; conceptual; abstract; ~sbestimmung definition; ~sstutzig dull-witted; ~sverwirrung confusion of ideas

begründ|en to found, to establish; to confirm, to prove; ~en mit to state the reason on which . . . is based; *er* ~et *es damit, daß* . . . he argues that . . ., he states as a reason that . . .; ~et *adj* reasonable; ~ung foundation, establishment; motivation; reasons

begrüß|en to greet; to salute; to welcome; ~ung greeting; salute; welcome

begucken to have a look at

begünstig|en to favour; to promote; to patronize; ⚖ to act as an accessary after the fact;

~ter beneficiary; ~ung patronage; preferential treatment

begutacht|en to give an expert opinion on, to give one's judgment of; ~end consulting; ~ung (forming a) judgment on, expert opinion on

begüt|ert wealthy, well-off; ~igen to soothe, to placate; to appease

behäbig comfortable; portly, stout

behaftet afflicted (with); burdened (with); subject (to)

behag|en to please, to be agreeable to; *d.* ~t *mir nicht* I don't like (*od* want) that; *su* comfort, ease; ~lich comfortable, snug, cosy; ~lichkeit comfort, cosiness

behalt|en to keep (*bei sich* to o.s.; *d. Fassung* ~en to k. one's countenance); to retain; to remember; *recht* ~en to prove right; ~̈er container, receptacle; bin, case, box; ~̈er reservoir; tank

behand|eln to handle; to treat; to deal with; to manage; ⚕ to attend, to treat, (Wunde) to dress; ⚙ to work; ~lung management; ⚕ treatment, attendance; ~lungszimmer BE surgery, consulting-room

Behang hanging; drapery; ~̈en to hang (with); to drape (with)

beharr|en to persist, to persevere; to insist (*auf* on); ~lich persistent, persevering; assiduous, steady; ~lichkeit persistence; assiduity; determination

behauen to hew; to trim, to lop

behaupt|en to assert, to maintain; to claim, to allege; to argue; *(Preis)* to be maintained, to keep up; ~ung assertion; allegation; statement

Behausung lodging, dwelling; home

beheben to remove; to remedy

Behelf expedient, help; makeshift; ~en *refl* to make shift; to manage (with); to make do (with); to do (*ohne* without); to resort to; ~sheim (emergency) prefabricated dwelling, makeshift home; ~smäßig makeshift, improvised; temporary, emergency

behellig|en to molest, to trouble; ~ung molestation

behend|e nimble, agile; ~igkeit nimbleness, agility, alacrity

beherbergen to lodge, to put up; to shelter

beherrsch|en to rule (over); to govern; to have command of; *refl* to control o.s.; ~er ruler; ~ung rule; command; mastery; self-control; *d.* ~ung *verlieren* to lose one's temper

beherz|igen to take to heart; to think over; to mark; ~igenswert worthy of consideration; ~igung consideration, serious thought; ~t plucky, brave; ~theit pluck, daring

be|hexen to bewitch; ~hilflich helpful

behinder|n to hinder, to hamper, to handicap; ~ung handicap, obstacle

Behörd|e authority, official agency, board; ~lich official; administrative

Behuf: *zu diesem* ~ for this purpose; ~s on behalf of, for the purpose of

behüten to guard, to keep
behutsam cautious, prudent; careful; ~**keit** caution; prudence; care
bei at, by, near; among; with; on; ~ *d. Hand* at hand; ~ *d. Hand nehmen* to take by the hand; ~ *meiner Tante* at my aunt's; ~*m Bäcker* at the baker's; ~ *sich* about one, with one; ~ *Tage* by day; ~ *Nacht* at night; ~ *Gott* by God; ~ *diesem Wetter* in this weather; ~ *guter Gesundheit* in good health; ~ *dieser Gelegenheit* on this occasion; ~ *e-m Glas Wein* over a glass of wine; ~*zeiten* in good time; ~ *weitem* by far; ~ *weitem nicht* far from being, by no means; ~ *alledem* for all that; ~ *Smith* ♂ c/o Smith
bei|behalten to keep, to retain; to maintain; ~**bringen** to bring; to produce; to adduce; to inflict, to administer; to teach; to give an idea of
Beicht|e confession; ~**en** to confess; to go to confession; ~**kind** penitent; ~**stuhl** confessional; ~**vater** father confessor
beide both, the two; either; *wir* ~ both of us, we two; *alle* ~ both of them; *einer von* ~*n* one (*od* either) of the two, one of them; *keiner von* ~*n* neither of them; *er hat* ~ *Hände* he has both his hands; ~**mal** both times; ~**rlei** of both sorts, of either sort; ~*rlei Geschlechts* of both sexes; ~**rseitig** on both sides; mutual, reciprocal; ~**rseits** on both sides; mutually
beidrehen ♫ to heave to
beieinander together; *noch ganz gut* ~ still quite able
Beifahrer front-seat passenger; assistant driver
Beifall applause; approval; ~ *finden* to meet with a warm reception; *stürmischen* ~ *finden* to bring down the house; ~ *klatschen*, ~ *spenden* to applaud; ~*ig* favourable, approving; ~**srufe** acclamation
Beifilm supporting film
beifüg|en to add; to enclose; to affix; ~**ung** addition; enclosure; *gram* apposition
Beigabe addition, extra; free gift; supplement
beigeben to add to, to enclose; *klein* ~ to climb down, to draw in one's horns
Beige|schmack flavour, smack
Bei|heft supplement; ~**hilfe** aid, assistance; allowance, grant in aid; ♫ aiding and abetting
Beil axe, hatchet
Beilage enclosure; *(Zeitung)* supplement; inset; *(Essen)* vegetables, salad
beiläufig incidental, casual
beileg|en to enclose, to add; *(Wert)* to attach to; to attribute to; *(Titel)* to confer on; *(Streit)* to settle; *s.* ~*en* to assume *(a name)*; *vi* ♫ to heave to
Beileid sympathy; condolences; *sein* ~ *aussprechen* to condole with s-b *(upon the loss of)*; ~**sbesuch** visit of condolence; ~**sbrief** letter of condolence
beiliegen to lie with; to be enclosed; ♫ to lie to; ~**d** enclosed

bei|mengen to add, to mix with; ~**messen** to attribute to, to ascribe to
Bein leg; *(Knochen)* bone ♦ *j-m e.* ~ *stellen* to trip s-b up, to play s-b a trick; *s. e.* ~ *ausreißen* to do one's level best; *s. auf d.* ~*e machen* to be off; to take o.s. off; *auf d.* ~*en sein* to be on the move, to go out; *d.* ~*e in die Hand nehmen* to hurry, to get a move on; *s. d.* ~*e in d. Bauch stehen* to cool one's heels; *j-m* ~*e machen* to make s-b stir one's stumps; ~**bruch** fracture of a leg; ~**kleid(er)** trousers; ~**schiene** ♀ (leg-) splint
beinah(e) nearly, almost; all but *(it is all but done)*
Bei|name nickname; surname; ~**ordnen** to adjoin; to co-ordinate; ~**pflichten** to agree to (*od* with); to approve of; ~**rat** advisory board (*od* council); adviser
beirren to confuse; to divert from
beisammen together; ~**sein** being together; *geselliges* ~*sein* social gathering
Bei|schlaf sexual intercourse; ~**sein** presence; ~**seite** aside, apart
beisetz|en to put beside; to bury, to inter; ♫ to spread; ~**ung** burial, interment
Beisitzer assessor; member
Beispiel example (*zum* ~ for e.), instance (*zum* ~ for i.); warning; ~**haft** exemplarey; ~**los** unparalleled, unprecedented; ~**sweise** for instance, by way of example
beispringen to come to help, to succour
beiß|en to bite (*s. auf d. Lippen* ~*en* to b. one's lips); to smart, to burn; to sting ♦ *ins Gras* ~*en* to bite the dust; *in d. sauren Apfel* ~*en* to swallow a bitter pill; ~**end** biting, piercing; pungent, acrid; acrimonious; ~**korb** muzzle; ~**zange** pincers
Beistand assistance; counsel; ~ *leisten* to assist; ~**spakt** treaty of assistance
beistehen to assist, to stand by
Beisteuer contribution; ~**n** to contribute
bei|stimmen to agree to, to assent to; ~**strich** comma
Beitrag contribution; subscription; premium; ~**en** to contribute (*zu* to), to add (*zu* to); ~**leistung** contribution
bei|treiben to collect; to requisition; ~**treten** to join, to enter; *(Vertrag)* to accede to; to assent to; ~**tritt** joining, entering; enrolment; accession; ~**trittserklärung** declaration of accession; ~**wagen** side-car; ~**werk** accessories; ~**wohnen** to attend, to be present at; to cohabit with; ~**wort** adjective; epithet; ~**zählen** to reckon among
Beiz|e corrosive; corrosion; *(Färben)* mordant; *(Metall)* pickle; stain; ♀ caustic; *(Jagd)* hawking; ~**en** to corrode; to mordant; *(Holz)* to stain; *(Haut)* to drench, to tan; *(Tabak)* to sauce; ♀ to cauterize
beizeiten betimes, early
bejah|en to answer in the affirmative, to affirm; to accept; ~**end** affirmative; ~**ung** affirmation
bejahrt aged

bejammern to bewail, to lament; ~swert deplorable, lamentable

bekämpf|en to combat; to oppose; ~ung combat; struggle; control (of)

bekannt (well-)known; acquainted (*mit* with); ~er aquaintance; ~enkreis circle of friends; ~ermaßen, ~lich as is (well-)known; ~geben, ~machen to announce, to publish, to publicize; ~machen to acquaint (*mit* with), to introduce (*mit* to); ~machung publication, announcement; notice; ~schaft acquaintance

bekehr|en to convert, to proselytize; ~ter convert; ~ung conversion

bekenn|en to confess, to admit; *(Religion)* to profess; *Farbe* ~en to follow suit, *fig* to be frank; *s.* ~en zu to avow (o.s. to be); to acknowledge; *s. schuldig* ~en to plead guilty; ~er confessor; ~tnis confession; avowal; creed, denomination; ~tnis zu whole-hearted support of

beklag|en to lament, to bemoan; *refl* to complain (*über* of, about); ~enswert lamentable, deplorable; ~ter defendant

be|klatschen to applaud; to gossip about; ~kleben to paste (on), to stick (on); to line (with paper); ~kleckern, ~klecksen to blot, to spot; to bespatter

bekleid|en to dress, to clothe; *(Wand)* to wainscot; *(Amt)* to hold, to occupy; to invest; ~ung clothes, clothing; tenure

beklemm|en to oppress; ~ung oppression *(in the chest)*, difficult breathing

be|klommen uneasy, oppressed; ~klopfen to tap; ~kloppt dim-witted

bekomm|en to get, to have; *nichts zu* ~en nothing to be had; to receive, to obtain; $ to catch; *vi (Essen, mst negativ gebraucht)* to agree with s-b; ~lich digestible, wholesome

beköstig|en to board, to provide with food; ~ung board; food, fare

bekräftig|en to confirm, to corroborate; ~ung confirmation, corroboration

be|kränzen to decorate with garlands *(od* flowers); ~kreuzigen to cross; *refl* to cross o.s.; ~krönen to crown (*mit* with)

bekümmer|n to distress, to grieve; to trouble; *refl* to be anxious, to worry (*um* about); to mind *(one's own business)*; ~nis grief, affliction; trouble

be|kunden to manifest, to prove; ✪ to depose; ~lächeln to smile at; ~lachen to laugh at; ~laden to load; to burden

Belag *(Brot)* spread, meat, relish; coating; *(Straße)* pavement; *(Zunge)* fur; *(Zahn)* film; *(Spiegel)* foil; ~ern to besiege, to beleaguer; ~erung(szustand) (state of) siege

Belang importance; *(von* ~ *sein* to be of i.); *nicht von* ~ of no consequence; *pl* interests *(d.* ~*e vertreten* to represent the i.); ~en to hold s-b liable; *gerichtlich* ~en to sue, to prosecute; ~los unimportant, trifling; ~voll considerable

belast|en to load, to burden; ✪ to incriminate, to accuse (*mit* of); *Konto* ~en mit to

charge s-th to an account, to debit s-b with; *fig* to handicap; *(Grundstück)* to encumber; *(erblich)* ~et sein to be afflicted with a hereditary taint; ~eter ✪ offender; ~igen to molest; to trouble, to bother; ~igung molestation; annoyance; ~ung load, burden; debit; *(Grundstück)* encumbrance; charge; *erbliche* ~ung hereditary taint; *fig* strain, depressive effect; ~ungsprobe trial of strength; strain; ✿ load test; ~ungszeuge witness for the prosecution

be|laubt covered with foliage, leafy; ~lauern to waylay; ~laufen *refl* to amount (*auf* to); ~lauschen to listen to; to overhear; ~leben to animate, to put life into; to enliven; ~lebt animated, lively; alive (with); busy, crowded; ~lebung animation; stimulation, growth

Beleg proof, evidence; document; voucher; receipt; *(Text-)* reference; ~en to cover; *(Sitz)* to reserve; *(vormerken)* to earmark; *(Stunden)* to take (lessons); to prove, to support by documentary evidence; *(Strafe)* to inflict upon s-b, *mit Geldstrafe* ~en to fine; ~exemplar voucher copy; ~schaft personnel, staff, workers and employees; ~stellen *(Text)* authorities; ~t ♘ busy, engaged; *(Stimme)* husky, hoarse, *(Zunge)* coated, furred; *(Platz)* reserved; taken; ~tes Brötchen sandwich

belehr|en to instruct, to inform; to enlighten; *e-s Besseren* ~en to set right, to enlighten (about s-th); ~end instructive; ~ung instruction, information; correction

beleibt stout, corpulent

beleidig|en to offend, to affront; to insult; ~end offensive; insulting; ~ung offence; insult

be|leihen to grant *(bzw* obtain) a loan *(bzw* mortgage) on; ~lesen well-read

beleucht|en to light up, to illuminate; *fig* to throw light on; ~er illuminator; ~ung lighting; illumination; ~ungskörper lighting fixture

beleum(un)det in (good, bad) reputation

Belg|ien Belgium; ~ier Belgian; ~isch Belgian

belicht|en ⬛ to expose; ~ung exposure; ~ungsmesser exposure meter

belieb|en to deign; *wie Sie* ~en as you like; *su* pleasure, will; *nach* ~en ad-lib; *ganz nach* ~en just as you like; *~ig* any, to any extent desired; ~t popular, beloved; *s.* ~t machen bei to ingratiate o.s. with; ~theit popularity

beliefer|n to supply (*mit* with); ~ung supply

bellen to bark, *(laut)* to bay ♦ *Hunde, d.* ~, *beißen nicht* his bark is worse than his bite; *su* bark(ing)

Belletristik belles-lettres

belob(ig)|en to praise, to commend; ~ung praise, commendation

belohn|en to reward; ~ung reward, remuneration

Be|lüftung ventilation; ~lügen to lie to

belustig|en to amuse; *refl* to be amused (*mit* with); ~ung amusement; entertainment

be|mächtigen *refl* to seize, to take possession of; **~mäkeln** to find fault with; **~malen** to paint (on, over); **~mängeln** to criticize, to find fault with; **~mannen** to man; **~mannung** manning; ⚓, ✝ crew; **~mänteln** to disguise, to cloak, to palliate; **~meistern** to master; *refl* to master one's temper

bemerk|bar noticeable, perceptible; *s.* **~bar machen** to draw attention to o.s., to become apparent; **~en** to (take) notice, to note; to perceive; to remark, to say; **~enswert** noteworthy, remarkable; **~ung** remark; annotation, note

bemess|en to rate, to assess, to determine; to measure out

bemitleiden to pity, to be sorry for; **~swert** pitiable

be|mittelt well-to-do, well-off; **~mogeln** to cheat; **~moost** mossy; *fig* old

bemüh|en *vt* to trouble; *refl* to take (great) pains, to try hard; to apply (*um* for); **~** *en Sie s. nicht* don't trouble, don't bother; **~ung** effort, endeavour; trouble

bemüßigt: *s.* **~** *fühlen* to feel obliged, bound (to do)

be|muttern to mother; **~nachbart** neighbouring

benachrichtig|en to inform, to let know, to advise (of); **~ung** information

benachteilig|en to prejudice; to discriminate against; **~t** *sein* to be at a disadvantage; **~ung** prejudice; disadvantage; discrimination against

benehmen *vt* to take away from; to free s-b from; *refl* to behave, to act; *benimm dich!* behave yourself! *su* behaviour; manners; *s. ins* **~** *setzen mit* to get in touch with

beneiden to envy; **~swert** enviable

benenn|en to name, to call; **~ung** name, appellation; term; denomination

benetzen to moisten, to bedew

Bengel boy, urchin; rude fellow, lout

benommen confused; stunned

benot|en to mark, *US* to grade; **~igen** to be in need of, to require

benutz|bar usable; available; **~en** to use, to make use of; to employ; **~ung** use, utilization

Benz|in 🚗 *BE* petrol, *US* gasoline, *umg* gas, juice; *chem* benzine; **~ol** benzene

beobacht|en to observe, to watch; *fig* to keep; **~er** observer; **~ung** observation; *(Regel)* observance

be|ordern to order; **~packen** to load; *fig* to burden; **~pflanzen** to plant; **~pflastern** to pave; **§** to plaster

bequem suitable; comfortable; *(gut gelegen)* convenient; *(Person)* easy-going, lazy; **~** *sitzen* to fit like a glove; **~en** to condescend (to do); **~lich** easy-going, lazy; **~lichkeit** comfort, ease; convenience; laziness

berappen *umg* to fork over

berat|en to advise; *refl* to deliberate; **~end** consultant, advisory; **~er** adviser; **~schlagen** to deliberate; to confer (*mit* with); **~schlagung**

deliberation; **~ung** deliberation; consultation; advice

beraub|en to rob of, to deprive of; **~ung** robbing, deprivation

berausch|en to intoxicate; *fig* to enchant; *refl* to get drunk; *fig* to become enraptured (*an* with); **~t** drunk

berech|enbar calculable; **~nen** to calculate; *(Preis)* to charge; **~nend** calculating; selfish; **~nung** calculation, computation; **~tigen** to justify; to entitle, to authorize; **~tigt** entitled; eligible; **~tigter** person entitled (to), beneficiary; **~tigung** authorization; qualification; justification

bered|en to persuade s-b, to argue (*zu tun* into doing, *nichts zu tun* out of doing); to cajole; to talk s-th over; *refl* to confer (*mit* with); **~sam**, **~t** eloquent; **~samkeit** eloquence

Bereich reach, range; sphere; branch, sector; field; *(Fragen-)* group; **~ern** to enrich; **~erung** enrichment

bereif|en 🚗 to fit with tyres; *(Faß)* to hoop; to cover with hoar-frost; **~ung** set of tyres; hoarfrost

be|reinigen to settle, to clear up; **~reisen** to travel about, through

bereit ready, prepared; willing (to do); **~en** to prepare, to get ready; *(bearbeiten)* to dress; to cause; **~** *halten* to keep ready; **~machen** to prepare; **~s** already; **~schaft** readiness; preparedness; *mil* stand-to, alert; **~stellen** to provide, to place at s-b's disposal, to hold available; **~ung** preparation; dressing; **~willig** ready, willing; **~willigkeit** readiness, willingness; alacrity

be|rennen to run against, to assault; **~reuen** to repent (of); to regret

Berg hill, *(hoher)* mountain ♦ **~** *e versetzen* to move mountains; *goldene* **~** *e versprechen* to promise castles in Spain; *über alle* **~** *e sein* to be out of sight, far away; *hinterm* **~** *e halten mit etw* to beat about the bush, to hold s-th back (*od* dark); *zu* **~** *e stehen* to stand on end; **~ab** downhill; **~** *ab gehen mit (fig)* to go from bad to worse; **~an** uphill; **~arbeiter** miner; **~auf** uphill; **~bau** mining; **~bewohner** mountaineer; **~fahrt** ⚓ voyage upstream; **~fink** *zool* brambling; **~führer** mountain guide; **~geist** mountain sprite, pixie; **~gipfel** mountain top, summit; **~ig** mountainous, hilly; **~kamm** crest; **~kette** mountain chain; **~kristall** rock crystal; **~kuppe** brow (of a hill); **~lehne** mountain slope, hillside; **~mann** miner; **~predigt** Sermon on the Mount; **~rennen** 🏇 hillrace; **~rücken** mountain-ridge; **~rutsch** landslip, landslide; **~steigen** mountaineering; **~steiger** mountain-climber, mountaineer; **~stock** alpenstock; **~straße** mountain road; **~-u.-Tal-Bahn** *BE* switchback, roller coaster; **~wacht** mountain rescue service; **~wand** mountain side; **~werk** mine

berg|en to save, to salvage; ⚓ to take in; **~ung** salvage; **~ungsarbeit** salvage operations, rescue work

Bericht report; account; bulletin; commentary; ~**en** to report (to s-b), to inform (s-b of s-th); ~**erstatter** reporter, correspondent; 🏏 (sports) commentator; ~**igen** to correct, to amend; to settle; ~**igung** correction; amendment

be|**riechen** to smell at; ~**rieseln** to irrigate; ~**ringt** ringed; covered with rings; ~**ritten** mounted; on horseback

Bernhardiner St Bernard (dog)

Bernstein amber

bersten to burst (*vor* with); to crack, to split

berüchtigt notorious

berücken to entrap, to ensnare; to fascinate

berücksichtig|en to consider, to bear in mind; to take into account, to make allowance for; ~**ung** consideration

Beruf calling, vocation; occupation; *(Gewerbe)* trade; *(bes akademisch)* profession; *was sind Sie von ~ ?* what is your occupation (*od* trade, profession)?; *er ist . . . von ~* he is a . . . by trade; ~**en** to call; to summon, to convoke; *(ernennen)* to appoint; *um* to tempt providence; *refl* to refer (*auf* to); to appeal (*auf* to); *darf ich mich auf Sie ~en?* may I mention you(r name)?; *s. ~en fühlen* to feel called upon (to do); *adj* competent, well-qualified; ~**lich** vocational; professional; ~**sausbildung** vocational (occupational) training; ~**sberatung** vocational guidance; ~**sgruppe** occupational group (*od* category); ~**skrankheit** industrial disease; ~**smäßig** professional; ~**smusiker** professional musician; ~**sschule** vocational school; ~**sspieler** professional player; ~**sstatistik** occupational statistics; ~**stätig** gainfully employed; ~**swahl** choice of occupation; ~**swechsel** change of occupation (*od* trade); ~**sweg** career; ~**ung** 🏏 appeal; call, summoning; *fig* calling; *~ung einlegen* to (make an) appeal (*gegen* from); ~**ungsgericht** appellate court, cout of appeal

beruh|en *auf* to rest on, to be based on; to be due to; *auf s. ~en lassen* to let ride (*od* rest); ~**igen** to quiet, to calm, to soothe; *refl* to calm down; to acquiesce (*bei* in); ~**igung** calming down, quieting; comfort; ~**igungsmittel** sedative, tranquillizer; ~**igungspille** palliative, sweetener

berühmt famous, celebrated, ~**heit** fame; celebrity; star

berühr|en to touch; *fig* to touch upon, to allude to; ~**ung** touch, contact

besä|en to sow; ~**t** covered, studded (*mit* with)

besag|en to say; to mean, to signify; ~**t** aforesaid

besait|en to string; *zart ~et* sensitive, touchy

Besan ⚓ mizzen

besänftig|en to soften, to calm; to soothe, to appease; ~**ung** softening, appeasement

Besatz trimming, facing; ~**ung** *mil* garrison; ⚓, ✈ crew; occupation; ~**ungskosten** occupation costs; ~**ungsmacht** occupying power; ~**ungsstatut** Occupation Statute; ~**ungstrup-**

pen occupation forces; ~**ungszone** zone of occupation

besaufen *refl* to booze, to get drunk

beschädig|en to damage, to injure; ~**ung** damage, injury

beschaff|en to procure, to supply; to obtain, to secure; *adj* constituted, conditioned, qualified; *in . . . condition*; ~**enheit** state, condition; description; ~**ung** procurement; supply

beschäftig|en to employ, to occupy; to engage; *s. ~en mit* to be occupied, to busy o.s. with; ~**ung** occupation, employment; job; ~**ungslos** out of work, unemployed

beschäm|en to make ashamed, to put to shame; to confuse; ~**end** degrading; ~**ung** (feeling of) shame; confusion

beschatten to overshadow

beschau|en to look at, to behold; to contemplate; to inspect; ~**er** spectator, looker-on; inspector; ~**lich** contemplative; cosy; quaint; ~**lichkeit** contemplation; cosiness

Bescheid answer; information; decision; *j-m ~ geben* to inform; *j-m gehörig ~ sagen* to give s-b a piece of one's mind; *~ wissen* to know (what's what); *j-m ~ sagen lassen* to send s-b word; ~**en** *vt* to instruct, to inform; *s. ~en mit* to acquiesce in; *adj* modest, unassuming, unpretentious; moderate, lowly; ~**enheit** modesty

beschein|en to shine upon; ~**igen** to certify; to attest; *(Empfang)* to acknowledge; ~**igung** certificate; voucher; receipt; certification

beschenken to present (*mit* with)

bescher|en to present (*mit* with), to give s-b Christmas presents; ~**ung** giving of (Christmas) presents; *e-e schöne ~ung* a nice mess (*od* state of affairs)

beschick|en to send to; *(Ausstellung)* to send goods to; ✿ to charge *(furnace)*

beschießen to fire upon, to bombard (*a. phys*); ✝ to strafe; ~**ung** bombardment; strafing

beschimpf|en to abuse; to insult; to call s-b names; to berate; ~**ung** abuse; insult

beschirm|en to protect, to shield (*gegen* from); ~**er** protector; defender

beschlafen to lie with; *fig* to sleep on s-th

Beschlag *(Metall)* mounting, ornamental fitting; *(Buch)* clasp; *(Pferd)* shoe; *(auf Glas)* moisture; mould(iness); *mit ~ belegen* to seize, to confiscate, *(Aufmerksamkeit)* to engross, *(Zeit)* to take up; ~**en** to mount; to stud; to fit (*mit* with); *(Pferd)* to horse; *(Stein)* to square; *refl* to mist over, to become coated (with moisture); *~en sein in* to be well-versed in; ~**nahme** confiscation, requisition; 🔗 distraint, seizure, attachment; ~**nahmen** to confiscate, to requisition; to distrain on, to seize, to attach

beschleichen to steal upon (*od* up to); *fig* to overcome, to seize

beschleunig|en to hasten; to accelerate; ~**ung** haste(ning); acceleration

beschließ|en to close, to conclude, to finish; to decide (to, on)

Beschluß conclusion, close; decision, resolution; ruling; **~fähig** competent to pass resolutions, forming a quorum; **~fassung** passing (of) a resolution

be|schmieren to smear; *(Brot)* to spread *(jam etc)* on, to butter; to besmear, *(Farbe)* to bedaub; *(Papier)* to scribble on; **~schmutzen** to dirty, to foul; to soil; to besmirch

beschneid|en to clip, to trim; ↓ to prune; *eccl* to circumcise; *fig* to curtail; **~ung** curtailment; *eccl* circumcision

beschnei|en to cover with snow

be|schnüffeln, ~schnuppern to sniff at; *fig* to stick one's nose into

beschönig|en to gloss over, to explain away; to palliate; **~ung** excuse; palliation

beschottern to rubble, to ballast

beschränk|en to limit, to restrict, to confine; *refl* to confine o.s. to; **~t** limited, restricted; *in ~ten Verhältnissen* in reduced circumstances; *fig* narrow-minded; **~theit** narrowness; scantiness; narrow-mindedness; **~ung** limitation, restriction

beschreib|en to describe *(a. math)*; *(Bahn)* to follow *(path)*; **~ung** description

beschreiten to walk on; to take *(the road)*

beschrift|en to letter; to inscribe; **~ung** lettering; inscription

beschuldig|en to accuse of, to charge with; **~ung** accusation, charge

beschummeln to bilk, to gyp

beschütz|en to protect; **~er** protector; **~ung** protection

beschwatzen to talk s-th over; to talk s-b (into doing)

Beschwer|de complaint *(a. §)*, grievance; *(Last)* hardship, trouble; *~ de führen über, ~ de einlegen gegen* to state a grievance, to lodge a complaint about; **~en** to weight, to burden; to lie heavy on; *refl* to complain *(über* about); **~lich** troublesome, fatiguing, tiresome

be|schwichtigen to allay, to appease; *(Streit)* to compose; **~schwindeln** to swindle, to cheat; **~schwipst** tipsy

beschwör|en to affirm, to confirm on oath; *(anflehen)* to implore; *(Geist)* to raise, *(vertreiben)* to exorcize; **~er** sorcerer; exorcist; **~ung** confirmation by oath; conjuration; exorcism

beseel|en to animate, to inspire; **~ung** animation, inspiration

besehen to look at; *(Haus)* to look over; *fig* to look into

beseitigen to remove, to do away with; to set aside

Besen broom, *(Reisig-)* besom; *(Frau)* shrew ♦ *neue ~ kehren gut* new brooms sweep clean; *mit eisernem ~ auskehren* to make a clean sweep; **~stiel** broomstick

besessen possessed *(von* by, with)

besetz|en to occupy *(a. mil)*; *(Edelstein)* to set; *(Kleid)* to face, to trim; ⚓ to man; *(Amt)* to fill; *(Teich)* to stock; ♟ to cast *(an actor for a part, a part to an actor)*; **~t** occupied; engaged *(a. ♋)*;

♐ busy; *(Sitz)* taken, occupied; **~ung** occupation; *(Posten)* filling; ♟ cast

besichtig|en to inspect, to examine; *(Haus)* to go over; to view; to see the sights of; **~ung** inspection; view, sightseeing

besiedel|n to settle in; to colonize; **~ung** colonization

besieg|eln to seal; **~en** to conquer, to defeat

besinn|en *refl* to reflect, to recollect; to think (it) over, to consider; *s. ~en auf* to remember; *s. e-s Besseren ~en* to think better of it; **~lich** thoughtful, pensive; contemplative; **~ung** reflection; recollection; *(Bewußtsein)* consciousness; **~ungslos** unconscious, insensible

Besitz possession; property; assets; *(Boden)* estate; *im ~ e Ihres Briefes* in receipt of your letter; **~anzeigend** *gram* possessive; **~en** to possess, to own; to have; **~er** owner, possessor; proprietor; **~ergreifung, ~nahme** taking possession of, occupation; **~tum, ~ung** property, possession; estate

besoffen *umg* tight, canned

besohlen to sole

besold|en to pay; **~et** *(Richter etc)* stipendiary; **~ung** pay, salaries and wages; *(Lehrer, Geistliche etc)* stipend

besonder special; specific; particular; peculiar; *(einzeln)* separate; *nichts ~es* nothing very special; **~heit** speciality; particularity; peculiarity; **~s** especially; particularly; *(speziell)* specially

besonnen thoughtful, prudent; sensible; discreet; **~heit** thoughtfulness, prudence; discretion; circumspection

besonnt sunlit, sunny

besorg|en to procure, to provide; to see to; to do; to take care of; **~nis** apprehension, alarm; **~t** anxious (to do); apprehensive *(wegen* of); concerned (for); *~t machen* to cause anxiety to; **~theit** anxiety; concern; **~ung** commission; purchase; management; settlement; *~ungen machen* to go shopping

bespann|en *(Wagen)* to put horses to; ♪ to string; to cover *(mit* with)

be|spiegeln *refl* to look at o.s. in the glass; **~spitzeln** to spy on

besprech|en to talk over, to discuss; *(Buch etc)* to (write a) review (on); *(Geist)* to conjure; *refl* to confer *(mit* with), to talk s-th over (with); **~ung** conversation; discussion, conference *(e-e ~ung haben* to be in c.); review

be|sprengen to (be)sprinkle, to water; **~spritzen** to splash; to spray

besser better; more; *um so (desto) ~* so much the better; **~gestellt** better off; **~n** to improve, to make better; to mend; *refl* to improve, to get better; **~stellung** betterment; **~ung** improvement; betterment; § recovery; *gute ~ung!* I hope you'll soon be better

best best; *d. erste ~e* the first comer; *aufs ~e* in the best manner possible; *j-n zum ~en haben* to tease s-b, to poke fun at s-b; *etw zum ~en geben* to relate s-th, to make a show of s-th; *das ~e machen aus* to make the most (od best) of; *s-n ~es hergeben* to put one's best foot forward; *zum ~en von* to the benefit of; *adv* best; **~enfalls** at best; **~ens** as well as possible, in the best manner; **~möglich** best possible; optimum; **~zeit** 🎵 record (time)

bestall|en to appoint (to); to invest (with); **~ung** appointment; investiture

Bestand *(Dauer)* duration, continuation; stability; *(Waren)* stock; *(Vieh)* livestock; ♣ stand, amount of timber; *(Kapital)* balance in hand; *(Kasse)* cash (in hand); amount; *~ an Aufträgen* backlog of orders; *von ~ sein, ~ haben* to last; **~saufnahme** stock-taking, inventory; **ᵘig** steady; stable; *(Wetter)* settled; constant, continual; *(Farbe)* fast; *(treu)* steadfast; *(Liebe)* constant; **ᵘigkeit** steadiness; stability; steadfastness; constancy; **~teil** (integral) part; ingredient; component

bestärk|en to confirm; to support; **~ung** confirmation; support

bestätig|en to confirm, to bear out; to corroborate; *(Brief)* to acknowledge; *(Vertrag)* to ratify; *refl* to prove (true), to be confirmed; **~ung** confirmation; acknowledgment; ratification

bestatt|en to bury, to inter; **~ung** burial, interment; funeral

bestaub|en to cover with dust; to get dusty; **ᵘen** *bot* to pollinate; to powder

bestech|en to bribe, to corrupt, to buy over; **~lich** corrupt, open to corruption; **~ung** bribery, corruption

Besteck knife, fork and spoon; *pl* cutlery; ⚓, ✝ position, fix; ⚕ set of instruments, instrument case; **~en** to stick (with)

bestehen *vt* to undergo, to stand, to endure; to overcome; *(Prüfung)* to pass, *nicht ~* to fail; *vi* to last; to exist; *~ auf* to insist on; *~ aus* to consist of; *~ ohne* to do without; *bestanden mit* planted with, covered with; *su* existence; *seit ~* since the foundation (*od* inauguration) of

bestehlen to rob s-b, to steal from s-b

besteig|en to climb; to mount; *(Thron)* to ascend; **~ung** climb, ascent; mounting; *(Thron)* accession

bestell|en to order; *(Brief)* to deliver; *(Grüße)* to send; *(Platz, Karte)* to book; ⚘ to till, to cultivate; *(ernennen)* to appoint; *(ordnen)* to set in order, to arrange; *zu s. ~en* to send for; **~er** orderer; **~t** reserved, booked; *ich bin auf zwei Uhr ~t* I have an appointment at two; *es ist schlecht um sie ~t* she is in a bad way; **~ung** order; *(Botschaft)* message; appointment; ⚘ tillage; delivery; management; **~zettel** order--form

besteuer|n to tax; **~ung** taxation

besti|alisch bestial savage, fiendish; inhuman; **~e** bestial *(od* savage, fiendish) man *(od* woman)

bestimm|en to determine; to decide; to define; to designate; *(befehlen)* to decree; *(zuweisen)* to assign; *j-n ~en* to appoint s-b; *(veranlassen)* to induce; *chem* to test for; *~en über* to dispose of; **~t** determined; fixed, firm;

(Schicksal) destined; *(gewiß)* certain; *gram* definite; ⚓ bound (for); *adv* definitely, certainly; **~theit** determination; certainty; precision; *mit ~theit* positively; **~ung** determination, definition; *(Geschick)* destiny; *(Entscheidung)* decision; *(Anordnung)* regulation; **~ungsgemäß** under the arrangements made; according to the terms (of the contract); **~ungsmethode** method of determination; **~ungsort** destination

bestraf|en to punish; **~ung** punishment

bestrahl|en to shine upon; ⚕ to X-ray, to irradiate; **~ung** X-ray treatment; irradiation

bestreb|en *refl* to endeavour, to strive; *su,* **~ung** endeavour; effort

bestreichen to spread over, to (be)smear; *mil* to sweep

bestreit|en to deny, to dispute; *(Kosten)* to defray, to pay (for); **~ung** *(Kosten)* defraying; contesting

be|streuen to strew, to sprinkle over; to powder (with); **~stricken** *fig* to ensnare; **~stürmen** to storm; *fig* to assail, to entreat

bestürz|en to bewilder, to perplex, to disconcert; **~t** disconcerted, dismayed, in bewilderment; **~ung** consternation, bewilderment

Besuch call, visit; visitor(s); attendance, frequentation; *~ beim Zahnarzt* appointment with the dentist; **~en** to visit, to call on, to see; *(Schule etc)* to attend; *(oft hingehen)* to frequent, to patronize; **~er** caller, visitor; guest; frequenter; customer, patron

be|sudeln to soil, to dirty; *fig* to stain; **~tagt** aged; **~tasten** to touch, to finger; to handle

betätig|en to set going, to set in motion; to practise; *refl* to work, to take (an active) part *(bei* in); **~ung** activity, activities; participation

betäub|en to deafen, to stun; to render insensible; to benumb; ⚕ to anaesthetize; *fig* to deaden; *(Gewissen)* to stifle; **~ung** deafening; stupor, torpor; ⚕ anaesthesia; **~ungsmittel** anaesthetic

Bete (rote) beet, *BE mst* beetroot

beteilig|en to give a share *(bei* in); *refl* to take part *(an, bei* in), to join; *~t sein* to participate (in), to have a share (in); **~ung** share; participation; attendance; interest

bet|en to pray, *(Gebet)* to say; **~er** worshipper

beteuer|n to assert, to asseverate; to protest; **~ung** asseveration; protest

betiteln to entitle, to give a title to

Beton concrete, **~ieren** to (build with) concrete; **~mischer** concrete mixer

beton|en to stress, to accent; *fig* to emphasize, to accentuate; **~ung** stress, accent(uation); emphasis

betören to (be)fool, to beguile, to delude

Betracht consideration, account *(in ~ ziehen* to take into a., c.; *in ~ kommen* to be taken into a., c., to come into question); *nicht in ~ kommen* to be out of the question; **~en** to look at; to consider; to examine; **~er** beholder, onlooker; ˮlich considerable; ~ung view; consideration; contemplation, meditation

Betrag amount; total; ~en *vt* to amount to; *refl* to behave (o.s.), to bear o.s.; *su* behaviour, conduct; deportment

betrau|en to entrust s-b with; ~ern to bemoan, to mourn for

Betreff: *in* ~ with regard to, referring to; *(Brief)* subject; re; ~en to concern, to apply to; cover; *was betrifft* as to, as for; *was mich betrifft* as for me, so far as I am concerned; ~end concerning, about; in question, concerned; *d. ~ende Sache* the matter in hand *(od* under consideration); ~s concerning, as to

betreiben *(Geschäft)* to carry on; to pursue; *(Studium)* to prosecute; *fig* to urge (on), to push on (forward); *(su) auf* ~ *von* at the instigation of

betreten to walk on, to tread on; to enter; ~ *verboten!* no entrance!, keep off!; *(Haus)* BE out of bounds, *US* off limits *(to, for s-b)*; *adj* embarrassed

betreu|en to look after, to take care of; ~ung care of, welfare; maintenance

Betrieb *(Betreiben)* carrying on; management; *(Grube)* working; service; *(Fabrik)* works, plant; business, firm; farm; traffic; *fig* bustle, activity; *in* ~ *sein* to be working, to be in operation; *außer*, *nicht in* ~ not working, not in operation; *in* ~ *nehmen* to open, to put into operation; *in* ~ *setzen* to start, to set in motion; ~lich operational; business, company; ~sam industrious, active; ~samkeit industry, activity; bustle

Betriebs|angehörige workers and employees; ~anlagen installation, plant; ~arzt works doctor; ~ausgabe operating expenditure; ~berater industrial adviser; ~einnahme operating receipt; ~erfahrung industrial know-how, managerial experience; ~fähig usable; in working order; ~ferien works holidays; ~fertig ready for service *(od* operation); ~führung management; ~kapital working capital; ~kosten operating costs; ~leiter production *(od* works) manager; ~leitung (works) management; ~mittel working funds, capital; working material; ~personal staff; ~rat works council, shop committee, *(Person)* shop steward; ~sicher safe, reliable (in service); ~stillegung closing-down (of a plant etc); ~stoff fuel; ~störung breakdown, stoppage; ~technisch technical; ~wirtschaft(s)lehre business management, applied economics

betrinken *refl* to get drunk

betroffen perplexed, taken aback, amazed; concerned, involved; *su* ⚖ respondent

betrüb|en to grieve, to distress; ~lich sad; ~nis grief, distress; ~t distressed, sad(dened)

Betrug fraud, deception; swindle; ˮen to deceive, to defraud; to cheat, to trick *(um* out of); ˮer deceiver, fraud, cheat; ˮerei fraud; swindle; ˮerisch fraudulent; tricky

betrunken drunk(en), intoxicated

Betstuhl praying-desk

Bett bed; feather-pillow; 🐝 berth; *zool* lair; *d.* ~ *machen* to make the bed; *ins, zu* ~ *gehen* to go to bed; *zu* ~ *bringen* to put to bed; ~bezug bedlinen; ~decke blanket; quilt; *(Zier-)* bedspread; ~en to put to bed, to make (up) a bed; to bed ♦ *wie man s.* ~*et, so liegt man* as you have made your bed, so you must lie in it; ~gehzeit bedtime; ~gestell bedstead; ~lägerig bedridden, bedfast; *~lägerig sein* to be confined to one's bed(room), to be laid low; ~lektüre bed-time reading; ~stelle bedstead; ~tuch (linen) sheet; ~wäsche, ~zeug bedclothes, bedlinen

Bettel begging; *fig* trash; *d. ganze* ~ the whole bag of tricks; ~ei begging, beggary; ~n to beg *(um* for)

Bettler beggar

betupfen to dab; to dot

beug|en to bend, to bow; *gram* to inflect; *refl* to submit to, to humble o.s.; ~sam pliable, pliant; flexible; ~samkeit pliability; flexibility; ~ung bending; *(Licht)* diffraction; *gram* inflexion

Beule bump, lump; swelling; bruise; *(Einbeulung)* dent

beunruhig|en to disturb, to alarm; to trouble; to upset; to harass; ~ung disturbance, alarm; trouble

beurkunden to authenticate, to verify; to attest

beurlaub|en to give leave to, to grant leave (of absence); *refl* to take (one's) leave; ~t absent on leave; ~ung giving *(bzw* taking) leave

beurteil|en to assess; to judge; to criticize; ~ung assessment; judgment; criticism; appraisal

Beute booty, loot; catch; spoil; prey; ⚓ prize

Beutel bag; purse; pouch *(a. zool)*; § cyst; ~n to shake; to bolt; *refl* to bag

bevölker|n to people, to populate; ~ung population; ~ungspolitik population policy; ~ungsschutz civil defence

bevollmächtig|en to authorize, to empower; ⚖ to give power of attorney; ~ter plenipotentiary; representative; ⚖ attorney; ~ung authorization; power of attorney

bevor before; ~munden to act as guardian for; *fig* to patronize; to domineer over; ~rechtigen to privilege; ~rechtigt *(Straße)* major; ~stehen to be lying ahead for s-b, to be in store; to be imminent; to impend; ~stehend imminent; coming, to come *(the years to come)*; ~zugen to prefer, to favour; to affect; ~zugung preference; favouritism

bewachen to guard, to watch (over)

bewachsen overgrown *(mit* with)

bewaffn|en to arm; ~ung arming; armament; ⚙ armature

bewahr|en to keep, to preserve; to guard, to protect *(vor, gegen* from); *Gott* ~ *e!* Heaven forbid!, Good gracious!; *i* ~ *e!* never!, oh nonsense!; ˮen *refl* to prove true, efficient; to stand the test; ~heiten to verify; *refl* to prove true; ~t tried, time-tested; proved, proven; trustworthy; ~ung protection; ~ung proof; verification; ⚖ probation; ~ungsfrist probation period

be|waldet wooded, woody; ~wältigen to overcome; to master; ~wandert versed (in), experienced (in); skilled (in)

Bewandtnis state of affairs, case; *damit hat es folgende ~* the state of affairs is as follows, the case is this

bewässer|n to irrigate; ~ung irrigation; ~ungsanlage water supply

beweg|bar movable; ~en to move; to stir, to budge; *fig* to induce, to incline (s-b to do); *refl* to move (about); ~grund motive; ~lich movable; mobile; nimble; lively; ~lichkeit mobility; nimbleness, liveliness, agility; ~ung movement; motion; *phys* locomotion; *(heftige)* commotion; *(Gemüts-)* emotion; *(Erregung)* excitement; ~ungsfähigkeit locomotion; ~ungskrieg mobile warfare; ~ungslos motionless, immobile

be|wehrt armed; ~weibt married; ~weihräuchern to cense; *fig* to flatter, to butter up; ~weinen to cry over

Beweis proof, evidence; ~aufnahme taking evidence; ~bar provable, demonstrable; ~en to prove; to demonstrate; ~führung reasoning; argumentation; ~grund argument; evidence; ~kraft power of argument; ~kräftig conclusive; convincing

bewenden *es ~ lassen bei* to acquiesce in; *es dabei ~ lassen* to let it rest at that

bewerb|en *refl* to apply (*um* for); to compete (for); *(Mädchen)* to court, to woo; ~er applicant, candidate; competitor; suitor; ~ung application; candidature, candidacy; courtship, wooing

be|werfen to throw at; to plaster; ~werkstelligen to accomplish, to manage; to effect

bewert|en to assess; to value; to appraise; ~ung assessment; valuation; appraisal

bewillig|en to grant, to concede; to approve; *pol* to appropriate; ~ung grant; concession; *pol* appropriation; *(Betrag)* amount voted

be|willkommnen to welcome; ~wirken to effect, to cause, to bring about

bewirt|en to entertain; ~schaften to manage; ↓ to farm; *(Gut)* to manage; *(Waren)* to ration, to control; ~schaftung administration; management; cultivation; *(Waren, Preise)* control

bewitzeln to make light (*od* fun) of

bewohn|bar inhabitable, fit for habitation; ~en to inhabit, to live in; ~er inhabitant, resident

bewölk|en to cloud (over); *refl* to become cloudy; ~ung cloud(iness)

Bewunder|er admirer; ~n to admire; ~nswert admirable; ~ung admiration

Bewurf plaster(ing); rough-cast

bewußt conscious of; known; deliberate, intentional; *s. . . . ~ sein* to be aware of; *s. ~ werden (fig)* to awake to; ~los unconscious; senseless; ~losigkeit unconsciousness; black-

out; ~sein consciousness; knowledge; *im ~ sein des . . .* in full cognizance of

bezahl|en to pay; *fig* to repay; *s. ~t machen* to pay; ~ung payment

bezähm|en to tame; *fig* to restrain, to check; *refl* to control o.s.; ~ung taming; *fig* control

bezaubern to bewitch, to enchant; to charm; ~d charming

bezeichn|en to mark; *(Waren)* to label; *(benennen)* to call, to term; ~end significant; characteristic (*für* of); ~ung marking; mark, sign; designation; name

bezeig|en to show, to express, to manifest; ~ung manifestation

bezeug|en to (bear) witness (to); to testify to, to certify; ~ung testimony; attestation

bezichtig|en to accuse of, to charge with; ~ung accusation, charge

bezieh|bar habitable, ready for use; *(erhältlich)* obtainable; ~en to cover; *(Bett)* to change the bedlinen (of); *(Haus)* to move into, to come to live in; *(Univ.)* to enter; *(Wache)* to mount; ♪ to string; *(Gehalt)* to draw, to receive; *(Waren)* to buy, to obtain; *(Zeitung)* to take, to take in, to subscribe for; to apply (*auf* to); *refl* to refer, to relate (*auf* to); *(Himmel)* to become overcast; ~er subscriber; customer; ~ung relation, connection; reference; respect; *in jeder ~ung* in all respects, in every way; ~ungsweise respectively; and/or, as the case may be, mutatis mutandis; or rather

beziffer|n to mark with figures, to number; *er ~te d. Betrag auf* he said the figure was . . . ; *refl* to amount (*auf* to)

Bezirk district; area; borough; ~sgericht county (*od* district) court

Bezogener *(Wechsel)* drawee

Bezug cover(ing), case; receipt; supply (*of goods)*; *pl* income, salary; *in ~ auf,* ~lich with regard to, as to, as for; ~nahme reference (*unter ~nahme auf* with r. to); ~sbedingungen terms of purchase (*od* delivery); ~sberechtigter beneficiary; ~sschein ration card; ~sfertig ready for occupation; ~squelle source of supply

be|zwecken to aim at; ~zweifeln to doubt, to query; ~zwingen to conquer, to overcome; *refl* to control o.s.

Bibel Bible, Scripture, The Book; ~fest well-versed in the Bible; ~spruch text (from the Bible); ~stelle biblical passage

Biber beaver; ~pelz beaver (fur)

Bibliograph bibliographer; ~isch bibliographical; ~ie bibliography

Bibliothek library; ~ar librarian

biblisch biblical

bieder honest, upright; worthy; ~keit honesty, uprightness; ~mann upright (*od* honest) man

bieg|en to bend, to bow; *vi* to turn (*um e-e Ecke* the corner); *su: auf ~en u. Brechen* by hook or by crook, come what may; ~sam flexible, pliant; *fig* pliable, yielding; ~ung bend(ing), turn(ing)

Biene bee; ~**nfleiß** assiduity; ~**nkorb** beehive; ~**nkönigin** queen bee; ~**nschwarm** swarm of bees; ~**nstand** stand of hives; ~**nstock** beehive; ~**nzucht** bee-keeping; ~**nzüchter** bee-keeper

Bier beer; *helles* ~ ale, *dunkles* ~ porter; ~**brauer** brewer; ~**brauerei** brewery; ~**faß** beer-barrel; ~**filz** mat; ~**krug** beer-mug, pot; ~**lokal** tavern, *BE* pub(lic house)

Biese piping

Biest beast; brute

biet|en to offer; to bid *(für, auf* for); *Trotz* ~*en* to defy s-b; *s. alles* ~*en lassen* to put up with everything; ~**er** bidder

Bilanz balance (sheet); ~**ieren** to make out a balance-sheet; ~**prüfer** auditor; ~**prüfung** balance-sheet audit

Bild picture; portrait, likeness; representation; illustration; 🔲 photo, snapshot; *(Thema)* subject; *fig (Spiegel-)* image; 🔲 face; *s. e.* ~ *von etw machen können* to imagine what it is really like; *im* ~*e sein* to have a clear idea of, to understand; ~**band** illustrated volume; ~**bericht** illustrated report; ~**en** to form, to shape, to fashion; to make, to model, to mould; *(erziehen)* to educate, to train; *(ausmachen)* to make, to constitute, to be; ~**end** formative; instructive; *(Kunst)* plastic; ~**erbogen** sheet of pictures; ~**erbuch** picture-book; ~**ergalerie** picture gallery; ~**errahmen** picture frame; ~**errätsel** picture puzzle; ~**erreich** flowery, picturesque; ~**erschrift** hieroglyphics; ~**ersprache** metaphorical language; ~**erstürmer** iconoclast; ~**fläche:** *auf d.* ~*fläche erscheinen* to appear on the scene, to put in an appearance; *von d.* ~*fläche verschwinden* to leave the scene, to vanish into thin air; ~**funk** phototelegraphy; ~**hauer** sculptor; ~**hauerei** sculpture; ~**karte** *(Karten) BE* court card, face card; *(Land-)* decorative map; ~**lich** pictorial; figurative; ~**nis** portrait, likeness, figure; ~**reporter** press photographer; ~**sam** easily moulded; *(Mensch)* receptive, adaptable; ~**säule** statue; ~**schnitzer** wood-carver; ~**schön** most beautiful, a picture of beauty; ~**seite** face; *(Münze)* head; ~**schärfe** 🔲 definition; ~**telegramm** telephotograph; ~**telegrafie** telephotography; ~**text** caption, legend; ~**ung** forming, formation, constitution; *(Erziehung)* breeding, education, culture; ~**ungsanstalt** educational establishment, school

Billard billiards; ~**kugel** (billiard) ball; ~**stock** cue

Billet ticket; *(Brief)* note

Billiarde *BE* a thousand billions, *US* quadrillion

billig just, fair, reasonable; *(Ware, preislich)* reasonable, moderate, inexpensive; cheap; *recht u.* ~ only fit, only proper; ~**en** to approve of; to sanction; ~**erweise** justly; ~**keit** justice, fairness, reasonableness; cheapness; ~**ung** approval, sanction

Billion *BE* billion, *US* trillion

bimbam ding-dong

bimmeln to tinkle, to ring

Bimsstein pumice(-stone)

Binde band ♦ *d.* ~ *fiel ihm von d. Augen* the scales fell from his eyes; *(umg) e-n hinter d.* ~ *gießen* to have one to wet one's whistle; badge; 𝕊 bandage; *(Schlinge)* sling; *(Damen-)* sanitary towel; ~**gewebe** connective tissue; ~**glied** connecting link, unifying element; ~**haut** conjunctiva; ~**hautentzündung** conjunctivitis; ~**maschine** ↓ binder; ~**mittel** binding agent, binder; ~**n** to bind; to tie (up); to fasten; *(Suppe)* to thicken; 🔲 to bind; *(Geld)* to immobilize, to freeze; *fig* to tie down; *refl* to feel bound *(od* compelled) (to do); ~**nd** binding *(für* on, upon), obligatory; ~**r** binder *(a.* ↓, 🔲); ~ (neck-) tie; ~**strich** hyphen; *mit* ~*strich schreiben* to hyphen(ate); ~**wort** conjunction

Bind|faden string, twine; *es regnet* ~*fäden* it's raining cats and dogs; ~**ung** binding *(a. Ski-); (Web-)* weave, texture; ♪ slur, ligature; *(Geld)* immobilization, freezing; control; *fig* obligation

binnen within; ~- inland; ~**gewässer** inland waters; ~**hafen** inland harbour; ~**handel** inland trade, home trade; ~**markt** domestic market, home market; ~**meer** land-locked sea; ~**schiffahrt** inland navigation; ~**verkehr** inland traffic *(od* trade)

Binse rush ♦ *in d.* ~*n gehen* to get lost, to be a complete failure; ~**nwahrheit** truism, commonplace

Biochemie biochemistry

Biograph biographer; ~**ie** biography; ~**isch** biographic(al)

Biolog|e biologist; ~**ie** biology; ~**isch** biological

Birk|e birch; ~**hahn** black cock, heath cock; ~**huhn** moor-hen

Birn|e pear; 🔧 bulb; *(Kopf) sl* crumpet, conk; ~**baum** pear-tree; ~**enförmig** pear-shaped; ~**enmost** perry

bis to; up to, down to; *(zeitl.)* till, until; *(~ spätestens) by; (~ hin zu)* as far as; or *(three or four men); ~ auf* except, but; ~ *auf weiteres* for the present; ~ *jetzt* so far, up to now, as yet; ~**her** hitherto, till now; *(bei Superlativ)* ever recorded, on record; ~**herig** hitherto existing, old; up to now; ~**lang** so far, up to now; ~**weilen** occasionally

Bisam musk; ~**ratte** muskrat

Bischof bishop; ~**lich** episcopal; ~**smütze** mitre; ~**ssitz** see; ~**sstab** crosier

Biskuit sponge cake; *(Keks)* biscuit

Biß bite; *(Stich)* sting; ~**chen** bit

Biss|en bite, morsel, mouthful; ~**ig** biting, snappish; sarcastic, cutting; ~**igkeit** sarcasm; snappishness

Bistum diocese; bishopric

Bitt|e request; entreaty; ~*e!* *(mit folg. Bitte)* please; *(Antwort auf danke)* not at all, you're welcome; *(etw reichend)* here you are; ~*e, mach d. Tür zu!* shut the door, will you?; *wie* ~*e?* I beg your pardon; ~**en** to ask *(um* for), to request; *(dringend)* to beg, to appeal (to s-b for s-th); *zu Gast ~en* to invite; **~gesuch, ~schrift** petition; **~steller** petitioner

bitter bitter; severe; **~böse** very angry; **~keit** bitterness; **~lich** *adv* bitterly; **~nis** bitterness; **~salz** Epsom salt

Biwak bivouac; **~ieren** to bivouac

bizarr bizarre

Bizeps biceps

bläh|en to inflate, to swell (out); ℈ to cause flatulence; **~ung** flatulence, wind

blak|en to smoke; **~ig** smoky

Blam|age disgrace, shame; **~ieren** *vt* to make s-b look a fool, to expose to ridicule; *refl* to make a fool of o.s., to show o.s. up, to show up one's ignorance (*bzw* lack of manners)

blank bright; polished; *(nackt)* bare; **~o** blank; *~o lassen* to leave blank; **~okredit** unsecured loan; **~ovollmacht** unlimited power, carte blanche

Bläschen bubble; ℈ pustule, blister

Blas|e bubble; blister; *(Glas)* bleb; *(Harn-, Gallen-)* bladder; **~ebalg** bellows; **~en** to blow; ♪ to play, to sound *(a. mil)*; **~enpflaster** blistering plaster; **~er** blower; ♪ player on wind-instruments; **~instrument** wind-instrument, *pl mst* the wind **~musik** brass band

blasiert blasé

Blasphem|ie blasphemy; **~isch** blasphemous

blaß pale; **~blau** pale blue; **~rot** pink, pale red

Blässe paleness, pallor

Blatt leaf, *(schmal)* blade; *(Blüten-)* petal; *(Säge-, Ruder-, Schwert-)* blade; *(Papier)* sheet; (news)paper ♦ *e. unbeschriebenes ~ (fig)* an unknown quantity; *kein ~ vor d. Mund nehmen* not to mince one's words; *vom ~ singen* to sing at sight; **˝chen** leaflet; **~er** blister, fantule; *pl* smallpox; **~ernarbig** pock-marked; **˝erlos** leafless; **˝erpilz** agaric; **˝ern** to turn over the leaves (of); *refl* to scale off; **˝erteig** puff-pastry; **~feder** leaf-spring; **~gold** gold-leaf; **~laus** plant-louse; **~pflanze** foliage plant; **~salat** (young) lettuce; **~stiel** stalk, stem; **~werk** foliage

blau blue; *~es Auge* black eye ♦ *e. ~es Wunder erleben* to have the surprise of a lifetime; *~machen* to take a day off; *j-n ~ u. grün schlagen* to beat s-b black and blue; *d. ~e vom Himmel herunterreden (-lügen)* to talk s-b's head off (to talk through one's hat); *ins ~e* at random, haphazard; *Fahrt ins ~e* mystery tour; *mit e-m ~en Auge davonkommen* to get off lightly; **~äugig** blue-eyed; **~beere** bilberry, blueberry; **˝blütig** aristocratic; **˝e** blue(ness); **˝en** to blue; **˝lich** bluish; **~meise** tomtit; **~papier** carbon paper; **~pause** blueprint; **~säure** prussic acid; **~stift** blue-pencil; **~strumpf** bluestocking

Blech ✿ sheet, *(über 5 mm)* plate; ♪ the brass; *fig* rubbish; **~büchse, ~dose** *BE* tin, can; **~geschirr** *mil* mess-tin; **~instrument** brass-wind instruments, the brass; **~schmied** tinsmith, *(für Wasser)* plumber, *(für Öfen)* stove-fitter

blecken: *d. Zähne ~* to show one's teeth

Blei lead; ⚓ plummet; *(-stift)* pencil; *Pulver u. ~* powder and shot; *es liegt mir wie ~ in d. Gliedern* my limbs feel like lead; **~bergwerk** lead-mine; **~ern** leaden; **~erz** lead ore; **~gewicht** dead weight; **~glas** lead glass, crystal glass; **~kugel** bullet; **~soldat** lead soldier; **~stift** pencil; **~stiftspitzer** pencil-sharpener; **~weiß** white lead

bleib|en to remain, to stay; *(gesund etc)* to keep *(well etc)*; to last, to continue; *ich ~e nicht lange* I won't be long; *es ~t dabei* (that's) agreed; *er ~t dabei, daß* he insists that . . .; *s. gleich~en* to be always the same; *stehen~en* to stand still; to stop; *fern(weg)~en* to stay away, to keep away from; *etw ~en lassen* to let alone; **~end** abiding, permanent; lasting

bleich pale, wan; faint; faded; **~e** paleness, bleaching(-ground); **~en** *vt* to bleach, to blanch; to whiten; *vi* to grow pale; to blanch; to fade; **~mittel** bleaching-agent; **~sucht** anaemia

Blend|e blind window (*bzw* door); sham window (door); niche; ▣ diaphragm, aperture, *(~enstellung)* stop; *(Pferd)* blinker; *chem* blende; ⚓ dead-lights; **~en** to blind, to dazzle; *fig* to deceive; **~end** dazzling; brilliant; **~laterne** dark-lantern; **~leder** blinker; **~schutz** antiglare; **~werk** illusion, mirage; deception

bleuen to beat, to thrash

Blick look, glance; view; *auf d. ersten ~* at first sight; **~en** to look, to have a look at; *s. ~en lassen* to appear; *tief ~en lassen* to be revealing, to be an eye-opener; **~fang** eye-catcher; **~feld** field of vision; **~punkt** visual point; *fig* point of view

blind blind (*gegenüber* to); *(Glas)* dull; *(Schuß)* blank; *~er Gehorsam* implicit obedience; *~er Lärm* false alarm; *~er Passagier* stowaway; **~band** ▣ dummy; **~darm** blind gut, caecum; **~darmentzündung** appendicitis; **~ekuh** blindman's buff; **~enanstalt** blind-asylum; **~enhund** guide dog; **~enschule** school for the blind; **~enschrift** braille; **~er** blind man, blind person; **~flug** blind flying, instrument flying; **~gänger** misfire, dud; **~gläubig** bigoted; **~heit** blindness; **~lings** blindly, blindfold; **~material** ▣ quads and spaces; **~schleiche** blindworm

blink|en to sparkle; to glitter, to gleam; *astr* to twinkle; to signal (with lamps); **~feuer** signal fire; **~licht** blinker; ▣ indicator (light); **~zeichen** lamp-signal; revolving light

blinzeln to blink, to wink

Blitz lightning; flash, bolt ♦ *wie e. ~ aus heiterem Himmel* like a bolt from the blue; *wie d. ~* quick as lightning; *wie e. geölter ~* like greased lightning; **~ableiter** lightning-conductor; **~artig** like lightning; *~artiger Überfall* blitz; **~blank** shining, very clean; **~en** to lighten; to flash, to sparkle; **~krieg** lightning war, blitzkrieg; **~licht** flashlight; **~lichtaufnahme** flashlight (photo); **~lichtgerät** flash gun; **~sauber** spotlessly clean; **~schnell** quick as lightning; **~strahl** flash of lightning

Block block; log; *(Papier)* pad; mass, body; *pol* bloc; ~**ade** blockade; ~**adebrecher** blockade-runner; ~**buchstabe** block letter, block capital; ~**en** to polish *(the floor)*; ~**flöte** recorder; ~**haus** log-hut, log-cabin; ~**ieren** to blockade, to block up; to obstruct; ~**schrift** block letters; ~**stelle** 🚩 signal-box

blöd|e weak-minded, imbecile; timid; absurd; *s.* ~*e benehmen* to act the fool; ~**heit** stupidity; ~**igkeit** weak-mindedness; shyness, bashfulness; absurdity; ~**kopf** blockhead, loggerhead; ~**sinn** nonsense, rubbish, trash; ~**sinnig** idiotic, nonsensical

blöken to bleat; *(Vieh)* to low

blond fair; ~**er** blond(e); ~**ine** blonde

bloß naked, bare; uncovered; *fig* mere, pure; *adv* merely, barely

Blöße nakedness, bareness; *fig* weakness, weak spot; *s. e-e* ~ *geben* to betray one's weak spot, to lay o.s. open to attack

bloß|legen to lay bare; ~**stellen** *vt* to expose; *refl* to compromise o.s.

Bluff bluff; ~**en** to bluff

blühen to (be in) blossom; to (be in) bloom; to flower; *fig* to flourish

Blume flower; blossom, bloom; *(Wein)* bouquet; *(Hase)* tail ♦ *durch d.* ~ *sprechen (sagen)* to speak (say s-th) in a veiled manner; ~**nausstellung** flower show; ~**abeet** flower-bed; ~**nblatt** petal; ~**ngeschäft** florist shop, flower-shop; ~**nkohl** cauliflower; ~**nmuster** floral pattern; ~**nstock** flower-pot, pot-plant; ~**nstrauß** bouquet, bunch of flowers; ~**ntopf** flower-pot; ~**nzucht** floriculture, flower culture; ~**nzwiebel** bulb

blumig flowery; *(Stoff)* flowered

Bluse blouse

Blut blood; *fig* race, lineage, parentage, family; *ruhig* ~ *!* keep calm! ♦ *es liegt ihm im* ~*e* it is his nature, it's in his blood; *bis aufs* ~ *quälen* to worry the life out of s-b, to torment s-b to the quick; *böses* ~ *machen* to cause bad blood; *er hat* ~ *geleckt* he has tasted blood, it has whetted his appetite; *es ist ihm in Fleisch u.* ~ *übergegangen* it has become a part of himself; *ihm gefror d.* ~ *in d. Adern* his blood ran cold *(od* froze*)*; ~**ader** blood-vessel, vein; ~**andrang** congestion; ~**arm** anaemic; *fig* very poor; ~**armut** anaemia; ~**bad** carnage, slaughter; ~**bahn** bloodstream; ~**bank** blood bank; ~**bild** (differential) blood-count; ~**buche** copper beech; ~**druck** blood pressure; *zu hoher* ~*druck* hypotension; *zu niedriger* ~*druck* hypotension; ~**durstig** bloodthirsty; ~**egel** leech; ~**en** to bleed; ~**er** bleeder, haemophiliac; ~**erguß** blood effusion; ~**erkrankheit** haemophilia; ~**gefäß** blood-vessel; ~**gerinnsel** blood-clot; ~**gerinnung** coagulation; ~**gerüst** scaffold; ~**gierig** bloodthirsty; ~**gruppe** blood group; ~**hund** bloodhound; ~**ig** bloody, bleeding; blood-stained; sanguinary; ~*iger Anfänger* raw beginner, greenhorn; ~**igrot** blood-red; ~**jung** very young; ~**körperchen** (blood) corpuscle; ~**kreislauf** circulation (of the blood); ~**leer**, ~**los** bloodless; anaemic; ~**probe** blood-test; ~**rache** blood-feud, vendetta; ~**rünstig** bloody; blood-shot; ~**sauger** blood-sucker; extortioner; ~**schande** incest; ~**schänderisch** incestuous; ~**senkung** blood sedimentation (rate); ~**spender** (blood-)donor; ~**stillend** styptic; ~**sturz** haemorrhage; ~**s**-**verwandt** related by blood, consanguineous; ~**sverwandtschaft** blood relationship, consanguinity; ~**tat** bloody deed, murder; ~**übertragung** blood transfusion; ~**ung** bleeding, *(innere)* haemorrhage; ~**unterlaufen** blood-shot; ~**vergießen** bloodshed, slaughter; ~**vergiftung** blood-poisoning; ~**verlust** loss of blood; ~**wenig** extremely little; ~**wurst** black pudding; ~**zeuge** martyr

Blüte blossom, flower; bloom; *fig* prime, heyday; ~**zeit** great age, peak-time, the time when ... flourished; ~**nblatt** petal; ~**nkelch** calyx; ~**nknospe** (flower-)bud; ~**nstaub** pollen; ~**nstengel** peduncle stalk; ~**nweiß** snow-white, pure white

Bö gust, (Regen-) squall; ~**ig** gusty, squally

Bob bobsleigh, bobsled; ~**bahn** bob run; ~**sport** bobbing

Bock *(Schemel)* stool, *(Gestell)* trestle; *(Kutsche)* box; 🐴 horse; *zool* buck, *(Schaf)* ram, *(Ziege)* he-goat ♦ *e-n* ~ *haben* to be pig-headed, to be terribly obstinate; *e-n* ~ *schießen* to make a blunder; *d.* ~ *zum Gärtner machen* to put the cat among the pigeons; ~**beinig** pig-headed; ~**bier** bock beer; ~**en** to buck; *(Ziege)* to butt; to prance; to be obstinate; ~**ig** obstinate; ~**shorn** *ins* ~*shorn jagen* to intimidate; to scare; ~**ssprung** caper

Boden ground; *(d. Unterste, Meeres-)* bottom; *(Acker-)* soil; *(Fuß-)* floor; *(Dach-)* loft; *(Hosen-)* seat; *auf fruchtbaren* ~ *fallen* to fall on good ground; ~**abwehr** *mil* ground defence; ~**akrobat** tumbler; ~**bearbeitung** cultivation of the soil, tillage; ~**beschaffenheit** soil condition; ~**erhebung** rising ground; ~**ertrag** crop yield; ~**fenster** attic window; ~**kammer** garret; ~**los** bottomless; unheard of; ~**mannschaft** ✈ ground staff *(od* crew*)*; ~**reform** land *(od* agrarian*)* reform; ~**satz** residue, sediment; dregs; ~**schätze** minerals, mineral wealth; ~**see** Lake (of) Constance; ~**senkung** declivity; ~**ständig** native, indigenous; stationary; ~**turnen** free exercises; tumbling

Bofist *bot* puff-ball

Bogen bow; ♪ *(Geigen-)* bow; *(Waffe)* bow, *(modern)* self-bow; *(Kreis-)* arc; *(Trag-)* arch; *(Papier)* sheet; *in Bausch u.* ~ in the lump; *e-n weiten* ~ *machen um* to give a wide berth to ♦ *d.* ~ *überspannen* to shoot beyond the mark, to go too far; ~**fenster** bay-window, bow-window; ~**förmig** curved, arched; ~**führung** ♪ = ~**strich**; ~**gang** arcade, archway; ~**lampe** arc-lamp; ~**schießen** archery; ~**schütze** archer; ~**strich** ♪ bowing; ~**zahl** 📖 number of sheets

Bohle board

Bohne bean; *(grüne* ~ *BE* French b., runner b.; *dicke* ~ broad b.; *weiße* ~ *BE* haricot b.,

US bush b.) ♦ *blaue* ~*n* bullets; *nicht d.* ~ *!* not (in) the least; **~nkaffee** pure coffee

Bohner|maschine electric polisher; **~n** to polish, to (rub with) wax; **~wachs** floor *(od* wax*)* polish

bohr|en *(mit Spiralbohrer)* to drill; *(mit Bohrstahl)* to bore; *(Holz)* to bore; to pierce; *in d. Grund* ~*en* to sink, to scuttle; **~er** (twist) drill; tap; *(Holz)* auger; *(Nagel-)* gimlet; ♀ *(Zahn-)* burr; **~leier** brace; **~loch** bore-hole; drill-hole; **~maschine** drill press; boring *(od* drilling*)* machine; **~turm** derrick; **~ung** bore-hole; drill-hole; **~werkzeug** *(Holz)* boring tool; drilling tool

Boiler water-heater

Boje buoy

Bollwerk bastion, rampart; ⚓, *fig* bulwark

bolschew|isieren to communize; **~ist** Bolshevik, Bolshevist; **~ismus** Bolshevism

Bolzen bolt; pin; *(Pfeil)* arrow

Bombard|ement bombardment; **~ieren** *mil* to bomb; *bes phys* to bombard; **~ierung** = **~ement**

bombastisch bombastic

Bombe bomb, shell; (ice-cream) bombe; *mit* ~*n belegen* to bomb; *fig* bombshell *(jetzt ist d.* ~ *geplatzt* now the b. has burst); **~nabwurf** dropping of bombs; **~nangriff** bombing attack, bombing raid, bombardment; **~nerfolg** huge success; **~nfest** bomb-proof; *fig* unshakable, firm; **~nflugzeug** bomber; **~nkerl** a grand chap; **~nrolle** ♥ a grand part; **~schütze** ✝ bombardier; **~nsicher** bomb-proof; *fig* absolutely certain; **~r** bomber

Bonbon sweet, bonbon

Bonität soundness; reliability

Bonze (party) boss, bigwig, big noise

Boot boat; **~sfahrt** boating; **~shaus** boathouse; **~smann** boatman, boatswain; **~svermieter** boatman

Bor boron; **~ax** borax; **~salbe** boric ointment; **~säure** boric acid; **~wasser** boracic lotion

Bord edge, border, rim; board; shelf; *an* ~ aboard; *an* ~ *gehen* to go aboard; *über* ~ *gehen* to go by the board; *über* ~ *werfen (fig)* to throw aside, to throw to the winds; **~buch** ⚓ log-book

Bordell brothel

Bord|funker radio *(od BE* wireless) operator; **~kanone** (aircraft) cannon; **~linie** water-line; **~schütze** ✝ air gunner; **~schwelle** *BE* kerb(-stone), *US* curb(stone); **~sprechanlage** ✝ intercom; **~wand** ship's wall *(od* side)

Borg borrowing; *auf* ~ on credit; **~en** to borrow, to lend; **~is** 📖 bourgeois

Borke bark

Born spring, well; **~iert** narrow-minded, stupid

Borretsch borage

Börse *(Geldbeutel)* purse; *(Wertpapier-)* stock exchange; *(Waren-)* exchange; **~nbericht** stock-exchange list, market report; city article; **~ngeschäft** stock-exchange transaction; **~nkurs** market rate; **~nmakler** stockbroker;

~nnotierung (daily) quotation; **~nspekulant** stock-jobber

Borst|e bristle; **~ig** bristly *fig* irritable

Borte border; *(Kleid)* trimming, edging; braid(ing)

bös|(e) bad; ill, evil; wicked; *(wütend)* angry; sore; *(Kind)* naughty ~*er Blick* evil eye; ~*e Zeiten* hard times; ~*er Geist* evil spirit; **~artig** ill-natured, wicked; malignant *(bes* ♀); **~artigkeit** wickedness; malignancy; **~ewicht** villain; **~ewillig** malevolent, wicked; wilful

Böschung slope; declivity; bank

bos|haft spiteful; malicious, malevolent; wicked; **~haftigkeit** spitefulness, wickedness; **~heit** malice, spite

Botan|ik botany; **~iker** botanist; **~isch** botanical; **~isieren** to go botanizing; **~isiertrommel** vasculum

Bot|e messenger; **~engang** errand; **~enjunge** errand-boy, office-boy; **~mäßig** subject; **~mäßigkeit** dominion; rule; jurisdiction; **~schaft** message; news; *pol* embassy; **~schafter** ambassador; *päpstlicher* ~*schafter* nuncio

Böttcher cooper; **~arbeit, ~ei** cooperage

Bottich vat, tub

Bouillon bouillon, broth, beef-tea; **~würfel** soup cube

Bowle (claret-)cup; *(Frucht-)* cobbler; **~schüssel** bowl

box|en to box; **~er** boxer; **~handschuh** boxing glove; **~kamera** box camera; **~kampf** boxing-match; bout; **~ring** (boxing-)ring; **~staffel** boxing team

Boy boy servant, messenger boy, page

Boykott boycott; **~ieren** to boycott

brach fallow (~ *liegen* to lie f.); **~e, ~land** fallow (land); **~monat** June

Brack refuse; brackish water; **~e** hound, setter; **~ig** brackish; **~wasser** brackish water

Bramsegel topgallant sail

Branche (particular) trade, (particular) industry; **~nüblich** usual in the industry concerned

Brand burning; fire; *(Groß-)* conflagration; ♀ gangrene; *bot* smut; *in* ~ *stecken* to set fire, to set on fire; *in* ~ *geraten* to catch fire; *e-n* ~ *haben (umg)* to be very thirsty (for a drink); **~blase** blister; **~bombe** incendiary bomb; **~brief** most emphatic letter, threatening letter; **~en** to break (into foam), to surge; **~er** fireship; **~fackel** (incendiary) torch; **~ig** blighted; ♀ gangrenous; **~mal** brand, scar; **~marken** to brand (with a hot iron); *fig* to stigmatize; **~mauer** fireproof wall *(od* partition); **~opfer** burnt-offering; **~rot** fiery red; **~salbe** ointment for burns; **~schaden** damage by fire; **~sohle** welt; **~stifter** incendiary, arsonist; **~stiftung** arson, incendiarism; **~ung** breaker(s), surf; **~wunde** burn, scald

Branntwein brandy; **~brenner** brandy distiller; **~brennerei** distillery; **~monopol** spirits monopoly

Brasil|ien Brazil; **~ianisch** Brazilian; **~nuß** Brazil nut

Brassen *zool* bream; *vt* ⚓ to brace

Brat|apfel baked apple; **~en** vt (in Pfanne) to fry; (über Feuer, Rost) to broil, to grill; (im Bratrohr) to roast; to bake; su rost (meat), joint ♦ d. ~en riechen to smell a rat; **~enfett** dripping; **~ensaft** gravy; **~huhn** roast chicken; **~kartoffeln** fried potatoes; **~pfanne** frying-pan; **~rohr** oven; **~rost** broiler; gridiron, grill; **~spieß** spit; barbecue; **~wurst** fried sausage

Bratsch|e viola, bass-viol; **~ist** viola player

Brauch usage, use; custom; **~bar** useful; fit to use; serviceable; zu nichts ~ bar of no use; **~barkeit** usefulness; fitness; **~en** to use, to make use of; to employ; (nötig haben) to need, to require; to want; lange ~en to be long in (doing), to take a long time; ich ~ e 5 Minuten it takes me 5 minutes (to shave); Sie ~en nur zu ... you have only got to (write); **~tum** custom

Braue eyebrow

brau|en to brew; **~er** brewer; **~erei** brewery

braun brown; (Pferd) bay; (Haut) tanned; ⁻e brown colour, brownness; $ quinsy; ⁻en to (make) brown; (Haut) to tan; refl to (get) brown, to get tanned; ⁻lich brownish; **~kohl** kale, borecole; **~kohle** brown coal, lignite; **~rot** reddish brown

Braus bustle, tumult ♦ in Saus u. ~ riotously

Brause shower, douche; (Gießkanne) rose; **~kopf** hot-headed fellow; **~limonade** fizzy lemonade; **~n** to roar, to rush; to storm, to rage; to hum; chem to effervesce; **~pulver** effervescent powder

Braut (Verlobte) fiancée, umg intended; (am Hochzeitstag) bride; **~ausstattung** trousseau; **~bukett** bride's bouquet; **~führer** best man; ⁻igam fiancé, umg intended; (am Hochzeitstag) bridegroom; **~jungfer** bridesmaid; **~kleid** wedding-dress; **~leute, ~paar** engaged couple; bride and bridegroom; ⁻lich bridal; ~ schleier wedding-veil

brav good-, well-behaved; honest; brave; capable; **~heit** good behaviour; honesty

bravo! well done!; **~ruf** acclamation, pl cheers

Brech|bohnen kidney beans, (grün) BE French beans; **~durchfall** diarrhoea with vomiting; **~eisen** crowbar; **~en** to break (a. Rekord); to smash; (Blumen) to pick; (Steine) to quarry; (Licht) to refract; $ to vomit, (Knochen) to fracture; refl to be refracted; $ to vomit, to be sick; vi to break; mit j-m ~en to sever one's friendship with; d. Ehe ~en to commit adultery; **~er** (Welle) breaker; **~mittel** emetic; loathsome fellow; **~reiz** retching; nausea; **~stange** crowbar; **~ung** breaking; (Licht) refraction

Brei pap; pulp ♦ wie die Katze um d. heißen ~ gehen to act like a cat on hot bricks, to keep beating about the bush; **~umschlag** poultice

breit broad, wide; (Rede) long, windy; **~beinig** straddling; **~e** breadth, width; geogr latitude; fig verbosity; **~en** to spread; to extend, to expand; **~engrad** degree of latitude; **~schlagen** to persuade; **~schultrig** broad-shouldered; **~seite** broadside; **~spurig** wide-gauge; **~wandfilm** wide-screen film

Brems|e brake; zool gad-fly; **~en** to (apply the) brake, to put the brake on; **~hebel** brake-lever; **~klotz** brake-shoe, -block; **~licht** stoplight; **~spur** skid mark; **~weg** stopping distance

brenn|bar inflammable; combustible; **~en** to burn; (hell) to blaze, to burn up; (keramisch) to bake; (Kaffee) to roast; (Branntwein) to distil; (Haare) to wave; $ to cauterize; refl to burn o.s., (mit Wasser) to scald o.s.; vi to burn, to be on fire; (Wunde) to smart, to sting; es ~ t! fire!; darauf ~ en (zu tun) to be dying (to do); **~er** distiller; (Ofen) burner; **~erei** distillery; **~glas** burning-glass; **~holz** firewood; **~material** fuel; **~nessel** stinging nettle; **~ofen** kiln; furnace; **~punkt** focus; **~schere** curling-tongs; **~spiegel** concave mirror; **~spiritus** methylated spirits; **~stoff** fuel; **~weite** focal distance

brenzlig burnt, smelling of burning; fig risky, suspicious

Bresche breach, gap; e-e ~ schlagen to make a breach in, to drive a wedge into; in d. ~ springen to step into the breach; to help s-b out of a dilemma

Brett board, plank; (Wand- etc) shelf; notice board; pl stage, boards; **~erbude** booth, shed; **~erwand** wooden partition; **~erzaun** wooden fence, palisade; **~spiel** board game, game like draughts, chess etc

Brevier breviary

Brezel cracknel (in the form of a B), pretzel

Brief letter; **~ablage** letter-file; letter-sorter; **~beschwerer** letter-weight, paper-weight; **~bote** = träger; **~fach** pigeon-hole; **~geheimnis** secrecy of mail; **~kasten** letter-box, BE pillar-box, US mailbox; **~klammer** clip; **~kopf** letter-head; ⁻lich by letter; written; **~marke** (postage-)stamp; **~öffner** paper-knife; **~ordner** letter-file; **~papier** note-paper; writing-paper; **~porto** postage; **~post** mail; **~schaften** letters and documents; **~steller** guide for letter-writing; **~stempel** post-mark; **~tasche** wallet, pocket-book, US billfold; **~taube** carrier-pigeon; **~träger** postman, bes US mail carrier; **~umschlag** envelop; **~waage** letter balance; **~wechsel** correspondence

Brigade brigade; **~general** brigadier (general)

Brikett briquet(te)

brillant brilliant; su diamond, brilliant

Brille spectacles, glasses; **~nfutteral** spectacle--case; **~nglas** lens

bringen (her-) to bring, (hin-) to take; to fetch; to convey; ✆ to deliver; (Artikel) to print, to publish; (Opfer) to make; j-n zu s. ~ to bring to (od round); j-n dazu ~ (zu tun) to bring, to induce s-b (to do); es zu etw ~ to achieve s-th; um etw ~ to deprive of; zu Papier ~ to put down in writing; es mit s. ~ to involve

Brise breeze, air

Brit|annien Britain; **~e** Englishman, Briton, US Britisher; **~isch** British

bröckel|ig crumbly, friable; **~kohl** broccoli; **~n** to crumble

Brocken morsel, crumb; fragment, scrap; *vt* to break; ~**weise** bit by bit, piecemeal
brodeln to bubble
Brokat brocade
Brom bromine; ~**beere** blackberry, *BE a.* bramble; ~**silber** silver bromide
Bronchi|alkatarrh bronchial catarrh; ~**en** bronchi; ~**tis** bronchitis; ~**tisch** bronchitic
Bronnen = Born
Bronz|e bronze; ~**efarben** bronze (-coloured); ~**ezeit** Bronze Age; ~**ieren** to bronze
Brosame crumb
Brosch|e brooch, *bes US* breastpin; ~**ieren** to stitch, to sew; ~**iert** in paper covers, in paper binding; ~**üre** brochure; pamphlet; booklet
Brösel crumb; ~**n** to crumble
Brot bread (*ein* ~ a loaf of b.); *sein* ~ *verdienen* to earn one's living (*od* bread); ~**aufstrich** spread; ~**beutel** haversack; ~**chen** roll; ~**erwerb** gaining one's living; livelihood; ~**herr** employer, master; ~**getreide** bread grains; ~**korb** bread-basket ♦ *j-m d.* ~*korb höher hängen* to keep s-b on short commons; ~**krume** bread-crumb; ~**los** unemployed; unprofitable; ~**messer** bread-knife; ~**neid** professional jealousy, trade rivalry; ~**rinde** crust; ~**röster** toaster; ~**scheibe** slice of bread; ~**studium** study for one's own career; ~**teig** dough; ~**trommel** bread-bin
Bruch[1] marsh, bog
Bruch[2] break(ing); (*Versicherung*) breakage; breach; ⚓ infringement, violation; *pol* rupture; ✚ (*Knochen-*) fracture, (*Leisten- etc*) rupture, hernia; (*Metall*) flaw; (*Stein-*) quarry; *math* fraction (*gemeiner* ~ vulgar f., *echter* ~ proper f.); (*Trümmer*) debris, rubble; *umg* trash, rubbish; *in d.* ~*e gehen* to go to pieces, to come to nothing; ~ *machen* ✚ to crash; ~**band** ✚ truss; ~**ig** fragile; brittle; full of cracks; ~**landung** ✚ crash-landing; ~**rechnung** fractions; ~**strich** division sign; ~**stück** fragment; ~**teil** fraction; ~**zahl** fractional number
Brücke bridge; (*Zahn-*) bridge; (*Teppich*) rug ♦ *alle* ~*n hinter s. abbrechen* to burn one's boats'; ~**nkopf** bridgehead, beachhead; ~**npfeiler** pier; ~**nwaage** weigh-bridge
Bruder brother; (*wissenschaftl*) sibling; *eccl* friar; *pl* brothers, *eccl* brethren; ~**krieg** internecine conflict; ~**lich** brotherly, fraternal; ~**schaft** fraternity; ~**schaft** brotherhood; association; close friendship; ~**volk** sister nation
Brüh|e broth; gravy; sauce; ~**en** to scald; ~**warm** boiling-hot; *fig* fresh
brüllen to roar; (*Ochse*) to bellow (*a. fig*); (*muhen*) to low; to bawl
Brumm|bär bear; *fig* grumbler; ~**baß** bass voice; double bass; ~**en** to growl, to grumble; (*Insekt*) to hum, to buzz; (*murmeln*) to mutter, to mumble; *umg* to do time; ~**ig** grumbling, grumpy; ~**schädel** splitting headache, hang over
brünett brown, brunette
Brunft rut, heat; ~**zeit** rutting-time

Brunnen well; spring, fountain; ✚ mineral spring; ~**kresse** water-cress; ~**wasser** well water
Brunst passion, lust; (*Hund*) heat; (*Hirsch*) rutting; ~**ig** lustful; *zool* on heat; *fig* ardent
brüsk gruff, brusque
Brust chest; breast; bosom; *er hat es auf d.* ~ he is chesty, he has a weak chest; ~**bein** breastbone; ~**bild** half-length portrait; ~**en** *refl* to give o.s. airs, to brag; ~**kasten**, ~**korb** chest, thorax; ~**schwimmen** breast stroke; ~**ton** chest-note; *mit d.* ~ *ton d. Überzeugung* with conviction; ~**ung** parapet; ~**warze** nipple; ~**wehr** breastwork, parapet
Brut brood (*a. fig*); (*Laich*) fry, spawn; *fig* pack, rabble; ~**apparat** incubator; ~**ei** hatching egg; ~**en** to sit (on eggs), to hatch; to brood (*a. fig, über* over); to breed; ~**henne** sitting-hen; ~**ig** broody; ~**ofen** incubator; ~**stätte** breeding-place; *fig* hotbed; ~**zeit** brooding-time
brutal brutal; ~**ität** brutality
brutto gross; ~**bestand** gross total; ~**einkommen** gross income; ~**einnahme(n)** gross receipts; ~**gehalt** gross salary; ~**gewicht** gross weight; ~**lohn** gross wages; ~**registertonne** gross register ton; ~**sozialprodukt** gross national product
brutzeln to splutter
Bub|e boy; (*Karten*) jack, knave; *fig* rogue, rascal; ~**enstreich**, ~**enstück** a roguish trick, an act of vandalism; ~**ikopf** bob(bed hair); ~**isch** mischievous, boyish; villainous
Buch book; *e. offenes* ~ (*fig*) an open book; *e.* ~ *mit sieben Siegeln* a complete mystery; *reden wie e.* ~ to have the gift of the gab; ~**binder** (book-)binder; ~**binderei** book-binding; ~**deckel** cover, binding; ~**druck** typography; letterpress printing; ~**drucker** printer; ~**druckerei** printing-works, printing-office; ~**druckerkunst** art of printing; typography; ~**en** to make an entry of, to book, to post, to enter; ~**führung**, ~**haltung** book-keeping, accountancy; *doppelte* ~*führung* double entry (book-keeping); ~**halter** book-keeper, accountant; ~**gemeinschaft** book-club; ~**handel** book-trade; ~**händler** bookseller; ~**handlung**, ~**laden** book-shop, *US* bookstore; ~**lein** booklet; ~**macher** book-maker; ~**prüfer** auditor; ~**rücken** spine; ~**stabe** letter (*Dokument*) sub-paragraph; 🕮 character, type; *großer* ~*stabe* capital letter; *auf d.* ~ *staben genau* to the letter; ~**stabenrätsel** anagram; ~**stabieren** to spell; ~**stäblich** literal; *adv* literally; *fig* straight; ~**zeichen** bookmark
Buch|e beech(-tree); ~**ecker** beechnut; ~**fink** chaffinch; ~**weizen** buckwheat
Bücher|brett bookshelf; ~**ei** library; ~**gestell** bookshelves; ~**liebhaber** bibliophile; ~**narr** bibliomaniac; ~**regal** bookshelves; ~**revisor** accountant, auditor; ~**schrank** bookcase; ~**stütze** book-end; ~**wurm** *fig* bookworm; ~**zettel** (book) order-form
Buchsbaum box(wood)

Buchse bush(ing)

Büchse tin; box; case; canister; *(Gewehr)* rifle; **~nfleisch** *BE* tinned meat, canned meat; **~nmacher** gunsmith, gunmaker; **~nmilch** *BE* tinned milk, canned milk; **~nöffner** *BE* tin--opener, can opener

Bucht bay; creek, inlet

Buckel hump(back), hunchback; *(Kamel)* hump; *umg (Rücken)* back ♦ *e-n breiten ~ haben* to have a broad back, to be able to stand a lot; *du kannst mir d. ~ herunterrutschen (hinaufsteigen)* I'll see you further first; **~ig** hunchbacked

bück|en *refl* to bend down, to stoop; to bow; **~ling** bow; *(Fisch)* smoked herring, bloater

buddeln to dig

Bude booth, stall; *(Studenten-) BE* digs, *BE* diggings, den

Budget budget; **~ieren** to budget

Büfett buffet, refreshment bar; *(Möbel)* sideboard, dresser

Büffel buffalo; *umg* blockhead; **~n** to cram up, to cram *(for an exam)*, *US sl* to bone (up on)

Bug ♣, bow; shoulder-bone; **~spriet** bowsprit

Bügel handle; *(Kleider-)* coat-hanger; *(Steig-)* stirrup; **~brett** ironing-board; **~eisen** flat--iron; **~falte** crease; **~horn** ♪ saxhorn; **~n** to iron, to press

bugsieren to (take in) tow *(a. fig)*

Buhle paramour, mistress; **~n** to make love to; to vie; *um j-s Gunst ~n* to curry favour with

Buhne *BE* groyne, *US* groin

Bühne stage, boards; platform; scaffold; **~nbild** setting; stage-design; **~nbildner** stage--designer; **~ndichter** playwright, dramatist; **~nleiter** stage-manager; **~nsprache** standard speech *(od* pronunciation)

Bukett bouquet

Bulette rissole, meat-ball

Bull|auge port-hole; bull's-eye; **~e** bull *(a. eccl)*; **~dog** tractor; **~dogge** bulldog; **~dozer** bulldozer

Bumerang boomerang *(a. fig)*

bumm|eln to stroll (about); to dawdle; to loiter (about); **~elei** dawdling; **~elstreik** go-slow strike; **~elzug** slow train; **~ler** loafer, dawdler; loiterer

bums! bang!; **~en** to (fall with a) bump

Bund waistband; tie; *(Bündnis)* league, alliance; *(-esstaat)* confederacy, confederation; *eccl* covenant; *(Bundesrepublik)* Federal Government, Federal Republic; *(Bündel)* bundle; *(Schlüssel-)* bunch; *(Heu, Stroh)* truss; *(Holz, Stahl)* faggot; **˜el** bundle; bunch; package; *(Strahlen-)* pencil; *s-n ˜el schnüren* to pack one's traps; **˜eln** to bundle (up)

Bundes|bahn Federal Railways; **~bank** Federal Bank; **~bediensteter** federal civil servant; **~dienststelle** Federal Government department; **~eigen** owned by Federal Government; **~gebiet** federal territory; **~genosse** ally; **~gericht** federal court; **~gerichtshof** Federal High

Court of Justice; **~gesetz** federal law; **~grenzschutz** Federal Frontier Guard; **~haushalt** federal budget; **~land** Land (in the Federal Republic); **~minister** Federal Minister; **~ministerium** Federal Ministry; **~parlament** Federal Parliament; **~post** Federal Postal Administration; **~präsident** Federal President; **~rat** *(Westdeutschland)* Bundesrat, Senate of the Federal Parliament; *(Schweiz)* Federal Council; **~regierung** federal government; *(Westdeutschland)* Federal Government; **~republik** Federal Republic of Germany; **~staat** federal state; **~stelle** Federal Agency; **~tag** Federal Diet; *(Westdeutschland)* Bundestag; **~verfassung** federal constitution; **~verfassungsgericht** Federal Constitutional Court; **~verwaltung** Federal Administration; **~wehr** German Federal Armed Forces

bünd|ig convincing; concise; ✿ flush; *kurz u. ~ig* in short, to the point; **~nis** alliance; **~nispolitik** alliance policy; **~nisvertrag** treaty of alliance

Bunker *mil* pillbox, concrete shelter; *(Luftschutz-)* air-raid shelter; *(Kohlen-, Holz-)* bunker; ♣ sleeping berth; **~kohle** bunkering coal; **~n** to coal

bunt colourful, coloured; variegated; spotted; *(Glas)* stained; *(Wiese)* gay (with flowers) ♦ *das ist mir zu ~!* that's put the lid on it!; **~er** *Abend* variety show, concert, ✿ music-hall; **~druck** colour printing; **~farbig** variegated; many-coloured; **~gefiedert** of gay plumage; **~fleckig** spotted; **~papier** coloured paper; **~metall** non-ferrous metal; **~scheckig** motley; speckled; *(Pferd)* piebald; **~specht** spotted woodpecker; **~stift** coloured pencil, crayon

Bürde burden, load; charge

Bure boer; **~nkrieg** Boer Wars

Burg castle; stronghold, fort

Bürge surety; guarantor; sponsor; **~n** to go bail *(für* for); to vouch *(für* for); to stand surety *(für* for); to guarantee

Bürger citizen; middle-class man; **~krieg** civil war; **~kunde** civics; **~lich** civic; civil; bourgeois; middle-class; *(einfach)* simple, plain; *~liches Essen* good plain food; **~liches Gesetzbuch** Civil Code; **~meister** mayor, *(Deutschland)* burgomaster; **~pflicht** civic duty; **~recht** civic rights; freedom of a city; **~schaft** citizens; townspeople; **~steig** pavement, *bes US* sidewalk; **~steuer** poll-tax; **~tum** citizens, citizenry; middle classes

Bürgschaft bail, surety; security; guarantee; *~ leisten* to grant a guarantee

burlesk burlesque; **~e** burlesque

Büro office; (travel-, information-) bureau; **~arbeit** clerical work; **~bedarf** stationery; **~chef** head clerk; **~gebäude** office building; **~klammer** paper clip; **~kraft** clerical worker; **~krat** bureaucrat; **~kratie** officialdom; bureaucracy; *(Unwesen)* bureaucratism; **~vorsteher** = **~chef**; **~zeit** office hours

Bursch|e fellow, youth, lad; *mil* batman; **~ikos** boisterous; impertinent; free and easy

Bürste brush; ~n to brush; ~nabzug ⌸ galley proof; ~nbinder brushmaker

Bus bus; ~fahrer busman

Busch shrub, bush; *(Dickicht)* thicket; *(Austral.)* the bush; *(Haar)* shock; bunch, tuft ♦ *auf d.* ~ *klopfen* to sound, to pump s-b; ~el bunch, tuft; cluster; ~ig bushy; *(Braue)* beetle

Busen bosom; bust, breast; *fig* heart; *(Meer-)* bay, gulf; ~freund bosom friend

Bussard buzzard

Buße penitence, *(Reue)* repentance; atonement; *(Geld-)* fine; ~*e tun* to do penance, to atone; ²en to atone *(für* for); to expiate; ²er penitent; ~fertig penitent; contrite

Büste bust; ~nhalter brassière, *umg* bra

Bütte vat, tub; ~l beadle; bailiff; jailer, *bes BE* gaoler; ~npapier handmade paper; ~nrand ⌸ deckle edge

Butter butter ♦ *es ist alles in* ~ everything is just perfect; ~blume buttercup; ~brot (a slice of) bread and butter ♦ *es j-m aufs* ~*brot schmieren* to rub it in; *für e.* ~*brot (ver)kaufen* to buy (sell) for a song; ~brotpapier grease-proof paper; ~dose butter-dish; ~faß churn; ~maschine churn; ~milch buttermilk; ~n to churn; ~teig short pastry; ~weich (as) soft as butter

Butzen *(Obst)* core; ~scheibe bull's-eye pane

C

C (the letter) C; **C-Dur** C major; **c-Moll** C minor

Café café; tea-room, tea-shop

caritativ charitable

Cellist cellist, cello player; ~o (violon) cello

Cembalo harpsichord

Cent cent; ~ime centime

Ces ♪ C flat

Chaiselongue couch, divan

chamois ⌸ cream, beige

Champagner champagne

Champignon mushroom, *bot* field agaric

Chance chance; opportunity; *umg* break; *er hat geringe* ~*n* he has little chance of *(winning etc)*; *d.* ~ *s-s Lebens* the chance of a lifetime

Chaos chaos; ~tisch chaotic

Charakter character; nature; ⌸ type, print; *(Würde)* dignity; energy; will-power; ~fest morally strong, of a strong character; ~isieren to characterize; ~istik characterization; ~istikum, ~zug characteristic; ~istisch characteristic; ~los unprincipled, weak; ~zug trait (in s-b's character)

Chassis 🚗, 💺 chassis

Chauffeur driver

Chaussee main road, public road; ~graben roadside ditch

Chef head, chief; boss; manager; employer; ~redakteur chief editor

Chemie chemistry; ~iefasern chemical fibres, man-made fibres; ~igraphie ⌸ photo-engraving; ~ikalien chemicals; ~iker (analytical) chemist; ~isch chemical

Cheshirkäse Cheshire cheese

chic *siehe* schick

Chiffre cipher, code; *(Annonce)* box number; ~schlüssel code; ~ieren to code, to codify

Chimäre chimera

China China; ~arinde Peruvian bark; ~ese Chinese, Chinaman; ~esisch Chinese; ~in quinine

Chiromantie palmistry; ~opraktik chiropractic; ~opraktiker chiropractor; ~urg surgeon; ~urgie surgery; ~urgisch surgical

Chlor chlorine; ~haltig containing chlorine; ~kalk chloride of lime; bleaching powder

Chloroform chloroform; ~ieren to chloroform

Chlorophyll chlorophyll

Cholera cholera; ~isch choleric, hot-tempered

Chor *eccl* choir, 🎵 chorus; 🏛 chancel, choir; ~al hymn, chorale; ~eograph choreographer; ~gesang (singing in) chorus, choral song; ~hemd surplice; ~knabe choir-boy; ~sänger choir-singer, chorister; ~stuhl choir-stall

Christ Christian; ~abend Christmas Eve; ~baum Christmas tree; ~enheit Christendom; ~entum Christianity, Christian religion; ~kind Christ-child; ~lich Christian; ~*lich teilen* to share s-th fairly; ~mette Midnight Mass; ~nacht Christmas Eve; ~us Christ, Our Lord

Chrom chromium; ~atisch chromatic; ~farbe chrome; ~stahl chrome steel

Chronik chronicle; ~ikschreiber, ~ist chronicler; ~isch chronic; ~ologie chronology; ~ologisch chronological; ~ometer chronometer

cis ♪ C sharp

Citrusfrüchte citrus (fruit)

Clique clique, coterie, cabal

Conférencier *BE* compère; *US umg* emcee

Coup coup, trick; ~é 🚃 compartment; ~on coupon

Courage courage, pluck

Creme cream

D

D (the letter) D; ♪ D; **D-Dur** D major; **d-Moll** D minor

da *adv* there; then, at that time; *conj (zeitl.)* when; *(kausal)* as, *(weil)* because, *(da ja)* since

dabei near (by), close; *(außerdem)* besides, moreover; *(doch)* yet, but; at the same time; *fig* at that; ~ *sein, etw zu tun* to be on the point of doing; *es blieb nicht* ~ that was not the end of it; ~ *bleibt es!* there the matter rests!; *es bleibt* ~ *! done!, agreed!; was ist* ~ *?* what does that matter?, what difference does it make?; ~ *kommt nichts heraus* it's of no use; ~bleiben to remain *(where one is)*; to persist (in); to insist (on); ~sein to be present; ~stehen to stand near

dableiben to stay, to remain

da capo encore

Dach roof *(a. Zelt)*; *fig* canopy ♦ *unter ~ und Fach bringen* to accomplish, to complete; *unter ~ und Fach sein* to be under cover, to be safe; *j-m aufs ~ steigen (umg)* to come down on s-b; **~decker** tiler, slater; **~en** to roof; **~fenster** dormer(-window); **~first** ridge (of a roof); **~gesellschaft** holding company; **~hase** cat; **~kammer** attic, garret; **~luke** skylight; **~pappe** roofing felt; **~rinne** gutter; eaves *pl*; **~schiefer** roofing-slate; **~sparren** rafter; **~stuhl** (roof-) truss; **~ziegel** (roofing-)tile

Dachs badger; **~bau** burrow; **~hund** basset

Dackel dachshund, *umg* sausage dog

dadurch *adv* through that; by that, thereby; by that means; ~ *, daß* by *(doing etc)*, through the fact that

dafür for that, for it; in return for that; instead; ~ *sein* to be in favour of s-th ♦ *er kann nichts ~* it is not his fault

dagegen against that; in comparison with that; in return for that; *nichts ~ haben* to have no objections *(gegen* to); *conj* on the other hand; whereas

da|heim at home; **~her** from there; *conj* therefore, hence

dahin to that place; so far (that); *(entlang)* along; *(weg)* away, gone; ... *steht ~* is (still) doubtful; ~ *bringen* to persuade, to induce (to do); to manage (to do); **~geben** to give up; to sacrifice; **~gehen** to walk along; *(Zeit)* to pass (away); **~stellen** to put; ~ *gestellt sein lassen* to leave undecided; **~ten** behind; **~ter** behind that; after it; **~terkommen** to find out

Dam *(Hirsch)* buck, *(-wild)* fallow-deer

damal|ig then; of (at) that time; **~s** then, at that time

Damas|t damask; **~zene** damson

Dame lady; *(Karten, Schach)* queen; *(Tanz)* partner; **~brett** *BE* draught-board, *US* checkerboard; **~nsattel** side-saddle; **~nwahl** ladies' choice; **~nwelt** fair sex, ladies; **~spiel** *BE* draughts, *US* checkers

damit with that; therewith; *conj* (in order) that; ~ *nicht* that not, lest

dämlich foolish, stupid

Damm dam, dike; *(Hafen)* pier; mole; embankment, bank; barrage; *(Knüppel-)* causeway ♦ *auf d. ~* quite well (again); *nicht auf d. ~* below the mark, out of sorts; **~en** to dam; *fig* to check, to restrain; **~platte** sound-reducing board

Dämmer dusk, twilight; **~ig** dusky; twilight; **~n** to grow light, to dawn; to get dark; *fig* to dawn upon s-b; **~schlaf** twilight sleep; **~ung** dawn; dusk, twilight; **~zustand** semiconscious state
[niacal]
Dämon demon; **~isch** demoniac; *(wild)* demo-

Dampf vapour; *(Wasser-)* steam; *(Rauch)* smoke, fume ♦ ~ *dahinter machen* to speed things up, to ginger s-b up; **~bad** vapour-bath, Turkish bath; **~boot** steamboat; **~en** to give off vapour; to steam; to smoke, to fume; **~en** to damp; *(Farbe)* to tone down; *(Feuer)* to put out; *(Hitze)* to lower; *(Ton)* to deaden; *(Geige)* to mute; *(Trommel, Stimme)* to muffle; *(Kochen)* to steam; *fig* to check, to suppress; **~er** steamer; **~er** damper; silencer; ♪ mute; **~kessel** boiler; **~kraft** steam-power; **~maschine** steam-engine; **~schiffahrt** steam navigation; **~walze** steam roller

danach after that; thereafter, thereupon; *(entsprechend)* accordingly, according to that; *er sieht nicht ~ aus* he doesn't look like it

Dän|e Dane; **~emark** Denmark; **~isch** Danish

daneben near it, next to it; close by; *conj* besides; also; at the same time

danieder on the ground, down; **~liegen** to be laid up; *fig* not to flourish, to perish

Dank thanks *(herzlichen ~* many th.); *(-barkeit)* gratitude; *(Lohn)* reward *(zum ~* as a r.); ~ *wissen* to be grateful to s-b; *zu ~ verpflichten* to oblige; *ist das d. ~?* is that all the thanks I get?; *prep* thanks to; **~bar** grateful, thankful; **~barkeit** gratitude thankfulness; **~e** *(~e ja)* thanks, *(~e nein)* no thank you; **~e schön** thank you very much; **~en** to thank, to return thanks; to decline with thanks; *(lohnen)* to reward; to owe s-th to s-b, to be indebted to s-b for s-th; **~enswert** deserving of thanks, meritorious; **~gebet** blessing; **~opfer** thank-offering; **~sagung** thank; acknowledgment; *eccl* thanksgiving

dann then; thereupon; *selbst ~ nicht* not even then; ~ *u. wann* now and then

daran at it, on it etc *(siehe* an); in regard to it; *es liegt mir nichts ~* I don't care for it; *was liegt ~ ?* what does it matter?; **~gehen** to set to work; **~setzen** to add; to risk, to stake; *alles ~setzen* to go to any length (to do); *(siehe* dran)

darauf on it *(siehe* auf); after that, thereupon; *e. Jahr ~* a year later; *wenige Tage ~* a few days later; ~ *aus sein* to be out (to do), to aim at (doing); **~hin** thereupon; on the strength of that; *siehe* drauf

daraus out of that; from that; from there *(siehe* aus); hence; *nicht ~ klug werden* to be none the wiser for it; *es wird nichts ~* nothing will come of it; *ich mache mir nichts ~* I don't care for it (much); ~ *folgt (nicht), daß* it (does not) follow(s) that; *(siehe* draus)

darben to be starving, to suffer want

darbiet|en to offer; to present; **~ung** entertainment; performance; turn

darein in(to) it; therein; **~schicken** *refl* to put up with it

darin in it; therein; **~nen** within, inside

darleg|en to explain, to state; to expound; **~ung** explanation; statement

Dar|lehen loan; advance

Darm *(Gedärm)* bowels; gut, *bes* § intestine; **~blutung** intestinal haemorrhage; **~fieber** enteric fever; **~saite** catgut

darnach *siehe* danach

Darre kiln; kiln-drying

darreichen to present; to administer

darstellen to (re)present; to describe; ♥ to perform, to act; **~er** actor, performer; **~erin** actress; **~ung** (re)presentation; description; performance

dartun to demonstrate; to explain, to state

darüber over it; above it; about it *(siehe* über); *und ~* and more; *soviel ~* so much for that; *~ hinaus* beyond that, moreover, in addition; *siehe* drüber

darum round it; for it; about it *(siehe* um); *(deshalb)* therefore, for that reason; *s.* drum

darunter under it, below it *(siehe* unter); *(zwischen)* among them, in the midst of them; *(weniger)* less; *siehe* drunter

das that; which; *~ heißt* that is, i. e.; *~ sind* those are; *auch ~ noch!* that is the last straw, too bad!; *~ will ich meinen!* I should think so!; *~ habe ich ihm gesagt* I told him so, that's what I told him; *~ sage ich ja* that's what I say

dasein to be present; to exist; *ist d. Briefträger dagewesen?* has the postman been (yet)?; *su* being, existence; life; **~sberechtigung** right to exist

daselbst in that very place

daß that; *so ~* so that; *es sei denn, ~* unless; *nicht ~* not that

dat|ieren to date; **~iv** dative

Dattel date; **~palme** date palm

Datum date; *pl* data; *welches ~ haben wir heute?* what's the date today?; **~sgrenze** date-line; **~sstempel** date-stamp; **~szeile** date-line

Daube stave

Dauer duration; length; period; *auf d. ~* in the long run; *für d. ~* for the duration (of); **~auftrag** *(Bank)* standing order; **~brandofen** slow-combustion stove; **~flug** duration flight; **~haft** durable, lasting; **~karte** *BE* season--ticket; *US* commutation ticket; **~lauf** trot; *(Lang-)* long-distance race; **~marsch** forced march; **~n** to last, to continue; *lange ~n* to take a long time; to make s-b sad *(od* sorry); **~nd** durable, permanent; constant; **~stellung** permanent job; **~welle** perm, permanent wave

Daumen thumb ♦ *~ drehen* to twiddle one's thumbs; *j-m d. ~ drücken* to cross one's fingers; **~abdruck** thumb-print

Daune down; eider; **~ndecke** eider-down, quilt

Davit ⚓ davit

davon from it; of it, about it *(siehe* von); *(weg)* away, off; *das kommt ~!* that's the result, that serves you right!; **~kommen** to escape; **~machen** *refl* to make off; **~tragen** to carry away; to carry off *(a. fig); (Sieg)* to bear away

davor in front of it; before it; from it, against it *(siehe* vor)

dawider against it

dazu to it; for it *(siehe* zu); for that purpose; in addition (to that); *noch ~* as well, into the bargain; *er kann nichts ~* it is not his fault; **~gehören** to belong to it; **~mal** at that time; **~tun** to add

dazwischen between (among) them; in the midst (of) *(siehe* zwischen); **~fahren** to interfere brusquely; **~kommen** to come between; to intervene

Debatt|e debate; discussion; **~ieren** to debate

Debet debit

Debit sale, market; **~ieren** to debit, to charge to s-b's account

Debüt début; **~ieren** to make one's début

dechiffrieren to decipher, to decode

Deck deck; **~adresse** cover (address); **~bett** feather-bed; **~blatt** *(Zigarre)* wrapper; **~e** cover; *(Woll-)* blanket; *(Zimmer-)* ceiling; *(Tisch-)* table-cloth; *(Eis-)* sheet ♦ *unter e-r ~e stecken* to conspire together, to make common cause; *s. nach d. ~e strecken* to cut one's coat according to one's cloth; **~el** cover, lid; **~en** to cover; to guard, to protect; *(Dach)* to roof; *(Tisch)* to lay; *(Kosten)* to meet; *(Schaden)* to make good; *refl* to coincide; to be identical *(mit* with); **~enbeleuchtung** ceiling lighting, ceiling fixtures; **~mantel** *fig* cloak, pretence; **~name** pseudonym; alias; code-word; **~ung** cover, shelter; guard, protection; covering; *mil* cover *(in ~ung gehen* to take c.); *(Boxen)* guard; *(Geld)* reimbursement; *(Gelder)* funds; security; **~wort** code-word

Defät|ismus defeatism; **~ist** defeatist; **~istisch** defeatist

Defekt defect; deficiency; *adj* defective; damaged

defensiv defensive; **~e** *su* defensive

defin|ieren to define; **~itiv** definite; final; **~ition** definition

Defizit deficit

Deflation deflation; **~istisch** deflationary

Degen épée, small sword; warrior

Degener|ation degeneration, degeneracy; **~ieren** to degenerate

degradier|en to degrade, to demote; **~ung** degradation, demotion

dehn|bar extensible; elastic; *(Metall)* ductile; *fig* vague; **~en** to extend, to stretch (out); to expand; *(Wörter)* to drawl; *refl* to stretch (o.s.) **~ung** extension; lengthening; stretching

Deich dike, dam; **~en** to make a dike

Deichsel pole, shaft; **~n** to manage, to wangle

dein your; *poet* thy, thine; **~(ig)e** yours; *poet* thine; *pl* your people, your folks; **~erseits** on your part; **~esgleichen** such as you; **~ethalben**, **~etwegen**, **~etwillen** for your sake; on your account

Dekad|e (a period of) 10 days; **~ent** decadent; **~enz** decadence

Dekan dean; **~at** deanery

Deklam|ation declamation; recitation; **~ieren** to recite; to declaim

deklarieren to declare

Deklin|ation declension; *astr* declination; **~ieren** to decline

Dekollet|é décolletage; **~iert** décolleté, low--necked

Dekor|ateur decorator; upholsterer; ~ation ♥ scenery, décor; ~ationsmaler decorator; ♥ scenic painter; ~ieren to decorate
Dekret decree; ~ieren to decree
Deleg|at delegate; ~ation delegation; ~ieren to delegate; ~ierter delegate
delikat delicate, tender; *(köstlich)* delicious; *(heikel)* ticklish; ~esse *(Leckerei)* dainty; *(Zartgefühl)* delicacy (of feeling), tact; ~essengeschäft delicatessen (shop)
Delinquent delinquent
Delle dent
dem *siehe* der, das; ~ *ist nicht so* that is not true; *wie* ~ *auch sei* however that may be; *wenn* ~ *so ist* if that is so; ~entsprechend, ~gemäß, ~nach, ~zufolge accordingly; therefore; ~nächst soon, shortly
Demagog|e demagogue; ~ie demagogy, demagoguery; ~isch demagogic
Demarkationslinie line of demarcation
demaskieren to unmask
Dement|i denial, démenti; ~ieren to deny; to disclaim; to issue a démenti
Demobilis|ation demobilization; ~ieren to demobilize
Demokrat democrat; ~ie democracy; ~isch democratic
Demonstr|ant demonstrator; ~ation demonstration; ~ativ ostentatious; ~ativpronomen demonstrative pronoun; ~ieren to demonstrate
Demont|age dismantling, dismantlement; ~ieren to dismantle, to disassemble
demoralisieren to demoralize
Demut humility; ⁓ig humble, submissive, lowly; ⁓igen to humble, to humiliate; to abase; ⁓igung humiliation; abasement
den *siehe* der; ~en *siehe* der, die das
Denk|art way of thinking; ~bar conceivable; imaginable; ~bar einfach most simple; ~en to think (*an* of); *daran* ~en to bear in mind, to remember (to do); *refl* to imagine; ~ *dir nur!* just fancy!; *wo* ~en *Sie hin!* what are you thinking about!; *d. Mensch* ~t, Gott lenkt Man proposes, God disposes; ~er thinker; ~faul mentally lazy, slow; ~freiheit freedom of thought; ~kraft intellectual power, brain-power; ~mal monument, memorial; ~malspflege preservation of works of art; ~münze medal; ~schrift memorial; memorandum; ~sport mental jerks; ~stein memorial stone; ~weise = ~art; ~würdig memorable, remarkable; ~zettel object-lesson; *j-m e-n* ~zettel geben to give s-b a lesson
denn for; then; *(nach Komparativ)* than; *es sei* ~ unless, except; *mehr* ~ *je* more than ever; ~och yet, still, however
Denunz|iant informer, delator; ~iation informing against, denunciation; delation; ~ieren to inform against, upon; to denounce to the authorities
Depesch|e telegram; ~ieren to telegraph
deponieren to deposit
deportieren to deport, to transport

Depot stores, storehouse; depot; deposit (of securities etc)
Depression depression
deprimieren to depress
der the, the one; *pron* who, that, which; ~artig in such a way; to such an extent; ~artig of that kind, such; *etw* ~artiges something like it; ~einst one day, some day, in years to come; ~einstig future; ~en whose, of them; ~enthalben, ~entwegen, ~entwillen for her (their, whose) sake; on her (their) account; ~gestalt in such a manner; ~gleichen, ~lei of that kind, such; ~jenige the one, that one, he (who etc); ~maßen to such an extent, so much; ~selbe the same; *eben* ~selbe the very same; ~zeitig at the time, for the time being; current, present, actual
derb compact, solid; *(kräftig)* stout, robust; *(grob)* blunt, rough, rude; coarse; ~heit compactness, solidity; bluntness, roughness; coarseness
des *siehe* der, das; ♪ D flat; ~gleichen likewise, ditto; ~halb, therefore, for that reason, that is why ...
Desert|eur deserter; ~ieren to desert
Desinf|ektion disinfection; ~ektionsmittel disinfectant; ~izieren to disinfect
Despot despot; ~isch despotic
desillusionier|en to disillusion; ~ung disillusionment
Desinflation disinflation
desinteressiert uninterested
desodorierend(es Mittel) deodorant
Desorganis|ation disorganization; ~iert disorganized, confused
des|sen *siehe* der, das; ~senungeachtet nevertheless, notwithstanding; ~wegen on that account; on account of which; = deshalb
Dessin design; ~ateur designer
Destill|at distillate; ~ieren to distil
desto the, so much the
Detail detail; *pl* particulars; *bis ins letzte* ~ to the minutest detail; retail (~handel r. trade); ~lieren to detail
Detekt|iv detective; ~or ⚓ detector
Deut doit, *BE* farthing; *keinen* ~ *wert* not worth a brass farthing; ~eln to subtilize; to twist (the meaning of); to quibble; ~en to point (*auf* to, at); to interpret, to explain; ~lich distinct, clear; ~lichkeit distinctness, clearness; ~ung interpretation, explanation; construction (*e-e* ~ung zulassen to bear a c.)
deutsch German ♦ *auf gut* ~ to speak plainly; ~ *mit j-m reden* to call a spade a spade, to give s-b a piece of one's mind; ~er German; ~land Germany; ~tum German nationality; German heritage
Devise motto, device; foreign currency, foreign exchange; ~nbewirtschaftung currency control
Dezember December
dezent unobtrusive; decent; ♪ soft
dezentral (in) decentralized (form); ~isieren to decentralize

Dezi|gramm decigramme; ~**liter** decilitre; ~**mal-** decimal; ~**malbruch** decimal (fraction); ~**malsystem** decimal system; ~**me ♪** tenth; ~**meter** decimetre; ~**mieren** to reduce in numbers, to decimate

Diabet|es diabetes; ~**iker** diabetic

diabolisch diabolic; *bes fig* diabolical

Diagnos|e diagnosis; *fig* analysis; ~**tizieren** to diagnose

Diakon deacon; ~**isse** (trained) Lutheran nurse

Dialekt dialect; ~**isch** *(mundartlich)* dialectal; *(Logik)* dialectic; ~**ik** dialectic; *(Methode)* dialectics

Dialog dialogue

Diamant diamond; *geschliffener* ~ brilliant; *bes fig* adamant; ~**hart** adamantine

Diapositiv (lantern) slide

Diät diet; *pl* daily allowance; ~ *halten* to diet (o.s.); ~**arzt, ~assistentin, ~köchin** dietitian; ~**kunde** dietetics

dich *siehe* du

dicht dense, thick; tight; close; *(undurchlässig)* impervious *(für* to); ~**e** density; closeness; tightness; ~**en** to make tight (airtight, watertight); to tighten; **⚓** to caulk, *US* calk; to write poetry; to compose; to rhyme; ~**er** poet; ~**erin** poetess; ~**ergabe** poetic gift; ~**erisch** poetic(al); ~**erling** versifier, poetaster; ~**halten** to keep a secret, to not breathe a word; ~**igkeit** = ~**e**; ~**kunst** poetry, poetic art; ~**ung ✿** seal, packing; poetry; poetical work; fiction

dick thick; fat; stout, corpulent; *(groß)* big, large; voluminous ♦ *durch* ~ *u. dünn* through fair and foul, through thick and thin; *etw* ~ *haben* to be fed up with; *s.* ~*etun* to boast, to brag; ~**bauch** paunch; ~**bäuchig** paunchy; ~**darm** large intestine; ~**e** thickness; stoutness, corpulence; bigness; ~**fellig** thick-skinned; ~**flüssig** viscous, viscid; ~**häuter** pachyderm; ~**icht** thicket, brake; ~**köpfig** pig-headed, obstinate; ~**leibig** stout, corpulent; ~**schädel** pig-headed person; ~**te 𝄞** thickness, set; ~**wanst** paunch

die *siehe* der

Dieb thief; burglar; ~**erei** thieving; ~**esgut** stolen goods; ~**essicher** burglar-proof; ~**isch** thievish; *s.* ~*isch freuen* to be as pleased as Punch; ~**stahl** theft, larceny; *(Einbruch)* burglary

Diele board, deal, plank; floor; hall; ~**n** to floor; to board

dien|en to serve; *womit kann ich (Ihnen)* ~*en?* can I help you? ♦ *von d.* Pike *auf* ~*en* to rise from the ranks; ~**er** (man-)servant; butler; buttons; ~**erin** maid; ~**lich** useful, serviceable

Dienst service; duty *(im* ~ on d.; *außer* ~ off d., *mil* retired); situation, post; *j-m e-n* ~ *leisten* to do (render) s-b a service, to oblige; *was steht zu* ~*en?* what can I do for you?; *j-m zu* ~*en stehen* to be at s-b's disposal; ~**abzeichen** badge; ~**alter** seniority; ~**bar** subject; subser-

vient; ~**bote** (domestic) servant; ~**eid** official oath; ~**eifrig** very eager; zealous; officious; ~**gebäude** office(s); ~**grad** *(Mannschaften)* rank, *US* grade; *(Offiziere)* rank; ⚓ rating; ~**leistung** service; ~**lich** official; ~**mädchen** maid (-servant); ~**mann** porter; messenger; ~**pflicht** compulsory military service; ~**reise** official journey; ~**stelle** agency, office, authority; ~**stempel** official stamp; ~**stunden** office hours; ~**tauglich** fit for (military) service; ~**verhältnis** term of employment; ~**weg;** *auf d.* ~ *weg* through (the) official channels; ~**wohnung** official residence; ~**zeit** period (*od* time) of service; ~**zimmer** office; ~**zulage** service bonus

Dienstag Tuesday

dies|bezüglich referring to this; ~**er** this; ~**jährig** of this year; ~**mal** this time; ~**malig** this, present; ~**seitig** on this side; ~**seits** on this side; *su* this life, this world

diesig misty, hazy

Dietrich skeleton key, picklock

Differenz difference; ~**ieren** to differentiate; to discriminate; to make distinctions; ~**iert** varied, dissimilar; ~**iertheit** variety; ~**ierung** differentiation

differieren to differ; to vary

Dikt|at dictation; *pol* dictated treaty, *das* ~*at von Versailles* the Treaty of Versailles; ~**atorisch** dictatorial; ~**atur** dictatorship; ~**atzeichen** reference; ~**ieren** to dictate (to s-b); ~**iergerät** dictating machine

Dilemma dilemma

Dilettant amateur, dilettante; ~**isch** amateurish

Dill dill

Ding thing; object; *guter* ~*e sein* to be in good spirits, cheerful; *über d.* ~ *en stehen* to be above petty things; *vor allen* ~*en* above all; *das geht nicht mit rechten* ~*en zu* there's s-th fishy about it; *wie d.* ~*e liegen* as it is; ~**en** to hire; ~**fest;** ~ *fest machen* to arrest; ~**lich** real; material; physical; ~**nsbums, ~sda** thingamy, thingumbob

dinieren to dine

Dinkel spelt

Diözese diocese, bishopric

Diphtherie diphtheria

Diphthong diphthong

Diplom diploma, certificate; ~**arbeit** dissertation; ~**at** diplomat(ist); ~**atie** diplomacy; ~**atisch** diplomatic; ~**dolmetscher** certificated interpreter; ~**iert** certificated; ~**ingenieur** diploma engineer, certificated engineer

dir *siehe* du

direkt direct; ⚓ through; *nicht* ~ *falsch* not exactly wrong; first-hand; actual; ~**ion** management; instruction, direction; ~**ive** directive; ~**or** managing director, manager; headmaster; ~**orat** directorate; directorship; ~**orin** manageress; headmistress; ~**orium** board of directors, board of managers, managing board, directorate; ~**rice** manageress; ~**übertragung ⚓** live transmission

Dirig|ent conductor; ♫ music director; **~ieren** ♪ to conduct; to direct, to rule; **~ismus** controlled economy, statism

Dirn|dl lass; *(Kleid)* dirndl; **~e** *(Mädchen)* girl; prostitute

Dis ♪ D sharp

Disharmon|ie disharmony; discord; **~isch** disharmonious

Diskant treble, soprano; *(Überstimme)* descant; **~schlüssel** treble clef

Diskont discount; **~ieren** to discount; **~satz** (official) discount rate

diskreditieren to (bring) discredit (on)

diskret tactful, discreet; reserved, unobtrusive; **~ion** tact; secrecy; discretion

diskrimin|ieren to discriminate against, to disparage; **~ierung** discrimination against, defamation

Diskus ♫ discus, *umg* platter; **~werfen** discus throw

Disku|ssion discussion; **~tieren** to discuss

Dispens exemption, dispensation; **~ieren** to exempt (from); to excuse (from)

dispo|nieren to plan ahead; to make (preliminary) arrangements; **~sition** planning ahead, making arrangements; instruction; $ disposition

Disput dispute; **~ieren** to dispute

Disqualifi|kation disqualification; **~zieren** to disqualify

Dissonanz dissonance

Distanz distance; **~ieren** *refl* to dissociate o.s. *(von* from)

Distel thistle; **~fink** goldfinch

Distrikt district

Disziplin discipline; ♫ event; **~arisch** disciplinary; **~arstrafe** disciplinary sentence; **~arverfahren** disciplinary investigation *(od* procedure); **~ieren** to discipline

divers sundry

Dividend dividend; **~e** dividend; bonus

Diwan divan, settee

doch yet, however; after all; though *(am Satzende)*; but; yes, oh yes; *ja* ~ !yes, yes!; yes certainly; but of course; *nicht* ~ ! certainly not!, don't! *(im Englischen oft durch Betonung des Hilfsverbs oder Hinzufügen von* to do *ausgedrückt)*

Docht wick

Dock dock; **~e** skein; **~en** ♫ to dock

Dogge bulldog; *(englische* ~*)* mastiff

Dogma dogma; **~tiker** dogmatist; **~tisch** dogmatic

Dohle jackdaw

Doktor doctor; *US oft* physician; *d.* ~ *machen* to take one's doctor's degree; **~arbeit** thesis (for doctorate); **~würde** doctorate, doctor's degree

Doktrin doctrine; **~är** doctrinaire; *adj* doctrinal

Dokument document; **~arfilm** documentary film; **~arisch** documentary; **~ieren** to prove (by documents)

Dolch dagger; **~stoß** stab (with a dagger)

Dolde *bot* umbel; **~nförmig**, **~ntragend** umbelliferous

doll awful; fantastic; *e-e* ~*e Sache* quite an event

Dollar dollar, *US sl* buck

Dolle ♫ oarlock, *bes BE* rowlock

dolmetsch|en to interpret; **~er** interpreter

Dom cathedral; *(Kuppel)* dome; *fig* vault; **~herr** canon; **~pfaff** *zool* bullfinch

Domäne landed estate; *fig* field of activity, domain

domin|ant dominant; **~ante** dominant factor; ♪ dominant; **~ieren** to domineer

Domino *(Stein)* domino; *(Spiel)* dominoes

Domizil domicile; **~ieren** to domicile (with s-b)

Dompteur trainer, tamer

Donner thunder; *vom* ~ *gerührt* thunderstruck, stunned; **~n** to thunder, to roar; *fig* to fulminate *(gegen* against); **~nd** thunderous; **~schlag** thunder-clap, thunderbolt; **~wetter** thunderstorm; **~***wetter!* damn it!; *was .zum* ~ *wetter ist das?* what the dickens *(od* the hell) is that?

Donnerstag Thursday

Doppel duplicate; **~adler** two-headed eagle; **~decker** ✈ biplane; **~deutig** ambiguous, equivocal; **~gänger** double; **~gleisig** double-track; **~griff** ♪ double stop; **~kreuz** ♪ double sharp; **~läufig** double-barrelled; **~laut** diphthong; **~punkt** colon; **~reihig** *(Anzug)* double-breasted; **~schlag** ♪ turn; **~seitig** on both sides; **~sinn** double meaning, double entendre; **~sinnig** ambiguous; **~spiel** double game; **~stecker** two-way plug; **~stück** duplicate; **~t** double, twofold; *etw* ~*t haben* to have two copies (etc) of s-th; **~züngig** double-tongued, double-faced

Dorf village; *(Weiler)* hamlet; **~bewohner** villager; **~gasthaus**, **~krug** village inn; **~leute** countryfolk; **~ler** villager; **~lich** rustic

Dorn thorn; ⚙ pin, mandrel, arbor; *ein* ~ *im Auge* a thorn in one's side; **~enhecke** hedge of thorns; **~envoll**, **~ig** thorny; **~röschen** Sleeping Beauty

dörren to dry, to bake; to desiccate; **~obst** dried fruit

Dorsch cod

dort there; ~ *oben* up there; ~ *unten* down there; **~her** from there; **~hin** there, that way; **~ig** of that place, there; **~zulande** in that country

Dos|e box; *(Einmach-)* can, *BE* tin; *(Zucker-)* basin, *bes US* bowl; ⚡ socket; = **~is**; **~enmilch** tinned (canned) milk, *(ungezuckert)* evaporated milk, *(süß)* condensed milk; **~enöffner** *BE* tin-opener, can opener; **~ieren** to measure out; to apply in appropriate instalments; to regulate; **~is** dose

dös|en to doze; **~ig** sleepy, dull

Dotter yolk (of an egg); **~blume** marsh marigold; **~gelb** yolk-coloured

Doz|ent lecturer *(at a German university)*; **~ieren** to lecture, to teach

Drache dragon; *(Luft-)* kite; *(Weib)* shrew, termagant; **~nhaupt** 🏛 gargoyle
Dragoner dragoon
Draht wire; cable; *per ~* by wire ♦ *auf ~ sein* to be on the beam; **~anschrift** telegraphic address; **~antwort** telegraphic reply; **~en** to wire; **~esel** *umg* iron horse; **~haarig** wire-haired; **~los** wireless; **~netz** wire netting; **~schere** wire-cutters; **~seilbahn** funicular *(od* aerial*)* railway; **~verhau** wire entanglements; **~walzwerk** wire rod mill; **~zange** pliers; **~zieher** *fig* wire-puller
Draisine 🚲 (inspection) trolley
drakonisch Draconian, harsh
drall buxom; robust; *su* ✿ twist; bias; *(Elektronen-)* spin
Drama drama; **~tiker** playwright, dramatist; **~tisch** dramatic; **~tisieren** to dramatize; to take too seriously; **~turg** dramatic critic, literary adviser; stage producer; **~turgie** dramaturgy
dran *siehe* daran; *ich bin ~* it is my turn; *gut ~ sein* to be well off; *~ denken* to keep in mind, to remember; **~kommen:** *er kommt ~* it's his turn; *wer kommt (ist) ~ ?* whose turn is it?; **~kriegen** to get the better of s-b; **~sein:** *ich war ~* I had my turn
Drän|age drainage; **~ieren** to drain
Drang urge, impulse; throng; pressure; **ẅeln** to push, to shove; **ẅen** to press, to crowd; to hurry, to urge; *refl* to force one's way; **~sal** hardship, affliction; distress; **~salieren** to harass, to worry; to oppress
drapieren to drape
drastisch drastic; *~ ausgedrückt* put crudely
dräuen *siehe* drohen
drauf *siehe* darauf; *~ u. dran sein* to be on the point of (doing); **~gänger** dare-devil; pushful person; **~gehen** to break up, to catch one's death; **~kommen** to remember, to find out; *eins ~kriegen* to get a slap in the face
draus *siehe* daraus; **~bringen** to confuse, to puzzle; **~kommen** to lose the thread (of what one is doing)
draußen out of doors; outside; abroad
drechs|eln to turn (on a lathe); **~ler** (wood) turner; **~lerbank** wood turning lathe; **~lerei** turnery
Dreck dirt, filth, *(Straße)* mud ♦ *das geht dich e-n ~ an* that's none of your damned business; **~ig** dirty, muddy
Dreh turn *den (richtigen) ~ herausbekommen (herauskriegen)* to get the hang of it, to get the knack of it; **~bank** (turning) lathe; **~bleistift** propelling pencil; **~brücke** swing bridge; **~buch** *(Roh-)* scenario, *(kurbelfertig)* script, continuity; **~buchverfasser** scenarist; script *(od* continuity*)* writer; **~bühne** revolving stage; **~en** to turn, to rotate, to revolve; ✿ to turn; *(Tau)* to twist; to roll, to wind; *(Film)* to shoot; *s. ~en um (fig)* to hinge on, to be a question of *(weather etc)*; **~er** lathe operator, turner; **~moment** torque; **~orgel** barrel-organ; **~punkt** fulcrum; pivot; **~scheibe** potter's wheel; 🚇 turntable; **~strom** ⚡ three-phase current; **~stuhl** revolving chair; **~tür** revolving door; **~ung** turn; rotation; revolution; **~zahl** revolutions per minute, r.p.m.; speed
drei three ♦ *er kann nicht bis ~ zählen* he doesn't know how many beans make five; *ehe man bis ~ zählen kann* before you can say Jack Robinson; **~achteltakt** three-eight time; **~eck** triangle; **~eckig** triangular; **~einigkeit** trinity; **~erlei** of three kinds; **~fach** threefold; triple; **~faltigkeit** Trinity; **~farbendruck** three-colour print *(od* process*)*; **~felderwirtschaft** three-field system; **~fuß** tripod; **~hundert** three hundred; **~hundertste** three-hundredth; **~jährig** three-year-old; triennial; **~jährlich** triennial; **~käsehoch** midget, little fellow; **~klang** triad; **~mal** three times; **~malig** repeated three times, thrice repeated; **~monatig** three-month-old; lasting three months; **~monatlich** quarterly; **~rad** tricycle; **~seitig** three-sided; trilateral; **~silbig** trisyllabic; **~sprung** 🤸 hop, step and jump; **~ßig** thirty; **~ßigste** thirtieth; **~stellig** of three digits; **~stimmig** for three voices; **~stöckig** three-storied; **~tausend** three thousand; **~tausendste** three-thousandth; **~teilig** in three parts, tripartite; **~vierteltakt** triple time, three-four time; **~zehn** thirteen; **~zehnte** thirteenth; **~zimmerwohnung** three-room flat
drein *siehe* darein; **~reden** to interrupt, to object; **~schlagen** to strike (hard)
dreist bold, daring; impudent, cheeky; **~igkeit** boldness; impudence
Drell drill; *(Matratzen-)* tick(ing)
Dresch|e thrashing; **~en** to thresh; *(prügeln)* to thrash; **~er** thresher; **~flegel** flail; **~maschine** threshing machine, thresher
Dress|eur trainer; **~ieren** to train; *(Pferd)* to break in; **~ur** training; breaking in; **~urreiten** dressage
Drill *mil* drill; **~bohrer** (automatic) drill; **~en** to drill; **~ich** drill, *mil* fatigue uniform; **~ing** triplet; *(Gewehr)* three-barrelled gun; **~maschine** ⬇ drill
dring|en to penetrate *(in* into, *durch* through*)*; to force one's way *(in* into*)*; *~en auf* to insist on; *~en in j-n* to urge s-b (to do); **~end** urgent; *adv* badly; **~lich** urgent; **~lichkeit** urgency; **~lichkeitsstufe** (degree of) priority
dritt|e third; **~el** third (part); **~eln** to divide into three; **~ens** thirdly; **~er** third party, other party; **~letzt** last but two
droben up there; (there) above; on high; upstairs
Drog|e (crude) drug; **~erie** (German-type) drugstore, *BE* chemist's shop; **~ist** druggist
Droh|brief threatening letter; **~en** to threaten, to menace; **~ung** threat, menace
Drohne drone; **ẅn** to resound, to roar; to boom; *su* roar(ing); boom
drollig droll, funny, comical
Dromedar dromedary
Droschke cab; **~nkutscher** cabman; **~nplatz** cabstand

Drossel zool thrush; (Wild) throat; ✿ throttle;
~klappe throttle valve; ~n to throttle; to
strangle; fig to curb
drüben over there, beyond
drüber siehe darüber
Druck pressure; compression; squeeze; (Last)
burden, strain; 🕮 print(ing), impression;
(~type) type; im ~ in the press, fig in a tight
place; in ~ gehen to go to the press; in ~
geben to send to the press; ~buchstabe type;
~bogen proof(-sheet), signature; ~eberger
shirker; ~en to print; ⁓en to press, to squeeze;
(Schuh etc) to pinch; ⁓en auf to bear on; fig to
depress, to worry; refl to shirk; to steal away;
⁓end heavy; burdensome; (Luft) close, sultry;
~er printer; ~erei printing-office, printing-
-works, US a. printery; ~erschwärze printer's
ink; ⁓er latch; (Gewehr) trigger; ~farbe
printer's ink; ~fehler misprint, printer's error;
pl (in Büchern) errata; ~fertig ready for the
press; ~form form, BE mst forme; ~knopf
press-stud, patent fastener; ⚡, 👓 push-but-
ton; ~legung printing, going to print; ~luft
compressed air; ~luftbremse pneumatic
brake; ~messer pressure gauge; ~posten umg
soft job; ~presse printing-press; ~pumpe pressure pump; ~reif ready for the press; ~sache
printed matter; ~schrift type; publication;
~sen to hesitate; to dawdle; ~stock wood-
-block; plate; ~text letter-press, (printed) text;
~type letter; ~verfahren printing-process;
~vorlage copy
drum siehe darum; d. ~ u. Dran the extras, in-
cidentals; mit allem ~ u. Dran hook, line and
sinker
drunt|en below, down there; ~er siehe darun-
ter; ~er u. drüber topsy-turvy, higgledy-piggledy; in great confusion
Drüse gland
Dschungel jungle
du you; poet thou; auf ~ u. ~ stehen mit to be
on terms of intimacy, on very familiar terms
with s-b
Dübel dowel (pin), peg
Dublette doublet
duck|en to duck, to stoop; fig to humble; refl
to duck, to stoop; fig to humble o.s., to
knuckle under; ~mäuser coward, sneak
dudel|n to play on the bagpipe; ~sack bag-
pipe(s)
Duell duel; ~ieren refl to fight a duel (mit
with)
Duett duet
Duft fragrance, scent, aroma; odour; ~en to be
fragrant, to smell sweet; ~end fragrant; ~ig =
~end; airy, light
duld|en to bear, to endure; to suffer; to toler-
ate; ~er sufferer; ~sam tolerant, patient;
~samkeit tolerance, patience; ~ung tolera-
tion
dumm stupid, dull; ignorant; ~dreist impudent; ~heit stupidity, dullness; a stupid thing;
~kopf stupid fellow, blockhead, loggerhead;
~köpfig stupid

dumpf (Ton) hollow; (Schmerz) dull; (Luft)
heavy, close; muggy; (muffig) musty, stuffy;
fig gloomy; ~ig stale, musty
Düne dune
Dung dung; ⁓en to manure, to dung, to ferti-
lize; ⁓emittel fertilizer, manure; ⁓er fertilizer,
manure; ⁓erhaufen dunghill; ~grube manure
pit
dunkel dark; dusky; (düster) gloomy; (Brot)
brown, dark; fig obscure ♦ im ~n tappen to be
in the dark; j-n im ~n lassen to leave s-b in the
dark about s-th; su = ⁓heit darkness; obscurity; ~farbig dark-coloured; ~kammer dark
room; ~n to grow dark
Dünkel conceit; arrogance; ~haft conceited,
arrogant
dünk|en to seem; es ~t mich, mich ~t it seems
to me; refl to fancy o.s.
dünn thin; dilute; slender; (Stoff) fine, flimsy;
rare; weak ♦ ~ gesät few and far between; s.
~emachen to make o.s. scarce; ~darm small
intestine; ~heit thinness; weakness
Dunst haze; (dichter) mist; fume ♦ j-m blauen
~ vormachen to bamboozle s-b; keinen
blassen ~ haben not to have the faintest idea;
~en to evaporate; to steam; ⁓en to stew; ~ge-
bilde phantom; ~glocke blanket of smog; ~ig
hazy, misty; ~kreis atmosphere
Duplikat duplicate
Dur ♪ major (key)
durch through; by (means of); because of;
during, throughout; d. ganzen Tag ~ all day
long, d. ganze Nacht ~ all night long; d. ganze
Zeit ~ all the time; ~ und ~ through and
through, thoroughly
durcharbeiten to work through; to study thoroughly; to go carefully through; refl to get
through, to work one's way through
durchaus quite, thoroughly; all right; absolutely, by all means; (vor adj) enough; ~ nicht
not at all, by no means, (vor adj) far from
durch|beißen to bite through; refl to fight
one's way through; ~betteln refl to live by begging; ~bilden to train, to educate thoroughly;
~blättern to leaf through; to run through, to
skim through
Durchblick view, vista; insight; ~en to look
through, to see through; ~en lassen to (give a)
hint, to suggest
durch|bohren to bore through, to pierce; to
perforate; ~brechen to break through; to penetrate; ~brochen (Stoff) open-work; ~brennen
to burn through; ⚡ to blow out, BE to fuse; fig
umg to bolt; ~bringen to carry through, to
bring through; (Geld) to squander, to throw
away; refl to support o.s.; ~bruch breakthrough; breach; rupture; ~denken to think
over; ~dringen vt to penetrate, to permeate; vi
to get through, fig to succeed; ~dringend penetrating; piercing, shrill; ~drücken to press
through; fig to force
durcheinander in disorder; confusedly; su
confusion, disorder; muddle; ~bringen to confuse, to befuddle

durchfahr|en to drive through, to travel through; *fig* to flash across; ~**t** passage, thoroughfare; *(Tor)* gateway

Durchfall failure, fall; § diarrhoea; ~**en** to fall through; *(Prüfung)* to fail; ~ *en lassen* to fail

durch|fechten to fight out; *refl* to fight one's way through; ~**finden** *refl* to find one's way through; ~**fließen** to flow through; ~**fluß** flowing through; ~**forschen** to search through; to investigate; *(Land)* to explore; ~**fragen** to interrogate; ~**fressen** to eat through; to corrode; *refl* to struggle through; ~**frieren** to freeze through and through

Durchfuhr transit

durchführ|bar practicable; feasible; ~**en** to convey (through); *fig* to carry through, to accomplish; ~**ung** accomplishment, execution; ~**ungsbestimmung**, ~**ungsverordnung** (implementing) regulation *(zu* under)

Durchgang passage; *(astr, Waren)* transit; *kein* ~ *!* no thoroughfare!; ~**ig** throughout, without exception, commonly; ~**slager** transit camp; ~**sverkehr** transit traffic; 🐾 through-traffic; ~**svisum** transit visa

durchgehen *vt* to examine, to work through; *vi* to go through; *(Pferd)* to run away, to take the bit between one's teeth; ~ *der Zug* through train, nonstop train

durch|greifen to put one's hand(s) through; *fig* to take vigorous action; ~**greifend** decisive, thorough; ~**halten** to hold out, to carry through; *umg* to stick it out; ~**hauen** to cut through; to thrash; *refl* to hack one's way through; ~**hecheln** to hackle; *fig* to slate, to pull to pieces; ~**helfen** to help through (out); ~**jagen** *vt* to drive through; *vi* to rush through; ~**kämpfen** to fight out; *refl* to fight one's way through; ~**kochen** to boil thoroughly; ~**kommen** to get through (along); to come through; to pass *(durch e-e Prüfung* an examination); *fig* to succeed; § to get over; ~**kreuzen** to cross; *fig* to frustrate; ~**laß** passage, opening; outlet; ~**lassen** to let through; to let pass; to filter; ~**lässig** pervious, permeable; penetrable

Durchlauf passing through; passage; ~**en** *vt* to run through; to run from one end to the other; *(Schuhe)* to wear out; *vi* to run through; to filter through

durch|leben to live through, to go through; ~**lesen** to read through

durch|leuchten to light up, to illuminate; § to X-ray; *vi* to shine through; ~**liegen** to get bedsore; ~**lochen** to punch; ~**löchern** to perforate; to make holes in; ~**löchert** ragged; *(voll Löcher)* holey; ~**machen** to go through, to experience; to suffer

Durchmarsch march through; ~**ieren** to march through

durch|mengen to mix; ~**messen** to measure; to traverse; ~**messer** diameter; ~**müssen** to be forced to pass; to have to pass; ~**nässen** to wet through, to soak; ~**nehmen** to go through (over), to work through; to deal with; ~**pausen** to trace; ~**peitschen** to whip soundly; ~**prügeln**

to thrash soundly; ~**queren** to cross, to traverse; ~**rasseln** to rattle through; *(Prüfung)* to fail; ~**rechnen** to reckon up, to count over; to check

Durchreise journey through, passage; *auf d.* ~ *durch* on the (his etc) way through; ~**n** *vt* to travel extensively through *(od* over); *vi* to pass through, to cross; ~**nder** passing tourist, through-passenger; ~**visum** transit visa

durch|reißen to tear (in two); to break; *vi* to get torn, broken; ~**rennen** to run through; ~**rieseln** to run through, to flow through; *fig* to thrill; ~**sacken** ✈ to stall; ~**schauen** *vt* to look through; ~**schauern** to shudder

durchscheinen to shine through; ~**d** transparent

durch|scheuern to rub through; *vi* to wear bare; ~**schießen** to shoot through; 📖 *(Buch)* to interleave, *(Druck)* to lead out; ~**schimmern** to glimmer through; ~**schlafen** to sleep (the night) through

Durchschlag colander, *(Sieb)* strainer; (carbon) copy; ~**en** to beat through, to drive through; to strain; *vi* to strike through; to penetrate; to blot; *fig* to be effective, successful; *refl* to fight one's way through; to rough it

durch|schlängeln *refl* to wind through; ~**schleusen** to pass through (the locks); ~**schlüpfen** to slip through (off); ~**schneiden** to cut through, *(Straße)* to cross; *refl* to intersect

Durchschnitt cut(ting through); *math* intersection; *(Quer-)* cross-section; average *(d.* = *nehmen* to average); ~**lich** *adj* average; *adv* on an average; ~**s-** average

durch|schreiben to (make a) copy; ~**schrift** (fair) copy; ~**schuß** *(Weben)* weft, woof; 📖 lead, space-line, *(Blatt)* interleaf; § a shot through; ~**schütteln** to shake well, thoroughly; ~**schwitzen** to perspire profusely; ~**sehen** to look over, through; *vi* to see through, to look through; ~**seihen** to strain, to filter; ~**setzen** to mix, to intersperse *(mit* with); to carry through, to achieve; *(mit Gewalt)* to enforce; *s-n Willen* ~**setzen** to have one's way; *refl* to succeed; to make one's way; *... hat s. ~gesetzt* has come to stay

Durchsicht view, vista; inspection, review; revision; ~**ig** transparent, open, clear; ~**igkeit** transparency

durch|sickern to seep, to trickle through; to leak (through); *fig* to leak out; ~**sieben** to sift; ~**sprechen** to talk over; ~**spülen** to rinse; to flush

durchstech|en to pierce through; to prick; to cut, to dig through; *vi* to pierce, to penetrate; ~**erei** *pl* underhand dealings

durch|stecken to put through; ~**stich** cut(ting); piercing; tunnel; ~**stöbern** to rummage through; ~**stoßen** to push through, to thrust through; to stab; to transfix; to break through; ~**streichen** to cross out, to strike out; to cancel; ~**streifen** to roam through, to rove; ~**strömen** to flow through; ~**suchen** to search (through, all over); ~**suchung** search; police raid; ~**tanzen** to dance all (night), to dance through (all the dances); *(Schuhe)* to wear out by dancing ; ~**tränken** to impregnate, to saturate, to permeate; ~**treiben** to drive through; *(Kochen)* to strain; ~**treten** to tread through; to press down completely; *(Schuh)* to wear out by walking; ~**trieben** cunning, artful; ~**wachsen** to grow through; *adj* streaky; ~**wärmen** to warm thoroughly; ~**waten** to wade through; ~**weg** throughout; consistently; on the whole; *su* passage; ~**weichen** to soak (through); *vi* to become soaked (wet); ~**winden** to wind through; *refl* to wind through, to struggle through; ~**wirbeln** to agitate, to whirl; ~**wirken** to interweave; ~**wühlen** to root up; to rummage; *refl* to dig one's way through (out); ~**zählen** to count over (one by one); ~**zeichnen** to trace; ~**ziehen** to draw through; *(Nadel)* to thread; to interlace, to interweave; *(Fluß)* to run through; to pass, to march through; *vi* to pass, to march through; ~**zucken** to flash through; ~**zug** passage; march through; *(Luft)* (through) draught, *US* draft

dürfen may (might), to be allowed to, to be permitted to; to dare, to venture; *darf nicht* may not, must not, is not permitted to; *darf ich bitten?* please!, will you kindly ...?; *ich darf Sie bitten* may I ask you (to do), I must ask you (to do); *darf s. nicht wundern, wenn* must not be surprised if; *dürfte ich ...* may I *(accompany you)*; *dürfte* (= *wahrscheinlich*) will *(that will be the solution)*, probably *(that is probably a mistake)*; *er dürfte kaum ...* I doubt that he ...

dürftig needy, indigent; *(schlecht)* poor; insufficient; ~**keit** need, indigence; poorness

dürr arid, barren; dry, parched; dried, withered; *(mager)* lean, skinny; ~**e** aridity; dryness; drought

Durst thirst; *e-n über d. ~ trinken* to have a drop too much; ~**en**, ~**en** to be thirsty; *fig* to thirst *(nach* after), to crave *(nach* for); ~**ig** thirsty

Dusche shower-bath, douche; *e-e kalte ~* a cold douche, a damper; ~**n** to douche

Düse *(zerstäubend)* nozzle; *(strahlbildend)* jet; ~**nantrieb** jet propulsion; ~**nflugzeug** jet(-propelled) aeroplane; ~**njäger** jet fighter

Dusel luck, fluke; *großen ~ haben* to have a run of luck, to hit the jackpot; *(Schwindel)* giddiness, dizziness; ~**ig** giddy, dizzy; ~**n** to doze

Dussel blockhead, mug

düster gloomy, lurid; melancholy; ~**keit** gloom; melancholy

Dutzend dozen; *12 ~* gross; ~**mal** dozens of times; ~**weise** by the dozen

duz|en = *auf d. ~fuß stehen mit* to say „du" to, to thou; ~**freund** chum, intimate friend

Dyn dyne; ~**amik** dynamics; *fig* strength, force; motive; ~**amisch** dynamic *(a. fig)*; ~**amit** dynamite; ~**amo** dynamo, generator; ~**astie** dynasty; ~**astisch** dynastic

D-Zug express train, *BE* fast train; *(Durchgangszug)* corridor-train

E

E, e (the letter) E, e; ♪ E; **E-Dur** E major; **e-Moll** E minor

Ebbe ebb, low tide ♦ *bei ihm ist ~ (in d. Kasse)* he is hard up; ~**n** *vi* to ebb

eben *adj* even, flat; smooth; level; *math* plane; *zu ~er Erde* on the ground floor; *adv* just *(das ist es ~* that's just it), even; evenly; exactly; *~ erst* just now; *~ deshalb, deswegen* for that very reason; ~**bild** (the very) image, likeness; ~**bürtig** equal; equal in birth; ~**da**, ~**dort** in that place, there; ~**derselbe** the very same; ~**e** plain; *fig* level; *math* plane *(schiefe ~e* inclined pl.) ♦ *auf d. schiefe ~e geraten* to go wrong, to get into crooked ways; ~**falls** likewise, too, also; ~**maß** symmetry, harmony; (due) proportion; ~**mäßig** symmetrical, proportionate; ~**so** *adv* just as, so; quite as; *~ so wie* and, as well as; ~**sogern, ~sogut** *adv* just as soon, just as well

Ebenholz ebony

Eber boar; ~**esche** mountain ash

ebnen to level, to smooth; *(fig Weg)* to pave

Echo echo; ~**en** *vi* to echo; ~**lot** echo-sounder

echt genuine, true, real; *(Wein)* unadulterated; *(Metall)* pure; *(Farbe)* fast; *(Haar)* natural, own; *(Text, Urkunde)* authentic; legitimate; *(Bruch)* proper; ~**heit** genuineness; fastness; authenticity; legitimacy

Eck|e corner; angle; edge; *(Kurve)* turning; *an allen ~en und Enden* everywhere ♦ *j-n um die ~e bringen* to murder, *sl* to do s-b in; ~**ball** 🏉 corner-kick; ~**ig** angular; cornered; ~**stein** corner-stone; *(Karten)* diamond; ~**zahn** eye-tooth, canine tooth

Ecker acorn; beechnut

edel noble, well-born; *(großmütig)* generous; *(Metall)* precious; ~**mann** nobleman; ~**metall** precious metal; ~**mut** magnanimity, generosity; ~**mütig** magnanimous, generous; ~**stein** precious stone, jewel; ~**tanne** silver fir; ~**weiß** *bot* edelweiss

Efeu ivy; ~**bewachsen** ivy-clad

Effekt effect, result; ~**en** belongings, movable estate, property; movables; *(Wertpapiere)* securities, stocks, bonds; ~**enbörse** stock exchange; ~**enmakler** stockbroker; ~**hascherei** claptrap, showing-off; ~**iv** real, positive, actual; ~**voll** effective

egal alike, the same; *das ist mir ganz ~* it's all the same to me

Egel leech

Egge harrow; ~**n** to harrow

Ego|ismus egoism; selfishness; ~**ist** egoist; ~**istisch** egoistic(al); selfish

ehe *conj* before, until; ~**dem**, ~**mals** *adv* formerly, once, before this time; ~**malig** *adj* formerly, late; ~ *malige(r) Schüler(in)* alumnus (alumna); ~r *adv* sooner, rather (*als* than); before *(he would die b. he lied)*; *nicht ~r als* not until; ~stens *adv* as soon as possible, at the earliest; very soon

Ehe marriage, matrimony; *wilde ~* concubinage; **~brechen** to commit adultery; **~brecher(in)** adulterer (adulteress); **~brecherisch** adulterous; **~bruch** adultery; **~bund**, **~bündnis** marriage-tie; matrimony; **~frau** wife, spouse; **~gatte** husband; **~hälfte** better half; **~leben** married, wedded life; **~leute** married couple, spouses; **~lich** matrimonial, conjugal, nuptial; marital; *(Kind)* legitimate; **~lichen** to marry; **~los** unmarried; single; **~losigkeit** celibacy; **~mann** husband; **~paar** married couple; **~recht** marriage law; **~ring** wedding ring; **~scheidung** divorce; **~scheidungsklage** divorce suit; **~schließung** marriage; **~schließungsurkunde** marriage certificate; **~stand** married state; wedlock; **~stifter** matchmaker; **~versprechen** promise of marriage; **~vertrag** marriage contract; **~weib** wife, ehern brazen; brass; bronze ⌊spouse

Ehr|abschneider slanderer; **~abschneidung** defamation, slander; **~bar** honest, respectable; honourable; decent; **~barkeit** respectability; decency; **~e** honour; respect; *(Ruf)* reputation; *auf~(e) u. Gewissen* on one's honour; *j-m d. letzte ~e erweisen* to pay s-b the last tribute of respect; **~en** to honour, to revere; to respect

Ehren|amt honorary post; **~amtlich** *adj* honorary; non-professional; **~bezeigung** mark of respect; reverence; salute; **~bürger** honorary citizen; *~bürger werden* to receive the freedom of the city; **~bürgerrecht** freedom of a city; **~doktor** honorary doctor; **~gast** guest of honour; distinguished guest; **~geleit** retinue, suite; **~gericht** court of honour; **~(grab)mal** cenotaph; war memorial; **~haft** *adj* honourable, honest; high-principled; **~hain** memorial grove; **~halber** *adv* for honour's sake; **~handel** affair of honour; **~karte** complimentary ticket; **~kleid** ceremonial dress; **~kränkung** insult, affront, *(schriftl.)* libel; **~mal** monument; *siehe ~*(grab)mal; **~mann** man of honour; *dunkler ~mann* shady character; **~mitglied** honorary member; **~preis** prize; *bot* speedwell; **~rechte** *(bürgerliche)* civic rights; **~rettung** rehabilitation; apology; vindication; **~rührig** defamatory, libellous; **~titel** honorary title; title of honour; **~voll** creditable, honourable, respectable; **~wert** respectable, honourable; **~wort** word of honour; **~zeichen** decoration, medal; mark of distinction

ehr|erbietig respectful, reverent(ial); **~erbietung** respect; veneration, reverence; deference; **~furcht** awe; respect, reverence; **~furchtgebietend** awe-inspiring, awesome; **~fürchtig** reverential; **~gefühl** sense of honour; self-respect; **~geiz** ambition; **~geizig** ambitious; **~lich** honest, fair, sincere; bona fide; **~lichkeit** honesty; **~los** dishonourable; **~losigkeit** dishonesty, infamy; **~sam** respect-

able, decent; **~verlust** loss of civic rights; **~würden** Reverend; **~würdig** venerable, reverend

ei *interj* why!, ah!, indeed!

Ei egg; *verlorene ~* er poached eggs; *wie e. ~ d. andern* as like as two peas ♦ *wie aus dem ~ gepellt* as if he had just come out of a bandbox; spick and span; *d. ~ d. Kolumbus* Columbus's egg, *the* solution; *wie e. rohes ~ behandeln* to handle with kid gloves; *wie auf ~ ern gehen* to walk like a cat on hot bricks; **~dotter**, **~gelb** yolk; **~erbecher** egg-cup; **~erkuchen** omelette; **~erlöffel** egg-spoon; **~erpflanze** egg-plant; **~erschale** egg-shell; **~erstock** § ovary; **~förmig** oval, egg-shaped, oblong; **~leiter** § oviduct; **~schnee** whipped white of an egg; **~weiß** white of an egg, albumen; protein; **~weißhaltig** containing protein; **~weißstoff** protein

Eib|e yew(-tree); **~isch** hibiscus

Eich|amt Office of Weights and Measures; **~baum** oak(-tree); **~e** oak; **~el** acorn; **~elhäher** jay; **~en** *vt* to gauge, to calibrate; *adj* oaken, of oak; **~enlaub** oak leaves; **~horn**, **~hörnchen**, **~kätzchen** squirrel; **~maß** gauge

Eid oath; *(j-m) e-n ~ leisten (abnehmen)* to take *(od* administer) an oath (to s-b); *falscher ~* false oath, perjury; **~am** son-in-law; **~brecher** perjurer; **~bruch** perjury; **~brüchig** (having) perjured; **~esformel** form of oath; **~es Statt**: *an E. S. erklären* to declare on oath; **~esstattliche Erklärung** *(schriftl.)* affidavit; statement given as an oath; *(mündl.)* deposition; **~genossenschaft** confederation, league; the Swiss Confederation; **~lich** on (by) oath; sworn; **~genössisch** Swiss

Eidechse lizard ⌊duck

Eider|daunen *pl* eider(down); **~ente** eider-

Eifer zeal, ardour, fervour; eagerness ♦ *im ~ d. Gefechts* in the heat of the fray; **~er** zealot; **~n** to be zealous; to strive *(nach* after); *~n gegen* to inveigh against; *~n um* to vie (with s-b) in (doing s-th); *~n über* to get angry about; **~sucht** jealousy; **~süchtelei** petty jealousy; **~süchtig** jealous *(auf* of)

eifrig eager; zealous; keen, ardent

eigen *adj* own, proper; *(eigenartig)* peculiar, strange, odd; *(besonders)* separate, special; *(wählerisch)* fussy, choosy; *(innewohnend)* inherent, intrinsic; *s. etw zu ~ machen* to adopt, to utilize s-th; **~art** peculiarity, individuality; feature; **~artig** peculiar; **~artigkeit** peculiarity; **~brötler** crank, eccentric; **~dünkel** self-conceit; **~gewicht** dead (*od* net) weight; **~händig** with one's own hand(s); *(Brief)* autograph; **~heit** peculiarity; idiosyncrasy; idiom; **~liebe** egotism, self-complacency; amour-propre; **~lob** self-praise; **~mächtig** arbitrary, unauthorized; by one's own decision *(od* power); **~name** proper name; noun; **~nutz** selfishness, self-interest; **~nützig** selfish, self-seeking; **~s** *adv* on purpose; particularly; expressly, specially; **~schaft** quality; property, feature; attribute; capacity *(in m-r ~ als* in my c. as); **~schaftswort** adjective; **~sinn** obstinacy, stubbornness; wilfulness; **~sinnig** stubborn, wilful; obstinate; **~ständig** independent; **~tlich** *adj* true, real; actual; proper, essential; intrinsic; *adv* really, exactly; actually; in a way; *es ist ~tlich schade* it's a pity in a way; rather *(I rather wanted the pencil)*

Eigentum property *(an* in); *bewegliches ~* personal property, movables; *unbewegliches ~* real estate, immovables; **˝er** owner, proprietor; *rechtmäßiger ˝er* rightful owner; holder in due course; **˝lich** proper; specific; peculiar, odd, strange; **˝lichkeit** peculiarity; *(Merkmal)* feature, characteristic; **~sanspruch** claim of ownership; **~srecht** (legal) title (to property); **~sübertragung** transfer of title; **~surkunde** title deed; **~swohnung** owner-occupied flat *(od* house), condominium

Eigen|versorgung self-sufficiency; **~wärme** specific heat; body heat; **~wechsel** promissory note; **~wille** wilfulness; **~willig** wilful; self-willed

eign|en *refl* to be suited, adapted, qualified *(zu, für* for); **~er** owner; **~ung** *(Person)* qualification, aptitude; *(Sache)* suitability; **~ungsprüfung** aptitude *(od* ability) test

Eiland island, isle

Eil|bestellung ✍ express delivery; **~bote** courier; *durch ~boten* by express, *(Briefaufschrift)* express; **~brief** *BE* express letter, *US* special delivery letter; **~e** hurry, haste; speed; *ich habe (bin in) ~e* I'm in a hurry; *es hat keine ~e* there's no hurry; **~en** *(a. refl)* to hurry, to hasten; to make haste; *es ~t* it is urgent; *~t! (auf Brief)* urgent; **~ends** *adv* hastily, speedily, quickly; **~fertig** hasty, rash; **~fertigkeit** speediness; hastiness; alacrity; **~fracht** *BE* express goods; **~ig** urgent; quick, hurried; *es ist ~ig* it is urgent; *es ~ig haben* to be in a hurry; **~marsch** forced march; **~post** express delivery; **~zug** limited stop passenger train; **~zustellung** ✍ *BE* express delivery, *US* special delivery

Eimer bucket, pail

ein *(Artikel)* a, an; *(Zahlw., pron)* one; *~es Tages* one day; *~ und derselbe* the very same; *manch ~* many a one; *~ ums andere Mal* alternately; *j-s ~ u. alles sein* to be the apple of s-b's eye; *~er von beiden* either; *~ für allemal* once and for all; *in ~em fort* continuously, incessantly; *~ (adv) nicht ~ noch aus wissen* to be at one's wit's end; *~ und aus gehen* to frequent

ein|achsig two-wheeled; **~akter** one-act play; **~ander** each other, one another; **~arbeiten** *vt* to train on the job; *refl* to familiarize o.s. *(in* with); to work o.s. in; **~armig** one-armed

einäscher|n to burn to ashes; *(Leiche)* to cremate; **~ung** cremation; incineration; **~ungshalle** crematorium

ein|atmen to breathe, to inhale; **~atmung** breathing, inhalation; **~äugig** one-eyed

Ein|bahnstraße one-way street; **~balsamieren** to embalm; **~band** ⏁ binding; *(Buchdeckel)* cover, case; **~bändig** in one volume; **~bauen** to

build in; to install, to fit; **~baumöbel** built-in furniture; **~baum** log-canoe, dug-out; **~begreifen** to include, to comprise; **~begriffen** included, inclusive; **~behalten** to keep back, to detain; to withhold; **~beinig** one-legged

einberuf|en *parl* to convene, to summon, to convoke, to call together; *mil* to call out, up; **~ung** summoning; calling up; *mil* call-up, *US* induction

einbett|en *vt* ⚙, *fig* to embed; *fig* to surround *(in* with); **~ig** single(-bedded); **~zimmer** single(-bedded) room

ein|biegen *vt* to bend inwards; *vi* to turn *(in e-e Straße* into a street); **~bilden** *refl* to imagine, to fancy, to think, to believe; *s. etw ~bilden (auf)* to pride o.s. (on); to flatter o.s., to fancy o.s.; *sie bildet s. zu viel ein* she thinks too much of herself; *darauf brauchst du dir nichts einzubilden* this is nothing to be proud of; **~bildung** *(Vorstellung)* imagination, fancy; *(Dünkel)* conceit, presumption; **~binden** ⏁ to bind; **~blasen** to blow into; *fig* to whisper, to prompt; **~bläser** prompter, insinuator; **~blenden** ▣, ▥ to fade in; **~bleuen** to beat into s-b; to inculcate *(j-m* on s-b); **~blick** insight *(~ gewähren in* to give i. into)

einbrech|en *vt* to break open; *vi* to break in, to give way; to break through *(the ice)*; *(Dieb)* to break in *(to a house)*, *umg* to burgle, *bes US* to burglarize; *(Kälte)* to set in, to begin; *die Nacht bricht (her)ein* night is falling; **~er** burglar, housebreaker

ein|brennen to brand; to burn; *(Glasur)* to bake; ⚕ to cauterize; **~bringen** to bring in; ⚙ to file; *(Ertrag)* to yield; *(aufholen)* to make up for, to retrieve; ⏁ to enter; **~brocken** *vt* to crumble; *s. etw ~brocken* to get o.s. into trouble; to put one's foot in it

Einbruch burglary; housebreaking; *fig, mil* breakthrough, a breaking into; *~ der Nacht* nightfall; *~ der Dunkelheit* dusk

Einbuchtung dent; bay

einbürger|n *vt* to naturalize; to adopt; *refl* to become naturalized; *(Wörter etc)* to be adopted; **~ung** naturalization

Einbuße loss, damage; **˝n** to lose, to forfeit; to suffer a loss

ein|dämmen to dam up, to bank up; *fig* to check; **~decken** *refl* to lay in a store *(mit* of); **~decker** ✈ monoplane; **~deutig** clear, plain; definite; obvious

eindring|en to penetrate; to invade *(in e. Land* a country); to break in *(in* on); to force one's way in(to); *(auf j-n)* to press upon (s-b); **~lich** impressive; urgent; emphatic; **~ling** intruder

Eindruck *konkr, fig* impression *(auf* on); *~ machen auf j-n* to impress s-b; **~en** to imprint; **˝en** to squash, to crush; to impress; **~svoll** impressive

ein|ebnen to level, to even (up); **~ehe** monogamy; **~en** to unite; **~engen** to narrow; to compress; to cramp

einer *pron* one, somebody; *su (Zahl)* digit; *math* unit; 🚣 single-sculler; **~lei** *adj* one and

the same; all the same; ~*lei ob* regardless whether; *su* sameness; monotony; ~**seits, einsteils** on the one hand
einexerzieren to drill, to train
einfach *adj* single; simple; plain; modest; primitive; primary; elementary; low-born; *adv fig* simply; ~**heit** simplicity; plainness; modesty
einfädeln to thread; *fig* to contrive
einfahr|en *vt* to bring in; (🚗, *Pferd*) to break in; 🚊 to run in; *vi* to enter *(a port)*, to drive in; to pull in; *(Grube)* to descend; ~**t** drive, entrance, gateway; ⚓ entrance; *(Grube)* descent
Einfall falling down, downfall; collapse; *mil* invasion, inroad; *(Idee)* idea, brain-wave, whim; *phys* incidence; ~**en** to fall down, to collapse; ♪ to join in, to chime in; *mil* to invade; *phys* to be incident; *mir fällt ein* it occurs to me; *es fällt mir nicht ein* I cannot remember (think of) it; *es fällt mir nicht ein, das zu tun* I wouldn't dream of doing it; catch me doing that; *was fällt dir ein?* what do you mean by it?; who do you think you are; ~**swinkel** angle of incidence
Einfalt innocence; simplicity; naiveté; ~͟simple, innocent, foolish; naive; ~**spinsel** simpleton
Einfamilienhaus self-contained house, one-family dwelling
ein|fangen *(a. fig)* to catch; to capture; ~**farbig** of one colour; *(Stoff)* plain; ~**fassen** to border; to trim, to edge; to bind; *(mit e-r Borte)* to braid; *(in Gold)* to mount *(in gold)*; *(Stein)* to set; to enclose; ~**fassung** border; edging, trimming; binding; mounting; setting; enclosure; ~**fetten** to grease; ⚙ to lubricate; ~**feuchten** to wet; ~**filtrieren** to infiltrate; ~**finden** *refl* to appear, to turn up; ~**flechten** *(Haare)* to plait; *(Rede)* to interlard with; to put in; ~**fließen** to flow in; ~*fließen lassen (fig)* to remark *(od* mention) casually; ~**flößen** to administer, to give; *fig* to inspire (with s-th), to instil; ~**fluß** influx; flowing in; *fig* influence *(auf* on); ~**flußreich** influential; ~**flüstern** to whisper to, to insinuate; ~**flüsterung** insinuation; ~**fordern** to demand back; *(Schulden)* to call in; *(Steuern)* to collect
einförmig uniform; monotonous; ~**keit** uniformity; monotony
einfried|en to enclose, to fence; ~**ung** enclosure
ein|frieren to freeze *(a. Guthaben)*; ~**fügen** *vt* to insert; *refl* to fit in, to adapt o.s. *(in* to); ~**fühlen** *refl* to understand; ~**fühlung(s-vermögen)** empathy
Einfuhr import(ation); *(-waren)* import(s); ~**beschränkung** import restriction; ~**bewilligung, ~schein** import licence; ~**handel** import trade; ~**sperre** embargo (on imports); ~**überschuß** import surplus; ~**zoll** import duty; ~͟**en** to introduce *(a. vorstellen* s-b to s-b); *(in e. Amt)* to install; to inaugurate; to bring into fashion; to import (goods); ~͟**ung** introduc-

tion; installation; inauguration; importation; ~͟**ungslehrgang** orientation course
ein|füllen to fill in, to pour in; *(in Flaschen)* to bottle; ~**gabe** petition
Eingang entrance; entry; *(Brief)* receipt, arrival; coming in; *kein* ~ no entry; *nach* ~ on receipt; ~**s** *adv* at (in) the beginning
eingeb|en to give, to administer; 💊 to present, to file, to send in; *fig* to inspire with, to prompt; ~**ung** inspiration
einge|baut built-in; ~**bildet** imaginary; conceited, stuck-up; ~**boren** native; *fig* innate; *bibl* only-begotten; ~**borener** native; ~**denk** mindful of, remembering; ~**fallen** *adj* emaciated, hollow (-cheeked); sunken *(eyes)*; ~**fleischt** inveterate; confirmed *(bachelor)*
eingehen *vt (Ehe)* to contract; *(Wette)* to make; *(Verpflichtung)* to incur; *(Risiko)* to run; *vi* to come (go) in, to arrive; *(aufhören)* to cease, to stop, to come to an end; *(Tier)* to die; *(Pflanze)* to wither; to decay; *(Wolle)* to shrink; ~ *auf* to consider, to agree to; ~**d** *adj* thorough; detailed; exact; *nicht* ~**d** *(Stoff)* shrink-proof
einge|legt inlaid; *(Obst)* preserved; *(in Essig, Salz)* pickled; ~**machtes** preserves; jam; *(in Essig)* pickles; ~**meinden** to incorporate; ~**nommen** prepossessed *(für* in favour of); prejudiced *(gegen* against); *von s.* ~*nommen* conceited; ~**rückt** ▭ inserted; ~**schrieben** ✓ registered; ~**sessen** resident, established *(alt* ~*sessen* old-e.); ~**ständnis** confession; avowal; ~**stehen** to admit, to confess; to avow; *offen* ~*stehen* to make a clean breast of; ~**strichen** ♪ once-accented; ~**tragen** registered; ~**weide** intestines, bowels; entrails; ~**weiht** initiated; ~**wöhnen** *refl* to accustom o.s. (to); ~**wurzelt** deep-rooted; inveterate; ~**zogen** *mil* called up
ein|gießen to pour in, out; ~**gittern** to fence in; ~**glas** monocle; ~**gleisig** single-track; ~**gliedern** to incorporate; to insert; to fit into; to integrate; ~**graben** *vt/i* to dig in, to entrench; to bury *(a. fig)*; *fig* to engrave; ~**gravieren** to engrave; ~**greifen** *vi* to catch; ⚙ to interlock; 🚊 to gear; *mil* to come into operation; to intervene; to interfere; to interrupt, to enter into *(a conversation)*; ~**griff** ⚡ operation; *fig* intervention, interference; 💊 encroachment, infringement; ~**haken** to hook into; to fasten; to catch, pin down; *fig* to cut in, to begin; *refl* to link arms
Einhalt stop, check; ~ *gebieten* to put a stop to, to check; ~**en** *vi* to stop, to pause; *vt* to observe, to follow, to keep *(an agreement)*; ~**ung** observance
ein|händigen to hand over, to deliver; ~**hängen** to hang, to put in; *(Tür)* to put on hinges; ✓ to hang up; ~**hauchen** to instil; to inspire with; ~**hauen** to hew in, to cut (into); *umg* to tuck in; ~**heimisch** native; home, domestic; *bot* indigenous; ~**heimische(r)** native; ~**heimsen** *fig* to reap, to rake in; ~**heiraten** to marry (into)

Einheit unity, union; *mil, math* unit; ~**lich** uniform; centralized; homogeneous; ~**lichkeit** uniformity; homogeneity; ~**s-** standard; uniform; unity; ~**spreis** uniform price, standard price; ~**swert** taxable value

ein|heizen to light a fire, to heat; ~**hellig** unanimous; unambiguous

einher *adv* along, forth; ~**fahren** to drive (*od* ride) along; ~**gehen** to walk along

einholen *vt* to bring in; to collect, to gather; to seek (*counsel*); ♃, to haul in, down; (*Zeit*) to make up for; *j-n* ~ to catch up with s-b; to come level with s-b; *vt/i* to shop; ~ *gehen* to go shopping

Ein|horn unicorn; ~**hüllen** to wrap up, to envelop

einig in agreement; united; unanimous; at one; *s.* ~ *sein* to (be) agree(d); ~**en** *vt* to unite, to unify; *refl* to come to terms, to agree (*auf* on); ~**keit** harmony, union, concord; agreement; ~**ung** agreement; settlement

einig|e *pron* some, a few, several; ~**emal** several times; ~**ermaßen** *adv* to some extent, somewhat; ~**es** something, anything

ein|impfen to inoculate, to vaccinate; *fig* to instil into; ~**jagen**: *j-m Angst* ~*jagen* to alarm, to frighten s-b; ~**jährig** one-year old; *bot* annual; ~**kalkulieren** to take into consideration; ~**kapseln** to capsule; ♃ to encyst; ~**kassieren** to cash, to collect

Einkauf purchase, buying; ~**en** to buy, to purchase; to shop; ~*en gehen* to go shopping; ~**er** buyer; ~**sgenossenschaft** purchasing co-operative; ~**spreis** purchase price; ~**stasche** shopping bag

Einkehr stop (at an inn); *fig* contemplation; ~**en** to stop; to call at

ein|keilen to wedge in, to hem in; ~**kellern** to cellar, to put into cellar-storage; ~**kerben** to notch, to score; ~**kesseln** to encircle; ~**klagbar** actionable, enforceable; ~**klagen** to sue for; ~**klammern** to bracket, to put in parentheses (*od* brackets); to cramp; ~**klang** harmony; unison; agreement; ~**kleiden** to fit out; to invest with; *eccl* to robe; ~**klemmen** to squeeze, to jam; ♃ *eingeklemmt* strangulated (*hernia*); ~**klinken** to latch; ~**knicken** *vt/i* to bend in; to turn down; *vi* to give way; ~**kochen** to boil down; to make jam of, to preserve

Einkommen income, emoluments; (*Staats-*) revenue; (*vt*) ~ *um* to apply for; ~**steuer** income-tax; ~**steuererklärung** income-tax return

ein|kreisen to encircle, to surround; ~**künfte** income, revenue

einlad|en *vt* to load, to ship; (*j-n*) to invite, to ask s-b; ~**end** inviting; enticing, tempting; ~**ung** invitation (~*ungsschreiben*-letter of i.)

Einlage (*Brief*) enclosure; (*Bank*) deposit; (*Spiel*) stake; (*Zahn*) filling; (*Schuh*) instep raiser, support; ~**rn** to store

Einlaß entrance; admission; inlet; ~**geld** admission (fee); ~**karte** ticket; ~**ventil** ♣ inlet valve

ein|lassen *vt* to admit, to let in; ♣ to insert; *refl* to have dealings (*mit* with); to engage (*auf* in); to meddle (*auf* with); ~**lauf** arrival; ♃ enema; ~**laufen** to arrive, to come in; to enter (*in e-n Hafen* a port); ♠ to run in; (*Stoff*) to shrink ♦ *j-m d. Haus* ~*laufen* to pester s-b (with one's wishes); ~**leben** *refl* to settle down; to familiarize o. s. (with); to accustom o.s. (to); ~**legen** (*Brief*) to enclose; to put in; to inlay; to insert; (*e-n Film*) to load (*a camera, a film*); (*Lebensmittel*) to preserve, (*in Essig*) to pickle; ~**legesohle** insole; sock

einleit|en to begin, to initiate; to introduce; ♃ to open, to institute; ~**ung** introduction; prelude (♪, *a. fig*); preamble; (*schriftl.*) preface

ein|lenken to turn (in); *fig* to give in, to become more reasonable; ~**leuchten** to be evident, to be clear; to sound convincing; ~**leuchtend** evident, clear; convincing; ~**liefern** to deliver (up); to take to; ~**liegend** enclosed; ~**lösen** to redeem; (*Wechsel*) to meet, to honour; ~**lösung** redemption; ~**lullen** to lull to sleep; to lull (into)

einmach|en to preserve, (*in Gläser, Flaschen*) to bottle; (*in Büchsen*) *BE* to tin, to can; (*in Essig, Salz*) to pickle; ~**glas** preserving jar, bottle

einmal *adv* once, one time; (*früher*) once (upon a time); formerly; (*in Zuk.*) one day, some time; *auf* ~ all at once, suddenly, (*zusammen*) all together; ~ *dies*, ~ *das* now this, now that; *noch* ~ once again, once more; *nicht* ~ not even; *nicht nur* ~ more than once; ~ *ist keinmal* once is no custom; ~**eins** *su* multiplication table; ~**ig** unique; unequalled; single, solitary

Einmarsch entry, marching in; ~**ieren** to march in

ein|mauern to wall in; to immure; to embed; ~**mengen**, ~**mischen** *refl* to interfere (with), to intervene (in); ~**mischung** interference (with), intervention (in); ~**motten** to protect against moths, to mothball (*a. fig*); ~**münden** *in* to flow into, to discharge into (*river*); to run into (*street*); to join

einmütig unanimous; ~**keit** unanimity; harmony

Einnahme *mil* capture; occupation, conquest; (*Geld*) receipt, proceeds; (*Einkünfte*) income, revenue

einnehmen to occupy, to take; ♃ to take (*medicine*); (*Geld*) to receive; (*Steuern*) to collect; *fig* to charm, to captivate; ~**d** taking, engaging

ein|nicken to fall asleep, to nod (off); ~**nisten** *refl* to build one's nest; *fig* to settle down; *umg* to squat

Einöde desert, solitude; ~**ölen** to oil, to grease; ~**ordnen** to arrange; to classify; (*Briefe*) to file; ~**packen** to pack; to wrap up; ~**pauken** to coach, *umg* to cram; ~**peitscher** *pol* (party) whip; ~**pferchen** to pen in, to box up; to coop up; ~**pflanzen** to plant; *fig* to implant, to inculcate; ~**pfropfen** to cram in; ↓ to engraft; ~**pökeln** to salt, to pickle, to brine

einpräg|en to impress (*a. fig*, upon); to imprint; *s. ~en* to remember, to note; **~sam** impressive; easily remembered

einquartier|en to billet (*bei, in* on); *mil* to canton, to quarter troops; **~ung** billeting; *mil* cantonment, quartering

ein|rahmen to frame; **~rammen** to ram in; **~räumen** *vt* to put in order; *(abtreten)* to give up (for); *(zugestehen)* to concede, to grant, to admit; **~rechnen** to include, to allow for

Einrede objection; contradiction, protest; ♐ defence plea; **~n** to persuade; to make (s-b) believe

ein|regnen to be caught in a deluge (of rain); **~reiben** to rub (into); **~reichen** to hand in, to deliver; to present; ♐ to file, to submit; to lodge

ein|reihen to include, to insert; to arrange; to classify; to enrol; **~reihig** single-breasted *(suit)*

Einreise entry (into a country); **~bewilligung,** **~erlaubnis, ~genehmigung** entry permit; **~n** to enter

ein|reißen *vt* to pull down, to tear down; to demolish, to dismantle; *vi fig* to spread, to gain ground; **~reiten** to break (in); **~renken** to set; *fig* to set right; **~rennen** to run against, to dash against; *(Tür)* to force open

einricht|en to arrange; to manage; to furnish *(a house)*; ♐ to set; ☼ to install; to establish, to set up, to institute; *'s. auf etw ~en* to prepare for; *wir sind noch nicht eingerichtet* we aren't straight yet; **~ung** arrangement; *(Möbel)* furniture, furnishings; *(Ausstattg.)* equipment, outfit; *(Anlage)* installation, fittings; establishment, institution; *städtische ~ungen* municipal services

ein|rollen *vt* to roll up; **~rosten** to rust; *fig* to get rusty; **~rücken** *vi* to enter, to march into; *mil* to join up; ▥ to indent

eins *num; adv* the same; **~ sein** to be at one; **~ werden** to come to terms, to agree; *es läuft auf ~ hinaus* it comes to the same thing; *es ist mir ~* it is all the same to me

ein|salben to rub with ointment; *eccl* to anoint; to embalm; **~salzen** to salt, to pickle

einsam lonely, lonesome, solitary; *adv* alone; **~keit** loneliness

ein|sammeln to gather, to collect

Einsatz insertion; inset; container; *(Spiel)* stake, pool; ♪ entry, striking up; *(Pfand)* pledge; deposit; *(Hemd-)* shirt front; *(Gestell)* tray; *mil* employment, use; effort; ✈ sortie (*~ fliegen* to fly [on] a s.); *unter ~ des Lebens* at the risk of one's life; *zum ~ bringen* to put (send) into action; to apply; **~bereit** ready for use (action); **~bereitschaft** readiness for action; **~fähig** employable

einsaugen to suck in; to absorb

einschalt|en to insert; ⚡ to switch on; to plug in; ⬡ to tune in, to switch on; 🚗 to engage (the gear); to interpolate, to intercalate; **~ung** insertion; interpolation; intercalation

ein|schärfen to impress upon; to inculcate; **~scharren** to bury; **~schätzen** to assess, to value; to estimate *(auf* at); *(richtig)* to appreciate; **~schätzung** assessment; appraisal; appreciation; **~schenken** to pour in, out ♦ *reinen Wein ~schenken* to tell the unvarnished truth

einschieb|en to put in; to insert; to intercalate; **~sel** interpolation, intercalation

einschießen to shoot down; *(Waffe)* to test; *(Geld)* to pay in

einschiff|en *vt/refl* to embark; **~ung** embarkation

einschlafen to fall asleep; *fig* to die

einschläfern to lull to sleep; ♐ to narcotize; **~d** lulling, somnolent; ♐ narcotic

Einschlag impact, burst *(of a bomb)*; *(Gewebe)* woof, weft; *fig* touch; **~en** *vt (Nagel)* to drive in; *(Glas)* to break; to wrap up; *(Kleid)* to shorten; *(Straße)* to take; *(Laufbahn)* to take up *(career)*; *vi (Blitz)* to strike; to agree; **⁓ig** respective; pertinent to; relevant; *(Buch)* on the subjetc; bearing on the point; **~papier** wrapping-paper

ein|schleichen to steal in; to creep in; **~schleppen** to bring in

einschließ|en to lock up; to enclose; *mil* to encircle, to surround; *fig* to include; **~lich** inclusive, including

Einschluß inclusion; *mit ~* inclusive, including

ein|schmeicheln *refl* to insinuate o.s. into, to ingratiate o.s. with; **~schmelzen** to melt down; **~schmieren** to grease, to oil; to smear; to rub in; **~schmuggeln** to smuggle in; **~schnappen** to click, to catch; *fig* to take offence *(bei* at)

einschneiden to cut into, to notch; **~d** decisive; drastic; far-reaching

ein|schneien to snow up (in); **~schnitt** incision, cut; cutting; *fig* turning-point

einschränk|en to limit, to restrict; to curtail; *refl* to retrench; to economize; **~ung** restriction, limitation; curtailment; retrenchment

Einschreibe|brief registered letter; **~gebühr** registration fee; **~n** to enter, to note down; to register *(a letter)*; *refl* to enrol; to matriculate; to enter one's name; ♐ *~ brief*

ein|schreiten to intervene *(bei* in); to interfere *(bei, gegen* with); to take steps; ♐ to proceed against; **~schrumpfen** to shrink; **~schüchtern** to intimidate

einsegn|en to consecrate; to confirm; **~ung** consecration; confirmation

einsehen to look into; to examine; *(Bücher)* to have access to; *fig* to comprehend, to realize, to understand; *su* comprehension, understanding; *ein ~ haben* to be reasonable; *(Wetter)* to be kind

einseifen to soap, to lather; *fig* to take in, to dupe

einseitig one-sided; partial; unilateral; **~keit** one-sidedness; partiality

einsend|en to send in; *(Beitrag)* to contribute *(an* to); **~er** sender; contributor

einsenken to sink; to plant

einsetz|en *vt* to put in; to insert; to employ, to use; to appoint, to install; to set up; *(Pfand)* to pledge; ↓ to plant; *fig* to stake, to risk; *refl* to stand up for s-b, to side (with); *s. voll* ~*en* to pull one's weight; *vi* to set in, to begin; ♪ to strike up; ~**ung** institution; appointment; installation

Einsicht insight; inspection, examination; *fig* understanding, judgment, reason; ~**ig** sensible, prudent, judicious; ~**nahme** inspection, examination

einsickern to soak into, to trickle in

Einsied|elei hermitage; ~**ler** hermit; ~**lerisch** solitary, secluded

einsilbig monosyllabic; *fig* taciturn

ein|sinken to sink in; to give way; ~**sitzig** single-seated; ~**spannen** to harness *(horses)*; to stretch; *(j-n für)* to obtain the support of s-b for; ~**spänner** one-horse vehicle; ~**sparen** to save, to economize; *(Kosten)* to cut down; ~**sperren** to lock in; *(ins Gefängnis)* to (take to) jail; to arrest; ~**spielen** ⚥ to yield; *refl* 🐴 to train; ♪ to become practised in playing together; *fig* to settle down (at a level); ~**spinnen** *refl* *zool* to cocoon; *fig* to be absorbed (in); to seclude o.s.; ~**sprengen** *(Wäsche)* to sprinkle, to damp; *geol* to intersperse; ~**springen** *(Türschloß)* to snap, to catch; *(Ecke)* to re-enter; *fig* to help; to act *(für* for); to step into the breach

einspritz|en to inject; ~**ung** injection

Einspruch objection, protest; ~ *erheben* to object (to), to protest (against), to raise an objection, to lodge a protest; to appeal *(bei* to, *gegen* against); ~**srecht** veto

einspurig 🚃 single-track

einst *adv (früher)* one, formerly; *(zukünftig)* one day, in days to come; ~**ig** *adj* former; ~**mals** *adv* once, formerly; ~**weilen** *adv* meanwhile, in the meantime, for the present; ~**weilig** temporary; ⚖ interim, provisional

ein|stampfen to pulp; ~**stand** 🎾 deuce ♦ ~*stand feiern* to give a house-warming party; ~**standspreis** cost price; ~**stecken** to put in; to pocket; *(einsperren) umg* to jail, to run in; *fig* to swallow, to take *(an insult)*; ⚡ to plug in; ~**stehen** to make o.s. responsible *(für* for); to guarantee, to answer *(für* for); ~**steigen** to get in (to); *US* to go aboard; ~*steigen!* take your seats, please!, *US* all aboard!; *fig (bei j-m)* to join s-b's business

einstell|bar adjustable; ~**en** to put in; 🚗 to garage; ⚡ to turn on, to tune in; ⚙ to adjust, to set; 📷 to focus; *(Arbeiter)* to engage, to employ; *mil* to enlist; 🐴 to equal; *(aufhören)* to cease, to stop, to leave off; to suspend *(payments)*; ⚖ to discontinue; *(Arbeit)* to (go on) strike; *refl* to come, to appear; *s.* ~*en auf* to adapt o.s. to; ~**ig** of one figure; ~**skala** front scale; ~**ung** adjustment; engagement; enlistment; cessation, stoppage; suspension; *fig* attitude, views

einstimm|en to chime, to join (in); *fig* to agree with, to consent to; ~**ig** ♪ for one voice; *fig* unanimous; ~**igkeit** *fig* unanimity; ~**ung** agreement, consent

ein|stöckig one-storied; ~**stoßen** to push in, to smash, to break; ~**streichen** *(Geld)* to pocket; ~**streuen** to strew in; *fig* to interlard, to intersperse; ~**studieren** to study; ⚥ to rehearse; ~**stufen** to classify *(als* as); to categorize; to range; ~**stufung** placement; classification; ~**stündig** one hour's; ~**stürmen** *vi* to assail *(auf j-n s-b)*; to rush (upon); ~**sturz** collapse; *geol* caving-in, subsidence; ~**stürzen** to collapse, to tumble down

eintägig one day old; lasting one day; ephemeral

Eintagsfliege May-fly; *fig* a short-lived thing

Eintänzer gigolo

ein|tauchen *vt/i* to dip (in), to plunge; ~**tauschen** to exchange *(für* for), to swop

ein|teilen to divide; to budget *(money, time)*; to arrange; to classify; *(Skala)* to graduate; ~**ung** division; arrangement; classification

eintönig monotonous; ~**keit** monotony

Eintopf(gericht) hotchpotch; one-course dish

Eintracht harmony, union, concord; ~**ig** united; harmonious

Eintrag *(in e. Buch)* entry; *(Schaden)* damage, harm; ~**en** *in Buch, Liste)* to enter, to register, to book; *(Schule)* to enrol; *fig* to yield, to profit; ~**lich** lucrative, profitable, remunerative; ~**ung** entry; registration

ein|träufeln to instil drop by drop; ~**treffen** to arrive; *fig* to happen, to come true; ~**treiben** to drive home; *(Steuer)* to collect; *(Schuld)* to recover

eintreten *vt* to kick open; *vi* to go in, to enter, to step in; to join *(a firm, the army)*; ~ *für j-n* to stand up for s-b, to intercede for s-b, *(für etw)* to advocate s-th; *fig* to happen, to occur; to set in, to take place

eintrichtern *fig* to drum s-th into s-b's head

Eintritt entrance, entry; *(Geld)* admission (fee); commencement, setting in; ~**sgeld** admission (fee); ~**skarte** ticket

ein|trocknen to dry up; ~**tröpfeln** to drop in, to instil; ~**tunken** to dip in, to dunk; ~**üben** to practise; to drill, to train; ~**verleiben** *refl* to imbibe; to incorporate; to annex; to assimilate

Einvernehmen understanding; agreement; *gutes* ~ amity; *in gutem* ~ *leben mit* to be on good terms with; *im* ~ *mit* in agreement with

einverstand|en agreed; ~ *sein* to agree, *(mit etw)* to approve (of) s-th; ~**nis** agreement, consent; approval

Einwand objection, protest; exception; *e-n* ~ *erheben gegen* to raise an objection to, to take exception to; ~**frei** faultless, flawless, blameless; incontestable, irreproachable, unimpeachable; perfect

Einwander|er immigrant; ~**n** to immigrate; ~**ung** immigration

ein|wärts *adv* inward(s); turned-in; ~**wechseln** *(Geld)* to change; ~**wecken** to bottle, to preserve; ~**weichen** to soak, to steep

einweih|en to consecrate, to inaugurate; to initiate *(in* into); to open; *(ein Haus)* to give a house-warming party; **~ung** consecration; inauguration; initiation; opening

einwend|en to object *(gegen* to); **~ung** = Einwand

ein|werfen to break, to throw in; *(Brief)* to post, *US* to mail; *fig* to interject; to object; **~wertig** univalent

einwickel|n to wrap up, to envelop; **~papier** wrapping-paper

einwillig|en to consent, to agree *(in* to); to acquiesce (in); **~ung** (previous) consent; acquiescence (in s-th)

einwirk|en *(auf)* to influence, to impress; to act on; **~ung** influence; effect; action (upon)

einwohn|en *refl* to begin to feel at home; **~er** inhabitant; **~erschaft** inhabitants

Ein|wurf slit; slot; aperture; *fig* remark, objection; **~wurzeln** to take root

Einzahl singular (number); **~en** to pay in; *(bei e-r Bank)* to deposit; **~ung** (in-)payment; *(Bank)* deposit

einzäun|en to fence in; **~ung** fence, enclosure

einzeichnen *vt* to draw in; to mark; *refl* to enter one's name

Einzel|arrest solitary confinement; **~fall** single case; individual case, particular case; **~gänger** outsider; **~haft** = ~arrest; **~handel** retail trade (business); **~handelsfirma** retail firm; **~händler** retailer; **~heit** detail, particular; **~kampf** hand-to-hand-fight; **~spiel** ⚡ singles; **~teil** single *(od* component) part; **~unterricht** private tuition; **~zimmer** single room

einzeln *adj* single; particular; individual; odd *(glove etc)*; isolated, lonely; *(ohne Hilfe)* single-handed; *adv* singly, one by one; in detail; individually; **~ anführen, angeben** to specify, to particularize; **~e(r)** *su* the individual (man, woman); **im ~en** in detail, in particular; **ins ~e gehen** to go into detail

einziehen *vt* to draw in, to pull in; to thread *(a needle)*; *(Fahne, Segel)* to lower, to haul down; ⚓ to retract; *mil* to call up, to draft, to conscript; *(Geld, Steuern)* to collect; *(Banknoten)* to call in, to withdraw from circulation; ⌷ to indent; ⚒ to confiscate, to seize; *Erkundigungen ~* to make inquiries; *(einsaugen)* to suck in; to absorb; *vi* to march in; to move in (to a house); to soak in

einzig *adj* only; sole; single; **~(artig)** unique; **~ allein** only, solely

ein|zuckern to sugar; **~zug** entry, entrance; moving in (to a house); ⌷ indention; **~zugsgebiet** catchment basin; **~zwängen** to squeeze in, to wedge in

Eis[1] ice *(das ~ ist gebrochen* the ice is broken, *a. fig)*; *Speise-)* ice-cream; *auf ~ legen* to ice ◆ *s. auf dünnes ~ wagen* to skate on thin ice; **~bahn** (skating) rink; **~bär** polar bear; **~bein** knuckle of pork; **~berg** iceberg; **~beutel** ice-bag; **~bombe** ice-pudding; **~brecher** ice-breaker; **~decke** sheet of ice; **~feld** ice-field, floe; **~frei** free of ice; **~gang** drifting of the ice; **~gekühlt** all chilled, iced; **~grau** hoary; **~heiligen:** *die drei E.* the 11th, 12th, and 13th of May; **~hockey** ice hockey; **~ig** icy; **~kalt** icy-cold; as cold as ice; **~kunstlauf** figure-skating; **~lauf** skating; **~laufen** to skate; **~läufer** skater; **~maschine** freezer; **~meer** polar sea; **~pickel** ice-axe; **~schrank** ice-box, *(elektr.)* refrigerator, *BE umg* fridge; **~ segler** ice-boat; **~vogel** *zool* kingfisher, halcyon; **~zapfen** icicle; **~zeit** ice-age, glacial period

Eis[2] ♪ E sharp

Eisen iron; *(Huf-)* horseshoe; *(Werkzeug)* iron implement, iron tool ◆ *zum alten ~ werfen* to scrap

Eisenbahn *BE* railway, *US* railroad; train; *(zum Aufziehen)* clockwork train ◆ *es ist höchste ~* it's high time; **~arbeiter** railwayman, gangman; **~beamter** railway official; **~damm** embankment; trackway; **~direktion** Railway Head Office; **~endstation** *BE* (railway) terminus, *US* railroad terminal; **~er** railwayman; **~fähre** train ferry; **~fahrt** railway journey; **~gesellschaft** railway company; **~knotenpunkt** railway junction; **~kreuzung** railway crossing; **~linie** line; **~netz** network of railway lines; **~schwelle** *BE* sleeper, *US* tie; **~übergang** *BE* level crossing, *US* grade crossing; **~wagen** *BE* railway carriage, *US* railroad car

Eisen|beton reinforced concrete; **~blech** sheet iron; **~erz** iron ore; **~fresser** bully, fire-eater; **~gießerei** iron-foundry; **~guß** *(Werkstoff)* cast iron; *(Stücke)* iron castings; **~handlung** *BE* ironmongery, *US* hardware store; **~haltig** containing iron; *(Wasser)* chalybeate, ferruginous; **~hut** *bot* aconite, monkshood; **~stange** iron bar; **~walzwerk** iron-rolling mill; **~waren** *BE* ironmongery, hardware

eisern iron; *fig* inflexible, hard (and fast); **~er Bestand** reserve stock; permanent fund; iron rations; **~e Lunge** $ iron lung; **~es Kreuz** Iron Cross; **~er Vorhang** ⚑ safety-curtain; *pol* Iron Curtain

eitel vain, conceited; idle; empty; pure *(gold)*; *(nur, nichts als)* only, nothing but; **~keit** vanity, conceit

Eiter matter, pus; **~beule** abscess, boil; **~ig** purulent, festering; **~n** to fester, to suppurate; **~ung** suppuration

Ekel aversion, disgust; *(mit Brechreiz)* nausea; *(Person)* nasty fellow; **~haft, ~ig** disgusting, loathsome, revolting, nasty; **~n** *vt* to disgust; *refl* to loathe, to be *(od* feel) disgusted (at); *es ekelt mich an* I loathe it, it disgusts me

Eksta|se ecstasy; **~tisch** ecstatic

Elan vitality, verve

elasti|sch elastic; flexible; **~zität** elasticity; buoyancy

Elch elk

Elefant elephant; **~enzahn** tusk ◆ *s. wie e. im Porzellanladen benehmen* to act like a bull in a china shop

elegan|t elegant; **~z** elegance

Ele|gie elegy; **~gisch** elegiac

elektri|fizieren to electrify; **~ker** electrician; **~sch** electric, *(a. fig)* electrical; **~sche** *su BE* tram, *US* streetcar; **~sieren** *(a. fig)* to electrify; to give electric treatment; **~zität** electricity, *(Strom)* current; **~zitätswerk** power-plant, power station

Elektro|analyse electroanalysis; **~herd** electric cooker; **~industrie** electrical industry; **~lyse** electrolysis; **~technik** electrical engineering; **~techniker** electrical engineer, electrician; **~technisch** electrical

Elektro|de electrode; **~n** electron; **~nik** electronics; **~nisch** electronic

Element element *(in s-m ~ sein* to be in one's e.); component; factor; ⚡ cell

elementar elementary, first; elemental, violent; *(Schule)* abecedarian; **~buch** primer; **~gewalt** elemental power; **~kenntnisse** elementary *(od* basic) knowledge, the three R's; **~schule** primary *(od* elementary) school; **~teilchen** elementary particle

Elend *su* misery; misfortune; distress; wretchedness, need, want; *adj* miserable, wretched; *(to look, feel)* ill; *adv* miserably; wretchedly; **~viertel** slums

elf eleven; **~meter** 🏉 penalty kick; **~te** eleventh

Elfe elf, fairy; **~nbein** ivory; **~nhaft** like a fairy

eliminieren to eliminate

Elite the élite, the cream, the pick, the best (of s-th); **~truppen** picked troops

Ell|e ell; ⚡ ulna; **~bogen** elbow; **~bogenfreiheit** elbow-room; **~er** *bot* alder

Ellip|se *math* ellipse; *gram* ellipsis; **~tisch** *math* elliptic; *gram* elliptical

Elritze *zool* minnow

Elsaß Alsace; **~-Lothringen** Alsace-Lorraine

Elsäss|er(in) Alsatian; **~isch** Alsatian

Elster magpie

elter|lich parental; **~n** parents ♦ *nicht von schlechten ~n* not to be despised, the real thing; **~nlos** orphaned; **~nteil** parent

Email|(le) enamel; **~lack** enamel (varnish); **~lieren** to enamel

Emanzip|ation emancipation; **~ieren** to emancipate

Em|bolie ⚡ embolism; **~bryo** embryo, foetus, *US* fetus

Emigr|ant emigrant, refugee; *(politischer)* émigré; **~ation** emigration; **~ieren** to emigrate

Eminenz *eccl* eminence; *(fig) graue ~* éminence grise

Emission *phys* emission; *(Bank)* issue; **~sbank** issuing bank; **~skurs** rate of issue

emittieren *phys* to emit; *(Bank)* to issue

Empfang *(Personen,* 📺) reception, *(Sachen)* receipt; *(Willkomm)* welcome; *(privater)* at-home (day); *e-n ~ geben* to give a reception; *in ~ nehmen* to receive, to take delivery of; *bei ~* on receipt; **~en** to receive, to take; to welcome; ⚡ to conceive; **ᵘer** 📺 receiver; recipient; ♋ addressee; consignee; *(e-r Versiche-*

rung, Erbschaft) beneficiary; **ᵘlich** susceptible *(für* of); responsive *(für* to); impressionable; **ᵘlichkeit** susceptibility, impressionability; **ᵘnis** ⚡ conception; **ᵘnisverhütend(es Mittel)** contraceptive; **ᵘnisverhütung** contraception; **~sberechtigter** beneficiary; **~sbescheinigung** *(Geld)* receipt; *(Waren)* delivery note; **~sdame** receptionist; **~sstörung** 📺 atmospherics; (radio) interference; jammings; **~szimmer** reception room

empfehl|en *vt* to recommend; to advise; *~en Sie mich . . .* give my regards to . . . ; *refl* to take one's leave; *es empfiehlt sich* it is advisable *(zu tun* to do); **~enswert** recommendable; **~ung** recommendation; *(Grüße)* compliments

empfind|en to feel, to experience; to perceive; **~lich** sensitive (to); *(leicht beleidigt)* touchy; *(zart)* delicate; *(reizbar)* irritable; *(schmerzlich)* painful; **~lichkeit** sensitiveness, sensitivity; touchiness; **~sam** sentimental; sensitive; **~samkeit** sentimentality; sensitiveness; **~ung** feeling; sensation; sentiment; *(Wahrnehmung)* perception; **~ungslos** insensitive; unfeeling; ⚡ anaesthetic

emphatisch emphatic

Empir|iker empiric; **~isch** empirical

empor *adv* up, upwards, *poet* on high; **~arbeiten** *refl* to work one's way up; **~blicken** *vi* to look up; **~e** loft; **~kömmling** upstart, parvenu; **~ragen** to tower up; **~schwingen** *refl* to soar (upward); to rise; **~streben** to aspire

empör|en *vt* to excite, to shock; to rouse to indignation; to make s-b's blood boil; *refl* to rebel (against); to be furious (about); **~end** shocking; **~er** rebel; insurgent; **~t** indignant *(with s-b, at s-th)*; up in arms; **~ung** indignation; *(Aufstand)* rebellion, revolt

emsig busy; industrious; diligent; assiduous; *sehr ~ sein* to be as busy as a bee; **~keit** industry; diligence; assiduity

End|bahnhof *BE* (railway) terminus, *US* (railroad) terminal; railhead; **~e** end; *(Ergebnis)* result, conclusion; *(Schluß)* close; *(Zweck)* aim, purpose; *(äußerstes)* extremity; *(Stiel-, Griff-)* butt; *am ~e (konkr)* at the end of, *fig* done up, at one's wit's end, *adv* in the end, after all; perhaps ♦ *am ~ e d. Welt* at the back of beyond; *letzten ~es* when all is said and done; after all; *zu ~e* over; *zu ~e gehen* to run low (short), to come to an end; *von Anfang bis ~e (Buch)* from cover to cover ♦ *~e gut, alles gut* all's well that ends well; *kein gutes ~e nehmen* to come to no good; *d. dicke ~e kommt noch* the sting is in the tail; **~en**, **~igen** *vt* to finish, to end; *vi* to cease, to stop; to terminate (in); *fig* to die; **~ergebnis** final result; **~esunterzeichnete(r)** (the) undersigned; **~geschwindigkeit** terminal velocity; **~gültig** final, ultimate; **~kampf** 🏉 finish, final (match); **~lauf** 🏉 final heat, final(s); **~lich** *adj* finite; final, ultimate; *adv* at last, finally; **~lichkeit** finiteness; **~los** endless; infinite; **~produkt** finished product; **~punkt** end-point; farthest point; **~silbe** final syllable; **~spurt** 🏉 finish(ing sprint); (last-lap) burst; **~station** = **~bahnhof**; **~summe** total; **~ung** ending, termination; **~zweck** goal, aim, purpose

Endivie endive

Energie energy; *fig* vigour, force, verve; **~los** lacking in energy; **~versorgung** supply of (electric) power; **~wirtschaft** energy-supply industry

energisch energetic; vigorous

eng narrow; (*~anliegend*) tight; close (*a. fig*); *fig* intimate; *~er machen* to tighten; *im ~eren Sinne* strictly speaking; **~e** narrowness; tightness; closeness; *fig* straits; *in die ~e treiben* to corner; **~herzig** narrow-minded; strait-laced; **~maschig** close-meshed; **~paß** defile; (*a. fig*) bottle-neck

Engagement ♥ engagement; (*Börse*) commitment; **~ieren** to engage, to employ, to hire; to commit; (*Kapital*) to lock up, to sink; to ask for a dance

Engel angel; *rettender ~* good angel; **~gleich**, **~haft** like an angel; angelic

Engerling cockchafer grub

England England; **~̃er** Englishman, *bes US* Britisher; *die ~̃er (als Volk)* the English, the British, (*einzeln*) the Englishmen; ✿ adjustable spanner, monkey-wrench; **~̃erin** Englishwoman

englisch English; *bes pol,* *mil* British; (*in Zus.setzg.*) Anglo-; *poet* angelic; *das ~e* (*Sprache*) (the) English (language); *~e Kirche* Anglican church; *~e Krankheit* rickets; *~er Gruß* Ave Maria; *~es Pflaster* court-plaster; **~horn** ♪ cor anglais

engros wholesale

Enkel grandson, grandchild; **~in** granddaughter; **~kind** grandchild

enorm enormous, huge; bumper

Ensemble ♥ cast, company; ♪ ensemble; **~tänzerin** chorus girl

entart|en to degenerate; **~ung** degeneration

entäußer|n *refl* (*e-r Sache*) to give up (s-th), to part with (s-th); **~ung** parting with; ♒ alienation

entbehr|en to be without, to lack, to miss; (*s. behelfen ohne*) to do without; (*erübrigen*) to spare; **~lich** superfluous; needless, unnecessary; **~ung** privation

entbieten to send; (*zu sich*) to send for

entbind|en to set free; to release (*von* from); to disengage (*von* from); to absolve; ♱ to deliver; *entbunden werden* to give birth (to); **~ung** setting free, release; disengagement; absolution; ♱ confinement, accouchement, lying-in; **~ungsanstalt** maternity hospital

ent|blättern *vt* to strip of leaves; *refl* to shed leaves; **~blößen** to bare, to uncover; to expose; to strip; (*berauben*) to deprive (of); **~blößt** bare(-headed); uncovered; **~blößung** baring, exposing; deprivation; **~brennen** *vt* to kindle; *vi fig* to be inflamed (with); to be seized (with)

entdeck|en to discover; (*Verbrechen*) to detect; (*Wahrheit*) to find out; (*Geheimnis*) to reveal; *refl* to confide the secret (*od* truth) (to); **~er** discoverer; **~ung** discovery; (*Enthüllung*) diclosure

Ente duck; *fig* canard, hoax; *kalte ~* (*etwa:*) hock-cup; **~nbraten** roast duck; **~njagd** duck-shooting; **~rich** drake

entehren to dishonour; to disgrace; to degrade; (*schänden*) to ravish, to rape; to deflower; **~d** disgraceful

enteign|en to expropriate; to dispossess; **~ung** expropriation

ent|eilen to hurry away; to escape; **~eisen** (*Kühlschrank etc*) to defrost; ✝ to de-ice; **~erben** to disinherit

ent|fachen to kindle, to set ablaze; *fig* to fan; **~fahren** *vi* to escape; **~fallen** to fall from; *fig* to slip from s-b's memory; *~fallen auf* to fall (come, go) to; **~falten** *konkr* to unfold; to unfurl; to unroll; *fig* to develop; to display; *refl* to develop

entfern|en *vt* to remove; to take away; *refl* to go away; to depart; **~t** distant, remote; far off; far (from); *fig* slight, faint; *nicht im ~testen* not in the least; not in the slightest degree; **~ung** (*räuml.*) distance, range; (*Wegschaffen*) removal; **~ungsmesser** ⬚ range-finder

entfesseln to unchain; to let loose; to provoke

entfett|et defatted; **~ungskur** treatment for obesity

entflamm|bar inflammable; **~en** *vt/i* to kindle; to inflame

entflecht|en to decartelize, to deconcentrate, to decentralize; **~ung** decartelization, deconcentration, decentralization

ent|fliegen to fly away; **~fliehen** to run away, to escape; (*Zeit*) to pass quickly

entfremd|en to alienate; to estrange; **~ung** alienation; estrangement

entführ|en to carry off; to elope with; to abduct; (*Kinder*) to kidnap; **~ung** elopement; abduction; kidnapping

entgegen *adv, prep* contrary to; opposed to; in face of; despite of; against; **~arbeiten** to counteract, to work against; to oppose; **~gehen** (*j-m*) to go to meet; (*Gefahr*) to face; **~gesetzt** opposite, contrary; **~halten** to object; to contrast (with); **~kommen** to come to meet, to meet half-way; *fig* to meet s-b's wishes; *su* kindness, willingness to oblige; **~kommend** accommodating, obliging; kind, helpful; (*Auto*) oncoming; **~laufen** to run to meet; **~nehmen** to receive, to accept; **~sehen** to look forward to; to expect; **~setzen, ~stellen** to oppose; to contrast; **~strecken** to stretch out towards; **~treten** to advance towards; (*Gefahr*) to brave, to face; *fig* to oppose; **~wirken** to thwart, to counteract

entgegn|en to reply, to answer; to retort; **~ung** reply, answer; retort

entgehen to escape (from); to elude, to avoid; *j-s Aufmerksamkeit ~, daß* to escape s-b's notice that . . .; *s. etw ~ lassen* to miss s-th, to let slip (by)

ent|geistert flabbergasted, thunder-struck; **~gelt** remuneration; reward; recompense, compensation; *(Vertrag)* consideration; **~gelten** to pay for; *fig* to atone for; **~geltlich** against payment; for a (monetary) consideration; **~giften** to decontaminate; **$** to detoxicate

entgleis|en *vi* to run off the rails, to be derailed; *zum ~en bringen* to derail; *fig* to make a faux pas; **~ung** derailment; *fig* faux pas

ent|gleiten to slip from; **~gräten** to bone

enthalt|en to contain, to hold; *fig* to include; *~en sein in* to be included in; *refl* to refrain from, to abstain from; **~sam** abstemious; **~samkeit** abstemiousness, abstinence; temperance

enthaupt|en to behead, to decapitate; to execute; **~ung** beheading, decapitation; execution

entheb|en to relieve of; to free, to exempt, to release (from); *(Amt)* to suspend from; **~ung** exemption; dismissal

entheilig|en to profane, to desecrate; **~ung** profanation, desecration

enthüll|en to unveil, to expose; *fig* to reveal; **~ung** unveiling, exposure; revelation

enthülsen *(Getreide)* to husk; *(Hülsenfrüchte)* to pod

Enthusias|mus enthusiasm; **~t** enthusiast; **~tisch** enthusiastic

ent|jungfern to deflower; *(schänden)* to ravish; **~kernen** to stone; **~kleiden** *vt, refl* to undress; *fig* to divest (of); **~kommen** to escape from; **~korken** to uncork, to open; **~kräften** to weaken, to exhaust; *fig* to refute; *umg* to knock the bottom out of; **~kräftung** enervation, exhaustion; **~kuppeln** 🚗 to declutch; **~laden** to unload; ⚙ to discharge; *refl* to go off, to burst; **~ladung** unloading; ⚙ discharge

ent|lang *prep* along; **~larven** to unmask

entlass|en *vt* to dismiss, to discharge; *(Haft)* to release (from); **~ung** dismissal, discharge; release

entlast|en to relieve (s-b of s-th); to ease, to unburden; to credit with, to clear s-b's account; *(Vorstand)* to exonerate; 🔎 to defend; **~ung** relief; easing; help; exoneration; defence

ent|laubt leafless; **~laufen** to run away; **~lausen** to delouse; **~ledigen** *refl* to get rid of; *(Pflicht)* to perform, to execute; **~leeren** to empty; **~leerung** emptying; **$** evacuation

entlegen remote, distant

ent|lehnen to borrow; **~leiben** *refl* to commit suicide; **~leihen** to borrow; **~locken** to draw s-th from, to elicit s-th from s-b; **~lohnen** to pay off; **~menscht** inhuman; brutal; **~militarisieren** to demilitarize; **~militarisierung** demilitarization; **~mündigen** to place under tutelage; **~mutigen** to discourage, to dishearten; **~nahme** taking (out), drawing; *(Geld)* withdrawal; **~nazifizieren** to denazify; **~nazifizierung** denazification; **~nehmen** to take from; *fig* to gather *(aus* from), to understand *(aus*

from), to draw upon; to withdraw; **~nerven** to enervate, to weaken

Entomolog|e entomologist; **~ie** entomology; **~isch** entomological

ent|puppen *refl* to burst the cocoon; *fig* to turn out to be, to reveal o.s. (as); **~rahmen** *(Milch)* to skim; **~raten** to do without, to dispense with; **~rätseln** to decipher; to solve; **~rechten** to deprive of rights; **~reißen** to tear from, to snatch from; *dem Tod ~reißen* to save s-b's life; **~richten** to pay; *(Dank, Gruß)* to give; **~ringen** to wrest from; *refl (Wort, Seufzer)* to escape; **~rinnen** to run away, to escape; **~rollen** to unroll; *(Fahne)* to unfurl

entrück|en to remove; *fig* to enrapture; **~t** entranced, carried away

ent|rümpeln to clear out, to clear of rubbish

entrüst|en *vt* to make angry, to irritate, to provoke; *refl* to become angry; **~et** angry, indignant; **~ung** anger, indignation

entsag|en to give up; to renounce, to waive, to abandon; to abnegate; *d. Thron ~en* to abdicate; **~ung** renunciation; resignation

entsalzen to desalinate

Entsatz relief

entschädig|en to compensate; *(für Verluste)* to indemnify (for); *(f. Auslagen)* to reimburse; **~ung** compensation, indemnification; reimbursement

entschärfen *(Bomben etc)* to disarm, to defuse; *fig* to render less harsh

Entscheid answer; decision; **~en** *vt* to decide *(über* on); 🔎 to pass sentence; *refl* to decide, to make up one's mind; to be decided; **~end** decisive; critical, crucial; **~ung** decision; 🔎 judgment, sentence, arbitration; ⚖ final(s); **~ungsbefugnis** 🔎 jurisdiction; competence; **~ungskampf**, -spiel ⚖ play-off, decider

entschieden *adj* decided, determined; firm, resolute; peremptory; *adv* certainly; **~heit** determination, firmness

ent|schlafen to fall asleep; *fig* to die; **~schleiern** to unveil; **~schließen** *refl* to decide, to make up one's mind, to resolve; **~schließung** resolution

entschlossen determined; resolute; **~heit** determination; resolution

ent|schlummern to fall asleep, *umg* to doze off; *fig* to die; **~schlüpfen** to slip away from, to escape

Entschluß resolution, decision; **~los** undecided; inconstant; **~losigkeit** indecision

entschlüssel|n to decipher, to decode

entschuld|bar excusable; **~igen** *vt* to excuse; *refl* to apologize *(bei* to, *wegen* for); *~igen Sie bitte!* please, excuse me!, I beg your pardon; *sie läßt sich ~igen* she asks to be excused; **~igung** excuse; apology; *j-n um ~igung bitten* to beg s-b's pardon; **~ung** sinking *(od* wiping out) of debts, reduction of indebtedness

ent|schwinden to disappear, to vanish; **~seelt** lifeless, dead; **~setzen** *vt (Amt)* to dismiss from; *mil* to relieve; to frighten; *refl* to be frightened, to be horrified, to be shocked; *su* horror, terror; **~setzlich** horrible, terrible, appalling; dreadful; **~seuchen** to decontaminate; **~sichern** *(Gewehr)* to release the safety catch of; **~sinnen** *refl* to remember, to recollect, to recall

entspann|en *vt (Gewehr)* to uncock; *refl* to relax; **~ung** relaxation, relief, recreation; *pol* detente

entspinnen *refl* to begin, to ensue, to develop

entsprechen to correspond to, to answer to, to comply with, to be in accordance with; **~d** *adj* adequate, appropriate, suitable; corresponding, matching; *adv* corresponding to, in accordance with, in conformity to; mutatis mutandis

ent|springen to escape (from), to run away (from); *(Fluß)* to have its source; to rise, to spring from; *fig* to arise, to originate (in); **~staatlichen** to denationalize; **~stammen** to descend from; **~stehen** to originate (in); to arise (from); to break out, to begin; **~stehung** rise; origin; formation

entstell|en to disfigure, *(durch Tränen)* to blubber; *fig* to distort, to misrepresent; **~ung** disfigurement; distortion

entstör|en ⚡ to screen, to eliminate jamming; ⚡ to suppress; **~er** suppressor

enttäusch|en to disappoint; *(Hoffnung)* to belie; **~ung** disappointment.

ent|thronen to dethrone; **~trümmern** to remove the rubble from; **~völkern** to depopulate; **~wachsen** to outgrow; **~waffnen** to disarm *(a. fig)*; **~walden** to deforest; **~wässern** to drain; to dehydrate; **~wässerung** draining; *chem* desiccation

entweder *(conj)* **~** ... **oder** either ... or; **~ oder!** take it or leave it!

ent|weichen to escape (from); to abscond; **~weihen** to desecrate, to profane; **~weihung** desecration, profanation; **~wenden** to pilfer, to purloin; to misappropriate, to embezzle; **~wendung** pilfering, purloining; embezzlement, misappropriation; **~werfen** to sketch, to outline; *(Kleid, ⚙)* to design; *(Vertrag, Gesetz)* to draft; to plan, to blueprint

entwert|en to depreciate, to devaluate; *(Marken)* to cancel; **~ung** depreciation, devaluation; cancellation

entwick|eln *vt* to develop *(a. 📷)*; to explain; *(Fähigkeit)* to evolve; *mil* to deploy; *refl* to develop; **~ler** 📷 developer; **~lung** development, evolution; trend; 📷 developing; **~lungsjahre** (period of) adolescence, puberty

ent|winden to wrest (s-th from s-b); **~wirren** to disentangle *(aus* from), to unravel; **~wischen** to slip away, to escape (from); **~wöhnen** *(Kind)* to wean; *refl* to break of, to give up; **~würdigen** to degrade, to disgrace

Entwurf sketch; design; *(Gesetz)* draft; plan, project; blueprint; *erster* **~** rough copy *(od* draft)

ent|wurzeln to uproot; **~zerren** to correct, to rectify, to straighten out

entzieh|en *vt* to take away from; *(j-m etw)* to deprive s-b of s-th; *refl (e-r Pflicht)* to shrink from, to shun

entziffer|n to decipher, to decode; *umg* to make out; **~ung** deciphering, decoding

entzück|en *vt* to delight; to charm, to enchant; *su* delight; enchantment; rapture; transport; **~end** charming, delightful, lovely; *umg (Kind, Hund)* a (little) love of ...; **~t** delighted (with); enraptured

entzünd|bar inflammable, combustible; **~en** to kindle, to set on fire, to set fire to; ⚡ to inflame; *refl* to catch fire; ⚡ to become inflamed; **~et** ⚡ angry, sore, inflamed; **~lich** inflammatory; **~ung** inflammation

entzwei *adv* in two; asunder; to pieces; *adj* torn, broken; **~en** *vt* to disunite; to estrange, to alienate; *refl* to fall out (with), to quarrel; **~gehen** to break; **~schlagen** to smash; **~t** hostile, at daggers drawn; **~ung** estrangement; quarrel, dissension

Enzian *bot* gentian

Enzy|klika encyclic; **~klopädie** encyclopaedia

Epi|demie epidemic; **~demisch** epidemic; **~diaskop** epidiascope; **~gone** epigone; descendant (of great men); **~gramm** epigram; **~k** epic poetry; **~ker** epic poet; **~lepsie** epilepsy; **~leptiker**, **~leptisch** epileptic; **~log** epilogue; **~sch** epic; **~stel** epistle

Epo|che epoch, era; **~s** epic poem

er *pron* he; **~** *selbst* he himself

erachten to think, to consider; *(su)* m-s **~s** in my opinion

erarbeiten to get *(od* to obtain) by working, to earn

Erb|adel hereditary nobility; **~anlage** character(istic); **~anspruch** title to an inheritance; **~begräbnis** family vault; **~berechtigt** entitled to inherit; **~e** *(Person)* heir; *(Sache)* heritage; inheritance; **~en** to inherit *(von* from); to be heir of; **~fehler** inherited defect; **~hof** hereditary farm; **~in** heiress; **~krank** suffering from hereditary disease; **~krankheit** hereditary disease; **~lasser** testator, legator; **~lich** hereditary; **~prinz** hereditary prince; **~recht** right *(bzw* law) of succession; **~schaft** inheritance; legacy; **~schaftsmasse** 🔓 estate; **~schaftssteuer** *BE* death-duty, *bes US* inheritance tax; **~schleicher** legacy-hunter; **~stück** heirloom; **~sünde** original sin; **~teil** part-inheritance; **~vertrag** contract of inheritance

erbarm|en *refl* to have mercy *(über* on); to feel pity (for); *su* mercy, pity, compassion; **~lich** miserable, pitiable; *(gemein)* mean; **~ungslos** pitiless, merciless; remorseless, ruthless, relentless

erbau|en to build, to erect, to construct; *fig* to edify; **~er** builder, constructor; founder; **~lich** edifying; **~ung** building, erection; *fig* edification

erbeben to tremble *(vor* with), to shake (with), to quiver (with)

er|beuten to capture; **~bieten** *refl* to offer, to volunteer; **~bitten** to beg, to ask, to request

erbitter|n to embitter, to exasperate; **~t** exasperated; *(Streit)* fierce; **~ung** exasperation, animosity

erblassen, erbleichen to turn pale, to blanch (from)

er|blicken to catch sight of, to behold; to see, to perceive; **~blinden** to grow blind, to be blinded; **~blindet** blind; **~blindung** loss of sight; **~blühen** to blossom, to bloom; **~bosen** *vt* to make angry; to exasperate; *refl* to get (*od* grow) angry; **~bötig** willing, ready; **~brechen** *vt* to break open; *refl* to vomit; *su* vomiting; **~bringen** to bring (in); to yield; *(Beweis)* to furnish

Erbse pea; **~nmehl** pea-flour; **~nsuppe** pea-soup

Erd|achse axis of the earth; **~antenne** ground aerial; **~anziehung** pull of the earth; **~apfel** potato; **~arbeiter** *BE* navvy, excavator; **~ball** terrestrial globe; **~beben** earthquake; **~beere** strawberry; **~boden** ground; soil; earth; *d. ~boden gleichmachen* to level to the ground; **~drehung** rotation of the earth; **~e** earth; ground; soil; *auf ~en* on earth; *zu ebener ~e* on the ground (*US* first) floor; *j-n unter d. ~e bringen* to be the death of s-b; *zu ~e werden* to return to dust; **~en** ⚡ to earth, to ground; **~geboren** earth-born, mortal; **~geist** gnome; **~geschoß** *BE* ground floor, *US* first floor; **~ig** earthy; **~innere** interior of the earth; **~kreis** globe; **~kugel** globe; **~kunde** geography; **~leitung** ⚡, ⚡ earth connection, ground wire; **~nuß** peanut, groundnut; **~nußbutter** peanut butter; **~öl** crude oil, petroleum; **~reich** earth; ground; soil; *eccl* Earthly Kingdom; **~rinde** earth's crust; **~rutsch** landslide *(a. fig)*; **~scholle** clod; **~strich** region, zone; **~teil** continent; **~umdrehung** rotation of the earth; **~ung** ⚡, ⚡ earth connection

er|denken to think out; to conceive; to invent; **~denklich** imaginable; possible; *s. alle ~denkliche Mühe geben* to try one's utmost; **~dichten** to invent, to make up, to fabricate; **~dichtet** fictitious; **~dolchen** to stab; **~dreisten** *refl* to venture, to dare, to have the cheek (to do); **~dröhnen** to resound; to rumble; to roar; **~drosseln** to strangle, to throttle; **~drücken** to squeeze to death, to crush; to stifle; *~drückende Übermacht* overwhelming superiority; **~dulden** to suffer, to endure; **~eifern** *refl* to get excited; angry, to fly into a passion

ereig|nen *refl* to happen, to occur, to come to pass; **~nis** event, occurrence, incident; **~nislos** uneventful; **~nisreich** eventful

ereilen *fig* to befall *(a sad fate, a sudden death befell him)*

erfahr|en *vt* to hear, to learn *(von* from); to experience, to come to know; *adj* experienced, skilled, expert; an old hand at; **~ung** experience; practice; *in ~ung bringen* to find out, to ascertain

erfass|en *vt* to catch hold of; to seize; to include; to register; *fig* to grasp, to understand; **~ung** registration; stock-taking

erfind|en to invent; to discover; *(Geschichte)* to make up, to cook up ♦ *er hat das Pulver nicht erfunden* he won't set the Thames on fire; **~er** inventor; **~erisch** ingenious, inventive; **~ung** invention, device; fiction

erflehen to implore, to beg for

Erfolg success; result, outcome; *~ haben* to succeed (*mit* in); **~en** to ensue, to result, to follow; **~los** unsuccessful, fruitless, without avail; **~reich** successful; **~versprechend** promising

erforder|lich necessary, requisite *(für* to, for); required; **~n** to require, to need, to call for; **~nis** exigency; requisite; necessity

erforsch|en to search (into); *(Land)* to explore; to investigate; to scrutinize; **~ung** exploration; investigation; inquiry (into)

er|fragen to inquire about *(bei* of s-b); to ascertain; to find out by inquiring; **~frechen** *refl* to dare; to have the cheek (to do)

erfreu|en *vt* to gladden, to give pleasure, to please; *refl* to enjoy (s-th), to rejoice in; **~lich** delightful, pleasant; gratifying; satisfactory; **~licherweise** fortunately; **~t** glad (about), delighted (with)

er|frieren to freeze to death, to die of cold; ⚡ to be killed by the frost; **~frierung** frostbite; **~frischen** *vt* to refresh, to freshen; *refl* to refresh o.s.; **~frischung** refreshment; **~froren** frozen; *(Glieder)* frostbitten

erfüll|en *vt* to fill; *(Aufgabe)* to fulfil; *(Bitte)* to comply with, to grant; *(Versprechen)* to keep; *(Vertrag)* to carry out; *(Pflicht)* to do *(one's duty)*; *refl* to come true, to be realized; **~t** *von* full of, filled with, brimful of; **~ung** fulfilment

ergänz|en to supplement, to complete; to restore; *(Vorräte)* to replenish; **~ung** supplement, completion; restoration; replenishment; **~ungs-** supplementary

ergattern to get hold of; to pick up

ergeb|en *vt* to produce, to yield; to make, to amount to; to result in; *refl* to surrender; to devote o.s. to; *(dem Trunk)* to take to; to acquiesce (*in* in), to resign o.s. to; to follow, to result *(aus* from); to happen; *adj* devoted (to); obedient; *Ihr ~ener* Yours faithfully; **~enheit** devotion; resignation; **~enst** obedient, respectful; *ich danke ~enst* I am very much obliged; **~nis** result; outcome; *(wissenschaftl.)* findings; ♫ score; **~nislos** without result; futile; **~ung** surrender; submission, resignation

ergehen *vi* to be published, to be issued; to be promulgated; ⚡ to be passed; *refl* to walk, to stroll; *fig* to dwell upon, to indulge in; *über s. ~ lassen* to endure, to bear; *(unpersönl.)* to do, to go, to fare with *(wie ist es Ihnen ergangen?* how did you get on?); *su* condition, state of health; way of living

ergiebig rich, productive; lucrative, profitable; fertile; **~keit** productiveness; fertility; abundance (of)

er|gießen *refl* to flow into, to discharge; **~glühen** to glow; **~götzen** *vt* to amuse, to delight; *refl* to enjoy o.s.; *su* delight, joy;

~götzlich delightful, amusing, funny, diverting

ergreifen to seize, to grasp; to take (hold of); to take up; *fig* to touch, to move; *d. Wort ~en* to take the floor; **~end** moving, touching; **~ung** seizure; capture

ergriffen moved, touched, affected

er|grimmen to get angry; **~gründen** to fathom, to sound; to probe, to look into; to get to the bottom of; **~guß** discharge (*a.* $); $, *fig* effusion

erhaben raised, elevated; projecting; *fig* sublime; noble; lofty; *~e Arbeit* relief; *~ sein über* to be above (*... ist über jede Kritik ~* is above criticism); **~heit** eminence, sublimity, majesty, grandeur

Erhalt receipt; **~en** to receive, to get, to obtain; to preserve, to keep, to save; to support, to maintain; *gut ~en* in good condition; **~er** supporter; **~ung** preservation; maintenance, upkeep; **˷lich** obtainable; available

er|hängen *vt* to hang; *refl* to hang o.s.; **~härten** to harden; *fig* to confirm

erheb|en *vt* to raise, to lift up; *fig* to praise, to extol; *(Anspruch)* to claim (*auf* s-th); 🎵 *(Klage)* to bring *(action)* against; *(Steuern)* to collect, to levy, to gather; *ins Quadrat ~en* to square; *refl* to (a)rise, to get up; to rebel (against); *(Frage)* to arise; **~end** elevating; impressive; **~lich** considerable; important; **~ung** elevation; levy, collection; rebellion, revolt; *pl* data; *~ungen anstellen* to make inquiries

er|heischen to require, to demand; **~heitern** to cheer, to amuse; **~heiterung** amusement, diversion; **~hellen** to light up, to illuminate, to brighten; *(Frage, Problem)* to elucidate; *refl* to become clear, to be evident; **~hitzen** *vt* to heat, to warm; *refl* to grow hot, to become heated; *fig* to fly into a passion

erhoffen to expect, to hope for

erhöh|en to raise; *(Person)* to exalt; to increase; *(Preis)* to advance, to raise; 🎵 to sharp; *~t(e Note, Ton)* 🎵 sharp; **~ung** elevation; increase, advance, rise

erhol|en *refl* to recover, to get better; to recuperate; to rest, to relax; to improve; *(Börse)* to rally; **~ung** recovery; rest, relaxation; **~ungsheim** rest home; holiday home; **~ungsort** resort; **~ungsreise** convalescent trip

erhör|en to listen to s-b (and do what he wants); to grant s-th; **~ung** granting, fulfilment

Erika *bot* heath

erinner|lich present to one's mind; **~n** *vt* to remind (*j-n an* s-b of); *refl* to remember, to recollect; **~ung** remembrance, memory; recollection; reminiscence, reminder; *zur ~ung an* in memory of; **~ungsvermögen** memory

erkalt|en to cool down, to grow cold; **˷en** *refl* to catch (a) cold; **˷ung** cold, chill

er|kämpfen to get by fighting; **~kaufen** to buy

erkenn|bar recognizable, perceptible; **~en** to recognize (*an* by); to know; to perceive; *fig* to understand, to realize, to see; to credit; 🎵 *auf*

e-e Strafe ~en to impose a sentence, to pass a judgment; *zu ~en geben* to show, to indicate; *s. zu ~en geben* to make o.s. known; **~tlich** recognizable; grateful; *s. ~tlich zeigen mit* to reciprocate with; **~tnis** knowledge; cognition; perception; understanding; finding; **~ung** recognition

Erker alcove; bay

erklär|en to explain; to account for; to declare, to state; **~lich** explicable; understandable; **~ung** explanation; declaration, statement

er|klecklich considerable; **~klettern**, **~klimmen** to climb; **~klingen** to (re)sound, to ring; **~koren** chosen; **~kranken** to fall (*od* be taken) ill (*an* with), to contract (*an etw* s-th); **~krankung** illness, sickness; **~kühnen** *refl* to venture (to do), to dare

erkund|en to ascertain; to spot; *mil* to reconnoitre; **~igen** *refl* to inquire *(for* s-b, *about* s-th)*; to make inquiries; **~igung** inquiry; **~ung** reconnaissance

er|lahmen to become lame; *fig* to get tired; to lose one's energy; **~langen** to reach, to attain; to get; to obtain; to acquire; **~laß** order, decree; *(e-r Schuld)* pardon, remission; *(Preis)* deduction; **~lassen** to issue, to publish; to promulgate; *(Strafe, Schuld)* to remit, to release s-b from; to dispense from

erlaub|en *vt* to allow, to permit; *refl* to presume, to dare; *s. ~en können* to be able to afford; *~en Sie bitte!* excuse me, please!; **~nis** permission; allowance, leave; courtesy *(mit freundlicher ~nis* by, through, the c. of s-b); licence; *um ~nis bitten* to beg leave; **~t** permitted, allowed

erlaucht illustrious, noble

erläuter|n to explain; to illustrate, to comment on; **~ung** explanation; illustration, comment; note

Erle alder(-tree)

erleb|en to experience; (to live) to see; to have *(he had s-b break into his home; he had his home broken into)*; **~nis** event, occurrence; experience; adventure

erledig|en to settle, to execute; to carry through; to wind up, to finish; **~t** settled, finished; *~t sein* to be worn out, dead tired, done up; **~ung** execution, carrying out, completion; dispatch

er|legen to kill, to bag; to pay (down); **~leichtern** to ease, to lighten; to facilitate; to relieve, to alleviate; **~leichterung** facilitation; relief, alleviation; **~leiden** to suffer, to endure, to bear; **~lernen** to learn, to acquire; **~lesen** *adj* select, exquisite, choice; **~leuchten** to light up, to illuminate; *fig* to enlighten; **~leuchtung** illumination; *fig* enlightenment; **~liegen** to be defeated; to succumb to, to give way to

erlogen false, untrue; fabricated

Erlös (net) proceeds; **~löschen** to go out; *fig* to cease to exist; to die; *(bes* 🎵*)* to expire; to become null and void; **~lösen** to save, to redeem, to deliver; *(Verkauf)* to get; **~löser** deliverer; Redeemer, Saviour; **~lösung** redemption; release, deliverance

ermächtig|en to empower, to authorize; **~ung** authorization, authority

ermahn|en to admonish, to exhort; **~ung** admonition, exhortation

ermangel|n to lack; to be in want of; *in ~ung von* in default of, failing, for lack (*od* want) of, in the absence of

ermäßig|en to abate, to reduce, to lower; *zu ~ten Preisen* at reduced prices; **~ung** abatement, reduction

ermatt|en *vt* to weaken, to tire, to exhaust; *vi* to grow weary (*od* tired), to feel exhausted; **~ung** weariness, fatigue; exhaustion

ermessen *vt* to judge; to conceive, to understand; *su* judgment; opinion; discretion; *nach ~ von* at the discretion of

ermitt|eln to find out, to ascertain; investigate; **~lung** inquiry, ascertainment; (criminal) investigation

ermöglichen to make (*od* render) possible (*od* feasible); *es j-m ~* to enable s-b (to do)

ermord|en to murder, to assassinate; **~ung** murder, assassination

ermüd|en *vt* to tire out, to weary; *vi* to get tired, to grow weary; **~end** tiresome; **~ung** fatigue, weariness

er|muntern to wake up; *fig* to rouse; to incite; to encourage; **~mutigen** to encourage

ernähr|en to nourish; to feed; to support, to maintain; *s. ~en von* to feed on, to live on; **~er** bread-winner; **~ung** nourishment; food; feeding; nutrition; support, maintenance

ernenn|en to appoint, to nominate; **~ung** appointment, nomination

erneu|ern to renew, to renovate; to restore; to replace; to repeat; **⊟** (*Öl*) to change; **~erung** renewal, renovation; replacement; repetition; **~t** again

erniedrig|en to lower; to humble, to humiliate, to abase; to degrade (*a. mil*); **♩** to flatten, *US* to flat; *~t(e Note, Ton)* **♩** flat; **~ung** lowering; humiliation; degradation

Ernst *su* seriousness; earnest(ness); severity; gravity; *im ~, allen ~es* in earnest, in all seriousness; seriously; *das ist nicht Ihr ~!* you don't say so!; you don't mean it!; *ich meine es ~, es ist mein ~* I mean it!; *es ist (bitterer) ~* it is no joke!; *~ machen mit* to put into practice; *~ adj,* **~haft** serious; earnest; grave; severe; **~fall** emergency (*im ~fall* in case of e.); **~haftigkeit** seriousness; **~lich** *adj* serious, earnest

Ernte harvest, crop; **~arbeit** harvesting; **~arbeiter** harvester, reaper; **~dankfest** harvest festival, h. thanksgiving; **~jahr** crop year; **~maschine** harvester; **~n** to harvest, to reap (*a. fig*), to gather in

ernüchter|n to sober (down); to disillusion; **~ung** sobering down; disillusionment

erober|n to conquer, to capture, to win; **~er** conqueror; **~ung** conquest

eröffn|en to open, (*feierl.*) to inaugurate; to start; *fig* to disclose, to inform; **~ung** opening,

inauguration; communication, disclosure; **~ungsbilanz** opening balance; **~ungsrede** opening address; **~ungssitzung** opening session; **~ungsvorstellung ⚇** first night

erörter|n to discuss, to argue; **~ung** discussion, argument

Erpel *zoll* drake

erpicht (*adj*): *~ sein auf* to be keen (*od* bent) on

erpress|en to extort (*von* from), to blackmail; **~er** blackmailer; **~ung** extortion, blackmail

erprob|en to try, to test, to assay; **~t** tested, (well-)tried; **~ung** trial, test(ing)

erquick|en to refresh; *fig* to comfort; **~ung** refreshment; comfort

er|raten to guess, to find out; **~ratisch** erratic; **~rechnen** to compute, to calculate, to reckon out, to figure out

erreg|bar excitable, irritable; **~en** to excite, to stir up; to agitate; **~end** exciting, agitating, stimulating; **~er ⚕** germ; (*wissenschaftl.*) agent; **~ung** excitement; agitation; excitation

erreich|bar attainable; within reach; *umg* get-at-able; **~en** to reach, to attain, to get; (*Ziel*) to achieve; (*Zug*) to catch; to arrive; **~ung** reaching; attainment

errett|en to save, to rescue (*aus* from); *eccl* to deliver (from); **~ung** saving; rescue; deliverance

errricht|en to erect, to build, to put up; to found, to establish; **~ung** erection; founding, establishment

er|ringen to gain, to win, to achieve; **~röten** to blush (*vor, über* at); *su* blush(ing); **~rungenschaft** acquisition, achievement; *pl* attainments

Ersatz substitute, surrogate, makeshift; ersatz; compensation, amends, equivalent; *mil* reserve, drafts; *~ leisten* to make amends; **~blei, ~mine** refill (lead); **~lieferung** replacement (delivery); **~mann** substitute; **~spieler ⚽** stand-by, stand-in, emergency man (*od* player); **~stoff** substitute, surrogate; ersatz; **~teil** spare part, *pl a.* spares; **~weise** as a substitute (*od* makeshift, stopgap) for

ersauf|en to be drowned; **~en** to drown

erschaff|en to create, to produce; **~er** creator; **~ung** creation

er|schallen to sound, to resound; to ring; **~schauern** to shudder, to shiver

erschein|en to appear (*a.* 🕮, 📖); 📖 to attend; 📖 to come out, to be published (*od* issued); to seem; to loom; **~t demnächst** (is going) to be published (soon); *soeben erschienen* just published; *es ~t möglich* it seems possible; *su* appearance, attendance; publication; **~ung** appearance, figure; (*Geist*) apparition; vision; 📖 publication; (*wissenschaftl.*) phenomenon; **⚕** symptom; (*eccl*) *~ung Christi* Epiphany; *in ~ung treten* to loom large

er|schließen to shoot (dead); *refl* to shoot o.s.; **~schießung** shooting, execution; **~schlaffen** to droop; to slacken, to grow slack; to relax; **~schlagen** to slay

erschließ|en to open, to make accessible; to develop; to infer; to conclude; *refl* to become accessible; **~ung** opening up (to exploitation); *(Finanzen)* tapping; development

erschöpf|en *vt* to exhaust; *refl* to be exhausted; to consist merely in; **~end** exhaustive *(a. fig)*; **~ung** exhaustion

er|schrecken *vt* to frighten, to startle, to alarm, to appal; *refl* to be frightened, to be alarmed; **~schrocken** frightened

erschütter|n to shake, to upset *(a. fig)*; *fig* to shock, to affect deeply; **~ung** shaking, concussion; *fig* shock; violent emotion

erschweren to aggravate, to make more difficult; to complicate

erschwindeln to swindle out of s-b *(od* s-b out of s-th)

er|sehen to see, to learn, to note (from); **~sehnen** to long for; **~setzen** to replace, to take the place of; *(Verlust)* to make up for, to make good, to compensate for; *(Geld)* to reimburse, to recover, to refund; **~sichtlich** obvious, evident; **~sinnen** to think out, to devise; **~sparen** to save, to economize; **~sparnis** saving(s); **~sprießlich** profitable, useful

erst *adj* first; *fig* best, leading, foremost, prime; *d. ~e beste* the first that comes; *fürs ~e* for the present; *in ~er Linie* first of all, primarily; *zum ~en, zweiten, dritten!* going, going, gone!; *adv* first; at first, first of all; at the beginning; only, just; *eben ~* just now; *~ als* not till, only when; *~ recht* all the more, a fortiori; *~ heute* only today; *~ (5 Jahre) alt* not older than ...; *~ um 5 Uhr* not until (*od* before) 5 o'clock; *das muß sich ~ zeigen* that remains to be seen; **~aufführung** first night; **~besteigung** first ascent; **~druck** first edition; **~enmal:** *(adv) zum ~enmal* for the first time; **~ens** *adv* first(ly), in the first place; **~ere:** *d. ~ere* the former; **~geboren** first-born, **~geburt(srecht)** primogeniture; **~klassig, ~rangig** A 1, first-class; first-rate; *(Wertpapier)* gilt-edged; **~lich** first(ly); **~ling** first-born; *(Obst)* first-fruit(s); first production; **~malig** *adj* first; *adv* for the first time

erstarr|en to grow stiff; *(Wasser)* to freeze; to congeal, to solidify; *(vor Schreck)* to be paralysed *(with fear)*; *fig* to ossify; **~t** benumbed; **~ung** stiffness, numbness; freezing; coagulation, solidification; rigidity; torpor

erstatt|en to replace; to refund, to repay; to make up (for); *Bericht ~en* to report *(über* on); **~ung** compensation; return; restitution; **~ungsanspruch** claim to reimbursement

erstaun|en *vt* to astonish, to amaze; *vi* to be astonished; *su* astonishment, amazement; **~lich** astonishing, amazing

er|stechen to stab; **~stehen** *vt* to buy, to purchase; *vi* to (a)rise; **~steigen** to climb, to ascend; to mount

erstick|en *vt* to suffocate, to choke; to stifle; to asphyxiate ♦ *im Keim ~en* to nip in the bud; *vi* to be suffocated; **~end** *(Gas)* asphyxiating; **~ung** suffocation

erstreben to strive for, to aspire to (*od* after); **~swert** worth aspiring after, desirable

er|strecken *refl* to extend; to stretch to, to reach to; **~stürmen** to (take by) storm; **~stürmung** storming; **~suchen** to request (for), to apply (for); *su* request; **~tappen** to catch, to surprise

erteil|en to give, to impart; *(Auftrag)* to place; *(Titel)* to bestow on, to grant; **~ung** giving, imparting; granting

ertönen to (re)sound; *(Pfeife)* to blow

Ertrag yield, produce, profit; proceeds, earnings, returns; **~en** to bear, to endure; to tolerate, to suffer; *(bei Frage-, verneint. Satz a.)* to abide, to brook; **~fähig** productive, profitable; **~fähigkeit** productivity; **~lich** bearable; tolerable; **~nis** = ~; **~reich** profitable, productive

er|tränken *vt* to drown; **~trinken** *vi* to be drowned

ertüchtig|en to make fit, to train; to harden; **~ung** training; hardening

er|übrigen *vt* to spare; to save; to put by; *refl* to be unnecessary; **~wachen** to wake (up); *bes fig* to awake

erwachsen *vi fig* to arise, to spring (*aus* from); to accrue (from); *adj* grown-up, adult, *umg* big; **~er** grown-up, adult

erwäg|en to consider, to weigh; **~ung** consideration, reflection; *in ~ung ziehen* to take into consideration

erwähl|en to choose, to elect; **~ung** choice; election

erwähn|en to mention; **~ung** mention

erwärm|en *vt* to warm; to heat; *s. ~en für* to warm to; **~ung** warming

erwart|en to expect; to wait for, to await; to anticipate; **~ung** expectation; anticipation; **~ungsvoll** expectant, full of hope

erweck|en to wake up; *fig* to awake(n), to rouse; *(vom Tode)* to resuscitate; *(Gefühle)* to arouse, to raise; **~ung** awakening; resuscitation, revival

er|wehren *refl* to defend o.s. against; to refrain from, to keep off; **~weichen** *fig* to move

Erweis proof, evidence; **~en** *(Dienst etc)* to render, to do; to pay; *s. ~en als* to prove to be; to turn out to be

erweiter|n to widen; to expand *(bes fig)*, to extend; to broaden, to amplify, to enlarge; **~ung** widening; expansion; extension, enlargement; amplification

Erwerb acquisition; gain, profit; living; **~en** *(a. refl)* to acquire; to gain; to earn; **~sfähig** capable of gainful employment (of earning one's living); **~sleben** gainful activity; **~slos** unemployed, out of work; **~slosenunterstützung** *BE* dole, unemployment relief; **~squelle** source of income; **~stätig** (gainfully) employed; working; **~sunfähig** unfit for work; incapacitated

erwider|n to return; to reply, to retort, to rejoin; **~ung** return, reply, retort, rejoinder

erwiesenermaßen *adv* as has been proved

er|wirken to bring about; to achieve; to procure; ~wirtschaften to produce; to earn; ~wischen *umg* to catch; ~wünscht *adj* desired; ~würgen to strangle

Erz ore; metal, brass, bronze; ~ader vein of ore, lode; ~bergwerk ore mine; ~betrüger, ~gauner thorough scoundrel; ~bischof archbishop; ~bistum archbishopric; ~dumm extremely *(od* hopelessly) stupid; ~en *adj* metal, brazen, bronze; ~engel archangel; ~feind arch-enemy; ~förderung output of ore; ~gang lode; ~gießerei brass-foundry; ~haltig containing ore; ~herzog archduke; ~herzogin archduchess; ~lügner archliar; ~vater patriarch; ~vorkommen ore deposit

erzähl|en to tell, to relate; to narrate; *man ~t sich* they say (that); ~er narrator, story-teller; writer, novelist; ~ung story, tale; narrative, narration; report

erzeug|en to beget, to procreate; to produce, to manufacture; *fig* to cause, to create; to bring forth; *chem* to generate; ~er father; producer, manufacturer; ~erpreis producer's price; ~nis produce; product; production; ~ung procreation; production; generation

erzieh|en to bring up, to raise, to rear, to breed; to educate; to train; *gut (schlecht) erzogen* well-(ill-)bred, well (badly) educated; ~er educator, education(al)ist; *(negat.)* pedagogue; teacher; tutor; ~erisch educational, pedagogic; ~ung education; upbringing, bringing up; breeding; ~ungsanstalt educational establishment, reformatory, *BE* community home; ~ungsbeihilfe educational grant; ~ungsberechtigt having parental power; ~ungswesen education(al matters)

erzielen to obtain, to attain, to achieve; to produce; *(Gewinn)* to realize; ⚽ to score

erzittern to shake, to shiver, to tremble *(vor* with)

erzürn|en *vt* to anger, to enrage; *refl* to get angry; to fall out (with s-b)

erzwingen to force, to enforce; to extort *(etw von j-m* s-th from s-b)

es *pron* it; ♪ E flat; *ich hoffe ~* I hope so; *tun Sie ~!* do so!; *sagen Sie ~!* say so!; *da haben wir ~!* there you are!; *~ war einmal* once upon a time there was; *(oft persönl. übersetzt:) juckt mich am ganzen Körper* I itch all over; *~ steht Ihnen frei* you are free (to do s-th); *~ wird getanzt* they are dancing; *(unübersetzt:) ich weiß ~* I know; *ich werde ~ versuchen* I shall try

Esche *bot* ash(-tree)

Esel ass, donkey; ~ei stupidity, folly; ~in she-ass; ~sbrücke crib; ~sohr *fig* dog's ear, crease; *das Buch hat viele ~sohren* the book is very dog-eared

Eskapade escapade

Eskort|e escort, convoy; ~ieren to escort

Espe asp, *bes US* aspen; *wie ~nlaub zittern* to tremble like an aspen leaf

eß|bar eatable, edible; ~geschirr dinner-service; *mil* mess-tin; ~löffel table-spoon; ~lust

appetite; ~nische *(Küche)* dinette; *(Wohnzimmer)* dining recess; ~tisch dining-table; ~waren food-stuff; provisions, victuals; ~zimmer dining-room

Esse chimney; forge, smithy

esse|n to eat; to dine; *mil* to mess; *zu Mittag ~n* to (have) lunch; *zu Abend ~n* to have supper; *~n gehen, auswärts ~n* to eat out; *su* food; meal; ~nszeit dinner-time; ~r eater

Essenz essence *(chem, philos)*; perfume

Essig vinegar ♦ *damit ist es ~* it ends in smoke; ~gurke pickled cucumber, gherkin; ~sauer acetic, acetate of; *~saures Salz* acetate; *~saure Tonerde* aluminium acetate; ~säure acetic acid

Estragon tarragon; ~ich plaster floor

etablieren *vt* to establish, to set up; to found; *refl (als)* to settle *(as a)*

Etage floor, story; flat; ~nwohnung self-contained flat, *US* apartment; ~re stand

Etappe stage, phase; ✝ hop; *mil* base; ~nschwein *umg* base wallah

Etat budget; estimate; ~isieren to enter in the budget; ~mäßig budgetary; *(Beamtenstelle)* on the establishment; ~sjahr financial year

etepetete *umg* finicky, prudish; particular

Ethi|k ethics; ~sch ethical

Etikett ticket, label; ~e (the rules of) etiquette; ~ieren to label, to ticket

etliche *pron* some, several, a few

Etui case

etwa *adv* nearly, about; in case, perhaps; ~ig *adj* possible, that may occur; *(nachgestellt)* if any; ~s *pron* something, anything; *adj* some, any, a little; *adv* somewhat; a little; rather

Etymolog|e etymologist; ~ie etymology; ~isch etymological

eu|ch *pron* you; ~er your; yours

Eule owl ♦ *~n nach Athen tragen* to carry coals to Newcastle; ~nspiegelei tomfoolery

Euphemis|mus euphemism; ~tisch euphemistic

eur|erseits on your part; in your turn; ~esgleichen of your kind, like you; ~etwegen for your sake; because of you; on your account; ~ig your; yours

Eur|asien Eurasia; ~opa Europe; ~opäer European; ~opäisch European; ~oparat Council of Europe

Euter udder

evakuier|en to evacuate; ~ter evacuee, person evacuated; ~ung evacuation

evangel|isch evangelical; Protestant; ~ist evangelist; ~ium gospel

Eventu|alität contingency; ~ell *adj* possible; *adv* perhaps, possibly; if desired, if required, if need

Ewer (fishing-)smack

ewig eternal, everlasting; *(Schnee)* perpetual; endless, continual; *ich habe dich ~ nicht gesehen* I haven't seen you for ages; *der ~e Jude* the wandering Jew; *auf ~* for ever; *~es Leben* eternal life, immortality; ~keit eternity; age(s); aeon; ~lich for ever; eternally

exakt exact; **~heit** exactness, exactitude

exaltiert high-strung; eccentric

Exam|en examination, *umg* exam; **~ensarbeit** thesis, paper; **~inator** examiner; **~inieren** to examine

Exemp|el example; *math* problem, sum; *ein ~el statuieren* to make an example of s-b; **~lar** sample; specimen; *(Buch)* copy; **~larisch** exemplary; **~lifizieren** to exemplify

exerzier|en to drill; **~platz** drill-ground

Exil exile; **~regierung** government in exile

Exist|entialismus existentialism; **~enz** existence; livelihood; **~enzfähig** fit for survival; **~enzminimum** subsistence minimum (*od* level); **~ieren** to exist; to live, to subsist

ex|klusiv exclusive; **~kommunizieren** to excommunicate;; **~libris** ex-libris, book-plate; **~matrikulieren** *refl* to leave the university, to go down; **~orzieren** to exorcise

exotisch exotic

Exped|ient forwarding clerk; **~ieren** to dispatch; to forward; **~ition** forwarding; forwarding department; expedition

Experiment experiment; **~ell** experimental; **~ieren** to experiment

Expert|e expert; **~ise** expert's report

explo|dieren to explode; to burst; **~sion** explosion; burst; **~siv(stoff)** explosive

exponieren to expose; to explain, to expound

Export export(ation); *konkr mst* exports; **~eur** exporter; **~ieren** to export; **~prämie** export bonus; **~wirtschaft** export trade

express *(Brief)* by express; **~ionismus** expressionism

Extempor|ale exercise in class; **~ieren** to extemporize

extra extra, especially; **~blatt** special edition; **~hieren** to extract; **~kt** extract

extrem extreme; exaggerated; *su* extreme; *von e-m ~ ins andere fallen* to go from one extreme to the other; **~itäten** extremities

Exzellenz Excellency

ex|zentrisch eccentric; **~zeß** excess

F

F (the letter) F; ♪ F; **F-Dur** F major; **f-Moll** F minor

Fabel fable; story; *(Spiel)* plot; **~haft** fabulous; amazing; marvellous; **~n** to tell tales; **~tier** fabulous being

Fabrik factory; plant; *(bes in Zssg)* mill; works; **~anlage** plant; **~ant** factory owner; manufacturer; **~arbeiter** factory worker; **~at** manufacture, make; article; **~ation** making, manufacture; **~mäßig** machine-made; **~neu** brand-new; **~zeichen** trade-mark

fabrizieren to manufacture, to produce, to make

fabulieren to invent stories, to spin yarns

Fach compartment; shelf; drawer; pigeon-hole; *fig* subject; branch, line, field; department; *das schlägt nicht in mein ~* that is not in

my line; *vom ~ sein* to be a specialist (in); **~arbeiter** skilled worker; specialist; **~arzt** specialist, consultant; **~ausbildung** professional education (*od* training); **~ausdruck** technical term; **~ausschuß** committee of experts; **~blatt** trade journal; **~gebiet** specialty; **~gelehrter** specialist; **~gemäß** expert, skilled; **~geschäft** special shop, speciality store; **~gruppe** *(Bank)* functional group; **~kenntnisse** expert knowledge, specialized kn.; **~kundig** expert, competent; **~lich** professional; specialist, technical; **~literatur** technical literature; **~mann** expert, authority, specialist; **~männisch** professional, expert; **~messe** trade fair; **~schule** technical school; **~simpeln** to talk shop; **~werk** framework; truss; **~wissen** expert knowledge; **~wissenschaft** special branch of knowledge; **~zeitschrift** (trade) journal

fäch|eln to fan; **~er** fan; **~erförmig** fan-shaped

Fackel torch; **~n** to hesitate; *nicht lange ~n* not to let the grass grow under one's feet; **~zug** torch-light procession

fade stale, tasteless; *fig* dull, insipid

Faden thread (*d. ~en verlieren* to lose the t.); *(Näh-)* cotton; twine, string; ♀, *bot* filament; fibre; ⚓ fathom *~ an e-m* an e-m – *an j-m lassen* not to have a good word to say for, to pull s-b to pieces; **~nudeln** vermicelli; **~scheinig** threadbare (*a. fig*)

Fagott bassoon

fähig capable (of), able (to do); clever; ♒ qualified to, entitled to; **~keit** capability, ability; faculty; talent

fahl fallow; pale; livid

fahnd|en to search for; **~ung** search (*nach* for)

Fahne flag; standard; banner; *mil* colours; ⚏ proof, slip, pull; *mit fliegenden ~n (fig)* with colours flying ♦ *die ~ nach dem Wind hängen* to trim one's sails to the wind; **~nabzug** ⚏ galley-proof; **~neid** *mil* oath of loyalty; **~nflucht** desertion; **~nflüchtiger** deserter; **~nstange** flagstaff, flagpole

Fähn|lein pennon; squad, troop; **~rich** cadet, ensign; ⚓ midshipman

Fahr|bahn, **~damm** roadway, *BE* carriage-way; track; **~bar** passable; navigable; ⚙ mobile; **~bereitschaft** motor pool; **~dienstleiter** station-master; ⸚e ferry(-boat) **~en** *vt* to drive, to take, to convey; to cart; *vi* to drive, to ride, to go; to travel; *mit d. Zug ~en* to go by train; *mit d. Rad ~en* to cycle; *mit d. Schiff ~en* to sail; *spazieren ~en* to go for a drive; *wohl (übel) ~en bei (fig)* to come off well (badly) with; *~ en lassen* to let go, to give up, to abandon; *in die Höhe ~en* to start up ♦ *aus d. Haut ~en s.* Haut; *was ist in ihn gefahren?* what has come over him?; *rechts (links) ~en!* keep right (left)!; *in d. Hölle ~en* to descend to hell; *in d. Kleider ~en* to throw on one's clothes; **~ende Habe** movables; **~ender Ritter** knight-errant; **~endes Volk** vagrants, tramps; **~er** driver; chauffeur; **~erflucht** hit-and-run offence; **~gast** passenger; **~geld** fare; **~gelegen-**

heit conveyance; **~gestell** ⊥ under-carriage; 🚗 chassis; **~ig** *adj* fidgety; **~karte** ticket; **~kartenausgabe**, **~kartenschalter** ticket-(*BE* booking-)office; **~kartenautomat** automatic ticket machine; **~lässig** negligent, careless; **~lässigkeit** negligence, carelessness; **~lehrer** driving-instructor; **~mann** ferryman; **~plan** timetable; **~planmäßig** regular; (according) to schedule, to time; **~preis** fare; **~prüfung** driving test; **~rad** bicycle, *umg* bike; **~rinne** waterway; fairway; **~schein** ticket; **~schule** driving school; **~straße** road, *BE* carriage-way; **~stuhl** *BE* lift, *US* elevator; **~stuhlführer** lift (*US* elevator) operator; **~t** ride, drive; journey; trip ♦ *~t ins Blaue* mystery trip; *in ~t kommen (fig)* to get into one's stride; *(See-)* voyage, cruise; course; *in voller ~t* at full speed; *~t verlieren (aufnehmen)* ⊥, ⚓ to lose (gather) speed; **~tausweis** ticket; **~unterricht** driving instruction; **~wasser** channel, fairway; *fig* element; **~zeug** vehicle, ⚓ vessel, craft

Fährte track; scent

fakt|isch real, actual; de facto; **~or** 📖 (printing) foreman; factor; circumstance; **~otum** factotum; **~ura** invoice

Fakult|ät faculty; **~ativ** optional

falb fallow, dun; **~e** dun horse

Falke falcon; *allg* hawk

Fall fall; downfall; *allg, gram,* ♫, ♋ case, instance; *zu ~ bringen* to trip s-b up; *fig* to ruin; *den ~ setzen* to suppose; *gesetzt den ~* supposing (that), assuming (that); *auf keinen ~* not on any (on no) account; by no means; *auf alle ~e, auf jeden ~* in any case, at all events; at any rate; be sure and . . . ; *im ~ daß* in case; *von ~ zu ~* as the case may be; according to its merits; *das ist der ~* that's the case ♦ *das ist ganz mein ~* that suits me down to the ground; *ist nicht mein ~* isn't my cup of tea; **~grube** *(a. fig)* pitfall, trap; **~obst** windfall, fallen fruit; **~reep** accommodation ladder, gangway steps; **~schirm** parachute; **~schirmspringer** parachutist; **~schirmtruppen** paratroops; **~strick** snare, noose; *fig* trap; **~sucht** epilepsy; **~tür** trap-door; **~weise** ad hoc

Falle trap; snare; *umg* bed; *in d. ~ gehen* to walk straight into the trap, *umg* to go to bed; **~nsteller** trapper

fallen to fall; to drop; to sink; *(Krieg)* to die, to be killed; *(Preis)* to fall, to decline; *~lassen* to drop, to let fall; *unter ein Gesetz ~* to come (*od* fall) under a law ♦ *aus allen Wolken ~* to be thunder-struck; *in Ohnmacht ~* to faint ♦ *in d. Augen ~* to strike (s-b); *in d. Rede ~* to interrupt; *in d. Rücken ~* to attack from behind, to stab in the back; *mit d. Tür ins Haus ~* to blurt out (what one wants to say); *leicht-(schwer)~* to find it easy (hard)

fäll|en to fell; to cut down; to lumber; *(Bajonett)* to lower; ♋ to pass; *math* to let fall; *chem* to precipitate; **~ig** due (*am* on), payable, mature; *~ig werden* to mature, to become payable (*od* due); **~igkeit** expiration, maturity; *bei ~igkeit* on (*od* at) maturity, when due

falls in case, if, in the event, provided that

falsch wrong, incorrect; false, artificial; *(Geld)* forged, counterfeit; deceitful; dishonest, insincere; *(Schmuck)* sham; 🎭 *(Spiel)* foul ♦ *mit j-m ~es Spiel treiben* to play s-b false; *~ aussprechen* to mispronounce; *~ singen* to sing out of tune; *~ schwören* to perjure, to commit perjury; *~es Geldstück* counterfeit (*bzw* wrong) coin; *ohne ~* guileless, without guile; **~heit** falsity, falseness, falsehood; duplicity; **~münzer** forger; **~spieler** card-sharper, cheat

fälsch|en to falsify; to forge; *(Lebensmittel)* to adulterate; *(Geld)* to counterfeit; **~er** forger; **~lich** false; **~licherweise** by mistake, wrongly, falsely; **~ung** falsification; forgery; adulteration

Falt|blatt folder; **~boot** folding boat (*od* canoe), collapsible boat, foldboat; **~e** *allg* fold; *(Gesicht)* wrinkle; *(Rock)* pleat; *(Bügel-, Stoff)* crease; *~en werfen* to pucker; *~en ziehen* to wrinkle, *(Stirn)* to knit one's brows; **~eln** to fold in small pleats; **~en** *vt* to fold; to plait; to ruffle; **~enlos** smooth, without crease; **~enrock** pleated skirt; **~enwurf** drapery; **~er** butterfly; **~ig** folded; pleated; wrinkled; **~prospekt** folder

Falz fold; groove; notch; rabbet; **~bein** folder, paper-knife; **~en** to fold; to groove; to rabbet

famili|är familiar; intimate; *(Gründe)* family reasons; **~e** family; *es liegt in d. ~e* it runs in the family; **~enähnlichkeit** family likeness; *mit ~enanschluß* as one of the family; **~enanzeigen** *(Zeitg)* births, deaths and marriages, *umg* hatch, match and dispatch column; **~enbad** mixed bathing; **~enbeihilfe** family allowance; **~enbetrieb** family business; **~enerbstück** heirloom; **~engruft** family vault; **~enname** surname, family name; **~enstand** personal status; **~envorstand** the head of the family; **~enwappen** family crest

famos grand, great, fine; *umg* swell

Fanat|iker fanatic; **~isch** fanatical; **~ismus** fanaticism

Fanfare flourish of trumpets; (high-pitched) trumpet

Fang catch; capture; prey; haul; **~e** *zool* talons, claws; tusks, fangs; **~eisen** iron trap; **~en** to catch; to capture; to trap; *Feuer ~en* to catch fire; **~vorrichtung** safety grip; **~zahn** tusk, fang

Farb|aufnahme colour photograph; **~band** typewriter ribbon; **~e** colour; hue, tint; dye, stain, paint; *(Spiel)* suit; *~e bekennen* to follow suit, *fig* to reveal one's true colours; **~dia(positiv)** colour slide; **~druck** colour-print(ing); **~echt** (of) fast (colour); **~echtheit** colour fastness; **~enblind** colour-blind; **~enfreudig** colourful, gay; **~enlehre** theory of colours, chromatics; **~enmeer** blaze of colour; **~enspiel** opalescence; **~film** colour film, technicolor (film); **~foto(grafie)** colour photograph; **~gebung** colouring; **~ig** coloured; stained; **~kissen** ink-pad; **~los** colourless; pale; **~stift** coloured pencil, crayon; **~stoff** dye-stuff, colouring matter, pigment; ~**ton** tint, hue, colour-tone

färb|en to colour; *(Haar, Stoff)* to dye; to stain; to tinge; ~**emittel** colouring agent, dye; ~**erei** dye-works; ~**ung** tinge, hue; *fig* touch

Farc|e farce; ♥ burlesque; *(Kochen)* stuffing; forcemeat; ~**ieren** to stuff

Farm colonial settlement; *(Hühner- etc)* farm; ranch; ~**er** colonial settler; farmer; rancher

Farn(kraut) fern; bracken, brake

Farre bullock, young bull

Färse heifer

Fasan pheasant; ~**erie** pheasant preserve

Fasch|ine fascine; bundle of faggots; ~**ing** carnival; ~**ismus** fascism

Fasel|ei twaddle, drivel; silly talk; ~**ig** silly, drivelling; ~**n** to twaddle, to drivel

Faser fibre; filament; thread; *(Bohnen)* string; ~**ig** fibrous; stringy; ~**n** to fray out, to ravel out; ~**pflanzen** fibre crops; ~**stoff** fibrin; fibrous material

Faß cask, barrel; *(Butter-)* firkin, churn; tun; tub, vat; *frisch vom* ~ on draught; ~**band** hoop; ~**bier** draught beer; ~**binder** cooper; "**chen** keg; ~**weise** in (by) barrels

Fassade façade, front; ~**nkletterer** cat-burglar

fassen *vt* to take hold of, to seize; to take, to hold; to comprise; to contain; ✿ to mount, to set; *fig* to comprehend, to grasp, to take in; *refl* to pull o.s. together; *s. kurz* ~ to be brief; *ins Auge* ~ to envisage; to consider

faßlich comprehensible, conceivable

Fasson shape, form, cut; way

Fassung mounting, *(Juwel)* setting; ⚡ socket; draft(ing), wording, version; *in d.* ~ *vom* 𝄞 as amended; *fig* composure, self-control; *aus d.* ~ *bringen* to upset, to disconcert; *die* ~ *verlieren* to lose one's composure; ~**sgabe** power of comprehension; mental capacity; ~**slos** upset, disconcerted; ~**svermögen** holding (seating, loading) capacity; *fig* mental capacity

fast almost, nearly; ~ *nie* hardly ever, scarcely ever, almost never; ~ *schon* practically; ~**en** to fast; ~**enzeit** Lent; ~**nacht** Shrove Tuesday; carnival

Faszi|kel file; 📖 fascicle; ~**nieren** to fascinate; ~**nierend** fascinating

fatal awkward, embarrassing; umfortunate; disagreeable, annoying; *das ist* ~ that's a nuisance; ~**ismus** fatalism

Fatzke dandy, coxcomb; fool

fauchen *(Tier)* to spit; *(Maschine)* to hiss

faul rotten, putrid; bad; *(Ei)* addle; *fig* lazy, idle ♦ *s. auf d.* ~ *e Haut legen* to lead an idle life; ~*e Ausrede* lame excuse; ~*er Witz* bad joke; ~**en** to rot, to putrefy; ~**enzen** to be lazy, to idle; to lounge; ~**enzer** idler, lazy-bones; ~**enzerei** idling laziness; ~**heit** laziness, idleness, sloth; ~**ig** rotten, putrid; decayed; "**nis** rottenness; ~**pelz** lazy-bones, idler, sluggard; ~**tier** *zool* sloth; = ~**pelz**

Faust fist; *auf eigene* ~ on one's own (responsibility), ~**dick** as big as one's fist ♦ *es* ~*dick hinter den Ohren haben* to be sly; ~*dicke Lüge*

a thumping lie, a whopper; *etw* ~*dick auftragen* to lay it on thick; ~**handschuh** mitt(en); 🥊 boxing-glove; ~**kampf** boxing(-match); ~**kämpfer** boxer; "**ling** mitten; ~**pfand** pledge; ~**recht** club-law; ~**regel** rule of thumb; ~**schlag** cuff, punch

Favorit favourite *(bes* 🐎*)*; minion

Faxen tricks, (tom)foolery; ~**macher** buffoon

Februar February

Fecht|boden fencing-room; ~**bruder** beggar; tramp; ~**en** to fight; to fence; *umg* to go begging; ~**er** fighter; fencer

Feder feather; plume; pen; nib; ✿ spring; *in d.* ~ *n kriechen* to creep into bed ♦ *s. mit fremden* ~*n schmücken* to deck o.s. out with borrowed plumes; ~**ball** *(Ball)* shuttlecock; *(Spiel)* badminton; ~**bett** feather-bed; ~**fuchser** scribbler, quill-driver; ~**führend** responsible, in charge; centrally handling the policy (of); ~**gewicht** 🥊 feather-weight; ~**halter** penholder; ~**kasten** pen-case; pencil-box; ~**kiel** quill; ~**kleid** plumage; ~**leicht** light as a feather; ~**n** to moult; ✿ to be elastic; *gefedert* ✿ cushioned; ~**nd** springy, elastic; ~**strich** stroke of the pen; ~**ung** springiness, elasticity; 🚗 spring suspension; ~**vieh** poultry; ~**wild** game birds

Fee fairy; ~**nhaft** fairylike; ~**nland** fairyland

Fege|feuer purgatory; ~**n** to sweep, to clean

Fehde feud; quarrel; challenge

fehl *adv* amiss, wrong; ~ *am Platz sein* to be out of place; *su* blame, blemish; ~**bestand** shortage, deficiency; ~**betrag** deficit; ~**bitte** vain request; *e-e* ~*bitte tun* to meet with a refusal; ~**en** to be missing, to be absent; to err, to make a mistake; to make a blunder; to sin; to be wanting, to lack; *was* ~*t ihm?* what's the matter with him?, what ails him?; *es an nichts* ~*en lassen* to spare no pains; *du wirst mir* ~*en* I'll miss you; *wo* ~*t es?* what's the trouble?; *das hat mir gerade noch gefehlt!* that's all I needed!, that was the last straw; *weit gefehlt!* right off the mark!; ~**er** fault; mistake, blunder, error; defect; blemish; flaw; irregularity; ~**erfrei**, ~**erlos** faultless; flawless; correct; ~**ergrenze** margin of error; ~**erhaft** faulty, defective; deficient; incorrect; ~**erquelle** source of error; ~**geburt** miscarriage, abortion; ~**gehen** to go (*od* take) a wrong road; *fig* to make a mistake; to fail; ~**griff** mistake, blunder; ~**leistung** mistake, slip; ~**meldung** *mil* nil return; ~**menge** shortage; ~**schlag** failure, *umg* washout; ~**schlagen** to fail, to come to nothing; to go by the board; ~**schluß** false conclusion, wrong inference; ~**spekulation** bad speculation; ~**tritt** false step, slip; *fig* mistake, faux pas, lapse; ~**urteil** false judgment, miscarriage of justice; ~**zündung** 🚗 misfire

Feier celebration, festival; ceremony; rest; ~**abend** evening leisure; off-time; ~*abend machen* to knock off work; ~**lich** solemn, ceremonious; festive; ~**lichkeit** solemnity; ceremony; festivity; ~**n** *vt* to celebrate; *vi* to rest, to take a holiday; to be idle; ~**stunde** leisure hour; festive hour; solemnity; ~tag holiday; festival

feig|e adj cowardly; su bot fig; ~enblatt fig-leaf; ~heit cowardice; ~ling coward

feil for sale; fig mercenary; ~e file; ~en to file; fig to polish, to refine; ~bieten to offer for sale; ~halten to have for sale; ~schen to bargain (for), to chaffer, to haggle (about); ~späne filings

fein fine, delicate; thin; distinguished, refined, elegant; subtle; (Gehör) sharp; keen; das ist ~! (umg) that's grand (od wonderful)!; nicht ~ not gentlemanlike; ~heit fineness; delicacy; grace, elegance, refinement; subtlety; ~kost-handlung delicatessen (shop); ~mechanik precision engineering; precision instruments; ~mechaniker precision engineer; precision-tool maker

Feind enemy, foe; poet fiend; s. j-n zum ~ machen to make an enemy of s-b; ~esland hostile territory; ~lich hostile, enemy; inimical; antagonistic; ~schaft hostility, enmity; antagonism; ~selig hostile; ~seligkeit hostility, animosity

feist fat, plump; ~en to grin

Feld field (a. 🏠); open country; 🏛 panel; (Schach) square; fig domain; sphere, scope; ~-, Wald- und Wiesen- common or garden ... ♦ d. ~ räumen to give in, to make way for s-b; d. ~ behaupten to win the day; im ~(e) gefallen killed in action; ~arbeit agricultural labour; ~flasche flask, canteen; ~früchte field crops; ~grau field-grey; ~herr commander-in-chief; ~jäger military police; ~küche field-kitchen; ~lazarett ambulance, field-hospital; ~marschall field-marshal; ~maus field-mouse; ~messer surveyor; ~polizei rural guard force; ~post military post service; ~prediger army chaplain; ~scher army surgeon; ~spat feldspar; ~stecher field-glasses, binocular; ~webel sergeant; ~weg lane; ~zeichen ensign, standard; ~zug campaign

Felge felloe; wheel-rim

Fell skin, hide; fur coat ♦ e. dickes ~ haben to be thick-skinned; j-m d. ~ über die Ohren ziehen to fleece s-b

Fels|(en) rock; cliff; crag; ~block block, boulder; ~enfest as firm as a rock; unshakable, unwavering; ~enfest überzeugt dead certain; ~enriff reef; ~ig rocky, craggy; ~klippe cliff; ~vorsprung ledge; ~wand wall of rock

Fem|e, ~gericht vehmgericht, vehmic court

feminin feminine

Fenchel fennel

Fenster window ♦ zum ~ hinauswerfen to pour (money) down the drain; ~bank window seat; ~bank, ~brett, ~sims window-sill, w.-ledge; ~flügel casement, (hinged) window-sash; ~kreuz cross-bars; ~laden shutter; ~leder chamois (leather); ~nische embrasure; ~rahmen frame; ~riegel sash-bolt, window-catch; ~scheibe pane; ~sturz lintel

Ferien holidays, bes US vacation; parl recess; ~ machen to take one's (od go on) holidays;

~kolonie holiday camp; ~kurs summer school; ~reise holiday trip

Ferkel young pig, piglet; fig mucky pup

fern far, distant, remote; von ~ from afar, at a distance; das sei ~ von mir far be it from me; ~amt BE trunk exchange, US central; ~anruf BE trunk call, long-distance call; ~bedienung remote control; ~bleiben to absent o.s. (from); su absence; absenteeism; ~e distance; aus der ~e from the distance, from afar; in d. ~e in the distance, at a d.; das liegt noch in weiter ~e that's still a long way off (od a far cry); ~empfang 📶 long-distance reception; ~er adj farther, further; adv furthermore, moreover, besides; ~er liefen 🏇 also ran; ~gas long-distance gas; ~gespräch call; = ~anruf; ~gesteuert remote-controlled, radio-controlled; mil guided; ~glas telescope; binoculars; ~halten refl (von) to keep aloof from, to keep clear of; ~heizung district heating; ~leitung trunk-line; ~leitungsnetz trunk-line system; ~meldewesen telecommunications; ~mündlich by telephone; ~rakete ballistic rocket; ~rohr telescope; ~schreiber teleprinter, teletype; (Person) teletype operator; ~schriftlich by teleprinter; ~sehen television (Abk TV); video; ~sehstudio teleștudio; ~sicht view; ~sprech-amt = amt; ~sprecher telephone; ~sprechzelle BE call-box, US telephone booth; ~unterricht postal tuition; correspondence course; ~verkehr long-distance traffic; ~wirkung remote (od indirect) effect; telekinesis; ~ziel remote (od long-term) object; ~zug main-line train

Ferse heel ♦ j-m auf den ~en sein to be hard upon s-b's heels

fertig ready; finished; done; ready-made; umg fig done in, finished, ruined; dead tired; ~ werden mit, es ~bringen to manage; s. ~machen to get ready; ~ sein mit (fig) to have done with; ohne etw ~ werden to do without; ~bringen to manage, to accomplish, to bring about; ~en to make, to manufacture; ~fabrikat, ~ware ready-made (od finished, manufactured) goods; ~haus prefab(ricated) house; ~keit skill, dexterity; knack; fluency; acquirement; ~keiten accomplishments; ~machen to complete, to finish; (fig umg) j-n ~machen to dress down, to tell off, (ermüden) to tire to death, to do up; ~produkt finished product; ~stellen to finish, to get ready; ~ung making, manufacture, production; ~waren finished goods

Fes ♪ F flat

fesch smart, stylish

Fessel chain, fetter, shackle; anat ankle; (Pferd) pastern-joint, fetlock; ~ballon captive balloon; ~n to chain, to fetter, to shackle; fig to fascinate, to captivate; ~nd fascinating, absorbing

fest¹ firm; rigid; (Körper) solid, compact; (Holz) hard, fast; (Regel, Geld) fixed; tight; strong; permanent, constant; ~ überzeugt fully convinced; s. ~ vornehmen to make it a point; ~e Nahrung solid food; ~e Preise fixed prices; ~e *Stellung* permanent post; ~en *Fuß fassen* to gain a firm footing; ~er *Schlaf* sound sleep; ~es *Angebot* firm offer; ~**binden** to tie up (fast), to fasten; ~e stronghold; fortress; citadel; ~**fahren** to stick fast, to get stuck; *fig* to come to a deadlock; ~**halten** *v.* to hold (fast); to seize, to arrest; to write down; ~ *halten an* to adhere to; *fig* to abide by; *refl* to hold on; ~**igen** to make firm, to strengthen; to consolidate; to stabilize; *refl (Preise)* to stiffen; ~**igkeit** firmness; solidity; strength; stability; ~**land** mainland, continent; ~**legen** to fix, to lay down, to determine; *(Summe)* to assess; *(Geld)* to invest; *refl* to commit o.s., to tie o.s. down (*auf* to); ~**machen** to fasten, to tighten; *fig* to fix, to settle; ~**meter** (solid) cubic metre; ~**nahme** arrest, seizure; ~**nehmen** to arrest, to seize, to apprehend; ~**setzen** to fix, to arrange; to imprison; *refl* to settle down; to gain a footing; ~**sitzen** to be stuck; to fit tightly; ~**stehen** to be certain, to be a matter of fact; ~**stellen** to say, to state, to point out; to find out, to discover, to ascertain; to check, to verify; to notice, to see, to find; to assess, to determine, to fix; *d. Identität ~stellen* to identify; ~**stellung** statement; determination; identification; ~**ung** fortress; ~**ungsgraben** moat; ~**ungswall** rampart; ~**verzinslich** at a fixed rate of interest; fixed-interest-bearing

Fest² festival; celebration; feast; party; ~**essen** banquet, anniversary dinner; ~**gabe** gift; ~**halle** banqueting hall; ~**lich** festive; solemn; ~**lichkeit** festivity; solemnity; ~**schrift** publication in honour of s-b; ~**spiel** festival performance; 𝔙 drama festival; ~**spielhaus** Memorial Theatre; ~**tag** holiday, feast; ~**zug** (festive) procession

Fetisch fetish

fett *adj* fat; plump; *(Boden)* fertile; *(Essen)* rich; lucrative; ⚏ bold; ~**druck** dripping; grease; adipose ♦ *sein ~ bekommen* to get it in the neck; ~ *ansetzen* to grow fat, to put on flesh; *mit ~ begießen* to baste; ~**arm** poor in fat; *(Fleisch)* lean; ~**auge** drop of grease; ~**darm** § rectum; ~**druck** ⚏ heavy type, bold-faced type; ~**drüse** sebaceous gland; ~**fleck** grease spot; ~**haltig** fatty, adipose; ~**ig** fat(ty), greasy; ~**leibig** corpulent; ~**leibigkeit** corpulence; ~**näpfchen**: *ins ~näpfchen treten* to put one's foot in it, to drop a brick; ~**sucht** obesity, adiposity; ~**wanst** big paunch

Fetzen rag; shred; scrap

feucht damp, moist; humid; muggy; ~**fröhlich** convivial, full of fun and wine; ~**igkeit** dampness; moisture; humidity; ~**igkeitsmesser** hygrometer

feudal feudal; splendid, magnificent

Feuer fire; *(im Freien)* bonfire; *mil* firing, bombardment; brilliance, lustre; *fig* ardour, verve ♦ *wie ~ und Wasser* as like as chalk and cheese; ~ *fangen* to catch fire *(a. fig)*; *fig* to fall in love; *j-m ~ geben* to give s-b a light ♦ ~ *und Flamme sein für* to be heart and soul for; *zwischen zwei ~n* between the devil and the

deep sea; *für j-n durchs ~ gehen* to go through fire and water for s-b; *mit ~ u. Schwert ausrotten* to destroy s-th root and branch; ~**bestattung** cremation; ~**bohne** *bot* scarlet runner; ~**eifer** ardent zeal; ~**einstellung** cease fire; ~**fest** fire-proof; ~**gefährlich** (highly) inflammable; ~**haken** pot-hook; poker; ~**leiter** (fire-) escape; fire-ladder; ~**lilie** orange lily; ~**linie** front line; ~**löschapparat**, ~**löscher** fire-extinguisher; ~**melder** fire alarm; ~**n** *mil* to fire, to shoot; ~**probe** acid test, crucial test, ordeal (by fire); ~**sbrunst** fire, conflagration; ~**schiff** light-ship; ~**sgefahr** danger of fire; ~**speiend** volcanic; ~ *speiender Berg* volcano; ~**spritze** fire engine; ~**stein** flint; ~**stelle** fireplace, hearth; ~**taufe** baptism of fire *(a. fig: d. ~taufe erhalten* to undergo one's b.); ~**überfall** *strafe;* ~**ung** firing, heating; fuel; ~**versicherung** fire-insurance; ~**wache** fire-station; ~**waffe** fire-arm, gun; ~**wehr** *BE* fire brigade *US* f. department; *wie die ~wehr fahren* to drive like blazes; ~**werk** fireworks *(a. fig); ~***zange** tongs; ~**zeug** lighter

feurig fiery; *fig* ardent, fervent

Fi|aker cab; ~**bel** primer; brooch, clasp; ~**ber** fibre

Fichte spruce

fid|el merry, jolly; ~**ibus** spill

Fieber fever; *kaltes ~* ague; ~ *messen* to take the temperature; ~ *haben* to have a temperature (*od* a touch of fever), to be feverish; ~**frost**, ~**schauer** shivering fit (*od* attack), shivers, ague; ~**haft** feverish; ~**ig** febrile, feverish; ~**n** to be feverish, to have a temperature; *fig* to be consumed with desire for; ~**mittel** antipyretic, febrifuge; ~**phantasie**, ~**wahn** delirium; ~**tabelle** temperature chart; ~**thermometer** clinical (*od* surgical) thermometer

Fied|el fiddle; ~**elbogen** bow, fiddlestick; ~**eln** to fiddle

Figur figure; form; *math* diagram; *(Schach)* chessman; ᵘ**lich** figurative

Fikt|ion fiction; invention; pretence; a figment of s-b's imagination; ~**iv** fictitious

Filet netting, network; *(Fleisch)* fillet

Filial|e branch (establishment); affiliate; ~**betrieb**, ~**geschäft** chainstore, *BE a.* multiple shop

Film film, *BE a.* cine(ma)-film, motion picture, *umg* movie; ~**atelier** studio; ~**aufnahme** shooting (of film scenes); ~**autor** screen author; ~**bearbeitung** film adaptation; ~**en** to film; ~**gelände** (studio) lot; *(Außenaufnahmen)* location; ~**gesellschaft** film company; ~**industrie** the films, film industry; ~**kamera** *BE* cine-camera, *US* motion-picture camera; ~**kassette** film magazine; ~**schauspieler** film (*BE* cinema, screen) actor; ~**schauspielerin** film (*BE* cinema, screen) actress; ~**selbstkontrolle** Board of Film Censors; ~**streifen** film strip; ~**theater** *BE* cinema, *US* motion-picture theater; ~**verleih** film renters' society

Filter filter *(a. ▥, ▰, ↯); ▥ a.* screen; *↯, ▰ a.* sifter; ~**n** to filter, to strain

Filz felt; *fig* skinflint, miser; **~en** to felt; **~ig** felt-like; *fig* mean, stingy; **~schuh** felt slipper

Fimmel craze

Finanz|amt (inland) revenue office; **~ausgleich** financial adjustment (*od* equalization); **~ausschuß** committee of ways and means; **~en** finances; **~iell** financial; **~ieren** to finance; to support; to provide money to pay for s-th; **~jahr** fiscal (*od* financial) year; **~lage** financial standing (*od* position); **~minister** *allg* Minister of Finance; *BE* Chancellor of the Exchequer, *US* Secretary of the Treasury; **~ministerium** *allg* Ministry of Finance; *BE* the Treasury, *US* Treasury Department; **~politik** financial policy; **~schwach** financially weak; **~verwaltung** finance department; taxation authorities; **~wesen** finances, financial matters; **~wirtschaft** public finances; business financing

Find|elkind foundling; **~en** to find; to meet with; to discover, to hit upon; *fig* to think, to consider; *refl* to pan out all right; *das wird s. ~en* we shall see; *das wird sich schon alles ~en* it will be all right; *s. in etw ~en* to put up with, to resign o.s. to; **~er** finder; **~erlohn** finder's reward; **~ig** clever; ingenious; **~igkeit** cleverness; ingenuity

Finger finger ♦ *j-m auf die ~ sehen* to have a strict eye upon; *d. ~ lassen von* to keep away from; *überall s-e ~ drin haben* to have a finger in every pie; **~abdruck** fingerprint; **~fertig** dexterous, quick-(*od* nimble-)fingered; **~fertigkeit** dexterity, skill; **~hut** thimble; *bot* foxglove; **~ling** fingerstall; **~n** to finger; **~satz** ♪ fingering; **~spitze** finger-tip; **~spitzengefühl** flair; tact; intuitive feeling; **~zeig** hint, tip

fingier|en to feign, to sham; **~t** feigned

Fin|k finch; **~ne** pimple, acne; fin

Finn|land Finland; **~e** Finn; **~isch** Finnish

finster dark, gloomy, obscure; **~nis** darkness, gloom, obscurity; *astr* eclipse

Finte 𝄐 feint; *fig* trick

Firlefanz foolery, nonsense

Firm|a firm, business; *(Anschrift)* Messrs.; *(Firmenname)* trade name; **~ament** firmament, sky; **~en** to confirm; **~eninhaber** owner of the firm; **~enschild** sign-board; **~enverzeichnis** trade directory; **~enwert** good will; **~ieren** to trade under the name (*als* of); **~ling** candidate for confirmation; **~ung** confirmation

Firn névé, firn; **~is** varnish; **~issen** to varnish

First ridge (of a roof); mountain ridge

Fis ♪ F sharp

Fisch fish; *astr* Pisces; 𝄐 wrong fount ♦ *kleine ~e (umg)* mere trifles; *weder ~ noch Fleisch* neither fish nor flesh nor good red herring; *wie e. ~ auf dem Trockenen* like a fish out of water; *stumm wie ein ~* as mute as a fish, as silent as the grave; **~adler** osprey; **~bein** whalebone; **~blut haben** to be cold-blooded; **~en** to fish; *su* fishing, angling ♦ *im trüben ~en* to fish in troubled waters; **~er** fisherman; **~erdorf** fishing village; **~erei** fishery; fishing; **~geruch** fishy smell; **~gräte** fish-

-bone; **~händler** fishmonger; **~laich** spawn; **~leim** fish-glue, isinglass; **~otter** otter; **~reiher** heron; **~tran** fish-oil, train-oil; **~zucht** fish-hatchery, pisciculture; **~zug** catch, haul, draught (of fish)

fisk|alisch fiscal; relating to taxation; **~us** exchequer, treasury

Fistel fistula; **~stimme** falsetto

Fitt|ich wing, pinion ♦ *j-n unter s-e ~iche nehmen* to take s-b under one's wing; **~ing** fitting

fix fixed; quick; **~ und fertig** complete, cut and dried, quite ready; **~e Idee** fixed idea, obsession, monomania; **~ierbad** 𝄐 fixing-bath; **~ieren** to fix; to stare (at s-b); **~iermittel** fixing agent, fixative; **~igkeit** speed; **~preis** fixed price; **~stern** fixed star; **~um** fixed sum (*od* salary)

Fjord fiord

flach flat, plain; level; open; *(a. fig)* shallow; **~ machen** to flatten; **~druck** 𝄐 planograph; **~drucktechnik** planography; **~land** plain (*od* open, flat) country; plain, lowlands; **~relief** bas-relief; **~rennen** flat race; **~zange** pliers

Fläche area; acreage; surface; plane; **~nausdehnung** square dimension; **~ninhalt** area; **~nmaß** square measure

Flachs flax; **~samen** linseed; **~spinnerei** flax-mill

flackern to flicker, to flare

Fladen flat cake

Flagg|e flag ♦ *unter falscher ~e segeln* to sail under false colours; **~en** to fly a flag; **~enmast** flagstaff, flagpole; **~leine** flag-line; **~schiff** flagship

Flak anti-aircraft; *umg* ack-ack; **~geschütz** anti-aircraft gun, aerial gun

Flakon phial; scent bottle, flacon

Flamm|e flame; blaze; *(Herd)* burner; *umg* flame, sweetheart; **~en** *vi* to flame, to blaze

Flammeri blancmange

Flanell flannel; **~jacke** blazer

Flank|e flank; 𝄐 side-vault; **~ieren** to flank; to enfilade

Flansch ✿ flange

flapsig boorish, uncouth

Flasche bottle; flask; phial; **~nbier** bottled beer; **~nhals** neck of bottle; **~nzug** block and tackle, set of pulleys

flatter|haft unsteady, fickle; inconstant; **~haftigkeit** fickleness, unsteadiness; **~n** to flutter; to wave, to stream

flau weak, feeble; dull, flat; faint

Flaum down, fluff; **~feder** down feather; **~ig** downy, fluffy

Flaus, Flausch *(Stoff)* fleecy woollen cloth

Flause humbug ♦ *j-m ~n in d. Kopf setzen* to put silly ideas into s-b's head

Flaute calm; *com* dullness, slackness

Flecht|e plait; braid; *bot* lichen; ⚕ lichen, tetter; **~en** to plait, to braid; to bind; **~werk** wickerwork; wattle

Fleck spot, place; stain, mark, blot, blur; patch; blemish, fault; *blauer ~* bruise ♦ *vom ~ weg* straight away; *vom ~ kommen* to get on, to make headway; ~chen: *ein schönes ~chen (Erde)* a beauty spot; ~en siehe ~ ; market town, country town; ~enlos spotless; ~entferner, ~enwasser spot (*od* stain) remover; ~fieber typhus (fever); ~ig spotted, stained, speckled; ~typhus = ~fieber

Fleder|maus bat; ~wisch feather-duster

Flegel flail; *fig* boor, churl, cad; ~ei rudeness, insolence; ~haft boorish, churlish, caddish, rude; ~jahre the teens, the awkward age; *in d. ~jahren sein* to be a hobbledehoy; ~n *refl* to lounge about (in s-th)

flehen *vi* to implore, to beseech, to entreat (*um* for); *su* entreaty, supplication; ~tlich beseeching, imploring

Fleisch flesh; meat; (*Obst*) pulp ♦ *in ~ und Blut übergehen* to become second nature; to become a habit; *s. ins eigene ~ schneiden* to cut off one's nose to spite one's face; ~brühe broth; beef-tea; clear soup; ~er butcher; ~eslust carnal desire, lust; ~faser muscular fibre; ~fliege blow-fly; ~fressend carnivorous; ~geworden incarnate; ~ig fleshy; beefy; pulpy; plump; ~kloß meat-ball; ~konserve canned (*BE a.* tinned) meat; ~lich carnal, sensual; ~vergiftung botulism; ~waren meat (products); ~werdung incarnation; ~wolf *BE* mincer, *US* meat grinder

Fleiß diligence, industry, assiduity; (*Zeugnis*) effort; *ohne ~ kein Preis* no pains, no gains; *mit ~* intentionally, on purpose; ~ig diligent, industrious

flennen to blubber, to whine, to snivel

fletschen: *die Zähne (mit den Zähnen) ~* to bare one's teeth

Flexion *gram* inflection

flick|en to mend, to patch, to repair; (*bes Schuhe*) to cobble; *su* patch; ~erei, ~werk patchwork; ~schneider jobbing tailor; ~schuster cobbler; ~wort expletive; ~zeug sewing kit; 🚗 repair outfit, puncture kit

Flieder elder; *spanischer ~* lilac; ~tee elderblossom tea

Fliege fly; (*Bart*) imperial; (*Krawatte*) bow-tie ♦ *zwei ~n mit einer Klappe schlagen* to kill two birds with one stone; ~n *vi* to fly, to wing; *umg* to get the sack; (*in e-r Prüfung*) to flunk (*an examination*); *vt* to fly, to pilot; ~nfänger fly-paper; *zool* fly-catcher; ~ngewicht 🥊 fly-weight; ~nklappe, ~nklatsche fly-swatter; ~npilz *zool* fly agaric, toadstool; ~nschnäpper *zool* fly-catcher; ~nschrank meat safe; ~r airman, aviator; pilot; ~rabwehr anti-aircraft defence; ~rabwehrkanone anti-aircraft gun; ~ralarm air-raid alarm, alert; ~rangriff air-raid; ~rei aviation

fliehen *vi* to flee, to run away (from); *vt* to avoid, to shun; ~kraft centrifugal force

Fliese tile; *mit ~n auslegen* to tile

Fließband conveyor belt, assembly line; ~produktion assembly-line production

fließen to flow; to stream; to float; to run; *~des Wasser* running water; *~d sprechen* to speak fluently

Flimmer glimmer, glitter; ~n to flicker, to glitter, (*Sterne*) to twinkle

flink quick, agile; alert; brisk, nimble

Flinte gun, rifle ♦ *die ~ ins Korn werfen* to throw up the sponge

Flirt flirtation; (*Person*) flirt; *sie ist ein netter ~* she is a nice (girl to) flirt (with); ~en to flirt, to make love (*mit* to)

Flitter spangle, tinsel; ~glanz false lustre; hollow pomp; ~kram cheap finery; ~wochen honeymoon

flitzen to dash along

Flock|e flake; (*Wolle*) flock; ~ig flaky; fluffy

Floh flea ♦ *j-m e-n ~ ins Ohr setzen* to put (silly) ideas into s-b's head

Floskel flowery language (*od* phrase)

Flor blossom(ing time), bloom; gauze; crape, crêpe; ~ett foil; ~ieren to flourish, to prosper

Floß raft, float; ~er raftsman, rafter

Flosse fin; *umg* (*Hand*) paw

Flöt|e flute, pipe; (*Block-*) recorder; ~en to play the flute; to whistle ♦ *~en gehen* to go whistling down the wind

flott afloat, floating; fast; gay, smart; *~ leben* to lead a fast (*od* free and easy) life; ~e fleet, navy; ~machen ⚓ to get afloat; 🚗 to get going again

Flöz layer, stratum; seam

Fluch curse, imprecation; oath; bane; *pl* bad language; ~en to curse, to swear; *su* swearing, cursing; abuse

Flucht flight, escape; (*kopflose*) stampede; 🏛 straight line, row; (*Zimmer-*) suite (of rooms); (*Treppen-*) flight (of stairs); ~en to align; ~en to flee, to escape (*vor* from); ~ig fugitive; *fig* brief, absconding; hasty, hurried; careless, superficial; *chem* volatile; ~igkeit hastiness; carelessness; volatility; ~ling refugee; *pol* émigré

Flug flight; (*Vögel*) flock, swarm; (*Rebhühner*) covey; *im ~e* (*fig*) as quick as lightning, in haste; ~abwehr anti-aircraft defence; ~bahn trajectory; ~blatt leaflet; ~boot flying boat; ~gast air-passenger; ~gesellschaft air-line; ~hafen, ~platz air-port, aerodrome; ~kilometer flight mile; ~klar ready for flight; ~lehrer flying-instructor; ~linie airway; (*Gesellschaft*) air-line; ~post air-mail; ~sand quicksand; ~wetter flying weather

Flügel wing (🏛, ✈, *zool, mil*); (*Windmühle*) arm, sail; *mil a.* flank; ♪ grand (piano) ♦ *d. ~ hängen lassen* to hang down one's head; ~fenster casement window; ~lahm with crippled wings; *fig* despondent; ~mutter ✿ wing-nut; ~roß winged horse, Pegasus; ~schlag beat of wings; ~schraube thumb-screw; ~spanne spread of wings; ~tür folding-door

flügge fledged; *~r Vogel* fledgling; *~ werden* to grow wings; *fig* to stand on one's own feet

flugs instantly, quickly

Flugzeug (*BE* aero)plane, aircraft; *US* airplane, *a.* airship; ~aufnahme aerial photograph; ~führer pilot; ~halle, ~schuppen hangar, shed; **~staffel** air-squadron; **~träger** aircraft-carrier

Fluidum fluid; *fig* atmosphere, tone

Fluktu|ation fluctuation, flow; **~ieren** to fluctuate

Flunder flounder

Flunker|ei fib(bing); **~n** to (tell) fib(s)

Fluor fluorine; **~eszieren** to fluoresce; **~eszierend** fluorescent

Flur field, meadow, plain; hall, corridor; **~bereinigung** farmland consolidation; **~garderobe** hall-stand

Fluß river; flow, flux; ✿ fusion, state of melting; ⚕ catarrh; *fig* fluency *d. Sache in ~ bringen* to set the ball rolling; *in ~ kommen* to get going; *im ~ sein* to be in a state of flux; **~abwärts** downstream; **~arm** *su* tributary; **~aufwärts** upstream; **~bett** bed, channel; **~fahrzeug** river craft; **~krebs** crayfish, crawfish; **~lauf** course of a river; **~mündung** mouth of a river; **~pferd** hippopotamus; **~schiffahrt** river traffic; **~spat** fluor-spar, fluorite

flüssig liquid, fluid; *(Metall)* molten; *(Geld)* ready, available; *fig* flowing, fluent; *Geld ~ machen* to realize money; **~keit** liquid, fluid; fluidity

flüstern to whisper; *su* whisper; **~d** whispering, below (under) one's breath

Flut flood *(a. fig)*; flood-tide, high tide; *Ebbe und ~* the tides; *es ist ~* the tide is in; **~en** to flood; to flow, to stream; *hin u. her ~ en* to fluctuate; **~licht** floodlights; *mit ~ licht anstrahlen* to floodlight

Födera|lismus federalism; **~list** federalist; **~listisch** federalist; **~tion** federation, confederacy; **~tiv** federative, confederate

Fohlen foal; *(männl.)* colt; *(weibl.)* filly; *vi* to foal

Föhn *(Wind)* foehn; hair-dryer

Föhre pine, Scotch fir

Folge sequence; succession, series; order; set, suite; consequence, result; aftermath; conclusion, inference; *in d. ~* subsequently, in future; *~ leisten* to comply with; to obey; to accept; to answer; **~erscheinung** effect, consequence; **~n** to follow, to succeed; to result (from); to obey, to listen to; *daraus folgt* hence it follows; *Fortsetzung folgt* to be continued; *Schluß folgt* to be concluded; *j-s Rat ~n* to take s-b's advice; **~nd** *adj* following; *er schreibt ~ndes* he writes as follows; **~ndermaßen** as follows; **~nschwer** momentous, weighty; **~richtig** logical, consistent; **~rn** to conclude, to infer, to deduce; **~rung** conclusion, inference, deduction; **~widrig** illogical, inconsistent; **~wirkung** consequent effect

folg|lich consequently, hence, thus; so; therefore; **~sam** obedient; **~samkeit** obedience

Foli|ant folio (volume); **~e** foil; background

Folter torture; *auf d. ~ spannen* to put to the rack; *fig* to torment; **~n** to torture; to torment; **~ung** torture

Fond 🚗 back seat; foundation; **~s** funds; capital, stock

Font|äne fountain, artificial jet of water; **~anelle** fontanel

foppen to hoax, to tease, to chaff, to kid

forcieren to force; to hurry; to overurge; to overdo

Förder|anlage hauling plant; **~ausfall** decline in production; **~band** conveyor belt; **~korb** cage; **~lich** useful; **~n** ✿ to haul; *allg* to promote, to further; to encourage; to advance; **~schacht** winding shaft; **~ung** ✿ hauling; output; *allg* promotion, help; furtherance

forder|n to ask, to demand; to claim; to require; ⚔ to summon; *(Duell)* to challenge; **~ung** demand; claim; challenge

Forelle trout

Forke pitchfork, manure fork

Form form, shape *(feste ~ annehmen* to take definite sh.); cut, fashion; model, pattern; ✿ mould; *in guter ~ sein* to be in good form; *d. ~ wahren* to keep up appearances; **~al** formal; in form; **~alität** formality; **~at** size, format; *fig* weight, importance; *e. Mann von ~ at* a man of parts; **~el** formula; **~ell** formal; **~en** to form, to shape, to mould; to fashion, to model; to make; **~enlehre** *gram* accidence; **~fehler** informality; social blunder, offence against etiquette; flaw; ⚖ want of form; **~gebung** fashioning, moulding; industrial design; **~gestalter** industrial designer; **~ieren** to form; **~ierung** formation; ⚖lich formal, ceremonious; *sehr ⚖ lich sein* to stand upon ceremony; *adv* really; ⚖lichkeit formality, ceremony; **~los** formless, shapeless; unceremonious; in no specific form; **~losigkeit** formlessness, shapelessness; rudeness; **~sache** formality; *es ist nur e-e ~ sache* it is merely a matter of form; **~ular** form, blank; **~ulieren** to formulate; to define; **~ung** formation; forming

forsch smart; plucky, dashing; **~en** to search, to seek (after), to inquire (after); to (do) research (work); **~er** (research) scientist, research worker; **~ung** inquiry; research; **~ungsarbeit** research work; **~ungsreisender** explorer

Forst wood, forest; **~amt** forestry office; ⚖forester; ⚖erei, **~haus** forester's house; **~meister** (head) forester; **~wesen**, **~wirtschaft** forestry

fort away, off; gone; forth, forward; on(ward); *in einem ~* continually, ceaselessly, without interruption; *und so ~* and so on, and so forth; *~ mit dir!* away with you!; **~an** from this time, henceforth, hereafter; **~bestand** continuation, duration; survial; **~bestehen** to continue (to exist); **~bewegung** locomotion, progression; **~bildung** further instruction (development); **~dauer** continuance; duration, permanence; **~dauernd** continual, recurrent; **~fahren** *vt* to drive away, to remove; *vi* to drive off, to depart; *fig* to continue, to go on; **~fall** cessation, discontinuing; **~fallen** to be omitted; **~führen** to go on with, to continue; to carry on; **~gang** departure, leaving; progress, continuation; **~gehen** to go away, to leave; to go on, to continue; **~geschritten** advanced; **~gesetzt** incessant, continuous; **~kommen** to get away; *fig* to get on; *su* progress, advancement; living, livelihood; **~laufen** to run away; to escape; to go on; **~laufend** *adj* continuous, running; *adv* consecutively; **~pflanzen** *vt, refl* to propagate; to reproduce; to transmit; **~pflanzung** propagation; reproduction; transmission; **~schaffen** to remove; to get rid of; **~scheren** *refl* to be gone; **~schreiten** to proceed; to advance; to make progress; **~schreitend** progressive, ever-increasing; **~schritt** progress, advance(ment); **~schrittlich** progressive; **~setzen** to continue, to carry on, to pursue; **~setzung** continuation; pursuit; **~stehlen** *refl* to steal away; **~während** *adj* continuous, incessant, perpetual; **~werfen** to throw away; **~ziehen** *vt* to draw away, to drag away; *vi* to march off, to move on; to leave

Foto photo(graph); **~album** photo album; **~apparat** camera; **~gramm** photogram; **~graf** photographer; **~grafie** photography; photo(graph); **~grafieren** to photograph, to take a photo (of s-b); *... läßt sich gut ~grafieren ...* photographs well; **~kopie** photostat; xerox; **~kopieren** to photostat; xerox; *siehe* Photo(-)

Fracht freight; *bes ⚓* cargo; load; *(~kosten)* freightage, carriage; **~brief** bill of lading; 🚂 consignment note; **~dampfer, ~er** cargo vessel, freighter; **~frei** carriage-paid, -free; **~gut** freight; goods, package; **~raum** freight capacity; shipping space; **~stück** package, parcel; bale; **~versicherung** cargo insurance

Frack evening dress, tailcoat

Frage question; inquiry, query; *ohne ~* undoubtedly, doubtless; *in ~ stellen* to (call in) question, to doubt; *in ~ kommen* to come into question; to be suitable (possible, appropriate, practicable); *nicht in ~ kommen* to be out of the question; *das ist e-e ~ der Zeit* that's only a matter of time; **~bogen** questionnaire; **~n** to ask *(nach* after, about), to inquire; *(Arzt)* to consult; *(gründlich)* to catechize; *nichts danach ~n* not to care about; *es fragt sich ob* the question is whether; **~satz** interrogative sentence; **~stellung** formulation of the question; **~zeichen** question-mark

frag|lich in question; doubtful, questionable; **~los** *adv* unquestionably, undoubtedly, doubtless; **~würdig** doubtful, questionable; suspicious

Fragment fragment; **~arisch** fragmentary

Fraktion parliamentary group

Fraktur 📖 Gothic type, German text

frank free, frank, open; *~ u. frei* frankly; **~ieren** to stamp, to pay postage for

Frankreich France

Franse fringe

Franz|band calf-binding; **~branntwein** brandy, rubbing alcohol; **~ose** Frenchman; *die ~osen* the French; ⚙ adjustable spanner, monkey wrench; **~ösin** Frenchwoman; **~ösisch** French *(sich auf ~ösisch empfehlen* to take F. leave)

frapp|ant striking, astonishing; **~ieren** to strike, to astonish

fräs|en to mill, to cut; **~maschine** milling machine

Fraß *umg* grub; *(Tier-)* feed; ⚕ caries

Fratz (naughty) child, little devil; **~e** grimace; caricature; *~en schneiden* to make faces; **~enhaft** grotesque

Frau woman; *d. ~ des Hauses* the lady of the house; *(Brief)* Mrs.; *meine ~* my wife; *gnädige ~* Madam; *Unsere liebe ~ (eccl)* Our Lady; *sich e-e ~ nehmen* to marry; **~enarzt** gynaecologist; **~enrechtlerin** suffragette; **~ensleute** women(-folk); **~enstimmrecht** women's suffrage; **~enzimmer** woman, female; slut; **~lein** young lady; unmarried lady; *(Anrede)* Miss; **~lich** womanly

frech impudent, insolent, cheeky, brash; *~ werden* to answer back; **~dachs** cheeky fellow *(od* young rascal, devil); **~heit** impudence, insolence; cheek

Fregatte frigate; **~nkapitän** commander

frei free; independent; loose, at liberty; vacant, disengaged; free of charge, gratis; frank, candid, open; liberal; *Eintritt ~!* admission free!; *~ an Bord* free on board *(Abk f.o.b.)*; *ich bin so ~* allow me; *aus ~er Hand* freehand; offhand; *unter ~em Himmel, im ~en* in the open air, outside; alfresco; *d. ~en Berufe (Künste)* the liberal professions (arts); *e-n ~en Tag nehmen* to take a day off; *e-e ~e Minute* a spare moment; *~e Stelle* vacancy; **~beruflich** professional; *~beruflich tätig sein* to freelance; **~beruflicher** free-lance; **~beuter** filibuster, buccaneer, freebooter; **~bleibend** not binding, without obligation, subject to alteration, without notice; **~brief** carte blanche; **~denker**, **~geist** free-thinker; **~en** to woo, to court; to marry; **~er** wooer, suitor; *auf ~ersfüßen gehen* to be on the look-out for a wife, to go courting; **~exemplar** free specimen, presentation copy; **~frau** baroness; **~gabe** release; decontrol; **~geben** to release; to decontrol; **~gebig** generous, liberal; bounteous, bountiful; **~gebigkeit** generosity, liberality; bounty; **~gelassener** freedman; **~grenze** free quota; exemption limit; **~hafen** free port; **~halten** to keep free; to treat; **~händig** free-hand, without support; ♋ by private contract, off-hand; **~heit** freedom, liberty; independence; *dichterische ~heit* poetic licence; **~heitlich** liberal; **~heitsberaubung** ♋ deprivation of liberty, unlawful detention; **~heitskrieg** war of independence; **~heitsstrafe** imprisonment; **~herr** baron; **~herrin** baroness; **~herrlich** baronial; **~karte** complimentary ticket; **~lassen** to release, to set free; **~lassung** release; **~lauf** free wheel(ing); **~lich** of course, certainly, indeed; **~lichtbühne** open-air theatre; **~lichtmalerei** open-air painting; **~machen** to set free; *(räumen)* to vacate; to pay postage, to stamp, to prepay; **~marke** stamp; **~maurer** freemason; **~maurerei** freemasonry; **~mütig** frank, candid, open; **~mütigkeit** frankness, candour, openness; **~schar** volunteer corps, irregulars; ~**schärler** volunteer, insurgent, guerilla; ~**sinnig** liberal(-minded), free-thinking; ~**sprechen** to absolve (from), to acquit (of); ~**sprechung** absolution; ~**spruch** ⚖ acquittal, verdict of not-guilty; ~**staat** free state; ~**stehen** *fig* to be at liberty (*od* free) to do; ~ *stehen* to stand detached (*od* isolated); ~**stehend** exposed, detached; ~**stelle** scholarship, bursary; ~**stellen** *mil* to exempt; *fig* to leave it to s-b's discretion; ~**stellung** *mil* exemption; ~**stilringen** catch-as-catch-can; ~**stoß** 🏈 free kick; ~**tag** Friday; ~**tod** suicide; ~**tragend** 🏛 cantilever; ~**übungen** callisthenics; *umg* Swedish exercises, physical jerks; ~**willig** voluntary, spontaneous; ~**williger** volunteer; ~**zeit** spare (*od* free, leisure) time; (camp) meeting of study-groups; ~**zügig** free to move; unhampered, liberal; ~**zügigkeit** freedom of movement

fremd strange, foreign; unknown, unfamiliar; alien; outside, extraneous; exotic; ~ *sein* to be a stranger; *sich* ~ *werden* to become strangers; ~*es Geld* s-b else's money, other people's money; (a bank's) borrowed funds; *unter* ~ *em Namen* under an assumed name; ~*e Länder* foreign countries; ~**artig** odd, strange; ~*e* so foreign countries; *in d.* ~*e* abroad; ~**enbuch** visitors' book; hotel register; ~**enführer** guide; ~**enindustrie** (hotel and) tourist industry; ~**enlegion** Foreign Legion; ~**enverkehr** (hotel and) tourist trade; tourism; ~**enverkehrsort** tourist centre; ~**enzimmer** spare room, guest room; "room to let"; ~**herrschaft** foreign rule; ~**kapital** borrowed funds; ~**körper** foreign body; extraneous element; ~**ländisch** foreign; exotic; ~**ling** stranger; foreigner; ~**sprache** foreign language; ~**wort** foreign word

Frequenz frequency, wave-length

fress|en to eat; (*gierig essen*) to devour; to gorge, to wolf down; *chem* to corrode; *su* food; ~**erei** gluttony; ~**gier** voracity

Frettchen ferret

Freud|e joy, gladness, delight, pleasure; bliss; ~*e haben an* to enjoy s-th, to delight in; ~**enfeuer** bonfire; ~**estrahlend** beaming with joy, radiant; ~**ig** joyful, cheerful; ~**los** joyless, cheerless

freuen *vt* to gladden, to please, to delight; *refl* to be glad (about), to be pleased (with), to rejoice (in, at); *s.* ~ *auf* to look forward to

Freund friend; *sie hat e-n* ~ she has a young man (*od* a steady); *alter* ~ old friend, *umg* chum; (*Anrede*) old boy; *kein* ~ *sein von* not to care for, not to be keen on; *ein* ~ *sein von* to like, to be fond of, to be a lover of; *dicke* ~*e* fast friends; ~**in** girl friend; ~**lich** friendly, kind; amiable, pleasant; affable; ~**lichkeit** friendliness, kindness, pleasantness; ~**schaft** friendship; amity; ~*schaft schließen mit* to make friends with; ~**schaftlich** friendly, amicable; *mit j-m auf* ~*schaftlichem Fuß stehen* to be on friendly terms with s-b; ~**schaftsdienst** good offices, kind service

Frev|el sacrilege; crime; wantonness, outrage;

~**elhaft** sacrilegious; criminal; wanton, malicious, wicked; ~**eln** to commit a crime; to blaspheme; ~**ler** criminal; evil-doer; blasphemer

Fried|e peace; harmony; tranquillity; *im* ~*en* in peace-time; *ich traue d.* ~ *nicht* I have my suspicions; *laß mich in* ~*en!* leave me alone!; ~*en schließen* to make peace; ~**ensbruch** breach of the peace; ~**ensrichter** Justice of the Peace; ~**ensschluß** conclusion of peace; ~**ensstifter** peacemaker; ~**ensvertrag** peace treaty; ~**fertig**, ~**liebend** peace-loving; ~**hof** churchyard, cemetery; ~**lich** peaceful, peaceable; ~**liebend** peace-loving   [*friere* I am cold

frieren to freeze; to be cold; *mich friert, ich*

Fries baize; 🏛 frieze; ~**eln** 💲 purples

frisch fresh; cool, chilly; refreshing; brisk, lively; new, recent; clean; ~ *gestrichen!* wet paint!; ~ *auf!* look alive! come on!; *es ist recht* ~ (*draußen*) there is quite a nip in the air; *auf* ~*er Tat* in the very act (of); ~*e Eier* new-laid eggs; ~*es Grab* newly-dug grave; ~*e Wunde* green (*od* raw) wound; ~*e* freshness, coolness; briskness; liveliness; brightness; ~**stahl** natural steel

Fris|eur, **Friseuse** hairdresser; ~**ieren** to dress (*od* to do) the hair; *s.* ~*ieren lassen* to have one's hair done; (*Auto*) to soup up; ~**iermantel** dressing-jacket, peignoir; ~**iersalon** hairdressing salon; ~**ierkommode**, ~**iertoilette** dressing-table, *US* dresser, *US* vanity; ~**ur** hair-do, coiffure

Frist time, period; term; respite; delay; *binnen kürzester* ~ at a very short notice; in no time; *3 Tage* ~ 3 days' grace; ~**ablauf** expiry of time limit; ~**en**: *sein Leben* ~*en* to keep the pot boiling, to rub along, (*knapp*) to scrape along, to scrape a living; ~**gemäß** at due date; ~**gerecht** punctual(ly); ~**los** without notice; ~**verlängerung** extension of time

frivol frivolous; immoral, low, obscene; ~**ität** frivolity; obscenity

froh glad, gay, happy, joyous, joyful, bright; ~ *sein* (*über*) to be pleased (with), glad (about); ~**gemut** cheerful; ~**locken** to rejoice (at), to exult (at), to triumph (over); ~**sinn** gaiety, cheerfulness

fröhlich cheerful, merry, happy, beaming; ~**keit** cheerfulness, mirth

fromm pious, religious, devout; good, patient; ~**elei** bigotry; hypocrisy; ~**eln** to affect piety; ~**en** to be of use, to benefit; ~**igkeit** piety, devotion

Fron, ~**arbeit**, ~**dienst** compulsory labour (*od* service) servitude; ~**en** to do compulsory labour; ~**en** to be addicted to, to indulge in; ~**leichnam(sfest)** Corpus Christi (Day)

Front front (*a. mil,* 🏛); face, fore part; *auf breiter* ~ on a wide scale; ~ *machen gegen* to stand up to s-b, to turn against, to make a stand (against); ~**al** frontal; head-on (*collision*)

Frosch frog; *sei kein* ~*!* don't be such a freak!; (*Feuerwerk*) cracker; ~**schenkel** hind-leg of a frog

Frost frost; chill; **~beule** chilblain; **~eln** to shiver, to feel chilly; **~ig** frosty; chilly; **~schaden** frost damage; **~schutzmittel** anti-freeze

frottier|en to rub; **~(hand)tuch** terry towel

Frucht fruit (*verbotene* ~ forbidden f.); crop; **§** foetus; *fig* result; ~ *tragen* to bear fruit; **~bar** fruitful; fertile; **~barkeit** fruitfulness; fertility, fecundity; **~boden** *bot* receptacle; **~bonbon** fruit(-flavoured) sweet (*od* bonbon); **~bringend** fruit-bearing, fertile; productive; **~en** to have effect; to be of use; **~fleisch** pulp; **~getränk** fruit beverage; **~knoten** *bot* ovary; **~los** fruitless; **~saft** syrup, fruit-juice

frugal frugal

früh early; in the morning; *heute* ~ this morning; *von* ~ *bis spät* from morning till night; *morgen* ~ tomorrow morning; *am* ~*en Nachmittag* in the early afternoon; ~ *morgens* first thing in the morning; **~aufsteher** early riser; **~beet** hotbed; **~** (early) morning; dawn; *in aller* ~*e* very early; early in the morning; **~er** *adj* former, late; earlier, sooner; *adv* formerly, years ago; **~estens** at the earliest; **~geburt** premature birth; premature baby; **~geschichte** early history; **~jahr**, **~ling** spring; **~jahrsbestellung** spring tilling; **~messe** early mass, matins; **~reif** premature; *fig* precocious, forward; **~schoppen** morning pint; **~stück** breakfast; *zweites* ~*stück (BE)* elevenses; **~stücken** to (have) breakfast; **~zeitig** early, premature

Frust|(ration) frustration; **~rieren** frustrate

Fuchs fox; chestnut horse; freshman, fag, fresher; **~bau** kennel, foxhole; **~eisen** fox-trap; **~en** *vt* to vex, to make angry; to annoy; *refl* to feel (*od* be) annoyed; **~in** vixen, bitch(-fox); **~schwanz** brush; ☼ hand-saw; *bot* love-lies-bleeding; **~teufelswild** furious, in a fearful rage, boiling with rage

Fuchtel rod, whip, ferule; *unter j-s* ~ *stehen* to be under s-b's thumb; **~n** to gesticulate violently

Fuder cart-load

Fug: *mit* ~ *und Recht* justly, with full authority (*od* justice); **~e** joint; ♪ fugue; *aus den* ~*en sein* to be out of joint; *aus den* ~*en gehen* to fall to pieces, to get out of joint; **~en** *refl (in)* to submit to, to acquiesce in, to accommodate o.s. to; *es* ~*te sich* it happened; **~sam** obedient; docile; submissive, yielding, acquiescent; **~ung** coincidence; submission (to), resignation (to); providence, fate

fühl|bar tangible; perceptible; marked, felt; **~en** to feel; to sense, to perceive; *s. gut* ~*en* to feel well; **~er**, **~horn** *zool* feeler, antenna; **~ung** contact; *in* ~ *ung sein mit* to be in touch (*od* contact) with; **~ungnahme** (making of) contact

Fuhr|e conveyance, carriage, cart; (cart-)load; **~lohn** cartage; **~mann** carter, driver, wagoner; **~werk** vehicle, cart, carriage

führ|en to lead, to guide; to convey, to conduct; to direct; to handle, to control, to manage; (*Waren*) to keep, to carry; (*Namen*) to

bear; (*Beweis*) to show; (*Feder*) to wield; (*Krieg*) to make (war) (*gegen* upon); *d. Haushalt* ~*en* to run the house; *d. Bücher* ~*en* to keep the books; *zum Munde* ~*en* to raise to one's lips; *das Wort* ~*en* to be spokesman; **~end** leading, prominent; **~er** leader; captain; 🚗 driver; ✈ pilot; guide(-book); **~erschaft** leadership, guidance, command; the leaders; **~erschein** *BE* driving licence; *US* driver's license; ✈ pilot's certificate; **~ersitz** driver's seat; ✈ cockpit; cab

Führung leadership, command; guidance; management, direction; behaviour, conduct; (*Zeugnis*) deportment; **~szeugnis** certificate of good conduct

Füll|e abundance (*an* in), amplitude; profusion; fullness; stoutness, plumpness; **~en** to fill (up); (*Kochen*) to stuff; *in Flaschen* ~*en* to bottle; **~feder(halter)** fountain pen; **~horn** horn of plenty, cornucopia; **~sel** stop-gap; (*Kochen*) stuffing; **~ung** filling; 🏛 panelling; (*Kochen*) stuffing; **~wort** expletive

Füllen foal; (*männl.*) colt; (*weibl.*) filly

fummeln to fumble, to grope about

Fund finding; discovery; find; thing found; **~büro** lost-property office; **~grube** mine; *fig* bonanza

Funda|ment foundation, basis; basement; **~ieren** to lay a foundation; to consolidate; **~ierung** foundation; basis

fünf five; *nicht für* ~ *Pfennig* ... not a half-pennyworth (of) ... ; **~eck** pentagon; **~eckig** pentagonal; **~erlei** of five different kinds; **~fach** fivefold, quintuple; **~hundert** five hundred; **~kampf** 🏃 pentathlon; **~linge** quintuplets; **~mal** five times; **~seitig** pentahedral; **~stellig** of five digits; **~stöckig** five-storied; **~tausend** five thousand; **~te** fifth ♦ *das* ~*te Rad am Wagen sein* to be superfluous; **~tel** fifth (part); **~tens** fifthly, in the fifth place; **~uhrtee** five o'clock tea; **~zehn** fifteen; **~zehnte** fifteenth; **~zig** fifty; **~zigste** fiftieth

fungieren to function, to act as; to officiate

Funk wireless, radio; **~apparat**, **~gerät** radio (*BE* wireless) set; **~bearbeitung** radio adaptation; **~bild** facsimile, radio-photogram; **~e**, **~en** spark(le), flash; *fig* bit, particle; **~empfang** wireless reception; **~en** to radio; ⚓ to broadcast; **~ensprühend** sparkling, scintillating; **~er** radio operator; telegraphist; **~ortung** radiolocation; **~peilstation** radiolocation station; **~sprechverkehr** radio telephony; **~spruch** radiogram; **~station**, **~stelle** radio (*od* broadcasting) station; **~streife** radio patrol car; **~telegraphie** radio-telegraphy; **~turm** radio tower; **~wagen** radio car; **~zeitung** radio magazine

funkeln to sparkle, to glitter, to twinkle; **~nagelneu** brand-new

Funktion function; **~är** functionary; **~ieren** to function, to work; **~sfähig** efficient; adequately functioning

Funzel weak (*od* miserable) lamp

für for; in favour of, on behalf of; (*um ... willen*) for the sake of; (*anstatt*) instead of; in return for; *Tag ~ Tag* day after day; *Mann ~ Mann* man by man; *an und ~ sich* in (of) itself; *d. ~ und Wider* the pros and cons; *ich ~ meine Person* as for me, I for one; *was ~ (ein)?* what (kind of)...?; *~ und ~* for ever and ever; **~baß** *adv* further, forward, on; **~bitte** intercession; *~bitte einlegen* to intercede (*bei* with, *für* for); **~bitter** intercessor; **~sorge** care; relief; *öffentliche ~sorge* public welfare (*od* charity); social work; **~sorgeamt** welfare office (*od* centre); **~sorgeanstalt** remand home; approved school; **~sorgeeinrichtungen** social services; **~sorgeerziehung** correctional education, education in a remand home; **~sorger(in)** welfare officer (*od* worker), social worker; almoner; **~sorglich** careful, thoughtful; **~sprache** intercession; **~sprecher** intercessor; mediator; advocate; **~wahr** truly, indeed, certainly; **~wort** pronoun

Furage forage, fodder

Furche ↓ furrow; wrinkle; **~n** to furrow; to wrinkle

Furcht fear, dread, fright; anxiety, apprehension; *aus ~ vor* from fear of; **~bar** dreadful, terrible, horrible, formidable; awful; ⁚erlich to fear, to dread, to be afraid of; *refl (vor)* to be afraid of; ⁚erlich terrible, horrible, frightful; **~los** fearless, intrepid; **~losigkeit** fearlessness, intrepidity; **~sam** timid, chicken-hearted; nervous; **~samkeit** timidity; nervousness

Fur|ie termagant, fury; **~nieren** to veneer, to inlay; **~nierholz** wood for inlaying; **~nier** veneer(ing), inlaying

Fürst prince; **~engruft** royal burial-vault; **~entum** principality; **~in** princess; **~lich** princely; *~lich leben* to live like a lord

Furt ford, passage, crossing

Furunkel furuncle, boil

füsilieren *mil* to execute, to shoot (to death)

Fusion amalgamation, merger; *chem* fusion

Fuß foot; *(Stand)* footing; *(Glas)* stem; bottom; *(Säule)* pedestal, base; *zu ~* on foot; afoot; *etwa 10 Min. zu ~* about ten minutes' walk; *zu ~ gehen* to walk; *~ fassen* to gain a footing ♦ *auf großem ~ leben* to live in grand style; *auf dem ~e folgen* to follow hard on; *auf freien ~ setzen* to set at liberty (free); *auf freiem ~* at large; at liberty; *stehenden ~es* immediately; *von Kopf bis ~* from top to toe; *auf eigenen Füßen stehen* to be independent; to pay one's way; *gut zu ~ sein* to be a good walker; *auf gutem (gespanntem) ~ stehen mit* to be on good (bad) terms with; **~abstreifer**, **~matte** door-mat, door-scraper; **~abdruck** footprint; **~angel** man-trap; **~ball** *(Ball)* football; *(deutscher)* Association Football, *umg* soccer; *(amerikanischer) BE* American football, *US* football; **~bank** footstool; **~boden** floor; **~breit** *(fig)* jeder *~breit* every inch; **~bremse** footbrake; **~en** *(auf) fig* to depend on, to rely on; to be based on, to be founded on; **~ende** foot, bottom-end; **~fall** prostration; *e-n ~fall tun* to prostrate o. s., to go down on one's knees; **~gänger** pedestrian; walker; **~gelenk**

ankle joint; **~note** footnote; **~pflege** chiropody; **~reif(en)** bangle; **~sack** foot-muff; **~spitze** point of the toe, tiptoe; **~spur**, **~stapfe** footprint, footstep; track, trace; **~tritt** kick; **~volk** infantry; **~wanderung** walking tour, ramble; hike; **~weg** footpath

Fussel fluff; **~ig** fluffy

futsch *umg* gone, off, lost; ruined

Futter food, *umg* grub; ↓ fodder, forage, bait; lining; casing; **~al** case; box; sheath; **~n** *umg* to tuck in; to eat heartily; **~napf** food-dish; **~neid** *fig* professional jealousy; **~rübe** mangold, mangel(-wurzel); **~seide** silk for lining; **~stoff** lining; **~trog** trough, manger

fütter|n to feed; to line, to pad; ✿ to case; **~ung** feeding; lining; casing

Futur future; *gram* future (tense)

G

G (the letter) G; ♪ G; **G-Dur** G major; **g-Moll** G minor

Gabardine gabardine

Gabe present, gift; bounty; talent; *milde ~n* alms

Gabel fork; *(Wagen-)* shafts; *bot* tendril; **~bissen** snack, titbit; **~frühstück** small warm meal (before lunch); **~n** *refl* to fork, to bifurcate; to branch off; **~ung** bifurcation, forking; **~weihe** *zool* kite; **~zinken** prong

gackern to cackle; *su* cackling

Gaff|el ⚓ gaff; **~en** to gape, to stare; **~er** gaper, idle onlooker

Gage fee, honorarium

gähnen to yawn, to gape; *su* yawning

Gala gala; *in ~* in full dress

Galan lover; **~t** courteous, gallant; **~terie** courtesy; **~teriewaren** fancy goods, trinkets

Galeere galley

Galerie gallery

Galgen gallows, gibbet; ⚙ boom; *an den ~ kommen* to be hanged; **~frist** respite; **~humor** grim humour; **~strick**, **~vogel** gallows-bird, hangdog, rogue

Gall|apfel gall-nut; **~e** bile *(a. fig)*, gall; *fig* rancour; **~en-** bilious; **~enanfall** bilious attack; **~enblase** gall-bladder; **~enstein** gall-stone; **~ig** bilious; **~isch** Gallic; **~wespe** gall-fly, gall-wasp

Gallert(e) jelly, gelatine; **~artig** gelatinous

Galopp gallop; *leichter ~* canter; *im gestreckten ~* at full speed; **~ieren** to gallop; to canter

Galoschen galoshes, overshoes, rubbers

galvan|isch galvanic; **~isieren** to galvanize, to electroplate; **~o** electrotype, electroplate; **~oplastik** electrotype, electrotypy

Gam|asche gaiter; spat; legging; **~sbart** goatee beard

Gang gait, walk; carriage; *(Pferd)* pace; stroll, walk; message, errand; *(Essen)* course; 🚗 gear; 🥊 bout; *(Fechten)* assault; 🏛 corridor, passage; *(Bergb.)* lode, vein, seam; $ duct, canal; ⚓ *BE* gangway, aisle; *in ~ bringen* to set going, to start; to activate; *in ~ kommen* to start, to get under way; *in vollem ~* in full swing; *es ist etw im ~e* s-th is going on; *~ und gäbe* customary, usual; **~art** gait, walk; pace; ✿ **~bar** passable; practicable; current; *(Ware)* marketable, salable; **~hebel** gearshift lever; **~spill** ⚓ capstan; **~ster** gangster, racketeer

Gängel|band leading-strings (*j-n am ~band führen* to keep s-b in l.); **~n** to lead by the string

gängig marketable, salable; current

Gans goose; *dumme ~* a silly; **˜chen** gosling; **˜eblume** daisy; **˜ebraten** roast goose; **˜füßchen** *BE* inverted commas, quotation marks; **˜ehaut** goose-skin; *fig* goose-flesh; *j-m e-e ˜ehaut über den Rücken jagen* to make s-b's flesh creep; **˜eklein** giblets (of a goose); **˜eleberpastete** pâté de foie gras; **˜emarsch** single file, Indian file; **˜erich** gander; **˜eschmalz** goose-dripping; **˜ewein** Adam's ale (*od* wine)

ganz *adj* whole, entire; all; undivided; full, complete; total; intact; *den ~en Tag* all the day, all day long; *~ London* the whole of L.; *~e zehn Tage* full ten days; *~ Ohr sein* to be all ears; *im ~en* on the whole, in the lump; on balance; *von ~em Herzen* with all one's heart; *ein ~er Mann* a true man, every inch a man; *adv* wholly, entirely; altogether; thoroughly, all; *(ziemlich)* quite, fairly; *~ anders* quite different; *~ und gar* altogether, absolutely; lock, stock and barrel; *~ und gar nicht* not at all, by no means; *..., ~ gleich, was er sagt* no matter what he says; *~ recht* quite right; *soweit ~ gut* so far, so good; *~ der Vater* a chip of the old block; *su ~e(s)* whole, totality, bulk, lot; *aufs ~e gehen* to be (*od* go) all out (for), to go the whole hog; *~e* totality; **~leder** leather-binding; calf; **~leinen** cloth; **˜lich** *adv* entirely, completely, totally, altogether

gar ready, done, cooked; *(Leder)* dressed; *(Metall)* refined; *adv* fully, quite, very; even; *~ nicht* not at all, by no means; *~ nichts* nothing at all; *~ mancher* many a man; **~aus:** *den ~aus machen* to finish s-b off, to do away with

Garage garage

Garant guarantor; **~ie** guarantee, warranty; **~ieren** to guarantee; **~ieschein** certificate of warranty

Gar|be sheaf; **~de** guard(s); **~dist** guardsman

Garderobe clothes; wardrobe; *BE* cloak-room, checkroom; 🐘, 🎭 dressing-room; **~nständer** hat-stand

Gardine curtain ♦ *hinter schwedischen ~n* behind prison bars; **~npredigt** curtain-lecture; **~nstange** curtain-rail

gär|en to ferment; **~ung** fermentation; unrest, agitation

Garn yarn; thread; cotton; *fig* snare; **~rolle** reel of thread

Garn|ele shrimp; **~ieren** to trim; *(Essen)* to

garnish; **~ierung** trimming; **~ison** garrison; **~itur** set; outfit, equipment; fittings, accessories

garstig nasty, loathsome; ugly

Garten garden; **~architekt** landscape gardener; **~bau** gardening, horticulture; **~haus, ~laube** summer-house; **~weg** alley; **~zaun** garden fence

Gärtner gardener; **~ei** gardening; market garden; *(Baumschule)* nursery; **~isch** horticultural; **~n** to do gardening

Gas gas; *~ geben* to step on the gas; **~abwehr** anti-gas defence; **~anstalt** = **~werk**; **~brenner** gas-burner; **~förmig** gaseous; **~hahn** gas-tap; **~hebel** 🚗 accelerator; **~leitung** gas pipes, gas supply; **~maske** gas mask; **~messer, ~uhr** gas-meter; **~olin** petroleum ether; **~ometer** gasometer, *US* gas tank; **~vergiftung** gas poisoning; **~werk** gas-works

Gasse alley, lane, (narrow) street; **~nbube, ~njunge** street-arab, urchin; **~nhauer** popular song, hit

Gast guest, visitor; customer, client, patron; 🎭 (guest) star; *j-n zu ~ bitten* to invite s-b; *zu ~ sein bei* to be staying with; **~bett** spare bed; **˜ebuch** visitor's book; **˜ezimmer** spare room; **~frei, ~freundlich** hospitable; **~freundschaft** hospitality; **~geber(in)** host(ess); **~haus, ~hof** inn, restaurant, *umg* pub; (small) hotel; **~hörer** guest student, *bes US* auditor; **~ieren** 🎭 to give a guest performance; **~mahl** banquet, dinner-party; **~rolle** 🎭 guest part; **~spiel** guest performance; **~spielreise** tour; **~stätte** restaurant; **~stättengewerbe** catering trade; **~stube** bar room, parlour; **~wirt** innkeeper; hotel-keeper; **~wirtschaft** inn, *BE* pub, *US* saloon

Gatt|e husband; spouse, consort, *umg* hubby; **~in** wife; spouse, consort; **~ung** kind, sort; genus; species; family

Gatter railing, fence; enclosure

Gau district; **~ch** fool, simpleton; **~di** carousal, bit of fun

Gauk|el|bild illusion, phantasm, mirage; **~elei, ~elspiel, ~elwerk** juggling, conjuring; trickery, fraud; **~eln** to juggle; to trick; to flutter (about); **~ler** juggler, conjurer

Gaul horse, *umg* nag

Gaumen palate, roof of the mouth; **~laut** palatal sound; **~segel** § soft palate

Gauner swindler, cheat, scoundrel; **~ei** cheating, swindling, *sl* chisel; **~n** to swindle, to cheat; **~sprache** thieves' Latin

Gaze gauze; **~lle** gazelle

Ge|ächteter outlaw; **~ächze** moaning, groaning; **~ädert** veined; *(Holz)* grained, marbled; **~äst** branches

Gebäck pastry, tea-bread; *feines ~* fancy cakes

Gebälk beams, timber work

Gebärde gesture, movement; **~n** *refl* to behave, to conduct o. s.; **~nspiel** gesticulation, gestures; dumb show, pantomime; **~nsprache** (deaf and dumb) sign language; 🎭 mimicry

Gebaren behaviour, deportment

gebär|en to give birth to, to bear, to bring forth; **~mutter** womb, uterus

Gebäude building, edifice, structure

Ge|bein bones, skeleton; limbs; **~belfer** yelping, barking; **~bell** barking

geben to give, to present (s-b with), to hand over, to bestow upon; *(Karten)* to deal; ♙ to serve; ♟ to perform, to act, to play; *refl* to behave; to get better; to stop; *es gibt* there is, there are; *von s. ~* to utter, to express; *phys* to emit; ♙ to vomit; *etw ~ auf* to set great store by, to attach value to; *verloren ~* to give up (for lost); *was gibt es?* what's going on?; *das gibt es nicht* that's impossible, there is no such thing; I will not stand it; *zu denken ~* to make s-b think, to set s-b thinking; *er hat es ihm ordentlich ge~ (umg)* he really let him have it; *ein Wort gibt das andere* one word brings on another

Geber giver, donor

Gebet prayer; *sein ~ sprechen* to say one's prayers; *ins ~ nehmen* to question closely, to read s-b a lesson; *das ~ des Herrn* the Lord's Prayer

Gebiet district, area, territory; *fig* sphere, province; **~en** to command, to order; *(über)* to rule over, to govern; *(verfügen)* to have at one's disposal; **~er** master, lord; arbiter; commander, governor, ruler; **~erin** mistress; **~erisch** imperious; peremptory; **~sanspruch** territorial claim; **~shoheit** territorial sovereignty

Gebilde creation, structure; form, figure; image; creature; formation; **~t** educated, cultivated, well-bred, cultured

Gebimmel ringing, tinkling, jingle

Gebinde ↓ bundle; sheaf; skein, hank; ⚱ truss; barrel, cask

Gebirg|e mountains, mountain range; highlands; **~ig** mountainous

Ge|biß set of teeth; *(Pferde)* bit; denture, artificial teeth; **~bläse** bellows, blast apparatus; ✿ blower; ✝ supercharger; **~blöke** bleating; lowing; **~blümt** flowery; figured, sprigged; **~blüt** blood; descent, lineage; race

geboren born; *Frau X, ~e Y* Mrs X, née Y; *er ist ein ~er Deutscher* he is a German by birth; *~er Münchner* a native of Munich

geborgen safe, out of danger; **~heit** security

Gebot order, command; law; *eccl* commandment; *(An-)* offer; *zu ~ stehen* to be at s-b's disposal

Gebräu brew(ing); mixture, concoction

Gebrauch use; custom; practice, habit; employment; *pl* rites; *~ machen von* to make use of; **~en** to use, to make use of; *zu nichts zu ~en sein* to be good for nothing; **~lich** customary, usual, in use; current; **~sanweisung** directions for use; **~sgegenstand** utensil; (personal) belongings; **~sgraphik** commercial art; **~sgraphiker** commercial *(od* graphic) artist; **~sgüter** durable goods, utility goods; **~smuster** registered design, utility model; **~t** used; second-hand; **~twagen** used car; **~twaren** second-hand articles

gebrech|en *vi: es gebricht mir an* I am short of, I am in need of; *su* malady, infirmity; defect; weakness; **~lich** feeble, weak; fragile, frail; decrepit; **~lichkeit** feebleness, weakness; infirmity; frailty; decrepitude

gebrochen broken *(English etc)*; not uniform throughout

Ge|brüder brothers; *(Firmenname)* Bros *(nachgestellt)*; **~brüll** roar; lowing

Gebühr fee; charge; tax; rate; due; *über ~* unduly, immoderately; **~en** to be due (to); to be proper *(od* fitting); **~end** *adj* proper, due; becoming; *adv* duly, properly; **~enfrei** free of charge; tax-free, duty-free; **~enordnung** tariff; fees order; **~enpflichtig** subject to tax, liable to a fee; **~lich** = ~end

gebunden tied; blocked; *(beschränkt)* subject to restriction; *(Preise etc)* controlled; *(vorgesehen)* earmarked

Geburt birth; *fig* rise, origin; *von ~* by birth; *bei d. ~* at birth; *vor Christi ~* before Christ (B. C.); *nach Christi ~* A. D. ♦ *e-e schwere ~* a tough job; **~enziffer** birth-rate; **~enzunahme** increase in the birth-rate; **~ig** born (in), native (of); **~sfehler** congenital infirmity; **~shelfer** obstetrician, accoucheur; **~shelferin** midwife, accoucheuse; **~sjahr** year of birth; **~sort** place of birth; **~srecht** birth-right; **~sschein** birth certificate; **~stag** birthday; *Mozarts 100. ~stag* the 100th anniversary of Mozart's birth; **~swehen** labour pains

Gebüsch bushes; thicket, underwood, undergrowth

Geck dandy, coxcomb, fop; **~enhaft** dandified

Gedächtnis memory *(e. ~ wie e. Sieb* a m. like a sieve); remembrance, recollection; *zum ~ von* in memory of; *aus dem ~* by heart, from memory; *j-m ins ~ zurückrufen* to remind s-b of s-th; *s. ins ~ zurückrufen* to recall to one's mind; **~feier** commemoration; anniversary; **~hain** memorial grove; **~übung** mnemonic exercise

Gedanke thought; conception, idea; intention, plan; *mit s-n ~n woanders sein* to be absent-minded; *in ~n sein* to be engrossed, to be preoccupied; *in ~n versunken* absorbed in thought; *s. ~n machen* to bother one's head (o. s.), to worry *(wegen* about); *nur ~n haben für* to have s-th on the brain; *kein ~!* not a bit, not at all; *d. Wunsch ist Vater des ~ns* the wish is father to the thought; **~nblitz** brain-wave; **~ngang** train of thoughts; **~nlos** thoughtless; **~nlosigkeit** thoughtlessness; light-heartedness; **~nlyrik** philosophical poetry; **~nstrich** dash, □ *mst* rule; **~nübertragung** telepathy; **~nvoll** thoughtful; pensive; full of ideas; **~nwelt** thought, (range of) ideas

gedanklich intellectual, mental

Ge|därm bowels, intestines; **~deck** cover; knife and fork; restaurant meal

gedeih|en to grow, to thrive, to develop; to prosper; to succeed; *unrecht Gut ~et nicht* ill-gotten gains never prosper; *su* growth; *auf ~*

und Verderb for better (or) for worse; ~**lich** prosperous, thriving

gedenk|en to think of, to remember; to mention; to intend (to do); *su* memory, recollection (*an of*); ~**feier** commemoration; ~**stein** memorial (stone), monument; ~**tag** anniversary

Gedicht poem; ~**band**, ~**sammlung** anthology

gediegen pure, genuine; solid; reliable; thorough; odd, strange; ~**heit** purity; solidity; reliability; thoroughness

Gedräng|e crowd, throng; *fig* difficulty, embarrassment; ~**t** crowded; concise, terse; ~**theit** conciseness, terseness

ge|drückt depressed, oppressed; ~**drungen** stout, thickset

Geduld patience; indulgence; forbearance; ~ **haben** to be patient; ~**en** *refl* to have patience, to wait patiently; ~**ig** patient; indulgent; forbearing; *Papier ist ~ig* paper does not blush; ~**sfaden:** *ihm riß d.* ~**sfaden** he lost his patience; ~**sprobe** trial of patience; ~**spiel** puzzle

ge|dunsen bloated, puffy; ~**ehrt:** *sehr ~ehrter Herr!* Dear Sir; ~**eignet** suitable, appropriate, fit

Gefahr danger, peril; menace, jeopardy; risk; ~ *laufen* to run the risk (of); *in ~ bringen* to endanger, to jeopardize; ⸚**den** to endanger, to imperil, to expose to danger; ~**engebiet, ~enzone** danger zone; ⸚**lich** dangerous, perilous; ⸚**lichkeit** danger; ~**los** safe, secure, without danger; ~**voll** dangerous, perilous

Gefährt vehicle; ~**e,** ~**in** companion, comrade

Gefälle fall, incline; slope; *(Straße)* gradient, downhill grade; differential; *fig a.* gap, margin

gefall|en *vi* to please; *es* ⸚ *t mir* I like it; *s.* ~ *en lassen* to put up with, to submit to; *das lasse ich mir nicht ~en* I won't stand (*od* have) it; *su* pleasure (*an in*); kindness, favour (*j-m e-n ~en tun* to do s-b a f.); *pp mil* killed in action; *die ~enen* the killed, the fallen; ⸚**ig** pleasing, obliging, accommodating, helpful, complaisant; ⸚**igkeit** favour, kindness, complaisance; ⸚**igst** *adv* if you please; ~**sucht** coquetry; ~**süchtig** coquettish

gefangen caught, captive; ~**er** prisoner; captive; ~**nahme** capture; arrest; imprisonment; ~**nehmen** to capture, to take prisoner; to arrest; *fig* to captivate; ~**schaft** captivity, confinement; *in ~schaft geraten* to be taken prisoner

Gefängnis prison, jail, *BE oft* gaol; 𝔏 imprisonment; ~**strafe** imprisonment; ~**wärter** jailer, *BE oft* gaoler

Gefäß (*a.* 𝔖) vessel; receptacle; container, pot

gefaßt calm, composed, collected; *s.* ~ *machen auf* to be prepared for

Gefecht fight, combat; action, engagement; *außer ~ setzen* to put out of action (*a. fig*), to knock out; ~**sklar** clear for action; ~**sstand** command post

gefeit immune (from), proof (against)

Gefieder feathers, plumage; ~**t** feathered; *bot* pinnate

Gefilde fields, open country; *fig* domain; ~ *der Seligen* Elysium

Ge|flecht wickerwork; network; texture; 𝔖 plexus; ~**fleckt** speckled, spotted; freckled; ~**flissentlich** intentional, wilful; on purpose

Geflügel birds; poultry, fowls; ~**farm** poultry farm; ~**händler** poulterer; ~**schere** poultry shears; ~**t** winged; ~**te Worte** familiar quotations, household words; ~**zucht** poultry-farming

Geflüster whispering

Gefolg|e suite, entourage; train; followers; ~**schaft** followers; staff, employees; ~**smann** adherent, follower; vassal

gefräßig greedy, gluttonous; ~**keit** greediness, gluttony

Gefreiter private; 𝔏, *BE* ordinary seaman, *US* seaman apprentice; ✈ *BE* aircraftman 1st class, *US* airman 3rd class

gefrier|en to freeze; to congeal; ~**fleisch** frozen meat; ~**punkt** freezing-point

gefroren frozen; ~**es** ice(-cream)

Gefüg|e structure, construction, frame; texture; ~**ig** pliable, flexible; *fig* docile, tractable; adaptable; ~**igkeit** pliancy; docility; adaptability; tractableness

Gefühl feeling (*seinen ~en freien Lauf lassen* to give vent to one's feelings); sentiment; emotion; sense; sensation; touch; *das ~ haben, als ob* to feel as if; ~ *für* sense of ♦ *s-e ~e offen zur Schau tragen* to wear one's heart upon one's sleeve; ~**los** numb; heartless, unfeeling, bloodless; ~**losigkeit** numbness; heartlessness; ~**swert** sentimental value; ~**voll** feeling; tender, affectionate; sentimental

gefüllt filled, stuffed; *bot* double

gegeben|enfalls *adv* in case (of need), as the case may be; if the occasion arises; ~**heiten** facts, conditions

gegen *prp* against; contrary to; to, towards; *(etwa)* about; compared with; for, in return (*od* exchange) for; 𝔏 versus; ~ *5 Uhr* about 5 o'clock; *mit 12 ~ 5 Stimmen* by 12 votes to 5; ~**angriff** counter-attack; ~**dienst** return service; ~*dienst leisten* to return s-b's favour; ~**einander** against each other; towards each other; ~**füßler** antipode; ~**gewicht** counterpoise, counterweight; compensating factor; ~**gift** antidote, antitoxin; ~**leistung** return service; consideration; ~**lichtblende** 🔲 sunshade, lens shade; ~**liebe** mutual love; ~**maßnahme** countermeasure; ~**mittel** antidote; remedy; ~**rede** contradiction; reply; ~**satz** contrast; opposition; *im ~satz zu* contrary to; in opposition to; ~**sätzlich** contrary, adverse; opposite; ~**schlag** counter-blow; ~**schrift** refutation; rejoinder; ~**seite** opposite side; opponent; the other party; ~**seitig** mutual, reciprocal; *(Abkommen)* bilateral; ~**seitigkeit** reciprocity; *das beruht auf ~seitigkeit* that is reciprocal; ~**spieler** opponent, antagonist; ~**stand** object; subject, topic; ~**standslos** superfluous, unnecessary; purposeless; devoid of object; invalid; ~**ständlich** objective;

graphic; **~stoß** counter-thrust; *mil* counter-at-tack; **~stück** counterpart; companion-picture; complement(ary part); **~teil** opposite, contrary, reverse; *im ~teil* on the contrary; **~teilig** opposite; to the contrary; **~über** *adv, prp* opposite to, facing, *US* across from; in the face of; as against; *su* vis-à-vis; **~überstellen** to oppose to; to confront with; to contrast; **~überstellung** confrontation; contrast; juxtaposition; **~wart** presence; present time; *gram* present tense; **~wärtig** *adj* present; actual, current; *adv* at present, now, nowadays; **~warts-** contemporary; **~wehr** defence; **~wert** equivalent; **~wind** head wind

Gegend region, area, district

Gegner adversary, opponent (*a.* 🎯); enemy; **~isch** opposing, hostile; of the enemy, the opponent's; **~schaft** opposition, antagonism; opponents

Gehalt *(Inhalt)* contents; *(Gold-, fig)* content; proportion *(an* of); capacity; standard; value; *(Geld)* salary, pay; **~los** worthless; **~sempfänger** salaried employee; **~serhöhung** increase in salary; **~voll** valuable; substantial

gehässig malicious, spiteful; **~keit** malice, spitefulness

Gehäuse box, case, capsule; 🎯 housing, casing; *(Obst)* core; *(Schnecken-)* shell

Gehege preserve, deer-forest; pen, enclosure ♦ *j-m ins ~ kommen* to spoil s-b's game; to poach on s-b's preserves

geheim secret, clandestine; concealed, hidden; *streng ~* top secret; **~dienst** secret service; **~fach** private safe, secret drawer; **~lehre** esoteric doctrine; **~nis** secret (*e. offenes ~nis* an open s.); mystery; *das ist das ganze ~nis* that's the long and the short of it; **~niskrämer** mystery-monger; **~nisvoll** mysterious; **~polizei** secret police

Geheiß order, command, behest (*auf ~ von* at the b. of)

geh|en to go, to walk; to go away, to leave; 🎯 to work, to run; *(Zug)* to leave; *(Teig)* to rise; *(Wind)* to blow; *(Ware)* to sell well; *(Fenster)* to face *(north etc)*; *(umg) mit j-m ~en* to go out with; *wie ~t es dir?* how are you?; *das ~t nicht* that won't do; *~en lassen (vt)* to let go; *refl* to let o. s. go; *in s. ~en* to repent; *vor s. ~en* to take place; to go on; *es ~t nichts über* there is nothing better than; *worum ~t es?* what's it all about?; *danke, es ~t schon* thank you, I can manage; *es ~t sehr ins Geld* it runs into a good deal of money; *so ~t es, wenn* that's always the way when; *es ist mir genauso gegangen* the same happened to me; *wohin ~t es hier?* where does this way lead to?; *su* walking, going; 🎯 walking race, *(als Tätigk.)* race-walking; **~rock** frock-coat; **~steig, ~weg** *BE* pavement, footpath, *US* sidewalk; **~werk** works; **~werkzeuge** limbs

ge|hemmt self-conscious; inhibited; **~henk** sword-belt; **~heuer** safe; *nicht ~heuer* unsafe; haunted; fishy; **~heul** howling, yelling; **~hilfe** assistant, help, adjunct; *mil* aide; *(Golf)* caddie

Gehirn brain, *bes fig* brains; **~erschütterung** concussion (of the brain); **~hautentzündung** meningitis; **~schlag** apoplexy of the brain; **~trust** brain trust

Ge|höft farm(stead); farm premises; **~hölz** wood, copse

Gehör hearing, ear; *fig* attention; *nach d. ~* by ear; *~ schenken* to listen to; to grant; **~gang** acoustic duct, auditory canal; **~nerv** auditory *(od* acoustic) nerve; **~sinn** sense of [hearing

gehorchen to obey

gehör|en *vi* to belong (to, *bes US* in, with); to be affiliated (with, to); to be among(st); *refl* to be fitting, to be proper, to be right; *er ~t bestraft* he ought to be punished; *er ~t mit dazu* he is one of them; **~ig** belonging to; due, necessary; sound, healthy, good, proper

Gehörn horns; antlers; **~t** horned, antlered; horny

gehorsam obedient; *su* obedience

Gehr|e, ~ung 🎯 mitre, mitring; **~en** 🎯 to mitre

Gei|er vulture; **~fer** drivel, slaver; spittle; *fig* venom; **~fern** to slaver, to drivel; *fig* to foam with rage

Geige violin ♦ *die erste ~ spielen* to play first fiddle; **~n** to play (on) the violin; to bow; **~nbogen** bow; **~nkasten** violin-case; **~r** violinist; **~rzähler** 🎯 Geiger counter

geil voluptuous, lascivious; luxuriant; **~heit** lasciviousness; luxuriance

Gei|sel hostage; **~ser** geyser

Geiß goat; **~blatt** honeysuckle, woodbine; **~bock** he-goat, billy-goat; **~el** whip, lash; *fig* scourge; **~eln** to whip, to lash, to castigate; to flagellate; *fig* to reprimand, to censure; **~elung** lashing, flagellation; condemnation

Geist spirit; mind, intellect; genius; wit; *(Gespenst)* ghost, spectre; *d. Heilige ~* the Holy Ghost; *den ~ aufgeben* to give up the ghost; *wes ~es Kind ist er?* what sort of a man is he?; **~erhaft** ghostly, ghostlike; **~ern** to haunt; **~erseher** visionary, seer of ghosts; **~erstunde** ghostly hour; **~esabwesend** absent-minded; **~esabwesenheit** absence of mind, absent-mindedness; **~esblitz** brainwave, stroke of genius; **~esgabe** talent; **~esgegenwart** presence of mind; **~esgestört** insane, mentally deranged; **~eshaltung** mentality; attitude of mind; **~eskrank** = **~esgestört**; **~eskrankheit** insanity; **~esleben** intellectual activity; **~esprodukt** brain-child; **~esschärfe** wit, cleverness; **~esschwach** feeble-minded; **~esverfassung** frame of mind; state of mind; **~esverwandt** congenial; **~eswissenschaften** the Arts, humanities; **~eszustand** state of mind; **~ig** spiritual; intellectual, mental; *(Getränke)* spirituous, alcoholic; *~ige Arbeit* brain work; *~ig umnachtet* deranged; *~ig anspruchslos(er Mensch)* low-brow; **~igkeit** spirituality; intellectuality; **~lich** spiritual, religious; clerical, ecclesiastical; sacred; **~licher** clergyman, vicar, minister; **~lichkeit** clergy, ministers; **~los** spiritless; dull; **~reich, ~voll** ingenious; witty; **~tötend** dull, monotonous

Geiz avarice; stinginess; ~en to stint; to economize (with); ~hals, ~kragen miser, skinflint; ~ig avaricious, stingy

Ge|jammer wailing, lamentation; ~jauchze, ~jubel jubilation, shouting; ~johle yelling, hooting; ~kachelt tiled; ~keife squabbling, scolding; ~kicher tittering; ~klapper rattling; ~klingel tinkling, jingling; ~knatter crack(l)ing, roaring; ~knister rustle, rustling; crackling; ~kritzel scribbling, scrawl; ~kröse pluck, giblets; § mesentery; ~künstelt artificial; affected

Gelächter laughter, laughing; laughing-stock (s. zum ~ machen to make o. s. a l.); s. dem ~ aussetzen to expose o. s. to ridicule

Gelage banquet, carousal, drinking-bout

Gelände tract of country (od land); countryside; terrain, area, ground; territory, lands; ~abschnitt sector, area; ~aufnahme land survey; ~fahrt cross-country drive; ~lauf ⚐ cross-country race; ~ritt point-to-point race; ~sport field-sports; scouting exercises

Geländer railing; balustrade; banister; parapet; ~langen to reach, to arrive (at); to attain (to), to get (to)

gelassen calm, collected, composed; ~heit calmness, composure

Gelauf|e running to and fro, bustle; "ig fluent; familiar; current; "igkeit fluency, ease

gelaunt disposed, tempered; gut ~ in good humour; schlecht ~ bad-tempered, cross, ill-humoured

Geläute ringing of bells, chime, peal (of bells)

gelb yellow; ~e Rübe carrot; ~filter ▥ yellow filter, light-filter; ~sucht jaundice

Geld money; bares ~ cash; kleines ~ change; nicht für ~ u. gute Worte not for love or money; bei ~ sein to be in funds; ins ~ laufen to mount up; zu ~ machen to turn into ready money; ~ wie Heu haben to be rolling in money; ~abfindung cash settlement; service gratuity; ~anweisung money order, postal order; ~beutel purse, money-bag; ~einwurf slot for coins; ~entwertung inflation; ~geber lender of capital, financier; ❧ sl angel; ~gier avarice; ~institut financial institution, bank; ~mittel funds; pecuniary (od financial) resources (od means); ~politik monetary policy; ~reform currency reform; ~quelle source of income (od capital); ~sachen money matters; ~schein banknote; ~schrank safe; ~sorten notes and coin; ~spende donation; contribution; ~strafe fine; ~stück coin; ~verlegenheit financial difficulty ~verleiher lender; ~wert monetary value; ~wesen monetary system (od matters)

Gelee jelly

gelegen situated; convenient, opportune; es ist mir sehr daran ~ I am anxious (to do); mir ist nichts daran ~ I don't care, it's unimportant; ~heit occasion; opportunity; chance; bei ~heit occasionally; ~heitsarbeiter casual labourer; ~heitskauf chance purchase, bargain; ~tlich adj occasional, incidental; adv some

time, when occasion arises (od offers), one of these days; at one's convenience

gelehr|ig docile; teachable; intelligent; ~igkeit docility; intelligence; ~samkeit learning, erudition, scholarship; ~t learned, erudite, scholarly; ~ter scholar, learned man; (großer) savant

Geleise track, rut; 🚂 rails, line; fig routine, beaten track

Geleit accompanying, conducting; mil escort; ⚓ convoy; freies ~ safe conduct; ~en to accompany; to escort, to convoy; ~wort preface; motto; ~zug convoy

Gelenk joint, articulation; (Kette) link; ~entzündung arthritis; ~ig pliable, supple, limber; ~igkeit pliability, suppleness, flexibility; ~pfanne socket (of a joint); ~welle 🚗 drive shaft

ge|lernt adj skilled; ~lichter gang, set, rabble; ~liebte(r) lover; sweetheart, beloved; mistress; ~liefert sein to be done for; ~lieren to gelatinize, to set; ~linde soft, gentle; mild; moderate; slight, lenient, light; ~linde gesagt to put it mildly; ~lingen to succeed (in doing s-th); to manage (to do); su success; ~lispel lisping

gellen to yell, to scream, to shrill; (im Ohr) to tingle; ~d yelling, shrill

gelob|en to promise, to vow; das G~te Land the Holy Land; "nis solemn promise, vow

gelt|en to matter, to mean; to be worth; to have influence; to be valid, to be current; to be intended for, to be aimed at; to be a question of; ~en für to be (held) true of, to apply to, to concern; ~en als to be considered as, to be taken for, to earn a reputation as; ~en lassen to let pass, to accept; ~end machen to assert, to maintain, to plead, to claim; refl to make o.s. felt; das gilt nicht! that doesn't count!; es gilt sein Leben his life is at stake; es gilt! agreed!; das gilt auch für . . . that goes for . . . too; ~endmachung assertion; ~ung value, worth; validity, currency; recognition, respect; zur ~ung bringen to assert; zur ~ung kommen to be effective (od appreciated); ~ungsbedürfnis the desire to assert o. s., self-assertion; ~ungsbereich area of application (od validity); ~ungstrieb desire to dominate

Ge|lübde vow, solemn promise; e. ~lübde ablegen to take a vow; ~lungen adj successful; funny; ~lüst desire (for); ~lüsten (nach) to hanker after, to long for, to feel a strong desire for

Gemach room; adv slowly, quietly, gently; "lich slow; comfortable; adv slowly, easily; "lichkeit ease, comfort

Gemahl husband, consort; ~in wife, consort

ge|mahnen to remind (an of); ~mälde painting, canvas; ~mäß adj suitable; prp according to, pursuant to; ~mäßigt moderate, temperate; ~mäuer masonry; ruins

gemein common, general, ordinary; low, vulgar, base; mean, beastly; ~ haben mit to have in common with; s. ~ machen mit to chum up with, to be hail-fellow-well-met; ~**eigentum** public (od collective) ownership; ~**gefährlich** dangerous to the public; ~**gut** common property; ~**heit** vulgarity, meanness, lowness; mean trick; ~**hin** generally; ~**nutz** common good; ~**nützig** beneficial to the community; charitable, welfare; non-profit; ~**platz** commonplace, platitude; ~**sam** joint, common; mutual; together; ~ *sam haben mit* to have in common with; ~**schaft** community; communion; association; intercourse; *in* ~*schaft mit* together with; ~**schaftlich** common, joint; in common; ~**schaftsarbeit** team work; ~**schuldner** bankrupt; ~**sinn** public spirit; ~**verständlich** easy to understand; popular; ~**wesen** public affairs; community; commonwealth; ~**wohl** common weal, public welfare

Gemeinde community; municipality; local authority; parish; *eccl* congregation; ~**anger** common green, village green; ~**bezirk** parish; borough, district; ~**haus** town (od village) hall; ~**helfer(in)** deacon(ess); ~**schule** council school, elementary school; ~**schwester** district nurse; ~**steuer** local tax, *BE* rate; ~**verwaltung** local administration; ~**vorsteher** mayor, burgomaster

ge|messen adj measured; precise; slow; formal, dignified; ~**metzel** slaughter, massacre, carnage; ~**misch** mixture, mixing; ~**mischt** mixed; joint; of mixed type

Gemse chamois

Ge|munkel whispers, rumours; ~**münzt** *sein auf* to be meant for; ~**murmel** babble, murmur(ing)

Gemüse vegetables, greens; *junges* ~ small fry (a. fig); ~**händler** greengrocer; ~**konserve** canned vegetables

Gemüt soul, heart; mind; feeling; nature, temperament; *s. zu führen* to treat o. s. to s-th; ~**lich** good-natured, genial; cosy, snug, comfortable; ~**lichkeit** cosiness, comfort; ~**sart** disposition, temper; ~**sbewegung** emotion; ~**skrank** § melancholic; ~**sruhe** peace of mind; calmness, serenity; ~**sverfassung** frame (od state) of mind; ~**voll** affectionate; warm-hearted

genau exact, accurate, precise; strict; particular, scrupulous, sparing; detailed; close, tight; ~ *das Richtige!* the very thing!; ~ *genommen* strictly speaking; ~*er gesagt* more specifically; ~**igkeit** exactness, accuracy, precision; economy

Gendarm policeman, gendarme; ~**erie** rural police; police station

Genealogie genealogy

genehm agreeable; convenient, suitable; ~**igen** to approve (of), to agree to, to authorize; to grant; *US* to approbate; ~**igung** approval, assent; permit, licence; permission; authorization; *US* approbation; *mit (freundlicher)* ~*igung von* by favour of, by courtesy of; ~**igungspflichtig** subject to authorization

geneigt inclined (to); willing to; gentle, friendly

General general; ~**baß** thoroughbass; ~**direktor** managing director, director general; ~**feldmarschall** field-marshal; ~**gouverneur** governor general; ~**ität** the (body of) generals, general officers; ~**leutnant** lieutenant general, *BE (Luftw.)* Air Vice Marshal; ~**major** major-general, *BE (Luftw.)* Air Marshal; ~**probe** dress rehearsal; ♪ full rehearsal; ~**staatsanwalt** chief public prosecutor; ~**stab** General Staff; ~**stabskarte** ordnance (od survey) map; ~**streik** general strike; ~**überholung** 🚗 general overhaul; ~**versammlung** general meeting (od assembly); ~**vertreter** general agent; ~**vollmacht** general authority, unlimited power of attorney

Gener|ation generation; ~**ell** general

genes|en to recover, to get better; ~**ender** convalescent; ~**ung** recovery, convalescence

gen|ial ingenious; highly gifted, full of genius; ~**ialität** originality; ingeniousness, ingenuity; ~**ie** genius

Genick nape, (back of the) neck; *s. d. ~ brechen* to break one's neck

genieren vt to trouble, to inconvenience, to bother, to embarrass; *refl* to feel embarrassed (od awkward), to be shy

genieß|bar eatable; drinkable; ~**en** to eat, to drink; to enjoy; to have the benefit of; *er ist nicht zu ~en* he is unbearable

Genitalien genitals

Genitiv genitive

Genosse companion, comrade, mate; *umg* chum, buddy; *sl* pal; ~**nschaft** co-operative (society), *umg* co-op; ~**nschaftler** co-operator; ~**nschaftlich** co-operative

Genrebild genre-painting

genug enough, sufficient; ~ *davon!* no more of this!; ~**tun** to give satisfaction to s-b, to satisfy s-b; ~**tuung** satisfaction; compensation, reparation

Genüg|e *j-m* ~*e tun (leisten)* to satisfy s-b, to please s-b; *zur* ~*e* sufficiently, enough; ~**en** to suffice, to be enough; to satisfy; *das* ~*t* that will do; ~**end** enough, sufficient; ~**sam** easily satisfied; modest, unassuming; ~**samkeit** contentedness; modesty

Genus genus; *gram* gender

Genuß enjoyment, delight, pleasure; treat; eating, drinking; taking; ⚕ usufruct, profit; ~**mensch** epicure(an); ~**mittel** coffee, tea, tobacco, spirits; ~**reich** enjoyable, delightful; ~**sucht** craving for pleasures; ~**süchtig** pleasure-seeking

Geo|däsie geodesy; ~**graph** geographer; ~**graphie** geography; ~**graphisch** geographical; ~**logie** geology; ~**meter** surveyor; ~**metrie** geometry, *umg* Euclid; ~**metrisch** geometrical; ~**physik** geophysics

Georgine dahlia

Gepäck luggage, *bes US* baggage; *sein* ~ *aufgeben* to check in (od register) one's luggage; ~**abfertigung** luggage office; luggage (registration) counter; ~**aufbewahrung** *BE* left-luggage office, *US* checkroom; ~**ausgabe** luggage office; ~**halter** carrier; ~**netz** luggage rack; ~**schein** *BE* registered-luggage receipt, *US* baggage check; ~**stück** piece of luggage; ~**träger** porter; ~**troß** baggage train; ~**wagen** ⚑ luggage-van, *US* baggage car

ge|**panzert** armour-clad, armoured; ~**pfeffert** peppered; ~**pflegt** well-kept; well-groomed; ~**pflogenheit** habit, custom; ~**plänkel** skirmishing; ~**plapper** babbling, chatter; ~**plätscher** splashing; ~**plauder** chat(ting); ~**polter** rumble, din; ~**präge** coinage, impression; *fig* stamp, salient feature; ~**pränge** pomp, splendour; ~**prassel** crackling, clatter; *(Regen)* pattering; ~**quake** croaking

gerad|**e** *adj* straight; even; erect; upright, straightforward; direct; honest; *adv* just, exactly, directly, precisely; *nun ~e* now more than ever; *nicht ~e freundlich* not exactly (what you would call) friendly; *~e etw tun wollen* to be just about to do s-th; *das ist es ja ~e* that's just it; that's the point ♦ *fünf ~e sein lassen* to stretch a point, to be lenient, to close one's eyes to shortcomings; *d. ~e Weg ist d. beste* honesty is the best policy; *su* straight line; ~**eaus** straight on; *fig* straightforward; ~**eheraus** *adv* frankly, bluntly, outright; ~̈**ert:** *wie ~̈ert sein* to be aching all over; ~**estehen** *dafür* to stand by one's opinion; ~**ewegs** immediately, at once, straightway; ~**ezu** straight on; sheer, plain; indeed; frank, candid; ~**heit** straightness; uprightness; ~**linig** rectilinear; ~**sinnig** straightforward

Geranie geranium, pelargonium

Gerassel clatter, rattling

Gerät tool, implement, utensil; apparatus, equipment; fitting; appliance; 📻 radio set; ~**eschnur** ⚡ appliance cord; ~**eturnen** ⚡ gymnastics with apparatus; ~**schaften** tools, implements, utensils

geraten to succeed; to turn out well; *(irgendwohin)* to get into, to come, to come upon, to hit upon; *aneinander ~* to come to blows; *außer sich ~* to get worked up, to lose one's temper; *in Brand ~* to catch fire; *in Zorn ~* to fly into a passion; *in Vergessenheit ~* to fall into oblivion

Geratewohl: *aufs ~* at random, haphazard(ly)

geraum ample; long; ~̈**ig** spacious, roomy, capacious; ~̈**igkeit** spaciousness

Geräusch noise; ~**kulisse** ⚑ the noises off; *fig* noisy background; ~**los** noiseless; ~**voll** noisy

gerb|**en** to tan; *weiß~en* to taw; *(Metall)* to refine; ~**er** tanner; ~**erei** tannery; ~**säure** tannic acid; ~**stoff** tannin

gerecht just, righteous; fair, equitable; *~ werden* to do justice to; to master; ~**igkeit** justice, righteousness; fairness

Gerede talk; rumour, gossip; *ins ~ kommen* to get talked about

gereichen to bring, to cause; *zur Ehre ~* to be credit to

gereizt irritated, angry; ~**heit** irritation; irritability

Gericht dish, course; judgment; court of justice, tribunal; law court; *d. Jüngste ~* the Last Judgment, Doomsday; *vor ~ in court; mit j-m ins ~ gehen (fig)* to take s-b to task; ~**lich** judicial, judiciary; legal; forensic; ~**sbarkeit,** ~**swesen** jurisdiction; ~**sbefehl** court order; ~**sbehörde** judicial authority; ~**sbezirk** judicial district; circuit; ~**sdiener** usher; ~**shof** court of justice, tribunal; bench; ~**skosten** court fees; ~**smedizin** medical jurisprudence; ~**sstand** place of jurisdiction; ~**svollzieher** bailiff, sheriff; ~**sweg** legal procedure; ~**swesen** judicial system

gerieben *adj fig* cunning, sly

gering little, small; trifling, slight, unimportant; inferior, low; humble, modest; *nicht im ~ sten* not in the least; ~**achten,** ~**schätzen** to think little of, to despise; ~**achtung,** ~**schätzung** disdain, contempt; ~**fügig** unimportant, insignificant, trifling, trivial; ~**schätzig** disdainful, derogatory, contemptuous

Gerinn|e running, flowing; ~**en** *bes* § to coagulate; to curdle; to clot, to congeal; ~**sel** rivulet; § clot, coagulated mass

Geripp|e skeleton; framework; ~**t** ribbed; corded; fluted

gerissen cunning, sly, wily, cagey

German|e Teuton; German; *die alten ~en* the (ancient) Teutons; ~**isch** Teutonic, Germanic; ~**ist** teacher (*od* student) of German philology; ~**istik** German philology

gern *adv* with pleasure, gladly, readily; *~ haben* to like, to be fond of ♦ *er kann mich ~ haben* he can go to blazes; *~ tun* to like to do; *~ geschehen!* don't mention it!, you are welcome!; ~**egroß** upstart

Geröll rubble, boulders

Gerste barley; ~**nkorn** barley-corn; § sty

Gerte rod, switch; twig

Geruch smell; scent, odour; *fig* reputation; ~**dicht** airtight; ~**los** odourless; ~**ssinn** sense of smell

Ge|rücht rumour, report; *es geht d. ~rücht* there's a rumour abroad; ~**ruhen** to condescend, to deign; ~**ruhsam** leisurely; ~**rümpel** lumber, rubbish, junk

Gerundium *gram* gerund

Ge|rüst scaffold(ing); stage, frame; ~**rüttel** shaking, jolting

Ges ♪ G flat

gesamt whole, entire; all; together; total; aggregate, blanket, all-round; ~**ausgabe** 📖 complete edition; ~**betrag** sum total, total amount; aggregate; ~**deutsch** all-German; ~**ertrag** entire proceeds; total output; ~**heit** the whole; totality; ~**schuld** joint and several debt; ~**summe** total amount, sum total; ~**wohl** common weal, public welfare

Gesandt|er minister resident; *(besonderer)* envoy; ~**schaft** legation

Gesang singing; song; canto; ~**buch** hymn-book; book of songs; ~**lehrer** singing-teacher; ~**lich** vocal; choral; ~**verein** choral society

Ge|säß bottom, buttocks; **~säusel** murmuring, rustling
Geschäft business; transaction; deal; commerce, trade, occupation; affair; commercial firm; shop; office; *e. ~ machen* to strike a bargain; **~ig** busy, active; **~igkeit** activity, industry; busyness; **~lich** commercial, business; on business; **~sabschlüsse** orders (*od* contracts) secured; **~santeil** share; **~saufgabe** giving-up of business; **~sbereich** sphere of activity (*od* business); jurisdiction; **~sbericht** annual report; **~sfähig** legally capable; **~sführer** manager; **~sführung** conduct of business; **~sgang** course (*od* run) of business; **~sgegend** business quarter; **~shaus** business premises; **~sjahr** business year, financial year, accounting y.; **~sleitung** management; administrative office; **~smann** business man, tradesman; **~sordnung** rules of procedure; standing orders; **~sreise** business trip (*or* tour); **~sreisender** commercial traveller; representative; **~sschluß** closing time; **~ssitz** place of business; **~sstelle** office, bureau; agency, (sub-)branch; **~sträger** *pol* chargé d'affaires; **~sviertel** shopping district; **~svolumen** balance sheet total; **~swelt** business community; **~szeit** office (*od* business) hours; **~szimmer** office; **~szweig** branch (*od* line) of business
geschehen to happen, to occur, to come about; to take place; to be done; *was ist ~?* what's the matter?; *es geschieht ihm recht* it serves him right; *es ist um ihn ~* he is done for; *~ lassen* to allow, to permit, to tolerate; *su* event, happening
gescheit clever, intelligent, bright
Geschenk present, gift; *e. ~ d. Himmels* windfall, godsend; *etw zum ~ machen* to make a present of s-th
Geschicht|e history; story; *umg* affair, thing; *e-e alte ~e* a twice-told story; *mach k-e ~en!* don't be fussy (*od* silly!); **~enbuch** story-book; **~enerzähler** story-teller; **~lich** historical; *(bedeutsam)* historic; **~sbuch** history-book; **~sforscher** historian; **~sforschung** historical research; **~sschreibung** historiography
Geschick *(Schicksal)* fate, destiny; *(~lichkeit)* skill, dexterity; fitness, aptitude; **~lichkeit =** *~*; **~t** skilful; apt, fit, capable; clever
Ge|schiebe *geol* boulders, detritus; **~schieden** separated; divorced; **~schirr** crockery; dishes; *(Porzellan)* china; ↓ harness
Geschlecht sex; *(Art)* genus, kind, species; race, blood, family, stock; generation; *gram* gender; *das schöne (schwache) ~* the fair (weaker) sex; **~lich** sexual; **~sakt** coition; **~skrankheit** venereal disease (V. D.); **~slos** sexless; *bot* agamous; *gram* neuter; **~sname** family name, surname; **~sreife** puberty; **~steile** genitals; **~strieb** sexual instinct; **~sverkehr** sexual intercourse; **~swort** article
geschliffen *(Glas)* cut; *mil* well-trained
Geschlinge pluck, giblets
geschlossen whole, complete; united, unanimous; *adv* as a whole, en bloc

Geschmack taste; flavour; *über d. ~ läßt sich nicht streiten* there is no accounting for tastes; *nach m-m ~* to my taste; *d. ~er sind verschieden* tastes differ; *~ finden an* to take a fancy to, to relish; **~los** insipid, flat; in bad taste; **~losigkeit** bad taste, lack (*od* want) of good taste; **~sache** matter of taste; **~voll** tasteful; in good taste, elegant
Geschmeid|e jewels, jewellery; **~ig** supple, pliant, flexible; soft; **~igkeit** suppleness, flexibility; softness
Ge|schmeiß vermin; *fig* dregs, scum, the rabble; **~schmiere** daub, scrawl; *wie ~schmiert* like clockwork; **~schnatter** cackling; chatter(ing); **~schniegelt** smart, spruce; dressed-up; *~schniegelt und gebügelt* spick and span; **~schöpf** creature, being; **~schoß** projectile, missile; *(Granate)* shell; bullet; *(Etage)* story, floor; **~schraubt** affected, stilted; bookish; **~schrei** shouting, screaming; clamour; *fig* fuss, ado
Geschütz gun, *bes* ✝ cannon; **~bedienung** gun-crew, gunners; **~feuer** gun fire, cannonade; barrage; **~rohr** gun barrel; **~stand** (gun) emplacement
Geschwader ✝ *BE* group, *US* wing; ⚓ squadron; **~flug** flight in formation
Geschwätz idle talk, blabber, balderdash; gossip; **~ig** talkative, loquacious; **~igkeit** talkativeness, loquacity
geschweige denn not to mention, to say nothing of, let alone; much less
geschwind fast, swift, quick, speedy; **~igkeit** quickness, rapidity; speed, velocity; **~igkeitsmesser** speedometer
Geschwister brothers and sisters; **~lich** brotherly, sisterly
geschwollen swollen; *fig* bumptious, tumid
Geschworen|er juryman; *die ~en* the jury; **~enliste** panel, jury-list
Ge|schwulst swelling, tumour; **~schwür** ulcer, abscess, boil
Gesell|e mate, companion, fellow; journeyman, apprentice; **~en** *refl* to join, to associate with; **~enprüfung** journeyman's examination; **~enstück** journeyman-work; **~enzeit** journeyman's time of service; **~ig** sociable, social; companionable; **~igkeit** sociability; social life; company; social gathering, party; **~schaft** society; association, company; party, social gathering; group; *j-m ~schaft leisten* to keep (*od* bear) s-b company; **~schafter** partner, associate; *er ist ein guter ~schafter* he is good company; **~schafterin** lady companion; **~schaftlich** social; **~schaftsanzug** evening (*od* full, party) dress; **~schaftsfeindlich** anti-social; **~schaftskapital** corporate capital; **~schaftsreisen** organized tours; **~schaftsspiel** round game, party game; **~schaftstanz** social dance (*od* dancing); **~schaftsvertrag** articles (*od* deed) of partnership
Gesetz law, act, statute; commandment; **~buch** statute-book, code; **~entwurf** bill, draft law; **~esübertretung** transgression (*od* viola-

tion) of the law; ~**gebend** legislative; ~**geber** legislator; legislature; ~**gebung** legislation; ~**lich** legal, lawful; statutory; ~*lich geschützt* legally protected; ~**lichkeit** legality; ~**los** anarchic(al); ~**losigkeit** anarchy; ~**mäßig** lawful, legitimate; conforming to law; ✿ regular; ~**mäßigkeit** legality; legitimacy; regularity; ~**t** calm, sedate, grave, dignified; mature; ~*t den Fall, daß* supposing that; ~**tafeln** decalogue; ~**widrig** unlawful, illegal

Gesicht face (*j-m ins* ~ *sagen* to tell s-b to his f.); countenance; *(Sehen)* sight, vision; hallucination; *fig* àspect, appearance; *zu* ~ *bekommen* to catch sight of; *zu* ~ *stehen* to suit, to be becoming to; *d. zweite* ~ second sight; ~*er schneiden* to make faces (at); ~**sfarbe** complexion; ~**sfeld** field of vision, range; ~**skreis** (mental) horizon; *s-n* ~*skreis erweitern* to broaden one's mind; ~**smassage** facial (massage); ~**spuder** face powder; ~**spunkt** point of view, angle; aspect; factor; criterion; ~**srose** § erysipelas; ~**ssinn** sense of sight; ~**sspannung** § face-lifting; ~**swinkel** optic. angle; facial angle; ~**szug** feature

Ge|sims cornice; ledge, sill; ~**sinde** servants; ~**sindel** rabble, mob

gesinn|t minded, disposed; ~**ung** way of thinking; mind; view; conviction; disposition; ~**ungsgenosse** partisan, follower; ~**ungslos** unprincipled; ~**ungstreu** loyal; ~**swechsel** change of mind (*od* opinion, heart); change of front, reversal of one's policy

gesitt|et well-mannered; civilized; ~**ung** good manners; civilization

ge|sondert separate; ~**sonnen** disposed, inclined, resolved (to do); ~**spann** team *(of horses etc)*; *fig* pair, couple; ~**spannt** stretched, taut, tight; *(Gewehr)* cocked; *fig* intent, eager, anxious, agog

Gespenst spook, phantom, spectre; apparition; ~**isch** ghostly; ghostlike

ge|sperrt blocked, barred; closed; *mil BE* out of bounds, *US* off limits; ⊞ spaced; ~**spiele** playmate; ~**spinst** spun yarn; web, tissue; ~**spött** mockery, derision; laughing-stock

Gespräch talk, conversation; discourse; ♈ call; ~**ig** talkative, chatty; ~**sgegenstand,** ~**sstoff,** ~**sthema** topic of conversation, subject; ~**spartner** ♈ caller; ~**sweise** in the course of conversation

ge|spreizt wide apart; *fig* stilted, pompous, affected; bookish; ~**sprenkelt** speckled, mottled; ~**stade** shore, bank; ~**staffelt** graded; graduated; differentiated; staggered

Gestalt form; figure, shape; build, stature; manner, aspect, kind, fashion; character; ✿ construction; ~**en** *vt* to form, to shape, to mould; to arrange; to construct; *refl* to take shape; to turn out; ~**los** shapeless, amorphous; ~**ung** formation; fashioning, shaping; organization; construction

Gestammel stammering, stuttering

geständ|ig confessing; ~ *ig sein* to plead guilty, to confess; ~**nis** confession, admission;

e. ~*nis ablegen (umg)* to make a clean breast of s-th

Gestank stink, stench, bad smell

gestatten *vt* to allow, to permit; ~ *Sie bitte!* I beg your pardon

Geste gesture

gesteh|en to confess, to admit; ~**ungskosten** prime cost

Gestein rock, stone; ~**sgang** streak, lode

Gestell frame, stand; rack; trestle; ~**ungsbefehl** calling-up (*od* induction) order

gest|ern yesterday ♦ *nicht von* ~ *ern sein* not to be as green as that; ~*ern abend* last night; ~**rig** of yesterday

ge|stiefelt booted, in boots; *d.* ~*stiefelte Kater* Puss in Boots; ~**stikulieren** to gesticulate; ~**stirn** star; constellation; luminary; ~**stirnt** starry, starred; ~**stöber** shower; snow-drift, (snow) flurry; storm; ~**stochen** stilted; *wie* ~*stochen* like copperplate; ~**stotter** stammering, stuttering; ~**sträuch** shrubs, copse; bushes, shrubbery; ~**streift** striped; streaky; ~**streng** severe, rigorous, strict; ~**strichen** painted; *frisch* ~*strichen* wet paint; ~*strichen voll* brimful; ~**strüpp** brushwood, underwood, bushes; ~**stühl** pew(s); chairs; ~**stüt** stud (farm)

Gesuch application, petition; request; ~**t** in demand, sought after; *(geziert)* affected, far-fetched

gesund healthy, well *(nur pred)*; healthful, good, wholesome; beneficial; sound, natural; ~ *u. munter* as fit as a fiddle; ~*er Menschenverstand* common sense; ~**beterei** faith-healing; ~**brunnen** mineral well; ~**en** to recover, to regain health; ~**heit** health; soundness; wholesomeness; sanity; ~*heit!* God bless you!; *auf Ihre* ~*heit!* your health!; *auf j-s* ~*heit trinken* to drink s-b's health; ~**heitlich** as regards health; hygienic; sanitary; ~**heitsamt** Board of Health; ~**heitspflege** hygiene; preventive medicine *(öffentliche)* public health service; *aus* ~*heitsrücksichten* for reasons of health; ~**heitszustand** state of health, physical condition

Ge|täfel wainscoting, panelling; ~**tändel** trifling, dallying; ~**tier** animals, beasts; ~**töse** noise, din; roaring; blatancy, bluster; ~**tragen** *fig* solemn, grave, ceremonious; ~**trampel** trampling; ~**tränk** drink, beverage; *pl* spirits; ~**tränkesteuer** beverage tax; ~**trauen** *refl* to dare, to venture

Getreide corn, grain; cereal crops; ~**arten** cereals; ~**bau** corn-growing; ~**halm** corn-stalk; ~**mühle** corn mill; ~**speicher** granary; ~**wirtschaft** grain trade

getreu faithful, true, trusty, loyal; *d.* ~*en* the faithful followers

Ge|triebe bustle; ✿ gear, drive; machinery; ~**trost** confident; in good spirits; ~**trösten** *refl* to wait patiently; ~**tue** ado, dalliance, fuss; ~**tümmel** bustle, tumult; ~**übt** skilled, experienced; ~**vatter** godfather; *fig* friend; ~**vatterin** godmother; ~**viert** square

Gewächs plant; vegetable; *(Wein)* vintage; **§** growth, tumour; ~haus conservatory, greenhouse

gewachsen grown; *j-m* ~ *sein* to be equal to, to be a match for

ge|wagt risky, bold; ~wählt choice; selected

gewahr aware (of); ~ *werden* = ~en to become aware of; to perceive; ~sam charge, custody; lock-up

Gewähr security, surety, guaranty; ~en to grant, to accord; to allow, to afford; *j-n* ~en *lassen* to let s-b do as he pleases; ~leisten to vouch for, to guarantee; ~leistung warranty, guaranty; ~smann informant, authority; guarantor; warrantor; ~ung granting, concession

Gewalt power, might; authority; force, violence; *höhere* ~ Act of God, force majeure; *mit aller* ~ with all one's might; by hook or by crook; *j-m* ~ *antun* to do violence to, to violate s-b; *in d.* ~ *haben* to have command of, to master; *s. in d.* ~ *haben* to have self-control; ~herrschaft despotism, rule of force; ~ig powerful, mighty; violent; huge, immense; ~sam violent, forcible; ~samkeit violence; ~streich violent measure, arbitrary act; coup de main; ~tätig violent, brutal

Ge|wand garment, apparel, attire, gown, dress; ~wandt agile; skilful; adroit, clever; ~wandtheit agility, skill; cleverness; fluency; ~wärtig expecting, expectant of; ~wärtigen to expect, to await; to be resigned to; ~wäsch idle talk, twaddle, blether; ~wässer waters; ~webe weaving, web; fabric, tissue; texture; ~weckt alert, bright, clever

Gewehr gun, rifle; weapon; *an die* ~e! to arms!; ~lauf (rifle) barrel

Geweih antlers, horns; ~zacken prong of antler

Gewerb|e trade, business; profession, calling; industry, craft; ~efreiheit freedom to carry on a trade; ~ekammer Board of Trade; ~eschein trade licence; ~esteuer trade tax; ~eschule trade *(od* vocational) school; ~etreibend industrial, manufacturing, producing; engaged in gainful activity; ~lich industrial, trade; ~smäßig professional

Gewerkschaft trade union, *US* labor union; ~ler trade-unionist; ~sbund Federation of Trade Unions, *BE* Trades Union Congress, *US* Federation of Labor; ~swesen Trade Unionism

Gewicht weight; *fig* importance, significance; *ins* ~ *fallen* to weigh with, to be of great *(od* to carry) weight *(od* importance); ~heben **§** weight-lifting; ~ig weighty, important, influential

gewickelt wrapped (up) ♦ *schief* ~ *sein* to be on the wrong tack

ge|wiegt experienced; smart; shrewd; ~wieft cagey, smart, shrewd; ~wieher neighing; ~willt willing, ready, inclined; ~wimmel swarm(ing); crowd, throng; ~wimmer wailing, whimpering; ~winde garland, festoon; ✿ thread, worm; ~windebohrer (screw-)tap

Gewinn profit, gain; advantage; prize; ⚒ winnings; acquisition, lucre; ~anteil profit share; dividend; ~beteiligung profit-sharing; ~bringend profitable, lucrative; ~en *vt* to win; to gain, to earn; to produce, to extract; *chem* to prepare; *vi* to improve; ⚒ *(gegen)* to defeat; *damit ist viel gewonnen* that helps a great deal; ~end winning, taking; ~er winner; ~spanne profit margin; ~sucht greed, lucre; ~verteilung distribution of profits

Ge|winsel whining, whimpering; ~winst winnings; gain, profit; ~wirr confusion, mass; jumble, maze; tangle

gewiß certain, sure; fixed; *adv* certainly, indeed; ~heit certainty; *s.* ~*heit verschaffen über* to make sure about

Gewissen conscience *(j-m ins* ~ *reden* to appeal to s-b's c.); *nach bestem* ~ to the best of one's belief; *sein* ~ *beruhigen* to square one's conscience; ~haft conscientious; scrupulous; ~haftigkeit conscientiousness; scrupulousness; ~los unscrupulous; ~losigkeit unscrupulousness; ~sbisse twinge of conscience, remorse; ~skonflikt conscientious doubt; ~szwang coercion of conscience

gewissermaßen in a way, as it were

Gewitt|er thunderstorm; ~ern to thunder; ~erregen, ~erschauer thunder shower, deluge; ~erschwül sultry; ~störung ⚡ atmospherics; ~rig thundery

gewitzt(ig)t taught by experience; shrewd

gewogen well-disposed (towards)

gewöhn|en *refl* to accustom (to); *refl* to get accustomed *(od* used) to, to get into the habit of; to become familiar with; *(an ein Klima)* to acclimatize; ~lich *adj* usual, customary; ordinary, average; common, vulgar; *adv* usually, as a rule; ~ung accustoming, habit

Gewohnheit habit, custom; practice, usage; *d. Macht der* ~ the force of habit; *zur* ~ *werden* to grow into a habit; ~smäßig customary, habitual; ~srecht customary law; ~ssünde besetting sin; ~stier *umg* creature of habits

gewohnt *(zu tun)* accustomed to do(ing); used to, inured to; usual

Ge|wölbe vault, arch; ~wölbt vaulted, arched; domed; ~wölk clouds; ~wühl turmoil; crowd, throng; ~wunden winding; spiral; sinuous; *fig* tortuous; ~würfelt *BE* chequered, checkered

Gewürz spice, seasoning, condiment; ~gurke pickled cucumber, gherkin; ~händler grocer; ~ig spiced; spicy, aromatic; ~nelke clove

ge|zackt pronged, indented; jagged; ~zahnt toothed; notched; *bot* dentate; ~zänk quarrelling, wrangling; ~zappel fidgeting; struggling; ~zeiten tides

geziem|en *refl* to befit, to become; ~end proper; becoming, due

ge|ziert affected, minced; ~zirpe chirping; ~zisch hissing; ~zischel whispering; ~zücht brood, breed; ~zwitscher twittering, chirping; ~zwungen unnatural, affected, stiff

Gicht **§** gout; ✿ furnace-mouth; ~brüchig gouty; palsied; paralytic

Giebel gable(-end); **~feld** pediment, tympanum; **~fenster** gable-window

Gier greed; lust, avidity; **~en** to long eagerly (for); to lust (for, after); **~ig** greedy (*nach* for)

Gießbach torrent; **~en** to pour; to water; ✿ to cast; *es ~t* it is pouring (with rain); *es ~t in Strömen* it is pouring cats and dogs; **~er** caster, founder; **~erei** foundry; **~kanne** watering-can

Gift poison; (*Tier-*) venom; ℥ virus; toxin; *fig* malice, blight ♦ *da kannst du ~ drauf nehmen* you can bet your life on that, you bet; *~ u. Galle spucken* to boil with rage; **~becher** poisoned cup; **~hauch** blight; **~ig** poisonous, venomous; **~mischer** poisoner; **~natter** asp; **~pilz** toadstool; **~zahn** poison-fang

Gigant giant; **~isch** gigantic

Gilde guild, corporation

Gimpel bullfinch; *fig* noodle, simpleton

Ginster broom; gorse, furze

Gipfel summit, top, peak; *fig* climax; height; zenith; **~höhe** ✝ ceiling; **~konferenz** summit conference; **~leistung** record; **~n** to culminate (in); **~punkt** limit; peak

Gips gypsum; calcium sulphate; ℥ plaster of Paris; **~abdruck** plaster cast; **~en** to plaster; **~verband** plaster dressing, plaster cast

Giraffe giraffe

girieren to circulate; to endorse

Girl professional dancer, chorus girl

Girlande garland, festoon

Giro endorsement; the giro system (of transferring money); **~bank** clearing bank; **~gelder** funds available for transfer; **~konto** giro account; current account; **~verkehr** clearing (business); **~zahlung** clearing transfer; **~zentrale** clearing-house

Gis ♪ G sharp

Gischt spray, foam

Gitarre guitar

Gitter grating; (*Eisen*) iron bars; (*Spalier*) trellis, lattice; railing; fence; ⚏ grid; **~bett** cot; **~fenster** lattice-window; barred window; **~tor**, iron gate

Glacéhandschuh kid-glove ♦ *mit ~en anfassen* to handle s-b with velvet gloves

Glad|iator gladiator; **~iole** gladiolus

Glanz shining; brightness, brilliance, brilliancy, lustre, glamour; glitter; gloss, polish; *fig* splendour; pomp; disinction; **⁀en** to shine, to gleam, to glitter, to sparkle, to glisten; *in etw ⁀en* to be brilliant in, to excel in; **⁀end** shining, lustrous; glittering, bright; *fig* splendid, glorious; brilliant; **~leder** patent leather; **~leistung** brilliant achievement; record; **~los** dull, dead; **~papier** flint(-glazed) paper; **~punkt** highlight; climax; **~voll** brilliant, splendid, glorious

Glas glass; tumbler; field-glass; jar; *mattes ~* cut glass; *buntes (gefärbtes) ~* stained glass; *Vorsicht ~!* Fragile! ♦ *zu tief ins ~ gucken* to have one over the eight; **~auge** glass eye; ℥ wall-eye; **~bläser** glass-blower; **~er** glazier; **⁀ern** glassy, of glass; vitreous; **~glocke** glass bell; **~hütte** glass-factory; **~ig** glassy, vitreous; **~ieren** to glaze; to varnish; to ice, to frost; **~kolben** glass flask; **~maler** glass-painter; **~scheibe** pane (of glass); **~scherbe** broken glass; **~schleiferei** glass-grinding, glass-cutting; **~tür** French window; glass door; **~ur** glazing; varnish; (*Kuchen*) icing; **~ware** glassware

glatt even, smooth; slippery; polished; *fig* flattering, oily, bland; *das ist e-e ~e Lüge* that's an outright lie; *~ sitzen* to fit close; **⁀e** smoothness; slipperiness; polish; **~eis** glazed frost ♦ *j-n aufs ~eis führen* to lead s-b up the garden-path; **⁀en** to smooth; (*hobeln*) to plane; to polish; **~weg** *adv* plainly, flatly; bluntly

Glatz|e bald head; **~köpfig** bald-headed

Glaube(n) faith (*an* in); confidence, trust; belief (*an* in); creed; credit; *in gutem ~en* bona fide; *Treu und ~en* good faith; **~en** to believe (*j-m* s-b; *an* in); to trust; to think, to suppose ♦ *dran ~ en müssen* to have to pay the price; *ich ~e wohl . . .*, I daresay . . .; *ob du es ~st oder nicht* believe it or not; **~ensbekenntnis** creed, confession of faith; *pol* platform; **~ensfreiheit** freedom of religion; **~ensgenosse** fellow believer; **~enslehre**, **~enssatz** belief, doctrine (of faith); **~haft** credible, authentic; **~würdig** credible, reliable; (*Bericht*) authentic; **~würdigkeit** credibility, reliability; authenticity

gläubig believing, faithful, religious; **~er** believer; (*Geld*) creditor; **~keit** faith, confidence

gleich *adj* same, equal; like, similar; even, plain, level; direct; identical; equivalent; *das sieht ihm ~* that's just like him; *~ sein* to be equal to; *s. immer ~ bleiben* to remain always the same; *~ und ~ gesellt sich gern* birds of a feather flock together; *~ es mit ~ em vergelten* to return like for like, to pay s-b back; *das bleibt s. ~* that's the same; *mir ist es ~* it's all the same to me; *sie sagt das ~ e* she says the same thing; *adv* equally, just, alike; at once, immediately, directly; *~ darauf* immediately afterwards; **~altrig** of the same age; **~artig** of the same kind, homogeneous; **~bedeutend** *mit* synonymous with; **~berechtigt** entitled to the same rights; on an equal footing; **~berechtigung** equality of rights; **~bleibend** steady; constant; **~denkend** congenial; **~en** to resemble, to be like; **~ermaßen** likewise, in like manner; **~falls** likewise, also; **~förmig** uniform; monotonous; **~gesinnt** congenial, like-minded; **~gewicht** equilibrium, balance, equipoise; *aus dem ~gewicht* off one's balance; **~gültig** indifferent, unconcerned; disinterested; callous; *~gültig ob* irrespective of whether, no matter whether; **~gültigkeit** indifference; **~heit** equality; parity; identity; similarity; **~klang** unison, consonance; **~kommen** to equal s-b; **~lauf** consistency; **~laufend** parallel; **~lautend** consonant; identical; **~machen** to make like; to equalize; to level; *dem Erdboden ~machen* to raze to the ground; **~maß** symmetry, proportion; **~mäßig** proportionate, symmetrical; equal, even; uniform, regular; **~mäßigkeit** proportion, symmetry; regularity; **~mut** equanimity; **~mütig** calm, even-tempered; **~namig** having (*od* of) the same name; correspondent; homonymous; **~nis** simile; image; parable; **~richten** *⚡* to rectify; **~richter** *⚡* rectifier; **~sam** as it were; **~schalten** *pol* to put on an equal footing; **~schaltung** *pol* co-ordination; bringing into line; **~schenklig** *math* isosceles; **~seitig** equilateral; **~setzen** to treat as equivalent (to); **~stellen** to put on an equal footing; **~strom** *⚡* direct current; **~takt** synchronous rhythm; **~tun:** *es j-m ~tun* to rival s-b; *es j-m ~tun wollen* to vie with s-b; **~ung** equation; **~viel** no matter; all the same; **~wertig** equivalent, of equal value; equally good; **~wertigkeit** equivalence; **~wie** (just) as, even as; **~wohl** yet, however; **~zeitig** simultaneous; contemporary; *adv* all at once, at the same time

Gleis = Geleise; **~anschluß** siding; **~los** trackless

Gleisner hypocrite; **~isch** hypocritical

gleißen to glisten, to glitter

Gleit|bahn slide(way), slips; **~en** to glide, to slide, to slip; **~flug** gliding flight; **~flugzeug** glider

Gletscher glacier; **~spalte** crevasse

Glied *§* limb; member; link; *mil* rank, file; *math* term *♦ in d. ~er fahren* to upset s-b; *an allen ~ern zittern* to tremble all over; *in Reih und ~* in rank and file; **~erbau** structure of body; **~erfüßler** arthropod; **~ern** to articulate; to arrange, to classify; to organize; to form up, to form into ranks; *refl* to form, to be composed (of), to be divided (into); **~erpuppe** puppet, marionette; **~erung** articulation; arrangement, classification; formation, organization; structure; pattern; **~maßen** limbs, extremities

glimm|en to burn faintly; to smoulder; to glimmer, to glow; **~er** mica; **~erschiefer** slate mica; **~stengel** fag, *BE* gasper

glimpflich mild, gentle; light, easy; *~ davonkommen* to get off lightly

glitsch|en to slide, to slip, to glide; **~ig** slippery

glitzern to glisten, to glitter; to sparkle, to twinkle, to scintillate

glob|al global; overall, comprehensive, aggregate; **~us** globe

Glocke bell; shade; clock *♦ an d. große ~ hängen* to make s-th publicly known; **~blume** bellflower, bluebell, harebell; **~nförmig** bell--shaped; **~ngießer** bell-founder; **~nhell** clear as a bell; **~nrock** flared skirt; **~nschlag** stroke of the clock; **~nspiel** chime; carillon (*a. ♪*); **~nstrang** bell-pull; **~nstube, ~nstuhl** belfry; **~nturm** steeple

Glöckner bell-ringer, sexton

Glor|ie glory; **~ienschein** halo; aureola; **~ifizieren** to glorify; **~reich** glorious

Gloss|ar glossary; **~e** gloss; comment; **~ieren** to gloss; to comment on

Glotz|auge goggle-eye; **~äugig** goggle-eyed; **~e** gogglebox; **~en** to goggle, to stare, to gape

Glück (good) luck; fortune; blessing; happiness; prosperity; *~ auf!* Good luck!; *~ haben* to be lucky; *sein ~ machen* to make one's fortune; *ein ~, daß* good thing that; *auf gut ~* at a venture; by trial and error; *zum ~* fortunately; *~ wünschen zu* to congratulate on; *~ im Unglück* a blessing in disguise; *~ und Glas, wie leicht bricht das* glass and luck, brittle muck; **~bringend** blessed, fortunate; **~en** to succeed (in doing); to turn out well; **~lich** fortunate, lucky; happy; **~licherweise** fortunately, luckily; **~selig** blissful, happy, radiant; **~seligkeit** bliss, happiness; **~sfall** lucky chance; stroke of luck; **~güter** earthly goods; **~skind** (one of) Fortune's favourite(s); **~spfennig** lucky penny; **~spilz** lucky fellow (*od* dog); **~sritter** fortune-hunter; adventurer; **~ssache** matter of chance, lottery; **~sspiel** game of hazard, gamble, gambling; **~ssträhne** stroke of luck; **~stag** red-letter day; **~verheißend** auspicious, propitious; **~wunsch** congratulation; good wishes, compliments of the season

Glucke clucking hen; **~n** to cluck, to chuck

glucksen to gurgle, to chuckle

Glüh|birne electric bulb; **~en** to glow, to be red-hot; **~end** glowing, red-hot; *fig* ardent, fervent; *~end heiß* burning hot; **~faden** filament; **~kerze** heater plug; **~lampe, ~licht** incandescent light; **~strumpf** mantle; **~wein** mulled wine (*od* claret), negus; **~würmchen** glow-worm

Glut glow, heat; blaze; *fig* ardour, fire, fervency, passion; **~rot** as red as fire

Glyzerin glycerine

Gnade mercy, pardon, clemency; favour; grace; *von Gottes ~n* by the grace of God; *auf ~ und Ungnade* at discretion, unconditionally; *~ vor Recht ergehen lassen* to temper justice with mercy; **~nbild** miraculous image; **~nbrot** bread of charity; *d. ~nbrot essen* to live on charity; **~nerlaß** general pardon, amnesty; **~nfrist** days of grace; **~ngesuch** petition (for clemency); **~nmittel** means of grace; **~nreich** merciful; gracious; **~nsold** gratuity; **~nstoß** coup de grâce; death-blow, knock-out; **~nwahl** predestination; **~nweg:** *auf dem ~nweg (eccl)* by the grace of God

gnädig merciful; gracious, benevolent; condescending; *~e Frau* Madam; *~es Fräulein* Mademoiselle

Gneis gneiss

Gnom gnome, goblin; **~enhaft** gnomish

Gobelin tapestry, gobelin

Gockel(hahn) cock, rooster

Gold gold; *treu wie ~* as true as steel *♦ sie hat ~ in d. Kehle* her voice is a gold-mine; *es ist nicht alles ~ was glänzt* all that glitters is not gold; **~ammer** yellow-hammer; **~arbeiter** goldsmith; **~en** gold(en), of gold; *~ene Hochzeit* golden wedding; *d. ~ene Mittelweg* the golden mean; **~feder** gold nib, fountain-pen; **~finger** ring-finger; **~fisch** gold-fish; **~folie**

gold foil; ~**gewicht** troy weight; ~**grube** gold-mine (a. fig); fig bonanza; ~**haltig** containing gold; auriferous; ~**ig** fig sweet; ~**käfer** rose-beetle; ~**kind** darling; ~**klumpen** nugget; ~**lack** bot wall-flower; ~**leiste** gilt cornice; ~**regen** bot laburnum; ~**schmied** goldsmith; ~**schnitt** gilt edge(s); mit ~schnitt ☐ gilt-edged; ~**stück** gold coin; ~**waage:** jedes Wort auf d. ~waage legen to weigh every word; to be over-particular; ~**währung** gold standard

Golf geol gulf; ♈ golf; ~**platz** golf links (od course); ~**schläger** golf-club, golf-stick; ~**spieler** golfer; ~**strom** Gulf Stream

Gondel gondola; (Luftschiff) car

gönn|en not to begrudge; to grant, to allow; to wish; refl to allow o. s.; ~**er** patron; ~**erhaft** patronizing, condescending; ~**ermiene** patronizing air

Göpel horse-gin, horse-whim

Gör(e) child, brat

gordisch Gordian; d. ~en Knoten durchhauen to cut the Gordian knot

Gösch ⚓ jack

Gosse gutter, drain ♦ durch d. ~ ziehen to throw mud at

Got|e Goth; ~**ik** 🏛 Gothic; ~**isch** Gothic; ~ische Schrift ☐ black letter

Gott God, the Supreme Being; god; ~ sei Dank thank God!, thank goodness!; um ~es willen! for God's sake, for goodness' sake; von ~es Gnaden by the grace of God; in ~es Namen for goodness' sake; leider ~es alas, most regrettably, sad to say; weiß ~ goodness knows; ~**erdämmerung** Twilight of the Gods; ~**erspeise** ambrosia; cream trifle; ~**esacker** churchyard; ~**esdienst** (religious) service, public worship; ~**esfurcht** fear of God; ~**esfürchtig** pious, god-fearing; ~**esgelehrter** theologian; ~**esgericht**, ~**esurteil** ordeal; ~**eshaus** church, chapel; ~**eslästerer** blasphemer; ~**eslästerung** blasphemy; ~**gefällig** pleasing to God; ~**heit** deity; divinity; godhead; ~**in** goddess; ~**lich** divine; godlike; ~**lichkeit** divinity; godliness; ~**los** godless, ungodly; ~**losigkeit** ungodliness; godlessness; ~**seibeiuns** the devil; ~**selig** godly, pious; ~**serbärmlich** wretched, terrible; ~**verlassen** god-forsaken

Götze idol, false deity; ~**nbild** idol; ~**ndiener** idolater; ~**ndienst** idolatry

Gouvern|ante governess; ~**eur** governor

Grab grave; tomb; sepulchre; d. Heilige ~ the Holy Sepulchre; zu ~e tragen to bury ♦ s. im ~ umdrehen to turn in one's grave; sein eigenes ~ graben to ruin o. s.; ~**en** to dig; su digging; ditch; mil trench; ~**esstimme** sepulchral voice; ~**esstille** peace of the grave; deathlike silence; ~**geläute** tolling of bells; knell; ~**geleite** procession of mourners; ~**gesang** dirge; ~**hügel** mound, barrow, tumulus; ~**inschrift** epitaph; ~**legung** burial, interment; ~**mal** tomb, monument; ~**rede** funeral sermon (od oration); ~**stätte** burial-place; tomb, sepulchre; ~**stein** tombstone, headstone; ~**stichel** chisel; ~**tuch** winding-sheet, shroud

Grad degree; rank; grade; rate; in hohem ~e highly, extraordinarily, to a high degree; Vetter ersten (zweiten) ~es first (second) cousin; adj = gerade; ~**bogen** protractor; ~**einteilung** graduation; ~**ieren** to graduate; to refine; ~**ierung** graduation; ~**ierwerk** graduation works; ~**messer** graduator, indicator; ~**uell**, ~**weise** gradually, by degrees

Graf earl; count; ~**enkrone** earl's coronet; ~**enstand** earldom; dignity of a count; ~**in** countess; ~**lich** belonging to an earl; ~**schaft** shire; county

Gral grail

Gram grief, sorrow; j-m ~ sein to be cross with s-b, to bear a grudge against s-b; ~**en** refl to grieve; to worry, to fret; ~**lich** peevish, morose, fretful; ~**voll** sorrowful, sad, gloomy

Gramm gramme, gram

Grammat|ik grammar; ~**ikalisch**, ~**isch** grammatical; ~**iker** grammarian

Grammophon gramophone, US phonograph; ~**anschluß** gramophone pick-up; ~**platte** record, disk

Gran grain

Granat|apfel pomegranate; ~**e** grenade, shell; ~**splitter** shell splinter; ~**stein** garnet; ~**trichter** shell crater

Granit granite ♦ auf ~ beißen to knock one's head against a brick wall; ~**en** granite

Granne awn, beard

granulier|en to granulate; ~**ung** granulation

Graph|ik graphic arts; ~**iker** commercial artist, illustrator; art designer; ~**isch** graphic; diagrammatic; printing; ~ische Darstellung diagram, graph; ~ischer Betrieb printing works (od firm); ~**it** black-lead, graphite; ~**ologe** graphologist; ~**ologie** graphology

graps(ch)en to grab (at), to snatch (at)

Gras grass ♦ ins ~ beißen to bite the grass (od dust), to die; . ~ wachsen hören to get wind of everything; ~**en** to graze; ~**fressend** graminivorous; ~**frosch** brown frog; ~**halm** blade of grass; ~**hüpfer** grass-hopper; ~**ig** grassy; ~**mücke** orn hedge-sparrow; ~**narbe** turf; ~**platz** green, lawn, grassplot

grassieren to rage; to prevail, to spread

gräßlich horrible, terrible, nasty, ghastly

Grat ridge, edge, crest; ☐ groin

Grät|e fish-bone; ~**ig** full of fish-bones; ~**sche** straddling, splits; ~**schen** to straddle, to do the splits

Gratifikation bonus; gratuity; benefit; supplement (to a salary), extra pay

gratis free (of charge), gratuitously; into the bargain; ~**exemplar** ☐ presentation copy

Gratul|ant congratulator, well-wisher; ~**ation** congratulation (on); ~**ieren** to congratulate (zu on), to felicitate (on), to compliment (on); ~**iere!** congratulations!; zum Geburtstag ~ieren to wish many happy returns of the day

grau grey, bes US gray; fig remote, ancient; ~ in ~ dark, sombre ♦ s. k-e ~en Haare wachsen lassen not to worry one's head about; ~**brot** mixed rye and wheat bread; ~**en** vi to dawn;

(unpers.) to be afraid of, to shudder at, to dread; *su* horror, fear, dread; **~enhaft, ~envoll** horrible, dreadful; awful, ghastly, terrible; **~len** *refl* to be afraid of, to dread; **~meliert** grey-mottled, sprinkled with grey; **~tier** donkey, ass

Graupe hulled barley; pearl barley; groats; **~ln** sleet, hailstones; *vi* to sleet

Graus horror; **~am** cruel; barbarous; **~amkeit** cruelty; barbarity; **~en** *refl* to shudder at; *su* horror, terror; **~ig, ~lich** dreadful, horrible; horrid, hideous; awful

Grav|eur engraver; **~ieren** to engrave; *su* engraving; **~ierend** aggravating; serious; important; **~ierkunst** engraving; **~üre** engraving

Gravi|tation gravitation; **~tationsgesetz** law of gravitation; **~tätisch** grave, ceremonious; *umg* bumptious

Graz|ie grace, charm; *d. drei ~ien* the three Graces; **~iös** graceful; willowy, supple

gregorianisch Gregorian; **~er Gesang** Gregorian chant, plainsong

Greif griffin

greif|bar tangible, palpable; on hand, available; **~en** to seize, to grasp (at); to catch (hold of); to reach for; ♪ to strike, to touch, to reach; *ineinander ~en* to interlock; *zu d. Waffen ~en* to take up arms; *um s. ~en* to spread, to gain ground ♦ *j-m unter d. Arme ~en* to help, to support; **~er** ✿ claw, catcher, gripper; ▢ rapper; **~zange** pliers

greinen to whimper, to whine

Greis old man; *adj* old; **~enalter** old age; **~enhaft** senile; **~in** old woman

grell dazzling, glaring; loud; shrill, piercing; crude

Gremium group; body; committee; corporation

Grenz|berichtigung rectification of the boundary, frontier adjustment; **~bewohner** borderer; **~e** frontier, border; bound(ary); limit; **~en** *an* to border on *(a. fig)*; to abut upon; *fig* to be next to, to verge on; **~enlos** boundless; infinite; **~enlosigkeit** boundlessness; infinitude; **~fall** marginal *(od* border-line) case; **~gänger** frontier commuter; **~gebiet** border area *(od* district); *fig* borderland; **~land** borderland; **~linie** border line, boundary line; **~mark** borderland; **~polizei, ~schutz, ~wache** frontier police; **~stein** boundary-stone; **~streit** boundary controversy; frontier dispute; **~übergang** frontier crossing; **~verkehr** border traffic; **~wert** limit(ing value); marginal value

Greu|el horror, abomination; atrocity; outrage; *er ist mir ein ~* I detest him; **~eltat** atrocity, horrible deed; **~lich** horrible, atrocious, frightful

Grieben greaves; core (of an apple)

Griech|e, ~in Greek; **~enland** Greece; **~isch** Greek

Gries|gram grumbler, grouser; **~grämig** grumbling, grousing, sullen

Grieß *BE* semolina, *US* farina; ℥ gravel; **~mehl** = ~

Griff grip; grasp; hold; catch; ♪ touch; handle, knob; *(Dolch)* hilt ♦ *e-n guten ~ tun* to make a good choice; *e-n falschen ~ tun* to touch a wrong note; **~bereit** at hand; **~brett** ♪ fretboard; keyboard; **~el** slate-pencil; *bot* style, pistil

Grill grill; **~fleisch** grill(ed meat)

Grille cricket; *fig* whim, fad, freak; *~n fangen* to be in low spirits; **~nfänger** whimsical *(od* capricious) person; pessimist; **~nhaft** whimsical, capricious

Grimasse grimace, ugly face; *~n schneiden* to pull *(od* make) faces

Grimm anger, rage; **~darm** colon; **~en** gripes, colic; **~ig** angry, furious, grim

Grind scab, scurf; *(Schuppen)* dandruff; ℥ eschar; **~ig** scabby, scurfy

grinsen to grin, to smirk; to sneer; *su* grin

Grippe influenza, *umg* flu

Grips brains, intelligence

grob coarse, rough; clumsy; thick, big, stout; brute, brutish, barbarian; uncouth, rude; blatant; gross, bad, serious; *aus d. ̈ sten heraus sein* to have got over the worst; **~heit** coarseness; roughness, rudeness; *j-m ~heiten an den Kopf werfen* to be rude to; **~ian** boor, rude fellow; brute; **~körnig** coarse-grained; **~maschig** coarse-meshed, wide-meshed; **~schlächtig** uncouth; barbaric; **~schmied** blacksmith

Grog grog

grölen to bawl, to squall

Groll resentment, rancour, grudge; anger; *~ hegen gegen* to bear a grudge against, to be angry with; **~en** to be resentful, to be angry; *(Donner)* to peal, to roll

Gros gross, twelve dozen; main body; battle fleet; *en ~* wholesale

Groschen penny ♦ *d. ~ ist gefallen* the penny has dropped; **~roman** penny dreadful, dime novel

groß great; large; big; *(hoch)* tall, high; *(riesig)* vast, huge; grand, important, eminent; *(erwachsen)* grown-up; *im ~en* in bulk; *(en gros)* wholesale; *im ~en und ganzen* on the whole, by and large; *den ~en Mann spielen* to play the big shot; *da geht es ~ her* they live in grand style; *~er Buchstabe* capital letter; *~ schreiben* to capitalize; **~artig** grand, great; sublime, lofty; splendid, excellent; **~aufnahme** close-up; **~betrieb** large enterprise; **~buchstabe** capital letter; ▢ upper case; **~eltern** grandparents; **~enteils** mostly; **~formatig** large-sized; **~fürst** grand duke; **~grundbesitz** landed property; **~grundbesitzer** landed proprietor; **~handel** wholesale trade; **~handelspreis** wholesale price; **~handelsrabatt** wholesale discount; **~handelsspanne** wholesale margin; **~händler** wholesaler, wholesale dealer; **~herzig** magnanimous, generous; **~herzigkeit** magnanimity; generosity; **~herzog** grand duke; **~hirn** cerebrum; **~industrie** big industry; **~industrieller** captain of industry, tycoon; **~jährig** of age; **~jährigkeit** majority; **~kaliber** full-bore; **~macht** great power; **~mächtig** high and mighty; ~**mannssucht** megalomania; ~**maul** braggart; ~**mäulig** bragging, swaggering; ~**mut**, ~**mütigkeit** magnanimity, generosity; ~**mütig** magnanimous, generous; ~**mutter** grandmother ♦ *das kannst du deiner ~ mutter erzählen* tell that to the marines; ~**oktav** large octavo; ~**raum** *im ~raum von X* in Greater X; ~**reinemachen** spring cleaning; ~**sprecherei** boasting, bragging; ~**sprecherisch** boastful, bragging, swaggering; magniloquent; ~**spurig** big, arrogant, boasting; ~**stadt** large town, city (with 100 000 inhabitants); ~**städter** inhabitant of a large town; ~**tante** grand-aunt; ~**tat** achievement, exploit, feat; ~**vater** grandfather; ~**ziehen** to bring up; ~**zügig** on a large scale; generous

Größ|e size; dimension; largeness, bigness; tallness, height; greatness, grandeur, magnitude; *math, astr* magnitude; *fig* celebrity, star; *welche ~e haben Sie?* what size do you take?; *in allen ~en* assorted; ~**enordnung** dimension; order of magnitude; ~**enverhältnis** size, proportion; ~**enwahn** megalomania; ~**enwahnsinnig** megalomaniac; ~**tenteils** mostly, for the most part; ~**tmöglich** greatest possible

Grossist wholesale dealer, wholesaler

grotesk grotesque, absurd; ~**e** grotesque; 📖 sanserif

Grotte grotto

Grüb|chen dimple; ~**elei** brooding, musing, brown study; ~**eln** to brood, to ponder (over), to meditate (on, over), to muse; ~**ler** ponderer

Grube pit, mine; *fig* grave ♦ *wer andern e-e ~ gräbt, fällt selbst hinein* he who sets a trap for others gets caught himself; ~**narbeiter** miner; ~**nbrand** fire in pit; ~**ngas** mine gas, methane, fire-damp; ~**nlampe** miner's lamp; ~**nwetter** fire-damp

Gruft grave, vault, tomb

Grummet aftermath; second crop of hay

grün green; *fig* immature, inexperienced ♦ *e. ~er Junge* a greenhorn; ~*e Welle* linked signals; *auf keinen ~en Zweig kommen* not to get on; *~ und blau schlagen* to beat s-b black and blue; *s. ~ u. blau ärgern* to be simply furious; *j-n über den ~en Klee loben* to praise s-b to the skies; *vom ~en Tisch aus* only in theory; *j-m nicht ~ sein* to bear s-b a grudge; *su* green; greenery, verdure; *im ~en* in country surroundings; ~**donnerstag** Holy Thursday; ~**en** to grow green, to sprout; *fig* to prosper, to thrive; ~**fink** greenfinch; ~**futter** green fodder; ~**kern** green rye; ~**kohl** kale, borecole; ~**land** grass lands, meadows; ~**lich** greenish; ~**schnabel** greenhorn, unexperienced person; ~**span** verdigris; ~**specht** green woodpecker; ~**streifen** park strip; ~**zeug** greens, green-stuff, herbs

Grund ground, soil; base, basis, foundation; bottom; land, estate; valley; *fig* reason, ground, cause, motive; argument; *aus welchem ~?* for what reason?, why?; *im ~e* after all, at bottom; *im ~e genommen* after all, strictly speaking; *auf ~ von* on account of,

based on, on the strength of; *von ~ auf* completely, from the beginning; *auf den ~ gehen* to get to the bottom (*od* root) of, to investigate thoroughly; *in ~ und Boden verdammen* to condemn down to the ground; ~**akkord** fundamental chord; ~**begriff** fundamental idea (concept); ~**besitz** landed property, real estate; ~**besitzer** land owner; ~**buch** real-estate register, Land Register; ~**buchamt** Land Registry, land registration office; ~**ehrlich** thoroughly honest; ~**eis** ground-ice; ~**falsch** radically wrong; ~**feste** foundation (*in d. ~festen erschüttern* to shake to the very f.s), basis; ~**fläche** base, area, basal surface; ~**gedanke** fundamental idea; ~**gehalt** basic salary; ~**gesetz** fundamental (*od* basic) law; the Basic Law; ~**herr** lord of the manor; ~**ieren** to prime; to size; ~**ierschicht** priming coat; ~**industrie** basic industry; ~**kapital** capital stock, nominal capital; ~**lage** foundation, base; ~**lagenforschung** basic research; ~**legend** basic, fundamental, bedrock; ~**los** bottomless, baseless; unfounded, groundless; ~**recht** basic right; *pl* civil rights; ~**riß** ground-plan, sketch, outline; compendium; ~**satz** principle; ~**sätzlich** fundamental; *adv* on principle; as a matter of principle; ~**schuld** land charge, mortgage; ~**schule** primary (*od* elementary) school; ~**stein** foundation-stone; ~**steuer** land tax, real estate tax; ~**stimmung** underlying tone; ~**stock** basis, foundation, stock; ~**stoff** basic material, raw material; ~**stoffindustrie** basic industry; ~**stück** plot of land, site, piece of real estate; ~**stücksmakler** real-estate broker, *BE* estate agent; ~**ton** ♪ key-note (*a. fig*); ~**vermögen** real property; ~**verschieden** entirely different; ~**wasser** ground-water; ~**wasserspiegel** ground-water level (*od* table); ~**zahl** cardinal number, unit; ~**zug** characteristic, main feature

gründ|en to found, to establish; *(Firma)* to float, to promote; *refl (auf)* to rest on, to be based on; ~**er** founder; promoter; ~**lich** thorough; solid, profound; careful; ~**lichkeit** thoroughness, solidity; ~**ung** foundation, establishment

grunzen to grunt

Grupp|e group, section, category, class; batch, bevy; ~**enmord** genocide; ~**enunterricht** group work, team work; ~**enweise** in sections, in groups; ~**ieren** to group, to arrange; *refl* to form groups; to be arranged (*od* grouped)

Grus coal-slack; ~**elig** uncanny; creepy; ~**eln:** *mich ~elt* my flesh creeps

Gruß greeting; *mil* salute; *j-m freundliche ~e bestellen* to give (*od* send) s-b one's love; ~**botschaft** welcoming message; ~**en** to greet; *mil* to salute; *j-n ~en lassen* to give (*od* send) one's love (*od* regards) to; *~en Sie Ihre Mutter von mir* remember me to your mother

Grütze groats, grits; *fig umg* brains, gumption; *rote ~* fruit shape

guck|en to look, to peep; ~**loch** peep-hole, spy-hole

Guillotin|e guillotine; **~ieren** to guillotine
Gulasch goulash; **~kanone** *mil umg* field-kitchen
Gulden florin; *holländischer ~* guilder
gültig valid; binding; in force; current, good; available; *~ ab* effective as from; **~keit** validity, currency; legality; availability
Gummi rubber; india-rubber; gum; **~absatz** rubber heel; **~band** elastic (band); **~baum** gum-tree; **~eren** to gum; **~erung** gumming; **~handschuhe** rubber gloves; **~knüppel** *BE* truncheon, *US* nightstick; **~mantel** mac(kintosh), waterproof; **~schuhe** galoshes; **~sohlen** rubber soles; **~stiefel** rubber boots; **~zelle** padded cell; **~zug** elastic
Gunst kindness; favour; partiality; *zu ~en von* in favour of, for the benefit of, *(Konto)* to s-b's credit; **¨ig** favourable, propitious, benign; advantageous, good; convenient; **¨ling** favourite
Gurgel throat, gullet; **~n** to gargle; **~wasser** gargle
Gurke cucumber; *(Essig-)* gherkin
gurren to coo
Gurt girth, strap; girdle, belt; **¨el** belt (*d. ¨el enger schnallen* to tighten one's b.), girdle; **¨elrose** ⚕ shingles; **¨eltier** armadillo; **¨en** *refl* to gird
Guß ⚙ casting, founding; *(Regen)* downpour, torrent; 🕮 fount; ♦ *aus e-m ~* a perfect whole; **~eisen, ~eisern** cast iron; **~stahl** cast steel
gut good; kind, good-natured, friendly; pleasant, beneficial; *adv* well; *~!* all right!; *~ u. gern* easily, fully, quite; *kurz u. ~* in short; *es ~ meinen mit j-m* to mean well by s-b; *es ist ~* that'll do, all right; *schon ~* never mind; *für ~ finden* to think proper; *im ~en* amicably, friendly; *Ende ~, alles ~* all's well that ends well; *mir geht es ~* I'm well; *es ~ haben* to be well off; *das ~e* the good (thing); *die ~en* the good; *su* property; asset; commodity; farm, estate; **~achten** (expert) opinion; **~achter** expert; valuer, assessor; **~artig** good-natured; ⚕ benign; **~dünken** opinion, discretion (*nach ~ dünken* at d.); **~gehend** flourishing; **~gelaunt** in a good temper, in good spirits; **~gläubig** credulous; **~haben** (credit) balance; assets; **~heißen** to approve of, to sanction; **~herzig** kind-hearted; **~machen** to make up for, to make amends for, to compensate for; to repair; **~mütig** good-natured; **~mütigkeit** good nature; **~sagen** to be security (for); **~sbesitzer** landowner, gentleman farmer; **~schein** voucher; token; scrip; **~schreiben** to credit; *j-m etw ~schreiben* to credit s-b with; **~schrift** credit (note); **~sherr** lord of the manor, squire; **~shof** farm, estate; **~sverwalter** estate manager, steward; **~tun** to do s-b (a lot of) good; **~willig** ready, willing, voluntary
Güt|e kindness, goodness; quality, excellence; grade, class; *du meine ~e!* my goodness!, bless my soul!, good gracious!; **~ig** kind, good; benevolent, benignant; **~lich** amicable, friendly; *sich ~lich tun* to enjoy, to indulge in
Güter goods, merchandise, commodities; **~abfertigung** goods office; **~bahnhof** goods station, *US* freight yard; **~gemeinschaft** joint property; **~makler** estate agent; **~trennung** division of property; **~wagen** van, truck; *BE* goods waggon, *US* freightcar; **~zug** *BE* goods train, *US* freight (train)
Guttapercha gutta-percha
Gymnasi|albildung classical education; **~ast** pupil of a secondary (grammar) school; **~um** secondary school, grammar school
Gymnast|ik callisthenics, setting-up exercises; **~isch** gymnastic
Gynäkolog|e gynaecologist; **~ie** gynaecology

H

H (the letter) H; ♪ B (natural); **H-Dur** B major; **h-Moll** B minor
Haar hair; *(Tiere a.)* wool; *(Tuch)* nap, pile; *(Pelz)* coat ♦ *an e-m ~ hängen* to be touch-and-go (whether; with); *um e. ~* within a hair's breadth; very nearly, narrowly; *s. d. ~e machen* to do one's hair ♦ *~e lassen (müssen)* to get fleeced, to suffer loss; *~e auf d. Zähnen haben* to be a tough customer; *aufs ~* exactly, precisely; *s. in d. ~en liegen* to be at loggerheads with, to be at daggers drawn; *kein gutes ~ an e-m lassen* to pull s-b to pieces, to cut s-b up mercilessly; *bis aufs ~* to a hair's breadth; *s. in d. ~e geraten* to come to blows; *e. ~ in d. Suppe finden* to find a fly in the ointment; *um kein ~ besser* not a whit better; *um e. ~ treffen* to miss by a hair; *an d. ~en herbeigezogen* far-fetched; **~ausfall** loss of hair; **~band** hair-lace, bandeau; **~bürste** hairbrush; **~büschel** tuft of hair; **~en** to lose hair; **~esbreite:** *um ~esbreite* by a hair's breadth; **~genau** very exact, meticulous; dead true; **~ig** hairy, haired; *umg* stunning, tough; **~klammer** hair-grip, bobby pin; **~klein** minutely, in full detail; to a hair; **~künstler** hairdresser, *US* hair stylist; **~nadel** hairpin; **~scharf** keen-edged, very sharp; very exact; **~spalterei** hair-splitting; **~sträubend** hair-raising, startling, shocking; **~trockner** hair-dryer; **~waschen** shampoo(ing); **~waschmittel** shampoo; *(Tube)* cream shampoo; **~wasser** hair tonic
Hab|e property; belongings, effects; *bewegliche ~e* movables; *unbewegliche ~e* immovables; *~ u. Gut* goods and chattels, *umg* bag and baggage; *mit ~ u. Gut* with all one's belongings; **~en** to have, *umg* to have got; *(besitzen)* to own, to possess; *(bekommen)* to get; *(vorrätig)* to (keep in) stock; *zu ~en sein* to be obtainable, to be had; *s. ~en* to be fussy; *was ~e ich davon?* what good is it to me?, where do I come in?; *unter s. ~en* to be in charge of; *nichts auf s. ~en* to be of no consequence; *was hat er?* what is the matter with him?; *etw dagegen ~en* to mind, to object (to); *wo ~en Sie das her?* where did you pick that up?, who did you get this from?; *Sorge ~en* to worry; *Eile ~en* to

be in a hurry; *da hast du's!* there you are!; *hat s. was!* nonsense!; *Soll u. ~en* debit and credit; ~**enichts** have-not, pauper; ~**gier** greed(-iness); *(Geiz)* avarice; covetousness; ~**gierig** greedy; avaricious, covetous; ~**haft:** *e-r Sache ~haft werden* to obtain possession of, to seize; ~**seligkeiten** belongings; property; ~**sucht** avarice; ~**süchtig** avaricious

Habicht hawk; *(Hühner-)* goshawk

habilitieren *refl (etwa:)* to qualify for lecturing (in a university)

Habit official dress (of religious order)

Hack|beil chopper; ~**brett** chopping-board; ~**e** hoe, mattock; *(Fuß)* heel; *d. ~en zusammenklappen* to click one's heels; ~**en** *(Holz)* to chop; *(Fleisch)* to mince; *(picken)* to pick, to peck; ~̈**sel** chopped straw, chaff; ~**fleisch** minced meat; ~**frucht** root-crop; *pl* potatoes and root-crops

Hader *(Zank)* quarrel, dispute; *(Lumpen)* rag; ~**n** to quarrel, to dispute, to argue; ~**lumpen** = ~

Hafen port, harbour; haven *(a. fig; ~ of marriage)*; *fig* shelter; *e-n ~ anlaufen* to make a port, to call at a port; *aus e-m ~ auslaufen* to leave port; ~**anlagen** port installations *(od* facilities); docks; ~**arbeiter** docker, dockyard labourer, longshoreman; ~**damm** jetty, mole; ~**polizei** harbour police; ~**sperre** embargo; *(im Krieg)* blockade; ~**stadt** seaport, port-town; ~**überwachung** port control

Hafer oats; ~**brei** porridge; ~**flocken** rolled *(od* flaked) oats, Quaker oats; ~**grütze** groats; ~**schleim** gruel

Haff (Baltic Sea) bay

Hafner potter and tiled-stove maker

Haft detention; custody; arrest; imprisonment; *in ~* under arrest, in custody, committed; *in ~ nehmen* to put under arrest, to take into custody; ~**bar** liable *(für* for), responsible *(für* for); ~ *bar machen* to hold liable (responsible) for; ~**befehl** warrant of arrest; ~**en** *(kleben)* to adhere (to), to cling (to), to stick (to); *(einstehn)* to be liable, to be responsible (for); to stand security (for); to answer (for); ~**grund** reason for arrest; ~**gläser** contact lenses; ~̈**ling** prisoner; detainee; ~**pflicht** liability, responsibility; ~**pflichtig** liable, responsible; ~**pflichtversicherung** liability insurance; third-party insurance; ~**ung** liability, responsibility; ✿ adhesion; *chem* adsorption; *mit beschränkter ~ung* with limited liability; *e-e ~ung übernehmen* to undertake *(od* assume) a responsibility; ~**vollzug** imprisonment

Hag hedge; grove; ~**ebutte** hip, haw; ~**edorn** hawthorn; ~**estolz** confirmed bachelor

Hagel hail; *fig* shower; ~**korn** hailstone; ~**n** to hail; ~**schlag,** ~**wetter** hailstorm

hager *(mager)* thin, lean; *(abgezehrt)* haggard, worn, emaciated; ~**keit** leanness, thinness; emaciation

Häher jay

Hahn cock; *(Sperrhahn)* stopcock; *(Gefäß)* tap; *(Hydrant)* cock ♦ *~ im Korbe* cock of the

roost *(od* walk); ~̈**chen** cockerel; ~**enfuß** crowfoot; ~**enkamm** cock's comb, crest; *bot* cockscomb; ~**enschrei** crowing of the cock, cock-crowing; *mit d. ersten ~enschrei* at daybreak, at cock-crow; ~**rei** cuckold

Hai(fisch) shark

Hain grove, wood

Häkel|arbeit crochet work; ~**garn** crochet yarn; ~**n** to crochet; ~**nadel** crochet needle

Haken hook; *(Kleider)* peg; *(Liste)* mark, tick; *(Hase)* double; *(Boxen)* hook; *fig* catch, snag; *vb* to hook on; *e-n ~ schlagen* to double; *~ und Öse* hook and eye; ~**kreuz** swastika, fylfot

halb half; *adv* half, by halves; *(in Zssg)* half-, semi-; *~ zwei* half past one; *e. ~es Pfund* half a pound; *auf ~em Wege* midway, halfway; *auf ~er Höhe* halfway up; *~ so schlimm* nothing to get excited about; *~ soviel* half as much; *~ und ~* half and half, fifty–fifty, *umg* more or less, half; *~ e Note* ♪ minim, *US* half note; *~ e Pause* minim rest, *US* half rest; ~**amtlich** semi-official; ~**bildung** superficial education; smattering (of knowledge); ~**blut** half-caste; half-blood; ~**dunkel** dusk, twilight; ~**edelstein** semi-precious stone; ~**er** *prep* for the sake of; on account of, for; by reason of; ~**fertigwaren** semi-finished goods *(od* products); ~**fett** ⌑ bold (print); ~**gebildet** semi-literate, half-educated; ~**gott** demigod; ~**heit** incompleteness, imperfection; half-measure; ~**ieren** to halve, to cut in half; *math* to bisect; ~**insel** peninsula; ~**jährig** six months old; of *(od* lasting) six months; ~**jährlich** half-yearly, biannual; ~**kreis** semicircle; ~**kugel** hemisphere; ~**laut** in an undertone; low; ~**leder** half-calf; ~**lederband** half-calf binding; ~**leinenband** half-cloth binding; ~**messer** radius; ~**militärisch** paramilitary; ~**monatlich** bimonthly, biweekly; *BE a.* fortnightly; ~**mond** crescent moon, half-moon; ~**part:** *~part machen* to go halves; ~**rund** semi-circular, half-round; ~**schlaf** doze, drowsy sleep; ~**schuh** (low) shoe, slipper, oxford; ~**strumpf** sock; ~**tagsarbeit** part-time work *(od* job); ~**waise** fatherless (motherless) child; ~**wegs** midway, halfway; *(leidlich)* tolerable; ~**welt** demi-monde; ~**wertzeit** half-life; ~**wöchentlich** biweekly; ~**wüchsig** half-grown, teenage; adolescent; ~**zeit** half(-time)

Halde slope, hillside; *(Schutt)* waste heap; *min* dump; pithead; ~**nbestand** *(Kohle)* pithead stocks

Hälfte half; *s-e bessere ~* his better half; *zur ~ half of; bis zur ~* to the middle

Halfter halter; ~**n** to tie by the halter

Hall sound, peal, clang; ~**en** to sound, to resound

Halle hall; porch; *(Vorhalle)* vestibule; *(Vorbau)* veranda, porch; *(Hotel)* lounge, lobby; 🏛 covered court; ✈ hangar; ~**nbad** indoor swimming-pool; baths; ~**nhandball** indoor hand-ball; ~**nsport** intramural athletics, indoor sports

Hallig marsh-islet, holm

hallo! hallo(o)!, hello!; I say!, hey!, hey there!, *US* say!; ♥ hello! are you there? *su* hullabaloo

Halm blade; *(Stroh)* straw; *(Stengel)* stalk; ~**früchte** cereals

Hals neck; *(Kehle)* throat *(e-n rauhen ~ haben* to have a sore th.) ♦ ~ *über Kopf* headlong, helter-skelter, head over heels; *steifer ~* stiff neck; *aus vollem ~e* loudly, immoderately; *um d. ~ fallen* to fly into s-b's arms ♦ *bis an d. ~, bis zum ~e* up to one's neck, over head and ears; *auf d. ~ haben* to be saddled with; *s. vom ~e schaffen* to get rid of; *j-m zum ~e heraushängen* to be bored to death with, to be sick of (fed up with) s-th; *d. kostet ihn d. ~* that will cost his life; *s. d. ~ verrenken (um etw zu sehen)* to crane one's neck; ~**abschneider** cutthroat; ~**ader** jugular vein; ~**band** necklace, collar; ~**binde** tie; ~**brecherisch** dangerous, risky, perilous; **breakneck** (speed); ~**entzündung** sore throat, inflammation of the throat; ~**krause** frill, ruffle; ~**länge:** *um eine ~länge* by a neck; ~**schmerzen, ~weh** sore throat; ~**starrig** stubborn, obstinate; ~**tuch** neckerchief; scarf; muffler

Halt stop, halt; *(Stand)* foothold, footing; *(Festhalten)* hold; *(Stütze)* support; *fig* steadiness, firmness; *interj* stop!; *ohne ~* unsteady, unstable; *d. ist ~ so* that's just the way it is; ~**bar** tenable; *(dauerhaft, fest)* durable; lasting; *fig* defensible; ~**barkeit** durability, solidity; *fig* defensibility; ~**en 1.** *vt (fest-)* to hold; *(stützen)* to support; *(Fest etc)* to celebrate; *(behalten)* to keep; *(beachten)* to observe; *(folgen)* to follow; *(Rede)* to deliver; *(Zeitung)* to take in; *(halten für)* to think, to take for; **2.** *vi* to stop; *(haltbar sein)* to last; *(Eis)* to bear; *refl* to keep (o.s.); *(aushalten)* to hold out, to endure; *(fortfahren)* to continue; *(Körper)* to carry; *an s. ~en* to restrain o.s.; *s. an etw ~en* to hold on (to); to keep to, to comply with; *es mit j-m ~en* to be on s-b's side; to hold *(od* side) with s-b; *viel ~en von* to think highly of; *schwer~en* to be difficult; *s. links ~en* to bear to the left; *s. ~en, wie man will* to do as one likes *(od* pleases); to suit o.s.; *s. an d. Regeln ~en* to adhere to *(od* observe) the regulations; *auf Lager ~en* to keep in stock; *seinen Mund ~en* to hold one's tongue, to keep one's mouth shut; *s. abseits ~en* to hold o.s. aloof; *bereit ~en* to hold in readiness; *was ~en Sie davon?* what do you make of it?; *s. in d. Nähe ~en* to keep near, *sl* to hang *(od* stick) around; ~**er** holder; ✝, 🚗 legal owner; *(Stütze)* support, hold; *(Griff)* handle; ✿ clamp, clip; ~**estelle** stop; 🚋 station; ~**etau** mooring cable; guy-rope; ~**everbot** „stopping prohibited"; ~**los** without support; unsteady, unstable; *(pflichtvergessen)* unprincipled; *(unhaltbar)* untenable; ~**losigkeit** instability; unsteadiness; absurdity; ~**machen** to stop, to halt; to pause; ~**ung** *(Körper)* carriage, bearing; *(Einstellung)* attitude; *(Benehmen)* conduct, behaviour, demeanour; *(Beherrschung)* control; *~ung annehmen*

(mil) to come *(od* to snap) to attention; *ruhige ~ung* composure

Halunke rogue, rascal, scoundrel

Hamamelis witch-hazel, *BE a.* wych-hazel

Hamen fishing-hook; net

hämisch spiteful, malicious; ~ *lächeln* to sneer

Hammel wether; ~**beine:** *j-m d. ~beine langziehen* to lick s-b into shape; ~**braten** roast mutton; ~**fleisch** mutton; ~**rippchen** mutton chop

Hammer hammer ♦ *unter d. ~ kommen* to be sold by auction; *(Krocket)* mallet; *(Eisenschmiede)* forge; ~**n** to hammer; ~**schmied** blacksmith; ~**werfen** hammer throw, throwing the hammer

Hämorrholden haemorrhoids, piles

Hampelmann puppet, jumping-jack

Hamster hamster; ~**er** hoarder, grabber; ~**n** to hoard

Hand hand; *unter d. ~* secretly; from under the counter; *~ legen an* to set to work upon ♦ *j-s rechte ~* right-hand man; *~ anlegen* to bear a hand; *~ an s. legen* to commit suicide; *letzte ~ anlegen* to put the finishing touches to; *~ u. Fuß haben (fig)* to hold water; to be to the purpose; *d. ~ im Spiele haben* to have a finger in the pie; *an d. ~ geben* to deliver *(goods)* for sale or return; *j-m d. ~ geben* to shake hands with; *d. ~e in d. Seite stemmen* to set one's arms akimbo ♦ *e-e ~ wäscht die andere* one good turn deserves another; *s-e ~e in Unschuld waschen* to wash one's hands of s-th; *an d. ~ (zur ~) gehen* to help, to lend a hand; *auf d. ~ liegen* to be clear, to be obvious; *an ~ von* with the aid of; by means of, on the basis of; *bei d. ~ sein* to be ready; to be handy; *von d. ~ gehen* to work well; *aus zweiter ~* second-hand, used; *von langer ~ vorbereiten* to prepare beforehand; *von d. ~ weisen* to reject, to decline ♦ *e. Spatz in d. ~ ist besser als e-e Taube auf dem Dach* a bird in the hand is worth two in the bush; *auf ~en tragen* to spoil, to treat with great care; *mit ~en und Füßen* with might and main; *öffentliche ~* public authorities; ~**arbeit** manual work; needlework; sewing, knitting and crochet work; ~**ball** handball; ~**bibliothek** reference library; ~**breit** of a hand's breadth; ~**breite** handbreadth; ~**bremse** handbrake; ~**druck** shaking *(od* clasp) of the hands, shake-hands; ~**feger** brush, broom; ~**fertigkeit** manual skill; dexterity; ~**fesseln, ~schellen** handcuffs; ~**fest** robust; sturdy; ~**feuerwaffen** small arms; ~**fläche, ~teller** palm of the hand; ~**geld** earnest; *(Vorschuß)* advance; ~**gelenk** wrist; ~**gemein:** *~gemein werden* to come to blows; ~**gemenge** hand-to-hand fighting, skirmish, scuffle; ~**gepäck** hand luggage; ~**gerecht** handy; ~**granate** hand grenade; ~**greiflich** obvious, manifest; *(fühlbar)* palpable; ~*greiflich werden* to use one's fists; ~**greiflichkeit** act of violence, assault; ~**griff** handle; manipulation; ~**habe** handle, hold; *fig* ways, means; ~**haben** to handle, to manage; ~**koffer** suitcase, (travelling) bag; ~langer handy-man, odd job man; accomplice; ~lesekunst palmistry; ~lich handy, manageable; ~pferd led horse; ~reichung assistance, help; ~rücken back of the hand; ~satz ⬚ hand composition, hand setting; ~schlag shake of the hand, hand-shake; ~schrift handwriting; hand; manuscript; ~schriftendeutung graphology; ~schriftlich written, in writing; manuscript; ~schuh glove; ~streich surprise (od sudden) attack, coup de main; ~tasche handbag; ~tuch towel; ~tuchhalter towel-horse, towel-rail; ~umdrehen: im ~umdrehen in a jiffy, in (next to) no time; ~werk handicraft, craft; trade ♦ j-m d. ~werk legen to put a stop to s-b's game; ~werker craftsman; artisan; ~werklich relating to handicraft; ~werksbursche, -geselle travelling journeyman; ~werkskammer Chamber of Handicrafts; ~werksmäßig workmanlike; ~werkszeug tools, implements; ~wurzel wrist; § carpus; ~zeichnung (free-hand) drawing; ~zettel hand-bill, US dodger

Handel trade (mit in, nach with); commerce, traffic; (Geschäft) bargain, business, transaction; (Markt) market; traders; im ~ on the market; ~ treiben to trade; e-n ~ abschließen to conclude (od strike) a bargain; ~ u. Gewerbe trade and industry; ~ u. Handwerk trade and handicraft; ~ u. Wandel trade and commerce, living conditions; ~bar negotiable; ~n to act, to do; ~n von to treat of, to deal with, to be about; ~n mit to trade (od do business) with; to deal in; ~n um to bargain for, to haggle for; s. ~n um to be a matter of, to be a question of; su action; trade; dealing; ~sabkommen trade agreement; ~sbank commercial bank; ~sbedingungen terms of trading; ~sbilanz balance of trade; ~sdampfer cargo steamer, merchantman; ~seinig werden to come to terms; ~sflotte merchant fleet; ~sgärtnerei market-garden; ~sgeist commercialism; ~sgenossenschaft trading co-operative; ~sgericht commercial court; ~sgerichtlich eingetragen legally registered; ~sgewicht avoirdupois weight; ~sherr principal; wholesale merchant; ~skammer BE Chamber of Commerce, US Board of Trade; ~skredit commercial credit; ~smarine merchant marine; ~smarke trademark; ~smäßig relating to trade; from the trade point of view; ~spolitisch from the point of view of trade policy; ~srecht commercial law; ~srechnung commercial invoice; ~sschiff merchant-vessel; ~sschule commercial school; ~sspanne trade margin; ~steil (Zeitung) financial section, commercial section; ~süblich customary in trade, in accordance with ordinary trade usage; ~sunternehmen commercial enterprise; ~svertrag commercial treaty, trade agreement; ~swechsel commercial bill; ~sweg trade route; pl a. channels of trade; ~treibend trading

Händel quarrel; ~ suchen to pick a quarrel; ~süchtig quarrelsome

Handikap 🐎, fig handicap

Händler dealer; trader; tradesman; merchant

Handlung act, action; (Tat) deed; (Geschehen) story; ☙ plot; transaction; (Geschäft) shop; business; trade; strafbare ~ punishable act, criminal offence; ~sreisender commercial traveller, travelling salesman; ~sunkosten business expenses; ~sweise way of acting; method of dealing

hanebüchen unheard of; preposterous

Hanf hemp; ~en hempen; ~ling linnet; ~seil manila rope, hemp(en) rope

Hang slope; fig tendency (to), inclination (to); trend; propensity; bent (zu for)

Hänge|bauch paunch, potbelly; ~boden loft; hanging floor; ~brücke suspension bridge; ~kartei vertical file; ~lampe hanging lamp; ~matte hammock; ⚓ cot; ~n vt to hang, to suspend, to attach, to fix; vi to hang, to be suspended; (kleben) to adhere (to), to stick (to); (befestigt) to be attached (to); fig to depend (on) ♦ d. Mantel nach d. Winde ~n to sail with the wind; ~nbleiben to be caught (by, on)

hänseln to tease, umg to rib

Hansestadt Hanse (Hanseatic) town (city)

Hans|narr tomfool; ~wurst buffoon, clown; d. ~wurst spielen to play the fool

Hantel dumb-bell; (Gewichtheben) bar

hantier|en to handle, to operate, to manipulate; to manage; ~ung manipulation, handling

haper|n to stick; to be amiss, to be wrong; es ~t mit etw there is s-th wrong

Happ|en mouthful, piece, morsel; ~ig greedy

Happy End happy ending

Harfe harp; ~nist, Harfner harpist

Harke rake ♦ j-m zeigen, was e-e ~ ist to show s-b what's what; ~n to rake

Harm grief, affliction; (Kränkung) insult, injury, wrong; ~en refl to grieve (about), to worry (about), to fret (over); ~los harmless, inoffensive, innocuous; quiet; tame; ~losigkeit harmlessness; innocence

Harmon|ie harmony (a. fig); ♪ concord; ~ielehre theory of harmony; ~ieren to harmonize (a. fig); fig to agree with; ~ika (Mund-) mouth-organ, harmonica; (Zieh-) accordion, concertina; ~isch harmonious (a. fig), harmonic; ~ium harmonium, US a. reed organ

Harn urine, water; ~blase bladder; ~en to urinate, to pass water; ~fluß incontinence of urine; ~glas urinal; ~röhre ureter; ~säure uric acid; ~stoff urea; ~treibend diuretic

Harnisch armour, harness; in ~ geraten to fly into a rage; in ~ bringen to infuriate

Harpun|e harpoon; ~ieren to harpoon

harren to wait, to await

harsch harsh, hard, rough; ~schnee crusted snow

hart hard; (fest) firm, solid; (streng) severe; (gefühllos) ruthless; cruel; ~ an hard by, close to; ~faserplatte fibreboard; ~futter oats and grain; ~geld coins, metallic currency; ~gesotten hard-boiled; fig inflexible, hardened; ~gummi hard rubber, ebonite; ~guß chill(ed) casting; ~herzig hard-hearted, adamant; ~herzigkeit hard-heartedness; ~holz hardwood; dogwood; ~hörig hard of hearing, rather deaf; ~köpfig headstrong; ~leibigkeit constipation, costiveness; ~näckig obstinate, stubborn; (Krankheit) chronic; ~näckigkeit pertinacity, stubbornness; ~riegel cornel; dogwood; ~spiritus solid alcohol

Härte hardness; (Gemüt) roughness, cruelty; (Schicksal) severity, hardness; ~fall case of hardship; extreme case; hardship; ~n to harden; (Stahl) to quench

Harz resin; rosin; ~ig resinous

Hasard hazard; ~spiel game of chance, gambling

Hasch|ee hash; ~ieren to hash

haschen to catch, to seize; to snatch at; fig to strive for, to aspire to; to take hashish

Häscher bailiff; catchpole

Has|e hare; fig coward; falscher ~ e meat roll ♦ da liegt d. ~ e im Pfeffer there's the rub; sehen, wie d. ~ e läuft to see how the cat jumps; ~enbraten roast hare; ~enfuß coward; poltroon; scared cat; ~enhund harrier; ~enklein jugged hare, hare-ragout; ~enpanier: d. ~ enpanier ergreifen to take to one's heels; ~enscharte harelip; ~in doe, female hare

Hasel|huhn hazel-hen; ~maus dormouse; ~nuß (Baum) hazel; (Frucht) hazel-nut, filbert, (große) cobnut

Haspe hasp, hinge; staple; ~l (Garn) reel; (Winde) windlass; winch; ~ln to reel

Haß hatred, hate; animosity; (Zorn) spite; seinen ~ an j-m auslassen to vent one's spite upon s-b; aus ~ gegen out of hatred of, out of spite against

hassen to hate; to detest; ~swert hateful, odious

häßlich ugly, hideous, nasty; ~keit ugliness; (Charakter) badness

Hast hurry, haste; (Überstürzung) precipitation; ~en to hurry, to hasten; ~ig hurried, hasty; (überstürzt) precipitate; ~igkeit hastiness; precipitation

hätscheln to caress; to coddle, to pamper; to pet

hatschi! atishoo!, kerchoo!

Haube cap, hood; 🚂 bonnet, US hood; ✝ cowling ♦ unter die ~ bringen to marry off; ~nlerche crested lark

Haubitze howitzer

Hauch breath; (Luft) breeze, whiff; fig touch, trace, spirit; ~dünn filmy; ~en to breathe; (blasen) to blow; (leise sprechen) to whisper softly; gram to aspirate; ~laut aspirate; ~zart delicate; flimsy, filmy

Hau|degen broadsword; fig warrior, bully; alter ~degen battle-scarred old fellow; ~e hoe; pick; mattock; fig thrashing, spanking; ~en (Bäume) to hew, to chop; (schlagen) to beat, to hit; umg to thrash, to spank; (Steine) to break; (ausmeißeln) to carve; refl to fight; um s. ~en to lay about one ♦ j-n übers Ohr ~en to cheat s-b, to take s-b in; ~er hewer, cutter; woodcutter; zool fang, tusk

Hauf|en heap; pile; (Zahn) quantity; great number; (Menschen) crowd; (Masse) mass; (Partie) batch; lot ♦ über d. ~en werfen to upset, to overthrow, to throw aside; ~enweise in (od by) heaps, in crowds; ~eln to heap; (Kartoffeln) to earth; ~en to heap, to pile up, to accumulate; refl to multiply, to increase; ~ig frequent; abundant; adv often, frequently; ~igkeit frequency; ~ung accumulation

Haupt head; (Oberhaupt) chief, leader; (Geschäft) principal; (in Zssg) chief, main, principal; d. ~ entblößen to uncover one's head, to take off one's hat; aufs ~ schlagen to defeat totally; zu ~en at the head of; ~amtlich, ~beruflich full-time, whole-time; ~anliegen main objective; ~aufgabe main task; ~ausschuß main committee; ~bahnhof main (od central) station; ~bedeutung primary meaning; ~bestandteil chief constituent; principal ingredient; ~buch ledger; ~darsteller leading man (lady); ~ernährer main breadwinner; ~fach principal subject, US major; als ~fach belegen to major in; ~hahn main tap, main cock; ~leitung (Wasser, Gas etc) mains; ~ling chieftain, captain; ~mann captain; (Flieger) flight lieutenant; ~merkmal chief characteristic, characteristic feature; ~nenner math common denominator; ~niederlassung head establishment; ~note, ~gedanke key-note; ~person principal person; 🎭 leading character; ~postamt general post office; ~probe 🎭 dress rehearsal; full rehearsal; ~quartier headquarters; ~rolle leading part, lead; ~sache main thing, main point; ~sächlich principal, chief, main; adv mainly, especially; ~schlagader aorta; ~stadt capital; metropolis; ~städtisch metropolitan; ~träger main support; main factor; chief person (institution) carrying responsibility for; ~treffer (Lotterie) first prize; ~verkehrszeit rush hours; ~versammlung general meeting; (AG) shareholders' meeting; ~verwaltung head office; chief administration; ~wort noun, substantive

Haus house; building; (Wohnung) home, dwelling; (Familie) family; firm; freistehendes ~ detached house; öffentliches ~ brothel, house of low repute; im ~ indoors; aus d. ~ e, außer ~ e out of doors; nach ~ e home; zu ~ e at home (a. fig: at h. in a subject); von ~ e aus originally; d. ~ hüten to be confined to the house; d. ~ bestellen to put one's house in order; nicht zu ~ e sein not to be in; s. Tür; ~ an ~ mit j-d wohnen to live next to s-b; ~angestellte servant; ~apotheke medicine chest; ~arbeit house-work; pl chores; ~arzt family doctor; (Krankenhaus) resident medical officer; (Kurhaus) resident doctor; ~aufgabe homework; ~backen home-made; fig prosaic; plain; ~besetzer squatter; ~besitzer houseowner; possessor of a house; ~boot barge, house-boat; ~brand domestic fuel (od coal); ~dame lady housekeeper; ~eigentümer houseowner, landlord; ~en to dwell, to live, to reside; fürchterlich ~en to play havoc, to ransack, to ravage; **~flur** hall, corridor; **~frau** housewife; landlady; **~friedensbruch** unlawful entry; **~halt** household; budget; **~halten** to keep house; *(sparsam)* to husband, to economize ♦ *mit seinen Kräften nicht ~ halten* to burn the candle at both ends; **~hälterin** housekeeper; **~hälterisch** economical; **~haltsausschuß** committee of ways and means; **~haltsführung** running of the house; housekeeping; **~haltsgerät** domestic appliance; **~haltsjahr** financial year; **~haltsplan** *(Staat)* budget; *(Stadt)* finances; **~herr** master; landlord; **~ieren** to peddle, to hawk, to cadge; **~ierer** pedlar, *US* peddler; **~ierschein** pedlar's licence; **~lehrer** private tutor; **~mädchen** housemaid; **~mannskost** plain fare, plain cooking, **~marke** family mark; **~meister** caretaker, porter; janitor, superintendent; **~miete**, **~zins** rent; **~mittel** household remedy; **~rat** household goods *(od* equipment); **~sammlung** house-to-house collection; **~schlachtung** domestic slaughtering; **~schuh** slipper; **~schwamm** dry rot; **~stand** household; **~suchung** house search; raid; **~tier** domestic animal; **~tür** front door; **~wappen** family coat-of-arms; **~wirt** landlord; **~wirtschaft** *(Fach)* home economics; **~wirtschaftlich** economical; household; domestic; **~wirtschaftslehre** domestic science(s)

Häus|chen small house; cottage ♦ *aus d. ~ chen sein* to be beside o. s., to hit the ceiling; **~erblock**, **~erkomplex** block (of buildings); **~erkampf** house-to-house fighting; **~ermeer** ocean of houses; **~ler** cottager; **~lich** domestic, household; domesticated, home-loving; economical; **~lichkeit** home; family life; domesticity

Hausse advance (of prices), boom, bull movement; **~spekulant** bull; **~spekulation** bull operation

Haut skin; *(abgezogen)* hide; *(mit Haar)* coat; *(Schlange, abgeworfen)* slough; *(bei Flüssigkeit)* membrane *(a. $)*; film ♦ *ehrliche ~* honest fellow; *mit ~ u. Haar* completely, thoroughly; *e-e dicke ~ haben* to be thick-skinned; *s. s-r ~ wehren* to defend o. s.; *aus d. ~ fahren* to lose one's patience; *ich möchte nicht in Ihrer ~ stecken* I shouldn't like to be in your shoes; **~creme** cold cream, skin cream; **~en** *vt* to skin; to flay; *refl* to slough, to cast one's skin; **~farbe** complexion; **~erolle** severe manicure scissors, cuticle scissors; **~wasser** skin lotion

Havarie average, damage by sea

Heb|amme midwife; **~ebaum** lever; pole; crowbar; **~ekraft** leverage, purchase; **~el** lever, handle ♦ *alle ~el in Bewegung setzen* to leave no stone unturned; **~en** to lift, to raise, to heave (up); *(hochwinden)* to hoist; *math* to reduce; *(Ansehen)* to aggrandize; *(verbessern)* to improve; *refl* to rise; to improve; **~er** lever; *(Saug-)* siphon; **~esatz** rate of tax levied; **~ewerk** lifting--tackle, hoisting-gear; **~ung** raising; lifting; elevation; improvement; *(Stimmung)* encou-

ragement; *(Vermehrung)* increase; *(Ansehen)* aggrandizement; *(Silbe)* accented syllable

Hechel hackle; **~n** to hackle

Hecht pike ♦ *~ im Karpfenteich* pike in a fish-pond

Heck stern; 🚗 rear; ✈ tail

Heck|e hatch, brood, breed; *bot* hedge; **~en** to hatch, to breed; *fig* to devise; to concoct; **~enrose** wild rose, brier; **~enschütze** sniper

Hederich field mustard

Heer army *(stehendes ~* regular a.); *(Schar)* host; *(Menge)* mass, crowd; **~bann** levies; **~esbericht** official army communiqué; **~esdienst** army service, military service; **~esleitung:** *Oberste ~esleitung* Supreme Command Staff; **~eszeugamt** army supply depot; **~führer** general, army-leader; **~schau** review, parade

Hefe yeast, *(bes Bier-)* barm; *fig* scum; **~teig** (leavened) dough

Heft *(Griff)* handle, haft; *(Schwert)* hilt; *(Schreib-)* exercise-book, note-book; *(Schönschreib-)* copy-book; *(Druck-)* number, part; *(Broschüre)* pamphlet ♦ *d. ~ in d. Hand haben* to be master of the situation; **~el** hook; clasp; **~en** to fasten, to fix; *(feststecken)* to pin; *(anheften)* to baste, to tack; *(mit Garn)* to tack; to stitch; *(zus.heften)* to staple; *refl* to stick to; **~faden** tacking (basting) thread; **~klammer** paper-clip; **~maschine** stapler; **~nadel** stitching-needle; **~pflaster** sticking *(od* adhesive) plaster; adhesive; **~stich** tacking stitch; **~zwecke** drawing-pin, *US* thumbtack

heftig violent; *(stark)* strong; *(laut)* boisterous; *(Leidenschaft)* passionate; *(Kopfweh)* splitting; *(Streit)* acrimonious; *(Schmerz)* acute; **~keit** violence; vehemence; intensity

hege|n *(Wild)* to preserve; *(Pflanzen)* to nurse; *(pflegen)* to foster; to tend; to take care of; *(Gefühle)* to entertain, to cherish, to nourish; *Groll ~n* to bear a grudge; *Hoffnung ~n* to entertain hope(s); **~r** forester, (game)keeper; **~zeit** close season

Hehl secrecy, concealment; *kein ~ machen aus* to make no secret of; **~en** to conceal; to receive stolen goods; to fence; **~er** fence; **~erei** receiving of stolen goods

hehr sublime; high

Heiabett bye-bye

Heid|e heath; *eccl* pagan, heathen; **~ekraut** heather; ling; **~eland** heath, moor; **~elbeere** bilberry, whortleberry, blueberry; **~enangst** blue funk; **~engeld** pots *(od* no end) of money; **~enlärm** hullabaloo; **~entum** paganism; **~erose** wild rose, dog-rose; **~nisch** heathen(ish), pagan; **~schnucke** (German) heath-sheep; moorland sheep

heikel *(delikat)* delicate, ticklish; *(schwierig)* difficult; *(kritisch)* critical; *(wählerisch)* dainty, fastidious

heil *(unversehrt)* unhurt, intact, unscathed; safe and sound; *(geheilt)* healed, cured, restored; *su* welfare; *(Glück)* happiness; *eccl* salvation; *interj* hail!; *im Jahr d. ~ s* in the year of grace; *sein ~ versuchen* to try one's luck; *sein*

~ *in d. Flucht suchen* to seek safety in flight; ~ *d. König!* God save the king!; ~ *dem, der*... blessed be he who...; ~**and** Saviour, Redeemer; ~**anstalt** sanatorium; hospital; *(privat)* nursing home; ~**bad** spa, watering--place; ~**bar** curable; ~**bringend** salutary, wholesome; ~**butt** halibut; ~**en** *vt* to cure; *vi* to heal; ~**froh** jolly glad, delighted; ~**gehilfe** surgical *(od* medical) assistant; ~**gymnastik** physical therapy, physiotherapy; remedial exercises; ~**gymnastiker** physiotherapist; ~**kräftig** curative, restorative; ~**kraut** medicinal herb; ~**kunde** medical science, therapeutics; ~**kundig** skilled in medicine; ~**los** wicked; hopeless; terrible; ~**mittel** remedy, medicament; drug; ~**quelle** mineral spring, medicinal spring; ~**sam** salutary, wholesome; *fig* beneficial, good; ~**sarmee** Salvation Army; ~**serum** antitoxic serum, antitoxin; ~**sgeschichte** Life and Sufferings of Christ; ~**stätte** sanatorium; ~**ung** healing, cure; recovery; ~**verfahren** medical treatment; therapy

heilig holy, godly, saintly; sacred, hallowed; ~**abend** Christmas Eve; ~**en** to sanctify, to hallow; to keep holy; *(rechtfertigen)* to justify, to sanction; *d. Zweck ~t d. Mittel* the end justifies the means; ~**enschein** halo; ~**er** saint; ~**keit** holiness, godliness, sanctity (~*keit d. Verträge* s. of treaties); sacredness; ~**sprechen** to canonize; ~**sprechung** canonization; ~**tum** shrine, sanctuary; *(Gegenstand)* relic; ~**ung** sanctification; consecration

heim *adv* home; *su* home; *(Wohnung)* dwelling; *(Gemeinschaft)* centre; *(karitativ)* asylum; ~**arbeit** outwork; cottage industry; ~**arbeiter** outworker, person working in his own home; ~**chen** cricket; ~**fahrt** return journey; ~**fall** 𝄢 reversion; ~**führen** to take home; to marry; ~**gang** death, decease; ~**gegangen** deceased; ~**isch** home, domestic; *(eingeboren)* native, indigenous; *(vertraut)* familiar; at home; ~*industrie* home industry; ~**kehr** return, homecoming; ~**kehren** to come back, to return home; ~**kehrer** homecomer; repatriated prisoner of war; ~**lich** secret; *(verstohlen)* furtive, stealthy; ~*lich, still u. leise* on the quiet; *(versteckt)* clandestine, backdoor, hidden; *(privat)* private; *(heimelig)* snug, comfortable; ~**lichkeit** secrecy; secret; ~**stätte** home; ~**suchen** *(Geister)* to haunt; *eccl* to visit; to inflict; to trouble; to plague; ~**suchung** visitation; *fig* trial; misfortune; ~**tücke** malice; ~**tückisch** malicious; insidious; dastardly; ~*tückischer Kerl* dastard; ~**wärts** homeward(s); ~**weg** way home, return; ~**weh** home-sickness; ~*weh haben* to be home-sick; ~**wehr** home guard; ~**zahlen** to pay out; *fig* to be revenged on, to get even with ♦ *mit gleicher Münze ~zahlen* to pay s-b back in his own coin

Heimat native land (~*d* place, country); home, homeland; *zool* home; *in d.* ~ at home; ~**boden** native soil; ~**dichter** regional writer; ~**dichtung** local literature; ~**gefühl** feeling for one's country; ~**hafen** port of registry; ~**kunde** local topography; ~**lich** native, home; homelike; ~**los** homeless; outcast

Hein: *Freund* ~ Death

Heinzelmännchen brownie

Heirat marriage; *(Partie)* match; *(Hochzeit)* wedding; ~**en** to marry, to get married; ~**santrag** proposal (of marriage); ~**sfähig** marriageable; ~**sgut** dowry; ~**skandidat** suitor, wooer; ~**slustig** eager to marry; ~**surkunde** marriage certificate; ~**svermittler** marriage broker; ~**sversprechen** promise to marry *(od* of marriage); *Bruch d.* ~*sversprechens* breach of promise

heischen to demand

heiser hoarse; *(belegt)* husky; ~ *sein* to be hoarse; to have a sore throat; ~**keit** hoarseness; sore throat

heiß hot; *fig* burning; fervent, ardent ♦ *j-m d. Hölle* ~ *machen* to frighten s-b out of his wits; *kochend* ~ boiling hot; ~**blütig** hot-blooded, choleric; hot-tempered; ~**hunger** ravenous hunger; ~**laufen** ✿ to (over)heat; to run hot; ~**sporn** hotspur

heißen *vt* to call, to name; *(bedeuten)* to mean, to signify; *(befehlen)* to bid, to order; *vi* to be called; to mean; *es heißt* they say, it is said; *d. heißt* that is, that is to say; *soll d. (etwa)* ~ ...? am I to understand ...?, do you mean to say ...?; *was soll d.* ~! what's the meaning of this?, what is it all about?; *wie* ~ *Sie?* what is your name?; *was heißt d. auf Englisch?* what's that in English?, what's the English for that?

heiter serene; *(Wetter)* bright, fair; *(fröhlich)* gay, cheerful; ~**keit** serenity; airiness; brightness, clearness; cheerfulness

heiz|bar to be heated; with heating; ~**en** to heat, to make a fire; ~**er** stoker, heater; ⚒ fireman; ~**gas** fuel gas; ~**kessel** boiler; furnace; ~**kissen** electric pad, heating pad; ~**körper** radiator; ~**material** fuel; ~**öl** fuel oil; ~**raum** furnace room; *(im Ofen)* stoke hole; ~**rohr** flue; ~**sonne** electric fire; ~**ung** (central) heating; firing; fuel; *d.* ~*ung abstellen* to turn off the heat; ~**wert** heat value

hektisch violent, feverish, hectic

Held hero (~ *d. Tages* h. of the hour); ~**enhaft**, ~**enmütig** heroic(al); ~**entat** heroic deed; ~**entod** heroic death; death in action; ~**entum** heroism; ~**in** heroine

helf|en to help, to aid, to support, to assist; *(nützen)* to be of use, to avail; ~**er** helper, assistant; ~**erin** *(Schwester)* nurse; ~**ershelfer** accomplice, abettor, accessory; *(Politik)* henchman

hell bright, lucid; shining; *(klar)* clear; *(Farbe)* high, light; *(deutlich)* distinct; *(Bier)* pale; *(Haar, Farbe)* fair; *fig* clear-sighted; penetrating; bright; ~**er** *Wahnsinn* sheer madness; ~**igkeit** brightness; clearness; lucidity; ~**hörig** keen of hearing; ~**icht**: *am* ~*ichten Tage* in broad daylight; ~**sehen** clairvoyance; ~**seher**, ~**seherin** clairvoyant; ~**sichtig** clairvoyant; clear-sighted; ~**tönend** sonorous

Hellebarde halberd
Heller farthing; *er hat keinen ~* he has not a penny
Helling ⚓ slips, slipway
Helm helmet; ⚓ helm, rudder; *(Turm)* dome; **~busch** plume, crest
Hemd shirt; (man's) undervest, *BE* singlet; (woman's) vest, chemise; *ohne ~* shirtless; **~bluse** shirt-blouse; **~brust** shirt-front, dicky; **~einsatz** shirt-front, *US* bosom; **~enstoff** shirting; **~hose** cami-knickers *BE* combinations, *US* union-suit; **~knopf** stud; **~särmelig** in one's shirt sleeves
hemm|en *(anhalten)* to stop, to check; to slow up; *(hindern)* to hinder, to hamper; to restrain; to handicap; **~nis** check, obstruction; hindrance, impediment; barrier, balk; **~schuh** brake, drag; **~ung** check, stoppage; restraint; § inhibition; ✿ *(Uhr)* escapement; *(Waffe)* jam, catch; *(seelisch)* inhibition; **~ungslos** free, unrestrained, unchecked; desperate; **~ungslosigkeit** impetuosity
Hengst stallion, horse; **~füllen** colt
Henkel handle, ear, hook; **~korb** basket with a handle, market basket
henk|en to hang; **~er** hangman, executioner ◆ *zum ~ mit dem Zeug!* confound that thing!
Henne hen; *fette ~ (bot)* orpine
her hither, here; from; *(zeitlich)* ago, since; *von alters ~* of old, from time immemorial; *hin u. ~* to and fro; *von oben ~* from above; *~ damit!* let's have it!, out with it!; *nicht weit ~ sein* to be of little value
herab down, downwards; *von oben ~* from above, from on high; **~hängen** *(schlaff)* to lop; **~lassen** to lower, to let down; *refl* to condescend, to deign; **~lassung** condescension; **~rieseln** to trickle down; **~sehen** to look down upon; **~setzen** to lower; *(Ansehen)* to degrade; to belittle; *(Strafe, Preis)* to reduce; *fig (unterschätzen)* to disparage; **~setzung** lowering; degradation; disparagement; **~würdigen** to degrade; to debase; **~würdigung** degradation; abasement
Heraldik heraldry
heran on, up, near, along; **~bilden** to train, to educate; **~kommen** to come near, to draw near; to approach; *(Vergleich)* to come up to; *man kann nicht an ihn ~kommen* he is elusive, he is a hard man to see, he is unget-at-able; **~pirschen** to stalk up (to); **~reichen** to reach up to; **~reifen** to grow up, to grow to maturity; to mature; to bud; **~wachsen** to grow up; to rise; **~wachsend** growing; young; *d. ~wachsende Generation* the rising generation; **~ziehen** to draw near, to pull up; *(interessieren)* to attract; *(zur Zahlung)* to call upon; *(benutzen)* to use; *(Arzt)* to consult; *(beschäftigen)* to engage, to employ
herauf up, upwards; *von unten ~* from below, in rising; **~beschwören** to conjure up; to bring on, to cause; **~setzen** *(Preise)* to raise, to mark up; **~ziehen** *vt* to draw up; *vi* to draw near, to approach

heraus out; forth; from within; from among; *~ damit!* out with it!; *~ mit d. Sprache!* speak up!; *frei ~, gerade ~, rund ~* plainly, bluntly, downright; **~bekommen** *(Geld)* to get back, to get change; *(herausfinden)* to find out; *(Geheimnis)* to worm out, to ferret out; *(Sinn)* to make out; **~bringen** to bring out, to get out; *(Buch)* to edit, to publish, to bring out; ❦ to put on, to stage; *(Erzeugnis)* to market, to turn out; *(Rätsel)* to solve; *(erraten)* to find out; *versuchsweise ~bringen (Waren)* to test-market; **~finden** to discover, to make out, to find out; to spot; **~fordern** to challenge, to provoke; *Kritik ~fordern* to invite criticism; **~forderung** challenge, provocation; **~gabe** *(Übergabe)* delivering up, giving up; *(Freigabe)* setting free; *(Buch)* publication, editing; bringing out; **~geben** to give up, to deliver up; *(Buch)* to edit, to publish; *(Erlaß)* to promulgate; *können Sie mir ~geben?* can you give me change?; **~geber** editor, publisher; **~greifen** to single out; to choose; **~hängen** *(Zunge)* to loll out; **~holen** *(Gewinn)* to derive profit from; to make the best (most) of; **~kommen** to come out; *(Buch)* to be published, to be edited, to appear; *(bekannt werden)* to become known; *(Folge)* to result in; *auf eins ~kommen* to be all one; **~kristallisieren** *refl* to take shape, to crystallize; **~nehmen** to take out, to pull out, to extract; *s. etw ~nehmen* to presume; *s. zuviel ~nehmen* to make too bold; **~platzen** to blurt out, to burst out; *mit etw ~platzen* to let fly with; **~putzen** to dress up, to doll up; *(mit Farbe)* to bedaub, to bedizen; **~reden** to speek freely; *refl* to make excuses, to hedge off; **~reißen** to tear out, to extract; *fig* to extricate; **~rücken** to march out; *fig* to come out (with); *(Geld)* to fork out; **~schlagen** to make a profit; to make money by; **~stellen** to put out; to display; *refl* to turn out, to appear, to prove; *es stellte s. ~, daß* it was found that; **~streichen** to extol, to praise; **~treten** to step out; § to protrude; **~wirtschaften** to extract, to obtain
herb *(scharf)* sharp, acrid; *(sauer)* acid, sour; *(Wein)* dry; *(Apfel)* tart; *fig* bitter; austere; *(sarkastisch)* caustic; **~heit** acerbity, harshness; bitterness
herbei hither, here, near; **~führen** to bring about, to cause; *(nach s. ziehen)* to entail, to involve; **~lassen** *refl* to condescend (to); **~schaffen** to bring near; *(beschaffen)* to procure, to produce; *(Geld)* to raise; **~ziehen** to draw in, to drag in
herbemühen *refl* to trouble to come
Herberge *(Gasthof)* inn; *(Obdach)* shelter; lodging; *(Jugend-)* youth hostel
Herbst autumn, *US* fall; **~lich** autumnal, *adv* in autumn; **~zeitlose** meadow saffron
Herd *(Küche)* stove, kitchen-range, cooker; *(Kaminplatz)* hearth; *(Kamin)* fire-place; *fig* house, home, hearth; *(Mittelpunkt)* centre, focus, seat; **~platte** hot plate
Herde herd; flock; *(getriebene)* drove; *fig* crowd; **~ntier** gregarious animal; *fig* just one

of the common herd; **~ntrieb** gregarious instinct

herein in, into; ~! come in!; *hier ~, bitte!* this way, please! **~bekommen** *(Ware)* to get in, to have in; to receive; **~bitten** to ask in, to invite to come in; **~brechen** to fall, to set in; *(Dunkelheit)* to close in; *über j-n ~ brechen* to befall, to overtake s-b; **~fallen** *fig* to be taken in, to fall for, to be cheated; to be disappointed; **~legen** *fig* to take in; to let down; *umg* to do; **~schauen** to look in *(bei j-m* on s-b); **~schneien** to arrive unexpectedly, to turn up

her|fallen *über j-n* to fall upon, to come upon s-b; *(angreifen)* to attack; *(über etw)* to get at; **~gang** course of events; proceedings; **~geben** to deliver, to hand over; to give up, to let have; *fig* to permit; *refl* to lend o. s. to; **~gebracht** traditional, customary; **~gehen** to walk along; *(vor s. gehen)* to go on, to be going on; *(s. zutragen)* to happen; *es ging heiß* = there was hot work; **~gelaufener Kerl** stray fellow, vagabond; **~halten** to suffer, to bear the brunt

Hering herring

her|kommen to come near, to approach; *(abstammen)* to come from, to originate; *(abgeleitet sein)* to be derived from; *su* custom; descent; extraction, origin; **~kömmlich** customary, traditional; **~kunft** descent; *(Ursprung)* origin, extraction; *soziale ~kunft* social antecedents; **~leiten** to conduct; *(ableiten)* to derive *(von* from); *(entwickeln)* to deduce; **~machen** *refl* to set about; *refl (über j-n)* to fall upon s-b

Herkulesarbeit Herculean task

Hermelin ermine

hermetisch hermetic(al)

hernach afterwards, hereafter, after this; subsequently

hernehmen to take from, to get from

hernieder down

Hero|in heroin; **~ine** heroine; **~isch** heroic(al); **~ismus** heroism; **~s** hero

Herold herald

Herr gentleman; *(Vorgesetzter, Meister)* master; *(Gebieter)* lord; *(Gott)* the (our) Lord; *(Anrede)* Mr, Sir; *~ werden* to master, to overcome; *sein eigener ~ sein* to be one's own master; *d. großen ~n spielen* to lord it; *aus aller ~en Ländern* from every country under the sun; **~enartikel** gentlemen's outfitting; **~friseur** barber('s shop); **~enhaus** manor, mansion; **~enlos** without a master, ownerless; stray; unidentified; **~enschnitt** Eton crop; shingled hair; **~gott** the Lord God; *~gott noch mal!* God bless my soul!; **~in** mistress, lady; **~isch** imperious; domineering; dictatorial; **~je!** Goodness!, Gracious!, dear me!; **~lich** magnificent, splendid, glorious; *(wunderbar)* wonderful; lovely; **~lichkeit** magnificence, splendour, glory ♦ *die ganze ~lichkeit* the whole bag of tricks; **~schaft** *(Macht)* power; dominion; *(Befehl)* command *(über* over); *(persönlich)* rule; *(Fürst)* reign; *(Vorgesetzte)* master and mistress; *(Ländereien)* estate, do-

main; lordship; **~schaftlich** belonging to a lord *(od* master); high-class; **~schaftsgewalt** jurisdiction (of the state); power; sovereignty **herrichten** to arrange, to prepare, to get ready; *(Möbel)* to touch up; *(j-n)* to make up

herrsch|en to rule, to reign; to govern; *(bestehen)* to exist, to be; *(überwiegen)* to prevail; *(Krankheit)* to rage; **~er** ruler; *(Fürst)* sovereign; *(Regierender)* governor; **~sucht** love of power; **~süchtig** fond of power, tyrannical **her|rühren** to come from, to be due to; **~sagen** to recite, to repeat; **~schaffen** to bring near; *fig* to procure, to get; to produce; **~stellen** to put here; *(erzeugen)* to produce, to manufacture, to make; *(reparieren)* to repair; *(wieder-)* to restore; *(Verbindung)* to put through; to establish; **~steller** maker, producer; manufacturer; **~stellung** production, manufacture, making; restoration; recovery; **~stellungsland** producer country, country producing...; country of manufacture; **~stellungsverfahren** method of production, process of manufac-

herüber over, across, to this side [ture

herum round; about; near; round about; *umg* over, finished; *rund ~* all round; *um 3 Uhr ~* about three o'clock; *hier ~* here about, around here; **~drehen** to turn round; *(Worte im Munde)* to misconstrue; **~drücken** *refl* to hang about *(od* around); **~fahren** to take a drive, to drive about; *fig* to be knocking about, to jerk round; **~fuchteln** to fidget *(mit* with); to bustle about; **~führen** to lead round, about; to show over, to take around; **~hämmern** *(Klavier)* to bang away *(at the piano)*; **~irren** to wander about; **~kommen** to come round; to travel about; to get around; to become known; **~kriegen** to talk over, to win round; **~reden** *(um etw)* to beat about the bush; **~reichen** to hand round; **~reiten:** *auf etw ~ reiten* to harp upon s-th; **~treiben** *refl* to rove about, to gad about; to hang around; **~werfen** to turn sharply; **~ziehen** to wander about; **~ziehend** wandering; nomadic

herunter down; off; *von oben ~* from above; *hier ~* down here; *gerade ~* straight down; **~handeln** to beat down; **~hauen** to box *(j-m e-e* s-b); **~holen** to fetch down; ✈ to shoot down; **~klappen** to turn down; **~kommen** to come down; *(verkommen)* to decay, to fall off; to be pulled down; to go down in the world; **~lassen** to let down, to lower; **~machen** *fig* to run down, to cut up; to upbraid; **~reißen** to pull down; *fig* to pull to pieces; to excoriate; **~schalten** 🚗 to change down to low gear; **~setzen** to put down, to lower; *(Preis)* to reduce; *fig* to disparage; **~wirtschaften** to run down

hervor forth, forward, out; *unter... ~* from under; **~brechen** to break through, forth; to rush out; **~bringen** to produce, to bring forth; *(erzeugen)* to generate; *(schaffen)* to create; *(Worte)* to utter; **~gehen** to go forth; *(~gehen als)* to come off; *(s. ergeben)* to result; *(entstehen)* to arise; *(folgern)* to be seen from; **~heben**

to make prominent; to feature; *(betonen)* to stress, to emphasize, to accent, to accentuate; *(herausheben)* to highlight; 🏴 to set off; 🕮 to display; **~ragen** to stand out, to project, to jut out; *umg* to stick out; to show; *fig* to be prominent; **~ragend** prominent, salient; *fig* striking; outstanding; admirable; excellent; **~rufen** to bring about, to cause; to call forth; to give birth to; **~stechen** to stand out; *(Farben)* to come out; *fig* to be conspicuous; **~stechend** conspicuous, striking; **~stehen** to project, to stand out; **~treten** to step forth, to come forward; *(auftauchen)* to emerge; *(Augen)* to bulge; *fig* to be prominent; **~tun** *refl* to distinguish o. s.

her|wärts this way, hither; **~weg** way here; *auf d. ~weg* on the way here

Herz heart; *(Seele)* soul; *(Gemüt)* mind; *(Mut)* courage; *(Gefühl)* feeling; *(Kern)* core; *fig* bosom, breast; *(Karten)* hearts; *aus tiefstem ~en* from the bottom of one's heart ♦ *j-m etw ans ~ legen* to enlist s-b's goodwill for, to recommend warmly to s-b's care; *sein ~ ausschütten* to unbosom o.s.; *auf d. ~en haben* to have on one's mind; *ins ~ schließen* to become fond of; *s. ein ~ fassen* to pluck up *(od* summon up) courage; *s. zu ~en nehmen* to take to heart; *s-m ~en e-n Stoß geben* to overcome one's scruples; *e. Kind unterm ~en tragen* to be with child; *von ~en gern* with the greatest of pleasure; *with all one's heart* ♦ *e. u. e-e Seele sein* to be hand and glove together; *d. ~ auf d. Zunge haben* to wear one's heart on one's sleeve; *fig* darling; **~bube** knave of hearts; **~dame** queen of hearts; **~eleid** sorrow, grief; **~en** to embrace, to hug, to caress; **~enseinfalt** simplicity, simple-mindedness; **~enserguß** unbosoming, confidences; **~ensgut** kind-hearted, dear; **~ensgüte** loving--kindness; benignity; **~enslust:** *nach ~enslust* to one's heart's content; **~erweiterung** dilatation of the heart, enlarged heart; **~fehler** heart disease; cardiac defect; **~gegend** cardiac region; **~grube** pit of the stomach; **~haft** hearty; brave, stout-hearted; **~ig** sweet, lovely; *umg* cute; **~innig** hearty, heart-felt; **~klappe** cardiac valve; **~klopfen** palpitation; *(schnell)* throbbing; **~leidend** suffering from heart-trouble; **~lich** hearty, cordial; affectionate; **~lichkeit** heartiness; affection; **~los** heartless; unfeeling; **~losigkeit** heartlessness; unfeelingness; **~mittel** cardiac (remedy); **~muskel** heart muscle, cardiac muscle; **~schlag** heart-beat; *(schnell)* throbbing; heart attack; **~spezialist** cardiologist; **~zerreißend** heart-rending, heart-breaking

herziehen *vt* to draw near; *vi* to come to live (in a place); *über j-n ~* to rail at s-b, to speak ill of s-b

Herzog duke; **~in** duchess; **~lich** ducal; **~tum** duchy; *(Würde)* dukedom

herzu here, hither, near; up, up to; towards

Hetäre courtesan

heterogen heterogeneous; **~ität** heterogeneity

Hetz|e *(Eile)* hurry, rush, haste; *(Jagd)* hunt; *(Aufhetzung)* instigation; baiting; **~en** to hunt, to drive; to hurry, to rush; to instigate, to agitate; to bait; *(gegeneinander)* to set at variance; **~er** instigator, inciter; baiter; **~jagd** hunt(ing) (with dogs); *(Eile)* great hurry, rush; **~kampagne** smear campaign; **~propaganda** rabble rousing

Heu hay; *~ wenden* to toss hay ♦ *Geld wie ~ haben* to be rolling in cash; **~boden** hayloft; **~en** to make hay; **~fieber, ~schnupfen** hayfever, pollen catarrh; **~gabel** pitchfork; **~miete** hayrick, haystack; **~schober, ~stadel** hayrick; barn; **~schrecke** locust, grasshopper

Heuch|elei hypocrisy; cant; **~eln** *vt* to feign; to simulate, to affect; *vi* to dissemble, to play the hypocrite; **~ler** hypocrite; **~lerisch** hypocritical, dissembling, deceitful

heu|er this year; *su* 💰 pay, hire; **~ern** to hire, to ship; *(Schiff)* to charter; **~rig** this year's, of this season, current

heulen to howl, to cry; *(laut)* to yell

heut|e today, this day; *~e früh* this morning; *~e abend* tonight, this evening; *~e vor 8 Tagen* a week ago today; *~e nacht* tonight, last night; *~e in 14 Tagen* today fortnight; *noch ~e* this very day; **~ig** of today; of the present time, modern; **~igentags, ~zutage** nowadays, in these days

Hex|e witch; hag; **~en** to practise witchcraft; **~enkessel** *fig* hubbub; **~enmeister** wizard, magician; **~enprozeß** trial for witchcraft; **~enring** *bot* fairy ring; magic circle; **~enschuß** lumbago; **~erei** witchcraft, magic, sorcery

Hieb blow, stroke; *(Schnitt)* cut; *(Bemerkung)* hit, cut(ting remark); **~fest** proof against blows; **~waffe** slashing weapon; **~- und Stoßwaffen** cut-and-thrust weapons

hienieden here below, on earth, in this life

hier here; *(auf Briefen)* in town, present, *US* City; *~ u. da* now and then; *~ ist es! (Gegenstand)* here you are!; **~an** to that; hereat; hereupon; by that; after that; **~auf** hereupon, upon this; *(zeitlich)* then; **~aus** from this, hence; **~bei** hereby, herewith; enclosed; **~durch** through this; this way; by this means, thereby; **~für** for this; **~gegen** against this; **~her** here, hither; *bis ~her* so far, thus far; hitherto, up to now; **~herum** hereabouts; **~hin** to this place, this way, in this direction; there; **~in** herein, in this; **~mit** herewith, with this; **~nach** hereupon, after this; according to this; **~orts** here, in this place; **~über** over here; about this; hereat; **~um** about this *(od* round) this place; concerning this; **~unter** beneath this, under this; among these; by that, by this; **~von** hereof, of *(od* from) this; **~zu** to this, moreover; in addition to this; **~zulande** in this country, with us, *US* on this side of the ocean; **~zwischen** between these

Hierarch|ie hierarchy; **~isch** hierarchical

Hieroglyphe hieroglyph

hiesig of this place *(od* country); local; *(Ware)* native

Hilf|e help; assistance; aid; support; succour; relief; ~ *e leisten* to help, to assist, to aid; *Erste* ~*e* first aid; *zu* ~ *e!* help!; *etw zu* ~ *e nehmen* to make use of s-th; **~eleistung** help, assistance, aid; **~eruf** cry (*od* call) for help; **~los** helpless, defenceless; destitute; **~losigkeit** helplessness; **~reich** helpful; charitable; ~ *reich sein* to befriend; **~sarbeiter** unskilled worker; temporary worker; assistant; **~sassistent** ancillary; **~sbedürftig** needing help; indigent; **~sfonds** relief fund; **~skraft** additional helper, assistant; **~skreuzer** auxiliary cruiser; **~slehrer** assistant teacher; **~slinie** *(Geometrie)* auxiliary line; ♪ ledger line; **~smittel** help, resource; *(Ausweg)* expedient; instrument; *(Unterricht)* teaching aids; ✿ auxiliary; **~sorganisation** relief agency, relief organization; **~spolizei** auxiliary police; **~squelle** resource; **~sschule** school for the mentally subnormal; **~struppen** auxiliary troops; **~sverb** auxiliary verb; **~szug** relief train

Himbeere raspberry

Himmel *(sichtbar)* sky; *(abstr)* heaven *(im siebten* ~ in the seventh h.); *(Himmelbett, Decke)* canopy; *am* ~ in the sky ♦ *aus allen* ~*n fallen* to be bitterly disappointed; *aus heiterem* ~ out of the blue; *zwischen* ~ *und Erde* between heaven and earth; ~ *u. Hölle* heaven and hell; *(Spiel)* hopscotch; ~ *u. Hölle in Bewegung setzen* to move heaven and earth; **~an** to the skies, heavenwards; **~angst** mortal fear; *adv* terribly frightened, scared stiff; **~bett** fourposter; **~blau** azure, sky-blue; **~fahrt** Ascension; *Mariä* ~*fahrt* Assumption; **~fahrtskommando** *mil* dangerous mission; **~hoch** skyhigh; ~*hoch jauchzend* riotously happy; **~reich** kingdom of heaven; **~sgegend**, **~srichtung** quarter, direction; point of the compass; *d. vier* ~*srichtungen* the four cardinal points; **~sgewölbe** canopy (*od* vault) of heaven; **~skörper** celestial body; **~sschlüssel** cowslip; **~sstrich** zone, region; climate; latitude; **~szelt** vault of heaven; firmament; **~weit** miles apart; enormous; ~ *weit verschieden sein* to differ widely

himmlisch heavenly, celestial; *(köstlich)* delicious, delightful

hin thither, there; along; *umg* gone, lost; exhausted; *oben* ~ on the surface; ~ *u. her* to and fro; there and back; back and forth; ~ *u. her überlegen* to consider a matter over and over again; to turn (an idea) over in one's mind; *(Fahrkarte)* ~ *u. zurück BE* return ticket, *US* round-trip ticket; ~ *u. wieder* now and then; *über d. ganze Welt* ~ all over the world

hinab down, downward(s); *d. Berg* ~ down the hill, downhill; *d. Strom* ~ down the river, downstream

hinan up, up to, upward(s); *d. Berg* ~ uphill

hinarbeiten to aim (*auf* at)

hinauf up, up to, upwards; *da* ~ up there; ~ *u. hinab* up and down; *d. Straße* ~ up the street; **~arbeiten** *refl* to work one's way up

hinaus out; outside; out of; *(dar)über* ~ *(räumlich)* beyond; *(zeitlich)* past; *(übersteigend)* above; *hier* ~ out here; **~gehen** to go out; *nach Süden* ~*gehen* to be exposed to the south; *(Zimmer, Fenster)* to face, to look out on, into; ~*gehen über* to go beyond; to surpass, to exceed; **~kommen** to come out; *auf eins* ~*kommen* to come to the same thing; **~laufen** to run out; *fig (auf)* to amount to; to boil down to; **~schieben** to defer, to postpone, to put off; **~schießen** *(übers Ziel)* to carry s-th to excess; **~sehen** to look out *(aus* of, at); **~werfen** to throw out, to expel; ~ **wollen** to want to go out; *fig* to be driving at; *worauf ich* ~ *will, ist . . .* my point is that . . .; *darauf will ich nicht* ~ that is not my point; *hoch* ~ *wollen* to aim high; **~ziehen** to draw out, to drag out; to put off, to prolong

Hin|blick *im* ~*blick auf* with regard to, with a view to; **~bringen** to take, to bring, to carry to; *(Zeit)* to spend, to pass

hinder|lich in the way, obstructive, hindering; ~*lich sein* to hinder from; *(j-m)* to stand in s-b's way; **~n** to hinder; to hamper; to prevent; to balk; **~nis** *(Verhinderung)* prevention; *(zeitweilig)* hindrance; *(im Wege)* obstacle; *(Hemmnis)* impediment; *(Sperre)* bar, barrier; **~nislauf** steeplechase; **~nisrennen** *(Pferde)* racing over hurdles and fences; steeplechase

hindeuten to point (to); to hint (at); to indicate

Hindin hind

hindurch through, throughout; across; *(zeitlich)* during, throughout; *d. ganze Jahr* ~ all the year round, throughout the year; *d. ganzen Tag* ~ all day long

hinein into, in; inside; ~ ♦ *in d. Tag* ~ *leben* to lead an easy life; **~gehen** to go into; *(fassen)* to hold, to contain; to accommodate; **~knien** *(in)* *refl* to put one's back into; **~lachen** *in s.* ~ *lachen* to chuckle; **~legen** to put in; *fig* to take in; **~stehlen** *refl* to sneak in, to steal in

hin|fahren *vt* to convey, to carry, to drive *(to a place)*; *vi* to drive to, to go to; to sail along; *fig (sterben)* to die, to pass away; **~fahrt** outward journey (*od* voyage); ~*- u. Rückfahrt* 🚄 journey there and back, *US* round trip; voyage out and back; **~fallen** to fall (down); *ich bin* ~*gefallen* I fell; **~fällig** frail, weak; *fig (unhaltbar)* untenable; *(ungültig)* null and void; ~*fällig werden* to come to nothing, 🏛 to be cancelled; ~*fällig machen* to render superfluous; **~fort** henceforth, in future; **~gabe** *(Übergabe)* surrender, abandonment; *(Ergebenheit)* devotion; *(Fleiß)* application; **~gang** decease, death; **~geben** to give away; *(opfern)* to sacrifice, to devote; *s. e-r Sache* ~*geben* to indulge in; **~gebend** devoted, self-sacrificing; **~gebung** devotion; surrender; **~gegen** on the contrary; whereas; **~gehen** to go there; *(vergehen)* to pass (away); ~*gehen lassen* to let pass, to overlook, to wink at; **~gehören** to belong; **~halten** to hold out; *(Geld)* to tender; *j-n* ~*halten* to put s-b off

hinken to limp, to (go) lame; *(humpeln)* to hobble; *d. Vergleich hinkt* that's a poor comparison

hin|länglich sufficient, adequate; ~**legen** to lay down, to put down; *refl* to lie down; ~**nehmen** to take, to accept; *(ertragen)* to put up with, to suffer; ~**neigen** *refl* to lean to, to incline to

hinnen: *von ~* away from here, from hence

hin|raffen to carry off; *(durch Tod)* to cut off; ~**reichen** *vt* to hand over, to give; *vi* to suffice, to be sufficient; ~**reichend** sufficient; ~**reise** = ~**fahrt**; ~**reißen** to carry along; *fig* to carry (away), to charm, to transport; ~**richten** to execute; to behead; *(elektr.)* to electrocute; ~**richtung** execution; beheading; electrocution; ~**scheiden** to pass away, to die; ~**schlagen** to fall down; ~**schwinden** to vanish, to dwindle (away); ~**sehen** to look at; ~**setzen** *vt* to set down, to put down; *refl* to sit down, to take a seat; ~**sicht** respect, regard, view; *in jeder* ~*sicht* in every respect, on all accounts; ~**sichtlich** with regard to; concerning; as to, as for; ~**siechen** to pine away; ~**sinken** to sink down, to fall, to collapse; ~**stellen** to put down, to place; *fig* to represent; *j-n als etw* ~*stellen* to describe s-b as; ~**strecken** *vt* to stretch out; *(töten)* to kill, to shoot (dead); *refl* to lie down; ~**werfen** to throw down; *sl* to chuck it

hintan|setzen, ~**stellen** to set aside; *(vernachlässigen)* to slight, to neglect; ~**setzung** slighting, neglect; *unter* ~*setzung* regardless of; ~**stehen** to stand back

hinten behind, in the rear, at the back; ♃ aft; *nach* ~ backwards; *nach* ~ *(hin)* behind, to the rear; *von* ~ *(her)* from behind, from the back; *Zimmer nach* ~ *hinaus* back room; ~**nach** behind, in the rear; afterwards; ~**über** backward(s); upside down

hinter behind, back, backward(s); at (on) the back of; after; ~ *d. Hause* at the back of the house; ~ *d. Kulissen* ♟ backstage; ~ *mir* behind me; ~ *Schloß u. Riegel* under lock and key; ~ *etw kommen* to find out, to discover; *(verstehen)* to get the hang of s-th; ~ *s. bringen* to get (s-th) over; *(Entfernung)* to cover; ~ *s. lassen* to distance, to leave behind; ~**backe** buttock; ~**bein** hind leg; ~**bliebener** survivor; (surviving) dependant; the bereaved; ~**bliebenenfürsorge** welfare service for surviving dependants; ~**bringen** to inform, to bring charge against; *(heimlich)* to give notice of s-th; ~**drein** behind, after, at the end; ~**e** back, hind; at the back, posterior; *su umg* bottom, behind; ~**einander** one after the other (another), one by one; successively; *2 Tage* ~*einander* two days running; ~**fuß** hind foot; ~**gedanke** mental reservation; ulterior motive; ~**gehen** to deceive, to fool; to cheat, to impose on; ~**grund** background *(im* ~*grund halten* to keep in the b.)*; ~**halt** ambush; *(Falle)* trap; *im* ~*halt liegen* to lie in ambush (for); *aus d.* ~*halt angreifen* to ambush; ~**hältig** insidious, malicious; ~**hand** *(Pferd)* hind quarter; ~**haus** back (of the)

house, back premises; ~**her** behind; afterwards; ~**kopf** back of the head; ~**lassen** to leave, to leave behind; *(testamentarisch)* to bequeath (*j-m etw* s-th to s-b); *(Nachricht)* to leave word; ~**lassenschaft** property left; ♃ estate; ~**legen** to deposit (*bei* with); to give in trust; ~**legung** deposition; *gegen* ~*legung von* on deposition of; ~**leib** *(Tiere)* hind quarters; back, dorsum; ~**list** artifice; *(Betrug)* fraud; *(Verschlagenheit)* cunning; ~**listig** artful; cunning; deceitful; ~**mann** *mil* rear-rank man; *fig* backer; *bes pl* lobbyists, the lobby; ~**pfote** hind paw; ~**rad** back-wheel; ~**radantrieb** rear axle drive; ~**rücks** from behind; behind one's back; *fig* stealthily; ~**ste** hindmost, last; ~**steven** stern post; ~**teil** hind part, back part; *(Hintern)* buttocks; bottom; ♃ stern; ~**treffen** reserve, rearguard ♦ *ins* ~*treffen geraten* to be handicapped; to have to take a back seat; to be outdistanced by s-b; ~**treiben** to hinder, to thwart; ~**treppe** backstairs; ~**treppenroman** shilling shocker, dime novel; ~**tür** backdoor; *fig* escape; ~**wäldler** backwoodsman; ~**wärts** backwards, behind; ~**ziehen** to defraud

hinüber across, over (there), to the other side; *er ist* ~ *(fig)* he is dead and gone

hinunter down(wards); downstairs; *d. Straße* ~ down the street; ~**gehen** to go down; ~**schauen** to look down *(auf upon)*; ~**schlucken** to swallow; ~**spülen** to wash down

Hinweg (the) way there; *adv* away, off; *interj* off!; ~**kommen** *(über)* to get over; ~**setzen** *refl (über)* to disregard, to brush aside; ~**täuschen** (*j-n darüber, daß)* to mislead s-b; to disregard the fact that, to blind people to the fact that ...

Hinweis indication (*auf* to); *(Anspielung)* reference to; *(Anweisung)* direction; ~**en** (*j-n auf)* to direct s-b to, to refer s-b to; *(zeigen)* to show; *(auf etw)* to direct *(od* draw) attention to; to point at, to

hin|werfen to throw (down); *(Bemerkung)* to make a remark; ~**wiederum** in return; again; ~**ziehen** to draw (to), to attract; *refl* to drag on, out; ~**zielen** to aim (at); to be intended (for)

hinzu to, near; there; in addition to; ~**fügen** to add; ~**kommen** to come up (to); to be added; *(zufällig)* to drop in by chance; ~**ziehen** to add, to include; *(Arzt)* to consult, to call in; *(Gutachter)* to direct the attendance of; ~**wählen** to elect *(od* choose) in addition; to designate by co-option, to co-opt

Hippe bill-hook; scythe

Hirn brain; *(Verstand)* brains; ~**gespinst** fancy, whim, bogy; chimera; ~**hautentzündung** meningitis; ~**schale** skull, cranium; ~**verbrannt** *umg* crazy, mad, crack-brained

Hirsch stag, hart; *(Rotwild)* (red) deer; ~**fänger** hunting-knife; ~**käfer** stagbeetle; ~**kalb** fawn, young deer; ~**keule** haunch of venison; ~**kuh** hind; ~**leder,** ~**ledern** buck-skin, deerskin

Hirse millet; ~**brei** millet gruel

Hirt|e herdsman, shepherd; *(Seelen-)* pastor; ~**enamt** pastorate; ~**enbrief** pastoral letter (of a bishop); ~**in** shepherdess

His ♪ B sharp

hissen to hoist (up)

Histor|iker historian; ~isch historical; *(bedeutsam)* historic

Hitz|e heat; hot weather; *(Eifer)* zeal; *(Erregung)* violence; *(Leidenschaft)* passion; *fig* ardour; ~ebeständig heat-resisting, heat-proof; ~eempfindlich sensitive to heat; ~kopf hot-headed person, hotspur; spitfire; ~köpfig hot-headed; ~schlag heat stroke

Hobel plane; ~bank joiner's bench; ~n to plane; ~späne shavings, chippings

hoch high; *(Gestalt)* tall; *(erhaben)* lofty; sublime; noble; great; *(Preise)* high, dear; ♪ high-pitched; *adv* highly, greatly; very (much); *su* toast, cheer; *meteor.* high pressure area; *vier – sechs* four to the sixth (power); *hohes Alter* old age; *hohe See* open sea; *im hohen Norden* in the far North; *Hohe Behörde* the High Authority; *Hohe Schule (Reiten)* haute école; *Hände ~!* hands up!; ~ *anrechnen* to value greatly; *in hoher Blüte* (to be) very prosperous ♦ *s. aufs hohe Pferd setzen* to mount the high horse; ~ *zu Roß* on horseback; ~ *u. heilig versprechen* to make a most solemn promise; *es geht ~ her* things are pretty lively, everybody has a grand time; *wenn es ~ kommt* at the most; *d. ist mir zu ~* that's above (*od* beyond) me; ~ *lebe!* long live!; *höhere Gewalt* force majeure, Act of God; ~achten to esteem, to respect; to value; ~achtung esteem, respect; ~achtungsvoll! Yours faithfully; ~amt high mass; ~ *amt halten* to say high mass; ~antenne overhead aerial; ~bahn elevated railway; ~bau building construction, construction above ground level; ~betagt aged; ~betrieb intense activity; rush (*od* peak) time; hustle, bustle; ~burg stronghold; ~deutsch High German; standard German; ~druck high pressure; 🕮 relief process, relief printing, letterpress, ~druckgebiet high pressure area; anticyclone; ~ebene table-land, plateau; elevated plain; ~fahrend haughty; ~fein superfine; first-rate; *(auserlesen)* very choice; ~fliegend lofty, ambitious; ~flut high tide (*od* water); *fig* great mass, excessive supply; *in ~form sein* to be in tip-top condition, to be on the beam; ~format upright picture; upright size (*od* format); ~frequenz high frequency; ~frisur upsweep; ~gebirge high mountains; ~gehen *(steigen)* to rise, to mount; *fig* to fly into a passion; ~gespannt at a high tension; *(groß)* great, high; ~gradig to a high degree; high-grade; *fig* intense, extreme; ~halten to raise; *fig* to cherish; to esteem; ~haus skyscraper; ~herzig high-minded, noble-minded; magnanimous; ~kommen *com* to boom; ~konjunktur boom (conditions); prosperity, peak season; ~land highlands; uplands; ~ *leben lassen* to give three cheers for, to toast; ~mut pride; arrogance; ~mütig proud; arrogant; haughty; ~näsig supercilious, *umg* stuck-up; ~ofen blast furnace; ~rot bright (*od* deep) red, crimson; ~saison height of the season, peak season; ~schule university, college;

~schule für Leibesübungen Physical Training Institute; ~seefischerei deep-sea fishing; ~selig late, of blessed memory; ~sinnig high-minded; ~sommer midsummer; ~spannung high tension; ~spannungsanlage power station; ~spannungsleitung high-tension cable; ~sprung high jump; ~stämmig tall; *(Rosen)* standard; ~stand *(Ausguck)* lookout post; *(Wasser)* high-water mark; *fig* height, prosperity; ~stapelei swindling; ~stapler swindler, impostor, confidence-man, ~stimmung animal spirits; ~tour: *auf ~ touren* at high pressure (*od* speed); at a high level of activity (*od* capacity); *auf ~ touren bringen* to throw into high gear; ~tourist mountaineer; alpine climber; ~trabend high-sounding, bombastic; ~verrat high treason; ~wald timber forest; high forest; ~wasser high tide, high water; flood water; ~wassergefahr danger of floods; ~wertig of high value; first rate; high-quality (-grade); *chem* of high valence; ~wild big game; ~wohlgeboren right honourable; *(Titel)* Right Honourable; ~würden Your Reverence, Reverend Sir; ~würdig most reverend

höchlich highly, exceedingly

höchst highest, greatest; utmost, extreme; maximum; uppermost; *adv* very, most, extremely, highly; *es ist ~e Zeit* it is high time; ~ens at (the) most, at best; ~belastung maximum load; ~eigen: *in ~eigener Person* in person; ~gebot highest bid; ~geschwindigkeit top speed; *zulässige ~geschwindigkeit* speed limit; ~grenze limit; ~leistung maximum output, record performance; 📹 record; ~stand peak (level); ~wahrscheinlich most likely, in all probability

Hochzeit wedding; marriage; nuptials ♦ *man kann nicht auf zwei ~en tanzen* you can't have the cake and eat it; *silberne ~* silver wedding; *goldene ~* golden wedding; ~er bridegroom; ~lich bridal, nuptial; ~kuchen wedding-cake, bridecake; ~snacht wedding-night; ~sreise honeymoon, wedding-trip; ~stag wedding-day; wedding anniversary

Hock|e heap of sheaves; *(Turnen)* squat; ~en to squat, to crouch, *umg (lange sitzenbl.)* to sit tight, to stick to; ~er stool

Höcker protuberance, bump; *(Buckel)* hump, hunch; *e-n ~ haben* to be hunchbacked; ~ig humpy, hunchbacked

Hockey hockey; ~ball hockey ball; ~stock hockey stick

Hoden testicle; ~sack scrotum

Hof yard, court(yard); *(Bauern~)* farm; barnyard; *(Fürsten~)* court; *(Hinter~)* backyard; *astr* halo; *bei (am) ~e* at court; *j-m d. ~ machen* to make love to s-b, to court s-b; to woo; ~dame lady in waiting; maid of honour; ~fähig *umg* presentable; ~fart pride, haughtiness; ~haltung royal household; ~hund watch-dog; ~lieferant purveyor to His Majesty (*od* the Court); ~mann courtier; ~marschall master of the ceremonies; *BE* Lord Chamberlain; ~meister steward; tutor; ~narr court-jester; **~rat** Privy Councillor; **~schranze** courtier, flunkey; **~trauer** court mourning

hoff|en to hope (for); *(Zuversicht)* to trust (in); to reckon (upon), to look forward to; *(erwarten)* to expect, to await; *d. Beste ~en* to hope for the best; *ich ~ e es* I hope so; **~entlich** it is to be hoped; I hope so; hopefully; **~nung** hope; expectation; trust; ♦ *guter ~ nung sein* to be pregnant, to be expecting a baby, *umg* to be in the family way; **~nungslos** hopeless, beyond hope; **~nungsvoll** hopeful; promising

höf|isch courtly, courtier-like; **~lich** courteous, polite, civil *(gegen* to); **~lichkeit** courtesy, politeness; **~ling** courtier

Höhe height; *math. geog. astr* altitude; *(geog Breite)* latitude; ♪ pitch; *(Gipfel)* summit, top; hill; *(Geldbetrag)* amount; *(Preis)* level; dearness; *aus d. ~* from on high; *auf(in) d. ~ von Dover* ⚓ off Dover ♦ *auf d. ~ sein* to be at one's best; to be up to date; to be at the height of one's power; *nicht auf d. ~* not well (fit, up to the mark); *~ über d. Meeresspiegel* above sea-level; *auf d. ~ bleiben* to keep abreast with the times; *auf gleicher ~* on a level with; *in d. ~ fahren* to start up; *in d. ~ gehen* to go up, to soar, to rise; *d. ist d. ~!* that's the limit!, *US* can you beat it!; *~ gewinnen* ⚓ to climb; **~nflug** high-altitude flying; **~nkurort** high-altitude health resort; **~nlinie** contour-line; **~nmesser** altimeter; **~nsonne** ultraviolet lamp, sunlamp; **~nsteuer** elevator (control); **~nstraße** mountain road; scenic highway; **~nzug** mountain chain, range of hills; **~punkt** height; *(Gipfel)* peak, summit, top; *astr, fig* zenith; *fig* acme; culminating point; climax; high point; crisis; **~r** higher, superior (to); upper; *fig* loftier; *~ re Schule* secondary school, *US* high school

Hoheit *(Erhabenheit)* grandeur, sublimity; *(Majestät)* majesty; *(Titel)* Highness; *pol* sovereignty, supreme power; **~lich** pertaining to sovereignty; by act of sovereign power; sovereign; **~sgewässer** territorial waters; **~svoll** majestic; **~szeichen** national emblem; ⚓ national marking

Hohe|lied Song of Solomon; **~priester** high priest

hohl hollow; concave; *(klingend)* dull; *(Meer)* choppy; *fig* empty; vain; *~ er Zahn* hollow *(od* carious) tooth; **~äugig** hollow-eyed; **~e** cave, cavern; *(Tier)* den, hole; ⚓ cavity; ventricle ♦ *s. in d. ~ e d. Löwen begeben* to beard the lion in his den; **~enbewohner** cave-man, cave-dweller; **~kehle** hollow, groove, channel; **~linse** concave lens; **~maß** dry measure; measure of capacity; **~raum** hollow space, cavity; **~saum** hemstitch; **~schliff** hollow grinding; **~spiegel** concave mirror; reflector; **~ung** cavity; hole; excavation; **~weg** defile; gorge; narrow pass

Hohn *(Geringschätzung)* scorn; *(Lachen)* sneer; *(Spott)* mockery, derision; *(Beleidigung)* insult; *j-m zum ~ u. Spott* in defiance of s-b; **~en** to sneer at, to mock; **~isch** sneering,

scornful; **~lachen** to jeer, to deride; *su* sneer, scornful laughter; **~sprechen** *(trotzen)* to defy; *(verächtlich)* to flout

Höker hawker, costermonger; **~n** to hawk, to huckster

hold lovely, charming, gracious; *(zugeneigt)* propitious, favourable; *j-m ~ sein* to favour s-b, to be kind to s-b; *d. Glück war ihm nicht ~* fortune was against him; **~selig** most charming, lovely; **~seligkeit** loveliness, charm

holen to fetch, to get; to go for, to come for; *(Arzt)* to call for, to send for; *refl* ⚓ to catch, to contract; *(Rat)* to consult, to ask s-b's advice; *Atem ~* to draw breath; *d. Teufel soll es ~!*; hang it!

Höll|e hell; *fig* hot place, furnace; *in d. ~e* in hell; *d. ~ e ist los* hell is let loose ♦ *j-m d. Leben zur ~ e machen* to lead s-b a dog's life; to make life hell for s-b; **~enlärm** infernal noise, a hell of a noise; **~enmaschine** infernal machine; **~enqual** pains of hell; *~ enqualen ausstehen* to suffer martyrdom; **~enrachen** jaws of hell; *~ enstein* lunar caustic, silver nitrate; *~ isch* hellish, infernal; diabolic

Holm *(Querholz)* beam, transom; ✝ spar; 🔫 bar; ⚓ dockyard

holp|ern to jolt, to jog; **~rig** uneven, rough; *(Bewegung)* stumbling

holterdiepolter helter-skelter

Holunder elder (tree); **~beere** elderberry

Holz wood; *(Bau~, Waldbestand)* timber, *US* lumber; *(Gehölz)* forest, wood, grove; *dürres ~* dead wood; *lufttrockenes ~* air-dried *(od* seasoned) wood; *~ auf d. Stamm* standing timber; *frisches ~* green wood; **~apfel** crab apple; **~arbeiter** woodworker, lumberman, lumberjack; **~bau** timber-construction; **~bearbeitung** woodworking; **~blasinstrument** wood-wind instrument; **~bock** sawing-block; *zool* tick; **~bohrer** auger; **~en** to fell wood; **~ern** wooden, made of wood; *fig* clumsy; awkward; **~fäller, ~hacker** wood-cutter; **~faser** woodfibre; **~frei** free from wood-pulp; **~frevel** illegal cutting of timber; offence against forest laws; **~gas** wood-gas; **~gasgenerator** charcoal generator; **~ig** woody, ligneous; *(Rettich)* stringy; **~klotz** block of wood; **~kohle** charcoal; **~lagerplatz** timber-yard, *US* lumber-yard; **~mehl** saw-dust; **~schnitt** wood-cut, engraving; **~schnitzer** wood-carver; **~schuh** wooden shoe; clog; sabot; patten; **~schuhtanz** clog-dance; **~stoß** wood-pile; **~verarbeitung** wood processing; **~weg** cart-track in wood ♦ *auf d. ~ weg sein* to be on the wrong tack; **~wolle** wood-wool, *US* excelsior; **~wurm** wood worm; death-watch beetle; **~zeug** wood pulp

homogen homogeneous; **~ität** homogeneity

Homöopath homœopath(ist); **~ie** homœopathy; **~isch** homœopathic

homosexuell homosexual; **~er** homosexual; pervert; *umg* homo, queer

Honig honey; **~mond** honeymoon; **~seim** liquid honey; **~wabe** honeycomb

Honor|ar fee, honorarium; *(Autor)* royalty; **~atioren** people of rank, notables, dignitaries; **~ieren** to pay (a fee for); *(Wechsel)* to honour a bill

Hopfen hop ♦ *bei ihm ist ~ u. Malz verloren* he is a hopeless case, it is love's labour lost; **~bau** hop culture; **~darre** oast-house; **~stange** hop-pole; *fig* lamp-post

hopsen to hop, to jump

hör|bar audible; within earshot; **~bild** sound picture; ♦ feature

horch|en to listen *(auf* to); *(spionieren)* to spy; **~er** listener; *(Spion)* spy; *(an d. Tür)* eavesdropper; **~gerät** sound detector; **~posten** listening post *(od* sentry)

Horde horde, tribe; *(Bande)* gang

hör|en to hear; *(zuhören)* to listen (to); *(gehorchen)* to obey; *(erfahren)* to understand, to learn; ♦ to listen in; *(Vorlesung)* to attend; *London ~ en* to listen in to London; *auf d. Namen B. ~ en* to answer to the name of B.; *schwer ~ en* to be hard of hearing; *von s. ~ en lassen* to give news of o.s.; *d. läßt s. ~ en* that's the thing; that sounds well; *~ en Sie mal!* look here!; I say!; **~ensagen** hearsay *(vom ~ ensagen* by, from h.); **~er** *(Person)* hearer, auditor, *pl* audience; *(Radio)* listener; *(Universität)* student; ♦ receiver; *(Kopf-)* earphone, headphone; **~erbriefe** *(Radio)* fan mail; **~ermeinungsforschung** listener research; **~erschaft** audience, auditory; ♦ listening audience; *(Universität)* students; **~fehler** mistake (in hearing); misapprehension; **~folge** ♦ feature programme, features; **~gerät** hearing-aid; **~ig** living in bondage, bond; a slave to; **~iger** bond(s)man; **~igkeit** bondage, serfdom; **~muschel** ear-piece; **~rohr** ear-trumpet; **~saal** auditorium, lecture-room; **~spiel** radio play; **~weite** ear-shot

Horizont horizon; *(Linie)* skyline; *fig* sphere of ideas ♦ *d. geht über meinen ~* that's above me; **~al** horizontal

Hormon hormone; **~drüse** ductless gland

Horn horn; ♪ bugle, French horn; *(Fühler)* feeler ♦ *j-m ~ er aufsetzen* to make a cuckold of; *d. Stier bei d. ~ ern packen* to take the bull by the horns; *s. d. ~ er ablaufen* to learn the hard way; **~bläser**, **~ist** horn-blower, bugler; **~brille** horn spectacles; **~chen** small horn; *(Gebäck)* crescent; **~ern** of horn; **~haut** callosity, horny skin; *(Auge)* cornea; **~signal** bugle call; **~vieh** horned cattle; *fig* blockhead

Hornisse hornet

Horoskop horoscope *(e. ~ stellen* to cast a h.)

Horst aerie, eyrie; *(Gebüsch)* thicket; ✈ BE air station, air base; **~en** to build an aerie

Hort treasure; hoard; *(Zuflucht)* protection; refuge; *(Schützer)* protector; **~en** to hoard; to stock-pile; **~nerin** nursery-school teacher

Hortensie hydrangea

Hose *(lang)* trousers, *US* pants; *(kurz)* shorts; *(lang, sportlich)* slacks; *(blaue Arbeits-, Träger-)* overalls, dungarees; *(Golf)* plus-fours; *(Knickerbockers)* breeches, knickerbockers;

(Flanell) flannels; *(Unterhose)* BE pants, drawers; *(Damenunterhose)* panties, BE knickers, *(beinlos)* briefs ♦ *d. ~ n anhaben* to wear the breeches; **~naufschlag** turn-up; **~nbandorden** Order of the Garter; **~nboden** seat (of the trousers) ♦ *j-m d. ~ nboden versohlen* to smack s-b's bottom; **~nklappe**, **~nlatz** fly, flap; **~nrolle** ♀ man's part; **~nträger** braces, *US* suspenders

Hospit|al hospital, infirmary; **~ant** temporary auditor (of lectures), guest member; **~ieren** to audit, to listen in, to attend lectures as guest

Hospiz hospice

Hostie the Host; **~ngefäß** pyx

Hotel hotel; **~boy**, **~page** page, bellboy, *US umg* bellhop; **~ier** hotel-keeper; **~zimmer** hotel room

Hub lift(ing); *(Kolben)* stroke; **~schrauber** helicopter; **~stapler** fork-lift truck

hüben on this side, on our side; *~ u. drüben* on either side

hübsch pretty, nice, charming; *(schön)* beautiful; good-looking; *(lieblich)* lovely; *fig* considerable, pretty, rather; *~ es Mädchen* pretty girl; *~ er Mann* handsome man; *~ es Vermögen* nice fortune; *~ warm* nice and warm; *~ teuer* rather expensive

huckepack pick-a-back; **~verkehr** road-rail service

hudeln to scamp

Huf hoof; **~eisen** horseshoe; **~lattich** coltsfoot; **~nagel** hobnail; **~schlag** kick; hoofbeat; **~schmied** shoeing smith, farrier; **~tiere** hoofed animals, ungulates

Hufe *(Land)* hide (of land)

Hüft|bein hip-bone, ilium; **~e** hip; *(Tiere)* haunch; **~gelenk** hip joint; **~gürtel**, **~halter** suspender-belt, *US* garter-belt; roll-on; **~lahm** having a dislocated hip, hip-shot

Hügel hill; hillock, knoll; **~ig** hilly

Huhn *allg* fowl; *(Henne)* hen; *(Federvieh)* poultry; *junges ~* chicken; *gebackenes ~* fried chicken; *gebratenes ~* roast chicken; *~ halten* to keep hens (chickens) ♦ *mit j-m e. ~ chen zu rupfen haben* to have a bone to pick with s-b; *da lachen ja d. ~ er* how absurd!

Hühner|auge corn; **~augenpflaster** corn-plaster; **~braten** roast chicken; **~farm** poultry-farm, chicken-farm; **~hof** poultry yard; **~hund** pointer, setter; **~leiter** hen-roost; miniature ladder ♦ *d. Leben ist e-e ~ leiter* (those are) the ups and downs of life; **~stall** hen-house; **~stange** perch, roost; **~zucht** chicken farming *(od* breeding)

Huld grace, favour; *(Freundlichkeit)* charm; *(Milde)* clemency; **~igen** to pay homage to; *(e-r Ansicht)* to hold an opinion; **~igung** homage; **~reich**, **~voll** gracious; kind; benevolent

Hülle cover, wrapper; *(Brief, Ballon)* envelope; *(Gehäuse)* case; ⬜ jacket; *(Schleier)* veil; *(Schicht)* layer; *bot* integument; *d. sterbliche ~* earthly *(od* mortal) remains; *in ~ u. Fülle* in abundance; enough and to spare; **~n**

to wrap; *(bedecken)* to cover; *s.* ~*n in* to array o.s. in

Hülse *(Schale)* husk, shell; *(Schote)* pod; ✿ case; shell; cover; *(Geschoß)* cartridge case, shell case; ~**nfrucht** leguminous vegetable, legume, pulse

human humane; ~**ismus** humanism; ~**istisch** humanistic; ~*istische Bildung* classical education; ~**itär** humanitarian

Hummel bumble-bee ♦ *wilde* ~ tomboy

Hummer lobster; ~**nschere** claw of lobster

Humor (sense of) humour; ~ *haben* to have a sense of humour; ~**eske** humorous sketch; ~**istisch** humorous; funny, comic; ~**lós** humourless; devoid of humour

humpeln to limp, to hobble

Humpen bumper, tankard

Humus humus, vegetable mould

Hund dog; *junger* ~ puppy, pup ♦ *vor d.* ~*e gehen* to go to the dogs; *(od* the devil); *auf d.* ~ *kommen* to sink very low, to go down in the world; *mit allen* ~*en gehetzt sein* to be as sly as a fox, to be up to a thing or two; ~**earbeit** hard work, drudgery; ~**ehütte** kennel; ~**ekälte** beastly cold; ~**eleben** dog's life; *e.* ~*eleben führen* to lead a dog's life; ~**eleine** (dog-)lead; ~**emarke** dog's licence, disk; ~**emüde** dog-tired, dead-tired; ~**esteuer** dog tax; ~**ewetter** dirty *(od* filthy) weather; ~**in** bitch; ~**isch** *fig* cringing, fawning; ~**sfott** cur, scoundrel; ~**s-gemein** very low, vulgar, mean; ~**sstern** dog-star; ~**stage** dog-days

hundert hundred; *su* hundred; *zu* ~*en* in (by) hundreds; ~**er** hundred; ~**erlei** of a hundred kinds; ~**fach** hundredfold; ~**füßler** centipede; ~**jahrfeier** centenary; ~**jährig** centenary, centennial; ~*jähriges Jubiläum* centenary, *US* centennial; ~**jähriger** centenarian; ~**mal** a hundred times; ~**ste** hundredth ♦ *vom* ~*sten ins Tausendste kommen* to rush from one subject to another

Hüne giant; ~**ngrab** barrow, cairn; ~**nhaft** gigantic

Hunger hunger (*nach* after, for); *fig* violent desire, craving, yearning (*nach* for); ~ *haben* to be hungry; ~*s sterben* to starve to death, to die of hunger; ~ *leiden* to starve, to go hungry; ~**kur** fasting cure; ~**leider** poor devil; ~**lohn** starvation wage; pittance; ~**n** to be *(od* go) hungry; to hunger (*nach* after, for); ~**ödem** nutritional oedema; ~**snot** famine; ~**streik** hunger strike; ~**tuch**: *am* ~*tuche nagen* to be starving

Hupe horn, klaxon; ~**n** *BE* to hoot, to toot, to honk; to sound one's horn; *(laut)* to blare

hüpfen to hop, to skip, to jump, to bounce; *Seil* ~ to skip rope ♦ *d. ist gehüpft wie gesprungen* that's all the same

Hürde ┍┑ hurdle; fold, pen; ~*n laufen* to hurdle; ~*n nehmen* to take the hurdles; ~**nläufer** hurdler; ~**nrennen** hurdle race

Hure whore, harlot; prostitute; *sie ist e-e* ~ she walks the streets

Hurrapatriotismus jingoism

hurtig quick, swift; brisk, agile; ~**keit** quickness, swiftness; agility

Husar hussar

huschen to slip away, to whisk; to scurry

hüsteln to cough slightly, to hack

husten to (give a) cough; *su* cough; ~ *haben* to have a cough; ~**bonbon** (cough) lozenge; ~**reiz** throat irritation; ~**stillend** pectoral

Hut hat; *(steifer)* bowler (hat), *US* derby (hat); *(Aufsicht)* guard, charge; *(Schutz)* protection ♦ *unter e-n* ~ *bringen* to reconcile (conflicting opinions); *auf d.* ~ *sein* to be on the alert, to be on one's guard; ~**krempe** brim; ~**macher** hatter; ~**macherin** milliner; ~**schachtel** hat-box; ~**schnur** hat-string ♦ *d. geht über d.* ~*schnur* that's past a joke, that's about the limit

hüt|en *vt* to guard, to take care of, to keep; *(Vieh)* to tend cattle, to herd; *(Bett, Zimmer)* to be confined to, to keep to; *refl* to take care; to beware of; to be on one's guard; ~**er** guardian; *(Wärter)* keeper; warden; *(Vieh)* herdsman

Hütte hut; *(arm)* cabin; *(kleines Haus)* cottage, cot; *(Eisen-)* foundry; forge; iron works; *(Glas-)* glassworks; ~**nkunde**, ~**nwesen** metallurgy; ~**nwerk** smelting works, iron works, foundry

hutzelig shrivelled

Hyäne hyena

Hydrat hydrate

Hydraul|ik hydraulics; ~**isch** hydraulic

Hydrogen hydrogen

Hygien|e hygiene, hygienics; ~**isch** hygienic

Hymne hymn; anthem

Hyperbel hyperbola; *(Redekunst)* hyperbole

Hypno|se hypnosis; ~**tisch** hypnotic; ~**tiseur** hypnotist; ~**tisieren** to hypnotize

Hypochond|er hypochondriac; ~**rie** hypochondria

Hypothek mortgage (loan); *e-e* ~ *aufnehmen* to mortgage, to raise money on mortgage; ~**arisch** hypothecary; *adv* on (by) mortgage; ~**enaufnahme** mortgage; ~**engläubiger** mortgagee; ~**enpfandbrief** (mortgage) bond; ~**enschuldner** mortgagor

Hypothe|se hypothesis; supposition; ~**tisch** hypothetical

Hyster|ie hysteria; ~**isch** hysterical; ~*ische Anfälle bekommen* to go into hysterics

I

I (the letter) I; ~ *wo!* nonsense!; certainly not!; ~**punkt** i-dot

I.A. *(im Auftrage)* by order of

ich I; *su* self, ego; ~ *selbst* I myself; ~ *bin es* it is me; ~ *Arme(r)* poor me!; *mein liebes* ~ my own dear self; *mein zweites* ~ my second self

Ideal ideal; *adj* ideal, perfect; *umg* choice; ~**isieren** to idealize; ~**ismus** idealism; ~**ist** idealist; ~**istisch** idealistic

Idee idea; notion; thought; brain-wave; *e-e* ~ *(umg)* a little (bit); *e-e* ~ *dunkler* a shade darker; *Bücher, d. e-e ~ vermitteln von* books which will give a slant on; *fixe ~* obsession, fixed idea; **~ll** ideal; spiritual; imaginary; **~nreichtum** inventiveness; resourcefulness; **~nwelt** imagination; world of ideas; mentality

Iden *pl* Ides

Identi|fizieren to identify; **~sch** identical; **~tät** identity

Idiosynkrasie (strong) aversion (*gegen* to); high susceptibility (*gegen* towards)

Idiot idiot; **~ie** idiocy; **~isch** idiotic

Idyll idyl; **~isch** idyllic

Igel hedgehog; *mil* all-round defence

Ignor|ant ignoramus; **~anz** ignorance; **~ieren** to ignore; *j-n ~ieren* to cut s-b (dead); to slight; to disregard

ihm him; *(Sachen)* it

ihn him; *(Sachen)* it; **~en** them; you

ihr her; *(Sachen)* it; *pl* you; *poss pron, adj* her(s); its; their(s); your(s); **~er** of her; of it; of them; of their; of you; of your; **~erseits** in her (its, their) turn; in your turn; **~esgleichen** of her (its, their) kind; like her (it, them); of your kind, like you; **~ethalben, ~etwegen, ~etwillen** for her (its, their) sake; on her (its, their) account; on your account; **~ig** hers (its, theirs); yours

illeg|al illegal; **~itim** illegitimate; **~itimität** illegitimacy

il|liquid insolvent; unable to pay one's debts; **~loyal** disloyal

illuminieren to illuminate; to light up

Illus|ion delusion; illusion; **~orisch** delusive; illusory

Illustr|ation illustration; **~ieren** to illustrate, to explain

Iltis polecat, fitchew

imaginär imaginary

Imbiß snack, bite; **~stube** snack bar, lunchroom; *US* lunch counter

Imit|ation imitation; **~ieren** to imitate

Imker bee-keeper; **~ei** bee-keeping

immateriell immaterial

Immatrikul|ation enrolment (at a university); matriculation; **~ieren** to enrol; to matriculate

Imme bee

immer always; every time, all the time; *für ~* for ever, for good; *~ mehr* more and more; *noch ~* still; as yet; *~ wieder* again and again; *sie hat es schon ~ gesagt* she said so all along; *~ größer* bigger and bigger; *wer auch ~* who(so)ever; *wie auch ~* how(so)ever; **~dar** for ever (and ever), evermore; **~fort** continually, constantly; **~grün** evergreen, periwinkle; **~hin** nevertheless, still; **~während** endless, everlasting, perpetual; **~zu** all the time, continually; *nur ~ zu!* go on!

Immobilien real estate; immovables; **~händler** estate agent, *US* realtor

Immortelle *BE* everlasting (flower), *US* immortelle

immun immune (*gegen* from); **~isieren** to render immune, to immunize; **~ität** immunity (*gegen* to, against)

Imper|ativ imperative; **~fekt** past tense; **~ialismus** imperialism; **~tinent** impertinent, insolent; **~tinenz** impertinence

Impf|arzt vaccinator; **~en** to inoculate, *(Pocken)* to vaccinate; **~pflicht** compulsory vaccination; **~stoff** vaccine, lymph; **~ung** inoculation; vaccination

Imponderabilien imponderable substances; *fig* imponderables

imponieren to impress; **~d** impressive, imposing; *~de Leistungen* marvellous achievements

Import import(ation); *(-waren)* import(s); **~e** (imported) Havana cigar; **~eur** importer; **~geschäft** import business; **~ieren** to import

impoten|t impotent; **~z** impotence

imprägnier|en to impregnate; to (make) waterproof; **~ungsmittel** waterproofing liquid

Im|pressum imprint; **~primatur erteilen** 📖 to pass s-th for press

Improvis|ation improvisation, extemporization; **~ieren** to improvise, to extemporize; *umg* to ad-lib

Impuls stimulus, impulse; **~iv** impulsive

imstande able, in a position to; *ich fühle mich dazu nicht ~* I don't feel up to it

in in; into; within; among(st); *~ Kürze* shortly; *im vorigen Jahr* last year ♦ *. . . hat's ~ sich* (this wine) has got a kick in it, (he) is a deep one

In|angriffnahme start, setting about; **~anspruchnahme** utilization; strain on; *(Kredit)* availment; recourse to; *mil* requisition; **~artikuliert** inarticulate; **~augurieren** to inaugurate; **~begriff** essence; embodiment; **~begriffen** included, including, inclusive of; **~betriebnahme** opening; starting; ⚙ setting to work; **~brunst** ardour; fervour; **~brünstig** ardent; fervent; **~danthren** colour-fast dye, indanthrene

in|dem while, whilst; in, by (doing); because, since; **~des, ~dessen** *adv* meanwhile, while; *conj* however, while

Inder Indian; Hindu

Index index; **~klausel** escalator clause; **~lohn** index-linked wage; **~zahl** index number

Indi|aner (Red) Indian; **~anisch** Red Indian; **~en** India; **~sch** Indian

indi|goblau indigo-blue; **~kativ** indicative (mood); **~rekt** indirect; **~skret** inquisitive; tactless; gossipy; **~skretion** inquisitiveness, tactlessness; breach of confidence

Individu|alität individuality; **~ell** individual

Indiz, ~ium circumstantial evidence; pointer

Indogerman|e Aryan, Indo-European; **~isch** Aryan, Indo-European

Indoss|ament endorsement; **~ieren** to back, to endorse

industr|ialisieren to industrialize; **~ie** (manufacturing) industry; **~iealkohol** industrial alcohol; **~ieanlage** factory, works, plant; **~ieberater** management consultant; **~ieerzeugnisse** manufactured goods, manufactures; **~iegebiet** industrial area; **~iekreise** industrial circles; **~ieller** industrialist, producer; **~iemagnat** *umg* big shot, *US* tycoon; **~iezweig** branch of industry; **~ - und Handelskammer** Chamber of Commerce and Trade

ineinander into one another, into each other; **~greifen** ✿ to gear, to mesh; **~passen** to fit together

infam infamous; *~e Lüge* thumping *(od* big) lie; **~ie** infamy

Infant infante; **~il** mentally underdeveloped, puerile; childish; **~erie** infantry; **~erist** infantryman

Infekti|on infection; **~ionskrankheit** infectious disease; **~ös** infectious

Inferiorität inferiority; **~skomplex** inferiority complex

infi|ltrieren to infiltrate; **~nitiv** infinitive; **~- zieren** to infect

Inflation inflation; **~istisch** inflationary; **~s- spirale** inflationary spiral; **~szeit** inflation(ary) period

Influenza influenza, *umg* flu

infolge in consequence of, owing to, due to, as a result of; **~dessen** hence, therefore, consequently, because of that

Inform|ation information; news; *~ation einholen* to make inquiries; **~ieren** to inform; to brief; to notify; *refl* to inform o.s. (*über* of); *falsch ~ieren* to misinform

infrarot infra-red

Ingenieur engineer; **~beruf** engineering; **~- büro** engineering office; **~wesen** (civil) engineering

Ingredienz ingredient, component

Ingrimm anger, wrath; **~ig** very angry; enraged; fierce

Ingwer ginger; **~bier** ginger beer

Inhaber *(Wohnung)* occupant; *(Scheck)* bearer; *(Patent)* holder; *(Geschäft)* owner, proprietor, principal; *(Konzession)* licensee; possessor; **~aktie** bearer share; **~scheck** cheque *(US* check) to bearer

Inhal|ationsapparat inhaler; **~ieren** to inhale

Inhalt content(s); volume, capacity; area, extent; tenor, subject; **~lich** with regard to the contents; **~sangabe** summary; **~sreich** significant, full of meaning; **~sverzeichnis** table of contents, index

Initiative initiative (*aus eigner ~* on one's own i.); *keine ~ haben* to have no enterprise

In|jektion injection, *umg* shot; **~jizieren** to inject; **~jurie** *(verbal)* slander, insult; *(real)* assault

Inkasso collection; **~spesen** collecting charges; **~wechsel** bill for collection

inklusive included, including

inkonsequen|t inconsistent; contradictory; **~z** inconsistency; contradiction

In|krafttreten entry into force, taking effect; effective date; **~kubation** $ incubation; **~ku- nabel** incunabulum

Inland inland; interior; home; *im In- und Ausland* at home and abroad; **²er** national (resident); **²isch** internal, domestic; within the country; home (-made); **~sabsatz** (sales in the)

home market; **~sauftrag** order for the home market; **~sbedarf** home consumption; **~sbe- lieferung** supplies to domestic users; **~serzeu- gung** production within the country; domestic (*od* home) production; **~smarkt** home market; **~spreis** domestic price

In|lett bed-tick; ticking; **~liegend** enclosed, herewith; **~mitten** amid(st), in the midst of

Inne|haben to hold; to occupy; **~halten** *vi* to stop, to pause; **~werden** *vi* to perceive, to become aware of; **~wohnen** to be inherent in; **~wohnend** inherent

Innen inside, within, in; *nach ~* inward(s); *von ~* from within; **~architekt** interior designer (*od* decorator); **~architektur** interior designing (*od* decoration); **~hof** patio; **~leben** inner life; **~minister** (Federal) Minister of the Interior; *BE* Secretary of State for the Home Department, *umg* Home Secretary; *US* Secretary of the Interior; **~ministerium** Ministry of the Interior; *BE* Home Office; *US* Department of the Interior; **~politisch** relating to domestic affairs (*od* policy); **~stadt** City, centre of a city

inner inner, internal; domestic; interior; intrinsic; **~es** *su* inside, interior; soul; heart; *anat, fig* bowels; **~halb** inside, within; **~lich** internal, interior, inward; intrinsic; *(Gefühle)* profound, deep; *~lich anzuwenden* $ for internal use; **~lichkeit** warmth; inwardness; intimacy; **~politisch** of internal policy; domestic; **~st** innermost; **~stes** *fig* heart, core; intrinsic nature; centre

inn|ig intimate; hearty, heart-felt; **~igkeit** intimacy; cordiality; fervour; **~ung** guild, corporation; association; **~ungswesen** guild system; trade associations

inoffiziell unofficial

Inquisiti|on inquisition; **~orisch** inquisitorial

Insasse 🚋 inmate, occupant; inhabitant; 🚗 passenger

ins|besondere especially, particularly, in particular; **~geheim** secretly; **~gemein** generally, in common; **~gesamt** altogether, collectively; in all

Inschrift inscription; *(Münze)* legend; caption; *(Stein)* epigraph; **~enkunde** epigraphy; **~lich** epigraphic

Insekt insect, *US umg* bug; **~enkunde** entomology; **~enpulver** insecticide; **~envertilger** insecticide, exterminator

Insel island; **~bewohner** islander; inhabitant of an island; **~lage** insularity; **~meer** archipelago

Inser|at advertisement, *umg* ad; **~ent** advertiser; **~ieren** *vt/i* to advertise, *vi* to put an ad(vertisement) in a newspaper

Insignien insignia

Inskription enrolment; registration

in|sofern **~soweit** *adv* so far, to that extent; *conj* inasmuch (forasmuch) as, as far as, in so far as; **~sonderheit** *adv* especially, particularly

Insolven|t insolvent, unable to pay one's debts; **~z** insolvency

Inspir|ation inspiration; **~ieren** to inspire

Inspiz|ient ☙ stage-manager; inspector; **~ieren** to inspect; to superintend; to examine

Install|ateur plumber; electrician; fitter; *(Heizung)* steam-fitter; **~ation** installation; **~ationsmaterial** builders' fittings; **~ieren** to install; to lay on; to introduce

Instand: ~ *halten* to maintain; to keep up; ⚙ to service; ~ *setzen (j-n)* to enable s-b; to repair, *umg* to fix; ⚓ to re-float; to put in working order; **~haltung** maintenance, upkeep; **~haltungskosten** costs of maintenance; upkeep; **~ig** pressing, urgent; earnest; **~ig bitten** to implore

Instanz authority; court (of justice); instance; *höchste ~* supreme court of appeal; *letzte ~* last resort; **~enweg** ⚙ stages of appeal; *auf d. ~enweg* through official channels

Instinkt instinct, flair; **~iv** instinctive

Institut institute; institution; laboratory; (private) school

instru|ieren to instruct, to brief; **~ktion** instruction; ⚙ brief; **~ktiv** instructive; representative; **~ment** instrument; ⚙ tool, implement; *umg* gadget; ⚙ deed; **~mentalmusik** instrumental music; **~mentation** orchestration; **~mentieren** to instrument

Insulaner islander

Inszenier|en to produce; ☙ to stage; **~ung** production; ☙ staging; get-up

Integral|e integral; **~rechnung** integral calculus

intell|ektuell intellectual; *umg* highbrow; **~ektueller** intellectual, *umg* egghead; **~igent** intelligent; **~igenz** intellect; intelligence, understanding; brains; *(Schicht)* intelligentsia, the intellectuals

Inten|dant ☙ stage director; ☙, *mil* superintendent; official in charge; **~dantur** office of superintendent; *mil* commissariat; **~danturoffizier** commissary; **~sität** intensity; **~siv** intensive; thorough; concentrated; intense; **~sivieren** to intensify; **~sivierung** increase; gain in strength; gaining strength; development; intensification

interess|ant interesting; **~e** interest; advantage; concern; *in j-s ~e* on (in) behalf of, on (in) s-b's behalf, in (for, to) s-b's behoof; *~e nehmen an* to take an interest in, to be interested in; *miteinander nicht zu vereinbarende ~en* conflicting interests; **~engruppe** pressure group; lobbyists; **~ent** party interested; person interested; prospective buyer, prospective; **~ieren** to be interested in, to take an interest in

interim|istisch provisional, temporary; **~skonto** suspense account; **~squittung** provisional receipt

Intermezzo interlude

intern internal; **~at** boarding–school; *(Univers.)* residential college; **~atshaus** boarding-house; **~atsschüler** boarder; **~ieren** to intern; **~ierter** internee; **~ierung** internment; **~ist** specialist in internal diseases

inter|national international; **~pellieren** to interpellate; **~polieren** to interpolate; **~pretieren** to interpret; **~punktieren** to punctuate; **~punktion** punctuation; **~punktionszeichen** punctuation mark; **~vall** interval; **~viewen** to interview; *e. ~ view gewähren* to give an interview; **~zonengrenze** interzonal boundary; **~zonenverkehr** interzonal traffic; interzonal transactions

Inthronis|ation enthronement; **~ieren** to enthrone

Inton|ation cadence; **~ieren** to intone

Intoxikation intoxication, poisoning

intransitiv intransitive

Intri|gant intriguer; ☙ villain; *adj* insidious, scheming, plotting; **~ge** intrigue; **~gieren** to intrigue, to plot

Invalid|e disabled person, invalid; *adj* invalid(ed), disabled; **~enrente** industrial disablement pension, disability pension, *US* disablement benefit; **~enversicherung** disability insurance; **~ität** disablement, disability, invalidism

Invent|ar inventory, stock *(totes, lebendes ~* dead, live stock);* ↓ implements and machinery; **~arisieren** to take stock of, to draw up an inventory of; **~ur** stock-taking; **~urverkauf** clearance sale, stock-taking sale

invest|ieren to invest; **~ition** (capital) investment; **~itionsboom** capital goods boom; **~itionstätigkeit** investment in capital goods, investments

in|wärts inwards; **~wendig** *adj* inside, inward, interior; **~wiefern, ~wieweit** to what extent, how far, in what way

In|zest incest; **~zucht** in-breeding; intermarriage

inzwischen meanwhile, in the meantime

ird|en earthen; *~enes Geschirr* earthenware, crockery; **~isch** earthly, worldly; terrestrial; mortal

irgend some; any; at all; *wenn ich ~ kann* if I possibly can; *wenn ~ möglich* if at all possible; **~einer, ~ jemand, ~wer** somebody, someone; anybody, anyone; **~wann** at some time or other, sometime; **~wie** somehow; anyhow; **~wo** somewhere; anywhere; **~woher** from somewhere, from anywhere; from some place (or other); **~wohin** to some place (or other), to any place

Iris *bot* iris, flag; **~ierend** iridescent

Ir|e Irishman; **~in** Irishwoman; **~isch** Irish; **~land** Ireland; **~länder(in)** = Ire (Irin); **~ländisch** = irisch

Iron|ie irony; **~isch** ironical, bland; **~isieren** to treat ironically

irre astray, wrong; *(geistig)* confused; mad, crazy, insane; ~ *werden an* to lose confidence in, to doubt (s–b); *in d. ~ führen* to mislead, to lead astray; to bluff; **~r** *su* lunatic, madman (madwoman); **~gehen** to lose one's way, to go astray; *(Brief)* to miscarry; **~machen** to confuse, to puzzle, to bewilder; *s. nicht leicht ~ machen lassen* not to be easily put out; **~n** *vi* to err, to make a mistake, to be wrong; to lose one's way, to wander (about)

Irr|enanstalt lunatic asylum; **~enarzt** alienist, mad-doctor; **~fahrt** vagary, wandering; **~garten** maze, labyrinth; **~glaube** heresy, heterodoxy; **~gläubig** heretical, heterodox; **~enhaus** madhouse, bedlam; **~ig** erroneous, wrong; **~läufer** ♂ lost letter; 🚂 misrouted railroad car; **~lehre** false doctrine, heresy; **~licht** (a. fig) will-o'-the-wisp, Jack-o'-lantern; **~sinn** insanity, madness, alienation; lunacy; **~sinnig** insane, mad; ~ sinnig werden to go mad; **~tum** error, mistake; im ~tum all abroad; ~tümer vorbehalten errors excepted; **~tümlich** erroneous, mistaken; adv by mistake; **~ung** error, misunderstanding; **~weg** wrong path; **~wisch** = ~licht; tomboy

irritieren to irritate

Ischias sciatica

Isol|ation isolation, ⚡ insulation; **~ations-schicht** insulating layer; **~ator** ⚡ insulator; **~ieren** a. ⚡ to isolate; ⚡ to insulate; **~ierband** insulating tape; **~ierflasche** vacuum flask; **~ierschicht** dampproof course, insulating layer; **~ierstation** ⚡ insulation; ⚡ isolation; **~ierungsanstrich** protective coating; **~ierungsleitung** insulated wire (od cable); **~ierzelle** padded cell; cell for solitary confinement

Isotop isotope; **~isch** isotopic

ist is; **~stärke** mil actual strength; actual inventory

Isthmus isthmus

Italien Italy; **~er** Italian; **~isch** Italian

J

J (the letter) J

ja yes; umg ay(e), US yea(h), yep; indeed, really; be sure to, by all means; ~ sogar even; ~ sagen zu to consent to, to agree; ~ u. Amen sagen zu to say amen to; ich habe es Ihnen ~ gesagt! I told you so!; da sind Sie ~ ! well, there you are!; tu es ~ nicht! don't you dare do it!; wenn ~ if so; er konnte ~ nicht kommen he could not come, could he; **~wohl** yes, certainly, indeed; **~wort** consent; yes

Jacht yacht; **~klub** yachting-club

Jacke jacket; coat; 🦅 blazer ♦ d. ist ~ wie Hose six of one and half a dozen of another; **~nkleid** lady's suit; **~tt** (short) coat, jacket

Jagd 🦅 hunt(ing), shooting; chasing; fig pursuit, hunting; auf d. ~ gehen to go hunting (od shooting); ~ machen auf (fig) to hunt, to chase; ~ nach e-r Wohnung house-hunting; **~bares Wild** fair game; **~beute** bag, kill; game; booty; **~flieger** fighter pilot; **~flinte** sporting gun, fowling piece; **~flugzeug** fighter (aircraft); interceptor; **~frevel** poaching; **~gesetz** game law; **~glück** haben to make a good bag; **~gründe**: d. ewigen ~gründe happy hunting-grounds; **~haus** hunting lodge, BE shooting-box; **~hund** hound, setter, hunting dog; **~recht** hunting (od shooting) right(s); **~revier** game preserve, hunting-ground; **~schein** game (od shooting) licence; **~schloß** hunting seat (od lodge); **~staffel** ✈ fighter formation; **~tasche** gamebag; **~verband** ✈ fighter unit; **~wagen** dog-cart; **~zeit** hunting (od shooting) season

jagen vt 🦅 to hunt; fig to pursue, to chase; to career, to rush, 🚗 to drive at full speed; to dash; aus d. Hause ~ to turn out of doors; su shooting

Jäger huntsman (d. wilde ~ the wild h.), hunter, ranger, sportsman; ✈ fighter; mil rifleman; **~isch** sportsmanlike; **~latein** (huntsman's) tall talk, travellers' tales; **~sprache** hunting terms, sporting language

jäh sudden, quick; steep (Abgrund); abrupt; **~lings** suddenly, abruptly, precipitously; **~zorn** irascibility, sudden anger, rage; **~zornig** irascible, hot-tempered; hasty

Jahr year; in d. ~e kommen to begin to grow old, to be getting on in years; d. ganze ~ hindurch all the year round; im ~e in (the year); in d. letzten ~en of late (od recent) years; in d. besten ~en in the prime of life; in d. neunziger ~en in the nineties; nach ~ und Tag after many years; seit ~ und Tag for many years; über ~ und Tag a year and a day; **~aus, ~ein** year in, year out; **~elang** (lasting) for years; **~buch** almanac, annual; pl annals; **~esabschluß** annual balance(-sheet); annual statement of accounts; **~esbedarf** yearly requirement; **~esbericht** annual report; **~esrente** annuity; **~esring** bot annual ring; **~estag, ~esfeier** anniversary; **~eszahl** year, date; **~eswende** turn of the year, New Year; **~gang** age group, 📖 year of publication; (Wein) year's vintage; **~hundert** century; **~hundertfeier** centenary, hundredth anniversary; **~markt** (fun) fair; **~tausend** a thousand years, millennium; **~zehnt** decade; **~zehntelang** for decades

jähr|en refl to be a year ago (od since); **~lich** annual, yearly; einmal ~lich once a year; **~ling** yearling

Jalousie venetian blind

Jamaikapfeffer allspice, BE a. pimento

Jamb|us iambus; **~isch** iambic

Jammer misery; moaning, wailing; was für e. ~ ! what a pity!; **~lappen** cry-baby, weakling; **~leben** life of misery; ²**lich** miserable, wretched, pitiable; **~n** vt to make s-b feel sorry (for), to pity; vi to wail, to moan, to lament (um for, über over); su lamenting, complaining, moaning; **~schade** a thousand pities; **~tal** vale of tears (od of woe); **~voll** deplorable, lamentable, piteous

Janhagel mob, rabble

Januar January

Jas|min jasmine, jessamine; **~pis** jasper

jäten to weed

Jauche liquid manure; **~grube** liquid manure tank; cesspool

jauchz|en to exult, to jubilate, to rejoice; **~er** loud cheers, shouts of joy

jaulen to howl

Jazz jazz; ~ en to play jazz; **~kapelle** jazz band

je always, at all times; ever; at a time; each, apiece; *sie bekamen ~ e-n Apfel* they received an apple each; *~ nachdem* in proportion as, according to; *~... desto, ~... um* so the ...the (*~ eher, desto besser* the sooner, the better); *von ~ her s.* jeher; *~ zwei* two at a time; **~denfalls** at all events, in any case; however; most probably

jeder each; every; any; either; *~, der* whoever; **~mann** everyone, everybody; **~zeit** at any time

jedesmal every time, each time; *~ wenn* whenever, as often as; in each case

jedoch however, nevertheless, yet

jedweder, jeglicher every, everyone, each

jeher: *von ~* from time immemorial, at all times

Jelängerjelieber honeysuckle, woodbine

je|mals ever, at any time; **~mand** somebody, someone; anybody; anyone

Jenaer Glas Pyrex

jen|er that, that one; *pl* those, those ones; the former; the other; **~seitig** opposite, on the other side; **~seits** beyond, across, yonder, on the other side of; *su* the other world, the next world, the beyond; *ins ~seits befördern* to kill off; to do in

Jersey jersey (cloth)

jetz|ig actual, present; modern, current; **~t** now, at present; **~tzeit** the present day, these days (of ours)

Jeunesse dorée gilded youth

jeweil|ig actual, for the time being, at the moment; respective; **~s** at times; at any given time; in each case

Jiu-Jitsu *BE* ju-jutsu, *US* ju-jitsu; judo

Joch yoke; *geog* ridge; *(Brücke)* piles; 🏛 cross-beam ♦ *unter d. ~ bringen* to subjugate; **~bein** cheek-bone

Jockey jockey

Jod iodine; **~haltig** containing iodine; iodiferous; **~tinktur** tincture of iodine

jodeln to yodel; **~ler** yodel

Joghurt yog(h)urt

Johannis|beere red currant; (*schwarze ~beere* black c.); **~brot** carob (bean); **~tag** Midsummer Day; **~würmchen** glow-worm

johlen to howl, to yell, to boo

Joker *(Karten)* joker

Jolle jolly-boat, yawl

Jongl|eur juggler; **~ieren** *vt* | *vi* to juggle

Joppe jacket

Journalist journalist, newspaperman; **~ik** journalism

Jubel jubilation, rejoicing; **~feier** jubilee; **~jahr** year of jubilee ♦ *alle ~jahre einmal* once in a blue moon; **~n** to shout with joy, to rejoice; to cheer

Jubil|ar one who celebrates his jubilee; **~äum** jubilee, anniversary; **~äumsausgabe** 📖 anniversary (*od* jubilee) edition; **~ieren** to exult, to jubilate

Juchten Russia leather

Jauchzer shout of joy

jucken *vt* to scratch, to rub; *vi* to itch, to feel itchy; *su* itching, ⚕ pruritus

Jugend youth; young people; *(Zeit)* adolescence; *frühe ~* childhood ♦ *~ hat keine Tugend* boys will be boys; *in m-r ~* when I was a boy (girl); *von ~ an* man and boy, from one's youth; **~amt** youth welfare office; **~arbeit** youth activities, youth work; **~erzieher** educator of young people; **~film** children's film; **~frei** 📽 U-film; **~freund** friend of one's youth, school-chum; **~fürsorge** youth welfare; **~fürsorgeheim** youth detention centre; **~gericht** Juvenile Court; **~herberge** youth hostel; **~leiter** youth worker; **~lich** youthful, juvenile; **~liche(r)** boy; girl; *pl* young people, juveniles; **~liebe** first love, *(iron.)* calf-love; *(Person)* old sweetheart; **~schriften** books for the young, children's books; **~verbot** 📽 X-film; **~zeit** young days, youth

Juli July

Jumper jumper

jung young, youthful; *(Wein)* new; *(Gemüse)* fresh, early; *(Erbsen)* green ♦ *~ gewohnt, alt getan* once a use and ever a custom; **~brunnen** fountain of youth; **~e** boy, lad, youngster; apprentice; *umg* cub; *blaue ~en* ⚓ blue-jackets; *grüner ~e* greenhorn; *schwerer ~e* notorious criminal, thug; *(Tiere)* young; **~enhaft** boyish; **~enzeit** boyhood; **~fer** maid, virgin; spinster, lady's maid; *alte ~fer* spinster, old maid; **~fernfahrt** ⚓ maiden voyage; **~fernschaft** maidenhood, virginity; **~frau** virgin, maid(en); *(astr)* Virgo; **~fräulich** maidenly, virginal; **~geselle** bachelor; **~gesellin** bachelor girl; **~vieh** young cattle

jüng|er younger, later, junior; of a later date; *su* disciple; adherent; follower; **~ferlich** maidenly, coy; **~ling** young man, youth, *umg* lad; **~lingszeit** adolescence; **~st** youngest; latest; last; recent; *d. ~ste Gericht* Doomsday, the last judgment; *d. ~sten Ereignisse* the latest events; *adv* lately, recently, newly, of late

Juni June

Junker country gentleman; squire; aristocrat; titled landowner

Jupiterlampe klieg light

Jur|a law (*~a studieren* to study l., *BE* to read l.); **~ist** jurist; law-student; **~istisch** legal, juridical; *~istischer Beistand* counsel; *~istische Person* juridical person; legal entity; corporate body; **~y** jury; panel of experts

just just, exactly; just now, only just

Justiz administration of the law (*od* of justice); **~dienst** judicial service; **~minister** Minister of Justice; *US* attorney general; **~mord** judicial murder; **~rat** Judicial Councillor; King's Counsel; **~wesen** judicial affairs; **~**

Juwel jewel, gem, precious stone; *pl* jewelry, *BE mst* jewellery; **~ier** jeweller; *(Laden)* jeweller's shop

Jux joke, *umg* lark; *aus ~* (just) for a joke; *s. e-n ~ machen* to lark

K

K (the letter) K
Kabale cabal, intrigue
Kabarett cabaret; night-club
kabbeln *refl* to bicker
Kabel cable; ♄ cablegram; ~telegramm = ~;
~n *vt/vi* to cable; ~jau cod
Kabine cabin; cubicle; ♆ cabin; *(Piloten-)*
cockpit; *(Bad)* bathing-box, *US* bath-house;
(Wahl-, ♄) booth; ⚓ berth; cabin; ~nkoffer
cabin trunk; ~tt cabinet, closet; *pol* cabinet;
~ttskrise ministerial crisis; ~ttsitzung meeting
of the cabinet
Kabriolett cabriolet, hansom; convertible
Kachel (glazed, Dutch) tile; ~n to tile; ~ofen
tiled stove
Kadaver carcass, *(Mensch)* corpse, body
Kadenz cadence
Kader cadre
Kadett cadet; ~enanstalt cadet-school
Käfer beetle, *US* bug; *(umg)* sie ist e. netter ~
she's a cute *(od* sweet) little thing
Kaff *sl* poor village, chaff
Kaffee coffee; *(Haus)* café, coffee-house; ~
verkehrt milk with a dash (of coffee); ~ersatz
coffee surrogate; ~grund, ~satz grounds; ~-
kanne coffee-pot; ~kränzchen ladies' coffee-
party; *umg* hen party; ~löffel tea-spoon; ~-
maschine percolator; ~mühle coffee-grinder,
coffee-mill; ~mütze cosy, *US* cozy; ~strauch
coffee-shrub; ~tasse coffee-cup
Käfig cage
Kaftan kaftan; gaberdine
kahl bald; *(Land)* barren; bare; bleak; callow;
empty; naked; blank; ~geschoren close-
-cropped; ~heit baldness; barrenness; bleak-
ness *(unfruchtbar)*; ~köpfig bald-headed;
~schlag ♠ clearing, clear felling
Kahm mould; ~ig mouldy, stale
Kahn boat; *(Last-)* barge, lighter; punt; skiff;
~ fahren to go boating; ~führer bargee
Kai quay, wharf; pier; *(Fluß)* embankment
Kaiman cayman, alligator
Kaiser emperor ♦ *dem ~ geben, was des ~s ist*
to render unto Caesar the things which are
Caesar's; ~in empress; ~lich imperial; *s-e*
~liche Majestät His Imperial Majesty; ~pfalz
Imperial Palace; ~reich empire; *(Dtschld.)* the
German Empire; ~schnitt Caesarean opera-
tion; ~tum empire
Kajak canoe; *(Eskimo)* kayak
Kajüte cabin; stateroom; ~ erster Klasse first-
-class saloon
Kaka|du cockatoo; ~o cocoa; *(Frucht)* cacao ♦
(umg) durch d. ~o ziehen to ridicule, to sneer at
s-b
Kakerlak cockroach
Kaktus cactus
Kalauer stale joke; pun
Kalb calf; ~en to calve; ~ern to behave foolishly; ~fleisch veal; ~sbraten roast veal; ~s-
haxe knuckle of veal; ~sleder calf; ~slende fillet of veal; ~sschnitzel veal cutlet

Kaldaunen intestines; tripe
Kalender calendar, almanac; *hundertjähriger*
~ perpetual calendar; ~block block-calen-
dar; tear-off calendar
Kalesche light carriage, chaise
kalfatern to caulk
Kali potash; potassium hydroxide; ~dünge-
mittel potash manure, potash fertilizer; ~hal-
tig containing potash; ~salpeter potassium ni-
Kaliber calibre *(a. fig); umg* sort, kind   [trate
Kalif caliph
Kalk lime; calcium; *gebrannter ~* quicklime;
gelöschter ~ slaked lime; *mit ~ tünchen* to
whitewash; ~ablagerung calcareous deposit;
~grube lime-pit; ~haltig containing lime; calcareous; ~ofen lime-kiln; ~spat calc-spar; ~-
stein limestone
Kalku|lation calculation, computation; ~lato-
risch from the calculation point of view; calcu-
lative; ~lieren to calculate, to compute; to cost
Kalmenzone doldrums
Kalorie calorie; ~ngehalt calorific content
kalt cold; frigid, freezing; *fig* cold, cool,
frosty; indifferent; *~er Krieg* cold war; *es
überläuft mich ~* I have the shivers; *~er Brand*
mortification; ~blüter cold-blooded animal;
~blütig *(a. fig)* cold-blooded; ⁰e cold, coldness; frigidity; frostiness; ⁰eanlage refrigerat-
ing plant; ⁰ebeständig cold-resisting, anti-
freezing; ⁰empfindlich sensitive to cold;
⁰egrad degree below zero; ⁰eperiode cold
spell; ⁰ewelle cold spell; ~herzig cold-
-hearted, unkind; ~-lächelnd cynical; sneering; ~machen to finish s-b off, to do s-b in;
~schnäuzig impertinent, saucy; ~stellen *fig* to
shelve
kalzi|nieren to calcine; ~um calcium
Kambüse caboose
Kamee cameo
Kamel camel; ~haar camel's hair
Kamelie camellia; japonica
Kamera camera; ~mann camera man; ~wagen
📷 camera truck
Kamerad comrade, mate; *umg* pal, chum, *US
umg* buddy; *(Offizier)* brother; ~schaft com-
radeship, companionship, fellowship; ~-
schaftlich friendly, companionable, *sl* pally;
adv friendly, as comrades, in a spirit of camaraderie; ~schaftsehe companionate marriage
Kamille camomile
Kamin chimney; *(Zimmer)* fire-place, fireside;
~aufsatz, ~sims mantelpiece; ~feger chimney-
-sweep; ~vorsatz fender
Kamm comb; *(Berg-, Wellen-, Vogel-)* crest;
(Berg-) ridge; *(Rind)* neck ♦ *über e-n ~ scheren*
to apply the same yardstick to everything, to
treat all alike; *ihm schwillt d. ~* he bristles up,
he is cocky; ⁰en to comb; *(Wolle)* to card; *s.
⁰en* to comb one's hair; ~garn worsted (yarn);
~garnstoff worsted (cloth)
Kammer small room, closet; chamber *(a. ♄)*;
♄ panel; *(Herz)* ventricle; *mil* unit clothing
stores; ~diener valet; ⁰er chamberlain;, treasurer; ~frau, ~jungfer chambermaid, lady's

maid; **~gericht** Supreme Court (of Judicature); **~herr** chamberlain; gentleman of the bedchamber; **~jäger** vermin exterminator; **~musik** chamber-music; **~ton** concert-pitch

Kämpe champion

Kampagne campaign

Kampf fight, combat, battle; *fig* conflict, fight, strife, struggle; *(Wett-)* contest; ~ *ums Dasein* struggle for existence; ~ *auf Leben und Tod* life-and-death struggle; ~ *bis aufs Messer* war to the knife; ~ *d. Meinungen* conflict of opinions; *im* ~ *e fallen* to be killed in action; **~bahn** 🏇 stadium, arena; **~einheit** fighting unit; **~er** camphor; **∴en** to battle, to fight, to combat; *US* to buck *(gegen* with); 🏇 to contend *(mit* with); *fig* to conflict, to battle, to war; to struggle *(um* for); *mit d. Tode* **∴en** to struggle with death; *mit d. Wellen* **∴en** to buffet the waves; *mit s. selber* **∴en** to be undecided; **∴er** fighter, combatant; warrior; 🏇 champion; **∴erisch** warlike; *fig* pugnacious; **~erprobt** battle-tried; **~flieger** bomber pilot; **~flugzeug** bomber (aircraft); **~führung** battle command; **~gefährte** fellow combatant, comrade-in--arms; **~geschwader** *BE* bomber group, *US* bomber wing; **~hahn** fighting cock; *fig* quarrelsome fellow, wrangler; **~lust** pugnacity, love of fighting; **~platz** battle-field, scene of action; 🏇 arena; *fig* scene of conflict; **~schwimmer** frogman; **~spiel** 🏇 (athletic) contest, match, game; tournament; **~stärke** combative force; **~unfähig** disabled; ~ *unfähig machen* to put out of action; *(Boxen)* to knock out; **~wagen** tank, combat vehicle

kampieren to camp

Kanada Canada; **~ier** Canadian; 🏇 Canadian canoe; **~isch** Canadian

Kanal 🐟, ⚓, *fig* channel; *(künstl.)* canal; ditch; *(Abfluß)* drain, sewer ♦ *ich habe d.* ~ *voll* I'm browned off, I'm fed up; **~einstiegschacht** manhole; **~isation** drainage (and sewerage); *(municipal)* water-system; *(Fluß)* canalization; **~isieren** to drain, to sewer; to canalize; **~netz** drainage (and sewerage) system *(od* network); **~rohr** drain-pipe; **~wasser** sewage

Kanapee sofa, settee; canapé

Kanarienvogel canary

Kandare bit, curb ♦ *an d.* ~ *nehmen* to break in, to discipline

Kandela candela; **~ber** candelabrum; chandelier

Kandidat candidate; applicant; aspirant; nominee; **~atenliste** *pol* ticket; **~atur** candidature, *US* candidacy (for); **~ieren** to be a candidate *(für* for); *pol* to contest a seat; to stand, to run (for election)

kandieren to candy; **~iert** candied; **~is** candy-sugar

Känguruh kangaroo

Kaninchen rabbit; **~bau** rabbit-burrow

Kanister canister, container; can

Kanker *BE* harvestman, *US* daddy-longlegs

Kanne can; mug, tankard; jug; pot; **~lieren** to channel, to flute

Kannibale cannibal; **~isch** cannibal

Kanon *eccl*, ♩ canon; **~ade** cannonade, bombardment; **~isch** canonical

Kanone cannon; gun; 🏇 ace, a big noise ♦ *unter aller* ~ *e (umg)* beneath contempt; **~enfutter** cannon-fodder; **~enkugel** cannon-ball; **~enofen** iron stove; **~enstiefel** jack-boots; **~ier** gunner

Kantate cantata

Kante edge; corner; edging; *(Stoff)* selvage; *(Abgrund)* brink, edge ♦ *auf d. hohe* ~ *e legen* to lay by for a rainy day; **~el** square ruler; **~en** *(Brot)* (top-)crust, heel; *vt* to square; to tilt, to capsize; **~haken** cant-hook ♦ *j-n beim* ~ *haken kriegen* to get hold of s-b by the scruff of the neck; **~ig** edged; *(a. Gesicht)* angular

Kantine canteen; mess

Kanton canton; **~ist**: *e. unsicherer* ~ *ist (fig)* an unreliable fellow

Kantor precentor; organist; choir-master

Kanu canoe; **~fahrer, ~te** canoeist; **~sport** canoeing

Kanüle ⚕ cannula, tubule; nozzle

Kanzel pulpit; ✈ cockpit, turret; **~lei** law office; chancellery; **~ler** chancellor

Kap cape; promontory

Kapaun capon

Kapazität capacity; *fig* authority; eminent scholar; **~ausnützung** employment of capacity; working at full capacity

Kapee: *schwer von* ~ *ee* slow on the uptake; **~ieren** *umg* to catch, to get (s-th), to take in

Kapelle chapel; ♩ band; **~meister** conductor, bandmaster, band leader

Kaper *bot* caper; *(See)* pirate, freebooter; **~n** to capture, to seize; **~schiff** privateer; corsair; **~nstrauch** caper-bush

Kapital capital, *(Geld)* funds; stock; ~ *und Zins* principal and interest; ~ *aufbringen* to raise capital; ~ *flüssig machen* to realize capital; ~ *schlagen aus* to capitalize, *fig* to profit by; **~anlage** investment; *feste ~anlage* lock--up; **~bildung** formation *(od* accumulation) of capital; **~isieren** to capitalize; **~ismus** capitalism; **~ist** capitalist; **~kräftig** well-funded; **~markt** capital market; **~steuer** capital tax; **~verbrechen** capital crime; **~zufluß** influx of capital

Kapitäl 🏛 capital; **~chen** 📖 small caps

Kapitän captain, skipper; **~leutnant** *BE/US* lieutenant

Kapitel chapter; section; *d. ist e.* ~ *el für sich* that's another story; **~ell** 🏛 capital; **~ulation** capitulation, surrender; **~ulieren** to capitulate

Kaplan curate, chaplain

Kapotthut bonnet

Kappe *cap; (Kapuze)* hood; *(Mönch)* cowl; *(Schuh)* tip, toe-piece; 🏛 dome, cup, cap ♦ *auf s-e* ~ *nehmen* to take the responsibility for; **~n** *vt* to cut, to sever; *(Baum)* to lop, to trim, to top; ⚓ to castrate

Kapriole caper; ~ *n machen (fig)* to play tricks

kaprizieren *refl* to stick obstinately to; to take a fancy to; **~ös** capricious

Kapsel *bot,* ∮ capsule; case, box; cover, cap
kaputt broken, in pieces; ruined, spoiled; *(Maschine, Motor)* out of order, out of kilter, wrecked; *fig* worn out, all in; **~gehen** to (go) bust; *(Maschine)* to break down, to conk out, to get broken; **~machen** to bust, to ruin, to spoil, to break
Kapuze hood; (Mönch) cowl; **~iner** Capuchin (friar); **~inerkresse** nasturtium
Karabiner carbine, rifle; **~haken** spring safety hook
Karaffe carafe, decanter
Karambol|age collision; *(Billard) BE* cannon, *US* carom; **~ieren** *BE* to cannon, *US* to carom; to collide
Karamel caramel
Karat carat; **~gold** alloyed gold
Karawane caravan; **~nstraße** caravan route
Karbe caraway
Karbid carbide; **~lampe** carbide lamp
Karbolsäure carbolic acid; phenol
Kar|bonade chop, cutlet; **~bunkel** carbuncle, boil; **~damom** cardamom
Kardätsche *(Spinnerei)* hand-card; *(Pferd)* horse-brush; **~n** to groom with a horse-brush; to card *(wool)*
Kardinal cardinal; *adj* cardinal
Kar|freitag Good Friday; **~samstag** Easter Saturday; **~woche** Passion Week, Holy Week
Karfunkel carbuncle
karg *(Land)* barren, sterile; poor, scanty; **~en** to be very economical, *umg* to be stingy, penny-pinching; **~heit** parsimony, stinginess; poverty; scantiness; **⁀lich** poor, scanty
kariert checked, *BE* chequered, *bes US* checkered; **~er Stoff** check, *bes US* checkers
Kar|ies caries; **~ös** carious
Karik|atur caricature, cartoon; **~ieren** to caricature, to cartoon; **~aturist** caricaturist, cartoonist
karm|esin crimson; **~in** carmine
Karneol cornelian, *US* carnelian
Karneval (Shrove-tide) carnival
Karnickel bunny, rabbit
Karo square; *(Karten)* diamonds; **~stoff** check, *bes US* checkers
Karosse state coach; **~rie** 🚗 coachwork, body(-work); **~riebauer** coach-builder; **~rieblech** body sheet
Karotte carrot
Karpfen carp; **~teich** carp-pond
Karre|(n) cart; wheel-barrow; (small, old) carriage ♦ *d.* ~ *aus d. Dreck ziehen* to pull the ship off the rocks, to clean up the mess; **~n** to cart
Karree square
Karriere career; ~ *machen* to get on well in the world; **~macher** careerist
Kärrner carter; barrow-man; carrier
Karst *(Hacke)* mattock, hoe; *(Land)* karst, naked rock
Karte card; *geog* map; *(See)* chart; 👑 *(Verkehr)* ticket; menu, bill of fare; (♧, *Spiel)* card; ~ *n legen* to tell the fortune; *s-e* ~ *n auf-*

decken, auf d. Tisch legen (a. fig) to show one's hand; *nach d.* ~ *essen* to eat à la carte ♦ *alles auf e-e* ~ *setzen* to put all one's eggs in one basket; *e. Spiel* ~ *n* a pack *((US* deck) of cards; ~ *n spielen* to play at cards; ~ *n abheben* to cut cards; ~ *n geben* to deal cards; ~ *n mischen* to shuffle cards; **~nlegerin** fortune-teller; **~nlegekunst** cartomancy; **~nschalter** 👑 booking-office; 👑, 💷 box-office; **~nskizze** sketch map; **~nstelle** food office; *mil* mapping office
Kartei card-index; filing cabinet; card-index record; **~karte** index card; **~schrank** filing cabinet
Kartell cartel, combine; **~isieren** to cartelize, to concentrate; **~wesen** cartelism
Kartoffel potato, *umg* spud; **~brei** mashed potatoes; **~käfer** Colorado beetle
Karton *(Pappe)* cardboard, pasteboard, 💷 mount; *(Behälter)* cardboard box; fancy box; **~age** boarding; **~einband** 📖 boards; **~ieren** to bind in boards; **~iert** in boards
Kartothek card-index
Kartusche cartridge
Karussell merry-go-round, *US a.* carrousel
Karzer prison; lock-up
kaschieren to conceal, to cover up
Kaschmir cashmere; **~stoff** cashmere
Käse cheese; **~blatt** *umg* rag; local newspaper; **~glocke** cheese-cover; **~made** hopper; **~n** to curd, to curdle; **~rinde** rind of cheese; **~weiß** *umg* chalky white
Kasematte casemate
Kasern|e barracks; **~enarrest** confinement to barracks; **~enhof** barrack-yard; **~ieren** to quarter in barracks, to barrack; **~iert** quartered in barracks
Kasino casino; *mil* officers' mess
Kaskoversicherung ⚓ hull insurance; 🚗 insurance against damage to one's own car
Kasperletheater Punch and Judy show
Kassabuch cash-book
Kasse cashbox, till; *(Laden)* pay-desk, cash-desk; 👑 👑 booking-(box)office; *(Geld)* cash *(bei* ~ in c., *nicht bei* ~ out of c.); *(Zahlstelle)* cash-office; *(Bank)* teller's department; *bei* ~ *sein (umg)* to be in funds *(od* flush with money); *nicht bei* ~ *sein* to be hard up *(od* short of cash); *gegen* ~ for cash; *d.* ~ *führen* to keep the cash; **~nabschluß** closing of accounts; cash results; **~narzt** panel-doctor; *als* ~*narzt eingetragen sein* to be on the panel; **~nbeitrag** contribution, fee; **~nbestand** cash in hand; **~nbuch** cash-book; **~nkonto** cash-account; **~nmäßig** cash, relating to cash; **~npatient** panel-patient; **~nschlager** hit; **~nschrank** safe; **~nstunden** cash-desk hours; banking hours; **~nsturz** counting of cash receipts; **~nvorschuß** cash advance; **~nzettel** sales slip *(US* check); receipt
Kasserolle dipper, stewpan
Kassette cash-box; casket; 🏛 coffer; 💷 plate-holder; cassette; **~nrecorder** cassette recorder

kassie|ren to cash, to take in, to receive (money); to dismiss, *mil* to cashier; **~r** *(Bank)* cashier, teller; *(Büro, Verein)* treasurer; ⚓ ticket clerk; ⚓ purser; *mil* paymaster

Kastagnette castanet

Kastanie chestnut, *(Roß-)* horse chestnut

Kaste caste; **~ngeist** caste spirit

kastei|en to castigate, to mortify; **~ung** castigation, mortification

Kastell Roman fortification; citadel; fort; **~an** governor (of a castle); caretaker

Kasten chest, box, case; ⚓ box horse; *alter ~ (Haus)* hovel, barrack, ⚓ floating coffin; **~wagen** box cart; ⚓ open boxcar, *US* lorry, ⚓ box-type delivery van

Kastr|at eunuch; **~ieren** to castrate

Kasu|ar cassowary; **~istik** casuistry; **~s** case

Kata|kombe catacomb; **~log** catalogue, list; **~logisieren** to catalogue; **~lysator** catalyser; **~pult** catapult; **~rakt** cataract

Katarrh catarrh, cold

Kataster land-register, cadastral register; **~amt** land registry office

katastroph|al disastrous, catastrophic, calamitous; **~e** disaster, catastrophe, calamity, cataclysm

Kate hut, cottage

Katech|ese *eccl* catechizing; **~et** catechist; **~ismus** catechism

Kategor|ie category; **~isch** categorical

Kater male cat, tom-cat ♦ *e-n ~ haben* to have a hangover; *Gestiefelter ~* Puss-in-Boots; **~idee** absurd idea

Kat|fisch catfish; **~gut** catgut

Kathed|er desk, chair; rostrum; **~rale** cathedral

Kathode cathode; **~nstrahl** cathode ray

Kathol|ik Catholic; **~isch** Catholic; **~izismus** Catholicism

Kätner cottager, peasant, *BE a.* crofter

Kattun cotton cloth, *bes US* calico; *(bedruckt)* print

katz|balgen to scuffle, to fight; **~buckeln** to cringe, to toady, to crouch; **~chen** kitten; *bot* catkin, pussy(-willow); **~e** cat, *umg* puss(y); *neunschwänzige ~e* cat-o'-nine-tails ♦ *wie d. ~e um d. heißen Brei gehen* to act like a cat on hot bricks; *wie ~e und Hund leben* to lead a cat-and-dog life; *d. ~e im Sack kaufen* to buy a pig in a poke; *d. ~e läßt d. Mausen nicht* cats will catch mice; **~enauge** cat's eye; ⚓ (rear) reflector; **~enbuckel** cat's back; round shoulders; *e-n ~enbuckel machen* to arch one's back; **~enjammer** hangover; **~enmusik** caterwauling, tin-kettle serenade; charivari; **~ensprung** *fig* a stone's throw; **~enwäsche** cat's lick, a lick and a promise

Kauderwelsch gibberish, double Dutch; jargon

kau|en to chew, to masticate; *(laut)* to munch; *an d. Nägeln ~en* to bite the nails; **~gummi** chewing gum; **~tabak** chewing tobacco, *US* chew

kauern: *refl* to squat, to crouch, to cower

Kauf buy(ing), purchase, *(günstig)* bargain; acquisition ♦ *etw in ~ nehmen* to take one's chances on, to put up with; *leichten ~en davonkommen* to get off lightly; *~ gegen bar* cash purchase; *~ auf Ziel* purchase on terms; **~en** to buy, to purchase; **~er** buyer, purchaser; **~haus** store(s), department store; *(billiges)* six-penny store, *US* five-and-ten; **~interessent** potential buyer; **~kraft** purchasing power; **~kräftig** able to buy, wealthy, moneyed; **~kraftüberhang** excess purchasing power; **~laden** shop, *US* store; **~lich** marketable, to be bought; for sale; *fig* corruptible, venal; **~lustig** keen to buy; **~mann** dealer, retailer; shop-keeper, *US* storekeeper; trader; merchant; **~männisch** mercantile, commercial; trade; **~zwang** obligation to buy

Kaulquappe tadpole

kaum barely, hardly, scarcely, with difficulty; *~ ... als* no sooner ... than

Kaution security, bail; *gegen ~ freigelassen* out on bail; *durch ~ auf freien Fuß bringen* to bail out; *e-e ~ fahren lassen* to jump bail; *e-e ~ stellen* to give (*od* stand) bail (*od* security) for

Kautschuk rubber, caoutchouc

Kauz (little) owl; *fig* queer fellow

Kavalier gentleman, cavalier

Kavaller|ie cavalry; **~ist** cavalryman, trooper

Kaviar caviar(e)

Kebse concubine

keck bold, daring; impudent; dashing; *umg* cheeky, saucy; **~heit** audacity, boldness; *umg* cheek

Kegel *math* cone; ⚓ ninepin, *BE* skittle; 𝌂 body; *fig* dumpy person; *~ schieben* to play at ninepins; *mit Kind und ~* (with) bag and baggage; **~bahn** *BE* skittle-alley, bowling alley; **~förmig** conical, cone-shaped; tapering; **~junge** *BE* skittle-boy, *US* pin-boy; **~kugel** skittle-ball; **~n** to play at skittles, *US* to bowl; *su* skittles, *US* bowls; **~rad** ⚓ bevel wheel; bevel pinion; **~schnitt** conic section; **~stumpf** truncated cone

Kehl|e throat, gullet; ⚙ channel, flute; *aus voller ~e* at the top of one's voice; *mir ist die ~e wie zugeschnürt* there is a lump in my throat; **~kopf** larynx; **~kopfmikrophon** laryngophone; **~kopfspiegel** laryngoscope; **~kopfverschlußlaut** glottal stop; **~laut** guttural sound; **~leiste** 𝍖 moulding

Kehr|aus last dance (of a ball) **~besen** broom; **~e** sharp bend; U-turn, hairpin bend; ⚓ flank vault; **~en** *(Besen)* to sweep, to broom; *(Drehung)* to turn; *refl* to pay attention *(zu* to), to follow, to mind ♦ *neue Besen ~en gut* new brooms sweep clean; *d. Oberste zuunterst ~en* to turn everything upside down; *in s. gekehrt* retired into o.s.; *s. um nichts ~en* not to care a fig for; **~icht** dust, rubbish; *(Abfall)* garbage, *bes US* junk; **~ichteimer** = Abfalleimer; **~reim** refrain; **~seite** reverse (side), *(Stoff)* wrong side; inverse effect; *fig* drawback; *(Münze)* tail; *d. ~seite d. Lebens* the seamy side of life; **~tmachen** to face about, to turn back; **~twendung** *mil, fig* about-face

keifen to scold; to brawl

Keil wedge; ✿ key; *(Schneidern)* gusset, gore; ✝ V-Formation; ⬛ quoin; *hölzerner* ~ jack; **~absatz** wedge-heel, *umg* wedgie; **~en** *vt* ✿ to wedge, to key; ⬛ to quoin; *(schlagen)* to thrash; *(werben)* to win s-b over; *refl* to fight; **~er** boar; **~erei** fight, row; **~förmig** wedge--shaped, cuneiform; **~hacke** pickaxe; **~inschrift** cuneiform table; **~kissen** wedge--shaped bolster; **~rahmen** adaptable *(od adjustable)* frame; **~schrift** cuneiform writing, cuneiform characters

Keim *zool, bot, fig* germ; *bot* bud, shoot; *(Frucht)* embryo ♦ *im ~e ersticken* to nip in the bud; *~e treiben* to germinate; **~blatt** cotyledon; **~drüse** gonad; **~en** to germ(inate); *bot* to sprout, to bud; *fig* to arise, to spring up; **~frei** sterile, free from germs; **~ling** germ, embryo; *bot* seedling; **~tötend** germicidal; **~träger** ⚕ carrier; **~zelle** germ-cell

kein no, no one, not any, not a, not one, none; *~er von beiden* neither of them; ~ *Wort mehr!* not another word!; **~erlei** of no sort, not of any sort, no ... whatsoever; **~esfalls** on no account, by no means; **~eswegs** by no means, not at all; **~mal** not once, never; *einmal ist ~mal* once does not count

Keks biscuit, *US* cookie; *(ungesüßt)* cracker

Kelch cup, goblet; *bot* calyx; *eccl* chalice, communion-cup; **~blatt** sepal; **~förmig** cup--shaped; **~glas** goblet

Kelle ladle; *(Maurer-)* trowel

Keller cellar; **~ei** wine-cellar; cellarage; **~geschoß** basement; **~meister** cellarer; butler; **~wechsel** accommodation bill

Kellner waiter; barman; ⚓, ✝ steward; **~in** waitress; barmaid; ⚓, ✝ stewardess

Kelter wine-press, cider-press; **~n** to press, to tread

Kem(e)nate bower

kenn|en to know; to be acquainted with; **~enlernen** to get to know, to become acquainted with, to meet; *umg* to strike up acquaintance with ♦ *s-e Pappenheimer ~en* to know one's customers; *d. Menschen ~en* to be a good judge of people; **~er** connoisseur, professional; adept; expert; **~ermiene** air of a connoisseur; **~karte** identity card; **~wort** key word, password; code word; **~zeichen** characteristic *(od* distinguishing) mark; symptom; **~zeichnen** to mark, to characterize; **~ziffer** index number; reference number; characteristic

kennt|lich recognizable, distinguishable; **~nis** knowledge; information; acquaintance; *in ~nis setzen* to inform; *zur ~nis nehmen* to take note (notice) of; **~nisreich** well-informed, learned

kentern to capsize, to overturn

Keram|ik *(Fein- u. Grob-)* ceramics; *(Kunst-)* ceramic art; *pl* ceramics; pottery; **~isch** ceramic; *~isches Gewerbe* pottery industry; clay--working industry

Kerb|e notch; nick; groove; **~el** chervil; **~en** to notch; to groove; to indent; *(Münze)* to mill; **~holz** tally ♦ *viel auf d. ~holz haben* to have much to answer for; **~schnitzerei** chip--carving; **~tier** insect

Kerker prison, jail *BE a.* gaol; bastille; **~meister** jailer, *BE a.* gaoler

Kerl fellow; *umg* chap, beggar, bloke, guy; lad; *elender* ~ wretch; *ganzer* ~ fine fellow, *sl* swell egg

Kern *(Obst)* pip, seeds, stone, *US* pit; *(Nuß)* kernel; ✿, ⚡ core; *phys* nucleus; *(Holz)* pith; *(Getreide)* grain; *fig* gist; core, heart; essence, nucleus, crux; marrow, best part; root; ~ *d. Sache* core of the matter; **~beißer** hawfinch; **~brennstoff** nuclear fuel; **~energie** atomic energy, nuclear energy; **~forschung** nuclear research; **~gehäuse** core; **~gesund** as sound as a bell, thoroughly healthy; **~holz** heartwood; **~ig** full of pips, full of kernels; *fig* vigorous, strong; **~kraftwerk** atomic power plant; **~obst** pome-fruit; **~physik** nuclear physics; **~physiker** nuclear physicist; **~punkt** central issue; crucial point; crux; **~schuß** point-blank shot; **~seife** curd soap, washing soap; **~spaltung** nuclear fission; **~technik** nuclear engineering; **~truppen** elite, picked *(od* crack) troops; **~verschmelzung** nuclear fusion; **~waffe** nuclear weapon; **~waffenverbot** ban on nuclear weapons; **~wolle** prime wool; **~zeitalter** atomic age; **~zelle** elementary cell, cytoplast

Kerze candle; taper; 🚗 sparking-plug; **~ngerade** bolt upright; **~nhalter** candlestick; **~nstärke** candle power

Kessel kettle; *(Dampf-, Wasser-)* boiler; *(groß)* cauldron; *mil* pocket of encircled troops; *geog* hollow, valley; **~flicker** tinker; **~pauke** kettledrum, timpano; **~schmied** coppersmith, boiler-maker; **~stein** fur, boiler scale; **~steinablagerung** scale deposit; **~treiben** battue; **~wagen** tanker, fuel truck

Kette chain; *(Hals)* necklace; *(Berge)* range; *(Gewebe)* warp; *(Wagen-)* vehicle track; *(Sperre)* cordon; *fig* train, series; **~n** to chain, to tie (to); to link, to connect; **~nbriefe** chain-(-prayer) letters; **~nbruch** *math* continued fraction; **~nbrücke** suspension bridge; **~nfaden** warp-thread; **~nglied** link, member; **~nhandel** trade through intermediaries; **~nhemd** coat of mail; **~nhund** watch-dog; **~nrad** sprocket wheel; *(Uhr)* chain wheel; **~nraucher** chain-smoker

Ketzer heretic; **~ei** heresy; **~gericht** inquisition; **~isch** heretical; **~verbrennung** auto-da-fé; burning of heretics

keuch|en to pant, to gasp; **~husten** whooping--cough

Keule club; 🏏 (Indian) club, *(Kricket)* bat; mace; *(Fleisch)* leg, joint; *(Geflügel)* drumstick; **~nförmig** club-shaped; **~nschwingen** club-swinging

keusch chaste, pure; modest; virtuous; **~heit** chastity, purity; modesty

Khaki khaki; **~farbig** khaki

Kicher|erbse chick-pea; **~n** to titter, to giggle; *su* giggle, tittering

Kiebitz pewit, lapwing; *fig* kibitzer

Kiefer jaw(bone), mandible; *(in Zssg)* maxillary; *(Tiere)* chop; *bot* pine, Scotch fir; **~knochen** jawbone; **~nspanner** *zool* pine-moth; **~nzapfen** pine-cone

Kiel *(Feder)* quill; ⚓ keel; **~holen** to careen; **~raum** hold; **~wasser** wake, deadwater

Kieme gill; **~natmung** gill breathing

Kien resinous pine (-wood); **~apfel** pinecone; **~span** splinter of pine-wood

Kiepe back-basket; basket

Kies gravel; *(grob)* pebbles, *BE a.* shingle; **~grube** gravel-pit; **~haltig** gravelly; **~weg** gravel path

Kiesel pebble; *min* flint; **~erde** silica; **~haltig** siliceous; **~säure** silicic acid; **~stein** pebble

Kilo|gramm kilogramme, *US* kilogram; **~hertz** kilocycle; **~meter** kilometre, *US* kilometer; **~meterzähler** mileage recorder, hodometer; **~watt** kilowatt; **~wattstunde** kilowatt-hour

Kimme notch; *(Gewehr)* rear-sight

Kimono kimono

Kind child, *umg* kid; *kleines ~* baby, infant; tot; *~ d. Liebe* illegitimate child; *totgeborenes ~* still-born child; *fig* a project doomed to failure; *~ und ~eskinder* children and grandchildren ♦ *d. ~ mit d. Bade ausschütten* to throw out the baby with the bath-water; *s. wie ein ~ freuen* to be as pleased as Punch; *von ~ auf* from infancy, from childhood; *~ d. Todes* doomed (man); *e. ~ erwarten* to be with child, to be in the family way ♦ *d. ~ beim rechten Namen nennen* to call a spade a spade; *wir werden d. ~ schon schaukeln* we'll manage somehow; **~bett** childbed; **~bettfieber** puerperal fever; **~heit** childhood; **~isch** childish; **~lich** childlike; filial; **~skopf** silly person; **~(s)taufe** christening

Kinder children ♦ *aus ~n werden Leute* boys will be men; *~ und Narren sagen d. Wahrheit* children and fools speak the truth; **~arzt** child specialist, paediatrician; **~beihilfe** family allowance; **~buch** children's book; **~ei** nonsense, childishness; *fig* trifle; **~frau**, **~fräulein**, **~mädchen** nurse, nanny; *US (farbig)* mammy; **~fürsorge** child care; **~garten**, **~hort** nursery school, day nursery, kindergarten; **~gärtnerin** kindergarten teacher; **~heim** children's (holiday) home; **~krippe** crèche; **~lähmung** polio, infantile paralysis; **~landverschickung** evacuation of children to the country; **~krankheit** children's disease; *pl fig* teething troubles; **~leicht** child's play, very easy; **~lieb** fond of children; **~los** childless, without (any) child(ren); *~ los sterben* to die without issue; **~raub** kidnapping; **~reich** large; **~schreck** bogy-man; **~spiel** *fig* child's play, trifle; **~sterblichkeit** infant mortality; **~stube** nursery; *fig* (good) upbringing (*od* manners); **~stühlchen** high chair; **~wagen** *BE* perambulator, *umg* pram, *US* buggy; **~zulage** children's allowance

Kindes|beine: *v. ~beinen an* from infancy; **~kind** grandchild; **~mörder** infanticide

Kinematograph cinematograph

Kinkerlitzchen gewgaw, gimcrack

Kinn chin; **~backen** jaw(bone); **~bart** imperial, beard on the chin; **~haken** 🥊 uppercut; **~lade** jawbone, maxilla; **~riemen** chin strap

Kino cinema, the pictures, *US* movie theater; *ins ~ gehen (BE)* to go to the pictures, *(US)* to go to the movies; **~besucher** *BE* cinema-goer, film-goer, *US* movie goer; **~enthusiast** film-fan, *US* movie fan; **~reklame** cinema publicity, screen advertising; **~vorstellung** (cinema-)-show, the pictures

Kintopp flicks, *US* movies

Kiosk kiosk

Kippe tilt; edge, brink; *(Zigarette)* cigarette end, butt ♦ *auf d. ~ stehen* to be in a critical position, to hang in the balance, to be on the brink of ruin, it's touch-and-go (whether . . . , with s-b); **~n** *vt* to tilt, to tip up; *vi* to lose one's balance; **~r** 🚚 tipper, tipping truck

Kirch|e church; **~gang** church-going; **~gänger** church-goer; **~hof** churchyard; **~lich** ecclesiastical; **~spiel** parish; **~turm** church steeple; **~turmspitze** spire; **~weih** (annual) parish fair

Kirchen|ältester church-warden, elder; **~anzeiger** church notice-board; **~bann** excommunication; interdict; **~buch** parish register; **~chor** church choir; **~diener** sexton, sacristan; **~gemeinde** parish; **~gesang** chant; **~jahr** ecclesiastical year; **~licht** church candle ♦ *kein ~licht sein* not to be a shining light; **~lied** hymn; **~musik** sacred music, church music; **~rat** church council, consistory; church-wardens; **~raub** sacrilege; **~recht** canon law; **~schiff** nave; **~spaltung** schism; **~staat** Pontifical State, Papal States; **~steuer** church tax; **~stuhl** pew; **~vater** Father of the Church; **~väter** the Early Fathers

kirre tame; tractable; **~n** to tame; to allure

Kirsch|e cherry; *saure ~e* morello; **~wasser** kirsch

Kissen cushion; *(Kopf-)* pillow; bolster; **~bezug** cushion cover; pillow-slip (-case)

Kiste box, chest; packing-case; *(Latten-)* crate; *(Wein-)* case; *fig umg* 🚗, ✈ *BE* bus, jalopy, *(Rad)* machine

Kitsch trash, rubbish; kitsch; 💩, 📖 sob-stuff, twaddle; **~ig** inartistic, trashy; kitschy

Kitt cement; lute; *(Glaser-)* putty; **~en** to cement; to glue; to putty

Kittchen lock-up, clink, jug

Kittel overall, smock; (child's) frock

Kitz kid, fawn

Kitzel itching; tickling, tickle; *fig* desire; **~n** to tickle; **~ig** ticklish; *fig* difficult, delicate

Klabautermann bogy-man

Kladde rough copy; daybook

klaffen to yawn, to gape

kläff|en to bark, to yelp; *fig* to brawl; **~er** yelping dog; *fig* brawler

Klafter fathom; cord (of wood); **~holz** cordwood

klag|bar actionable, enforceable; ~*bar werden gegen j-n* to go to law (*wegen* about), to sue s-b (*wegen* for); ~**e** lament, complaint; ♊ law(suit), action, case; *(Anklage)* charge; *(Scheidung)* petition; plaintiff's statement of claim; *(Schiedsgericht)* statement of complaint; ~*e abweisen* to dismiss a case; ~*e anstrengen (einreichen)* to institute legal proceedings (against); to bring an action (against); ~**elied** dirge, lamentation; ~**emauer** wailing wall; ~**en** to lament, to complain; ♊ to go to law (*gegen* against, *wegen* about), to sue s-b (for); ~̈**er** plaintiff; *(Schiedsgericht)* complainant, complaining party *(Scheidung)* petitioner; accuser; ~̈**erisch** of the plaintiff; ~**esache** matter, legal action; ~**eschrift** statement of claim, bill of complaint; ~̈**lich** lamentable, deplorable; miserable, poor

klamm tight, close; *(feucht)* clammy; *(starr)* numb, stiff; *su* ravine; ~**er** ✿ clamp, cramp; *(Papier)* (paper-)clip; *(Wäsche)* peg; ▭ bracket, parenthesis; *runde* ~*er* ▭ round bracket; *eckig* ~*er* ▭ (square) bracket; *geschwungene* ~*er* ▭ brace; ~*er auf*, ~*er zu!* bracket on, bracket off!; *in* ~*ern setzen* to include in parentheses; ~**ern** *vt* to fasten; to clasp, to clamp; *refl* to cling (*an* to)

Klampfe guitar

Klang sound; *(Glocke)* ringing; ~**farbe** timbre; ~**los** soundless; mute; unaccented; ~**regler** ⊸ tone control; ~**stufe** interval; ~**voll** sonorous

Klapp|bett folding bed, camp bed; ~**e** flap; *(Deckel)* lid; ♪ damper; *(Blasinstrument)* key, stop; *(Tisch)* flap, leaf; ✿ *bot. zool* valve; *(Tasche, Umschlag)* flap; *umg* bed; *(Mund)* mouth ♦ *zwei Fliegen mit e-r* ~*e schlagen* to kill two birds with one stone; ~**en** *vt* to clap, to flap, to fold, to tilt; *(Geräusch)* to bang, to rattle; *vt* to come off, to work well, to click; *es hat alles geklappt* everything clicked; *zum* ~*en kommen* to come to a head, to come off; ~**hornvers** limerick; ~**kamera** folding camera; ~**kragen** turn-down collar; ~**messer** jackknife; ~**sitz** tip-up seat; ~**stuhl** camp stool; folding chair; ~**tisch** folding table; ~**tür** trap-door; *(Falttür)* folding doors

Klapper rattle; *(Mühle)* clapper; ~**dürr** thin as a rake; ~**ig** rattling; *fig* shaky, weak; ~**kasten** old piano, tin-kettle; 🚗 rattletrap, *umg* jalopy; ~**schlange** rattlesnake; ~**storch** stork

Klaps smack, slap; *e-n* ~ *haben* to be balmy; ~**en** to smack, to slap; ~**kiste** loony-bin, nut-house, *US* booby hatch

klar clear; *(hell)* bright; *(deutlich)* distinct; *(durchsichtig)* limpid; ⚓ ready; *fig* luminous, apparent, evident; *(Linie)* bold; ~*e Antwort* plain answer ♦ *j-m* ~*en Wein einschenken* to tell the plain truth; ~̈**en** to purify, to clarify; to clear (up); *fig* to explain, to elucidate; ~̈**gefäß** clarifier; ~̈**grube** cesspit, cesspool; ~**heit** clearness, brightness; lucidity; ~**ieren** ⚓ to clear; ~**ierung** clearance; ~**legen**, ~**stellen** to clear up, to explain; ~**machen**: *j-m etw ganz* ~ *machen* to bring s-th home to s-b; ~̈**mittel** clar-

ifying agent; ~**text** clear text; ~**werden** *über (refl)* to realize

Klarinett|e clarinet; ~**ist** clarinet-player, clarinettist

Klasse class; category; *(Güte, Ordnung)* order; *(Schule)* class, form, standard, *US* grade; ⚓ *(Dienst)* rating; *(Steuer)* bracket; *(Gesellschaft)* class; *in* ~*n einteilen* to classify; ~**nbester** top boy, top of the class; ~**nbewußt** class-conscious; ~**nbewußtsein** class-consciousness; ~**nbuch** class-book; ~**nhaß** class hatred; ~**n-kampf** class-warfare, class struggle, class conflict; ~**nlehrer** form-master, class-teacher; *US* home room teacher; ~**nsprecher** monitor, class spokesman; ~**nziel** required standard (of a class); ~**nzimmer** class-room, form-room, *US* home room ⊸

klass|ifizieren to classify; ~**ik** classical art; classical literature; classical period; ~**iker** classic, classical author; classicist; ~**isch** classical; traditional; conventional; ~*ische Philologie* the humanities

Klatsch smack, slap, crack; *fig* gossip, tittle-tattle; ~**base** gossip, chatterbox; ~**e** fly-flap; ~**en** to clap, to smack; 🖐 to applaud; *fig* to gossip, to spread stories; *(Regen)* to splash, to patter; *in d. Hände* ~*en* to clap one's hands; *Beifall* ~*en* to applaud; ~**erei** gossip; ~**haft** gossiping; ~**maul** gossip, chatterbox; ~**mohn** wild poppy; ~**naß** soaking wet, sopping; ~**nest** scandal-shop; ~**sucht** love of gossiping

klaube|n to pick; *Worte* ~*n* to split hairs; ~**rei** hair-splitting

Klaue paw; *(Vogel)* talon; *(Raubtier)* claw; ✿ clutch, claw, dog; *(Schrift)* scrawl, poor handwriting; *j-s* ~*en* s-b's clutches; ~*n d. Todes* jaws of death; ~**n** *sl* to filch, to pinch; ~**nfett** neat's-foot oil; ~**nseuche** foot-and-mouth disease

Klaus|e cell, hermitage; *geog* defile, mountain pass; ~**el** clause; proviso; stipulation; ~**ner** hermit, recluse; ~**ur** cloister, monastic seclusion; *(Prüfung)* examination paper, *(Übersetzung)* unseen

Klaviatur keyboard, keys

Klavier (upright) piano; ~ *spielen* to play the piano; ~**abend** piano recital ~**auszug** pianoforte arrangement, arrangement for the use of piano-players; ~**spieler** pianist, piano-player; ~**stimmer** piano-tuner

Kleb|emuster ▭ paste-up; ~**en** *vt* to glue, to gum, to stick, to paste; *vi* to stick, to adhere (to); *(Ohrfeige)* to paste; ~**er** *bot* gluten; ~**estreifen** gummed tape; ~**gummi** glue, gum Arabic; ~**mittel**, ~**stoff** glue, adhesive paste; ~**rig** sticky, adhesive; glutinous

kleckern to dribble, *(Essen)* to drop (one's food)

Klecks blot, stain, spot; ~**en** to blot, to stain; *fig* 🖌 to daub

Klee clover, trefoil; *weißer* ~ shamrock ♦ *über d. grünen* ~ *loben* to praise s-th excessively; ~**blatt** clover leaf; ▭ trefoil; *fig* trio, triplet; ~**salz** salt of sorrel

Kleid dress, frock, gown; *pl* clothes, garments; ~en to dress, to clothe; *(gut stehen)* to become, to suit; *in Worte* ~*en* to couch (to express) in words; *geschmackvoll* ~*en* to dress in good taste; *s.* ~*en in* to array o.s. in; ~**erablage** cloak-room, *US* checkroom; ~**erbügel** coat--hanger; ~**erbürste** clothes-brush; ~**erpuppe** lay figure, dummy; ~**erschrank** wardrobe; ~**erständer** hat tree, hat and coat stand; ~**sam** becoming; ~**ung** clothes, apparel, clothing; ~**ungsstück** article of clothing, garment

Kleie bran; ~**nmehl** pollard

klein little, small; minor; *(sehr* ~*)* tiny, wee, minute; diminutive; *umg* weeny, teeny; *(Frau)* petite; *(Wuchs)* short; *(unbedeutend)* petty; trifling; slight; ♪ minor; *im* ~*en* in detail; *von* ~ *auf* from infancy, from childhood; *ein* ~ *wenig* a tiny bit, a wee bit; ~ *beigeben* to back *(od* climb) down, to eat humble pie; *d.* ~*en* the young, the little ones ♦ *im* ~*en sparsam, im großen verschwenderisch* to be penny-wise and pound-foolish; ~**anzeigen** classified advertisements; ~**arbeit** detail work; ~**bahn** miniature railway, narrow-gauge railway; ~**betrieb** small enterprise; ~**bildkamera** miniature camera, 35-millimetre camera; ~**buchstabe** 🕮 lower case; ~**bürger** common citizen, little man, philistine; ~**bürgerlich** petty-bourgeois, conventional, stuffy; ~**garten** allotment garden; ~**gärtner** allotment-holder; ~**geld** (small) change; ~**gewerbe** small-scale industry; small industries; ~**grundbesitzer** small-holder; ~**handel** retail trade; ~**heit** littleness, smallness, pettiness; ~**hirn** cerebellum; ~**holz** sticks, firewood ♦ *zu* ~*holz machen* to make mincemeat of; ~**igkeit** trifle, bagatelle, small matter; detail; ~**kaliber** small-bore; ~**kaliberschießen** small-bore rifle-shooting; ~**kind** baby, infant; ~**kinderbewahranstalt** crèche, day nursery; ~**kram** trifle, bagatelle; ~**krieg** guerilla warfare; ~**küche** kitchenette; ~**laut** meek, subdued, dejected; ~**lich** petty, mean, paltry; narrow--minded; ~*licher Mensch* pettifogger, fussy fellow; ~**malerei** miniature painting; ~**mut** despondency; cowardice; ~**mütig** despondent; coward(ly); ~**rentner** small pensioner; ~**schneiden** to cut in pieces; ~**schreiben** to write with small letters; ~**siedler** small-holder; ~**staat** small state, minor state; ~**staaterei** particularism; ~**stadt** small town, provincial town; ~**städter** resident of a small town; ~**städtisch** provincial

Kleinod jewel, gem; treasure

Kleister paste; ~**n** to paste

Klemme clamp, clip; ⚡ terminal; *fig* difficulty; fix; *umg* tight spot; shortage; ~**n** *vt* to pinch, to squeeze, to press; *vi* to stick, to jam, to catch; *s. d. Finger* ~*n* to catch one's finger; ~**r** pince-nez

Klempner plumber; tinsmith; ~**n** to do plumbing; ~**laden** plumbing shop; tinsmith's workshop; *fig* fruit-salad

Klepper nag, hack

Kleptoman kleptomaniac; ~**ie** kleptomania

Kleri|kalismus clericalism; ~**iker** cleric, clergyman; ~**isei** clerical set, the parsons; *fig* clique; ~**us** clergy

Klette *bot, fig* bur; *fig* barnacle; *(Frucht)* burdock; ~**n** to hang on (to)

Kletter|eisen climbing iron; ~**er** climber; ~**n** to climb; *(auf allen vieren)* to clamber; *bot* to creep; ~**partie** climb, ascent; ~**pflanze** climber, creeper, vine; ~**rose** rambler; ~**schuhe** climbing-boots; ~**seil** (climbing-)rope; ~**stange** climbing pole

Klient client, customer

Kliesche *zool* dab

Klima climate *(a. fig)*; *fig* prevailing conditions; ~**anlage** air-conditioning; *mit* ~*anlage* air-conditioned; ~**kterium** climacteric; ~**tisch** climatic; ~**tisiert** air-conditioned

Klimbim caboodle (*d. ganze* ~ the whole c.); junk, fuss, loud noise

klimm|en to climb; ~**zug** pull-up

klimpern *(Klavier)* to peck away at the keys, to strum, *US* to bang; *(Metall)* to tinkle

Klinge blade, sword ♦ *über d.* ~ *springen lassen* to put to the sword

Klingel alarm-bell, (door-)bell; *(Summer)* buzzer; ~**beutel** collection bag, alms-bag; ~**knopf** bell-button; ~**leitung** bell-wire; ~**n** to ring (the bell); to tinkle; to sound; ~**schnur** bell-rope; ~**zug** bell-pull

klingen *(Glocke)* to ring; to sound; *(Metall)* to tinkle; *(Glas)* to chink, to clink; ~ *de Münze* hard cash; *mit* ~*dem Spiel* with drums and fifes; *mir klingt d. Ohr* my ear tingles; *su (Glocke)* dingdong

Klinik (clinical) hospital, *(privat)* BE nursing--home; *(Augen-)* eye-hospital; *(Frauen-)* hospital for women's diseases; *(Haut-)* hospital for skin diseases; *(Kinder-)* children's hospital; *(Nerven-)* hospital for nervous diseases; *(Ohren-)* ear and nose hospital

Klinke latch; door-handle; ⚡ jack, socket--board; ~**n** to press the latch; ~**r** clinker; brick(s), brickwork

klipp und klar quite clear(ly), frankly

Klipp|e reef; cliff; crag; *fig* hazard, snag; ~**fisch** dried cod; ~**ig** rocky, craggy

klirren to clink, to jingle, to clank

Klisch|ee 🕮 (process) block; stereo plate; electro (type); ~**eeabzug** block pull, *US* engraver's proof; ~**eeherstellung** block-making, photoengraving; ~**ieren** to photoengrave; to stereotype

Klistierspritze enema (syringe)

Klitsch|e hovel; ~**ig** doughy, sodden, soggy; ~**naß** sopping wet, soaked

Kloake sink, sewer; cesspool

Klob|en *(Holz)* log; *(Rolle)* block, pulley; *fig* coarse fellow; ~**ig** clumsy, rude; heavy

klopf|en *vt/i* to knock, to beat; *(sanft)* to tap; *(Herz)* to throb, to pound; 🚗 to knock; *(Tür)* to knock *(an* at); *(Steine)* to break; *su* beating, knocking; throbbing; palpitation; ~**er** (carpet-)beater; *(Tür)* knocker; *(Signal)* sounder; ~**fest** 🚗 antiknock

Klöppel *(Spitze)* bobbin; *(Glocke)* clapper, tongue; *(Trommel)* drumstick; **~n** to make lace; **~spitze** pillow-lace, bone-lace
Klöpplerin lace-maker
Klops meat ball
Klosett *W.C.,* toilet, lavatory; **~papier** toilet-paper
Kloß lump, clod; *(Knochen)* dumpling; meat ball; **~** *im Halse* lump in the throat; *klar wie ~brühe* as clear as mud
Kloster monastery; *(Frauen)* convent, nunnery; **~bruder** friar; **~frau** nun; **ˮlich** monastic, conventual
Klotz block; *(Holz)* log; *fig* blockhead; **~ig** heavy, enormous, mighty
Klub club, association; **~sessel** armchair (with upholstered sides) chair, easy chair
Klucke sitting hen
Kluft chasm, abyss, gulf; *fig* gap; *(Schlucht)* ravine, gorge
klug intelligent, clever; prudent; bright; *(vernünftig)* sensible; *(schlau)* astute; *(listig)* cunning; *ich werde nicht ~ aus* I can't make head or tail of ♦ *durch Schaden wird man ~* bought wit is best, one learns by one's mistakes; *d.* **ˮere gibt nach** the wiser head gives in; **ˮeln** to brood; to split hairs; **~heit** intelligence, cleverness; prudence; good sense; **ˮlich** wisely, sensibly
Klumpen *(Erde, Blut)* clod; *(Gold)* nugget; *(Mehl, Erz)* lump; *(Masse)* mass; bulk; *vb* to lump **ˮchen** small particle; clot; blob; *(Butter)* dab; **~fuß** club-foot; **~ig** lumpy, cloddy
Klüngel faction, coterie
Klunker tassel; clod
Kluppe pincers, die-stock
Klüse hawse
Klüver ⚓ jib
knabbern to nibble, to gnaw
Knabe boy, lad; **~nalter** boyhood; **~nhaft** boyish; **~nkraut** orchis
knack|en *vt* to crack; *(Rätsel)* to solve; *vi* to crack; *(Feuer)* to crackle; *(Schloß)* to click; **~er:** *alter ~er* old fogy; **~mandel** almond in the shell, shell-almond; **~s** cracking noise; crack ♦ *e-n ~s weghaben* to be shaky in health; **~wurst** *(etwa)* saveloy
Knäckebrot crisp bread, *BE* ryevita
Knall *(schwach)* clap; pop; *(Tür)* bang; *(Peitsche)* crack, smack; detonation; *(Gewehr)* report; **~** *und Fall* all of a sudden, without warning; **~bonbon** cracker; **~effekt** stage-effect, sensation; **~en** to crack, to pop; to explode, to detonate; **~erbse** firework cracker; **~gas** oxyhydrogen gas; detonating gas; **~rot** bright red, glaring red
knapp tight, narrow, close; *(unzulänglich)* scanty, poor; barely sufficient; *(Stil)* concise, terse; *(nicht ganz)* just under, a little less than; *(Worte)* brief; **~** *e Mehrheit* bare majority; **~** *werden* to run low; **~** *sitzen* to fit tightly, to be close-fitting; **~halten** to keep (s-b) short; **~heit** narrowness; scantiness; shortage; conciseness

Knapp|e page, esquire; miner; **~schaft** miners' association
Knarre rattle; **~n** to creak, to squeak; to jar
Knaster tobacco; *fig* old man
knattern to crackle, to rattle; *(Motor)* to roar
Knäuel *(Wolle)* ball, clew; *(Draht)* coil; *(Menschen)* crowd, throng, knot; **~förmig** convoluted; **~n** to ball
Knauf knob; *(Degen)* pommel; 🏛 capital
Knauser stingy person, niggard; **~ig** stingy *(mit of)*, mean; **~n** to be stingy
knautschen to crumple, to crease
Knebel *(Mund)* gag; *(Knüttel)* cudgel, short stick, toggle; **~bart** turned-up moustache, twisted moustache; **~n** to gag; *fig* to suppress, to fetter
Knecht farm-labourer, farm-hand; *(Haus)* *BE* boots
kneif|en *vt* to nip, to pinch; to gripe; *vi* to dodge, to flinch; **~er** pince-nez; **~zange** pincers, nippers
Kneipe tavern, *BE* public house, *umg* pub, *US* saloon; **~n** to drink, to tipple
Kneippkur hydropathic treatment
knet|en to knead; *(Lehm)* to pug; **~gummi** plasticine
Knick *(Biegung)* bend; *(Riß, Bruch)* crack, break; *(Winkel)* angle; *(Hecke)* quickset hedge; **~en** to bend; to crack; to break; ✿ to buckle; **~er** niggard, miser; **~erig** mean, niggardly; **~s** curtsy, bob; **~sen** to curtsy
Knickerbocker breeches; plus-fours; knickerbockers
Knie knee; *(Weg)* bend; ✿ angle, elbow; *mil* salient; *in d.* **~** *sinken* to go down on one's knees ♦ *übers ~ brechen* to make short work of, to force things; **~beuge** bend of the knee; **~fall** genuflexion; **~fällig** upon one's (bended) knees; **~gelenk** knee-joint; **~holz** dwarf-pine, dwarf-fir; **~hosen** breeches; plus-fours; **~kehle** hollow of the knee; **~kissen** hassock; **~n** to kneel; **~riemen** shoemaker's stirrup; **~scheibe** knee-pan, patella; **~schützer** knee-pad
Kniff pinch; *(Falte)* fold, crease; *fig* trick; dodge, knack; artifice; helpful hint; **~en** to fold; *(Buch)* to dog's-ear; **~lig** tricky; difficult, intricate
knipsen to punch; 📷 to snap, to take a snapshot of
Knirps little fellow, dwarf; *umg* hop-o'-my-thumb; *(Schirm)* folding umbrella
knirschen *(Schnee)* to crunch; *(Zähne)* to gnash; to grate
knistern *(Seide)* to rustle; to crackle
Knittelvers doggerel
knitter|frei non-crease, crease-resisting; uncrushable; **~n** to crease, to crumple
knobeln to throw dice *(um* for); to rack one's brains
Knoblauch garlic
Knöchel *(Fuß)* ankle; *(Hand)* knuckle
Knochen bone; *naß bis auf d.* **~** wet to the skin; **~bau** frame, skeleton; **~bruch** fracture; **~dürr** (all) skin and bone; **~fraß** caries; **~-**

gerüst skeleton; **~mann** *umg* Death; **~mehl** bone-meal
knöchern, knochig bony, *(Person)* angular
Knödel dumpling
Knoll|e lump; *bot* bulb, tuber; **~enblätterpilz** *(grüner)* BE death cap, US death cup; **~en** lump; protuberance; **~engewächs** bulbous plant; **~ig** bulbous; knobby
Knopf button; *(Kragen)* stud; *(Tür)* knob; *bot* bud, knot; head; **~en** to button; **~loch** buttonhole
Knorpel cartilage; gristle; **~ig** cartilaginous, gristly
Knorr|en gnarled branch, tree stump; **~ig** gnarled *(a. fig)*
Knosp|e bud; burgeon; *voller ~en* in bud; **~en** to bud, to sprout; **~ig** budding, full of buds
Knot|en knot; *bot, astr* node, nodule; ⚕ tubercle; *(Nerven)* ganglion; ⚓ knot; *(Holz, Tuch)* burl; *fig* difficulty; cad; *(Haar)* bumpkin; *e-n ~en machen* to tie a knot; *e-n ~en lösen* to undo a knot; *vb* to knot; **~enpunkt** 🚂 junction; nodal point; **~enstock** knotted stick; **~ig** knotty; *fig* vulgar, coarse
Knöterich knot-grass
Knuff cuff, push; **~en** to cuff, to push
knüllen to crumple, to crease
knüpfen to tie, to knot; *(Freundschaft)* to form; *(Tau)* to bend; *(Netz)* to braid; to join
Knüppel cudgel, club; *(Holz)* round timber; *(Polizei)* BE truncheon, US nightstick; ✝ (control) stick; *(Keule)* bludgeon ♦ *j-m e-n ~ zwischen d. Beine werfen* to put a spoke in s-b's wheel; **~damm** corduroy road; **~dick** thick and fast, lots of it
knurr|en to growl, to grumble *(bes fig)*, to snarl; *(Magen)* to rumble; **~ig** growling, grumbling
knusp|ern to crunch, to nibble; **~erflocken** corn-flakes; **~rig** crisp
Knute knout
knutschen to squeeze, to crumple; *fig* to cuddle
Knüttel cudgel, club; **~vers** doggerel
K. o. k. o., kayo, knock-out; *~ gehen* to be knocked out
Kobalt cobalt; **~blau** cobalt blue, smalt; **~bombe** C-bomb
Koben pigsty
Kobold bogy, goblin, sprite
Kobolz: *~ schießen* to turn somersaults
Koch cook ♦ *viele ~e verderben d. Brei* too many cooks spoil the broth; *Hunger ist d. beste ~* hunger is the best sauce; **~apfel** cooking apple; **~buch** cookery book, US cookbook; **~en** *vt* to cook, to boil; to stew; *vi* to boil, to be cooking; *(leicht)* to simmer; *Kaffee ~en* to make coffee; *selbst ~en* to do one's own cooking; *gut ~en* to be a good cook ♦ *vor Wut ~en* to be boiling with rage; *zum ~en bringen* to bring to the boil; *gekochtes Obst* stewed fruit; *gekochte Eier* boiled eggs; *su* cooking, cookery; boiling; **~er** cooker; **~gerät** cooking utensil; **~geschirr** pots and pans; *mil* mess tin;

~herd kitchen-range, cooking-stove; **~kessel** cauldron, US caldron; **~kiste** hay-box; **~kunst** cookery, culinary art; cuisine; **~löffel** ladle; **~nische** kitchenette; **~punkt** boiling point; **~salz** common salt; **~topf** saucepan, pot
Köcher quiver
Köder bait, lure; *fig* enticement, attraction; **~n** to bait; to lure, to decoy
Kod|ex code; **~ifizieren** to codify; **~izill** codicil
Koffein caffeine; **~frei** decaffeinated
Koffer *(Hand)* suitcase, bag; *(Kabinen)* trunk; *(Wochenend)* weekend case; **~deckel** trunklid; **~empfänger** 📻 portable receiver; **~gerät** portable receiver; protable gramophone; **~grammophon** portable gramophone; **~zettel** luggage tag, label
Kognak cognac, brandy
Kohä|renz coherence; **~sion** cohesion; **~sionskraft** cohesive power
Kohl cabbage; *fig* rubbish, nonsense ♦ *d. macht d. ~ (auch) nicht fett* that won't get you far; **~dampf** hunger; *~dampf haben* to be hollow; **~rabi** kohlrabi; **~rübe** Swedish turnip, BE swede, US rutabaga; **~weißling** cabbage butterfly
Kohl|e coal; *(Stein-)* (mineral) coal; *(Holz-)* charcoal ♦ *wie auf ~en sitzen* to be on tenterhooks; **~ehydrat** carbohydrate; **~en** to blacken, to char; ⚓ to coal; *fig* to talk rubbish; **~enarbeiter** coal-miner, collier; **~enbecken** brazier; **~enbergbau** coal-mining; **~enbergwerk** coal-mine, colliery; **~eneimer** coal-box, scuttle; **~enfadenlampe** carbon filament lamp; **~enmeiler** charcoal-pile; **~enoxyd** carbon monoxide; **~ensauer** carbonate of; **~ensäure** carbon dioxide, carbonic acid; **~enstoff** carbon; **~enwasserstoff** hydrocarbon; **~enzange** tongs ♦ *ich würde ihn nicht mit der ~enzange anfassen* I would not touch him with a barge pole; **~epapier** carbon-paper; **~etablette** charcoal tablet; **~ezeichnung** charcoal drawing; **~meise** great tit, titmouse; **~rabenschwarz** (as) black as coal, jetblack
Köhler charcoal-burner; **~glaube** blind faith
Koitus coition
Koje cabin; berth, bunk
Kokain cocaine
Kokarde cockade; badge
kokett coquettish; **~erie** coquetry; **~ieren** to flirt, to coquet with
Kokon cocoon
Kokos|baum coconut-tree; **~faser** coco fibre, coir; **~fett** coconut-oil; **~matte** coconut matting; **~nuß** coconut; **~palme** coco palm
Koks coke; **~kohle** coking coal
Kolben *(Gewehr)* butt; *(Keule)* club, mace; *(Glas-)* flask; *chem* retort; alembic; ⚙ piston; *bot* spadix; *(Löt-)* soldering iron; *(Mais-)* cob; **~bolzen** gudgeon pin, piston pin; **~förmig** club-like; **~hub** 🚗 piston stroke; **~stange** piston rod
Kolchos kolkhoze, collective farm
Kolibri humming-bird

Kolik colic; *umg* gripes; ~**artig** colicky
Kolkrabe common raven
Kollaborateur *pol* collaborationist; collaborator
kollationieren ✝, ✿ to collate, to check
Kolleg course of lectures; ~ *halten* to lecture *(über* on); ~**e,** ~**in** colleague; ~**gelder** lecture fees; ~**ial** as a good colleague, of a colleague; loyal; ~**ium** *(Lehrer)* teaching staff, *US* faculty; *(Lehranstalt)* college; *(Behörde)* board; council
Kollekt|e collection; collect; ~**ion** collection; set, range (of goods); ~**iv** collective; ~*ive Sicherheit* collective security; *su* community; team
Koller ₷ staggers; *fig* rage; *(Kragen)* collar; *(Wams)* jerkin, doublet; ~**n** to roll; *fig* to be furious; *(Truthahn)* to gobble; *(Taube)* to coo; *(Darm)* to rumble
kolli|dieren to collide; ~**sion** collision; conflict
Kollo package, parcel
Kollodium collodion
Kolonel 🕮 minion
kolonial colonial; ~**gebiet** colonial territory; ~**herrschaft** colonial rule; ~**mächte** colonial powers; ~**waren** groceries; ~**warenhändler** grocer; ~**warenhandlung** grocer's shop, *US* grocery
Kolon|ie colony; ~**isieren** to colonize; ~**ist** colonist, settler
Kolonne column
Kolophonium colophony
Kolor|atur 𝄞 grace(-notes), coloratura; ~**atursopran** coloratura soprano; ~**ieren** to colour; ~**it** colour(ing), hue, shade
Koloß colossus
kolossal colossal, huge; awful; *adv* very, extremely
Kolport|age hawking of (cheap) books; dissemination of rumours; ~**ageroman** cheap sensational novel, *BE* penny dreadful, shocker; ~**eur** hawker (of cheap books); ~**ieren** to hawk (goods, cheap literature); to disseminate (rumours)
Kolumne 🕮 column; page; ~**ntitel** running title, headline
Kombiwagen estate car, station wagon, *US* beach wagon
Kombin|ation combination; *fig* conjecture; ~**ieren** to combine; *fig* to conjecture
Kombüse caboose; ship's galley
Komet comet; ~**enschweif** train *(od* tail) of a comet
Komfort luxurious comfort, luxury, ease; *(in e-m Zimmer)* conveniences; ~**abel** (luxurious and) comfortable, easy, snug
Komi|k comicality; fun; humour; ~**ker** comedian, comic (actor); ~**sch** comical; funny; strange
Komma comma; *math* decimal point; *3,14* three point one four *(3.14); 0,5* point five *(.5)*
Kommand|ant commander, commanding officer; ~**antur** commander's office; *(Standort-)* garrison; headquarters; ~**ieren** to command,

to order; to detach, to detail; to boss; ~**itgesellschaft** limited partnership; ~**itist** limited partner; ~**o** command, order; *(Abteilung)* detachment, detail, squad; *d.* ~*o führen* to be in command of; ~*o zurück!* as you were!; ~**obrücke** ⚓ bridge; ~**ostab** baton; ~**ostelle** *fig* position of authority; ~**oturm** ⚓ conning-tower; ✝ control tower
kommen to come; to arrive, to get to; to approach, to draw near; *(s. ergeben)* to result, to arise, to proceed from; *(s. ereignen)* to happen, to take place, to occur; *im* ~ *sein* to be in the ascendant; ~ *lassen* to send for; ~ *sehen* to foresee; *dazu* ~ *(zeitl.)* to find time to; *gelegen* ~ to come in handy; ~ *auf* to cost, to amount to; *auf etw* ~ to think of, to hit upon s-th; *hinter etw* ~ to discover; *in Betracht* ~ to come into question; *nicht in Betracht* ~ to be out of question; *um etw* ~ to lose; *zu s.* ~ to recover one's senses; *in schlechte Verhältnisse* ~ to fall on hard times; *j-n nicht zu Wort* ~ *lassen* to cut s-b short; *zu kurz* ~ to fall short of; *zu spät* ~ to be late; *zum Vorschein* ~ to turn up, to make one's appearance; *d. kommt davon!* that's the result; *das kommt davon, wenn . . .* that's what comes of . . .; *wie kommt es, daß . . .?* how is it that . . .? *was kommt nun?* what will be next?; ~**d** coming; forthcoming; ~*de Woche* next week
Komment|ar commentary; ~**ator** commentator; ~**ieren** to comment on
Kommer|s students' social gathering, drinking-bout; ~**sbuch** students' song-book; ~**ziell** commercial
Kommiliton|e fellow student; ~**in** = ~*e;* co-ed
Kommiss|ar commissary; *(Bevollmächtigter)* commissioner; *(Rußl.)* commissar; *(Polizei)* inspector; ~**arisch** provisional, commissarial; ~**ion** commission; committee; board; *in* ~*ion* on commission, on consignment; ~**ionär** (general) commission agent; *(Makler)* broker
Kommiß barrack-room life; army; ~**brot** army bread, *US* G.I. bread; ~**stiefel** army boots, ammunition-boots
Kommode *bes BE* chest of drawers, *US* bureau, dresser
kommunal communal; municipal; of (relating to) local authorities; ~**beamter** local government official; ~**steuer** local tax. *BE* rate; ~**verband** association of communities; ~**verwaltung** municipal *(od* local) administration
Kommuni|kant *eccl* communicant; ~**on** (Holy) Communion; ~**zieren** *eccl, phys* to communicate; *eccl* to receive Holy Communion
Kommun|ismus communism; *dem* ~*ismus unterwerfen* to communize; ~**ist** communist; ~**istisch** communist(ic)
Komöd|iant comedian (actor); *fig* hypocrite; ~**ie** comedy, play; *fig* farce; ~*ie spielen (fig)* to sham
Kompagnon partner, associate; joint proprietor
Kompanie company; ~**chef** company commander; ~**geschäft** joint business, partnership

Komparativ comparative (degree)
Komparse super, dumb actor
Kompaß compass; **~häuschen** binnacle; **~pei-lung** compass bearing; **~strich** point of the compass
Kompensation compensation; clearing; off-setting effect; **~sgeschäft** barter transaction, compensation transaction
kompeten|t authoritative, competent; respon-sible; appropriate; **~z** competence; **ℚ** juris-diction; ability, fitness; responsibility
komplett complete; everything included
Komplex complex, inhibition; *(Häuser)* group (of houses); *(Menge)* mass, body; group *(od* series) of factors
Komplice accomplice
Kompliment compliment; bow; *gerne ~e hören wollen* to fish for compliments; **~ieren** to compliment
kompliz|ieren to complicate; **~iert** compli-cated, intricate; complex; **~ierter Bruch §** compound fracture; **~iertheit** complexity; **~ierung** complication
Komplott plot, conspiracy
Kompo|nente component (element); factor; **~nieren** to compose; **~nist** composer; **~sition** composition
Kompott stewed fruit, compote
Kompr|esse compress, bandage; **~eß ⬚** solid; *~eß setzen* to set solid; **~imieren** to compress
Kompro|miß compromise; **~mittieren** *vt* to compromise; *refl* to compromise o.s.
Komtesse (unmarried) countess
Kondens|ator capacitor, condenser; **~ieren** to condense; **~milch** tinned *(od* canned) milk; evaporated milk; **~streifen ✈** vapour *(od* ex-haust) trail, contrail
Kondition term; condition, state; **♟** state of health; **~alsatz** conditional clause; **~ieren ✿** to condition
Konditor confectioner; pastry-cook; **~ei** con-fectioner's (shop), sweetmeat shop; café; **~ei-waren** cakes, pastries, confectionery, tea-bread
Kondol|enzbesuch visit of condolence; **~ieren** to condole with, to express one's sympathy with
Kondor condor
Konfekt sweets, chocolates, confectionery; **~-ion** ready-made clothes; making-up industry, garment manufacture; **~ionär** clothier, outfit-ter, maker-up; **~ionsartikel** ready-made cloth-ing; **~ionskleidung** ready-made clothes, *umg* reach-me-downs; *US* ready-to-wear clothes, *umg* hand-me-downs
Konfer|enz conference, meeting; **~ieren** to confer, to deliberate *(über* on); to meet for dis-cussion, to discuss, to have a discussion about; *(Varieté)* to act as compère of, *umg* to M. C. (a show)
Konfession confession, creed; **~ell** confes-sional, denominational; **~slos** undenomina-tional, unattached

Konfetti confetti (*~ schlacht* c. battle)
Konfirm|and candidate for confirmation, con-firmand; **~ation** confirmation; **~ieren** to con-firm
konfiszier|en to confiscate, to seize; **~ung** con-fiscation
Konfitüre preserves; *pl* confectionery, sweets; **~laden** sweet-shop, *US* candystore
Konflikt conflict; *in ~ geraten mit* to run afoul of
konfus confused, muddled; **~machen** to mix up
Konglomerat *bes geol* conglomerate; con-glomeration, congeries
Kongreß congress, *US* convention, Congress
kongru|ent congruent; **~enz** congruity; *fig* equality (in all respects), (perfect) concord-ance; **~ieren** to coincide, to agree
König king; *d. Heiligen drei ~e* the Wise Men of the East, the (three) Magi; **~in** queen; **~lich** royal, regal; kingly, queenly; **~reich** kingdom, realm; **~skerze** *bot* Aaron's rod; **~sschlange** boa; **~tum** royalty, kingship
Kon|jugation conjugation; **~jugieren** to conju-gate; **~junktiv** subjunctive (mood)
Konjunktur business cycle; economic situa-tion; economic trend; market conditions; market activity; upward trend; boom; **~aufschwung** cyclical upswing; **~belebung** in-crease in business activity; **~gewinn** boom profit; **~gewinnsteuer** excess profits tax; **~kurve** economic trend; **~ritter** opportunist, time-server, *US* big time operator; **~theorie** theory of economic cycles; **~zusammenbruch** complete slump
kon|kav concave; **~kret** concrete; solid; tangi-ble; real
Konkorda|nz concordance; **~t** concordat
Konkubinat concubinage
Konkurr|ent competitor, rival; contestant; **~enz** competition, rivalry; the competitors; *scharfe ~enz* keen competition; *unlautere ~enz* unfair competition; *d. ~enz d. Spitze bieten* to defy competition; **~enzkampf** trade rivalry, competitive struggle; **♟** event; *(auf Leben und Tod)* cut-throat competition; **~ieren** to compete (with)
Konkurs bankruptcy; failure; *(Gesellschaft)* compulsory winding-up; **~erklärung** decla-ration of insolvency; **~masse** bankrupt's assets *(od* estate); **~reif** insolvent; **~verfahren** bank-ruptcy proceedings; **~vergehen** bankruptcy of-fence; **~vergleich** composition (in bank-ruptcy); **~verwalter** trustee in bankruptcy; li-quidator
können 1.*vt* to know, to understand; to know how to; *Englisch ~* to know English; *er kann nichts* he does not know a thing; 2. *vi* to be able, to be capable of; to be in a position (to do); to be permitted (to do); *ich kann* I can, I may; *d. kann sein* that is possible; *nicht mehr ~* to be done up, to be exhausted; *er kann nichts dafür* he can't help it, it is not his fault; *er kann gehen* he may go; *man kann nur hoffen*

it is to be hoped; *er hätte es tun* ~ he could have done it; *ich kann nicht umhin (zu lachen)* I cannot help (laughing); *etw nicht mehr* ~ to forget how to do s-th; *su* ability, power, faculty; knowledge; talent, skill

Konnossement bill of lading, B/L; *reines (unreines)* ~ clean (foul) B/L

kon|sekutiv consecutive; **~sekutivdolmetschen** consecutive interpreting; **~sequent** consistent; **~sequenz** consistency; consequence, result; *~sequenzen ziehen* to draw conclusions, to take a step

konserv|ativ conservative; **~ator** curator; **~atorium** conservatory, conservatoire, academy of music; **~e** *BE* tin, can; preserve; *pl* tinned *(od* canned) food; *Bohnen in ~en* canned beans; **~endose** *BE* tin, can; **~enfabrik** tinning *(od* canning) factory, cannery; canning industry; **~ieren** to preserve, to conserve, *BE* to tin, to can; **~ierung** preservation, conservation; *BE* tinning, canning; **~ierungsmittel** preservative, preserving agent

konsist|ent firm, compact, durable; **~enz** firmness, durability; *(Dichte)* consistency; *(Zustand)* state, quality; **~orium** consistory

Konsol|e 🏛 bracket, console; **~idieren** to consolidate; **~idierung** consolidation

Konsonant consonant

Konsort|en associates; syndicate members; *(Mitschuldige)* accomplices; confederates; **~ium** consortium; syndicate

kon|spirieren to conspire, to plot; **~stant** constant, permanent; **~stante** constant; **~stanz** constancy; stability, steadiness; **~statieren** to confirm; to state; to recognize; to take note of; to place on record; **~stellation** constellation; *fig* state of affairs, situation, pattern, set of conditions (existing in a given case); **~sterniert** taken aback; **~stituieren** to constitute; *~stituierende Versammlung* constituent assembly; **~stitution** constitution; **~stitutionell** constitutional

konstru|ieren to design; *(herstellen)* to construct; **~kteur** designing engineer, designer; draftsman; constructor; **~ktion** construction; design; scheme; device; structure, set-up; **~ktionsfehler** structural defect, fundamental fault

Konsul consul, consular officer; **~at** consulate; **~atsfaktura** consular invoice; **~ent** counsel, advocate; **~tieren** to consult, to ask s-b's advice; *(Arzt)* to see the doctor, to take medical advice

Konsum consumption, consuming; consumers; *(Laden)* co-op(erative store); **~ent** consumer; **~genossenschaft** consumer co-operative (society); **~güter** consumer goods; **~ieren** to consume; **~verein** consumer, co-operative

Kontakt contact; *d.* ~ *aufnehmen mit* to contact s-b; **~arm** unsociable; **~mann** informant; contact

Konter|admiral rear-admiral; **~bande** contraband; **~fei** portrait, likeness; **~n** to counter; **~tanz** square dance, quadrille

Kontinent continent; **~al** continental

Kontingent quota; allotment; **~ieren** to fix the quotas (of); to limit; **~iert** subject to quota, quota (goods)

Kontinuität continuity

Konto account; *gesperrtes* ~ blocked account; *laufendes* ~ current account; *überzogenes* ~ overdrawn account; **~auszug** statement of account, *BE* pass-sheet; **~bestand, ~stand** account balance; **~buch** bank-book, account book; **~korrent** current account

Kontor office; **~ist(in)** clerk

kontra counter; ⚖ versus; *pro und* ~ pro and con; **~baß** double bass, *US* bass viol; **~hent** the party to contract, contracting, party; **~punkt** counterpoint; **~punktisch** contrapuntal

Kontrakt contract, bargain; agreement; *(Urkunde)* deed; *e-n* ~ *abschließen* to conclude a contract, to enter into a contract; **~bruch** breach of contract; **~brüchig** breaking a contract; **~lich** by contract, contractual

Kontrast contrast; **~ieren** to contrast

Kontroll|e control; *(Überwachung)* supervision; *(Prüfung)* examination, verification, checking; **~eur** controller; *(Zähler)* reader; **~ieren** to control; to check, to examine; to supervise; to verify; *(Bücher)* to audit; **~nummer** reference *(od* code) number; **~rat** Control Council; **~uhr** time-clock; *zu ~zwecken* for verification purposes

Kontur contour; outline; skyline

Konvention convention; agreement; treaty; **~alstrafe** penalty for breach of contract; **~ell** conventional

Konversation conversation; **~slexikon** (small) encyclopedia

konvert|ierbar convertible; **~ieren** to convert; **~it** convert

Konvikt boarding-house (for Catholic students)

Konzentr|ationslager concentration camp; **~ieren** to concentrate; to centre; **~isch** concentric

Konzept rough *(od* foul) copy, draft, sketch; *aus d.* ~ *bringen* to put s-b out, to disconcert; *j-m ins* ~ *passen* to fit s-b's bill; **~ion** *(feststehender Begriff)* concept; *(Auffassung)* conception; **~papier** rough *(od* scribbling) paper

Konzern combine; trust; pool; **~feindlich** anti-trust

Konzert concert; *(Solo-)* concerto; **~flügel** concert grand (piano); **~ieren** to give a concert; **~meister** concertmaster; **~saal** concert hall; **~sänger** singer

Konzession concession; licence (to trade); **~iert** licensed; **~spflicht** *besteht für . . .* is operating under licence, . . . can be carried out under licence

Konzil council

Köper twill; **~bindung** twill weave

Kopf head; top; *(Hut-)* crown; *fig* brains, sense; *(Mensch)* thinker, talented man; 📖 title, heading; ~ *an* ~ closely packed ♦ *s. in d.* ~ *setzen* to take it into one's head; *s. etw (noch*

einmal) durch d. ~ gehen lassen to turn s-th over in one's mind, to have second thoughts about s-th; s. d. ~zerbrechen to rack one's brains (über over); auf d. ~, pro ~ each, a head, per capita ♦ nicht auf d. ~ gefallen sein to be no fool, to know what's what; alles auf d. ~ stellen to turn everything topsy-turvy; aus d. ~ by heart; s. etw aus d. ~ schlagen to dismiss s-th from one's mind; es geht um ~ u. Kragen everything is at stake, it is a matter of life and death ♦ vor d. ~ stoßen to hurt, to offend; d. Nagel auf d. ~ treffen to hit the nail on the head; j-m d. ~ verdrehen to turn s-b's head; s-n ~ durchsetzen to insist on having one's own way; j-m d. ~ waschen to give s-b a good dressing-down, to haul s-b over the coals; j-m d. ~ zurechtsetzen to give s-b what for; to bring s-b to reason; ~arbeit brain work; ~arbeiter brain worker; ~bedeckung head-covering, head-gear; ~betrag per capita quota; ~bogen letterhead; ~chen fig brains; ~en to behead; ~ende head (of bed); ~haut scalp; ~hörer headphone, ear-phone; ~kissen pillow; ~länge head; ~los headless; confused; silly; ~nicken nod; ~rechnen mental arithmetic; ~salat (cabbage, round, garden) lettuce; ~scheu (Mensch) shy, timid; (Pferd) restive; ~scheu machen to intimidate; ~schmerz headache; ~schuppen dandruff; scurf; ~schützer headprotector; Balaclava helmet; ~sprung header; ~steinpflaster cobbled pavement; ~steuer poll tax; ~tuch kerchief, head-square (-scarf); ~über headlong, head foremost ♦ s. ~über in d. Arbeit stürzen to plunge into work head foremost; ~wäsche shampooing; ~zahl number of persons; ~zerbrechen racking of the brain; ohne viel ~zerbrechen without much pondering; ~zerbrechen machen to puzzle, to give s-b a headache

Kopǀle copy; ▯ print; (Nachbildung) reproduction, imitation; (Abschrift) transcript; ~ieren to copy; ▯ to print; to transcribe; to trace; ~ist copyist

Koppel mil belt; (Gehege) enclosure; (Pferdeweide) paddock; (Hunde) couple, leash; ~n to link; ⟨⟩ to couple; (Pferd) to string; (Hund) to leash, to couple; ~ung coupling; ~ungsgeschäft linked transaction; ~ungsverkauf tie-in sale

kopulieren to couple; to unite; to marry

Koralle coral; ~nbank coral reef; ~nfischer coral-fisher; ~ntier coral

Korb basket; hamper; (Bienen-) hive; fig refusal, denial ♦ j-m e-n ~ geben to give s-b the go-by, to refuse s-b; Hahn im ~ sein to be cock of the walk; ~ball basket-ball; ~blütler composite plant; ~flasche carboy; demijohn; ~flechter basket-maker; ~möbel wicker furniture; ~sessel basket (od wicker) chair; ~weide osier, basket wicker

Kord corduroy; ~el cord; twine; ~hosen (pair of) corduroys

körǀen to select for breeding; ~ung selection of stud animals

Korinthe currant

Kork cork; ~en to cork; adj (of) cork, corky; su cork stopper; ~enzieher corkscrew

Korn grain; (Getreide) corn; (Gewehr) (fore-)sight; (Metall) standard ♦ aufs ~ nehmen to keep a weather eye on s-b, to lash out at s-b; ~ähre ear of corn; ~blume corn-flower, bluebottle; ~boden, ~kammer granary; ~en to granulate; (Leder) to grain; ~feld BE cornfield, US grain field; ~garbe sheaf; ~ig granular

Kornett cornet (a ♪), standard-bearer

Körper body; phys substance, compound; (Schiff) hull; ✛ fuselage; (fester ~) solid; e-n schönen ~ haben to have a fine physique; ~bau bodily structure, build; ~behindert disabled, physically impaired; ~beherrschung body control; ~fülle corpulence; ~kraft physical strength; ~lich bodily; physical; material; corporeal; ~liche Strafe corporal punishment; ~los incorporeal; bodiless; immaterial; ~maß cubic measure; ~pflege beauty culture; hygiene; ~pflegemittel toilet requisite; ~schaft corporation; body; ~schaft d. öffentlichen Rechts public-law corporation; ~schaftssteuer corporation tax; ~(teil)chen particle; corpuscle; ~wärme body heat

Korporǀal corporal; ~alschaft section, squad; ~ation corporate body, corporation; (academic) fraternity

Korps mil corps; body; d. diplomatische ~ the diplomatic corps; ~geist esprit de corps; team spirit; ~student member of a duelling fraternity

korrekt correct; ~heit correctness; ~or ▯ proof-reader; ~ur correction; revision; ▯ proof correction; ~ur lesen to proof-read; corrective adjustment; ~urbogen proof-sheet; ~urleser proof-reader; reviser

Korrespondǀenz correspondence; ~ieren to correspond

Korridor corridor; d. Polnische ~ the Polish Corridor

korǀrigieren to correct; ~rumpieren to corrupt; ~ruption corruption; bribery

Korsar pirate, corsair

Kors(el)ett corslet, US corselet, all-in-one; corset, a pair of corsets; (früher) stays; ~stange bone

Koryphäe celebrity, star; outstanding authority

koscher kosher

koseǀn vt to caress, to fondle; vi to make love (mit to); ~name pet name

Kosinus cosine

Kosmetǀik beauty culture; cosmetic surgery; ~kerin beauty specialist, beautician; ~salon beauty parlour; ~sch cosmetic

kosmǀisch cosmic; ~ische Strahlen cosmic rays; ~opolit cosmopolitan; ~os universe

Kost food, victuals; (Nahrung) diet; (Pension) board; magere (schmale) ~ meagre fare, short commons; $ low diet; fleischlose ~ vegetarian diet; in ~ sein bei . . . to board with; ~ und

Wohnung board and residence (*od* lodging); ~**bar** precious, valuable; costly; ~**barkeit** preciousness; object of value; ~**frei** with free board; ~**gänger** boarder; ~**geld** board, board-wages; ~**happen**, ~**probe** dainty morsel; ~**lich** delicious, delightful, tasty; luscious; excellent, exquisite; capital; ~**spielig** costly, expensive; *kein ~verächter sein* to enjoy one's food

Kosten cost(s); *(Unkosten)* expenses; *(Gebühren)* charges, fees; *(Ausgaben)* expenditure; *auf ~ von* at the expense of; *fig* at the cost of; *auf eigene ~* at one's own expense; *auf seine ~ kommen* to recover expenses; *fig* to get one's money's worth; to get what suits one; *d. ~ bestreiten* to defray the expenses; *mit ~ verbunden sein* to involve charges; *vt (Geld)* to cost; *(erfordern)* to require, to take; *(versuchen)* to try, to taste; *koste es, was es wolle* cost what it may, at any cost; *Zeit und Mühe ~* to take time and trouble; *was kostet es?* how much is it?, how much does it cost?; *was kostet diese Bluse?* how much is this blouse?; ~**anschlag** estimate; ~**ausgleich** cost equalization; ~**los** free, for nothing, free of charge; ~**pflichtig** liable to (pay the) costs; with costs; ~**punkt** expenses; ~**rechnung** bill of costs; cost accounting; ~**vorschuß** advance on costs

Kostüm costume, suit; dress; fancy dress; ~**bildner** ▥, ♀ costume designer; ~**fest** fancy-dress ball; ~**ieren** to dress up, to disguise; ~**probe** dress rehearsal

Kot mud, muck, dirt; *(Schlamm)* mire; *(menschl.)* excrements, faeces; *(tierisch)* droppings ♦ *in den ~ ziehen* to drag into the dust; ~**flügel** *BE* wing, *US* fender; ~**ig** dirty, muddy

Kotau kotow, *US* kowtow; *~ machen* to kotow, *US* to kowtow

Kotelett chop; *(Kalbs-)* cutlet; ~**en** side-whiskers

Köter cur, dog

kotzen *sl* to vomit, to puke, to have the pukes

Krabbe crab; *(klein)* shrimp

krabbeln *vt* to tickle, to scratch; *vi* to crawl, to creep

Krach crash, slam; *(Lärm)* noise, din; *(Streit)* quarrel, row; scene; *mit Ach und ~* with difficulty, only just; ~**en** to crack, to crash; *(bersten)* to burst; *(donnern)* to roar; *(Tür)* to bang

krächzen to croak, to caw; *~de Stimme* hoarse voice

Kraft strength; *(Stärke)* force; ⚙, *fig* power; potency; *(Wirksamkeit)* efficacy; *(Energie)* energy; *(seelisch, geistig)* faculty; *(Rüstigkeit)* vigour; *(wirkende ~)* agent; worker, professional; hand, assistant; *in ~ treten* to take effect, to become valid, to come (*od* enter) into force; *in ~ bleiben* to remain in force; *in ~ setzen* to put into force; *außer ~ setzen* to annul, to abrogate; *mit aller ~* with might and main, by main force; *nach besten ~en* to the best of one's ability; *zu ~en kommen* to regain one's strength; *prep* by virtue of, on the strength of; ~**anlage** power plant, power sta-

tion; ~**aufwand** expenditure of force, effort, exertion; ~**ausdruck** strong language; ~**brühe** clear soup; beef-tea; ~**droschke** taxi; ~**fahrer** motorist; driver; ~**fahrtechnisch** automobile; ~**fahrzeug** motor vehicle; ~**fahrzeugindustrie** *BE* motor (*US* automotive) industry; ~**feld** *phys* field of force; ~**los** weak, feeble; powerless; ~**meier**, ~**mensch** brawny person, tough; ~**messer** dynamometer; ~**probe** trial of strength, showdown; ~**rad** motorcycle; ~**stoff** liquid fuel, *BE* petrol; ~**voll** vigorous, powerful; pithy; ~**wagen** *BE* motor car, *US* automobile, *umg* car; ~**wagenpark** motor pool; motorvehicle fleet

Kräft|eersparnis economy of manpower; ~**emangel** labour shortage; ~**epotential** potential labour force; ~**everlagerung** shift of power; ~**ig** strong, powerful, robust; *(Nahrung)* nourishing; *(wirksam)* forcible; *(Linie)* bold; lusty; ~**igen** to strengthen, to invigorate; to harden, to steel; ~**igung** strengthening, invigoration

Kragen collar; *(Umhang)* cape; *beim ~ nehmen* to (seize by the) collar ♦ *d. kann ihn d. ~ kosten* that may cost his neck; ~**knopf** (collar-)stud. *US* collar-button; ~**spiegel** *mil* facing, collar patch; ~**weite** collar size

Kragstein corbel

Krähe crow; *(Saat-)* rook; ~**nfüße** *(Schrift)* scrawl; *(Runzeln)* crow's feet

Krake octopus

Krakeel brawl, squabble, quarrel; ~**en** to brawl, to roister, to kick up a row; ~**er** brawler, rowdy, roisterer

Kralle claw; *(Vögel)* talon; ~**n to claw**

Kram small wares; *(Plunder)* trash, stuff, rubbish; *fig* business, affair ♦ *d. paßt mir nicht in d. ~* that does not suit my purpose (*od* book); ~**en** to rummage; ~**laden** small shop, general store

Krämer local retail merchant; grocer; philistine; ~**seele** petty spirit, mercenary spirit

Krammetsvogel fieldfare

Krampe cramp(-iron); staple

Krampf cramp; ✚ spasm, convulsion; fit; ridiculous fuss; pomposity; ~**ader** varicose vein; ~**en** to contract, to clench; ~**haft** convulsive, spasmodic; *fig* frantic, desperate; ~**stillend** sedative; antispasmodic

Kran crane; derrick; hoist; ~**ausleger** crane jib (*od* boom); ~**führer** craneman, crane operator; ~**ich** crane

krank ill, sick; *~ sein* to be ill, *US* to be sick; *~ werden* to fall ill, to become ill, to be taken ill; *wieder ~ werden* to have a relapse; *~ darniederliegen* to be laid up, to be confined to bed, to be bedridden; *s. ~ lachen* to split one's sides (with laughter); ~**en** to be ill (with), to suffer (from); *(fehlen)* to lack; ~**enabteilung** sick-ward; ~**enauto** ambulance; ~**enbett** sick-bed; ~**engeld** sickness benefit; ~**engeschichte** case history; ~**enhaus** hospital; ~**enkasse** health insurance (fund); ~**enkassenpatient** panel patient; ~**enkost** invalid diet (*od* cooking); ~**enlager** sick-bed; ~**enpflege** nursing;

~enpfleger male nurse; ~enschwester (sick-) nurse; *(staatlich geprüft)* registered nurse, S.R.N.; ~enstand *(Anstalt)* number of inmates; *(Bevölkerung)* sickness figure; ~enträger stretcher-bearer; ~enversicherung health insurance, sickness insurance; ~enwärter male nurse; attendant; hospital orderly; ~er patient, sick person; *die ~en* the sick; ~haft pathological; unhealthy; morbid; ~heit illness, disease, malady; *innere ~heiten* internal diseases; *englische ~heit* rickets; *ansteckende ~heit* infectious disease, contagious disease; *s. e-e ~heit zuziehen* to contract a disease; ~heitserreger agent of a disease; ~heitsherd focus of the disease

kränk|eln to be ailing *(od* sickly) to be in poor health; ~en to vex, to offend, to hurt; *refl* to worry; to fret; ~lich invalid; ailing, sickly; ~ung insult; offence

Kranz wreath, garland; ~chen *fig* ladies' *(od* coffee) circle; ~en to wreathe, to crown, to adorn; ~gesims cornice; ~jungfer bridesmaid; ~spende funeral wreath

Krapfen doughnut

kraß crass, gross; exaggerated; *(Lüge)* thumping, big; *im krassesten Fall* in the most extreme case; *e. krasses Beispiel* a glaring example

Krater crater *(a. mil);* ~öffnung orifice

Kratz|bürste scrubbing-brush; *fig* crosspatch; ~bürstig cross, irritable; gruff; ~eisen scraper; ~en *vt/i* to scratch, to scrape; ~fuß bow

Krätz|e itch; ♀ scabies; ✿ waste; ~er bad wine; ~ig itchy

krau(l)en *vt* to rub gently *(od* softly); *vi* to (swim, do the) crawl; ~schwimmen crawl-(stroke)

kraus curly, crinkled, crisp; *(Stoff)* ruffled, nappy; *d. Stirne ~ ziehen* to knit one's brows, to frown; ~e ruffle, frill; ~eln to curl, to crimp; *(plissieren)* to goffer; *(Stoff)* to gather; *(Wasser, Federn)* to ruffle; ~haarig curly-haired; ~kopf curly-head

Kraut herb; plant; *(Kohl)* cabbage; *ins ~ schießen* to run into leaves, to shoot up, to run wild; ~erbuch herbal; ~erkäse herb-flavoured cheese; ~ertee herb-tea

Krawall uproar, row, riot, affray

Krawatte tie, cravat

kraxeln to clamber up, to climb

Kreatur creature

Krebs crab, crayfish; *astr* Cancer; ♀ cancer; carcinoma; canker; *(in Zssg)* cancerous, carcino-; ~artig cancerous; ~erzeugend carcinogenic; ~geschwulst cancer; tumour; ~schaden cancerous sore; *fig* canker, deep-seated evil; ~schere claw of crayfish; ~tiere crustaceans

Kredenz sideboard; ~en to present, to serve, to offer

Kredit credit; loan; *(Vorschuß)* advance; *(Ruf)* reputation, trust; ~ *haben bei* to have an account with; *kurzfristiger* ~ short-term credit; *langfristiger* ~ long-term credit; ~ *aufnehmen* to raise a loan; ~ *einräumen* to grant a

credit; ~aufnahme borrowing; ~bank commercial bank; ~brief letter of credit; ~fähig solvent, sound; ~fähigkeit solvency, financial soundness; ~genossenschaft credit co-operative; ~ieren to credit; ~institut credit institution, bank; ~iv credentials; full power; ~schöpfung creation of credit; ~sperre stoppage of *(od* ban on) credit; ~würdig credit-worthy; trustworthy

Kreide chalk; ✏ crayon; ~ehaltig containing chalk, cretaceous; ~weiß white as a sheet; ~ig chalky, cretaceous

Kreis circle; ring; ⚡ circuit; *astr* orbit; *(Gebiet)* district; *(Verwaltung)* district, county; *(Menschen)* set; circle; group; *fig* sphere; *(Reichweite)* range; *e-n ~ ziehen* to describe a circle; *s. im ~e drehen* to rotate; ~ *e der Wirtschaft* business circles *(od* quarters); ~abschnitt segment; ~arzt district medical officer; ~ausschnitt sector; ~bahn orbit, circular path; ~baumeister government surveyor of works; ~el top; gyro(scope); ~en to revolve; to circulate; to circle round; ~förmig circular, round; ~lauf circulation, circular course; rotation; ~laufstörung circulatory disturbance; ~laufsystem cardiovascular system; ~säge circular saw; ~stadt county town; ~umfang circumference; periphery; ~verkehr *BE* roundabout (traffic), *US* traffic circle

kreischen to shriek, to scream, to screech

kreißen ♀ to be in labour; *su* labour

Krematorium crematorium, crematory

Krempe brim; ~l stuff, rubbish

Kremser char-a-banc

krepieren to kick the bucket; *mil* to burst, to explode

Krepp crêpe; ~gummi crêpe rubber; ~papier crêpe paper; ~sohle crêpe(-rubber) sole

Kresse *(Brunnen-)* water-cress; *(Garten-)* garden-cress; *(Kapuziner-)* nasturtium

Krethi und Plethi Tom, Dick, and Harry; ragtag and bobtail

Kreuz cross; ♪ sharp; ♀ the small of the back; *(Karten)* clubs; *(Pferd)* croup; ⬛ obelisk, dagger; *fig* affliction, grief, sorrow; *d. ~ schlagen* to cross o.s.; *ans ~ schlagen* to nail to the cross; ~ *und quer* criss-cross, in all directions, all over ♦ *zu ~e kriechen* to eat humble pie, to sing small; *über ~* crosswise; ~abnahme descent from the cross; deposition; ~band wrapper; *unter ~band schicken* to send at printed-matter rate; ~bein sacrum; ~brav thoroughly honest; ~en *vt* to cross; *vi* to cross, ⚓ to cruise; *refl (Briefe)* to cross in the post (with); ~er cruiser; ~fahrer, ~ritter crusader; ~feuer cross-fire; ~fidel as lively as a cricket; ~gang cloisters; ~igen to crucify; ~igung crucifixion; ~lahm broken-backed; ~*lahm sein* to have backache; ~otter adder, common viper; ~schmerzen lumbago, pains in the small of the back; ~schnabel crossbill; ~stich cross-stitch; ~unglücklich despondent, downcast; ~ung crossing; crossroads *(an d.* ~ung *a the c.);* intersection; *(Rasse)* hybrid, mongrel; *(Tiere,*

Pflanzen) cross-breed(ing), hybridization; ~verhör cross-examination; *ins ~ verhör nehmen* to cross-examine; ~weg crossroad(s), crossing; *eccl* way of the cross; ~weise crosswise, crossways, across; ~worträtsel crossword puzzle; ~zug crusade

kribbeln to crawl, to swarm; *(jucken)* to tickle, to itch

Kricket cricket; ~schlagholz bat, willow; ~spieler cricketer

kriech|en to creep, to crawl; *fig* to cringe (before s-b), to fawn (on s-b); *aus d. Ei ~en* to hatch; ~er *fig* sneaker, toady; ~erei cringing, servility; ~erisch fawning, slavish; abject; ~tier reptile

Krieg war; *fig* warfare; *im ~* in war-time; *es ist ~* there is a war on; *im ~ sein mit* to be at war with; *~ führen* to make (*od* wage) war (*mit* on); *kalter ~* cold war; ~er warrior, soldier; ~erisch warlike, bellicose; martial; ~führend belligerent; ~führung conduct of war; warfare; ~sbeil hatchet (*d. ~sbeil begraben* to bury the h.); ~beschädigt disabled on active service; ~beschädigter disabled ex-serviceman, war-disabled person; ~sdienst military service; ~sdienstpflicht conscription; ~sdienstverweigerer conscientious objector, C. O.; ~sdiensttauglich A 1, *US* class A; ~serklärung declaration of war; ~serprobt battle-tried; ~sflotte navy; ~sfolgelasten war-induced burdens; charges resulting from the war; ~sgefahr danger of war; *(Versicherung)* war risks; ~sgefangener prisoner of war; ~sgefangenenlager prisoner-of-war camp; ~sgefangenschaft captivity; ~sgericht court martial; ~sgewinnler war-profiteer; ~sgrund casus belli; ~shafen naval port; ~shandwerk military profession; ~shetzer warmonger; ~shinterbliebener person bereaved as a result of war; surviving dependant (of service-man); ~slazarett military hospital; ~slist stratagem; ~sminister Minister of War; *BE* Secretary of State for War; *US* Secretary of War; ~srecht martial law, the law of war; ~ssachgeschädigter person who has suffered material damage through war; ~ssachschaden war damage to property; ~sschauplatz theatre of operations (*od* war); ~sschiff battleship, warship; ~sschuld war-guilt; *(materiell)* war debt; ~steilnehmer veteran; ex-serviceman; ~sverbrechen war crime; ~sverbrecher war criminal; ~sversehrt(er) = ~ beschädigt(er); ~sware war--time goods; ~swichtig strategic, of military importance; ~szustand state of war

kriegen *vt* to get, to obtain; *(Zug)* to catch; to reach

Kriminal|film crime film, *umg* whodunit; ~polizei criminal investigation department; plain--clothes police; ~polizist detective; ~roman detective story, crime novel (*od* story), *umg* whodunit; ~stück detective play

kriminell criminal; of a criminal character

Kringel ring, circle; biscuit; *(Rauch-)* curl

Krinoline crinoline; hoop skirt

Krippe crib, manger; *(Kinder-)* crèche; ~nspiel *eccl* nativity play

Krise crisis; depression; ~nhaft critical; crucial; *~nhafte Ausmaße* crisis proportions

Kristall crystal; ~en of crystal; ~isieren to crystallize; ~klar crystal-clear, transparent; ~zucker preserving sugar

Krit|ik criticism; *(Besprechung)* critique, review; *unter aller ~ik* incredibly bad, beneath contempt; ~ikaster carper, criticaster; ~iker critic; *(Schreiber)* reviewer; ~iklos uncritical, undiscriminating; ~isch critical; *~isch besprechen* to review; precarious; ~isieren to criticize; (□, ⚏, ⚏ to review; to censure; ~teln to carp (*über* at); to find fault with; ~tler carping critic, fault-finder

kritzeln to scrawl, to scribble

Krock|et croquet; ~ethammer mallet; ~ieren to croquet

Krokodil crocodile; ~stränen crocodile tears

Krokus crocus

Kron|anwalt attorney general; ~e crown; *(Adel)* coronet; *(Baum)* top; *(Zahn)* cap, crown ◆ *d. setzt allem d. ~e auf* that puts the lid on it; *e-n in d. ~e haben* to have had a little too much; ⁺en to crown; ~erbe heir to the crown; ~gut crown-lands; ~insignien regalia; ~leuchter chandelier; ~prinz crown prince; ~sbeere cowberry, mountain cranberry; ⁺ung coronation; crowning; ~zeuge chief witness; King's evidence, *US* State's evidence

Kropf crop; ⚕ goitre; ~ig goitrous; ~taube pouter (pigeon)

Kröte toad; *fig* brat; *e. paar ~n* a few coppers

Krück|e crutch; ~stock hooked stick

Krug jug; *(Wasser)* pitcher; *(Becher)* mug; *(Wirtshaus)* inn, tavern

Kruke stone jar, stone bottle

Krume crumb; *(Acker)* mould, topsoil; ⁺ln to crumble

krumm crooked; *(gekrümmt)* curved, bent; *(unehrlich)* fraudulent, sneaking; *(Betrag)* odd, broken; ~beinig bandy-legged; knock-kneed; ⁺en to crook, to bend; *refl* to bend down, to stoop; *(Fluß)* to wind; *(vor Schmerzen)* to writhe; *fig* to cringe, to grovel; ~holz crooked timber; *bot* dwarf mountain pine; ~linig curvilinear; ~nasig hook-nosed; ~nehmen to take s-th amiss; ~säbel scimitar; ~stab crosier; ⁺ung bend, curve, turn; ⚕ contortion; *(Fluß)* winding; *(Rückgrat)* curvature; ⚓ camber; loop

Kruppe crupper

Krüppel cripple; *zum ~ machen* to maim, to cripple; ~haft, ~ig crippled, maimed

Krust|e crust; ⚕ scurf; ~entier crustacean; ~ig crusty, crustaceous

Kruzifix crucifix

Krypta crypt

Kübel tub; pail, bucket; *(Bottich)* vat

Kubik|inhalt cubic contents; ~maß cubic measure; ~wurzel cube root; ~zahl cube; ~zentimeter cubic centimetre; millilitre

kub|isch cubic; ~ismus cubism; ~us cube

Küche kitchen; ~ *u. Keller (fig)* the larder; *(Kochen)* cuisine, cooking; *kleine ~* kitchenette; *kalte ~* cold meats; *bürgerliche ~* plain (home) cooking; *frisch aus d. ~* just up; **~nbenützung:** *Zimmer mit ~nbenützung* room with use of kitchen; **~ngerät** kitchen utensil; *(Maschinen)* appliance; **~nherd** range, stove; **~nlatein** dog-Latin; **~nzettel** menu

Kuchen cake, pastry; **~bäcker** pastry-cook; **~blech** baking-tin; *(rund)* griddle; **~form** cake-tin

Küchlein chicken

Kuckuck cuckoo; *zum ~!* bother!; bother it!; hang it!; *wer zum ~ hat* ... who the devil has ...; **~sei** cuckoo's egg

Kuddelmuddel hugger-mugger

Kufe vat, barrel; *(Schlitten-)* runner

Küfer cooper; cellarman

Kugel ball; *(Erde)* globe; *math* sphere; *(Flinten-)* bullet; *(Geschoß)* ball; ♜ shot; *(Kegeln)* bowl; *(Glas-, Holz-)* bead; *s. e-e ~ durch d. Kopf jagen* to blow out one's brains; **~blitz** ball lightning; **~fang** butts; **~fest** bullet-proof; **~förmig** globular; spherical; **~gelenk** ball-and-socket joint; **~lager** ball-bearing; **~lampe** beacon; **~n** *vt/vi* to roll, to bowl; **~schreiber** ball(-point) pen, *BE* biro; **~stoßen** putting the shot, *BE* putting the weight, *US* shotput; **~stoßer** shot-putter, *BE* weight-putter

Kuh cow; *blinde ~* blind-man's buff; **~blume** marsh-marigold; **~fladen** cow-pat; **~handel** horse-trading, foul bargaining; **~haut:** *d. geht auf keine K.* that beats everything; **~mist** cow-dung; **~stall** cowshed, -house

kühl cool, chilly; fresh; *fig* cool, reserved; *~ aufbewahren* to keep in a cool place; *j-n ~ behandeln* to turn the cold shoulder on s-b; **~anlage** cold-storage plant, refrigeration plant; **~e** coolness; freshness; *fig* coldness; **~en** to cool; to refresh; ♟ to refrigerate; **~er** 🚗 radiator; **~erfigur** radiator mascot; **~erhaube** *BE* bonnet, *US* hood; **~haus** cold-storage depot; **~raum** cold store, cold-storage chamber; **~schrank** refrigerator *BE* fridge, *bes US* icebox; **~ung** cooling, refrigeration; freshness

kühn bold, daring, audacious; **~heit** boldness, daring, audacity

Küken chicken *fig* flapper, *US* chicken

Kuli coolie; *fig* drudge; = Kugelschreiber

Kulisse side-scene, wing; scenery; **~nmaler** scene-painter; **~nschieber** scene-shifter

Kult cult; worship; **~ivieren** ↓ to cultivate; to till; *(geistig)* to culture; to cultivate; **~iviert** cultured; cultivated; **~ur** *(geistig)* culture; *(soziale Entwicklung)* civilization; *(Boden)* cultivation; **~urell** cultural; **~urfilm** educational film; documentary (film); **~urgeschichte** history of civilization; **~urpolitisch** politico-cultural; *~urpolitische Erwägungen* considerations of educational or cultural policy; **~us =** ~; **~usminister** Minister of Education; **~usministerium** Ministry of Education

Kümmel caraway(-seed); *(römischer)* cumin; *(Getränk)* kümmel

Kummer grief, affliction, sorrow; worry; **~lich** miserable; *(arm)* poor; scanty; **~n** to grieve, to worry, to trouble; *refl (um)* to look after, to care for; to worry about; to mind; **~nis** grief, anxiety; **~voll** grievous, sorrowful, afflicted

Kummet horse-collar

Kum|pan companion, crony, pal; **~pel** *min* pitman; *fig* comrade, mate, pal, *US umg* buddy

kumulieren *refl* to accumulate; to be added to

kund known, public; to make, manifest; **~bar** recallable; *(Anleihe)* redeemable; **~e** customer, client; *(voraussichtlicher)* prospect, prospective customer; *(Nachricht)* information, news; *(Lehre)* lore; *(Wissen)* knowledge, science; **~en** to publish, to announce; **~endienst** after-sales service; ♟, ⚡ (maintenance) service; **~enfang** touting; **~enkredit** consumer credit; **~enkreis** range of customers; category of customers; body of customers; clientele; **~geben, ~machen, ~tun** to notify, to inform; to manifest; to publish; **~gebung** manifestation, demonstration; **~ig** learned, well-informed; experienced; **~igen** *(Geld)* to call in; *(Wohnung, Arbeit)* to give notice (of termination); *(Vertrag)* to abrogate, to cancel; to denounce; *ich ~ige ihm* I give him notice; **~igung** *(Wohnung, Arbeit)* notice, warning; *(Geld)* calling in; *(Vertrag)* cancellation; *fristlose ~igung* dismissal without notice; *Wohnung mit monatlicher ~igung* flat on a month-to-month lease; **~igungsfrist** period of notice *(monatliche K.* one month's notice); *auf Einhaltung d. ~igungsfrist verzichten* to waive notice requirements; **~igungsklausel** cancellation clause; **~machung** publication, notification; **~schaft** customers, clients, clientele

künftig future; next; forthcoming; *~e Generationen* generations yet unborn; **~hin** henceforth, in future

Kunkel distaff

Kunst art; *(Geschicklichkeit)* skill; *(Kniff)* trick, knack; *schöne ~e* fine arts; *bildende ~e* plastic arts; *mit seiner ~ am Ende sein* to be at one's wit's end; **~ausstellung** fine-art exhibition; **~beflissen** arty; **~begabt** artistic; **~druckpapier** art paper; **~dünger** artificial manure, fertilizer; **~elei** affectation; **~eln** to over-refine, to subtilize; **~faser** manmade fibre; **~fehler** physician's professional blunder, malpractice; **~fertigkeit** (artistic) skill; **~fliegen** aerobatics; **~flieger** ace, stunt pilot; **~flug** stunt-flight; **~freund** lover of fine arts; **~gegenstand** work of art, objet d'art; **~gerecht** skilful, correct; **~geschichte** art history; **~gewerbe** arts and crafts, industrial arts; **~griff** artifice; trick, knack; **~gummi** synthetic rubber; **~handel** fine art trade; **~händler** art dealer; **~kenner** connoisseur, expert, judge of art; **~keramik** ceramic art; **~lauf** figure-skating; **~läufer** figure-skater; **~leder** leatherette, imitation *(od* artificial) leather; **~ler** artist; **~lerisch** artistic, artist-like; *~lerisches Können* artistry; **~lertum** artistry; artistic gift; **~lerviertel** artists' district; **~lich** artificial; false; synthetic; *(Texti-*

lien) manmade; **~maler** artist, painter; **~-pause** pause for effect; awkward pause; **~reiter** equestrian performer; circus-rider; **~-schlosser** art metal worker; **~seide** rayon, artificial silk; **~springen** fancy diving; **~springer** fancy diver; **~stickerei** art needlework; **~stoff** plastic; **~stopferei** invisible mending; **~stück** feat; trick; sleight of hand; **~tischler** cabinet-maker; **~tischlerei** cabinet-making; cabinet shop; **~verständig** artistic; aesthetic; **~voll** artistic, ingenious; elaborate; **~werk** work of art; *(Marmor)* marbles; **~wissenschaft** science of art

kunterbunt higgledy-piggledy, topsy-turvy

Kupfer copper; **~druck** copper-plate (printing); **~geld** coppers; **~n** copper; **~schmied** brazier; **~stecher** copper-plate engraver; **~stich** copper-plate; copper engraving; **~tiefdruck** photogravure, rotogravure

kupieren *(Schwanz)* to dock

Kuppe dome; rounded hill-top; *(Finger)* head; **~l** cupola, dome

Kupp|elei matchmaking; procuring; **~eln** *vt* to couple, to join, to unite; 🖐 to clutch; 🔧 to engage, to connect; *vt/i* to make a match; ♋ to procure; **~elpelz**: *s. e-n* **~elpelz** *verdienen* to play the matchmaker; **~ler** matchmaker; pimp, procurer; **~lung** ⚙ coupling; joint; 🚗 clutch; **~lungspedal** clutch pedal

Kur treatment, cure; *s. e-r* **~** *unterziehen* to go through a cure; *j-m d.* **~** *machen* to court, to make love to; **~abgabe, ~taxe** visitor's tax; **~-arzt** spa doctor; **~aufenthalt** stay at a spa (sanatorium); **~fürst** elector; **~fürstentum** electorate; **~gast** visitor *(od* patient) at a spa *(od* health resort); **~halle** pump room; **~haus** casino, spa hotel; *(mit Bädern)* hydropathic establishment, *umg* hydro; **~ort** spa, watering-place; health resort; **~pfuscher** quack, charlatan; **~pfuscherei** quackery

Kür 🏃 free exercise *(od* skating, diving); **~en** to elect

Kura|tel guardianship; **~tor** guardian, trustee; *(Museum)* curator; **~torium** board (of curators)

Kurbel crank; handle; 🚗 starting-handle; **~-kasten** 🚗 crank-case; 🎥 film-camera; **~n** 🚗 to crank; 🎥 to reel off; **~stange** connecting rod; **~welle** crank-shaft

Kurbett|e curvet; **~ieren** to curvet

Kürbis pumpkin; *(Flaschen-)* gourd; **~kern** pumpkin seed, gourd seed

Kurie curia

Kurier courier; **~en** to cure

kurios odd, strange, funny; **~ität** curiosity, rare object; oddity

Kurs ⚓ course; *(Wechsel-)* rate of exchange; *(Preis)* quotation, market price; ⚓ heading; *(Lehrkurs)* course; *fester* **~** standard *(od* fixed) rate; *steigender* **~** rising exchange; *fallender* **~** falling exchange; *außer* **~** *setzen* to call in; **~bericht** *(Geld)* statement (of exchange rates); *(Ware)* market-report, list of quotations; **~buch** railway guide, time-table; **~ieren**

to circulate, to be current; **~ivschrift** italics; *in* **~ivschrift** *drucken* to italicize; **~schwankungen** fluctuations, variations in rates of exchange; **~sturz** decline in stock-market quotations; slump; **~us** course; **~verlust** loss on (in, by) the exchange; depreciation; **~wagen** 🐎 through carriage; **~wert** market value; **~zettel** stock-exchange list

Kürschner furrier

Kurve curve, bend, turn; *fig* graph, trend; **~n** to turn

kurz short; *(bündig)* brief, short; *(Worte)* laconic; *(Stil)* concise; *(schroff)* abrupt; *adv* in short, briefly; *s.* **~** *fassen* to be brief; *zu* **~** *kommen* to be the loser; **~** *u. bündig* concise(ly), short and to the point; **~** *u. klein schlagen* to smash to bits ♦ **~** *angebunden sein* to be blunt, to give a curt answer; *in* **~***em* soon, shortly; *vor* **~***em* recently, the other day; *über* **~** *od. lang* sooner or later; **~***er machen* to shorten ♦ *d.* **~***eren ziehen* to be left out in the cold, to be the loser; **~arbeit** short-time work; **~arbeiter** short-time worker; **~atmig** short-winded; **~e** shortness; brevity; **~el** *(Steno)* grammalogue, logogram; **~en** to shorten; to abridge; *(verringern)* to cut, to reduce; to abbreviate; **~erhand** briefly; on the spot; **~form** abbreviation; **~fristig** short-term; *(Wechsel)* short-sighted, short-dated; urgent, prompt; **~gefaßt** concise; **~geschichte** short story; *j-n* **~** *halten* to keep s-b short; **~lebig** short-lived; **~lich** lately, recently; **~nachrichten** news summary; **~schluß** short circuit; **~schrift** shorthand; **~sichtig** short-sighted *(a. fig);* **~sichtigkeit** short-sightedness; **~streckenlauf** sprint race; **~streckenläufer** sprinter, short-distance runner; **~um** in short; **~ung** abbreviation; shortening; reduction, cut; contraction; **~waren** *BE* haberdashery, trimmings, *US* notions; **~warenhändler** *BE* haberdasher; **~weil** pastime, amusement; **~welle** short wave; **~wellensender** short-wave transmitter

kuscheln *vt, refl* to nestle, to nuzzle

kuschen *(Hund)* to lie down; *fig* to crouch

Kusine cousin

Kuß kiss; **~echt** kiss-proof, indelible; **~hand** blown kiss **~** *mit* **~hand** with the greatest pleasure

küssen to kiss, to caress; *sl* to neck

Küste coast, shore; *an d.* **~** on shore; *an d.* **~** *entlangfahren* to coast; **~ndampfer** coaster, coasting-vessel; **~ngebiet** coastal area; **~n-gewässer** territorial waters; **~nhandel** coasting-trade; **~nstrich** coast-line; **~nwache** coast-guard (station)

Küster verger, sexton, sacristan

Kutsch|bock coachman's seat, box; **~e** coach; carriage; **~er** coachman, driver; *umg* cabby; **~ieren** to drive *(in a carriage, a coach)*

Kutte cowl, frock; **~ln** tripe; **~r** cutter

Kuvert envelope, wrapper; *(Gedeck)* cover; **~ieren** to put in an envelope

Kux registered mining share

L

L (the letter) L

Lab rennet; **~magen** rennet

labbern to lap

Lab|e, **~sal**, **~ung** refreshment; *(Stärkung)* tonic; *fig* comfort; **~en** *vt* to refresh; to comfort; *refl* to refresh o.s., to enjoy

labil *(schwankend)* unstable, fluid; *phys, chem* labile; *(veränderlich)* variable; **~ität** instability, fluidity; variability

Labor laboratory, *umg* lab; **~ant** laboratory assistant; **~atorium** = **~**; **~ieren** to do laboratory work; to toil *(an* at); *(leiden)* to suffer from, to be afflicted with

Lach|e *(Pfütze)* pool, puddle; *(Gelächter)* laughter, laugh; **~en** to laugh *(über* at); *leise vor sich hin* **~en** to titter; *höhnisch* **~en** to sneer; *d. wäre ja gelacht* nothing to it ♦ *s. ins Fäustchen* **~en** to laugh up one's sleeve; *su* laughter; *in* **~en** *ausbrechen* to burst into laughter; *d. ist nicht zum* **~en** that's no laughing matter; *vor* **~en** *platzen* to split one's sides with laughter; **~er** laugher; **ële̊ln** to smile *(über* at); *süßlich* **ële̊ln** to smirk; *su* smile; *über d. ganze Gesicht* **ële̊ln** to be all smiles; **ële̊rlich** ridiculous, laughable, ludicrous; *(unbedeutend)* derisory; **ële̊rlich machen** to ridicule; *s.* **ële̊rlich machen** to make a fool of o.s.; **ële̊rlichkeit** ridicule, absurdity; **~gas** laughing-gas, nitrous oxide; **~haft** ridiculous, laughable; **~krampf** fit of laughter; **~taube** ring-dove

Lachs salmon; **~farben** salmon-coloured; **~schinken** smoked ham

Lack *(Gummi-, Harz-)* lac; *(Zellulose-)* lacquer; *(Öl-)* varnish; *(Japan-)* japan; **~farbe** lake; lac dye; enamel; varnish colour; **~firnis** lac varnish; lacquer; **~harz** gum-lac; **~ieren** to lacquer; to varnish; *schwarz* **~iert** japanned; **~leder** patent leather; **~mus** litmus; **~muspapier** litmus paper; **~schuh** patent-leather shoe; pump, dress shoe

Lade *(Kasten)* box, chest; *(Schub-)* drawer; **~baum** derrick; **~fähigkeit** tonnage; **~hemmung** jam, stoppage; **~luke** hatchway; **~platz** loading-place, wharf; **~raum** (ship's) hold; loading capacity; **~schein** bill of lading (B/L); **~stock** ramrod, rammer

Laden shop, store; *(Fenster)* shutter ♦ *d.* **~** *schmeißen* to bring home the bacon, to get the thing done; *vt (Fracht)* to load; to ship; *⚡* to charge; *(Waffe)* to load, to charge; *(vorladen)* to summon; *(Gäste)* to invite ♦ *geladen sein (umg)* to be mad, to be furious (at s-b); **~besitzer**, **~inhaber** shopkeeper, *US* storekeeper; **~dieb** shoplifter; **~einbruch** smash-and-grab raid; **~fenster** shop-window; **~hüter** drug in the market, unsalable article; **~kasse** till; cash--desk; **~mädchen** salesgirl, *BE* shop-girl; **~preis** (fixed) retail price, selling price; 📖 published price; **~schild** shopsign; **~schluß** closing-time, shop closing; **~schwengel** counter--jumper; **~tisch** counter; **~verkaufszeiten** shop-hours

lädieren to hurt; to injure, to damage

Ladung *(Fracht)* load, freight, cargo; *(⚡, Waffe)* charge; *(Gericht)* summons, citation; **~sraum** hold (of a ship)

Lafette gun-carriage

Laffe fop, puppy

Lage situation, position, site; *(Haltung)* posture, attitude; *(Zustand)* condition, state; *(Umstände)* circumstances; *(Schicht)* layer, stratum; coating; *♪* pitch, compass; position; *(Papier)* quire; *mil* position; *(Bier)* round; *(Schicksal)* fate, lot; *⚓ volle* **~** broadside; *d.* **~** *der Dinge* state of affairs; *finanzielle* **~** financial status; *versetzen Sie s. in meine* **~** put yourself in my place

Lager bed, couch; *(Tier)* lair; *mil* camp, encampment; *(Vorrat)* depot; stock, supply, store; *geol* layer, stratum, deposit; *⚙* bearing; support; *fig* party, side, camp; *auf* **~** on hand, in stock; *direkt vom* **~** *weg kaufen* to buy off the shelf; *d.* **~** *aufschlagen* to pitch one's camp; *ab* **~** ex warehouse; **~aufnahme** stocktaking, inventory; **~aufseher** storekeeper; warehouse-keeper; **~bestand** stock, inventory; **~buch** stock-book; **~fähig** fit for storage; **~feuer** camp-fire; **~gebühr**, **~geld**, **~miete** storage, warehouse charges; **~haus** warehouse, storehouse; depository; **~n** *vt* to store, to warehouse; to lay down; *⚙* to support, to bed; *vi* to lie (down); to camp, to encamp; to be warehoused *(od* stored); *fig* to brood over; **~platz** resting place; camp site; *(Waren)* storage place, depot; **~schein** warehouse warrant *(od* receipt); **~statt**, **~stätte** *geol* deposit; resting place; bed, couch; **~ung** storage, warehousing; **~wache** camp watch *(od* guard)

Lagune lagoon

lahm lame, paralysed; *(schwach)* weak; **~en** to be *(od* walk) lame; to limp; **ëla̋hmen** to cripple, to paralyse; *fig* to hinder, to stop; **~heit** lameness; **~legen** to render useless; to bring to a standstill; to paralyse; **~legung** paralysation; crippling; stoppage; **ëla̋hmung** paralysis; paralysation; lameness

Laib loaf

Laich spawn; **~en** to spawn

Laie layman; amateur; *fig* uninitiated person; **~nbruder** lay brother; **~nhaft** lay; amateurish; unprofessional; **~npriester** lay priest; **~nspiel** amateur theatricals; **~nspielbewegung** amateur drama movement; **~ntheater** amateur dramatic club

Lakai lackey, footman; flunkey

Lake brine, pickle; **~n** sheet; *(Toten-)* shroud, pall

Lakritze liquorice, *US* licorice

lallen to stammer; to babble

Lamelle lamella; *⚡* lamina; commutator; 📷 leaf, blade; *⚙* plate, disk; *bot* gill; **~nkupplung** 🚗 disk-clutch

lamentieren to lament *(über* over); *(klagen)* to wail

Lametta silver tinsel; *fig* fruit salad

Lamm lamb; **~braten** roast lamb; **ëchen** little

lamb, lambkin; **~en** to lamb, to cast lambs; **⸚ergeier** lammergeyer; **⸚erwolke** cirrus; **~fell** lambskin; **~fromm** lamblike, as meek as a lamb

Lampe lamp; **~ndocht** lamp-wick; **~nfieber** stage fright; **~nkugel** lamp-globe; **~nruß** lamp-black; **~nschirm** lamp-shade; **~nzylinder** lamp-chimney

Lampion Chinese lantern, Japanese lantern

Lamprete lamprey

lancieren *(starten)* to launch; *(fördern)* to promote; *(werfen)* to push

Land land; *(Fest-)* mainland, continent; *(Acker-)* earth, ground, soil; *(Gegensatz zu Stadt)* country; *(Gebiet)* territory; *(Staat)* state, land; *(Bundesrepublik)* Land; *fig* realm; *~ u. Leute* the country and the people; *an ~ gehen* to land, to go ashore; *aufs ~ gehen* to go into the country; *ins ~ gehen (fig)* to pass, to elapse; *außer ~es gehen* to go abroad; *~ sichten* to make (the) land; *auf d. ~e* in the country; **~adel** landed gentry; **~arbeiter** farm-worker; **~auer** landau; **~aus, ~ein** far afield; **~bau** agriculture; **~besitz** land, landed, property; **~bevölkerung** rural population; **~butter** farm butter; **~einwärts** inland, up country; **~e-kopf** beachhead; **~en** to land; to put ashore; to disembark; to reach port; **⚓** to land, to alight; to touch down; *e-n Kinnhaken ~en* to land an uppercut; **~enge** isthmus; **~erei** landed property, estates; **⸚erkammer** *(Deutschl.)* Laender Chamber; **⸚errat (German)** State Co-ordinating Agency; Council of States; **⸚erregierung** land *(od* state) government; **~erziehungsheim, ~schulheim** private boarding school in the country; **~esangehörig-keit** nationality; **~esaufnahme** ordnance survey; topography; **~esbehörde** state authority; Land authority; **~esbrauch** national custom; **~eserzeugnis** home produce; **~esfarben** national colours; **~esherr** sovereign, ruler; **~es-hoheit** sovereignty; **~eskind** native; **~eskirche** established church; **~esobrigkeit** government; supreme authority; **~espolizei** state police; **~essprache** vernacular (tongue); **~estracht** national costume; **~estrauer** public mourning **~estreifen ✈** air-strip; **~esüblich** customary, usual (in a country); **~esvater** sovereign; **~esverrat** high treason; **~esverräter** traitor (in his country); **~esverteidigung** defence of the country, national defence; **~esverweisung** expulsion, exile; **~esverweser** viceroy; governor; **~esverwiesen** exiled, banished; **~eswährung** standard currency; **~eszentralbank** Land Central Bank; **~ezeichen** landing-signal; **~flucht** rural exodus; drift of country people to the towns; **~flüchtig** fugitive, exiled; **~friede** public peace; **~gericht** regional court, higher district court; **~graf** landgrave; **~gräfin** landgravine; **~gut** estate, manor, country-seat; **~haus** country-house; bungalow; **~jäger** rural policeman, *US* rural constable; **~jugend** rural youth; **~karte** map; **~kreis** rural district, county; **~krieg** land warfare; **~läufig**

customary, ordinary, **⸚ler** (kind of) slow waltz; **~leute** country-people; farmers, peasants; **⸚lich** rural, rustic; agricultural; **~macht** army, land-forces; **~mann** farmer, peasant; **~messer** surveyor; **~partie** picnic, excursion; **~pfleger** governor; **~plage** scourge; *fig* calamity; *e-e wahre ~plage* quite a nuisance; **~pomeranze** country girl, country cousin; **~rat** country president; **~ratte** land-lubber; **~regen** persistent rain; **~rücken** ridge of hills; **~schaft** *(Gebiet)* district, country; **🏞, 🖼** landscape, -scenery; countryside; **~schaftlich** provincial; rural, scenic, of the landscape; **~schaftsbild** landscape, scene; *(Umgegend)* surroundings, environment; **~ser** common soldier, private, *US* doughboy, GI Joe; **~sitz** country-seat; **~s-knecht** mercenary, foot-soldier; **~smann** compatriot, fellow-countryman; **~spitze** cape, promontory; **~straße** highroad, highway; **~-streicher** tramp, vagrant, vagabond; **~strich** region, tract of land; countryside; **~sturm** Territorial Reserve; **~tag** diet; Parliament of a Land; **~ung** landing, disembarkation; **~ungsbrücke** landing-stage, pier; **~ungsplatz** landing-place, pier; **~verschickung** evacuation to the country; **~vogt** governor of district; bailiff; **~volk** rural population; country-people; **~wehr** Territorial Reserve; **~wirt** farmer; agriculturist; **~wirtschaft** farming; agriculture; **~-wirtschaftlich** agricultural; relating to agriculture *(od* farming); **~wirtschaftsschule** agricultural school; **~zunge** neck *(od* tongue) of land

lang long; *(Mensch)* tall; *adv* long; *auf ~e Sicht* long-dated ♦ *auf d. ~e Bank schieben* to put off; *~e Finger machen* to be light-fingered, to pilfer; *e-n ~en Hals machen* to crane forward; *e- ~es Gesicht machen* to pull a long face; *d. ~en Rede kurzer Sinn* to cut a long story short; *(zeitl.)* long; *~(e) her* long ago; *~(e) hin* a long time yet; *über kurz oder ~* sooner or later; 2 *Jahre ~* for two years; *e-n Tag ~* for a day; *~(e) machen* to be long (in) doing s-th; *~(e) aufbleiben* to stay up late; *~(e) schlafen* to sleep late; *in nicht zu ~er Zeit* in good season; before long; **~atmig** long-winded, lengthy; **~beinig** long-legged; **~e-weile** boredom; **~finger** thief; **~fristig** long-term; durable *(Wechsel)* long-dated, long-sighted; *(Vorhersage)* long-distance; **~holz** long timber, planks; **~jährig** of long standing; **~lauf** *(Ski)* cross-country run(ning), langlauf; **~lebig** long-lived, longeval; **~lebigkeit** longevity; **~mut** long-suffering, patience; **~mütig** long-suffering, patient; **~sam** slow, tardy; *~sam aber sicher* slowly but surely; **~samkeit** slowness; *fig* dullness; **~schiff 🏛** nave; **~-schläfer** late riser; **~schrift** longhand; **~sichtig** long-sighted; **~spielplatte** long-playing record, L.P. record; **~streckenflug** long-distance flight; **~streckenlauf** long-distance race; **~-streckenläufer** long-distance runner; **~weilen** to bore; *refl* to feel *(od* be) bored; *s. zu Tode ~-weilen* to be bored to death; **~weilig** boring, tedious; *(Mensch)* dull; *(langsam)* slow; **~welle**

!ong wave; **~wierig** lengthy; protracted; tedious; lingering

Läng|e length; *(Größe)* size; *(Dauer)* duration; *astr, geog, math* longitude; *(Quantität)* quantity; *auf d. ~e* in the long run; *d. ~e nach* lengthwise; longitudinally; *~en haben* to have tedious passages, to be full of longueurs; *in d. ~e ziehen* to prolong, to draw out; *refl* to drag on, to spin out; **~engrad** degree of longitude; **~enmaß** linear measure; **~er** longer; *~er als 10 Uhr* beyond 10 c'clock; *schon ~er* for some time; *je ~er je lieber* the longer the better; **~lich** oblong; longish; **~lichrund** oval; elliptical

langen *vt (greifen)* to seize, to grasp; *(geben)* to hand, to give; *vi (genügen)* to suffice, to be enough; *~ nach* to reach for; *j-m e-e Ohrfeige ~* to box s-b's ear; *~ Sie zu!* help yourself!

längs along, alongside of; **~achse** longitudinal axis; **~schnitt** longitudinal section; **~seits** alongside

längst *adj* longest; *adv* long ago, for a long time; *schon ~* long ago; *noch ~ nicht* not nearly; *am ~en* the longest; **~ens** at the latest; at the most; at the longest

Languste spiny lobster, (sea) crawfish

Lanze lance, spear ♦ *e-e ~ brechen für* to take up the cudgels for, to stand up for; **~tte** lancet; **~ttenförmig** lanceolate

Lappalie trifle

Lapp|en rag, cloth; *(Staub-)* duster; 💲, *bot* lobe ♦ *durch d. ~en gehen* to slip through one's fingers, to elude; **~ig** flabby; 💲, *bot* lobed

Läpper|ei trifle; **~n** to lap, to sip

läppisch foolish, silly, childish

Lärche larch

Lärm noise, din, row; *~ schlagen* to give the alarm, *(umg)* to kick up a row; *viel ~ um nichts* much ado about nothing; **~en** to make a noise, to be noisy; *(schreien)* to shout; **~end** noisy; blatant; **~ig** noisy, clamorous, loud

Larve mask; *zool* larva

lasch flabby, limb; languid; **~e** tongue; *(Klappe)* flap; 🐟 fish-plate; ⚙ joint; groove; **~heit** flabbiness, laxity

lassen *(zu-)* to let, to allow, to permit; *(dulden)* to suffer; *(unter-)* to omit, to abstain from; *(veran-)* to have (s-b do), to make, to cause, to get; *(befehlen)* to order, to command; *(übrig-, zurück-)* to leave, to let go, to abandon, to part with; *es beim alten ~* to let things remain as they were; *aus d. Spiel ~* to leave (s-th) out of the question; *sagen ~* to send word; *holen ~* to send for; *mit s. reden ~* to be reasonable; *warten ~* to keep waiting ♦ *j-n sitzen lassen* to jilt, to throw over; *j-n im Stich ~* to leave s-b in the lurch; *j-m nichts ~* to strip, to rob, to deprive s-b of everything; *d. Tür offen ~* to leave the door open; *das kann s. sehen ~* that will pass muster, that will stand inspection; *s. nötigen ~* to stand on ceremony; *es fehlen ~* to be wanting (*an* in); *d. läßt s. schwer erklären* that's difficult to explain; *s. d. Haare schneiden ~* to have (*od* get) one's hair cut; *s. fotografieren ~* to have one's photo taken; *laß das!* don't!; *d.*

läßt s. hören that sounds good; *darüber ließe s. reden* that's a thing to be considered; *Tun und ~* commissions and omissions; demeanour, conduct

lässig lazy, idle; indolent; *(nach-)* careless, negligent; casual, nonchalant; **~keit** laziness; indolence; negligence

läßlich pardonable; venial

last not least last but not least

Last load; *(Fracht)* cargo; freight; *(Bürde)* burden; *(Mühe)* trouble; *(Gewicht)* charge, weight; *(Ladefähigkeit)* tonnage; *(Steuern)* taxes; *zur ~ fallen* to be a burden to; *zu ~en von* to the debit of, for account of; *zur ~ legen* to lay the (blame for s-th) at s-b's door, to charge with; **~auto** *BE* motor lorry, van, *US* motor truck; **~en** to weigh upon, to press heavily upon; *d. Verantwortung ~et auf ihr* the responsibility rests on her; **~enaufzug** goods elevator; **~enausgleich** Equalization of Burdens; **~enausgleichsgesetz** Equalization of Burdens Law; **~flugzeug** freight(-carrying) plane; **~enfrei** tax-free, free of tax; *(Grundstück)* free from encumbrances; **~gebühr** tonnage; **~ig** troublesome; annoying; irksome; *~iger Mensch* nuisance; *j-m ~ig fallen* to inconvenience s-b; **~kahn** barge, lighter; **~kraftwagen** *BE* lorry, *US* truck; **~pferd** pack-horse; **~schrift** debit (-item); **~tier** beast of burden; **~träger** porter; **~wagen** load-carrying vehicle; van; *BE* lorry, *US* truck; cart

Laster vice; depravity; **~haft** vicious; wicked; **~haftigkeit** viciousness; wickedness; depravedness; **~höhle** den of iniquity; **~leben** wicked life

Läster|er slanderer; blasphemer; **~lich** slanderous; scandalous; blasphemous; **~maul** scandalmonger; slanderer; **~n** to slander; to calumniate; to blaspheme; **~ung** slander; calumny; defamation; **~zunge** slanderous tongue; *(Person)* slanderer, scandalmonger

Latein Latin ♦ *mit s-m ~ zu Ende sein* to run dry, to be at one's wits' end; **~isch** Latin; **~lehrer** Latin teacher

Laterne lantern; lamp; light; *(mit Mast a.)* standard; *(Straßen)* street-lamp, streetlight; **~nanzünder** lamp-lighter; **~nmast** electric light standard; **~npfahl** lamp-post

Latrine latrine

Latsch|e old slipper; *bot* dwarf-pine; **~en** to shuffle along; to slouch; **~ig** shuffling; *(träge)* drowsy, sluggish

Latte lath, batten; *(Hochsprung)* bar; *aus ~n bestehend* lathen; *lange ~ (fig)* lanky fellow, maypole; **~nkiste** crate; **~nverschlag** crate; *(Wand)* partition; **~nzaun** lattice fence

Lattich lettuce

Latwerge electuary

Latz *(Kinder-)* bib; *(Hosen-)* flap; *(Blusen-)* stomacher; **~chen** bib; **~schürze** pinafore, bib apron

lau lukewarm, tepid; *~es Wetter* mild weather; **~heit** lukewarmness, tepidity *a. fig*; **~warm** = ~

Laub foliage, leaves; **~baum** deciduous tree; **~dach** leafy canopy; **~e** arbour, summer-house; arcade; **~engang** arcade; pergola; **~frosch** tree-frog; **~holz** hardwood; **~hüttenfest** Feast of Tabernacles; **~säge** fret-saw, jigsaw; **~sägearbeit** fretwork; **~tragend** deciduous; **~wald** deciduous (od broad-leaved) forest; **~werk** foliage

Lauch leek

Lauer (Hinterhalt) ambush; (Wache) look-out, watch; auf d. ~ on the look-out; **~n** to lurk, to be on the watch, to lie in wait for

Lauf run(ning), pace; (Wette) race; (Gewehr) barrel; (Tiere) leg, foot; (Wasser) current, flow; (Bewegung) action, motion; ♪ run; fig course, way; scope; d. ~ der Dinge the way things go; in vollem ~ at full gallop; at top speed; in full swing; im ~e von in the course of; freien ~ lassen to give free play (od full scope) to; s-n Gefühlen freien ~ lassen to vent one's feelings; **~bahn** career; ✝ runway; (Bahn) course; **~band** tread of tyre; **~brett** running board; **~brücke** plank bridge; pontoon; gangway; **~bursche, ~junge** errand boy; office boy; **~dorn** ✠ spike; **~en** to run; to walk; (Maschine) to go, to work; (fließen) to flow; (Gefäß) to leak, to run out; (Zeit) to pass, to go by, to go on; umg to go, to move; ⬛ to be shown; lange ~en ☻, ⬛ to have a long run; ~en lassen to let go; to let (things) slide; s.e. heiß ~en to run hot; leer ~en (Motor) to idle; j-m in d. Arme ~en to bump into s-b; e-e Zeit v. 10 Sek. ~en ⚡ to return a time of 10 seconds; **~end** running, current, present; (folgend) consecutive; ~ende Nummer consecutive (od serial) number ♦ auf d. ~enden bleiben to keep abreast of the times; auf d. ~enden sein to be up to date, abreast of affairs; ~endes Band conveyor belt, assembly line; ~enden Monats instant; **~er** (Person) runner; (Teppich) stair-carpet, runner; (Tisch) table runner; (Schach) bishop; **~erei** running-about; **~erstange** stair-rod; **~feuer** wildfire, running fire; **~getriebe** mechanism, gear; **~graben** communication trench; **~ig** ✠ heat; **~katze** crane crab; **~kundschaft** passing trade; **~masche** ladder, slipped stitch, run; **~paß** dismissal, notice; j-m d. ~paß geben to fire (od sack) s-b; (Liebhaber) to jilt; **~schiene** guide rail; **~schritt** double (-time); im ~schritt at (US on) the double; im ~schritt rennen to double (-time); **~steg** ☻, gangway; footbridge; **~vogel** flightless bird; **~zeit** bes BE currency, US period to run; (Wechsel) term; (Patent, Anleihe, Wertpapier) life; ✠ time; ♺ duration, transmission time

Lauge lye; (Bleich-) buck; (Metall) leach; **~n** to steep (in lye); to leach **~nhaltig** containing lye; **~nsalz** alkali(ne salt)

Laun|e (Stimmung) mood, temper; (Grille) whim, caprice, fancy; guter ~e sein to be in a good temper, to be in high spirits; ~en haben to be full of whims; gute ~e animal spirits; schlechte ~e haben to be out of temper; **~enhaft, ~isch** moody, changeable, capricious;

(Wetter) fitful; **~enhaftigkeit** moodiness, capriciousness; **~ig** humorous, comical, funny

Laus louse; **~ebube, ~ejunge** little rascal, young devil; **~en** to delouse, to rid of lice; **⸚epulver** insect-powder

lausch|en to listen to; to eavesdrop; **~er** listener; eavesdropper

laut adj loud, noisy; audible; adv aloud, loud(ly); prep according to, in accordance with; su sound, tone; ~ werden to become known, to get about; ~er! speak up!; ~ sprechen to speak up; ~ Befehl by order, as ordered; ~ Rechnung as per account; ~ geben (Hund) to give tongue; **~bar** known; **~e** lute; **~en** to sound; to say, to run, to read; wie folgt ~en to run as follows; ~en auf (Fälligkeit) to be valid for, to last for; (Person) to be issued to; **~enschläger** lute-player; **~gesetz** phonetic law; **~ieren** to read phonetically; **~lehre** phonetics; **~los** silent, muted, hushed; **~losigkeit** silence; **~malerei** onomatopoeia; **~er** pure; (aufrichtig) candid, true; (echt) honest; genuine; (klar) clear; (ungemischt) unmixed; (nichts als) nothing but, only, mere; ~ere Gesinnung a spirit of integrity; **~erkeit** purity; integrity; **~schrift** phonetic spelling; **~sprecher** ⚡ loudspeaker; megaphone; **~sprecheranlage** public address system; **~sprecherwagen** loudspeaker van; **~stärke** sound intensity; loudness; volume; **~verschiebung** sound-shifting; Grimm's law; **~verstärker** volume amplifier; **~wandel** sound change; **~zeichen** phonetic symbol

läut|en to ring, to peal; (feierlich) to toll; (laut) to sound ♦ etw ~en hören to hear a (vague) rumour of; **~ern** to purify; to purge; to clarify; to refine; **~erung** purification; refining; **~erungsprozeß** refining process; **~werk** bells; sounder; ringing device

Lava lava; **~strom** torrent of lava

Lavendel lavender ⸢nœuvre

lavieren ☻ to tack; to beat about; to manœuvre

Lawine avalanche; **~ngefahr** danger of avalanches

lax lax, loose; **~heit** laxity; **~ieren** to take an aperient; to purge; **~iermittel** aperient, laxative, purge

Lazarett hospital; ☻ sick-bay; **~schiff** hospital-ship; **~wagen** ambulance

Lebe|hoch cheer, cheers; (beim Trinken) toast; **~mann** man about town; bon vivant; playboy; **~männisch** epicurean; **~n** su life; existence; (Sein) being; (~nskraft) vitality; (Lebhaftigkeit) liveliness, stir, activity; am ~n sein to be alive; am ~n bleiben to survive; ~n bringen in to animate; ~n in d. Bude bringen to make things hum; auf ~n u. Tod a matter of life and death; ins ~n rufen to start, to originate; s. d. ~n nehmen to commit suicide; nur einmal im ~n only once in a lifetime; (e-m Kind) d. ~n schenken to give birth to; nach d. ~n (fig) from life; ums ~n bringen to kill; ums ~n kommen to lose one's life, to die; langes ~n longevity; d. Blüte d. ~ns the prime of life; vi to live, to be alive; to exist; *(wohnen)* to live, to dwell, to stay; ~ *von* to subsist on, to live by (on); *auf großem Fuße* ~ *n* to live in great style; ~ *n u.* ~ *n lassen* live and let live; *so wahr wir* ~ *n!* upon our lives!; *es lebe d. Freiheit!* liberty for ever!; *lebe wohl!* adieu!; ~**nd** alive; living; live; *d.* ~*nden u. d. Toten* the quick and the dead; ~*nde Bilder* tableaux vivants; ~*nde Blumen* natural flowers; ~*nde Hecke* quickset hedge; ~*ndes Wörterbuch (umg)* walking dictionary; ~**ndgewicht** live weight; ~**ndig** alive, living; lively, vivid; *e.* ~*ndiger Mensch sein* to be a live wire; ~**ndigkeit** liveliness; animation; ~**wesen** living creature; organism; ~**wohl** farewell, good-bye

Lebens|abend old age; ~**abriß** biographical sketch; ~**alter** age; ~**art** way of life; *fig* manners, behaviour; ~**bedürfnisse** necessaries of life; ~**berechtigung** right to exist, raison d'être; ~**beschreibung** life; biography; ~**dauer** duration of life span; *mutmaßliche* ~*dauer* expectation of life; ~**echt** life-like, real(-life); ~**erwartung** life expectancy; ~**fähig** capable of living; full of vitality; **§** viable; ~**fähigkeit** vitality; **§** viability; ~**frage** vital question; *umg* bread-and-butter question; ~**fremd** unfitted for life; ~**freude** joy of life, joie de vivre; ~**gefahr** danger to life; ~**gefährlich** dangerous, perilous; ~**gefährte** life's companion; husband, wife; ~**geist** animus; ~**geister** animal spirits; ~**größe** life-size; ~**haltung** standard of living; ~**haltungsindex** cost-of-living index; ~**haltungskosten** cost of living, living costs; ~**klugheit** practical *(od* worldly) wisdom; ~**kraft** vitality; vital energy; ~**lage** position in life; situation; ~**länglich** for life; perpetual;~*längliches Mitglied* life member; ~**lauf** life, career; *(geschrieben)* curriculum vitae; ~**lustig** fond of life, gay, merry; ~**mittel** food, provisions, victuals; *(Laden)* groceries; ~**mittelkarte** (food) ration book *(od* card); ~ *mittelkartenstelle* food office; ~**mittelmarke** (food) ration coupon; ~**mittelversorgung** food supply, ~**mittelzwangswirtschaft** food rationing; ~**müde** tired *(od* weary) of life; ~**nerv** *fig* mainspring; ~**raum** living space, lebensraum; ~**retter** life-saver; oxygen-breathing apparatus; ~**standard** standard of living; ~**stellung** social position; *(Beruf)* appointment for life; ~**strafe** capital punishment; ~**trieb** life force, will to live; ~**überdrüssig** weary *(od* sick) of life; ~**unterhalt** livelihood; subsistence; living; *umg* bread and butter; ~**versicherung** life insurance, *BE a.* life assurance; ~**wahr** true to life, lifelike; ~**wandel** life, conduct; *schlechter* ~*wandel* disorderly life; ~**weise** way of living, mode of life; ~**wichtig** vital, essential; ~*wichtige Güter* essentials; ~**zeichen** sign of life; ~**zweck** aim in life

Leber liver ♦ *frei von d.* ~ *weg reden* to speak one's mind, to speak frankly; ~**blümchen** liverwort; ~**fleck** mole; ~**käse** liverloaf; ~**tran** cod-liver oil

leb|haft lively, vivacious, animated; brisk;

(munter) bright, spirited; ~**haftigkeit** liveliness, vivacity; briskness; ~**kuchen** gingerbread; ~**los** lifeless; *(flau)* inanimate; *(fig, Börse)* dull, flat; ~**tag**: *mein* ~*tag* all my life; ~**zeiten** life(time); *zu* ~*zeiten* in the lifetime; while alive

lechzen *(Durst)* to be thirsty; *fig* to long (for), to languish (for)

Leck leak, leakage; *adj* leaky, leaking; ~ *werden* to spring a leak; ~**en**[1] to leak, to run

leck|en[2] to lick; ~**er** adj tasty, delicious; *(Aussehen)* dainty, delicate; *(wählerisch)* fastidious; ~**erbissen** delicacy, titbit; choice morsel; ~**erei** delicacy, toothsome dainty; appetizer; ~**ermaul** sweet tooth; gourmet; *e* ~*ermaul sein* to have a sweet tooth

Leder leather; *(weiches)* skin, kid; **⚔** *fig* leather; *in* ~ *gebunden* **⚟** bound in calf; ~**band** leather binding; ~**hose** leather shorts; ~**n** leather, leathery; *(zäh)* tough; *fig* dull; ~**rücken** leather-back; *Buch mit* ~*rücken* leather-back (volume)

ledig unmarried, single; *(frei von)* free, exempt; ~**ensteuer** bachelor's tax; ~**keit** celibacy; ~**lich** solely, merely, only

Lee lee(side)

leer empty; unoccupied; *(Stellung)* open; vacant; *(unbeschrieben)* blank; *(Gespräch)* idle, unfounded; *(eitel)* vain; *mit* ~*en Händen* empty-handed; ~*e Ausrede* lame excuse; ~*es Zimmer* free room; ~ *ausgehen* to be left out in the cold; ~ *laufen* to run idle; ~**e** emptiness; vacancy; blank; *phys* vacuum; ~**en** to empty; *(räumen)* to clear, to evacuate; *e. Glas* ~*en* to finish a glass; *Briefkasten* ~*en* to collect the letters; ~**gewicht** dead *(od* empty) weight; ~**gut** empties; ~**lauf** **🖨** running idle, idling; *(Maschine)* ticking over; *fig* waste; ~**laufen** to empty; ~**ung** emptying, clearing; *(Briefkasten)* collection

Lefze lip

Legat *eccl* legate; **§** legacy; bequest

legen to lay, to put; to place; *refl* to lie down; *(aufhören)* to die down, to abate, to lull; *(nachlassen)* to fall, to drop; *(Haare)* to set; *Schlingen* ~ *(fig)* to put snares to s-b; *zur Last* ~ to impute; *s.* ~ *auf (fig)* to apply o.s. to; *s. ins Mittel* ~ to intervene, to mediate

Legende legend; *(Bildtext)* caption, legend

legier|en to alloy; *(Suppe)* to thicken; ~**ung** alloy(ing)

Legislative legislative power; legislature

Legislatur legislature; ~**periode** legislative period

legitim legitimate; genuine; ~**ation** legitimation; proof of identity; ~**ieren** to legitimate; *refl* to prove one's identity; *(Urkunde)* to legalize, to have s-th legalized; ~**ität** legitimacy

Leguan iguana

Leh(e)n fief, feudal tenure; ~**sherr** feudal lord, liege lord; ~**smann** vassal; ~**srecht** feudal law; ~**swesen** feudalism

Lehm loam; *(Ton)* clay, mud; ~**boden** clay soil; ~**form** loam mould; ~**grube** clay-pit, loam-pit; ~ig clayey, loamy; ~ziegel sun-dried brick, clay brick

Lehn|e back (of a chair); arm; *(Stütze)* support, rest; *(Abhang)* slope, declivity; ~en to lean (against), to lean *(od* rest) (upon); *refl* to lean, to recline, to lie back; *s. aus d. Fenster ~en* to lean out of the window; ~stuhl armchair, easy chair

Lehnwort loan-word

Lehr|amt teacher's profession, teacher's post; professorship; ~amtskandidat probationary teacher; ~anstalt educational establishment; school, college, academy; *höhere ~anstalt* secondary school, *US* high school; ~auftrag teaching assignment; invitation to lecture on a subject; ~befähigung teaching skill; qualification to teach; ~beruf teaching profession; ~buch text-book; *(Lesebuch)* primer; *(Handbuch)* manual; ~e lesson, instruction; *(Warnung)* warning, lesson; *(Folgerung)* moral; *(Theorie)* doctrine, dogma; theory; science; *(Handwerk)* apprenticeship; ✿ gauge; *in d. ~e geben* to apprentice to, to bind apprentice to; *in d. ~e gehen* to work as an apprentice; ~en to teach, to instruct; *(beweisen)* to prove, to show; ~er teacher, instructor; *(Grundschule)* schoolmaster; *(höhere)* master; *(Haus-)* tutor; *(privat)* coach; ~erbildungsanstalt college of education; *US* normal school; ~erin (woman, lady) teacher; mistress; *(Haus-)* governess; ~erkollegium staff; *(Univ.)* faculty; ~erschaft staff of teachers, the teachers; *(e-s Gebietes)* community of teachers; ~erseminar teacher training college; ~erzimmer staff-room; common-room; ~fach teaching profession; *(Gegenstand)* subject; ~film instructional *(od* educational) film; ~gang course of instruction; ~geld premium; *~geld zahlen (fig)* to pay (dearly) for one's experience; ~geschick teaching skill; ~haft didactic; ~herr master; employer, *US a.* boss; ~jahre years of apprenticeship; ~junge apprentice; ~körper teaching staff, body of teachers; *(Univers.)* professorate; ~kraft teacher; ~ling apprentice, trainee; ~lingszeit apprenticeship; ~mädchen girl apprentice; ~methode teaching method; ~mittel teaching equipment *(od* aids), means *(od* material) of instruction; educational materials; ~mittelfreiheit exemption from fees for educational material; ~plan *(Schule)* curriculum; course of instruction; ~probe trial lesson; ~reich instructive; representative; ~saal lecture-room; class-room; ~satz thesis; dogma; precept; theorem; ~stand teaching profession; scholastic profession; ~stelle apprenticeship; *(Familie)* tutorship; *(Schule)* mastership; *(Univers.)* professorship; ~stuhl chair; *e-n ~stuhl innehaben* to hold a chair; ~vertrag indentures; contract of apprenticeship; ~zeit apprenticeship; ~ziel fixed standard of achievement

Leib body; *(Unterleib)* abdomen, belly; *(Mutter-)* womb; *(Oberkörper)* waist; *(Rumpf)* trunk; *~ des Herrn* the Bread, host; *~ u.*

Leben life and limb; *am ganzen ~e* all over; *bei lebendigem ~e* while alive; *an ~ und Seele* in body and mind; *mit ~ und Seele* with heart and soul; *s. vom ~e halten* to hold at arm's length; *zu ~e rücken* to attack; *nur d., was man am ~e hat* only what one stands up in; *wie er ~t und lebt* the very image of, his very self; ~arzt personal physician; ~binde sash; body-belt; ✝ body bandage; ~chen bodice, corset; ~eigen in bondage; in thrall; ~eigene(r) serf, bondman (bondwoman); ~eigenschaft serfdom, bondage; ~eserbe legitimate heir; ~eserziehung physical training, *umg* P. T., physical education; ~esfrucht foetus, embryo; offspring; ~eskraft physical strength; *aus ~eskräften* with might and main, with all one's might, at the top of one's voice; ~esstrafe corporal punishment; ~esübungen gymnastics; *(Gymnastik)* physical exercises, *umg* physical jerks; ~garde, ~wache body-guard; ~gericht, ~speise favourite dish; ~haftig true, real; embodied, incarnate; *d. ~haftige Teufel* the very devil, the devil incarnate; ~lich corporeal, bodily; material; *sein ~licher Sohn* his own son; *sein ~licher Vetter* his first cousin, his cousin german; ~rente life annuity; ~schmerzen abdominal pains; stomach-ache, *umg* tummy-ache; ~wäsche underwear, linen; *(Damen)* lingerie

Leiche dead body, corpse; cadaver; *(Tier)* carcass; *(Begräbnis)* funeral; *nur über m-e ~* only over my dead body ♦ *über ~n gehen* to stop at nothing; ~nbegängnis funeral; ~nbeschauer coroner; ~nbestatter undertaker; ~nbittermiene woe-begone look; ~nblaß pale as death; ~nfrau layer-out; ~ngeruch cadaverous smell; ~nhaft cadaverous; ~nhalle, ~nschauhaus mortuary; ~nhemd shroud; ~nöffnung autopsy, post-mortem (examination); ~nrede obituary; ~nschmaus funeral festivity; ~nstarre rigor mortis; ~nstein tombstone; ~nträger pall-bearer; ~ntuch shroud; pall; ~nuntersuchung coroner's inquest; ~nverbrennung cremation; ~nwagen hearse; ~nzug funeral procession

Leichnam corpse; dead body; remains

leicht light; *(zu machen)* easy; *(unwichtig)* insignificant, trifling, little; *(gering)* slight; *(Tabak)* mild; *(leichtfertig)* careless, frivolous; *adv* lightly, easily; *~ möglich* very probable; *~ entzündlich* highly inflammable; *~ zugänglich* of easy access; *etwa ~ nehmen* to take it easy, to make light of s-th; *es ist ihm e. ~es* it comes easy to him; ~athlet athlete; ~athletik athletics, track and field events; ~blütig sanguine; ~faßlich popular, plain; easily understood; ~fertig careless, unthinking, thoughtless, frivolous; superficial; ~fertigkeit thoughtlessness, frivolity; ~flüssig easily fusible; mobile; ~fuß happy-go-lucky fellow, gay young spark; ~füßig nimble, light-footed; ~gewicht light weight; ~gläubig credulous; gullible; ~gläubigkeit credulity; gullibility; ~herzig light-hearted; cheerful; ~hin lightly, carelessly; ~**igkeit** *(Gewicht)* lightness; *(Mühelosigkeit)* ease; facility; ~**lebig** easy-going, happy-go-lucky; ~**matrose** ordinary seaman; ~**metall** light metal; ~**sinn** carelessness, thoughtlessness; frivolity; ~**sinnig** careless, thoughtless; frivolous; irresponsible; ~**verderblich** perishable; corruptible

Leichter lighter, barge; ~**n** to lighter

Leid *(Betrübnis)* sorrow, grief; *(Schaden)* hurt, harm, injury; *(Schmerz)* pain; ~ *tragen* to mourn; *s. e. ~ antun* to put an end to one's life; *in Freud u. Leid* for better, for worse; *es ist mir ~, es tut mir ~* I regret it, I am sorry (about); *er tut mir ~* I am sorry for him; *es ist mir ~* I am sick of it, I am fed up (with it); ~**e- form** passive voice; ~**er** unfortunately, I am sorry to say ...; *interj* alas!; what a pity!; *~ er muß ich gehen* I am afraid I must be going; ~**ig** tiresome; unpleasant; nasty ~**lich** tolerable; *(mittelmäßig)* middling; passable; reasonable; ~**tragender** mourner; ~**voll** sorrowful; ~**wesen** sorrow; affliction; *zu meinem ~wesen* to my regret

leiden to suffer; *(erdulden)* to bear; to endure; to tolerate; *(zulassen)* to permit, to allow; ~ *können* to like; *su* suffering, *(Krankheit)* disease, ailment; complaint; *(Schmerz)* pain; *(Kummer)* affliction; *Christi ~* Passion of our Lord; ~**d** suffering, *(krank)* sickly, ailing; afflicted (*an* with); ~**schaft** passion; ~**schaftlich** passionate; vehement; enthusiastic; ~**schaftslos** dispassionate; apathetic; ~**sgefährte** companion in misfortune; ~**geschichte** story of woe; *eccl* Christ's passion; ~**skelch** cup of sorrow; ~**sweg** Way of the Cross; ~**swoche** Passion Week

Leier lyre ♦ *d. alte ~* the same old story; ~**kasten** barrel-organ, *umg* hurdy-gurdy; *fig* worn-out piano; ~**kastenmann** organ-grinder; ~**n** to grind a barrel-organ; ⚙ to turn (a winch); *fig* to drawl (out)

Leih|bibliothek lending *(od* circulating) library *(m. Gebühr)* rental library; *(o. Gebühr)* public library; ~**e** loan; ~**en** to lend (*an* to); to borrow (*von* of, from); to hire out; *j-m Gehör ~en* to give ear to s-b; ~**haus** pawnshop, pawnbroker's (shop); ~**schein** pawn ticket; *(Buch)* slip; ~*- u. Pachtabkommen* lend-lease agreement; ~**weise** as a loan; *(gegen Miete)* on hire

Leim glue; *(Papier, Wand, Stoff)* size ♦ *auf d. ~ gehen* to fall into a trap, to fall for; *aus d. ~ gehen* to fall to pieces, to fall apart; *fig* to become completely shapeless; ~**en** to glue; to size; *fig* to cheat, to take s-b in; ~**farbe** distemper; ~**ig** gluey; glutinous; ~**rute** lime-twig; ~**topf** glue-pot

Lein linseed; *(Flachs)* flax; ~**e** line; *(Tau)* rope; *(Hunde-)* lead, leash; *(Schnur)* cord; ~**en** *adj* (made of) linen; *su* linen, linen goods; ~**enband** tape; *(Buch)* cloth binding; ~**enschuh** canvas shoe; ~**enweberei** linen factory; manufacture of linen; ~**enzeug** linen (goods); linen fabric; ~**öl** linseed oil; ~**pfad** towing-path; ~**saat, ~samen** linseed, flaxseed; ~**tuch** linen

(cloth); *(Bett)* sheet; ~**wand** linen; (🎭, Zelt) canvas; 🎞, ⚑ screen; *auf d. ~wand bringen* to bring to the screen; ~**wandbindung** *(Weben)* plain weave

leise low; *(schwach)* weak, faint; *(leicht)* slight; *(sanft)* soft, gentle; ~ *berühren* to touch lightly; ~ *stellen* ⚑ to tune down; ~ *sprechen* to speak low, in a low voice; ~**treter** *fig* sneak

Leiste *(Tischler)* ledge, beading, ridge, batten; 🏛 fillet; ⚕ groin; ⬚ head-piece, border; ~**nbruch** (inguinal) hernia *(od* rupture)

Leist|en last; boot-tree ♦ *alles über e-n ~en schlagen* to measure everything with the same yardstick, to treat all alike; *vb (arbeiten)* to do, to work; *(ausführen)* to carry out, to perform; *(erfüllen)* to fulfil; *(liefern)* to afford, to accomplish; *s. etwa ~en* to treat o.s. to; *es s. ~en können* to be able to afford; *e-n Dienst ~en* to render a service; *e-n Eid ~en* to take an oath; *Folge ~en* to comply (with); to attend to; *Genüge ~en* to satisfy; *j-m Gesellschaft ~en* to keep s-b company; *Widerstand ~en* to offer resistance; *Zahlung ~en* to make payment, to pay; ~**ung** *(Durchführung)* accomplishment, performance; *(Geld)* payment; disbursement; *(Arbeit)* work (done); output; production; *(Dienst)* service (rendered); *(Ergebnis)* result, effect; *(Versicherung)* payment, benefit; *(Errungenschaft)* achievement, attainment; ~**ungsfähig** able, fit; efficient; productive; solvent; ~**ungsfähigkeit** ability; efficiency; capacity for work; *(Fabrik, Maschine)* output, capacity, performance; *(Geld)* solvency; ~**ungsfaktor** power factor; efficiency factor; ~**ungslohn** payment by results; ~**ungsprüfung** efficiency test; ~**ungsreserve** reserve capacity; ~**ungsschau** trade exhibition; ~**ungsschwach** inefficient; *(Radio)* low-powered; ~**ungsstark** efficient; *(Radio)* high-powered; ~**ungszulage** supplementary payment for work performed; production bonus; merit bonus

Leit|artikel *BE* leader, leading article, editorial; ~**bild** ideal; guiding principle; ~**en** to lead; *(Unternehmen)* to manage, to direct, to boss; *(Geschäft)* to run, to operate, to conduct; ⚡, *phys* to conduct, to lead; *(lenken)* to guide, to direct; *(beaufsichtigen)* to control, to oversee; ~**end** leading; directing, managing; *(anweisend)* directive; ⚡ conductive; *in ~ender Stellung* in managerial capacity *(od* status), in a key position; ~**er** *(Führer)* leader; *(Chef)* principal; head; boss; *(Geschäftsführer)* manager; director; ⚡, *phys, (Dirigent)* conductor; ~**faden** manual, text-book, guide; ~**fähigkeit** conductivity; ~**gedanke** key-note; main thought; ~**hammel** bell-wether; ~**motiv** leitmotif; ~**planke** crash barrier; ~**schiene** live rail; ~**seil** leash; guide-rope; ~**stelle** head office; ~**stern** pole-star, *(a. fig)* lodestar; ~**strahl** radius vector; ⚑, 🕇 beam; glide path; ~**tier** leader; ~**ton** ♪ leading tone; ~**ung** direction; guidance; *(Verwaltung)* management; *(Aufsicht)* control; charge; ⚡ circuit; *(Draht)* wire;

lead; cable; ♂ line; *(Rohre)* pipe, piping; tube; conduit; *(Wasserleitung)* tap ♦ *e-e lange ~ung haben* to be slow-witted; **~ungsdraht** conducting wire, line wire; **~ungsfähigkeit** conductivity; conductive capacity; **~ungsnetz** supply-network, ⚡ electricity grid; **~ungsrohr** conducting pipe; conduit (pipe); *(Gas)* main; **~ungsschnur** flex, cord; lead; **~ungsstörung** defect in line; **~ungswasser** tap-water; **~ungswiderstand** line resistance

Leiter ladder *(a. fig)*; ♪ gamut; *(Wagen)* rack; *(Feuerwehr)* scaling-ladder; *(Haushalt)* steps; step-ladder; **~sprosse** rung of a ladder; **~wagen** open-rack waggon; (wooden) handcart

Lekt|ion lesson *(e-e ~ion erteilen [fig]* to read s-b a. l.); *(Lehre)* rebuke; **~or** *(Univ.)* lecturer; teacher, tutor; *(Verlag)* reader; **~türe** reading; books, literature; *e-e gute ~üre sein* to make good reading; *bei d. ~ üre von . . .* (on, when) reading . . .

Lende loin; *(Hüfte)* hip; *(Schenkel)* thigh; **~nbraten** roast sirloin; **~nschurz**, **~ntuch** loincloth; **~nstück** loin, undercut, fillet; **~nwirbel** lumbar vertebra

lenk|bar dirigible; *fig* tractable; **~ballon** dirigible *(od* steerable) balloon; **~en** *(steuern)* to steer, to pilot, to drive; *(leiten)* to guide; *(führen)* to lead; *(Wirtschaft)* to control; *(wenden)* to turn, to bend; *(Auge, Schritt)* to bend; to turn; *(Aufmerksamkeit)* to call upon; to call attention to; *(verwalten)* to manage; **~er** manager; guide; ruler; driver; ✈ pilot; **~rad** steering-wheel; **~sam** guidable; tractable; docile; **~säule** steering-column; **~stange** *(Fahrrad)* handle-bars; **~ung** steering; driving; *(Wirtschaft)* control; *(Leitung)* direction; guidance; **~ungsmaßnahme** measure of control; **~ungsvorrichtung** steering-gear, guiding-device

Lenz spring; *fig* prime (of life)   [vice

Lepra leprosy; **~krank** leprous; **~kranker** leper

Lerche lark

Lern|begierde eagerness to learn; love of study; **~begierig** eager to learn, studious; **~en** to learn; to study; *auswendig ~en* to learn by heart ♦ *man lernt nie aus* one lives and learns; **gelernt** skilled, trained; by trade; *gelernter Mechaniker* mechanic by trade; **~jahre** years spent in learning a trade

Les|art reading; version; interpretation; **~bar** *(leserlich)* legible; *(lesenswert)* readable, worth reading; **~barkeit** legibility; readableness; **~e** *(Ähren-)* gleaning; *(Wein-)* vintage; **~ebuch** reading-book, reader; *(Fibel)* primer; **~ehalle** reading-room; **~elampe** reading-lamp; **~en** *(Ähren)* to glean; *(Früchte etc)* to gather; *(auslesen)* to pick, to select; to read; to lecture *(über* on); **~enswert** worth reading; **~eprobe** ♥ first (reading) rehearsal; extract (from a book); **~er** reader; gleaner; gatherer; **~eratte** book-worm; bookish person; **~erbrief** *(Presse)* letter to the editor; **~erkreis** circle of readers; **~erlich** legible; **~erschaft** readers; audience; **~esaal** reading-room; **~estück** reading-pas-

sage; **~ewelt** reading public; **~ezeichen** bookmark; **~ung** reading

letal lethal

Letharg|ie lethargy; **~isch** lethargic

Letter ⬜ type, printing-letter

Lettner rood-screen

letzt last; *(neuest)* latest; final; ultimate; extreme; recent; *~ en Sonntag* last Sunday; *in ~er Zeit, ~hin* lately, recently, of late; *in d. ~en Jahren* during the last few years, of late years; *zu guter ~* at good long last, at the last moment; *~e Nachrichten (Presse)* stop-press news; *~e Neuheit* latest novelty; *~e Ölung (eccl)* extreme unction; *Ereignisse d. ~en Zeit* recent occurrences; *~en Endes* after all; *bis auf d. ~en Mann* to a man; *sein ~es hergeben* to do one's utmost; **~ere** the latter; **~ens**, **~lich** in the last analysis; **~willig** testamentary

Leu lion

Leucht|e lamp; *fig* shining light, star; *e-e ~e d. Wissenschaft* a luminary of science; **~en** to (give) light; to beam; to shine; to phosphoresce; *su* shining; glow, illumination; phosphorescence; **~end** bright, shining, luminous; aflame *(vor* with); **~er** candlestick; *(Kron-)* lustre; chandelier; *(Wand-)* branch; **~farbe** luminous paint; **~feuer** beacon (lamp, light); ✈ flare; **~gas** gas (for lighting); coal gas; **~geschoß**, **~granate** star *(od* flare) shell; **~käfer** glow-worm, fire-fly; **~kraft** luminosity, illuminating power; **~kugel** Very light, signal flare; **~pfad** flare path; **~pistole** Very pistol, signal pistol; **~rakete** *mil* Very light; ✈ landing *(od* signal) rocket; **~stoffröhre**, **~röhre** fluorescent lamp; **~turm** lighthouse; **~uhr** luminous clock (watch); **~zahl**, **~ziffer** luminous figure; **~zifferblatt** luminous dial

leugnen to deny; *(verneinen)* to disavow; ⚖ to traverse; *entschieden ~* to deny flatly; *su* denial; disavowal

Leukoplast adhesive tape

Leumund character, reputation; **~szeugnis** testimonial, character

Leut|e people; persons; folk; the world, public; *(Diener)* servants; *wir sind geschiedene ~e* it's good-bye to our friendship; *unter d. ~e kommen* to mix with other people, *(Gerede)* to be noised abroad; **~eschinder** slave-driver, sweater; **~selig** affable; **~seligkeit** affability

Leutnant second lieutenant; *~ d. Flieger BE* pilot officer, *US* second lieutenant; *~ zur See BE* acting sublieutenant, *US* ensign; **~sstelle** lieutenancy

Levit levite ♦ *j-m d. ~en lesen* to take s-b to task, to haul s-b over the coals

Levkoje gilly-flower, stock

Lexiko|graph lexicographer; **~n** dictionary; *(Konversations-)* encyclopaedia

Libelle dragon-fly; ⚙ water-level, spirit-level

liberal liberal; broad-minded

Licht light; *(Kerze)* candle; *(Beleuchtung)* illumination, lighting; *(Hellig.)* brightness; *(Wild)* eye; *~ anmachen* to turn *(od* switch) on the light ♦ *bei ~e besehen* looked at closely, on reflection; *vt* to examine closely; *ins rechte ~ rücken* to put in its proper perspective; to show up in its true colours; *j-m ein ~ aufstecken* to open a person's eyes; *hinters ~ führen* to pull the wool over s-b's eyes; to dupe s-b; *e. schlechtes ~ werfen auf* to throw discredit on; *sein ~ unter d. Scheffel stellen* to hide one's light under a bushel; *in e. falsches ~ setzen* to misrepresent; *adj* light, bright, shining; clear; thin; *~e Augenblicke* lucid intervals; *am ~en Tage* in broad daylight; **~anlage** lighting plant; lighting system; **~bad $** light-bath, *(Sonnen-)* insolation; **~bild** photo(graph); *(Diapositiv)* slide; **~bildervortrag** lantern-slide lecture; **~bildner** photographer; **~blick** *fig* ray *(od* spark) of hope; **~blond** fair; **~bogen** arc; **~brechung** refraction of light; **~bündel** pencil of light; **~druck** collotype; **~durchlässig** translucent, transmitting light; **~durchlässigkeit** transparency, permeability; **~echt** fast to light; fadeless, nonfading, sunfast; **~empfindlich** sensitive to light, light-sensitive; *~empfindlich machen* to sensitize; *~empfindliches Papier* photographic paper; **~erglanz** brightness; brilliance; **~erloh** blazing, in full blaze, all ablaze; **~hof** 🏛 well, inner court; *astr,* 📷 halo; **~kegel** cone of light; *(Scheinwerfer)* beam of searchlight; **~lehre** optics, science of light; **~leitung** lighting circuit; **~maschine** 🚂 dynamo, *US* generator; **~meß** Candlemas; **~meßtrupp** flash-spotting troop; **~messung** photometry; *mil* flash-ranging; **~pause** blueprint; photographic tracing; **~quelle** source of light; **~reklame** illuminated advertisement; sky-sign; neon-advertisement; **~schacht** lightshaft; 📷 focusing hood; **~schalter** lighting switch; **~scheu** shunning the light; aphotic; *fig* shunning publicity; **~schwach** *(Linse)* slow; **~seite** *fig* bright side; **~signal** light signal; flash signal; *(Verkehr)* traffic light; **~spielhaus** cinema, picture-house, *US* motion picture theater; **~stark** *(Linse)* fast, high-speed; **~stärke** intensity of light; *(Linse)* speed of a lens, lens speed; *(Birne)* wattage; **~strahl** light ray, ray *(od* beam) of light; **~tonaufnahme** 📷 photographic sound-film recording; **~tonverfahren** sound-on-film system; **~umflossen** bathed in light, radiant; **~undurchlässig** light-proof, opaque to light; **~voll** luminous; clear, lucid; **~werbung** light advertising; **~zelle** visual cell; photo(electric) cell

lichten *(Wald)* to clear; *(Anker)* to weigh; *(Reihen, Haar)* to thin out; *refl* to thin out; to grow thinner; to clear up, to grow brighter; **~ung** *(Wald)* clearing

Lichter ⚓ lighter, barge

Lid eyelid

lieb dear, beloved; *(angenehm)* agreeable; *(gut)* good; kind; *es ist mir ~* I am glad *(od* pleased); *es wäre mir ~* I should like; *s-e ~e Not haben* to have no end of trouble *(mit* with); *um d. ~en Friedens willen* for peace' sake; *du ~er Himmel!* Good Heavens!; *du ~e Zeit!* Good Gracious!; Dear me!; **~äugeln** to

ogle *(mit j-m, etw* s-b); **~chen** sweetheart, darling, love, *US* honey; **~e** love; *(Zuneigung)* affection; *(christliche)* charity; *~e macht blind* love is blind; *aus ~e zu* for love of; *dir zu~e* for your sake; **~edienerei** cringing, servility; **~eleer** loveless; **~elei** flirtation, amour, dalliance; **~eln** to flirt, to make love; **~en** *vt* to love; to like; to be fond of; to adore; *vi* to be in love (with); **~enswert** worthy of love, lovable; **~enswürdig** amiable; kind; **~enswürdigkeit** amiability; kindness; ~ *(Komparativ)* dearer, more agreeable; *adv* rather; better; sooner; *~er als* in preference to; *~er haben* to prefer, to like better; **~esabenteuer** love-affair, intrigue; **~esbrief** love-letter; billet-doux; **~esdienst** good turn; (act of) kindness; **~eserklärung** declaration of love; **~esgabe** charitable gift; **~esgeschichte** love-story; **~eshandel** love-affair, intrigue; **~esheirat** love-match; **~eskrank** love-sick; **~esmühe:** *verlorene ~esmüh'* Love's labour's lost; **~espaar** (pair of) lovers; couple; **~espfand** love-token; **~esrausch** transport of love; **~estrank** love-potion, love-philtre; **~esverhältnis** love-affair, liaison; **~eswerbung** courtship; **~eswerk** work of charity; **~evoll** loving; affectionate; caressing; tender; **~gewinnen** to grow fond of; to take a fancy to; **~haben** to love, to like; to be fond of; **~haber** lover; beau; *(Kunst)* amateur, dilettante; *(Enthusiast)* fan; **~haberei** fancy; liking; hobby; **~haberpreis** fancy price; **~haberrolle** role of lover; **~habertheater** amateur theatricals; **~kosen** to caress, to fondle; *umg* to neck; *(Kind)* to cuddle; **~kosung** caress; petting; fondling; **~lich** lovely; charming, sweet; **~ling** favourite; darling, love, *US* honey; **~reich** kind, loving; **~reiz** charm, grace; attraction; **~schaft** love-affair, amour; **~ste(r)** dearest, beloved; lover, sweetheart

Lied *(Weise)* air; tune; melody; *(deutsches)* lied; *(Kirche)* hymn; *(Schlager)* hit (song); *(lustiges)* carol; *mehrstimmiges ~* part-song ♦ *immer d. alte ~!* (it's) always the same old story!; **~erabend** concert (of songs); **~erbuch** song-book; hymn-book; **~ertafel** choral union, choral society; glee-club

liederlich slovenly, careless, disorderly; *(Leben)* immoral, dissolute, dissipated; **~keit** slovenliness; carelessness; *(Leben)* loose conduct

Lieferant supplier; purveyor; *(Vertrags-)* contractor; *(Lebensmittel)* caterer; **~bar** available (for delivery); deliverable; **~barkeit** deliverability; marketability; **~firma** supplying firm; supplier; contracting firm; **~frist, ~zeit** term *(od* date) of delivery; **~n** to deliver; *(versorgen)* to supply; to furnish; *(Ertrag)* to yield; to produce; *(Schlacht)* to give battle ♦ *geliefert sein (umg)* to be done for, to be sunk; **~schein** delivery note; advice note; **~spesen** delivery charges; **~ung** delivery; *(Versorgung)* provision, supply; 📖 instalment, fascicle; *(Wehrmacht)* issue; **~ungsbedingungen** terms of delivery; **~ungsweise** *adv* in parts; in issues; in numbers; **~ungswerk** 📖 serial; **~wagen** delivery van

Lieg|e couch, divan; **~egeld** demurrage; **~ekur** rest cure; **~en** to lie; to rest; *(gelegen sein)* to be situated, to be placed; *mil* to be quartered, to be billeted; *(s. befinden)* to be, to stand; *laß das ~ en!* leave that alone!; *d. Fenster ~ en nach Süden* the windows face south; *im Sterben ~ en* to be at the point of death; *in d. letzten Zügen ~ en* to be breathing one's last; *zugrunde ~ en* to underlie; *vor Anker ~ en* to lie at anchor; *mir ~ t daran* I am interested in the matter, I am anxious to; *es ~ t daran, daß . . .* the reason is that . . .; *es ~ t bei ihm* it rests with him (to do); *soviel an mir ~ t* as far as I am concerned; *as far as lies in my power*; *mir ~ t nichts daran* I don't care for it; *das ~ t mir nicht* that is not my line; *that does not suit me;* **~enbleiben** *(Bett)* to stay in bed; to keep one's bed; *(Waren)* to be unsalable; *(Auto etc)* to break down; *(unerledigt)* to stand over; to lie over; to be left; **~end** lying; situated; horizontal; **~enlassen** to leave lying about; *(Arbeit)* to leave off; *(zurücklassen)* to leave behind; **~enschaften** landed property, real estate, immovables; **~eplatz** ♃, berth; **~e-stuhl** deck-chair, *bes US* beach-chair

Lift lift, *US* elevator; **~boy**, **~junge** lift-boy, *US* elevator boy

Liga 🏐 league; **~spiel** league match

Ligatur 📖, ℔ ligature

Liguster *bot* privet

Likör liqueur; cordial

lila lilac, pale violet, lavender

Lilie lily; *(Wappen)* fleur-de-lis

Liliputaner Lilliputian

Limon|ade flavoured soda water; *(Zitronen-)* lemonade; lemon-squash; **~elle** lime

Limousine limousine, saloon-car, *US* sedan

lind soft, gentle; mild; **~e** lime-tree, linden-tree; **~enblüte** lime-tree blossom; **~enblüten-tee** lime-blossom tea; **~ern** *(erleichtern)* to assuage; to allay; to alleviate; to relieve; *(mildern)* to soothe; *(weich machen)* to soften; *(mäßigen)* to mitigate; *(Strafe)* to commute; **~ernd** anodyne; **~erung** softening; relief, alleviation; abatement; **~erungsmittel** anodyne; lenitive, palliative

Lindwurm dragon

Linea|l ruler; **~r** linear; uniform; in equal proportion all round; at a flat rate

Linie line; 📖 rule; *(Tendenz)* course; trend, tendency; *(Abstammung)* descent, lineage; branch (of a family); *(Straßenbahn)* number; *mil* front; *auf gleicher ~ mit* on the same footing as; *in erster ~* primarily; above all, first and foremost; *in e-e ~ bringen, in e-r ~ stehen* to align; *~ n ziehen* to draw lines; **~nblatt** sheet with guide-lines; **~nbus** town *(od* scheduled) bus; **~nschiff** ship of the line; liner; **~ntreu** toeing *(od* true to) the party-line; **~ren** to rule; **~rtes Papier** ruled paper

link left; *(Stoff)* wrong (side); *(Münze)* reverse; *~ e Seite* left hand (side); *~ er Hand, zur ~ en* on (to) the left; *d. ~ en Flügel angehörend* left-

ist; **~e** left hand, left (side); **~erhand** on the left; **~isch** awkward, clumsy; **~s** to the left, on the left; *~ s von* to the left of; *~ s sein* to be left-handed ♦ *~ s liegenlassen* to cold-shoulder, to ignore s-b completely; *~ s um!* left about turn!; **~saußen** 🏑 outside left; **~sdrehung** anti-clockwise rotation; **~shändig** left-handed; **~spartei** leftist party; **~sradikal** leftist; **~sverkehr** left-hand traffic

Linnen linen

Linoleum linoleum, lino; **~schnitt** lino cut

Linse *bot* lentil; *opt* lens; 📷 objective; *(Auge)* crystalline lens

Lippe lip; *bot* labellum; ℔ labium; **~nbekenntnis** lip service; **~nblütler** labiate plants; **~nlaut** labial (sound); **~nstift** lipstick

liquid liquid; *(Geld)* solvent; **~ation** liquidation, winding up; *(Rechnung)* settlement; *(Arzt)* doctor's bill; *(Realisierung)* realization; **~ieren** to wind up; to liquidate; to realize; *(Arzt etc)* to charge (as a fee); **~ität** liquidity; liquid resources; solvency

lispeln to lisp; to whisper

List cunning, craft, artfulness; *(Kriegs-)* stratagem; trick; **~ig** cunning, crafty; artful; sly, astute

Liste list; catalogue; *(Register)* roll, register; *(Aufzählung)* specification; *e-e ~ aufstellen* to draw up a list, to bill; *schwarze ~* Black List; *auf d. schwarze ~ setzen* to blacklist

Litanei litany

Liter litre; **~weise** by litres

liter|arisch literary; bookish; **~at** man of letters, writer; **~atur** literature, letters; **~aturgeschichte** history of literature; **~aturverzeichnis** bibliography

Litfaßsäule advertisement pillar

Lithograph|ie litho(graphy); **~ieren** to lithograph; **~isch** lithographic

Liturg|ie liturgy; **~isch** liturgical

Litze lace, cord, braid; ∮ flex

Livree livery

Lizen|tiat licentiate; **~z** permit, licence; poetic licence; *in ~ z* under licence; **~zgebühr** licence fee; 📖 (copyright) royalty; **~zieren** to license, to certificate; **~znehmer** licensee

Lob praise; commendation; *über alles ~ erhaben* above all praise; **~en** to praise, to commend; to applaud; **~end** laudative, commendatory; **~enswert** praiseworthy; **~gesang** song of praise, hymn; **~hudelei** fulsomeness, fulsome praise, base flattery; **~hudeln** to praise in fulsome terms; **ᵘlich** praiseworthy, laudable; commendable; **~preisen** to praise, to extol; **~preisung** praise; **~rede, ~spruch** speech of praise, eulogy

Loch hole, gap; *(Lochung)* perforation; *(Höhlung)* hollow, cave; cavity; *(Käse-)* eye; *(Reifen-)* puncture; *(Hecke, Wand)* break, breach; *(Wohnung)* dirty hole; *(Gefängnis)* jail, *sl* clink ♦ *auf d. letzten ~ pfeifen* to be on the rocks, to be on one's last legs; **~en** to punch; to perforate, to pierce; **~er** punch, perforator; **ᵘerig** full of holes, porous; **~karte** punched card, perforated card; ~**ung** perforation, punching; ~**zange** punch pliers

Lock|e curl, lock; *(Ringel-)* ringlet; ~**en** to curl; ~**enkopf** curly-head; ~**enwickel** curler, curling pin; *(Papier-)* curl-paper; ~**ig** curly, curled

lock|en to lure, to allure, to entice; *(mit List)* to decoy; *(versuchen)* to tempt; *(mit Köder)* to bait; ~**mittel** bait; inducement; bribe; ~**ruf** *(Vogel)* call; ~**spitzel** agent-provocateur, stool pigeon; ~**ung** attraction; lure; enticement; temptation; ~**vogel** decoy (–bird); *fig* decoy, enticer, allurer

locker loose *(a. fig)*; *(schlaff)* slack; *(Leben)* frivolous, dissolute, loose; *(Boden)* light, loose; *(Teig)* spongy; ~ **machen** to loosen; to slacken; ~ **werden** to work loose; *nicht ~ lassen* to be firm, to be insistent; ~**n** to loosen, to slacken; *(Boden)* to break up; *(Sitten)* to demoralize; *(entspannen)* to relax; *refl* to work loose

Loden loden, unmilled cloth; ~**mantel** water-proof woollen coat

lodern to blaze, to flame; to burn

Löffel spoon; *(Hasen-)* ear; *(Bagger-)* bucket ♦ *d. Weisheit mit* ~ *n gefressen haben* to know all the answers; *drei* ~ *voll* three spoonfuls; *gehäufter* ~ a heaped *(od* heaping) spoon; ~**n** to sup; ✿ to bail; ~**stiel** spoon handle; ~**weise** by spoonfuls; ~**zange** scoop forceps

Log log; ~**buch** log(-book); ~**gen** to log; ~**ger** lugger

Logarithmus logarithm

Loge ♥ box; *(Freimaurer-)* lodge; ~**nbruder** brother mason; ~**nmeister** master of a lodge; ~**nschließer** attendant

Logier|besuch visitors, guests; ~**en** to stay, to lodge *(bei* with s-b); ~**zimmer** spare room, guest room

Logi|k logic; ~**ker** logician; ~**sch** logical

Loh|e tan(ning-bark); flame; ~**en** to (treat with) tan; *(Flamme)* to blaze up, to flare up; ~**gerber** tanner; ~**gerberei** tannery

Lohn wages; *(Monats-, Gehalt)* salary; *(Bezahlung)* pay(ment); *(Vergütung)* compensation; ~**arbeit** jobbing work; ~**arbeiter** workman, labourer; jobber; ~**ausgleich** wage adjustment; ~**diener** hired servant, extra help; ~**drückerei** sweating; ~**empfänger** wage-earner; wage-earning population; ~**en** to compensate, to reward; *(bezahlen)* to pay; *(wert sein)* to be worth (while); to make worth while; *d. Sache* ~*t s. nicht* the game is not worth the candle; *es* ~*t s. it is worth while; *es* ~*t s. nicht it does not answer, it does not pay; ~̈**en** to pay (wages); *mil* to pay; ~**end** profitable, lucrative, advantageous; ~**erhöhung** pay *(od* wage) increase, *US* raise; ~**kürzung** wage cut; ~**kutscher** cabman; ~**liste** pay-list; ~**pfändung** garnishment of wages; ~**steuer** wages tax; income tax *(on* wages and salaries); ~**stopp** wage freeze; ~**streik** wage strike; strike for higher wages; ~**tag** pay-day; ~**tarif** rate of pay, wage scale; ~**tüte** pay envelope, wage-packet; ~̈**ung** pay;

mil (army) pay; ~**verhandlungen** wage negotiations, collective bargaining

Loipe course

lokal local; suburban; *su* (wine-)restaurant; inn, *BE* pub(lic-house); *(Lokalität)* locality, place; ~**blatt** local paper; ~**isieren** to localize

Lokomotiv|e engine, railway engine; ~**fabrik** engine works; ~**führer** *BE* engine-driver, *US* engineer; ~**schuppen** engine shed

Lokowaren spots

Lorbeer laurel, bay ♦ *s. auf seinen* ~*en ausruhen* to rest on one's laurels; ~**baum** = ~; ~**blatt** bayleaf; ~**kranz** laurel wreath

Lord lord; ~**schaft** lordship

Lore 🚚 lorry, truck; (open) waggon

Los destiny, fate; *(Lotterie)* lottery ticket; *(Anteil)* lot, share, portion; *d. große* ~ the first prize; *durch d.* ~ by lot; *d.* ~ *werfen (ziehen)* to cast *(od* draw) lots; ~**en** to draw lots; ~**ung** password, watchword; battle-cry; *(Tier-)* droppings, dung

los loose, slack; *(frei)* free, flowing; *(getrennt)* off, detached; *etw* ~ *sein* to be rid of; *was ist* ~ *?* what's the matter?, what's up?; *hier ist viel* ~ there's plenty going on here; *es ist nichts* ~ nothing doing; *mit ihr ist nicht viel* ~ she's not up to much; ~*!* go on!, fire away!, begin!, go ahead!; ~**arbeiten** to work away; *refl* to extricate o.s.; ~**binden** to untie, to loosen; ~**brechen** to break off; to break loose; *(Sturm)* to burst (out); ~**bröckeln** to crumble off; ~**drücken** to fire (off); ~**eisen** to free; ~**fahren** to depart; *fig* to fly out at, to bear down on; ~**gehen** to set off; *(s. lösen)* to loosen, to become loose; *(Gewehr)* to go off; *(beginnen)* to begin, to start; ~*gehen auf* to attack, to go at; *schnurstracks* ~*gehen* to make a bee-line for; ~**haken** to unhook; ~**kaufen** to ransom, to redeem; ~**kommen** to get away, to come off; ~**lassen** to let go, to let loose; to let off; to release; *(Hund)* to set (*auf* on); ~**legen** to begin, to start; ~**lösen** to untie, to detach; *refl* to disengage o.s., to come off; ~**machen** to make loose, to free, to release; ⚓ to unmoor, to cast off; ~**platzen** to explode; *fig* to burst out, to blurt out; ~**reißen** to tear off; to separate; *refl* to break loose, to burst from; ~**rennen** to take the bit between one's teeth; ~**sagen** *refl* to part from, to renounce *(von etw* s-th); ~**schießen** to fire off *(od* away); *fig* to start, to begin; ~**schlagen** *vt* knock off, to sell off; *vi* to attack, to strike; ~**schnallen** to unbuckle; ✝ to undo one's belt; ~**sprechen** to absolve, to acquit; to (declare) free; ~**stürmen** to rush at, to rush forth; ~**trennen** to undo, to separate; *(reißen)* to rip off; ~**werden** to get rid of, to dispose of; ~**ziehen** to set out; to march *(auf etw* against); *fig* to rail *(über, gegen* at), to inveigh (against)

Lösch|blatt blotting-paper; ~**dienst** fire-fighting (service); ~**en** *(Feuer)* to extinguish; *(Durst)* to quench; *(Licht)* to put out; *(Kalk)* to slake; *(Tinte)* to blot; *(annullieren)* to cancel; *(streichen)* to efface; *(Forderung)* to liquidate; ⚓ to unload, to discharge; ~**er** *(Feuer)* extinguisher; *(Tinte)* blotter; *(Arbeiter)* docker, longshoreman; ~**gerät** fire-fighting apparatus; extinguisher; ~**mannschaft** fire-brigade; ~**papier** = ~**blatt**; ~**ung** *(Feuer)* extinction; *(Streichung)* cancellation; *(Firma)* dissolution, extinction; ⚓ unloading, discharging; ~**zug** fire engine

lose loose, slack; *(unverbunden)* disconnected, incoherent; *(unverpackt)* unpacked; in bulk; *(Moral)* frivolous, dissolute; *e-e* ~ *Zunge haben* to have a loose tongue; *~r Mund* malicious tongue; *~ r Vogel* wag; *~s Mädchen* wanton girl

Lös|egeld ransom; ~**en** to loose(n), to untie, to undo; *chem* to dissolve; *(Karte)* to buy, *(im voraus)* to book; *(Problem)* to solve; *(Schwierigkeit)* to settle; *(Vertrag)* to annul, to cancel; *(Beziehungen)* to give up, to break off; *(Schuß)* to fire; *(Frage)* answer; ~**lich** soluble; ~**lichkeit** solubility; ~**ung** loosening; discharge; answer; *chem* solution

Löß loess

Lot plummet, plumb-line; *math* perpendicular; *(Lötmetall)* solder; *(Gewicht)* half an ounce; *wieder im* ~ all right again; ~**en** ⚙ to plumb; ⚓ to sound; ~**en** to solder; ~**kolben** soldering iron; ~**lampe** *BE* blowlamp, blow torch; ~**recht** perpendicular; ~**rohr** blowpipe

Lotse pilot; ~**n** to pilot

Lotter|bube rascal, vagrant; ~**ig** slovenly; dissolute; ~**leben** dissolute life

Lotterie lottery; ~**los** lottery ticket

Löw|e lion; *astr* Leo ♦ *s. in d. Höhle d.* ~ *en begeben* to beard the lion in his den; ~**enanteil** lion's share; ~**engrube** lion's den; ~**enmaul** snapdragon, antirrhinum; ~**enzahn** dandelion; ~**in** lioness

loyal loyal; ~**ität** loyalty

Luchs lynx ♦ *Augen wie e.* ~ *(~augen)* haben to have eyes like a hawk, to be lynx-eyed

Lücke gap; opening, hole; *(leere Stelle)* blank; *(Mangel)* deficiency; defect; *(Auslassung)* omission; *e-e* ~ *ausfüllen* to fill a gap; ~**nbüßer** makeweight; stop-gap; ~**nhaft** full of gaps; *(unvollständig)* incomplete, deficient, defective; ~**nlos** unbroken, uninterrupted; complete

Luder carrion; *umg* wretch, hussy; *(Schimpfwort)* beast; ~**jan** rake; ~**leben** dissolute life

Luft air; *(leichter Wind)* breeze; *(Atem)* breath; *(Atmosphäre)* atmosphere ♦ *d.* ~ *ist rein* the coast is clear; *an d.* ~ *gehen* to take *(od* go for) an airing; ~ *schnappen gehen* to have *(od* go for) a blow; *in d.* ~ *gehen* to blow up, to storm and rage; *keine* ~ *bekommen* not to be able to breathe; *an d.* ~ *setzen* to throw out, to show s-b the door ♦ *aus d.* ~ *gegriffen* unfounded, a pure invention; *in d.* ~ *sprengen* to blow up; *in d.* ~ *schweben (hängen)* to hang in mid-air, to be undecided as yet; *s.* ~ *machen* to give vent to one's feelings; *an d.* ~ *trocknen* to air-dry; ~**abwehr** air defence, anti-aircraft (defence); ~**amt** Air Ministry; ~**angriff** air raid;

~**antenne** overhead aerial; ~**aufklärung** aerial reconnaissance; ~**bild** aerial photograph, aerophoto; ~**bildgerät** aerial camera; ~**bildwesen** aerial photography; ~**blase** air-bubble; ⚕ vesicle; ~**bremse** air-brake; pneumatic brake; ~**brücke** air lift; *über d.* ~ *brücke befördern* to airlift; ~**chen** breeze, zephyr; ~**dicht** air-tight; ~**druck** atmospheric pressure; *(bei Explosion)* blast; ~**en** to air, to give an airing, to ventilate; ~**en** to reveal, to disclose; ~**fahrt** aviation; ~**fahrtministerium** Air Ministry; ~**flotte** air fleet; ~**förmig** gaseous, aeriform; ~**fracht** air freight *(od* cargo); ~**geräusche** ⚕ atmospherics; ~**gewehr** air-gun; ~**hafen** airport, aerodrome; ~**heizung** hot-air heating; ~**herrschaft** air supremacy; ~**ig** airy, breezy; *(dünn)* thin, flimsy; ~**igkeit** airiness; ~**kampf** air battle; ~**kissenfahrzeug** hovercraft; ~**klappe** air-valve; ✝ air flap; ~**krieg** aerial warfare; ~**kurort** climatic health resort; ~**landetruppen** airborne troops; ~**leer** void of air; *~leerer Raum* vacuum; ~**linie** bee-line; *(Flugverkehr)* air-line, airway; ~**loch** air pocket, air-hole; ~**matratze** air mattress, *BE* lilo; ~**polizei** air police; ~**post** air mail; ~**pumpe** pneumatic pump; ~**raum** air space; ~**reifen** pneumatic tyre; ~**reklame** sky advertisement; ~**röhre** ⓑ windpipe, trachea; air tube; ~**rüstung** air armament; ~**sack** windsock; wind-direction indicator; ~**schacht** airshaft; *(Bergwerk)* air-shaft; ~**schaukel** swing-boat; ~**schiff** airship; ~**schiffahrt** aeronautics, aerial navigation; ~**schlange** paper streamer; ~**schloß** castle in the air, castle in Spain; ~**schutz** air defence; air-raid protection; ~**schutzkeller**, ~**schutzraum** air-raid shelter; ~**schutzsirene** siren; ~**schutzwart** (air) warden; ~**schwingung** vibration of air; ~**spiegelung** mirage, fata morgana; ~**sprung** leap, caper; *e-n ~sprung machen* to jump for joy; ~**störungen** atmospherics; ~**stoß** gust of air; blast; ~**strecke** air-lane; ~**streitkräfte** air force; ~**strom** air current; air blast; ~**transport** air transport; air lift; ~**ung** airing, ventilation; *fig* lifting, disclosing; ~**veränderung** change of air; ~**verkehr** air traffic; ~**verkehrsgesellschaft** air-line company; ~**verkehrslinie** air-line; ~**waffe** (German) Air Force; *veg: auf d.* ~ *weg by air;* ~**ziel** aerial target; ~**zufuhr** air supply; ~**zug** draught, *US* draft; current of air

Lug lying, falsehood; ~ *u. Trug* a pack of lies

Lüg|e lie, untruth; falsehood; *(unverschämte)* whopper; *j-n ~en strafen* to give the lie to s-b; ~**en** to lie, to tell a lie; *~en wie gedruckt* to tell whopping lies, to lie like the devil; ~**engewebe** tissue of lies; ~**enhaft**, ~**nerisch** lying, mendacious; untrue; deceitful; ~**enmaul** impudent liar; habitual liar; ~**ner** liar

lugen to peep, to look out

Lugger ⚓ lugger; ~**segel** ⚓ lugger-sail

Lukas St. Luke ♦ *Haut den* ~ try-your-strength machine

Luke *(Dach)* dormer-window; skylight; ⚓ hatch; trap-door

lukrativ lucrative

lullen to lull

Lümmel lout, boor, hooligan; **~haft** loutish, boorish; **~n** *refl* to slouch

Lump scamp, rascal, blackguard; **~en** *su* rag, clout; *vi* to go on a spree; *s. nicht ~en lassen* to do the handsome thing, to come down handsomely; **~engesindel, ~enpack** riff-raff, rabble; **~enhändler** ragman; **~ensammler** ragman; last bus (*od* tram); **~erei** shabby trick; *(Kleinigkeit)* trifle; **~ig** ragged; shabby; *(unbedeutend)* trifling

Lunge lungs ♦ *s. d.* ~ *aus d. Hals schreien* to scream o.s. hoarse; **~nentzündung** pneumonia; **~nflügel** (lobe of the) lung; **~nkrank** consumptive; **~nkranker** tubercular person, consumptive; **~nschaden** lung lesion; **~nschwindsucht** phthisis, (pulmonary) consumption; **~ntuberkulose** tuberculosis (of the lungs)

Lunte match (cord); *(Fuchs)* fox's brush ♦ ~ *riechen* to smell a rat

Lupe magnifying glass; magnifier ♦ *unter d. ~ nehmen* to scrutinize closely

Lupine lupin, *bes US* lupine

Lurch amphibian

Lust joy, delight; pleasure; *(Verlangen)* desire, lust; *(Neigung)* inclination, mind; ~ *haben* to be inclined, to want (to do), to feel like (doing); *mit~ u. Liebe* with a will, with heart and soul; *keine ~ haben* to have no mind, not to be keen (*zu* about); **~barkeit** entertainment, amusement; festivity; **⁓ern** *(gierig)* greedy (for); desirous (of); longing (for); *(sinnlich)* lascivious, lustful; **⁓ernheit** greediness; lasciviousness, lust; **~ig** gay, merry, jolly; funny, comical, blithe; *s. ~ig machen* to make fun (*über* of); **~igkeit** gaiety, merriment; fun; **⁓ling** voluptuary, sensualist; **~los** dull, without desire; *(Börse)* dull, inactive; **~mord** murder and rape; **~spiel** comedy; **~wandeln** to stroll (about), to take a walk

Lüster chandelier; lustre

lutschen to suck

Luv luff, weather-side; **~en** to luff

luxuriös luxurious; sumptuous; costly

Luxus luxury; sumptuousness; extravagance; *s. e-n ~ gestatten* to splurge; *in ~ leben* to live in luxury (in grand style); to live extravagantly, expensively; **~artikel** luxury article; **~ausgabe** édition de luxe; **~einband** superior binding; **~gegenstand** luxury; **~güter** luxury goods; **~steuer** tax on luxuries; **~waren** fancy goods, luxury articles

Luzerne lucerne, alfalfa

Lyzeum secondary school (for girls)

Lymph|drüse lymphatic gland; **~e** lymph; *(Impfstoff)* vaccine; **~gefäß** lymphatic (vessel)

lynch|en to lynch; **~justiz** lynch law, mob law

Lyr|a lyre; **~ik** lyric poetry; **~iker** lyric poet, lyrist; **~isch** lyric; *fig* lyrical; ~ *isches Gedicht* lyric

M

M (the letter) M

Maat mate; *⚓ BE* leading rating, *US* petty officer 3rd class

Mach|art make; *(Art)* description, kind, sort; *(Stil)* style; *(Mode)* fashion; **~e** making; *fig* pretence, show; **~en** to make, to do; *(bewirken)* to effect; *(verursachen)* to cause; to bring about; *(herstellen)* to manufacture; *(kosten)* to come to, to amount to; *(in e-n Zustand versetzen)* to render; *(in Ordnung bringen)* to tidy, to bring to rights; *(ernennen)* to appoint; *s. ~en an* to begin on, to start work on; *s. viel ~en aus* to care much about; *s. fertig ~en* to get ready; *zurecht~en* to prepare; *s. wichtig ~en* to assume an air of importance; to be a busybody; *zunichte ~en* to frustrate, to upset; to annihilate; *s. gefaßt ~en auf* to be prepared for, to look out for; *j-n wahnsinnig ~en* to drive s-b mad (*od* crazy); *s. zu schaffen ~en an* to tamper with; *(s.) etw ~en lassen* to have (*od* to get) s-th made (*od* done); *s. gut ~en* to look all right; *wie ~en Sie es, daß...* how do you manage (to do); *s-m Ärger Luft ~en* to give vent to one's anger; *e-e Bemerkung ~en* to (pass a) remark, to observe; *es kurz ~en* to put it briefly; to cut a long story short; *s. d. Haare ~en* to do one's hair; *e-e Aufnahme ~en* to take a snap (*od* photo); to snap; *e-n Witz ~en* to crack a joke; *Schulden ~en* to contract (*od* to run into) debts; *Umstände ~en* to take trouble, to go to (a lot of) trouble; *s-e Aufwartung ~en* to pay one's respects to; *Übung macht d. Meister* practice makes perfect; *d. macht nichts* that does not matter; *was ~en Sie?* how are you?; *mach schnell!* hurry up!; *mach, daß du fort kommst!* off with you!, be gone!, clear off (out)!; *wieviel macht es?* how much is it?; how much does it come (*od* amount) to?

Macht power; *(Stärke)* strength; *(Kraft)* force; might; *(Einfluß)* influence; control; *(Heer)* forces, army; *(Befugnis)* authority; **~befugnis** competency, authority; **~ergreifung** accession to power; seizure of power; *d. ~ergreifung (1933)* the Nazi Revolution; **~gruppe** pressure group; **~haber** ruler; lord; dictator; **⁓ig** powerful; mighty, strong; *(Bergb.)* thick; *adv* extremely, enormously, mighty; *e-r Sache ⁓ig sein* to be master of a thing; **~los** powerless; **~spruch** peremptory order, (word of) command; **~stellung** strong position, political power; **~übernahme** assumption (*od* seizure) of power; **~vollkommenheit** authority; *aus eigener ~vollkommenheit* on one's own authority; *~wort = ~spruch* ♦ *e. ~wort sprechen (umg)* to put one's foot down; **~zusammenballung** concentration of power

Mädchen girl; maid(en); *(Dienst-)* servant(-girl); *wildes ~* tomboy; *~ für alles* maid-of-all-work; **~haft** girlish, maidenly; **~handel** white slave traffic; **~jäger** Don Juan, dangler after women, *US sl* wolf; **~name** maiden name; **~zimmer** maid(-servant)'s room

Mad|e maggot, worm; **~ig** maggoty, worm-
-eaten
Mädel girl, lass, *US sl* babe, gal
Madonna madonna, the Holy Virgin
Madrigal madrigal
Magazin store(s), storehouse, warehouse; depot, dump; *(Gewehr-)* magazine, clip; *(Waf-
fen-)* magazine; *(Zeitschrift)* periodical, review; **~verwalter** store-keeper, warehouse-
-keeper
Magd maid(-servant), servant; **¨lein** little girl
Magen stomach, *umg* tummy; **~bitter** bitters;
~brennen heartburn; **~grube** pit of the stomach; **~knurren** intestinal rumbling; **~säure**
gastric acid; **~schmerzen** stomach-ache, *umg*
tummy-ache; **~verstimmung** stomach upset
mager *(Mensch)* thin; slender; *(Fleisch)* lean;
spare; *(sparsam)* frugal; *(dürftig)* meagre,
poor; *(Boden)* barren; (□) lean-faced, standard; *~e Jahre* lean years; *~e Kost* meagre diet,
short commons; *~ werden* to grow thin; to reduce; **~käse** skim-milk cheese; **~keit** leanness; poorness; **~milch** skimmed milk, skim
milk
Mag|ie magic; **~ier** magician; **~isch** magic(al);
~isches Auge ⬡ tuning indicator, magic eye
Magist|er school-master, tutor; **~rat** town
council; municipal authority; *Sache d. ~rats
sein* to fall within the scope of the local (*bzw*
municipal) authorities
Magnat magnate, *US* tycoon
Magnet magnet; *(~zünder)* magneto; **~isch**
magnetic; **~iseur** magnetist; mesmerist; **~-
isieren** to magnetize; **~ismus** magnetism; **~-
nadel** magnetic needle; **~ophon** tape recorder;
~zünder magneto; **~zündung** magneto ignition
Mahagoni mahogany
Mahd mowing; *(Schwaden)* swath
Mäh|binder reaper and binder, reaper-binder;
~drescher harvester-thresher, combine; **~en** *vt*
to mow, to cut, to reap; **~er** mower, reaper;
~maschine reaper; *(Rasen)* mower
Mahl meal, repast; **~en** to grind, to mill; *(sehr
fein)* to pulverize; **~gang** set of millstones; **~-
stein** millstone; **~zahn** molar; **~zeit** meal, repast; *gesegnete ~zeit!* God bless this food!
Mahn|brief dunning letter, reminder; request
to pay; follow-up letter; **~en** to admonish, to
exhort; to remind, to dun; to warn; **~er** ad-
monisher; dun; **~mal** memorial(-stone); **~ung**
reminder; dunning; admonition; *(Warnung)*
warning
Mähne mane
Mähre mare; *(schlechtes Pferd)* jade
Mai May; **~baum** maypole; **~feier** May-day
demonstration; **~glöckchen** lily of the valley;
~käfer cockchafer
Mais maize, *US* (Indian) corn, sweet corn; **~-
kolben** corn cob; **~mehl** Indian meal, *US* corn
meal
Maische mash; **~n** to mash
Majestät majesty; **~isch** majestic; **~sbeleidi-
gung** lese-majesty
Major major; *BE (Luftwaffe)* squadron leader;

~at primogeniture; **~enn** of age; **~ität** majority; **~srang** majority
Majoran marjoram
Majuskel capital letter
Makel stain, spot; *fig* blemish, fault; **~los**
stainless, spotless; *fig* faultless, immaculate
Mäk|elei fault-finding, censoriousness;
(wählerisch) daintiness; **~elig** censorious; fas-
tidious; dainty; **~eln** to find fault with, to carp
at; *umg* to pick at; **~ler** fault-finder, caviller
Makkaroni macaroni
Makler broker; real-estate broker, *BE* estate
agent; **~gebühr** brokerage; **~geschäft** broker-
ing, brokerage; broker's business
Makrele mackerel
Makrone macaroon
Makul|atur waste-paper, waste printed matter;
fig waste; **~ieren** to pulp, to repulp
Mal monument; *(Wahrzeichen)* landmark;
(Mutter-) mole; *(Wund-)* scar; *fig* mark, token;
(Fleck) spot; stigma; *(Zeit)* time; turn; *adv*
once; just; *zum ersten ~* for the first time; *mit
e-m ~* suddenly, all of a sudden; *e. für alle~*
once and for all; *e. ums andere ~* alterna-
tively, by turns; *denk dir ~!* just imagine!; *2 ~
3 ist (macht) 6* twice three are (is) six; *4 ~ 3 ist
(macht) 12* 4 times 3 are (is) twelve; **~nehmen**
to multiply
Malaria malaria; **~fieber** malarial fever, ague;
~kranker malaria patient
Mal|buch painting-book, colouring-book; **~en**
to paint; to portray; *(bildlich darstellen)* to represent; *s. ~en lassen* to have one's portrait
painted; *nach d. Natur ~en* to paint from nature; **~er** painter, artist; *(Dekorateur)* decorator; house-painter; *(Anstreicher)* whitewasher;
~erei painting; picture; **~erisch** picturesque;
pictorial; artistic; **~erleinwand** canvas; **~er-
meister** decorator, house-painter; **~kasten**
paint-box
Malve mallow; **~nfarbig** mauve
Malz malt; *~ werden* to malt; *mit ~ versetzen*
to malt; **~bier** malt beer; **~bonbon** cough-lo-
zenge; **¨er** maltster
Mama mamma, *umg* ma, mummy, *US* mom
Mammut mammoth
Mamsell miss; *(Haushälterin)* house-keeper;
(Kellnerin) waitress
man one, they, people; *~ hat mir gesagt (gegeben, etc)* I was told (given, etc)
manch many a, many a one (*od* person, man);
~e some; **~erlei** diverse, various, all manner
of; **~es** many a thing, many things; **~mal**
sometimes, now and again
Mand|ant client; **~at** mandate; authorization;
unter e. ~at stellen to mandate; **~atarstaat**
mandatory; **~atsgebiet** mandated territory
Mandarine tangerine (orange)
Mandel almond; **§** tonsil; *(Getreide-)* stook;
(Maß) (set of) fifteen; *gebrannte ~n* sugared
almonds; **~blüte** almond blossom; **~ent-
zündung** tonsillitis; **~förmig** almond-shaped,
amygdaloid
Mandoline mandolin

Manege arena; (circus) ring; riding-school
Mangan manganese; **~haltig** manganiferous;
~sauer manganate of
Mangel *(Wäsche)* mangle, rolling-press; *(Fehlen)* need, want of; absence, lack; *(Fehler)* defect, fault; flaw; *(Knappheit)* shortage, deficiency; shortcoming; dearth (of); *aus ~ an* for want of; *~ leiden an* to be deficient in; **~beruf** critical occupation; **~haft** faulty, defective; *(unbefriedigend)* unsatisfactory, below the mark; **~haftigkeit** faultiness; imperfection; defectiveness; **~krankheit** deficiency disease; **~lage** shortage; **~n** *(Wäsche)* to mangle; *(fehlen)* to want, to be wanting; to lack, to fail; *es ~t mir an* I am short of, I am in want of; *~nde Bereitschaft* unwillingness; **~s** in default of; **~waren** goods in short supply, scarce commodities
Mangold chard, beet; **~gemüse** chard
Man|ie mania; **~isch** manic
Manier manner, habit; *(Betragen)* deportment; *(Stil)* style; **~iert** affected, mannered; **~lich** polite, civil, mannerly; **~lichkeit** politeness, civility
Manifest manifesto; **~ieren** to manifest, to declare
Maniküre manicure; *(Person)* manicurist; **~n** to manicure
Manipul|ation manipulation; **~ieren** to manipulate; to adjust, to manage
Manko deficiency, defect, deficit
Mann man; *(Ehe-)* husband; *(Soldat)* soldier, man; *(Geschlecht)* male; *d. gemeine ~* the man in the street, the common people; *wenn Not am ~ ist* if the worst comes to the worst; *~s genug sein* to be quite capable (of doing), to be a match for it ♦ *mit ~ u. Maus* with all on board, with every soul; *an d. ~ bringen* to dispose of; to find a taker for; to find a husband for; *s-n ~ stehen* to hold one's own; *e. ~ von Welt* a man of the world; **~bar** marriageable, virile; **~barkeit** puberty; manhood; **̈chen** little man; *(Tiere)* male; *̈chen machen* to sit up and beg; **̈equin** model; **̈ergesangverein** men's choral society, men's glee club; **~esalter** manhood; **~eskraft** manly vigour, virility; **~esstamm** male line; **~haft** manly, manful; **~haftigkeit** manliness; **~heit** manhood, virility; *̈lich* male, masculine; manly; *̈liches Tier* male; **~sbild** male; **~schaft** personnel; ♈ team; ⚓ crew; *mil* (enlisted) men, ranks; *d. ~schaften* ⚓ lower deck; **~shoch** as tall as a man; head-high; shoulder-high; **~sleute** men, men-folk; **~stoll** mad about men, nymphomaniac; **~weib** virago, mannish woman; hermaphrodite
mannig|fach, ~faltig manifold, various; **~faltigkeit** variety, multiplicity
Manöv|er manœuvre, *US* maneuver; *(List)* trick; **~rieren** to manœuvre, ⚓ to handle
Mansarde attic; **~nfenster** dormer-window, attic-window
manschen to mix (up); to splash about
Manschette cuff; ✿ collar, packing ring ♦ *~n*

haben to be in fear and trembling; **~nkopf** cuff- *(od* sleeve-) link
Mantel coat, cloak; *(ärmellos)* mantle; *(Winter-)* overcoat; ✿ jacket, casing, case; *(Reifen-)* outer cover; *fig* mantle ♦ *d. ~ nach d. Winde hängen* to trim one's sails to the wind; **~aufschlag** lapel; **~sack** valise, portmanteau; **~tarif** framework collective agreement
Manufaktur *(Erzeugnis)* manufacture; manufacturing; *(Fabrik)* factory; **~waren** manufactured goods
Manuskript manuscript; ⌨ copy; ▥, ⌨ script, scenario
Mappe *(Akten-)* briefcase, attaché case; portfolio; *(Schreib-)* writing-case; *(Ordner)* file (cover), folder; *(Schule)* satchel
Mär tale, story; news, tidings; **~chen** fairy tale; *(Lüge)* fib; **~chenhaft** fabulous, legendary; **~chenland** wonderland, dreamland
Marathonlauf marathon race
Marder marten
Margarine margarine, *BE umg* marge
Margerite marguerite, daisy
Marien|bild image of the Virgin Mary; **~glas** mica, selenite; **~käfer** lady-bird
Marine marine; *(Kriegs-)* navy; *(Handels-)* merchant marine; *(Schiffswesen)* shipping; **~blau** navy(-blue), marineblue **~flieger** naval airman; **~flugzeug** seaplane, naval aircraft; **~minister** *BE* First Lord of the Admiralty, *US* Secretary of the Navy; **~ministerium** *BE* Admiralty, *US* Navy Department; **~offizier** naval officer; **~soldat** marine; **~station** naval base
marinieren to pickle
Marionette marionette, puppet; **~nregierung** puppet government; **~nspieler** wire-puller; **~ntheater** puppet-theatre, puppet-show
Mark *(Münze)* mark; ⚬ marrow; *bot* pith, pulp; *(Gebiet)* boundary, frontier, marches; *fig* essence, core; *bis aufs ~* to the bone; *ins ~ treffen* to cut s-b to the quick ♦ *j-m durch ~ u. Bein gehen* to thrill s-b to the marrow; **~erschütternd** blood-curdling; **~graf** margrave; **~gräfin** margravine; **~ig** marrowy, pithy; strong; **~scheider** mine-surveyor; **~stein** boundary-stone; *fig* landmark, milestone
markant characteristic; *(auffallend)* striking; *(bezeichnet)* well-marked
Mark|e mark, sign, token; *(Waren-)* brand, trade-mark; type; ✪ stamp; *(Spiel-)* counter, chip; 🚭, ⚒ make; *(Wein)* vintage, growth; *(Rationierung)* coupon, point; **~enalbum** stamp album; **~enartikel, ~enware** branded goods; **~enbutter** standard butter; **~enfrei** non-rationed, coupon-free; **~enpflichtig** rationed; **~enschokolade** chocolate of proprietary brands; **~enschutzgesetz** Trade Marks' Registration Act; **~ieren** to mark, to indicate; to label; *(Waren)* to brand; *(umreißen)* to outline; *(Baum)* to blaze; *fig* to simulate, *umg* to put on
Marketender sutler; **~in** canteen-woman; **~ei** canteen, military (naval, air-force) stores; *BE* NAAFI, *US* PX

Markise awning, *BE* sun-blind

Markt market; *(Ort)* market-place; *(Absatz)* outlet, market; *(Geschäft)* business, trade; *schwarzer ~* black market; **~bude** booth, stall; **~en** to bargain, to haggle; **~flecken** small market-town; **~gängig** current, marketable; **~gerecht** in line with the real market conditions; *(Preis)* fair; **~halle** market-hall, covered market; **~lage** state of the market, market situation; **~platz** market-place; **~politisch** from the point of view of the effect on the market; **~schreier** puffer, barker; **~schreierisch** showy; **~wirtschaft** *(freie)* free-market economy, free-enterprise economy

Marmelade jam; *(Orangen-)* marmalade

Marmor marble; **~bruch** marble quarry; **~ieren** to marble, to vein, to grain; **~n** (of) marble; **~platte** marble slab

marod|e tired, weary; ill; **~eur** marauder; **~ieren** to pillage

Marone edible (*od* sweet) chestnut

Maroquin morocco

Marotte fancy, whim, caprice; fad

Mars ⚓ top; **~segel** topsail

Marsch march; tramp, hike; *(Land)* marsh, fen; *auf d. ~* en route, marching ♦ *j-m d.* **~ blasen** to give s-b a piece of one's mind; **~boden** marshy soil; **~ieren** to march; **~ig** marshy; **~kolonne** marching column; **~mäßig** in marching order; **~tanz** Paul Jones; **~tempo** rate of marching; **~verpflegung** supply on the march

Marschall marshal; **~stab** marshal's baton

Marstall royal stables (*od* stud)

Marter torture, torment; pang, agony; **~bank** rack; **~holz** the Cross; **~n** to torture; to torment, to agonize; **~pfahl** stake; **~voll** excruciating

martialisch martial

Märtyrer martyr; **~tum, Martyrium** martyrdom, ordeal

Marxis|mus Marxism; **~t, ~tisch** Marxian, Marxist

März March

Marzipan marzipan, marchpane

Masch|e mesh; *(Strick-)* stitch; **~endraht** chicken (*od* screen) wire; **~enwerk** network; **~ig** meshy, (meshy) netted; reticulated

Maschin|e machine; engine; *(Schreib-)* typewriter; *auf d. ~e schreiben* to type(-write); *(Näh-)* sewing-machine; **~ell** mechanical; *~elle Bearbeitung* machining; **~enanlage** mechanical equipment; **~enbau** mechanical engineering; machine building; **~enbauer** mechanical engineer; **~enfabrik** engineering works; machine factory; **~engarn** machine-spun yarn, machine thread; **~engewehr** machine-gun; **~enkonstruktion** machine designing; **~enmeister** machinist; engine-driver; **~enpark** machinery; **~enpistole** tommy-gun, submachine gun; **~enschaden** engine trouble; **~enschlosser** (engine) fitter; **~enschreiben** typewriting; **~enschreiber** typist; **~enschrift** typing; typescript; **~enwärter** engine (*od* ma-

chine) operator; machine attendant; **~erie** machinery; **~ist** machinist; mechanic; engineer, engine-driver; ⚙ machinery man

Maser spot, speckle; *(Holz)* grain, vein; **~ig** speckled; veined; mottled; grained; **~n** 🎭 measles; *vb* to vein, to grain

Mask|e mask; *(Verkleidung)* disguise; 🎭 visor; ⚙ make-up; *fig* pretext, pretence; *d. ~e fallenlassen (fig)* to drop pretence, to throw off one's mask; *d. ~e abnehmen* to unmask; **~enball** fancy-dress ball; **~enkostüm** fancy dress; **~enverleih** hire of theatrical properties; **~erade** masquerade; **~ieren** to mask

Maskulinum masculine (noun)

Maß measure; *(Ausdehnung)* dimension, extent; *(Größe)* size; *(Grad)* degree; *(Grenzen)* limit, bounds; *(Bier)* quart; *(Mäßigung)* moderation; *(Verhältnis)* proportion; *~ nehmen* to measure, to take the measurement of; *nach ~ gemacht* made to measure; *in hohem ~e* highly, in a high degree; *über alle ~en* exceedingly, excessively; *in d. ~e, daß* to such an extent that; *über d. ~en* beyond measure, exceedingly; *in d. ~e wie* in the same measure as; *ohne ~ u. Ziel tun* to overdo it; *mit zweierlei ~ messen* to apply a different yardstick; *d. ~ ist voll* that's put the lid on it, that'll do!; **~analyse** volumetric analysis; **~arbeit** made to measure; **~gabe** measure, proportion; *nach ~gabe von* according to; **~gebend, ~geblich** authoritative, standard; decisive; leading; competent; **~halten** to keep within limits, to be moderate; **~krug** tankard, mug; **~liebchen** daisy; **~los** immoderate; boundless; *(übertrieben)* exorbitant; *(überspannt)* extravagant; **~nahme** measure, step; **~regeln** to reprimand, to inflict disciplinary punishment on; **~regelung** disciplinary punishment; **~schneider** bespoke tailor; **~schneiderei** tailoring to measure; **~stab** yard measure, ruler; *(Karten-)* scale; ⚙ gauge; *fig* standard; criterion; *e-n ~stab anlegen* to apply a standard to; **~voll** moderate; **~werk** 🏛 tracery

Mass|age massage; **~eur** masseur; **~euse** masseuse; **~ieren** to massage

Massak|er massacre; **~rieren** to massacre

Mass|e mass; quantity; lot; *(Haufen)* heap; *(Körper)* substance; mass; body; bulk; lump; *(Menschen-)* crowd, the masses, multitude, the people; 💰 assets, property; estate; *d. breite ~e* the rank and file; **~enabsatz** mass sale; **~enartikel** mass-produced article; **~enaufgebot** large, number (*od* crowd); **~enbefragung** public opinion poll; **~engrab** common grave; mass-grave; **~engüter** bulk goods; **~enhaft** in large quantities, numerous; **~enkundgebung** r.ass-meeting, rally; **~enmord** general massacre, slaughter; **~enproduktion** mass production, production in bulk; **~enquartier** billets for large numbers; **~enverhaftung** mass arrests; **~enversammlung** mass-meeting, rally; **~enweise** in large numbers, wholesale; **~enverwalter** 💰 official receiver; **~ieren** *refl* to accumulate, to pile up; to combine; **~ierung** accumulation, large amount; ~**ig** bulky, solid, heavy; ~**iv** massive, solid; heavy; *umg* rude; *su geol* massif

mäßig moderate, conservative; *(sparsam)* frugal; *(Preis)* reasonable, moderate; *(bescheiden)* modest; *(mittelmäßig)* middling; *(Schule)* poor, mediocre; ~**en** to moderate; *(beschränken)* to restrain, to check; to slacken; *refl* to moderate o.s.; to restrain o.s.; to control o.s.; *gemäßigte Zone* temperate zone; ~**keit** moderation; frugality; *(Gefühle, Genuß)* temperance; ~**ung** moderation; restraint; self--control

Mast *(Stange)* mast; pole; pylon; ⚓ mooring mast; *(Futter)* mast; pig's food; acorns, beech nuts; ~**darm** rectum; **~̈en** to feed, to fatten; *s.* **̈en an** *(a. fig)* to batten on; ~**kalb** fatted calf; ~**korb** masthead, crow's nest; ~**kur** fattening diet; ~**vieh** fattened cattle, fatstock

Mastix mastic

Mater matrix

Material material; *(Stoff)* substance; *(Vorrat)* stock, stores; *rollendes* ~ 🐎 rolling stock; ~**ersparnis** economy of materials; ~**isieren** to materialize; ~**ismus** materialism; ~**ist** materialist; ~**istisch** materialistic; ~**knappheit** stringency of materials; ~**schaden** fault *(od* flaw) in material; ~**schwierigkeit** difficulty in procuring materials

Materie matter, stuff; *(Gegenstand)* subject; ~**ll** material; actual, materialistic; *(geldlich)* financial; *adv* in fact, de facto

Matetee maté

Mathematik mathematics; ~**iker** mathematician; ~**isch** mathematical

Matratze mattress

Mätresse (kept) mistress

Matrikel register, roll; ~**ze** matrix; *(Stempel)* die; *(Schablone)* stencil; ~**zenschreiben** stencil cutting

Matrone matron

Matrose sailor; blue-jacket

Matsch mud, slush; ~**ig** muddy, slushy

matt *(körperlich)* weak, feeble, faint; *(stumpf)* mat(t), dull, unpolished; *(dumpf)* muffled; *(Augen)* dim; *(Licht)* soft; *(Stimme)* faint; *(Schach)* (check-)mate; ~ *setzen* to mate; ~**glas** frosted glass, ground glass; ~**heit**, ~**igkeit** tiredness; debility; dullness; ~**herzig** faint--hearted; ~**scheibe** 📷 focusing screen; *er hat e-e* ~*scheibe* he's a bit dim; ~**weiß** dull white

Matte 🐟 mat; *(Wiese)* (alpine) meadow

Mätzchen tricks and pranks; antics; ~ *machen* to play the fool; to be fussy

mau: *das ist* ~ this is poor; *mir ist* ~ I feel miserable *(od* rotten)

Mauer (brick) wall; ~**anschlag** poster; ~**blümchen** *fig* wall-flower; ~**brecher** battering--ram; ~**haken** 🐟 piton; ~**n** to build (with stone); *(🐟, fig)* to stonewall, to play out time; ~**schwalbe**, ~**segler** swift; ~**werk** stonework, brickwork, masonry

Maul mouth; ~- *u. Klauenseuche* foot-and--mouth disease; *halt's* ~*!* hold your tongue!,

shut up!; *e.* ~ *ziehen* to make a face; *j-m d.* ~ *stopfen* to shut s-b up, to silence s-b ♦ *einem geschenkten Gaul guckt man nicht ins* ~ don't look a gift horse in the mouth; ~**affe** gaper; ~*affen feilhalten* to stand gaping; ~**beerbaum** mulberry-tree; ~**en** to sulk, to pout; ~**esel** mule; ~**eseltreiber** muleteer; ~**held** braggart; ~**korb** muzzle; ~**schelle** slap, box on the ear; ~**sperre** lock-jaw; ~**trommel** Jew's harp; ~**wurf** mole; ~**wurfshügel** mole-hill

Maurer bricklayer; mason; ~**geselle** journeyman mason; ~**meister** master mason; ~**polier** head mason

Maus mouse; ~**efalle** mousetrap; ~**eloch** mouse-hole; *fig* loophole; ~**en** *vt* to pinch, to pilfer, to filch; *vi* to catch mice; ~**er** moulting; ~**ern** *refl* to moult; ~**etot** stone-dead; *s.* ~**ig** *machen* to put o.s. forward, to give o.s. airs

mauscheln to talk sheeny

mäuslchenstill quiet as a mouse, stock-still; ~**ebussard** common buzzard; ~**edreck** mouse dung; ~**egift** ratsbane

maximal maximum, maximal; highest (permissible); *adv* at the most *(od* best); utmost; ~**geschwindigkeit** top speed; ~**gewicht** maximum weight; ~**leistung** maximum capacity *(od* output); ~**preis** maximum price, ceiling price

Maxime maxim; ~**um** maximum; limit

Mayonnaise mayonnaise

Mäzen Maecenas

Mechanik mechanics; mechanism; ~**iker** mechanic, engineer, fitter; ~**isch** mechanical; routine; ~**isieren** to mechanize; ~**isierung** mechanization; ~**ismus** mechanism; machinery

Meckerler grumbler, carper, *sl* grouser; ~**n** to bleat; *fig* to grumble, to grouse, to nag

Medaille medal; ~**on** medallion; locket

medial psychic; mediumistic

Medikament medicament, remedy; ~**zin** *(Arznei)* medicine; physic; *(Wissenschaft)* (science of) medicine; ~**ziner** medical man; medical student, student of medicine; ~**zinisch** medical; medicinal; *vom* ~*zinischen Standpunkt* from a medical point of view, medically speaking; ~*zinische Bäder* medicinal baths; ~*zinische Forschung* medical research; ~*zinische Seife* medicated soap

meditieren to meditate

Medium medium

Meer sea, ocean; high sea; ~**aal** conger; ~**busen** gulf, bay; ~**enge** straits, channel; ~**esbrandung** surf (of the sea); ~**esgrund** bed, sea--bottom; ~**eshöhe**, ~**esspiegel** sea-level, surface of the sea; ~**esleuchten** phosphorescence of the sea; ~**katze** guenon; ~**mädchen** mermaid, siren; ~**rettich** horse-radish; ~**schaum** meerschaum; ~**schaumpfeife** meerschaum (pipe); ~**schweinchen** guinea-pig; ~**ungeheuer** sea monster

Megalhertz megacycle (per second); ~**phon** megaphone

Megäre termagant, vixen

Mehl flour; *(grob)* meal; *(mit Backpulver)* self--raising flour; ~**ig** floury, mealy, farinaceous;

~speise (dish of) farinaceous food; **~wurm** meal-worm

mehr more; *immer* ~ more and more; ~ *als* more than; the better part (*od* half) of; *nicht* ~ no more, (not any) longer; ~ *noch* even worse; *je* ~ *(desto)* the more... (the more); *um so* ~ *als* all the more as; *nie* ~ never again; *nur* ~ only, nothing but; *es war nichts* ~ *da* nothing was left; *nicht* ~ *viel Zeit haben* not to have much time to spare; *es ist nicht* ~ *als billig* it's only fair; *was noch* ~ *?* what else?; *d. schmeckt nach* ~ it whets one's appetite for more; **~arbeit** overtime; additional work; **~ausgabe** additional expenditure; increase in expenditure; **~bändig** in several volumes; **~betrag** additional amount; **~deutig** ambiguous; **~einnahme** surplus of (*od* increase in) receipts; **~en** to augment, to increase; *refl* to multiply, to grow; **~er** augmenter; enlarger; ~ several; more than one, two or more; **~eres** several things; sundries; **~erlei** various, diverse, divers; **~fach** manifold, several; several times, repeatedly; **~farbendruck** colour print (-ing), process printing; **~farbig** (multi)colour (ed); **~heit** majority; multiplicity; *überwältigende ~heit* overwhelming majority (*od* odds); *d. ~heit ist dafür* the ayes have it; **~malig** repeated; reiterated; **~mals** several times, again and again; **~porto** additional postage, surcharge; **~seitig** *math* polygonal, with many sides; multilateral; **~silbig** polysyllabic; **~stimmig** arranged for several voices; *(Lied)* part (song); **~stöckig** multi-storey; **~stündig** of several hours' duration, lasting for hours; **~zahl** majority, most of; *gram* plural; **~zweck** general purpose, multiple purpose; *(in Zssg)* |all-purpose

meiden to avoid, to shun

Meier dairy-farmer; *(Verwalter)* steward; **~ei** (dairy-)farm

Meile mile; league; *englische* ~ British (statute) mile; **~nstein** milestone; **~nweit** for miles; miles off, very far

Meiler charcoal-pile

mein *pron* my; *adj* mine; *d. ~en* my people; *ich für ~en Teil* as far as I am concerned, as to me; *~es Wissens* as far as I know; ~ *und dein* mine and thine ♦ ~ *u. dein verwechseln* to be light-fingered; **~eid** perjury; **~eidig** perjured; **~erseits** as far as I am concerned, for my part; **~esgleichen** such as I, my equals, people like me; **~esteils** on my part; **~ethalben**, **~etwegen** for my sake; I don't mind; as for me, for me, for all I care; *um ~etwillen* for my sake; **~ig** my, mine

mein|en to think, to believe, to be of (the) opinion; *(irrtümlich denken)* to suspect; *(vermuten)* to suppose; *(sagen wollen)* to mean, to intend; *(sagen)* to say; *(anspielen)* to refer to; *wie ~en Sie?* I beg your pardon?, what did you say?; *j-n ~en* to speak of s-b; *es gut ~en* to mean well; **~ung** opinion, view; *(Absicht)* intention; *(Auffassung)* meaning; *(Urteil)* judgment; *(Anschauung)* way of thinking, belief; *meiner ~ung nach* in my opinion, to my mind (*od*

thinking); as I take it; *j-m seine ~ung sagen* to give s-b a piece of one's mind; *vorgefaßte ~ung* prejudice; **~ungsbefragung** (public) opinion poll

Meise titmouse

Meißel chisel; **~n** to chisel, to carve

meist most; *d. ~en* most; most people; *adv* most, mostly; *am ~en* most, more than all; best; *d. ~e Zeit* most of the time; **~begünstigungsklausel** most-favoured-nation clause; **~bietend** offering most; **~bietender** highest bidder; **~ens**, **~enteils** mostly; for the most part; **~gebot** highest bid, best offer

Meister master; *umg* boss; 🏆 champion; **~haft**, **~lich** masterly; **~in** fully qualified (dressmaker, hairdresser etc.); master's wife; *(Anrede)* mistress; 🏆 (woman) champion; **~n** to master, to overcome; to control; **~prüfung** trade examination; **~schaft** mastery 🏆 championship; **~schaftsspiel** league match; **~schaftstitel** 🏆 title; **~schule** technical college; *~schule für Mode* school for fashion, tailoring and designing; **~schütze** crack shot; **~singer** mastersinger; **~stück** masterpiece, masterwork; **~werk** masterpiece; highest achievement

Melancho|lie melancholy; **~liker** hypochondriac; **~lisch** melancholy; pensive; *~lisch sein (umg)* to have the blues

Melasse molasses

Meld|eamt registration office; **~efahrer** mounted messenger, dispatch-rider; **~egänger** messenger; *mil* dispatch-rider; **~en** to announce, to inform; to register; *refl* to report (to); *(Stellung)* to apply (for); *(antworten)* to answer; *(Examen)* to enter (for); *(Finger heben)* to put up one's hand; *s. ~en lassen* to send in one's name; *s. freiwillig ~en* to volunteer; **~ereiter** dispatch-rider; **~estelle** registration office; local reporting office; *(Feuer)* fire alarm; **~ezettel** registration form; **~ung** news, announcement; *(Mitteilung)* information, notification; message; *(dienstlich)* report; *(Bewerbung)* application; *nach bisherigen ~ungen* according to reports so far to hand

meliert mottled, speckled; *(Haar)* greying

Melioration ↓ amelioration, land improvement

melk|en to milk; **~er** milker; **~erei** dairy(-farm); **~gerät** milking utensils; milking machine; **~kübel** milking-pail, milking tub

Melod|ie melody; *(Weise)* tune, air; **~isch** melodious, tuneful

Melone melon; *(Zucker-)* musk-melon; *(Wasser-)* water-melon; *(Hut)* bowler (hat), *US* derby hat

Meltau blight, mildew

Membran membrane; ♥ diaphragm

Memme coward; craven; funk; *elende* ~ cur

Mem|oiren memoirs, personal reminiscences; **~orandum** memorandum; diary, notebook; **~orieren** to memorize, to learn by heart

Menage cruet(-stand); set (of dishes)

Menge quantity; amount; lot(s); great deal, a great many; *(Überfluß)* abundance;

(Menschen) crowd, throng, multitude; *d. ganze* ~ the lot; *e-e* ~ a lot of; *e-e große* ~ lots of; *in* ~*r* plenty of, in abundance; *jede beliebige* ~ any desired amount *(od* quantity); *e-e ganze* ~ *halten von* to think no small beer of; ~**n** to mix, to blend; *refl* to mingle, to mix; *(einmischen)* to meddle, to interfere (with); ~**nbestimmung** quantitative determination; ~**nmäßig** quantitative, in terms of quantity

Mennig(e) minium, red lead

Mensch man, human being; *(Einzelwesen)* person, individual; *d.* ~*en* people; *(~heit)* mankind; *nur e.* ~ *sein* to be only human; *nur e. halber* ~ *sein* not to be o.s.; *kein* ~ not a soul, nobody; *d.* ~*en kennen* to know human nature; *e. lieber* ~ a dear fellow; *e-e Menge* ~*en* a great many people; ~**naffe** anthropoid ape; ~**enähnlich** anthropoid; manlike; ~**enalter** generation, age; ~**enfeindlich** misanthropic; ~**enfresser** cannibal, man-eater; ~**enfreundlich** philanthropic; ~**engedenken:** *seit* ~*engedenken* from time immemorial, within the memory of man; ~**engeschlecht** mankind, the human race; ~**enkunde** anthropology; ~**enleer** deserted; ~**enmaterial** man-power; ~**enmenge** crowd of people; ~**enmöglich** humanly possible; ~**enraub** kidnapping; ~**enrechte** rights of man, human rights; ~**enreich** populous; ~**enscheu** unsociable, shy; ~**enschinder** extortioner; slave-driver; ~**enschlag** race of men; ~**enskind** oh boy! ~**ensohn** the Son of Man; ~**enverstand** human understanding; *gesunder* ~*enverstand* common sense; *praktischer* ~*enverstand (umg)* horse-sense; ~**enwürde** dignity of man; ~**enwürdig** worthy of human beings; ~**heit** human race, mankind; ~**lich** human; *fig* humane; ~*liche Behandlung* humane treatment; *nach* ~*lichen Begriffen* humanly speaking; ~**lichkeit** human nature; humanity; humaneness; ~**werdung** incarnation; *d.* ~*gewordene Gott* God incarnate

Menstru|ation menstruation; ~**ieren** to menstruate

Mensur students' duel

Mentalität mentality

Menü menu; set meal; table d'hôte

Menuett minuet

Mergel marl; ~**boden** marly soil; ~**grube** marl-pit; ~**n** to manure with marl

Meridian meridian

Meringe meringue

merk|bar, ~**lich** noticeable, perceptible, appreciable; ~**blatt** leaflet; (instructional) pamphlet; memorandum; ~**buch** notebook; ~**en** to notice, to perceive, to observe, to note; *(gewahr sein)* to be aware of; *(fühlen)* to feel; *(argwöhnen)* to suspect; *refl* to bear in mind; to remember; *s. nichts* ~*en lassen* to appear to know nothing; *s. etw* ~*en lassen* to betray; to let on s-th; ~*en lassen* to give to understand; ~**mal** characteristic; feature; *(Zeichen)* sign, mark; *(Eigenschaft)* attribute; ~**würdig** strange, curious; remarkable; striking; peculiar; ~**würdigerweise** strange to say; strangely

enough; ~**würdigkeit** strangeness; curiosity; peculiarity; ~**zeichen** characteristic; sign, **meschugge** loony, barmy, *US* buggy ⌊mark

Mesner sacristan, sexton

meß|bar measurable; ~**becher** graduated *(od* measuring) jug; ~**buch** missal; ~**diener** acolyte; ~**funkgerät** radar; ~**gewand** vestment; chasuble; ~**kelch** chalice; *chem* measuring cup; ~**opfer** (sacrifice of the) mass; ~**sucher** ▥ view-and-range finder; ~**tisch** surveyor's table; ⚡ test desk; ~**tischblatt** ordnance survey map; plane table map; ~**trupp** survey section; ⚐ testing crew

Messe *eccl* mass; *(Waren-)* fair; *mil* (officers') mess; ~ *besuchen* to attend (to visit, to see) the fair; ~ *lesen* to say mass; *gelesene* ~ low mass

messen to measure; *(Land)* to survey; *(loten)* to sound; *refl* to compete (with); to try one's strength (with); *s.* ~ *können mit* to measure up to; *s. nicht* ~ *können mit* to be no match for; *mit Blicken* ~ to eye, to take stock of

Messer knife; ⚔ scalpel ♦ *auf d.* ~*s Schneide* on (the) razor's edge, (it is) touch and go; *ans* ~ *liefern* to send to one's doom; ~**bänkchen** knife-rest; ~**griff** knife-handle; ~**rücken** back of a knife; ~**schärfer** knife-sharpener; ~**schleifer** knife-grinder; ~**schmied** cutler; ~**stich** stab (with a knife)

Messing brass; ~**beschlag** brass mounting; ~**en** brazen, (made of) brass; ~**schild** brass

Met mead ⌊plate

Metall metal; ~**arbeiter** metal worker; ~**baukasten** meccano; ~**en,** ~**isch** of metal, metallic; brazen; ~**geld** coin, specie, hard cash; ~**haltig** containing metal; ~**urgie** metallurgy; ~**waren** (metal) hardware

Meta|morphose metamorphosis; ~**pher** metaphor; ~**phorisch** metaphorical, figurative; ~**physik** metaphysics; ~**physisch** metaphysical

Meteor meteor; ~**ologe** meteorologist; *umg* weatherman; ~**ologie** meteorology; ~**ologisch** meteorological; ~**stein** meteoric stone

Meter metre; ~**maß** metre rule; tape measure; ~**ware** *(Textil)* yard goods

Method|e method; ⚙ technique; approach; ~**isch** methodical; *as regards the method used; aus* ~*ischen Gründen* for reasons of method

Methusalem Methuselah *(as old as M.)*

Metr|ik prosody; versification; metrics; ~**isch** metrical; ~**um** metre

Metropole metropolis

Mette matins

Metteur ⬓ maker-up

Mettwurst German sausage, *US* Bologna sausage, *sl* boloney

Metzel|ei massacre, slaughter; ~**n** to butcher, to massacre

Metzger butcher; ~**ei** butcher's (shop); ~**sgang** a fool's errand

Meuch|elmord assassination; ~**elmörder** assassin; ~**eln** to assassinate; ~**lerisch** treacherous, murderous; ~**lings** treacherously

Meute pack of hounds; ~**rei** mutiny; ~**rer** mutineer; ~**risch** mutinous; ~**rn** to mutiny
miauen to mew, to caterwaul
mich me
Michaelistag Michaelmas
Mieder bodice; corset; ~**waren** corsetry
Miene air; countenance, face; *(~nspiel)* mien; *keine ~ verziehen* not to bat an eye ♦ *gute ~ zum bösen Spiel machen* to make the best of a bad job, to grin and bear it; ~**nspiel** changing expressions (of the face)
mies bad, miserable; ~**macher** alarmist, defeatist; ~**muschel** mussel
Miet|e ⏚ stack, rick; *(Garben-)* shock; *(Kartoffel-)* potato clamp; *(Entgelt)* rent; hire; *(~verhältnis)* lease; *zur ~ e wohnen* to be a tenant, to live in lodgings; ~**en** *(Wohnung)* to rent; *(Sachen)* to hire; ⏚ to charter; *(Grund)* to (take on) lease; ~**er** tenant; *(Untermieter)* lodger; *(Grund)* leaseholder; ⏚ lessee; ~**erschaft** tenantry; ~**erschutzgesetz** law for the protection of tenants; ~**frei** rent-free; ~**ling** mercenary, hireling; ~**preis** rent; ~**sauto** taxi(-cab); hired car; ~**shaus** *BE* block of flats, *US* apartment house; tenement house; ~**skaserne** tenement house, *umg* rookery, barracks; ~**vertrag** contract of tenancy, tenancy agreement; ~**zins** rent; ~**zuschlag** rent allowance; ~**zuschuß** rent subsidy
Miezekatze pussy-cat
Migräne sick headache; migraine
Mikado *(Spiel)* jack-straws; ~**stäbchen** jack-straw
Mikro|be microbe; ~**dokumentation** microphotography; ~**phon** microphone; ~**photographie** photomicrography; ~**skop** microscope; ~**skopieren** to examine with the microscope; ~**skopisch** microscopic(al); *~skopisches Lebewesen* animalcule
Milbe mite
Milch milk; *(Fisch)* soft roe; *saure ~* curdled milk; *wie ~ u. Blut* like milk and roses; ~**bart** downy beard; stripling; ~**bruder** foster-brother; ~**drüse** lacteal gland; ~**en** to give milk; ~**erzeugnisse** dairy produce; ~**geschäft** dairy; ~**gesicht** baby face; ~**glas** milk glass; ~**ig** milky; ~**kuh** milch-cow; ~**ner** milter; ~**pantscher** adulterator of milk; ~**säure** lactic acid; ~**straße** Milky Way, Galaxy; ~**vieh** dairy cattle; ~**wirtschaft** dairy farm; ~**zahn** milk-tooth; ~**zucker** milk sugar, lactose
mild mild; *(gütig)* kind, gentle, tender; *(Klima)* bland; *(wohltätig)* charitable; generous; *(weich)* mellow; *(leicht)* light; ~**e** mildness; kindness; ~**ern** to assuage, to mitigate, to alleviate; to soften; ~**ernd** § mitigant, lenitive; *~ernde Umstände* extenuating circumstances; ~**herzigkeit** benevolence; ~**tätig** benevolent
Milieu background, surroundings, environment; local colour
Militär military, soldiery, army; *(Person)* military man, soldier; ~**arzt** army surgeon; ~**dienst** military service; ~**dienstpflicht** compulsory military service; ~**gericht** military court;

~**isch** military; ~**musik** military music; *(Kapelle)* military band; ~**regierung** military government
Militar|ismus militarism; ~**ist** militarist
Miliz militia; ~**soldat** militiaman
Milli|arde *BE* a thousand millions, milliard; *US* a thousand millions, billion; ~**on** *BE, US* million; ~**onär** millionaire
Milz spleen, milt; ~**brand** anthrax; ~**krank** splenetic
Mim|e actor; *(Rolle)* mime, mimic; ~**en** to mime, to act; *fig* to pretend, to feign; ~**ik** miming; mimic art; ~**ikry** mimicry; mimesis; protective colouring; ~**isch** mimic
Mimose mimosa
Minarett minaret
minder less, lesser; *(geringer)* inferior; minor; ~**bemittelt** of moderate means; in straitened circumstances; ~**belasteter** lesser offender; probationer; ~**betrag** deficit, deficiency; ~**einnahme** shortfall in receipts; ~**heit** minority; minority nation; *in d. ~heit sein* to be in the minority; ~**jährig** under age, minor, not of age; ~**jährigkeit** minority; ~**n** to diminish, to lessen; *(herabsetzen)* to abate, to reduce; ~**ung** diminution, decrease; reduction, abatement; ~**wertig** inferior; *(Waren)* sub-standard; lower-grade; ~**wertigkeitsgefühl** inferiority complex; ~**zahl** minority
mindest least; *(klein)* smallest; *(niedrig)* lowest; minimum; *nicht im ~en* not in the least, not at all, by no means; ~**ens** at least; ~**lohn** minimum wage; ~**maß** minimum; ~**verdienst** minimum pay
Mine *(Bleistift)* lead; refill (lead); *mil* mine; *auf e-e ~ laufen* to hit a mine ♦ *alle ~n springen lassen* to use all one's skill; ~**nfeld** mine-field; ~**ngang** gallery, tunnel; ~**nleger** mine-layer; ~**nräumboot** mine-sweeper; ~**nsperre** mine barrier; ~**nsuchgerät** land mine detector; ~**nwerfer** trench mortar
Mineral mineral; ~**isch** mineral; ~**oge** mineralogist; ~**ogisch** mineralogical; ~**öl** mineral oil; petroleum; ~**quelle** mineral spring; ~**vorkommen** mineral deposit; ~**wasser** mineral water, soda water, minerals
Miniatur miniature
minieren to (under)mine; to sap
minimal lowest; smallest; least; minimum; very small; negligible; infinitesimal; ~**lohn** minimum wage(s); ~**satz** minimum *(od* lowest) rate; ~**thermometer** minimum thermometer; ~**wert** minimum value
Minister minister; *BE* Secretary of State; *US* Secretary; *~ d. Äußeren (BE)* Secretary of State for Foreign Affairs, the Foreign Secretary; *US* State Secretary, Secretary of State; *~ d. Inneren (BE)* the Secretary of State for Home Affairs, Home Secretary, *US* Secretary of the Interior; ~**ialdirektor** head of a ministerial department; ~**ialdirigent** head of a section of a ministerial department; ~**ialerlaß** ministerial order; ~**ialrat** Ministerial Councillor; ~**iell** ministerial; ~**ium** ministry, *BE* Office,

US Department; ~*ium d. Äußeren (BE)* Foreign Office, *US* State Department; ~*ium d. Inneren (BE)* Home Office, *US* Department of the Interior; ~**präsident** Minister President; *BE* Prime Minister; ~**rat** Cabinet, council of ministers

Ministr|ant server; ~**ieren** to serve (at the altar)

Minn|e love; ~**en** to love; ~**esang** old love song, lyric poem; ~**esänger** minnesinger, minstrel; ~**iglich** lovely, charming

minorenn under age, minor; ~**ität** minority

minus *adv* minus, less; *su* deficit; shortage; shortfall; ~**kel** minuscule

Minu|te minute; *in d.* ~*te* per minute; ~**tenlang** for (several) minutes; ~**tenzeiger** minute hand

Minze mint |~**ziös** minute

mir me, to me; myself ♦ ~ *nichts, dir nichts* unceremoniously, without any more ado; *wie du* ~*, so ich dir* tit for tat

Mirabelle (small) yellow plum

Mirakel miracle

Misch|ehe mixed marriage; intermarriage; ~**en** to mix, to mingle; *(Kaffee, Tabak)* to blend; *(Metall)* to alloy; *(Karten)* to shuffle; *refl* to mix (*unter* with); *(teilnehmen)* to join (in); *(einmischen)* to interfere (with), to meddle (with); ~**gericht** hotchpotch; ~**ling** hybrid, mongrel, cross(-breed); *(Mensch)* half-caste; ~**masch** hotchpotch, medley; ~**rasse** mongrel race; cross-breed; ~**sprache** hybrid (language); ~**ung** mixture; *(Tabak, Tee etc)* blend; *(Verbindung)* composition, compound, combination; ~**ungsverhältnis** ratio of components; ~**wald** mixed forest

miserabel miserable, wretched

Mispel medlar

miß|achten to despise; to disregard, to neglect; ~**achtung** disdain; disregard, neglect; ~**behagen** *su* discomfort; dislike; *vb* to displease; ~**bilden** to mis-shape; ~**bildung** malformation; deformity; disfigurement; ~**billigen** to disapprove (of); ~**billigung** disapproval; ~**brauch** misuse; abuse; ~**brauchen** to misuse; to abuse; *(ausnützen)* to take advantage of; *(mißhandeln)* to outrage; *(Vertrauen)* to betray; *(Namen Gottes)* to say in vain; ~**bräuchlich** abusive; improper; wrong; ~**deuten** to misinterpret; ~**deutung** misinterpretation

missen to miss; *(entbehren)* to do without, to dispense (with)

Miß|erfolg failure; fiasco; ~**ernte** bad harvest, crop failure

Misse|tat misdeed; *(Verbrechen)* crime; ~**täter** evil-doer; *(Verbrecher)* criminal

miß|fallen to displease; *su* displeasure, dislike; dissatisfaction; ~**fällig** displeasing; unfavourable; disparaging; ~**geburt** monster, freak of nature, deformity; *(Fehlgeburt)* miscarriage, abortion; ~**gelaunt** bad-tempered, sulky; ~**geschick** bad luck, misfortune; adversity; ~**gestalt** deformity, monster; ~**gestaltet** deformed, mis-shapen; ~**gestimmt** bad-tempered; ~**glücken** to fail; ~**gönnen** to (be)

grudge; to envy; ~**griff** mistake, blunder; ~**gunst** envy; ill will; jealousy; ~**handeln** to maltreat, to ill-treat; to abuse; ~**handlung** ill treatment, cruelty; ~**heirat** misalliance; ~**hellig** dissentient, -discordant; ~**helligkeit** dissonance; dissension, disagreement; unpleasant consequence

Mission mission; *Innere* ~ home mission; ~**ar** missionary

Miß|jahr bad year; bad harvest; ~**klang** dissonance, discord; ~**kredit** discredit; *in* ~*kredit bringen* to bring into disrepute; ~**leiten** to mislead; ~**lich** awkward; unpleasant; *(unsicher)* critical, precarious; *(unglücklich)* unfortunate; ~**liebig** unpopular; *s.* ~ *liebig machen bei* to incur the displeasure of; ~**lingen** to fail; *su* failure; ~**mut** ill humour; ~**mutig** bad-tempered, sulky, cross; ~**raten** to fail, to turn out badly; *(Kind)* naughty, ill-bred; ~**stand** inconvenience, nuisance; *grievance*; ~**stimmen** to upset, to depress; ~**stimmung** ill humour, depression; ~**ton** dissonance, discord; ~**tönend** discordant, out of tune; ~**trauen** to distrust, to mistrust; *su* distrust, mistrust; ~**trauensvotum** vote of censure (*od* no-confidence); ~**trauisch** suspicious; distrustful; askance; *j-n* ~*trauisch ansehen* to look askance at s-b; ~**vergnügen** displeasure; discontent; ~**vergnügt** displeased; discontented, malcontent; ~**verhältnis** disproportion; incongruity; ~**verständlich** misleading; ~**verständnis** misunderstanding; misconception; dissension; ~**verstehen** to misunderstand, to get s-th wrong; to mistake; ~**wirtschaft** maladministration, mismanagement

Mist dung, manure; *(Schmutz)* dirt; *fig umg* trash, rubbish, junk, *US* baloney; ~**beet** hotbed; ~**beetfenster** garden-frame; ~**en** to manure, to dung; to clean; ~**fuhre** load of manure; ~**gabel** dung-fork; ~**haufen** manure heap, dung-hill; ~**ig** *sl* lousy; ~**käfer** dung-beetle

Mistel mistletoe

mit with, along with; by, at; at the same time; also, likewise; ~ *Tinte* in ink; ~ *d. Post* by post; ~ *e-m Wort* in a word; ~ *e-m Schlag* at a blow; ~ *e-m Mal* all at once, all of a sudden; ~ *Muße* at leisure; ~ *10 Jahren* at the age of ten; ~ *d. Zeit* gradually, in time; ~ *dabeisein* to be one of the party, to be there (too); ~ *d. heutigen Tage* from this day on (*od* forth); ~ *d. Auto* by car; *komm* ~*!* come along!; ~**angeklagter** co-defendant; ~**arbeiten** to collaborate; to co-operate with; to assist; to work together; to contribute (*bei* to); ~**arbeiter** collaborator; colleague; member of the staff; *(Zeitung)* contributor, correspondent; ~**besitzer** joint proprietor; ~**bestimmung** co-determination; co-management; ~**bestimmungsrecht** right of co-determination; joint labour-management control of industry ~**bewerber** competitor; ~**bewohner** fellow lodger; coinhabitant; ~**bringsel** present; souvenir; ~**bürger** fellow citizen; ~**einander** with one another, together, jointly; amongst; between; *gut ~einander auskommen* to get along well; **~empfinden** to sympathize with, to feel for; *su* sympathy, fellow-feeling; **~erbe** co-heir; **~essen** to eat (*od* dine) with; **~esser** § blackhead; **~fahren** to ride with; (*per Anhalter*) to hitchhike; *~fahren lassen* to give s-b a lift; **~geben** to give, to give along with, to give as dowry; **~gefühl** sympathy, fellow-feeling; **~gehen** to go (along) with: to accompany ♦ *~ gehen lassen* to walk off with, to pinch; **~gift** dowry, dot, marriage-portion; **~giftjäger** fortune-hunter; **~glied** member; **~gliedsbeitrag** membership fee, subscription; **~gliedschaft** membership; **~gliedsstaat** member state (*od* country, nation); **~haftung** joint liability; **~halten** *vt* to share; *vi* to take part (in); to be there; **~hilfe** assistance, co-operation; **~hin** consequently, therefore; **~kämpfer** fellow combatant; fellow soldier; **~kommen** to come along with, to accompany; *fig* to be able to follow, to keep up with; **~kriegen** *fig* to catch; **~läufer** (*Partei*) nominal member, follower; (*Sympathisierender*) fellow traveller; (*Opportunist*) time-server, trimmer; **~laut** consonant; **~leid** sympathy; pity; (*Gnade*) mercy; **~leidenschaft:** *in ~leidenschaft ziehen* to affect, to involve; **~leidig** pitiful, compassionate; **~leidslos** pitiless, ruthless; **~machen** to take part in, to join in; to keep up (with), to keep pace (with); (*Mode*) to follow; (*leiden*) to go through; **~mensch** fellow creature; **~nehmen** to take with one, to take along with; (*Auto*) to give s-b a lift; (*beanspruchen*) to exhaust, to wear out; *fig* to profit (by); **~nichten** by no means; **~reißen** to tear (*od* to drag) along; *fig* to carry (with), to sweep along; **~samt** together with; **~schuldig** partly responsible; implicated (in); **~schuldiger** accomplice, accessory; **~schuldner** joint debtor; **~schüler** fellow pupil, schoolfellow; **~spielen** to join in with; ♪ to accompany; *fig* to play a part; to take part; *j-m übel ~ spielen* to play s-b a nasty trick; **~spieler** participant; **~sprechen** to join in with; to come into consideration

Mittag midday, noon; (*Süden*) south; (*Mahlzeit*) lunch, dinner; *zu ~ essen* to lunch, to dine; **~essen** lunch, dinner; **ᵘig, ᵘlich** noonday, midday; meridional, southern; **~s** at noon; at lunch-time; **~spause** lunch hour; **~stisch** table; lunch, dinner

Mit|te middle, midst; (*Punkt*) centre; *math* mean, medium; *~ te Vierzig* in the middle forties; *d. goldene ~ te* the golden mean, the middle course; *in d. ~ te nehmen* to take between; *in d. ~ te* in the middle, amidst; **~teilen** to inform (of), to impart, to pass on, to tell, to break; (*amtlich*) to communicate, to notify; *refl* to unbosom oneself; **~teilsam** communicative; **~teilung** information, communication; bulletin; notice; notification; intelligence, news

Mittel means, expedient, way; (*Heilmittel*) remedy, medicine; (*Durchschnitt*) average; *math* mean; *phys* medium; (*Geld*) means,

funds, money; *~ u. Wege* ways and means, some way (of doing); *s. ins ~ legen* to mediate, to intervene; *ihre eigenen ~* their own resources; *~ zum Leben* means of life; *~ zum Zweck* means to an end; *bloßes ~ zum Zweck* stepping-stone; *andere ~ anwenden* to change one's tactics, to adopt a new policy; *adj* middle, medium; middle-sized, middling; average; (*in Zssg*) mid-, middle, median; **~alter** Middle Ages; **~alterlich** medieval; **~bar** indirect, mediate; **~betrieb** medium-sized enterprise; **~ding** intermediate thing, s-th between... and...; **~ernte** average crop; **~finger** middle finger; **~fristig** medium-term; **~gewicht** medium weight; **~groß** of medium height; medium-sized; **~hochdeutsch** Middle High German; **~ländisch** Mediterranean; **~läufer** 🏈 centre half back; **~los** without means, destitute; poor; *~los dastehen* to be stranded; **~mächte** the Central (European) Powers; **~mäßig** mediocre, middling; of medium quality; fair; average; **~mäßigkeit** mediocrity; **~meer** Mediterranean; **~ohrentzündung** otitis media; **~parteien** centre (*od* moderate) parties; **~punkt** centre; *in d. ~punkt stellen* to centre; **~s** by means of; through; by; **~schule** central school; (*Deutschland*) lower-grade secondary school; **~smann** mediator, go-between; middleman; intermediary; 🏈 umpire; **~stand** middle classes; small-sized industry and craftsmen; **~ständisch** middle-class; small and medium-sized; **~stürmer** centre forward; **~weg** middle course; compromise, mean; *d. ~weg finden* to strike a balance (between); **~welle** 📻 medium wave; **~wert** mean value, average

mitten midway, in the middle of, amidst; in the centre of; *~ in, auf, unter* in the midst (*od* middle) of; *~ am Tage* in broad daylight; **~drin** right in the middle (of); **~durch** right through, right across, through the middle

Mitternacht midnight; (*Richtung*) north; *um ~* at midnight; **ᵘig, ᵘlich** midnight; northern

mittler middle, central; (*mittelmäßig*) mediocre, middling; (*durchschnittlich*) average, medium; *math* middle, mean; *su* mediator, intercessor; third party; *~en Alters* middle-aged; *~e Abweichung* standard deviation; *~e Qualität* middling (fair, average) quality; **~weile** meanwhile, (in the) meantime

mittschiffs amidships

Mittwoch Wednesday

mit|unter sometimes, now and then; **~verdienen:** *~verdienende Ehefrau* wife earning a wage (*od* salary); **~welt** the present generation; our age; our contemporaries; **~wirken** to take part (in); to co-operate; **~wirkende** ♪ players; 🎭, 🎭 actors, the cast; **~wirkung** co-operation, assistance; **~wissen** (joint) knowledge; **~wisser** one on the secret, confidant; accessory; **~wisserschaft** complicity; collusion

Mixtur mixture

Möbel piece of furniture; furniture; **~händler** furniture dealer; **~kattun** chintz; **~spediteur**

removal contractor, furniture remover; ~**speicher** furniture repository; ~**tischler** cabinet-maker, joiner; ~**wagen** removal (*od* furniture) van, *BE* pantechnicon

mobil mobile; active, nimble; ~**iar** furniture; movables; ~**ien** movables; ~**isation, ~machung** mobilization; ~**isieren** to mobilize; *fig* to marshal

möblier|en to furnish; ~ *tes Zimmer* furnished room

Modalität method; procedure; proviso

Mode fashion, mode, vogue; *(Brauch)* use, custom; *in* ~ in fashion, in vogue; *aus d.* ~ *kommen* to grow out of fashion; *nach d.* ~ fashionably; ~ *werden* to come into fashion; *d.* ~ *bestimmen* to set the fashion; ~**artikel**, ~**waren** fancy goods, novelties; ~**dame** lady of fashion; ~**nschau** fashion show (*od* parade); ~**salon** fashion house; ~**schöpfer** dress designer; couturier; ~**schriftsteller** popular writer; ~**schmuck** costume jewellery; ~**welt** fashionable world; ~**wort** vogue-word; ~**zeichnung** fashion plate; ~**zeitung** fashion magazine

Modell *(Person)* model; *(Muster)* pattern, design; type; *(Form)* mould; ~ *stehen* to pose for an artist; ~**ieren** to model, to mould, to fashion; ~**kleid** model (dress)

modeln to mould, to form; to modulate

Moder mould; decay; ~**geruch** musty smell; ~**ig** mouldy, musty; ~**n** to moulder; to rot, to decay

modern modern, fashionable; up-to-date, alamode; ~**isieren** to modernize, to bring up to date, to streamline

mod|ifizieren to modify, to alter; ~**isch** fashionable, stylish, alamode; ~**istin** milliner; to modulate; ~**us** mode, method; *gram* mood

Mogel|ei cheating; ~**n** to cheat

mögen to like, to be fond of; *(wünschen)* to want, to wish, to be inclined; *(Erlaubnis)* to be allowed; may, might; *ich möchte* I should like to; *lieber* ~ to prefer, to like better; *ich möchte lieber* I would rather; *d. mag sein* that may be so; *was ich auch tun mag* no matter what I do; *d. mag ich nicht* I don't like that; *ich möchte nicht* I don't want to; *ich möchte wissen* I should like to know; *wie dem auch sein mag* be that as it may; *sie mochte 10 Jahre alt sein* she looked about ten years old

möglich possible; *(durchführbar)* practicable, feasible; *(wahrscheinlich)* likely; *alles* ~*e* all sorts of things, everything one can think of; everything possible; *es ist ihr nicht* ~ she can't possibly (do that); *nicht* ~*!* it can't be!; not really!; *sein* ~**stes** *tun* to do one's utmost; ~**st** *schnell* as quickly as possible; ~**enfalls**, ~**erweise** possibly, if possible; perhaps; ~**keit** possibility, chance; *(Durchführbarkeit)* practicability, feasibility; *(Kraft)* potentiality

Mohn poppy; ~**samen** poppy-seed

Mohr moor, darky, blackamoor; *fem* negress; ~**enwäsche** *fig* attempting the impossible; ~**rübe** carrot

Moir|é moiré; ~**ieren** to moiré, to water

mok|ant mocking; ~**ieren** *refl* to mock, to sneer at

Mokka Mocha (coffee); ~**tasse** demitasse

Molch newt, salamander

Mole mole, pier, jetty; ~**nkopf** pier head

Molekül molecule

Molke whey; ~**rei** dairy; ~**reiprodukte** dairy products

Moll ♪ minor (key); ~**ig** cosy, snug; cuddly; *(weich)* soft; *(rundlich)* rounded; ~**uske** mollusc, *US* mollusk

Moloch juggernaut; *fig* maelstrom

Moment moment, instant; ☿ momentum; *(Antrieb)* impulse, impetus; *(Anlaß)* motive; *(Merkmal)* feature, main point; *(Faktor)* fact, factor; ~**an** momentary, temporary; *adv* just now; ~**aufnahme** instantaneous photograph, snapshot

Monarch monarch; ~**ie** monarchy; ~**isch** monarchical; ~**ist** monarchist

Monat month; ~**elang** for months; of months' duration; ~**lich** monthly; ~**sabschluß** monthly balance; ~**sausweis** monthly return; ~**sfluß** menstruation, period; menses; ~**skarte** monthly season-ticket; ~**sschrift** monthly magazine; monthly (publication); ~**swechsel** monthly allowance

Mönch monk, friar; ~**isch** monastic, monkish; ~**sleben** monastic life; ~**stum** monasticism; ~**zelle** friar's cell

Mond moon (*zunehmender* ~ increasing m.; *abnehmender* ~ waning m.); *astr* satellite; *poet* month ♦ *hinter d.* ~ *wohnen* to be behind the times; *auf d.* ~ *leben* to live in a dream-world; ~**finsternis** eclipse of the moon; ~**gebirge** mountains of the moon; ~**hell** moonlit; ~**hof** halo round the moon; lunar aurora; ~**kalb** moon-calf; *fig* ugly (*od* stupid) person; ~**scheibe** disk of the moon; ~**schein** moonlight; ~**sichel** crescent (moon); ~**stein** moonstone; ~**süchtig** somnambulistic

Moneten money, *umg* tin, *sl* brass, *US sl* dough

monieren to censure, to criticize; to give a reminder (*od* warning)

Mono|gamie monogamy; ~**gramm** monogram; ~**kel** monocle; ~**log** monologue, soliloquy; ~**pol** monopoly; ~**polisieren** to monopolize; ~**theismus** monotheism; ~**ton** monotonous; ~**tonie** monotony

Monstranz monstrance

monstr|ös monstrous; ~**um** monster; freak

Monsun monsoon

Montag Monday

Mont|age setting up, fitting; erection; assembly, assembling; ~**agehalle** erecting shop, assembling shop (*od* hall); ~**agezeichnung** assembly drawing; ~**eur** fitter; mechanic; assembly worker; ~**ieren** to erect; to set up; to assemble; to fit; ~**ierung** setting-up; mounting, erection; ~**ur** uniform

Montan|industrie coal, iron and steel industries; ~**union** the European Coal and Steel Community, Coal and Steel Pool

Monument monument; ~**al** monumental; ~**al-bau** monumental structure

Moor bog, swamp; ~**bad** mud-bath; ~**boden** marshy soil; ~**ig** marshy; boggy; ~**see** moor- and lake

Moos moss; ~**beere** cranberry; ~**ig** mossy

Mop mop; ~**pen** to mop

Moped moped

Mops pug; ~**en** to pinch; to fidget s-b; *refl* to be bored; to be vexed

Moral *(Lehre)* moral; *(Grundsätze)* morals; *(Zucht)* morale; *(Sittlichkeit)* morality; *u. d. ~ von d. Geschicht'* the moral of the fable is; ~**isch** moral; ~**isieren** to moralize; ~**ität** morality; ~**pauke**, ~**predigt** lecture, severe reprimand

Moräne moraine

Morast morass, marsh, slough, bog; ~**ig** marshy, boggy

morbid morbid

Morchel morel, edible fungus

Mord murder, homicide; *e-n ~ begehen to* commit a murder; *es gab ~ u. Totschlag* it ended in bloodshed, it came to blows; ~**anschlag** murderous attack; ~**brenner** incendiary; ~**en** to murder, to kill; to assassinate; *su* murder; massacre; ~**er** murderer; assassin; ~**ergrube**: *aus seinem Herzen keine ~̈ergrube machen* to be very outspoken; ~̈**erin** murderess; ~̈**erisch** murderous, bloody; ~̈**erlich** fearful, terrible; ~**gierig**, ~**lustig** bloodthirsty; ~**kommission** homicide squad; ~**sangst** blue funk; ~**shunger**: *~shunger haben* to be ravenously hungry; ~**skerl** strapping fellow; devil of a fellow; stunner; ~**smäßig** awful, terrific; ~**sspektakel** fearful, din, hullabaloo; ~**versuch** attempt to (commit) murder

Mores: *~ lehren* to teach (s-b) manners

Morgen morning; *(Tagesanbruch)* dawn, daybreak; *(Vormittag)* forenoon; *(Maß)* acre; *(Osten)* east; *(Zukunft)* morrow; *(des)* ~*s* in the morning; *früh ~s* early in the morning; *heute ~* this morning; *guten ~!* good morning!; *~ adv* tomorrow; *~ früh* tomorrow morning; *~ in 8 Tagen* tomorrow week, a week from tomorrow; ~**dlich** morning, matutinal; ~**gabe** bridegroom's gift to bride; ~**grauen** dawn (of day), break of day; ~**gruß** morning salute; ~**land** the East, the Orient; ~**ländisch** eastern, oriental; ~**luft** morning breeze ♦ *~luft wittern* to scent an advantage; ~**post** first mail; morning post; ~**rock** dressing-gown, housecoat, peignoir; ~**rot** dawn, red morning-sky; *poet* aurora; ~**stunde** morning hour ♦ *~stunde hat Gold im Munde* it's the early bird that catches the worm; ~**tau** morning dew

morgig of tomorrow, next (day)

Morphi|nist morphinist morphine addict; ~**um** morphia, morphine; ~**umspritze** morphia injection

morsch rotten, decayed; ramshackle; *~ es Eis* soft ice

Mörser mortar; *mil* mortar; heavy howitzer; ~**keule** pestle

morse|n to Morse; ~**schrift** Morse code; ~**zeichen** Morse signal

Mörtel mortar; *mit ~ bewerfen* to plaster, to rough-cast; ~**n** to (join with) mortar

Mosaik mosaic; ~**fußboden** mosaic floor

Moschee mosque

Moschus musk; ~**tier** musk-deer

Moskito (tropical) mosquito

Most must, new wine; *(Apfel)* cider; ~**rich** mustard

Motel motel, *BE a.* motor inn

Motiv *(Beweggrund)* motive; *(Kunst)* motif, theme; ~**ieren** to motivate

Motor ⚡ motor; *(Verbrennungs-)* engine; *mit laufendem ~* engine on; *mit abgestelltem ~* engine off; ~**boot** motor boat; ~**endrehzahl** engine speed; ~**gondel** ✈ engine nacelle; ~**haube** *BE* bonnet, *US* hood; ✈ cowl(ing); ~**isieren** to motorize; *mil* to mechanize; ~**jacht** motor yacht; ~**rad** motor-cycle, *umg* motorbike; ~**roller** (motor) scooter; ~**schaden** engine trouble, engine failure, engine defect; ~**schlepper** traction engine; ~**störung** engine trouble; ~**wagen** motor car, trolley car

Motte moth; flighty girl; ~**nfraß** damage done by moths; ~**nmittel** mothproofer; ~**npulver** moth-powder, insecticide; ~**nzerfressen** moth-eaten

moussieren to effervesce, to sparkle

Möwe sea-gull, mew

Mucke whim, caprice; mood

Mücke midge, gnat; *(Stechmücke)* mosquito ♦ *aus e-r ~ e-n Elefanten machen* to make a mountain out of a molehill; ~**nstich** midge-bite, gnat-bite

muck|en to stir (faintly); *fig* to be up in arms; ~**er** hypocrite, bigot; ~**ertum** bigotry, cant; ~**s:** *k-n (nicht) ~s sagen* not to say a word; ~**sen** to stir (faintly)

müd|e tired, weary; *(erschöpft)* exhausted, worn-out; *~e werden* to tire, to get tired; ~**igkeit** tiredness, weariness, fatigue

Muff muff; *(Geruch)* musty (*od* mouldy) smell; ~**e** ⚙ sleeve, socket; coupling (-box); ~**el** ⚙ muffle; *fig* snout; ~**elofen** muffle furnace; ~**ig** musty, fusty, mouldy; ~**lig** sulky, cross

Mühl|e trouble, pains; *(Anstrengung)* toil, labour, effort; *(Verdruß)* bother; *s. ~e geben* to take pains; *~e machen* to give trouble; *nicht d. ~e wert* not worth while (*od* the trouble); *s. d. ~ machen* to take the trouble to; *der ~ wert* worth the trouble; *mit ~ u. Not* barely, with difficulty, only just; *keine ~e scheuen* to grudge no pains; ~**elos** easy, effortless; ~**en** *refl* to take pains (*od* trouble); ~**evoll** laborious, difficult, irksome; ~**sal** trouble, toil; *(Not)* distress; *(Ungemach)* hardship; ~**sam**, ~**selig** troublesome, difficult, intricate; *(schwer)* hard

muhen to low

Mühl|e mill; windmill; *(altes Auto) umg* bus, *(Rad)* machine ♦ *d. ist Wasser auf seine ~e* that's grist to his mill; ~**enflügel** sail of a windmill; ~**rad** millwheel; ~**stein** millstone

Muhme aunt; female relative
Mulatt|e, in mulatto
Mulde tray, trough; *(im Gelände)* valley, hollow, depression
Mull mull, (fine) muslin; **~binde** (gauze) bandage
Müll dust, rubbish, garbage, refuse; **~abfuhr** *BE* refuse collection *US* garbage dispolsal; = **~ wagen**; **~eimer** *BE* waste bin, *US* trash bin; **~grube** ash-pit; **~haufen** rubbish-heap; dump; **~kutscher** *BE* dustman, *US* ash-man; **~tonne** *BE* dustbin, *US* garbage can; **~wagen** *BE* dustcart, garbage truck
Müller miller; **~in** miller's wife
mulmig rotten *(a. fig)*, worm-eaten; *fig* precarious
Multipli|kation multiplication; **~kator** multiplier; **~zieren** to multiply
Mumi|e mummy; **~fizieren** to mummify
Mumm gut, spunk; *er hat keinen ~ in d. Knochen* he has no guts, he wouldn't say boo to a goose; **~elgreis** geezer, old fogey
Mummenschanz masquerade
Mumpitz bosh, staff, fiddlesticks, bunk
Mund mouth; *d. ~ halten* to hold one's tongue, *umg* to shut up; *reinen ~ halten* to keep s-th a secret ♦ *d. ~ vollnehmen* to talk big, to brag; *s. d. ~ verbrennen* to put one's foot in it; *nicht auf d. ~ gefallen sein* to have a ready tongue; *kein Blatt vor d. ~ nehmen* not to mince (any) words; *über d. ~ fahren* to cut short; *j-m d. ~ wässerig machen* to make s-b's mouth water; *nach d. ~e reden* to flatter; **~art** dialect; **~artlich** dialectical, provincial; **~en to** taste good, to be appetizing; **~faul** too lazy to talk; taciturn; tongue-tied; **~fäule** thrush, stomatitis; **~gerecht** easy, palatable; **~geruch** bad breath; **~harmonika** mouth-organ; **~höhle** oral cavity; **~raub** theft of comestibles; **~schenk** cup-bearer; **~sperre** lockjaw; **~stück** mouthpiece; *(Zigarette)* tip; *mit ~stück* corktipped; **~tot:** *~tot machen* to (reduce to) silence, to gag; **~voll** mouthful; **~vorrat** victuals, provisions; **~wasser** mouth-wash, gargle; **~werk** glib tongue, the gift of the gab; *e. loses ~werk haben* to have a sharp tongue; **~winkel** corner of the mouth
Münd|el ward; minor; **~elgelder** trust moneys; **~elsicher** gilt-edged; absolutely safe; **~en to** flow (into), to run (into); **~ig** of age; *~ig werden* to come of age; *~ig sein* to be of age; **~igkeit** majority, full age; **~lich** verbal; *(Examen)* oral; *adv* by word of mouth; **~ung** mouth; *(Meeresbucht)* estuary; *(Gewehr)* muzzle
Munition ammunition; **~slager** ammunition dump; **~swagen** ammunition car(rier)
munkeln to whisper
Münster minster, cathedral
munter alive, lively, gay, blithe; *(wach)* wide awake; **~keit** liveliness, gaiety
Münz|e coin; *(Denk-)* medal; *(Stätte)* mint; *umg* bit ♦ *für bare ~e nehmen* to take words at their face value, to believe implicitly; *mit*

gleicher ~e heimzahlen to pay s-b (back) in his own coin; **~einheit** monetary unit; standard of currency; **~en** to coin, to mint coin; *gemünzt sein auf* to be meant for, to be aimed at; **~fälscher** coiner, forger; **~fälschung** forging of coin; **~fernsprecher** coin-box telephone, pay phone, **~fuß** standard (of coinage); **~kunde** numismatics; **~stempel** die; **~vergehen** offence against the coinage
mürbe *(Teig)* short, crips; *(brüchig)* brittle; *(zart)* tender, soft; *(reif)* mellow; *fig* worn-down, unnerved; down and out; *~ machen* to break s-b's spirit; *~ werden* to soften up; *~ werden* to give in; **~kuchen** shortcake; **~teig** shortbread, (short) pastry
Mure landslip
Murmel (toy) marble; **~n** to mumble, to murmur; *su* murmur; **~tier** marmot, *(Wald-)* woodchuck ♦ *wie e. ~ tier schlafen* to sleep like a top *(od* dormouse)
murren to murmur, to grumble
mürrisch gloomy; sullen, surly, morose
Mus purée; *(Obst)* stewed fruit, jam
Muschel *zool* mussel, scallop; *(Schale)* shell; conch; ♥ ear-piece; *(Ohr)* auricle, external ear; **~kalk** shell lime (-stone)
Muse muse; **~nsohn** *poet* university student; **~um** museum
Musik music; *(Kapelle)* band; **~alienhandlung** music shop; **~alisch** musical; *~alisch sein* to be musical, to have a gift for music; **~alität** musicality; **~ant** musician; fiddler, piper; **~antenknochen** funny-bone, *US* crazy bone; **~automat** juke-box, **~er** musician; *(einer Kapelle)* bandsman; **~hochschule** academy of music, conservatory; **~korps** band; **~lehrer** music-master; **~pavillon** bandstand; **~truhe** *BE* radiogram, *US* radiophonograph; **~verleger** music publisher
musizier|en to play; to have music; to make music; *es wurde ~t* there was some music
Muskat *(~blüte)* mace; *(~nuß)* nutmeg; **~eller** muscatel (wine)
Muskel muscle; **~band** ligament; **~faser** muscular fibre; **~fleisch** brawn; **~kater** stiffness and soreness, *US umg* charley horse; **~kraft** muscular strength; **~krampf** crick; **~zerrung** sprained muscle
Musket|e musket; **~ier** musketeer
Muskul|atur muscular system; **~ös** muscular; beefy, brawny; *(sehnig)* sinewy
Muße leisure; *(Freizeit)* spare time; *mit ~* at one's leisure, in a leisurely way; **~stunde** leisure-hour; *in ~stunden* during one's spare hours
Musselin muslin
müssen must; to have (to do), to be obliged (to do); *(gezwungen)* to be forced *(od* compelled, constrained) (to do); to be bound (to do); *ich muß* I must; *sie muß fort sein* I suppose she is gone; *ich muß lachen, wenn I* cannot help laughing when; *d. muß erst noch kommen* that is yet to come; *Sie ~ es nicht tun* you need not *(od* you don't have to, there is no

need for you to) do it; *es mußte s. gerade so fügen, daß* ... chance would have it that ...; *d. Krieg mußte kommen* the war was bound to come; *du hättest pünktlicher sein ~* you ought to have been more punctual; *es muß einfach* ... it cannot but ...

müßig idle, unemployed; **~gang** idleness, laziness; **~gänger** idler, loafer

Muster model, specimen; *(Vorbild)* example, paragon; *(Zeichnung)* design, pattern; *(Probe)* sample; specimen; *~ ohne Wert* sample; **~betrieb** model factory; ⊥ model farm; **~brief** specimen letter; **~entwerfer** commercial artist; **~gatte** model husband; **~gültig**, **~haft** model, exemplary, perfect; **~karte** pattern card, sample book; **~klammer** paper-fastener; **~knabe** prig, model boy; **~koffer** box of samples, sample-bag; **~n** *(prüfen)* to examine; *mil* to review, to inspect; *(Stoffe)* to figure, to pattern; *(Papier)* to emboss; *j-n von oben bis unten ~n* to look s-b up and down; *gemustert* figured, fancy; **~prozeß** ⚖ test case; **~schule** model school; **~schutz** protection of registered designs; **~schutzgesetz** Copyright in Designs Act; **~ung** examination; *mil* review, inspection; muster; pattern, design; **~zeichner** designer, draftsman

Mut courage; *(seelisch)* fortitude; *(Schneid)* pluck; *(Ausdauer)* endurance, *sl* guts; *(Stimmung)* mood, state of mind; *~ fassen* to summon up courage, to take heart; *~ machen* to encourage; *guten ~es sein* to be of good cheer; to be full of hope; *ihm sank d. ~* his heart failed him; *ªchen: sein ªchen kühlen* to vent one's anger (on); **~ig** brave, courageous; **~los** despondent, discouraged; **~losigkeit** despondency, discouragement; **~maßen** to suppose, to guess, to surmise, to conjecture; **~maßlich** conjectural, probable, presumable; **~maßung** surmise, conjecture; *(Verdacht)* suspicion; *d. sind alles nur ~maßungen* that is all guesswork; **~wille** wantonness, mischievousness; **~willig** mischievous, roguish; malevolent, wanton

Mutter mother; *(Tier)* dam; ⚙ nut, female screw; *d. ~ Gottes* Our Blessed Lady, the Virgin Mary; **~boden**, **~erde** native soil; *(Krume)* to soil; **~gesellschaft** parent company; **~korn** ergot; **~kuchen** placenta; **~land** mother country; **~leib** womb; *vom ~leibe an* from birth; **~mal** birth-mark, mole; **~mord** matricide; **~schaf** ewe; **~schaft** motherhood; maternity; **~schlüssel** wrench, spanner; **~schwein** sow; **~seelenallein** all alone; **~söhnchen** mother's pet, *umg* milk-sop; **~sprache** mother tongue; **~tag** Mother's Day; **~tier** dam; **~witz** mother-wit, common sense

Mütter|beratungsstelle maternity centre; baby clinic; **~chen** little mother; little old woman; **~heim** convalescent home for mothers; **~lich** motherly, maternal; **~licherseits** on one's mother's side; **~- und Säuglingsheim** maternity hospital

Mutung claim, demand

Mütze cap; **~nschirm** peak of a cap, shade of a cap

Myrrhe myrrh

Myrte myrtle; **~nkranz** myrtle-wreath

myst|erlös mysterious; **~erium** mystery; **~ifizieren** to mystify; **~ik** mysticism; **~iker** mystic; **~isch** mystic(al)

Myth|e myth, fable; **~isch** mythical; **~ologie** mythology; **~ologisch** mythological

N

N (the letter) N

na! well!; why!; come now!; *~nu!* well, I never! *~ warte!* just you wait!; *~ wenn schon!* so what!

Nabe nave, hub

Nabel navel, umbilicus; **~bruch** umbilical hernia; **~schnur** umbilical cord, navel-string

nach to, towards, for, at; *(Reihe, Zeit)* after, past, on, behind; *(gemäß)* according to, as regards, by, from; along; *d. Zug ~ London* the train for London; *e-r ~ d. andern* one by one, one after the other; *(e.) Viertel ~ 8* a quarter past eight; *~ Empfang* on receipt; *er kam ~ mir* he was behind me; *~ u. ~* gradually, bit by bit; *~ wie vor* still, as usual, as (much as) ever; *... ist ~ wie vor ...* continues to be, is still; *allem Anschein ~* to all appearances; *~ d. Natur malen* to paint from nature; *urteilen ~ to judge from, by; *d. Namen ~ kennen* to know by name; *~ meiner Uhr* by my watch; *meiner Meinung ~* in my opinion; *~ etw schmecken* to taste of s-th; *es sieht ~ Regen aus* it looks like rain; *~ Hause* home

nachäffen to ape, to mimic

nachahm|en to imitate, to copy; *j-n ~en* to take a leaf out of s-b's book; **~enswert** worthy of imitation, worth imitating; **~er** imitator; **~ung** imitation; *(Fälschung)* forgery; **~ungstrieb** imitative instinct

nacharten to resemble, to take after

Nachbar neighbour; **~haus** neighbouring house; *im ~haus* next door; **~lich** neighbourly; **~schaft** neighbourhood; vicinity

nach|bestellen to order some more; to place repeat orders; **~bestellung** repeat order; **~beten** *fig* to repeat mechanically; **~bilden** to copy; to imitate; to reproduce; **~bildung** copy, imitation; replica; **~bleiben** to remain behind, to be left; *(nachhinken)* to lag; *~bleiben müssen* to be kept in; **~blicken** to look *(od gaze)* after; **~datieren** to postdate

nachdem after; *adv* afterwards; *je ~* according as, it depends

nach|denken to reflect (on), to meditate (on), to think (over, about), to cogitate; *su* reflection, meditation; **~denklich** thoughful, pensive, meditative; **~dichtung** free version; paraphrase; imitation; **~drängen** to crowd after, to press after; **~dringen** to pursue (after)

Nachdruck stress, emphasis, force; ⊞ reprint(ing), reproduction; *(unerlaubt)* piracy,

plagiarism; pirated edition; *mit* ~ emphatically; ~ *verboten* all rights reserved; ~**en** to reprint; *(unerlaubt)* to pirate; ~**srecht** copyright; ~**svoll**, ⁓**lich** emphatic; strong; forcible
nach|dunkeln to deepen, to darken (subsequently); *(Färberei)* to sadden; ~**eifern** to emulate; to take a leaf out of s-b's book; ~**eiferung** emulation; ~**eilen** to hasten after; ~**einander** after each other, successively; *4 Tage ~ einander* on four days running; ~**empfinden** to sympathize with, to feel for
Nachen boat, skiff; *(flach)* skuller, punt
Nach|erbe next heir; ~**ernte** second crop; aftermath, gleaning; ~**erzählen** to repeat; to reproduce; ~**erzählung** reproduction; ~**fahre** descendant; ~**fahren** to drive after; to follow; ~**feier** later *(od* extra) celebration
Nachfolge succession; ~**n** to succeed, to follow; ~**nd** following, subsequent; *im ~nden* hereafter; ~**r** successor
Nach|forderung extra charge; additional claim; ~**forschen** to inquire into; to investigate; to search for; ~**forschung** investigation; inquiry; research; ~**frage** inquiry; *(Waren-)* demand; requirements; *d. Gesetz von Angebot u. ~ frage* the law of supply and demand; ~**fragen** to inquire (about, after), to ask after; to demand; ~**fühlen** to feel for, to sympathize with; ~**füllen** to fill up, to replenish; 🚗 to top up; to refuel; ~**geben** to give in, to yield; to give way; *(Kurse)* to decline, to slacken; *j-m nichts ~ geben* to be in no way inferior to s-b; ~**geboren** posthumous; ~**gebühr** ♂ excess postage, surcharge; ~**geburt** after-birth; ~**gehen** to follow; *(Sache)* to investigate, to inquire into; *(Spur)* to trace; *(Geschäften)* to pursue, to attend to; *(Uhr)* to lose, to be slow; ~**gerade** gradually; by this time, by now; after all; ~**geschmack** aftertaste; ~**gewiesenermaßen** as has been proved; ~**giebig** indulgent, easy-going, obliging, acquiescent; *(elastisch)* flexible, ductile; pliable; ~**giebigkeit** indulgence; tractability; softness; ~**grübeln** to ponder (over), to brood; ~**hall** echo; resonance; ~**hallen** to echo, to resound; ~**haltig** lasting; durable; *(wirksam)* effective; *(hartnäckig)* persistent; *(Interesse)* unremitting; ~**hängen** to give way to, to be addicted to; *Gedanken ~ hängen* to muse; ~**heizen** to put on coal; to make up the fire; ~**helfen** to assist; to lend s-b a (helping) hand; ~**her** afterwards; later; *bis ~ her!* so long!, see you later!; ~**herig** subsequent, later; ~**hilfe** help, aid; *(Schule)* coaching; ~**hilfestunde** private lesson; ~**hinken** to lag behind; ~**holbedarf** backlog demand; ~**holen** to make up for; to recover; *(Stunde)* to take later; ~**hut** rear-guard; ~**jagen** to pursue, to chase; ~**klang** echo; *fig* reminiscence; *(Wirkung)* after-affect; ~**komme** descendant, offspring; ~**kommen** to come later, to follow on; *(Schritt halten)* to keep up (with); *fig* to comply with, to fulfil; to meet; ~**kommenschaft** posterity, descendants, issue, progeny; ~**kömmling** descendant; ~**kriegs-** postwar . . .; ~**kur** after-treatment

Nachlaß estate, assets, inheritance; *(Strafe)* remission; *(Preis)* reduction; allowance; discount; ~**verwalter** executor
nachlass|en to leave; *(Preis)* to reduce; *(Strafe)* to remit; *(vermindern)* to diminish, to abate, to grow less; *(aufhören)* to stop, to cease; *(Metall)* to temper, to anneal; *(entspannen)* to slacken; *(in d. Arbeit)* to fall off (in); ~**enschaft** estate, inheritance; ⁓**ig** careless, negligent; ⁓**igkeit** carelessness, negligence
nachlaufen to run after; ⚙ to lag
nach|leben to live up to; *su* after-life; ~**legen** to put on more coal, to make up the fire; ~**lese** gleaning; *lit* supplement; ~**lesen** to glean; *(Buch)* to read (again); to look up (a passage); ~**liefern** to deliver later *(od* subsequently); ~**lieferung** subsequent delivery; ~**lösen** 🎫 to pay the additional fare, to buy a ticket en route; ~**machen** to imitate; *(parodieren)* to mimic; *(zweites Exemplar)* to copy, to duplicate; *d. soll mir j-d ~ machen* I'd like to see anybody else do that; ~**malig** subsequent; ~**mals** subsequently, afterwards; ~**mittag** afternoon; *heute ~ mittag* this afternoon; ~**mittags** in the afternoon; ~**mittagskleid** afternoon dress, tea-gown; ~**mittagsvorstellung** matinée; ~**nahme** cash on delivery, C.O.D.; *per ~ nahme schicken* to send C.O.D.; ~**nahmetelegramm** collect telegram; ~**name** surname, family name, *US* last name; ~**plappern** to repeat mechanically; to parrot; ~**porto** excess postage, surcharge; ~**prüfen** to examine, to check; to verify; to test; to make sure; ~**prüfung** checking; verification; testing; inspection; ~**rechnen** to check, to audit, to go over the figures; ~**rede** epilogue; *(üble)* slander; *(Klatsch)* gossip; ~**reden** *(schlecht)* to speak ill of; to slander; *(wiederholen)* to repeat
Nachricht news; tidings; *(Auskunft)* information; *(Bericht)* report, account; *mil* intelligence; *(Meldung etc)* advice; ~**enagentur** news agency; ~**endienst** news service; *mil* intelligence service; signals service; ~**ensendung** 📻 newscast; news report; ~**ensprecher** newsreader; ~**enübermittlung** communications; transmission of intelligence; ~**enwesen** communications (system); ~**lich** for information
nach|rücken to move forward; to follow; to move up; ~**ruf** obituary (notice); ~**ruhm** posthumous fame; ~**rühmen** to say in praise of *(od* to one's credit); ~**sagen** to repeat mechanically; to speak of; ~**saison** off-season; ~**satz** postscript; *gram* final clause; minor proposition *(od* term); ~**schicken** ♂ to forward; to send after; ~**schlagen** to look up *(etw* s-th); to consult (a book); ~**schlagewerk** reference book; ~**schleichen** to creep after; ~**schleppen** to drag after, to trail after; ⚓, 🚗 to tow; ~**schlüssel** master-key, false key; *(Dietrich)* skeleton-key; ~**schmecken** to leave a taste (of); ~**schreiben** to copy; to take down; ~**schrift** *(Abschrift)* copy, transcript; *(Brief)* postscript; *(Notizen)* notes; ~**schub** *mil* reinforcements; reserves; supply, flow of supplies; ~**sehen** to

gaze (*j-m* after s-b); *(sorgen)* to look after; *(prüfen)* to revise, to check, to examine; *(s. informieren)* to look up, to see (whether), to have a look (at); *(Maschinen)* to overhaul; *(entschuldigen)* to excuse, to condone, to overlook; *d. ~ sehen haben* to be left behind (*od* holding the baby), to go empty-handed, to have one's trouble for nothing; **~senden** to send after; ✪ to redirect, to forward; *bitte ~senden* please forward (to); **~setzen** *vt* to think less of, to set aside; *vi* to hunt after, to pursue

Nachsicht indulgence; forbearance, leniency; *~ haben mit* to have patience with; **~ig, ~svoll** indulgent, lenient

Nach|silbe suffix; affix; **~sinnen** to muse, to meditate (on); to reflect (on); **~sitzen** to be kept in; *su* detention; *~sitzen lassen* to keep in; **~sommer** Indian summer, late summer; **~speise** sweet; dessert; **~spiel** ✿ epilogue; ♪ postlude; *eccl* voluntary; *fig* sequel; **~sprechen** to repeat; **~spüren** to spy after; *(suchen)* to trace, to track s-b

nächst *(Entfernung)* nearest; shortest; closest; *(Reihenfolge)* following, next; *prep* next to, next after; *in d. ~en Zeit* soon, in the near future, shortly; *für d. ~e Zeit* for some time to come, for the time being; *in d. ~en Zukunft* in the visible future; *~en Mittwoch* on Wednesday next; *Mittwoch ~er Woche* Wednesday week, a week on Wednesday; *d. ~en Angehörigen* next of kin; **~beste** second best; **~dem** soon; **~enliebe** charity; love for one's fellow men; **~ens** soon, shortly; **~er** fellow creature, neighbour; **~liegend** nearest

nach|stehen to be inferior to; to make way for; **~stehend** hereafter; following; mentioned below; **~stellen** *vt (Uhr)* to put back; ✪ to regulate, to adjust; *vi* to pursue, to lie in wait for; **~stellung** pursuit, persecution; **~streben** to strive for, after; to aspire (to); *j-m ~streben* to emulate; **~suchen** *vt* to petition (for), to apply (for); *vi* to search, to look for; **~tanken** to refuel

Nacht night; *(Dunkelheit)* darkness; *bei ~, des ~s* at night; *bei ~ u. Nebel* under cover of darkness; *mit einbrechender ~* at nightfall; *über ~* overnight, during the night; *heute ~* tonight; *über ~ bleiben* to stay the night; *zu ~ essen* to sup; *s. d. ~ um d. Ohren schlagen* to get no sleep; **~asyl** night-shelter, common lodging-house; **~elang** for whole nights; **~essen** supper; **~falter** moth; **~geschirr**, **~topf** chamber-pot; **~gleiche** equinox; **~hemd** night-dress, *umg* nightie; *(Herren-)* night-shirt; **~igen** to spend the night; **~jäger** night-fighter; **~lager** night's lodgings, night quarters; **~lich** nightly; nocturnal; **~mahr** nightmare; **~portier** night-porter; **~s** at night, by night; *bis 2 Uhr ~s* till two in the morning; **~schatten** *bot* nightshade; **~schicht** night-shift; **~schlafend**; *zu ~schlafender Zeit* when everyone is asleep; **~seite** *fig* seamy side, dismal side; **~stunde** night-hour; *späte ~stunden* small hours; **~tisch** bed-side table; **~wache** night-watch, vigil; **~wächter** night-watch-man; **~wandeln** to walk in one's sleep; **~wandler** sleep-walker, somnambulist; **~wandlerisch** : *mit ~wandlerischer Sicherheit* infallibly, with absolute certainty; **~zeug** night-clothes, **~zug** night-train

Nachteil disadvantage (*im ~ sein* to be at a d.); drawback; *(Schädigung)* loss, damage, injury; ♟ damage; detriment, prejudice; *zum ~ von* to the prejudice of; *sehr zum ~ von* to the great damage of; **~ig** disadvantageous; prejudicial, detrimental, derogatory

Nachtigall nightingale; **~enschlag** nightingale's song

Nach|tisch dessert; sweets, sweet course; **~tönen** to resound, to echo; **~trab** rear(-guard); **~trag** supplement, addition; addendum; *(Brief)* postscript; *(Testament)* codicil; **~tragen** to carry after; to add; *fig* to bear a grudge against; **~tragend** resentful, vindictive; **~träglich** additional, supplementary, further; *(zeitlich)* later, a posteriori; **~tragszahlung** additional payment; **~trupp** rear-guard; **~tun** to copy, to imitate; to emulate; **~urlaub** additional leave; **~wachsen** to grow again; to grow up; **~wahl** by-election, *US* special election; **~wehen** after-pains; (painful) after-effects; *umg* backwash; **~weinen** to mourn, to bewail; to deplore (s-b); **~weis** evidence, proof; *(Unterlage)* record, list; **~weisbar** demonstrable, evident; **~weisen** to establish, to prove, to demonstrate; *(Arbeit)* to get (work etc) for s-b; *(Anspruch)* to substantiate; **~weislich** demonstrable, evident, authentic; **~welt** posterity; **~winter** second winter; **~wirken** to have an after-effect; to be felt afterwards; **~wirkung** after-effect; **~wort** epilogue; *(Buch)* postscript; **~wuchs** after-crop; the rising generation; *mil* recruits; *(Berufe)* junior staff; ✿ newcomer; **~wuchskräfte** *(Industrie)* new recruits; fresh generation of workers; **~zahlen** to pay in addition; *(Verkehr)* to pay an additional fare; **~zählen** to count (over) again; to check; **~zahlung** additional payment, late payment; ✿ excess fare; **~zeichnen** to copy; **~ziehen** *vt* to drag along; *(Striche)* to trace; *(Schraube)* to tighten; *(Augenbrauen)* to pencil; *vi* to follow (along, behind), to march after; **~zügler** late-comer; straggler; delayed case

Nacken nape of the neck, neck; **~schlag** blow from behind; *fig* misfortune; setback

nackt *(Person)* naked, nude; *(Tatsachen, Land, Wände, Körperteile)* bare; ✿ nude; *fig* plain; *(Vogel)* unfledged; *(Zahlen)* cold; **~heit** nakedness; bareness; **~kultur** nudism

Nadel *(Näh-)* needle; *(Steck-, Haar-)* pin; *(Zeiger)* hand; ♪ needle, stylus; **~arbeit** needlework; **~baum** conifer; **~geräusch** needle scratch; ♪ surface noise; **~hölzer** conifers; **~kissen** pin-cushion; **~öhr** eye of a needle; **~stich** prick; stitch; *fig* pin-prick; **~wald** coniferous forest

Nagel nail; *(Zier-)* stud; *(Teppich-)* tack; *(großer)* spike; *(Holz)* peg ♦ *etw an d. ~ hängen* to give up; *d. ~ auf d. Kopf treffen* to hit the nail on the head; *auf d. ⁓n brennen* to be urgent; *an d. ⁓n kauen* to bite one's nails; **⁓bohrer** gimlet; **⁓bürste** nail-brush; **⁓feile** nail-file; **⁓geschwür** whitlow; **⁓kuppe** head of the nail; **⁓lack** nail enamel; **⁓n** to nail; to spike; **⁓neu** brand-new; **⁓pflege** manicure; **⁓schere** nail-scissors

nag|en to gnaw, to nibble; *(zerfressen)* to corrode; to erode, to eat into; *fig* to wear out; to prey (up)on ♦ *am Hungertuch ⁓en* to be starving; **⁓er**, **⁓etier** rodent

nah near, close to; close; *(zeitlich)* imminent, approaching; ⁓ *daran sein* to be about (to do), to be on the point of (doing); **⁓aufnahme** close-up; **⁓e** nearness; proximity; vicinity; neighbourhood; *in d. ⁓e* near (to), close at hand; *aus nächster ⁓e (beobachten)* (to observe) at close range; **⁓egehen** to affect, to grieve; **⁓einstellgerät** *foto* close-up focusing device; **⁓ekommen** to come near, to approach; to get at; *fig* to approximate; **⁓elegen** to suggest, to urge upon; **⁓eliegen** to border on, to be adjacent; *fig* to suggest itself, to be obvious; **⁓en** to approach, to draw near; *su* approach; **⁓estehen** to be closely connected with; to be friends with; **⁓etreten** to come into close contact with; *j-m zu ⁓e treten* to hurt s-b's feelings; **⁓kampf** close combat; hand-to-hand fighting; **⁓verkehr** local traffic; ⌀ junction *(od toll)* service; **⁓verteidigung** close defence; **⁓ziel** immediate goal *(bzw. aim)*

näh|en to sew, to stitch; *⚕* to suture; **⁓erei** needlework, sewing; **⁓erin** needle-woman, seamstress; **⁓garn** (sewing-)cotton; **⁓korb** sewing-basket; **⁓maschine** sewing-machine; **⁓maschinengarn** twist; **⁓nadel** needle; **⁓seide** (sewing-)silk; **⁓zeug** sewing things

näher nearer, closer (to); *(kürzer)* shorter; more direct; *(vertrauter)* closer, more intimate; *(genauer)* more detailed, further; **⁓es** details, particulars; ⁓ *es bei . . .* apply to . . .; **⁓n** to place near, to bring near; *refl* to approach; to draw near; to get near; **⁓ungswert** approximate value

Nähr|boden fertile soil; culture medium; **⁓en** *vt* to nourish, to feed; *(Mutter)* to nurse, to suckle; *fig* to nourish, to cherish, to entertain; *vi* to be nourishing; *refl* to live (on); to maintain o.s.; **⁓mittel** food, nutriment; *pl* cereal products; **⁓stand** the peasants; **⁓wert** nutritive value

nahr|haft nourishing, nutritious, nutritive; *(Mahlzeit)* substantial; *fig* lucrative; **⁓ung** nourishment, food, *a. fig* aliment; *(Unterhalt)* support, maintenance, sustenance; *(Tiere, umg)* feed; **⁓ungsaufnahme** absorption of food; **⁓ungsmittel** food, foodstuffs; victuals; **⁓ungssorgen** struggle for livelihood

Naht seam *(falsche ⁓ mock s.)*; *⚕, bot* suture; *⚙* join; weld; **⁓los** seamless; jointless, weldless

naiv naïve, ingenuous, artless, simple; **⁓ität** naïveté, simplicity

Nam|e name; appellation; *(Ruf)* reputation,

character; *d. ⁓en nach* by name ♦ *d. Kind beim rechten ⁓en nennen* to call a spade a spade; *mit vollem ⁓en unterschreiben* to sign in full; *im ⁓en von* on behalf of; *im ⁓en d. Gesetzes* in the name of the law; *s. e-n ⁓en machen* to make a name for o.s.; **⁓engebung** christening; naming; **⁓enlos** nameless; *fig* inexpressible, unspeakable; **⁓ens** named, called, by name of; *(im Auftrag von)* in the name of, on behalf of; **⁓ensaufruf** roll-call; **⁓ensfest**, **⁓enstag** Saint's day; name-day; **⁓ensschild** brass-plate; **⁓ensvetter** namesake; **⁓enszug** signature; **⁓entlich** by name, named; *(besonders)* especially, particularly; **⁓haft** renowned, well-known; *(beträchtlich)* considerable; ⁓ *haft machen* to name, to specify; *(finden)* to find out the name of s-b; to establish the identity of s-b; **⁓lich** same, very; *adv* namely, that is to say, and that is; of course

Napf bowl, basin; **⁓kuchen** (kind of) sponge-cake, pound-cake

Narb|e scar, *⚕* cicatrice; *bot* stigma; *(Leder)* grain; **⁓en** to grain; **⁓ig** scarred; cicatriced; grained

Narde spikenard

Narko|se narcosis, *⚕* anaesthesia; **⁓searzt** anaesthetist; **⁓tikum** anaesthetic; **⁓tisch** narcotic; anaesthetic; **⁓tisieren** to narcotize; to anaesthetize

Narr fool; buffoon, jester; *j-n zum ⁓en halten* to make a fool of s-b, to pull s-b's leg ♦ *e-n ⁓en gefressen haben an* to fall for, to be gone on, to take a great fancy to; **⁓en** to fool; **⁓enhaus** madhouse, lunatic asylum; **⁓enpossen** foolery, tomfoolery, tricks; **⁓ensicher** foolproof; **⁓etei** folly, madness; **⁓heit** foolishness, craziness; **⁓in** fool, foolish woman; **⁓isch** foolish, mad; strange, peculiar

Narzisse narcissus; *gelbe ⁓* daff(odil)

Nasal(laut) nasal (sound)

nasch|en to nibble; to pilfer; to eat sweets on the sly; **⁓er** sweet-tooth; **⁓erei** sweets; titbits; eating sweets on the sly; **⁓haft** sweet-toothed, fond of sweet things; **⁓werk** sweets; delicacies

Nas|e nose; *(Tier)* snout; *(Geruch)* scent; *fig* rebuke; *vor d. ⁓e* before one's very eyes; *s. d. ⁓e putzen* to blow one's nose ♦ *e-e ⁓e drehen* to make a fool of; *j-m e-e lange ⁓e machen* to cock a snook at s-b; *j-m auf d. ⁓e herumtanzen* to do with s-b what one pleases; *s-e-⁓e in jeden Quark stecken* to poke one's nose in everywhere; *d. ⁓e ins Buch stecken* to stick to one's books; *zupf dich an d-r eigenen ⁓e* think of your own failings; *auf d. ⁓e binden* to tell, to reveal; *auf d. ⁓liegen* to be laid up; *j-m etw unter d. ⁓e reiben* to bring s-th home to s-b, to rub it in to s-b; *d. ⁓e voll haben von* to be fed up with; **⁓eln** to nasalize, to speak through the nose; **⁓enbein** nasal bone; **⁓enbluten** nose-bleeding; **⁓enflügel** side of the nose; **⁓enlänge** *rt* *um e-e ⁓enlänge schlagen* to nose out; **⁓enloch** nostril; **⁓enrücken** bridge of the nose; **⁓enspitze** tip of the nose; **⁓enstüber** *fig* snubbing, fillip; **⁓eweis** cheeky, saucy, pert;

~führen to fool, to dupe, to hoax; **~horn** rhinoceros

naß wet; *(feucht)* damp, moist, humid; *(regnerisch)* rainy; *su* liquid; *poet* drink; rain; water; **~kalt** raw, dampish

Nässe wetness; *(feucht)* dampness; humidity; *vor ~ schützen* to keep dry; **~n** to wet; to moisten

Nation nation; *verbündete ~en* allied nations; **~al** national; **~alhymne** national anthem; **~alisieren** to nationalize; **~alität** nationality; **~alitätenstaat** multinational state; **~alökonomie** political economy; **~alversammlung** national assembly

Natrium sodium; *aus ~ bestehend* sodaic; **~lampe** sodium lamp

Natron soda, sodium hydroxide; *(doppeltkohlensaures)* bicarbonate (of soda), *umg* bicarb; **~haltig** containing soda; **~lauge** soda lye, caustic soda solution; **~salz** sodium salt

Natter adder, viper

Natur nature; *(Körpergestalt)* constitution; *(Veranlagung)* temperament, disposition; *von ~* by nature, inherent; *nach d. ~* from the life, from nature; *e-e starke ~* a strong constitution; *in ~a (bezahlen)* in kind; *wider d. ~* against the grain; **~aleinkommen** income in kind; **~alien** natural produce; fruits of the soil; *(Naturgeschichte)* natural history specimens; **~alisieren** to naturalize; **~alismus** naturalism; **~alistisch** naturalistic; **~alleistung** payment in kind; **~bursche** child of nature; **~ell** nature, disposition, temper; **~ereignis, ~erscheinung** natural phenomenon; **~forscher** scientist; **~gemäß** natural, according to nature; *adv* naturally; **~geschichte** natural history; **~getreu** true to nature, life-like; **~heilkunde** nature cure; **~kunde** natural science; **~lehre** physics; **~notwendigkeit** physical necessity; **~produkt** natural product, native substance; **~schutzgebiet** nature reserve; national park; **~trieb** instinct; **~volk** primitive race; **~widrig** unnatural, abnormal; **~wissenschaft** (natural) science; **~wissenschaftler** scientist; **~wissenschaftlich** scientific; **~wüchsig** natural, original; **~wunder** prodigy; natural wonder

natürlich natural; *(angeboren)* innate; *(Wesen)* genuine, unaffected; *(ungekünstelt)* artless; *adv* certainly; of course; **~keit** naturalness; genuineness, simplicity

Naut|ik nautics, nautical science; navigation; **~isch** nautical

Navig|ationsraum chart-room; **~ator** navigator; **~ieren** to navigate

Nebel fog; *(dünn)* mist, haze; *(Rauch-Dunstglocke)* smog; *(künstlich)* smoke-screen; *fig* veil, mist; **~bank** fog-bank; **~fleck** *astr* nebula; **~haft** foggy; misty, hazy; nebulous, dim; **~ig** foggy; hazy, misty; **~krähe** hooded crow; **~mond** November; **~regen** drizzle; **~scheinwerfer** 🚗 fog lamp; **~schleier** veil of mist; **~schwaden** damp fog; **~werfer** rocket mortar; **~wetter** foggy weather

neben beside, next to, near, close to; *(dazu)* in addition to, besides; *(in Zssg)* accessory, collateral, secondary; **~absicht** secondary objective; **~an** next door; close by; **~anschluß** 🔌 shunt; 📞 extension; **~arbeit** extra work; spare-time work; **~ausgaben, ~kosten** petty expenses, incidental expenses; **~bedeutung, ~sinn** connotation; secondary meaning; **~bei** by the way, incidentally; *(außerdem)* besides, moreover; *(räumlich)* adjoining; **~beruf, ~beschäftigung** additional occupation, part-time employment; sideline; avocation; **~beruflich** part-time; **~buhler** rival, competitor; **~buhlerschaft** rivalry; **~bürgschaft** collateral security; **~einander** side by side, abreast, next to each other; *su* co-existence; **~einanderstellung** juxtaposition; **~eingang** side entrance; **~einnahme** additional income, casual earnings; **~erwerb** subsidiary occupation *(od* earnings); perquisite, *umg* perks; side-line; **~erzeugnis** by-product; **~fach** subsidiary subject, *US* minor; *als ~fach haben* to minor in; **~fluß** affluent, tributary; **~frage** side-issue, corollary issue; **~gebäude** adjacent building; annex(e); **~gedanke** mental reservation; secondary thought; **~gelaß** adjoining room, box-room; **~geleise** siding, branch line, *US* side-track; **~geordnet** co-ordinate; **~geräusch** 🔌 atmospherics, interference; *(durch Störsender)* jamming; **~geschmack** by-taste, flavour, tang; **~her, ~hin** by the side of, along with; by the way; **~kläger** accessory prosecutor; **~kosten** additional expenses; **~linie** collateral line; 🚂 branch-line; 📞 extension (line); **~mann** man next to one; **~mond** satellite; **~niere** adrenal gland, suprarenal gland; **~person** 🎭 subordinate character *(od* figure); **~produkt** by-product; **~rolle** subordinate part; **~sache** matter of secondary importance; **~sächlich** unimportant, immaterial; **~satz** subordinate clause, dependent clause; **~sender** 📡 relay station, substation; **~stehend** *(Brief)* as per margin; annexed, marginal; **~stelle** 📞 extension; **~straße** side-street, by-street; **~umstände** accidental circumstances; minor details, accessories; **~zimmer** adjoining room

nebst (together) with, along with, besides, in addition to

Necessaire toiletry kit

neck|en to tease, to chaff, to banter; **~erei** chaff, teasing, banter, badinage

Neffe nephew

negativ negative; adverse, unfavourable; *su* negative; **~e Wirkung** harmful effect (on)

Neger negro, coloured man; *(verächtlich)* nigger; **~in** negress

negieren to deny; to answer in the negative

nehmen to take; *(an-)* to accept, to receive; *(weg-)* to take away, to remove; *(ergreifen)* to seize, to capture; *etw zu s. ~* to eat s-th, to have s-th; *es s. nicht ~ lassen* to insist on; *Abschied ~* to say good-bye, to take leave; *etw auf s. ~* to undertake ♦ *auf d. leichte Schulter ~* to make light of; *e. böses Ende ~* to come to a bad end; *d. Mund voll ~* to brag, to boast, to talk big; *kein Blatt vor d. Mund* ~ to be plain-spoken, to speak outright (freely); *s. d. Freiheit* ~ *zu* to take leave (to do s-th); *woher* ~ *u. nicht stehlen?* where on earth con I get some (*od* it)?; *es genau* ~ to be pedantic, to be very particular; *genau-*(od *streng-)genommen* strictly speaking; *im Grunde genommen* generally speaking; *wie man's nimmt!* that depends!

Nehrung (sand) spit

Neid envy, *(Eifersucht)* jealousy; *(Mißgunst)* grudge; *vor* ~ *platzen (vergehen)* to burst (be eaten up) with envy; **~en** to envy; **~er, ~hammel** envious person, dog in the manger; **~isch** envious, jealous

Neig|e decline; slope; *(Rest)* remnant; *zur* ~ *e gehen* to be on the decline; to come to an end; *bis zur* ~ *e leeren (a. fig)* to drink (*od* to drain) to the dregs; **~en** *vt* to lower, to tilt; *(Kopf)* to bow; *vi* to be inclined (to do), to tend (to do); *refl* to slope, to dip; *(enden)* to draw (to a close); **~ung** declivity, inclination; *(Abhang)* slope; *(Straße,* 🚋*)* gradient, grade, incline; *(Nadel)* dip; *(Hang)* inclination, bent (*zu* for), bias (towards, in favour of), tendency (towards); *(Vorliebe)* preference; *(Zuneigung)* liking (for), inclination; *seiner* ~ *ung folgen* to follow one's bent; **~ungsehe** love match; **~ungswinkel** angle of inclination

nein no; ~ *u. abermals* ~ a thousand times no; *mit* ~ *antworten* to answer in the negative

Nektar nectar

Nelke carnation, pink; *(Gewürz)* clove

nenn|en to name, to call; *(be-)* to term; *s.* ~ *en* to be called; *e. Ding beim rechten Namen* ~ *en* to call a spade a spade; **~enswert** worth mentioning; appreciable; **~er** *math* denominator; *auf e-n gemeinsamen* ~ *er bringen* to reduce to a common denominator; **~ung** naming, nomination; 🖐 entry; **~wert** nominal value; *(Wertpapier)* face value; *zum* ~ *wert* at par; **~wort** noun

neppen to fleece, to gyp

Nerv nerve ♦ *j-m auf d.* ~ *en gehen* to get on s-b's nerves, to drive s-b mad; *er hat d.* ~ *en verloren* his nerves have given out; **~enbahn** nerve tract; **~enbündel** bundle (*od* bag) of nerves; **~enheilanstalt** clinic for nervous diseases, mental hospital; **~enknoten** (nerve) ganglion; **~enkrank** neurotic, neurasthenic; **~enkrieg** war of nerves; **~enschwäche** nervous debility, neurasthenia; **~enstrang** nerve-cord; **~ensystem** nervous system; **~enzelle** nerve cell, neuron; **~ig** nervous; sinewy, pithy; **~ös** nervous, nervy, *sl* jittery, fidgety; ~ *ös sein* to be jittery, to have (got) the jitters; *d. macht e-n* ~ *ös (sl)* it gives one the jitters; **~osität** nervousness, jumpiness, restlessness, fidgetiness, *sl* jitters

Nerz mink; **~mantel** mink coat

Nessel nettle; *(Gewebe)* nettle cloth ♦ *s. in d.* ~ *n setzen* to get into hot water; to put one's foot in it; **~fieber** nettle-rash, urticaria; **~tuch** cotton cloth

Nest nest; *(Horst)* aerie; *fig* hole, small provincial town; **~eln** to fasten, to lace up; **~häkchen** pet, baby

nett nice, neat, pretty, canny; kind; **~igkeit** neatness; prettiness; kindness

netto net; **~einkommen** net income; **~gehalt** net salary, take-home pay; **~gewicht** net weight; **~lohn** net wages, take-home pay; **~preis** net price; **~sozialprodukt** net national product

Netz net, netting; 🚋, ⚡ network; ⚡ grid; system; ⚡ mains; *(Gepäck-)* rack; *(Einkaufs-)* bag, string-bag ♦ *ins* ~ *gehen* to fall into the trap; **~anschluß** mains connection (*od* supply); **~antenne** mains antenna; **~artig, ~förmig** reticular, netlike; **~ätzung** 📖 half-tone; **~empfänger** mains receiver, mains-set; **~en** to wet, to moisten; **~haut** retina; **~hemd** string vest; **~karte** 🚋 area season ticket; **~werk** network

neu new; fresh; modern; *(~artig)* novel; *(neuest)* latest; *(kürzlich)* recent; *aufs* ~ *e, von* ~ *em* anew, afresh, again; *in* ~ *ester Zeit* quite recently, in most recent times; *wieder* ~ *anfangen* to start all over again; ~ *ere Sprachen* modern languages; ~ *este Mode* latest fashion (*od* style); ~ *e Kartoffeln* young potatoes; *was gibt es* ~ *es?* what's the news?; *d. ist mir nichts* ~ *es* that's no news to me; **~auflage** new edition; **~bau** new building, reconstruction, new erection; **~bearbeitung** revised edition, revision; **~bildung** new formation, new growth; **~druck** reprint; **~erdings** recently, lately; **~erer** innovator; **~erlich** late, recent; renewed, repeated; **~erscheinung** new book, current publication; **~erung** innovation; novelty; **~erungssüchtig** fond of innovations; **~gestaltung** reorganization; **~gier** curiosity; inquisitiveness; **~gierig** curious, inquisitive; ~ *gierig sein, ob* to wonder if (*od* whether); **~heit** novelty; newness; **~hochdeutsch** Modern High German; **~igkeit** news; **~landgewinnung** reclamation of land; **~lateinisch** New Latin; **~lich** the other day, recently; **~ling** beginner, novice, neophyte, acolyte; *umg* greenhorn; **~modisch** fashionable; **~mond** new moon; **~ordnung** reorganization; readjustment; reform; **~philologe, ~sprachler** student (*bzw* teacher) of modern languages; **~reich** newly rich; **~reicher** nouveau riche, wealthy parvenu; **~silber** German silver; **~vermählt** newly married; **~wertig** having original value; **~wort** neologism; **~zeit** modern times; **~zeitlich** modern; up-to-date

neun nine; **~auge** lamprey; **~eck** nonagon; **~fach** ninefold; **~jährig** nine-years-old; **~malkluger** wiseacre; **~te** ninth; **~tel** ninth (part); **~zehn** nineteen; **~zehnte** nineteenth; **~zehntel** nineteenth (part); **~zig** ninety; **~zigste** ninetieth; **~zigstel** ninetieth (part)

Neur|algie neuralgia; **~algisch** neuralgic; *fig* critical, delicate; ~ *algischer Punkt (fig)* critical factor; **~asthenie** neurasthenia; **~astheniker** neurasthenic; **~ose** neurosis

neutral neutral; impartial; **~isieren** to neutralize; **~isierung** neutralization; **~ismus** neutralism; **~ität** neutrality
Neutrum neuter
nicht not; *auch* ~ not even; not ... either; *ich auch* ~ nor I either; *durchaus* ~ by no means, in no way; *noch* ~ not yet; *gar* ~ not at all; ~ *einmal* not even; ~ *mehr* no longer; ~ *wahr?* isn't it? are you not?; ~ *ohne* quite good; ~ *daß ich wüßte* not that I know of; **~achtung** disregard; **~angriffspakt** non-aggression treaty; **~benötigt** surplus; **~betroffener** non-chargeable person; **~bewirtschaftet** non-rationed; **~eisenmetall** non-ferrous metal; **~ig** null, void; *(eitel)* vain, empty; ~ *ig sein* to be null and void; *für* ~ *ig erklären* to declare null and void; to cancel, to nullify; **~igkeit** nullity, invalidity; vanity; **~igkeitsbeschwerde** plea of nullity; **~igkeitserklärung** annulment, cancellation; **~raucher** non-smoker; **~zutreffendes** *streichen* delete what is not applicable
Nichte niece
nichts nothing; 🎗 love; *gar* ~ nothing at all; ~ *als* nothing but; ~ *anderes* nothing else; ~ *mehr* nothing more; ~ *weniger als* anything but ♦ ~ *für ungut* no harm meant; *für* ~ *u. wieder* for no reason at all; *mir* ~ , *dir* ~ quite coolly, bold as brass; *es macht* ~ it doesn't matter; *soviel wie* ~ next to nothing; *su* nothing; nothingness; trifle; nonentity; *vor d.* ~ *stehen* to be faced with utter ruin; **~destoweniger** nevertheless; **~nutz** good-for-nothing, ne'er-do-well; **~nutzig** useless, worthless, good-for-nothing; **~sagend** meaningless, insignificant; flat, dull; **~tuer** idler; **~tun** to idle; *su* idling; **~würdig** vile, base; **~würdigkeit** vileness, baseness
Nickel nickel
nick|en to nod, to bow; *(schlafen)* to nap, to snooze; **~erchen** nap, snooze
nie never, at no time; *fast* ~ hardly ever
nieder low; base, mean; *adv* down, low; *auf u.* ~ up and down; **~brennen** to burn down; **~brüllen** to boo, to bully; **~deutsch** Low German; **~drücken** to weigh down, to bear down, to press down; *(Stimmung)* to depress; **~fahren** to descend, to come down; **~fallen** to fall down; **~frequenz** low frequency; **~gang** going-down; decline; *(Sonne)* sunset; depression, slump, recession; **~gehen** to go down; 🛬 to land, to alight; *(Regen)* to fall; **~geschlagen** depressed, down-hearted, *umg* blue; **~geschlagenheit** depression, **~holen** to lower, to haul down; **~kämpfen** to overpower, to put out of action; to silence (the enemy's fire); **~kommen** to be confined, to lie in; **~kunft** confinement, lying-in; **~lage** defeat; *(Magazin)* depot, warehouse; agency; branch; **~lassen** *vt* to lower, to let down; *refl* to sit down; to alight; to establish o.s. in, to settle; **~lassung** settling; settlement; establishment; agency; branch; **~legen** to lay down, to deposit; *(aufgeben)* to give up; *d. Krone ~legen* to abdicate; *(Amt)* to resign (from); *(Arbeit)* to cease work, to knock off; to

down tools, to walk out; *refl* to lie down; **~machen, ~metzeln** to kill, to slay; to wipe out; **~reißen** to pull down, to demolish; **~schlag** *(Regen)* rain, precipitation; *chem* precipitate, precipitation; *(Ablagerung)* sediment, deposit; *(Boxen)* knock-out (blow); *fig* reflection, repercussion; effect; **~schlagen** to knock down, to fell; *(Augen)* to cast down; *(unterdrücken)* to suppress; 🥊 to squash; *chem* to precipitate; *fig* to discourage; to take place; to occur, to take place; **~schmettern** to strike down; *fig* to crush, to overwhelm; to depress; **~schmetternd** shattering; **~schreiben** to write down; **~schrift** writing-down; notes; minutes; **~setzen** *vt* to put, to set down; *refl* to sit down; **~sinken** to sink down, to drop; **~stoßen** to knock down; **~strecken** to knock down; to cut down; **~tracht** meanness, baseness; **~trächtig** mean, base; **~ung** lowland; marsh; plain; **~wärts** downwards; **~werfen** to throw down; *(unterdrücken)* to crush, to suppress; *(überwältigen)* to overwhelm
niedlich pretty, nice, neat, *umg* sweet, cute
Nidnagel agnail, hangnail
niedrig low; *(Wert)* inferior; *(Stand)* humble; *(Preis)* low, moderate, cheap; *fig* mean, base; **~keit** lowness; humbleness; *fig* meanness; **~ste** lowest; bottom; **~wasser** low tide
niemals never, at no time
niemand nobody, no one, not ... anybody; **~sland** no-mans' land
Niere kidney; **~nbraten** roast loin of veal; **~nentzündung** nephritis; **~nstück** loin
niesel|n to drizzle; **~regen** drizzle
nies|en to sneeze; **~wurz** hellebore
Nieß|brauch usufruct, benefit; **~nutzer** usufructuary
Niet rivet, pin; **~- u.** *nagelfest* firmly fixed, nailed fast; **~e** blank; *fig* failure, flop; **~en** to rivet; **~nagel** riveting-nail
Nihilismus nihilism
Nikolaus *BE* Father Christmas, Santa Claus
Nikotin nicotine; **~arm** denicotinized; **~frei** nicotine-free; **~haltig** containing nicotine
Nilpferd hippo(potamus)
Nimbus nimbus; *fig* prestige
nimmer, ~mehr never, nevermore; on no account; **~satt** insatiable; *su* glutton; wolf; **~wiedersehen** *auf ~wiedersehen* farewell for ever
Nippsachen knick-knacks, trinkets, bric-á-brac
nirgends nowhere, not ... anywhere
Nische niche; *(Zimmer)* alcove
Niß, Nisse nit
nist|en to build a nest; **~kasten** nesting-box
Nitrat nitrate
Nive|au level, standard; **~llieren** to level; **~l-lierwaage** spirit-level
Nixe water-nymph
nobel noble, distinguished; *(freigebig)* generous, free-handed; **~preis** Nobel prize; **~preisträger** Nobel prize winner
noch *(Dauer, Steigerung)* still; *(Verneinung)* yet; *(bei Zahl)* more; *(dazu)* beside, in addi-

tion; ~ *ein* another; ~ *einmal* once again, over again; ~ *immer* still; ~ *nicht* not yet; ~ *nie* never (before); ~ *dazu* in addition, into the bargain; ~ *etwas* s-th more, s-th else, some more; ~ *so* so, ever so; ~ *einmal soviel* twice as much, as much again; ~ *gestern* only yesterday; **~malig** repeated; **~mals** once more, again; ~ *und* ~ plenty (of), no end (of)

Nocke dumpling; **~n** cam; **~nwelle** camshaft

Nomad|e nomad; **~isch** nomadic

Nomin|albetrag nominal value; **~ativ** nominative

None ♪ ninth

Nonne nun; **~kloster** convent; nunnery

Noppe nap, burl, pile; **~n** to burl, to nap; *su* nap finish; **~nfarbe** burl dye; **~ngarn** nap yarn; **~nmuster** nap pattern

Nord north; *poet* north wind; **~en** the north; **~isch** northern; *(skandinavisch)* Norse, Nordic; **⁻lich** northern, northerly; arctic; **~licht** aurora borealis, northern lights; **~östlich** north-east(ern); **~pol** North Pole; **~polarkreis** Arctic, Circle; **~polfahrt** arctic expedition; **~see** North Sea; **~wärts** northward

Nörg|elei nagging, grumbling, fault-finding; **~eln** to nag, to grumble, to carp, to criticize; **~ler** grumbler, carper

Norm standard, rule; norm; *fig* yardstick; **~en** to standardize; **~al** normal; standard; *(üblich)* regular; **~ale** perpendicular (line); **~algeschwindigkeit** normal speed; **~algewicht** standard weight; **~algröße** standard size; **~alspur** 🚂 standard gauge; **~alzeit** mean time; **~en,** **~ieren** to standardize; *(regulieren)* to regulate; to lay down a rule (for); **~satz** standard

Not *(Mangel)* want, need, necessity; *(Unglück)* distress; *(Schwierigkeit)* trouble, difficulty; *(Gefahr)* danger, emergency; *(Sorge)* grief, sorrow; *(Lage)* plight; *mit knapper* ~ only just, narrowly; *ohne* ~ needless, without real cause; *zur* ~ if need be, at a pinch; *in ⁻en sein* to be hard pressed; ~ *tun, vonnöten sein* to be necessary; *seine liebe* ~ *haben mit* to have no end of trouble with; *in* ~ 🚂 on her beam-ends; *aus d.* ~ *e-e Tugend machen* to make a virtue of necessity; ~ *macht erfinderisch* necessity is the mother of invention ♦ *in d.* ~ *frißt der Teufel Fliegen* beggars can't be choosers; **~abgabe** emergency levy; **~anker** sheet-anchor; **~ausgang** emergency exit; **~behelf** makeshift; expedient; **~bremse** emergency brake; 🚂 communication cord; **~durft** necessity, pressing need; *s-e ~durft verrichten* to relieve nature; **~dürftig** scanty; *(bedürftig)* poor, needy, necessitous; *(behelfsmäßig)* makeshift; *~dürftig ausbessern* to make a rough and ready repair; **~fall** case of emergency; **~flagge** flag of distress; **~gedrungen** forced, compulsory; **~hafen** harbour of refuge, emergency port; **~helfer** emergency helper; **~hilfe** emergency service; **~lage** distress, calamity; state of need; **~landen** to make a forced landing; to be forced down; **~landung** forced landing; **~leidend** suffering, distressed; *(arm)* needy,

poor; *(Wechsel)* dishonoured; **~leine** communication cord; **~lüge** white lie; **~maßnahme** emergency measure; **~opfer** emergency property tax; *~opfer Berlin* Berlin emergency levy; **~pfennig** savings, nest-egg; **~ruf, ~schrei** cry of distress; emergency-call; **~schlachtung** forced slaughter; **~signal** signal of distress; 🚂 SOS; **~sitz** dickey-seat, bucket seat; **~stand** state of emergency *(od* distress); critical state; *d. ~-stand erklären* to proclaim a state of emergency; *im ~stand handeln* to act under duress; **~standsarbeiten** unemployment relief projects; **~standsgebiet** distressed *(od* development) area; **~taufe** private baptism (in emergency); **~verband** first aid dressing, temporary dressing; **~verordnung** emergency decree; **~wehr** self-defence; **~wendig** necessary *(für* to, for; *daß* for s-b to do); urgent; indispensable; **~wendigkeit** necessity; urgency; **~wohnung** makeshift dwelling *(od* quarter); **~zeichen** distress signal; **~zucht** rape; **~züchtigen** to rape, to assault

Notar notary (public); **~iat** notary's office; **~iell** notarial, attested by a notary; *~iell beglaubigen* to attest, *US* to notarize

Note ♪ note, *pl* music; *(Geld-)* banknote; *(Rechnung)* bill, memorandum; *(Schule)* mark, grade; *ganze* ~ ♪ semi-breve, *US* whole note; *halbe* ~ minim, *US* half note; *nach ~n singen* to sing at sight; *nach ~n (fig)* thoroughly, downright; *fig* aspect, tone; **~ausgabe** issue of banknotes; **~nbank** Central Bank; **~nblatt** sheet of music; **~nschrank** music cabinet; **~nständer** music-stand; **~nsystem** ♪ staff

notier|en to note (down), to make a note of; *(Liste)* to enter (in), to record; *(Börse)* to quote (at), to state; **~ung** note, noting; *(Börse)* quotation; *(Liste)* entry

nötig necessary, needful; ~ *haben* to need, to want; *ich habe d. nicht* ~ I don't have to stand for that; **~en** to urge, to compel, to press; *s.* ~en lassen to need pressing; **~enfalls** if need be; in case of need; **~ung** coercion, compulsion; pressing; ⚖ duress

Notiz note, memo(randum); *(Zeitung)* notice; ~ *nehmen von* to take notice of s-th; to pay attention to; **~block** memo pad, note-pad; **~buch** note-book

notorisch notorious; evident

Novelle novella, short novel; *(Gesetz)* supplementary *(od* amending) law, amendment

November November

Nov|ität novelty; **~ize** novice; **~iziat** novitiate; **~um** new feature

Nu moment; *im* ~ in an instant, in no time, in a flash; ~! well!, now!

Nuance nuance, shade

nüchtern *(ohne Essen)* empty, fasting; *(vernünftig)* clear-headed, sensible; *(mäßig)* sober, prudent; *(geistlos)* dry, dull, insipid; *(geschmacklos)* flat; *fig* matter-of-fact; *bei ~er Betrachtung* on a conservative view; **~heit** emptiness; sobriety; dryness, dullness; *fig* jejuneness

Nuckelpinne 🚗 *umg* flivver, jalopy   [bird
Nudel macaroni; *(Faden)* vermicelli; *fig* funny
null nil, null; *(Tennis)* love; ~ *u. nichtig* null
and void; *su (Ziffer)* naught; *(Skala)* zero; ✍
O; *fig* a mere cipher; **~punkt** *(Skala)* zero
(point); *(Thermometer)* freezing point; *(Maschine)* neutral point; *math* origin of coordinates; **~zeit** zero hour
numer|ieren to number; ~*ierter Platz* reserved
seat; **~isch** numerical
Numismatik numismatics
Nummer number; *(Zeitung)* copy, issue, number; *(Lotterie)* ticket; 🎭 event; ✍ number;
(Größe) size ♦ *e-e große* ~ *sein* to be a big pot;
e-e gute ~ *haben (bei)* to be well-thought of, to
be in s-b's good books; *laufende* ~ serial *(od
lot)* number; **~nfolge** numerical order; **~nscheibe** ✍ dial; **~nschild** 🚗 number plate
nun now, at present; then, henceforth; ~*?*
well?; ~ *u. nimmermehr* never, nevermore;
von ~ *an* henceforth; **~mehr** now; then; by
this time; since then; **~mehrig** present, actual
Nuntius nuncio
nur only, solely, merely, alone; *(ausgenommen)* except, but; *(eben)* just; ~ *mehr* still
(more), only; *wer* ~ *immer* whoever; *wenn* ~
if only, provided that; ~ *zu!* go on!
Nuß nut; *fig* a hard nut to crack; **~knacker**
nut-cracker; **~kohle** small coal, nuts; **~schale**
Nüstern nostrils   [nut-shell
Nute rabbet, slot, groove
Nutria nutria, coypu
nutz|e, nütze useful; *zu nichts ~e sein* to be
good for nothing, quite useless; *zu* ~ *und
Frommen* for the benefit of; **~anwendung** utilization, practical application; *(Lehre)* useful
lesson, practical application; **~bar** useful; utilizable, realizable; **~barmachung** utilization;
~bringend profitable, advantageous; beneficial; **~en** *su (Vorteil)* profit, advantage,
gain, benefit; *(Nützlichkeit)* usefulness, utility;
(Ertrag) return, yield, proceeds; ~*en haben von*
to benefit by; *zum ~en von* for the benefit of;
~en *vt* to use, to utilize, to make use of; *vi* to be
of use, to be profitable; *(dienen)* to serve for;
(vorteilhaft) to be of advantage, to be of benefit; *e-e Gelegenheit ~en* to avail o.s. of an opportunity; *es ~t nichts* it is no use; **~garten** kitchen-garden; **~gegenstand** utensil; **~holz** timber; **~last** loading capacity, working *(od pay)*
load; **~leistung** mechanical power, effective
force, efficiency; **~lich** useful, of use; *(vorteilhaft)* advantageous, profitable; *(dienlich)* serviceable; **~lichkeit** usefulness, utility; advantage; **~los** useless; unprofitable; bootless, of
no avail; **~losigkeit** uselessness, futility; **~nießen** to derive the profits from, to have the
usufruct of; **~nießer** usufructuary, beneficiary; *(Politik)* profiteer; **~nießung** usufruct,
benefit; **~ung** *(Gebrauch)* use; utilization; exploitation; *(Ertrag)* produce; yield; *(Einkommen)* revenue; **~ungsrecht** right of usufruct,
Nymphe nymph   [right to use

O

O (the letter) O; *interj* oh!, ah!
O-Bein|e bandy legs; **~ig** bandy-legged
Oase oasis
ob *conj* whether, if *(I wonder if); als* ~ as if, as
though; *nicht als* ~ not that; *und* ~*!* you bet!,
rather!, I should say so!, and if *(we talked!);*
prep (up)on, above, over, beyond; ~ *(= wegen)* *ihres Irrtums* for, on account of her mistake; **~gleich, ~schon, ~zwar** although, though
Obacht heed, care; ~ *geben* to pay attention
(to), to care, to take care (of)
Obdach shelter, lodging, *fig* dwelling, **~los**
unsheltered, homeless; **~loser** casual (poor);
~losenasyl (common) lodging-house, *umg*
doss-house
Obduktion post-mortem (examination), autopsy
oben *adv* above, aloft, on high, at the top; upstairs, on the surface; *da, dort* ~ up there;
nach ~ upwards; *weiter* ~ higher up, further
up; *von* ~ *bis unten* from top to bottom; *von*
~ *bis unten ansehen (umg)* to give s-b the
once-over; ~ *erwähnt* above-mentioned; *von*
~ *herab behandeln* to treat in a condescending
manner *(od with disdain);* **~an** *adv* at the top;
~auf *adv* on the top of; ~*auf sein* to be in great
form; **~drein** into the bargain, in addition; **~hin** superficially, perfunctorily ♦ *alles Gute
kommt von* ~ all blessings come from above
ober *adj* upper, higher, supreme; senior; leading; ~ *su* (head-)waiter; **~arm** upper arm; **~arzt** senior physician, *bes mil* chief medical officer; **~aufseher** chief warden, chief custodian; **~aufsicht** superintendence; **~bau** 🐛, ⚙
superstructure, ⚙ overhead construction; **~befehl** supreme command; **~befehlshaber**
commander in chief; **~bett** feather-bed; **~bürgermeister** Lord Mayor; *(auf d. Kontinent)*
chief burgomaster; **~feldwebel** *BE* staff sergeant, *(Marine)* chief petty officer; *US* sergeant 1st cl., *(Marine)* petty officer 1st cl.;
~fläche surface, area; *an der ~fläche schwimmen* to float on the surface; **~flächlich** superficial, flimsy, shallow; **~flächlichkeit** superficiality, frivolity, futility, shallowness; **~gefreiter** *US* private 1st cl.; *BE* lance corporal; **~gewalt** sovereignty; supremacy; **~halb** above,
US a. atop; **~hand** upper hand; *d. ~hand gewinnen (haben)* to get (have) the upper hand, to
get the better of s-b; **~haupt** chief, head,
leader; **~haus** House of Lords; **~hemd** (white)
shirt; **~herrschaft** supremacy; sovereignty; **~hirt** *eccl* bishop; **~hofmeister** Lord High Steward; **~in** 🕈 hospital matron; *eccl* Mother Superior; **~ingenieur** chief engineer; **~irdisch** surface, above ground, overground; ⚡ overhead;
~kellner head-waiter; **~kiefer** upper jaw; **~kirchenrat** High Consistory; **~kommando** supreme command; **~körper** upper part of the
body; **~landesgericht** Regional Appeal Court;
~längen ascenders; **~lastig** top heavy; **~lauf**
upper course (of a river); **~leder** upper; **~leh-**

rer senior assistant master; ~**leitung** direction; ⚡ overhead system; '~**leutnant** *BE* lieutenant, *(Marine)* sublieutenant, *(Luftw.)* flying officer; *US* first lieutenant *(Marine)* lieutenant (junior grade); ~**licht** skylight, fanlight; ~**lippe** upper lip; ~**maat** petty officer; ~**meister** head foreman; ~**priester** high priest; ~**postdirektion** Superior Postal Directorate; ~**prima** Upper Sixth, ~**schenkel** upper (part of the) thigh; ~**schicht** upper classes; ~**schwester** head nurse, matron, senior sister; ~**schwingung** ♪ overtone, harmonic vibration; ~**st** colonel, *BE/US (Marine)* captain, *BE (Luftwaffe)* group captain; ~**stabsarzt** staff surgeon; ~**staatsanwalt** attorney general; ~**steiger** foreman of the mine; ~**stimme** treble, soprano; ~**stleutnant** lieutenant colonel; *BE/US (Marine)* commander, *BE (Luftw.)* wing commander; ~**stübchen:** *er ist nicht ganz richtig im ~stübchen* he is not quite right upstairs; ~**studiendirektor** headmaster, *US* principal; ~**stufe** senior class, seniors; ~**tasse** cup; ~**ton** ♪ harmonic, ~**wasser** *(Schleuse)* upper water *(Mühle)* overshot water ♦ *~wasser haben* to have the whip-hand, to be top dog; ~**welt** upper world

obgleich although, though

Obhut protection, care, custody; guardianship; aegis (under the a. of ...); *in ~ nehmen* to take care *(od* charge) of

obig above-mentioned, above, aforesaid, foregoing

Objekt object; project, transaction; amount at stake, issue involved; *Versuch am lebenden ~* experiment on a living subject; ~**glas** *(Mikroskop)* slide, mount; ~**halter** specimen holder; ~**iv** objective; unbiased, impartial; practical; *adv* in practice; really; *e-e ~ive Gefahr* an actual danger; *su* 🔍 lens, objective; ~**ivieren** to substantiate, to confirm; ~**ivität** objectivity, impartiality; ~**ivlinse** objective lens; ~**ivöffnung** lens aperture; ~**ivring** lens ring, adapter; ~**ivsatz** lens combination; ~**ivträger** lens carrier; ~**ivverschluß** diaphragm shutter

Oblate wafer, *eccl* host

obliegen to apply o.s. to, to be devoted to; to have the task of; to be in charge of; ~**heit** obligation, duty

obligat necessary, indispensable; ~**ion** debenture, bond; obligation; ~**ionsinhaber** bondholder; ~**ionsschuldner** bond debtor; ~**orisch** compulsory, obligatory, mandatory

Obligo liability, commitment

Obmann chairman; *(Schiedsmann)* umpire; foreman (of a jury)

Obo|e oboe; ~**ist** oboe player, oboist

Obrigkeit authorities; magistrate; government; ~**lich** magisterial, official; governmental; by authority; ~**sstaat** authoritarian state

ob|schon = obgleich; ~**servatorium** observatory; ~**siegen** to triumph over; to prevail; to overcome, to get the better of; to carry the day; ~**sorge** care *(über* of); supervision, inspection

Obst fruit; ~**bau** fruit-growing; ~**baum** fruit-

-tree; ~**ernte** fruit-crop; ~**garten** orchard; ~**händler** *BE* fruiterer, *US* fruitseller; ~**kelter** fruit-press; ~**kern** stone, kernel; *(klein)* pip; ~**schädling** fruit pests; ~**tag** fruit diet day; ~**torte** (fruit) tart, *BE* fruit flan, *US* fruit pie; ~**züchter** fruit-grower

Obstruktion blocking; *parl* obstruction

ob|szön obscene, filthy; ~**walten** to exist, to prevail; *unter den ~waltenden Umständen* under the *(od* these) circumstances; as matters stand; ~**wohl** = obgleich

Obus trolley-bus

Ochse ox; bull(ock); *fig* duffer, blockhead; ~**n** to cram, to fag; *umg* to swot; ~**nfleisch** beef; ~**ngespann** team of oxen; ~**nhaut** ox-hide; ~**nleder** buff; ~**nschwanz(suppe)** oxtail (soup); ~**nziemer** horse-whip

Ocker ochre

Ode ode

Öd|e waste; desert; solitude; *geistige ~e* ennui; *adj* empty, bare; bleak; dreary, dull; *(unbebaut)* waste; ~**land** fallow land, waste(land), wild, desert

Odem breath; ≈ 💲 oedema

oder or, else; *~ aber* or else, or instead; *~ auch* or rather instead; *entweder ... ~ either ... or; (sonst)* otherwise

Odium odium

Odyssee Odyssey *(a. fig)*

Ofen stove; *(Back-)* oven; *(Brenn-)* kiln; *(Hoch-)* furnace; ~**kachel** Dutch tile; ~**klappe** damper; ~**rohr** stove-pipe; ~**schirm** fire-screen; ~**setzer** stove-fitter; ~**vorsetzer** fender

offen open, free; vacant; unsettled; outstanding; *fig* frank, sincere, outspoken; ~ *gesagt* to be honest, to tell the truth; *~e Rechnung* current account; *~er Wechsel* blank cheque; *~e Handelsgesellschaft* general mercantile partnership; *~e Stadt* unfortified town; *~e Sprache* plain language, open *(od* uncoded) language; *~e Stelle* vacancy ♦ *~e Türen einrennen* to flog a dead horse; *~es Geheimnis* open secret; ~**bar** obvious; manifest; evident; apparent; ~**baren** to reveal, to disclose; to manifest; ~**barung** revelation, disclosure; manifestation; ~**barungseid** oath of manifestation; ~**heit** frankness, openness; candour; ~**herzig** sincere, open-hearted; frank, candid; ~**herzigkeit** sincerity, frankness; ~**kundig** evident, public; notorious; ~**sichtlich** obvious, apparent; *(Lüge)* downright; ~**stehen** to stand open; to remain unpaid *(bill);* to be allowed; *~ u. ehrlich* frank, above-board

offensiv, ~e offensive

öffentlich public; open; official; *~ beglaubigt* certified by public notarial act; *~e Anleihe* public loan; *~e Bedürfnisanstalt* public conveniences; *~e Betriebe* public utilities; *~e Hand* public authorities; *~es Interesse* public interest; *Befragung d. ~en Meinung* (public-)opinion poll; *~es Wohl* public welfare; ~**keit** public; publicity; *unter Ausschluß d. ~keit* behind closed doors, 🔒 in camera; ~**rechtlich** under public law

offer|ieren to offer; ~**te** offer; tender; bid; *e-e* ~**te einreichen** to submit an offer

offiz|iell official; ~**ier** (commissioned) officer; (~*ier vom Dienst* o. on duty); ~**iersanwärter** officer candidate; ~**iersbursche** batman, orderly; ~**ierskasino** officers' mess; ~**ierskorps** the (body of) officers; ~**ierspatent** commission; ~**in** workshop; dispensary; chemist's shop; printing establishment, *US* printery; ~**iös** semi-official

öffn|en to open; to dissect *(a body)*; to unlock; *(mit Dietrich)* to pick a lock; ~**ung** opening; aperture; hole; gap; *(Schlitz)* slot, slit; *(Fluß)* mouth; outlet; orifice; ~**ungszeit** hours of opening

Offsetdruck offset printing; ~**walze** offset roller

oft, ~**mals** often, frequently; *je* ~*er* ... *desto* the more ... the; ~**ers** often, frequently

Oh(ei)m uncle

ohn|e without, but for; except; devoid of; lacking; *nicht* ~*e (umg)* not to be sneezed at; ~*e Gewähr* without engagement; ~*e-mich-Politik* count-me-out policy; ~**egleichen** unequalled; ~**edies**, ~**ehin** apart from this; besides; anyhow, anyway; all the same; ~**macht** faint, unconsciousness; ✝ blackout; powerlessness; weakness; impotence; ~**mächtig** in a faint; unconscious; helpless, powerless; ~*mächtig werden* to faint; ~**machtsanfall** fainting-fit

Ohr ear; *fig* hearing; *ganz* ~ *sein* to be all ears; *s. aufs* ~ *legen* to take a nap ♦ *auf dem* ~ *hört er nicht (fig) he* is deaf in this ear; *j-n übers* ~ *hauen* to cheat s-b; *bis über d.* ~ *en* up to the eyes, over head and ears; *es (faustdick) hinter d.* ~*en haben* to be very wily, to be as cute as they make them; *j-m in d.* ~*en liegen* to pester s-b; *viel um d.* ~*en haben* to be up to the eyes in work; ~**enarzt** ear specialist, aurist; ~**enbeichte** auricular confession; ~**enklingen** ringing in the ears; ~**enleiden** disease of the ear; ~**ensausen** buzzing in the ears; ✆ tinnitus; ~**enschmalz** ear-wax; ~**enschmaus** a real (musical) treat; ~**enschmerzen** ear-ache; ~**enschützer** ear-flap; ~**enzerreißend** ear-splitting; ~**enzeuge** auricular witness; ~**feige** box on the ear; *(moralische)* slap in the face; ~**läppchen** lobe of the ear; ~**muschel** ear conch, external ear; ~**wurm** earwig

Öhr *(Nadel)* eye; *(Stoff-, Segel-)* eyelet

okkult occult; ~**ismus** occultism

Ökonom economist; ♂ farmer; *(Verwalter)* manager, steward; ~**ie** economy; economics; agriculture; housekeeping; ~**isch** economical

Okt|aeder octahedron; ~**avband** octavo (volume); ~**ave** octave; ~**avflöte** flageolet; ~**ett** octet; ~**ober** October; ~**ogon** octagon

Okul|ar ocular, eye-piece *(of a telescope)*; eyeglass; ~**arlinse** ocular lens; ~**aröffnung** pinhole; ~**ieren** to graft, to bud, to inoculate; ~**iermesser** budding-knife; ~**ierreis** grafting twig

ökumenisch oecumenical

Okzident occident

Öl oil; *(Maschinen-)* lubricating oil; *(Speise-)* salad oil ♦ ~ *ins Feuer gießen* to add fuel to the flames; ~ *auf d. Wogen gießen* to pour oil on troubled waters; ~**ablaß** oil drain; ~**abscheider** oil separator; ~**anstrich** coat of oil, oil paint; ~**baum** olive tree; ~**berg** *eccl* Mount of Olives; ~**bohrung** oil well; ~**brenner** oil-burner; ~**druck** ▓ oleograph; ▭ oil printing; ✿ oil pressure; ~**druckbremse** oil brake; hydraulic brake; ~**druckschmierung** oil-pressure lubrication; ~**en** to oil; to anoint; ✿ to lubricate; ~**farbe** oil paint, oil colour; ~**fleck** oil stain; ~**frei** without oil; ~**fresser** ✿ oil hog; ~**getränkt** oil-impregnated; ~**haltig** oil-bearing, containing oil; *geol* oleiferous; ~**heizung** oil heating; ~**ig** oily, oleaginous; *fig* unctuous; ~**igkeit** oiliness; unctuousness; ~**kanister** oil-can; ~**kohle** oil carbon (*von* ~*kohle befreien* 🚗 to decarbonize); ~**kuchen** oil cake; ~**lack** oil varnish; ~**leitung** pipe-line; 🚗 oil-pipes; ~**malerei** oil painting; ~**meßstab** 🚗 oil dipper; ~**papier** oil-paper; ~**säure** oleic acid; ~**schlägerei** oil-press; ~**stand** oil level; ~**standsanzeiger** oil gauge; ~**spritze** oil-gun; ~**tuch** oil-cloth, oilskin; ~**ung** oiling, 🚗 lubrication; *letzte* ~*ung (eccl)* extreme unction; ~**wanne** ✿ sump, *US* oilpan; ~**zeug** oils, tarpaulin, oil-skins; ~**zuführung** oil feed; ~**zweig** olive branch

Oleander oleander

Oliv|e olive; *wilde* ~*e* oleaster; ~**enbaum** olive tree; ~**enfarben** olive(-coloured); ~**enförmig** olivary; ~**grün** olive-green; drab

Olymp Olympus; ~**iade** Olympiad; ~**isch** *(göttl.)* Olympian, Olympic; *d.* ~*ischen Spiele* the Olympic Games

Omelette omelet(te)

Om|en omen; augury; ~**inös** ominous

Omnibus omnibus, bus; ~ *fahren* to ride a bus, to go by bus; ~**haltestelle** bus stop; ~**linie** bus line, coach line; ~**park** bus fleet; ~**verkehr** bus service

ondulieren to wave (hair)

Onkel uncle

Opal opal; ~**isieren** to opalesce; ~**isierend** opalescent

Oper opera; opera-house; *e-e* ~ *aufführen* to perform an opera; ~**ette** operetta; ~**nglas** opera-glass; ~**nmusik** operatic music; ~**nsänger** opera (*od* operatic) singer; ~**ntext** libretto, book

Oper|ateur operator; operating surgeon; ~**ation** operation; *s. e-r* ~*ation unterziehen* to submit to (*od* undergo) an operation; ~**ationsabteilung** *mil* operations section; ~**ationsbasis** *mil* base of operation; ~**ationsgebiet** *mil* theatre of operations; ~**ationsnarbe** post-operative scar; ~**ationsradius** operating radius; ~**ationssaal** (operating) theatre (*od US* room); ~**ationsverfahren** method of operation; ~**ationsziel** *mil* tactical objective; ~**ativ** operative; *mil* operational, strategic; ~**ieren** to operate on s-b; to perform an operation

Opfer sacrifice; offering; victim; martyr; *e.* ~

bringen to make a sacrifice; *e.* ~ *werden von* to fall a victim to; ~**altar** sacrificial altar; ~**becken** sacrificial vessel; ~**büchse** offering box; ~**flamme** sacrificial flame; ~**freudig** self--sacrificing; ~**gabe** offering; ~**gebet** offertory; ~**geld** money-offering; ~**kasten** poor-box; ~**lamm** sacrificial lamb, Lamb of God; *fig* victim; ~**n** to sacrifice; *(Tiere)* to immolate; to offer up; ~**priester** sacerdotal priest; ~**stätte** place of sacrifice; ~**stock** poor-box; ~**tod** sacrifice of s-b's life; *eccl* expiatory death; ~**trank** libation; ~**wein** sacramental wine; ~**ung** sacrifice; sacrificing; *(Tiere)* immolation

Opi|at opiate; ~**um** opium; ~**umhaltig** opiated; ~**umtinktur** laudanum

Oppon|ent opponent, adversary; ~**ieren** to oppose, to resist

opportun opportune, expedient; ~**ist** opportunist; *pol* trimmer

Opposition opposition; *(pol) d.* ~ *angehören* to be in the opposition; ~**sführer** leader of the opposition

opt|ieren *pol* to choose; to decide in favour of; ~**ik** optics; **ⅅ** lens system; ~**iker** optician *(Verkauf nach Rezepten)* dispensing optician; *(eigene Rezepte)* ophthalmic optician, *US* optometrist; ~**isch** optical

optim|al optimum; ~**ismus** optimism; ~**istisch** optimistic

Orakel, ~**spruch** oracle; ~**haft** oracular; ~**n** to speak in riddles

Orange orange; ~**rie** orangery; *bittere* ~ *(Pomeranze)* bitter orange

Orang-Utan orang-outang

Oratorium oratorio

Orchester orchestra; band; ~**partitur** orchestral score; ~**raum** orchestra pit; ~**sessel** orchestra stalls

Orchidee orchid

Orden order *(a. eccl);* decoration; medal; badge; ~**sband** ribbon of an order; medal ribbon; ~**sbruder** member of an order; friar, monk; ~**sgeistlicher** ecclesiastic; regular; ~**sgelübde** vow, profession; ~**skleid** monastic garb; ~**sregel** statutes of an order; ~**sschwester** sister, nun; ~**sverleihung** awarding a medal; conferring an order; ~**szeichen** badge, order

ordentlich orderly; tidy; steady; decent; ordinary, regular; proper; downright; good; respectable; ~ *er Professor* professor in ordinary; ~**keit** regularity, orderliness; respectability

Order order; command; *an die* ~ *von* to the order of

Ordinalzahl ordinal number

ordin|är ordinary, common; low; vulgar, mean; ~**ariat** *eccl* office; professorship; ~**arius** professor in ordinary; ~**ate** ordinate; ~**ieren** to ordain; to invest; ~**iert werden** to take orders

ordn|en to tidy (up); to put in order; to classify; to arrange; to sift, to sort out; to regulate; *(Papiere)* to file; to organize; *mil* to marshal; ~**er** organizer; file, (letter) sorter; ~**ung** order, tidiness; arrangement; classification; class;

regulation; *öffentliche* ~**ung** public order *(od* regulations); *zur* ~**ung** *rufen* to call to order; ~**ungspolizei** (uniformed) regular police; ~**ungsstrafe** administrative *(od* disciplinary) penalty; ~**ungswidrig** contrary to orders *(od* to regulations); irregular; illegal; ~**ungszahl** ordinal number; number in a series

Ordonnanz *(Verordnung)* ordinance; *mil* orderly

Organ $ organ; voice; journal, periodical *(of a society);* *(Amt, Stelle)* agency, part, organ; executive; agent; ~**dy** organdy; ~**isation** organization; ~**isationsstab** organization staff; ~**isationstalent** organizing abilities; ~**isator** organizer; ~**isatorisch** organizing, organizational; ~**isch** organic; natural; sound, rational; coherent; ~**isieren** to organize; *(stehlen)* to scrounge, to lift; ~ *isierter Arbeiter* unionist; ~**ismus** organism; system; ~**ist** organist

Orgel organ; ~**bauer** organ builder; ~**konzert** *(Darbietung)* organ recital; *(Komposition)* organ concerto; ~**pfeife** organ-pipe ♦ *wie die* ~ *pfeifen* like steps and stairs

Orgie orgy; ~ *n feiern* to celebrate orgies

Orient orient; ~**ale** oriental; ~**alisch of** the east, oriental; ~**ieren** to orientate, to locate; to give information (to); to set right; to fix *(od* find) a position; ~ *iert sein über* to be familiar with; ~**ierung** information, orientation; direction; survey; *(Neigung)* trend; inclination; *d.* ~ *ierung verlieren* to lose one's bearings, *umg* to be all at sea; ~**ierungsfeuer** ✝ route beacon; ~**ierungspunkt** check point

Original original; ~**aufnahme ⚓** original recording; ~**ausgabe** *(Buch)* original *(od* first) edition; ~**ität** originality; ~**modell** master pattern

originell original; ingenious *(device)*

Orkan hurricane; typhoon

Ornament ornament, decoration; design; ~**ik** ornamentation

Ornat official robes, vestments

Ort place, spot; locality; site; *(Stelle)* point; position; *(Gegend)* region; *am* ~ *wohnend* resident; *an* ~ *und Stelle* on the spot, in the actual place; ~ *d. Handlung* ⚘ scene of action; *höheren* ~ *es* at high quarters; ~**en** to orientate; ✝ to locate, to take bearings; ⁂**lich** local; ~**schaft** place, village; ⚒ hamlet; ~**sgedächtnis** sense of direction; *(Tiere)* homing instinct; ~**sgespräch** local call; ~**skundig** familiar with the locality; ~**ssinn** bump of locality; ~**süblich** local, usual, customary; ~**svorsteher** mayor, magistrate; ~**szeit** local time; ~**ung** orientation, location, bearing; position, finding; ~**ungspunkt** reference point; landmark

ortho|dox orthodox; ~**doxie** orthodoxy; ~**graphie** orthography, spelling; ~**graphisch** orthographic; ~**pädie** orthopaedics; ~**pädisch** orthopaedic

Öse *(Ring)* loop; ear; ring; eye; *(Schuh)* eyelet; ~**nhaken** eyehook

Ost east; ~**afrika** East Africa; ~**asien** Eastern Asia; ~**blockstaaten** countries of the Eastern

Bloc; ~**en** east, orient; *d. Nahe (Ferne)* ~ *en* the Near (Far) East; ~**gebiete** Eastern territories; ⁓**lich** eastern; easterly; oriental; ~**mark** East German mark; East Mark; ~**see** Baltic; ~**wärts** eastward(s); ~**zone** *(Deutschl.)* Eastern Zone
ostentativ ostentatious
Oster|abend Easter eve; ~**ei** Easter egg; ~**fladen** Easter cake; ~**glocke** daffodil; ~**hase** Easter-bunny, Easter-rabbit; ⁓**lich** of Easter; ~**n** Easter
Österreich Austria; ~**er**, ~**isch** Austrian
Oszill|ation oscillation; ~**ator** oscillator, generator; ~**ieren** to oscillate; ~**ograph** oscillograph
Otter adder, viper; *(Fisch-)* otter
Ouvertüre overture
oval oval
Oxyd oxide; ~**ieren** to oxidize; ~**ation** oxidation
Ozean ocean; *d. Große (Stille)* ~ Pacific; *Atlantischer* ~ Atlantic Ocean; ~**isch** oceanic
Ozon ozone

P

P (the letter) P
Paar pair, couple; *(Tiere)* brace; *e.* ~ *Ochsen* yoke of oxen ♦ *zu* ~ *en treiben* to put to flight, rout; *e.* ~ a few, some, a couple of; several; *vor e.* ~ *Tagen* a few days ago; ~ *oder un*~ odd or even; ~**en** to pair; to couple; to mate; to join; ~**ig** in pairs; ~**laufen** 🏃 pair-skating; *e.* ~**mal** several times, a few times, a couple of times; ~**ung** copulation; ~**ungszeit** rutting season; ~**weise** in couples, by pairs, two by two
Pacht tenure; lease; rent; *in* ~ *geben* to let on lease; *in* ~ *nehmen* to take on lease; ~**brief** lease; ~**en** to lease, to rent, to farm; *fig* to monopolize; ⁓**er** tenant, leaseholder; 🏠 *(Mieter)* lessee; ~**ertrag** rental; ~**frei** rent-free; ~**geld** (farm-)rent; ~**grundstück** leasehold property; ~**gut** farm; tenement, leasehold estate; ~**land** leasehold land; ~ *u.* Leihvertrag Lend-Lease Act; ~**ung** leasing on lease; farming; ~**vertrag** lease; ~**weise** on lease; ~**zins** rent
Pack pack; *(Ballen)* bale; bundle; packet, parcel; *(Gesindel)* rabble; *mit Sack u.* ~ (with) bag and baggage; ⁓**chen** small parcel, packet; *(Zigaretten)* packet, *US* pack; ~**eis** pack ice; ~**en** to seize, to grasp; to pack (up); *(weg-)* to stow away; *fig* to affect, to thrill; *sich* ~ to clear out; ~**end** thrilling, absorbing; ~**er** packer, ⚓ stevedore; ~**esel** pack-ass; *fig* drudge; ~**papier** wrapping paper, brown paper; ~**raum** packing *(od* shipping) room, ⚓ stowage; ~**schnur** pack-thread, pack-twine; ~**träger** porter, carrier; ~**ung** wrapper, packing; package; 💲 (cold-)pack, cold compress; ~**wagen** luggage van, *US* baggage car; ~**zettel** packing slip
Pädagog|e education(al)ist; educator, pedagogue; ~**ik** pedagogy, pedagogics, education; ~**isch** educational, pedagogic(al)

Padd|el paddle; ~**elboot** canoe; ~**eln** to paddle, to canoe; ~**ler** canoeist, canoer
Pärchen couple; lovers
paff! bang!; ~**en** *umg* to whiff; *(schießen)* to pop
Pag|e page; *(Hotel-)* buttons, *US* bellboy; ~**enkopf** bobbed hair; ~**inieren** to page; to paginate; ~**inierung** pagination
Pagode pagoda
Pair peer; ~**swürde** peerage
Paket parcel, package, packet; *(Aktien-)* block; *e.* ~ *aufgeben* to mail a parcel; ~**adresse** parcel-post sticker; ~**annahme** parcels-receiving office; parcels counter; ~**ausgabe** parcel-delivery; ~**boot** mail-boat; ~**karte** parcel form; ~**post** parcel post
Pakt pact, agreement; ~**ieren** to agree (on s-th), to come to terms (with s-b)
paläolithisch pal(a)eolithic
Palast palace; ~**artig** palatial; ~**dame** lady-in-waiting; ⁓**ina** Palestine; ⁓**inensisch** Palestinian
Paletot overcoat
Palette palette
Palm|e palm; ~**kätzchen** catkin; ~**sonntag** Palm Sunday; ~**wedel** palm-branch
Palisade palisade; ~**nzaun** stockade
Palisanderholz rosewood
Pampelmuse pomelo; *kleine* ~ grapefruit
Pamphlet *(Flugblatt)* pamphlet; *(Schmähschrift)* lampoon; ~**ist** lampoonist
panamerikanisch Pan-American
Paneel panel; wainscot; ~**ieren** to panel, to wainscot
Panier banner, standard; ~**en** to dress with egg and bread-crumbs
Pan|ik panic; ~**isch** panic; *(-erfüllt)* panicky
Panne motor trouble; break-down; *(Reifen-)* puncture, flat; *fig* mishap; blunder
Panoptikum waxworks
panschen to dabble; to splash; to adulterate; *(Wein)* to mix
Panslawismus Panslavism
Panthe|ismus pantheism; ~**ist**, ~**istisch** pantheist
Panther panther
Pantine clog, patten
Pantoffel slipper, mule ♦ *unter d.* ~ *stehen* to be hen-pecked; ~**held** hen-pecked husband
Pantomim|e pantomime; dumb show; ~**isch** pantomimic
Panzer *(-ung)* armour; *(Rüstung)* coat of mail; *(-kampfwagen)* tank; ~**abwehr** anti-tank defence; ~**brechend** armour-piercing; ~**brigade** tank brigade; ~**faust** anti-tank grenade launcher, bazooka; ~**gewölbe** *(Bank)* strongroom, vault; ~**granate** armour-piercing shell; ~**hemd** coat of mail; ~**jäger** anti-tank troops; ~**(kampf)wagen** tank; armoured car; ~**korps** armoured corps; ~**kreuzer** armoured cruiser, pocket-battleship; ~**n** to armour, to plate; to arm; *s.* ~*n* to arm o.s.; ~**platte** armoured plate; ~**regiment** tank regiment; ~**schrank** safe; strongbox; ~**spähtrupp** armoured reconnais-

sance unit; ~**spähwagen** armoured (reconnaissance) car; ~**truppe** tank corps; ~**ung** armoured plating; ~**zug** tank platoon; ⚙ armoured train

Papagei parrot; ~**enkrankheit** psittacosis

Papier paper; ~**e** identity papers; *(Wert-)* securities, shares, stocks; *liniertes* ~ ruled paper; *zu* ~ *bringen* to put on paper, to put down in writing; ... *steht nur auf d.* ~ exists only on paper; ~**abfälle** waste paper; ~**bogen** sheet of paper; ~**en** of paper; ~**fabrik** paper-mill; ~**fabrikation** manufacture of paper; ~**geld** paper money; ~**handlung** stationer's shop, *US* stationery; ~**korb** waste-paper basket; ~**krieg** red tape; ~**maché** papier-mâché; ~**schlange** paper streamer; ~**schnitzel** scrap of paper; ~**serviette** paper napkin; ~**endeckel** paper handkerchief, tissue; ~**tüte** paper-bag; ~**währung** paper currency

Pap|ismus popery; ~**ist** papist; ~**istisch** papistic, popish

Papp *(Brei)* pap; *(Kleister)* paste; ~**band** pasteboard-binding; (book) bound in boards; ~**deckel** pasteboard; ~**e** paste-, cardboard; ... *ist nicht von* ~ ... is the real thing; is not to be sneezed at; ~**el** poplar; ~̈**eln** to feed *(a child)*; *(verzärteln)* to coddle; ~**endeckel** pasteboard; ~**enstiel** trifle; ~**erlapapp!** fiddle-sticks!, nonsense!; ~**ig** sticky; ~**kasten**, ~**schachtel** cardboard box

Paprika paprika, red pepper; *gefüllter* ~ stuffed peppers

Papst pope; ~**tum** papacy; ~̈**lich** papal, apostolic

Parabel parable; *math* parabola [tolic

Parad|e parade, show; *mil* review; ♜ parry; ward; *e-e* ~*e abnehmen* to hold a review, to take the salute; ~**emarsch** march past; ~**epferd** parade-horse; *fig* show-boy; ~**eplatz** parade ground; ~**eschritt** goose-step; drill-step; ~**e-uniform** full-dress uniform, gala uniform; ~**ieren** to parade; to make a show

Paradentose paradentose

Paradies paradise; ~**apfel** tomato; ~**vogel** bird of paradise; ~**isch** paradisiac(al); *fig* heavenly, delightful

Para|digma paradigm; model; ~**dox** paradoxical; ~**doxon** paradox; ~**ffin** white wax, paraffin (wax); ~**ffinkerze** paraffin candle; ~**graph** section, paragraph; *(Zeichen)* section-mark; 🜂 article (of a law); ~**graphenreiter** litigious *(od* pettifogging) person

parallel parallel; ~**e** parallel; ~**ität** parallelism; state of balance; ~**ogramm** parallelogram; ~**schalten** ⚡ to connect in parallel, to shunt; ~**schaltung** ⚡ connection in parallel, shunt connection

Paraly|se (general) paresis; 🜚 dementia paralytica; *(a. fig)* paralysis; ~**sieren** to paralyse; ~**tiker**, ~**tisch** paralytic

Para|nuß Brazil nut; ~**ph** signature, initials; ~**phieren** to initial (an agreement); ~**phrase** paraphrase; ~**psychologie** psychical research, parapsychology; ~**sit** parasite; ~**sitisch** parasitic; ~**typhus** paratyphoid fever

Parenthese parenthesis

Parforce||jagd hunting on horse-back; ~**ritt** steeple-chase

Parfüm scent, perfume; ~**erie** perfumery; ~**flasche** scent-bottle; ~**ieren** to perfume, to scent; ~**zerstäuber** scent-spray, atomizer

pari at par; *über (unter)* ~ above (below) par; ~**grenze** parity; ~**kurs** par of exchange; ~**tät** parity; equality; ~**tätisch** proportional, pro rata; at par; on an equal footing; in equal numbers

Paria pariah

parieren *(Stoß)* to parry; to ward (off); *(Pferd)* to rein in; *(gehorchen)* to obey

Pariser, ~**in** Parisian; condom

Park park, grounds; *(Lager)* depot; dump; distributing point; *(Wagen-)* fleet; *(Maschinen-)* stock; ~**anlagen** park; ~**aufseher** park-keeper; ~**en** to park; ~ *en verboten!* no parking!; ~**platz** *BE* car park; *US* parking ground *(od* lot); *(Fahrräder)* bicycle parking place; ~**uhr** parking meter; ~**verbot** „no parking!"; ~**weg** alley

Parkett inlaid floor, parquet(ry) ♦ *e-n aufs* ~ *legen (umg)* to shake a leg; 🎭 stalls, pit stall, *US* parquet; *zweites* ~ pit, *US* parterre; ~**ieren** to parquet; ~**wachs** floor wax

Parlament parliament; *d.* ~ *auflösen* to dissolve parliament; *d.* ~ *einberufen* to convene p.; *e-n Sitz im* ~ *haben* to hold a seat in parliament; ~**är** bearer of a flag of truce; parlementaire; ~**arier** parliamentarian; ~**arisch** parliamentary; legislative; ~**ieren** to parley, to negotiate; ~**sbeschluß** vote of parliament; ~**sdauer** session; *(Fahrräder)* ~**sferien** recess (-ing); ~**sschluß** prorogation of parliament; ~**ssitzung** sitting of parliament; ~**sverhandlung** parliamentary debate *(od* proceedings)

Parodie parody; ~**ren** to parody [gan

Parole watchword, password, parole; *pol* slo-

Partei party; faction; 🜛 (party) side, party (to a dispute); *(Haus-)* tenant; ~ *ergreifen* to take sides, to side with; *e-r* ~ *beitreten* to join a party; *nicht beteiligte* ~ third party; *vertragschließende* ~ contracting party; *herrschende* ~ party in power; ~**abzeichen** party badge; ~**apparat** party organization, machine; ~**ausschuß** party committee; ~**buch** party book; membership card; ~**direktive** party line; ~**disziplin** party-discipline; *~ disziplin halten* to follow the party line; ~**enverkehr** *(etwa)* office hours; ~**führer** party leader; ~**gänger** partisan; ~**isch** partial, biased; one-sided; ~**lichkeit** partiality, bias; ~**kandidat** party nominee; ~**kongreß** party conference, *US* party convention; ~**los** *parl* independent, non-party; unattached; ~**nahme** partisanship; ~**organisation** party organization, machine; ~**politisch** party-political; ~**programm** platform, party programme; ~**programmpunkt** *bes US* plank; ~**tag** party congress; ~**versammlung** party meeting, rally; ~**zugehörigkeit** party affiliation

Parterre *BE* ground floor, *US* first floor; 🎭 pit, *US* orchestra (circle); *erstes* ~ stalls; ~**loge** pit-box

Partie *(Land-)* excursion; party; *(Spiel)* game; *(Tennis)* set; *(Heirat)* match; *(Waren)* lot, parcel; *e-e gute ~ machen* to marry fortune; *sie ist e-e gute ~* she's a good catch; **~ll** partial; localized; **~ware** job-goods
Partikel particle
Partikular|ismus particularism; parochial *(od* parish-pump) attitude; dog-in-the-manger habits; **~istisch** particularistic
Partisan partisan; guerilla; **~enbewegung** partisan movement
Part|itur score; **~izip** participle; **~ner** partner, associate; (fellow-)party; **~nerschaft** partnership
Parze Fatal Sister; *d. ~n* the Fates
Parzell|e (building) lot; ↓ lot; allotment; plot; ♋ claim; parcel; **~ieren** to parcel out; to divide into lots
Pasch doublets (in throwing dice); **~a** pasha; **~en** to throw doublets; *(Waren)* to smuggle; **~er** smuggler
Paspel piping; edging (on dress); **~ieren** to edge with piping
Paß pass; passage; *(enger Durchgang)* defile; *(Reise-)* passport; *(Gangart)* pace, amble; *im ~ gehen* to amble; **~amt** passport-office; **~gänger** ambling horse; **~kontrolle** examination of passports; **~nummer** passport number
Passagier passenger; *blinder ~* ♓ stowaway; **~flugzeug** air-liner; **~gut** passenger's luggage, *US* baggage
Passah(fest) Passover
Passant passer-by; chance (*US* transient) guest
Passat(wind) trade wind
passen to fit; to suit; to become; to be to the purpose; *(Spiel)* to pass; *~ zu* to go with, to match; *(zueinander)* to blend; to harmonize; *genau ~ zu (fig)* to dovetail into; **~d** appropriate, convenient; proper; fit; suitable; apt; *~d machen* to condition; to adjust
Passepartout *(Schlüssel)* master-key; free-admission ticket; ♓ mount
passier|en to happen, to occur, to take place; to go through, to pass; to cross; *(Kochen)* to sieve; **~schein** permit, pass
Passion passion; fondness; **~iert** ardent; passionate, impassioned; **~swoche** passion week
passiv passive; *gram* passive (voice); **~a**, **~en** liabilities, debts; **~ität** passivity; **~seite** debit side, left side; **~ieren** to enter on the liabilities side; **~zinsen** interest payable to creditors
Paste paste
Pastell pastel; **~bild**, **~farbe**, **~stift** crayon
Pastete (meat-, *US* pot-)pie; pastry
pasteurisieren to pasteurize
Pastille lozenge
Pastinake parsnip
Pastor pastor; vicar; minister; clergyman; **~in** clergyman's wife
Pat|e godfather; (*~ stehen* to stand g. to); sponsor; **~enkind** godchild; **~enstelle** sponsorship; *bei e-m Kind ~enstelle vertreten* to act as godfather to a child; **~in** godmother

Patent (letters) patent; licence; *mil* commission; *e. ~ anmelden* to apply for a patent; *angemeldetes ~* pending patent; *~ verletzen* to infringe a patent; **~amt** patent office; **~anmeldung** patent application; **~anspruch** patent claim; **~anwalt** *BE* patent agent, *US* patent attorney (*od* solicitor); **~erteilung** patent grant; **~fähig** patentable; **~ieren** *(lassen)* to (protect by) patent; **~ierung** patenting, grant of patent; **~inhaber** patent owner; patentee; **~lösung** patent solution; **~recht** patent law; **~schutz** patent protection; **~verfahren** patent procedure; **~verschluß** patent stopper; snap-fastener; **~wesen** patent system
Pater father; **~noster** paternoster, the Lord's Prayer; continuous lift, hoist
path|etisch solemn, elevated, lofty; melodramatic; **~ologe** pathologist; **~ologie** pathology; **~ologisch** pathological; **~os** melodramatic style *(od* diction); emotional tone
Patient patient; *stationärer ~* in-patient
Patin|a patina; **~iert** patinated
Patriarch patriarch; **~alisch** patriarchal
Patriot patriot; **~isch** patriotic; **~ismus** patriotism
Patrizie top die, punch; **~ier** patrician
Patron patron; protector; *umg* fellow; **~at** patronage; **~in** patroness; **~e** cartridge (*a.* ♙); *(Textil)* pattern, model; *scharfe ~e* ball *(od* live) cartridge; **~engurt** cartridge belt; **~enhülse** cartridge case; **~entasche** cartridge pouch
Patrouill|e patrol; **~ieren** to patrol
patz|en to make blots, to spot; **~ig** rude; saucy, cheeky
Pauke timbal, kettle-drum; *umg* lecture, dressing-down; **~n** to beat the kettle-drum; *fig* to swot, to cram; *(Fechten etc)* to fight a duel; **~nwirbel** roll of the kettle-drum; **~r** kettle-drummer; *(Lehrer)* crammer, coach; **~rei** duel; cramming; *mit ~n u. Trompeten* with drums beating and trumpets sounding; with flying colours, dead-and-out
pausbäckig chubby-faced
pauschal overall, global; lump-sum; **~gebühr** flat rate, lump sum; **~preis** flat price; all-in price; **~reise** inclusive journey, package tour; **~summe** lump sum; round amount; **~tarif** flat-rate tariff; **~versicherung** blanket insurance; **~zahlung** lump-sum payment
Paus|e pause, stop; ♗ interval, intermission; *(Schule)* break, *US* recess; lull; rest; *(Zeichnung)* tracing, traced design; **~en** to trace, to pounce; **~enzeichen** ♗ interval tune, signal tune, (in der Schule) bell; **~papier** tracing paper
Pavian baboon
Pavillon pavilion
Pazifis|mus pacifism; **~t** pacifist, advocate of peace; **~tisch** pacifist(ic)
Pech pitch; *(Schuster-)* cobbler's wax; *fig* bad luck, ill luck, mishap; *vom ~ verfolgt sein* to be down on one's luck; **~artig** pitchy, bituminous; **~blende** pitch-blende; **~draht** shoe-

maker's thread; ~**fackel** torch; ~**finster** pitch-dark; ~**nelke** catchfly; ~**schwarz** pitch-black; ~**strähne** run of ill luck; ~ *strähne haben* to strike a bad patch; ~**vogel** unlucky devil
Pedal pedal
Pedant pedant; ~**erie** pedantry; ~**isch** pedantic, meticulous
Pedell beadle; *(Schule)* janitor, porter
Pegel water-gauge; level
Peil|anlage ✝ direction-finding installation; ⚓ sounding device; ~**bake** radio beacon; ~**en** to take bearings; to take a fix; to locate; to sound
Pein pain, torture, agony; anguish; ~**igen** to torment, to harass; *fig* to distress; ~**iger** tormentor; ~**igung** torment, torture; ~**lich** painful; embarrassing, awkward; *(genau)* exact, careful; scrupulous, meticulous; ~**lichkeit** painfulness; awkwardness; embarrassment; scrupulousness; exactness, carefulness
Peitsche whip, lash; ~**n** to whip, to flog, to lash; *e. Gesetz durchs Parlament* ~*n* to rush a bill through the House; ~**nhieb** lash, cut with the whip; ~**nknall** whip crack; ~**nschnur** thong *(od* lash) of a whip; ~**nstiel** whip-stick
pekunlär pecuniary
Pelikan pelican
Pell|e skin, peel ♦ *j-m auf d.* ~ *rücken*; *siehe* Pelz; ~**en** to peel; ~**kartoffeln** potatoes in their jackets
Pelz pelt; *(zubereitet)* fur; *(Fell)* skin; hide; fur coat ♦ *j-m auf d.* ~ *rücken* to press s-b hard; ~**besatz** fur trimming; ~**händler** furrier; ~**jäger** (fur) trapper; ~**ig** furry; ~**mantel** fur coat; ~**tiere** fur-bearing animals; ~**waren**, ~**werk** furriery, furs, skins
Pendel pendulum; ~**betrieb**, ~**verkehr** 🚌, ✝ shuttle-service; ~**bewegung** movement of pendulum, gyratory movement; ~**n** to oscillate, to swing, to vibrate, to undulate; 🚌 to commute; to divine *(od* dowse) with a pendulum; ~**rahmen** cradle frame; ~**tür** swinging door; ~**uhr** pendulum clock
Pendler commuter; dowser
Penn|al (secondary) school; ~**äler** schoolboy; ~**bruder** (homeless) tramp, bum; ~**e** school; ~**en** *umg* to snooze, to doss (down)
Pension pension, boarding-house; (retirement) pension; *mit* ~ *verabschiedet* pensioned off; ~**är** pensioner, boarder; ~**sberechtigt** entitled to a pension; ~**gast** border; ~**skasse** pension fund
Pensum task, lesson
Pentagramm pentacle, pentagram
per by, per; *(Datum)* (as) on, (as) at; ✎ ~ *Adresse* care of, c/o; ~ *Post* by post; ~**ennierend** perennial; ~**fekt** *gram* perfect tense *adj* perfect; complete; *umg* watertight; ~**fid** perfidious, insidious; ~**fidie** perfidy; ~**forieren** to perforate; ~**gament** parchment
Period|e period *(a. gram)*; *geol* age; ⚕ menstruation, period; ⚙ cycle, period; *parl* duration of a session; ~**isch** periodical; *chem* periodic; ~ *isch wiederkehren* to cycle

peripher peripheral; *fig* less(er); ~**ie** periphery; circumference; *(Stadt-)* outskirts
Perl|e pearl; *(künstl.)* bead; *fig* gem; *(Wasser-)* bubble ♦ ~ *en vor die Säue werfen* to cast pearls before swine; ~**en** to sparkle, to effervesce; ~**enkette** pearl necklet, string of pearls; ~**farben** pearl-coloured; ~**grau** pearl-grey; ~**huhn** guinea-fowl; ~**mutter** mother-of-pearl; ~**on perlon**; ~**schrift** pearl; ~**stickerei** beading
permanen|t permanent; ~**z** permanence
Per|pendikel perpendicular (line); pendulum; ~**petuum mobile** perpetual motion (machine); ~**plex** dumbfounded; ~**ron** platform; ~**senning** tarpaulin
Pers|er Persian; ~**laner** Persian lamb (coat); ~**ien** Persia; ~**isch** Persian
Person person; personage; 🎭 character, role, part; ⚖ juridical person; corporation; entity; *in* ~ in person, personally; personified; ~**al** personnel, staff; employees; servants; attendants; *mit* ~*al versehen* to staff; *mit zu wenig* ~*al* understaffed; ~**alabteilung** personnel department *(od* division); ~**alakte** case history; personnel file *(od* record); ~**alangaben** personal data; ~**alausweis** identity card; identification papers; ~**albeschreibung** description of a person; ~**albüro** personnel office; ~**alchef** personnel *(od* staff) manager; ~**algesellschaft** partnership; ~**alien** particulars about a person; ~**alunion** personal union; ~**enaufzug** passenger lift; ~**enbeförderung** conveyance of passengers; ~**en- und Güterverkehr** passengers and goods traffic; ~**en(kraft)wagen** motor-car; ~**enkreis** category of people; ~**enschaden** personal damage; ~**enstand** (legal) status; ~*enstandsgesetz* Births and Deaths Registration Act; ~**enverzeichnis** register of persons; dramatis personae; ~**enzug** passenger train; ~**ifizieren** to personify, to impersonate; ~**lich** personal; in person; ~**lichkeit** personality, individuality
Perspektiv|e perspective; *fig* prospect, chance; ~**isch** perspective
Perücke (peri)wig
pervers perverse; ~**ität** perversity
Pessimis|mus pessimism; ~**t** pessimist; ~**tisch** pessimistic
Pest pestilence; plague; epidemic; *hassen wie d.* ~ to hate like poison; ~**artig** pestilential; ~**beule** plague-boil, *fig* plague-spot; ~**hauch** pestilential miasma; ~**krank** infected with the plague
Petersilie parsley
Petit brevier
Petroleum *(Roh-)* petroleum, *US* (mineral) oil; *(Leucht-) BE* paraffin (oil), lighting-oil, *US* kerosene; ~**gesellschaft** petroleum *(bes US* oil) company; ~**lampe** oil-lamp, *US* kerosene lamp; ~**quelle** oil-well; ~**rückstand** mazut
Petrus St. Peter; the Clerk of the Weather
Petschaft seal, signet
Petz Bruin; ~**e** informer; ~**en** to inform, to tell tales
Pfad path; ~**finder** Boy Scout; *mil* pathfinder;

~**finderin** *BE* Girl Guide, *US* Girl Scout; ~**los** pathless
Pfaffe priest, parson; ~**ntum** clericalism
pfäffisch priestlike; priest-ridden
Pfahl stake; *(Stange)* pole; post; prop; *(Zaun-)* pale; picket; *(Grund-)* pile; *(Schand-)* pillory; ~**bau(siedlung)** lake-dwelling, pile-work; ⁓**len** to fence in, to impale; ~**gründung** pile foundation; ~**rost** pile support; ~**werk** paling, palisade; ~**wurzel** tap-root
Pfalz imperial palace; *geog* Palatinate; ~**graf** Count Palatine
Pfand pledge; security; forfeit; deposit; *zum* ~ *einsetzen* to pawn, to pledge; *e.* ~ *einlösen* to redeem a pledge; ⁓**bar** distrainable, attachable, seizable; ~**brief** mortgage bond; ⁓**en** to seize, to distrain, to take in pledge; *(beschlagnahmen)* to impound; ⁓**erspiel** game of forfeits; ~**gläubiger** pledgee; lienholder; ~**haber** pawnee, mortgagee; ~**leiher** pawnbroker; ~**recht** (right of) lien; ~**schein** pawn ticket; certificate of pledge; ~**schuld** mortgage debt; ~**schuldner** pledgor; ~**ung** seizure, distraint (⁓ *ung beantragen* to sue for a d.); ⁓**ungsauftrag** distress-warrant; ⁓**ungsbeschluß** attachment order; ⁓**ungsverfahren** attachment proceedings; ~**verschreibung** mortgage deed
Pfann|e pan; copper, boiler; ⚥ socket; *(Ziegel)* pantile; ~**kuchen** pancake; *Berliner* ~**kuchen** doughnut
Pfarr|amt, ~**bezirk**, ~**gemeinde** parish; ~**e**, ~**ei** parsonage, vicarage, parish; ~**er** pastor, minister; *(engl. Kirche)* rector, vicar; chaplain; ~**haus** rectory, vicarage; *(schott.)* manse; ~**kind** parishioner; ~**kirche** parish church
Pfau peacock; ~**enauge** peacock-butterfly; ~**enfeder** peacock's feather; ~**enrad** peacock's fan; ~**henne** peahen
Pfeffer pepper ♦ *da liegt der Hase im* ~ there's the rub, that's where the hitch comes in; ~**büchse** pepper-castor; ~**gurke** (pickled) gherkin; ~**korn** peppercorn; ~**kuchen** gingerbread; ~**minze** peppermint; ~**n** to pepper; *fig* to throw; ~**nuß** ginger nut, *BE* ginger snap
Pfeife whistle; *(Tabaks-)* pipe ♦ *nach j-s* ~ *tanzen* to dance to s-b's tune; ~**n** whistle, to pipe; *(Wind)* to howl; *(Maus)* to squeak ♦ ~ *n auf* not to give a hoot about, not to care a straw for; *auf d. letzten Loch* ~ *n* to be on one's last legs; ~**nkopf** pipe-bowl; ~**nrohr** pipe-tube; ~**nspitze** mouth-piece; ~**nstopfer** pipe-stopper; ~**r** whistler, fifer
Pfeil arrow; *(Wurf-)* dart; ~**gerade** as straight as an arrow; ~**gift** arrow-poison; ~**schnell** as swift as an arrow; ~**schütze** archer; ~**spitze** [arrow-head
Pfeiler pillar; post, prop, pier ⌊
Pfennig pfennig; *fig* penny; ~**fuchser** miser; *umg* pinch-penny, skinflint; ~**fuchserei** stinginess
Pferch fold, pen; ~**en** to fold, to coop up
Pferd horse; *(Stute)* mare; *(Hengst)* stallion; *(Mähre)* jade; 🐴 pommel horse ♦ *sich aufs hohe* ~ *setzen* to ride *(od* to mount) the high horse; *d.* ~ *beim Schwanz aufzäumen* to put the cart before the horse; *keine zehn* ~*e bringen mich dazu* wild horses wouldn't drag me to it; ~**ebremse** horse-fly; ~**edecke** saddle-cloth; ~**efuß** *fig* cloven hoof; snag; ~**egeschirr** harness; ~**ehändler** horse-dealer; ~**eknecht** groom, ostler; ~**ekoppel** paddock; ~**ekraft** horsepower (HP); ~**elänge** length (of a horse); ~**erennen** horserace, horseracing; ~**eschwemme** horse-pond; ~**estall** stable; ~**estärke** (metric) horsepower; ~**ezucht** horse-breeding
Pfiff whistle; *fig* trick; ~**erling** chanterelle ♦ *keinen* ~*erling wert* not worth a fig *(od* farthing); ~**ig** sly, cunning; ~**ikus** sly fellow
Pfingst|en Whitsuntide; ~**montag** Whit Monday; ~**rose** peony; ~**sonntag** Whitsunday
Pfirsich peach; ~**bowle** peach-cup
Pflanz|e plant; ~**en** to plant, to set, to lay out; ~**enbutter** vegetable butter; ~**enfaser** vegetable fibre; ~**enfressend** graminivorous, herbivorous; ~**enkost** vegetable diet; ~**enkunde** botany; ~**enleben** vegetable life, plant life; ~**enöl** vegetable oil; ~**ensaft** sap; ~**ensammlung** collection of plants, herbarium; ~**enschädling** pest; ~**enschutzmittel** pesticide; ~**enwelt** vegetable kingdom; ~**er** settler, planter, colonist; ~**gut** seedlings; ~**lich** vegetable; ~**reis** scion; ~**schule** nursery; ~**stätte** settlement; *fig* nucleus; hotbed, source; ~**ung** planting, plantation; settlement
Pflaster plaster; *englisches* ~ court-plaster; *(Heft-)* adhesive plaster; *(Straßen-)* pavement; ~**er** *BE* paviour, *US* paver; ~**n** to pave; to plaster; ~**stein** (paving) sett, paving-stone; ~**treter** loiterer, idler; ~**ung** paving (with setts)
Pflaume plum; *gedörrte* ~ prune; ~**nmus** plum purée
Pfleg|e care; ⚥ nursing; rearing *(child)*; attention; *(Kunst-)* cultivation; 🚗 maintenance; ~**ebefohlene(r)** warden; ~**eeltern** foster-parents; ~**ekind** foster-child; ~**en** to care for; to cherish; ⚥ to nurse; to attend to; *(Äußeres)* to groom; to foster; to rear; to cultivate; *vi* to be accustomed (to do); to be in the habit (of doing); *Rat* ~*en mit* to consult with; ~**er**, ~**erin** guardian; ⚥ nurse; curator; ~**lich** careful; ~**schaft** guardianship, tutelage; curatorship; trust
Pflicht duty, obligation; *(Zwang)* compulsion; constraint; restraint; *s-e* ~ *verletzen* to fail in one's duty; ~ *u. Schuldigkeit* bounden duty; ~**anker** sheet-anchor; ~**beitrag** compulsory contribution; ~**eifer** zeal; ~**erfüllung** performance of a duty; ~**exemplar** statutory copy; ~**gefühl** sense of duty; ~**gemäß** dutiful; conformable to duty; as in duty bound; ~**schuldig** obligatory, as in duty bound; ~**teil** compulsory portion; ~**treu** dutiful, conscientious; ~**vergessen** undutiful, disloyal; ~**widrig** contrary to duty
Pflock peg; plug, pin; ⁓**en** to peg, to plug
pflücken to pick, to pluck; to gather
Pflug plough, *US* plow; ~**eisen** coulter, *US* colter; ⁓**en** to plough, *US* to plow; to till; ⁓**er**

ploughman; *US* plowman; ~schar plough-share, *US* plowshare

Pforte door; gate; entrance; portal; *(Öffnung)* opening; ⚓ port(-hole); *d. ~n d. Ewigkeit* the portals of eternity

Pförtner doorman; doorkeeper, gatekeeper; §pylorus; *(Hausmeister)* janitor; ~wohnung porter's lodge

Pfosten post; *(Tür-)* jamb; *(Pfahl)* pale, stake; *(Mittelpfosten d. Fensters)* mullion; *(Bohle)* plank

Pfote paw

Pfriem awl; punch; ⏹ bodkin

Pfropf|en cork; stopper; *(Watte-)* wad; plug; §thrombus, embolus; clot (of blood); tampon; ~en to cork; to stopper; to cram into; to stuff; ↓ to graft, to bud, to inoculate; ~enzieher cork-screw; ~messer grafting-knife; ~reis graft; scion; ~säge pruning *(od* grafting) saw

Pfründ|e *eccl* prebend; living; benefice; *fig* sinecure; ~ner prebendary, beneficiary, incumbent

Pfuhl pool, puddle; ≈ pillow, bolster

pful fie!, for shame!, pooh!, phew!

Pfund pound ♦ *mit s-m ~ wuchern* to make the most of one's talents; *~ Sterling* pound (sterling); ~ig *umg* grand, swell; ~ssache *umg* slasher, whopper; ~weise by the pound

pfusch|en to bungle, to botch; to meddle with; ~er bungler, botcher; *(Kurpfuscher)* quack; ~erei bungling; scamped work

Pfütze puddle, pool

Phänomen phenomenon; ~al phenomenal

Phantasie imagination, fancy, inventive faculty; fantastic vision; chimera; reverie; ~los unimaginative; ~ren to day-dream, to imagine (things); ♪ to improvise; § to ramble, to rave, to be delirious; ~voll fanciful

Phantast dreamer, visionary; ~isch fanciful, phantastic

Phantom phantom

Pharisäer Pharisee

Pharma|kologie pharmacology; ~zeut pharmacist; *US a.* druggist; ~zeutisch pharmaceutical; ~zie pharmaceutics, pharmacy

Phase ⚡, *astr* phase; stage; ~nschwankung phase variations; ~nspannung phase voltage

Philanthrop philanthropist; ~isch philanthropic

Philister philistine; ~haft narrow-minded; ~haftigkeit narrow-mindedness

Philolog|e philologist; ~ie philology; ~isch philological

Philosoph philosopher; ~ie philosophy; ~ieren to philosophize; ~isch philosophical

Phiole phial, *bes US* vial

Phlegma phlegm, sluggishness, dullness; ~tiker phlegmatic person; ~tisch phlegmatic, sluggish, dull

Phonet|ik phonetics; ~iker phonetician; ~isch [phonetic

Phönix phenix

Phönizier Phoenician

Phosphat phosphate; ~dünger phosphate fertilizer

Phosphor phosphorus; ~eszieren to phosphoresce; ~eszierend phosphorescent; ~ig phosphorous; ~säure phosphoric acid

Photo|apparat camera; ~chemie photochemistry; ~elektrisch photo-electric; ~gen photogenic; ~grammetrie photogrammetry; ~graph photographer; ~graphie photography; photograph; photo; ~graphieren to photograph; to take photographs; ~graphisch photographic; ~montage photomontage, photographic layout; ~zelle photoelectric cell; *siehe* Foto(-)

Phrase phrase; trite remark; cliché; *~n dreschen* to talk platitudes, *umg* to flannel; ~ndrescher phrase-monger, *umg* flanneller; ~ndrescherei claptrap; ~nhaft bombastic; ~ologie phraseology

Physik physics; ~alisch physical; ~er physicist; ~um § preliminary examination

Physio|gnomie physiognomy; ~logie physiology; ~logisch physiological

physisch physical; material; bodily

Pian|ino upright piano; ~ist pianist; ~o piano; *su (a. ~oforte)* piano(forte)

picheln to tipple

pichen to pitch; *(Schuh)* to wax

Pick|e pickaxe; ~en to pick; to peck

Pickel pimple; pickaxe; ~flöte piccolo; ~haube spiked helmet; ~hering pickled herring; ~ig pimply

Picknick picnic

picken *umg* to prick; to sting

piep|(s)en to chirp, to cheep; to peep; *(zirpen)* to chirrup; *(Mäuse)* to squeak; *zum ~en!* funny, a scream; ~matz dicky-bird

Pier pier, jetty; mole

piesacken *umg* to torment; to pester; to nag

Piet|ät piety; reverence; ~ismus Pietism, bigotry; cant; ~ist Pietist; ~istisch pietistic; bigoted, sanctimonious; ~ätlos irreverent; ~ätvoll reverent

Pik pique, grudge; *(Karten)* spade; ~ant piquant; ~anterie spicy joke *(bzw* story); ~e pike ♦ *von d. ~e auf dienen* to rise from the ranks; ~fein smart; slap-up, dressed-up; ~iert irritated, piqued; offended; vexed; ~kolo boy waiter, page, *US* bell-hop; ~koloflöte piccolo

Pikee piqué

Pikrinsäure picric acid

Pilger pilgrim; ~fahrt pilgrimage; ~n to wander; to go on (pilgrimage); ~stab pilgrim's staff

Pille pill; *e-e bittere ~* a bitter pill; ~nschachtel pill-box

Pilot pilot

Pilz mushroom; fungus; *(giftiger)* toadstool; *wie ~e aus d. Erde schießen* to spring up like mushrooms; ~förmig fungiform

Piment allspice, pimento

pimpelig sickly; soft; flabby; effeminate; [whining

Pinasse ⚓ pinnace

Pinguin penguin

Pinie stone-pine

pinkeln to piddle, to make water

Pinne drawing-pin; peg, pin; tack; ⚓ tiller; *(Hammer-)* peen; *(Zapfen)* pivot, tenon

Pinscher pinscher

Pinsel brush; paint-brush; (hair-)pencil; *(Einfalts-)* noodle, simpleton, dunce; **~ei** daubing; **~führung** touch; **~n** to paint, to daub; **~strich** stroke of the brush

Pinzette tweezers

Pionier pioneer; sapper; engineer; **~bataillon** engineer battalion; **~truppe** engineer troops

Pips § pip

Pirat pirate; buccaneer; **~erie**, **~entum** piracy

Pirol oriole

Pirsch hunting; deer-stalking; **~en** to hunt, to

Pistazie pistachio   [stalk deer

Piste ski run, piste; beaten track *(od* path); ⊥ runway

Pistole pistol, *umg* gun, automatic ♦ *wie aus d.* ~ *geschossen* as quick as a flash, like a shot; *j-m d.* ~ *auf d. Brust setzen* to put a pistol to s-b's head; **~ngriff** butt-end (of a pistol); **~nschuß** pistol-shot; **~ntasche** holster

pitschnaß wet through, soaking wet

placke|n *refl* to drudge; to toil; **~rei** drudgery

pläd|ieren to plead; to argue *(für* in favour of); **~oyer** final (oral) pleading; address, speech

Plafond ceiling, limit

Plage plague; torment, vexation; worry; nuisance; **~geist** bore, plague, tormentor; **~n** to pester, to harass; to bother; to grind; *refl* to drudge; to slave; to struggle

Plagiat plagiarism; *e.* ~ *begehen* to plagiarize; **~or** plagiarist

plagiieren to plagiarize, to lift

Plakat bill, poster, placard; ~ *e ankleben verboten* post no bills; **~ankleber** bill-sticker, bill-poster; **~anschlag** bill-posting, placarding; **~fläche** *BE* hoarding, *US* billboard; **~ieren** to stick *(od* post) bills; **~säule** advertisement pillar; **~träger** sandwich-man

Plan plan; project; scheme; draft; layout; *(Blaupause)* blueprint; *(Karte)* map; *(Fahr-)* time-table, schedule; *(graphisch)* diagram; intention; design; **~e** awning, tarpaulin; cover; **~en** to plan, to project; to scheme; to map out, to lay out; to arrange; **~eschmied** schemer; **~feuer** *mil* plotted *(od* scheduled) fire; **~ieren** to plane, to smooth; to grade, to level; **~ierraupe** bulldozer; **~los** aimless, desultory; at random; **~losigkeit** lack of plan; **~mäßig** according to plan; as planned; methodical; **~pause** overlay, traced chart; **~quadrat** map square; **~schießen** map *(od* scheduled) fire; **~stelle** permanent established post; **~ung** planning, plan; **~voll** methodical; systematic; **~wagen** covered wagon; **~wirtschaft** planned economy; **~ziel** planned output, target

Planet planet; asteroid; **~arium** planetarium; **~engetriebe** planetary gear; **~ensystem** planetary system

Planke plank; board

Plänkel|ei skirmish; **~n** to skirmish

Plankton plankton

Plansch|becken paddling-pool; **~en** to splash, to dabble; to paddle

Plantage plantation

Plapper|ei babbling; **~maul** chatterbox; **~n** to prattle; to babble; to chatter

plärren to cry, to blubber

Plasti|k plastic art, sculpture; § plastic surgery; **~sch** plastic; in clear relief

Plastilin plasticine

Platane plane-tree, *US* sycamore

Platin platinum; **~haltig** platiniferous

plätschern to splash, to dabble; *(Bach)* to ripple, to murmur

platt flat; level, flattened; *fig* insipid, silly, dull; ~ *sein* to be dumbfounded; **~deutsch** Low German; **~e** plate; slab, flag; plateau; ♪ record, disk; *(Tablett)* tray; bald head; *kalte* ~ cold meats; **~enabzug** stereotyped proof; **~enspieler** record player; **~enteller** turntable; **~erdings** absolutely, decidedly; **~form** platform, ⊥ tarmac; **~fuß** flat-foot; 🚗 flat tire, puncture; **~fußeinlage** arch-support; **~heit** flatness; staleness; platitude; dullness; **~ieren** to plate

Plätt|brett ironing-board; **~eisen** iron; flatiron; **~en** to iron, to press; **~erin** ironer; **~wäsche** linen (to be ironed)

Platz place; spot; locality; space; room; ♟ seat; *(öffentl.)* square, circus; ~ *da!* make way!; *fehl am* ~ out of place; ~ *machen* to make room; ~ *nehmen* to take a seat; ~ *greifen* to gain ground, to spread; *am* ~ *sein* to be pertinent, to be opportune ♦ *auf d.* ~ *e sein* to be on the alert; **~angst** agoraphobia; **~anweiserin** usherette; **~en** to burst, to explode; to split; *(Glas)* to crack; 🚗 to blow out; **~karte** ticket for a reserved seat; **~kommandant** commandant of a military post; **~mangel** lack of space; **~nummer** seat number; *(Bücher)* shelf number; **~patrone** blank cartridge; **~raubend** encumbering; **~regen** downpour, torrential rain; **~sparend** space-saving; **~wechsel** change of place; *(Geld)* local bill; **~wunde** laceration

Plätzchen little place; fancy biscuit, *US* cookie; (chocolate) drop

Plauder|ei chat, (small) talk; conversation; **~er** conversationalist, talker, speaker; chatterbox; **~n** to talk, to chat, to gossip ♦ *aus d. Schule ~ n* to let out stable secrets; to tell tales out of school; **~tasche** chatterbox; gossip; **~ton** conversational tone

Pleb|ejer, **~ejisch** plebeian; **~s** mob; rabble

Pleite bankruptcy; failure; flop; *adj* bankrupt, *umg* broke, bust; ~ *gehen* to go broke *(od* bust); **~geier** bankruptcy

Plenarsitzung plenary meeting

plemplem *umg* off one's nut, nutty, nuts

Pleuelstange connecting-rod

Plexiglas safety glass, perspex

Pliss|ee pleating; **~eerock** pleated skirt; **~ieren** to pleat

Plombe lead seal; § *(Zahn-)* filling; plug; stopping; **~ieren** to lead; § to plug, to fill; to

Plötze roach, dace   [seal with lead

plötzlich sudden; abrupt; *adv* suddenly, all of a sudden, all at once; **~keit** suddenness; abruptness

Pluderhosen wide breeches; plus-fours
Plumeau feather-bed
plump awkward, clumsy; *(grob)* crude; tactless; dumpy; unwiedly; shapeless; **~heit** shapelessness; heaviness; awkwardness, clumsiness; **~sen** to plump, to plop
Plunder lumber, trash, rubbish, junk; **~er** plunderer; looter; **~n** to plunder, to pillage, to loot; to rifle; *(Orte)* to sack; *(durchsuchen)* to ransack; **~ung** plundering; pillage; sack, looting
Plural plural
Plus plus; surplus; increase; **~pol** positive pole; **~quamperfekt** pluperfect; **~zeichen** plus sign
Plüsch plush, shag
Pneumat|ik pneumatic tyre; **~isch** pneumatic
Pöbel mob, rabble; populace; **~haft** low, vulgar; **~herrschaft** mob rule
poch|en to knock; *(leicht)* to rap; to beat, to throb; to pound; to palpitate; *~en auf* to insist on; *vt* to crush; *(Erz)* to pound; **~werk** stamping-mill
Pock|e pock; *d. ~en* smallpox; **~enimpfung** vaccination; **~ennarbe** pock-mark; **~ennarbig** pock-marked
Podium rostrum, platform
Poesie poetry
Poet poet; **~ik** poetics; **~isch** poetic(al)
Point|e point, punch line; *(Witz)* witticism; pungency, sharpness; **~iert** pointed, sharp, captious
Pokal goblet, (drinking-)cup
Pökel brine; **~fleisch** pickled meat, salt meat; **~hering** pickled herring; **~n** to pickle, to salt
Pol pole; ⚡ pole, terminal ♦ *d. ruhende ~* one solid rock (amid the shifting sands)
polar polar, arctic; **~eis** polar ice; **~forscher** polar explorer; **~fuchs** arctic fox; **~gürtel** frigid zone; **~hund** husky; **~isieren** to polarize; **~ität** polarity; **~kreis** arctic circle; **~licht** northern lights; aurora borealis; **~luft** polar air; **~meer** Arctic Ocean; **~stern** pole-star; **~strom** arctic current
Pole Pole; **~n** Poland ♦ *noch ist ~n nicht verloren* there is still hope
Polem|ik polemics, controversy; **~isch** polemic; **~isieren** to carry on a controversy
Polente *umg BE* bobbies, cops
Police policy *(e-e ~ ausstellen* to issue a p.); *(Lebensversicherungs-)* life policy
Polier foreman; **~en** to polish, to burnish; **~er** polisher; **~wachs** polish
Poliklinik policlinic; out-patients' department (of a hospital); dispensary
Polit|ik politics; *(e-e polit. Linie)* policy; **~iker** politician, statesman; **~isch** political; policy-forming; *~ischer Standpunkt* platform; **~isieren** *vt* to make political-minded; to talk politics; to dabble in politics
Politur shellac varnish, polish(ing)
Polizei police; **~aufgebot** body of policemen; **~aufsicht** police supervision; **~beamter** policeman, constable; police officer; **~bericht**

charge sheet, *US* police blotter; **~gewahrsam** lock-up; **~knüppel** *BE* truncheon, *US* nightstick; **~kommissar** police superintendent; **~lich** (of the) police; by order of the police; **~richter** police magistrate; *US* police-court judge; **~staat** police state; **~spitzel** police spy; *umg* nark; **~streife** police patrol; **~stunde** closing-hour; curfew; **~verordnung** police regulation; **~wache** police station; **~widrig** contrary to police regulations
Polizist policeman, *BE* constable, *umg BE* bobby, cop; *(Geheim-)* detective; *US* plainclothes man; *umg* dick
polnisch Polish
Polo polo; **~feld** polo ground; **~hemd** *umg* T-shirt
Polonäse polonaise
Polster cushion *(a. fig)*; pillow; bolster; **~möbel** upholstered furniture; **~n** to upholster; to pad; to stuff; **~sessel** easy chair; **~ung** upholstery, stuffing, padding; wadding
Polter|abend wedding-eve (party); **~geist** goblin, poltergeist; **~n** to make a noise; to rumble; to rattle; to bluster; to scold
polygam polygamous; **~ie** polygamy
polymer polymeric; **~ie** polymerization; polymerism; **~isieren** to polymerize
Polyp polyp; ⚕ polypus; *umg BE* bobby, cop
polyphon polyphonic, polyphonous; **~ie** polyphony
Polytechnik polytechnics; **~um** technical college
Pomad|e pomade; **~ig** *umg* phlegmatic, sluggish
Pomeranze bitter orange
Pommes frites *BE* chips; *US* French fried potatoes, *umg* French fried
Pomp pomp; **~haft** pompous
Ponton pontoon; **~kran** floating crane
Pony pony; *(Haar-)* fringe
Popanz bugbear, bogy; bugaboo
Popelin poplin
Popo *umg* bottom, backside
popul|är popular; **~arisieren** to popularize; **~arität** popularity
Por|e pore; **~ös** porous; **~osität** porosity
Porphyr porphyry
Porree leek
Portal portal; porch; front gate; **~kran** portal crane
Porte|feuille portfolio; **~monnaie** purse; **~pee** sword-knot
Portier doorkeeper, porter; *US* doorman
Portion portion, helping; ration; *(Tee)* pot
Porto postage; **~frei** postage paid, postfree; carriage paid; prepaid, postpaid; **~gebühren** postal rates; **~kasse** petty cash; **~pflichtig** liable to postage; **~satz** rate of postage; **~zuschlag** surcharge
Porträt portrait; likeness, picture; **~ieren** to portray; **~maler** portrait painter
Porzellan porcelain; china ♦ *wie e. Elefant im ~laden* like a bull in a china shop; *Meißner ~* Dresden china; **~artig** porcellanic; **~erde**

porcelain clay, kaolin; **~manufaktur** china factory; **~service** set of china
Posament|en trimmings; **~ierer** lace-maker; trimming-maker; *BE* haberdasher; **~ierwaren** lacework; trimmings; *BE* haberdashery, *US* notions
Posaune trombone; trumpet; **~n** to play the trombone, to trumpet; **~nbläser** trombonist
Pos|e pose, attitude; posture; *(Angabe)* showing off; affectation; **~ieren** to pose, to strike an attitude; **~ition** position; *(Buchhaltg.)* item; **~itionslampe** navigation light; **~itiv** positive; favourable; genuine; *~ itives Zeichen* sign of improvement; **~itur** posture; *sich in ~itur setzen* to square one's shoulders, to strike an attitude
Poss|e jest, farce; **~en** antics, trick; *grobe ~en* buffoonery; **~enreißer** jester, buffoon; **~ierlich** droll, funny, quaint
Post post, mail; post office; *(Eil-)* express post, *US* special delivery; *(Luft-)* airmail; *mit d. ersten ~* by the first delivery; *gewöhnliche ~* surface mail; *mit umgehender ~* by return of mail; **~alisch** postal; **~amt** post office; **~anweisung** money-order, postal order; **~auto** post-van, *US* mail-car; *(Omnibus)* motorbus; **~beamter** post-office clerk; **~bote** postman, *US* mailman; **~fach** post-office box (P. O. B.); **~geheimnis** secrecy of the mail; **~karte** postcard; **~kasten** post-box; letter-box; **~kutsche** stage-coach, mail; **~lagernd** poste restante; **~scheck** postal giro form; **~scheckamt** postal giro office; **~schließfach** post-office box; pigeon hole; **~sparkasse** post office savings bank; **~wendend** by return of post; **~wertzeichen** stamp; **~wurfsendung** unaddressed mailing; sample packet; **~zustellung** delivery
Postament pedestal, base
Posten post; place; position, job; outpost; sentry; item; sum; entry; lot; amount; quantity; parcel; shipment; *(Streik-)* picket; *~ ablösen* to relieve sentries; *~ stehen* to be on sentry *(od* duty, guard); **~jäger** place-hunter, job-hunter; **~kette** *mil* outpost line; **~weise** by items
postieren to post, to place
potent powerful
Potential potential, potential function; **~ell** potential
Potenz potency, effectiveness; sexual power; potency *(of a drug)*; **~ieren** *math* to raise to a higher power; to intensify; to potentiate, to increase the potency of *(a drug)*; **~ierung** *math* involution; potentiation
Potpourri (musical) selection, medley, potpourri
Pott|asche potash; **~wal** sperm-whale
potztausend! good gracious!
poussieren to flirt, to spoon
Pracht magnificence; pomp; state; splendour; luxury; **~ausgabe** édition de luxe; **~kerl** fine fellow; **~liebend** ostentatious; **~voll** splendid, gorgeous, fine
prächtig magnificent; splendid; fine; lovely, gorgeous; pompous

Prädikat predicate; title; (school-)mark; *fig* designation; **~snomen** complement
Präfix prefix
Präg|e stamp; **~eanstalt** mint; **~edruck** relief print; **~eform** matrix, mould; **~emaschine** coining machine; embossing machine; **~en** to stamp, to coin, to impress; to block; **~ung** coinage; shaping; character
prägnan|t significant, suggestive; concise, terse; exact; **~z** conciseness, terseness
prähistorisch prehistoric
prahl|en to boast, to brag; to show off; **~erei** boastfulness; boasting; bragging; **~erisch** boastful, bragging, ostentatious; **~hans** boaster; braggart
Prahm barge, flat-bottomed boat, lighter
Prakti|k practice; trick; **~kant** trainee; **~ker** practical man, expert; **~kum** practical course; **~kus** old hand, old stager; **~sch** clever, handy, useful; practical; experienced; *~ scher Arzt* general practitioner (G. P.); *bes US oft* physician; **~zieren** to practise, *US* to practice
Prälat prelate
Präliminarien preliminaries
Praline chocolate (*~ schachtel* box of ch-s)
prall taut, tight, tense; plump, chubby; stout; *(Sonne)* blazing; *in d. ~en Sonne* in the full glare of the sun; *(Auf-)* collision, rebound; **~en** to dash (against); to bounce; *(Sonne)* to shine dazzlingly
Präludium prelude
Präm|ie premium, prize; award; bounty; **~engeschäft** option dealing; **~engewährung** bonus issue; **~ieren** to award a prize to
prang|en to glitter; to shine; to make a show; to boast; **~er** pillory; *j-n an d. ~er stellen* to pillory s-b
Pranke, Pratze claw, paw
Präparat preparation; *(Mikroskop)* slide; **~ierbesteck** dissecting case; **~ieren** to prepare; to dissect
Präposition preposition
Prärie prairie
Präsen|s *gram* present (tense); **~t** gift; present; **~tieren** to present, to offer; **~zbibliothek** reference library
Präsid|ent president, chairman; *Amtszeit d. ~enten* presidential term; **~entenwahl** presidential election; **~ieren** to preside (over); **~ium** chair, presidency; presiding board
prasseln to crackle; *(Regen)* to patter
prass|en to feast, to carouse; *(schwelgen)* to revel; **~er** glutton, spendthrift; **~erei** gluttony, revelry; debauchery; feasting
Prätendent pretender
Präteritum preterite; past tense
Präventivkrieg preventive war
Praxis practice; *§* consulting-room, *BE* surgery, *US* doctor's office
Präzedenzfall precedent
präzis precise, exact; punctual; **~ieren** to state more precisely; to specify; **~ion** precision, accuracy; **~ionsarbeit** precision work; **~ionskamera** high-precision camera

predig|en to preach; ~**er** preacher, minister, clergyman; ~**t** sermon (*e-e* ~*t halten* to preach a s.); *fig* lecture (*j-m e-e* ~*t halten* to give s-b a lecture)

Preis price, cost, rate; terms; prize; praise, glory; value; *um keinen* ~ not at any price; *äußerster* ~ lowest price; ~*e erzielen* to fetch prices; *unter d.* ~ *losschlagen* to let go under price; ~**abbau** reduction of prices; ~**abzug** rebate, discount; ~**angabe** quotation of prices; ~**ausschreiben** prize competition; ~**drückerei** close bargaining; ~**en** to praise, to extol; ~**erhöhung** rise in prices, mark-up; ~**frage** subject for prize competition; vital question; ~**geben** to surrender, to give up; to abandon, to sacrifice, to expose; ~**gebunden** price-controlled; ~**gestaltung** price structure (*od* formation); ~**grenze** price limit; ceiling; ~**index** price level, index number; ~**krönen** to award a prize to; ~**lage** price range; ~**notierung** quotation; ~**prüfungsamt** price control office; ~**richter** arbiter, umpire; ~**schießen** shooting competition; ~**schleuderei** undercutting of prices; ~**schrift** prize-essay; ~**schwankungen** fluctuations in prices; ~**senkung** price reduction, mark-down; ~**spanne** price margin; ~**sturz** fall in prices, slump; ~**stützung** price support; ~**träger** prize-winner; ~**treiberei** forcing up of prices; ~**überhöhung** overcharging, excessive prices; ~**unterbietung** price dumping; ~**wert** cheap; reasonably priced

Preiselbeere (mountain) cranberry, cowberry

Prell|bock buffer-stop; ~**en** to toss; to cheat; to swindle; ~*en um* to fleece of, to fool out of; ~*en auf* to bump against; ~**erei** swindle, fraud; ~**stein** kerb(-stone); ~**ung** § contusion; bruise

Premiere first night; ~**nbesucher** first-nighter

Presse press; ✿ press; *(Schule)* crammer, tutorial college; ~**amt** public relations office; ~**büro** news agency; ~**fehde** press feud; ~**feldzug** news campaign; ~**freiheit** freedom of the press; ~**stimme** press comment, review; ~**zensur** press curb, censorship

pressen to press; to squeeze; to urge

Preß|fehde press feud; ~**kohle** briquet(te); ~**kopf** brawn, *US* headcheese; ~**luft** compressed air; ~**luftbohrer** pneumatic drill

prickeln to prick, to prickle; to itch; ~**d** piquant, spicy

Priem quid (of tobacco)

Priester priest; ~**amt** priesthood; ~**herrschaft** hierarchy; ~**in** priestess; ~**lich** priestly, sacerdotal; ~**rock** cassock; ~**schaft** clergy; ~**tum** priesthood; ~**weihe** ordination of a priest

Prima Sixth Form, highest class of secondary school; *adj* prime; first-rate; ~**ner** sixth-form boy; ~**s** primate; ~**t** primacy; priority; ~**wechsel** first bill of exchange

primär primary, protogenic

Primel primrose, primula, cowslip

primitiv primitive; ~**ität** primitiveness

Primzahl prime number

Prinz prince; ~**essin** princess; ~**gemahl** prince consort; ~**lich** princely

Prinzip principle; ~**al** principal, head; manager; employer; *aus* ~ on principle; ~**ienreiter** pedant, stickler for principles

Prior prior; ~**ität** priority; ~**itätsaktien** preference shares; ~**itätsanspruch** priority claim

Prise pinch (of snuff); ⚓ prize

Pris|ma prism; ~**menglas** prism

Pritsche platform; plank bed

privat private; confidential; ~**adresse** home address; ~**angelegenheit** private affair; ~**dozent** Privatdocent, university lecturer; ~**im** privately; ~**isieren** to live on one's means; ~**recht** private law

Privileg privilege; ~**ieren** to privilege

probat proved, tried; excellent

Probe trial, experiment; proof, test; probation; *(Metall-)* assay; pattern; *com* sample, specimen; ⚘ rehearsal; ~ *ablegen* to give proof of; *auf d.* ~ *stellen* to put to the test; *e-e* ~ *machen* to (make a) check; ~**abzug**, ~**druck** proof(-sheet); ~**band** dummy; ~**fahrt** trial trip, trial run; ~**jahr** year of probation; ~**nummer** specimen number; ~**sendung** sample (sent on approval); ~**weise** on approval, on trial; ~**zeit** time of probation, qualifying period

proben to rehearse; to try, to check; to test; to sample

probier|en to try; to taste

Problem problem; *fig* puzzle; *e.* ~ *lösen* to solve a problem; *sich mit e-m* ~ *auseinandersetzen* to come to grips with a problem; ~**atik** (the) problems (involved); ~**atisch** problematic

Produkt produce, product; result; *pl* goods; commodities; ~**enbörse** produce exchange; ~**enhandel** trade in home produce; ~**ion** production, producing; output; yield; ~**ionsgemeinschaft** production pool; ~**ionsgüter** production goods; ~**ionskapazität** productive capacity; ~**iv** productive; ~**ivität** productivity

Produz|ent producer; manufacturer; grower; ~**ieren** to produce; *refl* to show off; to exhibit

profan profane; ~**bau** secular building; ~**ieren** to profane; ~**ierung** profanation

Profess|ion profession; trade; ~**or** *(außerordentlicher)* assistant professor; *(ordentlicher)* professor in ordinary; ~**ur** professorship

Profil profile; section; cross-section; *im* ~ *darstellen* to draw in profile; to profile

Profit profit, gain, proceeds; ~**ieren** to profit, to gain (by); ~**jäger**, ~**macher** profiteer

pro forma nominal, for the sake of form; **Proformarechnung** pro forma invoice

Prognos|e forecast; § prognosis; ~**tisch** prognostic; forecasting

Programm programme, *US* program; prospectus; schedule; ~**punkt** item

Prohibit|ion prohibition; ~**iv** prohibitive; prohibitory; ~**ivzoll** prohibitive duty

Projekt project, scheme; ~**ieren** to project, to plan, to scheme; ~**ionsapparat** projector; ~**ionsschirm** screen

Proklam|ation proclamation; ~**ieren** to proclaim

pro Kopf per capita; per head *(of the population)*

Pro|kura procuration; general power of attorney; *per ~kura* by procuration *(od* per pro., pp.); **~kurist** chief clerk, authorized manager

Prolet proletarian; cad; **~ariat** proletariat; **~arier** proletarian; **~arisch** proletarian, caddish

Prolog prologue

prolong|ieren to prolong; *(Wechsel)* to renew; **~ation** prolongation, continuation

Promen|ade promenade; *US* avenue; walk; **~ieren** to take a walk; **~nmischung** alley dog; dustbin cat

prominent prominent, leading, well-known; **~er** prominent person; *BE umg* big shot, *US umg* big wheel

Promo|tion conferring *(bzw* obtaining) a doctorate; **~vieren** *vt* to confer a doctorate; *vi* to obtain a doctorate

prompt prompt; ready, quick

Pronomen pronoun

Propag|anda propaganda, boost; *(~ andarummel)* ballyhoo; **~andafeldzug** propaganda campaign; **~andaministerium** Ministry of Propaganda; **~andist** propagandist; **~andistisch** propagandist; **~ieren** to propagate; to propagandize; to spread; ⚓ to plug

Propeller air-screw, propeller

Prophe|t prophet ♦ *d. ~t gilt nichts in s-m Vaterlande* a prophet is without honour in his own country; **~tie**, **~zeiung** prophecy; **~tin** prophetess; **~tisch** prophetic; **~zeien** to prophesy, to foretell

Proportion proportion; **~al** proportional; **~iert** proportionate; well-proportioned

Propst *eccl* provost

Prosa prose; **~isch** prosaic; commonplace; **~schriften** prose writings; **~schriftsteller** prose writer

prosit, prost cheers; *(Niesen)* (God) bless you

Prospekt prospect, view; *(Werbe-)* prospectus, folder

prostitu|ieren to prostitute; **~ierte** prostitute, street-walker; **~tion** prostitution

Proszeniumsloge stage-box

prote|gieren to patronize, to encourage; **~ktion** protection; **~ktionswirtschaft** protectionism; **~ktorat** protectorate; patronage; auspices

Protest protest; *~ erheben (Wechsel)* to protest a bill; *mit ~ zurückkommen* to be dishonoured; **~ant**, **~antisch** Protestant; **~antismus** Protestantism; **~ieren** to protest, to make a formal declaration against; **~versammlung** meeting of protest

Prothese artificial limb

Protokoll minutes; record; register; *zu ~ nehmen* to take down; *nicht für d. ~ bestimmt* off the record; **~arisch** upon records; in the minutes; **~buch** minute-book; records of the proceedings; **~chef** chief of protocol; **~führer** recording clerk; keeper of the minutes; registrar; **~ieren** to keep the minutes; to enter; to record; to register

Proton proton

Protz purse-proud person; braggart; **~en** to put on airs; to show off; to be purse-proud; **~erei** bragging; showing off; **~ig** bragging; showy

Protze *mil* limber

Prov|enienz origin, source, provenance; **~iant** provisions, victuals; supplies; stores

Provinz province; **~iell** provincial; **~ler** provincial; **~lertum** provincialism

Provis|ion commission, brokerage; **~ionsreisender** traveller working on commission; **~ionsweise** on commission; **~or** manager of a pharmacy; **~orisch** provisional, temporary; **~orium** provisional arrangement

Provo|kation provocation; **~zieren** to provoke; to challenge

Prozedur procedure; proceeding

Prozent per cent; **~satz** percentage; **~ual** expressed as percentage; *~ualer Anteil* percentage

Prozeß lawsuit; (legal) proceedings; process; action; *(Rechtsstreit)* litigation; *gegen j-n einen ~ anstrengen* to bring an action against; to sue s-b; *in e-n ~ verwickelt sein* to be involved in a lawsuit; *kurzen ~ machen mit* to make short work of; **~akten** documents, files; *(Anwalt)* brief; **~führer** litigant; **~führung** conduct of case; **~gegenstand** matter in dispute; **~gegner** opposing party; **~ieren** to go to law with, to carry on a lawsuit; **~kosten** law costs; **~ladung** writ of summons; **~ordnung** rules of the court; **~partei** party to an action; **~recht** procedural *(od* adjective) law; **~vollmacht** power of attorney

Prozession procession

prüde prudish; **~rie** prudery

Prüf|abzug proof; **~en** to test, to investigate, to inspect; to examine, to audit; to check *(account)*; to scrutinize; ⚙ to overhaul; to study; **~er** examiner; *com* auditor; inspector; **~ling** examinee; **~stein** touchstone, test; **~ung** examination, *umg* exam; trial; investigation; affliction; testing; checkup; *sich e-r ~ung unterziehen* to undergo an examination; **~ungsausschuß** board of examiners

Prügel stick, cudgel; thrashing; **~ei** fight, row; brawl; **~knabe** scapegoat; **~n** to fight, to thrash, to beat; **~strafe** corporal punishment

Prunk splendour, show; ostentation; **~en** to show off; to parade, to make a show of; **~sucht** (love of) ostentation; **~voll** gorgeous, splendid

prusten to snort; to burst out (laughing)

Psalm psalm; **~buch** psalter; **~ist** psalmist

Pseudonym pseudonym; pen-name; *adj* pseudonymous; fictitious

Psych|iater psychiatrist; alienist; **~iatrie** psychiatry; **~isch** psychic(al); **~oanalyse** psychoanalysis; **~ologe** psychologist; **~ologisch** psychological; **~opath** psychopath; **~ose** psychosis; **~otherapie** psychotherapy

Pubertät puberty

Publi|kum public, audience; **~zieren** to pub-

lish; ~**zist** publicist, writer; ~**zistik** journalism
Pudding jelly; blancmange; ~**pulver** blancmange powder
Pudel poodle; *wie e. begossener* ~ dumbfounded; ~**mütze** bobble hat; ~**naß** drenched,
sopping
Puder (toilet) powder; ~**dose** powder-box;
(Tasche) vanity-box, compact; ~**kaffee** instant
coffee; ~**n** to powder; ~**quaste** powder-puff;
~**unterlage** foundation cream; ~**zucker** pow-
der(ed) sugar, icing sugar
Puff push, nudge, thump; report; bang; *(Sitz-)*
pouffe; *(öffentl. Haus)* brothel; ~**ärmel** puffed
sleeve; ~**bohne** horsebean; ~**en** to push, to
nudge, to thump, to pummel; to shoot, to pop;
to puff; ~**er** 🐃 buffer; *US* bumper; *(Kartof-*
fel-) potato pancake; ~**erstaat** buffer-state;
~**spiel** backgammon
Pulk *mil* unit; collection; group *(of planes etc)*
Pulle *umg* bottle; *mil* ✿ throttle; ~**n** ⚓, *vi* to
pull, to row
Pullover pull-over; slip-on sweater; jumper
Pullunder tank top
Puls pulse; heart-beat; ~**ader** artery; *(große)*
aorta; ~**ieren** to pulsate; *fig* to pulse, to throb;
~**schlag** pulse beat; pulsation; ~**zahl** pulse
rate
Pult desk
Pulver powder; gun-powder; *er ist k-n Schuß*
~ *wert* he's not worth powder and shot (*od . . .*
a brass farthing); money; ~**artig, ~ig** pow-
dery; ~**faß** powder keg; *auf d.* ~*faß sitzen* to
sit on top of a volcano; ~**isieren** to pulverize,
to powder; ~**magazin** powder magazine;
~**schnee** powder snow
Pump credit; *auf* ~ on tick; on the cuff; ~**e**
pump; ~**en** to pump; *fig* to borrow, to lend; to
give on tick; ~**s** *BE* court shoes, *US* pumps;
~**station, ~werk** pumping station
Pumpernickel pumpernickel *(Westphalian*
rye-bread)
Punkt point; *BE* full stop, period; dot, spot;
place; item, point; clause; term; matter, subject; *(Karten)* pip; ~ *ein Uhr* one o'clock
sharp; *auf d. toten* ~ *gelangen* to come to a
deadlock; *wunder* ~ sore spot; *nach* ~*en ver-*
lieren to lose on points; *in allen* ~*en* in every
respect; *d. wesentlichen* ~*e* ⚒ merits; *d. sprin-*
gende ~ salient point; ~ *auf d. Tagesordnung*
item on the agenda; ~**förmig** punctiform, in
lumps; ~**ieren** to punctuate; to point, to dot; 𝄐
to tap, to puncture; *(Kupferstecher)* to stipple;
~*ierte Linie* dotted line; ~**richter** 🥊 referee;
umpire; ~**roller** massage roller; ~**schweißung**
spot welding; ~**sieg** winning on points; ~**um**
full stop, end; *damit* ~*um* there's an end of it;
~**ur** 𝄐 puncture; ~**weise** point-by-point; ~**wer-**
tung classification by points; ~**zahl** 🥊 score;
~**ziel** *mil* pin-point target
pünktlich punctual, prompt, in (*od* to, on)
time; accurate, exact; ~**keit** punctuality,
promptness
Punsch punch
Punt punt

Punze punch; ~**n** to punch
Pupille pupil
Püppchen little doll; *umg* moppet
Puppe doll; *(häßliche)* golliwog; *(Marionette)*
puppet; *(Kleider-, Strohmann)* dummy; *zool*
chrysalis, pupa; *(Seidenspinner)* cocoon;
~**ngesicht** doll's features; ~**nhaus** doll's house;
US dollhouse; ~**nspiel** puppet-show; ~**nwagen**
doll's pram
Püree purée, mash
pur pure, sheer; ~**gieren** *vi* to purge; ~**giermit-**
tel purgative
Puritan|er Puritan; *US* blue-nose; ~**ertum** Pu-
ritanism; ~**isch** Puritan
Purpur purple; ~**farben, ~n, ~rot** purple (coloured)
Purzel|baum somersault; ~*baum schlagen* to
turn somersaults; ~**n** to stumble, to tumble
Puste *umg* breath; ~**n** to puff, to blow
Pustel pustule, pimple, bubble
Pute turkey-hen; ~**r** turkey-cock; ~**rrot** scarlet
Putsch revolt; insurrection; putsch; ~**en** to revolt; *(auf-)* to goad on; ~**ist** rebel, rioter, insurgent
Putz trimmings, ornaments; dress, finery; attire; millinery; *(Ver-)* rough-cast; plaster;
~**bürste** (polishing-)brush; ~**en** to clean, to
cleanse; to polish; to trim *(lamp)*; to groom
(horse); to blow (*od* wipe) one's nose; to brush
(teeth); to plaster *(wall)*; *refl* to dress up; ~**frau**
charwoman, char; ~**ig** funny, droll; ~**laden**
milliner's shop; millinery; ~**lappen** cleaning
rag; scouring cloth; ~**leder** chamois (leather);
~**macherin** milliner; ~**mittel** cleanser, detergent; ~**waren** millinery; ~**wolle** cotton waste;
~**zeug** cleaning utensils
Puzzlespiel jigsaw puzzle
Pyjama pyjamas, *US* pajamas
Pyramide pyramid; *(Gewehr-)* stack; ~**nförmig**
pyramidal

Q

Q (the letter) Q
quabbel|ig flabby; wobbly; jelly-like; ~**n** to
wobble
Quacksalber charlatan, quack; *(Marktschrei-*
er) mountebank; ~**n** to doctor, to play the
quack
Quader square stone; ashlar; block; ~**mauer-**
werk ashlar facing *(od* masonry)
Quadrant quadrant
Quadrat square; *ins* ~ *erheben* to square;
~**fuß** square foot; ~**isch** quadratic, square;
~**meter** square metre; ~**netz** square grid, grid
net; ~**ur** quadrature; ~**wurzel** square root; *d.*
~ *wurzel ziehen* to extract the square root;
~**zahl** square number; ~**zentimeter** square centimetre
quadrieren to square, to raise to second power
Quadrillion *BE* quadrillion, *US* septillion
quak! squawk!, quack; ~**en** to quack; to croak
quäk|en to squeak; ~**er** member of the Society

of Friends; Quaker; **~erbund** Society of Friends

Qual anguish, agony; pain; torment; torture; *fig* grief; **~en** *vt* to torment, to worry, to harass; to torture; to annoy; to pester; to tease; to bother; *vt* to toil hard; to drudge; to struggle; **~end** painful, tormenting, agonizing, harrowing, distressing, vexing; **~er** tormentor; bore; **~erei** tormenting, torture; *(Necken)* teasing; *(Bitten)* importunity, importuning; pestering; worry; **~geist** plague, nuisance; **~voll** agonizing, very painful; full of anguish

Quali|fikation qualification, capacity; ability; **~fizieren** to qualify; **~tät** quality; rate, grade, class; **~tätserzeugnis** high-quality product; **~tativ** qualitative, in quality

Qualle jelly-fish

Qualm dense smoke; fumes; vapour, steam; **~en** to smoke; to emit thick smoke; **~ig** smoky

quant|itativ quantitative; **~um** quantity, amount; *phys* quantum

Quappe eel-pout; *(des Frosches)* tadpole

Quarantäne quarantine; *unter ~ stellen* to quarantine; **~flagge** yellow flag

Quark curds; *fig* rubbish, trifle; **~käse** cottage cheese, whey-cheese

quarren to whine; to grumble

Quart quart; *♪* fourth; **~al** quarter (of year); quarter-day; term; **~band** quarto volume; **~e** fourth, quart; *(Fechten)* carte; **~ett** quartet

Quartier quarters; billets; quarter, district; **~en** to quarter, to billet; **~macher**, **~meister** quartermaster; **~schein** billeting paper

Quarz quartz; **~artig** quartzous

quasi as it were

quasseln *umg* to talk nonsense, to twaddle

Quast(e) tassel, brush, tuft

Quatsch rubbish, nonsense; bosh; foolish talk; baloney, bunk; **~en** to talk rubbish, to twaddle; to blather; **~kopf** twaddler, gas-bag, windbag

Quecksilber quicksilver, mercury; **~artig** mercurial; **~ig** lively, mercurial; **~n** of quicksilver; **~stand** mercury level

Quell spring; **~bach** river source; **~e** spring, source; *(oil)* well, fountain; *fig* origin; *aus erster ~e* first-hand information; **~en** to gush, to well, to flow from; to spring; to arise; *(einweichen)* to soak, to steep; *fig* to arise, to originate, to spring from; **~enangabe** mention of sources used; **~enforschung** critical investigation (of sources), original research work; **~enmaterial** source material; **~wasser** spring-water, well-water

Queng|elei whining, nagging; grumbling; **~elig** grumbling, cranky; **~eln** to nag, to whine, to grumble, to jangle; **~ler** grumbler, jangler

Quentchen dram; *fig* trifle [crank

quer cross, transverse, transversal; diagonal; slanting, oblique; *(seitl.)* lateral, crosswise; crossway, across; *kreuz u. ~* criss-cross, all over; in all directions; **~balken**, **~holz** crossbeam, transom

Quer|e *d. ~e nach* athwart, crosswise; *j-m in d.*

~e kommen to thwart *(od* to cross) s-b's plans; **~en** to traverse; **~feldein** across country; **~flöte** German *(od* cross) flute; **~format** horizontal format; **~kopf** queer fellow, crank; **~leiste** cross-piece; **~pfeife** fife; **~schiff** transept; **~schläger** ricochet; **~schnitt** cross-section, cross-cut, profile; **~straße** cross-road, side-road; **~strich** dash, stroke; cross-line; *(fig)* e-n *~strich machen durch* to cross s-b's plans; **~summe** total of the digits of a number; **~treiber** schemer, obstructionist; **~treiberei** obstructionism, sabotaging; **~über** (right) across; **~verbindung** link; correlation; **~verweis** cross reference

Querul|ant querulous person, grumbler; *US* griper; **~ieren** to grumble, to be querulous

Quetsch|e pinch, presser, squeezer; *♪* squiffer; **~en** to press, to squash, to smash; to squeeze, to pinch; *§* to bruise, to crush, to contuse; **~falte** box pleat; **~kartoffeln** mashed potatoes; **~kommode** *umg* squeeze-box; **~ung**, **~wunde** contusion, bruise; contused wound

quick lively, brisk

quieken to squeak, to squeal

quietsch|en to squeak, to scream, to squeal; *(Tür)* to creak; **~vergnügt** as gay as a lark

Quint|e quinte; *♪* fifth; **~essenz** quintessence; essence; **~ett** quintet

Quirl twirling-stick; *bot* whorl; **~en** to twirl; to whisk, to beat

quitt quits, even, square; free, rid; *~ sein mit* to be quits with; **~ieren** to receipt *(a bill);* to quit, to abandon, to leave; **~ung** receipt; *gegen ~ung* against receipt

Quitte quince; **~nmus** quince preserve

Quot|e quota; share, portion; *anteilsmäßige ~e* pro rata share; **~ient** quotient; **~ieren** to quote

R

R (the letter) R

Rabatt discount, rebate; abatement; reduction; *bei Barzahlung ~ geben* to allow discount for cash; **~e** bed, border; *(Kleid)* facing; **~ieren** to grant discount *(od* rebate) on; **~marke** trading stamp

Rabbin|er rabbi; **~isch** rabbinical

Rabe raven; *weißer ~ (fig)* rare bird, outsider; *stehlen wie e. ~* to steal like a magpie; **~naas** bitch, rat; **~nmutter** unnatural mother; **~nschwarz** raven-black; **~nstein** place of execution

rabiat rough; ruthless; furious

Rach|e revenge, vengeance; *~e nehmen* to take revenge on; **~eakt** act of vengeance; **~edurst** thirst for revenge; **~egöttin** avenging goddess; **~en** to avenge, to revenge; to take revenge on s-b; to be brought home (to one); **~er** avenger, revenger; **~eschwur** oath to revenge o. s.; **~gier**, **~sucht** lust for revenge, vindictiveness; **~süchtig** revengeful, vindictive

Rachen throat; *§* pharynx; fauces; oral cavity; *(Maul)* mouth, jaws; *fig* abyss, jaws; ~**höhle** pharyng(e)al cavity

Rachit|is rachitis, rickets; ~**isch** rickety

Racker rascal

Rad wheel; bicycle; *aufs ~ flechten* to break on the wheel ♦ *unter d. ~er kommen* to go to the dogs; ~**bremse** hub-brake; ~**dampfer** paddle-steamer; ~**fahren** to cycle; ~**fahrer** cyclist; ~**fahrweg** cycle track; ~**felge** felloe; ~**kappe** wheel cap, hub cap; ~**kranz** rim; ~**nabe** wheel hub; ~**reifen** tyre, *US* tire; ~**rennbahn** cycling track; ~**rennen** cycle race; ~**schaufel** sweep *(of water-mill)*; paddle-board; ~**scheibe** wheel disk; ~**schlagen** to turn cartwheels, *US* to turn handsprings; *(Pfau)* to spread the tail; ~**schuh** slipper-brake; ~**speiche** spoke; ~**sport** cycling; ~**spur** rut; wheel track; ~**stand** wheel-base; ~**welle** wheel-shaft; ~**zahn** cog *(of a wheel)*; ~**zapfen** spindle, pivot

Radar radar; ~**gesteuert** radar-guided; ~**leuchtschirm** radar screen; ~**steuerung** radar guiding *(of missiles)*; ~**zeichen** radar trace, blip

Radau noise, row, racket, riot, rumpus; *~ machen* to kick up a row; ~**lustig** quarrelsome, cantankerous, rambunctious

Rade *bot* cockle

radebrechen to stammer and stutter; to jabber; to murder a language

Rädelsführer ringleader

räder|n to break on the wheel; ~**werk** gearing, wheels; *(Uhr)* clock-work

radier|en to rub out, to erase; *(Kupfer)* to etch; ~**er** etcher; ~**gummi** (india-)rubber, eraser; ~**kunst** etching; ~**messer** eraser, penknife; ~**ung** etching

Radieschen *bot* radish

radikal radical; ~**er** radical, extremist; ~**isieren** to radicalize; ~**ismus** radicalism

Radio wireless, radio; wireless set; *im ~* on the radio; *im ~ sprechen* to speak over the radio, to broadcast; ~**aktiv** radioactive; *~ aktiv machen* to make radioactive, to activate; *~aktiver Niederschlag* radioactive fall-out; *~aktive Teilchen* radioactive particles; *~aktive Umwandlung* radioactive transformation; ~**aktivität** radioactivity; ~**anlage** radio installation; ~**ansager** radio announcer; ~**apparat** radio set, radio (receiver); ~**ausrüstung** radio equipment; ~**bastler** home constructor; ~**durchsage** spot announcement; ~**empfang** broadcast reception; ~**gehäuse** receiver cabinet; ~**geschäft** radio shop, radio store; ~**gramm** wireless message, radiogram; ~**händler** radio dealer; ~**hörer** (radio) listener; ~**indikator** tracer; ~**inserent** radio advertiser, *US* sponsor; ~**isotop** radioisotope; ~**kanal** *(Frequenz)* radio channel; ~**loge** radiologist; ~**logie** radiology; ~**logisch** radiological; ~**röhre** radio valve, *US* (radio) tube; ~**schlager** radio hit; ~**sender**, ~**station** broadcasting station, transmitter, (radio) station; ~**sendung** radio transmission, broadcast; ~**technik** radiotechnology; ~**techniker** radio engineer; ~**telegramm** radiogram; ~**telegraphie** radio te-

legraphy; ~**telephon** radio telephone; ~**telephonie** radio telephony; ~**übertragung** radio transmission; ~**werbesendung** radio advertising, commercial

Radium radium; ~**strahlen** radium rays; ~**strahlung** radium radiation; ~**zerfall** disintegration of radium

Radius radius

raff|en to snatch up; to gather up; to pick up; to carry off; to tie up *(a dress)*; ~**gier** rapacity; ~**gierig** rapacious

Raffin|ade refined sugar; ~**ement** *fig* refinement; subtlety; ~**erie** refinery; ~**ieren** to refine; ~**iert** refined; *fig* cunning, shrewd, clever; ~**iertheit** cunning; *fig* craftiness

ragen to tower (up); to project, to be prominent

Ragout stew, hash; ragout

Rah|e yard; ~**segel** yard-sail

Rahm cream; *d. ~ abschöpfen (fig)* to take off the cream

Rahmen frame; *(Gestell)* rack; picture-frame; window-frame; *(Stick-)* tambour; *(Schuh)* welt; edge; *fig* limit, compass; *(Bereich)* scope, framework; setting; milieu, surroundings; *in engem ~* within a close compass, within narrow bounds; *vt* to skim, to cream off; *(Bild)* to frame; ~**antenne** frame (*od* loop) aerial

Raiffeisen-Bank farmers' mutual savings-bank

Raigras rye grass

Rain balk, ridge; edge

räkeln *refl* to loll (about), to lounge, to have a lounge

Rakete rocket; missile; *(Signal-)* sky-rocket; *e-e ~ abfeuern* to launch a rocket; ~**nantrieb** rocket propulsion; rocket power; *mit ~nantrieb* rocket-propelled; ~**nforschung** rocket research; ~**nstart** rocket-assisted take-off; ~**ntechnik** rocket technology; rocketry

Ramm|bär, -**bock** rammer, ram; ~**e** rammer, paving-beetle, pile-driver; ~**eln** to buck, to ram; to rut; ~**en** to ram, to beat down; *(Beton)* to tamp, to drive in; ~**ler** buck, male hare; ram

Rampe ramp, ascent; drive, slope, 🚂 platform; ⚓ landing-place; ⚓ apron; ~**nlicht** foot-lights; floats

ramponieren to damage, to bash, to spoil

Ramsch junk, job lot; rubbish; *im ~* in the lump, in lots; ~**händler** junk-dealer; ~**verkauf** rummage sale; jumble sale; ~**waren** job lots

Rand rim, edge; brim, margin, border; *fig* brink, verge; *außer ~ u. Band* out of bounds, beyond control; *am ~e* by the way; incidentally; ~**bemerkung** marginal note; ~**ern** to border, to rim; *(Münze)* to mill; ~**fassung** rim; ~**leiste** ledge, cornice; ~**los** rimless; ~**noten** marginal data; ~**stein** *BE* kerb-, *US* curbstone; ~**voll** filled to capacity, brimful

Ranft crust of bread

Rang rank, order, position; class; rate, quality; ⚓ *erster ~* dress circle, *US* first balcony; *zweiter ~* upper circle, balcony; *dritter ~* gallery; *d. ~ ablaufen* to get the better of, to outdo; *ersten ~es* first-rate, first-class; **~ab-zeichen** badge of rank; **~ältester** senior officer; **~liste** ranking list, *mil* Army List; **~ord-nung** order of precedence; **~stufe** order, rank; degree

Range young scamp; romp; *(girl)* tomboy

Rangier|bahnhof marshalling-yard, *US* switch yard; **~en** to arrange, to classify; 🚂 to shunt, *US* to switch; *vi* to be classed; to rank; **~gleis** marshalling siding, *US* switching track; **~lo-komotive** shunting-engine

rank slim, slender; **~e** tendril, string; *(Rebe)* (vine-)shoot; branch; **~en** to climb, to creep

Ränke intrigues, tricks; machinations; plots; *~ schmieden* to intrigue, to plot, to scheme; **~schmied** intriguer, plotter, schemer; **~süchtig** full of tricks; plotting, tricky

Ranzen knapsack; satchel; school-bag

ranzig rancid; spoilt; rank

Rappe black horse

Rappel madness; *e-n ~ haben* to be crazy *(od* barmy); **~ig** restless; crazy; **~n** to rattle; *bei ihm rappelt's* he is crazy

Raps, **~saat** rape-seed

rar rare, scarce; exquisite; *sich ~ machen* to make o.s. scarce; **~ität** rarity, curiosity

rasant very fast; *fig* breath-taking

rasch speedy, swift, quick; brisk; **~heit** swiftness, speediness

rascheln to rustle

rase|n to rave, to rage; to be mad; to be frantic; to race, to speed; to scorch; **~nd** furious, raving, raging; delirious, mad; *~nd machen* to enrage, to drive mad; **~rei** raving, rage, fury; madness; speeding, scorching, reckless driving

Rasen grass, turf, lawn, sod; **~platz** grass-plot, green

Rasier|apparat safety-razor; **~en** to shave; **~klinge** razor-blade; **~messer** razor; **~pinsel** shaving-brush; **~seife** shaving-soap; **~zeug** shaving things *(od* kit)

räsonieren to reason; to argue noisily; to grumble

Raspel rasp; **~n** to rasp; *Süßholz ~n* to spoon, to flirt, to whisper sweet nothings

Rass|e race, breed; stock; **~entrennung** segregation, racial discrimination; **~ig** *(rein-)* thoroughbred; racy; **~isch** racial

Rassel rattle; **~n** to rattle, to rustle, to clatter

Rast rest, repose; resting; recreation; *mil* halt; **~en** to rest, to repose; **~los** restless; indefatigable; **~losigkeit** restlessness; **~tag** day of rest

Raster screen; **~bild** frame

Rasur erasure; shave

Rat advice, counsel; consultation; deliberation; council, board; *(Person)* councillor, adviser; *um ~ fragen* to ask sb's advice, to consult; *mit ~ u. Tat* by word and deed; **~en** to advise, to give advice; to counsel; to guess, to solve; **~geber** adviser; **~haus** town hall, *US* city hall; **~los** helpless, at a loss; **~losigkeit** helplessness, perplexity; **~sam** expedient, advisable; **~schlag** counsel, advice; **~schluß** decree, resolution, decision; **~sdiener** messenger; **~sherr** town-councillor; senator; alderman; **~skeller** town-hall cellar; *US* raths-keller; **~sschreiber** town clerk

Rate instalment; *in ~n* by instalments; **~nkauf** instalment purchase; **~nzahlung** payment by instalments; deferred payment

Ratifi‖kation ratification; **~kationsurkunde** ratification instrument; **~zieren** to ratify

Ration ration; *eiserne ~* iron ration; allowance, portion, share; **~al** rational; **~alisierung** rationalization; **~ell** rational, reasonable; systematic, economical; **~ieren** to ration; **~ie-rung** rationing

Rätsel riddle; conundrum; puzzle; mystery; *es ist mir e. ~* it puzzles me; **~haft** mysterious, enigmatic; puzzling

Ratte rat; **~nfalle** rat-trap

rattern to rattle, to clatter

Raub robbery, plundering, piracy; rape; prey; booty; *auf ~ ausgehen* to go plundering, to go on the prowl; **~bau** unrestricted exploitation; overcutting *(of wood)*; overcropping, robber farming; *~bau treiben* to exhaust the soil, to ruin; **~en** to rob, to plunder, to deprive of; to steal; to kidnap; **~er** robber; *(Straßen-)* highwayman; **~erisch** rapacious, predatory; **~gier** rapacity; **~mord** murder with robbery; **~ritter** robber-knight; **~tier** beast of prey; **~überfall** (armed) robbery, holdup; **~vogel** bird of prey; **~zug** raid, incursion; depredation

Rauch smoke; haze; fume; **~abzugskanal** flue; **~bombe** smoke-bomb; **~dicht** smoke-tight; **~en** to smoke, to reek, to fume; *~en verboten* no smoking; **~er** smoker; **~erabteil** smoking compartment; **~fang** chimney, flue; **~fleisch** smoked meat; **~geschwärzt** smoke-stained; **~glas** tinted glass; **~ig** smoky; **~los** smokeless; **~schleier** *(künstlicher)* smoke-screen; **~schwarz** black as soot; **~tabak** tobacco; **~waren** tobacco products; *(Pelze)* furs, peltry; **~wolke** smoke cloud

Räucher|essenz aromatic essence; **~ig** smoky, reeking; **~hering** kipper, smoked herring; **~kerze** fumigating candle; **~n** to smoke; *(Fisch)* to cure; to burn incense

Räud|e mange, scab; **~ig** mangy, scabby; *~iges Schaf (fig)* black sheep

Rauf|bold bully, ruffian, brawler; tough; **~en** to pull, to tear, to pluck; *refl* to fight, to tussle; **~erei** row, scuffle; brawl; **~lust** pugnacity; **~lustig** pugnacious, quarrelsome

Raufe rack

rauh uneven, rough; rugged; bleak, bluff; hoarse, harsh *(voice)*; inclement; coarse; rude; raw *(climate)*; *~ behandeln (umg)* to manhandle; *~e Wirklichkeit* hard facts; **~bein** *fig* rough diamond; **~beinig** gruff; **~en** to roughen; *(Tuch)* to dress, to tease; **~futter** coarse food, roughage; **~haarig** shaggy, hirsute; wire-haired *(dog)*; **~heit** roughness, inclemency; hoarseness, harshness; rudeness; **~reif** hoar-frost; rime

Raum place; room; space; expanse; locality;

district; area; territory; neighbourhood; hold *(of ship)*; capacity; volume; *fig* scope; *luftleerer* ~ vacuum; ~ *geben* to give way to, to indulge in; **~einheit** unit of space; **~fähre** space shuttle; **~fahrer** astronaut, spaceman; **~fahrt** space travel; **~fahrzeug** spacecraft; **~gehalt** volume, capacity; **~höhe** headroom; **~inhalt** cubic content, volume; **~klang ♪** stereophonic sound; **~kunst** interior decoration; **~lehre** geometry; **~los** spaceless, roomless; **~mangel** shortage of space; lack of room; **~maß** measure of capacity; cubic measure; **~meter** (staked) cubic metre (of wood); **~schiff** spaceship; **~schiffahrt** interplanetary navigation (*od* travel), space travel; **~sonde** space probe; **~station** space station (*od* platform)

räum|en to clear (away); to remove; to clean, to make room; to leave; to evacuate; to vacate; *d. Feld ~en* to quit the field; **~lich** relating to space, spatial, steric; **~lichkeit** room, premises; **~pflug** bulldozer, scraper; snow plough (*US* plow); **~ung** removal; evacuation; quitting; clearing; **~ungsbefehl ♪♪** eviction order; **~ungsgebiet** evacuation area; **~ungsverkauf** clearance sale

raun|en to whisper; **~zen** to grumble, to grouse, *US* to gripe, *US* to beef

Raupe *zool* caterpillar; **~nantrieb** caterpillar drive; **~nfahrzeug** track-laying vehicle; **~nfraß** damage done by caterpillars

Rausch intoxication, drunkenness; frenzy; transport; ecstasy; **~en** to rustle, to rush, to roar, to thunder; to murmur; rustling, murmuring, roaring; **~gift** narcotic (drug); (hallucinogenic) drug; **~gifthandel** drug trade, drug-trafficking; **~giftsucht** drug addiction; **~giftsüchtig(er)** drug addict, dope addict; **~gold** tinsel, leaf-gold

räuspern *refl* to clear one's throat

Rausschmeißer *BE* chucker-out, *US* bouncer

Raute ↓ rue; lozenge; diamond-shaped figure; rhombus; **~nförmig** diamond-shaped

Raygras rye-grass ⌈rhombic

Razzia crackdown; (police) raid

Reag|ens reagent; **~enzglas** test-tube; **~ieren** *auf* to react upon

Reaktion reaction; **~är** reactionary; **~sfähigkeit** ability to react; reactivity

Reaktor reactor

real real; **~ien** real facts; realities; **~isieren** to put into reality, to realize; **~ismus** realism; **~ist** realist; **~istisch** realistic; **~ität** reality; **~lohn** real wages

Reb|e *BE* vine, *US* grapevine; grape; **~enhügel** vine-clad hill; **~ensaft** grape-juice; wine; **~huhn** partridge; **~laus** phylloxera; **~stock** (grape)vine

Rebell rebel; mutineer; **~ieren** to rebel, to mutiny, to revolt; **~ion** rebellion; mutiny; **~isch** rebellious, mutinous

Rechen rake;; *vt* to rake

Rechen|aufgabe sum, problem; **~brett** abacus; **~buch** arithmetic book; **~fehler** miscalcu-

lation; **~lehrer** arithmetic teacher; **~maschine** calculating machine; **~probe** check calculation; **~schaft** account; *zur ~schaft ziehen* to call to account; **~schaftsbericht** statement of account; **~schieber** slide-rule; **~tabelle** calculator, ready reckoner

rechnen to count; to reckon; to do sums; to calculate; ~ *zu* to class with, to rank amongst; ~ *auf* to count upon

Rechner computer; **~isch** arithmetical; mathematical; by computation

Rechnung calculation; sum; account; bill; *(Waren-)* invoice; *laut ~* as per account of; *auf ~ setzen* to charge, to put to s-b's account; *auf ~* on account; ~ *ziehen* to take into account; *e-e ~ bezahlen* to settle an account; *auf eigene ~ (fig)* at one's own risk; *die ~ ohne d. Wirt machen* to reckon without one's host; ~ *tragen* to allow for; **~sabschluß** balancing of accounts; **~sbeleg** voucher; **~sbetrag** amount invoiced; **~sführer** accountant, book-keeper; **~sführung** accountancy; **~shof** Audit Office; **~sjahr** financial (*od* fiscal) year; **~sprüfer** auditor; **~sstelle** account section

recht right, right-hand; correct; proper; fitting; just; genuine; lawful; legitimate; suitable; real; genuine; *zur ~en Zeit* in due time, in the nick of time; ~ *u. schlecht* not bad, fairly good; *es geschieht ihm* ~ it serves him right; *es ist mir* ~ I agree; ~ *haben* to be right; ~ *behalten* to be right in the end; ~ *geben* to agree with; *an d. ~en kommen* to meet one's match; *erst* ~ now all the more, just; *adv* right, very, really, quite

Recht right (to); privilege; title; claim; justice; law; ~ *sprechen* to administer justice; *von ~s wegen* by rights, according to the law; *zu ~ bestehen* to be valid; *alle ~e vorbehalten* all rights reserved; *für ~ erkennen* to decide; **~e** *(Hand)* right hand; *parl* the right; **~eck** rectangle; **~eckig** rectangular; **~en** to contest, to plead; **~ens** legally, by law; **~er Hand** on the right-hand side; **~fertigen** to justify, to defend; to vindicate; **~fertigung** justification; defence; **~gläubig** orthodox; **~haberisch** dogmatic; obstinate; **~lich** just; lawful; legitimate; legal; in law; fair; honest; *ohne ~lichen Grund* without a sufficient legal ground; **~lichkeit** integrity, honesty; **~linig** rectilinear; **~los** without rights; **~mäßig** lawful, legitimate; **~mäßigkeit** legality, legitimacy; **~schaffen** honest, just; true; upright; *adv* very; exceedingly; **~schaffenheit** honesty, probity; **~schreibung** orthography, spelling; **~sprechung** administration of justice; jurisdiction; **~winklig** rectangular; **~zeitig** opportune; in good time, timely; *adv* on time; punctually

rechts on the right, to the right; **~angelegenheit** legal matter; **~anspruch** legal claim; **~anwalt** lawyer, solicitor; *(plädierender)* counsel, barrister; **~anwendung** application of the law; **~außen(-stürmer) ⚽** outside right; **~befugnis** legal right; **~beistand** counsel, legal adviser; **~beratungsstelle** legal aid office; **~beugung**

perversion of justice; ~**bruch** infringement of the law; ~**deutung** legal interpretation; ~**drehung** clockwise rotation; ~**einwand** demurrer, objection; *(Einspruch)* protest; ~*einwand erheben* to put in a plea, to raise an objection; ~**erwerb** acquisition of title; ~**fähigkeit** legal capacity; ~**fall** suit, law case; ~**form** legal form; ~**gelehrter** jurist, lawyer; ~**geschäft** legal transaction; ~**grund** cause in law; ~**grundsatz** principle of law; ~**gültig, ~kräftig** legal, valid; ~**gutachten** legal expert opinion; ~**handel** lawsuit, legal action; ~**hilfe** legal aid; ~**irrtum** judicial error; ~**kräftig** final and absolute, unappealable; ~**lage** legal status, legal situation; ~**mittel** legal remedy, right of appeal; legal redress; ~**nachfolger** legal successor; ~**person** body corporate, legal personality; ~**pflege** administration of justice; ~**sache** legal affair; ~**spruch** *(Geschworene)* verdict; *(Strafsache)* sentence; *(Zivil)* judgment, decision; *(Schiedsgericht)* award; ~**staat** constitutional state; ~**stellung** legal status; ~**streit** legal contest; litigation; ~**titel** legal title; ~**um!** right turn!; ~**ungültig** invalid, illegal; ~**verbindlich** legally binding; ~**weg** course of law; *d. ~weg beschreiten* to go to law; ~**wesen** judicial system; ~**widrig** illegal; ~**widrigkeit** illegality; ~**wirksam** effective; ~**wissenschaft** jurisprudence

Reck horizontal bar; ~**e** warrior, hero; ~**en** to stretch, to extend; *d. Glieder ~en* to stretch one's limbs

Redakt|eur editor; ~**ion** editors; editorial staff; editing; ~**ionell** editorial; ~**ionsschluß** editorial deadline

Rede talk, speech; address; discourse; oration; conversation; *(Gerücht)* rumour; *e-e ~ halten* to make a speech; *in d. ~ fallen* to interrupt; *~ stehen* to answer for; *zur ~ stellen* to call s-b to account; *nicht d. ~ wert* not worth mentioning; *es geht d. ~* it is rumoured that; *davon kann keine ~ sein* it is out of the question; *in ~ stehend* in question, material; ~**fertig** glib, fluent, eloquent; ~**fluß** flow of words; ~**freiheit** freedom of speech; ~**kunst** rhetoric; ~**n** to speak, to talk; to converse, to make a speech; *mit s. ~n lassen* to listen to reason; *von s. ~n machen* to cause a stir; *offen ~n* to speak out; *nicht zu ~n von* to say nothing of; ~**nsart** phrase, idiom; locution; empty phrase; *bloße ~nsarten* mere words; ~**rei** prattle, nonsense; ~**schwall** burst of eloquence; ~**weise** manner of speech, style; ~**wendung** phrase *(stehende R.* set phrase*)*

redigieren to edit, to revise

redlich honest, just; *umg* square; fair; upright; candid; ~**keit** honesty; uprightness, integrity, probity

Redner speaker, orator; ~**bühne** platform, tribune; *d. ~bühne besteigen* to take the floor; ~**gabe** oratorical gift; speech power; ~**isch** oratorical, rethorical

Redoute *mil* redoubt; *(Masken)* masquerade, masked ball

redselig talkative; garrulous; loquacious; voluble; *er ist sehr ~* he has the gift of the gab; ~**keit** talkativeness; loquacity

Redu|ktion reduction; ~**zieren** to reduce, to decrease, to lower; to cut, to diminish; ~**zierung** reduction

Reede roadstead; ~**r** shipowner; ~**rei** shipping-firm, shipping company

reell good, honest; fair; reputable

Reep rope

Refa time-and-motion study; ~**fachmann** time-and-motion expert

Refektorium refectory

Refer|at talk, report; lecture; section; subject department; ~**endar** Bachelor of Arts (B. A.); junior barrister; law graduate in the preparatory service; ~**ent** specialist adviser; reporter; speaker; ~**enz** reference; referee; ~**ieren** to report upon, to lecture on

Reff basket, dosser; ⚓ reef; ~**en** to reef

Reflekt|ant prospective buyer; ~**ieren** to reflect; *(denken)* to reflect upon; to consider; *~ieren auf* to have one's eye on; ~**or** reflector

Reflex reflex; reflection; ~**bahn** reflex path; ~**bewegung** reflex movement; ~**ion** reflection; ~**iv** reflective; reflexive *(pronoun)*; ~**kamera** reflex camera

Reform reform; ~**bedürftig** in need of reform; ~**bestrebungen** reformatory efforts; ~**ation** reformation; ~**ator** reformer; ~**atorisch** reformatory; ~**haus** health-food store; ~**ieren** to reform; ~**ierter** member of the Reformed Church; ~**maßnahmen** reformatory measures

Refrain burden, refrain; chorus

Regal (set of) shelves; stand; filing-shelves; ~**ieren** to regale, to treat *(mit* on*)*

Regatta regatta, boat-race

reg|e active; lively, brisk; nimble; alert; *~e werden* to be stirred up; ~**sam** agile, active, quick; ~**samkeit** agility, activity; quickness; ~**ung** movement, emotion; agitation; impulse; ~**(ungs)los** motionless

Regel rule, regulation; precept, principle; § menses, menstruation; *d. Ausnahme bestätigt d. ~* the exception proves the rule; *in d. ~* as a rule; generally; ~**ausführung** standard design; ~**bar** adjustable; ~**belastung** normal load; ~**fall** normal case; ~**los** irregular; random, haphazard; ~**mäßig** regular, normal; ordinary, clock-wise; periodical; ~**mäßigkeit** regularity; ~**n** to regulate, to arrange, to put in order, to administer; to settle, to control; ~**recht** regular; correct, proper; thorough; ~**ung** control; regulation; adjustment; settlement; arrangement; ~**widrig** contrary to rule; abnormal; 🏴 foul; ~**widrigkeit** irregularity; abnormality

regen *refl* to stir, to move; to budge; *(Gefühle)* to rise; to arouse

Regen rain; *(Sprüh-)* drizzle; *(Schauer)* shower; scud ♦ *vom ~ in d. Traufe* out of the frying-pan into the fire; ~**bekleidung** rainwear; ~**bö** squall; ~**bogen** rainbow; ~**bogenfarben** colours of the rainbow; rainbow-coloured; ~**bogenhaut** iris; ~**dicht** rainproof;

~flut deluge; ~fall rainfall; ~grau grey with rain; ~guß shower; downpour; *umg* drencher; ~haut oilskin coat; plastic mac; ~mantel raincoat; rainproof mac(kintosh); trenchcoat; ~pfeifer plover; ~reich rainy; ~schauer shower of rain, flurry; ~schirm umbrella; ~tropfen raindrop; ~wolke rain-cloud; ~wurm anglewurm, earthworm

Regene|ration regeneration; ~ieren to regenerate; ~rierung regeneration, reclaiming, recovery

Regent regent; ruler; sovereign; ~in (female) regent; ~schaft regency, regentship

Reg|ie administration, management; state monopoly; ♀ production, direction; stage--management; *~ie führen* to direct; ~ieassistent assistant director; ~iekosten overhead expenses; ~iepult ⏚ control desk, mixing table; ~isseur producer, director; stage-manager

regieren to reign, to rule; to govern *(a. gram)*

Regierung reign; rule; government; *US* administration; ~sanleihe government loan; ~santritt accession (to the throne); coming into office; ~sapparat government machinery; ~sbeamter government official, civil servant; ~sbefehl government order; ~sbehörde government office *(od* department); ~sbezirk administrative district; ~sbildung forming of a cabinet; ~sblatt official gazette; ~sform form of government; ~sentwurf government draft; ~sgewalt supreme power; ~skreise government circles; ~spolitik government's policy; ~spresse government-controlled press; ~sstellen governmental authorities; ~ssystem political system; ~svorlage government bill; ~szeit reign

Regime regime; *(Diät)* regimen

Regiment government, rule; command; *mil* regiment

Regist|er register; index; record; list; table of contents; *(Orgel)* step; ~ratur registry; registrar's office; ~rierapparat recording apparatus, recorder; ~rieren to register, to record; to enter; to file; to index; ~rierkasse cash register; ~rierung registration; recording

Regler regulator; controller; *(Widerstand)* rheostat

regne|n to rain; to drizzle; to pour; ~risch rainy

Regreß recourse; *(Schaden)* recovery (of damage); ~pflichtig liable to recourse

regul|är regular; ~ator regulator; ~ierbar controllable, adjustable; ~ieren to regulate, to govern; to adjust; ~ierung regulation, adjustment; ~iervorrichtung regulating device

Reh roe(-deer); ~bock roebuck; *(Ricke)* doe; ~braten roast venison; ~keule haunch of venison; ~kitz fawn; ~rücken, ~ziemer saddle of a roe; ~wild roe-deer

rehabilitier|en to rehabilitate; ~ung rehabilitation

Reib|e, ~eisen grater; rasp; ~en to rub; to grate; *(Farben)* to grind, to pulverize; *s. ~en an (fig)* to quarrel with, to provoke; ~erei friction;

collision; conflict; ~festigkeit resistance to abrasion; ~fläche rough surface, striking surface; ~ung friction; rubbing, grating; *fig* collision, clash; ~ungslos frictionless; smooth

reich rich, wealthy; well-off; plentiful; abundant; copious; ample; *e-e ~e Auswahl* a wide selection; *d. ~en* the rich; ~haltig rich, copious, full; abundant; comprehensive; ample, plentiful; ~haltigkeit fullness, richness; abundance; variety; ~lich ample, bountiful *(food)*; plentiful, abundant; copious; *(Ertrag)* plenteous; *mehr als ~lich* enough and to spare; ~tum riches, wealth; abundance; opulence

Reich empire; kingdom; realm; *(Kaiser-)* empire; *d. Deutsche ~* the German Empire; *d. Dritte ~* the third Reich, Nazi Germany; *(Pflanzen- etc)* kingdom; ~sadler German Eagle; ~sangehöriger, ~sdeutscher German national; ~sanleihe government loan; ~sapfel mound, orb; ~sautobahn (German) autobahn; ~sgebiet territory of the Reich; ~skanzler Chancellor of the Reich; ~smark reichsmark; ~sstände estates of the realm; ~stag German Diet; Reichstag; ~sverfassung the constitution of the German Reich; ~swehr German army and navy; Defence Forces of the Reich

reich|en to present, to hand (over); to pass; to reach; to offer; *(aus-)* to do, to last, to suffice; to hold out; *(s. erstrecken)* to stretch *(bis to)*; *das ~t* that will do; *er kann ihm nicht d. Wasser ~en* he can't hold a candle to him; *Hände ~en* to join hands; ~weite reach; range; radius (of influence); ⏚ transmission range; *außer ~weite* out of reach, out of range; *in ~weite* within reaching distance

reif ripe, mature; mellow; fully developed; ~e ripeness, *fig* maturity; puberty; ~en to ripen, to mature; to grow ripe; *e-n Plan ~en lassen* to mature a plan; ~eprüfung (school-)leaving examination; ~ezeit age of maturity; ~ezeugnis (school-)leaving certificate; ~lich mature, careful; *nach ~licher Überlegung* after thorough consideration; ~ung maturing

Reif¹ *(Rauh-)* hoar-frost, white frost; frozen fog; ~bildung frozen-fog formation; ~en to become white with hoar-frost

Reif² *(Faß-)* hoop; ring; circlet; collar; ~förmig hoop-shaped; ~rock crinoline

Reifen hoop; ring; circlet; bracelet; ⏚ tyre, *US* tire; *e-n ~ aufmontieren* to fit a tyre; ~panne, ~schaden puncture; blowout; flat

Reigen round dance   [(tyre)

Reih|e row, range; line; series; suite; sequence; succession; order; rank; file; *in e-r ~e* in a line; in a row; *d. ~e nach* in turn, by turns; *er ist an d. ~e* it is his turn; *außer d. ~e* out of turn; *~ e u. Glied* rank and file; ~en to put in a row, to file; to rank; to (ar)range; to string *(pearls)*; ~enaufnahme serial survey; ~enflug line formation; ~enfolge turn; succession; sequence; order; ~ennummer serial number; ~enweise in rows; in dozens; ~um in turns, by turns

Reiher heron; *(Silber-)* egret; **~feder** heron feather; aigrette

Reim rhyme; **~en** to rhyme; *fig refl* to make sense; to agree with; **~er**, **~schmied** rhymer, rhymester; **~erei** rhyming, verse-making

rein clean; neat; tidy; proper; clear; pure; genuine; absolute *(alcohol)*; undiluted *(wine)*; chaste; net *(profit)*; *fig* sheer, mere; quite, entirely ♦ *d. Luft ist ~ (fig)* the coast is clear; *~es Gewissen* clear conscience; *~ e Lüge* downright lie; *~ en Tisch machen* to make a clean sweep; *~ er Unsinn* sheer nonsense; **~ertrag** net proceeds; **~fall** let-down; failure; *umg* flop; sell; **~gewinn** net profit; **~heit** purity, pureness; cleanness; cleanliness; **~igen** to clean, to cleanse; to purify; *(chemisch)* to dry-clean; to refine *(metals)*; to clarify *(liquids)*; to rectify *(spirits)*; to purge, to disinfect; **~igend** cleansing; ♣ abluent; detergent; **~igung** cleaning; washing; *(Abscheidung)* separation; purification; purging; *in d. ~igung geben* to send to the cleaner's; **~igungsanstalt** dry cleaner; **~igungsmittel** cleaner; detergent; ♣ purgative; **~igungsprozeß** purification process, refining process; **~kultur** pure culture; bacilli culture; **~lich** cleanly, neat, tidy; **~lichkeit** cleanliness, tidiness; **~machefrau** charwoman; **~rassig** thoroughbred; pure-bred; **~schrift** fair copy, final copy; **~seiden** all-silk; **~waschen** *refl* to exculpate o.s.; to whitewash o.s.

Reineclaude greengage

Reinkarnation reincarnation

Reis¹ rice; **~auflauf** rice pudding; **~brei** boiled rice; **~feld** rice field; paddy; **~mehl** rice flour

Reis² twig, sprig; *(Pfropf-)* scion; **~ig** twigs, brushwood

Reise journey, travel; trip; tour; (sea-)voyage; passage; **~beschreibung** book of travels; travelogue; **~büro** tourist office; travel agency; **~decke** (travelling-)rug; **~führer** guide-book; **~genehmigung** travel permit; **~gepäck** luggage, baggage; **~koffer** suitcase, trunk; **~lustig** fond of travelling; **~n** to travel, to journey; to make a trip; to go (to); **~nder** traveller, passenger, tourist; *(Handels-)* travelling salesman; commercial traveller; **~paß** passport; **~plan** itinerary; **~route** route; **~scheck** traveller's cheque; **~schreibmaschine** portable typewriter; **~spesen** travelling expenses; **~vergütung** travelling allowance; **~verkehr** tourist traffic; **~ziel** destination

Reiß|aus *~aus nehmen* to take to one's heels; to decamp; **~brett** drawing-board; **~en** 1. *vt* to tear; to pull; to drag; to rip; *an sich r.* to seize hold of; to snatch up; to monopolize *(the conversation)*; *in Stücke r.* to tear to pieces; *Witze r.* to crack jokes; 2. *vi* to tear, to tear off; to burst, to split; 3. *refl* to get scratched; *s. ~en um* to scramble for; 4. *su* rheumatic pains; **~end** rapid, ravenous; torrential; **~ender Strom** torrent; **~er** thriller; box-office success; **~feder** drawing-pen; **~festigkeit** tensile strength; **~kohle** charcoal-crayon; **~verschluß**

BE zip-fastener, *US* zipper; **~zeug** drawing instruments; **~wolle** re-used wool; **~zwecke** drawing-pin, *US* thumbtack

reit|en to ride, to go on horseback; *Schritt ~en* to pace; *Trab ~en* to trot; *Galopp ~en* to gallop; *su* riding; equitation; **~er** horseman, trooper, rider; *(Kartei)* tab; **~erei** cavalry, horsemen; **~erin** horsewoman; **~erregiment** cavalry regiment; **~erstandbild** equestrian statue; **~gerte** riding-whip; **~hose** riding-breeches; **~knecht** groom; **~kunst** art of riding; **~schule** riding-school; stable for saddle-horses; **~stiefel** riding-boot; **~stunde** riding-lesson; **~weg** riding-track; bridle-path

Reiz charm; attraction; allurement; attractiveness; fascination; enticement; *(An-)* stimulus, incentive; irritation; **~bar** irritable; brittle; **~barkeit** irritability; **~en** to excite, to stir up, to irritate; to provoke, to stimulate; to entice, to lure; to charm; to instigate; to bid (at cards); *d. Appetit ~en* to whet one's appetite; **~end** charming, fascinating; enticing; enchanting; sweet; *US umg* cute; **~los** charmless, unattractive; **~losigkeit** unattractiveness; **~mittel** incentive, stimulus; ♣ stimulant; **~stoff** stimulating substance; irritant (substance); **~ung** irritation; incitation; incitement; provocation; enticement; **~voll** charming; attractive; alluring; glamorous; **~wirkung** irritating effect

rekeln *refl* to loll (about), to wriggle, to lounge

Reklam|ation claim; complaint; **~ieren** to protest, to object; to complain

Reklame advertising; advertisement; publicity; boost; *~ machen* to advertise; *intensiv ~ machen* to boost, to plug; **~artikel** advertising article; **~feldzug** advertising campaign; **~schild** advertisement sign; **~tafel** hoarding; **~trick** promotional stunt

rekognoszier|en *mil* to reconnoitre; **~ung** reconnoitring; reconnaissance

rekonstru|ieren to reconstruct; **~ktion** reconstruction, rebuilding

Rekonvaleszent convalescent; **~z** convalescence

Rekord record; **~besuch** record attendance; **~brecher** record breaker; **~ernte** record crop; bumper crop; **~inhaber** record-holder; **~zeit** record time

Rekrut recruit; *umg* rooky; **~enaushebung** recruitment, enlistment; conscription; **~ieren** to recruit; **~ierung** recruitment, draft

rektifizier|en to rectify, to adjust; **~ung** rectification

Rektor *(Universität)* rector, Chancellor, *US* President; *(Schule)* headmaster, *US* principal; **~at** office of chancellor; office of president; headmastership

Relais ♣ relay; **~sender** ⬥ relay station; **~steuerung** relay control

Relation relation; relationship

relativ relative; relating (to); **~ität** relativity; **~itätstheorie** theory of relativity

relegieren to exclude, to expel, *(BE Univ.)* to send down; *(zeitweilig) BE* to rusticate

Relief relief; embossment

Religion religion; faith; confession; creed; denomination; *(Schulfach)* Scripture; ~sfreiheit religious freedom; freedom of worship; ~sgemeinschaft religious community; ~slos irreligious

religiös religious, pious; ~osität religiousness

Reling ⚓ rail (of ship)

Reliquie relic; ~enschrein reliquary

Remitt|enden 📖 returned books, returns; ~ieren to return, to remit; ~ierung remittance

Rempel|ei jostling; rumpus; ~n to jostle; 🐎 to barge; to bump together

Ren reindeer; ~schlitten reindeer sledge

Renaissance renaissance

Rendezvous meeting; date; *e. ~ haben* to have a date with; ~partner *umg* date

renitent refractory, obstinate

Renn|bahn race-course, race-track; *(Aschenbahn)* cinder track; *(Pferde)* turf; ~boot racing-boat; speedboat; ~en to run; to race; to run a race; to dash; to rush (along); *ins Verderben ~en* to rush headlong into destruction; *mit d. Kopf gegen d. Wand ~en* to run one's head against the wall; *su* rush, run; race; *(Hindernis-)* steeple-chase; *totes ~en* dead heat; ~er runner; race horse; ~fahrer racing driver; ~reiter racing jockey; ~schuh spike; ~sport racing; *(Pferde)* turf; ~stall racing stable; ~strecke course; race track; circuit; ~wagen racing-car; racer; ~ziel winning post

Renomm|ee reputation; fame, renown; ~ieren to boast, to swagger; to brag; ~iert highly reputed; well-known (for); ~ist bully, bragger; boaster; big talker

renovier|en to renovate, to redecorate; to repair, to do up; ~ung renovation, redecoration

rent|abel lucrative; profitable; productive; ~abilität profitableness; lucrativeness, profits; earning capacity; ~abilitätsgrenze margin of profitableness, break-even point; ~amt revenue office; ~e *(Alters-)* (old age) pension; rent, annuity; revenue; *(Unterstützung)* benefit; ~enbrief annuity bond; ~enempfänger pensioner; annuitant; ~engesetz Old Age Pension Law; ~enschuld mortgage debt; ~ner pensioner; rentier; man of private means; ~ieren *refl* to pay, to yield profit; to be worth while   [nization

reorganisier|en to reorganize; ~ung reorganization

Reparation reparation; *~en leisten* to pay reparations

Reparatur repair; recondition; mending; *in ~* under repair; ~bedürftig in need of repair; ~dienst repair service; ~fähig mendable, repairable; ~kosten (cost of) repairs; ~werkstatt repair shop

reparieren to repair, to mend

repatriier|en to repatriate; ~ung repatriation

Repertoire stock (of plays); repertory; repertoire; ~stück stock-play

repet|ieren to repeat; ~itor coach, tutor; *umg* crammer

Replik reply; retort; *(Kopie)* replica

Report report; *(Börse)* contango; ~age commentary, account; eyewitness account; on-the-spot report; ~er reporter, correspondent

Repräsent|ant representative; ~antenhaus House of Representatives; ~ation representation; ~ativ representative; ~ieren to represent; to cut a fine figure

Repressalien reprisals; retaliation; *~ anwenden gegen* to make reprisals on

reprivatisier|en to denationalize; ~ung denationalization; reversion to private ownership

Reprodu|ktion reproduction; rendering; ~ktionskraft reproductive power; ~zieren to render, to reproduce

Reptil reptile

Republik republic; ~aner republican; ~anisch republican

requi|rieren to requisition; to commandeer; ~siten requisites; 🎭 properties, *umg* props; ~sition requisition

Reseda mignonette

Reserv|at reservation; reserved right; nature reserve; ~e reserve; backlog; *in ~e* in store; *stille ~e* undisclosed reserves; *d. ~ einberufen (mil)* to call up the reserves; ~efonds reserve fund; ~erad spare wheel; ~eteile spare parts, spares; ~ieren to reserve, to set aside; to book in advance, to make reservations; ~ierung reservation; ~ist reservist; ~oir tank, reservoir

Resid|enz seat of the court; residence; *(Hauptstadt)* capital; ~ieren to reside

Resign|ation resignation; ~ieren to resign

resolut resolute, determined; ~ion resolution

Resonanz resonance, echo; ~boden sounding-board

Respekt respect, regard; ~abel, ~ierlich respectable; ~ieren to respect, to honour; ~ive respectively; ~los without respect; irreverent; ~sperson person (to be) held in respect; ~voll respectful; ~widrig disrespectful

Ressentiment secret grudge, prejudice

Ressort department, province; sphere; *d. gehört nicht zu m-m ~* that's out of my line; ~besprechung interdepartmental conference

Rest rest, remainder; remnant; residue; residuum; balance; relic ♦ *j-d d. ~ geben* to finish s-b; ~auflage remainders; ~betrag remainder, balance; residue; ~e odds and ends *(of material)*; ~lich remaining, left over; *chem* residual; ~los complete; without a rest; thoroughly, entirely; completely; ~posten remaining stock; ~zahlung final payment

Restant person in arrears; ~en arrears; odd lots

Restaur|ant restaurant; tavern, inn; ~ateur restaurateur; restorer; restaurant keeper; ~ation restoration; restaurant, inn, pub(lichouse); ~ator restorer (of paintings); ~ieren to restore, to repair; *s. ~ieren* to recover

Result|at result; effect, outcome; 🐎 score; ~ieren to result (from)

Retorte retort; test tube

rett|en to save; to rescue; to deliver; to release; to bring through *(a patient)*; *refl* to escape; *s-e Ehre ~en* to vindicate one's honour; *~e sich wer kann!* every man for himself!; **~er** rescuer, deliverer; *(Heiland)* Saviour, Redeemer

Rettich (white) radish

Rettung rescue, saving; deliverance; escape; help; redemption, salvation; **~sanker** sheet-anchor; **~sboje** life-buoy; **~sboot** life-boat; **~sdienst** rescue *(od* life-guard) service; **~sgürtel**, **~sring** life-belt; **~skolonne** rescue squad; **~sleine** life-line; **~sleiter** fire-escape; **~slos** irrecoverable, irretrievable; past help; **~smedaille** life-saving medal; **~smittel** remedy; **~sstation** first-aid post; **~swagen** ambulance; **~swerk** rescue work

retuschieren to retouch; to touch up

Reue regret, repentance; remorse; contrition; **~en** to repent, to regret; to be sorry for; **~evoll**, **~ig** repentant; **~egeld** forfeit; forfeiture; **~mütig** repentant, penitent; remorseful

Reuse wicker-trap; eel-basket; eel-pot

Revanche revenge, satisfaction; **~epartie**, **~espiel** return-match; **~ieren:** *s. ~ieren für* to take one's revenge; to return a kindness

Reverenz reverence; bow; curtsey

Revers lapel; reverse *(coin)*; reciprocal obligation

revidieren to revise; to examine; to check; *(Bücher)* to audit

Revier district; quarter; preserve; hunting-ground; beat *(of constable)*; *mil* sick-bay

Revision revision, revisal; *(Bücher)* audit; auditing; *(Zoll-)* inspection; ⚖ *(Rechtsmittel)* appeal; *(Wiederaufnahme)* rehearing, new trial; *~ einlegen* to lodge an appeal; *e-r ~ stattgeben* to allow appeal; *e-e ~ verwerfen* to dismiss an appeal; **~sbogen** 🕮 revise

Revisor reviser; *(Bücher-)* examiner of accounts, auditor

Revolte revolt, rising; insurrection; **~ieren** to revolt, to rise

Revolution revolution; **~är** revolutionary; **~ieren** to revolutionize

Revolver revolver, *umg* gun

Revue ♀ revue, musical show; *mil* review; *(Zeitschrift)* review, periodical; *~ passieren lassen* to pass in review

Rezensent critic, reviewer; **~ieren** to review, to criticize; **~ion** criticism, review; **~ionsexemplar** review copy

Rezept 💲 prescription; *(Koch-)* recipe; **~ieren** to make out a prescription; **~ion** reception desk

rezessiv recessive

reziprok reciprocal; **~tativ** recitative; **~tator** reciter; **~tieren** to recite

Rhabarber rhubarb

Rhapsodie rhapsody

Rhein Rhine; **~isch** Rhine; **~wein** hock, Rhine wine

Rhetorik rhetoric; **~isch** rhetorical

Rheuma, **~tismus** rheumatism; **~tisch** rheumatic

Rhinozeros rhino(ceros)

Rhombus *bes math* rhomb(us); diamond; 💲 lozenge

rhythmisch rhythmical; **~us** rhythm

Richtantenne directional aerial; **~balken** traverse beam; **~blei** plummet, plumb-line; **~block** executioner's block; **~en** to set straight, to put in order; to adjust, to direct; to turn, to lay; to aim *(gun)*; to address; to prepare *(meal)*; to regulate, to set *(watch)*; to judge, to pass sentence on; to arrange; to fix; to repair; *s. ~en nach* to conform to, to comply with; to be guided by; *gram* to agree with; *d. Segel nach d. Wind ~en* to trim the sails to the wind; *zugrunde ~en* to ruin; **~fernrohr** *mil* telescope sight; **~fest** topping-out ceremony; **~kanonier** *mil* gun pointer; **~linie** directive, guiding principle; direction; **~linien** rules, policy; **~lot** plumb-line; **~maß** standard; gauge; **~preis** recommended retail price; **~satz** standard rate, guiding rate; **~schnur** canon, ✿ plumb--line; *fig* guiding principle, rule of conduct; **~strahler** beam aerial *(od* antenna); *mit ~strahler senden* to beam (at a country); **~ung** direction, line; course; bearing; tendency; trend, drift; orientation; *d. ~ung verlieren* to lose one's bearing; **~ungsweiser** signpost; ⌖ radio beacon; **~wert** standard value; determing factor; **~zahl** coefficient

Richter judge; *(Friedens-)* justice of the peace *(Abk.* J. P.); *(Polizei-)* magistrate; *(Schieds-)* arbiter; umpire; *~ sein* to sit on the bench; *vor d. ~ bringen* to bring to justice; **~amt** office of judge; **~kollegium** bench; **~lich** judicial; **~spruch** *(Zivilprozeß)* judgment, decision; *(Strafprozeß)* sentence; *(Schieds-)* award; *(Geschworene)* verdict; **~stand** judges; judiciary; **~stuhl** *fig* judgment seat

richtig right, correct; accurate; fit; genuine; real; regular; suitable; adequate; *interj* quite right!, just so!; **~gehend** keeping good time; real, regular; **~keit** rightness, correctness, justness; accuracy, fairness; **~stellen** to put right, to correct, to rectify; **~stellung** rectification

Ricke *zool* doe

riechen to smell; to scent; to stink; *(ausfindig machen)* to detect; to sniff *(danger)*; *nach etw ~en* to smell of ♦ *d. Braten ~en, Lunte ~en* to smell a rat; **~er** nose; *e-n guten ~er haben* to have a fine nose; **~fläschchen** smelling-bottle; **~organ** olfactory organ

Ried *(Schilf)* reed; marsh; **~gras** sedge

Riefe flute; groove; channel; chamfer; **~ln**, **~n** to chamfer, to channel, to flute

Riege 🏃 section, group

Riegel bolt, sliding bolt; bar *(of soap)*; peg *(of dress)*; *mil* switch line ♦ *e-n ~ vorschieben* to put a spoke in s-b's wheel; **~n** to bolt up, to bar; **~stellung** bolt position

Riemen strap, sling; *(Treib-)* belt; shoulder strap; *(Gürtel-)* brace, belt; *(Ruder)* oar; *d. ~ beinehmen* to ship oars; **~antrieb** belt drive; **~blatt** oar blade; **~scheibe** pulley; **~zeug** harness, straps

Ries ream (of paper)   ⌐ness, straps

Ries|e giant ♦ *nach Adam ~e (fig)* according to Gunter; **~enbomber** superbomber; **~enerfolg** smash hit; **~engroß, ~ig** gigantic, huge, vast, immense, colossal; *umg* whopping; terribly; **~enrad** Ferris wheel, high wheel; **~enschlange** boa constrictor; **~in** giantess

Riesel|felder irrigated fields; sewage farm, sewage fields; **~n** to ripple, to trickle; to drizzle; to gush, to percolate

Riff reef; sand-bank, shelf; *(Korallen-)* coral reef

Riffel flax-comb; **~blech** checkered plate; **~glas** frosted glass; **~n** to corrugate, to chamfer, to groove; *(Flachs)* to ripple; **~ung** corrugation, groove, knurl

rigoros rigorous; strict; stern; rigid; stringent

Rille groove; 𝖒 flute, chamfer; *(Kornfeld)* drill; **~npflug** drill-plough (*US* -plow)

Rimesse draft

Rind ox, cow; cattle; *(Färse)* heifer; **~erbouillon** beef broth; **~erbraten** roast beef; **~erhirt** herdsman; cowboy; **~erpest** cattle-plague; **~erzucht** cattle breeding; **~fleisch** beef; **~fleischsorten** beefs; **~sleder** ox-hide; cowhide; **~vieh** (horned) cattle; beeves; *fig (Schimpfwort)* duffer, blockhead

Rinde *(Baum, Hirn)* cortex *(pl* cortices); *(Baum-)* bark; *(Käse)* rind; *(Brot)* crust

Ring ring; circle; link *(of chain)*; *umg* pool; *e-n ~ bilden (fig)* to pool; **~bahn** circular railway; **~förmig** ring-shaped; cyclic; annular; **~mauer** city wall; **~tausch** exchange between several parties; **~richter** umpire; **~wall** rampart

Ringel ringlet, small ring, circlet; *(Locke)* curl; ringlet; **~n** to ring, to curl, to coil; **~natter** ring-snake, grass-snake; **~reigen, ~reihen** round dance; **~taube** ring-dove

ring|en to wrestle; to struggle (against, for); to fight for; to strive; to wring; to wrench; to wrest (out of); **~er** wrestler, catcher; **~kampf** wrestling match

rings round, around; **~um, ~umher** all round, round about

Rinn|e groove; *(Fluß-)* channel; *(Fahr-)* gutter; **~en** to run, to flow; to leak, to trickle, to drip; **~sal** streamlet, trickle; **~stein** sink *(kitchen)*; gutter

Ripp|e 𝖒 groin; *anat* rib; bar; **~en** to rib, to groin; **~enatmung** costal breathing; **~enfell** (costal) pleura; **~enfellentzündung** pleurisy; **~enstoß** nudge in the ribs; *j-d e-n ~ enstoß versetzen* to nudge; **~enspeer** (smoked) spare-ribs of pork

Rips rep

Risiko risk; *e. ~ übernehmen* to incur a risk

risk|ant risky, perilous; **~ieren** to (run a) risk

Rispe *bot* panicle

Riß tear, rent; hole, gap; chink, cleft; scratch; sketch, plan; leakage; fracture; *fig* breach, schism; **~wunde** lacerated wound

rissig full of rents; full of crevices; cracked *(skin)*; chappy, chinky *(soil)*; *~ werden* to get brittle; to crack

Rist instep; wrist; withers *(horse)*

Ritt ride (on horse); **~lings** astride, astraddle *(auf of)*; **~meister** captain of cavalry

Ritter knight; cavalier; *fahrender ~* knight-errant; *~ des Hosenbandordens* Knight of the Garter (K. G.); *~ d. Ehrenlegion* chevalier of the Legion of Honour; *zum ~ schlagen* to knight; *arme ~* fritters; **~gut** manor, estate; **~gutsbesitzer** lord of a manor; **~lich** knightly, chivalrous; gallant; **~orden** order of knighthood; **~schaft** knighthood; **~schlag** knighting, accolade; *d. ~schlag erhalten* to be dubbed a knight; **~sporn** larkspur, delphinium; **~tum** chivalry; **~zeit** age of chivalry

Rit|ual, ~uell ritual; **~us** rite

Ritz **~e** chink, crack, scratch; abrasion; slit; **~en** *(s.)* to graze (o. s.), to scratch; to cut *(glass)*; to carve; **~ig** crannied; scratched; **~wunde** scratch wound

Ritzel ✿ pinion; driver; **~welle** pinion shaft

Rival|e rival; **~isieren** to rival, to compete, to be in competition with; **~ität** rivalry, competition

Rizinusöl castor oil

Robbe seal; **~n** to creep, to crawl; **~nfang** sealing; **~nfänger** sealer, seal-hunter; **~ntran** seal oil

Robe robe, gown

Roboter robot; drudge

robust robust, strong, hard, sturdy; **~heit** robustness, brutality

Roche *zool* ray

röcheln to rattle (in one's throat)

rochieren *(Schach)* to castle one's king

Rock coat, jacket; skirt; **~falte** pleat of a dress; **~schoß** coat-tail; **~zipfel** lappet

Rocken *(Spinn-)* distaff

Rodel to toboggan, sled; **~bahn** toboggan-run; **~n** to toboggan, to coast (downhill)

rod|en to root out; to clear *(forest)*; to make arable; **~ung** cleared woodland

Rogen roe, spawn; **~er** spawner

Roggen rye; **~brot** rye-bread

roh raw; unwrought, crude; coarse; rough; rude; brutal; cruel ♦ *wie e. ~es Ei behandeln* to treat with kid gloves; *~e Gewalt* brute force; *~er Mensch* brute; *~er Stein* unhewn stone; **~bau** shell of building; *im ~bau fertig* structurally complete; **~eisen** pig iron; **~eit** raw state; crudeness; rudeness; brutality; **~ertrag** gross receipts; **~erzeugnis** raw product; **~gewicht** gross weight; **~gummi** crude rubber; **~kost** uncooked vegetarian food, *umg* rabbit food; **~leder** untanned leather; **~ling** beast; brute; ✿ casting; **~material, ~stoff** raw material; **~metall** crude metal; **~öl** crude oil; **~seide** tussore silk, raw silk; **~zucker** unrefined sugar

Rohr reed; cane, pipe; *(Geschütz-)* barrel; *indisches ~* bamboo; tube; **~ammer** reed-bunting; **~bruch** pipe burst; **~dommel** bittern; **~förmig** tubular; **~geflecht** basket-work; wickerwork; **~gewinde** pipe thread; **~leger** pipe-fitter, plumber; **~leitung** pipe line; **~mündung** muzzle of a gun; **~netz** pipes, conduit; **~post** pneumatic post; **~spatz** reed-sparrow ♦ *wie e. ~spatz schimpfen* to scold like a fishwife; ~stock cane; ~stuhl basket chair, cane-bottomed chair; ~weite bore, internal diameter; ~zucker cane sugar; *brauner ~zucker (BE)* demerara

Röhre tube, conduit; pipe; *(Kamin-)* funnel; ⚡ duct, channel; *(Röhrchen)* tubula, cannula; capillary tube; shaft; tunnel; ⚙ valve, *US* tube; *Braunsche ~* cathode ray tube; *(Elektronen-)* electronic valve, *US* electron tube; *(Radio-)* radio valve, *US* radio tube; *(Speise~-)* gullet; ~nartig tubular, tube-like; ⚡ fistular; ~nleitung conduit-pipes; pipe line; *mit ~n versehen* to fit with pipes, to pipe; ~nwalzwerk tube-rolling mill; ~nwerk tubing, piping
röhr|en *(Hirsch)* to bell; ~icht reeds, reed-bank
Rokoko rococo
Roll|aden roller-blind; shutter; *US* shade; ~bahn *mil* main supply route; ✝ runway; ~dach sliding roof; ~e roll, roller; cylinder; pulley; mangle *(wash); scroll;* ⚙ role, part; *Geld spielt keine ~e* money is no object; *aus d. ~e fallen* to misbehave; ~en to roll, to roll up; to wheel; to mangle; to curl; to trundle; ~enbesetzung cast; ~enlager roller bearing; ~entabak roll tobacco; ~er rolling sea; scooter; canary; ~film roll-film; ~fuhrdienst carrier service; ~kommando raiding-squad; "murder" squad; ~mops rollmop; ~o = Rouleau; ~schiene rail; ~schinken rolled ham; ~schuh roller skate; ~sitz sliding-seat; ~stuhl Bath-chair; wheel-chair; ~treppe escalator; ~wagen truck
Roman novel; fiction; romance; *e-n ~ in Fortsetzungen erscheinen lassen* to serialize; ~dichter novelist, novel-writer; ~haft fictitious; fantastic; ~literatur fiction; ~tik romanticism; ~tiker romanticist; ~tisch romantic; ~ze romance; ballad
Röm|er Roman; rummer; ~isch Roman
Rommé rummy   [flower-bed; ~o rondo
Rond|e round; circle; ronde; ~ell round
röntgen to X-ray; *(Einheit)* roentgen; ~analyse X-ray analysis; ~anlage X-ray equipment; ~aufnahme, ~bild X-ray photograph, radiogram, radiograph; ~bestrahlung radiotherapy; ~ologe radiologist; ~ologisch radiographic; ~reihenuntersuchung radioscopy; mass radiography; ~strahlen X-rays, roentgen rays; ~strahlung X-radiation; ~therapie radiotherapy; ~untersuchung X-ray test
rosa rose, pink
Ros|e rose; ⚡ erysipelas; ~enkohl Brussels sprouts; ~enkranz wreath of roses, rosary; *d. ~enkranz beten* to say the rosary; ~enmontag last Monday before Lent, Shrove Monday; ~enöl attar of roses; ~enstock rose-bush; ~enwasser rose-water; ~enzüchter grower of roses; ~ig rose, rose-coloured, rosy; ~ine raisin; currant; ~inenkuchen fruit-cake; ~marin rosemary
Roß horse; steed; ~arzt veterinarian; ~bändiger horse-tamer; ~haar horsehair; ~händler horse-dealer; ~kastanie horse chestnut; ~kur drastic treatment; ~schlächter horse-butcher

Rösselsprung *(Schach)* knight's move
Rost[1] rust; wheat rust; *von ~ zerfressen* rust-eaten; ~beständig rust-resisting; rustless; ~bildung rust formation; ~fleckig rust-spotted; ~frei *(Stahl)* stainless *(steel);* ~ig rusty, corroded
Rost[2] gridiron, roaster, grill; grate; ~braten roast beef, roast joint
Röst|e *(Flachs-)* steeping; ~en to broil, to grill, to roast; *(Korn)* to parch; *(Mais)* to pop; ~kartoffeln roast potatoes; ~mais pop-corn; ~ung roasting, calcination
rot red, ruddy; *~ werden* to blush; *su* red, redness; ~bäckig rosy-cheeked; ~bart red-beard; ~blond sandy(-haired); ~braun reddish brown; bay; ~buche red beech; copperbeech; ~dorn pink hawthorn; ~fuchs sorrel *(od* bay) horse; ~glühend red-hot; ~haut redskin; ~käppchen Little Red Riding Hood; ~kehlchen robin; ~kohl red cabbage; ~lauf ⚡ swine erysipelas; ~schwänzchen redstart; ~spon, ~wein red wine, claret; ~stift red pencil; ~welsch thieves' Latin; gibberish; ~wild red deer
Röt|e red, redness, blush; ~el ruddle, red ochre; red chalk; ~eln German measles; ~en to flush, to get red; ~lich reddish, ruddy
Rotation rotation, revolution; ~sbewegung rotary motion; ~sdruck rotary press printing; ~sgeschwindigkeit velocity of rotation; ~smaschine rotary press; ~svermögen rotatory
rotieren to rotate, to revolve   [power
Rotor rotor; armature
Rotte gang, band, troop; file; *mil* a number of men in file; flock *(of animals)*
Rotz mucus; *umg* snot; ⚡ glanders; ~ig snotty; ~nase snotty nose; brat
Roul|ade olive (of beef); Swiss roll; ~eau roller-blind, *bes US* window shade; ~ette roulette; ⚙ ring-roll mill
Routin|e routine; ~iert experienced; versed, trained
Rowdy hooligan, *US a.* thug
Rüb|e rape; *gelbe ~e* carrot; *weiße ~e* turnip; ~enzucker beet-sugar; ~öl rape-oil; ~samen rapeseed
Rubel rouble ♦ *d. ~ rollen lassen* to make the money fly
Rubin ruby
Rubr|ik rubric; column; ~zieren to arrange in columns; to head; to tabulate
ruch|bar notorious; *~bar werden* to become known; ~los wicked, infamous; impious; ~losigkeit wickedness, infamy; wicked act
Ruck jolt, start; jerk; *s. e-n ~ geben* to pull o. s. together; ~artig jerky; ~sack knapsack, rucksack; ~weise in snatches, by jerks, by fits and starts
Rück|ansicht back view; ~antwort reply; ~blende 🎬 cutback, flashback; ~blick retrospect; glance back; ~datieren to antedate; ~datierung dating back; ~erinnerung reminiscence; ~erstattung repayment, refund, restitution; ~fahrkarte *BE* return-ticket, *US* round-

trip ticket; **~fahrt** return journey; **~fall** relapse; **~fällig** recidivous; relapsing; **~fenster** rear window; **~flug** return flight; **~frage** query, checkback; **~gabe** return; **~gang** drop, fall; recession; **~gängig** retrograde, retrogressive; **~gängig machen** to cancel, to annul; to break off; **~gewinnung** reclamation, recovery; **~gliedern** to reintegrate; **~grat** spine, backbone, vertebral column; **~gratverkrümmung** spinal curvature; *(seitliche)* scoliosis; **~griff** recourse; **~halt** support, reserve; *e-n* **~halt haben** to be backed up by; **~haltlos** unreserved, without reserve; **~kauf** buying, redemption; **~kehr** return; come-back; **~koppelung ⟷** feedback; **~lage** reserve (fund); **~läufig** retrograde; **~lings** backwards; from behind; **~marsch** march back; retreat; **~porto** return postage; **~prall** recoil, rebound; **~reise** return journey; return trip; **~schein ♈** advice of delivery; **~schlag** recoil, *fig* reverse, set-back; **~schluß** conclusion; *e-n* **~schluß ziehen** to draw a conclusion from; **~schritt** step back; falling-off; relapse; retrogression; **~seite** back, reverse; **~sicht** regard, consideration; **~sichtslos** inconsiderate; **~sitz** back-seat; **~sprache** discussion, consultation; *~sprache nehmen* to discuss, to talk over; **~stand** arrears; old-fashioned, backward; **~stellen** to reset, to replace; **~stellung** reserve; **~stoß** repulsion, thrust; recoil *(of weapon)*; **~strahlen** to reflect; **~strahler** rear reflector; **~strom** return current; **~tritt** resignation, retirement; **~trittbremse** back-pedalling *(od coaster)* brake; **~vergütung** refund, reimbursement; **~versicherung** reinsurance, counter-insurance; **~verweisung** recommitment; *(Vorinstanz)* remittal; **~wanderer** returning emigrant; **~wärtig** rear, rearward, behind the lines; **~wärts** backwards; *~wärts fahren* 🚗 to back up, to reverse; **~wärtsgang** reverse (gear); **~wirken** to react; **~wirkend** retroactive, retrospective; **~wirkendes Gesetz** ex post facto law; **~wirkung** retroaction, reaction; **~zahlen** to repay, to refund; **~zahlung** repayment; reimbursement, refund; **~zug** withdrawal, defeat; **~zugsgefecht** running fight

rücken to move, to push; to shift; *vi* to move away, to make room; *ins Feld* ~ to take the field ♦ *j-m zu Leibe* ~ to press s-b hard
Rücken back, rear; **⚕** dorsum, tergum; ridge, bridge *(of nose)*; *hinter j-s* ~ behind s-b's back; ~ *gegen* ~ back to back; *d.* ~ *kehren* to turn one's back; *in d.* ~ *fallen* to attack in the rear; **~deckung** rear cover, protection for the rear; **~flosse** dorsal fine; **~flug** upside-down flying; **~lehne** (chair-)back; **~mark** spinal cord; **~markslähmung** spinal paralysis; **~schmerz** back-ache; **~schwimmen** back-stroke; **~wind** wind from behind, tail wind; **~wirbel** dorsal vertebra
Rüde male dog (fox, wolf); large hound; *adj* rude, coarse, brutal
Rudel herd, troop, pack; pack *(of boats)*; flock *(sheep)*; **~weise** in troops, in gangs

Ruder oar, rudder; helm ♦ *ans* ~ *kommen* to come into power; **~bank** thwart; **~boot** rowing-boat, *US* rowboat; **~er** rower, oarsman; **~n** to row, to pull; **~regatta** boat-race; **~sport** rowing
Ruf cry, call; summons; reputation; name; *im* ~*e stehen* to be reputed (to be); *e-n guten (schlechten)* ~ *haben* to be in high (bad) repute, to have a good (bad) reputation; **~en** to call, to summon, to hail, to cry; to shout; ~*en lassen* to send for; *um Hilfe* ~*en* to cry for help; *wie ge~en kommen* to come at the right moment; **~name** Christian name; **~nummer** telephone number; **~weite**: *in* ~*weite* within call; **~zeichen** exclamation mark; call signal
Rüffel reprimand; **~n** to reprimand, to scold
Rüge censure, reprimand; admonition; **~n** to censure, to reprimand
Ruh|e rest, repose; calm, calmness; quiet; quietness; peace; stillness; repose; composure; sleep; *zur* ~*e setzen* to retire; *in aller* ~*e* very calmly; *in* ~*e lassen* to leave alone; *immer mit d.* ~*e!* take it easy; **~egehalt** pension, retiring allowance, retired pay; **~elos** restless; **~en** to rest, to sleep; to stand still; to be idle; ~*en auf* to rest on, to be based on; **~estand** retirement; *in den* ~*estand versetzen* to pension off; **~estätte** resting-place; **~estellung ⚙** unoperated position; *mil* stand at ease position; ~estörer disturber of the peace; rioter, brawler; **~estörung** breach of peace, riot; **~etag** day of rest; **~ezeit** time of rest, leisure; **~ig** still, quiet; motionless; silent; calm; composed; peaceful; *(Gewissen)* serene; *adv* safely
Ruhm glory, fame; renown; **~begier** thirst for glory; ambition; **⚋en** to praise, to extol; to boast of, to brag; **⚋enswert** praiseworthy; **⚋lich** glorious, honourable; **~los** inglorious; obscure; **~redig** vainglorious, boastful; **~voll** glorious, famous
Ruhr dysentery
Rühr|ei scrambled eggs; **~en** to stir, to move; *refl* to be active; *s. nicht* ~*en* to make no move; *fig (j-n)* to touch, to move; **~end** touching, moving; **~faß** churn; **~ig** active, bustling, quick; **~igkeit** activity; nimbleness; **~selig** sentimental, emotional; **~stück** melodrama; sob-stuff; **~ung** emotion, feeling
Ruin ruin, decay; downfall; **~e** ruins; *fig* wreck; **~ieren** to ruin
rülps|en to belch; **~er** belch
Rum rum
Rummel activity; racket; noise; hubbub; tumult; amusement park, fair   [bustle
Rumor noise, bustle; **~en** to make noise, to
Rumpel|kammer lumber-room; **~kasten** *fig (Kutsche)* rattletrap; **~n** to rumble; to rattle; *(Wagen)* to jolt
Rumpf trunk; body; torso; hull; ✈ fuselage; **~beuge** trunk bending; **⚋en**: *d. Nase* ⚋*en* to sneer at; to turn up one's nose at
Rumpsteak rump(-steak); *US* sirloin
rund round, circular; plump; rotund; *fig* plain, frank; ~ *ein Dutzend* about a dozen; *in*

~*en Zahlen* in round numbers; **~bau** circular building; **~blick** view all round; panorama; **~bogen** Roman arch; ~*e* circle; lap; round; beat; *d.* ~*e machen* go one's rounds; **~enrichter** lap judge; **~enstand** lap status; **~envorsprung** lap lead; **~enzeit** lap time; **~erlaß** circular order; **~fahrt** circular tour; round trip; **~frage** inquiry, questionnaire; **~funk** radio, wireless; broadcasting; **~funkgerät** radio set; **~funkhörer** listener; **~funksender** radio transmitter; **~gang** walk round s-th; stroll; **~gesang** glee; roundelay; *(Kanon)* round; **~heraus** straight out; flatly; **~(her)um** all around, round about; **~lauf** giant-stride; **~lich** round, rounded; plump; **~reise** round trip; **~reisebillet** circular tour ticket; **~schau** panorama, review; **~schreiben** circular (letter); **~schrift** round-hand (writing); **~ung** curve, rounding; roundness; **~verkehr** round-about traffic; **~weg** roundly, plainly; flatly; **~zange** round-nose pliers

runden to make round, to round *(lips)*

Rune rune; **~nartig** runic; **~nstab** runic wand; **~nstein** runic inscription

Runkelrübe mangold, beetroot

Runzel wrinkle, pucker; **~ig** wrinkled, puckered; **~n** to wrinkle; *(im Alter)* to shrivel; *d. Stirn* ~*n* to frown

Rüpel lout; boor; **~ei** rudeness, insolence; **~ig** boorish; **~haft** caddish

rupfen to pluck, to pull out; *fig* to fleece, to cheat

ruppig shabby, rude

Rüsche ruche, frilling

Ruß soot; *(Kien-)* lamp-black; **~en** to smoke, to blacken; to smut; **~ig** sooty

Rüssel snout; trunk; proboscis

rüst|en to prepare, to fit out; to equip; to arm, to prepare for war; to mobilize; to prepare for, to get ready; **~ig** strong; robust, vigorous; **~igkeit** vigour; **~kammer** armoury, arsenal; **~ung** preparation; equipment; arming; armament; armour; **~ungsanlage**, **~ungsbetrieb** armament factory, war factory; munition works; **~zeug** tools; implements; *fig* capacities; knowledge

Rüster elm

Rute rod; birch; twig; switch; tail; *(Wünschel-)* divining-rod; **~nbündel** bundle of rods; fasces; **~ngänger** diviner, dowser

Rutsch slide, glide; *(Erd-)* landslip; **~bahn** slide, chute; water-chute; **~en** to glide, to slide; to slip; to skid; to side-slip; *(Erde)* to give way to; to crumble; **~ig** slippery; **~tuch** (fire) canvas chute

rütteln to shake, to jog, to jolt; *e. gerüttelt(es) Maß* a full measure

S

S (the letter) S

Saal (assembly) hall; (assembly) room

Saat seed; *(Säen)* sowing; standing corn; *d.* ~ *steht gut* the crops look well; **~feld** corn field;

~gut (**~korn**) (agricultural) seeds; **~kartoffeln** seed potatoes; **~krähe** rook; **~zeit** seed-time

Sabbat Sabbath

sabbern to slaver

Säbel sabre; **~beine** bow-legs; **~hieb** sabre cut; *(od* stroke); **~n** to cut (with a sabre), to sabre

Sabot|age sabotage; **~ieren** to sabotage

Saccharin saccharin

Sach|bearbeiter official in charge of; specialist; case worker; **~dienlich** relevant, pertinent; ~*e* thing; matter; affair; business; subject; cause; fact, circumstance; *pl* goods, clothes, things; 🌀 case; point (*zur* ~*e kommen* to come to the p. *bei d.* ~*e bleiben* to keep to the p.; *von d.* ~*e abkommen* to get away from the p.); *gemeinsame* ~*e machen mit* to make common cause with; *s-e* ~*e gut machen* to aquit o.s. well; *d. tut nichts zur* ~*e* it doesn't matter, it makes no difference ♦ *s-e sieben* ~*en* all one's belongings; **~gemäß** appropriate, proper; *adv* appropriately; properly; suitably; in a manner appropriate to the case; **~geschädigter** person who has suffered material damage; **~katalog** subject catalogue; **~kenner** expert; **~kenntnis** intimate *(od* expert) knowledge; **~kunde** expert knowledge; **~kundig** expert, competent; experienced; having knowledge of the subject; **~lage** state of affairs; circumstances; facts of the situation; **~lich** factual; objective; material; pertinent, to the point; relating to the matter (in question); business-like; unemotional; ~*licher Unterschied* difference of fact; *aus* ~*lichen Gründen* for reasons of fact, on material grounds; *es ist* ~*lich nicht haltbar* it will not stand the test of fact; **~lich** *gram* neuter; **~lichkeit** objectivity; reality; **~register** index; **~schaden** damage to property; **~verhalt** state of affairs; facts of a case; **~vermögen** material assets; **~verständiger** expert; **~walter** advocate; counsel, legal adviser; **~wert** real value; material value; *pl* capital goods; **~wörterbuch** encyclopedia

sacht(e) soft, gentle; slow

Sack bag ♦ *mit* ~ *u. Pack* bag and baggage; lock, stock and barrel ♦ *d. Katze aus d.* ~ *lassen* to let the cat out of the bag; *d. Katze im* ~ *kaufen* to buy a pig in a poke; **~el** purse, money-bag; *(a. fig)*; **~en** to put into a bag; to sag, to sink (down); **~gasse** cul de sac, blind alley, *bes US* dead end; ~*gasse!* No Through Road!; **~hüpfen** sack-race; **~leinwand** sacking, burlap; **~pfeife** bagpipe

sä|en to sow; **~mann** sower; **~maschine** sowing-machine; seed drill

Saffian morocco (leather)

Safran saffron

Saft juice; *bot* sap; fluid, liquid ♦ *ohne* ~ *u. Kraft* without vigour *(od* backbone); **~ig** *(Obst)* juicy; *(Wiese)* lush; *fig* spicy, coarse; **~los** dry, sapless; *fig* insipid

Sage legend, epic; myth; **~nhaft** legendary; mythical; fabulous; **~nschatz** lore

Säge saw; *(Maschine)* machine saw; *(Blatt)*

saw blade; **~mehl** sawdust; **~n** to saw, to cut; **~späne** shavings; **~werk** sawmill
sagen to say, to tell; to mean (*was wollen Sie damit ~ ?* what do you m. by that); *d. ist schwer zu ~* that is hard to tell; *d. hat nichts zu ~* that doesn't matter; *von Glück ~ können* to consider o. s. fortunate; *was Sie nicht ~!* just fancy that!, you don't say so!; *sage u. schreibe* believe it or not
Sago sago
Sahne cream; **~bonbon** *BE* toffee, *US* taffy; **~käse** cream-cheese; **~torte** layer cake
Saison season; **~bedingt, ~üblich** seasonal
Saite string, chord ♦ *andere ~n aufziehen* to change one's tune; **~eninstrument** stringed instrument
Sakko lounge-suit jacket; **~anzug** lounge suit
sakr|al ♪ *allg* sacred; **~albau** ecclesiastical building; **~ament** sacrament; **~istei** vestry
Säkular|feier centenary; **~isieren** to secularize
Salamander *zool* salamander
Salami salami (sausage)
Salat *bot* lettuce; *(Gericht)* salad; **~öl** salad-oil
Sal|band, ~leiste selvage
Salb|e ointment; *(flüssig)* liniment; **~ei** *bot* sage; **~en** to anoint; **~ung** anointment; *fig* unction; **~ungsvoll** unctuous, oily
sald|ieren to balance; to settle; to offset; **~o** balance; net effect (*od* result)
Sali|ne salt-works; **~zyl** salicyl; **~zyl-säure** salicylic acid
Salm *zool* salmon
Salmiak sal ammoniac, ammonium chloride; **~geist** ammonia solution
Salon drawing-room; ⚓ saloon; **~fähig** fit for society; decent; **~löwe** ladies' man; **~stück** ♟ drawing-room play
salopp casual; somewhat slovenly
Salpeter saltpetre, nitre; **~haltig** containing saltpetre, nitrous; **~säure** nitric acid
Salto somersault (*e-n ~ schlagen* to turns a s.)
Salut salute (*of guns*); *~ schießen* to fire a salute; **~ieren** to salute
Salve volley (*of rifles*); salvo (*of guns*); ⚓ broadside
Salz salt; **~bergwerk** salt-mine; **~en** to salt; **~faß** salt-cellar; **~gehalt** salt content; **~gurke** pickled gherkin; **~haltig** containing salt; saliferous; **~hering** pickled herring; **~ig** salty, salt; **~kartoffeln** boiled potatoes; **~säure** hydrochloric acid; **~wasser** brine; sea water
Same|(n) seed; *zool* sperm; *fig* germ; **~nbildung** seed formation; **~nkorn** grain of seed; **~nstaub** pollen; **~ntierchen** spermatozoon; **~ntragend** seed-bearing; **~reien** seeds
Sämischleder chamois leather
Sämling seedling
Sammel|band omnibus volume; anthology; **~büchse** collecting-box; **~n** to gather, to collect; to pick; *(aufhäufen)* to amass, to accumulate; *refl* to compose o. s.; **~name** collective noun; **~platz, ~stelle** assembly point, rallying point; meeting-place; dump; depot; **~surium** medley, jumble, omnium gatherum

Sammi|er collector; ⚡ accumulator; **~ung** collection; *fig* composure; concentration
Samstag Saturday; **~s** on Saturdays
samt together with; *~ u. sonders* one and all, completely; *su* velvet; **~band** velvet ribbon; **~ig** velvet, velvety; velvet-like; **~lich** all (together); all of them
Samum simoom
Sanatorium sanatorium
Sand sand; *(grob)* grit ♦ *j-m ~ in d. Augen streuen* to throw dust in s-b's eyes; *im ~e verlaufen* to end in smoke, to come to nothing; **~bank** (sand)bank; **~boden** sandy soil; **~grube** sand-pit; **~ig** sandy; **~männchen** dustman; **~sack** sandbag; **~stein** sandstone; **~torte** Madeira cake; **~uhr** hour-glass; **~wüste** sandy desert
Sandale sandal [sert
Sandelholz sandalwood
sanft soft, gentle; mild, delicate; *(zart)* tender; *(glatt)* smooth; *(Schlaf)* quiet; **~heit** softness, gentleness; mildness; **~mut** gentleness; meekness; **~mütig** gentle; meek
Sänfte sedan-chair, litter
Sang song; singing; **~bar** fit for singing, melodious; **~er** singer; bard, minstrel; *zool* songster; **~erin** singer; cantatrice
Sanguin|iker sanguine person; **~isch** sanguine
sanier|en to improve the sanitary conditions of; to rehabilitate; to reform, to reorganize; **~ung** rehabilitation; reform, reorganization
sanitä|r sanitary; **~ter** medical orderly; ambulance man; **~tsdienst** medical service; **~tsoffizier** medical officer; **~tstruppe** Medical Corps; **~tswagen** ambulance; **~tswesen** medical service
Sanktion sanction; **~ieren** to sanction
Saphir sapphire
Sappe *mil* sap; **~rlot!** confound it!
Sard|elle anchovy; **~ine** sardine
Sarg coffin; *US a.* casket; **~deckel** coffin-lid; **~tuch** pall
Sarka|smus sarcasm; **~stisch** sarcastic
Sarkophag sarcophagus
Satan Satan, the Evil One; **~isch** Satanic
Satellit satellite (*a. pol*); **~enstaat** satellite (state); *pl* the Iron Curtain countries
Satin satin; *(Baumwoll-)* sateen; **~ieren** to glaze, to satin; *(Papier)* to calender
Satir|e satire; **~iker** satirist; **~isch** satirical
Satisfaktion satisfaction
satt satisfied, full; saturated; *(Farbe)* deep, rich; *ich bin ~* I've enough, I'm satisfied, *umg* I'm full; *ich bin es ~ (fig)* I am tired of it, *umg* I am fed up with it; *s. ~ essen* to eat one's fill; *etw ~ haben* to be fed up with s-th; **~e** milk-bowl; **~heit** satiety; **~igen** to satisfy; to saturate, to satiate; to impregnate; **~igung** saturation; impregnation; **~sam** sufficiently
Sattel saddle; *(Nase)* bridge; *(Berg)* ridge; *in allen ~n gerecht* fit to take any hurdle ♦ *aus d. ~ heben* to unhorse, *fig* to put s-b out of action; **~fest** having a good seat, *fig* well up in s-th); **~n** to saddle; **~pferd** riding-horse; **~zeug** saddle and harness

Sattler saddler; **~ei** saddlery
Satyr satyr
Satz bound, jump; *(Service)* set; *chem* deposit, sediment; dregs, grounds; *gram* sentence, *(Haupt-, Neben-)* clause; *math* proposition; thesis; ♪ movement; sum, rate; ⌨ composition, *(Text)* matter; *in ~ geben* to give (send) to the printer; **~bau**, **~bildung** construction; **~bild** ⌨ setting; **~fehler** printer's error, misprint; **~gefüge** complex sentence; **~glied** part of a sentence; **~lehre** syntax; **~reihe** compound sentence; **~spiegel** ⌨ face; **~ung** statute; ordinance; by-laws; **~ungsmäßig** statutory; **~zeichen** punctuation-mark, *BE a.* stop
Sau sow; wild sow; *fig* slut, dirty fellow; luck ♦ *Perlen vor d. ~ e werfen* to cast pearls before swine; **~blöd** loony; **~bohne** broad bean; **~dumm** as stupid as a donkey; **~stall** pigsty; *fig* nasty mess; **~wirtschaft** filthy mess; dirty household; maladministration; **~wohl** as snug as a bug in a rug
sauber clean; neat, tidy; *(hübsch)* pretty; *fig* fine, nice; **~keit** cleanliness; neatness; **~lich** cleanly; careful; **~n** to clean; to clear; to tidy; *(Buch)* to bowdlerize; *mil* to mop up; *pol* to purge; **~ung** cleaning; mopping up; purge
Sauc|e sauce, *(Fleisch-)* gravy; **~iere** (sauce-)boat
sauer sour; *(Gurke)* pickled; *(Boden)* marshy; *chem* acid; *(ermüdend)* hard, fatiguing; *(mürrisch)* morose, surly; *~ reagieren* to react unfavourably; *~ e Drops* acid drops; **~ampfer** sorrel; **~kirsche** *(wild)* sour cherry, *(angebaut)* morello; **~lich** sourish, acidulous; **~n** to acidify; *(Teig)* to leaven; **~kraut** sauerkraut; **~milch** curdled milk; **~stoff** oxygen; **~stoffhaltig** containing oxygen; **~teig** sour dough, *(Backhilfe)* leaven; **~töpfisch** cross, peevish
Sauf|bold, **~bruder** boozer, drinker; **~en** *(Tier)* to drink; *(Mensch)* to booze; *wie e. Loch ~ en* to drink like a fish; **~er** hard drinker, drunkard; **~erei**, **~gelage** drinking bout, booze
saug|en to suck; to absorb; **~en** to suckle, to nurse; **~er** sucker; *(Flasche)* nipple; **~etier** mammal; **~flasche** feeding-bottle **~heber** siphon; **~kolben** ☼ valve-piston; **~ling** baby; **~lingsalter** babyhood; **~lingsheim** crèche; **~lingssterblichkeit** infant mortality; **~pumpe** suction pump; **~rüssel** *zool* proboscis
Säule pillar, column; pile; **~ngang** arcade, colonnade; **~nhalle** portico; pillared hall
Saum seam, hem; edge, border; fringe; **~en** *vt* to hem; to border; *vi* to delay; to be slow; *ohne zu ~ en* without delay; **~ig** slow; dilatory; in default; **~pfad** mule track, mountain trail; **~selig** slow, dilatory; negligent; **~seligkeit** slowness, dilatoriness; negligence; **~tier** beast of burden
Sauna sauna
Säure sourness; acidity; acid; **~frei** free from acid; **~gehalt** acidity; **~haltig** containing acid
Sauregurkenzeit silly season
Saus: *in ~ u. Braus leben* to have a grand time; to live high; **~eln** to rustle, to whisper;

~en rush (along), to dash; *(Wind)* to blow hard, to bluster
Saxophon saxophone
Schab|e *zool* cockroach, *BE a.* black-beetle; *(Reibeisen)* grater; **~efleisch** scraped meat; **~eisen** scraper; **~en** to scrape; to rub; **~ernack** trick, practical joke; **~ig** shabby, worn; mangy; mean; **~igkeit** shabbiness; meanness
Schablone pattern, model; stencil; **~nhaft** routine, mechanical, stereotyped
Schach chess; **~!** check!; *~ bieten* to defy; *in ~ halten* to keep in check *(od at bay)*; **~brett** chessboard; **~feld** square; **~figur** chessman; **~matt** checkmate *(a. fig)*, tired out; *~ matt setzen* to checkmate *(a. fig)*; **~partie** game of chess; **~spieler** chess-player; **~zug** move (at chess); *fig* gambit
Schacher petty dealing, chaffering, bargaining; **~er** haggler; **~n** to chaffer, to haggle
Schacht pit, shaft; **~el** box; *alte ~el* old frump; **~elhalm** shavegrass; **~en** to kill according to Jewish law
schade: *es ist ~* it is a pity; *wie ~!* what a pity!; *zu ~ für etw* too good for s-th
Schädel skull; **~bruch** fracture of the skull
schaden to damage, to harm; *(verletzen)* to hurt, to injure; to prejudice; *d. schadet nichts* that doesn't matter, never mind; *su* damage; loss *(mit ~ verkaufen* to sell at a l.); *zu ~ kommen* to come to grief; **~ersatz** compensation, damages *(~ersatz beanspruchen* to claim d.); indemnification; **~ersatzklage** action for damages; **~feuer** destructive fire; **~freude** delight in another's misfortune, schadenfreude; **~froh** rejoicing over another's misfortune, malicious
schad|haft defective, faulty; damaged, spoiled; **~igen** to damage, to injure; **~igung** damage; prejudice; **~lich** injurious; harmful, noxious; bad, hurtful; detrimental, prejudicial (to); **~lichkeit** injuriousness, noxiousness; harm; disadvantage; **~ling** *zool* pest; destructive weed; vile person; **~lingsbekämpfung** pest control; **~lingsbekämpfungsmittel** pesticide, insecticide; **~los** free from injury; *s. ~los halten an j-m für* to indemnify o.s. from s-b for s-th
Schaf sheep; *umg* stupid; *e. räudiges ~* black sheep; **~bock** ram; **~chen** lamb(kin) ♦ *~chen ins trockene bringen* to feather one's nest; **~chenwolke** fleece; **~er** shepherd; **~erin** shepherdess; **~erhund** sheep-dog; *(deutscher) BE* Alsatian, *US* German shepherd; **~erstündchen** lover's hour; **~fell** sheepskin; **~garbe** *bot* milfoil, yarrow; **~herde** flock of sheep; **~hürde** sheep-fold, pen; **~schur** sheep-shearing; **~skopf** *fig* blockhead; **~zucht** sheep-breeding
schaffen 1. to create, to produce; *(tun)* to do, to make; *(fertigbringen)* to bring about, to accomplish; to bring off, *(Flucht)* to make; to provide, to procure; to convey (to), to remove (to); 2. *vi* to be busy, to work; *wie ge~ für* just cut out for; *beiseite ~* to remove, to kill; *j-m*

zu ~ **machen** to give s-b a lot of trouble, to worry s-b; s. zu ~ **machen** to be busy, to busy o. s. with s-th, to potter about; er hat hier nichts zu ~ he has no business here; 3. su creating; (intellectual) work; production; ~d creative; working; ~**sdrang** creative impulse; ~**sfreudig** vigorous, energetic; ~**sfreudigkeit** delight in creating (od working)

Schaffner ⚒ BE guard, US conductor; (Bus etc) conductor

Schafott scaffold

Schaft (Lanze) shaft; (Flinte) (gun-)stock; (Stiefel) leg; (Baum) trunk; (Blume) stem, stalk; ~**stiefel** BE high boot, US boot

Schakal jackal

Schäker joker, wag; ~n to flirt; to joke

schal stale; insipid, flat

Schal scarf; muffler

Schale (Obst, Kartoffel) peel; (Ei, Nuß, Muschel) shell; (Getreide) husk; (Hülsenfrucht) pod; crust; (Gefäß) dish, bowl; basin; (Waage) scale; fig outside; (Anzug) rig, togs; ≈n to peel, to pare; to shell; (Baum) to bark; refl to peel (off); to shed the bark; ~**ntier** crustacean, shellfish; pl snails and bivalve molluscs

Schalk rogue, wag; fool; ~**haft** roguish, waggish

Schall sound; (Glocken) peal; ~**dämpfer** silencer; (🚗, Pistole) BE silencer, US muffler; ~**dicht** sound-proof; ~**dose** sound-box; pick-up; ~**en** to sound; to ring, to peal; ~**endes Gelächter** roars of laughter; ~**lehre** acoustics; ~**platte** record, disk; ~**plattenmusik** recorded music, sl canned music; ~**welle** sound-wave

Schalmei shawm; pl the reeds

Schall|otte bot shallot; ~**uppe** ⚓ shallop

Schalt|brett switchboard; instrument panel; ~**en** vt ⚡ to switch; 🚗 to change gears; (vi) ~**en mit** to use, to deal with; to direct, to rule; ~**er** ⚒ ticket office; booking office; 🚗 box office; ~**erbeamter** booking-clerk; counter-clerk; ~**hebel** ⚡ switch; 🚗 gear lever; ~**jahr** leap year; ~**plan** circuit diagram; ~**schlüssel** 🚗 ignition key; ~**tafel** switchboard; ~**tag** intercalary day; ~**ung** connection; gear-change; ~**vorrichtung** switch

Scham shame; modesty; ♀ private parts, genitals; ≈**en** refl to be ashamed (wegen of), to blush (for); ~**gefühl** sense of shame; ~**haft** bashful; modest; ~**haftigkeit** bashfulness; modesty; ~**los** shameless; barefaced; ~**losigkeit** shamelessness; ~**rot** blushing; ~**röte** blush

schand|bar infamous, abominable; ~**e** disgrace, shame(ful thing); discredit; ≈**en** to dishonour; (Mädchen) to rape; to disfigure, to spoil; ~**fleck** blot, stain; ≈**lich** disgraceful, infamous; abominable, vile; ≈**lichkeit** infamy; ~**mal** stigma, brand; ~**maul** evil tongue; ~**pfahl** pillory; ~**preis** scandalous price; ~**tat** misdeed; abominable crime; ≈**ung** dishonouring; rape, violation; disfiguring

Schank|erlaubnis licence; ~**stätte** = ~**wirtschaft**; ~**tisch** bar; ~**wirt** BE publican, US saloonkeeper; ~**wirtschaft** BE public house, pub, US saloon

Schanz|arbeiten entrenchments; ~**e** field work; ~**en** to dig, to entrench

Schar troop, band; crowd, host, flock; ⚓ ploughshare; ~**en** to collect, to assemble; refl to assemble, to flock together; to rally; ~**enweise** in bands (od crowds, troops)

scharf sharp; (spitz) pointed; piercing; pungent, acrid; (Pfeffer) hot; piquant, (Wind, Kälte, Worte) biting; (Sinn, Verstand) acute; corrosive; strong, violent; (Sinn, Wettbewerb) keen; (Munition) live; 📷 well-focused; ~ **ansehen** to look hard, to scan, to stare; ~ **machen** to sharpen; (Mine etc) to activate; ~**blick** quick eye; acuteness; ≈**e** sharpness; acidity, pungency, piquancy; edge; keenness, acuteness; 📷, 📸 definition; strictness, severity; ≈**en** to sharpen; to grind, to whet; fig to increase, to strengthen; ~**kantig** sharp-edged; ~**richter** executioner; ~**schießen** live shooting (od firing); ~**schütze** sniper; ~**sichtig** keen-sighted; penetrating; ~**sinn** sagacity; acumen; ingenuity; ~**sinnig** sagacious; ingenious, discerning [let, bright red

Scharlach scarlet-fever, scarlatina; ~**rot** scar-
Scharlatan charlatan, quack; ~**erie** quackery

Scharnier hinge, joint

Schärpe sash

scharren to scratch, to scrape; (Pferd) to paw

Schart|e notch; dent; crack; gap; mil loophole ♦ e-e ~**e auswetzen** to make amends; ~**ig** notched, indented; jagged

Schatt|en shade (let's go into the s.); shadow (~en werfen to cast a s.); phantom, spirit ♦ in d. ~en stellen to put in the shade, to eclipse; ~**enbild** shadow, silhouette; ~**enhaft** shadowy; ~**enriß** silhouette; ~**enseite** shady side; fig dark side; ~**ieren** to shade; (schraffieren) to hatch; ~**ierung** shade, shading; hatching; ~**ig** shady

Schatulle box (for jewels etc); privy purse

Schatz treasure; riches, store; fig darling, love (a. Anrede); ~**amt** Treasury, Exchequer; ~**anweisung** Treasury Bond; ≈**en** to estimate, to value (auf at); (hoch-) to appreciate; to esteem; ≈**enswert** estimable; ≈**er** BE valuer, valuator, appraiser; ~**gräber** digger for treasure; ~**kammer** treasury; ~**kanzler** Chancellor of the Exchequer; ~**meister** treasurer; ≈**ung** taxation, valuation; (Summe etc) estimate; ~**wechsel** Treasury Bill

Schau view, sight; show, exhibition; fig interpretation; zur ~ **stellen** to exhibit, to display; ~**bild** diagram, graph; ~**bude** booth; ~**en** to look (at), to gaze (upon); ~**fenster** shop window; ~**fensterbummel machen** to go window-shopping; ~**kasten** show case; ~**lustig** curious, eager to see; ~**lustiger** onlooker; ~**packung** dummy; ~**platz** scene; arena; fig theatre (of war etc); ~**prozeß** show trial; ~**spiel** spectacle, scene; sight; ⚒ play, drama; ~**spieler(in)** actor (actress); ~**stellung** show, exhibition; ~**stück** show-piece; specimen

Schauder horror, terror, shudder; ~**haft** horrible; dreadful; awful; ~**n** to shudder (at); to have a horror (of); to shiver

Schauer shiver(ing fit) *(a. fig)*; awe; thrill; horror; *(Regen)* shower; ~**lich** blood-curdling, ghastly, lurid; awful; ~**roman** thriller; ~**voll** blood-curdling

Schaufel shovel; *(Kehricht-)* dust-pan; *(z. Nehmen)* scoop; ♨ paddle; ~**n** to shovel; to scoop; ~**rad** ♨ paddle-wheel

Schaukel swing; *(Balken)* seesaw; ~**n** to swing, rock; *(auf d. Schoß)* to dandle; ~**pferd** rocking-horse; ~**stuhl** rocking-chair, rocker

Schaum *(Wasser, Mund)* foam; *(Bier)* froth; *(Ab-)* scum; *(Seifen-)* lather; *zu ~ schlagen* to beat up; ~**en** to foam; to froth; to lather; to boil *(vor Wut* with rage); ~**gummi** foam rubber; ~**ig** foamy; frothy; *~ig schlagen* to beat up; ~**kronen** white crests, white horses

schaurig horrid, gruesome; awful

Scheck cheque, *US* check; ~**buch** chequebook, *US* checkbook

Schecke piebald horse, dappled horse

Scheck|formular cheque form; ~**ig** piebald, dappled; ~**zahlung** payment by cheque

scheel squint(ing); *fig* envious

Scheffel bushel; ~**n** to rake in; to heap up; ~**weise** in bushels, by the bushel

Scheibe disk *(a. astr)*; *(Eishockey)* puck; *(Glas)* pane; *(Ziel-)* target; *(Töpfer-)* potter's wheel; *(Brot)* slice; *(Speck)* rasher; ~**ngardine** net curtain; ~**nhonig** honey in the comb; ~**nschießen** target practice; ~**nwischer** *BE* windscreen wiper, *US* windshield wiper

Scheid|e sheath; ⚕ vagina; *(Grenze)* boundary, limit; ~**en** to separate, to divide; to part, to sever; *(Ehe)* to divorce; *chem* to analyse; *vi* to go away, to depart; to part; *s. ~en lassen von* to divorce (o.s. from) s-b; ~**ewand** partition; ~**eweg** cross-roads; ~**ung** separation; divorce; ~**ungsklage** divorce suit

Schein light, shine; brilliance; *(Bescheinigung)* certificate; *(Fahr-, etc)* ticket; *(Geld-)* banknote, *US* bill; *(Aussehen)* air, look; appearance; *d. ~ wahren* to keep up appearances; *d. ~ trügt* appearances are deceptive; ~**bar** seeming; apparent; ostensible; ~**blüte** apparent prosperity, fictitious boom; ~**en** to shine; to seem, to appear; *mir (es) ~t, er hat recht* he seems to be right; ~**fromm** hypocritical; ~**grund** fictitious reason; ~**heilig** sanctimonious; hypocritical; ~**tod** suspended animation, asphyxia; ~**tot** seemingly dead; ~**werfer** reflector; *mil* search-light; 🚗 headlight; *(Such-,* 🎭*)* spotlight

Scheitel *(Haar)* parting, *US* part; top, crown; apex; summit; *math* vertex ♦ *vom ~ bis zur Sohle* from head to foot; ~**linie** vertical line; ~**n** to part *(the hair)*; ~**punkt** *math* vertex; *astr* zenith; *fig* peak

Scheiter|haufen funeral pile; stake; ~**n** to be wrecked; *fig* to miscarry, to fail

Schell|ack shellac; ~**e** (little) bell; *(Hand-)* handcuff; *(Maul-)* box on the ear; *(Karten)* di-

amonds; ~**en** to ring the bell; ~**fisch** haddock

Schelm rogue; ~**engesicht** roguish face; ~**enstreich** piece of roguery; ~**isch** roguish, arch

Schelt|e scolding; rebuke; *~e bekommen* to be scolded; ~**en** to scold; to blame (for); ~**wort** abusive word

Schema (schematic) diagram; pattern, arrangement; schedule, table ♦ *nach ~ F* in a routine manner; ~**tisch** diagrammatic; mechanical; in accordance with a given formula; ~**tisieren** to standardize; to simplify systematically; ~**tismus** routine manner (of handling things)

Schemel footstool

Schemen phantom, shadow; ~**haft** shadowy, unreal

Schenke *BE* public house, *umg* pub; tavern *US* saloon

Schenkel thigh; *(Unter-)* shank; *(Keule)* haunch; *(Bein)* leg; *(Winkel)* side

schenk|en to give, to present with s-th; to grant; to forgive; *(ein-)* to pour out; *(aus-)* to retail; *j-m Gehör ~en* to listen to; *j-m Glauben ~en* to believe; ~**ung** donation; grant; ~**ungssteuer** gift tax; ~**ungsurkunde** deed of gift

Scherbe potsherd; piece, fragment

Scher|e (a pair of) scissors; *(groß)* shears; *(Draht-)* wire cutters; clippers; *zool* claws; *fig* gap, scissors; ~**en** 1. to cut; *(Schaf)* to shear; *(Gras)* to mow; *(Bart)* to shave; *(Baum, a. Haare)* to clip; *(Weben)* to warp; *fig* to bother, to worry; 2. *refl* to bother *(um* about), to care (for); to go off; ~**enfernrohr** stereo-telescope; ~**enschleifer** knife-grinder; ~**enschnitt** scissor(s) cut; ~**erei** trouble, bother

Scherflein mite; *s. ~ beitragen* to contribute one's mite.

Scherge myrmidon of the law, catchpole; executioner

Scherz jest, joke; *im ~* for a joke; *e-n ~ machen* to crack a joke; *~ beiseite* joking apart; ~**en** to jest, to joke; to have fun (with s-b); ~**haft** joking, jocular; funny, playful; ~**wort** joke

scheu shy, timid; *(Pferd)* shying, skittish; *su* shyness, timidity; awe; skittishness; ~**en** 1. *vt* to avoid, to shun; *k-e Mühe ~en* to spare no pains; *d. Kosten ~en* to grudge the expense; 2. *refl* to be afraid (of), to shrink (from); to hesitate; 3. *vi* to take fright, *(Pferd)* to shy, to be skittish; ~**klappe** *BE* blinker, *US* blinder

Scheuch|e scarecrow; ~**en** to shoo (away); to scare, to frighten away

Scheuer *siehe* Scheune; ~**bürste** scrubbing-brush; ~**frau** charwoman; ~**lappen** = ~**tuch**; ~**n** to scour, to scrub; ⚕ to chafe, to rub; ~**tuch** scouring-cloth

Scheune barn; granary; *(Geräte-)* shed

Scheusal monster; (perfect) fright

scheußlich atrocious, frightful; hideous; ~**keit** atrocity; hideousness

Schi = Ski

Schicht layer; *geol* stratum *(a. Gesellschafts-)*; *(Stand)* class; *(dünn)* film, coat; 🎬 emulsion;

(Arbeits-) shift; **~en** to arrange in layers *(od* beds); to stratify; *(auf-)* to pile, to stack; to classify; **~ung** arrangement; stratification; classification; strata; **~wechsel** change of shift; **~weise** in layers *(od* strata); by the shift

schick stylish, smart, chic; *su* stylishness, smartness; elegance

schick|en to send *(nach j-m* for s-b); *(Geld)* to remit; *refl* to come to pass; *(s. gehören)* to befit, to beseem; *s. ~en in* to be resigned to; **~lich** becoming, decent; **~sal** destiny; fate *(s. ~sal ist besiegelt* his f. is sealed); fortune; **~salsfrage** vital *(od* fateful) question; **~salsschlag** catastrophe; **~ung** dispensation (of Providence)

Schieb|efenster sash window; **~en** to shove, to push; to wheel *(a barrow); fig umg* to racketeer; **~er** ☿ slide; *(Rechen-)* slide-rule; *(Gauner)* racketeer; **~etür** sliding door; **~karren** wheelbarrow; **~ung(en)** underhand dealings, racketeering

Schieds|gericht court of arbitration, arbitral tribunal; **~richter** arbiter; umpire; referee; **~richterlich** arbitral; *adv* by arbitration; **~spruch** (arbitral) award

schief oblique, slanting; crooked; *(Lachen etc)* wry; *(ganz) ~ u. krumm* crooked, all awry; *(Gefährt etc)* lop-sided; askew *(d. Schlips sitzt ~* the tie is a.); **~er Turm** leaning tower; **~e Ebene** inclined plane; **~er Vergleich** false analogy; **~ ansehen** to look askance at; **~e slant; obliqueness; incline; sloping position; **~gehen** to go awry *(od* wrong), to be a wash-out; **~winklig** oblique-angled

Schiefer slate; *geol* schist; **~bruch** slate quarry; **~dach** slate roof; **~tafel** (school-)slate; **~ton** shale, clay slate

schielen to squint; *fig* to leer *(nach* at); *su* squint(ing); *(leicht)* cast (in the eye); **~d** cross-eyed

Schien|bein shin-bone, tibia; **~e** rail; § splint; **~en** *vt* to splint, to put in splints; **~enfahrzeuge** rolling stock; **~ennetz** railway system; **~enstrang** railway track; **~enweite** gauge

schier almost; *adj* sheer, pure; **~ling** hemlock; **~lingstanne** hemlock spruce

Schieß|bude shooting gallery; **~en** to shoot, to fire; *(Tor)* to score; **~en lassen** to give up ♦ *d. ist zum ~en!* that's a scream!; *vi* to tear along; to rush (to); to flash *(through the mind)*; *(Vogel)* to sweep (down on); *(hoch-)* to shoot up, to spring up; *(Salat)* to bolt, to go to seed; **~gewehr** gun, fire-arm; **~platz** rifle range, artillery range; **~pulver** gun-powder; **~scharte** loop-hole, embrasure; **~scheibe** practice target; **~stand** rifle range, butts

Schiff ship, boat; vessel; *eccl* nave; *(Weben)* shuttle; ▯ galley; **~bar** navigable; **~bau** shipbuilding; **~bruch** shipwreck; *~bruch erleiden* to be shipwrecked, *fig* to come to grief; **~brüchig** shipwrecked; **~chen** small boat; *(Weben)* shuttle; **~en** *vt* to ship; *vi* to sail; to piss; **~er** sailor; skipper; ship-owner; ship's master; **~erklavier** accordion; **~erknoten** running knot; **~fahrt** navigation; **~fahrtgesellschaft** *siehe* Reederei; **~sarzt** ship's surgeon; **~sbesatzung** ship's crew; **~sbrücke** pontoon bridge; **~sjunge** cabin-boy; **~sladung** cargo, bulk; **~smakler** ship-broker; **~sraum** hold; tonnage; **~srumpf** hull; **~swerft** dockyard; **~szwieback** ship-biscuit

Schikan|e vexation, annoyance, bullying; **~ieren** to vex, to irritate, to bully; **~ös** vexatious, done merely to annoy

Schild sign(board); door-, name-plate; label; *(Tafel)* notice-board; *(Waffen-)* shield; *(Wappen-)* escutcheon, coat-of-arms ♦ *etw im ~e führen* to have s-th up one's sleeve; *nichts Gutes im ~e führen* to be up to no good; **~drüse** thyroid gland; **~erhaus** sentry-box; **~ern** to describe, to depict; **~erung** description; **~kröte** tortoise; *(See-)* turtle; **~patt** tortoiseshell; **~wache** sentry

Schilf rush, reed; **~rohr** reed

schillern to change colours, to iridesce, to fluoresce; **~d** iridescent, fluorescent

Schilling shilling, *umg* bob

Schimäre chimera

Schimmel mould, *US* mold, mildew; *(Pferd)* white horse; **~fleck** mildew stain, mouldy stain; **~ig** mouldy; musty; **~n** to turn mouldy, *US a.* to mold); **~pilz** mould fungus

Schimmer glitter, glimmer, gleam ♦ *k-n (blassen) ~ haben* not to have the faintest idea (of s-th); **~n** to glitter, to glisten; to blink; to shine

Schimpanse chimpanzee, *umg* chimp

Schimpf insult *(für* to); disgrace ♦ *mit ~ u. Schande* ignominiously; **~en** to scold; to insult, to abuse; to grumble; **~lich** disgraceful, infamous; **~name** abusive nickname; **~wort** term of abuse

Schindanger knacker's yard

Schindel shingle; **~dach** shingle roof

schind|en to skin, to flay; to exploit, to sweat; to harass, to oppress; *fig* to try to get for nothing; *refl* to drudge, to slave; **~er** knacker; sweater; **~erei** *fig* sweating; drudgery; **~luder:** *~luder treiben mit* to play a dirty trick on s-b; **~mähre** miserable hack

Schinken ham; *fig* old (large) book; **~wurst** ham sausage

Schinn dandruff

Schippe shovel, spade; *(Karten)* spades; **~n** to shovel; to scoop

Schirm umbrella; screen; *(Schutz)* shelter, protection; *(Lampen-)* shade; *(Mützen-)* peak; **~en** to screen; to guard, to protect; **~herr** protector, patron; **~mütze** peaked cap; **~ständer** umbrella-stand

schirren to harness

Schisma schism

Schlacht battle; fight, engagement; **~bank** slaughter-house, shambles; **~beil** butcher's axe; **~en** to slaughter, to kill; *fig* to butcher; **~er** butcher *(a. fig)*, slaughterer; **~erei** butcher's shop; *fig* slaughter; **~feld** battlefield *(od* -ground); **~gewicht** slaughtered weight; **~hof** slaughter-house, abattoir; **~kreuzer** battle-cruiser; **~linie** line of battle; **~opfer** victim; sacrifice; **~roß** charger; **~ruf** battle-cry; **~schiff** battleship; **~ung** slaughtering; **~vieh** animal for slaughter, fat stock

Schlack|e slag; *(Metall)* dross; *(Kohle)* clinker; *(Satz)* dregs, scum; **~en** to (form) slag; **~ig** slaggy; **~wurst** cervelat, *BE* saveloy

Schlaf sleep; *d. ewige ~* one's last sleep; *e-n leichten ~ haben* to be a light sleeper; *im ~ liegen* to be asleep; **~anzug** pyjamas, *US* pajamas; **~bringend** soporific; **⁓chen** nap, forty winks; *~ en* to sleep, to be asleep; *~en gehen, s. ~ en legen* to go to bed; *mit j-m ~ en* to sleep with s-b, to make love to s-b; **~enszeit** bedtime; **⁓er** sleeper; **~krankheit** sleeping-sickness; **~lied** lullaby; **~los** sleepless; **~losigkeit** sleeplessness, insomnia; **~mittel** soporific; **~mütze** nightcap; *fig* sleepyhead, sluggard; **~mützig** sleepy, slow; **⁓rig** sleepy, drowsy; **⁓rigkeit** sleepiness, drowsiness; **~rock** dressing gown; **~saal** dormitory; **~sack** sleeping-bag; **~trunken** very drowsy, overcome with sleep; **~wagen** sleeping-car, sleeper; **~wandeln** to walk in one's sleep; **~wandler** sleep-walker, somnambulist; **~zimmer** bedroom

Schläfe temple

schlaff slack, loose; **⚕** weak, relaxed; feeble, limp; *fig* lax; **~heit** slackness, looseness; weakness, feebleness; laxity

Schlafittchen *umg* collar ♦ *am (beim) ~ nehmen* to take s-b by the scruff of his neck

Schlag blow; *(Glocke, Maschine)* stroke; *(Boxen)* punch, cut; *(Uhr)* stroke, striking; *(Donner)* clap, peal; *(Pferd, Flinte)* kick; *(Vogel)* song, warbling; *(Herz, Trommel)* beat; **⚕** shock; apoplectic fit, stroke; *(Ruder)* stroke; *(harter ~)* bang; *(Tür-)* carriage-door; *(Tauben-)* pigeon-loft, dovecot; *(Feld)* field; *(Wäldchen)* copse; *~ ein Uhr* one o'clock sharp; *mit e-m ~* at one (*od* a) blow; *~ auf ~* in quick succession; *e. ~ ins Gesicht* a slap in the face ♦ *das ist e. ~ ins Kontor* that's a blow!; *e. ~ ins Wasser* failure, flop; **~ader** artery; aorta; **~anfall** apoplectic fit; cerebral catastrophe; **~artig** sudden and violent; prompt, surprise *(attack etc)*; **~baum** turnpike; **~en** to beat; *(Glocke, Wurzeln)* to strike; *(treffen)* to hit; to knock, to punch; *(Nagel)* to drive; *(Eier)* to beat up; *(Öl)* to press; *(Pferd, Flinte)* to kick; *(Brücke)* to build; *(einwickeln)* to wrap up; *(Münze)* to coin; *(besiegen)* to beat, to defeat; *vi (Herz)* to beat, to pulsate, *(schnell)* to throb; to strike; *(Vogel)* to sing, to warble; *~en nach* to take after; *refl* to fight (a duel); *s. ~en zu j-m* to side with; **~end** striking; convincing, conclusive; *~ende Wetter* fire-damp; **~er** success, piece that draws a full house; *(Erfolgsartikel)* hit; **♪** song hit, hit tune; **⁓er** beater; *(Tennis)* racket; *(Kricket)* bat; *(Golf)* club; *(Wasser)* rapier; **⁓erei** fight, brawl; **~fertig** quick at repartee; *(Antwort)* ready; **~fertigkeit** quickness at repartee; readiness for battle; **~instrument** percussion instrument; *pl* the percussion, the

battery; **~kraft** striking power, striking force; **~licht** strong light; highlight; **~loch** road hole, pothole; **~ring** knuckle-duster; **♪** plectrum: **~sahne** whipped cream; **~schatten** cast shadow; **~seite** **⚓** list; *(Rudern)* stroke side; *~ seite haben* **⚓** to list; to be swaying (*od* reeling); **~teig** batter; **~wort** catchword, byword; slogan; **~zeile** headline, banner; **~zeug** *(Orchester)* the percussion, the battery; *(Tanz)* drums; **~zeuger** drummer

Schlaks hobbledehoy; **~ig** gangling, gawky

Schlamassel mess, scrape

Schlamm mud, slime; **~en** to wash, to clean; **~ig** muddy, slimy; **⁓kreide** whiting, washed chalk

Schlamp|e slut, slattern; sloven; **~en** to lap; to shuffle along; to work in a slovenly manner; **~ig** untidy; *(Kleider)* sloppy; *fig* slipshod

Schlange snake, serpent; *(Reihe)* queue (*~ stehen* to q. up); *falsch wie e-e ~* as false as a snake; **~ln** *refl* to wind, to meander; **~nbeschwörer** snake-charmer; **~nbiß** snake-bite; **~nlinie** wavy line; **~nmensch** contortionist

schlank slim, slender; svelte; **~heit** slimness, slenderness; *~ heitskur machen* to be on a (reducing) diet; **~weg** flatly, downright

schlapp slack, limp; tired; **~machen** to break down, to collapse; **~e** rebuff; defeat, check; **~heit** slackness; exhaustion; **~hut** slouch hat; **~ohren** lop-ears; **~schwanz** weakling, milksop

Schlaraffen|land Cockaigne, fool's paradise; **~leben** life of idleness and luxury

schlau sly, crafty; cunning; astute; **~berger**, **~meier** sly old fox, a smart one; **⁓e**, **~heit** slyness; cunning; astuteness

Schlauch *(Garten-)* hose; *(Rad, 🚗)* inner tube; **~boot** rubber dinghy; *US* pneumatic boat; **~ventil** tyre valve

Schlaufe loop

schlecht bad; wicked; poor, wretched; inferior; *(Luft)* stale; *(Zeiten)* hard; *(verdorben)* spoiled, rotten; *~ u. recht* after a fashion, somehow; *mir ist ~* I feel sick, I don't feel well; *~ werden* to go bad, *(Milch)* to turn sour; **~erdings** absolutely, utterly; by all means; *~erdings nicht* by no means; **~gelaunt** in a bad temper; **~heit** = **~igkeit**; **~hin** simply, quite; **~igkeit** badness; wickedness; poorness; *(Gemeinheit)* meanness; *(Verderbtheit)* depravity; **~machen** to speak ill of s-b, to run s-b down; **~wetter** bad weather

schlecken to lick; to like (to eat) sweets

Schlegel wooden hammer, mallet; *(Trommel-)* drumstick; gongstick; *(Glocke)* clapper; *(Fleisch)* leg *(of veal etc)*

Schleh|dorn, **~e** blackthorn, sloe; *(Frucht)* sloe

schleich|en to creep; *(heimlich)* to slink, to steal; *(nachts)* to prowl; *s. davon~en* to steal away; *(Zeit)* to drag; **~end** creeping; furtive; **⚕** lingering, slow; **~er** creeper; *fig* sneak; **~handel** black marketeering; illicit trade; **~ware** black-market goods; contraband; **~weg** secret path; *fig* secret (*od* underhand) means

Schleie *zool* tench

Schleier veil; *(Dunst-)* haze; *mil* smoke-screen; *d. ~ lüften* to lift the veil ♦ *e. ~ fiel mir von d. Augen* the scales fell from my eyes; **~eule** barn-owl; **~haft** mysterious, inexplicable

Schleife ♀, ♂ loop(-line); *(Kleid)* bow; knot; *(Kurve)* bend, curve; ✈ looping; **~en** to glide, to slide; *(zerren)* to drag, to pull; *(~en lassen)* to draggle, to trail along; *(zerstören)* to demolish, to raze; ♪ to slur; *(schärfen)* to sharpen, to grind, to polish; *(Glas, Diamant)* to cut; **~er** grinder; polisher; **~lack** enamel (varnish); **~mittel** abrasive; **~stein** whetstone, *(Dreh-)* grindstone; **~ung** grinding; polishing; cutting; razing; ♪ slurring

Schleim slime; ♀ mucus, phlegm; **~haut** mucous membrane; **~ig** slimy; mucous; **~suppe** gruel

schleißen to tear, to split

schlemm|en to feast; to gormandize; **~er** gourmand; **~erei** feasting; gormandize

schlend|ern to stroll, to saunter; **~rian** the old jog-trot *(od* humdrum) way (of doing things)

schlenkern to swing, to dangle

Schlepp|boot boat in tow; **~dampfer** steam tug; **~e** train; **~en** to carry, to tug; ⚓, ✈ to tow; *(Kleid)* to drag, to trail; *(Kunden)* to tout; **~er** ⚓ tug; 🚜 tractor; tout; **~kleid** dress with a train; **~lift** rope tow; **~netz** drag, dredge; **~tau** tow-rope, tow-line; *ins ~tau nehmen* to take s-th in tow *(a. fig)*; **~zug** train of barges

Schleuder sling, *US* slingshot; ✈ catapult; *(Milch)* separator; **~honig** strained honey; **~maschine** centrifugal machine, separator; **~n** *vt* to hurl, to fling; *vi* 🚗 to skid, to swerve; ⚓ to roll; ✈ to catapult

schleunig speedy, prompt; swift; **~st** as quickly as possible; in all haste

Schleuse sluice, gate; *(Kanal-)* lock; **~n** ⚓ to lock (a ship) up *(od* down); *fig* to manœuvre; **~ntor** lock-gate, flood-gate; **~nwärter** lock-keeper

Schlich trick, dodge; *hinter j-s ~e kommen, j-m auf d. ~e kommen* to see through s-b's game, to find s-b out

schlicht simple, plain; smooth; sleek; *fig* modest, artless, unpretentious; **~en** to make even, to smooth; to put right, to adjust, to settle; to arbitrate, to accommodate; **~er** mediator, arbitrator; **~heit** simplicity, plainness; modesty, artlessness; **~ung** settlement, adjustment; arbitration; **~ungsverfahren** mediation proceedings

Schlick mud, slime; *(Meer)* clay containing silt

schließ|bar admitting of being closed; **~e** clasp; fastening; hook; catch; **~en** to shut, to close; *(ver-)* to lock, to bolt; *(beenden)* to finish, to conclude; to stop, to end; *(Schule etc)* to break up; *in d. Arme ~en* to embrace; *fig* to infer (*aus* from), to judge (*aus* by); *woraus ~en Sie das?* what makes you think so?; *~en lassen auf* to suggest; *in s. ~en* to include, to involve, *(unausgesprochen)* to imply; **~er** door-keeper;

(Gefängnis) turnkey; **~fach** safe; post-office box; baggage locker; **~lich** final; conclusive; *adv* finally; after all; in the long run; **~ung** close, closing; breaking-up

Schliff *(Glas)* cut; *(Messer)* grinding; *mil* hard drill, rigid training; *fig* good manners, polish

schlimm bad; *(unwohl)* not well, ill, *(übel)* sick; *(wund)* sore; nasty, evil; **~stenfalls** at the worst, if the worst comes to the worst

Schling|e running knot, noose, loop; *(Falle)* snare ♦ *in d. ~e gehen* to put one's neck in the noose; *s. aus d. ~e ziehen* to get one's head out of the noose, to save one's skin; **~el** naughty boy, rascal; **~elhaft** naughty, rascally; **~en** to swallow, to devour; *(binden)* to interlace; to tie; to wind, to twist; **~ern** ⚓ to roll; **~gewächs, ~pflanze** climbing plant, creeper

Schlips (neck-)tie

Schlitt|en *(Rodel-)* sledge, *bes US* sled; *(Sport-)* toboggan; *(Last-)* sledge; *(Pferde-)* sleigh ♦ *mit j-m ~enfahren* to wipe the floor with s-b; **~enfahrt** sleigh-ride; **~enkufe** sledge runner; **~ern** to slide; **~schuh** skate; **~schuhlaufen** to skate; **~schuhläufer** skater

Schlitz slit; *(Spalt)* cleft, split; *(Riß)* fissure; *(Kleid)* slash; *(an Automat)* slot; **~augen** slits (of eyes); **~äugig** almond-eyed; **~en** to slit; to slash; **~verschluß** 📷 focal-plane shutter

schlohweiß snow-white

Schloß *(Burg)* castle, palace; *(Tür-)* lock; *(Schließe)* clasp; *(Gewehr)* (gun-)lock; *ins ~ fallen* to snap to; **~garten** castle-garden; **~hof** castle-yard, palace-yard

Schloße hail-stone

Schlosser locksmith; fitter, mechanic; **~ei** locksmith's shop; fitting shop; **~n** to forge, to hammer; to tinker (up)

Schlot chimney *(rauchen wie e. ~* to smoke like a ch.); flue; **~feger** chimney-sweep

schlotter|n *(Kleid)* to hang loosely; to shake, to wobble; **~ig** wobbly, shaky, tottery

schluchzen to sob

Schluck gulp, draught; swig *(e-n großen ~ nehmen* to take a long s.); **~en** to gulp, to swallow; *su* hiccup; **~er** (poor) wretch

Schlummer slumber, doze; **~lied** lullaby; **~n** to slumber, to doze

Schlump|e slattern, slut; **~ig** slatternly

Schlund gullet, fauces; *(Abgrund)* abyss

schlüpf|en to slip, to slide; **~er** *BE* knickers, panties; *(kurze)* briefs; **~rig** slippery; *fig* indecent, obscene; **~rigkeit** slipperiness; obscenity

Schlupf|loch hiding-place; **~winkel** hiding-place, refuge; lurking-place

schlurf|en to drag one's feet; **~en** to sip, to lap; *vi* to shuffle, = **~en**

Schluß closing, shutting; close, end; conclusion, inference, deduction; *(Schule)* break-up; **~akt** last act; **~bemerkung** concluding remark; **~bestimmung** final provision; **~bilanz** final balance; **~ergebnis** final result; **~folgerung** cause of argument; conclusion; **~formel** closing-phrase; *(Brief)* complimentary ending; **~licht** 🚗 tail-light; **~runde** final round; **~satz**

conclusion, final proposition; ♪ finale; **~stein** keystone; **~verkauf** summer sales, winter sales; end-of-season sale; **~verkaufspreis** sale price; **~wort** last word; summary; **~zeit** closing time

Schlüssel key; code, cipher; ♪ clef; formula; **~bart** key-bit; **~bein** collar-bone, clavicle; **~blume** cowslip; **~brett** key-rack; **~bund** bunch (of keys); **~fertig** ready for (immediate) occupancy; **~gewalt** wife's authorization to buy necessaries; **~kraft** key member of the staff; **~loch** keyhole; **~stellung** mil key position; **~wort** keyword; code-word

schlüssig decided, resolved; logical; convincing, conclusive; s. ~ werden to make up one's mind

Schmach disgrace, dishonour; humiliation; **~voll** disgraceful; humiliating

schmacht|en to languish (for), to pine (for); ²ig slim, thin; delicate; ²igkeit slimness, thinness; delicate health

schmackhaft tasty, savoury; appetizing; **~igkeit** savour(iness)

schmäh|en to abuse; to slander; **~lich** ignominious, disgraceful; humiliating; shameful; (fürchterlich) frightful; **~schrift** libel; lampoon; **~ung** abuse; slander, defamation

schmal narrow; thin, slim; (knapp) scanty, poor; ~e Kost meagre fare; ²en to scold, to chide; ²ern to lessen, to diminish; to belittle; **~film** 8 mm. film, substandard film; **~hans**: hier ist ~hans Küchenmeister they are on short commons; **~heit** narrowness; thinness; scantiness; **~spur** narrow gauge; **~spurig** narrow-gauge(d)

Schmalz lard; umg strength; **~en** to lard; **~ig** greasy; fig sentimental, unctuous; corny

schmarotz|en to sponge (bei on); **~er** sponger; parasite; **~erhaft**, **~erisch** sponging; parasitic; **~erpflanze**, **~ertier** parasite; **~ertum** parasitism

Schmarre scar; cut, lash; **~n** umg trash(y play)

Schmatz hearty kiss; **~en** to champ; to smack (the lips)

schmauchen to smoke, to puff (at a pipe)

Schmaus feast, banquet; **~en** to feast, to banquet; **~erei** feasting, banquet

schmecken vt to taste, to try; vi to taste (nach of); to be (od taste) nice (od good); (wie) schmeckt es Ihnen? do you like it?; are you enjoying it?

Schmeichel|ei flattery; adulation, cajolery; pl blandishments; **~haft** flattering; **~n** to flatter; to wheedle; to adulate, to cajole (into doing s-th); (widerlich) to beslaver

Schmeich|ler flatterer, wheedler, adulator; **~lerisch** flattering, wheedling

schmeiß|en to fling, to hurl; to chuck; **~fliege** bluebottle, blowfly

Schmelz enamel (a. ⑂); glaze; fig bloom, freshness; ♪ mellowness; **~bar** fusible; meltable; **~e** melt(ing); **~en** to melt; (Erz) to smelt; to fuse; (dahin-) to melt away; fig to soften; **~hütte** smelting-works; foundry; **~ofen** (melt-

ing) furnace; **~punkt** melting-point; **~sicherung** ⚡ safety fuse; **~tiegel** crucible; a. fig melting-pot

Schmerbauch paunch, umg corporation

Schmerz pain; (dumpf, lang) ache; (plötzlich) pang; (stechend) twinge, stitch; (krampfartig) throe; (brennend) smart; (höchster ~) agony, anguish; (Kummer) sorrow, grief; mit ~en (fig) impatiently, anxiously; ich habe ~en I've got a pain, I'm in a great pain; **~en** to pain; to hurt; to ache; fig to grieve, to afflict; **~ensgeld** smart money; **~erfüllt** deeply afflicted; **~haft** painful, sore; **~lich** sad, grievous, painful; **~los** painless; **~stillend** soothing, anodyne; ~stillendes Mittel anodyne

Schmetter|ling butterfly; **~lingsstil** 🐟 butterfly stroke; **~n** to smash, to throw down; vi ♪ to blare; (Vogel) to warble

Schmied (black)smith; **~e** forge, smithy; **~eeisen** wrought iron; **~eeisern** wrough-iron; **~ehammer** forging-hammer; sledge-hammer; **~en** to forge; (von Hand) to hammer, to smith; to put in irons; fig to plan, to scheme; to hatch (a plot); to concoct, to contrive

schmieg|en vt to bend; refl to nestle (against), to cling (to); to snuggle down; **~sam** flexible; pliant, supple; malleable; **~samkeit** flexibility; pliancy, suppleness; malleableness

Schmier|e grease; dirt; ⚇ BE sl penny-gaff ♦ ~e stehen to be look-out man, to keep a look-out; **~en** to grease, to oil; 🚗 to lubricate; (Farbe) to daub; (schreiben) to scrawl; to smear, to spread (butter etc); fig to bribe s-b; **~enschauspieler** ham; **~fink** dirty fellow; **~geld** palm-oil; **~ig** greasy, dirty; fig sordid, mean; **~mittel** lubricant; **~öl** lubricating oil; **~plan** lubricating chart; **~seife** soft soap; **~ung** lubrication

Schminke make-up; rouge; paint; **~n** to make up; to rouge; to paint the face

Schmirgel emery; **~n** to (rub with) emery; **~papier** emery paper

Schmiß cut, lash; scar; blow; fig dash, go; verve

Schmöker BE penny dreadful, US dime novel; **~n** to browse

schmollen to pout (at), to be sulky (with)

schmor|en to braise, to stew; **~braten** braised meat

Schmu cheat, trickery, swindle; ~ machen to cheat, to swindle

Schmuck decoration; jewels; jewellery (and trinkets); adj smart; neat; handsome; ²en to decorate, to adorn, to ornament; to trim; **~kasten** jewel-box, casket; **~los** plain, unadorned; **~sachen** jewels; **~steine** ornamental jewellery, semi-precious stones; **~stück** piece of jewellery; **~waren** ornaments and trinkets

Schmugg|el smuggling; **~eln** to smuggle; **~ler** smuggler

schmunzeln to grin, to chuckle; su grin, broad smile

Schmus blarney, soft soap; **~en** to blarney; to pet, to caress

Schmutz dirt; mud, filth; **~blech** 🚗 mud-guard; **~en** to dirty, to soil; **~fink** dirty fellow, regular sweep; **~ig** dirty; filthy, soiled; *fig* mean, shabby; **~igkeit** dirtiness; meanness, shabbiness; **~titel** 📖 bastard title, half-title; **~- und Schundliteratur** obscene and other undesirable literature

Schnabel beak, *(spitz, flach)* bill; ⚓ prow; *(Topf)* spout; *umg* mouth; *d. ~ halten* to hold one's tongue; *wie e-m d. ~ gewachsen ist* (quite) naturally; **~n** to bill and coo; **~tier** duckbill, platypus

Schnack talk, gossip; **~en** to chatter

Schnake crane-fly, *BE* daddy-longlegs; **~nstich** crane-fly bite

Schnalle buckle; **~n** to buckle, to fasten; **~nschuh** shoe with a buckle

schnalzen to smack; to click one's tongue; to snap one's fingers

schnapp|en to snap, to snatch (at); to bite (at); *(zu-)* to snap to; *nach Luft ~en* to gasp for breath; *fig umg* to cop s-b; **~er** ⚕ lancet; *zool* fly-catcher; **~schloß** spring-lock

Schnaps brandy, gin, schnapps; **~bruder** tippler; **~en** to tipple; **~idee** absurd idea; **~ig** silly, crazy

schnarchen to snore

Schnarre rattle; **~n** to rattle; to rasp, to jar

schnatter|haft chattering, gabbling; **~n** *(Gans etc)* to cackle *(a. fig)*; to prattle; *su* cackling; prattling

schnauben to snort; *Rache ~* to breathe vengeance; *vor Wut ~* to fume with rage; *refl* to blow one's nose

schnaufen to breathe heavily; *(keuchen)* to plant

Schnauz|bart walrus moustache; **~bärtig** with a moustache; **~e** *(Tier)* snout, muzzle; ⚙ nozzle; *(Kanne)* spout; *fig umg* jaw; *halt d. ~e!* shut up!; **~en** to jaw; to bark; **~er** schnauzer; **~ig** rude

Schnecke *zool (mit Haus)* snail, *(ohne Haus)* slug; ⚕ cochlea; 🏛 volute; *math* helix; ⚙ (endless) screw; *(Uhr)* fusee; spiral; **~nförmig** spiral; **~nhaus** snail-shell; **~ntempo** snail's pace (at a s's p.)

Schnee snow; *zu ~ schlagen* to beat up (to froth); **~ammer** snow-bunting; **~ball** snowball; *bot* guelder rose; **~ballen** to snowball; **~brille** snow-goggles; **~fall** snowfall; **~flocke** snowflake; **~gestöber** snowdrift, snowstorm; **~glöckchen** snowdrop; **~grenze** snow-line; **~huhn** ptarmigan; **~kette** tyre chain; **~könig:** *s. freuen wie e. ~könig* to be as pleased as Punch; **~mann** snow man; **~mensch** Abominable Snow-man; **~pflug** snow-plough, *US -* plow; **~schläger** egg-beater, whisk; **~schuh** snowshoe; *(Ski)* ski; **~sturm** snowstorm; *(stark)* blizzard; **~treiben** heavy snowfall; **~wächte** snow cornice; **~wehe** snowdrift; **~weiß** as white as snow; **~wittchen** Snow White

Schneid dash, pluck; *k-n ~ haben* to have no guts; **~brenner** cutting torch; **~e** cutting edge; blade; ♦ *auf d. Messers ~e* at a very critical

juncture; **~en** to cut; *(Fleisch)* to carve; *(Gras)* to mow; *(be-)* to trim; 🚗 to cut in; *fig* to cut s-b; *refl* to intersect, to meet; to be mistaken; **~end** *fig* sharp; bitter; biting, sarcastic; **~er** tailor; *(Damen-)* dressmaker; **~erin** dressmaker; **~ern** *vt* to make; *vi* to do tailoring *(od* dressmaking); **~erpuppe** dummy; **~erspeck** wadding; **~ezahn** incisor; **~ig** dashing, plucky

schnei|en to snow; **~se** forest aisle; ✈ flying lane

schnell quick, fast; swift, speedy; rapid; *(plötzl.)* sudden; *(bereit)* prompt; *(lebhaft)* brisk; **~boot** motor torpedo boat, *BE* E-boat; **~en** to jerk, to dart; to fling; to flick; *vi* to spring, to jerk; **~feuer** rapid fire; **~hefter** rapid letter-file; **~gang** 🚗 overdrive; **~igkeit** *bes* ⚙ speed, velocity; quickness, swiftness; **~kraft** elasticity; **~presse** 📖 cylinder-press, cylinder machine; **~straße** express road, *US* expressway; **~waage** rapid scale; **~zug** fast train, express train

Schnepfe snipe; *(Wald-)* woodcock; **~nstrich** flight of snipe

schneuzen *(Nase)* to blow; *(Kerze)* to snuff; *refl* to blow one's nose

Schnickschnack chitchat; tittle-tattle

schniegeln to dress up

Schnipp|chen: *j-m e. ~chen schlagen* to play a trick on s-b; **~el** snip; bit, shred; scrap; **~eln** to snip; to cut up; **~en** to snip, to clip; to snap one's fingers; **~isch** pert, saucy

Schnipsel = Schnippel

Schnitt cut; *(Kleid)* cut, pattern; 📖 edge; *(Scheibe)* slice; *(Schneidepunkt)* intersection; *math* section(al view); *(Ein-)* incision; *(Ernte)* crop, harvest; *(Gestalt)* shape, contour (of the face); *umg* profit; *(Quer-)* cross-section; average *(im ~* on an a., on the whole); *d. goldene ~* golden section; **~blumen** cut flowers; **~bohnen** *BE* French beans, *US* string beans; **~e** slice; **~er(in)** reaper; **~fläche** cut, section(al area); **~holz** sawn timber; **~ig** smart; ⚙, 🚗 streamlined; **~lauch** chive; **~linie** *math* secant; **~muster** pattern; **~punkt** point of inter section; **~ware** = Meterware *od* **~holz**; **~wunde** cut, gash

Schnitz|arbeit wood-carving, carving work; **~el** chip; scrap; *pl* parings, shavings; *(Fleisch)* escalope; **~eljagd** paper-chase, hares and hounds; **~eln** to chip, to cut (up); **~en** to carve; to cut (in wood); *su* carving; **~er** carver; *fig* blunder, *sl* boner; *e-n ~er machen* to blunder; **~erei** carving (work)

schnodderig pert, flippant; boastful

schnöde contemptible; base, mean; vile; *~ Mammon* filthy lucre

Schnorchel ⚓ *BE* snort, snorkel

Schnörkel flourish; 🏛 scroll, volute; **~haft** full of flourishes; overloaded with ornaments

schnorr|en to cadge; **~er** cadger

schnüff|eln to sniff, to smell; *fig* to snoop (about); **~ler** snoop(er); spy

Schnuller *BE* dummy, *US* pacifier

Schnulz|e ♪ corn; **~ig** corny

Schnupf|en common cold, cold in the head; catarrh; *vi* to take snuff; **~tabak** snuff; **~tuch** handkerchief
Schnuppe *(Kerze)* snuff; *astr* shooting star ♦ *d. ist mir ~* I don't care two hoots *(od* tuppence); **~rn** to sniff, to nose (out)
Schnur string, cord; ⚡ flex ♦ *über d. ~ hauen* to be rash, to kick over the traces, to overstep the mark; **⁓band** lace; **⁓boden** ⚓ gridiron; **⁓chen:** *wie am ⁓chen gehen* to go like clockwork; **⁓en** to tie up, to cord; to lace; *refl* to tight-lace; **~gerade** as straight as an arrow, in a bee-line; **⁓loch** eyelet; **⁓schuh** laced shoe; **⁓senkel** shoe-lace; **⁓stiefel** lace-up boot; **~stracks** straight (away); at once
Schnurr|bart moustache, *US* mustache; **~e** jest, joke; funny story; **~en** to hum, to buzz; *(Rad)* to whir; *(Katze)* to purr; **~ig** droll, funny; queer, odd
Schnute snout; spout; *e. ~ ziehen* to purse one's lips up
Schober stack, rick; *(Scheune)* barn
Schock (60) threescore; ⚡ shock; **~therapie** ⚡ shock therapy
schofel shabby, mean; inferior
Schöffe lay assessor; **~ngericht** magistrates' court
Schokolade chocolate *(a. Getränk)*; **~npulver** chocolate powder; **~ntafel** bar of chocolate
Schola|r medieval student; **~stik** scholasticism; **~stisch** scholastic
Scholle *(Erd-)* clod, sod; *(Eis-)* floe; *zool* plaice; *fig* soil, land ♦ *an d. ~ hängen* to be bound to the soil
schon *(~ vorher, früher als erwartet)* already; *(wie lange ~)* ever; *(jetzt ~)* yet (need you go y.?); so far, by this time; *(~ damals)* as early as, as long ago as; *(mit anderen Adverbien: unübersetzt) ~ wieder* again, *~ immer* always; *(als Füllwort) ~ d. Gedanke* the very idea; *ich muß ~ sagen* well, I must say; *d. ist ~ wahr, aber* that is certainly true, but; *er wird ~ kommen* I am sure he will come; *ich komme ~* I am (just) coming; *werden Sie ~ bedient?* are you being attended to?; *es wird ~ gehen* we'll manage, it will be all right
schön fine; *(ästhetisch)* beautiful; lovely; *(Wetter)* fair; *(eindrucksvoll)* handsome; noble; great, considerable; *(Mann)* handsome, good-looking; *d. ~en Künste* the fine arts; *d. ~e Literatur* belles-lettres; *d. ~e Geschlecht* the fair sex; *~!* certainly!; very well!; all right!; *~en Dank* many thanks; *~e Grüße* kind regards; *~ warm* nice and warm; *zu ~, um wahr zu sein* too good to be true; *d. wäre noch ~er!* that would be a fine thing, wouldn't it?, certainly not!; **~e** a beauty, a belle; **~färberei** colouring, heightening; **~geist** wit, bel esprit; **~geistig** aesthetic; **~geistige Literatur** belles-lettres; **~heit** beauty; *(Person)* beauty, belle; **~heitsfehler** minor blemish, flaw; **~heitsmittel** cosmetic, toilet preparation; **~heitspflästerchen** patch, beauty spot; **~heitspflege**

beauty treatment; **~heitssalon** beauty parlour; **~machen** *refl* to smarten o.s. up; **~redner** speechifier; flatterer; **~schreiben** penmanship; **~schreibheft** copy-book; **~schrift** calligraphy; *(Schule)* penmanship; **~tun** to flatter, to soft-soap; to flirt
schon|en to spare, to save; *(Gesundheit etc)* to take care of; *(Wild)* to protect; *refl* to look after o.s.; **~end** careful, considerate; **~frist** close season; period of respite *(od* grace); **~kost** bland diet; **~ung** mercy; consideration; indulgence; ♠ nursery (for young trees); **~ungslos** unsparing; pitiless; relentless; **~zeit** close season
Schoner *(Möbel)* antimacassar; ⚓ schooner
Schopf *(Kopf)* crown, top; *(Haare)* tuft, forelock ♦ *beim ~ ergreifen* to take by the forelock, to take by the scruff of the neck; **⁓brunnen** draw-well; **⁓eimer** bucket; **⁓en** *(Wasser)* to draw; *(aus-)* to scoop (out), to ladle; *(Atem)* to draw (in); *(Mut)* to take; *(Verdacht)* to conceive; **⁓er** creator, maker *(a. eccl)*; **⁓erisch** creative; **⁓erkraft** creative power; **⁓kelle** ladle; **⁓löffel** scoop; *(mit Löchern)* skimmer; **⁓rad** bucket-wheel; **⁓ung** creation; **⁓werk** water-engine
Schoppen a pint *(od* glass) (of beer etc)
Schöps wether; *fig* blockhead
Schorf scab, scurf
Schornstein chimney; ⚓ funnel; **~feger** chimney-sweep
Schoß lap; womb; *(der Familie)* bosom; *(Rock-)* coat-tail; *bot* sprig, shoot; **~hund** lap dog, pet dog; **~kind** pet; darling; **~ling** shoot, sprout
Schote pod, shell; *pl* green peas; ⚓ sheet
Schott ⚓ bulkhead; **~er** road stone, macadam; ⚓ ballast; *geol* coarse gravel; **~ern** to cover with road stone, to macadamize
Schott|e Scotchman, Scot; *(in Schottl.)* Scot; *pl* the Scotch; **~enstoff** tartan; **~in** Scotchwoman, *(in Schottl.)* Scot; **~isch** Scotch, Scottish *(literature, poetry, etc)*, Scots; *(~ische Sprache)* Scotch, *(in Schottl.)* Scots; **~land** Scotland, North Britain
schraff|ieren to hatch; to shade in; **~ierung** hatching
schräg oblique; *(quer)* diagonal, transversal; *(geneigt)* slanting, sloping; *(Stoff)* biased; **~e** obliquity; slope, slant; bevel; bias; **~en** to bevel; **~lage** ⚕ bank; **~schrift** italics; **~strich** 📖 diagonal, virgule
Schramme scratch; scar; abrasion; **~n** to scratch; to graze; **~ig** scratched, full of scratches
Schrank cupboard; *(Kleider-)* wardrobe; *(Bücher-)* bookcase; *(Wäsche-)* (linen-)press; *(Spind)* locker; **~e** ⚖ railway gate; toll-bar, turnpike; ⚖ bar; enclosure; *(Turnier) pl* lists; *fig* limit, bound(s) ♦ *s. in ~en halten* to keep within bounds, to be moderate; *etw e-e ~e setzen* to bound, to restrain; **~enlos** boundless; unbridled, unrestrained; **~enwärter** ⚖ gatekeeper

Schranze (servile) courtier, toady
Schrapnell shrapnel
schrappen to scrape
Schraub|e *(ohne Mutter)* screw, *(mit Mutter)* bolt; ✝ propeller, air-screw; *e-e ~e ohne Ende* an endless screw *(a. fig); e-e alte ~e* a crazy old creature; *bei ihm ist e-e ~ e locker* he has a screw loose; **~en** to screw; to turn, to twist, to wind; **~endampfer** screw-steamer; **~enfeder** helical spring, coil spring; **~enförmig** screw-shaped; spiral; **~engewinde** screw-thread; **~enmutter** nut; **~enschlüssel** wrench; **~enzieher** screw-driver; **~stock** vice, *US* vise
Schreber|garten allotment (garden); **~gärtner** allotment holder
Schreck terror, fright; fear, dread; *in ~en setzen* to terrify; *mit d. ~en davonkommen* to get off with a bad fright; **~en** *vt* to frighten; **~enerregend** terrifying, dreadful; **~ensbleich** pale with terror; **~ensherrschaft** reign of terror; **~ensruf** cry of terror; **~gespenst** bogy, bugbear, bugaboo; **~haft** easily frightened, timid; **~lich** terrible, dreadful; frightful; *umg* awful (awfully sorry etc); **~schuß** shot fired in the air; *fig* false alarm
Schrei cry, shout; *(gellend)* yell; *(kreischend)* scream, shriek; roar; howl; *(Hahn)* crow; *(Esel)* bray; **~en** to cry (out), to shout; to scream, to shriek; to howl; to bray; *(Katze)* to caterwaul ♦ *d. ist zum ~en* it's a scream, it's too funny for words; **~end** *fig* flagrant, monstrous; *(Farbe)* loud, gaudy; glaring; **~er**, **~hals** crier, shouter; *(Kind)* cry-baby, noisy brat
Schreib|abteil 🖊 secretarial compartment; **~block** writing-pad; **~en** to write; *(buchstabieren)* to spell; *Maschine ~en* to type; *su* writing; letter, note; communication; **~er** writer; clerk; **~erei** writing; correspondence; clerical work; **~faul** lazy in writing; **~feder** pen, *BE a.* nib; **~fehler** slip of the pen, error in writing; **~heft** writing-book, exercise-book; *(Schönschreiben)* copy-book; **~mappe** blotter; writing-case; **~maschine** typewriter; **~papier** note-paper, writing-paper; **~pult** writing-desk; **~schrift** 🕮 script; **~stube** *mil* orderly room, office; **~tisch** writing-table, bureau; **~waren** stationery, writing-materials; **~warenhändler** stationer; **~weise** style; spelling; **~zeug** pen and ink; inkstand
Schrein shrine; **~er** joiner; *(Möbel)* cabinet-maker; *(Zimmermann)* carpenter; **~erei** joiner's shop; cabinet-making; **~ern** to do joinery *(od* cabinet-making)
schreiten to stride, to stalk; *fig* to set about (doing s-th), to proceed (to do s-th)
Schrift writing; handwriting; book, publication; pamphlet; 🕮 fount, type; 🔧 writ; *d. Heilige ~* the Holy Scriptures; **~art**, **~bild** 🕮 (type-)face; **~deutsch** literary German; **~enreihe** series of publications; **~führer** secretary; **~gelehrter** scribe; **~gießer** type-founder; **~gießerei** type-foundry; **~grad** 🕮 size (of type); **~leiter** editor; **~leitung** editorship; editors; newspaper office; **~lich** (done) in writing; written; by letter; *etw ~lich beantragen* to apply in writing; **~material** stock of types; **~probe** specimen of writing *(od* type); **~satz** brief, pleadings; **~setzer** compositor, typesetter; **~sprache** literary language, written language; **~stelle** passage, **~steller** author, writer; 🎭 playwright, dramatist; **~stellerisch** literary; writing; **~stellern** to write, to do literary work; **~stück** piece of writing; document, record; **~tum** literature; **~wechsel** correspondence; transmission of documents; **~zeichen** character, letter; **~zug** character; stroke of the pen
schrill shrill; **~en** to sound *(od* ring) shrilly
Schritt step, *(lang)* stride; pace; *(Gangart)* gait, walk; *(Hose)* crotch; *~ für ~* step by step; *~ halten mit* to keep pace with, *fig* to keep abreast with; *j-m auf ~ u. Tritt folgen* to shadow s-b, to dog s-b's steps; *s. j-n drei ~ vom Leibe halten* to keep s-b at arm's length; *~ fahren!* dead slow!; **~macher** pacemaker *(a. fig)*; *mit (ohne) ~macher* 🚴 paced (unpaced); **~weise** step by step; *adj* gradual, successive
schroff steep, precipitous; rugged; *fig* abrupt; blunt, gruff; **~heit** steepness; ruggedness; bluntness, gruffness [of]
schröpfen to cup, to bleed; *fig* to fleece *(um*
Schrot small shot; crushed grain, grist; *(Münze)* due weight ♦ *von echtem ~ u. Korn* of the true stamp, of sterling worth; **~brot** wholemeal bread; **~en** to grind, to bruise, to crush; to roll down; **~flinte** shot gun; **~kugel** (grain of) shot; **~mühle** crushing-mill, grist-mill
Schrott scrap (iron)
schrubb|en to scrub; **~er** scrubber, scrubbing-brush; **~ern** = **~en**
Schrull|e crank, fad, crotchet; **~enhaft**, **~ig** cranky, faddy, crotchety; *~iger Mensch* crank
schrumpellig crumpled, creased; wrinkled; **~n** to shrink, to shrivel
schrumpf|en to shrink, to shrivel; to atrophy; to contract; **~ung** shrinking, shrivelling; atrophy; contraction
Schrund crack, chink; *(Hand)* chap
Schub push, shove; ⚙ thrust; *(Haufen)* heap; batch; **~fach**, **~lade** drawer; **~karren** wheelbarrow; **~s** nudge; **~sen** to nudge
schüchtern shy, bashful; timid; *(Mädchen)* coy; **~heit** shyness, bashfulness; timidity; coyness
Schuft blackguard, cad, scoundrel; **~en** to drudge, to slave; **~ig** blackguardly, vile, mean; **~igkeit** vileness, meanness
Schuh shoe, *(Stiefel)* boot; *(Maß)* foot ♦ *... wo d. ~ drückt ...* where the shoe pinches; *j-m etw in d. ~e schieben* to put the blame for s-th on s-b; **~anzieher** shoe-horn; **~bürste** shoe-brush; **~flicker** cobbler; **~krem** shoe-cream; **~macher** shoemaker; **~putzer** shoeblack; *US* bootblack; **~riemen** shoe-lace; **~sohle** sole; **~spanner** boot-tree, shoe-tree; **~waren** boots and shoes; **~werk** footwear, boots and shoes; **~wichse** boot polish, *(schwarz)* blacking

Schul|arbeit lesson, homework, exercise; *s-e ~arbeit machen* to learn one's lessons, to do one's homework; **~bank** form, bench; **~beispiel** typical example, text-book case; **~besuch** attendance at school; **~bildung** schooling, education; **~buch** text-book, schoolbook; **~diener** janitor; **~e** school; college; academy ♦ *~e machen* to find followers, to serve as a model (*od* precedent); *e-e harte ~e durchmachen* to learn things the hard way; *aus d. ~e plaudern* to let out stable secrets; **~en** to train, to teach; to school; *pol* to indoctrinate; **̈er** pupil, schoolboy; **̈erhaft** immature, boyish; **̈erin** pupil, schoolgirl; **~ferien** school holidays, (*große*) vacation; **~freund** school friend; **~geld** school fees, tuition; **~hof** school-yard, playground; **~jahr** school year; **~junge** schoolboy; **~lehrer** school-master; **~leiter** headmaster; **~leiterin** headmistress; **~mappe** school-bag; (*Ranzen*) satchel; **~medizin** allopathy; **~meister** (village) schoolmaster; **~pflichtig** of school age; bound to attend school; **~pflichtiges Alter** compulsory school age; **~rat** (*etwa*) inspector of schools; **~schiff** training-ship; **~schluß** end of school; break-up; **~stunde** lesson, period; **~system** school (*od* educational) system; **~ung** training, schooling; *pol* indoctrination; **~versäumnisse** absences from school; **~wesen** system of education; school affairs; **~zeit** school period; schooling; **~zeugnis** school report

Schuld (*Geld*) debt; indebtedness; (*Ursache*) cause, fault, blame; (*böse Tat*) offence, sin; guilt; *~ sein an* to be the cause of, to be responsible for, to be to blame for; *j-m d. ~ geben an* to accuse s-b of, to blame s-b for; *j-m d. ~ zuschreiben (zuschieben)* to lay the blame on s-b; *e-e ~ auf s. nehmen* to take the blame on o.s.; *in j-s ~ stehen* to be in s-b's debt; **~en** *machen* to run into debt; **~beladen** burdened with guilt; **~bewußt** conscious of guilt; **~bewußtsein** guilty conscience; **~buch** debt register; **~en** to be in debt; *j-m etw ~en* to owe s-b s-th, to be indebted for s-th to s-b; **~enfrei** free from debt; **~enlast** burden of debt; **~enmacher** contractor of debts; **~forderung** claim (of debt), demand; **~haft** *su* imprisonment for debt; *adj* culpable, guilty; **~ig** guilty; owing, due; (*verpflichtet*) bound, obliged; *j-m Geld ~ig sein* to owe s-b money; *Dank ~ig sein* to be indebted to s-b; **~iger** culprit; **~igkeit** duty, obligation; **~los** innocent; **~losigkeit** innocence; **~ner** debtor; **~schein** certificate of indebtedness; I. O. U.; **~verschreibung** bond; debt certificate

Schulter shoulder ♦ *j-m d. kalte ~ zeigen* to cold-shoulder s-b; *etw auf d. leichte ~ nehmen* to make light of s-th; **~bein** humerus; **~blatt** shoulder-blade; **~frei** strapless; **~klappe, ~stück** shoulder-strap; **~n** to shoulder; **~riemen** shoulder-strap; **~sieg** 🐾 win by fall; **~riemen** baldric

Schultheiß village mayor

schummeln to cheat

Schund rubbish, trash; **~literatur** worthless (*od* trashy) literature; **~roman** trashy novel

Schupo *umg BE* bobby, cop

Schupp|e scale; (*Haar*) dandruff, scurf ♦ *es fiel ihm wie ~en von d. Augen* the scales fell from his eyes; **~en** *vt* to scale; to scrape; *refl* to peel off; *su* shed; (*Scheune*) barn; 🚗 garage; ✈ hangar; 🚂 engine-house; **~ig** (*Haar*) scurfy; scaly, flaky; squamous

Schur shearing; **̈en** (*Feuer*) to poke; to stir up, to incite ♦ *d. Feuer ̈en* (*fig*) to fan the fire; **̈haken** poker

schürf|en to scratch; to abrade; (*Erz etc*) to prospect for; **~ung** scratch(ing); abrasion; prospecting

Schurk|e rascal, scoundrel; **~enstreich, ~erei** rascally trick; villainy; **~isch** rascally

Schurz apron; **̈e** apron; pinafore; **̈en** to pick up; to tie; **̈enjäger** ladies' man, dangler (after women)

Schuß shot; (*Ladung*) charge; (*Salve*) round; (*Knall*) report; (*Weben*) weft; § gunshot wound, bullet wound; (*Salve*) round (of wine etc); *e-n ~ abgeben* (*tun*) to fire a shot (*od* round) ♦ *im ~* (*fig*) in working order, in full swing; *zu weit vom ~* too wide of the mark, too far from the scene; *k-n ~ Pulver wert* not worth powder and shot; **~bereich** range; **~bereit** ready to fire; **~waffe** fire-arm; **~weite** range; **~wunde** gunshot wound

Schüssel dish; bowl, basin; (*feuerfest*) casserole

Schuster shoemaker; (*Flick-*) cobbler ♦ *auf ~s Rappen* on Shanks's pony (*od* mare); **~geselle** journeyman shoemaker; **~junge** shoemaker's apprentice; **~n** to cobble; to bungle; **~pech** shoemaker's (*od* cobbler's) wax; **~werkstatt** shoemaker's workshop

Schute barge, lighter; (*Hut*) bonnet

Schutt rubbish, (*Trümmer*) rubble; **~ablade-platz** (rubbish) dump; **~halde** rubble slope; *geol* scree; **~haufen** rubbish heap, (*Trümmer*) rubble pile; **~räumung** rubble clearing

Schüttel|frost shivering fit, rigor; **~n** to shake; *refl* to shiver, to tremble; **~reim** (kind of) Spoonerism

schütt|en to pour (out); to throw; (*Regen*) to pour down; **~gut** bulk material

schütter *adj* sparse, thin

Schutz protection; (*Schirm*) screen; (*Deckung*) cover; (*Verteidigung*) defence; (*Zuflucht*) shelter, refuge; ✿ insulation; care, keeping; *in ~ nehmen* to defend; *~ suchen* to take shelter; *unter d. ~ d. Nacht* under cover of night; ⚡ contactor; (*Schleuse*) floodgate; **~anstrich** baffle (*od* dazzle) paint, camouflage paint; ✿ protective coat; **~befohlener** charge, ward; protégé; **~blech** mudguard, *US* fender; **~brief** (letter of) safe-conduct; **~brille** protective goggles; **~bündnis** defensive alliance; **̈e** marksman, (*guter, schlechter*) shot; *mil* rifleman; *astr* Sagittarius, Archer; (*Weben*) shuttle; **̈en** to protect, to guard; to defend; to preserve; **̈enfest** shooting-match; riflemen's festival; ⁓engraben *mil* trench; ⁓enkette, ⁓enlinie line of riflemen (in extended order); ⁓enloch *mil* foxhole; ⁓engel guardian angel; ⁓farbe camouflage; ⁓färbung protective colouring; ⁓frist ⬚ duration of copyright, period of protection; ⁓haft protective custody; ⁓heiliger patron saint; ⁓herr patron, protector; ⁓impfung protective inoculation; ⁓insel = Verkehrsinsel; ⁓ling protégé, charge; ⁓los defenceless, unprotected; ⬚ undefendable; ⁓mann policeman, *BE* constable; ⁓mannschaft constabulary; ⁓marke trade mark; ⁓mittel preservative; ⚕ prophylactic; *zool* armature; ⁓polizei (municipal) police; ⁓polizist policeman; ⁓schicht protective layer (*od* coat); *zool* armature; ⁓umschlag ⬚ (dust-)jacket, dust cover, *BE a.* wrapper; ⁓wehr defence work, bulwark; ⁓zoll protection tariff, protective duty; ⁓zöllner protectionist; ⁓zollpolitik protectionism

schwabbeln to spill; to wobble; to babble
Schwab|e Suabian; *zool* cockroach; ⁓eln to speak in Suabian dialect; ⁓en Suabia; ⁓enstreich a piece of tomfoolery; ⁓isch Suabian
schwach weak; feeble, frail; *bes* ⚕ infirm; *(gering)* faint, small; *(spärlich)* sparse, scanty; poor, meagre, low; ⁓e weakness; debility; *(⁓e Seite)* foible; failing; *e-e ⁓e haben für* to have a weakness for; ⁓en to weaken; to lessen, to diminish; to debilitate; *(mildern)* to tone down; *(beeinträchtigen)* to impair; ⁓heit weakness; frailty, feebleness; ⁓kopf simpleton, imbecile; ⁓köpfig weak(-minded), silly; ⁓lich weak, delicate; *(kränklich)* infirm, sickly; ⁓lichkeit delicacy; infirmity; ⁓ling weakling; ⁓sinn weak-mindedness, imbecility; ⁓sinnig weak-minded, imbecile; ⁓strom weak (*od* light) current; ⁓stromtechnik light-current engineering; ⁓ung weakening; lessening, diminution; impairment
Schwaden vapour; fume; gas cloud; firedamp; *(Mähen)* windrow, swath
Schwadron squadron; ⁓eur gas-bag, talker; ⁓ieren to talk at random, to jaw
schwafeln to talk nonsense
Schwager brother-in-law; ⁓in sister-in-law; ⁓schaft relation by marriage, affinity
Schwalbe swallow; ⁓nschwanz swallow-tail *(a. fig)*; ✿ dovetail
Schwall swell, flood; *fig* torrent (of words)
Schwamm sponge; *bot* fungus; *(eßbar)* mushroom; *(Holz)* dry rot ♦ ⁓ *drüber* let's say no more about it; ⁓ig fungous; *(⁓artig)* fungoid; spongy; *(gedunsen)* bloated
Schwan swan; ⁓en: *mir ⁓t nichts Gutes* I have misgivings of trouble; ⁓engesang *fig* swan song; ⁓enteich swannery
Schwang swing ♦ *im ⁓e sein* to be in vogue; ⁓er pregnant; ⁓ern to make pregnant, to impregnate; ⁓erschaft pregnancy
Schwank joke, yarn; ⚭ farce; *adj* flexible; unsteady, wavering; ⁓en to rock, to toss; to sway; *(wanken)* to stagger, to totter; *(taumeln)* to reel; *(schwingen)* to sway; *fig* to fluctuate, to

be in a state of flux; *(zögern)* to hesitate, to waver; ⁓end fluctuating; *fig* wavering, doubtful; irresolute; ⁓ung unsteadiness; fluctuation, vacillation; variation, change
Schwanz tail; end; *(Kleid)* trail; ⁓eln to wag one's tail; *fig* to fawn (upon); ⁓en to idle about; *d. Schule ⁓en* to play truant (*US* hookey); ⁓ende tip of the tail; ⁓fläche ✝ tail; ⁓flosse (fish-)tail; ⁓riemen *(Pferd)* crupper; ⁓taube fantail pigeon
Schwäre ulcer, abscess; ⁓n to suppurate, to fester
Schwarm swarm; flock, flight; *(Menge)* crowd, throng; *fig* idol, hero; craze; ⁓en to swarm; to riot, to revel; *mil* to deploy; *fig* to gush (over), to be enthusiastic (about); *⁓en für* to have a crush on, to adore; ⁓er *(Feuerwerk)* squib; cracker; *zool* hawk-moth; *fig* dreamer, visionary; enthusiast, fanatic; ⁓erei enthusiasm, fanaticism; ⁓erisch enthusiastic, fanatic, (sentimental) gushing
Schwarte rind (of bacon); *(Braten)* crackling; *umg* old (pigskin) book
schwarz black; dark, swarthy; dirty, smutty; *(düster)* gloomy; *⁓e Liste (fig)* black-list; *auf d. ⁓e Liste setzen* to black-list; *d.-e Mann* bogyman; *⁓er Tag* black-letter day; *⁓es Schaf* black sheep; *⁓ auf weiß* in black and white, in print ♦ *ins ⁓e treffen* to hit the bull's-eye; ⁓arbeit illicit work, work not reported to the labour exchange; ⁓brot black bread, rye bread; ⁓dorn blackthorn; ⁓drossel blackbird; ⁓e blackness; darkness; *(Mittel)* black(en)ing; ⬚ printer's ink; *fig* baseness; ⁓en to black; *fig* to blacken; *(verleumden)* to defame; ⁓er black(amoor); negro, nigger; ⁓fahrt ride without a ticket; drive without a licence; ⁓handel black market; ⁓hörer pirate listener, broadcasting pirate; ⁓künstler magician; ⁓lich blackish, darkish; ⁓schlachten illegal slaughtering; ⁓sehen to be pessimistic, to take a dim view of things, to look at the dark side of things; ⁓seher pessimist; ⁓sender pirate broadcasting station; ⁓wild wild boars; ⁓wurzel black salsify, viper's grass
Schwatz chat, talk; ⁓amsel, ⁓base chatterbox; ⁓en to chat, to chatter, to talk; *(klatschen)* to gossip; *(Bach)* to babble; ⁓en to chatter, to blab; to babble, to twaddle; ⁓er babbler, twaddler; gossip; ⁓erei babbling, twaddle; gossip; ⁓haft talkative; ⁓haftigkeit talkativeness; ⁓sucht love of gossip
Schwebe (state of) suspense, indecision; *in d. ⁓* in suspense, in abeyance; ⁓bahn suspension railway; ⁓n to be suspended, to hang; *(Vogel)* to hover, *(fliegend)* to soar; *fig* to be pending (*od* undecided); *in Gefahr ⁓n* to be in danger; *in Ungewißheit ⁓n* to be in suspense; *es ⁓t mir auf d. Zunge* it is on the tip of my tongue; *zwischen Furcht u. Hoffnung ⁓n* to hover between hope and fear; ⁓nd in suspense; pending, provisional
Schwed|e Swede; ⁓en Sweden; ⁓isch Swedish
Schwefel sulphur, *US* sulfur; ⁓bad sulphur

bath; **~gelb** sulphur yellow; **~haltig** containing sulphur, sulphurous; **~holz** match; **~ig** sulphurous; **~n** to sulphurize, to sulphurate; **~säure** sulphuric acid

Schweif tail, train *(a. astr)*; **~en** to furnish with a tail; *vi* to roam, to ramble (about); **~stern** comet; **~wedeln** to wag one's tail; to fawn (upon)

Schweig|egeld hush-money; **~en** to be silent, to say nothing; to hold one's tongue; *su* silence; *zum ~en bringen* to make s-b be quiet; to silence; **~sam** silent, taciturn; **~samkeit** silence, taciturnity

Schwein pig, *bes US* hog; *zool* swine; dirty *(od* mean) fellow ♦ ~ *haben* to have a bit of luck, to fall on one's feet; **~ebraten** roast pork; **~efleisch** pork; **~ehirt** swineherd; **~erei** filth(iness); dirty thing *(od* trick); obscenity; **~estall** pigsty; **~igel** *fig* dirty fellow; **~isch** filthy; swinish; obscene; **~skotelett** pork chop; **~sleder** pigskin

Schweiß sweat, perspiration; *(Jagd)* blood; exudation; *fig* toil(ing), hard labour ♦ *d. hat viel ~ gekostet* that was a tough job; *im ~e deines (s-s) Angesichts* in the sweat of thy (his) brow; **~band** sweat-band; **~blatt** dress shield; **~brenner** welding torch; blowpipe; **~drüse** sweat-gland; **~en** to weld; *su* welding; **~er** welder; **~erei** welding shop; **~fuß** sweaty foot; **~hund** bloodhound; **~ig** sweaty; bloody; **~naht** weld(ing seam); **~treibend(es Mittel)** sudorific

Schweiz Switzerland; **~er** Swiss; *~er Käse (bes BE)* gruyère, *(bes US)* Swiss cheese; **~erin** Swiss; **~erisch** Swiss

schwelen to smoulder *(US* smolder)

schwelg|en to feast; to revel (in); *(üppig leben)* to luxuriate (in); ♪ to enjoy; **~er** reveller, epicure; gourmand; **~erei** feasting, revelry; gormandize; **~erisch** gormandizing; luxurious

Schwell|e door-step, threshold *(a. ₰, fig)*; 🗲 sleeper, *US* tie; **~en** *vi* to swell; *(Wasser)* to rise; *vt* to swell; to inflate; to distend; **~ung** swelling; lump; ₰ growth, tumour

Schwemm|e horse-pond; watering-place; *fig* glut; **~en** to water; to wash (up); *(an-)* to deposit; **~land** alluvial soil

Schwengel *(Glocke)* clapper; *(Pumpe)* handle; *(Dresch-)* swingle

schwenk|en to swing (to and fro), to wave; *(Waffe)* to brandish; to flourish; *(b. Kochen)* to shake, to toss; *(waschend)* to rinse; *vi* to turn; *mil* to wheel; **~ung** turn(ing movement); *mil* wheeling (manœuvre); change

schwer heavy *(gewichtig)* weighty; *(schwierig)* difficult, hard; *(ernst)* grave, serious; severe; *(~fällig)* clumsy; ponderous; *(bedrückend)* oppressive; *(Fehler)* bad, gross; *(Essen)* indigestible, heavy; *(Wein, Zigarre)* strong; **~arbeiter** heavy labourer; **~athletik** heavy athletics; **~blütig** melancholic; **~e** heaviness; weight; *fig* gravity, seriousness; severity; *(Wein)* body; **~efeld** (the earth's) gravitational field; **~enöter** lady-killer; **~fallen** to be difficult for; **~fällig** heavy, ponderous; clumsy; **~fälligkeit** heaviness, clumsiness; **~gewicht** 🥊 heavy-weight; *fig* main emphasis, accent; **~gewichtler** heavy-weight; **~halten** to be difficult; **~hörig** hard of hearing; **~industry** heavy industry; **~kraft** (force of) gravity; **~kriegsbeschädigter** disabled war veteran; **~lich** hardly, scarcely; **~mut** low spirits; depression, melancholy; **~mütig** dejected, melancholy; **~nehmen** to take to heart; **~punkt** centre of gravity; main point, crucial point; point of main emphasis *(od* effort); **~verbrecher** criminal, felon; **~verständlich** abstruse, abstract; **~wiegend** weighty; grave

Schwert sword; **~fisch** sword-fish; **~lilie** iris; **~tanz** sword-dance; **~wal** grampus

Schwester sister; ₰ hospital nurse; nun; **~lich** sisterly; **~unternehmen** associated company

Schwibbogen flying buttress

Schwieger|eltern parents-in-law; **~mutter** mother-in-law; **~sohn** son-in-law; **~tochter** daughter-in-law; **~vater** father-in-law

Schwiel|e callous, callosity; *(Striemen)* wale; **~ig** callous

schwierig difficult, hard; arduous; complicated, involved; difficult to deal with, awkward; **~keit** difficulty

Schwimm|bad swimming-bath, swimming-pool; **~blase** *zool* air-bladder; **~dock** floating dock; **~en** to swim; *(ohne Bewegung)* to float; *(treiben)* to drift; to be bathed (in tears etc); to roll (in money); **~er** swimmer; *(Angel)* float; **~fähig** buoyant; **~fähigkeit** buoyancy; **~flosse** fin; **~fuß** web-foot, webbed foot; **~gürtel** life-belt; *(z. Üben)* water-wings; **~haut** web; **~kraft** buoyancy; **~lehrer** swimming-instructor; **~kunst** swimming; **~panzer** amphibian tank; **~sport** swimming; **~stil** swimming-stroke; **~weste** life-jacket, *US* life vest; **~wettkampf** swimming-race, swimming-event

Schwindel dizziness, giddiness; vertigo; *fig* swindle, trick; humbug ♦ *d. ganze ~* the whole caboodle *(od* bag of tricks); *d. ~ kenn ich* you can't diddle me; **~anfall** fit of dizziness *(od* giddiness); **~ei** swindle; **~erregend** dizzy; **~firma** bogus firm; **~frei** not liable to giddiness; **~haft** dizzy, causing giddiness; *fig* swindling, fraudulent; bogus; **~ig** dizzy, giddy; *~ig machen* to dizzy; **~meier** fibber; **~n** to swindle, to cheat; to tell fibs; *mir ~t* I feel dizzy *(od* giddy); **~unternehmen** bogus concern

schwind|en to diminish, to decrease; to dwindle; to shrink; *(ver-)* to disappear; *su* diminution, decrease; **~ler** fibber; swindler; charlatan, quack; **~sucht** consumption, phthisis; **~süchtig** consumptive, phthisic

Schwing|e wing; *(Getreide)* fan, winnow; *(Flachs)* swingle; **~en** to swing, to sway; *(Waffe etc)* to flourish, to brandish; to wave; *(Korn)* to fan, to winnow; *(Flachs)* to swingle; to vibrate; to oscillate; *refl* to leap (over), to vault; to swing o.s.; *s. in d. Höhe ~en* to soar (up); **~ung** vibration, oscillation; *(Wellen-)* cy-

cle; ~ungsweite amplitude of vibration (*od* oscillation); ~ungszahl vibration frequency
Schwips a drop too much (*er hat e-n* ~ he has had a dr., he is tipsy)
schwirren to whir; *(Käfer)* to buzz; *fig* to hum
Schwitz|bad vapour bath, hot-air bath; ~en to sweat, to perspire
schwören to swear, to take an oath; *fig* ~ *auf* to swear by, to have (absolute) confidence in
schwül sultry, close; *(drückend)* oppressive; ~*e Atmosphäre (fig)* an atmosphere of sex, an erotic atmosphere; ~e sultriness, closeness; oppressiveness;
Schwulst bombast; ~ig bombastic, turgid
Schwund falling off; wastage; shrinkage; ⚓ ullage; ⚙ fading; ⚡ atrophy; ~regelung ⚙ automatic volume control, A. V. C.
Schwung swing; *(Sprung)* bound, vault; *(Ski)* swing; *fig* impetus, verve; *(Schmiß)* go, dash; *(Phantasie)* flight; *j-n auf (d.)* ~ *bringen* to spur s-b into action, to show s-b what's what; *etw in* ~ *bringen* to set going; ~feder pinion, wing-feather; ~haft flourishing, lively; ~kraft momentum; centrifugal force; *fig* impetus, energy; ~rad fly-wheel; ~voll spirited, animated; flowing, easy
Schwur oath (~ *leisten* to take an o.); ~gericht jury; assizes
sechs six; ~achteltakt six-eight time; ~eck hexagon; ~eckig hexagonal; ~erlei (of) half a dozen kinds; ~fach sixfold; ~jährig six years old; sexennial; ~mal six times; ~seitig hexagonal; ~tägig of six days; ~te sixth; ~tel sixth (part); ~tens sixthly, in the sixth place
sechzehn sixteen; ~te sixteenth; ~tel sixteenth (part); ~telnote *BE* semiquaver, *US* sixteenth note; ~telpause *BE* semiquaver rest, *US* sixteenth rest
sechzig sixty; ~ste sixtieth; ~stel sixtieth (part)
See lake; *(Meer)* sea; main; *in* ~ *stechen* to put to sea; *an d.* ~ *gehen* to go to the seaside; ~bad seaside resort; ~bär *fig* old salt; ~fahrer seafaring man, sailor; ~fahrt voyage; cruise; ~fest seaworthy; ~*fest sein* to be a good sailor; ~flugzeug seaplane; ~frachtbrief bill of lading; ~frachten marine freights; marine freight rates; ~gang motion of the sea; *hoher* ~*gang* heavy sea, swell; ~gefecht naval battle (*od* action); ~gras seaweed; ~hafen seaport; ~handel maritime trade; ~herrschaft naval supremacy; ~hund seal; ~karte chart; ~klar ready to put to sea; ~krank seasick; ~krankheit seasickness; ~krieg(führung) maritime warfare; ~löwe sea-lion; ~luft sea air; ~macht naval power; ~mann sailor, seaman; ~männisch seamanlike; ~meile nautical mile; ~not distress (at sea); ~pferdchen sea-horse; ~ratte *fig* old salt; ~räuber pirate; ~rose water-lily; ~schifffahrt maritime shipping; ~schlacht naval battle; ~stern starfish; ~streitkräfte naval forces; ~sturm storm at sea; ~taucher loon; ~transport sea-borne transport; *pl* marine freights; ~tüchtig seaworthy; ~wasser sea water, salt

water; ~weg sea-route; *auf d.* ~ *weg* by sea; ~zunge sole
Seel|e soul; mind; heart, spirit, feeling; *(Rohr)* bore; *e-e gute* ~*e* a good creature; *k-e* ~*e* no living creature ♦ *j-m auf d.* ~*e binden* to enjoin s-th upon s-b very earnestly; *j-m aus der* ~*e sprechen* to guess s-b's inmost thoughts; *es brennt mir auf d.* ~*e* it is badly on my conscience; *auf d.* ~*e haben* to have on one's mind; ~enfrieden peace of mind; ~enfroh heartily glad; ~engröße magnanimity; ~enheil salvation, spiritual welfare; ~enhirt pastor; ~enlos lifeless; ~enmesse office for the dead, requiem; ~enruhe peace of mind; utmost patience; ~envergnügt perfectly happy; ~envoll tender, sentimental; ~enwanderung transmigration of souls; ~isch psychic, mental; emotional; spiritual; ~sorge cure of souls, spiritual care; ministerial work; ~sorger pastor, minister
Segel sail; *d.* ~ *streichen* to strike sail, *fig* to strike one's flag; ~boot sailing-boat, *US* sailboat; yacht; ~flieger glider pilot; ~fliegerei, ~flug gliding, soaring; ~flugzeug glider; ~jolle (sailing) dinghy; ~klar ready to sail; ~n to sail; to yacht; ⚓ to glide, to soar; ~schiff sailing ship (*od* vessel); ~schlitten ice-yacht; ~sport sailing, yachting; ~tuch sailcloth, canvas
Segler sailing-vessel; sailor, yachtsman
Seg|en blessing, *bes eccl* benediction; boon; luck; ~ensreich beneficent; blessed; ~nen to bless, to give benediction to; ~nung blessing, benediction; boon
seh|en to see; *(hin-)* to look; *(plötzl.)* to catch sight (*od* a glimpse) of; *(wahrnehmen)* to perceive; *(beobachten)* to observe; *(s. klarmachen)* to realize; *gern* ~*en* to like; *schlecht* ~*en* to have poor eyesight; ... *kann s.* ~*en lassen* ... is a thing to be proud of; *darauf* ~*en* to be careful, to see to it (that); ~*en nach* to look after; ~enswert worth seeing; remarkable; ~enswürdigkeit sight, object of interest; ~er seer, prophet; ~feld field of vision; ~kraft (eye)sight, visual faculty; ~nerv optic nerve; ~rohr periscope; ~schärfe (sharpness of) vision; focus; ~weite range of sight
Sehn|e sinew, tendon; ⚡ string (of a bow); *math* chord; ~enscheide tendon-sheath; ~enscheidenentzündung inflammation of tendon-sheath; ~enzerrung strained tendon; ~ig sinewy; brawny
sehn|en *refl* to long (*nach* for); *su* longing; ~lich longing, ardent; passionate; ~sucht longing, yearning; ~süchtig longing, yearning
sehr very; *(vor Verben und echten Partizipien)* much, very much; highly, greatly, *umg* pretty; ~ *viel* very much, a great deal, a good deal, a lot; ~ *viele* very many, a great many, a good many; *zu* ~ too much; *wie* ~ how much; *wie (so)* ~ *auch* however much, much as
Seich tattle, gushing; *(Füllsel)* padding; ~en to tattle, to gush; ~t shallow; flat; insipid; superficial; ~tigkeit shallowness; superficiality
Seid|e silk (*echte* ~*e* real s., natural s.); *(Reyon)*

rayon; ~**en** silk(en); ~**enpapier** tissue-paper; ~**enraupe** silkworm; ~**enstoff** silk fabric (od tissue); ~**enstrumpf** silk stocking; ~**enzucht** silkworm breeding, sericulture; ~**ig** silky

Seidel mug (of beer); ~**bast** bot daphne

Seif|e soap; ~**en** to soap; ~**enblase** soap-bubble; ~**endose** soap-box; ~**enflocken** soap-flakes; ~**enlauge** soap solution, soap-suds; ~**enpulver** soap powder; ~**enschaum** lather; ~**ensieder** soap-boiler; ~**enwasser** soap-suds; ~**ig** soapy

Seil rope, cord; (Wäsche-) line; cable; ~**bahn** rope (od cable) railway, (Stand-)funicular railway; ~**en** to lift (od to lower) by rope; ~**er** rope-maker; ~**erwaren** rope-ware, cordage; ~**schaft** 🔫 rope (party); ~**tänzer** tight-rope walker; ~**winde** rope winch; ~**zug** tackle

Seim mucilage; fluid honey

sein vi to be; to exist; nicht mehr ~ to be no more; etw ~ lassen to leave alone; was ist Ihnen? what's the matter with you?; mir ist schlecht I feel sick; mir ist, als ob . . . I feel as if . . .; ich bin's it's me; d. ist es ja gerade that's just the trouble; su being, existence; pron his, her, its, one's; ~**erseits** on his part (od side), for his part; ~**erzeit** formerly; at the time; one day; in due time (od course); ~**esgleichen** his like, his equals, people like him; er hat nicht ~**esgleichen** there is no one like him; . . . sucht ~**esgleichen** it would be hard to find his (her, its) equal; ~**ethalben**, ~**etwegen** on his account, for his sake; ~**ig** his (own); d. ~**ige** his property (od share, part, duty); d. ~**igen** his folk (od family)

seit conj since; prep (Zeitpunkt) since, (Zeitraum)for; wir wohnen hier ~ 1955 (~ fünf Jahren) we have been living here since 1955 (for five years); ~ wann how long, since when; ~ wann ist er hier? how long has he been here?; ~ kurzem lately, of late; ~ langem for a long time; ~**dem** since then, ever since; from that time; ~**her** since then

Seit|e side; flank; 📖 page; math member; (e-s Körpers) face; fig aspect, bearing; von d. ~e (fig) askance; schwache (starke) ~e weak point, foible (strong point, forte); ~e an ~e side by side; von ~en on the part of; zur ~e treten to step aside; zur ~e stehen to stand by, to help; auf d. ~e legen to put aside (od by), to save; auch s-e guten ~en haben to have one's good points; ~**enangriff** flank attack; ~**enansicht** side view; ~**enflügel** 🏛 (side) wing; ~**engewehr** bayonet; ~**enhieb** by-blow; fig sarcastic remark, home-thrust; ~**enlang** voluminous; ~**enlinie** branch(-line); ~**ens** on the part of; ~**enschiff** aisle; ~**ensprung** side-leap, caper; fig extramarital escapade; ~**enstechen** stitch in the side; ~**enstraße** side-street, by-street (od -road); ~**ensteuer** ✛ rudder; ~**enstück** pendant; ~**enweg** bypath, byway; ~**enzahl** page (number), folio; number of pages; ~**enzweig** fig byway; ~**lich** lateral; side; adv at the side; ~**wärts** sideways; aside; laterally

Sekret secretion; ~**är** secretary, clerk; (Möbel)

secretary, bes BE secretaire; ~**ariat** office; ~**ärin** secretary

Sekt champagne; ~**e** sect; ~**ierer** sectarian; ~**ion** post-mortem, autopsy; (Abteilung) section; ~**or** sector; section

Sekund|ant 🗡 second; ~**är** secondary; at second hand; ~**e** (Zeit, ♪) second; ~**enzeiger** second-hand; ~**ieren** to second

selbst himself (herself, itself); pl themselves; von ~ of one's own accord, voluntarily, automatically; d. versteht s. von ~ that goes without saying; ~**achtung** self-respect; ~**ändig** independent; self-reliant; su pl self-employed persons; ~**ändigkeit** independence; ~**anlasser** 🚗 self-starter; ~**anschluß** ☎ dial telephone; ~**auslöser** 📷 self-timer; ~**bedienungsladen** self-service shop; ~**beherrschung** self-control; ~**bestimmung(srecht)** (right of) self-determination; ~**betrug** self-deception; ~**bewußt** self--confident, self-reliant; ~**bewußtsein** self-confidence, self-reliance; ~**bildnis** self-portrait; ~**binder** (neck-)tie; ~**biographie** autobiography; ~**erhaltung** self-preservation; ~**erhaltungstrieb** instinct of self-preservation; ~**erkenntnis** knowledge of oneself; ~**fahrend** automotive; ~**fahrer** owner-driver; ~**gefällig** self-satisfied, complacent; ~**gefühl** self-respect, self-confidence; ~**gemacht** home-made; (Stoff) homespun; ~**gerecht** self-righteous; ~**gespräch** monologue; soliloquy; ~**gezogen** home-grown, home-bred; ~**herrlich** autocratic; arbitrary; ~**herrschaft** autocracy; ~**hilfe** self-defence; ~**isch** selfish; ~**kosten** prime cost; ~**kostenpreis** cost price; zum ~kostenpreis at cost (price); ~**lader** self-loading (od automatic) pistol; ~**laut** vowel; ~**liebe** self-love; ~**los** selfless, disinterested; ~**losigkeit** unselfishness; ~**mord**, ~**mörder(in)** suicide; ~**mörderisch** suicidal; ~**redend** self-evident, obvious; ~**sicher** self-confident; ~**sucht** selfishness; ~**süchtig** selfish; ~**tätig** automatic; spontaneous; ~**täuschung** self-deception; ~**überschätzung** self-conceit; ~**überwindung** self-restraint; strength of mind; ~**unterricht** self-instruction; ~**verlag**: im ~verlag published by the author; ~**verschuldet** caused by one's own fault; ~**versorgung** self-sufficiency; ~**verständlich** self-evident, obvious; es ist ~verständlich it goes without saying; für ~verständlich halten to take for granted; ~**verständlichkeit** matter of course; ~**vertrauen** self-confidence; ~**verwaltung** self-government; decentralized administration; ~**wirkend** self-acting; ~**zucht** self-discipline; ~**zufrieden** self-satisfied; ~**zufriedenheit** self-satisfaction, complacency; ~**zünder** automatic lighter; ~**zündung** self-ignition; ~**zweck** end in itself

selig blessed; happy, blissful; (tot) deceased; ~**keit** happiness, bliss; ~**preisung** Beatitude; ~**sprechen** to beatify; ~**sprechung** beatification

Sellerie (gebleichte Stengel) celery; (Knollen-) celeriac

selt|en rare, scarce; unusual; adv rarely, seldom; ~**enheit** rarity, scarcity; curiosity; ~**sam**

strange, odd; **~samkeit** strangeness, oddness; oddity

Selterswasser seltzer (water); soda-water

Semester (half-year) term, semester; *(Person)* erstes ~ freshman, 3./4. ~ *(BE)* second-year man, *(US)* sophomore; 5./6. ~ *(BE)* third-year man, *(US)* junior; 7./8. ~ *(BE)* fourth-year man, *(US)* senior; **~ende, ~schluß** close of term; **~ferien** holidays (*od* vacation) between terms

Seminar seminar; *(Lehranstalt)* training college; *eccl* seminary; **~ist** student of a training college

Semmel roll ♦ *geht weg wie warme ~n* sells like hot cakes

Senat senate; **~or** senator; **~präsident** president of the senate

Send|bote messenger; **~ebereich** broadcasting area; **~efolge** radio programme; **~eleiter** (broadcasting) producer; **~en** to send, to dispatch; ⏚ to broadcast, to transmit; *(mit Richtstrahlern)* to beam; *(sendend tätig sein)* to be on the air; **~eprogramm** broadcast(ing programme); **~er** broadcasting station; transmitting station, transmitter; **~eraum** studio; **~erechte** broadcasting rights; **~er-Empfänger** transceiver; **~ergruppe** network; **~estärke** transmitter energy; **~estelle** broadcasting station; **~ling** emissary; **~schreiben** circular; missive; **~ung** dispatch; consignment; mission; ⏚ broadcast; transmission

Senf mustard ♦ *er gibt s-n ~ dazu* he has to have his say; **~korn** grain of mustard seed

Senge sound thrashing; **~n** to singe, to scorch; to burn

Senk|blei plummet; ⚓ sounding lead; **~el** (shoe-, boot-)lace; **~en** to lower, to sink, to let down; to bring down; *(Augen)* to cast down; *(Kopf)* to bow; **~fuß** fallen arches; **~grube** cess-pit, cess-pool; **~kasten** ☼ caisson; **~recht** perpendicular, vertical; **~ung** sinking; lowering; *(Preis)* reduction; depression, hollow; *(Setzung)* ground settlement; *(Abhang)* declivity

Senn Alpine herdsman; **~erin** Alpine dairymaid; **~hütte** Alpine dairy; chalet

Sennesblätter senna leaves

Sensation sensation; **~ell** sensational; **~slust** desire to cause a sensation; **~snachricht** sensational news; **~spresse** sensational press, yellow press

Sense scythe; **~nmann** Great Reaper, Death

sensi|bel sensitive; **~bilität** sensitivity, sensitiveness; **~tiv** over-sensitive, irritable; *(medial)* sensitive

Sentenz aphorism, maxim

sentimental sentimental; **~ität** sentimentalism; sentimentality

separat separate; **~ismus** separatism

Sepia sepia; *zool* cuttlefish

Sep|sis septicaemia, sepsis; **~tisch** septic

Sept|ember September; **~ett** septet; **~ime** ♪ seventh

Serenade serenade

Serge serge; **~ant** ,sergeant

Seri|e series; set; **~enherstellung** mass production, serial manufacture; **~enmäßig** standard, regular; **~enschaltung** connection in series; **~ös** respectable, reliable; sound; well-conducted

Serpentine zigzag road, switchback

Serum serum

Serv|ice (dinner, tea) service, set; (maintenance) service; **~ierbrett** tray; **~ieren** to lay the cloth; to wait (at table); to serve; **~iette** (table-)napkin; **~omotor** servo-motor, booster; **~us!** so long!

Sessel armchair, easy chair; **~lift** chairway

setz|en to put, to place; to set; to fix; *(errichten)* to erect, to put up; *(Baum)* to plant; *(Geld)* to stake; ♪, ⏚ to compose; *(auf e. Pferd)* to back; *alles daran ~en* to risk everything, to do all in one's power; *refl* to sit down, to take a seat; *chem* to be deposited, to settle; *vi* to leap (over); *(Fluß)* to cross; **~er** compositor, type-setter; **~erei** composing room; **~kasten** (fount-)case; **~ling** ⇃ seedling; **~maschine** composing machine, type-setting machine; **~reis** = **~ling**; **~schiff** ⏚ galley; **~teich** storepond; **~waage** spirit-level

Seuche epidemic; **~nherd** centre of an epidemic

seufze|n to (heave a) sigh; **~r** sigh

Sext|ant sextant; **~e** sext; ♪ sixth; **~ett** sextet

Sexu|alität sexuality; **~alkunde** sexology; **~altrieb** sexual drive; **~ell** sexual

sezier|en to dissect; to hold a post-mortem; **~messer** scalpel

Shampoo shampoo; **~nieren** to shampoo

sich himself (herself, itself); *pl* themselves; *(2. Pers.)* yourself, *pl* yourselves; *(einander)* one another, each other; *an* ~ in itself; in the abstract; *es hat nichts auf* ~ it is of no consequence; *d. spricht für ~ selbst* that speaks for itself; *d. ist e-e Sache für* ~ that is another story

Sichel sickle; *(Mond)* crescent; **~n** to cut

sicher (Gefahr) safe, secure; (gewiß) certain, sure; positive; *(bestimmt)* definite; *(fest)* firm, steady; *(verläßl.)* reliable, trustworthy; *aus ~er Quelle* on good authority; ~ *wissen* to know for certain; *s-r Sache ~ sein* to be certain of s-th; *... wird ~ kommen ...* is sure to come; *wird ~ sterben* is bound to die; *adv* no doubt, very likely; **~gehen** to keep on the safe side, to make quite sure

Sicherheit safety; *(Bürgsch. etc)* security (~ *leisten* to give s.); certainty; reliability; *(Überzeugung)* assurance; confidence; **~sfaktor** safety factor; margin of safety; **~sgarantie** security guarantee; **~sglas** safety-glass; **~shalber** for safety; **~sklausel** escape clause; **~sleistung** security; bail; **~snadel** safety-pin; **~spolizei** security police; **~sprogramm** defence programme; **~srat** Security Council; **~sschloß** safety-lock; **~sventil** safety-valve; **~svorschriften** safety regulations

sicher|lich surely, to be sure; certainly; **~n** to

protect; to secure; *(decken)* to cover; ☿ to lock, to fasten, *(Gewehr)* to put at "safe"; finanziell ~*n* to ensure finance for; *vi (Wild)* to look about; ~**stellen** to put in safe keeping; to secure, to protect; to guarantee; to provide security (for); ~**stellung** protection; provision of security for; ~**ung** protection; ☿ safety lock (*od* catch); ⌇ fuse, cut-out; *mil* covering party; = ~**stellung**

Sicht sight; visibility; *auf kurze* ~ at short date; *auf lange* ~ long-term; in the long run; ~**bar** visible; evident; ~**barkeit** visibility; ~**en** to sight; ⚓ to make; *(sortieren)* to sift, to sort; ~**lich** obvious, apparent; ~**schutz** camouflage; ~**ung** sighting; sifting; ~**vermerk** visa; ~**wechsel** sight bill; ~**weite** range of sight; range of visibility

sickern to trickle, to ooze

sie she, her; *(es)* it; *pl* they, them; *(Anrede)* you

Sieb sieve, strainer; colander; *(grob)* riddle; *(Sand-)* screen; ⚓ filter; ~**druck** silk-screen print(ing); ~**en** to sift, to strain; to riddle; to pick out; to screen; ~**tuch** bolting cloth

sieben seven; ~**fach** sevenfold; ~**gestirn** Pleiades; ~**jährig** of seven years; seven-year; ~**mal** seven times; ~**meilenstiefel** seven-league boots; ~**sachen** one's things, one's traps; ~**schläfer** lazybones; *zool* dormouse; ~**te(l)** = siebte(l)

siebte seventh; ~**l** seventh (part)

siebzehn seventeen; ~**te** seventeenth; ~**tel** seventeenth (part)

siebzig seventy; ~**ste** seventieth; ~**stel** seventieth (part)

siech ailing, invalid; sickly; ~**en** to be ailing; to pine away; ~**tum** chronic sickness

siede|heiß scalding hot; ~**hitze** boiling heat; ~**n** to boil, *(gelinde)* to simmer; *bes fig* to seethe; ~**punkt** boil(ing-point)

sied|eln to settle; to colonize; ~**ler** settler; colonist; ~**lung** *(An-)* settlement, colony; *(Stadt-)* housing estate (*in e-r* ~*lung* on a h. e.), suburban settlement; *ländliche* ~*lung* rural settlement

Sieg victory, triumph (over); battle *(youth is half the battle)*; ⚑ win; ~**en** to be victorious, to win; ~**er** victor; winner; ~**esdenkmal** monument of victory; ~**esfeier** celebration of a victory; ~**esgewiß** certain (*od* confident) of victory; ~**essäule** column of victory; ~**estor** triumphal arch; ~**eszeichen** trophy; ~**eszug** triumphal march; ~**haft** triumphant; ~**reich** victorious (over)

Siegel seal; *unter d.* ~ *d. Verschwiegenheit* in strict confidence; ~**bewahrer** Lord Privy Seal; ~**lack** sealing-wax; ~**n** to seal; ~**ring** signet-ring

Siel sluice (in a dike); ~**e** harness (*in d.* ~*en sterben* to die in h.); ~**en** *refl* to wallow; to loll about

Sigel *(Stenogr.)* grammalogue

Signal signal; bugle-call; sign, indication; ~**anlage** signalling system; ~**ement** (personal) description; ~**frequenz** ⚓ signal frequency;

~**horn** bugle; ~**hupe** siren, klaxon; ~**isieren** to signal; ~**mast** signal mast; ⚑ semaphore; ~**pfeife** whistle; ~**scheibe** signalling-disk

Sign|atur signature; mark, sign; *(Buch-)* classmark; ⌨ signature; *(-rinne)* nick; *(Karte)* (conventional) sign; ~**et** publisher's mark; ~**ieren** to sign; to mark; ~**um** sign; feature, characteristic

Silbe syllable; ~**nrätsel** *(etwa)* syllable composition puzzle; ~**ntrennung** syllabification, *bes US* syllabication

Silber silver; ~**bergwerk** silver mine; ~**blick** cast (in the eye); ~**fuchs** silver-fox; ~**gehalt** silver content; ~**haltig** containing silver; ~**hell** silvery; ~**legierung** silver alloy; ~**münze** silver coin; ~**n** silver; ~**papier** silver paper; ~**pappel** white poplar, abele; ~**reiher** egret; ~**schmied** silversmith; ~**stift** silverpoint; ~**waren** silver goods; ~**weiß** silvery white; ~**zeug** silver plate

Silhouett silhouette

Sili|kate silicate; ~**zium** silicon

Silo silo; ~**futter** silage

Silvesterabend New Year's Eve

Similistein paste (diamond, stone)

simpel simple, plain; (over)simplified

Sims ledge; cornice moulding; *(Fenster)* (window-)sill; *(Kamin-)* mantelpiece

Simul|ant malingerer; ~**ieren** to malinger; to feign, to sham (an illness); ~**tan** simultaneous; ~**tandolmetschen** simultaneous interpreting; ~**tanschule** undenominational school

Sinfon|ie symphony; ~**ieorchester** symphony orchestra; ~**isch** symphonic

sing|en to sing; *zool* to warble; ~**kunst** art of singing; ~**lehrer** teacher of singing; ~**sang** singsong, chant; ~**spiel** kind of comic opera, Singspiel; ~**stimme** singing-voice; vocal part; ~**stunde** singing-lesson; ~**vogel** song-bird, songster

Singular singular; ≈ unique

sinken to sink; to lower; *astr* to set; to drop, to fall; to decline (*im Wert* in value), to decrease; *auf d. Boden* ~ to sink to the ground; *auf d. Knie* ~ to go down on one's knees; *in Ohnmacht* ~ to faint; *in Schlaf* ~ to fall asleep

Sinn sense; mind, understanding; *(Bedeutung)* meaning, sense; opinion; tendency; *im* ~*e des Gesetzes* within the meaning of, in accordance with (the purpose of) the Act; *in diesem* ~*e* in this way, with this thought in mind; *im* ~ *haben* to intend; ~ *haben für* to have a feeling (*od* liking) for; *bei* ~*en sein, s-e fünf* ~*e beisammen haben* to have all one's wits about one; *im* ~ *behalten* to bear in mind; *s. aus d.* ~ *schlagen* to dismiss s-th from one's mind; *d. will mir nicht aus d.* ~ I can't get it out of my head; ~**bild** symbol, emblem; allegory; ~**bildlich** symbolic; allegorical; ~**en** to think (over); to speculate, to meditate (upon); to brood (on *od* over); ~*en auf* to plot, to scheme; *(auf) Rache* ~*en* to meditate revenge; ~*en u. Trachten* one's every thought and wish; ~**enlust** sensual pleasure, sensuality; ~**enmensch** sensualist; ~**entstellend** distorting the meaning; ~enwelt material world; ~esänderung change of mind (od heart); ~esart character, disposition; ~esorgan organ of sense; ~estäuschung illusion; ~fällig obvious; ~gemäß natural, logical; with the appropriate modifications, mutatis mutandis; (Übersetzung) rendering the meaning, not verbatim; ~getreu faithful; ~ig thoughtful, considerate; (iron.) ill--judged; ~lich sensual, carnal; (Eindruck etc) sensuous; ~lichkeit sensuality; ~los senseless, nonsensical, foolish; mad; ~los betrunken dead drunk; ~losigkeit senselessness, foolishness; ~reich ingenious, clever; ~spruch motto, device; ~verwandt synonymous; ~voll sensible, clever; ~widrig contrary to sense, nonsensical; ~widrigkeit illogicality

Sinolog|e sinologist; ~ie sinology

Sinter slag, scale; sinter; ~n to sinter; to form slag

Sintflut the Deluge, the Flood

Sinus $ sinus; math sine; ~kurve sine curve

Siphon siphon; (Wasserverschluß) trap

Sipp|e kin(ship); relatives; tribe; fig lot, coterie; ~enforschung genealogical research; ~schaft fig lot, coterie; d. ganze ~schaft the whole gang

Sirene mil. 🚒 siren; (Fabrik-) buzzer

Sirup BE treacle, US molasses; (Frucht-) BE syrup, US sirup

Sisyphusarbeit Sisyphean task

Sitt|e custom; (Brauch) usage; (Gewohnh.) habit; pl morals, manners; ~engesetz moral code (od law); ~enlehre ethics, moral philosophy; ~enlos immoral, dissolute, profligate; ~enlosigkeit immorality, dissoluteness, profligacy; ~enpolizei vice squad; ~enrein (morally) pure; chaste; ~enrichter moralist; ~enstreng morally austere; ~enverderbnis corruption of morals; ~lich moral; ~lichkeit morality, morals; ~lichkeitsvergehen indecent assault; ~sam modest, well-behaved; ~samkeit modesty

Sittich parakeet

Situation state of affairs, position; situation (d. ~ retten to save the s.; d. ~ nicht gewachsen not equal to the s. od occasion)

situiert: gut ~ well-to-do, well-off

Sitz seat; chair; place, spot; (Wohn-) residence, domicile; (Kleid) fit; ~bad hip-bath; ~en to sit; (Vogel) to perch; (Kleid) to fit; (Schlag) to hit; (tagen) to hold a meeting; (fest-) to stick (fast); umg to do time, to be in prison; ~en bleiben to remain seated ♦ e-n ~en haben to have had one over the eight; ~enbleiben (Schule) to fail to get one's remove; (Mädchen) to be a wallflower, to remain a spinster; ~enlassen to leave in the lurch, to throw over; auf s. ~enlassen to pocket (an insult etc); ~fläche seat; ~fleisch: ~fleisch haben to be perseverant; kein ~fleisch haben to have no perseverance, to be unable to keep at a thing; ~gelegenheit seat(ing accommodation); ~platz seat; ~stange perch; ~streik sit-down strike; ~ung sitting, meeting; ~ungsbericht mi-

nutes; report; ~ungsperiode session; ~ungsraum, ~ungssaal conference hall

Skala scale; ♪, fig gamut; ♂, ♁ dial

Skalp scalp; ~ell scalpel; ~ieren to scalp

Skandal scandal; disgrace; (Lärm) row; ~ös scandalous, shocking

Skat skat (unknown in England)

Skeleton skeleton toboggan

Skelett skeleton

Skep|sis scepticism, US skepticism; ~tiker sceptic, US skeptic; ~tisch sceptical, US skeptical

Sketch sketch, vaudeville scene

Ski ski; ~laufen to ski; su skiing; ~läufer skier; ~lift ski-lift; ~schanze ski-jump; ~sport skiing; ~springen ski-jumping; ~sprung ski--jump

Skizz|e (rough) sketch; draft; ~enhaft in rough outlines, sketchy; ~ieren to block in, to sketch (roughly)

Sklav|e slave; ~erei slavery; ~isch slavish, servile

Skonto discount

Skorbut scurvy

Skorpion scorpion

Skrof|eln scrofula; ~ulös scrofulous

Skrupel scruple; ~los unscrupulous; ~losigkeit unscrupulousness

Skull|boot sculling-boat; ~en to scull

Skulptur sculpture

Skunk skunk

skurril farcical, ludicrous

Slalom(lauf) slalom race

Slaw|e Slav; ~isch Slav; (bes sprachl.) Slavic; (bes kulturell) Slavonic; ~ist professor (od student) of Slavic languages; ~istik Slavic philology; ~istisch of (od pertaining to) Slavic philology

Smaragd emerald; ~grün emerald

Smog smog

Smoking BE dinner-jacket, US tux(edo)

so so (big that . . .); as (big as . . .); nicht ~ not so (as) (big as . . .); in this way (manner), like this (that), thus (why did he behave in this way, like this? It ran thus. It goes like this. I want a hat like that); that's how (what); that's how it's done; that's what it says in the paper; ~ etwas such a thing, a think like that, that sort of thing; ~ bin ich nun mal that's how I am, that's the man I am; ~ leicht ist es nicht it is not as easy as that; ~! (= das wär's) that's that!; here we are! ~ ist es that's right, that's how it is; es geht nur ~ this is the only way to do it; (solch) such (a fine day, s. lovely weather); um ~ (besser etc) so much the (better), all the (better); ~ ?indeed?, Is that so?; for instance; conj therefore; ~ (auch, sehr) however much, much as (much as I like him . . .); ~ . . . doch yet, nevertheless; ~ gut wie practically; ~ was! well, well! ~ ziemlich pretty well, pretty nearly; ~ oder ~ one way or another; ach ~ (oh) I see; ~bald as soon as

Socke|l socle, pedestal, base; ~en sock; ~enhalter suspender, US garter

Sod|a soda; **~awasser** soda-water; **~brennen** hearthburn

so|dann then, afterwards; **~ daß** so that; **~eben** just *(he has just left)*; just now *(he left just now)*; **~fern** so far as; in case

Sofa sofa, settee; **~kissen** sofa cushion

sofort at once, immediately; straight *(od* right*)* away; *er kommt ~* he'll be here in a minute; forthwith *(shall come into effect f.)*; **~ig** immediate

Sog suction; *(Schiff)* wake; *fig* demand, pressure; drain; force (of attraction)

so|gar even; **~genannt** so-called; what they call . . ., what is known as . . .; **~gleich** at once, immediately *(siehe ~*fort*)*

Sohle sole; *(Tal)* bottom; **~n** to sole

Sohn son; *d. Menschen ~* the Son of Man

Soja|bohne soy *(od* soya*)* bean; **~öl** soybean oil, soya-bean oil

solange as long as, so long as

Solawechsel promissory note

Sol|bad salt-water bath, brine-bath; salt-water springs; salt-water resort; **~e** brine

solch such *(s. a large house)*; so *(so large a house)*; **~erlei** such, of such a kind; **~ermaßen**, **~erweise** in such a way

Sold pay; **~buch** pay-book; **~ling**, **~ner** mercenary, hireling

Soldat soldier; **~eska** rabble of soldiers; **~isch** soldier-like, military; soldierly

solid strong, firm, solid; sound; reliable, respectable; **~arisch** joint (and several); unanimous; *s. ~arisch erklären mit* to identify o.s. with; **~arität** unanimity, solidarity; **~ität** firmness; solidity; soundness; reliability

Solist soloist; *umg* bachelor

Soll debit (side); debtor; **~ u. Haben** debit and credit; quota; (output) target; objective; **~aufkommen** target yield; **~en** *(Befehl, Gesetz)* shall; *(Vereinbarung)* to be to; *(Schicksal)* to be to *(he was to die young)*; *(es heißt, daß)* to be said to *(the book is said to be very good; it is said to have happened years ago)*; *(moralisch; eigentlich)* should, ought to *(he o. to be ashamed of himself; you sh. send him a card)*; *(ist es mögl.)* can, could *(can he be ill?, could it have been a bird?)*; *(nach Fragewörtern: Infinitiv)* . . . *was ich tun ~* (I don't know) what to do *(where to go, how to open it)*; *sag ihm, er ~ kommen* tell him to come; *(Erwartung)* to be supposed *(od* expected*)* to *(we're s. to be there at eight o'clock)*; *was ~ d. heißen?* what's the meaning of this?; *was ~ das?* what's all this (in aid of)? what's this for?; **~stärke** authorized strength; **~zins** debtor interest (rate)

Söller loft, balcony

Solo solo; **~instrument** solo (instrument); **~stimme** solo part; **~tänzer** principal dancer

solven|t solvent; **~z** solvency

somit consequently

Sommer summer; **~fäden** gossamer; **~frische** holiday resort, health resort; **~frischler** *BE* holiday-maker, *US* vacationer; summer visitor; **~früchte** spring crops; **~halbjahr** summer

term; second and third quarters (of the calendar year); **~haus** holiday house, *US* summer house; **~lich** summerlike; summery; **~sonnenwende** summer solstice; **~sprossen** freckles; **~sprossig** freckled; **~wetter** summer weather; **~zeit** summertime; *(Uhr vorgestellt) BE* summer time, *bes US* daylight-saving time

Sonat|e sonata; **~enform** sonata form; **~ine** sonatina

Sond|e ♄ probe; ♃ plummet; **~ieren** to probe; ♃ to sound; *fig* to explore the ground

sonder *prep* without; **~abgabe** special levy *(od* tax, rate*)*; **~angebot** special (offer); **~ausgabe** separate edition; *(Zeitg.)* special edition; **~bar** strange, peculiar, odd; **~barerweise** strangely *(od* oddly*)* enough; **~druck** off-print, separate; *(Nach-)* reprint; **~fall** special case; exceptional case; **~gleichen** unequalled, unparalleled; unprecedented; **~lich** particular; remarkable; **~ling** original, crank; **~meldung** special announcement; **~n** *conj* but; *vt* to separate; to segregate, to sever; **~stellung** exceptional position *(e-e ~stellung einnehmen* to hold an e. p.*)*; **~zug** special train; relief train

sonders: *samt u. ~* all together, each and all

Sonett sonnet

Sonn|abend Saturday; **~e** sun; *mit d. ~e aufstehen* to rise with the lark; **~en** to sun; *(lüften)* to air; *refl* to sun (o.s.), to bask (in the sun)

Sonnen|aufgang sunrise; **~bahn** orbit of the sun, ecliptic; **~blume** sunflower; **~brand** sunburn; **~brille** sun-glasses; **~finsternis** eclipse of the sun; **~fleck** sun-spot; **~geflecht** solar plexus; **~glut**, **~hitze** heat of the sun; **~klar** as clear as daylight; **~öl** suntan oil; **~schein** sunshine; **~schirm** parasol; garden umbrella; **~segel** awning; **~seite** sunny side; **~stand** position of the sun; **~stich** sunstroke; **~strahl** sunbeam; **~system** solar system; **~uhr** sun-dial; **~untergang** sunset; **~verbrannt** sunburnt, tanned; **~wende** solstice; **~zeit** solar time

sonnig sunny

Sonntag Sunday; **~lich** Sunday; every Sunday, on Sundays; **~sjäger** amateur sportsman, would-be hunter; **~skind** *sein* to be born under a lucky star; **~sschule** Sunday School; **~sstaat** one's Sunday best

sonor sonorous

sonst else; otherwise; in other respects; *(früher)* formerly, before; *(gewöhnl.)* usually, as a rule; **~ etwas** something *(bzw* anything*)* else; **~ jemand** somebody *(bzw* anybody*)* else; **~ig** other; former; **~wie** in some other way; **~wo** elsewhere; somewhere *(bzw* anywhere*)* else; **~woher** from some *(bzw* any*)* other place; **~wohin** to another place; somewhere *(bzw* anywhere*)* else

sooft whenever

Sophist sophist; **~erei** sophistry; **~isch** sophistical

Sopran soprano; *(Diskant)* treble; **~ist(in)** soprano (singer); **~schlüssel** treble clef, G clef

Sorg|e *(Kummer)* sorrow, grief; *(Besorgnis)*

uneasiness, concern; anxiety, worry; *(Für-)* care; *(Mühe)* trouble; *k-e ~e!* don't worry;! *s.* *~en machen* to worry (about); *~e tragen* to take care, to see to it (that); *~en für* to care for, to look after; to take care (of; that . . .); to see to, to attend to; *refl* to worry (about), to be anxious (about); to be concerned (*um* about); **~enfrei** carefree; **~enkind** delicate child; problem child; **~envoll** full of cares; anxious, worried; **~falt** care; carefulness; accuracy; **~fältig** careful; painstaking; accurate; **~los** light-hearted, carefree; careless, thoughtless; **~losigkeit** light-heartedness; carelessness, thoughtlessness; **~sam** careful; cautious; **~samkeit** carefulness

Sort|e sort, kind; species; *(Qualität)* brand, grade, quality; *pl* foreign notes and coin; **~ieren** to sort; to assort; *(ordnen)* to arrange; *(nach Qualität)* to grade; **~iment** assortment; (assorted) stock; variety, range; (retail) book-shop; **~imentsbuchhändler** (retail) book-seller

sosehr however much, much as

Soße sauce; *(Braten-)* gravy

Soubrette soubrette

Souffl|eur, **~euse** prompter; **~eurkasten** prompt-box; **~ieren** to prompt

Soutane cassock

Souterrain basement

so|viel as far as (I know), for all (I know); **~weit** as far as; *~weit nicht* except where; **~wie** as well as; *conj* as soon as; **~wieso** anyway, in any case; **~wohl . . .** *als auch* . . . as well as . . .; both . . . and . . .

Sowjet Soviet citizen; **~isch** Soviet; **~union** Soviet Union, U.S.S.R.; **~zone** Soviet(-occupied) zone

sozial social; welfare; *(nicht privat)* public; **~abgabe** social-security *(od* -insurance) contribution; **~arbeit** social work; **~arbeiter** social worker, almoner; **~demokrat** social democrat; **~demokratie** social democracy; **~demokratisch** social-democratic; **~einrichtung** welfare institution; **~isieren** to nationalize; to socialize, to communize; **~isierung** nationalization; **~last** social expenditure; **~leistung** social-security payment; welfare payment; **~politik** social policy; **~politisch** from the social point of view; relating to social policy; **~produkt** national product; social product; **~rente** social-insurance pension; **~rentner** recipient of social-insurance pension; **~versicherung** (compulsory) social insurance; **~wissenschaft** sociology

Sozietät (professional) partnership; association

Soziolog|e sociologist; **~ie** sociology; **~isch** sociological

Sozius partner; 🏍 pillion rider; **~sitz** 🏍 pillion seat; *auf d. ~ mitfahren* to ride pillion

sozusagen as it were, so to speak; in a way

Spachtel spatula; *(Messer)* putty knife; *(Maler-)* scraper

Spaghetti spaghetti

späh|en to be on the lookout, to watch;

(kundschaften) to reconnoitre, to patrol; to explore, to scout; *(spionieren)* to spy; **~er** lookout; spy; scout; **~erblick** searching glance; **~trupp** patrol; scouting squad

Spalier espalier, trellis; *(Leute)* lane; *~ stehen* to form a lane; **~baum** espalier; **~obst** wall-fruit

Spalt crevice; fissure; cleft; *(Riß)* crack, split; *(Schlitz)* slit, slot; *(Ritze)* chink; *(Lücke)* gap; *fig* gulf; **~bar** divisible; fissile; *phys (Atom)* fissionable; **~e** = ~; 📖 column; **~en** to split (up); to divide; *chem* to decompose; to ferment; *(Risse bekommen)* to crack; *refl* to split off, to cleave; to divide; *Haare ~en (fig)* to split hairs; **~fläche** plane of cleavage; **~holz** firewood, sticks; **~pilz** fission-fungus, bacterium; **~ung** split(ting); cleavage; decomposition; *(Atom-)* fission; *(Trennung)* separation; segregation; *(Uneinigkeit)* dissension; *(Meinungen)* division; *fig eccl* schism; *bot, zool, fig* dichotomy; *(Deutschlands)* split(ting), cleavage

Span chip; splinter; *pl* shavings; *(Metall)* turning; cutting; **~ferkel** sucking-pig

Spange *(Schnalle)* buckle; slip; *(Buch-)* clasp; *(Brosche)* brooch; *(Stoffstreifen)* strap; *(Arm)* bracelet; *(Verschluß)* bar; **~nschuh** strap shoe; buckled shoe

Spann instep

Spann|e span; *(Zeit)* short space of time; *com* margin, *(Gewinn-)* profit margin, *(Handels-)* margin of price (allowed to cover trader's profit); **~en** *vt (strecken)* to stretch; to strain; *(fest)* to brace; to clamp; *(Feder)* to subject to tension; *(Schraube)* to tighten; *(Gewehr,* 🔫) to cock; *(Bogen)* to bend; *(Pferd)* to put on, to harness; *vi* to be (too) tight; *fig* to excite; *refl* to arch; *fig* to be very anxious *(od* curious); *auf d. Folter ~en* to put to the rack; *ge~t zuhören* to listen intently; **~end** thrilling, exciting, absorbing; **~er** *(Schuh)* boot-tree; *zool* butterfly; **~kraft** tension, elasticity, spring; ⚙ clamping power; buoyancy; **~kräftig** elastic; **~ung** ⚡, ⚡, *fig* tension; ⚙ strain; *(elastisch)* stress; 🏛 arch; ⚡ voltage; *fig* close attention, intensity; *(Beziehungen)* strained relations; **~ungsmoment** cause of strain; **~weite** span; width; distance; range

Spant ⚓, ✝ frame, rib

Spar|büchse money-box; **~einlage** savings (deposit); **~en** to save; to spare, to economize, to cut down expenses; *(Geld weglegen)* to put by money, to save up; **~er** saver; **~freudigkeit** propensity to save; **~kasse** savings bank; **~lich** scanty; *(mager)* meagre; *(selten)* scarce, rare; *(zerstreut)* sparse; *(einfach)* frugal; *(dünn)* thin; **~lichkeit** scantiness; scarcity, rareness, rarity; frugality; **~pfennig** savings, nest-egg; **~sam** saving, economical; thrifty, saving; *(genügsam)* frugal; careful, canny; *adv* sparingly (*~sam zu verwenden* to be used s.); **~samkeit** economy; thriftiness; thrift; frugality

Spargel asparagus; **~kohl** broccoli; **~stecher** asparagus-knife

Sparren spar, rafter; *(Boxen)* sparring ♦ *e-n ~ zuviel haben* to have a bee in one's bonnet, to be cracked; **~werk** rafters

Sparte branch; subject; trade; industry

Spaß jest, joke; fun, sport; amusement; *zum ~ for fun; ~ machen* to banter; **~beiseite!** no joking!, no kidding!; *viel ~!* enjoy yourself! have a good time!; *j-m d. ~ verderben* to spoil s-b's sport; **~en** to joke, to jest; *damit ist nicht zu ~en* it's no joke; **~eshalber** for fun; **~haft**, **~ig** joking, jocular, amusing; funny, odd; ludicrous; **~vogel** jester, wag; buffoon; **~verderber** spoil-sport, wet blanket

Spat spar; § spavin

spät late; belated; slow; backward; tardy; *~ kommen* to be late; *wie ~ ist es?* what time is it?; *es wird schon ~* it is getting late; *von früh bis ~* from morning till night; **~er** later; afterwards; later on; subsequently; by and by; *e-e Woche ~er* a week after; **~erhin** later on; **~estens** at the latest, not later than; **~heimkehrer** late-returning prisoner of war; **~jahr:** *im ~jahr 1954* late in 1954; **~ling** late fruit; *(Mensch)* latest born; **~obst** late *(od* backward) fruit

Spatel spatula; trowel

Spaten spade; **~stich** cut with a spade; *d. ersten ~stich tun* to turn the first sod

Spati|e ⊞ space; **~onieren** to space

Spatz sparrow ♦ *d. ~en pfeifen es von d. Dächern* every schoolboy knows that; **~engehirn** the brains of a bird

spazier|en to take a walk; to stroll; to walk about; **~enfahren** to go for a drive *(od* ride); **~engehen** to go for a walk; **~fahrt** pleasure drive; **~gang** walk; stroll; **~gänger** walker, stroller, promenader; **~stock** walking-stick

Specht woodpecker

Speck bacon; *(Walfisch)* blubber; *(Schmalz)* lard; ⊞ fat; **~ig** fat; *(schmutzig)* dirty, greasy; **~schwarte** rind of bacon; **~seite** flitch of bacon; **~stein** soapstone, steatite

spedi|eren to dispatch, to forward; to send; to ship; **~teur** forwarder, forwarding agent, carrier; shipping agent; furniture remover; **~tion** forwarding, carrying; shipping; forwarding agency, shipping department; **~tionsgeschäft** forwarding agency; furniture removal business; **~tionsgewerbe** forwarding trade, carrying trade

Speer spear; lance; 🡑 javelin; **~werfen** javelin throw, throwing the javelin *(od* spear)

Speiche spoke; § radius

Speichel saliva, spittle; **~drüse** salivary gland; **~fluß** flow of saliva; salivation; **~lecker** toady, lickspittle

Speicher *(Waren-)* warehouse; storeroom; *(Korn-)* granary, *US* elevator; *(Haus-)* loft; *(Möbel-)* depository; *(Wasser-)* reservoir; **~n** to store, to warehouse; *fig* to hoard, to treasure up

spei|en to spit; *(s. übergeben)* to vomit; *(Feuer)* to belch; **~gatt** 🡑 scupper; **~napf** spittoon

Speise food; meal; dish; *umg* sweet, pudding; **~brei** chyme; **~eis** ice-cream; **~fett** cooking fat; **~kammer** larder; **~karte** bill of fare, menu; **~n** *vt* to feed, to give to eat, to board; to supply; *vi* to eat, to dine, to sup; **~naufzug** service lift; **~nfolge** menu; **~röhre** gullet, oesophagus; **~saal** dining-room; **~wagen** dining-car, restaurant-car

Spektakel noise, row, racket; fuss, uproar; **~n** to be noisy, to kick up a row

Spekul|ant speculator; adventurer; **~ation** speculation, venture; conjecture; **~ativ** speculative; conjectural; **~ieren** to speculate

Spelunke dive, joint

Spelz spelt; **~e** glume (of grains); awn, beard

Spend|e *(Gabe)* gift; bounty; benefaction; *(Geschenk)* present; *(Beitrag)* contribution; *(Stiftung)* donation; *(Almosen)* alms, charity; **~en** to bestow, to give; *(verteilen)* to administer; to dispense; *(beitragen)* to contribute to; **~er** giver, donor; benefactor; **~ieren** to stand, to pay for; *(j-m etw)* to treat s-b to s-th

Spengler plumber; tin-smith

Sper|ber sparrow-hawk; **~ling** sparrow

Sperenz|chen, ~ien: *mach keine ~!* don't make a fuss!

sperr|angelweit *offen* wide open; gaping; **~druck** spaced type; **~e** shutting; closing; *(Straße)* barricade; *(Absperrung)* block; *(Schranke)* barrier; *(Hafen)* blockade; *(Einfuhr)* embargo; *(Konto)* blocking; freezing; *(Hinderung)* ban; prohibition; *~e verhängen* to block; to closure; to ban; **~en** to close, to shut; to bar; to block; to barricade; *(Glas etc)* to cut off; ⚙, § to lock; ⊞ to space out *(od* the letters of); to embargo; to obstruct; *refl* to struggle, to resist; *ins Gefängnis ~en* to put in prison; **~feuer** barrage (fire); **~flieger** patrol aircraft; interceptor; **~gebiet** prohibited area; blockade zone; **~gut** bulky goods; **~guthaben** blocked account; blocked balance; **~haken** catch; **~holz** plywood; **~ig** bulky; unwieldy; protruding; **~mark** blocked mark; **~sitz** 🐎 stall; reserved seat; **~stunde** closing time; curfew; **~ung** barricade; blocking; *(Waren)* embargo; *(Hafen)* blockade; **~vorrichtung** lock, locking device

Spesen costs; *(Auslagen)* charges, expenses; *(Gebühren)* fees; **~rechnung** bill of expenses

Spezerei spices

Spezial|arzt specialist; **~fall** special case; **~isieren** to specialize; *s. ~isieren auf* to sp. in; **~ität** speciality

speziell special, specific; particular

spezif|isch specific; *~isches Gewicht* specific gravity; **~izieren** to specify

Sphär|e sphere; **~enmusik** music of the spheres; **~isch** spherical

Spick|aal smoked eel; **~en** to lard; *umg* to crib; **~nadel** larding-pin

Spiegel mirror, looking-glass; 🡑 stern; facing, tab; § speculum; *im ~ des (der) ...* as reflected in the ...; **~bild** reflected image; **~blank** shining; **~ei** fried egg; **~fechterei** sham fight; humbug; **~glas** plate-glass; **~glatt**

smooth as a mirror, glassy; ~n *vt* to reflect; *vi* to shine; to sparkle, to glitter; *refl* to be reflected; to look into the glass; ~**reflexkamera** reflex camera; ~**saal** hall of mirrors; ~**scheibe** pane of plate-glass; ~**schrank** wardrobe with mirror; ~**schrift** mirror writing; ~**ung** reflection; *(Luft)* mirage

Spiel play, game, sport; ♪ manner of playing, touch; ♥ playing, acting, performance; *(Karten)* set, suit, pack; *(Glücksspiel)* gambling; *(Maschine)* working, action; *fig* plaything, sport; *mit klingendem* ~ with fifes and drums ♦ *aufs* ~ *setzen* to stake, to risk; *abgekartetes* ~ put-up job; *d. Hand im* ~ *haben* to have a finger in the pie; *auf d.* ~*e stehen* to be at stake; *d.* ~ *verloren geben* to throw up the sponge; *leichtes* ~ *haben* to have no difficulty; *sein* ~ *treiben mit* to make game of; *e. falsches* ~ *treiben* to play a dirty trick on s-b; *mit im* ~*e sein* to be involved (in the case); *aus d.* ~*e lassen* to let alone, to leave out of the question; *d.* ~ *ist aus* the game is up; ~**art** manner of playing; *(Abart)* variety; ~**automat** *BE* fruit-machine, *US* slot machine; ~**ball** ball; *fig* plaything, sport; ~**ball sein** to be tossed about like a shuttlecock; ~**bank** gambling casino; ~**dose** musical box; ~**en** to play; to sport; ♥ to act, to take the part of; to perform; *(mit Einsatz)* to gamble; *(s. abspielen)* to take place; *(Szene)* to be laid; *(glitzern)* to glitter, to sparkle, to flash; *(vorgeben)* to simulate, to feign, to pretend; *mit etw* ~*en* to trifle with; *mit d.Gedanken* ~*en* to toy with the idea; ~**end** *fig* with the utmost ease, without any effort; ~**er** player, actor, performer; gambler; ~**erei** play; sport; *fig* trifle; ~**feld** ground, field, *(tennis-)*court; *(cricket-)*pitch; ~**film** feature film; ~**führer** (team) captain; ~**hahn** heath-cock, blackcock; ~**hölle** gambling-hell; ~**leiter** ♥, ▥ stage-manager; producer; ~**mann** musician; *mil* bandsman; *hist* minstrel; ~**marke** counter, chip; ~**plan** programme; repertory, repertoire; play-bill, theatre bill; ~**platz** playground; ♣ = ~**feld**; ~**raum** elbow-room, free hand, free play; time to play with; scope; swing; *(Preise etc)* margin; ✿ play; clearance; tolerance; allowance; ~**regeln** rules of the game; ~**sachen**, ~**waren** toys; ~**schar** amateur players *(od* company*)*; ~**tisch** gaming-table; ~**uhr** musical clock; ~**verderber** spoil-sport, kill-joy, wet blanket; ~**werk** *(Uhr)* chime; *(Instrument)* action; ~**zeug** toy

Spiere ⚓ boom, spar

Spieß spear, lance, pike; *(Braten)* spit; ▯ (raised) space ♦ *d.* ~ *umkehren* to turn the tables *(gegen* on); ~**bürger** bourgeois, Philistine, narrow-minded townsman; low-brow; ~**bürgerlich** bourgeois, narrow-minded, commonplace; low-brow; ~**en** to spear; to spit; *(durchbohren)* to pierce, to transfix; ~**er** Philistine; ~**geselle** accomplice; ~**ig** narrow-minded, uncultured; ~**ruten** *laufen* to run the gauntlets

Spill ⚓ capstan, winch; windlass

Spin *phys* spin

Spinat spinach

Spind wardrobe, press; *mil* locker

Spindel spindle; distaff; *(Zapfen)* pinion; *(Dorn, Docke)* mandrel; ~**dürr** as lean as a rake

Spinett ♪ spinet

Spinn|e spider; *fig* venomous person; ~**efeind** bitterly hostile; ~**en** to spin; *(Katze)* to purr; *fig* to be crazy; ~**entier** arachnid; ~**erei** spinning; spinning-mill; ~**erin** spinner; ~**fäden** gossamer; floating cobwebs; ~**(ge)webe** cobweb; ~**rad** spinning-wheel; ~**rocken** distaff; ~**stoffe** textiles; spinning materials; ~**stoffindustrie** textile industry

Spion spy; *(Fenster-)* window mirror; ~**age** espionage, spying; ~**ageabwehr** counter-espionage (service), *US* counter-intelligence corps, C. I. C.; ~**ageorganisation** spy-ring; ~**ieren** to spy; *fig* to pry into, to spy upon; ~**in** woman spy

Spiral|bohrer twist-drill; auger; ~**e** spiral; *(Draht)* coil; *(Schraube)* helix; ~**feder** spiral spring; coil

Spirit|ismus spiritualism; ~**ist** spiritualist; ~**istisch** spiritualistic; ~**uosen** spirituous liquors, spirits; ~**us** alcohol, spirit; *(denaturierter)* methylated spirit; ~**usbrennerei** distillery; ~**uskocher** spirit stove

Spital, Spittel hospital

Spitz Pomeranian, spitz; *(Rausch)* slight tipsiness; *adj* pointed; peaked; *(scharf)* sharp, tapering; *math* acute; *fig* sarcastic; *(beißend)* caustic, biting, pointed; ~ *auslaufen* to end in a point; to taper; ~**bart** pointed beard; ~**bogen** Gothic arch, pointed arch; ~**bube** rogue, rascal; swindler; ~**bübisch** roguish, rascally; ~**e** point, spike; *(Zunge, Finger, Nase)* tip; *(Gipfel)* top, summit, peak; *(Zehen)* toe; *(äußerstes Ende)* extremity; *(Rest)* residue; fraction, balance; *math* vertex; *bot* apex; *(Gewebe)* lace; *(Zigaretten-)* holder; *fig* peak, head; *(Bemerkung)* pointed remark, sarcastic observation; *e-m d.* ~*e bieten* to defy s-b; *etw auf d.* ~*e treiben* to carry to extremes, to push (things) too far; ~**el** *(Spion)* spy; agent; *(Polizei)* police agent, police spy; informer; ~**eln** to spy; to pry; ~**en** to point, to sharpen; *(Ohren)* to prick up (one's ears); *d. Mund* ~*en* to purse one's lips; *s.* ~*en auf* to hope for, to count on; to anticipate; ~**enfabrikat** first-class product; ~**enklasse** best quality; ♠ international class, champion class; ~**enklöppelei** pillow-lace (making); ~**enleistung** record; maximum output *(od* performance*)*; ~**enlohn** maximum pay; ~**entanz** toe dance; ~**enverband** central association, head organization; ~**feile** tapered file; ~**findig** *(fein)* subtle; *(scharf)* sharp; *(haarspaltend)* hair-splitting; *(gerissen)* cunning, shrewd; cavilling; ~**findigkeit** subtlety; sophistry; sharpness; ~**hacke** pickaxe; ~**ig** pointed; sharp; *fig* caustic, sarcastic; ~**kriegen** to find out, to pin down; ~**maus** shrew-mouse; ~**name** nickname; ~**winklig** acute-angled; ~**zange** pointed pliers

Spleen eccentricity, caprice, oddity, crotchet; **~ig** crotchety

spleißen to split

Splitter splinter, chip; *(Bruchstück)* fragment; *(Metall)* scale; *(Bibel)* mote; **~n** to splinter, to split; **~nackt** stark naked; **~partei** splinter party; **~sicher** splinter-proof, non-splintering; *~sicheres Glas* safety glass, triplex glass

spontan spontaneous; automatic

Spore *bot* spore

Spor|n spur; ⚓ (tail) skid; *fig* spur, stimulus, incentive; *e-m Pferd d. ~en geben* to set spurs to a horse ♦ *s. s-e ~en verdienen* to win one's spurs; **~nen** to spur; **~nstreichs** post-haste, immediately, at once

Sport sport, athletics; *(Liebhaberei)* hobby, pastime; *(Fach)* physical education, physical training; *~ treiben* to go in for sports; **~abzeichen** sports badge; **~art** kind of sport; event; **~funk** radio sports news; **~geschäft** sporting-goods shop; **~jacke** sports jacket, blazer; **~ler,** **~smann** sportsman, athlete; **~lich** sporting, athletic, sportsmanlike; **~mütze** tweed cap, sporting cap; **~platz** sports *(od* athletic*)* field; *(Ball)* court; **~wagen** 🚗 sports car; *(Kinder-)* BE pushchair, US stroller; **~zeitung** sporting paper

Sporteln perquisites, fees

Spott mockery; ridicule; *(Verachtung)* derision; scorn; *(Hänselei)* banter; *(Gegenstand d. ~s)* butt, laughing-stock; **~bild** caricature; **~billig** dirt-cheap; ridiculously cheap; **~drossel** mocking-bird; **ᵘelei** mockery, raillery; banter; *(Stichelei)* chaff; **ᵘeln** to laugh at; to jeer at; to sneer at; to chaff; **~en** to mock, to rally; *(verächtlich)* to deride, to jeer at; *fig* to defy; *jeder Beschreibung ~en* to beggar description; **~geld,** **~preis** trifling sum, a mere song, ridiculous price; **~name** nickname; **~vogel** mocking-bird; *fig* mocker

Sprach|e language, tongue; *(Sprechvermögen)* speech; talk; *(Ausdrucksweise)* diction; *j-m d. ~e rauben* to strike s-b dumb, to take s-b's breath away; *mit d. ~e herausrücken* to speak freely, to speak out *(od* up*)*; *zur ~e bringen* to broach s-th; *d. ~e bringen auf* to bring up; *zur ~e kommen* to be mentioned, to be touched on; *d. ~e verlieren* to lose one's speech; **~endienst** translation and interpreting service; **~fehler** *gram* grammatical mistake; *(Störung)* speech defect; **~fertigkeit** fluency; command of the language; **~forscher** linguist, philologist; **~gebrauch** usage; **~gefühl** speech feeling, speech instinct; the feel of the language; **~gemeinschaft** speech community; **~gewandt** fluent; **~grenze** linguistic frontier; **~kundig** proficient in languages; **~lehre** grammar; **~lehrer** language teacher; **~lich** linguistic; grammatical; **~los** speechless; dumb; mute; *einfach ~los sein* to be simply speechless, to be dumbfounded; **~regelung** official position *(od* version*)*; **~rohr** speaking-tube; *fig* mouthpiece; **~schatz** vocabulary; **~schnitzer** blunder, mistake; solecism; **~störung** speech de-

fect, impediment; **~student(in)** student of language(s); **~unterricht** teaching of languages; instruction in a language; **~werkzeug** organ of speech; **~widrig** ungrammatical, contrary to grammar; incorrect; **~wissenschaft** linguistics; philology; **~zentrum** 🕈 speech centre

sprech|en to speak *(mit* to, with; *über* about, of), to talk *(mit* with, to; *von* about, over); *(unterhalten)* to converse; *(plaudern)* to chat; to talk over, to discuss; to say; *(aus-)* to pronounce; *fig* to be evident; to be written in *(one's* face*)*; *dafür ~en* to speak in favour of, to support, *(Sache)* to indicate; *d. spricht dagegen* that tells against it; *nicht zu ~en sein* to be engaged; *gut zu ~en sein auf* to be kindly disposed to; *laßt Blumen ~en!* say it with flowers!; *j-d will Sie sprechen* s-b has come for you ♦ *Bände ~en* to speak volumes; **~end** *fig* speaking, striking; conclusive; **~er** speaker; *(offiziell)* spokesman; 📺 announcer; broadcaster; **~erzieher** elocutionist; **~film** talking *(od* sound*)* film; talkie; **~melodie** intonation, speech melody; **~stunde** *(Arzt)* consulting *(od* consultation*)* hour; *(Büro)* office hour; **~stundenhilfe** receptionist (at a doctor's); assistant; **~trichter** mouthpiece; **~übung** exercise in speaking; **~weise** manner of speaking; diction; **~zimmer** *(Arzt)* consulting room, *BE* surgery; *(Kloster)* locutory

spreiten to spread, to extend

Spreiz|e strut; stay; **~en** to stretch out, to spread out; to open; *(Beine)* to straddle; *refl fig* to boast; *s. ~en gegen* to resist

Sprengel diocese; parish

Spreng|befehl demolition order; **~bombe** demolition bomb, high-explosive bomb; **~en** *vt* *(aufbrechen)* to burst open; *(in d. Luft)* to blow up, to blast, to explode; *(Bergbau)* to spring; *(Spielbank)* to break; *(Versammlung)* to break up; *(Wasser etc)* to sprinkle, to spray; *(gießen)* to water; *vi* to gallop, to ride hard; to dash (along); **~er** (lawn-)sprinkler, spray; **~granate** high-explosive shell; **~kapsel** detonator; primer cap; **~kommando** bomb disposal unit; demolition party *(od* detail*)*; **~körper** explosive charge; **~kraft** explosive force; **~ladung** explosive charge; demolition charge; **~pulver** blasting-powder; **~stoff** explosive; dynamite; **~trichter** crater; *(Mine)* mine crater; **~trupp** demolition squad; **~ung** blowing up; blasting; explosion; breaking, dispersion; **~wagen** street sprinkler, *BE* watering-cart

sprenkeln to speckle, to spot; *(Haut)* to freckle; *(Wasser)* to sprinkle

Spreu chaff; *d. ~ vom Weizen sondern* to sift the chaff from the wheat

Sprich|wort proverb; adage; saying; byword; **~wörtlich** proverbial

sprießen to sprout; to bud; *(keimen)* to germinate; *(herausschießen)* to spring up, to shoot

Spring|brunnen fountain; jet (of water); **~en** *(weit)* to leap; *(hoch-, ab-, auf-)* to jump; *(hüpfen)* to hop, to spring, to skip; *(rennen)* to run; *(entzwei)* to crack; to fracture; to split; to snap; *(Haut)* to chap ♦ *in d. Augen ~en* to be obvious; *über d. Klinge ~en lassen* to put to the sword; *etw ~en lassen (fig)* to stand, to treat s-b s-th; *~er* jumper, vaulter; *(Schach)* knight; *~flut* spring-tide; *~insfeld* young harum-scarum, tomboy; *~quell* fountain, spring; *~seil* skipping-rope

Sprit spirit, alcohol; *BE* petrol, *US* gas

Spritz|e ✿ spray, sprayer, injector; *(Feuer)* fire-engine; ⚕ syringe; ⚕ *(Einspritzung)* injection, shot; *e-e ~e geben* to administer an injection; *~en vt (heraus-)* to squirt, to spout; *(besprühen)* to sprinkle, to spray; *(be-)* to splash, to bespatter; *vi* to gush forward *(od forth)*; to spurt up; *(sprühen)* to splutter; *~enhaus* fire-station; *~er* squirt; splash; spot; *~fahrt* outing, jaunt; *~ig* prickling; lively; deft; *~kuchen* cruller; *~leder* splash leather; splasher; *~pistole* spray gun; *~tour = ~fahrt*

spröd|e brittle; *(Haut)* rough; *(Eisen)* cold--short, dry; *fig* reserved, shy, prim; *~igkeit* brittleness; coldness, reserve, shyness

Sproß shoot, sprout, burgeon; scion; *(Keim)* germ; *(Abkömmling)* offspring, descendant, scion; *~ling* sprout, shoot; son

Sprosse step, rung

sprossen to sprout, to shoot, to burgeon

Sprotte sprat

Spruch *(Regel)* maxim, axiom; *(Aus-)* saying; *(Bibel)* text, passage; *(Urteil)* award, sentence, verdict; *(Lehr-)* aphorism; *~band* banner; *~kammer* denazification trial tribunal; *~reif* ripe for decision

Sprudel spring, bubbling well; *(Mineralwasser)* mineral water; *~n* to bubble up, to gush forth; *fig* to sparkle (with), to brim over (with)

sprüh|en *(Funken)* to spark, to emit sparks; *(spritzen)* to fly; to spray; *(Regen)* to drizzle; *vor Wut ~en* to flash with anger; *vor Witz ~en* to sparkle with wit; *~regen* drizzle, drizzling rain

Sprung spring, bound, leap, jump; *(Pferd)* curvet; *(Satz)* bound, bounce; *(übers Pferd)* vault; *(Riß)* crack, fissure, split; *~ mit Anlauf* running jump; *~ ohne Anlauf* standing jump; *auf d. ~ sein zu* to be on the point (of doing); *hinter j-s ~e kommen* to find s-b out; *e-n ~ haben* to be cracked; *~bein* ankle-bone; jumping leg; *~brett* spring-board; *(Schwimmen)* diving--board; *fig* stepping-stone; *~feder* spring; *~haft* by leaps and bounds; *fig* desultory, discursive, disconnected; abrupt, sudden; unsteady; *~schanze* ski-jump

Spuck|e spittle, saliva; *~en vt* to spit out, to expectorate; *(Blut)* to cough up (blood); *vi* to spit; *~napf* spittoon

Spuk *(Erscheinung)* apparition, spectre, ghost, spook; *(Ärger)* trouble, mischief; *~en* to haunt; to be haunted; *~geist* spectre; *~geschichte* ghost-story; *~haft* ghostly, ghostlike

Spul|e *(Weben)* bobbin, spool; *(Nähmaschine)* bobbin; *(Feder)* quill; ⚡ coil; *(Nähgarn, Film,*

Tonband) reel; *~en* to spool, to wind; to reel; ⚡ to coil up; *~enkapsel* bobbin-case; *~maschine* bobbin-frame, spooling machine; *~rad* spooling-wheel; *~wurm* mawworm

spül|en to wash; to cleanse, to rinse; *(Klosett)* to flush; *hinunter ~en* to wash s-th down; *an Land ~en* to wash ashore; *~faß* wash-tub; *~icht* dish-water; slops; swill; *~lappen* dishcloth; *~schüssel BE* washing-up bowl, *US* dishpan; *~ung* cleansing, rinsing; flush cleaning; flush-pipe; *~wasser = ~icht*

Spund bung, plug; stopper; *~en* to bung; *~loch* bung-hole

Spur trace, track; *(Fährte)* trail; *(Fuß)* footprint, footstep; *(Wagen)* rut; *(Wild)* scent; *(Zeichen)* mark; sign; *(Überrest)* vestige; *(im Wasser)* wake; *umg (kleine Menge)* small quantity; *keine ~!* not at all!, not a bit!; *j-m auf d. ~ kommen* to be on s-b's tracks; *j-m auf d. ~ helfen* to give s-b a clue; *~los* trackless, traceless; *adv* without (leaving) a trace; *~weite* ⚙ gauge; *(Räderabstand)* track

spür|en to feel, to be conscious of; *(merken)* to perceive, to experience; *~en nach* to track, to follow the track of; to trail; to scent out; *~hund* pointer; trackhound; *fig* spy; *~nase* good nose, scenting nose, keen sense of smell; *~sinn* sagacity, shrewdness; flair (for); *~sinn haben für* to have a scent *(od* flair) for

Spurt ⚡ sprint, dash; *~en* to dash

sput|en *refl* to hurry, to hurry up, to make haste, to be quick; *~e dich!* hurry up!, make haste!

Staat state, body politic; government; pomp, show, parade; finery; *in vollem ~* in full dress; *~ machen mit* to make a great show of; *~enbund* confederation, confederacy; *~enlos* stateless, having no nationality; *~lich* state; government, governmental

Staats|akt state ceremony; *~angehöriger* national; *~angehörigkeit* nationality; citizenship; *~anleihe* government loan; *~anstellung* government job; *~anwalt* public prosecutor, *US* district attorney; *~archiv* public record office; *~aufsicht* state control; *~beamter* civil servant, government official; *~begräbnis* state funeral; *~bürger* citizen; *~bürgerkunde* civics; *~bürgerlich* civic, civil; *~diener* civil servant; *~dienst* civil service, public service; *~form* form of government; *~gebiet* territory of a state; *~geschäft* affair of state; *~gewalt* supreme power; executive power; *~haushalt* state economy; (government) budget; *~hoheit* sovereignty; *~kasse* the Exchequer; Treasury; *~kirche* established church; *~klug* politic; diplomatic; *~körper* body politic; *~kunst* statesmanship; statecraft; political science; *~mann* statesman, politician; *~männisch* statesmanlike; *~notstand* state of national emergency; *~oberhaupt* head of the state; *~papier* government bond; *pl* government stock, the funds; *~politisch* from a national policy point of view; *~rat* State Councillor; *~recht* constitutional law; *~schuld* national debt; *~sekretär*

under-secretary of state; **~streich** coup d'état;
~verfassung constitution; **~verwaltung** administration; **~wirtschaft** political economy; public sector of the economy; **~wissenschaft** political science; **~wohl** common weal; **~zuschuß**
government subsidy

Stab stick, rod; *(Eisen)* bar; *(Stange)* pole; ♪,
♫ baton; *(Amts-)* mace; *eccl* crosier; *(Zauber-)*
wand; *mil* headquarters, staff ♦ *d. ~ brechen
über* to condemn; ♪ **~führung:** *unter d.
~führung von* conducted by; **~hochspringer**
pole-vaulter; **~hochsprung** pole-vault; **~reim**
alliteration; **~sarzt** medical officer *(od* captain); **~schef** Chief of Staff; **~sfeldwebel** *BE*
warrant officer, *US (Heer)* master sergeant,
(Marine) chief petty officer; **~soffizier** field officer; *(beim Stab)* staff officer; **~squartier**
headquarters

stabil stable; steady; sturdy; **~isieren** to stabilize; to consolidate; *refl* to become steadier
Stachel prickle, prick; *(Dorn)* thorn; *(Insekt)*
sting; *(Igel)* spine; *bot* spine; *(Zinke)* prong;
(zum Treiben) goad; *fig* sting; spur, stimulus;
~beere gooseberry; **~draht** barbed wire; **~ig**
prickly; thorny; **~n** to prick, to goad; to spur
on, to stimulate; **~schwein** porcupine
Stadel barn, shed
Stadi|on stadium; arena; **~um** *fig* stage, phase
Stadt town; city; *in ~ u. Land* up and down
the country; **~autobahn** *BE* urban motorway,
US u. freeway; **~bahn** city railway; **~baumei-
ster** municipal architect; **~beamter** municipal
officer; **~bekannt** known all over the town, the
talk of the town; **~bild** townscape; **~chen**
small town; **~er** townsman; citizen; **~erin**
townswoman; **~gespräch** the talk of the town;
~isch municipal; town; urban; **~koffer** suitcase; **~köfferchen** attaché case; **~kreis** municipal district; **~leute** townspeople; **~mauer**
town wall; **~planung** town planning; **~rand-
siedlung** suburban estate; **~rat** town council,
corporation; *(Person)* town councillor, alderman; **~sekretär** town clerk; **~staat** City State;
~teil, ~viertel quarter, district; **~verwaltung** local administration; **~wappen** city arms
Stafette (participant in a) relay race; courier;
~nlauf relay (race)
Staffage accessories
Staffel step; degree; *mil* echelon; ✈ squadron; ♫ relay; **~ei** easel; **~lauf** relay (race);
~n to graduate, to grade, to stagger; **~tarif** differential tariff *(od* wages); **~ung** graduation;
gradation; staggering
Stag ♫ stay
Stagn|ation stagnation; absence of change,
unchanging level, sluggishness; **~ieren** to stag-
nate; to be at a standstill; **~ierend** stationary;
sluggish; not increasing
Stahl steel; **~artig** steely; **~bau** steel construction; **~beton** reinforced concrete, steel concrete; **~blech** steel sheet; *(Produkt)* steel sheet;
~en to turn into steel; *fig* to harden, to steel;
~ern steel; steely; **~feder** pen-nib; ✿ steel
spring; **~guß** cast steel; *(Stück)* steel casting;

~hart *fig* adamantine; **~helm** steel helmet;
~stecher engraver on steel; **~stich** steel engraving; **~waren** hardware, cutlery; **~werk** steel-
works; **~werker** steel-maker; **~wolle** steel
wool, steel shavings   [fence
stake|n ♫ to punt; *su* punt; **~t** palisade, pale
Stall stable, *US mst* barn; *(Kuh)* cow-house,
cow-shed; *(Pferd)* stable; *(Schwein)* pigsty;
(Schaf) sheep-pen; *(Hühner)* hen-coop;
chicken-house; **~chen** *(Lauf-)* playpen;
~knecht stable boy, groom; **~magd** dairy
maid; **~laterne** stable-lantern; **~meister**
riding-master; equerry; **~ung** stabling;
stables, mews
Stamm stem, stalk; root; *(Baum)* trunk, bole;
family, clan, race; tribe; breed, stock; *fig* main
part; **~aktie** *BE* ordinary share, *US* common
stock; **~baum** family tree, genealogical tree;
pedigree; **~buch** family album; studbook;
~eltern first parents, ancestors; **~en** *von* to
spring from, to come from, to originate from,
to stem from; *(Wort)* to be derived from;
~folge line of descent; **~gast** regular customer; **~gut** family estate; **~halter** eldest son,
son and heir; **~ig** sturdy, burly, vigorous; **~ig-
keit** sturdiness, strength; **~kapital** share capital, capital stock; **~lokal** *BE* favourite pub;
habitual haunt; **~land** mother country; **~linie**
lineage; **~personal** permanent staff; **~rolle** *mil*
personnel roster; **~schloß** ancestral castle;
~silbe root syllable; **~sprache** original language; **~tafel** genealogical table; **~tisch** (table
reserved for) regular customers; **~vater** ancestor; **~verwandt** of the same origin, cognate;
~wort root word, stem
stamm|eln to stammer, to stutter; **~ler** stam-
merer, stutterer
stampf|en to stamp; *(schlagen)* to pound; *(zu
Brei)* to mash; *(zer-)* to crush; *(mühsam gehen)*
to trudge; *(Pferd)* to paw the ground; ♫, ✟ to
pitch; **~kartoffeln** mashed potatoes
Stand stand(ing); position; *(Bude)* stall,
booth; *(Höhe)* level; *astr* constellation; *pol* estate; *(Ehe-)* status; *(Zustand)* condition, state;
(fig Stellung) social standing, class, rank; profession; *auf d. neuesten ~ bringen* to bring s-th
up-to-date; *unter s-m ~ heiraten* to marry beneath one; *e-n schweren ~ haben* to have a
tough job; **~arte** standard; **~bild** statue; **~chen**
serenade; **~er** stand; pillar, post; **~esamt** registry office; **~esbeamter** registrar, R. B. D.
(Registrar of Births and Deaths); **~es-
bewußtsein** caste feeling, class consciousness;
~esehe marriage for position *(od* rank); **~es-
ehre** professional honour; **~esgemäß** in accordance with one's rank, befitting one's station; **~esgenosse** equal in rank *(od* station),
compeer; **~esunterschied** class distinction, social difference; **~esvorurteil** caste prejudice,
class prejudice; **~eswidrig** unprofessional, not
ethical; beneath one's position; **~fest** steadfast, firm; **~geld** stallage; **~gericht** court martial; **~haft** steadfast; firm; steady; **~haftigkeit**
steadfastness; firmness; **~haltend** to hold out,

to stand firm; to hold one's ground against, to withstand; ~ig permanent; constant; ~lager, ~quartier permanent quarters; ~licht 🚗 parking light; ~ort station; position; location; *mil* garrison; ~pauke dressing down, harangue ♦ *j-m e-e ~pauke halten* to red s-b a lecture; ~punkt (point of) view, standpoint, angle; *auf d. ~punkt stehen, daß* to take the view that; ~recht martial law; ~rechtlich according to martial law; ~seilbahn cable-car, funicular railway; ~uhr grandfather clock

Stange pole; (Metall) bar; (Hühner-) perch; stick; stake; *e-e ~e Geld* (fig) a pretty penny ♦ *von d. ~e kaufen* to buy off the peg; *bei d. ~e bleiben* to stick to the point, to stay the course; *j-m d. ~e halten* to stick up for s-b, to take s-b's part; ~enbohne runner bean; ~enspargel asparagus

Stänker quarreller, quarrelsome person; ~ei incessant squabbling; ~n to squabble, to wrangle

Stanniol tinfoil

Stanze ✿ stamp; (Vers) stanza; ~n to stamp, to punch

Stapel heap, pile; (Wolle) staple; ⚓ stocks, slip; (Waren) depot, dump; *auf ~ legen* to lay down; *vom ~ lassen* to launch; *vom ~ laufen* to be launched; ~güter staple commodities; ~lauf launching; ~n to pile up, to stack up; **stapfen** to plod [~platz depot, dump

Star *zool* starling; (film) star; 𝕊 cataract; *j-m d. ~ stechen* to operate on s-b for cataract, *fig* to open s-b's eyes; ~enkasten nesting-box

stark strong; large, big; (Person) stout; thick; (Regen) heavy; (Frost) hard; considerable, numerous; ⚙ high-power; intense, great; *adv* much, greatly ♦ *das ist ~* that's a bit thick; ~e strength; power; (Größe) size; (Dicke) thickness; (Person) stoutness; starch; (~e Seite) forte, strong point; ~egrad degree of strength, intensity; ~emehl starch-flour, *BE a.* cornflour, *US a.* corn starch; ~en to strengthen; to invigorate, to fortify; to confirm; (Wäsche) to starch; *refl* to take some refreshment; ~end strengthening; 𝕊 tonic; ~leibig stout; ~strom power current; ~stromleitung power-line; ~ung strengthening; invigoration; (Erfrischung) refreshment; ~ungsmittel tonic, corroborant

starr stiff (*vor* with); rigid; (Blick) fixed; (Auge) staring; numb (*vor Kälte* with cold); numbed (*vor Kummer* with grief); paralysed (*vor* with); *fig* obstinate, stubborn; ~en to stare; to be numb; ~en vor to be covered with, to bristle with; ~heit stiffness; rigidity; obstinacy, stubbornness; ~köpfig pig-headed, stubborn; ~krampf tetanus; ~sinn stubbornness, obstinacy; ~sinnig stubborn, obstinate

Start start; (Bob) push-off; ✈ take-off; ~bahn ✈ runway; ~en *vt* ✈ to start up; *vi* to start; ✈ to take off; ~klar ✈ ready for the take-off; ~loch ✈ starting-pit; ~pistole starting-gun, -pistol; ~zeichen starting-signal

Statik statics; ~isch static

Station 🚗, ⚙, *eccl, wissenschaftl.* station; 𝕊

ward; (bus-, tram-)stop; *freie ~* free board and lodging, *(wenn angestellt)* full maintenance; ~är stationary; ~ieren to station; ~sarzt resident physician, house physician; ~svorsteher 🚩 station-master, *US* station agent

Statist 🚩 super(numerary), 🎬 extra; *fig* dummy; ~ik statistics; ~isch statistical

Stativ tripod; stand

Statt place; stead (*an s-r ~* in his s.); *an Eides ~* in lieu of an oath; *an Kindes ~ annehmen* to adopt; *prep* instead of; ~e place, abode (*bleibende ~e* fixed a.); ~finden to take place; to happen; ~geben to grant, to allow; ~haft admissible, allowable; ~halter governor, satrap; ~lich stately, imposing, magnificent; ~lichkeit stateliness; magnificence

Statue statue; ~ieren to determine; *e. Exempel ~ieren* to set an example; ~ur figure, build; height, stature; ~us state of affairs; statement of accounts; ~ut (set of) regulations; ~uten statutes; ~utenmäßig statutory; according to regulations

Stau (traffic) congestion, jam; damming up; turn of the tide; ~becken reservoir; ~damm dam (embankment); ~en (Wasser) to dam up; (Waren) to stow; *refl* to be banked up; *fig* to jam up, to be blocked; ~see reservoir; ~stufe barrage; ~ung damming up; stowing; (Verkehr) jam, block; *fig* obstruction; ~wasser dammed-up water; static water

Staub dust; powder; *bot* pollen ♦ *~ aufwirbeln* to make a tremendous stir; *s. aus d. ~ machen* to take to one's heels, to bolt; ~beutel *bot* anther; ~blatt, ~gefäß *bot* stamen; ~en to be dusty; to give off dust; ~en to dust; *vi* to raise dust; ~ig dusty; ~kamm fine-tooth comb; ~korn dust particle; ~lappen, ~tuch duster; ~saugen to vacuum, *BE* to hoover; ~sauger vacuum cleaner, *BE* hoover; ~wedel feather-duster; ~wirbel whirlwind of dust; ~wolke cloud of dust; ~zucker = Puderzucker

stauchen to kick, to push, to toss; ⚒ to stook

Staude herbaceous plant; shrub, bush

staunen to be astonished, to be surprised (*über* at); *su* astonishment, amazement; *in ~ versetzen* to amaze; ~swert astonishing

Staupe whipping; 𝕊 distemper; ~en to whip; to scourge

Stearin stearin; ~kerze stearin candle

Stechapfel thorn-apple; ~becken bedpan; ~en to prick; to pierce; (Insekt etc) to sting, to bite; (gravieren) to engrave; 𝕊 to puncture, to lance; (Torf) to cut; (Sonne) to burn, to scorch; (Karte) to trump, to take; (Dolch) to stab; *ins Rote ~en* to have a reddish hue, to have a dash of red ♦ *in d. Augen ~en* to take s-b's fancy; *in See ~en* to put to sea; ~end piercing; pungent; biting; ~er engraver; (Gewehr) hair-trigger; ~fliege stable-fly; horse-fly, cleg; ~ginster gorse, furze; ~heber siphon; ~mücke *bes BE* gnat, mosquito; ~palme holly, ilex; ~schritt goose-step; ~uhr time clock; ~zirkel dividers

Steck|brief warrant of apprehension; **~dose** *BE* wall socket, *BE* point, *US* outlet; **~en** *vt* to put, to stick; to fix; ↓ to plant; *vi* to be (hiding); to be stuck; to be in(side); to stick fast; *wo ~en Sie?* where are you (hiding)?; *in Schulden ~en* to be in debt; *dahinter ~t etw* there's s'th at the bottom of it; *su (Stock)* stick, cane; **~enbleiben** to be(come) stuck; to break down, to bog down; **~enlassen** to leave; **~enpferd** hobby-horse; *fig* hobby; **~er** ↯ plug; **~kontakt** plug connection; **~ling** ↓ cutting; **~nadel** pin; *wie e-e ~nadel suchen* to search for s-th high and low; **~rübe** Swedish turnip, *BE mst* swede, *US* rutabaga; **~schlüssel** socket wrench

Steg footpath; footbridge; ♬ bridge; ▥ *pl* furniture; **~reif:** *aus d. ~reif sprechen* to speak impromptu, extempore; to improvise, to ad-lib

Steh|bierhalle public bar; **~en** to stand; to stand still, to stop; *(Kleid)* to become, to suit well; *~en auf (Uhr)* to point to, to show; *~en für* to vouch for, *(darstellen)* to represent; *geschrieben ~en* to be written; *zu ~en kommen* to cost; *d. Hafer ~t gut* oats look well; *es ~t Ihnen frei* you are free (to do); *es ~t bei Ihnen* it rests with you (to do); *wie ~t d. Mark?* how are marks quoted?; **~enbleiben** to stop; *~en bleiben* to remain standing; **~end** standing *(a.* ⚓); *(Wasser)* stagnant; stationary; upright, vertical; permanent; regular; *~enden Fußes* at once, on the spot; *~ende Redensart* stock phrase; **~enlassen** to leave (standing); *~en lassen* to let *(od* have) stand; **~kragen** stand-up collar; **~lampe** standard lamp; **~leiter** stepladder; **~platz** standing-place; standing-room; **~pult** high desk; **~satz** ▥ standing type *(od* matter)

stehlen to steal; to take away; *su* stealing, larceny

steif stiff *(vor* with); rigid, inflexible; numb *(vor Kälte* with cold); thick; *fig* formal; *~ u. fest* categorically, obstinately; **~en** to stiffen; **~heit** stiffness, rigidity; formality; **~leinen** buckram

Steig (foot)path; **~bügel** stirrup; **~e** ladder; stairs; *(Kiste)* crate; **~eisen** ⚒ crampon; **~en** to climb, to go up; to ascend; to rise, to increase; *~en lassen (Drachen)* to fly; *(fig) zu Kopf ~en* to go to s-b's head; **~end** growing, increasing; **~er** mine inspector; **~ern** to raise; to boost; to increase, to heighten; *(Auktion)* to bid; *gram* to compare; *refl* to increase; to intensify, to work up; **~erung** raising, increase; gradation, climax; intensification; *gram* comparison; **~erungsbetrag** increment; **~erungsgrad** *gram* degree of comparison; **~fähigkeit** ⬆ climbing power; **~höhe** ⬆ ceiling; **~ung** ascent, rise; gradient, incline

steil steep; precipitous; bluff; *~ ansteigend (fig)* sky-rocketing; **~felsen** crag; **~feuer** high-angle fire; **~hang** steep slope; **~heit** steepness; **~ufer** bluff

Stein stone, *US a.* rock; *(Fels)* rock; *(Feuer-)* flint; *(Edel-)* precious stone; gravestone; *(Frucht-)* kernel; ⚕ stone, calculus; *(Spiel-)* piece; *~ d. Anstoßes* stumbling-block; *~ d. Weisen* philosophers' stone ◆ *d. ~ ins Rollen bringen* to set the ball rolling; *~ u. Bein schwören* to swear by all that is holy; *bei j-m e-n ~ im Brett haben* to be in s-b's good books; **~adler** golden eagle; **~alt** as old as the hills; **~bock** ibex; *astr* Capricorn, Goat; **~brech** *bot* saxifrage; **~bruch** quarry; **~butt** *zool* turbot; **~druck** litho(graphy); **~ern** (of) stone; **~frucht** stone-fruit; **~garten** rock garden; **~gut** (white) earthenware; *~hart* as hard as a flint *(od* stone); *~ hauer = ~ metz;* **~ig** stony, rocky; **~igen** to stone; **~kohle** pit-coal, hard coal; **~marder** beech marten; **~metz** stone-mason; **~obst** stone-fruit, drupe; **~pilz** (edible) boletus; **~pflaster** stone pavement; **~platte** flagstone; **~reich** as rich as Croesus; stony; **~schlag** falling stones; **~setzer** paver, *BE* paviour; **~zeit** Stone Age

Steiß backside, buttocks; **~bein** coccyx; **~fuß** *zool* grebe

Stell|age stand; **~bar** adjustable; movable; **~dichein** rendezvous; **~e** place; spot; *(Text)* passage; situation; job; agency; *math* digit; *offene ~e* vacancy; *auf d. ~e* immediately, on the spot; *ich an Ihrer ~e* if I where you; *an ~e von* instead of, in lieu of; *zur ~e sein* to be present; *von d. ~e kommen* to make progress; *auf d. ~e treten* to be marking time; **~en** to put, to set, to place; to regulate, to arrange; *(bereit-)* to provide, to furnish; *(j-m zusetzen)* to corner, to challenge; *(vor Gericht)* to bring up; *(Bürgen)* to find; *mil* to post; *refl* to (take up one's) stand, to station o.s., to present o.s., to give o.s. up; *mil* to enlist; *(s. ver-)* to feign, to pretend; *s. ~en auf* to cost, to amount to; *s. ~en mit* to get on with, *(gut)* to be on good terms with; *s. ~en zu* to behave towards; *auf s. selbst gestellt sein* to be dependent on o.s.; *gut gestellt sein* to be well off; **~enangebot** offer of a post; **~enausschreibung** advertisement of a vacancy (vacancies); **~engesuch** application for a post; **~enjäger** job-hunter; **~enlos** unemployed, out of work; **~ennachweis, ~envermittlung** employment agency; **~enweise** in places, sporadically; **~macher** cartwright; wheelwright; **~mutter** adjusting nut; **~netz** anchored net; **~schraube** set-screw, adjusting screw; **~ung** position, situation; *(Haltung)* attitude, posture; *mil* line; *~ung nehmen (zu)* to express one's opinion (on), to express a view, to comment (on), to adopt an attitude (with regard to); **~ungnahme** opinion; attitude; policy; **~ungsbefehl** call-up order; **~ungskrieg** position warfare; trench warfare; **~ungswechsel** change of position; **~vertretend** deputy; acting; vice-; **~vertreter** deputy; representative; proxy; *(Arzt- etc)* locum (tenens); *eccl* vicar; **~werk** 🚦 signal-box, *US* switch tower

Stelz|bein, ~fuß wooden leg; **~en** to walk on stilts; *fig* to stalk along

Stemm|eisen caulking *(US* calking) iron; *(für*

Holz) mortise chisel; *(Stange)* crowbar; ~en to dam up, to stem; to support, to prop; *d. Hände in d. Seiten* ~en to stand with one's arms akimbo; *refl* to lean firmly *(gegen* against); to resist

Stempel (rubber) stamp; ✿ *(Präge-)* die, *(Loch-)* punch; *(Bergwerk)* prop; *(Post-)* postmark; *(Datum-)* date stamp; *(Pumpe)* piston; brand; *bot* pistil; ~gebühr stamp duty; ~kissen ink-pad; ~n to stamp; to mark; *(Eier)* to date-stamp ♦ ~*n gehen* to draw unemployment pay, *umg BE* to be on the dole; ~pflichtig subject to stamp duty; ~steuer stamp duty

Stengel stalk, stem

Steno|gramm shorthand note *(od* report); *etw im ~gramm aufnehmen* to take s-th down in shorthand; ~graf shorthand writer, *bes US* stenographer; ~grafie shorthand, stenography; ~grafieren *vt* to write in shorthand; *vi* to write shorthand; ~grafisch shorthand, stenographic; *adv* in shorthand; ~typist(in) (shorthand) typist, *bes US* stenographer

Stentorstimme stentorian voice

Stepp|decke quilt; ~en to quilt, to (pad and) stitch; ~erei quilting; ~stich backstitch

Steppe steppe; ~nwolf prairie wolf

Sterbe|bett death-bed; ~fall a death; *im ~fall* in case of death; ~hemd shroud; ~kasse burial fund; ~n to die; *su* dying, death; *im ~en liegen* to be dying; ~enskrank dangerously ill; ~nswort: *kein ~nswort (~nswörtchen) sagen* not to breathe a word; ~sakramente last sacraments; ~stunde dying hour; ~zimmer death chamber

sterblich mortal; ~keit mortality; ~keitsziffer death rate, mortality rate

Stereo|aufnahme stereo-photograph; stereo recording; ~kamera stereoscopic camera; ~metrie stereometry, solid geometry; ~phon stereo(phonic); ~photographie stereoscopic photography; ~platte stereo record; ~skop stereo(scope); ~skopisch stereoscopic; ~typ stereotype; *fig* stereotyped; ~typie stereo(type); *(Ort)* foundry; ~typieren to stereotype

steril sterile; ~isation sterilization; ~isierapparat sterilizer; ~isieren to sterilize; ~ität sterility

Stern star; ⊞ asterisk; ⚓ stern; *(Orden)* cross; ~bild constellation; ~deuter astrologer; ~enbanner star-spangled banner; ~(en)himmel starry sky; ~fahrt motor rally; ~förmig star-shaped; ~hagelvoll as drunk as a lord, dead drunk; ~hell starlight; ~karte star map; ~kunde astronomy; ~schnuppe shooting star; ~warte observatory

Sterz tail; plough-handle, *US* plow-

stet|(ig) steady, fixed; continual, constant; ~igkeit steadiness; continuity, constancy; ~s always, forever; constantly, continually

Steuer[1] ⚓ helm; *(~ruder)* rudder; *am ~ stehen* to take the helm; ~bord starboard; ~knüppel ✜ (control) stick; ~mann helmsman, ⚓ mate, *(Lotse)* pilot; ~n to steer; 🚗 to

drive; to pilot; *fig* to check, to suppress; ~rad (steering-)wheel; ~ruder rudder; ~ung steering; driving, piloting; ✿ steering-gear

Steuer[2] tax; *(auf Lebensmittel)* excise; *(auf Aus-, Einfuhr, Verbrauch)* duty; *(Kommunal-) BE* rate; ~ *erheben* to levy a tax; ~amt inland revenue office; ~anschlag assessment of taxes; ~beamter revenue officer; ~bescheid tax assessment; ~bilanz balance-sheet for taxation purposes; ~erhebung collection of taxes; ~erklärung tax return; ~erlaß tax remission; ~frei tax-exempt; *(Ware)* duty-free; ~freier *Betrag* allowance; ~freiheit tax exemption, fiscal immunity; ~hinterziehung tax evasion, tax manipulation; ~jahr fiscal year; ~klasse tax bracket; ~lich fiscal; relating to taxation; ~nachlaß tax reduction; ~pflicht tax liability; ~pflichtig subject to taxation; *(Waren)* subject to duty, dutiable; ~pflichtiger tax-payer; ~satz rate of taxation; ~schraube (increasingly) oppressive taxation; *d. ~schraube anziehen* to raise taxation (*od* the taxes); ~schuld tax(es) due; ~termin date for payment of taxes; ~vorlage tax bill; ~zahler tax-payer, *BE (Kommunal-)* rate-payer; ~zuschlag surtax

Steven ⚓ stem(-post)

Stewardeß stewardess; air-hostess

stibitzen to pilfer, to pinch

Stich prick; sting; *(Nähen)* stitch; *(Spaten-)* cut; *(Degen-)* stab, thrust; *(Karten)* trick; $ puncture; sharp pain; engraving; ⚓ knot, hitch; *fig* pointed remark, gibe, taunt; *d. war e. ~ auf (gegen) mich* that was one for me; *e. ~ ins Blaue* a dash of blue, a touch of blue ♦ *e-n ~ haben* to go bad, to turn sour, (the milk) is touched, *fig* to be crazy; ~ *halten* to stand the test; *im ~ lassen* to leave in the lurch, to back out; ~el graving tool; graver; ~elei gibe, taunt; ~eln *(nähen)* to stitch, to sew; *fig* to bait, to taunt, to jeer; ~flamme blast flame; ~haltig sound, valid; plausible; ~haltigkeit soundness; ~ling *zool* stickleback; ~probe sample check, sample test, spot-check; sampling; ~tag fixed day; effective date; selected day, (appointed) date; deadline; ~waffe thrust weapon; ~wahl second ballot, final ballot; ~wort ♕ cue; keyword, note; ~wortverzeichnis index; ~wunde stab

stick|en to embroider; ~erei embroidery; ~garn embroidery cotton; ~muster pattern; ~rahmen tambour frame

Stick|gas suffocating gas; ~ig close, stuffy; suffocating; ~luft stuffy air; suffocating atmosphere; ~stoff nitrogen; ~stoffhaltig nitrogenous

stieben to start, to scatter, to disperse

Stief|bruder stepbrother; ~kind stepchild; *fig* ugly duckling; *(Sache)* s-th treated in a stepmotherly way; ~mutter stepmother; ~mütterchen *bot* pansy; ~mütterlich stepmotherly, like a stepmother; ~schwester stepsister; ~sohn stepson; ~tochter stepdaughter; ~vater stepfather

Stiefel boot ♦ *er kann e-n ~ vertragen* he can

take his pint; *e-n* ~ *zusammenreden* to talk a lot of rubbish; **~anzieher** shoe-horn; **~knecht** bootjack; **~n** to walk (with great strides); **~putzer** *(Straße)* shoeblack; *(Hotel) BE* boots
Stiege staircase, stairs; *(Kiste)* crate
Stieglitz goldfinch
Stiel handle; *(Besen)* stick; *bot* stalk; **~äugig** stalk-eyed; **~en** to put a handle to; **~pfanne** dipper; **~stich** stem stitch
stier staring, fixed; *su* bull; *astr* Taurus ♦ *d.* ~ *bei d.* Hörnern *packen* to seize *(od* take) the bull by the horns; **~en** to stare (hard); **~kampf** bull-fight; **~kämpfer** bull-fighter; **~nackig** bull-necked
Stift[1] pin; peg; *(Draht-)* wire nail; *(Blei-)* pencil; *(Junge) umg* office-boy, apprentice; **~zahn** crown tooth
Stift[2] charitable institution; home for old people, Eventide Home; *eccl* training college, religious establishment; **~en** to donate; to bring about, to cause; *(gründen)* to found, to establish; *(mit Geld, Sachwerten)* to endow; ~ *en gehen (umg)* to run away; **~er** founder; **~sdame** canoness; **~sherr** canon; **~ung** foundation; establishment; welfare institution *(od* foundation); charitable endowment; **~ungsfest** founder's day, commemoration day
Stil style; *fig* (distinctive) manner; **~blüte** howler, Irish bull; **~gerecht** = **~voll**; **~isieren** to write, to compose (in a certain style); to stylize; **~istik** stylistics; **~istisch** with regard to style; stylistic; **~kunde** = **~istik**; **~möbel** period furniture; **~voll** in good taste; *(Möbel)* period; *(elegant)* stylish
Stilett stiletto
still quiet, calm; motionless, still; silent; peaceful; soft; *(Geschäft)* dull; *(Partner)* sleeping; *(Reserven)* undisclosed; *s.* ~ *verhalten* to keep still, to lie low; *~er Freitag* Good Friday; ~ *er Ozean* Pacific Ocean; **~e** calm, stillness; quietness; lull *(d.* ~ *e vor d.* Sturm the l. before the storm); silence; peace; *in aller* ~ *e* quietly, secretly; **~en** to quiet, to still; to silence; *(Hunger etc)* to appease, to satisfy; *(Durst)* to quench; *(Blut)* to staunch, to arrest; *(Kind)* to nurse, to suckle; *(Schmerz)* to alleviate; **~halten** to keep still; to refrain from action; to **stop;** ~ *halten* to keep quiet *(od* still); **~(l)egen** to shut down; to stop; **~(l)egung** shut(ing)-down; stoppage; immobilization; **~(l)iegen** to be idle *(od* at a standstill); to be out of production; ~ *liegen* to lie quiet; **~schweigen** to be silent; *su* silence; acquiescence; **~schweigend** tacit(ly); in silence; **~sitzen** to sit quiet; to remain inactive; **~stand** standstill, stop; stopping; stagnation; *(völlig)* deadlock; **~stehen** to stand still; to stop; to be at a standstill; *(Maschine)* to be idle, to lie still; ~ *stehen* to stand quietly; **~gestanden!** attention!; **~ung** *(Blut)* staunching; *(Kind)* nursing; **~vergnügt** quietly happy, quietly enjoying things
Stimm|abgabe voting; **~band** vocal cord; **~berechtigt** entitled to vote; **~bruch** breaking

of the voice; **~e** voice; ♪ part; *(Abstimmen)* vote; *(Zeitung)* comment; **~en** *vt* to tune; *fig* to prejudice s-b in favour of (against); to put s-b in a good (bad) mood, to make s-b glad (sad); *vi (ab-)* to vote; *(richtig sein)* to be correct, to be all right; to suit; to agree *(zu* with), to correspond *(zu* to); **~enfang** canvassing; **~engleichheit** same number of votes; *bei* ~ *engleichheit* in the event of a tie; **~enthaltung** abstention (from voting); **~er** tuner; **~gabel** tuning-fork; **~haft** *(Laut)* voiced; **~lage** register, pitch; **~los** *(Laut)* voiceless; **~recht** right to vote, suffrage; **~ritze** glottis; **~ung** ♪ tuning; ♪ pitch, key; *fig* mood; disposition, frame of mind; temper; atmosphere, impression; ~ *ung machen für* to make propaganda for; **~ungsvoll** appealing to the emotions; *(Raum)* with real atmosphere; impressive; **~wechsel** breaking of the voice; **~zettel** ballot-paper
Stink|bombe stink-bomb; **~en** to stink; **~faul** *umg* bone-idle; **~tier** skunk
Stint *zool* smelt
Stipendi|at scholar; receiver of a scholarship; *BE a.* exhibitioner; **~um** scholarship, *BE a.* exhibition
stipp|en to dip, to dunk; **~visite** *fig* flying visit
Stirn forehead; 🏛 front; *fig* cheek ♦ *j-m d.* ~ *bieten* to defy, to face boldly; **~höhle** frontal cavity; **~locke** forelock; **~runzeln** frowning
stöbern to rummage (in s-th); *(Schnee)* to blow about, to drift
stochern to poke, *(Zähne)* to pick
Stock stick, cane; ♪ baton; *(Amts-)* rod, wand; *(Pflanze)* stem; *(~werk)* storey, floor; *über* ~ *u.* Stein taking all obstacles in one's stride, up hill and down dale; **~dumm** utterly stupid, a blockhead; **~elschuh** high-heeled shoe; **~en** to stop, to halt; to pause, to stand still; to hesitate, to falter; *(Geschäft)* to fall off; **~engländer** British to the backbone, typical Englishman; **~ente** mallard; **~finster** pitch-dark; **~fisch** dried cod, stockfish; **~fleck** damp stain; spot of mildew; **~ig** fusty, mouldy; decayed; **~schnupfen** chronic nasal catarrh; **~steif** as stiff as a poker; **~taub** as deaf as a post; **~ung** standstill; stoppage; cessation; stagnation; check; *(Verkehr)* block, congestion; **~werk** floor, storey
Stoff *(Substanz)* substance; *(Materie)* matter; *(Gewebe)* stuff, fabric, material; *(Gegenstand, Thema)* subject(-matter), theme, topic; *(für Zeitungsbericht)* copy; **~el** blockhead, clumsy fellow; **~handschuh** fabric-glove; **~lich** material; according to the contents; with regard to the subject-matter; **~reste** (cloth) remnants; cuttings; **~wechsel** metabolism
stöhnen to groan
Stoiker stoic; **~isch** stoical
Stola stole
Stollen mine gallery; tunnel; *mil* deep dugout, gallery; *(Gebäck)* fruit loaf
stolpern to stumble, to trip *(über* over); to blunder (on, along)
stolz proud; *(überheblich)* haughty, arrogant;

su pride; haughtiness, arrogance; **~ieren** to strut; to flaunt

Stop ban; control; prohibition

Stopf|arbeit darning; **~en** to stuff, to cram; *(Pfeife)* to fill; *(zumachen)* to plug, to stop up; *(flicken)* to darn, to mend; ⓢ to constipate; *vi* to darn, to mend; ⓢ to be filling; ⓢ to cause constipation, to constipate; *j-m d. Mund ~ en* to silence s-b; **~ei** darning-ball; **~garn** darning-cotton; **~nadel** darning-needle; **~stelle** darn; **~wolle** mending-wool

Stoppel stubble; *pl umg* whiskers; **~bart** stubbly beard; **~feld** stubble field; **~ig** stubbly; **~n** to glean

stopp|en 🕭 to time; **~uhr** stop-watch

Stöpsel stopper; plug; cork; *(großer)* bung; **~n** to plug, to cork, to stopper

Stör *zool* sturgeon

Storch stork; *gehen wie d. ~ im Salat* to stalk with a pompous stride ♦ *da brat mir e-r 'nen ~!* well, I never!; *d. ~ hat sie ins Bein gebissen* the stork has brought her a baby **~schnabel** *bot* crane's-bill; ✿ pantograph

stör|en to disturb, to inconvenience, to trouble; to intrude, to interrupt; to be in the way, to be an obstacle; *mil* to harass; ⚌ to jam; *~ e ich?* am I intruding?; *lassen Sie s. nicht ~ en* don't let me disturb you, don't inconvenience yourself; *~ t es Sie, wenn ich . . . ?* does my . . . disturb you? **~enfried** trouble-maker, mischief-maker; **~er** disturber; **~sender** jamming station; **~ung** disturbance, inconvenience; intrusion, interruption breakdown; ⚌ atmospherics, statics, *(durch Sender)* jamming; **~ungsstelle** ⚡ faults section; **~ungssucher** linesman, faultsman, *(Trupp)* breakdown gang

stornieren to cancel

störr|isch, **~ig** headstrong, obstinate; *(Pferd)* restive; **~igkeit** obstinacy

Stoß push, *(bes* ✿*)* thrust; *(Schlag)* blow, stroke, punch; *(Fuß-)* kick; *(Ruck)* jerk, jolt; *(Erschütterung)* shock; *(Einschlag)* impact; *(Haufen)* pile, heap; bundle; *(Bücher)* batch; **~arbeiter** speed-up worker, shock worker; **~dämpfer** shock-absorber; **el** pestle; 🕭 tappet; **~en** to push, to shove, *(bes* 🕭*)* to thrust; *(schlagen)* to strike, to hit, to punch; *(Fuß)* to kick; *(Ziege etc)* to butt; to buffet; *(Ellbogen)* to nudge; ⚒ to pitch; 🕭 *d. Kugel ~ en* to put the shot *(od* the weight*)*; *refl* to knock against; to hurt o.s.; *s. ~ en an (fig)* to take offence at; *vi (Ziege)* to butt; 🕭 to thrust, to lunge; *(Wagen etc)* to jolt, to bump; *~ en an* to knock, to run against, *(Grenzen)* to border on, to adjoin; *~ en auf* to come across (upon), to blunder upon (into); *~ en zu* to join (up with); **~gebet** short fervent prayer; **~haft** abrupt; **~klinge** small-sword blade; **~kraft** impetus; ✿ impact; **~seufzer** deep sigh; **~stange** 🚗 bumper; **~therapie** ⓢ massive dose treatment; **~trupp** raiding party, raiding patrol; *pl* shock troops, assault troops; **~verkehr** rush-hour traffic, peak-time traffic; **~waffe** thrusting weapon; **~weise** jerkily; by jerks, by fits and starts; **~wirkung**

shock effect; **~zahn** tusk; **~zeit** rush hours

Stotter|er stutterer, stammerer; **~n** to stutter, to stammer

stracks straight, right away; direct

Straf|anstalt penal institution; prison; **~arbeit** *(Schule) BE* imposition, *umg* impo, lines; **~bar** liable to punishment, punishable; criminal; **~e** punishment, penalty *(a.* 🕭*)*; *(Geld-)* fine; *bei ~ e von* on pain of; **~en** to punish; to chastise; *j-n Lügen ~ en* to give s-b the lie; **~end** reproachful; **~entlassener** ex-convict; **~erlaß** remission (of punishment); **~fällig** liable to a penalty of, liable to be fined; punishable; **~frei** exempt from punishment; **~freiheit** exemption from punishment; **~gefangener** convict; prisoner; **~gericht** tribunal, criminal court; **~gesetz** penal law; **~gesetzbuch** penal code, criminal code; **lich** punishable; blamable, unpardonable; **ling** *(Gefängnis)* prisoner; *(Zuchthaus)* convict; **~los** exempt from punishment; with impunity; **~losigkeit** impunity; **~maß** measure of punishment; **~mündig** of a responsible age; **~porto** express postage; surcharge; **~predigt** *fig* lecture; *(j-m e-e ~ predigt halten* to give s-b a l.); **~prozeß** criminal case, criminal proceedings; **~recht** penal law, criminal law; **~rechtlich** penal, criminal; **~registerauszüge** criminal records; **~richter** criminal judge; **~sache** criminal case; **~verfahren** criminal procedure; **~versetzung** transfer for disciplinary reasons; **~vollstreckung**, **~vollzug** execution of sentences; **~würdig** deserving punishment, punishable

straff tight, tense; *(Seil)* taut; *(Haltung)* straight, erect; *fig* strict; *(streng)* severe, stern; **~en** to tighten; to stretch; *refl* to square one's shoulders; **~heit** tightness; tautness; strictness; severity

Strahl ray; beam; *(Wasser)* jet; *(Feuer)* flash; radius; **~en** to shine, to beam; to emit rays, to radiate; *~ en vor (fig)* to be ablaze with; **~end** radiant; beaming, shining; lustrous; **~enbrechung** refraction; **~enbündel** pencil of rays; **~enförmig** radiating; **~enforschung** radiology; **~enkrone** halo, glory; **~ung** radiation

Strähn|e strand (of hair); *(Garn)* skein, hank; **~ig** in strands

Stramin *(fine)* canvas

stramm tight; taut; robust, strapping; *(Weib)* buxom; **~stehen** to stand at attention

Strampel|höschen romper; playsuit; **~n** to kick, to toss; *s. bloß~n* to kick the bed-clothes off

Strand (sea-)shore; *(Bade-)* beach; **~anzug** beach suit; **~bad** bathing beach; seaside resort; **~en** to run aground; to run ashore; to be stranded; **~gut** flotsam (and jetsam), wreckage; **~korb** roofed beach-chair; **~läufer** *zool* sand-piper; **~räuber** beach-comber, wrecker; **~schuhe** beach-shoes; **~wächter** life-guard, beach-guard

Strang rope, cord; halter; *(Garn)* hank; ✿ track ♦ *am gleichen (an e-m) ~ ziehen* to act in unison, to pull all together; *über d. e schlagen*

to kick over the traces, to go on the loose; *zum ~ verurteilen* to condemn to the gallows; **~ulieren** to strangle

Strapaz|e exertion, fatigue; hardship; **~ieren** to tire (out), to knock up; *(Sache)* to wear hard; **~iös** fatiguing, exhausting

Straße street; *(Land-)* road; highway; *(Wasser-)* waterway; *(Meeres-)* straits; *auf d. ~* in the street, on the road ♦ *j-n auf d. ~ setzen* to turn s-b out, to give s-b the sack; *auf d. ~ liegen* to be stranded, *(Geld)* to be there to be picked up (in the street); *fig* avenue

Straßen|anzug *BE* lounge-suit, *US* business suit; **~arbeiter** roadman, *(Erd-) BE* navvy; **~bahn** *BE* tramway, *US* streetcar; **~bahnwagen** *BE* tramcar, *US* streetcar; **~bau** road construction; **~damm** roadway; **~dirne** street-walker, prostitute; **~kehrer** scavenger, street-sweeper; **~handel** street hawking; **~händler** costermonger, street vendor, hawker; **~junge** street arab, ragamuffin; **~karte** street map; road map; **~kreuzung** crossroads, intersection; **~lage**: *... hat e-e gute ~lage ...* holds the road well; **~laterne** street-lamp (-lantern); **~raub** highway robbery; **~räuber** highwayman, bandit; **~reinigung** street cleaning, *BE* scavenging; **~rennen** road race; **~sperre** road block; **~unterführung** *BE* subway, underpath; **~verkehrsordnung** *(etwa)* Road Traffic Law; *BE* Highway Code; **~walze** road roller; **~zug** line of streets

Strateg|e strategist; **~ie** strategy; **~isch** strategic

sträuben *vt* to ruffle (up), to bristle; *refl (Haar)* to stand on end; *fig* to resist, to struggle against; *su* resistance

Strauch bush, shrub; **~dieb** footpad; **~eln** to stumble; *fig* to stray; **~werk** bushes, shrubs

Strauß bunch (of flowers), bouquet; *(Streit)* fight; *zool* ostrich; **~enfeder** ostrich feather

Strebe brace; support; **~balken** strut, buttress; **~bogen** flying buttress; **~n** to endeavour (to get), to strive (after), to aspire (to); *su* endeavour; striving; aspiration; effort; **~pfeiler** buttress; **~r** pushing person, place-hunter; *(Schule) BE* crammer, *BE* swot, *US* grind; **~rtum** place-hunting; *BE* cramming, *BE* swot(ting); grind

strebsam zealous; assiduous; **~keit** zeal; assiduity

Streck|e stretch; length, distance; *(Land)* tract; 🚊 section; route; *math* straight line; *(Ski)* course, trail; *(Jagd-)* bag; *auf freier ~e* on the road, 🚊 on the open track; *e-e ~e Weges* some distance ♦ *auf d. ~e bleiben* to be killed, to be knocked out; *zur ~e bringen* to bag, to catch, to kill; **~en** to stretch (out), to extend; *fig* to make s-th last longer; *d. Waffen ~en* to lay down one's arms, to surrender; *j-n zu Boden ~en* to knock s-b down ♦ *s. nach d. Decke ~en* to cut one's coat according to one's cloth; **~enarbeiter** 🚊 platelayer; **~enkarte** route map; **~enwärter** linekeeper, lineman; **~enweise** here and there; **~muskel** extensor(-

muscle); **~ung** stretching; extension; **~verband** traction splint

Streich *(Schlag)* blow, stroke; practical joke, prank, trick *(j-m e-n ~ spielen* to play a t. on s-b); **~eln** to stroke, to caress; **~en** to touch gently, to pass lightly over; to paint; *(Butter)* to spread; *(Streichholz)* to strike; ♪ to play; *(Fahne)* to strike; *(Segel)* to furl, to lower; *(aus-)* to cancel, to delete, to strike out; *vi* to rove, to wander, to ramble; to fly; *(verlaufen)* to extend, to run; **~er** ♪ the strings; **~holz** match; **~instrument** stringed instrument; **~käse** processed cheese, cheese spread; **~musik** string music; **~orchester** string band; **~quartett** string quartet; **~quintett** string quintet; **~trio** string trio; **~ung** cancellation; omission

Streif = **~en**; **~band** wrapper; *unter ~band* under wrapper; **~e** patrol; **~en** *vt* to touch slightly; to brush (past); to graze; *(hoch-)* to turn up; *fig* to touch upon; *~en an (fig)* to border on; *vi* to rove, to roam, to wander; *mil* to patrol; *su* stripping; grazing; roving; strip, *(Farbe)* stripe; *(Papier)* slip; sector; **~enwagen** police patrol car; **~ig** striped; **~jagd** drive; **~licht** side-light; **~schuß** grazing shot; **~wunde** grazing wound; **~zug** expedition; scouting trip

Streik strike *(in d. ~ treten* to go on s.); **~brecher** *BE* blackleg, scab; **~en** to (go on) strike, *umg* to walk out; **~posten** picket; *~posten stehen* to picket

Streit quarrel *(e-n ~ vom Zaun brechen* to pick a qu.); dispute; fight; **~axt** battle-axe; **~bar** pugnacious, aggressive; **~en** to quarrel; to argue; to fight; to dispute *(über about, over)*; **~er** combatant; disputant; **~fall** quarrel; controversy; **~frage** matter in dispute, (point at) issue; **~hammel** quarrelsome fellow, brawler; **~ig** debatable, moot; *j-m etw ~ig machen* to contest (s-b's right to) s-th; **~igkeit** quarrel; dispute, controversy; **~kräfte** military forces; **~lustig** pugnacious, aggressive; **~punkt** = **~frage**; **~sache** ⚖ case, cause; **~schrift** polemical pamphlet; **~sucht** quarrelsome disposition; **~süchtig** quarrelsome; cantankerous; disputatious

streng strict; *(Gesetz, Kälte)* severe; *~e Kälte* bitter cold; *(asketisch)* austere; *(unbeugbar)* rigid; *(Person)* stern; harsh; **~e** strictness; severity; sternness; austerity; harshness; **~genommen** strictly speaking; **~gläubig** orthodox

Streu bed of straw; *(Tier)* litter; **~büchse**, **~dose** castor, caster; **~en** to strew; *(Samen)* to scatter; *(Mist etc)* to spread; *(Vieh)* to litter; **~feuer** scattered fire; **~mine** stray mine; **~zucker** castor sugar

streunen to roam about

Strich line; stroke, dash *(a. Morse-)*; *(Kompaß)* point; *(Teil-) mil*, graticule; *(Land-)* tract, region; *(Vögel)* flight; *(Stoff)* nap, grain; ♪ *(Geige)* bowing; *unter d. ~* under the line ♦ *j-m gegen d. ~ gehen* to go against the grain with; *j-n auf d. ~ haben* to bear s-b a grudge;

j-m e-n ~ durch d. Rechnung machen to cross (*od* thwart) s-b's plans; *e-n ~ machen unter (fig)* to put an end to; *nach ~ u. Faden* thoroughly, right and left; **~ätzung** *bes BE* line block, *bes US* zincograph, zinc etching; **~einteilung** graduation (in mils); **~eln** to hatch, to shade in; **~punkt** semicolon; **~regen** local shower; **~weise** here and there

Strick cord, rope; halter; *(Schlinge)* snare; *fig* young rogue; **~arbeit** knitting; **~en** to knit; *(Netz)* to net; *rechts ~en* to knit plain; *links ~en* to knit purl; **~erin** knitter; **~erei** knitting; **~garn** knitting-yarn; **~handschuh** knitted glove; **~jacke** cardigan; **~kleid** knitted dress, jersey dress; **~leiter** rope-ladder; **~nadel** knitting-needle; **~strumpf** knitted stocking; knitting (of a stocking); **~ware** hosiery; knitted goods, knitwear; **~wolle** knitting wool; **~zeug** knitting (things)

Striegel curry-comb; **~n** to curry, to rub down

Striem|en weal, wale; streak; **~ig** covered with weals

strikt strict

Strippe string; strap; (boot-)tab; ♀ *umg* phone

strittig debatable; disputed; *~e Frage* question at issue

Stroh straw; *(Dach-)* thatch ♦ *~ im Kopf haben* to be as stupid as an owl, to have no brains; *leeres ~ dreschen* to talk a lot of piffle; **~blume** everlasting flower, immortelle; **~dach** thatched roof; **~decke** straw mat; **~feuer** *fig* short-lived passion; **~halm** straw ♦ *s. an e-n ~halm klammern* to clutch at a straw; **~hut** straw hat, boater; **~ig** strawy; **~mann** *fig* man of straw; figure-head, dummy; **~pappe** straw board; **~sack** straw mattress; **~witwe** grass widow; **~witwer** grass widower

Strolch tramp, vagabond; *(Schurke)* hoodlum; **~en** to be idling about; to roam about

Strom large river; stream; *(Strömung)* current; ⚡ current, power; *(Worte)* torrent; **~ab** downstream; **~abnehmer** ⚡ collector; **~abschaltung** power cut; **~auf** upstream; **~ausfall** power failure; **~bett** bed (of the river); **~en** to stream, to flow; *(Regen)* to pour down; to rush; *(Menschen)* to flock, to crowd; **~erzeuger** dynamo; **~gebiet** basin (of a river); **~kreis** ⚡ circuit; **~linie** streamline; **~linienförmig** streamlined; **~messer** ammeter; **~schiene** live rail, third rail; **~schnelle** rapid; **~spannung** voltage; **~stärke** current intensity; **~ung** current; stream, flow; flood; *fig* trend, tendency; spirit; **~unterbrecher** circuit-breaker, cut-out; **~verbrauch** power consumption; **~wender** commutator

Stromer tramp, vagabond

Strophe stanza, verse

strotzen to abound (*von* with); to teem (*von* with); to be full (*von* of); *vor Gesundheit ~ to* enjoy robust health; **~d** abounding; robust, vigorous; *(Euter)* distended

Strudel whirlpool, eddy, maelstrom; *fig* rush, crush; **~n** to whirl; to eddy; to bubble, to boil

Struktur structure; pattern; set-up; nature,

character; **~bedingt** structural; **~ell** structural; basic; fundamental

Strumpf stocking ♦ *s. auf d. ~e machen to* make off; **~band** garter; **~halter** *BE* suspender, *US* garter; **~haltergürtel** *BE* suspender (*US* garter) belt; **~waren** hosiery; **~wirkerei** manufacture of stockings

Strunk stalk; stump

struppig shaggy, uncombed; bristly

Strychnin strychnine

Stube room, chamber; *gute ~* parlour, drawing-room; *d. ~ hüten* to keep one's room; **~narrest** confinement to quarters; **~nfliege** common fly; **~ngelehrter** book-worm; **~ngenosse** room-mate; **~nhocker** stay-at-home; **~nmädchen** housemaid; *(Hotel)* chambermaid; **~nrein** *(Hund)* house-trained; **~nweisheit** bookishness

Stuck stucco; **~decke** stucco(ed) ceiling

Stück piece; *(Bruch-)* fragment; *(~chen)* morsel, bit; *(Zucker-)* lump; *(Seife)* bar, cake; *(Text)* passage, extract; ♟ play; *~ für ~* bit by bit, piece by piece; *aus freien ~en* from choice, of one's own accord; *d. ist e. starkes ~!* that's a bit thick!; *e. schönes ~ Geld* a nice sum of money; *aus e-m ~* all of a piece; *in allen ~en* in every regard; *in ~e gehen* to break in pieces; *große ~e halten auf j-n* to hold s-b in high esteem, to think the world of s-b; **~arbeit** piece-work; **~eln** to cut to pieces, to divide into pieces; to subdivide; **~gut** parcelled freight; mixed cargo; **~lohn** piece wage, piece rate; **~weise** by the piece; **~werk** bungled work; **~zahl** number of pieces; **~zucker** lump sugar

Stud|ent student, undergraduate; **~entenjahre** time at college; **~entenschaft** (body of) students; **~entensprache** students' slang; **~entenverbindung** students' society (*od* club), *US* fraternity, *(Studentinnen)* sorority; **~entin** woman student, *US* co-ed; **~entisch** student-like; **~ie** (writer's, painter's) study, sketch; essay; monograph; **~iendirektor** (deputy) headmaster (of secondary school); **~ienfach** branch of study; **~ienfahrt** study trip; **~iengang** course of studies; **~ienhalber** for the purpose of studying; **~ienplan** course of study, curriculum; **~ienrat** secondary-school teacher; assistant master; **~ieren** to study, to go to college; **~ierstube** study; **~ium** study; curriculum, course of study

Stufe step, stair; *(Leiter)* rung; *fig* shade, nuance; degree, grade; level, stage; *(Einkommens-)* bracket; *auf gleicher ~ mit* on a level with; **~nartig** gradual; **~nfolge** gradation, series; gradual progress; **~nleiter** scale, gradation; *fig* ladder; **~nweise** gradually, by degrees

Stuhl chair; *(Schemel)* stool; *(Sitz)* seat; *eccl* pew; ⚕ evacuation of the bowels; *d. Heilige ~* the Holy See ♦ *j-m d. ~ vor d. Tür setzen to* turn s-b out of doors; *s. zwischen zwei ~e setzen* to fall between two stools; **~bein** chair leg; **~bezug** chair-cover; **~gang** motion, evacuation of the bowels; **~lehne** chair back

Stuka dive bomber

Stulle slice of bread and butter

Stulp|e cuff; (boot-)top; ~**en** to turn up(side down); to put on; ~**enhandschuh** gauntlet; ~**enstiefel** top-boot; ~**nase** snub-nose

stumm dumb, mute; speechless; ~*es Spiel* dumb show; ~**e(r)** dumb person; ~**el** end; *(Bleistift)* stub; stump; ~**heit** dumbness

Stump|en stump; (Swiss) cigar; ~**er** bungler; ~**erei** bungling; ~**erhaft** bungling; ignorant; ~**ern** to bungle

stumpf blunt; dull; *math* obtuse; indifferent, apathetic; *su* stump ♦ *mit ~ u. Stiel* root and branch, completely; ~**heit** bluntness; dullness; ~**sinn** stupidity; dullness; ~**sinnig** stupid; dull; ~**winklig** obtuse-angled

Stund|e hour; *(Unterricht)* lesson, period; *zu jeder ~ e* at all hours, at any time; *e-e halbe ~ e* half an hour; *in 12. ~ e* at the eleventh hour; *s-e ~ e ist gekommen (hat geschlagen)* his hour is come (has struck); ~**en** to grant a respite; to allow time to pay; to defer, to postpone; ~**enbuch** prayer-book; ~**engeld** fee (for lessons); ~**englas** hour-glass; ~**enlang** for hours (together); ~**enlohn** wage per hour; ~**enplan** time-table; ~**enschlag** striking of the hour; ~**enweise** by the hour; ~**enzeiger** hour-hand; ~**lich** hourly; every hour; ~**ung** respite; delay of payment, extension (of a debt etc)

stups|en to nudge; ~**nase** snub-nose, turned--up nose

stur stubborn, *umg* cussed

Sturm storm, gale; assault; *fig* tumult, turmoil; fury; ~ *im Wasserglas* storm in a teacup; ~ *laufen gegen* to assault, to storm; ~ *läuten* to ring the alarm; ~**angriff** assault; ~**boot** assault boat; ~**en** *vt* to take by storm; to assault; *vi* to be stormy, to be blowing a gale; to dash, to rush (upon, against); ~**er** forward; ~**flut** storm tide; ~**gepäck** combat pack; ~**geschütz** assault gun; ~**gewehr** automatic rifle; ~**glocke** alarm-bell; ~**isch** stormy; ~**ischer Wind** fresh gale; *fig* violent, impetuous; ~**laterne** hurricane lamp; ~**leiter** scaling--ladder; ~**schritt** double time; ~**schwalbe** storm petrel; ~**segel** storm sail; ~**signal** storm signal; ~**trupp** assault party; ~**warnung** gale warning; ~**wind** gale, hurricane

Sturz (sudden) fall, tumble, crash; plunge; *(Fels)* precipice; *fig* overthrow; ruin, downfall; *zum ~ bringen* to overthrow; ~**acker** newly ploughed field; ~**bach** (mountain) torrent; ~**en** to throw (down); *(um-)* to upset, to overthrow; to tilt over; *(Glas)* to empty; *(Rock)* to turn; *vi* to fall (down, upon, into); to plunge (into); *(eilen)* to rush, to dash; *(Tränen)* to stream *(aus* from); ~ to dive; to crash; ~**flug** (nose-)dive; ~**güter** bulk goods; ~**helm** crash helmet; ~**kampfflugzeug** dive-bomber; ~**see** heavy sea; ~**welle** breaker

Stute mare; ~**nfüllen** filly

Stütz|balken brace, supporting beam; ~**e** prop, stay; *bes* ✿ column, buttress; support, help; lady help; ~**en** *vt* to prop up; to support;

to base, to found (on); *refl* to lean on, to rest (one's arms) on; *fig* to be based upon, to be founded upon; ~**mauer** retaining wall; ~**pfeiler** pillar, support; ~**punkt** base; strong point

Stutz|bart close-cropped beard; ~**en** to cut (short), to trim; to curtail; *(Flügel)* to clip; *(Schwanz)* to dock; *vi* to be startled, to be taken aback; *su* short rifle; ~**er** fop, dandy; ~**flügel** baby grand; ~**ig** startled, puzzled; ~ *ig machen* to startle, to puzzle

subaltern subaltern; subordinate; *fig* mediocre

Subjekt *gram* subject; *(Kerl)* fellow, creature; ~**iv** subjective; ~**ivität** subjectivity

Sublim|at sublimate; ~**ieren** to sublimate

Submission (contract by) tender; *in ~ geben* to invite tenders for

Subskri|bent subscriber; ~**bieren** to subscribe for; ~**ption** subscription

substant|iell substantial; ~**iv** noun, substantive; ~**ivieren** to use as a noun; ~**ivisch** substantive, substantival

Substanz substance, matter

Substrat substratum

subtil subtle, fine; ~**ität** subtlety

subtra|hieren to subtract; ~**ktion** substraction

subtropisch subtropical; semi-tropical

Subvention (government) subsidy; ~**ieren** to subsidize

Such|anzeige classified ad, *US* want ad; ~**dienst** missing person service; ~**e** search; quest; *auf d. ~ e gehen* to go in search *(nach* of); *auf d. ~ e nach* in search for, on the lookout for; ~**en** to (try to) find, to look for; to seek (to do); to desire, to want; *(Streit)* to pick; ... ~*t seinesgleichen* cannot easily be rivalled; *d. Weite ~ en* to run away; *nach Worten ~ en* to be at a loss for words; *Sie haben hier nichts zu ~ en* you have no business here; ~**er** searcher; ▥ view-finder; 🚗 spot-light; ~**gerät** locating equipment

Sucht passion, mania; *(Morphium etc)* addiction; disease; ~**ig** addicted; ~**iger** addict; ~**igkeit** addiction

Sud brewing; boiling; decoction; ~**elei** slovenly work; daubing, *(Schreib-)* scribbling; ~**eln** to do in a slovenly way; to scribble, to scrawl; ~**ler** sloven; bungler

Süd|(en) south; *im ~ en* (to the) south (of), in the south of; *nach ~ en* south, towards the south; ~**früchte** tropical and subtropical fruits; ~**länder** southerner; ~**lich** southern; southerly; lying towards the south; ~**ost(en)** south-east; ~**östlich** south-east; ~**pol** South pole; ~**wärts** southward; ~**west(en)** south--west; ~**westlich** south-west; ~**wind** south wind

Suff tippling, boozing

sugge|rieren to suggest; ~**stion** suggestion; ~**stiv** suggestive; ~**stivfrage** leading *(od* suggestive) question

Suhle muddy pool; wallow

sühn|bar expiable; ~**e** expiation, atonement; ~**en** to expiate, to atone for; ~**etermin** conciliation hearing; ~eversuch attempt at reconciliation

Suite *(Gefolge)* suite, retinue; ♪ suite

sukzessive in successive stages

Sultan sultan; ~ine sultana, *bes US* seedless raisin

Sülze jellied meat; *(Schweine-)* brawn, *US* headcheese; ~n to jelly

summ|arisch summary; brief, succinct; ~e sum; *(Gesamt-)* sum total; total amount; ~e ziehen to sum up; ~ieren to add up; *refl* to run up to

summ|en to hum, to buzz; *(Ohr)* to tingle; ~er buzzer; ~ton ♫ dial hum

Sumpf swamp, marsh, bog; *(Morast)* morass; 🚗 sump; ~dotterblume marsh-marigold, *US* cowslip; ~en *umg* to lead a dissolute life; ~fieber marsh-fever; malaria; ~huhn moorhen; *fig umg* boozer; ~ig swampy, marshy, boggy; ~wiese swamp meadow

Sund sound, straits

Sünd|e sin; trespass, transgression; offence; häßlich wie d. ~e as ugly as sin; *es ist e-e ~e u. Schande* it's a sin and a shame; ~enbock scapegoat; ~enfall the fall (of man); ~enregister list of misdeeds; ~er(in) sinner; ~haft, ~ig sinful; ~igen to sin (*an, gegen* against); ~los sinless

Super *BE* premium petrol, *US* pr. gasoline

Superintendent dean

Super|lativ superlative; ~oxyd peroxide

Suppe soup; broth ♦ *s. e-e ~ einbrocken* to let o.s. in for s-th; *d. ~ auslöffeln, d. m. s. eingebrockt hat* as you make your bed, so you must lie on it; *j-m d. ~ versalzen* to spoil s-th for s-b; ~nfleisch beef (of which soup is made); ~nkräuter pot-herbs; ~nlöffel soup-spoon; ~nteller soup-plate; ~nterrine soup-tureen; ~nwürfel soup cube

Supplement supplement; ~winkel supplementary angle

Support ✿ (slide) rest

Suppositorium ⚕ suppository

surren to buzz, to hum

Surrogat substitute

suspendier|en to suspend; to discontinue; ~ung suspension; discontinuance

süß sweet; fresh; *fig* lovely; ~e sweetness; ~en to sweeten; ~holz liquorice, *US* licorice; ~holz raspeln to talk soft nonsense; ~igkeit sweetness; *pl* sweets, *US* candy; ~lich sweetish; mawkish; ~speise pudding, *bes BE* sweet; ~stoff saccharin; ~waren sweets; confectionary; ~wasser fresh water

Swing *(Waren)* swing; ♪ swing, jive; ~ spielen to swing, to jive

Symbol symbol; sign, figure; ~ik symbolism; ~isch symbolical; figurative

Symmetr|ie symmetry; ~isch symmetrical

Sympath|ie sympathy; liking; ~isch likable; agreeable, nice; congenial; *(mitfühlend (mit* with)); to like s-b

Symphon|ie symphony; ~iekonzert symphony

concert; ~ieorchester symphony orchestra; ~isch symphonic

Symptom ⚕, *fig* symptom; indicator, sign, pointer; ~atisch symptomatic (*für* of), indicative (*für* of)

synchron synchronous; ~getriebe synchromesh; ~isieren 🎬 to synchronize, to dub; ~motor synchronous motor

Syndik|at syndicate; ~us syndic

Synkop|e syncope; ~ieren to syncopate

Synode synod

synonym synonymous; *su* synonym; ~ik synonymy; synonymics

synta|ktisch syntactical; ~x syntax

Synthe|se synthesis; ~tisch synthetic; ~tisieren to synthesize

Syphil|is syphilis; ~tisch syphilitic

Syringe *bot* lilac

System system; ~atik system; orderly arrangement; make-up; systematology; ~atiker systematist; ~atisch systematic; ~atisieren to systematize

Szen|e scene (*a.* 🎭); 🎬 sequence; *in ~e setzen* ✝ to stage, *fig* to set in motion, to launch; ~erie scenery, decor; ~isch scenic

T

T (the letter) T

Tabak tobacco, ~bau tobacco growing; ~dunst fumes of tobacco; ~geschäft tobacconist's shop; ~händler *BE* tobacconist, *US* tobacco dealer; ~beutel tobacco-pouch; ~sdose snuffbox; ~spfeife tobacco pipe

tabell|arisch tabular, tabulated; ~e table; schedule

Tabernakel tabernacle

Tablett tray, *(Metall)* salver; ~e tablet, lozenge

Tachometer speedometer

Tadel blame, fault; *(scharf)* censure, reproof; *ohne ~* blameless; ~los irreproachable; perfect, excellent; ~n to find fault with, to blame, to reprimand; ~nswert blameworthy; ~süchtig censorious

Tadler fault-finder, critic

Tafel board; *(Wand-)* blackboard; *(Gedenk-)* plaque; tablet; *(Schokolade)* cake; *(Holz, Schiefer)* slab; *(Täfelung)* panel; *(Eß-)* (dinner-)table; meal; banquet; *(Buch-)* plate; *(Tabelle)* table; chart; *(graphisch)* diagram; *d. ~ aufheben* to rise from table; ~aufsatz centrepiece; ~besteck knife, fork and spoon; ~butter best (*od* fresh) butter; ~n to dine, to feast; ~ to panel, to wainscot; ~obst dessert fruit; ~öl salad oil; ~runde guests (at table); ~ung panelling, wainscoting; ~werk = ~ung; book with full-page plates

Tag day; daylight; light; life(time); *alle ~e* every day; *d. ganzen ~* all day long; *~ für ~* day by day; *dieser ~e* one of these days; *bei ~e* by daylight; *am hellichten ~e* in broad daylight; *in 8 ~en* in a week; *heute in 8 ~en* today week; *heute in 14 ~en* today fortnight; *e-s ~es*

one (fine) day; ~s darauf, d. anderen ~ the day after, the next day; unter ~e arbeiten to work underground; d. ~ X D-Day; auf meine alten ~e in my old age; etw an d. ~ bringen to bring s-th to light; an d. ~ kommen to come out; in d. ~ hineinleben to live for the present, to live from hand to mouth; verschieden wie ~ u. Nacht as like as chalk and cheese; ~aus, ~ ein day in, day out; ~ebau open-cast mining; ~eblatt daily paper; ~ebuch journal, diary; daybook; ♪ log; ~edieb idler; ~egeld daily (travelling) allowance; ~elang for days and days, for days (on end); ~elohn wages; ~elöhner day-labourer; ~en to get light, to dawn; (zusammenkommen) to meet, to confer; ~ereise day's journey

Tages|anbruch daybreak; ~arbeit day-work; ~ausflug day's excursion; ~befehl order of the day; ~geld (Bank) call money; ~gespräch topic of the day; ~kurs day course; (Bank) day's rate of exchange; ~heim club, centre; ~karte (today's) bill of fare; day ticket; ~licht daylight; ~ordnung agenda; ~presse daily press; ~zeit daytime; zu jeder ~ zeit at any time of the day; ~zeitung daily paper

tag|eweise on alternate days, by the day; ~ewerk day's work, daily task; ~falter butterfly; ~hell as light as day; ⁓lich daily, everyday; ⁓lich fällig payable on demand; ~süber by day; ~täglich daily, every day; ~undnachtgleiche equinox; ~ung meeting, conference

Tagetes bot marigold

Taifun typhoon

Taille waist; (Kleid) bodice

Takel ♪ tackle; ~age, ~ung, ~werk rigging, tackle; ~n to rig

Takt ♩ time, bar beat; fig tact; ³/₄-~ three-four time; ⁴/₄-~ common time, four-four time; ⁶/₈-~ six-eight time; d. ~ schlagen to beat time; d. ~ halten to keep time; er ist aus d. ~ he is out of time; im ~ in time, in step; ~fest keeping good time; reliable, well versed; ~gefühl tact; ~ieren to beat time, fig to proceed tactically; ~ik tactics; ~iker tactician; ~isch tactical; ~los tactless; ~losigkeit tactlessness; indiscretion; ~messer metronome; ~stock baton; ~strich bar (line); ~straße ✿ assembly line; ~voll tactful, discreet

Tal valley; zu ~ downhill, downstream; ~abwärts downhill; ~boden bottom of a valley; ~fahrt descent; ♪ down voyage; ~kessel, ~mulde amphitheatre; basin-shaped valley; ~senke hollow (of a valley); ~sohle bottom of a valley; ~sperre river dam, barrage

Talar eccl, 🎓 gown, robe

Talent talent, ability, faculty; talented person; ~iert, ~voll talented

Taler taler

Talg suet; (ausgelassen) tallow; ~drüse sebaceous gland; ~licht tallow-candle

Talisman talisman

Talje ♪ tackle

Talk talc(um); ~erde magnesia; ~puder talcum powder; ~um talc(um)

Talmi pinchbeck, goldbrick

Tamarinde tamarind

Tambour drummer; ~in tambourine; ~major drum-major

Tand gewgaw, gimcrack, bauble; trifle, toy; ⁓elei dallying, dalliance; dawdling; ⁓eln to dally, to trifle; to dawdle

Tandem tandem (bicycle)

Tang seaweed, brown algae

Tangen|s math tangent; ~te math tangent (line)

Tangerine bot mandarin

tangieren to affect

Tank tank (a. mil); ~anlage fuel installation; ~en to take in petrol, to (re)fuel, to fill up; ~er ♪ tanker; ~lager fuel depot; ~stelle filling station, service station, BE petrol station; ~wagen 🚗 tank truck; 🚃 tank car; ~wart BE petrol pump attendant, US gas station operator

Tann (fir-)forest; ~e fir; ~enbaum fir-tree; ~enhäher nutcracker; ~enholz deal; ~ennadeln fir-needles; ~enwald fir-forest; ~enzapfen fir-cone

Tantalusqualen the torments of Tantalus

Tante aunt

Tantieme (author's) royalty; percentage (of the profits)

Tanz dance; ball; d. ~ geht los there will be a row; e-n ~ aufführen to make a terrible to-do; darf ich Sie um diesen ~ bitten? may I have the pleasure of this dance?; ~bein: d. ~bein schwingen to dance, to hop; ~boden dancehall; ⁓eln to frisk, to caper; (Pferd) to amble; ~en to dance; to rock; (wirbeln) to spin, to go round; ⁓er(in) dancer; partner; ~erei dancing, hopping; ~lehrer dancing-master; ~lokal dance-hall; ~musik dance-music; ~schritt dancing-step; ~schule dancing-school; ~sport dancing; ~stunde dancing-lesson; ~tee thé dansant

Tapet carpet (auf d. ~ on the c.); auf d. ~ bringen to broach; ~e wall-paper; ~entür hidden door, jib-door

tapezier|en to paper; ~er paper-hanger; upholsterer; decorator

tapfer brave, valiant; ~keit bravery

Tapioka tapioca

Tapir tapir

Tapisserie tapestry; ~waren tapestry goods

tapp|en to grope one's way, to grope about, to fumble; im Dunkeln ~en to be in the dark; ⁓isch awkward, clumsy

Tarantel zool tarantula; wie von d. ~ gestochen as if stung by a hornet; ~la tarantella

Tarif (Zoll-) tariff; scale of charges (bzw tax rates); wage scale, salary scale; ~abkommen collective wage agreement; ~gehalt agreed-scale salary; ~gruppe tax bracket; ~ieren to classify; ~lich according to agreement; on the agreed scale; in accordance with the tariff; ~lohn standard wage (according to collective agreement); ~partner partner to a wage agreement; employers and employed; ~verhandlungen collective bargaining; ~vertrag collective wage (and salary) agreement

tarn|en to camouflage; to screen; ~kappe magic hood; ~ung camouflage

Tasche pocket; *(Beutel)* pouch, bag; *(Hand-)* handbag; *(Geld-)* purse ♦ *tief in d.* ~ *greifen* to dip deep(ly) into one's purse; *j-m auf d.* ~ *liegen* to be a burden on s-b; *j-n in d.* ~ *stecken* to beat s-b; ~nausgabe pocket edition; ~nbuch pocket-book; ~ndieb pickpocket; ~nformat pocket-size; ~ngeld pocket-money, allowance; ~nkamm pocket comb; ~nkalender diary; ~nkrebs common crab; ~nlampe electric torch, *US* flashlight; ~nmesser pocket-knife; ~nspiegel pocket-mirror; ~nspieler conjurer; ~ntuch handkerchief; ~nuhr watch; ~nwörterbuch pocket dictionary

Tasse cup; cupful; ~nkopf cup

Tast|atur keyboard, keys; ~e ♪, ♆ key; ~en to touch, to feel; to grope; ♆, ⬤ to key; ~eninstrument keyboard instrument; ~enreihe keyboard; ~er feeler; ~sinn sense of touch; ~zirkel callipers

Tat act, action; fact; deed, feat; *(Leistung)* achievement; *e. Mann d.* ~ a man of action; *in d.* ~ indeed, as a matter of fact; *auf frischer* ~ *ertappen* to catch in the very act, to c. red-handed; ~bestand facts (of a case); state of affairs, situation; ~endrang, ~endurst thirst for action; ~enlos inactive; idle; ⁀er doer; perpetrator; *(Schuldiger)* culprit; ⁀ig active; busy; *(angestellt)* employed, engaged; ⁀igen to effect; to conclude; ⁀igkeit activity, activities; *(Beruf)* occupation; ⁀igkeitswort verb; ~kraft energy; ~kräftig energetic, vigorous; ~lich *werden* to assault s-b; to become violent; ⁀lichkeit assault; violence; ~sache fact; ~sachenbericht factual account; case history; ~sachenkenntnisse factual knowledge; ~sachenmaterial factual material; ~sächlich actual; real; *adv* in fact

tätowieren to tattoo

tätscheln to stroke, to caress

Tatze paw

Tau¹ dew; ~en to thaw; *es ~t* it is thawing; to fall (as dew); ~feucht wet with dew; ~frisch fresh with dew; ~perle, ~tropfen dewdrop; ~wetter thaw; ~wind wind that brings a thaw

Tau² rope; cable; ~werk cordage, ropes; ⚓ rigging; ~ziehen 🐾, *fig* tug-of-war

taub deaf; *(Ei)* addled; *(Nuß)* hollow; *(Glied)* numb; *fig* empty; dead, barren; ~heit deafness; ~nessel dead-nettle; ~stumm deaf and dumb, deaf-mute; ~stummer deaf-mute; ~stummenanstalt deaf-and-dumb school; ~stummensprache deaf-and-dumb sign language

Täubchen young pigeon, young dove; darling

Taube pigeon; dove; ~nhaus pigeon-house, loft; ~nschießen trap-shooting; ~nschlag dovecot; ~nzüchter pigeon-fancier; ~r(ich) cock pigeon

Tauch|boot submarine; ~en to dip, to steep, to plunge; *vi* to dive, to plunge; *(U-Boot)* to sub-

merge; ~er diver *(a. zool)*; ~eranzug diving-dress; ~ergerät aqualung; ~erglocke diving-bell; ~erhelm diving-helmet; ~sieder immersion heater

Tauf|akt christening ceremony; baptism; ~becken font; ~buch, ~register parish register; ~e baptism; christening; *aus d.* ~ *e heben* to be godfather (godmother) to s-b, *fig* to initiate; ~en to baptize, to christen; ⁀er baptist; ~kapelle baptistry; ⁀ling infant to be christened; candidate for baptism; ~name Christian name; ~pate godfather, sponsor; ~patin godmother, sponsor; ~schein certificate of baptism; ~zeuge sponsor

taug|en to be of use, to be useful; to be worth s-th; to be fit *(zu for)*; *es ~t nichts* it won't do, is good for nothing; ~enichts good-for-nothing, ne'er-do-well; ~lich useful; suitable; fit *(a. mil)*; capable; *(Mittel)* proper; ~lichkeit suitability, usefulness; fitness

Taumel giddiness; reeling, staggering; *fig* passion; frenzy; ~ig giddy; reeling; ~n to be giddy; to reel, to stagger

Tausch exchange, barter; *e-n guten* ~ *machen* to make a good bargain; ~en to exchange, to barter, *umg* to swop; *ich möchte nicht mit ihm* ~ *en* I would not like to change places with him; ~handel barter; ~weise by way of exchange

täusch|en to deceive, to delude; *(ent-)* to disappoint; *refl* to be mistaken; to deceive o.s.; ~end ähnlich as like as two peas; ~ende Ähnlichkeit striking resemblance; ~ung deception, fraud; mistake; illusion; ~ungsunternehmen diversion

tausend thousand; ~undeine Nacht the Arabian Nights; ~er thousand; ~erlei of a thousand (different) kinds; ~fach, ~fältig a thousandfold, a thousand times; ~füßler myriapod; ~jährig a thousand years old; millennial; ~mal a thousand times; ~sassa Jack-of-all-trades; conjurer; ~ste thousandth; ~stel thousandth part

Tax|ameter taximeter; ~ator *BE* valuer, valuator; ~e fixed price *(od rate, fee)*; estimate, valuation; taxi(-cab), cab; ~i taxi(cab), cab; ~ieren to appraise, to value; to estimate; ~wert estimated value

Taxus yew(-tree)

Techn|ik technical science(s); engineering; *(Lehre v. d.* ~ *ik)* technology; *(Praxis)* practice, technique; ♪ technique, execution; ~iker technician, engineer; ~ikum technical school; ~isch technical; practical; *(Anlagen, Zwecke)* industrial; ~ *ische Disziplinen* 🐾 field events; ~ische Hochschule Institute of Technology, *bes BE* College of Technology, *bes US* Technological Institute; ~ische Messe engineering fair; ~ische Wissenschaft engineering science; ~ologe technologist; ~ologie technology; ~ologisch technological

Techtelmechtel love affair, flirtation

Teckel dachshund

Tee tea ♦ *abwarten u.* ~ *trinken* just wait and

see; **~beutel** tea-bag; **~brett** tea-tray; **~büchse,
~dose** (tea-)caddy; **~-Ei** infuser, tea ball;
~gebäck small cakes, *US* cookies; **~geschirr**
tea service (*od* set); **~gesellschaft** tea party;
~löffel tea-spoon; **~maschine** tea-urn; **~rose**
tea-rose; **~sieb** tea-strainer; **~tasse** tea-cup;
~wagen tea-wagon, tea-trolley; **~wärmer** cosy,
US cozy

Teenager teenager, *BE a.* flapper, *US a.*
bobby-soxer

Teer tar; **~en** to tar; **~ig** tarried; **~jacke** Jack
Tar

Teich pond; *d. große* ~ the big ditch, the her-
ring-pond

Teig dough; *(Eier-)* batter; *(Kuchen-)* paste;
(Blätter-) puff-paste; **~ig** doughy; pasty;
~waren pasta; macaroni, spaghetti, vermicelli

Teil part; portion; section; share; party; *fig*
due; *e. gut* ~ a good deal; *zum* ~ partly, to
some extent; *zum größten* ~ for the most part;
s. s-n ~ *denken* to have one's own thought
about s-th; **~bar** divisible; **~barkeit** divisibil-
ity; **~betrag** partial amount; **~chen** particle;
~en to divide; *(aus-)* to share (out), to portion;
(ver-) to distribute; to share (*mit* with s-b); *refl*
to share in; to give s-b a share of; to branch
off, to divide; **~er** divider, divisor; **~haber**
partner; participant, sharer; *stiller ~haber*
sleeping partner; **~haberschaft** partnership;
~haftig partaking, sharing; *~haftig werden* to
share (*an* in); to participate (*an* in); **~nahme**
participation; co-operation; interest; sympathy; **~nahmslos** indifferent, apathetic;
~nahmsvoll sympathetic, full of sympathy;
~nehmen *an* to take part in; to assist in; to interest o.s. in; **~nehmer** participant; sharer;
subscriber; member; **~s** partly; **~strecke** section; fare-stage; **~ung** division; *pol* partition;
graduation; **~weise** partial; *adv* partly, in part;
~zahlung part(ial) payment, instalment

Teint complexion

Telegramm telegram; **~adresse** telegraphic
address; **~formular** telegram form, *US* telegram blank

Telegraph|enamt telegraph office; **~enleitung**
telegraph circuit; **~enstange** telegraph pole;
~ie telegraphy; *drahtlose ~ie* radiotelegraphy;
~ieren to telegraph, to wire; *(per Kabel)* to
cable; **~isch** by telegram, by wire; *~isch überweisen* to wire; **~ist** telegraphist

Tele|objektiv telephoto lens; **~pathie** telep-
athy; **~pathisch** telepathic

Telephon telephone; *am* ~ *bleiben* to hold the
line; **~amt** telephone exchange, *BE* trunk exchange, *US* central; **~anruf** phone call;
~anschluß telephone connection; *~anschluß
haben* to be on the phone; **~apparat** telephone
set; **~buch** telephone directory; **~gespräch**
(telephone) call; **~ieren** to telephone; to ring
up, to call up; **~isch** telephonic; *adv* by telephone; **~ist(in)** telephone operator; **~zelle** *BE*
call-box, *US* telephone booth; **~zentrale** telephone exchange, *US* central [graphy

Telephoto telephoto; **~graphie** telephoto

Teleskop telescope; **~isch** telescopic

Teller plate; *tiefer* ~ soup-plate; **~tuch** dish-
towel; **~wäscher** dishwasher

Tempel temple; **~herr** Knight Templar;
~orden order of templars; **~raub** sacrilege

Tempera(farbe) distemper; *mit* ~ *(an)malen*
to distemper

Temperament *(dauernd)* temperament, *(wechselnd)* temper; disposition; character; *(Lebhaftigkeit)* vivacity, spirits; **~los** spiritless, wanting in vivacity; **~voll** high-spirited, vivacious;
passionate, ardent

Temper|atur temperature; **~aturschwankungen**
variations of temperature; **~enzler** teetotaller;
~ieren to temper

Temp|o time; tempo; speed; **~orär** tem-
porary, for the time being; **~taschentuch** Klee-
nex; **~us** *gram* tense

Tendenz tendency, trend; inclination, propensity; **~iös** tendentious; biased, prejudiced;
~roman novel with a purpose

Tender tender

Tenne threshing-floor

Tennis (lawn-)tennis; **~ball** tennis-ball;
~platz tennis-court; **~schläger** (tennis-)racket;
~spiel game of tennis

Tenor *fig* tenor

Teppich carpet; *(klein)* rug; **~kehrmaschine**
carpet-sweeper; **~schoner** drugget

Termin time(-limit); fixed (*od* appointed) day;
due date; maturity; term; *e-n* ~ *setzen* to
fix a date (*od* time); **~arbeit** scheduled work;
~einlage *(Bank)* time deposit; **~geschäft** forward business; **~kalender** appointment book;
~ologie terminology

Termite termite, *umg* white ant

Terpentin turpentine

Terrain ground, country

Terrasse terrace; **~nförmig** terraced

Terr|ier terrier; **~ine** tureen; **~torium** territory

Terror terror; **~isieren** to terrorize; **~ist** terrorist

Terz third; *(Fechten)* tierce; **~ett** trio; **~erol**
pocket-pistol

Tesafilm sellotape

Tesching small rifle

Test test, analysis; trial; **~befragung** opinion
poll; **~en** to test; to analyse

Testament testament, will; **~arisch** testamentary, by will; **~svollstrecker** executor; **~svoll-
streckerin** executrix

testieren to testify, to attest; to make a will, to
bequeath

teuer expensive; dear; costly; *fig* beloved,
dear; *da ist guter Rat* ~ it is really difficult to
give good advice; *j-m* ~ *zu stehen kommen* to
cost s-b dear; **~ung** high cost of living; dearth,
scarcity; famine; **~ungszulage** cost-of-living
allowance

Teufel devil; *pfui* ~*!* how disgusting!; *zum* ~
gehen to go to rack and ruin; *j-n zum* ~ *jagen*
to send s-b packing; *in* ~*s Küche kommen* to
be in the soup, to get into an awkward scrape;
s. d. ~ *um etw scheren* not to care a hang; *mal*

doch nicht immer d. ~ *an d. Wand* talk of the devil and he will appear; *d.* ~ *war los* the devil broke loose; *weiß d.* ~ goodness knows . . .; ~**ei** devilry, deviltry; ~**skerl** a deuce of a fellow; ~**slärm** devil of a noise

teuflisch devilish; diabolic, *bes fig* diabolical

teutonisch Teutonic

Text text; ⌂ letterpress; ♪ *(Lied)* words, *(Oper)* libretto; *aus d.* ~ *kommen (bringen)* to (make s-b) lose the thread; ~**buch text,** ♪ libretto; ~**lich** textual; ~**teil** *(Buch)* body

textil textile; ~**fabrik** textile mill; ~**ien** textiles; ~**industrie** textile industry; ~**verarbeitung** textile processing; ~**wirtschaft** textile industry and trade

Theater theatre; stage; *fig* fuss; *d. reine* ~ nothing but a farce; *ins* ~ *gehen* to go to the theatre; ~ *machen (umg)* to (make a great) fuss *(um* over), to create; *mach kein* ~ stop fussing; ~**besuch** play-going, theatre-going; ~**besucher** play-goer, theatre-goer; ~**kasse** box-office; ~**stück** play; ~**vorstellung** performance; ~**zettel** theatre-bill, play-bill

theatralisch theatrical

Theke counter, buffet

Thema subject, topic; ♪ theme

Theologe theologian; ~**ie** theology; ~**isch** theological

Theoretiker theorist; *(reiner)* theorizer; ~**etisch** theoretical; academic; in theory; ~**etisieren** to theorize; ~**ie** theory

Therapeut therapeutist, therapist; ~**eutik** therapeutics; ~**eutisch** therapeutic; ~**ie** therapy

thermal thermal; ~**albad** thermal baths; th. spa; ~**alquelle** thermal spring, hot spring; ~**odynamisch** thermodynamic; ~**oelement** thermo-couple; ~**ometer** thermometer; ~**osflasche** thermos flask, vacuum flask; ~**ostat** thermostat

These thesis

Thron throne; ~**besteigung** accession to the throne; ~**en** to be enthroned; *fig* to reign; ~**erbe** heir to the throne; ~**folger** successor to the throne; ~**rede** speech from the throne; ~**saal** throne room; ~**sessel** chair of state

Thunfisch tunny; tuna

Thymian thyme

ticken to tick

tief deep, profound; low; *(Farbe)* dark; *(weit)* far; *bis* ~ *ins* 15. *Jahrhundert* till late in the 15th century; *fig* innermost; extreme, utmost; *zu* ~ *singen* to sing flat; ~*er stimmen* to lower the pitch of; *das läßt* ~ *blicken* that's very revealing, that tells a tale; *su* (barometric) depression; low point, low; ~**angriff** ✈ low-flying attack; ~**äugig** with sunken eyes, hollow-eyed; ~**bau** civil engineering, below-grade engineering, road construction; ~**bewegt** deeply moved; ~**blau** dark blue; ~**blick** insight; ~**denkend** profound; ~**druck** low pressure; ⌂ intaglio printing, rotogravure; ~**e** depth; profoundness; deepness; *(Abgrund)* abyss; low altitude; ⌂ draught; ~**ebene** lowland(s), plain;

~**enschärfe** ⌂ depth of field; ~**gang** ⚓ draught; ~**garage** underground garage, *BE* u. car park; ~**gebeugt** deeply afflicted; ~**greifend** far-reaching; radical; violent; ~**gründig** profound, deep; ~**kühlanlage** deep-freeze; ~**land** lowland(s); ~**liegend** *(Auge)* sunken; low-lying; *fig* deep-seated; ~**schlag** 🥊 hit below the belt; ~**schürfend** thorough, profound; ~**see** deep sea; ~**sinn** deep thought; ~**sinnig** profound; melancholy; ~**stand** low point, low level, low; ~**stehend** of low standing

Tiegel saucepan; *(Schmelz-)* crucible; ⌂ platen

Tier animal; *(wild)* beast; *(unvernünftig)* brute; *e. großes* ~ *(umg)* a big shot, a big pot; ~**art** species (of animal); ~**arzt** veterinary surgeon, veterinarian; ~**garten** zoological garden; ~**haft** brute, brutish; ~**handlung** pet shop; ~**isch** animal(-like); bestial, beastly; ~**kreis** *astr* zodiac; ~**kunde** zoology; ~**quälerei** cruelty to animals; ~**reich** animal kingdom; ~**schutzverein** Society for the Prevention of Cruelty to Animals

Tiger tiger; ~**in** tigress

tilgen to extinguish; to blot out, to efface; *(vernichten)* to destroy, to eradicate; *(aufheben)* to cancel, to annul; *(Schuld)* to pay off; to amortize; to redeem; ~**ung** blotting out, effacement; destruction; eradication; cancellation; annulment; repayment; redemption; ~**ungsdarlehen** redeemable loan; ~**ungsfond** sinking-fund; ~**ungsrate** redemption instalment

Tingeltangel low music-hall, *BE* penny-gaff, *US* honky-tonk

Tinktur tincture

Tinnef junk, trash; nonsense

Tinte ink; *(Farbe)* tint ♦ *in d.* ~ *sitzen* to be in the soup *(od* in a fix); *du hast wohl* ~ *gesoffen!* you must be crazy!; ~**nfaß** inkstand; ~**nfisch** cuttle-fish; ~**nfleck,** ~**nklecks** blot, ink-stain; ~**ngummi** ink eraser; ~**nstift** copying(-ink) pencil; ~**nwischer** pen-wiper

Tippelbruder tramp; ~**eln** to tramp; ~**en** to touch gently, to tap; to type(-write); *(wetten)* to bet; ~**fräulein** typist, *bes US* stenographer

Tisch table; *(Essen)* meal, dinner, supper; *d.* ~ *decken* to lay the table; *d.* ~ *abdecken* to clear the table; *bei* ~ during the meal, at dinner *(od* supper) ♦ *am grünen* ~ *gemacht* done by red tape, theoretically, it's all planning by the book; *reinen* ~ *machen* to make a clean sweep *(mit* of); *unter d.* ~ *fallen* to be lost, to be ignored, to come to nothing; ~**dame,** ~**herr** partner at dinner; ~**decke** table-cloth; ~**gebet** grace; ~**gesellschaft** company at table; ~**gespräch** table-talk; ~**karte** place card; ~**klopfen** table-rapping; ~**platte** table-top; ~**rede** after-dinner speech; ~**rücken** table-turning; ~**schublade** table-drawer; ~**tennis** table-tennis, ping-pong; ~**tuch** table-cloth; ~**wein** table-wine; ~**zeit** meal-time

Tischler joiner, *(Möbel-)* cabinet-maker; ~**arbeit** joiner's work, cabinet work; ~**ei** joiner's work, woodwork; joiner's workshop; ~**leim**

glue (for wood), joint glue; **~n** to carpenter, to do joiner's work; **~werkstatt** joiner's workshop

Titan *chem* titanium; **~isch** titanic

Titel title; claim; security; **~bild** frontispiece; cover picture; **~blatt** title-page; front-page; **~halter**, **~verteidiger** 🐾 title-holder; **~sucht** mania for titles

titul|ar titulary; honorary; *su* titulary; **~atur** titles; **~ieren** to give the title of, to address (*mit* by); *refl* to style o.s.

Tivoli *(Spiel)* bagatelle

Toast toast(ed bread); *(Spruch)* toast, health; **~en** to toast; to drink toasts, to propose toasts

Tobak tobacco; *Anno ~* a long time ago; *starker ~* too much of a good thing

tob|en to rage, to storm; to rave; *(Kinder)* to be wild, to romp; **~sucht** raving madness; **~süchtig** raving mad

Tochter daughter; **~gesellschaft** subsidiary company; **⁓lich** daughterly; **⁓schule** Lady's College

Tod death *(a. fig)*; decease; *des ~es sein* to be doomed; *s. d. ~ holen* to catch one's death (of cold); *s. zu ~e langweilen* to be bored stiff; *ich kann ihn in d. ~ nicht leiden* I cannot stand him alive or dead; **~bringend** deadly, fatal; **~esangst** agony (of death); mortal fear; **~esanzeige** death notice; obituary; **~esfall** death *(durch* from); *mil* casualty; *im ~esfalle* in case of death; **~esfalle** death-trap; **~esfurcht** fear of death; **~esgefahr** peril of one's life, imminent danger; **~eskampf** (death-)agony, death struggle; **~eskandidat** doomed man; **~esstoß** death-blow; **~esstrafe** capital punishment; death sentence; **~esstunde** dying hour; **~estag** day of (s-b's death); the (hundredth etc) anniversary (of s-b's death); **~esurteil** death sentence; **~esverachtung** contempt of death; **~feind** deadly enemy; **~feindschaft** deadly hatred; **~krank** dangerously ill; **⁓lich** deadly; mortal; fatal; lethal; **~müde** dead tired, tired out; **~sicher** dead certain; **~sünde** mortal sin; **~wund** mortally wounded

Toilette toilet (*~ machen* to make one's t.); dress; toilet, lavatory; *öffentliche ~* (public) lavatory, *BE* convenience (station), *US* comfort (station); **~nartikel** toilet article; **~ngarnitur** toilet-set; **~npapier** toilet-paper

toler|ant tolerant; **~anz** toleration; ⚙ tolerance, permissible limit(s); **~ieren** to tolerate

toll mad; insane; raving; *umg* awful; *s. ~ amüsieren* to have a mad time; **~e** tuft, topknot; **~en** to frisk, to gambol, to romp; to fool around; **~haus** madhouse, lunatic asylum; bedlam *(a. fig)*; **~häusler** madman, lunatic; **~heit** madness, frenzy; fury, rage; (piece of) folly; **~kirsche** deadly nightshade, belladonna; **~kopf** madcap; **~kühn** foolhardy, daring; *~kühner Mensch* dare-devil; **~kühnheit** foolhardiness; **~wut** hydrophobia

Tolp|atsch **~el** lout, bear, clumsy fellow; *zool* gannet; **⁓elhaft**, **⁓isch** bearish, clumsy; gawky

Tomate tomato; **~nsaft** tomato juice

Ton *(Laut, Schall)* sound; *(Klang, ~fall)* tone; *(♪, einzelner ~*) note; *(Farb-)* shade, tone, tint; *(~farbe)* timbre, tone colour; 📼 sound track; *(Betonung)* stress, accent ♦ *d. ~ angeben* to set the tone (*bzw* fashion); *e. rauher, aber herzlicher ~* a rough, but cordial atmosphere; *dicke ⁓e reden* to talk bombastically, to draw the long bow; *hast du ⁓e (umg)* have you ever heard such a thing?, would you believe it!; *d. gute ~* good manners, good form; **⁓erde** clay, alumina; **~abnehmer** pick-up; **~angebend** setting the fashion, leading; dominant; **~arm** pick-up, tone-arm; **~art** key; *(Kirchen-)* mode ♦ *e-e andere ~art anschlagen* to sing a different tune, to change one's tune; kind of clay; **~artig** clayey; **~artvorzeichnung** key signature; **~band** (recording) tape; **~bandgerät** tape recorder; **~dichtung** (musical) composition; symphonic poem; **~en** 📼 to tone; *(Papier)* to tint; **⁓en** = **~en**; to shade (off); to sound, to ring; to resound; **~erde** alumina; *essigsaure ~erde* aluminium (*US* aluminum) acetate; **⁓ern** (made) of clay, earthen; **~fall** intonation, speech-melody; ♪ inflection; cadence; **~farbe** timbre, tone colour; **~film** sound film, *US* sound motion picture; *bes hist* talking film, talkie; **~fixierbad** (tone) fixing bath; **~folge** scale, succession of tones; melody; **~frequenz** ⚡ audio frequency; **~führung** modulation; **~gedicht** tone-poem, symphonic poem; **~höhe** ♪ pitch; **~ig** clayey; **~ika** ♪ tonic; keynote; **~kunst** music(al) art; **~lage** compass, pitch; **~leiter** scale, gamut; *~leitern üben* to play (*od* run over) one's scales; **~los** soundless; voiceless; **~malerei** onomatopoeia; **~setzer** composer; **~stück** piece of music; **~stufe** pitch; **~taubenschießen** trap-shooting (at clay pigeons); **~techniker** 📼 sound engineer; **⁓ung** tone, toning; tint(ing), shading; **~waren** pottery, earthenware

Tonne *(Faß)* cask, barrel; ⚓ ton, *(Boje)* buoy; *(= 252 Gallonen)* tun; *(= 2000 pounds, = 907,18 kg)* (short) ton; *(= 2240 pounds, = 1016,05 kg)* (long) ton; *(= 1000 kg)* (metric) ton, tonne; *(Register-)* (register) ton; *(Wasserverdrängung)* displacement ton; *(Rauminhalt)* measurement ton, freight ton; **~ngehalt** tonnage; **~ngewölbe** barrel-vault; **~nweise** by barrels, by tuns

Tonsur tonsure

Topas topaz

Topf pot; jar, crock; container ♦ *alles in e-n ~ werfen* to treat everything alike, to lump together, to mix everything up; **~deckel** pot-lid; **⁓er** potter; **⁓erei** potter's trade; potter's workshop; **⁓ererde** potter's clay; **⁓erscheibe** potter's wheel; **⁓erwaren** pottery, crockery, earthenware; **~gucker** inquisitive person, Nosy Parker; **~kuchen** baba; **~lappen** potholder, pot cloth; **~pflanzen** potted plants

Topinambur Jerusalem artichoke

Topograph topographer; **~ie** topography; **~isch** topographic

topp done!; agreed!, *BE umg* right oh!; *su* ⚓

top, mast-head; ~**mast** topmast; ~**reep** guy; ~**segel** topsail

Tor[1] gate; 🎯 goal (~ *erzielen* to score a g.), *(Kricket)* wicket; *(Krocket)* hoop; ~**(ein)fahrt** gateway; ~**hüter** gatekeeper; 🎯 goal-keeper; ~**lauf** 🎯 ski-slalom; ~**linie** 🎯 goal-line; ~**pfosten** door-post; 🎯 goal-post; ~**raum** goal area; ~**schluß** closing of the gate(s) ♦ *kurz vor* ~ *schluß (fig)* at the very last moment, at the eleventh hour; ~**wart** (goal-)keeper, *umg* goalie; ~**weg** gateway

Tor[2] fool; ~**heit** foolishness, folly; ~̈**icht** foolish, silly

Torf peat; ~**boden** peat-soil; ~**moor** peat-bog; ~**mull** peat-mould; ~**stecher** peat-cutter; ~**stich** peat-cutting

torkeln to reel, to stagger

Tornado tornado

Tornister knapsack; pack; *(Schüler)* satchel

torped|ieren to torpedo *(a. fig)*; ~**o** torpedo; ~**oboot** torpedo-boat; ~**obootzerstörer** torpedo-boat destroyer

Tors|ion torsion, twist; ~**o** torso

Tort wrong, injury; ~**e** fancy cake; layer cake; *(Obst-)* tart; ~**enheber** cake server; ~**enplatte** cake-plate; ~**ur** torture; *umg* gruelling task

tosen to rage, to roar; to bluster

tot dead, deceased; late *(the late Mr Smith)*; *(leblos)* lifeless, inanimate; dull; stagnant; ~ *er Punkt* dead centre, *fig* deadlock; ~*es Rennen* 🐎 dead heat; ~*e Stadt* dead-alive place; ~*e Zeit* dead season; ~**arbeiten** *refl* to kill o.s. with work; ~**enacker** burial ground, churchyard; ~**enbahre** bier; ~**enbett** death-bed; ~**enbleich** as pale as death; ~**englocke** funeral bell, passing-bell, knell; ~**engräber** grave-digger; *fig* wrecker; ~**engruft** vault; ~**enhaus** deadhouse, mortuary; ~**enhemd** shroud; ~**enkopf** death's head, skull; ~**enliste** death-list, obituary; ~**enmarsch** funeral march; ~**enmaske** death mask; ~**enmesse** mass for the dead; ~**enschau** coroner's inquest; post-mortem examination; ~**enschein** burial permit, death certificate; ~**enstarre** rigor mortis; ~**enstill** as still as death; ~**enstille** dead calm, silence of death; ~**tanz** danse macabre, death dance; ~**enwache** deathwatch, wake; ~**enwagen** hearse; ~**geboren** still-born; ~**lachen** *refl* to split one's sides with laughter; ~**schlag** manslaughter, homicide; ~**schlagen** to kill; *(Zeit)* to waste, to kill; ~**schläger** one guilty of manslaughter; *(Knüppel)* BE life-preserver, BE sl cosh, US blackjack; ~**schweigen** to hush up; ~**stellen** *refl* to feign death

töt|en to kill; to put to death; *(Nerv)* to deaden; *(ab-, fig)* to mortify; *refl* to commit suicide; ~**ung** killing, slaying

total complete; total; ~**isator** totalizer, totalizator; ~**itär** totalitarian

Toto pools *(im ~ gewonnen* won on the p.); *hast du vorige Woche im ~ gespielt?* did you do the pools last week?

toupieren BE to back-comb, US to tease

Tour excursion, trip, tour; ✪ revolution; turn; *(Stricken)* round, tour; *in e-r ~* at a stretch, without stopping; *auf hohen ~en* at high speed; *auf höchsten ~en* at fullest capacity, full blast; ~**enrad** roadster, touring bicycle; ~**enwagen** touring-car; ~**enzahl** revolutions per minute, r. p. m., speed; ~**enzähler** speed counter, speed indicator; ~**ist** tourist; ~**istenverkehr** tourist traffic; ~**istik** tourism; ~**nee** 🎭 tour *(auf ~nee gehen* to go on a t., *umg* to take the road)

Trab trot *(im ~* at a t.) ♦ *j-n auf ~ bringen* to make s-b get a move on; ~**en** to trot; ~**er** trotter; ~**rennbahn** trotting circuit; ~**rennen** trotting-race, harness race

Trabant *astr, fig* satellite

Tracht dress, costume; national costume; fashion; *(Last)* load *e-e ~ Prügel* a sound thrashing; ~**en** to strive, to seek *(nach* after), to aspire *(nach* to); *j-m nach d. Leben ~* to make an attempt on s-b's life; ~̈**ig** pregnant, with young; *(Hündin)* in pup, *(Stute)* in foal, *(Kuh)* in calf

Tradition tradition; ~**ell** traditional

Trag|bahre stretcher, litter; ~**balken** girder, beam; truss; ~**bar** portable; *(Kleid)* wearable; *fig* bearable; ~**e** barrow; litter; ~**en** *(in d. Hand)* to carry; to transport, to convey; to support, to sustain; *(Kleid)* to wear, to have on; *(Frucht, Namen, Kosten, Schuld)* to bear; *(erbringen)* to produce, to yield; *(er-)* to endure, to suffer; *bei s. ~en* to have about one; *d. Baum ~t gut* the tree is a good bearer; *Bedenken ~en* to doubt, to hesitate; *Sorge ~en* to take care, to see to it *(daß* that); *refl* to wear; to dress; to carry o.s.; *s. ~en mit* to entertain (an idea), to be thinking of; *ge~en sein von* to be based upon, to be inspired by; ~̈**er** bearer; carrier, porter; *(Wäsche)* strap; 🏛 girder, beam; ~̈**erfrequenz** ⚡ carrier frequency; ~̈**erlos** strapless; ~̈**erwelle** ⚡ carrier wave; ~**fähig** capable of bearing *(od* carrying); ~**fähige Grundlage** *(fig)* sound basis; ~**fähigkeit** (load-)carrying capacity; ⚓ tonnage; load-limit; ⬇ productiveness (of the soil); ~**fläche** ✈ wing; ~**himmel** canopy; ~**korb** basket, pannier; ~**kraft** = ~fähigkeit; *(Kran)* lifting-capacity; *fig* buoyancy; ~**last** load; ~**mauer** supporting wall; ~**riemen** carrying strap; ~**tier** pack-animal, baggage animal; ~**weite** range; *fig* bearing, importance

träg|e lazy, slow; sluggish; ~**heit** laziness, slowness; *phys* inertia; ~**heitsgesetz** law of inertia

Trag|ik tragedy; calamity; tragic art; ~**ikomisch** tragi-comic; ~**ikomödie** tragi-comedy; ~**isch** tragic; calamitous; sad; ~**öde** tragic actor, tragedian; ~**ödie** tragedy; calamity; sad event; ~**ödin** tragic actress, tragedienne

Train|er coach, *(bes Tiere)* trainer; ~**ieren** *vt* to coach, *(bes Tiere)* to train; *vi* to practise; ~**ing** coaching, training; *(bes Einzel-)* workout; ~**ingsanzug** track suit

Trajekt train-ferry

Trakt tract; ~**at** treatise; *eccl* tract; ~**ieren** to treat; *j-n ~ieren mit* to treat s-b to; ~or tractor

trällern to trill, to warble

Trambahn tramcar, tramway, *US* streetcar

Tramp tramp; ~en to hitch-hike

Trampel lout, bumpkin; ~ig louty; ~n to trample, to stamp; ~tier dromedary; *fig* lubber

Tran train-oil; blubber; *im ~ sein* to be drowsy, to be under the influence of drink; ~ig tasting of train-oil; oily; drowsy; ~funzel, ~suse slowcoach

Trance trance; *in ~ fallen* to go into a trance

tranchier|en to carve, to cut up; ~besteck carving-knife and fork; ~messer carving-knife

Träne tear (*in ~n ausbrechen* to burst into tears); *zu ~n rühren* to move s-b to t.s); ~n to water, to be full of tears; ~ndrüse lachrymal gland; ~ngas tear gas; ~nleer, ~nlos tearless; ~nreiz eye irritation; ~nsack lachrymal sac

Trank drink; beverage; draught; ~̈e watering-place, horse-pond; ~̈en to give to drink; to water; *(einweichen)* to soak, to steep; to impregnate, to saturate; ↓ to irrigate

trans|atlantisch transatlantic; ~fer transfer (abroad); ~ferieren to transfer (abroad); ~formator ⚡ transformer; ~it transit; ~itiv *gram* transitive; ~itverkehr transit traffic, transit trade; ~kontinental transcontinental; ~kribieren (*umschreiben, a.* ♪) to transcribe; to transcribe phonetically; ~literieren to transliterate, to transcribe into the Latin alphabet; ~mission ✿, 🚗 transmission; ~missionswelle transmission shaft, connecting shaft; ~ozeanisch transoceanic; ~parent transparent; *su* transparency; ~pirieren to perspire; ~ponieren ♪ to transpose; ~ponierung transposition

Transport transport(ation); conveyance, forwarding; *(Versand)* shipment; ~abel transportable; ~arbeiter transport worker; ~eur transporter, carrier; *math* protractor; ~fähig fit for transport, transportable; ~flugzeug transport; troop-carrying plane; ~gefahr transport risk; ~geschäft forwarding business; ~gewerbe carrying trade; ~ieren to transport, to convey, to ship; ~knopf 🎞 film-winder; ~kosten (cost of) transport, carriage; 🚢, ⚓ freight(age); forwarding charges; ~mittel means of transport (*od* conveyance); ~schiff (troop-)transport; ~versicherung transport insurance; ~wesen transport

transzendent transcendent; ~al transcendental

Trapez 📐 trapeze; *math BE* trapezium, *US* trapezoid; ~künstler trapeze artiste, aerialist; ~oid *math BE* trapezoid, *US* trapezium

Trappe bustard; ~ln *(Pferd)* to trot; to patter, to toddle

Trass|ant drawer; ~at drawee; ~ieren to draw (*auf* on); ~ierung drawing (of a bill)

Tratsch gossip, tittle-tattle

Tratte draft

Traualtar marriage altar

Traub|e *bot* raceme; cluster; *(Wein)* grape; bunch of grapes ♦ *d. ~en hängen ihm zu hoch* it's a case of sour grapes; ~enlese grape-har-

vest, -gathering, vintage; ~enmost, ~ensaft grape juice; ~enpresse wine-press; ~enzucker grape-sugar, glucose; ~ig in clusters

trau|en *vt* to marry, to give in marriage; *s. ~en lassen* to get married; *refl* to dare, to venture; *vi* to trust (in), to have confidence in; to rely upon; *s-n Augen (Ohren) nicht ~en ...* can hardly believe my senses (eyes, ears); ~ring wedding-ring; ~schein marriage certificate, marriage lines; ~ung marriage ceremony, wedding; *(standesamtlich)* civil marriage, *(kirchlich)* church marriage; ~zeuge marriage witness

Trauer sorrow, grief; mourning; black; ~anzeige announcement of a death; ~band crape, crêpe; ~botschaft sad news; ~brief black-edged letter; ~fall a death; ~flor *BE* crape, *US* crêpe; ~gesang dirge; ~kleid mourning dress; ~kloß bore, lame duck; ~marsch funeral march; ~musik funeral music; ~n to mourn (*über* for, over); to be in mourning (*um* for), to grieve (*um* for); to wear mourning; ~rand black edge; ~rede funeral oration; ~spiel tragedy; ~weide *bot* weeping willow; ~zug funeral procession

Traufe eaves, gutter; *siehe* Regen; ~̈eln to drop; to trickle, to drip

traulich cosy, snug; familiar, intimate

Traum dream; illusion; ~bild vision; ~deuter interpreter of dreams; ~̈en to dream; to muse; to day-dream; *d. hätte ich mir nicht ~̈en lassen* I never should have dared to hope such a thing; ~̈er dreamer; visionary; ~̈erei dreaming; reverie; brown study; ~̈erisch dreamy; visionary; given to dreaming; ~gebilde apparition (in a dream); ~haft dreamlike; ~verloren lost in dreams; ~welt dream world

traurig sad, sorrowful, mournful; dismal, lugubrious; *(armselig)* poor; ~keit sadness, sorrow

traut beloved, dear; intimate; cosy

Treber spent grains, draff

Treff *(Karten)* club; ~en to hit, to strike; to meet (with), to find; *(be-)* to concern, to affect; to fall (*auf* upon); ♪ to strike *(the right note)*; ▮, 🎯 to achieve a good likeness, 🎯 to catch s-b's likeness well; *(Maßnahmen)* to take, *(Vorbereitungen)* to make; *j-n ~en (fig)* to cut to the quick; *refl* to happen; *s. gut ~en* to be lucky; *d. trifft s. gut* that's a lucky chance; *s. getroffen fühlen* to be (*od* feel) hurt; *su* meeting; encounter, engagement; battle; *ins ~en führen (fig)* to adduce; ~end suitable, pertinent; right; well-aimed, to the point; *(Ähnlichkeit)* striking; ~er hit; winning ticket, prize; luck(y chance); *e-n ~er erzielen* to score a hit; ~lich splendid, excellent; ~punkt rendezvous; ~sicher accurate, *fig* pertinent; *(Urteil)* sound

Treib|eis drift-ice; ~en to drive, to set in motion, to propel; *(ver-)* to drive out, to expel (*aus, von* from); *bot* to put forth, *(Pflanze)* to force; *(Kreisel)* to whip; *(Tätigkeit)* to do, to carry on, to occupy o.s. with; to study, to practise; *(Metall)* to emboss, to chase; *vi* to drift, to float; *bot* to blossom forth; *su* doings, activity, -ties; stir; ~er driver; *(Jagd)* beater; ~gas power gas; ~haus hot-house; ~holz driftwood; ~jagd battue; ~kraft motive power; moving, driving force; ~netz drift-net; ~netzfischer drifter; ~rad driving wheel, fly-wheel; ~riemen driving belt; ~sand quicksand; ~stoff motor fuel; propellant, *US* -ant

treideln ⚓, to tow (along); ~pfad tow-path

Trema diaeresis

tremolieren to quaver; to sing (with a) tremolo; ~o tremolo

trennbar separable; divisible; ~en to separate; to divide; to cut off; *(Naht)* to undo; ✂ to disconnect, to interrupt; to disunite, to dissolve; *refl* to separate, to part; to branch off; ~scharf selective; ~schärfe selectivity; ~ung separation; parting; dissolution; ~ungslinie line of demarcation; ~ungsstrich dividing line (*e-n ~ungsstrich ziehen* to draw a d. l.); dash

Trense snaffle

treppab downstairs; ~auf upstairs; ~e stairs, staircase; *(Einzel-)* a flight of stairs; *eine (zwei) ~e(n) hoch wohnen* to live on the first (second) floor ♦ *d. ~e hinauffallen (fig)* to be kicked upstairs; ~enabsatz landing; ~enflucht stairs; ~engeländer banisters; ~enhaus staircase, stairwell; ~enläufer stair-carpet; ~enstab stair-rod; ~enstufe stair, step

Tresor strong-room; safe

Tresse galloon, braid stripe

Tretanlasser 🚗 kick-starter; ~en *vt* to tread, to trample; *(Pedal)* to push; to work *(a treadle); fig* to press s-b; *mit Füßen ~en* to trample under foot; *ins Leben ~en* to begin the world; *vi* to tread; to step; to walk; *(Fahrrad)* to pedal; ⚙ to treadle; ~en *in* to go into, to enter; ~en *aus* to leave, to quit; *j-m auf d. Füße ~en* to tread on s-b's toes; ~maschine treadle sewing-machine; ~mühle tread-mill *(a. fig)*

treu faithful, loyal; true; *zu ~en Händen* on trust; ~ebruch breach of faith, disloyalty; perfidity; ~brüchig faithless, disloyal; perfidious; ~e faithfulness, fidelity, loyalty; allegiance; accuracy; ~händer trustee; executor; ~händerisch in a trust capacity; ~handgesellschaft trust company; accountancy and auditing company; ~herzig sincere, frank; trusting; ~lich faithful, true; *adv* faithfully, loyally; ~los unfaithful, treacherous; perfidious; ~losigkeit unfaithfulness; perfidy; treacherous

Triangel ♪ triangle ⎸deed

Tribun tribune; ~al tribunal; ~e *(Redner-)* tribune, rostrum; *(Zuschauer-)* stand, *(bes überdacht)* grand stand

Tribut tribute (*~ auferlegen* to lay under t.); *~pflichtig(er Staat)* tributary

Trichine trichina; ~ös trichinous

Trichter funnel; hopper; crater; ~feld shell-pitted area; ~förmig funnel-shaped

Trick trick; stunt; ~aufnahme trick photograph; ~film trick film, stunt film; *(gezeichnet)* animated cartoon; ~zeichner 📺 animator; ~zeichnung 📺 animation

Trieb *bot* sprout, shoot; *(Vieh)* drove; *(~kraft)* motive power; motive, impulse, urge; ~feder mainspring *(a. fig)*; ~haft sensual, licentious; ~haftigkeit animalism; ~rad driving-wheel; ~sand quicksand; drift sand; ~stange push-rod; ~wagen (motor) railcar; ~werk mechanism, machinery; gearing

triefäugig bleary; ~en to drip (*vor* with); to trickle; *vor Nässe ~en* to be soaking wet; ~naß soaking wet

triezen to vex, to bother, to nag (*zu tun* into doing)

Trift pasture land; floating (of wood); ~ig weighty, cogent; good, strong; *ohne ~igen Grund* without good cause

Trigonometrie trigonometry

Trikot tricot; shirt; ~agen knitted goods, knitwear

Triller trill, shake; quaver; ~n to trill, to shake; to quaver; *(Vögel)* to warble

Trimester term (third of a year)

Trillion *BE* trillion, *US* quintillion

Trinität trinity; ~atissonntag Trinity Sunday

trinkbar drinkable; ~en to drink; to imbibe, to absorb; to tipple; *~en auf j-n* to drink to, to toast; ~er drinker; drunkard; ~gelage drinking-bout, carouse; ~geld tip; gratuity; *j-m e. ~geld geben* to tip s-b; ~glas drinking-glass, tumbler; ~halle pump-room; ~spruch toast; ~wasser drinking-water

Trio trio; ~le ♪ triplet

trippeln to trip; ~per 💲 gonorrhoea

trist dreary, cheerless

Tritt step, pace; *(Fuß-)* kick; *(Spur)* footstep, track; *(Leiter)* (small) step-ladder; *~ halten* to keep step; ~brett footboard; 🚗 running-board; ~leiter stepladder, pair of steps; ~wechsel change of step

Triumph triumph; ~ator victor; ~bogen triumphal arch; ~ieren to triumph; to boast, to exult; *(besiegen)* to vanquish

trivial trivial; ~ität triviality

trocken dry; *(ausgetrocknet)* arid, parched; *fig* boring, dull; bald ♦ *auf d. ~en sitzen* to be stranded, to be left high and dry; ~apparat desiccator; ~bagger excavator; ~boden drying-loft; ~dock dry dock; ~eis dry ice; ~element dry battery; ~futter fodder; ~gestell clothes-horse, towel-horse; ~heit dryness; *(Dürre)* drought; aridity; *fig* dullness; ~legen to drain; to change (a baby's) napkins; ~milch milk-powder; ~platz drying-ground

trocknen to dry (up); to get dry

Troddel tassel

Trödel rubbish, lumber; odds and ends; second-hand goods; ~elmarkt old-clothes and second-hand market; ~eln to loiter; to dally (*bei* over), to dawdle (*bei* over, on); ~ler dawdler; second-hand dealer

Trog trough

Troll troll; ~en *refl* to stroll away, to saunter on

Trommel drum; 💲 tympanum; canister; ~fell drum skin; drumhead; 💲 tympanic membrane; ~feuer drum fire, heavy barrage; ~n to (beat the) drum; to drum one's fingers (on the table); **~schlag** drum-beat; **~schläger** drummer; **~schlegel**, **~stock** drumstick; **~wirbel** roll of drums

Trompete trumpet (*in d. ~ stoßen* to blow the t., *a. fig*); **~n** to trumpet (forth); **~nstoß** flourish of trumpets; blast; **~r** trumpeter

Trop|en tropics; **~enhelm** sun helmet; **~enhitze** tropical heat; **~enpflanze** tropical plant; **~isch** tropical

Tropf simpleton, dunce; *armer ~* poor wretch; **⁓eln** to trickle, to drip; **~en** to drop, to drip; *su* drop; *(Schweiß-)* bead; blob ♦ *e. ~en auf e-n heißen Stein* a drop in the ocean; *e-n guten ~ en lieben* to enjoy a drop of good wine; **~enfänger** drip-catcher; **~enweise** drop by drop, by drops; **~naß** dripping wet; **~stein** stalactite, *(von unten)* stalagmite; **~steinhöhle** stalactite cavern

Trophäe trophy

Tro|ß baggage; train; supply lines; *fig* followers, gang; **~sse** cable, hawser

Trost comfort, consolation ♦ *nicht bei ~ sein* not to be quite all there, to be off one's head; **~bedürftig** in need of consolation; **⁓en** to console, to comfort; *refl* to be consoled, to be comforted; to take comfort *(mit in)*, to console o.s. *(mit* with); **⁓er** comforter; **⁓lich** consoling, comforting; **~los** disconsolate; hopeless, cheerless; bleak, desolate; **~losigkeit** hopelessness; despair; inconsolable grief; **~reich** consoling, comforting; **⁓ung** consolation; **~wort** word of comfort

Trott trot ♦ *im gleichen (alten) ~* in the usual humdrum way; **~el** nincompoop, fool; **~en** to trot; **~oir** *BE* pavement, footpath, *US* sidewalk

Trotz obstinacy, stubbornness; defiance (*j-m zum ~* in d. of); *j-m ~ bieten* to defy s-b; *er hat es mir zum ~ getan* he did it to spite me; *prep* in spite of; *~ allem* for all that; **~dem** nevertheless, in spite of that; **~en** to defy, to be defiant; *d. Tod ~ en* to brave death; to be obstinate; **~ig** defiant; obstinate; refractory; **~kopf** pig-headed person

trüb|(e) *(Wasser)* muddy, turbid; dull, dim; *(Wetter)* cloudy, gloomy; *(traurig)* sad, dark, gloomy; bleak; *im ~ en fischen* to fish in troubled waters; **~en** to make muddy; to dim, to trouble; to black out, to blur; *fig* to spoil, to upset; *d. Himmel ~ t sich* the sky is clouding over; **~heit** muddiness, turbid state; dimness; gloom; **~sal** distress, affliction, misery; **~sal blasen** to be downcast *(od* in the dumps), to have the blues; **~selig** sad, woeful; **~sinn** melancholy, blue devils, gloom; **~sinnig** melancholy, gloomy, dejected; **~ung** making muddy *(od* turbid); dimming; *fig* upsetting, spoiling

Trubel bustle, hubbub, to-do

trudeln ✈ to (go into a) spin

Trüffel truffle

Trug deception, deceit; fraud; delusion; **~bild** phantom; optical illusion; **⁓en** to deceive, to mislead; to delude; to be deceptive; to prove fallacious; **⁓erisch** *(Person)* deceitful, *(Sache)* deceptive; delusive; treacherous; **~schluß** sophism; fallacy; **~vorstellung** delusion

Truhe chest, trunk

Trümmer ruins; debris; ⚓, ✝, ⚔ wreckage; **~beseitigung** rubble removal; **~haft** ruinous; in ruins; **~haufen** heap of ruins, rubble heap

Trumpf trump(-card); s-b's best card; *noch e-n ~ in d. Hand haben* to have a card up one's sleeve; **~en** to trump, to play trumps

Trunk drink(ing); draught; **~en** drunk, intoxicated *(von* with); **~enbold** drunkard; **~enheit** drunkenness, intoxication; **~sucht** dipsomania; **~süchtig** dipsomaniac

Trupp detachment, detail; team; band, gang; **~e** ⚔ company, troupe; *mil* troops, forces; *die ~e* the services; **~enarzt** medical officer; **~engattung** branch (of service), arm; **~enkörper** body (of troops); **~enschau** parade, (military) review; **~enteil** unit; **~enübungsplatz** training area; **~enverband** unit, formation; *(gemischter)* task force; **~enverbandsplatz** regimental aid post; **~weise** in troops, groupwise

Trut|hahn turkey(-cock); **~henne** turkey-hen

Tschech|e Czech; **~ei** = ~oslowakei; **~oslowakei** Czechoslovakia; **~oslowakisch** Czechoslovakian

Tube tube

Tuberk|el tubercle; **~elbazillus** tubercle bacillus; **~ulös** tuberculous; **~ulose** tuberculosis, *umg* tb

Tuch cloth; fabric; shawl, scarf; handkerchief; **~fabrik** cloth-mill, cloth factory; **~fühlung** close touch, **~geschäft** *BE* draper's shop, *US* dry goods store; **~händler** cloth merchant, *BE* draper; **~waren** drapery

tüchtig able, fit; capable, efficient; qualified; sound, proper; thorough; *e. ~ er Kerl* a smart fellow; *~ essen* to eat heartily; **~keit** ability, fitness; efficiency

Tück|e malice, spite; falseness; *(Tier)* vice; ⚕ malignity ♦ *d. ~ e des Objekts* the cussedness of the matter *(od* of things); **~isch** malicious, spiteful; ⚕ malignant; *(Tier)* vicious

Tuff(stein) tuff, tufa

Tüft|elei hair-splitting, subtleties; **~eln** to split hairs; to puzzle *(bei, über* over); **~ler** punctilious person

Tugend virtue; **~bold** paragon of virtue; **~haft, ~reich, ~sam** virtuous

Tüll tulle; *englischer ~* bobbinet; **~gardine** net curtain; **~spitze** net lace

Tülle nozzle, spout; socket

Tulpe tulip; **~nzwiebel** tulip-bulb

tummel|n *vt (Pferd)* to exercise; *refl* to hurry, to make haste, to bustle about; *(Kinder)* to romp; **~platz** playground; *fig* scene (of action)

Tümpel pool, puddle

Tumult tumult, hubbub, riot; **~uarisch** tumultuous, riotous

tun to do; to make; to act, to execute, to perform; *(arbeiten)* to work, to be busy; *(setzen, legen)* to put; *j-m weh ~* to hurt, to harm s-b; *(Schritt)* to take; *(Farbe)* to ask; *ich habe zu ~*

I have (got) s-th to do; *was ist zu ~?* what is to be done?; *so ~ als ob* to pretend that, to make believe that; *er tut nur so als ob* he only pretends to; *es tut mir leid* I am sorry; *es tut nichts* it is nothing, it does not matter; *es ist mir da-rum zu ~* what I want to get at is (this), I am most anxious about (this); *des Guten zuviel ~* to overdo s-th; *es zu ~ bekommen mit* to have trouble with; *su* doings, action

Tünche whitewash; *fig* veneer; **~n** to white-wash

Tunichtgut ne'er-do-well

Tunika tunic

Tunke sauce; gravy; **~n** to dip, to steep

tunlich advisable, expedient; practicable, fea-sible; **~st** utmost; *adv* if possible

Tunnel tunnel

Tüpfel dot, spot; **~n** to dot, to spot; to stipple

tupfen to dab, to touch lightly; to dot; *su* dot, spot; blob

Tür door; *zwischen ~ u. Angel* at the last mo-ment; *siehe offen; mit d. ~ ins Haus fallen* to blurt out what one has got to say; *vor verschlos-sene ~en kommen* to receive a refusal, to come up against closed doors; *vor d. ~ stehen (fig)* to be imminent; **~angel** door-hinge; **~flügel** leaf (of a door); **~griff** door-handle; **~hüter** doorkeeper, porter; **~öffnung** doorway; **~rah-men** door-frame; **~stock** door-post; **~stufe** door-step

Turb|an turban; **~ine** turbine; **~inenschaufel** turbine blade

Türk|e Turk; **~ei** Turkey; **~isch** Turkish; *~ischer Honig* Turkish Delight

Türkis turquoise

Turm tower; turret; *(Kirch-)* steeple; *(Schach)* castle, rook; *(Geschütz-)* turret; *(U-Boot)* con-ning tower; **~en** to heap up, to pile up; *refl* to tower up, to rise high; *vi* to buzz off, to scam-per off; **~er** watchman, warder (of a tower); **~fahne** vane; **~falke** kestrel; **~hoch** as high as a tower; *fig* miles above *(od* beyond); **~spitze** spire; **~uhr** church clock; turret clock

turn|en to do gymnastics *(umg* gym); to drill; *su* gymnastics, *umg* drill; *(~unterricht)* physi-cal training, P. T.; **~er** gymnast; **~erisch** gym-nastic, athletic; **~gerät** gymnastic apparatus; **~halle** gymnasium; **~hemd** *BE* singlet, *BE* vest, *US* undershirt; **~hose** gym shorts; **~schuhe** gym shoes, *BE* plimsolls, *US* sneak-ers; **~stunde** gymnastic lesson; **~verein** gym-nastic club

Turnier tournament; **~platz** tilting-ground, the lists

Turnus rotation, cycle; **~mäßig** in rotation; re-gularly recurrent

Turteltaube turtle-dove

Tusch ♪ fanfare, flourish; **~e** Indian ink; **~en** to paint with Indian ink; **~kasten** paint-box

tuscheln to whisper

Tüte paper-bag ♦ *kommt nicht in d. ~* it's quite out of the question

Typ type; model; **~e** type, printing-letter; **~en-muster** standard sample; **~isch** typical *(für* of);

~isieren to standardize; **~ograph**; typogra-pher; **~ographie** typography; **~ographisch** ty-pographic(al); **~us = ~**

Typhus typhoid; **~kranker** typhoid patient

Tyrann tyrant; **~ei** tyranny; **~isch** tyrannical; **~isieren** to tyrannize over, to bully

Tz: *bis zum ~* to the last detail, thoroughly

U

U (the letter) U; **U-Bahn** underground, *US* subway; **U-Bahnhof** underground station, *US* subway station

übel bad, wrong; evil; **$** ill, *(im Magen)* sick; *~ dran sein* to be in a bad way; *mir ist ~* I feel sick; *nicht ~* not bad, rather nice; *es gefällt mir nicht ~* I don't dislike it; *j-m ~ mitspielen* to play a mean trick on s-b; *su* evil; wrong; **$** malady, ailment; misfortune; *d. ~ an d. Wur-zel packen* to get at the root of the trouble; **~ge-launt** ill-humoured, cross, grumpy; **~gesinnt** evil-minded, ill-disposed; **~keit** sickness, nau-sea; **~nehmen** to take s-th amiss, to take of-fence at; **~nehmerisch** touchy, easily of-fended; **~riechend** malodorous, foul-smelling; **~stand** evil, fault; nuisance; drawback; **~täter** evil-doer, malefactor; **~wollend** malevolent

üben to exercise; to practise *(the piano etc)*; to train

über *prep* over, above; on top of; higher than, superior than; more than; across, beyond, on the other hand; by *(China, the meadow)*; via *(London etc)*; *(während)* during, while; *fig* about, concerning, *(Vortrag etc~)* on; *d. ganze Zeit ~* all along; *d. Sommer ~* the whole summer; *adv* wholly, completely; over; *~ u. ~* over and over; *etw ~ haben* to be fed up with s-th; *j-m ~ sein* to beat s-b

überall everywhere, anywhere; abroad; all over, throughout; *~ u. nirgends* everywhere and yet nowhere; **~hin** everywhere, anywhere, abroad

überalter|t too old; **~ung** unduly high average age (of the population)

Über|angebot excess supply; glut; **~an-strengen** *vt* to overwork, to overstrain; *refl* to overstrain o.s., to overexert o.s.; **~antworten** to deliver up, to surrender; to make over

überarbeit|en *vt* to go over, to revise; to touch up; *refl* to overwork o.s.; **~ung** revision; touching up; overwork, overstrain

über|aus exceedingly, extremely; **~bean-spruchen** to overstrain, to make excessive de-mands upon; **~bein $** node; *(Knochen)* exosto-sis; **~belichten** ▥ to overexpose; **~beschäfti-gung** over-employment; **~bieten** to excel, to surpass; to outbid

überbleib|en to be left over, to remain; **~sel** re-mainder, remains; residue

überblenden ▥ to dissolve

Überblick survey; (general) view; *fig* sum-mary, overall picture; **~en** to survey; to over-look

überbring|en to deliver, to bring; **~er** bearer
überbrück|en to bridge, to span; *fig* to bridge over; **~ung** temporary assistance, tiding over; **~ungshilfe** temporary relief
über|bürden to overburden; to overload; **~dachen** to roof; **~dauern** to outlast; **~decken** to think over, to consider; **~dies** besides, moreover; **~drehen** to overwind; **~druck** overprint; *(Marke)* surcharge; ✿ excess pressure
Überdruß disgust; boredom, ennui; *bis zum ~* till one is sick and tired of it; **⁓ig** sick of, weary of, bored with; disgusted with
Über|eifer overgreat zeal; **~eifrig** too eager; **~eignen** to transfer, to assign; **~eilen** *vt* to hurry too much; *(Arbeit)* to scamp; to precipitate; *refl* to be in too great a hurry, to act rashly; **~eilt** rash, hasty; **~eilung** hastiness, rashness
übereinander one upon *(od* over) another; *d. Beine ~schlagen* to cross one's legs
überein|kommen to agree, to come to an agreement; *su* agreement, convention; **~kunft** = **~kommen**; **~stimmen** to agree, to be in agreement *(mit* with); to coincide, to fall in *(mit* with); to correspond *(mit* to); ♪, ♬ to harmonize; **~stimmung** agreement; harmony; conformity
über|essen to overeat; **~fahren** to pass over, to cross, to traverse; to run over s-b; *(Signal)* to overrun; *fig umg* to bowl over s-b; *vi* to pass over, to cross; **~fahrt** passage, crossing
Überfall (surprise) attack, raid; **~en** to attack suddenly, to surprise; **~kommando** *BE* flying squad, *US* riot squad
über|fliegen to fly over; *fig* to glance over, to skim (through); **~fließen** to overflow; to flow over, to brim over; **~flügeln** to outflank; *fig* to surpass, to get the better of
Überfluß abundance *(an* of); plenty; affluence *(to live in a.)*; exuberance, superfluity; *im ~* abundantly; **⁓ig** superfluous, unnecessary; surplus
über|fordern to make an excessive demand on; to overcharge, to overtax; **~fracht** overweight; excess freight; **~fremdung** infiltration of foreigners *(bzw* foreign money)
überführ|en to transport (from one place to another), to convey; ⚖ to convict (of a crime); *chem* to convert, to transform; **~ung** transportation, conveying; crossing, viaduct; ⚖ conviction; *chem* conversion
Überfüll|e excess, superabundance; **~en** to overload, to cram; to overfill, to overstock; to crowd; **~ung** overloading, cramming; overcrowding
über|füttern to overfeed; **~gabe** handing over, delivery; surrender; ⚖ extradition
Übergang passage, crossing; *fig* transition; **~sbestimmungen** transitional provisions; **~sgesetz** transitional law; **~sschwierigkeiten** difficulties of transition; **~szeit** transition period
übergeben *vt* to hand over, to deliver (up) to; surrender; *refl* ⚕ to vomit, to be sick
übergehen *vt* to pass over, to pass by; to skip, to omit; *vi* to cross, to pass over, to go over; to change *(zu* into), to change over *(zu* to); *ineinander ~* to blend; to overflow
übergeschäftig overbusy
Übergewicht overweight, excess weight; *fig* predominance, preponderance; *d. ~ bekommen* to lose one's equilibrium, *fig* to get the upper hand *(über* of)
Über|gewinn excess profit; **~gießen** *vt* to pour over; *(daneben)* to spill; **~glücklich** too happy; **~greifen** to overlap; *fig* to encroach *(auf* on); to spread *(auf* to); to affect; **~griff** encroachment, infringement; **~handnahme** (undue) increase, prevalence; **~handnehmen** to increase (unduly), to spread rapidly
Über|hang projection, overhanging rock; hangings, curtain; carry-over; backlog excess; **~hangen, ~hängen** to hang over
über|häufen to (over)load *(mit* with); to overburden *(mit* with); to overwhelm *(mit* with); **~haupt** in general; at all; altogether
überheb|en *refl* to strain o.s. (by lifting); *fig* to be overbearing; **~lich** overbearing
über|hitzen to overheat; to superheat; **~holen** to fetch over, to haul over; to overtake, to outdistance; to surpass; **~holt** out of date, antiquated; **~hören** not to hear; to ignore; *(Aufgaben)* to hear; **~irdisch** supernatural, unearthly; **~kippen** to tilt over, to tip over; **~kleben** to paste over; **~kochen** to boil over; **~kommen** *vt* to seize; to get, to receive; *vi* to be handed down; *adj* traditional; **~kreuz** crosswise; **~kritisch** censorious; **~laden** to overload; *fig* to overdo, to ornament excessively; *adj* florid; **~lagern** ⚡, ⚙ to superpose; *fig* to superimpose; to outweigh; **~landflug** cross-country flight; **~landleitung** ⚡ land line, transmission line; **~lassen** to leave; to give up; to cede, to relinquish; to let s-b have; *refl* to give way to, to give o.s. up to, to abandon o.s. to; *s. s-m Schicksal ~lassen* to turn adrift; **~lasten** to overload, *fig* to overburden; **~laufen** *vt* to seize, to overcome; *vi* to run over, to overflow; *mil* to desert; **~läufer** deserter; **~leben** to survive; to outlive; to live through (a night etc); *d. ~lebt er nicht* he won't get over that; *s. ~lebt haben* to be old-fashioned, out-of-date; **~lebender** survivor; **~lebensgroß** bigger than life-size; **~legen** *vt* to lay over, to cover; *(Jungen)* to whip; *(denken)* to think over, to consider; *adj* superior; lofty; ahead; *allen ~legen* in a class by itself; **~legt** well-considered; deliberate; ⚖ wilful; **~legung** consideration, calculation
über|leiten to lead over *(od* across); ⚕ to transfuse; to form a transition; **~lesen** to read through *(od* over); to overlook
überliefer|n to deliver; to hand down, to transmit; to surrender; **~ung** delivery; tradition;
überlisten to outwit |surrender
übermach|en to make over; to transmit; **~t** supremacy, predominance; superior force(s); **⁓tig** too powerful, overwhelming
über|malen to paint over; **~mannen** to overcome, to overpower

Übermaß excess; excessive volume; *im ~* excessively; ♪ig excessive; exorbitant; immoderate; ♪ augmented
Übermensch superman; ~lich superhuman
übermitt|eln to transmit; to convey; ~lung transmission; conveyance, conveying
übermorgen the day after tomorrow
übermüd|en to overtire; ~ung overfatigue
Übermut high spirits; excessive merriment; wantonness; ♪ig in high spirits, merry; wanton; mischievous
übernacht|en to spend the night, to stay over night; ♪ig sleep-starved; seedy, blear-eyed; ~ung spending the night; overnight reservation
Über|nahme taking over, taking possession of; assumption; undertaking; ~national supra-national; ~natürlich supernatural; ~nehmen to ta' e over, to take possession of; to seize; to take upon o.s.; *(Arbeit)* to undertake; *(Verantwortung)* to assume; *refl* to overwork; to overeat; ~ordnen to place above *(od* over), to set over; ~produktion overproduction; ~prüfen to check, to verify; to screen s-b; ~quellen to flow over; ~quer across, crosswise; ~ragen to overtop, to rise above; *fig* to surpass; ~ragend excellent
überrasch|en to surprise; *(völlig)* to astound; ~ung surprise; ~ungsangriff surprise attack
überred|en to persuade; ~ung persuasion
überreich abounding *(an* in); overflowing *(an* with); ~en to present, to hand over; ~lich superabundant; ~ung presentation
über|reif overripe; ~reiten to ride over; *(Pferd)* to override; to run down; ~reizen to over-excite; to overstrain; ~rest remainder, residue; remains, relics; *irdische ~reste* mortal remains; ~rieseln to irrigate; *fig* to give s-b the creeps
überrumpel|n to surprise, to take unawares; ~ung surprise, sudden attack
übersatt oversatiated; ♪igen to surfeit, to overfill; to cloy; *chem* to supersaturate; ♪igt *fig* blasé
über|schatten to overshadow; ~schätzen to overestimate, to overrate; ~schauen to look over, to survey; *(Haus)* to overlook; ~schäumen to foam over; *fig* to exuberate, to abound; ~schicht extra shift, extra hours worked; ~schicken to send over; ~schlafen to consult one's pillow
Überschlag estimate, rough calculation; ⚘ somersault; ~en to estimate; *(Seiten)* to skip; *refl* to go head over heels, to turn a somersault; ✝ to loop (the loop); *(Stimme)* to break; *adj* cool, lukewarm, tepid; ♪ig rough
über|schnappen *(Stimme)* to squeak; *fig* to be cracked, to go crazy; ~schneiden to intersect, to overlap; ~schreiben to superscribe; to entitle, to head, to label; to transfer; ~schreien to cry down; to shout louder than; *refl* to shout o.s. hoarse
überschreit|en to cross; *fig* to exceed, to overstep; to transgress; *(Gesetz)* to infringe;

(Konto) to overdraw; ~ung crossing; excess; transgression; infringement; overdraft
Über|schrift heading, headline; title; inscription; ~schuh galosh, overshoe; ~schuldet deeply in debts
Über|schuß surplus; excess; balance; ~schüssig surplus; excess; superfluous
über|schütten to cover (with), to overwhelm (with); ~schwang exuberance, rapture
überschwemm|en to flood, to inundate; *d. Markt ~en* to overstock the market; ~ung flood, inundation
überschwenglich exuberant, rapturous
Übersee: *in ~* oversea(s); ~handel overseas trade; ~isch oversea(s), transoceanic; ~telegramm cable(gram)
übersehen to look over, to survey; to overlook, not to notice; *d. Straße gut ~ können* to have a clear view of the road
übersend|en to send, to forward, to transmit; *(Geld)* to remit; ~er sender; ~ung transmission; consignment
über|setzbar translatable; ~setzen to ferry across; *(Text)* to translate; *vi* to jump over; to cross; ~setzer translator; ~setzt *fig* overcrowded, excessive; ~setzung translation; ⚙ (ratio of) gearing
Übersicht (clear, comprehensive) view; review; survey; summary, synopsis; control; statistical table; *aus Gründen d. besseren ~* with a view to greater clarity; ~lich clear, easily visible; foreseeable; predictable; clearly arranged; ~lichkeit clearness; lucidity; well-ordered arrangement; ~skarte general map
übersied|eln to (re)move *(nach* to); to emigrate *(nach* to); ~lung removal; emigration
übersinnlich transcendental; *(medial)* psychic
überspann|en to cover (with); *fig* to overstrain; to exaggerate; ~t eccentric; ~theit eccentricity; ~ung ⚙ overstraining; ⚡ excess voltage
über|spitzt over-refined; too subtle; excessively ingenious; ~springen to jump across, to leap over; to skip, to miss out; ~sprudeln to bubble over; ~stechen to overtrump; ~stehen *vt* to endure, to go through; to get over, to survive; *vi* to stand out, to project; ~steigen to climb over, to cross; *fig* to pass, to exceed; ~steigern to outbid; to force up; to overdo; ~stimmen to outvote; ~strahlen to shine upon; *fig* to outshine; ~streichen to paint over; to rub over (with); ~strömen to run over; to overflow (with); to abound (in); ~stülpen to put on; ~stunden overtime
überstürz|en to (do in a) hurry, to precipitate; *refl* to act rashly, to be too hasty; ~ung (too great a) hurry
über|täuben to drown; to deafen; to stifle; ~teuern to overcharge; ~tölpeln to take in, to dupe; ~tönen to drown (the sound of)
Übertrag carrying over; amount carried *(bzw* brought) forward; ~bar transferable; $ catching, infectious, *(durch Berührung)* contagious; ~en to transfer, to carry over; to give up to;

(Arbeit) to entrust s-b with; *(Amt)* to confer on s-b; *(in e. Buch)* to enter; *(übersetzen)* to translate; *(umschreiben)* to transcribe; ⚓ to transmit, to relay; ⚡ to spread, to communicate, to infect s-b with; *adj* figurative; **~ung** carrying over; transfer; entering; translation; transcription; ⚓ transmission, broadcast; ⚡ spreading, communication, infection

übertreffen to surpass, to excel

übertreib|en to exaggerate; to overdo, to push too far; **~ung** exaggeration; excess

übertret|en to violate, to transgress; to trespass; *vi* to go over, to change over *(zu* to); to change (one's religion), to turn (Catholic, etc); **~ung** violation, transgression; *im ~ungsfalle* in case of transgression; ⚖ petty offence

über|trieben exaggerated, excessive; extravagant; **~tritt** change; going over *(zu* to); **~trumpfen** to overtrump; *fig* to outdo, to cap; **~tünchen** to whitewash; *fig* to gloss over; **~völkert** overpopulated; **~völkerung** overpopulation; **~voll** too full; full to overflowing; **~vorteilen** to take advantage of s-b; to take in, to overreach; to defraud; **~wachen** to watch over; to supervise, to superintend; **~wachung** supervision, control; observation; **~wachsen** *vt* to overgrow; *adj* overgrown

überwältig|en to overpower; to conquer; to overwhelm; **~end** *fig* overwhelming; **~ung** overcoming; conquering

überweis|en to transfer, *(bes Geld)* to remit; to assign (to); **~ung** transfer, remittance; **~ungsformular** transfer form; **~ungsverkehr** money transfer business

überwerfen to throw over; *refl fig* to fall out with s-b

überwiegen to outweigh; to prevail; to predominate; **~d** predominant; *adv* chiefly, mainly; predominantly

überwind|en to overcome, to conquer; to get the better of; *refl* to bring o.s. to, to overcome one's passion; **~er** conqueror; **~lich** surmountable; conquerable; **~ung** overcoming, conquest; victory (over); self-control

über|wintern to winter (at); *zool* to hibernate; **~wölben** to arch over; to vault over; **~wuchern** to overgrow, to overrun; **~wurf** wrap, cloak; *(Tuch)* shawl

Überzahl surplus; superior forces; majority; **~en** to count over; ⁿ̈**ig** supernumerary; surplus; superfluous

überzeichn|en to over-subscribe; **~ung** over-subscription

überzeug|en to convince *(von* of); to assure; *s. ~en (davon), daß* to make sure that; **~t** convinced; avowed; **~ung** conviction; belief; *ich komme zu d. ~ung* I am led to believe; *der ~ung sein* to be convinced

überzieh|en to put on, to pull over; *(Kissen etc)* to cover; *(Bett)* to put clean sheets on; *(Konto)* to overdraw; *mil* to invade; *mit Krieg ~en* to make war upon; *refl* to become overcast; **~er** overcoat, greatcoat; **~ung** *(Konto)* overdraft

über|zuckern to sugar; *(Kuchen)* to ice; *(Pille)*

to gild; **~zug** cover; slip; case; coat(ing), covering; crust; **~zwerch** across, athwart

üblich usual, customary; *nicht mehr ~* no longer customary, out of use

U-Boot submarine; *(deutsches)* U-Boat; **~-Krieg** submarine warfare

übrig left over, remaining; other; *im ~en* for the rest, in other respects; *~ haben* to have over, (to have) to spare *(can you spare me a cigarette?)*; *etw ~ haben für* to have a soft spot (in one's heart) for s-b; *nichts ~ haben für* to think little of, to care little for; *e. ~es tun* to make a special effort, to do more than is necessary; *~ sein* to be left over; **~bleiben** to be left over, to remain; **~ens** by the way, incidentally; after all

Übung exercise, practice; training, drill; *~ macht d. Meister* practice makes perfect; **~saufgabe** exercise; **~sflug** practice flight

Ufer shore, *(Fluß)* bank; beach; *am (ans) ~* ashore; **~damm** embankment; flood bank, *US* levee; **~los** *fig* boundless, extravagant; leading nowhere; **~straße** embankment

UFO UFO, unidentified flying object

Uhr clock; timepiece; *(Taschen-, Armband-)* watch; *wieviel ~ ist es?* what time is it?; *um wieviel ~?* (at) what time?, when?; **~feder** watch-spring; **~gehäuse** watch-case; **~gewicht** weight; **~glas** watch-glass, crystal; **~kette** (watch-)chain; **~macher** watchmaker; **~werk** works; clockwork; **~zeiger** hand; *im ~zeigersinn* clockwise

Uhu *zool* horned owl

UKW *(bes BE)* V.H.F.; *(bes US)* FM

Ulk fun, lark, joke; **~en** to lark, to joke; **~ig** funny

Ulme elm

Ultimo the last day of the month

Ultra|kurzwelle ultra-short wave, very high frequency (V.H.F.); **~marin** ultramarine; **~mikroskopisch** ultra-microscopic; **~violett** ultra-violet

um round, about; *~ ... herum* around, round; *(Uhr)* at *(at two o'clock)*; *(Preis, Grund)* for; in exchange for; *(Maß)* by *(taller by a head)*; *~ d. Hälfte mehr* half as much again; *~ e. Jahr älter* a year older; *~ so besser* all the better, so much the better; *~ so weniger* all the less *(bzw* fewer*)*; *e-n Tag ~ d. anderen* every other day; *Jahr ~ Jahr* year after year; *Stück ~ Stück* piece by piece; *~ ... willen* for the sake of ...; *(conj) ~ zu* in order to; *(adv) ~ u. ~* round about, all round, everywhere; *~ sein* to be over, to be gone

um|ackern to plough *(US* plow) up; **~adressieren** to redirect

umänder|n to alter; **~ung** alteration

umarbeit|en to do over, to work over (again); to rewrite; to recast; to remodel; **~ung** doing over again; rewriting; recasting; remodelling

umarm|en to hug, to embrace; **~ung** hug, embrace

Umbau reconstruction, rebuilding; *(constructional)* alterations; *fig* recasting; **~en** to reconstruct, to rebuild; to make alterations (to); to surround with buildings; **~t** surrounded by buildings; *~ter Raum* interior space

um|behalten to keep on; **~betten** to put into another bed; **~biegen** to bend; to turn up (*od* down, back); **~bilden** to remodel, to remould; to reconstruct; to reform; **~binden** to tie round; *(Schürze)* to put on; **~blasen** to blow down (*od* over); **~blättern** to turn over (the leaves of); **~blicken** to look round; to look about one; **~brausen** to roar around

um|brechen to break down; ⬇ to break (up); 𝍢 to make up; **~bringen** to kill, to do in; **~bruch** radical change; 𝍢 make-up; **~bruchredakteur** make-up editor; **~buchen** to transfer to another account; to change one's reservation; **~buchung** book transfer; **~dichten** to remodel; **~drängen** to crowd round

umdrehen to turn (round), *(Hals)* to twist, to wring *(a fowl's neck); es dreht e-m d. Herz um* it wrings one's heart; *refl* to turn round, to revolve, to rotate; **~ung** revolution, rotation; **~ungsgeschwindigkeit** speed of rotation

Umdruck reprint; **~en** to reprint

umdüstert gloomy, melancholy

umfahr|en to drive (*od* sail) round; to run down (*od* over); **~t** circular tour (of)

umfallen to fall down, to tumble down; to be upset (*od* overturned)

Umfang circumference; perimeter, *(bes Kreis-)* periphery; *(Ton-)* compass, range; extent, size; volume, bulk; **~en** to encircle, to embrace; **~lich** voluminous; **~reich** voluminous, comprehensive; bulky

umfass|en to clasp, to embrace; to encircle, to enclose; to surround; *fig* to comprise, to include; **~end** comprehensive; blanket, broad; all-out; **~ung** enclosure; fence; **~ungsmanöver** outflanking movement

umflort *(Stimme)* muffled; *(Blick)* dim

umform|en to reform; to transform (*a.* ⚡); to remodel; **~er** transformer, converter; **~ung** reforming; remodelling

Umfrage (general) inquiry

umfried|en to enclose, to fence in; **~ung** enclosure, fence

umfüllen to pour from s-th into s-th; to decant

Umgang circular passage, circular way; *(Zug)* procession; *(Bekanntschaft)* intercourse, association; relations (with); **~ haben mit** to associate with; **~lich** manageable; sociable, companionable; **~senglisch** informal (*od* colloquial) English; **~sformen** manners; **~ssprache** colloquial (*od* informal) speech; **~ssprachlich** colloquial, informal

um|garnen to ensnare, to trap; **~gaukeln** to hover (*od* flutter) around

umgeb|en to surround; **~ung** surroundings, environs; company, associates; *(Milieu)* environment, background

Umgegend neighbourhood, enyirons

umgeh|bar avoidable; **~en** *vt* to go round; to outflank; *fig* to evade, to by-pass; *vi* to go round; to go a roundabout way; to circulate;

(Geist) to haunt; **~en mit** to manage, to treat, to deal with; to associate with s-b; to be occupied with s-th; *mit d. Gedanken* **~en** to intend, to contemplate; **~end** by return (of post); immediately; **~ung** going round; *fig* evasion; **~ungsmanöver** outflanking movement; **~ungsstraße** by-pass road; **~ungsweg** by-pass

umgekehrt opposite, reverse; contrary; *adv* on the contrary; vice versa; the other way round; upside down; in the opposite direction

um|gestalten to transform, to alter; to reorganize; **~gießen** to pour from s-th into s-th; to decant; to recast; **~gliedern** to reorganize; **~graben** to dig (up); ⬇ to break up; **~grenzen** to encircle, to enclose; to circumscribe, to limit; **~gucken** to look round; *d. wird s. noch* **~gucken** he'll be surprised; **~gürten** to put on *(a sword)*, to gird (up); **~haben** to have on (*od* round one); **~hang** cape; wrap; *(Tuch)* shawl; **~hängen** to hang round; to put on; to rehang; **~hauen** to fell, to cut down

umher around, round about, here and there; **~blicken** to look about, to glance round; **~fahren** to drive about; **~gehen** to walk about; **~laufen** to run about

umhin: *ich kann nicht* **~** I cannot help (*zu tun* doing)

umhüll|en to wrap (up); to envelop; to cover; to veil; **~ung** wrapping; covering; veil

Umkehr return, turning back; change; revulsion (of feeling); **~en** *vt* to turn round (*od* inside out, upside down); ↓ to invert; ⚡ to reverse; *vi* to return, to turn back; **~ung** inversion; reversal

umkippen *vt* to overturn, to upset; *vi* to tilt over; to lose one's equilibrium

umklammer|n to grip, to clasp (firmly); *mil* to encircle; **~ung** encirclement; 🖐 clench

umklappen to turn down

umkleid|en *vt* to change the dress of; *refl* to change; to undress; **~eraum** dressing-room; **~ung** change of clothes

um|knicken to bend over; to fold over; to snap off; ⚡ to sprain; **~kommen** to perish; *(Essen)* to go bad; to be wasted

Umkreis circle, circumference; neighbourhood, vicinity; **~en** to circle round, to revolve round; to encircle; **~ung** encirclement

umkrempeln to tuck up

umlad|en to load from s-th to s-th; to reload; ⚓, 🚚 to transship; **~ung** reloading, transshipment

Umlage assessment; *(Kommunal-)* rate; levy; **~ern** to surround; to besiege; **~erung** re-direction; switching

Umlauf circulation; revolution; rotation; *(Schreiben)* circular; *in* **~** *setzen* to put into circulation, to circulate; *(Gerücht)* to spread; **~en** *vt* to walk round; *vi* to circulate; to be in circulation; to take a roundabout way; **~kapital** active capital; **~vermögen** current assets; **~zeit** turn-round time

umleg|en to put on (*od* round); to lay down; *sl* to do s-b in; to change the position of, to shift;

(verteilen) to apportion, to distribute; **~ekragen** turn-down collar

umleit|en to divert; to turn aside; **~ung** *BE* diversion, detour; re-direction

um|lenken to turn round *(od* back); **~lernen** to re-adjust one's views; to learn anew; **~liegend** surrounding, neighbouring; **~mauern** to wall in; **~modeln** to remodel, to alter; **~nachtet** wrapped in darkness; *fig* deranged; **~nebeln** to cloud; *fig* to bewilder; **~packen** to repack; **~pflanzen** to transplant; to plant round; **~pflügen** (*US* plow) up; **~quartieren** to remove to other quarters; **~rahmen** to frame; to surround; **~randen, ~rändern** to border, to edge; **~ranken** to twine round; to clasp with tendrils

umrechn|en to convert, to change; to recalculate; *umgerechnet auf* expressed in terms of; **~ungssatz** conversion rate

um|reisen to go round; **~reißen** to pull down; *fig* to outline; **~rennen** to run over *(od* down); **~ringen** to surround; **~riß** outline, contour; **~rühren** to stir (up); **~sägen** to saw down; **~satteln** *vt* to resaddle; *vi fig* to change one's studies (*bzw* occupation)

Umsatz sales, turnover; **~steuer** turnover tax

umsäumen to hem; to enclose, to surround

umschalt|en ⚡ to switch (over); 🚗 to change gear; **~er** switch, commutator; *(Schreibm.)* shift-key; **~hebel** change-lever; gear-lever

Umschau looking round; ~ *halten* to look round, to look out *(nach* for); **~en** *refl, vi* to look round

umschicht|en to alter, to change, to switch; to shift (the strata of); **~ig** in layers; *fig* alternately; **~ung** alteration; switch; shifting; *(Arbeiter)* redeployment

umschiffen to sail round, to circumnavigate

Umschlag cover, wrapper; *(Brief-)* envelope; cuff; *(Saum)* hem; 🏥 poultice, compress; traffic, turnover; *fig* turn, change; **~en** *vt* to knock down, to fell; *(Tuch)* to put on; *(Stoffrand)* to turn up; *(Kragen)* to turn down; *(Seite)* to turn over; *vi* to tilt over; ⚓ to capsize; *(Stimme)* to break; *(Wind)* to change; *(Wetter)* to break; **~(e)tuch** shawl; **~hafen** port of reshipment *(od* transshipment); **~papier** wrapping-paper; **~seite** cover

um|schleiern to veil; **~schließen** to enclose, to surround; to clasp; **~schlingen** to embrace, to clasp (round); to entwine; **~schmelzen** to remelt, to recast, to refound; **~schnallen** to buckle on; **~schnüren** to pack, to do *(od* tie) up; cord

umschreib|en to rewrite; to transfer, to make over; to circumscribe; *fig* to paraphrase; **~ung** *fig* paraphrase

Umschrift inscription; *(Münze)* legend; transcription

umschul|en to retrain; to rehabilitate; **~ung** retraining; rehabilitation

um|schütten to upset, to spill; to pour into another vessel; **~schwärmen** to swarm round; *fig* to adore

Umschweif digression; *ohne* ~*e* frankly, plainly; point-blank

um|schwenken to wheel round; *fig* to change one's mind; **~schwung** change; revulsion (of feeling); revolution; *(völlig)* about-face; **~segeln** to sail round, to circumnavigate

umsehen *refl* to look round *(od* back); to look about; to look out *(nach* for); *im* ~ in a moment

um|seitig on the other page, overleaf; **~setzen** to change; to transplant; ♪ to transpose; *(Waren)* to dispose of, to realize, to sell; **~sich-greifen** spreading

Umsicht prudence, caution; **~ig** prudent, cautious, circumspect; **~igkeit** = ~

um|siedeln *vt* to resettle; *vi* to settle elsewhere; **~sinken** to drop, to sink down; to faint; **~sonst** for nothing, gratis; in vain; without a reason; **~spannen** to change *(horses)*; ⚡ to transform; to enclose, to encompass; to comprise; **~springen** *vt* to jump round s-b; *vi* to change, to veer (round); ~ *springen mit* to treat roughly, to manage s-b; **~spülen** to wash (round)

Umstand circumstance; fact; factor, condition; *pl* particulars; formalities; fuss, trouble; *ohne* ~ without ceremony; *unter* ~*en* in certain circumstances; *unter allen* ~*en* in any case, at all events; *unter keinen* ~*en* on no account; *machen Sie keine* ~*e* do not stand upon ceremony; *in anderen* ~*en* to be expecting, to be in the family way; *mildernde* ~*e* ⚖ extenuating circumstances; **~ehalber** owing to circumstances; **~lich** circumstantial; formal; fussy; *(verwickelt)* involved, intricate; **~lichkeit** ceremoniousness; fussiness; intricacy; **~sbestimmung** adverbial phrase; **~skleid** maternity dress; **~skrämer** fussy person, fusspot; **~swort** adverb

umstecken to pin anew, to stick anew; to pin *(od* stick) round

umstehen to stand round, to surround; **~d** on the other side, on the following page, overleaf; *d.* ~*en* the bystanders

Umsteige|karte transfer (ticket); **~n** to change *(nach* for)

umstell|en to re-arrange; to change the position of; to transpose; to convert (to); to surround, to encircle; *refl* to assume a different attitude; to adapt o.s. *(auf* to); **~ung** re--arrangement; change; transposition; conversion; inversion; change-over

um|stimmen ♪ to tune to another pitch; *fig* to make s-b change his mind, to talk s-b into (doing); **~stoßen** to knock down, to upset; *fig* to annul, to reverse; **~stricken** to ensnare; **~stritten** disputed, controversial; (question) at issue; **~stülpen** to turn upside down, to turn over

Umsturz overthrow; revolution; **~bestrebungen** revolutionary tendencies; **~en** to throw down, to overturn; *vi* to fall down; **~ler** revolutionary; **~lerisch** revolutionary, subversive   [change *(gegen* for)

Umtausch exchange; conversion; **~en** to ex-

umtopfen to repot

Um|trieb activity; *pl* intrigues, machinations; **~tun** to put on; *refl* to look (*nach* for); **~wachsen** to grow round

umwälz|en to roll round; *fig* to revolutionize; *refl* to roll about; **~ung** revolution

umwand|eln to change, to transform; ⚖ to commute; to convert; *er ist wie umgewandelt* he has turned over a new leaf; **~lung** change, transformation; commutation; conversion

umwechs|eln *(Geld)* to change; to exchange (*für, gegen* for); **~lung** changing; exchange

Umweg roundabout way, detour; circuitous route; *e-n ~ machen* to (make a) detour

um|wehen to blow down; to blow round; **~welt** surrounding world, the world around us; environment; **~welteinfluß** environmental influence; **~weltgefahr** ecological hazard; **~weltschutz** environment protection; **~weltschützer** environmentalist; **~weltverschmutzung** environmental pollution; **~wenden** to turn (over); to turn upside down; *refl* to turn round (*od* back); **~werben** to woo; to court; *umworben sein* to have many admirers, to be sought after; **~werfen** to upset; to overthrow; to throw round, to put on

umwert|en to revalue; to convert (*1 : 1 ~en* to c. in the ratio 1 : 1); **~ung** revaluation; conversion

um|wickeln to wind round; to wrap up; **~wohner** *pl* neighbours, inhabitants of the vicinity; **~wölken** to overcast; *fig* to darken; **~zäunen** to fence (*od* hedge) round, to enclose; **~ziehen** *vt* to change s-b's clothes; *refl* to change; *vi* to remove, to move (house); **~zingeln** to surround, to encircle

Umzug procession; *pol* demonstration; *(Wohnung)* removal; **~gut** removal goods; **~skosten** removal expenses

un- un-, in-, non- *(hier nicht zu findende Wörter, die mit* un- *zusammengesetzt sind, suche man unter dem Grundwort)*

unab|änderlich unalterable; irrevocable; **~dingbar** unalterable, final; mandatory; **~gekürzt** unabbreviated; *(Text)* unabridged

unabhängig independent (*von* of); **~keit** independence

unab|kömmlich irreplaceable, indispensable; **~lässig** incessant, unremitting; perpetual; **~sehbar** immeasurable; incalculable; immense, vast; **~sichtlich** unintentional; **~weisbar, ~weislich** unavoidable; imperative; **~wendbar** inevitable

unachtsam inattentive; careless; casual; **~keit** inattention; carelessness

unähnlich unlike, dissimilar; **~keit** dissimilarity

unan|fechtbar incontestable, indisputable; **~gebracht** unsuitable, out of place; untimely; malapropos; **~gefochten** unhampered; undisputed; **~gemessen** inadequate; unsuitable; improper; **~genehm** unpleasant, disagreeable; awkward; **~greifbar** unassailable; **~nehmbar** unacceptable; **~nehmlichkeit** inconvenience, annoyance; unpleasantness; trouble; **~sehnlich** poor-looking, ill-favoured; plain, mean; insignificant; **~ständig** indecent, improper; **~ständigkeit** indecency, impropriety; **~stößig** inoffensive, harmless; **~tastbar** inviolable; unassailable; **~wendbar** inapplicable

unappetitlich uninviting; distasteful, repulsive

Unart rudeness; bad behaviour, ill breeding; **~ig** naughty; rude, badly behaved

un|artikuliert inarticulate; **~ästhetisch** in bad taste; repellent; not aesthetic

unauf|fällig inconspicuous; conservative; modest; **~findbar** not to be found; **~gefordert** unasked; **~geklärt** unexplained; unenlightened; **~haltsam** irresistible; uncontrollable; incessant; **~hörlich** incessant, ceaseless; continual; **~lösbar, ~löslich** insoluble; inexplicable; **~merksam** inattentive; **~merksamkeit** inattention; **~richtig** insincere; **~richtigkeit** insincerity; **~schiebbar** not to be put off, pressing, urgent

unaus|bleiblich inevitable; unfailing, certain; **~führbar** impracticable, not feasible; **~geglichen** maladjusted; unbalanced; **~geglichenheit** maladjustment; disequilibrium; **~genutzt** unused; **~gesetzt** uninterrupted, constant; **~löschlich** indelible; *(Feuer)* inextinguishable; **~rottbar** ineradicable; **~sprechlich** inexpressible; indescribable; unspeakable; **~stehlich** intolerable, insufferable; **~weichlich** inevitable, unavoidable

unbändig unruly, unmanageable; excessive; tremendous

unbarmherzig unmerciful, merciless, pitiless; **~keit** mercilessness, unmercifulness

unbe|absichtigt unintentional; **~achtet** unnoticed; disregarded; *~achtet lassen* to ignore, to take no notice of; **~anstandet** unopposed; unhampered; not objected to; **~antwortet** unanswered; **~aufsichtigt** without supervision; **~baut** not built upon; ⏚ uncultivated; **~dacht (-sam)** inconsiderate, thoughtless; rash; **~deckt** uncovered; bare; **~denklich** harmless; unobjectionable; unhesitating; *adv* without hesitation; without scruples; unreservedly; **~deutend** insignificant, trifling; **~dingt** unconditional; absolute; *(Vertrauen, Gehorsam)* implicit; **~eidigt** not sworn (in); **~einflußt** unbiased, unprejudiced; **~fahrbar** impassable; impracticable; **~fangen** natural, unembarrassed; impartial, unprejudiced; **~fangenheit** impartiality; naturalness; **~fleckt** unsullied, unspotted; *fig* immaculate; **~friedigend** unsatisfactory; **~friedigt** unsatisfied, dissatisfied; **~fristet** for an unlimited period; **~fugt** unauthorized; not entitled; incompetent; *adv* without authority; *d. Betreten ist ~fugten verboten* no admission except on business, unauthorized persons not admitted; **~gabt** not gifted, untalented; **~glaubigt** unauthenticated; *pol* unaccredited; **~gleitet** unattended; **~greiflich** incomprehensible, inconceivable; **~grenzt** unbounded, unlimited;

~**gründet** unfounded, groundless; ~**hagen** uneasiness, discomfort; *mit* ~*hagen* uneasily; ~**haglich** uncomfortable; uneasy; awkward; ~**helligt** unmolested, undisturbed; ~**hilflich** helpless; ~**holfen** awkward, clumsy; ~**holfenheit** awkwardness, clumsiness; ~**hutsam** incautious, careless; ~**irrbar** imperturbable, not to be put out; ~**irrt** unswerving, unflinching; ~**kannt** unknown; unacquainted (with); ignorant (*mit* of); a stranger (to); ~**kehrbar** inconvertible; ~**kleidet** unclothed, in one's birthday suit; ~**kümmert** unconcerned; careless; ~**lästigt** unmolested; ~**lebt** lifeless; inanimate; dull; ~**lehrbar** unteachable; obstinate; ~**lesen** illiterate; uneducated; ~**liebt** disliked; unpopular; ~**liebtheit** unpopularity; ~**lohnt** unrewarded; ~**mannt** unmanned; ~**merkbar** imperceptible; ~**merkt** unnoticed, unperceived; ~**mittelt** without means, indigent; ~**nannt** nameless; *(Zahl)* abstract; ~**nommen**: *j-m* ~*nommen bleiben* to be free (to do); ~**nutzt** unused; unoccupied; ~**quem** uncomfortable, inconvenient; disagreeable; ~**quemlichkeit** discomfort, inconvenience; ~**rechenbar** incalculable; whimsical; ~**rechtigt** not entitled (to do); unauthorized; unjustified; ~**richtigt** not corrected; ~**rücksichtigt** not taken into account; disregarded, ignored; ~**rufen** uncalled for; unauthorized; ~*rufen!* touch wood!; ~**rührt** untouched; intact; innocent, chaste; ~**schadet** *prep* without prejudice to; ~**schädigt** undamaged; uninjured, unhurt; safe and sound; ~**schäftigt** unemployed; unoccupied; ~**scheiden** immodest; arrogant; exorbitant; ~**scheidenheit** lack of modesty; rudeness; arrogance; ~**scholten** blameless; irreproachable; ~**scholtenheit** blameless reputation; blamelessness; integrity; ~**schränkt** unlimited, boundless; absolute; ~**schreiblich** indescribable; beyond description; ~**schrieben** blank, not written upon; ~**schwert** unburdened; unmolested; ~**seelt** inanimate; ~**sehen** without previous inquiry *(od* examination); without inspection; without hesitation; ~**setzt** unoccupied; vacant; ~**siegbar**, ~**sieglich** invincible; ~**sonnen** thoughtless, inconsiderate; careless; rash; ~**sonnenheit** thoughtlessness; carelessness; rashness; *sei* ~*sorgt!* don't worry!; don't trouble yourself!; ~**sorgt** unconcerned; careless; carefree, easy; *sei* ~*sorgt!* don't worry!; don't trouble yourself!; ~**ständig** unstable, inconstant; fickle; *(Wetter)* unsettled, changeable; ~**ständigkeit** instability, inconstancy; fickleness; changeableness; ~**stätigt** unconfirmed; ~**stechlich** incorruptible; ~**stechlichkeit** incorruptibility; integrity; ~**stellbar** not deliverable; *(Brief)* dead; ~**stellt** undelivered; not ordered; ~**stimmbar** undefinable; nondescript; ~**stimmt** undetermined; indefinite, indeterminate; uncertain, vague; *gram* indefinite; ~**stimmtheit** indeterminateness; indefiniteness; uncertainty, vagueness; inaccuracy; ~**stochen** uncorrupted; ~**streitbar** incontestable, indisputable; *adv* surely; ~**stritten** uncontested, undisputed; ~**teiligt** not concerned;

not interested (*bei*, *an* in); not participating; ~**tont** unstressed; ~**trächtlich** inconsiderable **unbeugsam** unbending, inflexible; determined; stubborn; ~**keit** inflexibility; determination; stubbornness

unbe|wacht unguarded; unwatched; ~**waffnet** unarmed; *(Auge)* naked; ~**wandert** not versed (in); inexperienced; ~**weglich** immovable; motionless; *(Besitz)* real; ~**wegt** unmoved; idle; ~**wehrt** unarmed; ~**weibt** unmarried, bachelor; ~**wiesen** not proved; ~**wohnbar** uninhabitable; ~**wohnt** uninhabited; ~**bewußt** unconscious; involuntary; ~**zahlbar** priceless; ~**zahlt** unpaid; ~**zähmbar** indomitable, untamable; ~**zeugt** unattested; ~**zweifelt** undoubted; ~**zwingbar**, ~**zwinglich** invincible; indomitable; unsurmountable

unbiegsam inflexible, unbending; unyielding; rigid; ~**keit** inflexibility; rigidity

Unbildung lack of education; illiteracy

Unbill injustice, wrong; *(Wetter)* inclemency; ~**ig** unfair, unjust; *ich verlange nichts* ~*iges* I only ask what is fair; ~**igkeit** unfairness, injustice

un|blutig bloodless; *eccl* unbloody; ~**botmäßig** insubordinate; refractory, unruly; ~**brauchbar** useless, of no use; unserviceable; ~**brauchbarkeit** uselessness; ~**bußfertig** impenitent, unrepentant; ~**christlich** unchristian

und and; ~**?** and then?, and afterwards?; ~ *wenn* even if; ~ *so weiter* and so on; ~ *so weiter*, ~ *so weiter* and so on, and so forth

Undank ingratitude; ~ *ist d. Welt Lohn* the world pays with ingratitude; ~**bar** ungrateful; *(Aufgabe)* thankless; ~**barkeit** ingratitude

un|datiert undated; bearing no date; ~**definierbar** indefinable; ~**deklinierbar** indeclinable; ~**denkbar** unthinkable, inconceivable; ~**denklich** immemorial; *seit* ~*denklichen Zeiten* from time immemorial; ~**deutlich** indistinct; not clear, vague; inarticulate; unintelligible; ~**deutsch** un-German; not German; ~**dicht** not tight, leaky; ~*dicht sein* to leak; ~**dienlich** useless; unfitted (for); ~**dienstfertig** disobliging; ~**ding** monstrosity, monster; absurdity; impossibility; ~**duldsam** intolerant; ~**duldsamkeit** intolerance

undurch|dringlich impenetrable; impervious, impermeable; ~**führbar** impracticable, impossible; ~**lässig** impermeable; waterproof; lightproof; gasproof (etc); ~**sichtig** opaque, not transparent

uneben uneven; rough, rugged; *nicht* ~ not bad; ~**bürtig** of inferior rank, inferior; ~**heit** unevenness; roughness, ruggedness

un|echt not genuine; spurious; false, sham; *(Geld)* counterfeit; *(Farbe)* not fast; *chem* adulterated; *math* improper; imitation, artificial; ~**edel** base, ignoble

unehr|bar indecent, immodest; ~**e** dishonour, disgrace; ~**enhaft** dishonourable; ~**erbietig** disrespectful; irreverent; ~**lich** dishonest; infamous; insincere; underhand; ~**lichkeit** dishonesty; insincerity

uneigennützig disinterested; unselfish; ~**keit** disinterestedness; altruism

uneigentlich not literal, not proper; figurative

unein|begriffen not included; exclusive of; ~**bringlich** irrecoverable, irretrievable; ~**gedenk** unmindful; ~**geschränkt** unlimited; *adv* without qualification; ~**geweiht** uninitiated; ~**ig** disunited; discordant; at variance (with); ~*ig werden* to fall out (with s-b); ~**igkeit** discord, dissension; disagreement; disunion; ~**nehmbar** impregnable; ~**s**: ~*s sein* to disagree, to be at variance (with); ~**träglich** un-

unelegant inelegant [profitable

unempfänglich insusceptible, unreceptive; ~**keit** insusceptibility; indifference

unempfindlich insensible; insensitive (to); indifferent (to); ~**keit** insensibility; indifference

unendlich infinite; endless; vast; *e-e* ~*e Menge* an infinite multitude; *umg* no end of...; ~**keit** infinity; endlessness; infinite space

unent|behrlich indispensable; ~**geltlich** free, gratis; gratuitous; free of charge (*od* payment); ~**haltsam** incontinent; intemperate; ~**hüllt** unrevealed; ~**schieden** undecided; ſʰ drawn; ~*schiedenes Spiel* a drawn game, a draw; ~*schieden enden* to end in a draw (*od* in a tie); *fig* irresolute; ~**schiedenheit** indecision; uncertainty; ~**schlossen** undecided, irresolute; ~**schlossenheit** indecision irresolution; ~**schuldbar** inexcusable; ~**wegt** steadfast, staunch; unflinching, unswerving; ~**wickelt** undeveloped; ~**wirrbar** inextricable; ~**zifferbar** indecipherable

uner|bittlich inexorable, adamant; ~**fahren** inexperienced; ~**fahrenheit** inexperience; want of experience; ~**findlich** mysterious, incomprehensible; ~**forschlich** impenetrable; inscrutable; ~**forscht** unexplored; occult; ~**freulich** unpleasant, disagreeable; unsatisfactory; ~**füllbar** unrealizable; impossible to fulfil; ~**füllt** unfulfilled; ~**giebig** unproductive; sterile; barren; ~**gründlich** unfathomable, abysmal; bottomless; impenetrable; ~**heblich** irrelevant, insignificant; inconsiderable; trifling; ~**hört** unheard of; (*Bitte*) unheard; unprecedented; shocking; scandalous; exasperating; ~*hört!* the limit!; exorbitant; ~**kannt** unrecognized; incognito; ~**kenntlich** ungrateful; ~**klärbar**, ~**klärlich** inexplicable; unaccountable; ~**läßlich** indispensable; ~**laubt** not allowed; illicit; unlawful; ~**ledigt** not finished, not settled; ~**meßlich** immeasurable, immense; infinite; vast, huge; ~**müdlich** untiring, indefatigable; unflagging; unwearied; ~**örtert** not discussed; not decided, unsettled; ~**quicklich** unpleasant, disagreeable; unedifying; ~**reichbar** unattainable; inaccessible; out of reach; ~**sättlich** insatiable; ~**schlossen** not opened up; undeveloped; ~**schöpflich** inexhaustible; ~**schrocken** intrepid, undaunted; fearless; ~**schrockenheit** intrepidity; fearlessness; ~**schütterlich** unshakable; firm, resolute; ~**schütterlichkeit** firmness, resolution;

~**schwinglich** unattainable; exorbitant, beyond one's means; beyond price; ~**setzbar**, ~**setzlich** irreplaceable; irreparable; irretrievable; ~**sprießlich** unprofitable; unpleasant, disagreeable; ~**steigbar** inaccessible; that cannot be climbed; ~**träglich** unbearable, intolerable; beyond (all) bearing, beyond endurance; ~**wähnt** unmentioned; ~*wähnt lassen* to make no mention of; ~**wartet** unexpected; abrupt; ~**widert** unanswered; (*Liebe*) unrequited, unreturned; ~**wiesen** unproved; ~**wünscht** undesired; unwished for, unwelcome; ~**zogen** uneducated; ill-bred

unfähig incapable (of); unable (to do); incompetent, unfit (for); ~**keit** incapacity, inability; unfitness; inefficiency

Unfall accident; breakdown; disaster; *e-n* ~ *haben* to meet with an accident; ~**flucht** hit-and-run offence; ~**kommando** breakdown gang; accident assistance squard; ~**station** first-aid station; accident ward; ~**tod** accidental death; ~**versicherung** accident insurance

un|faßbar, ~**faßlich** inconceivable, incomprehensible; ~**fehlbar** infallible; *adv* certainly; ~**fehlbarkeit** infallibility; ~**fein** rude, coarse; impolite; ungentlemanly; ~**fern** not far off, near; *prep* not far from, a little way from; ~**fertig** unfinished; not ready; immature; ~**flat** filth, dirt; ~**flätig** filthy, dirty; obscene; ~**fleiß** laziness, idleness; ~**folgsam** disobedient; ~**folgsamkeit** disobedience; ~**förmig**, ~**förmlich** mis-shapen, shapeless; deformed; monstrous; ~**förmigkeit** deformity; monstrosity; ~**frankiert** not prepaid; unstamped; carriage forward; ~**frei** not free; constrained, embarrassed; = ~frankiert; ~**freiwillig** compulsory; involuntary; ~**freundlich** unfriendly, unkind; harsh; (*Wetter*) inclement; ~**freundlichkeit** unfriendliness; unkindness; inclemency; ~**friede** discord, dissension

unfruchtbar barren, sterile; arid; unproductive; ~**keit** barrenness, sterility; aridity; ~**machung** sterilization

Unfug mischief; disorder; misdemeanour; (*Unsinn*) nonsense; ~ *treiben* to do mischief

un|gangbar impassable; not current; unsalable; ~**gastlich** inhospitable

Ungar Hungarian; ~**isch** Hungarian; ~**n** Hungary

unge|achtet not esteemed, not respected; *prep* regardless of, in spite of; notwithstanding; ~**ahndet** unpunished; ~**ahnt** unthought of, never dreamt of; unexpected, not anticipated; ~**bändigt** (*Pferd*) not broken in; *fig* unrestrained; ~**bärdig** unruly, wild; ~**beten** uninvited; ~*betener Gast* (*umg*) gate-crasher; ~**beugt** unbent, uncurbed; ~**bildet** uneducated, uncultivated; ill-bred; low-bred; ~**bleicht** unbleached; unblanched; ~**boren** unborn; ~**bräuchlich** unusual; ~**braucht** unused; ~**brochen** unbroken; (*Strahl*) not refracted; ~**bühr** impropriety; ~**bührlich** improper, indecent, unbecoming; ~**bunden** unbound; *fig* free, unrestrained; loose, dissolute; *ich bin zeitlich*

~*bunden* my time is my own; ~**dankt** without thanks; ~**deckt** uncovered, without cover; *(Scheck)* dishonoured; *(Tisch)* not yet laid; ~**druckt** unprinted; unpublished; ~**duld** impatience; ~**duldig** impatient; ~**eignet** unsuitable, unfit; inappropriate; ~**fähr** *adj* approximate; vague; *adv* about, nearly; approximately; *su* chance, accident; *von* ~*fähr* by chance; ~**fährdet** out of danger, safe; ~**fährlich** not dangerous, harmless; ~**fällig** disobliging, unobliging, unkind; ~**fälligkeit** discourtesy; ~**fälscht** unadulterated; ~**fiedert** callow; ~**fragt** unasked; ~**füge** mis-shapen, monstrous; ~**fügig** unwieldy; unmanageable; ~**gerbt** untanned; ~**halten** indignant, angry; ~**heißen** unasked; voluntary; *adv* spontaneously; ~**heizt** unheated; ~**hemmt** unhampered; unchecked; on the loose; ~**heuchelt** unfeigned; sincere; ~**heuer** *adj* enormous, immense; huge; monstrous; *adv* exceedingly; *su* monster; ~**heuerlich** monstrous; ~**heuerlichkeit** monstrosity; enormity; ~**hobelt** unplaned; *fig* unpolished, uncouth; ~**hörig** undue; unsuitable; improper; impertinent; ~**hörigkeit** impertinence; impropriety; ~**horsam** *adj* Jisobedient; *su* disobedience; insubordination; ~**kocht** unboiled; ~**künstelt** unaffected; artless; natural; ~**kürzt** unabridged; ~**laden** uninvited; *(Gewehr)* unloaded; ~**legen** inconvenient, inopportune; ~*legen kommen* to arrive at an awkward time, to come amiss; ~**legenheit** inconvenience; trouble; ~**lehrig** not docile; unteachable; ~**lenk** awkward; stiff; ~**lernt** unskilled; ~**logen** truthfully; ~**löscht** unquenched; unextinguished; *(Kalk)* unslaked; ~**mach** discomfort; trouble, hardship; ~**mein** extraordinary; *adv* uncommonly; extremely; ~**messen** unbounded, unlimited; ~**mütlich** uncomfortable; unpleasant; *(Person)* disagreeable; ~**nannt** unmentioned; nameless; anonymous; ~**nau** inaccurate, inexact; loose; ~**nauigkeit** inaccuracy, inexactitude; ~**neigt** disinclined; indisposed; ~**niert** not standing on ceremony, free and easy; making o.s. at home; ~**nießbar** uneatable; unfit for human consumption; unbearable, unsociable; ~**nügend** insufficient; unsatisfactory, below standard; ~**nügsam** discontented; insatiable; ~**nutzt** unused; unutilized; unemployed; ~**ordnet** not arranged; ~**pflastert** unpaved; ~**pflegt** neglected; untidy, unkempt; ~**pflügt** unploughed; ~**prüft** unexamined; untried; ~**putzt** uncleaned, unpolished; unadorned; ~**rächt** unavenged; ~**rade** not straight, uneven, *(Zahl)* odd; ~**raten** spoiled, naughty; misshapen; ~**rechnet** not counted (*od* included), not taken into account; exclusive of; ~**recht** unjust; ~**rechtfertigt** unjustified; ~**rechtigkeit** injustice; ~**regelt** irregular; not (*od* badly) arranged; ~**reimt** unrhymed; absurd

ungern unwillingly; reluctantly; *ich sehe es* ~ I don't like to see it

unge|rügt uncensured; ~**salzen** unsalted; ~**sättigt** unsatisfied; unsaturated; ~**säuert** un-

leavened; ~**säumt** *(Kleid)* seamless, unseamed; *(sofort)* prompt, immediate; *adv* immediately, without delay; ~**schehen** undone; ~*schehen machen* to undo; ~**schick** misfortune; ~**schicklichkeit** awkwardness, clumsiness; ~**schickt** awkward, clumsy; stupid; ~**schlacht** uncouth; clumsy; ~**schliffen** uncut; unpolished; coarse; *fig* ill-bred; ~**schmälert** undiminished; ~**schmeidig** stiff, not pliant; intractable; ~**schminkt** not made up, not rouged; *fig* unvarnished; ~**schoren** unshorn; *fig* unmolested; ~*schoren lassen* to leave alone (*od* in peace); ~**schwächt** unweakened; unbroken; ~**sellig** unsociable; ~**setzlich** illegal; unlawful; ~**setzlichkeit** illegality; unlawfulness; ~**sittet** ill-mannered; uncivilized; ~**staltet** misshapen, deformed; ~**stempelt** unstamped; ♂ not postmarked; ~**stillt** unquenched; unappeased; ~**stört** undisturbed; uninterrupted; ~**straft** unpunished; with impunity; ~**stüm** impetuous; boisterous; *su* impetuosity; ~**sund** unhealthy; unwholesome; ~**teilt** undivided; *fig* unanimous; ~**treu** faithless; ~**trübt** cloudless, unclouded; clear; *fig* untroubled, pure; ~**tüm** *su* monster; ~**übt** untrained, unpractised; inexperienced; ~**wandt** unskilful; awkward; ~**waschen** unwashed; ~**wiß** uncertain; ~**wisse** *su* uncertainty; *e. Sprung ins* ~*wisse* a leap in the dark; ~**wißheit** uncertainty; ~**witter** (violent) storm, thunderstorm; hurricane; ~**wöhnlich** unusual, uncommon; strange; abnormal; ~**wohnt** unaccustomed, unfamiliar; unusual; ~**würzt** unseasoned; ~**zählt** uncounted; unnumbered; innumerable; ~**zähmt** untamed; ~**ziefer** vermin; insects, bugs; ~**ziemend** unbecoming; unseemly, improper; ~**zogen** naughty; rude; ill-bred; ~**zogenheit** rudeness, impertinence; naughtiness; ~**zügelt** unbridled, unrestrained; ~**zwungen** unaffected, natural; ~*zwungene Haltung* easy attitude; ~*zwungene Lebensfreude* carefree and happy enjoyment of life; ~**zwungenheit** unaffectedness; ease

Unglaub|e disbelief; unbelief; ~**ig** unbelieving; incredulous; infidel; ~**igkeit** unbelief; incredulity; ~**lich** incredible; *ganz* ~*lich* past all belief; ~**würdig** untrustworthy; unreliable

ungleich unequal; unlike; dissimilar; uneven; different, varying; *adv* incomparably; a great deal; far; ~**artig** heterogeneous; dissimilar; ~**artigkeit** heterogeneity; ~**förmig** not uniform; unlike; irregular; ~**förmigkeit** want of uniformity; ~**mäßig** unsymmetrical; disproportionate; irregular; ~**seitig** with unequal sides; *math* scalene

Unglimpf insult; harshness; ~**lich** insulting; harsh

Unglück misfortune; calamity; disaster; bad luck; adversity; *e.* ~ *kommt selten allein* misfortunes never come singly; ~**lich** unfortunate, unlucky; unhappy; ill-starred; *(Liebe)* unrequited; ~**licherweise** unfortunately; ~**selig** unfortunate; disastrous; miserable; ~**sfall** accident; casualty; ~**srabe** unlucky devil; ~**stag**

black-letter day; ~**svogel** bird of ill omen; *fig* unlucky person

Ungnad|e disgrace; disfavour; *in ~e fallen* to incur s-b's displeasure; *auf Gnade u. ~e* at discretion; ~**ig** displeased; ungracious; ill-humoured

ungültig invalid; null and void; not current; not available; ~ *erklären* to annul; ~**keit** invalidity; nullity

Ungunst disfavour; unpropitiousness; *(Wetter)* inclemency; disadvantage; ~**ig** unfavourable; adverse; disadvantageous

ungut unfriendly, unkind; not well; *nichts für ~!* no harm meant, no offence!; ~**ig** unfriendly, unkind

un|haltbar not durable; *fig* untenable, not to be maintained; ~**handlich** unwieldy, awkward; ~**harmonisch** inharmonious; discordant

Unheil mischief, harm; disaster, calamity; ~ *anrichten* to make mischief; ~ *heraufbeschwören* to ask for trouble; ~**bar** incurable; irreparable; ~**bringend** ominous, unlucky; fatal; ~**drohend** portentous; ~**ig** unholy; profane; ~**schwanger** fraught with disaster; ~**stifter** mischief-maker; ~**voll** disastrous, calamitous; baleful; pernicious

un|heimlich uncanny, eerie, weird; sinister; *adv* tremendously, awfully; ~**höflich** impolite, uncivil; rude; ~**höflichkeit** impoliteness; rudeness; ~**hold** unkind, ungracious; *su* monster; fiend; ~**hörbar** inaudible; ~**hygienisch** insanitary

Uniform uniform; ~**ieren** to make uniform; ~**iert** uniform(ed)

Unikum unique example; original; strange fellow

universal universal; catholic; all-purpose; ~**erbe** sole heir; universal legatee; ~**mittel §** universal remedy, panacea; ~**motor** universal motor; ~**schraubenschlüssel** universal wrench (*BE* spanner)

Universität university; college; *US oft* campus; ~**sklinik** university hospital, Medical School; ~**sprofessor** university professor

Universum universe

Unk|e toad; ~**en** to prophesy evil, *umg* to croak

unkenn|tlich unrecognizable; ~**tlichkeit** unrecognizable condition; impossibility of recognition; ~**tnis** ignorance

unkeusch unchaste, lewd; incontinent; ~**heit** unchastity, lewdness; incontinence

unklar not clear; obscure, ambiguous; turbid, muddy; indistinct, hazy; ~**heit** want of clearness; obscurity, ambiguity; indistinctness

unklug imprudent, unwise; foolish; ~**heit** imprudence; foolishness

unkörperlich incorporeal; immaterial; spiritual

Unkosten expenses; costs; charges; *s. in ~ stürzen* to go to great expense; *ich kann mich hierfür nicht in große ~ stürzen* I can't waste any money on that

Unkraut weed(s); ~ *verdirbt nicht* ill weeds grow apace

un|kultiviert barbaric, barbarous; ~**kündbar** irredeemable; consolidated; *(Stellung)* permanent; ~**kundig** ignorant of, unacquainted with; ~**längst** not long ago; recently, the other day; ~**lauter** unfair, mean; insincere; *~lauterer Wettbewerb* unfair competition; ~**leidlich** unbearable, intolerable; ~**leserlich** illegible; ~**leugbar** undeniable; ~**lieb** disagreeable; *gar nicht ~lieb* quite agreeable; ~**liebenswürdig** unkind, unamiable; ~**liebsam** disagreeable, unpleasant; ~**liniert** unruled, without lines; ~**logisch** illogical; ~**lösbar**, ~**löslich** insoluble; ~**lust** dislike, disinclination; aversion; dullness; ~**lustig** disinclined, reluctant; listless; dull, flat; ~**manierlich** unmannerly; ~**männlich** unmanly; effeminate; ~**maß** excessive amount, immense number; ~**masse** vast quantity (*od* number); ~**maßgeblich** without authority; open to correction; *nach meiner ~maßgeblichen Meinung* in my humble opinion; ~**mäßig** immoderate; intemperate; excessive; ~**mäßigkeit** immoderateness; *(Essen)* intemperance; excess; ~**menge** vast quantity (*od* number); ~**mensch** monster, fiend; ~**menschlich** inhuman, barbarous; *umg* terrible; ~**menschlichkeit** inhumanity; cruelty; ~**merklich** imperceptible; ~**meßbar** immeasurable; ~**mittelbar** immediate, direct; ~**möbliert** unfurnished; ~**modern** old-fashioned, antiquated; ~**möglich** impossible; *ich kann es ~möglich tun* I can't possibly do it; ~**möglichkeit** impossibility; ~**moralisch** immoral; ~**motiviert** unfounded; not sufficiently motivated; without motive; ~**mündig** minor, not of age; ~**mündigkeit** minority; ~**musikalisch** unmusical; ~**mut** ill humour; displeasure; sadness, lowness of spirits; ~**mutig** annoyed; displeased; ill-humoured; sad, low-spirited; ~**nachahmlich** inimitable; ~**nachgiebig** unyielding; uncompromising; relentless; ~**nachsichtig** unrelenting; strict, severe; ~**nahbar** inaccessible, unapproachable; ~**natürlich** unnatural; affected; ~**natürlichkeit** unnaturalness; affectation; ~**nennbar** unutterable; inexpressible; ineffable; ~**nötig** unnecessary, needless; ~**nütz** useless; unprofitable; idle, vain; ~**ordentlich** untidy, disorderly; confused; irregular; ~**ordnung** disorder, untidiness; irregularity; confusion; mess; *in ~ordnung bringen* to throw into disorder (*od* confusion), to make hay of; *in ~ordnung geraten* to fall into disorder (*od* confusion); ~**organisch** inorganic; ~**paar** odd, not even; ~**parteiisch** impartial; disinterested; ~**parteiischer** umpire; ~**parteilichkeit** impartiality; ~**passend** improper; unbecoming; inopportune; awkward; ~**passenderweise** inconveniently (enough); ~**päßlich** indisposed; ailing; ~**päßlichkeit** indisposition; ~**patriotisch** unpatriotic; ~**persönlich** impersonal; ~**pfändbar** unseizable; ~**poliert** unpolished; ~**politisch** unpolitical; imprudent; ~**praktisch** unpractical; unskilful, inexpert; ~**pünktlich** unpunctual; inexact; behind time; ~**qualifiziert** unqualified; ~**rasiert** unshaven;

~rast restlessness; ~rat filth; rubbish, refuse; ~rat wittern to smell a rat; ~rationell wasteful; ~ratsam inadvisable; ~recht adj wrong, not right; unfair, unjust; evil, bad; inopportune, unsuitable; an d. ~rechten kommen to knock at the wrong door, to catch a Tartar; am ~rechten Ort sein to be out of place; su wrong; injustice; ~recht haben to be (in the) wrong, to be mistaken; j-m ~recht tun to wrong s-b; zu ~recht unlawfully, illegally; wrongly; j-m ~recht geben to decide against s-b; ~rechtmäßig unlawful, illegal; ~rechtmäßigkeit unlawfulness; illegality; ~redlich dishonest; ~redlichkeit dishonesty; ~reell dishonest, unfair; unsound; ~regelmäßig irregular; anomalous; ~regelmäßigkeit irregularity; anomaly; ~reif unripe; immature; ~reife unripeness, immaturity; ~rein unclean, impure; dirty, foul; ins ~ reine schreiben to jot down, to make a rough copy of; ~reinlich uncleanly, dirty; ~reinlichkeit uncleanliness; ~rettbar not to be saved; § beyond recovery, past saving; ~richtig incorrect, wrong; erroneous; ~richtigkeit incorrectness; error; ~ruh (Uhr) balance wheel; ~ruhe unrest, restlessness; disturbance; riot; alarm, uneasiness; anxiety; ~ruhig restless; turbulent; uneasy; (Wasser) lumpy; noisy; (Pferd) restive; ~ruhestifter troublemaker; agitator; ~rühmlich inglorious

uns us; refl ourselves

un|sachgemäß careless; unskilful; ~sachlich not objective, subjective; personal; not pertinent; ~säglich unspeakable, unutterable; immense; ~sanft rough; harsh; ~sauber dirty, filthy; untidy; fig unfair; ~sauberkeit uncleanliness; untidiness; dirt, filth; ~schädlich innocuous; not injurious; harmless; ~schädlich machen to render harmless; to neutralize; to disarm; ~schädlichkeit harmlessness; ~schätzbar inestimable, invaluable; ~scheinbar inconspicuous; plain, homely; unpretending; ~schicklich improper, indecent; ~schicklichkeit impropriety, indecency; ~schiffbar not navigable; ~schlitt tallow; ~schlüssig irresolute; ~schlüssig sein to hesitate; ~schlüssigkeit irresolution, indecision; ~schmackhaft unsavoury; tasteless; ~schön unhandsome, plain; unpleasant; unfair; ~schuld innocence (d. gekränkte ~schuld injured i.) ♦ ich wasche meine Hände in ~schuld I am innocent of it; ~schuldig innocent; harmless; ~schwer not difficult; easy; ~segen curse; adversity; ~selbständig non-independent, dependent; helpless; without initiative; ~selbständigkeit dependence; helplessness; ~selig unfortunate; accursed; fatal

unser our; ours; ~eins people like us, such as we; ~erseits as for us; ~esgleichen people like us; ~etwegen, ~etwillen for our sake; on our behalf; because of us

un|sicher unsafe, insecure; (Wetter) unsettled; unsteady; uncertain, dubious; ~sicherheit insecurity; uncertainty; ~sichtbar invisible; ~sichtbarkeit invisibility; ~sinn nonsense; balderdash, humbug; folly; ~sinn! rubbish!; ~sinnig nonsensical, absurd; mad; ~sinnigkeit absurdity; madness; ~sitte bad habit; abuse; ~sittlich immoral; ~sittlichkeit immorality; indecency; ~solide dissipated; unreliable; ~sozial antisocial; ~statthaft inadmissible; not permissible; illicit; ~sterblich immortal; ~sterblicher Ruhm immortal fame, immortality; ~sterblichkeit immortality; ~stern unlucky star; bad luck, misfortune; ~stet changeable; unsteady; fitful; restless; ~stetigkeit changeableness; unsteadiness; inconstancy; restlessness; ~stillbar insatiable; unquenchable; ~stimmig inconsistent; discrepant; ~stimmigkeit inconsistency; discrepancy; ~streitig incontestable; unquestionable; indisputable; ~sühnbar inexpiable; ~summe enormous sum; ~symmetrisch asymmetrical; ~sympathisch disagreeable, unpleasant; distasteful; ~tadelhaft, ~tadelig blameless; irreproachable; ~tat misdeed; outrage; crime; ~tätig inactive; idle; ~tätigkeit inactivity; ~tauglich useless; unsuitable; unfit; good-for-nothing; ~tauglichkeit uselessness; unfitness; ~teilbar indivisible

unten below; beneath, underneath; (im Haus) downstairs; at the foot, at the bottom; von oben bis ~ from top to bottom; von ~ her from underneath; er ist bei mir ~ durch I'm through with him; ~stehend as below

unter prep under; below; beneath, underneath; (zwischen) among, amongst; between; (während) during; ~ uns among (od between) ourselves; adj lower, inferior

Unter|abteilung subdivision; sub-unit; ~ausschuß sub-committee

Unterbau foundation; (Straße) roadbed; substructure; ~en to lay a foundation for; to found; to underpin (a. fig)

Unter|beamter subordinate official; ~belichten to underexpose; ~bewußtsein subconscious; im ~bewußtsein subconsciously; ~bieten to undercut, to undersell; ⚡ (Rekord) to lower, to beat; ~bilanz deficit; ~binden to neutralize; to cut off, to paralyse; to stop; (vorbeugen) to forestall; ~bindung paralysis; preventing; forestalling; disruption; ~bleiben to remain undone; not to take place; to cease, to be discontinued; ~brechen to interrupt; to cut short; to break off; (Reise) to break; to discontinue; ~brecher ⚡ circuit breaker, cut-out; ~brechung interruption, break; stop; (Reise) stop-over; ~brechungsbad ▥ (short-)stop bath; ~breiten to lay before; to submit to; ~bringen to shelter, to lodge, to accommodate; mil to billet; to provide a place for; (verkaufen) to dispose of; (stapeln) to store; (Geld) to invest; ~bringung lodging, accommodation; billeting; placing; storage; investment; ~bringungsmöglichkeiten accommodation; ~deck ⚓ lower deck; ~derhand secretly, in secret; underhand; ~des(sen) meanwhile, in the meantime

unterdrück|en to oppress; to suppress, to

crush; to blanket; *(Ärger)* to bottle up; **~er** oppressor; **~ung** oppression; suppression
untereinander among one another, among themselves; mutually, reciprocally; together
unter|ernährt undernourished, underfed; **~ernährung** malnutrition, underfeeding; below-minimum diet; **~fangen** *refl* to dare, to venture; to undertake; *su* venture; undertaking, enterprise; **~fertigen** to sign; **~fertigter** the undersigned; **~führung** subway, underpass; **~futter** lining; **~gang** setting, sinking; decline; destruction, fall, ruin; **~geben** subject; inferior; **~gebener** subordinate; subaltern; **~gehen** *astr* to set; to sink, to perish; **~geordnet** subordinate; ancillary (to); **~geschoben** substituted; forged; *~geschobenes Kind* changeling; **~gestell** underpart; chassis; ✝ undercarriage; **~gliedern** to subdivide; **~graben** to sap, to undermine *(a. fig)*; **~grund** subsoil, foundation soil; *fig* background; *pol* underground; **~grundbahn** underground (railway), *US* subway; **~grundbahnstation** underground station, *US* subway station; **~haken** *umg* to take s-b's arm; **~halb** below, beneath
Unterhalt support, sustenance; maintenance; upkeep; livelihood; **~en** to support, to sustain; to maintain, to keep up; to entertain, to amuse; *refl* to converse with, to talk s-th over with; to enjoy o.s.; **~end, ~sam** entertaining, amusing; **~skosten** maintenance cost; living expenses; **~spflicht** liability to provide maintenance; **~spflichtig** liable to provide maintenance; **~szuschuß** maintenance allowance; **~ung** keeping up; maintenance, upkeep; support; talk, conversation; entertainment, amusement; **~ungskosten** = ~skosten; **~ungsliteratur** light reading, light literature; **~ungsprogramm** ✏ light program(me)
unterhandel|n to negotiate; to treat (with); **~ler** negotiator; mediator, go-between; agent; **~lung** negotiation
Unter|haus *pol* lower house; *(England)* House of Commons; *(Herren-) BE* singlet; *BE* vest, *US* undershirt; **~höhlen** to undermine *(a. fig)*; **~holz** brushwood, undergrowth; **~hose** (a pair of) drawers, trunks, *BE a.* pants; *(kurze)* briefs; *(lange) umg* longies; *siehe* Schlüpfer; **~irdisch** underground; subterranean; **~jochen** to subjugate, to subdue; **~jochung** subjugation; **~kellern** to provide with a cellar; **~kiefer** lower jaw; **~kleid** (under)slip; **~kleidung** underwear; undergarment; **~kommen** to find accommodation *(od* lodging); to find employment *(od* situation); to get under shelter; *su* accommodation, lodging; employment; **~körper** lower part of the body; abdomen; **~kriegen** to get the better of; *s. nicht ~kriegen lassen* to hold one's ground; **~kunft** accommodation, lodging; shelter; billet; **~lage** foundation, basis, support; evidence; record, document; *pl* data; *(Schreib-)* blotting-pad; **~land** lowland; **~laß** intermission; *ohne ~laß* without intermission, incessantly; **~lassen** to omit, to neglect; to fail (to do); to stop; **~lassung**

omission, neglect; default; **~lauf** lower course (of a river); **~laufen** to occur, to creep in; *ein Irrtum ist ~laufen* an error was made *(od* crept in); *mit Blut ~laufen* bloodshot; **~legen** to lay *(od* put) under; to underlay; *(Bedeutung)* to attach to; ♪ to set (words to music); *adj* vanquished; **~leib** abdomen; **~leibskrankheit** abdominal disease; **~liegen** to succumb, to be subdued *(od* defated); *fig* to go the wall; 🚩 to come off second best; *es ~liegt keinem Zweifel* there is no doubt about, it admits of no doubt; **~lippe** lower lip; **~mauern** to build a foundation to, to underpin *(a. fig)*; *fig* to buttress; **~mengen** to mix with, to (inter)mingle; **~mensch** gangster, goon; **~menschlich** subhuman; **~mieter** subtenant; lodger, *US* roomer; **~minieren** to undermine *(a. fig)*
unternehm|en to undertake; to attempt; *su* undertaking; enterprise; proposition; **~er** entrepreneur; businessman; manufacturer, industrialist; contractor; **~erisch** entrepreneurial; enterprising; daring; **~ertum** free enterprise; **~ung** undertaking; enterprise; **~ungsgeist** enterprising spirit, spirit of enterprise; **~ungslustig** enterprising; adventurous
Unter|offizier non-commissioned officer, NCO; *(Rang) BE* corporal, *(Marine)* leading rating, *US* corporal, *(Luftwaffe)* airman 1st cl., *(Marine)* petty officer 3rd cl.; **~ordnen** to subordinate; *refl* to submit to; **~ordnung** subordination; **~pfand** pledge; security; **~reden** *refl* to confer (with); **~redung** conference; interview; conversation
Unterricht teaching, tuition; instruction; education; lessons, period; *~ im Freien* outdoor classes; **~en** to teach, to instruct; to educate; to train; to give a lesson; to inform (about), to apprise (of); to acquaint with; **~sbriefe** lessons by correspondence; **~serfahrung** teaching experience; **~serfolg** teaching result(s); **~sfach** subject; **~smethode** method of teaching; **~splan** syllabus; **~sstoff** subject matter; **~sstunde** lesson; *(bes zeitl.)* period; **~swesen** education(al matters); public instruction; **~ung** information; instruction, training
Unter|rock slip; petticoat; **~sagen** to forbid, to prohibit; **~sagung** prohibition; **~satz** saucer; base; support; **~schätzen** to underestimate, to underrate; to undervalue; **~schätzung** underestimation; undervaluation
unterscheid|en to distinguish (between); to distinguish (one thing from another); *(erkennen)* to make out; to discriminate, to differentiate; *refl* to differ (from); **~ung** distinction; discrimination, differentiation; **~ungsmerkmal** distinctive mark; characteristic; **~ungsvermögen** power of discernment
Unter|schenkel shank; **~schieben** to push under; to substitute; to father upon, to foist on; *fig* to impute to, to insinuate
Unterschied distinction; difference; disparity; discrepancy; divergence; *zum ~ von* in distinction from; **~en** different, distinct; **~lich** different(iated); differential; varying; *(be-*

nachteiligend) discriminatory; ~*liche Behand-lung* discrimination (against)

unterschlag|en *(Geld)* to embezzle; *(abfangen)* to intercept; to suppress; ~**ung** embezzlement; interception; suppression

Unter|schleif embezzlement; fraud; ~**schlupf** shelter, refuge; ~**schreiben** to sign; to subscribe to; ~**schrift** signature; ▶ caption

Untersee|boot submarine; *(deutsches)* U-Boat; ~**bootkrieg** submarine warfare; ~**isch** submarine

untersetz|en to set under, to put under; ~**t** thickset, lumpish; intermixed (with)

unter|sinken to sink, to go down; ~**staats-sekretär** Under-Secretary of State; ~**stand** dug-out; ~**ste** lowest; undermost; bottom ♦ *d. ~ ste zu oberst kehren* to turn everything upside down

unterstehen|en to stand under; to shelter under; to be under s-b, to be subordinate to s-b; *refl* to dare; ~ *dich!* don't dare!

unterstell|en to put under; to put s-th under cover; to place under s-b's command; *fig* to impute to; ~**ung** subordination; *fig* imputation, insinuation

unter|streichen to underline *(a. fig)*; ~**stufe** lower grade

unterstütz|en to back, to support; to aid, to assist; ~**ung** support; aid, assistance; relief; benefit; maintenance; ~**ungsbedürftig** in need of public relief, indigent; ~**ungsbetrag** relief payment; ~**ungsgesuch** application for relief; ~**ungsleistung** (public) assistance payment; ~**ungszahlung** benefit payment

untersuch|en to look into, to inquire into; to examine, to investigate; to explore; *(genau)* to analyse; ~**ung** inquiry; examination, investigation; analysis; ~**ungsgefangener** prisoner awaiting trial; prisoner on remand; ~**ungshaft** imprisonment on remand; pre-trial confinement; ~**ungsrichter** examining magistrate

Untertage|bau underground mining; ~**arbei-ter** underground worker

Untertan subject; ~**ig** subject; submissive; humble; ~**igkeit** submission, humility; ~**igst** most respectfully

Untertasse saucer; *fliegende ~* flying saucer

untertauchen to dip, to immerse; *vi* to dive, to plunge; *fig* to disappear, to be lost

Unter|teil lower part; base, bottom; ~**titel** sub-heading, subtitle; ▶ title, caption; ~**ton** undertone; *mit pessimistischem ~ton* in a pessimistic vein; ~**vermieten** to sub-let; ~**wärts** downwards; underneath; ~**wäsche** underwear, underclothing; ~**wasserbombe** depth charge; ~**wasserkamera** underwater camera; ~**wegs** on the way, en route; *adj* bound *(nach* for); ~**weisen** to instruct; ~**weisung** instruction; ~**welt** underworld; Hades; lower regions; ~**werfen** to subject, to subdue; to subjugate; *refl* to submit, to become subject; to yield; to resign o.s. (to); ~**werfung** subjection, subjugation; submission, surrender; resignation (to); ~**worfen** amenable (to law); subject (to);

~**wuchs** undergrowth; ~**wühlen** to undermine *(a. fig)*; to root up; ~**würfig** submissive; obsequious; ~**würfigkeit** submissiveness

unterzeichn|en to sign; to initial; ~**er** signatory; ~**eter** undersigned; ~**ung** signing; signature; *pol* ratification

Unter|zeug underwear, underclothes; ~**ziehen** *vt* to subject to; *refl* to undergo; *(Prüfung)* to go in for; to undertake; to put s-th on underneath

un|tief shallow, not deep; ~**tiefe** shallow; shoal; *(große Tiefe)* bottomless depth; ~**tier** monster; fiend; ~**tilgbar** inextinguishable, indelible; irredeemable; ~**trennbar** inseparable; ~**treu** unfaithful; faithless; ~**treue** unfaithfulness; faithlessness; infidelity; ~**tröstlich** disconsolate, inconsolable; ~**trüglich** infallible, unerring; ~**tüchtig** incapable; unfit, incompetent; ~**tüchtigkeit** incapacity; unfitness; incompetence; ~**tugend** bad habit; vice; *(Gewohnheit)* besetting sin; ~**tunlich** impracticable, not feasible

unüber|legt inconsiderate, thoughtless; ill-advised; rash; ~**legtheit** inconsiderateness, thoughtlessness; rashness; ~**sehbar** immense, vast; immeasurable; incalculable; ~**setzbar** untranslatable; ~**sichtlich** *(Kurve)* blind; *(Gelände)* not open; ~**steigbar** insurmountable; ~**tragbar** not transferable; ~**trefflich** unequalled, unrivalled; unsurpassable, incomparable; ~**troffen** unsurpassed, unexcelled, unequalled; ~**windlich** invincible, unconquerable; *(Schwierigkeiten)* insurmountable; *(Abneigung)* utter, extreme

unum|gänglich indispensable; ~*gänglich notwendig* absolutely necessary; ~**schränkt** unlimited; absolute; ~*schränkte Vollmachten* discretionary powers; ~**stößlich** irrefutable; irrevocable; ~**wunden** artless; candid, frank; ~*wundene Antwort* plain answer

ununter|brochen uninterrupted; continuous; ~**scheidbar** indistinguishable

unver|änderlich unchangeable, unalterable; invariable; ~**änderlichkeit** unchangeableness; ~**ändert** unchanged; unvaried; ~**antwortlich** irresponsible; inexcusable, unjustifiable; ~**antwortlichkeit** irresponsibility; inexcusable *(od* unjustifiable) action; ~**arbeitet** unfinished, raw; ~**ausgabt** unexpended, unspent; unused; ~**äußerlich** inalienable; ~**besserlich** incorrigible; ~**bindlich** unkind, disobliging; not binding upon s-b; not obligatory, without obligation; unofficial; ~**blümt** straightforward; plain, blunt; ~**brennbar** incombustible; ~**brüchlich** inviolable; absolute; ~**bürgt** unwarranted, unauthentic; unconfirmed; ~**dächtig** unsuspected; ~**daulich** indigestible; ~**daulichkeit** indigestibleness; indigestion; ~**daut** undigested; ~**dient** undeserved, unmerited; ~**dienterweise** undeservedly; ~**dorben** uncorrupted; unspoiled; pure; ~**drossen** indefatigable, unwearied; assiduous; ~**ehelicht** unmarried, single; ~**einbar** incompatible, incongruous; inconsistent with; irreconcilable; ~**einbarkeit** incompatibility; incongruity; inconsistency; ~fälscht unadulterated; genuine, real; ~fänglich innocent, harmless; ~froren impudent, unabashed; ~frorenheit impudence, *umg* brass; ~gänglich imperishable; immortal; ~gessen unforgotten; ~geßlich unforgettable; never-to-be-forgotten; immemorial; ~gleichlich incomparable, matchless; beyond compare; ~golten unrewarded; ~halten unreserved; ~hältnismäßig disproportionate; *e. ~ hältnismäßiger Preis* too high a price; ~heiratet unmarried, single; maiden *(aunt)*, bachelor *(uncle)*; ~hofft unexpected; unforeseen; *adv* unawares; ~hohlen unconcealed, open; ~käuflich unsalable; not for sale; ~kennbar unmistakable; ~kürzt unabridged; not curtailed; *adv* in full; ~letzbar, ~letzlich invulnerable; *fig* inviolable; ~letzbarkeit invulnerability; inviolability; ~letzt unhurt, uninjured; inviolate; ~lierbar that cannot be lost; unforgettable; immortal; ~mählt unmarried; ~meidlich inevitable, unavoidable; ~meidlichkeit inevitability; ~mindert undiminished, unabated; ~mischt unmixed; *(Metall)* unalloyed; pure; ~mittelt abrupt; sudden; ~mögen inability; incapacity; § impotence; ~mögend unable, powerless; § impotent; *(arm)* poor, penniless; ~mutet unexpected; ~nehmlich inaudible, indistinct; ~nunft want of sense; folly; unreasonableness; ~nünftig unreasonable, unwise; foolish; beyond reason; ~öffentlicht unpublished; ~packt unpacked; loose; ~richtet undone, unachieved; ~richteterdinge, ~richtetersache without having attained one's object, without having achieved one's purpose; unsuccessfully; ~rückbar immutable; ~rückt fixed; unmoved; *adv* immovably; ~schämt impudent; shameless; brazen; *(Preis)* exorbitant; ~schämtheit impudence; shamelessness; ~schuldet undeserved, unmerited; not in debt, unencumbered; ~sehens unexpectedly, unawares; ~sehrt uninjured, unhurt; safe, intact; ~siegbar, ~sieglich inexhaustible; ~söhnlich irreconcilable, implacable; ~sorgt unprovided for, destitute; ~stand want of sense *(od* judg(e)ment); folly; ~standen misunderstood; ~ständig unwise, injudicious; foolish; ~ständlich unintelligible; incomprehensible; ~stellt undissembled, unfeigned; undisguised; ~sucht untried; *nichts ~sucht lassen* to leave no stone unturned; ~teidigt undefended; ~träglich unsociable; incompatible; quarrelsome; ~träglichkeit unsociableness; incompatibility; quarrelsome disposition; ~wandt fixed, unmoved; steadfast; ~*wandt ansehen* to look hard *(od* steadily) at; ~wehrt unprohibited; *es ist Ihnen ~wehrt* you are free (to do); ~weilt without delay; ~welklich imperishable; never-fading; immortal; ~welkt unfaded; ~weslich incorruptible; ~wundbar invulnerable; ~wundbarkeit invulnerability; ~wüstlich indestructible; *(Humor)* imperturbable; indefatigable, inexhaustible; ~zagt undaunted, intrepid; ~zeihlich unpardonable; ~zeihlichkeit unpardonableness; ~zinslich

non-interest-bearing; paying no interest; ~zollt duty unpaid; ~züglich immediate; *adv* without delay

unvoll|endet unfinished, incomplete; *d. ~ endete* the Unfinished Symphony; ~kommen imperfect; ~kommenheit imperfection; ~ständig incomplete, defective; ~ständigkeit incompleteness, defectiveness; ~zählig incomplete

unvor|bereitet unprepared; extempore; ~denklich immemorial; ~hergesehen unforeseen, unexpected; ~sätzlich unintentional, undesigned; ~sichtig incautious; imprudent; careless; ~sichtigkeit imprudence; carelessness; ~teilhaft unprofitable; disadvantageous; *(Kleid)* unbecoming; *~ teilhaft aussehen* not to look one's best

unwägbar imponderable

unwahr untrue, false; ~haftigkeit untruthful, insincere; ~haftigkeit untruthfulness, insincerity; ~heit untruth, falsehood; *d. ~heit sagen* to tell an untruth; ~scheinlich improbable, unlikely; ~scheinlichkeit improbability

un|wandelbar immutable; ~wegsam impassable, pathless; ~weib virago; ~weiblich unwomanly; ~weigerlich unhesitating; obligatory; absolutely certain; *adv* without fail; ~weise unwise; ~weit not far off, near; *prep* not far from, near; ~wert *adj* unworthy; *su* unworthiness; ~wesen mischief; nuisance; disorder, abuse; *sein ~wesen treiben* to be up to one's tricks, to haunt *(a house)*; ~wesentlich immaterial, unessential; insignificant; of no account; ~wetter bad weather; (thunder)storm; ~wichtig unimportant, insignificant; ~wichtigkeit insignificance

unwider|legbar, ~leglich irrefutable; ~ruflich irrevocable; ~setzlich irresistible; ~widersprechen uncontradicted; unchallenged, undisputed; ~stehlich irresistible

un|wiederbringlich irretrievable, irrecoverable; ~wille indignation, displeasure; reluctance; ~willig indignant; reluctant; ~willkommen unwelcome; ~willkürlich involuntary; instinctive, automatic

unwirk|lich unreal; ~sam ineffective, ineffectual; *bes* § inefficacious; null, void; invalid; *~ sam werden* to become ineffective, to expire, to cease to be operative; ~samkeit inefficacy; inefficiency

un|wirsch surly, morose, cross; ~wirtlich inhospitable; dreary, bleak; ~wirtschaftlich uneconomic; not economical

unwissen|d ignorant; ~heit ignorance; ~schaftlich unscientific; ~tlich unknowingly; unconsciously

unwohl unwell, indisposed; *ich fühle mich ~ I* don't feel well, I feel out of sorts; ~sein indisposition

unwohnlich uninhabitable; uncomfortable

unwürdig unworthy; *es war seiner ~* it was beneath him *(od* below him); ~keit unworthiness

Unzahl innumerable quantity, endless number; ~bar innumerable; ~ig innumerable, countless

un|zähmbar untamable, indomitable; **~zart** indelicate; rude, rough

Unze ounce

Unzeit wrong time; awkward time; *zur* ~ at the wrong (*od* an awkward) time, out of season, inopportunely; **~gemäß** out of season; behind the times; **~ig** untimely; unseasonable, unripe; premature

unzer|brechlich unbreakable; **~legbar** indivisible; elementary; **~reißbar** untearable; **~störbar** indestructible; **~teilbar** indivisible; **~trennbar**, **~trennlich** inseparable; indissoluble; **~trennliche** *su zool* love-birds; **~trennlichkeit** inseparability; indissolubility

un|ziemlich unseemly, improper; indecent; **~ziemlichkeit** unseemliness; indecency; **~zivilisiert** uncivilized; barbarous; **~zucht** unchastity; lewdness; prostitution; **~züchtig** unchaste; lewd; immoral

unzu|frieden discontented, dissatisfied; **~friedenheit** discontent(edness), dissatisfaction; **~gänglich** inaccessible; *fig* reserved; **~länglich** insufficient, inadequate; **~länglichkeit** insufficiency, inadequacy; **~lässig** inadmissible; forbidden; **~lässigkeit** inadmissibility; **~mutbar** unimputable; unreasonable; too much for s-b to be expected to accept; *diese Regelung ist ~mutbar* (he) cannot reasonably be expected to accept this settlement; **~rechnungsfähig** irresponsible; not criminally responsible; imbecile; **~rechnungsfähigkeit** irresponsibility; imbecility; **~reichend** insufficient, inadequate; **~sammenhängend** disconnected, unconnected; incoherent; abrupt; **~träglich** unwholesome, not good (for); disadvantageous; **~träglichkeit** unwholesomeness; dissension, discord; **~treffend** incorrect; **~verlässig** unreliable, untrustworthy; unsafe; treacherous; **~verlässigkeit** unreliability, untrustworthiness

unzweckmäßig unsuitable, inexpedient; **~keit** unsuitability; inexpediency

unzweideutig unequivocal, unambigous; **~keit** unequivocalness; unambiguity

unzweifelhaft undoubted, indubitable; certain

üppig luxuriant, luxurious; lush; *(Stil)* luscious; voluptuous, sumptuous; *(Figur)* well-developed; **~keit** luxuriance, luxury; plenty

Ur *zool* aurochs

Ur|ahn ancestor; **~ahne** ancestress; **~alt** extremely (*od* very) old; ancient, primeval

Uran uranium; **~erz** uranium ore; **~haltig** uraniferous

ur|anfänglich original, primeval; **~ansässig** aboriginal; **~aufführung** world première

urbar arable; ~ *machen* to bring into cultivation, to cultivate; **~machung** cultivation

Ur|begriff primitive notion; original idea; **~bewohner** aborigine; primitive inhabitant; **~bild** prototype; original; **~christentum** primitive Christianity; the early Church; **~eigen** original; innate; **~einwohner** = **~bewohner**; **~eltern** first parents, ancestors; **~enkel** great-grandson, great-grandchild; **~enkelin** great-granddaughter; **~fehde** oath to refrain from vengeance; **~form** original form, prototype; **~gemütlich** exceedingly comfortable; very pleasant (*od* cosy); **~geschichte** earliest history, prehistory; **~geschichtlich** prehistoric; **~gestein** primitive rock; **~großeltern** great-grandparents; **~großmutter** great-grandmother; **~großvater** great-grandfather; **~grund** original cause

Urheber author, originator; creator; **~recht** copyright; **~schaft** authorship

Urin urine; **~ieren** to urinate; to make water

Ur|kirche primitive (*od* early) church; **~komisch** screamingly funny, highly amusing; **~kraft** original force; moving principle; elementary power; **~kräftig** extremely powerful (*od* strong)

Urkund|e document; title; record; charter; *(Zeugnis)* diploma; *zu* ~ *dessen* in faith whereof, in witness thereof; **~enfälscher** forger of a document; **~enfälschung** forgery of documents; **~enlehre** diplomatics; **~lich** documentary; authentic; *adv* in witness thereof; **~sbeamter** clerk of the court

Urlaub leave (of absence); holidays, *US* vacation; *bes mil* furlough; ~ *machen* to take a (*od* be on) holiday, *BE* to holiday, *US* to vacation; **~er** holiday-maker, *US* vacationist; soldier on leave

Urmensch primitive man

Urne (funeral) urn, *BE a.* casket; *(Wahl-)* ballot-box

ur|plötzlich very sudden; **~quell** fountainhead; primary source, origin

Ursach|e cause; ground, reason; motive; *keine ~e!* don't mention it!; *er hatte alle ~e* he had plenty of reason (to do); **~lich** causal; causative; *in ~lichem Zusammenhang mit* having a causal connection with

Urschrift original; **~lich** (in the) original

Ursprache original language

Ursprung origin, source; beginning; cause; **~lich** original; primitive; first, primary; aboriginal; **~sstoff** primary matter; element; **~szeugnis** certificate of origin

Urteil judg(e)ment, decision; 🔾 verdict, *(Strafmaß)* sentence; *(schiedsgerichtlich)* award; *(Schuldfrage)* finding; *(Scheidungs-)* decree; *(Gottes-)* ordeal; *(Ansicht)* opinion, view; appraisal; *s. e.* ~ *bilden* to form an opinion (*über* on, about); *e. salomonisches* ~ a veritable judgment of Solomon; **~en** to judge; to give one's opinion; to pass a sentence; to sentence; **~seröffnung** pronouncement of a decree, publication of a judgment; **~sfähig** competent to judge, judicious; **~sfällung** passing of a sentence; **~skraft** power of judgment, discernment; **~slos** without judgment; **~sspruch** judgment; verdict; sentence; **~svermögen** = **~skraft**; **~svollstreckung** execution (of a sentence)

Ur|text original (text); **~tier** primitive animal, protozoon; **~tümlich** original; native; **~ureltern** forefathers; early ancestors; **~väterzeit**

olden times; ~**volk** primitive people; aborigines; ~**wald** primeval forest; ~**welt** primitive world, primeval world; ~**weltlich** primeval; ~**wüchsig** original, native; rough, blunt; ~**zeit** primitive state, original state (*od* condition)
Utensil utensil
Utop|ie Utopia; utopian idea; ~**isch** utopian
uzen *umg* to tease, to chaff; to fool

V

V (the letter) V
Vademecum guide-book
Vagabund vagabond, tramp; ~**enleben** vagrant life; ~ *enleben führen* = ~**ieren**; ~**entum** vagabondism; vagrancy; ~**ieren** to lead a vagabond life; to live in vagabond idleness; to tramp
vage vague; uncertain
vakan|t vacant; ~**z** vacancy; *(Ferien)* holidays
Valut|a value; currency; *(Devisen)* foreign exchange; ~**engeschäft** dealing in foreign notes and coin
Vampir vampire
Vanille vanilla; ~**soße** vanilla sauce, custard
Vari|ante variant; ~**ation** variation; change; ~**etät** variety; ~**eté** *BE* music-hall, *US* vaudeville, variety (theatre); ~**ieren** to vary
Vasall vassal; ~**enstaat** tributary (state)
Vase vase; ~**lin** vaseline
Vater father; *umg* dad(dy); *zool* parent, sire; ~**haus** parental house (*od* home); ~**land** native land (*od* country), fatherland; ~**ländisch** national; patriotic; ~**landsliebe** patriotism; ~**landsliebend** patriotic; ~**lich** paternal; fatherly; ~**licherseits** on the father's side; ~**los** fatherless; ~**mord** parricide; ~**schaft** paternity; fatherhood; ~**stadt** native town; ~**stelle** place of a father; ~ *stelle vertreten bei* to be a father to, to adopt; ~**unser** the Lord's Prayer
Vatikan Vatican; ~**isch** Vatican
Veget|abilien vegetables; ~**abilisch** vegetable; ~**arier**, ~**arisch** vegetarian; ~**ation** vegetation; ~**ieren** to vegetate; to lead a useless life; to scrape a living
Vehemenz vehemence
Vehikel (old-fashioned) vehicle
Veilchen violet; ~**farbig** violet; ~**strauß** bunch of violets
Veitstanz St Vitus's dance, chorea
Vene vein; ~**nentzündung** phlebitis; ~**risch** venereal
Ventil valve; ~**ation** ventilation; ~**ator** ventilator, fan; ~**ieren** to ventilate *(a. fig)*
verab|folgen to pass s-b, to deliver, to hand over, to let s-b have; ~**reden** to agree upon; *refl* to make an appointment, to fix a date; ~**redetermaßen** as agreed upon; ~**redung** agreement; appointment; *e-e* ~*redung haben (halten)* to have (keep) an appointment; ~**reichen** to give; to administer, to dispense; ~**säumen** to neglect, to omit; to fail (to do); ~**scheuen** to detest, to abhor; to abominate;

~**scheuungswürdig** detestable, abominable; ~**schieden** to dismiss, to discharge; *(Truppen)* to disband; *(Gesetz)* to pass; *refl* to say goodbye (to); to take leave (*von* of); ~**schiedung** dismissal, discharge; *(Gesetz)* passing
veracht|en to despise, to condemn, to scorn; ~**er** despiser; ~**lich** contemptible, despicable; contemptuous, disdainful; ~**ung** contempt, scorn, disdain; ~**ungswürdig** contemptible
verallgemeiner|n to generalize; ~**ung** generalization
veralt|en to become obsolete; ~**et** obsolete; out of date; antiquated; archaic
Veranda veranda(h)
veränder|lich changeable, variable; unstable, unsettled; fickle, vacillating; ~**lichkeit** changeableness, variability; instability; fickleness; ~**n** to change, to alter; to vary; *refl* to change, to alter; to take another job (*od* situation); ~**ung** change, alteration; variation
verängstigt intimidated, cowed
verankern to anchor, to moor; *fig* to establish (firmly); to root (in)
veranlag|en *vt* to assess s-b (for taxes); ~**t** talented; *er ist so* ~*t, daß* his character is such that; *gut* ~*t* highly gifted, cut out (for); ~**ung** assessment; *fig* talent, turn (of mind); ~**ungszeitraum** tax assessment period
veranlassen to occasion, to cause; to give rise to; to have s-b (do s-th), to induce s-b (to do); *(zwingen)* to make s-b (do s-th)
veranlaßt: *s.* ~ *sehen* to feel compelled
Veranlassung occasion, cause; motive; inducement; *(Ersuchen)* request; order
veran|schaulichen to illustrate, to demonstrate; ~**schlagen** to estimate (*auf* at), to cost; *(Etat)* to make provision for; *zu hoch* ~*schlagen* to overrate; ~**schlagung** estimate; ~**stalten** to arrange, to organize; *(Ball etc)* to get up; ~**stalter** organizer; entertainer; sponsor; ~**staltung** arrangement, organization, preparation; 🎪 event, meeting; show, entertainment; performance; *pl* activities
verantwort|en *vt* to take upon o.s. the responsibility for; *refl* to answer for, to account for; to justify o.s., to defend o.s.; ~**lich** responsible; accountable (*to* s-b for s-th); *j-n* ~*lich machen für* to hold s-b responsible for; *j-m* ~*lich sein für* to be answerable to s-b for s-th; ~**ung** responsibility; justification, defence; *auf eigene* ~*ung* at one's own risk; *j-n zur* ~*ung ziehen* to call s-b to account (*wegen* for); *d.* ~*ung abwälzen (bes US umg)* to pass the buck (*auf* to); ~**ungsfreude** readiness (*od* willingness) to take responsibility; ~**ungslos** irresponsible; ~**ungsvoll** responsible; involving great responsibility
veräppeln *umg* to tease, to make fun of
verarbeit|en to work up; to use; to process; to make (up) (*zu* into); to finish; to manufacture; *fig* to digest, to assimilate; ~ *ende Industrie* manufacturing industry; ~**er** manufacturer; processor; ~**ung** working up; processing; finishing; manufacturing; *fig* digestion, assimila-

tion; ~ungsbetrieb processing plant, processing enterprise

ver|argen to blame s-b (for s-th), to reproach s-b (with s-th); *ich kann es ihm nicht ~argen* I can fully understand; ~ärgert annoyed, angry; ~armen to grow poor, to become impoverished; ~armung impoverishment, pauperization; ~arzten *umg* to doctor, to physic; *fig* to deal with, to talk to; ~ästeln to branch out, to ramify; ~auktionieren to sell by auction; ~ausgaben to spend; *refl* to run short of money; to exhaust o.s.; *s. zu sehr ~ ausgaben* to burn the candle at both ends; ~äußerlich alienable, salable; ~äußern to alienate; to sell; ~äußerung alienation; sale

Verb verb; ~al verbal; ~alnote verbal note

verbalihornen to bowdlerize; to distort

Verband **§** bandage, surgical dressing; *mil* unit, *bes* ✝, ♁, formation; union, association; confederation; ~kasten first-aid box; ~mittel dressing equipment; ~päckchen first-aid packet; ~platz aid station, first-aid post; ~smitglied member of a society (*od* union); ~stoff, ~zeug dressing material, dressings and bandages

verbann|en to banish, to exile; to expel; ~ter exile; ~ung banishment, exile

ver|barrikadieren to barricade, to block; ~bauen to build up; to block up, to obstruct; to spend (money) in building; to build badly, to misconstruct; ~beißen *vt* to suppress, to stifle; *s. d. Lachen ~ beißen* to suppress one's laughter; *s. ~ beißen in* to stick obstinately to; ~bergen to hide, to conceal; *(Gefühl)* to disguise; *refl* to hide (*vor* from)

verbesser|n to improve; to correct, to amend; ~ung improvement; correction; betterment

verbeug|en *refl* to bow; ~ung bow; *~ung machen* = ~en

verbeul|en to crush, to bump; ~t battered

ver|biegen to bend, to twist; *refl* to buckle; ~bieten to forbid, to ban, to prohibit; ~bilden to spoil; to educate badly; ~billigen to reduce in price; ~billigung price reduction

verbind|en to tie, to bind up; **§** to bandage, to dress; to join, to unite; to connect; to associate, to affiliate; to bind (*miteinander* together); *chem* to combine; ♀ to put s-th through; *d. Augen ~ en* to blindfold s-b; *s. ehelich ~ en* to marry; *ich bin Ihnen sehr verbunden* I am greatly indebted to you; ~lich (upon s-b), obligatory; mandatory; *(höflich)* courteous, obliging; ~lichkeit liability; obligation; commitment; *pl* accounts payable, current liabilities; ~ung connection; union, combination; alliance; association, club; *siehe* Studentenverbindung; communication; contact; *chem* compound; *s. in ~ ung setzen mit, in ~ ung treten mit* to get in touch with; ~ungsgang connecting passage; ~ungslinie line of communication; ~ungsoffizier liaison officer; ~ungsstück coupling, joint

ver|bissen dogged, obstinate; ~bissenheit doggedness, obstinacy; ~bitten *refl* to insist on s-b

not doing s-th; *ich ~ bitte mir das* I won't stand that; ~bittern to embitter, to exasperate; ~bitterung bitterness; exasperation; ~blassen to grow pale; to fade, to lose colour; ~blättern *vt* to lose one's place (in a book); ~bleib whereabouts; place; ~bleiben to remain; to persist (in); ~blenden ⌂ to face (with bricks etc); *fig* to delude, to beguile; ~blendung delusion; infatuation; ~blichen faded; *(tot)* deceased; ~blüffen to startle; to flabbergast, to disconcert; ~blüfft taken aback; ~blühen to fade, to wither; ~blümt figurative; veiled; ~bluten to bleed to death; ~bohren *refl* to bury o.s. completely (in), to go mad (about); ~bohrt stubborn, crazy; ~borgen *vt* to lend (out); *adj* hidden, secret; ~borgenheit concealment; secrecy; seclusion

Ver|bot prohibition, ban; ~brämen to border, to edge, to trim

Verbrauch consumption; use; expenditure; ~en to consume, to use (up); to wear out; to spend; to waste; ~er consumer; user; customer; ~erschaft consuming public; ~sgüter consumer goods; *~ sgüterindustrie* consumer goods industry; ~skonjunktur state of consumption; expanding consumption; ~spreise prices of consumer goods; ~ssteuer excise (tax), tax on consumption

Verbrech|en *vt* to commit; *su* crime; major offence, felony; ~er criminal; delinquent; ~erisch criminal

verbreit|en to spread; to diffuse; to circulate; to disseminate; *refl* to enlarge upon s-th; ~ern to widen, to broaden; ~erung widening, broadening; expansion; ~ung spreading, diffusion; circulating; dissemination

verbrenn|bar combustible; ~en to burn (up); to cremate; ~ung burning, combustion; burn, *(Wasser)* scald; cremation; ~ungsmotor internal combustion engine

verbrief|en to attest, to confirm (by document); to represent; *~ te Forderung* bonded claim; *~ t u. versiegelt* signed and sealed

ver|bringen to spend, to pass; ~brüdern to fraternize; ~brüderung fraternization; ~brühen to scald; ~buchen to book

Verbum verb

verbummeln to forget; to waste *(time)*; to come down in the world

Verbund interlocking system; combine; ~betrieb ⚡ power-plant hook-up; ~en united; associate; bound; *eng ~ en* bound up (*mit* with); obliged; ⁓en to ally; *refl* to ally o.s. (*mit* with); ~enheit bond; connection; relationship; ⁓et allied; in alliance (with); ⁓eter ally, confederate; ~wirtschaft ⚡ power-plant hook-up; co-ordinated industrial system, interlinked economy

ver|bürgen *vt* to guarantee, to avouch, to vouch for; *refl* to be answerable for, to vouch for; ~büßen to serve (one's time); to pay the penalty of; ~chromen to chromium-plate

Verdacht suspicion; *in ~ haben* to suspect; ⁓ig suspected; suspicious; ⁓igen to cast suspicion on; to distrust; **~igung** (casting) suspicion (on), suspecting s-b of; **~sgründe** reasons for suspicion

verdamm|en to condemn; to damn; **~enswert** damnable; **~nis** damnation; perdition; **~t** *umg* damned, bloody, blooming; **~ung** condemnation; damnation

verdampf|en to evaporate; **~er** evaporator; vaporizer

verdanken to owe (to s-b)

verdau|en to digest; **~lich** digestible; **~lichkeit** digestibility; **~ung** digestion; **~ungsbeschwerden** indigestion; **~ungskanal** alimentary canal; **~ungssystem** digestive tract; **~ungsstörung** indigestion

Verdeck deck; 🚗 *BE* hood, top; **~en** to cover; to hide, to conceal

verdenken = verargen

Verderb ruin, destruction; **~en** *vt* to ruin, to destroy; to spoil; to corrupt, to demoralize; *s. d. Magen ~en* to upset one's stomach; *vi* to go bad, to be spoiled; to perish; *es ~en mit* to incur s-b's displeasure; *su = ~* ; **~er** destroyer; corrupter; **~lich** destructive; *(Eßwaren)* perishable; pernicious, baneful; **~lichkeit** destructiveness; perishable nature; perniciousness; **~nis** corruption, depravity; **~t** corrupt, depraved; **~theit** = **~nis**

ver|deutlichen to elucidate, to explain; **~deutschen** to translate into German; **~dichten** do condense; to compress; to solidify; **~dichtung** condensation; compression; **~dicken** to thicken; to condense; to concentrate

verdien|en *(Geld)* to make; to earn; to gain; to win; to merit, to deserve; **~st** earnings; gain, profit; reward; merit, deserts; **~stausfall** loss of earnings; **~stlich, ~stvoll** meritorious, (well-)deserving; **~stspanne** profit margin; **~t** (well-)deserving, meritorious; well-deserved; *s. ~t machen um* to deserve well of; **~termaßen** deservedly; according to one's deserts

ver|dingen to hire out, to put out for contract; *refl* to hire o. s. out, to go into service; **~dolmetschen** to interpret; **~doppeln** to double; **~doppelung** doubling; duplication; **~dorben** spoiled; depraved; *(Fleisch)* tainted; **~dorbenheit** corruption, depravity; **~dorren** to dry up, to wither

verdräng|en to force out; to expel; to displace; to push away *(od aside)*; to repress, to suppress; *(hemmen)* to inhibit; **~ung** forcing out; displacement; repression, suppression; inhibition

verdreckt filthy, lousy

verdreh|en to twist; to distort, to pervert; *(Augen)* to roll; *(Glieder)* to contort; *(verrenken)* to sprain; *fig* to distort, to misrepresent; *j-m d. Kopf ~en* to turn s-b's head, to make s-b vain, to make s-b fall in love with one; **~t** distorted; *fig* cracked, mad; **~theit** madness, craziness; **~ung** distortion, perversion; contortion; misrepresentation

verdreifachen to increase threefold; to treble

verdrieß|en to annoy, to vex; to displease; *s.*

nicht *~en lassen* not to be discouraged by, not to be put off by, not to shrink from; *s. keine Mühe ~en lassen* to spare no pains; **~lich** cross, grumpy; irritable, peevish; annoyed, vexed; tiresome, unpleasant; **~lichkeit** bad temper, fretfulness, peevishness; annoyance, vexation

ver|drossen sulky, sullen; cross; annoyed; **~drucken** to misprint; *es ist ~druckt* there is a misprint in it; **~drücken** *umg* to eat up, to polish off; *refl* to slink away *(od off)*; **~druß** annoyance, vexation; displeasure; trouble; **~duften** to evaporate; *fig (umg)* to make off, to slip away; **~dummen** *vt* to make stupid, to stupefy; *vi* to grow stupid; **~dunkeln** to darken, to obscure; *mil* to black out; *astr* to eclipse *(a. fig)*; **~dunklung** darkening; obscuration; *mil* blackout; *astr* eclipse; **~dunklungsgefahr** danger of prejudicing the course of justice *(od of collusion)*; **~dünnen** to thin; to attenuate; *(Flüssigkeit)* to dilute; *(Gas)* to rarefy; *(verfälschen)* to adulterate; **~dünnung** attenuation; dilution; rarefaction; adulteration; **~dunsten** to evaporate; **~dunstung** evaporation; **~dursten** to die *(od perish)* of thirst; **~düstern** to darken, to cloud; to obscure; **~dutzen** to bewilder, to puzzle; to disconcert; **~dutzt** abashed, nonplussed; **~edeln** to ennoble; to improve; to cultivate; to refine; ⚙ to process, to finish; **~edelung** ennobling; improvement; cultivation; refinement; processing, finishing; **~edelungserzeugnisse** processed *(od finished)* products; 🖙 meat and dairy produce; **~edelungsindustrie** processing *(od finishing)* industry; **~ehelichen** to marry

verehr|en to adore, to admire; to respect, to revere; to worship; *(hoch)* to hold in awe; *j-m etw ~en* to present s-b with s-th; **~er** admirer; lover; fan; worshipper; **~lich** honourable; esteemed; **~ung** adoration; respect, veneration; worship; **~ungswürdig** venerable

vereidig|en to swear in, to put on oath; **~ung** swearing in; taking the oath

Verein union; association; society, club; *im ~ mit* together with; *im trauten ~* in an intimate tête-à-tête; **~bar** compatible, consistent; reconcilable *(mit* with); **~baren** to agree upon; to settle; **~barkeit** compatibility; **~barung** agreement; arrangement; **~en** = **~igen**; **~fachen** to simplify; **~fachung** simplification; **~heitlichen** to unify; to standardize; **~heitlichung** standardization; **~igen** to unite, to join; to combine; *s. ~igen mit* to ally (o.s.) with; **~igt** united; **~igte Staaten von Amerika** United States of America; **~igung** association; confederation; union; combination; fusion, amalgamation; **~nahmen** to receive; to show as revenue; **~samen** to become isolated; to live more and more alone; **~samt** lonely, solitary; **~shaus** club-house; **~skasse** club *(od society)* funds; **~smeier** *umg* clubman; **~smeierei** clubmanship; **~smitglied** member of a society; **~te:** *~te Nationen* United Nations; **~zeln** to parcel out; to separate; **~zelt** *adj* single, solitary; sporadic; *adv* few and far between, here and there, in certain cases

vereis|en to turn to ice, to freeze; ✝ to ice up; **~t** *(Berg)* glaciated; **~ung** ✝ icing; **~ungsgefahr** da ger of icing

verleiteln to frustrate, to thwart, to baffle; **~eitelung** frustration; **~eitern** to fester, to suppurate; **~ekeln** to disgust s-b with; to spoil s-th for s-b; **~elenden** to sink into poverty *(od* wretchedness); **~enden** to die, to perish; **~enge(r)n** to narrow, to contract

vererb|en to bequeath, to leave (to s-b); § to transmit; to hand down; *refl* to be hereditary, to run in the family; **~ung** heredity; hereditary transmission; **~ungsforschung** genetics; **~ungstheorie** law of heredity

verewig|en to perpetuate; to immortalize; **~t** deceased, late

verfahren *vt* to spend *(time, money)* in driving about; *refl* to lose one's way; to take the wrong road; *fig* to be on the wrong track; *vi* to proceed, to act; to deal (with), to treat; *adj* bungled; *fig* hopeless; *su* procedure; proceeding; *chem* process; method; **~sfragen** procedural matters; **~smäßig** as regards procedure

Verfall decay, ruin; decline; deterioration; *(Wechsel)* maturity; expiry; forfeiture; *in ~ geraten* to decay, to go to ruin; **~en** to decay, to go to ruin; to decline; to lose flesh, to grow weaker; to fall due; to expire, to lapse; *(Pfand etc)* to be forfeited; *(Strafe)* to incur; to fall *(in* into), to slip back (into); *(Idee)* to hit *(auf* upon); *j-m ~en* to fall for, to become s-b's slave; *adj* decayed, ruined; worn; **~serscheinung** symptom of decline; **~tag** day of payment; **~termin** due date, expiry date, maturity

verfälsch|en to falsify; *(Eßwaren etc)* to adulterate; **~ung** falsification; adulteration

verfang|en to take effect, to tell; *refl* to be caught, to become entangled ♦ *er hat s. in s-m eigenem Netz ~en* he has been caught in his own trap; **⁓lich** misleading; insidious, captious; risky; embarrassing, awkward

verfärben *refl* to change colour; to grow pale

verfass|en to write, to compose; *(Dokument)* to draw up; **~er** author, writer; **~erin** authoress; **~erschaft** authorship; **~ung** condition, state; *pol* constitution; *(Geist)* disposition, frame of mind; **~ungsbruch** breach of the constitution; **~unggebend** constituent; **~ungsentwurf** draft constitution; **~ungsmäßig** constitutional; **~ungsrecht** constitutional law; **~ungsurkunde** charter of the constitution; **~ungswidrig** unconstitutional

verfaulen to rot; to decay

verfecht|en to advocate, to champion; to stand up for, to defend; **~er** advocate, champion; defender

verfehl|en to fail (to do); *(Ziel)* to miss; not to meet *(od* find); **~t** wrong, false; spoiled

verfeind|en to fall out *(mit* with); to conceive a hatred *(mit* for); **~feinern** to refine; to polish; **~feinerung** refinement; **~femen** to outlaw; **~fertigen** to make, to manufacture; to com-

pose; **~fertiger** maker, manufacturer; **~fertigung** making, manufacture; **~fettung** fatty degeneration; **~feuern** to burn, to consume; to use up; to waste (fuel); **~filmen** to film; **~filzen** to felt; to mat; **~finstern** *vt* to darken, to obscure; *astr* to eclipse; *refl* to grow dark; *astr* to become eclipsed; **~flachen** *vi* to become flat; *fig* to become shallow; to decline intellectually; **~flechten** *vt* to entangle, to interlace, to entwine; *fig* to involve, to implicate; **~flechtung** interlocking; **~fliegen** to fly away; to evaporate, to volatilize; to disappear, to vanish; *(Zeit)* to fly; *refl* ✝ to lose one's way; **~fließen** to flow off; to blend; *(Zeit)* to pass, to elapse; **~flixt** *umg* confounded; **~flossen** past; late; **~fluchen** to curse; *refl* to **~flucht** cursed; *~flucht u. zugenäht!* damn and blast it!; **~flüchtigen** *vt* to volatilize; *refl* to evaporate; **~flüssigen** *vt* to liquefy; *refl* to become liquid, to liquefy; **~flüssigung** liquefaction; increasing liquidity, making liquid

Verfolg continuation; course, progress; pursuance; *im ~ s-r Rede* in the course of his speech; **~en** to follow; to pursue; to persecute; *(fortsetzen)* to continue; *(Ahnung)* to haunt; *heimlich ~en* to shadow; ⚖ to proceed against, to prosecute; **~er** pursuer; persecutor; **~ung** pursuit; persecution; ⚖ prosecution; **~ungsrennen** pursuit race; **~ungswahn** persecution mania

verfrachten to convey; to load, to ship; ⚖ to

verfrüht premature [charter

verfüg|bar available; disposable; **~en** *vt* to decree; to order; to arrange; *refl* to betake o.s. *(nach* to); *(vi) ~en über* to have at one's disposal *(od* command); **~ung** order, decree; instruction; arrangement; disposal; *zur ~ung stellen* to place at s-b's disposal; *zur ~ung stehen* to be at s-b's disposal; **~ungsgewalt** power of disposition; control

verführ|en to seduce s-b; *(veranlassen)* to induce, to prevail upon; **~er** tempter; seducer; **~erisch** tempting; alluring; seductive; **~ung** temptation; seduction

ver|füttern to use as fodder *(od* for food); **~gabe** placing; allocation; **~gaffen** *refl* to fall in love *(in* with); **~gällen** *chem* to denature; to embitter; to make loathsome; to mar; **~galoppieren** *refl* to (make a) blunder

vergang|en past, bygone; last; *~ene Woche* last week; **~enheit** past (time); *gram* past tense; *lassen wir d. ~enheit ruhen* let bygones be bygones; **⁓lich** transitory, transient; fleeting; *(verderblich)* perishable; **⁓lichkeit** transitoriness; perishableness

vergären to ferment

vergas|en to gasify; 🚗 to carburet; to gas s-b; **~er** 🚗 carburettor, *US* carburetor; **~ermotor** *BE* petrol *(US* gasoline) engine

vergeb|en *vt* to forgive, to pardon; *(weg-)* to give away, to dispose of; *(verleihen)* to confer, to bestow upon; *(Karten)* to misdeal; *s. etw ~en* to degrade o.s.; *~en sein* to be engaged;

to have a previous commitment; **~ens** in vain, vainly; **~lich** vain; futile; **~ung** pardon, forgiveness; giving (of s-th); bestowal; placing; allocation

vergegenwärtigen *refl* to imagine, to realize; to recall; to picture

vergehen to go *(how the time goes);* to go away; to pass, to elapse; *(gänzlich)* to disappear, to stop; *(verderben)* to waste away, to perish; to pine; ~ *vor* to die of; *refl* to offend (against), to trespass; to assault s-b; *su* criminal offence, (minor) crime; misdemeanour; *(bes Amts-)* malfeasance

vergeistigen to spiritualize

vergelt|en to pay back, to repay; to reward; *(rächend)* to retaliate; *Gleiches mit Gleichem ~en* to return like for like; **~ung** requital, return; recompense; retaliation; *(Strafe)* retribution; **~ungsangriff** retaliatory attack; **~ungsmaßnahme** reprisal ⌈zation

vergesellschaft|en to socialize; **~ung** socialivergessen to forget; to neglect; *ich hätte beinah ~* I nearly forgot; **~heit** forgetfulness; oblivion

vergeßlich forgetful; oblivious; **~keit** forgetfulness; obliviousness

vergeud|en to squander, to waste; **~er** spendthrift; **~ung** squandering, waste; wastefulness; extravagance

vergewaltig|en to use force with, to offer violence; *(Mädchen)* to rape, to violate; **~ung** assault; rape, violation

ver|gewissern *refl* to make certain (*od* sure), to ascertain; **~gießen** to shed, to spill; **~giften** to poison; *(Gas, Strahlen)* to contaminate; **~giftung** poisoning; contamination; *(Fleisch)* botulism

ver|gibt yellowed; **~gißmeinnicht** forget-me-not; **~gittern** to lattice, to cover with a grating; to enclose with lattice-work; to wire in; **~glasen** to glaze

Vergleich comparison; *(Einigung)* composition; agreement; settlement; *im ~ zu* compared to, in comparison with, as against; *kein ~ mit* nothing in comparison with; *kein ~!* beyond comparison!; **~bar** comparable; **~en** to compare; to check, *bes* ⌶ to collate; *(regeln)* to adjust, to settle; *s. ~en mit* to come to terms with; **~sabschnitt** comparable period; **~sjahr** year of comparison; **~sweise** by way of comparison; in comparison; **~ung** comparison

ver|gletschern to glaciate; **~glimmen** to cease to glow, to go out; **~glühen** to cease to glow

vergnüg|en to amuse; *refl* to enjoy o.s., to delight (in); to amuse o.s.; *su* pleasure, delight; amusement, diversion; *~en finden an* to delight in; **~lich** amusing, pleased; **~t** glad, pleased; cheerful, gay; *su* pleasure, amusement; **~ungsdampfer** pleasure steamer; **~ungsindustrie** entertainment industry; **~ungsreise** pleasure trip; **~ungssteuer** entertainment tax; **~ungssüchtig** pleasure-seeking

ver|golden to gild; **~goldung** gilding; **~gönnen** to grant, to allow; not to grudge; **~göttern** to deify; to idolize; to adore; **~götterung** deification; idolizing; adoration; **~graben** to bury; to hide in the ground; **~grämt** care-worn; **~greifen** *refl* to touch by mistake; ♩ to touch the wrong note; *s. ~greifen an* to lay hands on, to abuse; to injure; *(stehlen)* to steal; **~greisen** to become senile; **~griffen** sold out; ⌶ out of print

vergrößer|n to magnify; ⌶ to enlarge; to increase, to extend; *(Reichtum)* to aggrandize; *fig* to add to; to exaggerate; to aggravate; **~ung** enlargement; increase, extension; aggrandizement; exaggeration; **~ungsapparat** enlarger; **~ungsglas** magnifier, magnifying grass

Ver|günstigung favour, privilege; special arrangement, preferential treatment; *(Preis)* reduction; concession; **~güten** to compensate, to indemnify; to refund, to reimburse; *(Verlust)* to make good; *(Zinsen)* to pay; *(Stahl)* to heat-treat; *(Linse)* to coat; **~gütung** compensation, indemnification; reimbursement; allowance; heat treatment; coating

verhaft|en to arrest; to take into custody, to give in charge; *~et sein* to be committed (to), to be dependent (on); **~ung** arrest; capture; **~ungsbefehl** warrant (of apprehension)

ver|hageln to be damaged by hail; **~hallen** to die away, to fade away

verhalt|en *vt* to keep back, to retain; to restrain, to suppress; *refl* to be (the case); to behave, to conduct o.s.; to keep, to stand; *math* to be in the ratio of; *s. ~en zu* to be in proportion to; *s. ruhig ~en* to keep quiet; *adj* suppressed, suspended; *su* behaviour, conduct; bearing; attitude; **~nis** relation, *bes math* proportion; ratio *(im ~nis 1:4* in the r. of 1:4); *(Lage)* situation, *(Zustand)* condition; *(Liebes-)* liaison, (love-)affair; *pl* circumstances, condition(s); *unter diesen ~nissen* in these circumstances, such being the case; *in guten ~nissen* in easy circumstances, well-off; **~nismäßig** proportionate, proportional; in proportion, relatively, comparatively (speaking); **~niswahl** proportional representation; **~niswort** preposition; **~ungsmaßregeln** instructions, rules of action; rules of conduct

verhand|eln to negotiate; ⚖ to try, to plead; *(erörtern)* to discuss; **~lung** negotiation; transaction; trial, hearing, pleading; discussion; proceedings; **~lungsprotokoll** minutes of proceedings; **~lungstag** day of negotiation (*od* hearing); **~lungstermin** date of hearing; **~lungsweg** *auf d. ~lungsweg* by negotiation

verhäng|en to cover (by hanging); to hang something in front of s-th; *(Strafe)* to inflict, to impose; ⚖ to award (a penalty); *d. Belagerungszustand ~en* to declare a state of siege; **~nis** fate, destiny; disaster; **~nisvoll** fatal, fateful; momentous; disastrous

ver|harmlosen to describe s-th as not dangerous; to make light of; **~härmt** care-worn; **~harren** to hold out, to persevere; to persist (in); **~harscht** ⚕ closed, healed; *(Schnee)* crusted; **~härten** to harden; *refl, vi* to grow hard, to harden; **~härtung** hardening; callosity; *fig* stubbornness; **~haspeln** *refl* to tangle up; *fig* to get muddled; **~haßt** hated; hateful, odious; **~hätscheln** to coddle, to pamper; to spoil; **~hau** *mil* abatis, entanglement; *umg* mess; **~hauen** to thrash; *refl* to blunder; **~heben** *refl* to strain o.s. (*bei* in lifting s-th) **verheer|en** to devastate, to lay waste, to desolate; **~end** devastating *(a. fig); umg* awful; **~ung** devastation, desolation

ver|hehlen to hide, to conceal; **~heilen** to heal up *(od* over)

verheimlich|en to keep secret, to hush up, to conceal; **~ung** concealment

verheirat|en to marry (s-b to s-b), to give in marriage; *refl* to marry, to get married; **~ung** marriage

verheiß|en to promise; **~ung** promise; **~ungsvoll** promising

verhelfen *zu* to help s-b to (get) s-th

verherrlich|en to glorify; **~ung** glorification

ver|hetzen to stir up, to instigate; **~hexen** to bewitch, to bedevil; to cast a spell on; **~himmeln** to praise up to the skies

verhinder|n to hinder, to prevent; **~t** *fig (umg)* would-be *(poet etc); ~ung* hindrance, impediment; obstacle; *im ~ungsfall* in case ... should be prevented

verhohlen hidden, concealed

verhöhn|en to deride, to jeer, to mock; **~ung** derision, mockery

Verhör interrogation, questioning; examination; trial **~en** to interrogate, to examine; to try; *refl* to hear wrongly, to misunderstand

verhüll|en to cover, to veil; to wrap up; to disguise; **~ung** covering, veiling; wrapping up; disguise

ver|hundertfachen to increase a hundredfold, to centuple; **~hungern** to die of hunger, to starve; **~hunzen** to bungle, to make a muddle of, to muddle; **~hüten** to prevent; to avert, to ward off; to preserve (from); **~hütung** prevention; aversion; **~hütten** to smelt, to work; **~hutzelt** shrivelled, wizened; **~irren** *refl* to lose one's way, to lose o.s., to be lost; to go astray; **~irrung** losing one's way; aberration, error

verjagen to drive away, to chase away

verjähr|en to become invalid *(od* prescribed); to become statute-barred; **~ung** prescription, limitation; barring by lapse of time; **~ungsfrist** period of prescription

ver|jubeln, ~juxen to squander, to fool away

verjüng|en to rejuvenate; ⚙ to taper; *refl* to be rejuvenated; to grow young again; ⚙ to taper; *in ~tem Maßstab* on a reduced scale; **~ung** rejuvenescence; growing young again; ⚙ tapering

verkalk|en to calcify; to calcine; **~ung** calcification; calcination; § arteriosclerosis

ver|kalkulieren *refl* to miscalculate; **~kappen** to disguise, to mask; **~kapseln** § to become encysted; **~katert** suffering from a hang-over

Verkauf sale; selling; *zum ~* on sale; **~en** to sell; *zu ~en* for sale; **⁀er** seller; salesman; *BE* shop assistant, *US* (sales) clerk; **⁀erin** saleswoman; *BE* shopgirl, shop assistant, **⁀lich** salable; marketable; for sale; **~sautomat** (automatic) vending machine; **~sfertig** ready for sale; **~srechnung** bill of sales; **~spreis** selling price, sales price; **⊞** published price; *~ svertrag* sales contract

Verkehr traffic; (⚐, ✈, *Bus-)* service; transport (system); commerce *(Handel u. ~* trade and c.); communication; connection; *(Umlauf)* circulation *(in d. ~* bringen to put into c.; *aus d. ~ ziehen* to withdraw from c.); *(gesellschaftl.)* intercourse; **~en** *vt* to turn the wrong way, to turn upside down; to invert; *(umwandeln)* to transform; to convert, to change (into); to pervert; *(vi) ~en in* to frequent, to visit; *~ en zwischen* to ply between, to run regularly; *~en mit* to associate with, to see a good deal of; to keep company with; to have (sexual) intercourse with; **~sader** arterial road, artery; **~sampel** traffic light; **~sandrang** rush; **~betrieb** traffic undertaking; **~sbüro** tourist office; **~sdichte** density of traffic, traffic congestion; **~serziehung** traffic safety education; **~sflugzeug** air-liner; **~sgewerbe** transport (industry); **~sinsel** street island, *BE* refuge; **~sknotenpunkt** junction; **~sminister** Minister of Transport; **~sministerium** Ministry of Transport, *BE* Transport Ministry; **~smittel** means of transport *(od* communication), conveyance; **~splanung** traffic planning; **~spolizei** traffic police; **~spolizist** traffic patrolman *(od* policeman), *BE a.* pointsman; **~sregelung** traffic control, regulation of traffic; **~sreich** congested, crowded; **~sspitze** peak in traffic; **~sstark** busy; **~sstockung** traffic congestion, traffic jam; **~sstörung** traffic disturbance, breakdown; **~steilnehmer** road user; **~sunfall** traffic accident; **~sverein** local tourist (information) office; **~swesen** traffic, communications, transportation; **~szeichen** traffic sign, road sign; **~t** *(umge-)* inverted, reversed; upside down, inside out; wrong; absurd; **~theit** folly, absurdity

verkeilen to wedge; *umg* to thrash

verkenn|en to fail to recognize; to mistake, to misunderstand; to misjudge; to underestimate; **~ung** mistaking, misunderstanding; failing to appreciate

verkett|en to chain *(od* link) together; **~ung** chain(ing); *fig* concatenation; coincidence

verkitten to cement; to putty

verklagen to accuse; to prosecute; to bring an action against, to sue (at law); *auf Schadenersatz ~* to sue for damages

verklär|en to make bright; to transfigure; to glorify; **~t** radiant; transfigured; glorified; **~ung** transfiguration; glorification

ver|klatschen to inform against; to tell tales about; **~klausulieren** to qualify heavily; to limit by provisos; **~kleben** to paste over; to glue up, to gum up; **~kleiden** to disguise, to mask;

bes mil to camouflage; *(Wand)* to wainscot; *(mit Brettern)* to line; *fig* to disguise; **~kleidung** disguise, camouflage; wainscoting

verkleiner|n to make smaller; to diminish, to reduce; *fig* fo belittle, to detract from; **~ung** diminution, reduction; detraction; **~ungswort** diminutive

ver|kleistern to paste up; to patch up; **~klingen** to die away; *fig* to recede

ver|knacksen *refl* to sprain; **~knappen** to make scarcer *(od* tighter); **~knappung** shortage; tightness; **~kneifen** *refl* to stifle; to suppress; to bear in silence; **~knöchert** narrow-minded, pedantic; **~knorpeln** to become cartilaginous, to turn to cartilage; **~knoten** to knot up, to tie up; to knit together; **~knüpfen** to tie, to bind; to link, to join; to unite, to connect; **~knüpfung** connection, link; combination; **~kochen** to boil over *(od* away); to evaporate; **~kohlen** to char, to carbonize; *fig (umg)* to hoax, to take in

verkommen *vi* to come down in the world; to be ruined; to become bad *(od* depraved); to go to the bad; **~heit** depravity; degeneracy

verkork|en to cork (up); **~sen** to botch

verkörper|n to embody; to personify; to incarnate; **~ung** embodiment; personification; incarnation

ver|köstigen to board, to feed; **~krachen** *refl* to fall out *(mil* with); to go bankrupt; **~kraften** to (be able to) tackle, to deal with; to digest; **~kramen** to mislay; **~krampft** cramped; **~kriechen** to hide away, to creep away; **~krümeln** *vt* to crumble away; to fritter away; *refl umg* to make off; **~krümmen** *vt* to bend; *vi* to grow crooked; **~krümmung** bending; curvature; **~krüppeln** to cripple; to stunt; *vi* to be crippled; **~krüppelt** crippled; deformed; stunted, *(Baum)* gnarled; **~krustet** covered with a crust; **~kühlen** *refl* to catch (a) cold; **~kümmern** *vi* to wither away; to waste away; to become stunted; **$** to atrophy; to shrink, to shrivel up

verkünd|en, **~igen** to announce, to make known, to publish; to proclaim; **⚖** *(Urteil)* to pronounce; *eccl* to preach (the gospel); **~(ig)ung** announcement; publication; proclamation; preaching; *Mariä ~igung* Annunciation, Lady-Day

ver|kupfern to copper(-plate); **~kuppeln** to couple; *(Frau)* to procure, to pander

verkürz|en to shorten; to lessen, to diminish; to cut down; to abridge; *(Zeit angenehm ~en)* to beguile time *(mit, durch* with); **~ung** shortening; diminution; abridgment; curtailment

ver|lachen to laugh at, to deride; **~laden** to load (on to); to ship; **🚂** to entrain; **~ladung** loading; shipping, shipment; entraining

Verlag publication; *(Firma)* publishing firm *(od* house); publishers; *im ~ von* published by; **~ern** to transfer; to switch; to shift *(a. refl. a. fig);* **~erung** transfer; shift; switch(ing); change-over; displacement; *fig* change; **~sar-**

tikel publication; **~sbuchhandel** publishing business *(od* trade); **~sbuchhändler** (bookseller and) publisher; **~sbuchhandlung** (firm of) publishers (and booksellers); **~skatalog** publisher's catalogue; **~skosten** expenses of publication; **~sort** place of publication; **~srecht** publishing rights; **~szeichen** publisher's mark

verlang|en *vt* to demand; to require; *Sie werden am Telefon ~t* you are wanted on the phone; *(vi) ~en nach* to long for, to hanker after, to crave; *su* demand; desire, wish; longing; *(Bitte)* request; *auf ~en* on demand; by request; **~ern** to lengthen; to prolong, to extend; **~erung** lengthening; prolongation, extension; **~erungsschnur** *⚡ BE* extension flex, *US* extension cord; **~samen** to slow down, to retard; to slacken

verläppern to trifle away; to fritter away

Verla|ß reliance; *auf ihn ist kein ~ß* there is no depending on him, he cannot be relied on; **~ssen** *vt* to leave, to quit; *(aufgeben)* to abandon, to desert; *(refl) ~ssen auf* to rely on, to depend on; *adj* deserted, forsaken; lonely; **~ssenheit** loneliness; bereavement; **~ßlich** reliable, dependable

Verlaub leave, permission *(mit ~* by your l., with your p.)

Verlauf course; *(Zeit)* lapse; *(Ab-)* expiration; progress, development; *nach ~ von* after the lapse *(od* expiration) of; *im ~ von* in the course of (a week, his speech); *e-n schlimmen ~ nehmen* to take a bad turn; **~en** to pass, to elapse; to take its course, to develop; to expire; *gut (schlecht) ~en* to turn out well (badly); *refl* to take a wrong road, to get lost, to lose o.s.; *(Wasser)* to run off; to disperse, to be scattered; *adj* stray, lost

verlaust lousy

verlaut|baren to make known, to promulgate; **~en** to become known; *es ~et* it is said *(od* reported); *~en lassen* to give to understand, to hint, to breathe [crepit

verleb|en to spend, to pass; **~t** worn out; **verleg|en** to mislay, to misplace; to lay somewhere else; to move to another place; to transfer; *(zeitl.)* to put off, to postpone; to adjourn; *(Weg)* to bar, to obstruct; **📖** to publish, to bring out; *(refl) s. ~en auf* to go in for, to take up; to devote o.s. to; *adj* embarrassed; self-conscious; puzzled, confused; at a loss *(um* for); **~enheit** embarrassment; dilemma; *in ~enheit sein* to be at a loss; *in ~enheit setzen* to embarrass, to puzzle; **~er** publisher; **~ung** transfer, removal; postponement; adjournment

ver|leiden to disgust s-b with s-th, to spoil s-th for s-b; **~leihen** to lend (out), to let out; to confer, to bestow (upon); to grant; to invest s-b with s-th; **~leiher** lender; **~leihung** lending; conferring; grant; investiture

verleit|en to mislead; to lead astray, to seduce; to induce, to persuade (to do); *j-n zu d. Annahme ~en* to delude s-b into thinking (that);

wir dürfen uns durch... nicht zu d. Annahme ~en lassen we must not let ... delude us into thinking (that); **~ung** seduction; inducement, persuasion

ver|lernen to unlearn, to forget (how to do); **~lesen** to read out (*od* loud); *(Liste)* to call over; to pick, to sort out; to clean; *refl* to make a mistake (in reading)

verletz|bar vulnerable; **~en** to hurt, to injure; *(Haut)* to break; *(beleidigen)* to offend; ♫ to infringe, *(Vertrag)* to violate; **~end** offensive; **~ter** casualty; **~ung** injury, hurt; offence; infringement, violation; *(Pflicht)* breach

verleugn|en to deny; *(Kind)* to disown; *(ablehnen)* to disavow; to renounce; *s. ~en lassen* to refuse to see visitors; **~ung** denial; disavowal; renunciation

verleumd|en to slander, to calumniate; to asperse; *(schriftl.)* to libel; **~er** slanderer, calumniator; libeller; **~erisch** slanderous, calumnious; defamatory; libellous; **~ung** slander, calumny; defamation; libel

verlieb|en *refl* to fall in love (*in* with); **~t** in love, amorous (of), enamoured (of); *~t sein in (umg)* to be sweet on

verlieren to lose; *bot, Haare* to shed; *(Zeit)* to waste; *(Hoffnung)* to give up; *aus d. Augen ~* to lose sight (*od* track) of; *ich habe m-n Hund verloren* my dog is missing, *(endgültig)* I lost my dog; *refl* to lose one's way, to get lost; to disappear

Verlies dungeon

verlob|en *vt* to affiance (to), to betroth (to); *refl* to engage o.s. (to), to get engaged (to); **~te** financée; *pl* the engaged couple; **~ter** financé; **~ung** engagement, betrothal; **~ungsanzeige** announcement of an engagement

verlock|en to entice, to allure, to tempt; *(Kind)* to bribe; **~end** enticing, tempting; **~ung** enticement, allurement, temptation; *pl* blandishments

verlogen (given to) lying; untruthful, mendacious; **~heit** untruthfulness, mendacity

verlohn|en: *es ~t sich nicht* it is not worth while (to do)

verloren lost; *fig* forlorn; *~e Eier* poached eggs; *~er Haufen* forlorn hope; *d. ~e Sohn* the Prodigal Son; *~er Zuschuß* irrecoverable contribution; *~ geben* to give up for lost; **~gehen** to get lost

ver|löschen to go out, to be extinguished; **~losen** to cast lots for; to dispose of s-th by lot; to raffle; **~losung** drawing lots, (distribution by) lottery; raffle; **~löten** to solder; **~lottern** to deteriorate; to become disorderly; **~ludern,** **~lumpen** = verkommen

Verlust loss; *(durch Tod)* bereavement; waste; *(durch Leck)* leak, escape; forfeiture; *pl* casualties; *£20 ~ haben* to be £20 to the bad; *mit ~ verkaufen* to sell at a loss; **~ig gehen** to lose, to forfeit; to be deprived of; **~liste** list of casualties

vermach|en to bequeath, **~tnis** bequest, legacy
vermähl|en to marry, to give in marriage; *refl* to marry, to get married (to); **~ung** nuptials, wedding; marriage

ver|maledeit accursed, confounded; **~manschen** to mix; to make a mess of; **~mauern** to wall up; to use up (in building); **~mehren** to increase; to multiply; to augment; to enlarge; to breed, to propagate; **~mehrung** increase; augmentation; breeding, propagation

vermeid|en to avoid; to escape (from); to evade, to elude; **~bar, ~lich** avoidable; **~ung** avoidance

vermein|en to suppose, to imagine, to presume; **~tlich** supposed, presumed; alleged; imaginary

ver|melden to notify, to inform; to announce, to report; **~mengen** to mix (up); to confuse; **~menschlichen** to represent in a human form; to humanize

Vermerk note; entry; notice; **~en** to make note of, to note down; to observe; *übel ~en* to take amiss (*od* ill)

vermess|en to measure; to survey; *refl* to measure wrong; *fig* to dare, to venture (to do); *adj* arrogant, bold; impudent; presumptuous; **~enheit** arrogance, boldness; impudence; presumption; **~ung** measuring; survey(ing)

vermiet|en to let (out); to hire out; **~er** landlord; **~ung** letting; hiring out

vermindern to diminish (*a.* ♪); to lessen; to decrease; to impair; to reduce; **~ung** diminution; lessening; decrease; impairment; reduction

vermisch|en to mix, to mingle; to blend, *(legieren)* to alloy; **~t** mixed; miscellaneous; **~tes** sundries, miscellany; **~ung** mixing, mixture; blend(ing); alloy

vermi|ssen to miss, to want; *~ßt werden (bes mil)* to be missing; to be greatly missed

vermitt|eln to mediate (*zwischen* between); to obtain, to secure; to arrange; *(Streit)* to compose; to bring about, to negotiate; to act as intermediary; to find work for s-b; **~els(t)** by means of, through; **~ler** mediator; go-between; agent; **~lung** mediation, acting as intermediary; negotiation; supplying, providing; finding; intervention, intercession; **~lungsausschuß** mediation committee; **~lungsgebühr** agency fee; agent's commission; **~lungsstelle** agency; intermediary; ⌀ (telephone) exchange   [to rot, to decay

ver|möbeln to give a good thrashing; **~modern** **vermöge** *prep* by virtue of, by dint of; **~en** *vt* to be able to do; to have the power (to do); *su* ability, power; capacity, faculty; property; wealth, fortune; means, resources; *nach bestem ~en* to the best of one's ability; **~end** well-off; wealthy, rich; **~ensabgabe** property levy; **~ensanlage** (productive) investment; capital asset; **~enssteuer** property tax; **~enswert** asset; **~enswerte** assets, property values

ver|morscht rotten; **~mottet** moth-eaten; **~mummen** to muffle up; to mask

vermut|en *vt* to suppose, to presume; to suspect; *su* supposition; opinion; ~lich presumable, probable; *adv* presumably; I suppose, I guess; ~ung supposition, conjecture; guesswork; *das sind alles nur ~ungen* that is all guesswork

vernachlässig|en to neglect; to overlook; ~ung neglect, negligence

ver|nageln to nail up; ~nagelt *umg* dense, blockheaded; ~nähen to sew up; to use up in sewing; ~narben to heal up, to cicatrize; ~narrt infatuated (*in* with); ~naschen to spend on sweets; to go to bed with, to lay

vernehm|en to perceive; to understand; to become aware of; 🔊 to interrogate, to examine, to hear; *s. ~en lassen* to declare, to express an opinion; *su* perception; *dem ~en nach* from what we hear, according to report; ~lich perceptible; audible, distinct; ~ung interrogation, examination

verneig|en *refl* to bow; ~ung bow

vernein|en to answer in the negative; to deny, to disavow; ~end negative; ~ung negation; negative; denial

vernicht|en to annihilate, to destroy; *(Blüten)* to bite; *(durch Frost, Hitze etc)* to blast; ~ung annihilation, destruction

ver|nickeln to nickel(-plate); ~nieten to rivet

Vernunft reason; understanding; good sense; judgment; intelligence; *gesunde ~* common sense; *~ annehmen* to listen to reason; *zur ~ bringen* to bring s-b to his senses; ~ehe marriage of convenience; ~gemäß reasonable; rational; ~glaube rational belief; ~ig reasonable; rational; sensible; ~los irrational; ~mäßig reasonable, rational; ~widrig irrational; contrary to reason

veröd|en *vi* to become desolate; to go to waste; ~et desolate; waste; ~ung desolation; devastation

veröffentlich|en to publish; ~ung publication

verordn|en to decree, to order; *eccl* to ordain; 💲 to prescribe; ~ung decree, order; ordinance; prescription

verpacht|en to (put to) lease; ~er lessor; ~ung leasing

verpack|en to pack up, to wrap up; ~ung packing up, wrapping up; packing (material); ~ungsgewicht tare; ~ungskosten packing charges

verpäppeln to pamper, to mollycoddle

ver|passen to lose; (🚽, *Bus*) to miss; *(Gelegenheit)* to let slip; *(Kleid)* to fit s-b with, to adjust; ~patzen to bungle; ~pesten to poison; to taint; to fill with a pestilential odour; ~petzen to inform against, to tell tales about

verpfänd|en to pledge, to pawn; *(Hypothek)* to mortgage; ~ung pledging, pawning; mortgaging

verpflanz|en to transplant; ~ung transplantation

verpfleg|en to feed, to board; to provide for, to cater for; 💲 to nurse; ~ung board, feeding; maintenance; food (supply); provisions, *mil* rations

verpflicht|en to oblige, to bind; to engage; *refl* to bind o.s. to do; to commit o.s. (to); ~ung obligation, duty; engagement; commitment

ver|pfuschen to make a mess of, to bungle; ~pichen to pitch; ~pimpeln to coddle; ~plappern, ~plaudern *vt* to prattle away; *refl* to blab out, to let the cat out of the bag; ~plempern to waste, to squander; ~pönt in bad taste; tabooed; ~prassen to squander, to spend in gluttony (*od* drunkenness); to dissipate; ~prügeln to thrash soundly, to belabour; ~puffen to explode; to produce no effect, to be lost (*bei* upon); ~pulvern to waste; ~pumpen to lend; ~puppen *refl* to pupate, to change into a chrysalis; ~pusten to recover breath; ~putzen *(außen)* to rough-cast; (*innen*) to plaster; *umg (Essen)* to put away; ~qualmen to smoke; to spend in smoking; to fill with smoke; ~quer *gehen* to go wrong; ~quicken to amalgamate; *fig* to mix up (with); ~quickung amalgamation, fusion; combination; ~quollen bloated, swollen; *(Holz)* warped; ~rammeln to bar, to barricade; ~rannt obstinate; stuck on s-th

Verrat treason; betrayal; treachery; ~en to betray; *(zeigen als)* to bespeak; to reveal, to disclose; ~er betrayer; traitor; ~erei treachery; treason; ~erin traitress; ~erisch treacherous, traitorous; perfidious; revealing; suspicious

verrauch|en *vt* to smoke; to spend on tobacco; *vi* to go off in smoke; to evaporate; *fig* to pass away, to cool down; ~ern to fill with smoke, to blacken with smoke

ver|räumen to mislay; ~rauschen to die away

verrechn|en to reckon up, to charge to account; to settle; to set off; to account for; *refl* to make a mistake, to miscalculate; *~en mit* to offset against; ~ung reckoning up, charging to account; settlement; clearing; booking (*od* charging) (to an account); *nur zur ~ung* only for settlement in account, for collection only; ~ungsabkommen offset agreement, clearing agreement; ~ungskonto clearing account, settlement account; ~ungsscheck collection-only cheque; ~ungsstelle clearing office; ~ungsverkehr clearing (procedure)

ver|recken *(Tier)* to die; *sl* to croak; ~regnen to spoil by rain; ~reisen to make a journey, to go on a journey; *er ist ~reist* he is away from home; ~reißen *fig* to pull to pieces, to pan, to batter; ~renken to dislocate, to sprain; ~renkung dislocation, sprain; ~rennen *refl fig* to adhere stubbornly (*in* to)

verricht|en to perform, to execute; to accomplish; *sein Gebet ~en* to say one's prayers; ~ung execution, performance; function; work

ver|riegeln to bolt, to bar; *mil* to barricade; ~ringern to diminish, to lessen; to reduce; ~ringerung diminution; reduction; ~rinnen to run off (*od* away); *(Zeit)* to elapse, to pass away; ~rohen to become brutal, to become like beasts; ~rosten to rust; ~rostet rusty; ~rotten to rot; ~rucht wicked; villainous; infamous

verrück|en to remove, to displace; ~t mad,

crazy; *j-n ~t machen* to drive s-b mad, to madden; **~ter** madman, lunatic; **~theit** madness, craziness

Verruf ill fame; *in ~ kommen* to lose one's reputation, to get into disrepute; **~en** *adj* ill-reputable, disreputable; of ill fame

ver|rühre. to stir; to whisk, to beat up; **~rußt** sooty

Vers verse; stanza; line; *ich kann mir keinen ~ daraus machen* I can't make head or tail of it; **~bau** versification; **~fuß** metrical foot; **~maß** metre

versacken to give way, to sink; to bog down, to get ditched

versag|en to deny, to refuse; *vi* to fail, to break down; *(Gewehr)* to misfire; *refl* to forgo, to deny o.s.; *~t sein* to have another engagement; *su* failure, breakdown; **~er** failure, unsuccessful person; *mil* misfire; dud shell; **~ung** denial, refusal

Versalien capitals, caps; *kleine ~* small caps

versalzen to oversalt; *fig* to spoil

versamm|eln to assemble; to collect, to bring together; to convene; *refl* to assemble, to meet; **~lung** assembly; meeting, gathering; **~lungsrecht** right of meeting

Versand dispatch, forwarding; transport; **~abteilung** shipping department; **~anweisungen** shipping instructions; **~anzeige** advice of dispatch; **~art** mode of dispatch; **~bereit** ready for dispatch; **~geschäft** mail order firm; forwarding trade (*od* business); **~kosten** forwarding charges (*od* expenses); **~papiere** shipping documents; **~station** dispatch station; **~vorschriften** shipping instructions

versanden *(Fluß)* to silt up; to get choked up with sand; *fig* to break down; to sink into oblivion

Versatz pawning, pledging; **~amt** pawn shop

ver|sauern to turn sour; *fig* to become morose; **~saufen** to waste on drink

versäum|en to neglect, to omit; *(Zug etc)* to miss; *(Zeit)* to waste; *d. ~te nachholen* to make up for lost time; **~nis** neglect, omission; loss of time, delay; *(Schul-)* non-attendance; 🜨 default; **~nisurteil** judgment by default

ver|schachern to barter away; **~schachteln** to dovetail, to combine closely; **~schachtelung** interlocking (relationship); **~schaffen** to procure, to obtain; to provide; *refl* to get (for) o.s.; *(Patent, Lizenz)* to take out; **~schalen** to board up, to cover with planks; **~schämt** abashed, bashful; shamefaced; **~schandeln** to disfigure, to spoil; **~schanzen** to entrench; *refl* to shelter (*hinter* behind)

verschär|fen to render more severe, to make worse; to sharpen, to intensify; to tighten up; to increase; **~ung** sharpening; intensification; tightening up

ver|scharren to bury; to inter; **~scheiden** to die; *su* death; **~schenken** to give away; to make a present of; **~scherzen** to trifle away; to lose, to forfeit; **~scheuchen** to scare away, to drive away

verschick|en to send away, to dispatch, to forward; to transport; *(deportieren)* to deport; **~ung** dispatch, forwarding; transportation; deportation

Verschieb|ebahnhof = Rangierbahnhof; **~en** to shift, to displace; 🚩 to shunt; *(zeitl.)* to put off, to postpone; *umg* to sell through the black market; *refl* to get out of place, to shift; **~ung** displacement; postponement; selling through the black market

verschieden different; diverse; varied; *sehr ~* of a wide variety; *~ sein* to differ (*von* from); *(tot)* deceased; **~artig** of a different kind; various, heterogeneous; **~erlei** of various kinds, divers; **~farbig** variegated; of different colours; **~heit** difference; diversity, variety; dissimilarity; **~tlich** different; repeated; *adv* repeatedly

verschießen to shoot away; to use up; *vi* to fade, to lose colour, to discolour

verschiff|en to ship; **~er** shipper; **~ung** shipping, shipment; **~ungspapiere** shipping documents

ver|schimmeln to get mouldy; **~schlacken** to be reduced to slag; **~schlafen** *vt* to miss by sleeping; to spend in sleeping; *a. refl* to oversleep (*o.s.*); *adj* sleepy, drowsy

Verschlag wooden partition; *(Kiste)* crate, box; **~en** to nail up; *(mit Brettern)* to board up; to lose one's place in (a book); 🜨 to drive out of one's course ♦ *j-m d. Atem ~en* to take away s-b's breath; *j-m d. Sprache ~en* to make s-b speechless; *es ~t nichts* it does not matter; *adj* lukewarm; *fig* sly, crafty; **~enheit** slyness, craftiness

verschlammen to silt up; to get choked with mud

verschlampen to mess up; to lose; *refl* to neglect o.s.

verschlechter|n to make worse, to impair; *refl* to get worse, to deteriorate; **~ung** deterioration

verschleier|n to veil; *fig* to conceal; *d. Bilanz ~n* to cook accounts; *~t* hazy, slightly clouded; *(Blick)* veiled; *(Stimme)* husky; **~ung** veiling; concealment

Verschleiß wear and tear; attrition; **~en** to wear out

verschlemmen to squander in feasting

verschlepp|en to carry off, to take to a wrong place, to misplace; to displace s-b; 🚩 to spread; *(hinhalten)* to delay, to protract; **~ter** displaced person, D.P.; **~ung** carrying off; deportation; spreading; procrastination

verschleuder|n to waste, to dissipate; to sell dirt-cheap, to throw away; **~ung** wasting, dissipation; selling at ruinous prices

verschließen to close, to lock, to shut up; *s. e-r Sache ~* to keep aloof from s-th, to turn a deaf ear to

verschlimmer|n to make worse, to aggravate; *refl* to get worse; **~ung** change for the worse, deterioration

ver|schlingen to devour, to swallow up; to entangle, to intertwine; ~**schlissen** threadbare, worn-out

verschlossen closed, locked; *fig* reserved, taciturn; ~**heit** reserve, taciturnity

verschlucken to swallow; *refl* to swallow the wrong way, to choke

Verschluß lock; clasp, fastener; plug; seal; shutter; *(Geschütz)* breech; *unter ~* under lock and key; ~**laut** *gram* stop, plosive; ~**stück** plug, stopper

ver|schmachten to pine away, to starve; to languish (from); to die (of); ~**schmähen** to disdain, to despise

verschmelz|en to melt (together), to fuse; to blend; to merge, to amalgamate; ~**ung** fusion; blending; amalgamation

ver|schmerzen to put up with, to get over (the loss of); to make the best of; ~**schmieren** to smear, to daub; *(Papier)* to waste in writing; to plaster over; to soil

verschmitzt wily, cunning; ~**heit** wiliness, cunning

verschmutz|en to make dirty; *(stark)* to begrime; ~**t** dirty; filthy

ver|schnappen *refl* to blurt out, to give the show away; ~**schnaufen** to recover one's breath, to take breath; ~**schneiden** to cut (up); to clip, to prune; to cut badly, to spoil; *(Tiere)* to geld, to castrate; *(Wein)* to adulterate; ~**schneit** snowed up, covered with snow; ~**schnitt** mixed wine; *(Tabak)* blend; cuttings, chips; ~**schnörkeln** to write *(od* adorn) with flourishes; ~**schnupft** troubled *(od* stuffed up) with a cold; *fig* cross, annoyed; ~**schnüren** to tie up; to lace; ~**schollen** missing, lost; long past, forgotten; *d. Schiff ist ~schollen* the ship was never heard of again; ~**schonen** to spare, to exempt from

verschönern to beautify, to embellish

verschossen faded, discoloured; ~ *in* madly in love with, having a crush on

ver|schränken to cross, to fold (one's arms); ~**schreiben** to use up in writing; to write wrongly; to write for, to order; to prescribe; to make over (to s-b); *refl* to make a slip (in writing); *fig* to subscribe to (a belief etc), to set one's heart upon; to be subordinated (to); ~**schroben** queer, odd, eccentric; confused, intricate; ~**schrotten** to scrap; ~**schrumpfen** to shrivel up, to shrink;

verschuld|en *vt* to be guilty of; to commit; ~ *et* (involved) in debt; *su* fault; ~**ung** fault, offence; indebtedness, being in debt; encumbrance

verschütt|en to spill; *(zu-)* to fill up *(mit* with); to bury (alive); ~**gehen** *sl* to be nabbed; to get lost

ver|schwägert related by marriage; ~**schwatzen** to spend in chattering

verschweig|en to keep secret, to conceal; to suppress; ~**ung** concealment; suppression

verschwend|en to squander, to waste; to dissipate; to lavish; ~**er** spendthrift; prodigal; ~**erisch** wasteful, prodigal, lavish; extrava-

gant; ~**ung** wastefulness, prodigality; extravagance; ~**ungssucht** dissipation, mania for squandering

verschwiegen • discreet, reticent; reserved; ~**heit** discretion; reticence; secrecy

verschwimmen to fade away, to dissolve; to become blurred (hazy)

verschwinden to disappear, to vanish; to be lost; *(heimlich)* to abscond; *ich muß mal eben ~ (umg)* I must go and spend a penny, I must see a man about a dog; *su* disappearance

ver|schwistert closely united (like brothers and sisters); ~**schwitzen** to wet through with perspiration; *umg* to forget; ~**schwommen** indistinct; blurred

verschwör|en *refl* to plot, to conspire; ~**er** conspirator; ~**ung** plot, conspiracy

Verschworener conspirator

versehen to provide, to supply *(mit* with); to furnish (with); *(Stelle)* to fill; *(Pflicht)* to perform; to administer *(the last sacrament)*; *(Haus)* to keep, to look after; to overlook; *refl* to make a mistake; *ehe man sich's versah* before your could say Jack Robinson; *su* mistake, slip; oversight; *aus ~* by accident; ~**tlich** inadvertent; by accident, by mistake

versehr|en to injure, to disable; ~**tenrente** ablement pension; ~**tenstufe** degree of disablement; ~**ter** disabled person

versend|en to send off, to dispatch, to forward; to ship; ~**ung** dispatch, forwarding; transport

versengen to singe; to burn, to scorch

versenk|en to sink; to submerge; to lower, to let down; *refl* to become absorbed (in); ~**ung** sinking; submersion; trap-door ♦ *in d. ~ung verschwinden* to vanish like magic

versessen *auf* bent on; mad about, crazed *(od* crazy) about

versetz|en to put (into), to set; to displace, to misplace; *(Baum)* to transplant; *(Beamten)* to move, to transfer; *mil* to post; *(Schüler)* to move up, *US* to promote; ~*t werden* to get one's remove, *umg* to go up; *(Sachen)* to pawn, to pledge; *(mischen)* to mix, to alloy; *(Schlag,* to deal, to give; ♪ to transpose; *fig umg* to leave in the lurch; ~**ung** transfer; moving up, removal (to a higher class); *mil* posting; mixing, alloy; transposition; ~**ungszeichen** ♪ accidental

verseuch|en to infect; to contaminate; ~**ung** infection; contamination

Versicher|er insurer; underwriter; ~**n** to assure, to affirm; to assert; *(geldl.)* to insure; *refl* to make sure of, to ascertain; to take possession of; to insure o.s.; ~**ter** insured; ~**ung** assurance; affirmation; *(geldl.)* insurance (company); ~*ung abschließen* to effect an insurance; ~**ungsanstalt** insurance office; ~**ungsbeitrag** insurance premium; ~**ungsfrei** exempt from the obligation to insure; ~**ungsgesellschaft** insurance company; ~**ungsleistung** insurance benefit; ~**ungsnehmer** insured (person), policy holder; ~**ungspflichtig** subject to obligatory insurance; ~**ungspolice**, ~**ungs-schein** insurance policy; ~**ungsträger** insurance institution

ver|**sickern** to trickle away; ~**siegeln** to seal (up); ~**siegen** to dry up; to be exhausted

ver|**siert** experienced

ver|**silbern** to silver(-plate); *umg* to turn into money; ~**sinken** to sink, to founder; to immerse; ~ *sunken sein in* to be absorbed in; ~**sinnbildlichen** to symbolize

ver**söhn**|**en** to reconcile; to propitiate, to appease; *s.* ~*en mit* to become reconciled with; ~**lich** conciliatory, forgiving; easily reconciled; ~**ung** reconciliation

ver**sonnen** lost in thought

ver**sorg**|**en** to provide, to supply (with); to provide for, to maintain; to look after, to care for; ~**er** support(er), breadwinner; ~**ung** supply; supplies; provision; maintenance, care (for); relief; *soziale* ~**ung** social services; ~**ungsbetriebe** public utilities; ~**ungsempfänger** pensioner; ~**ungslage** supply situation

ver**spät**|**en** *vt* to delay; *refl* to be (*od* come) late, to be behind time; to tarry; ~**et** belated, late; ~**ung** delay; being late; *d. Zug hat 5 Minuten* ~**ung** the train is five minutes late

ver|**speisen** to eat (up); ~**spekulieren** to lose by speculation; *fig* to make a bad speculation, to be out in one's calculations; ~**sperren** to bolt; *(Weg)* to bar; to block, to obstruct; to barricade

ver**spielen** to lose (the game); to gamble away, to lose by gambling; *es bei j-m* ~ to get into s-b's bad books

ver**spinnen** to use up in spinning

ver**spott**|**en** to deride, to mock, to scoff at; to make game of; ~**ung** derision; mockery; scoffing

ver**sprech**|**en** to promise, to bind o.s.; to give promise of; to bid fair (to do); *(als Gattin)* to betroth; *refl* to make a slip of the tongue; *ich habe mich versprochen* it was a slip of the tongue on my part; *s. viel* ~*en von* to expect much of; *su* slip of the tongue; promise; ~**ung** promise

ver**spreng**|**en** to scatter, to disperse; ~**ter** straggler

ver|**spritzen** to spill; *(Blut)* to shed; ~**spüren** to perceive; to be aware of

ver**staatlich**|**en** to nationalize; ~**t** nationalized; taken over by the government; ~**ung** nationalization

ver**städter**|**n** to urbanize; ~**ung** urbanization

Ver**stand** understanding, intellect; mind; intelligence, brains; judgment; *nicht bei* ~ *sein* to be out of one's mind; *d.* ~ *verlieren* to go out of one's mind; *da bleibt mir d.* ~ *stehen* that is beyond me, I am nonplussed; *zu* ~ *kommen* to arrive at the age of discretion; ~**eskräfte** intellectual powers; ~**esmensch** matter-of-fact person; ~**esschärfe** sagacity; ~**ig** intelligent, sensible; prudent, wise; judicious; ~**igen** to notify (*von* of), to inform (of); *refl* to come to an understanding (with); ~**igkeit**

good sense; prudence, insight; ~**igung** agreement, arrangement; understanding; ⟨♁⟩ (quality of) reception; ~**lich** intelligible; clear, distinct; comprehensible; *s.* ~*lich machen* to make o.s. understood; ~**lichkeit** intelligibility; clearness; ~**nis** understanding; comprehension; appreciation; sympathy; ~*nis haben für* to appreciate; ~**nisinnig** full of deep (*od* mutual) understanding; unappreciative; imbecile; ~**nisvoll** understanding, knowing; sympathetic; appreciative

ver**stärk**|**en** to strengthen, to reinforce; to intensify; *bes* ⚡, ⚙ to amplify; to boost; ~**er** amplifier, booster; ~**ung** strengthening; reinforcement(s); ⚙ amplification, boost

ver|**stauben** to get dusty; ~**stauchen** to sprain; ~**stauen** to stow away, to bestow

Ver**steck** hiding-place, cache; *(Hinterhalt)* ambush; ~ *spielen* to play at hide and seek; ~**en** to hide, to conceal; *refl* to hide o.s.; ~**spiel** hide and seek; ~**t** hidden, concealed; *fig* veiled; sly

ver**stehen** to understand, to comprehend; to perceive, to see, to hear; to know (how to do); *zu* ~ *geben* to give to understand, to intimate (to); *e-n Spaß* ~ to take a joke; *falsch* ~ to misunderstand; ~ *Sie mich recht* don't get me wrong; *was* ~ *Sie darunter?* what do you mean by it?; *refl* to understand one another; *s.* ~ *zu* to agree to; *s. von selbst* to go without saying, to be a matter of course; *s.* ~ *auf* to be skilled in, to know well

ver|**steifen** to stiffen; to strut; *refl* to grow stiff; *s.* ~*steifen auf* to insist on, to make a point of; *(Preis)* to harden; ~**steigen** *refl* to climb too far; to lose one's way (in climbing); *fig* to go too far, to go so far as (to do)

Ver**steiger**|**er** auctioneer; ~**n** to (sell by) auction; to put up to auction; ~**ung** (putting up to) auction

ver**steiner**|**n** to turn into stone, to petrify; ~**ung** petrifaction; fossil

ver**stell**|**bar** adjustable; ~**en** *vt* to change the position of; to displace, to misplace; *(versperren)* to block, to bar; to disfigure, to disguise; *refl* to dissemble, to sham, to feign; ~**ung** removal; disarrangement; disfiguration; disguise, dissimulation; ~**ungskunst** art of dissimulation

ver|**steuern** to pay tax on; ~**stiegen** eccentric, high-flown

ver**stimm**|**en** to put out of tune; *fig* to annoy, to upset, to cause resentment (in, among); ~**t** out of tune; *(Magen)* upset; in a bad mood, cross; out of sorts; ~**ung** ♪ mistuning; ill humour, bad temper

ver**stockt** impenitent; obdurate, obstinate; hardened; ~**heit** obduracy; obstinacy

ver**stohlen** stealthy, furtive; clandestine, surreptitious

ver**stopf**|**en** to block, to stop up; ⚕ to constipate; ~**ung** blocking up, obstruction; stoppage; constipation

verstorben deceased, late

verstört disconcerted; bewildered; disordered; ~**heit** consternation, bewilderment; confusion

Verstoß offence (against); disobedience (to); breach (of); fault, mistake; ~**en** *vt* to reject, to expel; to put away, to cast off; *vi* to offend (against), to violate; to transgress; to infringe (the law); ~**ung** rejection, expulsion

ver|streichen *vt* to smear, to spread; to use up; *vi* to pass (away), to slip by; ~**streuen** to scatter, to disperse; ~**stricken** to use up in knitting; to entangle; to ensnare; ~**strömen** to pour forth *(od* out), to emanate; ~**stümmeln** to mutilate, to mangle *(a. fig);* to maim *(a. fig);* ~**stummen** to grow mute *(od* dumb); to become silent; not to continue

Versuch attempt; experiment; *bes* ✿ trial *(e-n ~ machen mit* to give . . . a t.); ~**en** to try, to attempt; to experiment with; to taste, to sample; *(in ~ung führen)* to tempt, to entice; *es ~en mit* to put to the test; ~**er** tempter; ~**sanstalt** research institute; ~**sballon** *pol* trial balloon; *fig* kite *(e-n ~sballon steigen lassen* to fly a k.); ~**skaninchen** (human) guinea pig *(~skaninchen sein* to be the g. p.); ~**sreihe** series of experiments; ~**sweise** by way of experiment; *(probe-)* on trial, on approval; tentatively; ~**ung** temptation

versündig|en *refl* to sin *(an* against), to offend; ~**ung** sin(ning), offence

versunken sunk, lost; absorbed

versüßen to sweeten *(a. fig)*

vertag|en to adjourn *(auf* till); ~**ung** adjournment

ver|tändeln to trifle away; ~**täuen** ⚓ to moor; ~**tauschen** to exchange; to barter; *(irrtüml.)* to mistake; *math* to substitute, to permute

verteidig|en to defend; *refl* to defend o.s.; ~**er** defender; advocate; ⚖ defence counsel, *US* defense attorney 🏏 *linker ~er* left back, *rechter ~er* right back; ~**ung** defence; advocacy; ~**ungsanlagen** defence works; ~**ungskrieg** defensive war; ~**ungslinie** line of defence; ~**ungsministerium** Ministry of Defence; ~**ungsstellung** defensive position

verteil|en to distribute; *(aus-)* to dispense; *(zuweisen)* to assign; *(gleichmäß.)* to apportion; to divide; to share; ~**er** distributor; ~**erliste** mailing list; ~**ung** distribution; division; ~**ungsnetz** distribution network; distributing trade

ver|teuern to make dearer, to raise the price of; ~**teufelt** devilish; confounded

vertief|en to make deeper, to deepen; *fig* to deal with s-th in greater detail; *refl* to become deeper; *s. ~en in (fig)* to become absorbed in; to be engrossed in, to burrow into, to bury o.s. in; ~**ung** deepening; depression, hollow; cavity; recess, niche; detailed treatment

vertier|en to grow brutal; ~**t** brutish

vertilg|en to extirpate, to exterminate; to destroy; to consume, to eat up; ~**er** exterminator; ~**ung** extirpation, extermination, destruction

ver|tonen to set to music; ~**tonung** composi‖ tion; musical arrangement

Vertrag agreement, contract; *pol* treaty; *(zivi‖ rechtl.)* contract; *mündl.* ~ verbal contract, pa‖ role agreement; *schriftl.* ~ contract in writing‖ written contract; *e-n ~ (ab)schließen* to mak‖ a contract *(pol* treaty); ~**en** to wear out; *(er-)* t‖ bear, to endure; to digest; *ich kann Wein nich‖ ~en* wine doesn't agree with me; *refl* to get o‖ well (together); *s. wieder ~en* to make it up, t‖ settle one's differences; ~**lich** contractual‖ subject to contract; ~**lich** sociable; good-na‖ tured; *bes* 💲 compatible (with); ~**lichkeit** so‖ ciability; good nature; compatibility; ~**sbedin‖ gungen** contractual terms; ~**sbestimmung** term‖ *(od* provision) of a contract; ~**sbruch** breach o‖ contract *(od* treaty); ~**sbrüchig** defaulting (in ‖ contract); ~**schließend** contracting; ~**sgemä‖** contractual; ~**smäßig** agreed upon, stipulated‖ ~**spartner** party to an agreement *(od* contract)‖ ~**swidrig** contrary to an agreement *(od* con‖ tract)

vertrau|en to trust, to rely upon; to have confi‖ dence in, to put one's trust in; *su* confidence‖ trust, reliance; belief (in); *im ~en* in confi‖ dence, between you and me *(od* ourselves); *i‖ ~en auf* relying upon, trusting to; *~en habe‖ zu* to believe in; ~**ensbruch** breach of trust‖ ~**ensmann** trustee; confidant; ~**ensposten** posi‖ tion of trust; ~**enssache** confidential matter‖ ~**ensselig** too trusting; gullible; ~**ensstell‖** fiduciary office; ~**ensstellung** = ~**ensposten‖** ~**ensvoll** full of confidence, confident; ~**ensvo‖ tum** vote of confidence; ~**enswürdig** reliable‖ trustworthy; ~**lich** confidential; intimate‖ ~**lichkeit** intimacy; familiarity; ~**t** intimate‖ familiar; conversant (with), versed (in); *s. ~‖ machen mit* to acquaint o.s. with; ~**ter** confi‖ dant; ~**theit** intimacy, familiarity; (thorough‖ knowledge (of), acquaintance (with)

ver|trauern to spend in sorrow; to mourn awa‖ (one's life)

verträum|en to dream away; ~**t** dreamy‖ sleepy

vertreib|en to drive away, to expel; to banish‖ *(Waren)* to distribute, to retail, to sell; *(s.)* a‖ *Zeit ~en* to while away the time; ~**ung** expul‖ sion; distribution

vertret|bar justifiable; tenable; *über d. ~bar‖ Maß hinausgehen* to exceed legitimate limits‖ ~**en** to represent; to act for; *(einspringen)* t‖ deputize for, to take s-b's place; to act as *(o‖* be the) substitute for; to defend; *(eintreten)* t‖ plead for, to intercede for; *s. d. Fuß ~en* t‖ sprain one's foot; *s. d. Beine ~en* to stretch‖ one's legs; *j-m d. Weg ~en* to stop s-b; ~**er** re‖ presentative; *(Stell-)* deputy, proxy; *(Ersatz‖* substitute; *(e-s Arztes etc)* locum; advocate‖ champion; *(Handels-)* agent, canvasser, com‖ mercial traveller; ~**ung** representation; ag‖ ency; *pol* mission; *e-e ~ung übernehmen für* t‖ deputize for; *ich habe d. ~ung für* I represen‖ the firm of

Vertrieb sale, distribution; marketing; ~**ene**‖

expellee, expelled person; ~**skosten** marketing costs; ~**sleiter** marketing manager
ver|trinken to spend on drink; ~**trocknen** to dry up, to wither; ~**trödeln** to dawdle (*od* idle) away; ~**trösten** to put s-b off (with empty promises); to give hope to; ~**tun** to waste, to squander; ~**tuschen** to hush up; ~**übeln** to take s-th amiss; to blame s-b for s-th; ~**üben** to commit
verun|ehren to disgrace; ~**einigen** to disunite; to set at variance; ~**glimpfen** to disparage, to defame; ~**glimpfung** disparagement, defamation; ~**glücken** to have (*od* meet with) an accident; to die in an accident; to perish; to fail, to miscarry; ~**reinigen** to (make) dirty, to soil; to pollute, to defile; ~**reinigung** soiling; pollution, defilement; ~**stalten** to disfigure; to deform; to blemish; ~**staltung** disfigurement; deformity; blemish; ~**treuen** to embezzle; ~**treuung** embezzlement; ~**zieren** to disfigure, to mar
verur|sachen to cause; to occasion; to bring about, to produce; *(hervorrufen)* to give rise to; *(nach s. ziehen)* to entail, to involve; ~**teilen** to condemn, to sentence; *(Geldstrafe)* to fine s-b *(50 marks)*; ~**teilung** condemnation; conviction; sentence
vorviel|fachen to multiply; ~**fältigen** to multiply; *(abziehen)* to duplicate, to mimeograph; ~**fältigung** multiplication; duplication, mimeographing; copy, mimeograph; ~**fältigungsapparat** duplicator, mimeograph
vervier|fachen to increase fourfold, to quadruple
vervoll|kommnen to improve; to perfect; *refl* to perfect o.s. (in); ~**kommnung** perfecting; perfection; ~**ständigen** to complete; ~**ständigung** completion
ver|wachsen to grow together; *(zu-)* to close, to heal up; *fig* to become engrossed (in), to become deeply rooted (in); *adj* deformed, crooked; *(Baum)* stunted, gnarled; ~**wackelt** blurred
verwahr|en to keep, to preserve; *refl* to protest *(gegen* against); ~**ung** keeping, care; custody (in ~**ung nehmen** to take c. of s-th); *in ~ung geben* to give s-th in charge; *~ung einlegen gegen* to protest against, to object to
verwahrlos|en *vt* to neglect completely; *vi* to be ruined by neglect; to go to the bad; ~**t** neglected; unkempt; *(Garten)* overrun with weeds; *(sittl.)* depraved; ~**ung** (complete) neglect; demoralization
verwais|en to become an orphan; ~**t** orphaned; *fig* deserted
verwalt|en to administer, to manage; to conduct; *(lenken)* to rule, to govern; *(Amt)* to hold (an office); ~**er** administrator; manager; custodian, trustee; steward; *(Haus-)* caretaker; ~**ung** administration; management; department; ~**ungsapparat** administrative machine; ~**ungsbeamter** administrative official; ~**ungsbehörde** government authority (*od* board); ~**ungsdienst** public service, government ser-

vice; ~**ungsgebühr** administrative fee; management charge; ~**ungsgericht** administrative court; ~**ungsmaßnahme** administrative measure; ~**ungsrat** Board of Directors; ~**ungsstellen** administrative authorities
verwand|eln to change, to transform; to convert, to turn; *(Strafe)* to commute; *refl* to change; ~**lung** change, transformation; conversion; commutation
verwandt related (to); allied (to); cognate; similar, kindred; *sie sind nah (weitläufig)* ~ they are near (distant) relatives; ~**er** relation, relative; ~**schaft** relationship; *(eng)* *fig* affinity, alliance; *(~e)* relations, relatives, family; *chem* affinity; ~**schaftlich** kindred; as (among) relatives; congenial; ~*schaftliche Beziehung* relation(ship); ~**schaftsgrad** degree of relationship
ver|wanzt infested with bugs; ~**warnen** to warn; to caution; to admonish; ~**warnung** warning; caution; admonition; ~**waschen** *vt* to use up in washing; *adj* washed-out, faded; *fig* vague, indistinct; ~**wässern** to dilute; to weaken; *fig* to water down; ~**weben** to (inter-)weave; ~**wechseln** to (mis)take *(mit* with); to confuse, to mix up; to change; ~**wechslung** mistaking; confusion; mistake; ♪ (enharmonic) modulation; ~**wegen** daring, audacious; ~**wegenheit** boldness, audacity; ~**wehen** to blow away; to drift; to cover up; *vi* to be blown (*od* scattered) in all directions; ~**wehung** (snow-)drift; ~**wehren** to forbid s-b s-th, to interdict s-th to s-b, to prohibit s-b from (doing)
verweichlichen to coddle, to spoil; *vi* to become effeminate; to grow flabby
verweiger|n to refuse, to deny; ~**ung** refusal, denial   [upon]
verweilen to stay; to linger; *fig* to dwell *(bei*
verweint red with weeping
Verweis rebuke, reproof, reprimand; censure; *(Hin-)* reference; ~**en** to reprimand *(wegen* for), to rebuke, to reprove; *~en auf* to refer to; *d. Landes* ~**en** to banish, to exile; ~**ung** exile, banishment
ver|welken to fade, to wither; ~**weltlichen** to secularize; to grow worldly
verwend|bar usable, applicable; practical; ~**en** to use, to make use of; to utilize; to employ; to spend, to expend; *(an-)* to apply *(für* to, for); *nützlich ~en* to turn to account; *s. ~en für* to intercede for, to use one's influence for; ~**ung** use, utilization; employment; application; intercession; *zur ~ung kommen* to be used; ~**ungszweck** purpose
verwerf|en to throw away; to reject; *refl* to become warped; *geol* to fault; ~**lich** objectionable, blamable; ~**ung** rejection; warping; *geol* fault
verwert|bar usable; ~**en** to utilize, to make use of; to turn to account; *(aus-)* to evaluate, to draw conclusions from; *(veräußern)* to realize, to sell; ~**ung** utilization; evaluation; realization

verwes|en vt to administer; vi to decay, to decompose; to rot; **~er** administrator; **~lich** perishable; liable to decay; **~ung** decay, decomposition; putrefaction

verwick|eln to entangle; to complicate; to involve (in); **~elt** complicated, involved, intricate; **~lung** entanglement; complication, intricacy

verwilder|n to grow wild, to become savage; (Kind) to be neglected; (Garten) to run wild; to become depraved, to degenerate; **~ung** return to barbarism; degeneration, demoralization

verwind|en to get over; to overcome; **~ung** ☼ torsion; **~ungsfest** torsion-proof

verwirk|en to. forfeit; (Strafe) to incur; **~lichen** to put into reality, to realize; to materialize (a. refl); refl to be realized; **~lichung** realization; materialization; **~ung** forfeiture

verwirr|en to (en)tangle; to confuse, to baffle, to bewilder; to embarrass, to perplex; **~ung** entanglement; confusion, bewilderment; embarrassment, perplexity

verwischen to blot out, to wipe out; to blur; to efface, to obliterate

verwitter|n to weather; to disintegrate, to crumble away; **~t** weather-beaten, -worn; **~ung** weathering; erosion

ver|witwet widowed; **~wöhnen** to coddle, to pamper; to spoil; to indulge (mit in); **~wöhnt** spoiled; dainty, fastidious; **~wöhnung** spoiling; indulgence (mit in); **~worfen** depraved, vile; **~worren** confused, abstruse

verwund|bar vulnerable; **~en** to wound, to injure; **~erlich** surprising, odd, strange; d. ist nicht (weiter) ~erlich that's not to be wondered at; **~ern** vt to surprise; refl to wonder, to be surprised (über at); **~erung** surprise, astonishment; **~ung** wound, injury

verwunsch|en bewitched; **~en** to curse; to bewitch; **~t** accursed, confounded; **~ung** curse, imprecation; malediction

verwurzel|n vi to become firmly (od deeply) rooted; **~ung** deep-rooted links

verwüst|en to devastate, to lay waste; **~ung** devastation; desolation

verzag|en to lose heart, to despond; **~t** despondent; faint-hearted; **~theit** despondency; faint-heartedness

verzählen to miscount, to count wrongly

verzahn|en to tooth; to cut gears; to dovetail; **~ung** toothing; gear cutting; fig interlocking (system)

verzapfen to tenon; (Bier) to sell on draught; umg to concoct, to tell, to talk

verzärtel|n to coddle, to pamper; **~ung** coddling, cockering up; effeminacy

verzauber|n to bewitch, to enchant, to charm; **~ung** enchantment

verzehnfachen to increase tenfold, to decuple

Verzehr consumption; **~en** to eat (up); to consume; refl to pine away, to waste away; **~ung** consumption

verzeich|nen to write down; to book, to enter; to make a list of; in B. ist ... zu ~nen in B.

there is ...; to draw badly, to distort; **~nis** list, catalogue; inventory; specification; (Buch) index

verzeih|en to forgive, to pardon; ~ en Sie! I beg your pardon!; excuse me!; **~lich** excusable, pardonable; **~ung** pardon; forgiveness; ~ung! = ~en Sie!; j-n um ~ung bitten to beg s-b's pardon

verzerr|en to distort; sein Gesicht ~en to make a wry face; **~ung** distortion

verzetteln to scatter; to dissipate; to catalogue, to card-index; refl to engage o.s. in too many things

Verzicht renunciation; resignation; ~ leisten = ~en auf to renounce; to resign; ℑ to waive; **~leistung** = ~

verzieh|en vt to distort, to contract; ohne e-e Miene zu ~ without batting an eyelid; (Kind) to spoil; refl to warp, to be twisted; (Stirn etc) to pucker; to disappear, to vanish; umg to bundle off; (Gewitter etc) to pass over, to disperse; vi (um-) to remove, to go away; to tarry

verzier|en to decorate, to ornament; to embellish; **~ung** decoration, ornament(ation); embellishment; ♪ grace, flourish

ver|zinken to zinc, to galvanize; **~zinnen** to tin(-plate)

verzins|en to pay (5 per cent) interest on; refl to pay (od bear) (5 per cent) interest; **~lich** interest-bearing; **~ung** interest (return)

verzöger|n to delay, to retard; to procrastinate; refl to be delayed (od deferred); **~ung** delay, retardation; procrastination

verzoll|en to pay duty on; haben Sie etw zu ~en? have you anything to declare?; **~t** duty paid; **~ung** (payment of) duty; clearance

verzuckern to sugar (over), to sweeten; fig to sugar, to gild (the pill)

verzück|en to enrapture; **~t** in raptures, ecstatic; **~ung** rapture, ecstasy

Verzug delay; (state of) default; ohne ~ without delay, immediately; im ~ sein to be imminent; **~sschaden** damage caused by default; **~szinsen** interest payable on arrears

verzweif|eln to despair (an of); es ist zum ~eln it is exasperating; **~elt** despairing; (wild) desperate; **~lung** despair; desperation; zur ~lung bringen to drive s-b to despair

verzweigen refl to branch (out), to ramify

verzwickt complicated, baffling, awkward

Vesper eccl vespers; light meal; ~(brot) afternoon refreshment; **~n** to take afternoon tea (od a light afternoon meal)   [man

Veteran bes US veteran (a. fig), BE ex-service-

Veterinär|arzt veterinary (surgeon), veterinarian, umg vet; **~medizin** veterinary science

Veto veto; sein ~ einlegen gegen to veto, to put a veto on

Vettel slut; whore

Vetter (male) cousin; ~ zweiten Grades second cousin; **~nwirtschaft** nepotism

Vexier|bild picture puzzle; **~en** to tease; to vex, to trouble; **~schloß** puzzle-lock; **~spiegel** distorting mirror

via by, via; ~**dukt** viaduct
Vibr|ation vibration; ~**ieren** to vibrate
Vieh cattle; *(Tier)* beast; *hausen wie d. liebe* ~ to be housed like animals; ~**auftrieb** number of animals coming on to the market; ~**bestand** livestock; ~**futter** fodder, cattle food; ~**händler** cattle dealer; ~**isch** brutal, bestial; ~**markt** cattle-market; ~**salz** cattle salt; ~**seuche** cattle plague, murrain; ~**wagen** cattle--truck; ~**weide** pasture; ~**wirtschaft** animal husbandry; ~**zählung** livestock census; ~**zucht** cattle-breeding; ~**züchter** cattle-breeder
viel much *(pl* many); *bes im bejahenden Satz, als Objekt* a lot (of), a great deal (of); *(reichlich)* plenty (of); *adv* much; a lot, a great deal; *e. bißchen* ~ a little too much, a bit thick; *noch mal so* ~ as much again; *in* ~*em* in many respects; ~ *geben auf* to give a lot for, to set great store by; ~*e Wenig geben e.* ~ many a little makes a mickle; ~**deutig** having many meanings; ambiguous; ~**eck** polygon; ~**eckig** polygonal; ~**erlei** many (kinds of), ... of many kinds; divers, various; ~**erorts** in many places; ~**fach** multiple; manifold; repeated; *adv* in many cases; frequently; ~**falt** diversity; abundance, large number; ~**fältig** manifold, various; ~**fraß** glutton *(a. zool)*; ~**gestaltig** of many shapes, multiform; ~**götterei** polytheism; ~**heit** multitude; great number *(od* quantity); multiplicity; ~**jährig** of many years; ~*jährige Erfahrung* many years of experience; ~**leicht** perhaps, maybe; *er kommt* ~*leicht* he may come; *haben Sie* ~*leicht?* do you happen to have?; ~**mals** many times, frequently; very much; ~**mehr** rather, on the contrary; ~**sagend** significant; *(Blick)* knowing; full of meaning, suggestive, expressive; ~**schichtig** on many planes, at many levels; ~**seitig** many-sided; all-round; versatile; *math* polyhedral; ~**silbig** polysyllabic; ~**versprechend** very promising; ~**weiberei** polygamy; ~**zahl** large number; abundance
vier four; *auf allen* ~*en* on all fours; *unter* ~ *Augen* tête-à-tête, confidentially; *zu* ~*t* four of us *(od* them); ~**beinig** four-footed; ~**blättrig** four-leaved; ~**eck** quadrangle; *(Quadrat)* square; ~**eckig** quadrangular, four-cornered; square; ~**fach,** ~**fältig** fourfold, quadruple; ~**fruchtmarmelade** four-fruit jam; ~**füßig** four-footed, quadruped; ~**füßler** quadruped; ~**händig** four-handed; ~*händig spielen* ♪ to play duets; ~**hundert** four hundred; ~**jährig** of four years; lasting four years; ~**kantig** four-edged; ~**mal** four times; ~**malig** repeated four times; ~**rädrig** four-wheeled; ~**schrötig** squarely built, thick-set; ~**seitig** four-sided, quadrilateral; ~**stellig** of four places *(od* digits); ~**stimmig** for four parts *(od* voices); ~**stöckig** four-storied; ~**tägig** of four days, lasting four days; ~**taktmotor** 🚗 four-stroke engine; ~**te** fourth; ~**teilen** to divide into four parts; to (draw and) quarter; ~**teilig** consisting of four parts
Viertel fourth part, quarter *(a. Stadt-)*; ~ *vor* drei a quarter to three, ~ *nach drei* a quarter past three; ~ *vier* a quarter past three; *drei* ~ *vier* a quarter to four; ~**jahr** quarter, three months; ~**jahresschrift** quarterly (periodical); ~**jährig** quarterly, of three months; ~**jährlich** quarterly; *adv* once a quarter; ~**note** crotchet, *US* quarter note; ~**pause** crotchet rest, *US* quarter rest; ~**stunde** quarter of an hour; ~**stündig** lasting fifteen minutes; ~**stündlich** every quarter *(od* fifteen minutes)
vier|tens fourthly, in the fourth place; ~**ung** 🏛 crossing, intersection of the nave; ~**vierteltakt** common time; ~**zehn** fourteen; ~*zehn Tage (BE)* a fortnight; ~**zehntägig** bi-weekly; ~**zehnte** fourteenth; ~**zeiler** four-line poem; ~**zig** forty; ~**zigjährig** of forty years; ~**zigste** [fourtieth
Vikar *eccl* curate
Vill|a villa; *kleine* ~*a* cottage; ~**enkolonie** garden city
Viol|a *bot,* ♪ viola; ~**ett** violet; ~**ine** violin; ~**inist** violinist; ~**inschlüssel** treble clef; ~**oncello** cello
Viper viper
virtuos masterly; ~**e** virtuoso; ~**ität** virtuosity, mastery
viru|lent 💲 infectious, poisonous; ~**s** virus
Visage *sl* mug
Visier (gun) sight; *(Helm)* visor; ~**en** to sight; to aim at; *(Paß)* to visa; ~**linie** line of sight; ~**weite** range of sight
Vision dream, phantom; phantasm; ~**är** visionary
Visit|ation search; inspection; ~**e** call, *(a.* 💲*)* visit; ~*e machen* to pay a visit; ~**enkarte** visiting card, *bes US* calling card; ~**ieren** to search; to inspect
visuell visual
Visum visa
Vitamin vitamin; ~**mangel** vitamin deficiency; ~**mangelkrankheit** avitaminosis
Vitrine cabinet; showcase
vivat long live ...!, hurrah for ...!
Vize|admiral vice admiral; ~**könig** viceroy; ~**königin** vicereine; ~**königlich** viceregal; ~**konsul** vice-consul
Vlies fleece
Vogel bird ♦ *e. lustiger* ~ a gay bird *(od* dog); *e. lockerer* ~ a loose fish; *d.* ~ *abschießen* to carry off the prize, to bear the palm; *du hast e-n* ~ you're crazy *(od* nuts); ~**bauer** (bird-)cage; ~**beere** mountain ash, rowan; ~**flinte** shotgun; ~**frei** outlawed; ~**futter** bird-seed; ~**haus** aviary; ~**käfig** ~**bauer**; ~**kunde** ornithology; ~**nest** bird's nest; ~**perspektive,** ~**schau** bird's-eye view *(aus d.* ~*schau a b.* view of); ~**scheuche** scarecrow; ~**schutz** protection of birds; ~**steller** bird-catcher, fowler; ~**straußpolitik** burying one's head in the sand, refusal to face facts; ~**warte** ornithological station; ~**zug** migration of birds of passage
Vogt bailiff; steward
Vokabel word (to be memorized); ~**buch,** ~**heft** vocabulary; ~**schatz** vocabulary; range of language

Vokal| vowel; ~lmusik vocal music; ~tiv vocative

Volant flounce, frill; steering-wheel

Volk people, nation; *(Stamm)* tribe; the (common) people; the lower classes; *(Rebhühner)* covey; *(Bienen)* swarm, hive; *d. gemeine ~* the mob, rabble; *d. Mann aus d. ~* the man in the street; ⁓**chen** (small) tribe, young folk; ⁓**erbund** League of Nations; ⁓**ergemeinschaft** community of nations; ⁓**erkunde** ethnology; ⁓**ermord** genocide; ⁓**errecht** international law; ⁓**errechtlich** relating to international law; ⁓**erschaft** people; tribe; ⁓**erschlacht** the Battle of Leipzig; ⁓**erwanderung** migration of (the) peoples; *(germanische)* the Germanic (*od* Barbarian) Invasions; ⁓**isch** national; ⁓**reich** populous

Volks|**abstimmung** plebiscite; ~**aufstand** popular rising, revolution; ~**ausgabe** popular edition; ~**bibliothek** public library; ~**bildung** national education, popular education; adult education; ~**charakter** national character; ~**deutscher** member of German ethnic group; ~**dichte** density of population; ~**dichter** national poet; popular poet; ~**einkommen** national income; ~**entscheid** plebiscite; ~**epos** national epic; ~**fest** public festival; (annual) fair; popular local fête; ~**genosse** fellow countryman; comrade; ~**glaube** popular belief; ~**gruppe** ethnic group; ~**gunst** popularity; ~**haufe** mob, crowd; ~**herrschaft** democracy; government of the people; ~**hochschule** University Extension (courses), adult education courses; ~**hymne** national anthem; ~**justiz** lynch-law; mob-justice; ~**küche** soup-kitchen; ~**kunde** folklore; ~**lied** folk-song; ~**mäßig** popular; ~**meinung** public opinion; ~**melodie** popular air; ~**menge** population, mob; ~**schicht** class of people, social stratum; ~**schlag** race; ~**schule** elementary school, primary school; ~**sitte** national custom; ~**sprache** vernacular; popular (*od* vulgar) tongue; ~**stamm** tribe; ~**stimmung** public opinion (*od* feeling); ~**tracht** national costume; ~**tum** nationality; national character; ~**tümlich** national, popular; ~**tümlichkeit** popularity; ~**verbunden** closely bound up with one's nation; ~**vermögen** national wealth; ~**vertreter** representative of the people, member of parliament; ~**vertretung** popular representation; ~**wirt** (political) economist; ~**wirtschaft** political economy; (national) economy; economics; economic system; ~**wirtschaftlich** economic; from the viewpoint of the country's economy; ~**wirtschaftslehre** economics; ~**wohlstand** the people's wealth; ~**wohlfahrt** public welfare; ~**zählung** census

voll full, filled; replete; complete; whole, entire; *(Tageslicht)* broad; *umg* drunk ♦ *j-n nicht für ~ nehmen* not to take s-b seriously; *aus d. ~en schöpfen* to have unlimited resources, to draw freely from the store (of one's ideas etc); *aus ~em Herzen* from the bottom of one's heart; *aus ~er Kehle* at the top of one's voice;

mit ~em Recht with perfect right; *in ~er Fahrt* at full speed; *es schlägt ~* it's striking the hour; *d. Mund ~ nehmen* to boast, to brag; ~**auf** completely; plentifully, abundantly; ~**bad** full bath; ~**bart** beard; ~**berechtigt** fully entitled, fully qualified; ~**beschäftigung** full employment; ~**besitz** full possession; ~**bild** full-page illustration; ~**blut** thoroughbred; ~**blütig** full-blooded; sanguine; ~**bringen** to bring about, to accomplish; to achieve; to complete, to fulfil; ~**dampf** full steam; ~**enden** to finish, to end; to terminate; to accomplish, to perfect; ~**ends** wholly, entirely, completely; altogether; quite; finally; ~**endung** finishing; accomplishment; completion; perfecting; ~**er** full of; ⁓**erei** gluttony; intemperance; ~**führen** to carry out, to execute; to make *(a scene)*; ~**führung** execution; ~**gas** full throttle; ~**gefühl** (full) consciousness; *im ~gefühl s-r Kräfte* fully conscious of his powers; ~**genuß** full enjoyment; ~**gepfropft** crammed; ~**gültig** fully valid; ~**gummi** solid rubber; ~**gummireifen** solid tyre; ⁓**ig** full, entire; sufficient; whole, complete; absolute; *adv* quite, entirely; ~**jährig** of age, major; ~*jährig werden* to come of age; ~**jährigkeit** majority, full age; ~**kommen** perfect; ~**kommenheit** perfection; ~**kornbrot** whole-meal bread; ~**körnig** full-grained; ~**kraft** full strength (*od* vigour, prime); ~**machen** to fill up, to complete; *umg* to dirty; ~**macht** full power; power of attorney; *fig* carte blanche; ~**matrose** able-bodied seaman; ~**milch** full-cream milk, whole milk; ~**mond** full moon; ~**pension** full board and lodging; ~**reifen** solid tyre; ~**sitzung** plenary session; ~**spurbahn** ☞ standard-gauge railway; ~**ständig** complete, entire, whole; *adv* quite, entirely, completely; ~**ständigkeit** completeness, fullness; integrity, entirety; ~**stimmig** full-voiced; ~**streckbar** enforceable; ~**strecken** to execute, to carry out; ⅏ to enforce; ~**strecker** executor; ~**streckung** execution; ~**streckungsbefehl** writ of execution, enforcement order; ~**synthetisch:** ~*synthetische Fasern* (entirely) man-made fibres, synthetics; ~**tönend** sonorous, full-toned; ~**treffer** direct hit; ~**versammlung** plenary assembly; general assembly; ~**wertig** perfect; up to standard; fully effective; ~**zählig** complete, full; ~**ziehen** to accomplish, to execute; *(Ehe)* to solemnize; *refl* to take place; ~*ziehende Gewalt* executive power; ~**ziehung**, ~**zug** accomplishment, execution

Volont|**är** unpaid trainee, unsalaried training clerk; ~**ieren** to undergo practical training, to work as unsalaried clerk

Volt volt; ~**e** ⚡ volt; sleight of hand; ~**meter** voltmeter; ~**spannung** voltage

Volum|**en** volume (of space); capacity; (total) amount; ~**inös** voluminous

von from; of; *(über)* about; on, upon; by; ~ *... ab* from ... onwards; ~ *selbst* of itself, automatically; ~ *mir aus* as far as I am concerned, I don't mind; ~**nöten** *sein* to be needful (od necessary); **~statten** gehen to proceed; to progress

vor (örtl.) in front of, outside; (zeitl.) before, ago; prior to; in the presence of; (weinen, zittern etc) with, for; (Uhr) 5 ~ 2 five minutes to two; ~ drei Tagen three days ago; ~ d. Krieg before the war; ~ d. Zeit prematurely; ~ Zeiten formerly; ~ allem (allen Dingen) above all; nach wie ~ as usual; ~ sich hin to oneself; ~ sich gehen to take place, to occur

vor|ab above all, first of all; **~abdruck** advance publication in a magazine; **~abend** eve; the evening before; **~ahnen** to have a presentiment; **~ahnung** presentiment; misgiving

vor at the head, in front; on(wards); before; ~ ! go ahead!, go on!; **~gehen** to walk at the head of, to lead the way; to proceed; mit gutem Beispiel ~gehen to set a good example; **~kommen** to get on; to advance, to progress; fig to make progress; to get along (mit with); **~schlag** estimate; **~zeige** preliminary announcement (od notice)

Vorarbeit preliminary work; preparation; **~en** to prepare work; to work in preparation; to prepare the ground (for); to pave the way (for s-b); **~er** foreman; **~erin** forewoman

vorauf before, in front, ahead; **~gehen** to precede, to antecede; to antedate

voraus ahead, in front; beforehand; im ~ in advance, in anticipation; im ~ sein mit etw to be beforehand with; **~ahnen** to anticipate; **~bedingen** to stipulate beforehand; **~bestellen** to order beforehand; to book in advance; BE a. to bespeak; **~bezahlen** to pay in advance; to prepay; **~bezahlung** payment in advance; **~blick** foresight; **~gehen** to lead the way, to walk in front; to precede; **~gehend** preceding, foregoing; previous; **~haben** to have an advantage over s-b; **~nehmen** to anticipate, to forestall; **~sage** prediction; (market-) forecast; prophecy; tip; **~sagen** to foretell, to predict; to forecast; to prophesy; **~sagung** = ~sage; **~schau** forecast; **~schauen** to look ahead (a. fig); **~sehen** to foresee

voraus|setzen to presuppose; to assume; to depend upon; to require (A setzt B voraus B is required for A); **~gesetzt, daß** provided that, assuming that

Voraussetzung (logisch) presupposition; (Ausgangspunkt) basis, necessary condition; prerequisite; (Bedingung) condition (under d. ~, daß on the c. that); (Umstände) circumstances (es kommt auf die äußeren ~ e an it depends on the external c.s); (Erfordernis) (legal) requirement; necessary qualification; (Annahme) assumption, supposition; von d. ~ ausgehen to proceed on the assumption, to act on the supposition; ~ ist, daß it is understood that, provided that

Voraus|sicht foresight; prudence; **~sichtlich** probable; presumable; to be expected; **~zahlung** prepayment, advance payment; instalment (on account)

Vorbau projecting part (of a building), project-

ing structure; porch; **~en** to build in front of; fig to guard against, to prevent; to provide for (the future)

Vorbe|dacht forethought, premeditation; mit ~dacht deliberately, on purpose; **~deutung** foreboding, portent, omen; **~dingung** preliminary condition, precondition

Vorbehalt reservation; proviso; ohne ~ without reservation, unconditionally; unter d. ~ upon the understanding (that); unter ~ aller Rechte all rights reserved; **~en** vt to reserve (to o.s.); **~lich** subject to; on condition that, with the proviso that; **~los** unconditional; without any reservation

vorbei by, along, past; (zeitl.) past, over; gone, done; d. Zeit ist ~ the time has passed; es ist ~ it is over; ~ an etw by s-th; **~fahren** to drive past; **~gehen** to walk past, to pass by; to walk along; to stop, to pass; to go wrong; to miss the mark; **~lassen** to let pass (od slip); **~marsch** march past; **~marschieren** to march past; ~ müssen to have to pass; **~reden**: aneinander ~reden to be at cross-purposes; **~schießen** to miss the mark; **~ziehen** to pass, to march past

Vorbe|merkung preliminary remark; preamble; prefatory notice; **~nannt** aforesaid; **~reiten** to prepare, to make ready; (drillen) to coach; refl to prepare o.s.; **~reitung** preparation; ~reitungen treffen to make arrangements

Vorberge foothills

Vorbe|richt preliminary report; introduction; **~sprechung** previous (od preliminary) discussion; **~stellen** = vorausbestellen; **~stimmen** to predestine; **~stimmung** predestination; **~straft** previously convicted

vorbeug|en to bend forward; fig to prevent, to ward off; **~ung** prevention (a. ⚕); **~ungsmittel** preventive; ⚕ prophylactic

Vorbild example; model; pattern; standard; original, prototype; **~en** to train, to prepare; **~lich** model, ideal; exemplary; **~ung** preparatory training; general background

vor|binden to put on, to tie on; **~bohren** to bore (a hole in advance); **~bote** forerunner, harbinger; precursor; **~bringen** to bring forward; to produce; (sagen) to state, to argue, to advance; to make (an excuse); **~buchstabieren** to spell (to s-b), to spell out (for s-b); **~bühne** ⚓ apron, forestage; **~christlich** pre-Christian; **~dach** projecting roof; **~datieren** to antedate; **~datiert** predated; **~dem** formerly, in former times

vorder|e front, forward; anterior; **~asien** Near East; **~bein** foreleg; **~deck** fore-deck; **~front** front; **~fuß** fore-foot; **~gebäude** front building; **~grund** fore-ground; **~hand** forehand; adv for the present; in the meantime; **~haus** front part (of a house); **~lader** muzzle-loader; **~lastig** ✈ nose-heavy; **~mann** man in front; front man; **~mast** foremast; **~rad** front-wheel; **~radantrieb** front-wheel drive; **~satz** antecedent; premise; **~seite** face; front; facade; **~sitz** front seat; **~ste** foremost, first; **~teil**

front (part); fore-part; ⚓ prow; **~zahn** front tooth

vor|dränge(l)n to push (*od* press) forward; **~dringen** to press forward; to advance, to gain ground; to forge ahead; *su* forging ahead; advance; growing prominence; **~dringlich** urgent; **~druck** form, blank; **~ehelich** premarital **voreil|en** to hasten forward; **~ig** hasty, rash; precipitate; *~ige Schlüsse ziehen* to jump to conclusions; **~igkeit** hastiness, rashness; precipitancy

voreingenommen prejudiced, biased; **~heit** prejudice, bias

Voreltern ancestors, forefathers

vorenthalten to keep from, to withhold from; to keep back

vorerst first of all, before all; for the time being, in the meantime

Vorfahr|e ancestor; *(direkter)* progenitor; *pl* ancestry, forefathers; **~en** to drive up to, to stop at; to drive (*od* go) before the others; **~t** right of way, precedence; **~tsstraße** *BE* major road, *US* priority road; **~tszeichen** the sign "major road ahead"

Vorfall occurrence, event; incident; case; ⚕ prolapsus; **~en** to occur

Vor|feier preliminary celebration (*od* festival); **~fertigung** prefabrication; **~finden** to find; to meet with, to come upon; **~flunkern** to tell stories; **~frage** preliminary question; **~freude** (joy of) anticipation; **~fristig** ahead of schedule; prior to agreed time (*od* deadline)

Vorführ|dame mannequin; **~en** to demonstrate, to present; to produce; *(Pferd)* to trot out; **~ung** demonstration, presentation; production

Vorgang occurrence, event; incident; process, procedure; *(Akte)* subject, file; precedent; **~er** predecessor

Vor|garten front garden; **~gaukeln** to buoy up (*od* deceive) with false hopes; to delude s-b into believing

vorgeb|en ⚕ to give points (to); *fig* to pretend, to feign; *su* pretence, allegation; **~lich** pretended; ostensible

Vorgebirge foothills; promontory

vorgefaßt preconceived; *~e Meinung* prejudice

Vorgefühl presentiment; anticipation; misgiving

vorgehen to go on (*od* ahead), to go forward; to advance; to (take the) lead; to be first; *(handeln)* to act, to proceed; *~ gegen* to proceed against, to take action against; to occur, to happen; *(Vorrang haben)* to have the precedence; to be of special importance; *(Uhr)* to be *(four minutes)* fast; *su* advance; (course of) procedure; proceedings

Vorge|lände foreground; **~schichte** prehistory; that which happened before; case history; **~schichtlich** prehistoric; **~schmack** foretaste; **~setzter** superior, chief; senior officer

vor|gestern the day before yesterday; *~gestern abend* the night before last; **~gestrig** of the day before yesterday

vor|greifen to anticipate; to forestall; to prejudice; **~griff** anticipation; forestalling

vorhaben to mean (to do), to intend to do; to have in mind; to be busy with, to be engaged on; *(Schürze)* to have on; *was hat er vor?* what does he mean?; *haben Sie für heute abend etwas vor?* have you any engagement for tonight?; *su* project, intention; design

Vorhalle (entrance-)hall; vestibule; ⚕ lobby

vorhalt|en to hold before s-b, to hold out; *fig* to reproach s-b with, to charge with; *vi* to hold out, to last; **~ung** reproach, charge

Vorhand *(Karten)* lead; forehand; *d. ~ haben* to have precedence; *j-m d. ~ lassen* to yield precedence; **~en** present, existing; *~en sein* to exist; to be in stock (*od* available); **~ensein** existence

Vorhang curtain; ⚕ *(eiserner)* safety-curtain; **~en** to hang in front of; **~eschloß** padlock

vorher before(hand), previously; in advance; *am Abend ~* the evening before; *kurz ~* not long before; **~bestimmen** to decide beforehand; to predestine; *(Wetter)* to forecast; **~gehen** to precede; **~gehend** preceding, foregoing; former, previous; **~ig** previous, preceding; **~sage** prediction; tip; *(Wetter)* (weather-) forecast; **~sagen** to foretell, to predict; **~sehen** to foresee

vorherrschen to predominate, to prevail; **~d** predominant, prevalent

vorhin before; a short time ago, a moment ago, a little while ago

vor|historisch prehistoric; **~hof** forecourt; **~hut** vanguard; **~ig** last; preceding, former; **~jahr** previous year, last year; *im ~jahr* a year before; **~jährig** last year's, of last year; **~kämpfer** champion, pioneer; **~kauen** to chew (for); *fig* to repeat frequently, to spoon-feed

Vorkauf purchase in advance; anticipatory buying; **~en** to buy before other people; **~srecht** right of pre-emption

Vorkehrungen *treffen* to make preparations; to take precautions

Vorkenntnisse rudimentary (*od* basic) knowledge

vorknöpfen: *(fig) s. j-n ~* to call (*od* have) s-b on the carpet, to haul s-b over the coals

vorkomm|en to happen, to occur; to be found; to appear; *es kommt mir so vor* it seems to me (to be the case); *er kommt mir bekannt vor* he looks familiar; *su* deposit; existence; **~nis** event, occurrence

Vorkriegs|- pre-war; **~jahre** pre-war years; **~zeit** pre-war days

vorlad|en to summon; to cite; **~ung** summons; citation

Vorlage proposal; submission; parliamentary bill; copy, model; pattern

vorlassen to let pass before; to give precedence to; to admit, to show in

Vorlauf ⚕ trial heat; **~en** to run in front of; **~er** forerunner; precursor; pioneer; **~ig** preliminary, preparatory; provisional; tentative; *adv* for the present; in the meantime; provisionally

vor|laut *(Kind)* pert, forward; thoughtless, inconsiderate; **~leben** former life; ♋ antecedents

vorleg|en to lay before, to put before; *(Essen)* to help (to), to serve with; *(Schloß)* to put on; to exhibit, to display; to submit, *(Wechsel)* to present; *refl* to lean forward; **~er** bedside carpet, rug

vorles|en to read to; to read aloud; **~er** reader; **~ung** reading; lecture; **~ungsverzeichnis** *BE* calendar, *US* catalogue

vorletzte last but one; *(Silbe)* penultimate

Vorlieb|e predilection, preference; (special) liking (for); **~nehmen** to put up *(mit* with); *Sie müssen ~nehmen mit dem, was wir haben* you will have to take pot-luck with us

vorliegen to lie before; to be submitted (to s-b); to be put forward; to be (present), to exist; **~d** present, in hand; proposed, submitted; in question

vorlügen to tell lies (to s-b)

vormachen to put or place before; to show (how to do); to impose upon s-b; *Sie können mir nichts ~* you can't put anything over on me

Vormacht leading power; supremacy, hegemony

vormal|ig former; **~s** formerly; once upon a time

Vormarsch advance

vormerken to note down, to make a note of; to register; *s.* **~ lassen** to have something reserved for one, to book

Vormittag morning, forenoon; **~s** in the morning, a. m.

Vormund guardian; **~schaft** guardianship; tutelage; *unter ~schaft stehen* to be under the care of a guardian; **~schaftlich** relating to a guardian; tutelary, as a guardian

vorn ahead; in (the) front; at the beginning; on the front page; *nach ~* forward; *von ~* from the front, from the beginning; over again, *von ~herein* from the outset, to begin with; *von ~ anfangen* to start afresh; **~über** (bent) forward; **~weg** at the beginning, from the outset

Vor|nahme taking up, taking in hand; setting about; **~name** Christian name, first name, *bes US* given name

vornehm of high rank, noble; distinguished; **~ *tun*** to put on airs; *d.* **~ste** *Pflicht* the first *(od* principal) duty; **~en** *vt* to put on; *refl* to intend, to resolve; to take up, to occupy o.s. with; *s. j-n ~en* to take s-b to task; **~heit** high rank; distinction; distinguished bearing; **~lich** principally, chiefly; especially

Vorort suburb; **~sverkehr** suburban traffic; **~szug** suburban train, local train

Vorplatz court; hall

Vorposten outpost; **~gefecht** outpost skirmish

Vor|prüfung preliminary examination; **~rang** priority; pre-eminence; superiority; *j-m d. ~rang streitig machen* to contend with (for the precedence)

Vorrat provision, stock, store; **~ig** in stock, on hand; *nicht (mehr) ~ig* out of stock; **~skauf** stockpiling purchase, buying for stock; **~swirtschaft** stockpiling

vor|rechnen to give an account of; to go through an account with s-b; to show how a sum is done; **~recht** privilege, prerogative; **~rede** preface, prologue, preamble; **~reden** to tell a plausible tale; to talk s-b into, to make s-b believe; **~redner** previous *(od* last) speaker

vorreit|en *vt* to put *(a horse)* through its paces; *vi* to ride before; **~er** outrider

vorricht|en to prepare, to fit up, to get ready; **~ung** preparation; apparatus, appliance, device; gadget

vorrücken *vt* to move forward, to push forward, to advance; *(Uhr)* to put on; *vi* to advance, to move on; *su* advance

Vor|runde preliminary round; **~saal** ante-room, entrance-hall; **~sagen** to say (to s-b); to prompt; **~saison** preseason; previous *(od* last) season; **~sänger** leader of a choir; precentor

Vorsatz purpose, intention, design; *mit ~* on purpose, intentionally; **~blatt** 🕮 end-paper; **~linse** 📷 supplementary lens; *(Nah-)* close-up lens; **~lich** intentional, deliberate; designed; on purpose

Vorschau forecast; *a.* 🎬 pre-view

Vorschein appearance; *zum ~ bringen* to bring to light, to produce; *zum ~ kommen* to come to light, to appear

vor|schicken to send in advance; to send round (to); **~schieben** to shove *(od* push) forward; *(Riegel)* to slip; *fig* to put forward, to pretend; to plead as an excuse; **~schießen** to lend, to advance

Vorschlag proposal; offer; motion; ♪ appoggiatura, grace-note; **~en** to propose; to offer; to move

Vor|schlußrunde 🎾 semi-final; **~schneiden** to carve; **~schnell** hasty, rash, precipitate; **~schreiben** to set a copy (of s-th to s-b); to prescribe; to command, to order; to dictate (to s-b); **~schreiten** to advance, to march on; to step forward; *fig* to proceed

Vorschrift (writing-)copy; *(Anweisung)* instruction, direction; regulation; ⚕ prescription; **~smäßig** according to instructions *(od* directions); duly; **~swidrig** contrary to instructions

Vorschub aid, support; ⚙ feed; **~ *leisten*** to connive at; to abet; to further

Vorschuß advance (of money), payment in advance

vor|schützen to pretend, to plead; *(Krankheit)* to feign; **~schwatzen** to tell s-b fibs; **~schweben** to hover before; *mir schwebt ... vor* I have ... in mind; **~schwindeln** to humbug s-b; to tell lies *(od* fibs) to s-b; **~segel** foresail; **~sehen** to consider, to provide for; *refl* to look out, to take care, to be careful, to be cautious; to be on one's guard; **~sehung** providence; **~setzen** to set *(od* put, place) before; *(Essen)* to serve; to offer; to prefix; to set s-b over s-b

Vorsicht caution; prudence, circumspection; discretion; providence; ~*!* beware!, look out!; *(auf Kiste)* (handle) with care!; ~ *Stufe!* mind the step! ♦ ~ *ist d. Mutter d. Weisheit (Porzellankiste)* discretion is the better part of valour; ~**ig** cautious; circumspect; prudent, careful; wary; cagey; conservative; ~**igkeit** = ~; ~**shalber** as a precaution; ~**smaßregel** precaution(ary measure)

Vor|silbe prefix; ~**singen** to sing to s-b; to lead the choir; ~**sintflutlich** antediluvian; *adv* before the Flood

Vorsitz the chair; chairmanship, presidency; *d.* ~ *führen* = ~**en** to take (*od* be in) the chair, to preside (*bei* over); ~**ende** chairwoman, chairlady; ~**ender** chairman

Vorsorg|e foresight; providence, care; precaution; ~**en** to take care (that); to provide for; to take precautions; ~**lich** careful, provident; precautionary

Vorspann ⮞ cast and credits, *umg* credit titles; ~**en** to put *(horses)* to; to stretch in front of

Vorspeise hors-d'œuvre, relish

vorspiegel|n to deceive s-b with, to make a false show; to awaken false hopes; *j-m falsche Tatsachen* ~*n* to misrepresent the facts to s-b; ~**ung** deceiving, deceit; pretence, false pretences

Vorspiel prelude; overture; ♥ curtain-raiser; introduction; ~**en** to play to (*od* before) s-b; to prelude

vorsprechen to pronounce (to), to say (to); to teach how to pronounce; to recite; ♥, ⮞ to audition; ~ *bei* to call on

vorspringen to leap forward; to project, to jut; ~**d** projecting; prominent

Vorsprung projection, projecting part; salient; *(Leiste)* ledge; *fig* advantage; lead, start; *e-n* ~ *haben vor* to be ahead of

Vorstadt suburb; ⁝**er** suburban resident, suburbanite; ⁝**isch** suburban

Vorstand Board of Managers (*od* Management); Managing Directors; executive board; director; ~**smitglied** member of the executive board; managing director; ~**ssitzung** meeting of the (executive) board

vorsteck|en to pin on; to fasten on (one's dress etc); to poke out (*od* forward); ~**nadel** scarf-pin

vorsteh|en to project, to protrude; *(leiten)* to direct, to manage; to be at the head of; ~**end** projecting; *(obig)* above; ~**er** principal; inspector; manager; superintendent; ~**hund** pointer, setter

vorstell|bar imaginable; ~**en** to place (*od* put) in front of (*od* before); *(Uhr)* to put on; *(einführen)* to introduce, to present; *(vorführen)* to demonstrate; to act, to represent; *(dar-)* to mean, to signify; to pose (as); to make clear, to explain; *refl* to imagine, to fancy; to conceive; ~**ig**: ~*ig werden bei* to go and see s-b, to make a complaint to, to present a case to; to protest; ~**ung** presentation, introduction; ♥ performance, ⮞ show; representa-

tion (~*ungen erheben* to make r.s.); idea, notion; imagination; conception; *ich habe keine* ~*ung davon* I have no idea what it is like; *falsche* ~*ung* misconception; ~**ungsvermögen** imaginative faculty, imagination

Vorstoß push forward, thrust; attack; advance; ~**en** to push forward; to attack

Vor|strafe previous conviction; ~**strecken** to stretch out (*od* forward), to stick out; *(Geld)* to advance, to lend; ~**stufe** previous stage (of development); first step; introduction; ~**tanzen** to lead the dance; to show how to dance; ~**tänzer** leader of the dance

Vorteil advantage; profit; benefit; ~ *ziehen aus* to profit by; *auf s-n* ~ *bedacht sein* to look to one's own advantage; *sich im* ~ *befinden gegenüber* to have the advantage of; ~**haft** advantageous; profitable; favourable; to advantage

Vortrag lecture, discourse; speech, address; *bes* ⮞ talk; *(~sweise)* reciting; delivery, elocution; ♪ execution; performance; *(Bilanz)* carry-forward; ~**en** to carry (*od* bear) forward *(a. Bilanz)*; to carry in front of; to declaim, to recite; ♪ to execute, to play, to perform; to (give a) lecture; to report on; *(Meinung)* to express; ~**ender** lecturer, speaker; performer; ~**skunst** art of delivery, elocution; ~**skünstler** performer; elocutionist; ~**sreihe** series of lectures; *bes* ⮞ talks series

vortrefflich excellent, admirable; ~**keit** excellence

vor|treten to step in front (of), to step forward; ~**tritt** precedence; *unter* ~*tritt von* preceded by

Vortrupp vanguard; ~**en** advanced troops; = ~

vortun *(Schürze)* to put on; to put in front of

vorüber past, by; along; *(zeitl.)* past, over; gone; ~**fahren** to pass by; ~**gehen** to go by (*od* past); to pass (by); to pass over, to neglect; to pass away, to cease; ~**gehend** temporary, transitory, passing; ~**gehender** passer-by

Vor|übung preliminary exercise (*od* practice); ~**untersuchung** preliminary examination

Vorurteil prejudice, bias; *e.* ~ *haben gegen* to be prejudiced (*od* biased) against; ~**sfrei**, ~**slos** unprejudiced, unbiased; free from prejudice

Vor|väter ancestors, forefathers; ~**vergangenheit** *gram* pluperfect; ~**verkauf** advance sale; ♥, ⮞ booking in advance; ~**verkaufskasse** *BE* advance booking office; ~**vorgestern** three days ago; ~**vorig** last but one; ~**wand** pretext, pretence; excuse, plea; make-believe

vorwärts forward, onward; forwards; along; ~*!* go on!, go ahead!; ~**gehen** to go on, to advance; to progress; ~**kommen** to get on; to make headway; to advance; to prosper; ~**treiben** to drive on; to prosper; to stimulate

vorweg in advance, beforehand; to begin with; ~**nahme** anticipation; ~**nehmen** to anticipate; to take in advance

vorweisen to show, to produce

Vorwelt remote antiquity; prehistoric times; ~**lich** prehistoric

vorwerfen to throw (od cast) before; to throw to-; fig to reproach s-b with

vorwiegen to predominate, to preponderate; to prevail; **~d** predominant, prevalent; adv chiefly, mostly

Vor|wissen previous knowledge; **~witz** forwardness, pertness; curiosity, inquisitiveness; **~witzig** forward, pert; inquisitive; **~wort** preface; foreword

Vorwurf reproach, reproof; (Thema) motif, subject; **~sfrei, ~slos** irreproachable; **~svoll** reproachful

Vorzeich|en omen, portent; ♪ accidental; (plus, minus) sign; mit umgekehrten ~en with the plus and minus signs reversed, the other way round; **~nen** to draw before s-b; to sketch in outline; to trace out; ♪ e. Kreuz ist vorgezeichnet there is a sharp in the key signature; fig to indicate, to mark; **~nung** ♪ key signature

vorzeig|en to show, to produce; to display, to exhibit; (Wechsel) to present; **~er** bearer; **~ung** producing, production; exhibition; presentation

Vorzeit remote antiquity; olden times; **~en** formerly, in times of yore; **~ig** premature; precocious

vorziehen to draw (forward); to prefer; ... ist vorzuziehen ... is preferable; (zeitl.) to bring forward in point of time, to effect before the due date

Vorzimmer ante-room, ante-chamber

Vorzug preference; priority; superiority; pl good qualities; 🚩 relief train; **ꞈlich** distinguished; excellent, superior; first-rate, choice; adv particularly, above all; **ꞈlichkeit** excellency, superiority; pre-eminence; **~saktie** preference share; **~spreis** special price; **~sweise** preferably, pre-eminently; chiefly

vot|ieren to vote; **~ivbild** votive picture; **~ivtafel** votive tablet; **~um** vote; suffrage

vulgär vulgar; common, low

Vulkan volcano; **~fiber** vulcanized fibre; **~isch** volcanic; **~isieren** to vulcanize

W

W (the letter) W

Waag|e (pair of) scales, balance; weighing-machine; (Brücken-) weigh-bridge; astr the Scales, Libra; ⚖ horizontal position; j-m d. ~e halten to be a match for s-b, to be on the same level as; s. d. ~e halten to be well matched, to counterbalance each other; **~ebalken** (scale-)beam; **~emeister** inspector of weights and measures; weigher; **~recht** horizontal, level; **~schale** scale ♦ in d. ~schale werfen to throw into the scale, to use one's influence; in d. ~schale fallen to carry weight

wabbelig flabby   [to flicker

Wabe honeycomb; **~nhonig** comb honey; **~rn** **wach** awake, astir; brisk, alive; on the alert, wide-awake; **~dienst** guard duty, sentry duty; **~e** guard, watch; sentry; (Raum) guard room;

(Polizei-) police station; (~mann) watchman; auf ~e on guard; auf ~e ziehen to mount guard; ~e stehen to stand sentry; **~en** to be (od remain) awake; ~en über to guard, to watch over; to keep an eye on; ~en bei j-m to sit up with s-b; **~habend** on duty; **~lokal** guard-room; **~mannschaft** (soldiers on) guard; **~posten** sentry; **~rufen** to wake (up); fig to call forth, to rouse; (Erinnerungen) to bring back; **~sam** watchful, vigilant; alert, wide-awake; **~samkeit** vigilance

Wacholder juniper; **~branntwein** gin

Wachs wax; weich wie ~ like wax (in s-b's hands); **~abdruck** impression in wax; **~en** to wax; **ꞈern** waxen, of wax; fig pale; **~figurenkabinett** waxworks; **~kerze** candle, taper; **~leinwand, ~tuch** oilcloth; **~matrize** stencil; **~scheibe** cake of wax; **~stock** (wax) taper

wachsen to grow; to increase, to extend; (gedeihen) to thrive; j-n ans Herz ~ to become very attached to; j-m ge~ sein to be a match for; e-r Sache ge~ sein to be equal to; in d. Höhe ~ to shoot up; s. d. Bart ~ lassen to grow a beard

Wachstum growth; increase

Wacht guard, watch; **~dienst** guard duty; **ꞈer** watchman; keeper, warder; ⚜, look-out man; **~feuer** watch-fire; **~habend** on duty; **~meister** mil sergeant; (Polizei) policeman, (als Anrede) officer; **~stube** guard-room

Wächte snow cornice   [-crake

Wachtel quail; **~hund** spaniel; **~könig** corn-**wackel|lig** shaky, rickety; loose; wobbly; (Person) tottering; **~kontakt** ⚡ loose contact; **~n** to be loose; to shake, to rack; to wobble; to totter, so stagger

wacker brave, doughty; honest, upright

Wade calf (of the leg); **~nbein** fibula

Waffe weapon, arm ♦ d. ~n strecken to lay down arms; mit s-n eigenen ~n geschlagen hoist with his own petard; **~nbruder** brother in arms, comrade; ally; **~ndienst** military service; **~nfähig** capable of bearing arms; **~ngang** passage of arms; armed conflict; **~ngattung** arm, branch (of the service); **~ngewalt** force of arms; **~nglück** fortune of war; **~nhandwerk** the honourable profession of arms; **~nlos** unarmed; **~nrock** tunic; **~nruhe** suspension of hostilities, truce; cease-fire; **~nschein** gun-licence; **~nschmied** gunsmith, armourer; **~nschmuggel** gun-running; **~nstillstand** truce, armistice; **~nstillstandsvertrag** armistice treaty; **~ntat** feat of arms

Waffel waffle; (Eis-) wafer; **~eisen** waffle-iron; **~tütchen** cone

Wag|ehals foolhardy fellow, dare-devil; **~emut** daring, reckless courage; **~emutig** adventurous; reckless; **~halsig** foolhardy, reckless

wag|en vt to dare, to risk, to venture; to presume; refl to venture, to expose o.s.; wer nicht ~t, gewinnt nicht, nothing ventured, nothing gained; **ꞈen** to weigh; to balance; fig to consider

Wagen carriage, coach; vehicle, conveyance; *(Last-)* BE lorry, US truck; *(Straßen-, Kraft-)* car; 🚂 BE carriage, US car; *(Schreibmaschinen-)* carriage; *astr* the Plough, the Great Bear; ~**burg** barricade of waggons; ~**decke** tarpaulin cover; ~**deichsel** carriage-pole; ~**führer** driver; ~**heber** wheel jack; ~**ladung** carload; waggon-load; ~**lenker** driver; coachman; ~**park** fleet of cars; car park; ~**rad** cartwheel; carriage *(od* waggon) wheel; ~**schlag** carriage-door; ~**schmiede** lubricant; ~**spur** cart rut; ~**schuppen** coach-house; cart-shed; ~**schlüssel** car-key

Waggon BE railway carriage, US railroad car; truck, freightcar

Wahl choice *(s-e ~ treffen* to make one's ch.), selection, option; *pol* election, *(Geheim-)* ballot; *(zw. 2 Dingen)* alternative; *j-n vor d. ~ stellen* to let s-b choose; *in engere ~ kommen* to be on the short list; *aus freier ~* of one's own free will; *mir blieb keine andere ~* I had no choice *(od* alternative); ~**akt** election; voting; "**bar** qualified for election, eligible; "**barkeit** eligibility; ~**berechtigt** entitled to vote; ~**beteiligung** voting attendance, BE a. turnout; ~**bezirk** electoral district, constituency; ~**bündnis** electoral alliance; "**en** to choose; to select, to pick out; *(durch Abstimmen)* to elect, *(Parlamentsmitglied)* to return; *(geheim)* to ballot; ☞ to dial; "**er** voter, elector; ✿ selector; "**erisch** particular, fastidious; difficult to please; "**erschaft** body of electors, electorate; constituency; ~**ergebnisse** election results *(od* returns); ~**fach** optional subject, US elective subject; ~**fähig** eligible for election; ~**freiheit** freedom of election; ~**gesetz** electoral law; ~**heimat** country of one's choice; ~**kampf** election campaign; ~**kreis** = ~bezirk; ~**liste** register of voters *(od* electors); ~**lokal** pollingstation; ~**los** indiscriminately; without guiding principle; ~**programm** election programme; ~**recht** (right to) vote, franchise, suffrage; ~**rede** election speech; "**scheibe** ☞ dial; ~**spruch** motto, device; ~**stimme** vote; ~**system** voting system; ~**tag** polling *(od* election) day; ~**urne** ballot-box; ~**verwandtschaft** *chem* elective affinity; *fig* congeniality; ~**zelle** polling-booth; ~**zettel** ballot(-paper), votingpaper

Wahn illusion, delusion; error, misconception; folly; madness; "**en** to fancy, to imagine; to believe, to think

Wahnsinn insanity, madness; lunacy; craziness, frenzy; *bis zum ~ treiben* to drive s-b to distraction; ~**ig(er)** mad, lunatic, insane; frantic; *umg* terrible, terrific; *~ig aufgeregt* mad (about, for); *~ig machen* to madden, to drive *(od* send) s-b mad [mad; absurd

Wahnwitz insanity, madness; absurdity; ~**ig** **wahr** true; sincere; genuine, real, proper; veritable; *e-e ~e Flut von* a regular flood of; *daran ist kein ~es Wort* there is not a word of truth in it; *so ~ ich lebe* as sure as I am alive; *~ werden* to come true; *~ machen* to prove the

truth of, to fulfil; *etw nicht ~haben wollen* not to admit (the truth of) s-th; ~**en** to keep, to preserve; to watch over, to look after

während to last, to continue; ~**d** *prep* during; *conj* while, as; *(Gegensatz)* whereas

wahrhaft|(ig) true, genuine, sincere, truthful; actual, real; *adv* truly; actually, really; ~**igkeit** truth(fulness)

Wahrheit truth *(bei d. ~ bleiben* to stick to the t.); *j-m d. ~ sagen* to give s-b a piece of one's mind, to tell s-b a few plain truths; *d. ~ d. Ehre geben* to speak the truth, to be perfectly frank; ~**sgetreu** truthful, true; ~**sliebe** love of truth; ~**sliebend** truth-loving, truthful, veracious; ~**swidrig** contrary to the truth

wahrlich truly, really; *(biblisch)* verily

wahrnehm|bar perceptible, noticeable; ~**en** to perceive; to notice, to observe; *(Gelegenheit)* to make use of, to avail o.s. of; *(Interessen)* to take care of, to attend to; ~**ung** perception, observation; maintenance; ~**ungsvermögen** power of observation *(od* perception), perceptive faculty

wahrsag|en to tell fortunes; to prophesy; ~**er(in)** fortune-teller; soothsayer; ~**ung** fortune-telling; prophecy

wahrscheinlich likely, probable; ~**keit** probability, likelihood *(aller ~keit nach* in all p.); ~**keitsrechnung** theory of probabilities

Wahr|spruch verdict; ~**ung** preservation, maintenance

Währung standard, currency; ~**spolitisch** from the viewpoint of monetary policy, monetary; ~**sraum** currency area; ~**sreform** currency reform; (the German) monetary reform

Wahrzeichen landmark; token, sign

Waid woad; ~**mann** *etc siehe* Weidmann

Waise orphan; ~**nhaus** orphanage; ~**nknabe** orphan boy; *(fig) d. reine ~nknabe* a nonentity; *e. ~nknabe sein gegen* to be a fool to *(od* no match for)

Wal *(Fisch)* whale; ~**fischfahrer**, ~**fischfänger** whaler; ~**fischtran** train-oil, whale-oil; ~**rat** spermaceti; ~**roß** walrus

Wald wood, forest; woodland, woods ♦ *d. ~ vor Bäumen nicht sehen* to be unable to see the wood for the trees; ~**ameise** red ant; ~**arm** destitute of forests; ~**boden** forest floor; ~**brand** forest fire; ~**erdbeere** wild strawberry; ~**gegend** wooded country; ~**horn** French horn; ~**hüter** keeper, ranger; ~**ig** wooded, woody; ~**land** woodland; ~**landschaft** woodland scenery; ~**lauf** 🏃 cross-country race; ~**lichtung** clearing, glade; ~**meister** woodruff; ~**rand** the edge of the woods; ~**reich** rich in forests, wellwooded; ~**schneise** forest lane *(od* aisle); ~**tal** wooded valley; ~**weg** wood-path; forest road; ~**ung** wood(land); ~**wiese** glade, woodland meadow

Walk|e fulling (machine); ~**en** to full, to mill; ~**er** fuller; ~**ererde** fuller's earth; ~**mühle** fulling-mill; ~**müller** fuller

Walküre Valkyrie [gelding

Wall mount; dam, dike; *mil* rampart; ~**ach**

wall|en to wander, to ramble; to go on a pilgrimage; to bubble, to boil; to float, to flutter; to be agitated; **~fahren** to go on a pilgrimage; **~fahrer** pilgrim; **~fahrt** pilgrimage; **~fahr(t)en** to go on a pilgrimage; **~ung** agitation, ebullition, undulation; flow, flutter

Wall|nuß walnut; **~statt** battle-field

walten to rule, to govern; to hold sway; *s-s Amtes* ~ to do one's duty; *unter d.* **~den Umständen** under existing circumstances; *su* working; rule

Walz|e roller; barrel; roll; cylinder ♦ *immer d. gleiche ~ e* always the same old story (*od* tune); **~eisen** rolling-mill products; rolled iron; **~en** to roll, to mill; *(tanzen)* to waltz; **~enförmig** cylindrical; **~er** waltz; *Wiener ~ er* Vienna waltz; *langsamer ~ er* English waltz; *~er tanzen* to (dance a) waltz; **~stahl** rolled steel; **~werk** rolling-mill

wälz|en to roll, to turn about; *refl* to roll; to welter, to wallow; *d. Schuld ~ en auf* to throw the blame upon

Wams jerkin, doublet; *(Jacke)* jacket

Wand wall; *(Zwischen-)* partition; side; § coat ♦ *j-n an d.* ~ *drücken* to thrust s-b to the wall; *j-n an d.* ~ *stellen* to shoot s-b out of hand; *man soll d. Teufel nicht an d.* ~ *malen* speak of the devil and you will see his horns; **~gemälde** mural painting; fresco; **~kalender** tear-off calendar; **~karte** wall-map; **~leuchter** bracket (-lamp), sconce; **~schirm** screen; **~schrank** (built-in) cupboard; **~tafel** blackboard; **~täfelung** wainscoting

Wandel change (*gegenüber* from); conduct, behaviour; mode of life, habits; *Handel u.* ~ trade, commerce; **~bar** changeable, variable; inconstant; fickle; **~gang** *bes* 🐝 promenade, lobby; corridor; *~n vt* to change; *refl* to change, to turn (*zu* into); *vi* to stroll, to walk

Wander|ausstellung touring exhibition; **~bühne** travelling theatre, touring company; **~bursche** travelling journeyman; **~er** hiker; traveller, wanderer; **~falke** peregrine falcon; **~ferien** walking holiday; **~heuschrecke** migratory locust; **~jahre** years spent in travel; **~leben** vagrant life, roving life; **~lieder** roving songs; **~lust** fondness for travelling, wanderlust; **~n** to hike, to ramble, to roam; to tour; *(Vögel)* to migrate; *(Sand)* to shift; *(Geister)* to walk; **~niere** floating kidney; **~prediger** itinerant preacher; **~pokal** challenge cup; **~preis** challenge trophy; **~ratte** brown rat; **~schaft** hiking, walking; travels; tour; **~smann** traveller; wayfarer; **~stab** walking-stick; **~trieb** roving spirit; *zool* migratory instinct; **~ung** hiking, walking; walking tour; excursion, trip; **~verein** walking (*od* rambling) association; **~vogel** bird of passage, migratory bird; member of the German youth movement

Wandlung change, transformation

Wange cheek

Wankelmut inconstancy, fickleness; **~ig** inconstant, fickle

wanken to totter, to reel, to stagger; to sway; *fig* to waver, to be irresolute; *(Mut)* to fail; **~d** tottering, staggering

wann when?; *dann u.* ~ now and then, sometimes; *seit ~ ?* how long ago?; *seit ~ ist er hier?* how long has he been here?

Wanne bath(-tub); **~nbad** (full) bath

Wanst paunch, belly

Wanten 🐝 shrouds

Wanz|e bug, *US* bedbug; **~ig** full of bugs

Wappen (coat of) arms; crest; **~bild** heraldic figure; **~buch** book of heraldry; **~kunde** heraldry; **~schild** escutcheon; **~spruch** heraldic motto; **~tier** heraldic animal

wappnen to arm

Ware article, commodity, *pl* goods, merchandise; **~nangebot** supply of goods; **~nbestand** stock-in-trade; **~nhaus** department store; **~nlager** stock of goods; assortment of goods; stock-in-trade; **~nmarkt** commodity market; **~nniederlage** warehouse, storehouse; **~nprobe** sample; **~nrechnung** invoice; **~nsendung** consignment; **~nverkehr** goods traffic; **~nzeichen** trade-mark, brand

warm warm; *(Essen)* hot; ~ *stellen* to keep hot; ~ *werden* to get accustomed to, to begin to feel at home; **≃blüter** warm-blooded animal; **~blütig** warm-blooded; **≃e** warmth; ✿, *phys* heat; *zehn Grad ≃e* 10 degrees above freezing; **≃eabgabe** loss of heat; **≃eaufnahme** absorption of heat; **≃eeinheit** heat (*od* thermal) unit; **≃egrad** degree of heat; temperature; **≃ekraftwerk** thermo-electricity plant; **≃elehre** theory of heat; **≃eleiter** conductor of heat; **≃emesser** thermometer; calorimeter; **≃en** to warm; to heat; *refl* to warm o.s.; *(Sonne)* to bask; **≃etechnik** heat engineering; **≃eflasche** hot-water bottle; **~halten**: *s. j-n ~halten* to keep in s-b's good books, to keep s-b well-disposed towards one; **~herzig** warm-hearted; **~wasserheizung** central heating; **~wasserversorgung** hot-water supply

warn|en to warn, to caution (*zu tun* against doing, not to do); to admonish (of s-th, against doing); **~ruf** warning cry (call); **~signal** warning-signal; **~ung** warning, caution; admonition; *zur ~ung* as a warning; *lassen Sie s. d. zur ~ung dienen* let it be a warning to you

Wart|e look-out; watchtower; *astr* observatory; **~efrau** nurse; attendant; **~efrist** period of delay; **~egeld** half-pay; **~en** to wait (*auf* for), to await; *(pflegen)* to nurse; to attend to, to look after; **≃er** attendant; § male nurse; *(Zoo)* keeper; *(Gefängnis)* (prison-)warder; 🐝 signalman, *BE* pointsman; **≃erhäuschen** signalman's box; **≃erin** nurse; woman guard; **~esaal**, **~ezimmer** waiting room; **~ung** attendance, nursing; maintenance, servicing; **~ungskosten** maintenance cost

warum why, for what reason; *d.* ~ *u. Weshalb* the why and the wherefore

Warz|e wart; *(Brust-)* nipple; **~ig** warty

was what; that which; *(etwas)* something; ~ *für ein . . .* what (a) . . .; ~ *für e. Mensch ist er?*

what sort of a man is he?; ~ *das betrifft* as to that; ~ *ihn betrifft* as for him; ~ *immer* whatever; ~ *auch immer* whatever, no matter what; *nein, so ~!* well, I never!; ~ *haben wir gelacht!* how we laughed!

Wasch|anstalt laundry; **~automat** automatic washer; **~bar** washable; **~bär** racoon; **~becken** hand-basin; **~blau** washing (*od* laundry) blue; **~echt** washproof, washable, fast; *fig* dyed-in-the-wool; **⁓e** wash(ing); *in d. ⁓e tun* to put s-th in the wash; *(Zeug)* (house-linen and) underwear; *(Damen-)* lingerie, *umg* undies; *(alles zu Waschende)* clothes; *(Leinen-)* linen; *d. ⁓e wechseln* to change (one's underwear); *schmutzige ⁓e* soiled wash, *fig* dirty linen *(to wash one's dirty l. in public)*; *große ⁓e* washing-day; **⁓ebeutel** soiled-linen bag; **⁓egeschäft** lingerie shop; **⁓eklammer** *BE* clothes-peg, clothes pin; **⁓eknopf** linen button; **⁓ekorb** clothes-basket; **⁓eleine** clothes-line; **~en** to wash; to launder; **⁓er** laundryman; **⁓erei** laundry; **⁓erin** washerwoman, laundress; **⁓eschrank** linen cupboard, linen press; **⁓eständer** clothes-horse; **~frau** washerwoman; **~geschirr** washstand set; **~kessel** boiler, copper; **~korb** clothes-basket; **~küche** wash-house, laundry; **~lappen** face-cloth; flannel; *fig* milksop; **~lauge** lye; **~leder** wash-leather; **~maschine** washing-machine; **~mittel** detergent; **~raum** cloak-room, lavatory; ladies' room; **~schlüssel** hand-basin; **~tisch** washstand; **~ung** washing; *eccl* ablution; **~wasser** water for washing; **~weib** *fig* old gossip; **~zettel** laundry list; *fig* 📖 blurb, publisher's note

Wasser water; ♦ *e. stilles ~* reticent person; *von reinstem ~* of the first water; *d. ist ~ auf s-e Mühle* that is grist to his mill; *ins ~ fallen (fig)* to fall through (*od* to the ground), to end in smoke; *mit allen ~n gewaschen* as sharp as a needle, cunning; *verschieden wie ~ u. Feuer* as like as chalk and cheese; *j-m d. ~ abgraben* to take the bread out of s-b's mouth, to ruin s-b; *nahe am ~ gebaut haben* to be always turning on the waterworks; *s. über ~ halten* to keep one's head above water; *d. ~ läuft mir im Mund zusammen* it makes my mouth water; *j-m nicht d. ~ reichen können* not to be fit to hold a candle to s-b; *d. ~ steht ihm bis zum Hals* he is threatened with ruin (*od* up to his neck in difficulties); ~ *ziehen* to leak; *zu ~ u. zu Lande* by land and sea; *unter ~ setzen* to submerge, to flood; **~abfluß** drain; **~arm** scantily watered; dry; **~armut** scarcity of water; **~ball** water polo; **~bau** hydraulic engineering; **~behälter** tank, cistern; reservoir; **~blase** bubble; vesicle; **~bombe** depth-charge; **⁓chen** brook, rivulet ♦ *als ob er kein ⁓chen trüben könnte* as if butter wouldn't melt in his mouth; **~dicht** waterproof; watertight; **~eimer** bucket, pail; **~fall** waterfall; cascade; **~farbe** water-colour, distemper; **~fläche** surface of water; water-level; sheet of water; **~flasche** waterbottle; **~flugzeug** sea-plane;

~flut flood; **~geflügel** water-fowl; **~glas** glass, tumbler; *chem* water-glass, soluble glass; **~hahn** tap, *bes US* faucet; **~haltig** containing water, aqueous; hydrous; **~heizung** hot-water heating; **~hose** waterspout; **~huhn** coot; **⁓ig** watery; aqueous, serous ♦ *j-m d. Mund ⁓ig machen* to make s-b's mouth water; **~jungfer** mermaid; *zool* dragon-fly; **~kanne** water-jug; ewer; **~kante** North Sea and Baltic Seaside; **~kessel** kettle; tank copper; boiler; **~kopf** 🩺 hydrocephalus; **~kraft** water power; hydraulic power; **~kraftwerk** hydro-electric power plant; **~kresse** water-cress; **~krug** pitcher; **~kunst** (artificial) fountain; hydraulics; waterworks; **~lache** pool; **~lauf** water course; **~leitung** water-pipes; water supply; aqueduct; **~lilie** water-lily; **~linie** high-water mark; **~mangel** want (*od* scarcity) of water; **~mann** *astr* Aquarius; **~messer** water-gauge; hydrometer; **~mühle** water-mill; **~n** ✈ to alight on water; **⁓n** to water, to irrigate; 🩺 to wash; *(einweichen)* to soak; *(verdünnen)* to dilute; **~pflanze** water-plant, aquatic; **~ratte** water-rat; *fig* old salt, sea-dog; keen swimmer; **~reich** well-watered; rich in water; **~rübe** turnip; **~schaden** damage by water (*od* flood); **~scheide** watershed; **~scheu** hydrophobia; *adj* afraid of the water; **~schlauch** hose; **~ski** water-ski; **~snot** floods, inundation; **~speicher** reservoir; **~speier** gargoyle; **~spiegel** water surface, water-level; **~sport** aquatic sports, aquatics, water-sports; **~stand** height of the water; water-level; state of the tide; **~standsmesser** water-gauge; **~stiefel** rubber boots, waterproof boots; **~stoff** hydrogen; **~stoffsuperoxyd** hydrogen superoxide, *umg* peroxide; **~strahl** jet of water; **~straße** waterway; navigable river; **~sucht** dropsy; **~suppe** gruel; **~tier** aquatic (animal); **~vögel** waterfowl; **~waage** spirit-level; **~werk** waterworks; **~zeichen** watermark

watscheln to waddle [*mud flats*]

Watt ⚡ watt; shore belt, mud flats; **~enmeer** [*mud flats*]

Watt|e cotton wool, *US* absorbent cotton; *(Anzug)* wadding, padding; **~ebausch** pad of cotton wool, pledget; **~ieren** to line with wadding, to wad, to pad; **~ierung** padding, wadding

Web|artikel textile goods; **~ekante** selvage, list; **~en** to weave; **~er(in)** weaver; **~erei** weaving; weaving-mill; weaver's trade; ~ *waren*; **~erknecht** *zool* harvestman, *US* daddy-longlegs; **~erschiffchen** shuttle; **~fehler** fault in the weaving, weaving flaw; **~kette** warp; **~stuhl** (weaving-)loom; **~waren** textiles, woven goods

Wechsel change, alteration; turn, alternation, rotation; fluctuation; *(Tausch)* exchange; bill (of exchange), *(Tratte)* draft, *(Akzept)* acceptance; *(Geld z. Studium)* allowance; **~aussteller** drawer; **~balg** changeling; **~beziehung** correlation; **~fälle** vicissitudes, ups and downs; **~fälschung** forgery of bills; **~fieber** intermittent fever, ague; malaria; **~geld** change; **~gesang** antiphony; **~geschäft** banking business;

exchange office; **~gespräch** dialogue; **~getriebe** change-gear; **~jahre** change of life, menopause, climacteric; **~kurs** rate of exchange; **~n** to change, to exchange, to vary; to alternate (with); 🐝 to shift (scene); *d. Zähne ~n* to cut new teeth; *s-n Wohnsitz ~n* to remove; **~rede** dialogue; **~seitig** mutual, reciprocal; alternate; **~strom** alternating current, A. C.; **~strommaschine** alternator; **~stube** exchange office; **~tierchen** amoeba; **~voll** subject to frequent changes; **~weise** alternately; mutually, reciprocally; **~wirkung** reciprocal action, action and reaction

Wechsler money-changer

Weck(en) roll

weck|en to wake (up); to awake; *wann wollen Sie geweckt werden?* when do you want to be called?; *fig* to rouse, to arouse; *su* reveille; **~er, ~uhr** alarm-clock; **~ruf** reveille

Wedel *(Farn-, Palm-)* frond; feather-duster; tail, brush; **~n** to fan; *(mit d. Schwanz)* to wag (its tail); *(Ski)* to wedel

weder neither *(noch* nor)

Weg way, path; street, road; course, route; walk; errand: *(Art u. Weise)* way, manner, method; means; *Mittel u. ~e* ways and means; *am ~e* by the roadside; *auf halbem ~e* half-way *(j-m auf halbem ~e entgegenkommen* to meet s-b h.; *auf halbem ~e stehenbleiben* to stop h.); *s. auf d. ~ machen* to set out, to start; *s-r ~e gehen* to go one's way; *(j-m) aus d. ~e gehen* to make way for s-b, to stand aside, *fig* to evade; *im ~e sein* to be in the way; *in d. ~ laufen* to run across s-b; *j-m nichts in d. ~ legen* to put no obstacles in s-b's way; *s-n ~ machen* to make one's way in the world; *auf d. besten ~e sein (fig)* to be well on the way; *etw in d. ~e leiten* to prepare (the way) for s-th, to introduce s-th; *auf gütlichem ~e* in a friendly way; *auf diplomatischem ~e* through diplomatic channels; **~bereiter** pioneer, forerunner; **~ebau** road-making; **~egabel** road fork; **~ekarte** route map; **~elagerer** highwayman; **~los** pathless; **~sam** passable; practicable; **~scheide** cross·roads; road fork; **~strecke** stretch of road; length of way, distance; **~weiser** signpost; **~zehrung** provisions for a journey

weg away; afield, aside; gone, lost; *~ da!* be off!; out of the way!; *Hände ~!* hands off!; *ganz ~ sein von (umg)* to be in raptures about; **~begeben** *refl* to depart; **~blasen** to blow away; **~bleiben** to stay away; to be omitted; **~brennen** to burn away; **~bringen** to take away; to remove; **~drängen** to push away; **~eilen** to hurry off, to hasten away; **~fahren** *vt* to remove; *vi* to drive off; **~fall** omission; cessation; *in ~fall kommen* to be omitted; to be abolished; **~fallen** to fall away; to cease; to be cancelled; **~fischen** *fig* to snatch away; **~fliegen** to fly away; **~fließen** to flow away; **~führen** to lead away; **~gang** departure; **~geben** to give away; **~gehen** to go away, to leave; *fig umg* to sell like hot cakes; **~gießen** to

pour away *(od* out); **~haben** to have got; to have one's share; *fig* to have got the knack *(od* hang) of; **~halten** to keep away; **~hängen** to hang up somewhere else; **~holen** to fetch away; **~jagen** to drive away; **~kommen** to get away; to get lost; *gut ~kommen* to come off well; **~können** to be able to leave; **~kriegen** to get away *(od* off); to understand; **~lassen** to leave out; to let go; **~laufen** to run away; **~legen** to put away; to lay aside; **~machen** to put away; to remove; **~müssen** to have to go; *ich muß weg* I must be going, I must be off; **~nahme** taking; seizure, capture, confiscation; **~nehmen** to take away; to seize, to confiscate; *(Platz)* to take up, to occupy; **~packen** to pack away; **~radieren** to erase; **~räumen** to clear away, to put away, to remove; **~reise** departure; **~reisen** to leave, to depart; **~reißen** to tear away; to pull down; **~rücken** to move away; **~schaffen** to remove; **~schenken** to give away; **~scheuchen** to frighten away; **~schicken** to send off *(od* away); **~schieben** to push away; **~schleudern** to fling away; **~schmeißen** to throw away; **~schnappen** to snatch away; **~schneiden** to cut off *(od* away); **~schütten** to pour away; **~schwimmen** to swim away; **~sehen** to look away, to look the other way; **~setzen** to put aside; to jump over; *s. ~setzen über* not to mind; **~springen** to leap away *(od* off); **~spülen** to wash away; **~stehlen** *refl* to steal away; **~stellen** to put away *(od* aside); **~tragen** to carry away; **~treten** to step aside; *mil* to break the ranks; **~tun** to put away *(od* aside); **~werfen** to throw *(od* cast) away; *refl* to abase o.s.; **~werfend** disparaging, contemptuous; **~wischen** to wipe away; **~wünschen** to wish away; **~ziehen** to pull away; *vi* to remove, to go somewhere else; to march away

wegen on account of, because of; for the sake of; in consideration of; in consequence of

Wegerich *bot* plantain

weh oh, dear!; alas!; *adj* painful; aching; sore; *~ tun* to ache, to hurt; to cause pain; *j-m ~ tun (fig)* to hurt s-b's feelings; *s. ~ tun* to hurt o.s.; *su* woe; grief; pain; **~en** labour (pains), travail; **~geschrei** cry of pain, wailings, lamentations; **~klage** wail(ing), lamentation; **~klagen** to lament, to wail; **~leidig** plaintive, hypersensitive; **~mut** melancholy, sadness; nostalgia; **~mütig** melancholy, sad; nostalgic; wistful

Wehe (snow-)drift; **~n** to blow; *(Fahne)* to wave, to flutter; *(Schnee)* to drift

Wehr[1] weir; dam; dike

Wehr[2] weapon, arm; defence, resistance; equipment; *s. zur ~ setzen* to offer resistance, to show fight; **~beitrag** defence contribution; **~bezirk** military district; **~dienst** military service, service with the armed forces; **~dienstpflicht** compulsory (military) service; **~dienstpflichtiger** conscript, draftee; **~dienstverweigerer** conscientious objector; **~en** to hinder, to keep back; to keep from, to restrain; to arrest, to check; *refl* to defend o.s., to resist; *s. s-r Haut ~en* to fight for one's life; **~fähig** fit for military service, able-bodied; **~haft** strong, full of fight; **~kraft** military power; **~los** unarmed; defenceless; **~losigkeit** defencelessness; **~macht** the Armed Forces, the forces; **~pflicht** = **~dienstpflicht**; **~sport** army sports; **~vorlage** army bill; **~wille** desire for military preparedness; **~wissenschaft** military science

Weib woman; female; *(Ehe-)* wife; **~chen** little woman; *zool* female; hen; **~erfeind** woman-hater, misogynist; **~erhaft** womanlike, womanish; **~erhaß** hatred of women; **~erherrschaft** petticoat government; **~ervolk** womanfolk; **~isch** womanish; effeminate; **~lich** female, womanly; feminine; **~lichkeit** womanliness; womanhood; feminine nature; *umg* women; **~sbild** female; **~sleute** females, women; womanfolk

weich soft, mild, tender; *(mürbe)* mellow; supple, pliant; yielding; sensitive; *(Ei)* (lightly) boiled; **~ werden** to soften, *fig* to relent, to be moved; *er hat s. ~ gebettet* he has got a cushy job *(od* post); **~bild** municipal area; precincts, outskirts; **~e** softness; side, flank; *(Leiste)* groin; weak part; ♛ *BE* points, *US* switch; **~en** to make soft, to soften; *(ein-)* to soak, to steep; *vi* to become soft, to soften; to give ground, to retreat; to give in, to yield; **~enhebel** switch-lever; **~enschiene** switch-rail, movable rail; **~ensignal** switch-signal; **~ensteller** *BE* pointsman, switchman; **~heit** softness; mellowness; gentleness, tenderness; **~herzig** tender-hearted; **~lich** soft, flabby, sloppy; effeminate; **~lichkeit** flabbiness; effeminacy, weakness; **~ling** molly-coddle, weakling; **~teile** abdomen; **~tier** mollusc, *US* mollusk; **~zeichner** 📷 softening lens

Weide pasture, pasturage; meadow; *bot* willow, *BE a.* osier; **~land** pasture-land; **~en** to graze, to browse; to drive to pasture; *fig refl* to delight (in); to feast (one's eyes on); **~engebüsch** willow-plot; **~engeflecht** wickerwork; **~enkätzchen** catkin; **~enkorb** wicker basket; **~enröschen** willow-herb; **~enrute** willow twig, osier switch; **~lich** valiant, brave; *adv* greatly, thoroughly; **~mann** sportsman, huntsman; **~männisch** sportsmanlike; **~mannsprache** hunting terms; **~messer** hunting-knife; **~recht** right of shooting; **~tasche** sportsman's bag; **~werk** hunting, chase, sport; **~wund** wounded in the belly

Weife reel; **~n** to reel, to wind

weiger|n *refl* to refuse (to do); **~ung** refusal; *im ~ungsfalle* in case of refusal

Weih(e) *zool* harrier

Weih|altar holy altar; **~bischof** suffragan bishop; **~e** consecration; ordination, initiation; inauguration; *(Stimmung)* solemn mood; **~en** *(Kirche, Bischof)* to consecrate; *(Geistlichen)* to ordain; to inaugurate; to dedicate; to devote; *refl* to devote o.s. (to); **~egabe** votive offering; **~evoll** holy, hallowed; solemn

Weiher *(Fisch-)* pond

Weihnacht|(en) Christmas; *Fröhliche ~en!* Merry Christmas!; **~sabend** Christmas Eve; **~sbaum** Christmas tree; **~sbescherung** distribution of Christmas presents; **~sfest** Christmas festival; **~sgeschenk** Christmas present *(od* box); **~slied** (Christmas) carol; **~smann** *bes BE* Father Christmas, Santa Claus; **~stag** Christmas Day; **~szeit** Christmas time

Weihrauch incense; **~faß** censer

Weihwasser holy water; **~becken** font

weil because; as; *(da ja)* since; **~and** formerly, of old; *(verstorben)* deceased, late; **~chen** a little while; **~e** while, time; *(Muße)* leisure; *e-e ~e* for a while (time); *gut Ding will ~e haben* a good thing takes time; *Eile mit ~e* more haste, less speed; *damit hat es gute ~e* there's no hurry

Weiler hamlet

Wein wine; *bot* vine; *(Trauben)* grapes; *wilder ~* Virginia creeper ♦ *j-m reinen ~ einschenken* not to mince matters, to tell s-b the plain truth; **~bau** vine-growing, viticulture; **~bauer** vine-grower (-dresser), *BE a.* vintner; **~beere** grape; **~berg** vineyard; **~bergschnecke** edible snail; **~ernte** vintage; **~essig** wine vinegar; **~faß** wine-cask; **~flasche** wine-bottle; **~garten** vineyard; **~gärtner** vine-grower; **~geist** spirit of wine; **~glas** wine-glass; **~handel** wine trade; **~händler** wine merchant; **~jahr** vintage year; **~karte** wine-list; **~laub** vine leaves *(od* foliage); **~lese** vintage; **~leser** vintager; **~monat** vintage month; **~most** must, grape-juice; **~probe** sample of wine; tasting of wine; **~ranke** vine tendril; **~rebe** vine-stock; **~reich** vinous; **~säure** tartaric acid; **~stein** tartar, *(rein)* cream of tartar; **~steinsäure** ~säure; **~traube** grape; bunch of grapes

wein|en to cry, to weep *(über* for, over; *vor Freude* for, with joy); **~erlich** inclined to weep; whining; **~krampf** crying-fit, convulsive sobbing

weis|e wise; prudent; *su* wise man; *d. ~en (aus d. Morgenland)* the (three) Magi, the Wise Men of the East

Weise way, manner; method; fashion; habit, custom; ♪ melody, tune; *auf diese ~* in this way; *auf d. eine oder andere ~* in one way or another; *auf keine ~* by no means; *in der ~, daß* in such a way that

weis|en to point out, to indicate, to show; to direct (to); to refer (to); *j-m d. Tür ~en* to show s-b the door; *von s. ~en* to repudiate, to reject; **~er** pointer; indicator; **~ung** instruction, order

Weisheit wisdom; prudence; *behalte deine ~ für dich* keep your wisdom to yourself; *er hat d. ~ nicht mit Löffeln gegessen* he hasn't set the Thames on fire; *mit s-r ~ zu Ende sein* to be at one's wit's end; **~szahn** wisdom tooth

weis|lich wisely, prudently; **~machen** to make s-b believe s-th, to tell s-b lies; to impose upon, to hoax; *er läßt s. nichts ~machen* he does not let himself be imposed upon; **~sagen** to prophesy, to predict; **~sager** prophet; **~sagung** prophecy, prediction

weiß white; clean; *(Papier)* blank; *(Reif)* hoary; ~ *er Sonntag* Low Sunday; *d.* ~ *en* the white races; ~**bier** pale ale; ~**blech** tin-plate; ~**brot** white bread; ~**buch** *pol* white paper; ~**en** *vt* to whiten; *(tünchen)* to whitewash; ~**fisch** whiting; *(klein)* whitebait; ~**gelb** yellowish white; flaxen; ~**gerber** tawer; ~**glühend** white-hot; incandescent; ~**glut** white heat; ~**grau** whitish (*od* light) grey; ~**kohl** white cabbage; ~**lich** whitish; ~**näherin** needle-woman; ~**tanne** silver fir; ~**waren** linen (*od* white) goods; ~**warenhändler** linen draper; ~**wein** white wine, hock; ~**zeug** (household) linen; ~**zucker** refined sugar

weit distant, far away (off); *(abgelegen)* remote; far, *(bejahender Satz)* a long way; wide, broad; extensive, spacious; vast, immense; ~ *u. breit* far and wide; ~ *er als (d. Baum)* beyond *(the tree)*; *von* ~ *em* from afar; *von* ~ *her* from a distance; ~ *von hier* at a distance; *drei Meter* ~ a distance of three metres; *bei* ~ *em* far and away, by far; *bei* ~ *em nicht* by no means; *es* ~ *bringen* to get on well; *es ist nicht* ~ *her mit ihm (damit)* he (it) is nothing special (nothing to write home about); ~ *gefehlt!* you are quite wrong; *wenn alles so* ~ *ist* when everything is ready; *d.* ~ *e suchen* to make o.s. scarce, to decamp; ~**ab** far away; ~**aus** far off; by far, much; ~**blick** far-sightedness, foresight; ~**e** width, breadth; size; extent, distance, length; capacity; *fig* range; comprehensiveness, breadth; amplitude; ~**en** *vt* to widen; to expand; *(Schuh)* to stretch; *refl* to broaden (out)

weiter farther, further; wider, more extensive; additional; *adv* farther, further; more, else; on, forward; *und so* ~ and so on; *was* ~ *?* what else?; *nichts* ~ nothing more; ~ *niemand* no one else; *nur* ~ *!* go on!; *des* ~ *en* furthermore, moreover; *bis auf* ~ *es* until further notice, for the present, without further preparation (treatment etc), without further ado, readily; *d. geht nicht ohne* ~ *es* it's not as easy as all that; ~**befördern** to forward; ~**bestehen** to continue to exist; ~**bringen** to help on; *es* ~ *bringen* to get on, to make progress; ~**führen** to carry on, to continue; ~**geben** to pass on; ~**gehen** to walk on; to go on, to continue; ~**hin** after that, in future; ~ *hin tun* to continue to do; ~**kommen** to get on; to advance, to progress; ~**leiten** to transmit; to pass on; to channel; ~**leitung** transmission; passing on; channelling; ~**lesen** to continue (*od* go on) reading; ~**reise** continuation of a journey; ~**sagen** to tell (others); ~**ungen** difficulties; consequences, complications; ~**verarbeiten** to process, to finish; ~**verarbeitung** processing, finishing

weit|gehend far-reaching, far-going; a large measure of; full, much; *adv* largely, in a large measure; ~**her** from afar; ~**herzig** broad (-minded); ~**hin** far away, far off; ~**läufig** distant; wide, extensive; roomy, spacious; detailed, complicated; ~**läufigkeit** spaciousness; verbosity; ~**maschig** wide-meshed; ~**schichtig** large, ample; ~**schweifig** long-winded; circui-

tous; detailed; tedious; ~**sicht** long sight; ~**sichtig** long-sighted; ~**sichtigkeit** long sight, long-sightedness; ~**sprung** long jump, *bes US* broad jump; ~**verbreitet** wide-spread; ~**winkelobjektiv** wide-angle lens

Weizen wheat, corn ♦ *sein* ~ *blüht* fortune smiles on him; ~**acker** wheatfield; ~**brot** wheaten bread; ~**kleie** wheat bran; ~**knusperflocken** *BE* corn-flakes; ~**mehl** wheat(en) flour

welch which, what; which, that, *(Person)* who; *(einige)* some, any; ~ *e Größe haben Sie?* what's the size of ...?

welk withered; flabby, limp; ~**en** to wither, to fade

Well|blech corrugated (sheet) iron; ~**pappe** corrugated cardboard

Welle wave, billow, *(Brandung)* surge; *phys.* ⚡ wave, frequency; *(~nlänge)* wave-length; ⚙ shaft; axle, spindle; ⚕ epidemic; *fig* flood, rush; ~ *n schlagen* to rise in waves; ~**n** *vt (Haar)* to wave; ~**nband** ⚡ (wave-)band; ~**nberg** crest of a wave; *fig* peak; ~**nbewegung** undulation; ~**nbrecher** breakwater; ~**nförmig** wave-like, undulating; ~**ngang** ⚓ backwash; ~**nlänge** wave-length; ~**nlinie** wavy line; ~**nreiten** aquaplane; ~**nschlag** dashing (*od* breaking) of the waves; ~**nsittich** Australian grass parakeet, budgerigar; ~**ntal** trough of the waves; *fig* bottom of the dip, trough; ~**ntheorie** undulatory theory

Welpe whelp

Wels *zool* catfish

welsch French, Italian; foreign; ~**land** Italy, France

Welt world; universe; people; *alle* ~ everybody, all the world; *d. andere* ~ the other world, the next world; *auf* ~ on earth; *was in aller* ~ what on earth; *zur* ~ *bringen, in d.* ~ *setzen* to bring into the world, to give birth to; *auf d. (zur)* ~ *kommen* to come into the world, to be born; *aus d.* ~ *schaffen* to remove, to get rid of, to put out of the way; *ein Mann von* ~ a man of the world ♦ *d.* ~ *aus d. Angeln heben* to shake the world to its foundations; ~**all** universe; ~**alter** age (of the world); period of history; ~**anschauung** philosophy of life, world outlook; *pol* ideology; ~**ausstellung** international exhibition; ~**ball** globe; ~**bank** World Bank, International Bank for Reconstruction and Development; ~**bekannt** known everywhere, universally known; ~**berühmt** far-famed; ~**bild** conception of the world (*od* of life); ~**bürger** citizen of the world, cosmopolitan; ~**erfahren** worldly wise, sophisticated; ~**erschütternd** world-shaking; ~**fremd** out of touch with reality, ignorant of the world; solitary; ~**geschichte** universal history, history of the world ♦ *da hört doch d.* ~ *geschichte auf!* that's the limit; ~**gewandt** knowing the ways of the world; ~**handel** international trade; ~**kenntnis** knowledge of the world, sophistication; ~**kirchenrat** World Council of Churches; ~**klug** wordly wise, sophisticated; ~**körper**

heavenly body; **~krieg** world war; **~kugel** globe; **~lage** general political situation; **~lauf** course of the world; **~lich** worldly; *(Macht)* temporal; secular, profane; **~literatur** universal literature; **~macht** world power; **~markt** international market; **~meister** world champion; **~meisterschaft** world championship; **~politik** world politics; **~postverein** Universal Postal Union; **~raum** space; universe; **~raumfahrt** space travel; astronautics; **~rekord** world('s) record; **~rekordinhaber** world record-holder; **~ruf** world-wide reputation; **~schmerz** pessimistic outlook on life; sentimental pessimism; world weariness; **~sprache** universal language; **~stadt** metropolis; **~teil** continent; part of the world; **~umspannend** worldwide, universal; **~untergang** end of the world; **~weiser** philosopher; **~wirtschaft** world economic system; **~wirtschaftskrise** world-wide depression; *(1929 bis 1934)* the Depression

Weltergewicht 🥊 welter weight
wem to whom; **~fall** dative (case)
wen whom; **~fall** accusative (case)
Wend|e turn(ing); change; new era; 🥊 face vault; **~ehals** *zool* wryneck; **~ekreis** tropic; *~ekreis d. Krebses* Tropic of Cancer; *~ekreis d. Steinbocks* Tropic of Capricorn; **~eltreppe** winding *(od* spiral) staircase; **~en** to turn (round); *Geld~en an* to spend money on; *bitte ~en!* please turn over!; *refl* to turn; *s. ~en an* to turn to, to apply to, to approach ♦ *d. Blatt hat s. gewendet* the tables are turned; **~ig** agile, nimble; 🚗 manœuvrable; *fig* slick, adaptable; versatile; **~igkeit** agility, nimbleness; manœuvrability, adaptability; versatility; **~ung** turn(ing); *mil* facing (about), wheeling; turning-point, change; crisis; *(Wort-)* (idiomatic) phrase; saying, byword

wenig little, *pl* few; *(selten)* seldom; *e. ~* a little; *nur ~* only a little, *pl* only a few; *s-n ~es Geld* the little money he has; *mit ~en Worten* in a few words; *ebenso~ wie du* not any more than you; **~er** less, *pl* fewer; *5 ~er 2* five minus two; *nichts ~er als* anything but; *nicht ~er als* no less (fewer) than; **~keit** small quantity; littleness, smallness; *meine ~keit* my humble self; **~st** least; *d. ~sten* only a few people; **~stens** at least

wenn if, in case; *(zeitl.)* when; *und ~* even if; *~ auch* even if, although; *~ nicht, außer ~* unless, except if (when), but that; *~ nur* if only, so long as; *selbst ~* even if, though; **~gleich, ~schon** (al)though; *(su) d. viele ~ u. Aber* many ifs and buts; *nach langem ~ u. Aber* making many reservations; *~ schon, denn schon* if we do it at all, let's do it thoroughly; we may as well go the whole hog; *na, ~ schon!* well, so what?

wer who; *~ von euch* which of you; he who; that; *(jemand)* somebody, anybody; *~ auch immer* whoever; *~ da?* who goes there?

Werb|eabteilung publicity department; **~eaktion** publicity campaign; **~ebüro** publicity bu-

reau; **~efachmann** publicity specialist; **~efunk** commercial broadcasting; **~eleiter** advertising manager; **~ematerial** advertising *(od* promotional) material; **~emittel** publicity medium; **~en** *mil* to recruit, to levy; to enrol, to enlist; *~en für* to advertise for, to make propaganda for, to canvass for; *~en um (Mädchen)* to court, to woo; to engage s-b for; **~eprospekt** leaflet; prospectus; *pl* literature; **~er** canvasser; **~erummel** ballyhoo; **~eschreiben** sales letter; **~etext** copy; *die ~etrommel rühren* to beat the drum, to make propaganda; **~ung** recruiting, levying; courting, wooing; propaganda; publicity; **~ungskosten** publicity costs; *(Steuer)* professional expenses

werden to become, to be; to grow; to turn (out); to prove; *(Futur)* shall, will; *(Passiv)* to be; *~ zu* to change *(od* turn) into; *anders ~* to change, to turn; *~de Mutter* expectant mother; *su* growing, developing; development; formation, evolution; growth; origin
Werder river islet, *BE a.* eyot, holm
werfen to throw; *(Blick, Licht, Schatten, Los, Zweifel)* to cast *(auf* at, over, on); *(schleudern)* to hurl, to fling; to toss, to pitch; *(Junge)* to bring forth; *refl (Holz)* to warp; *s. in d. Brust ~* to put on an air of importance; *s. ~ auf* to throw o.s. upon, to apply o.s. to s-th vigorously; *s. in s-e Kleider ~* to dress quickly
Werft dockyard, shipyard; **~arbeiter** dock labourer, docker
Werg tow; oakum
Werk work, labour; production; performance; factory, plant; *(Gas-, Wasser- etc)* works; *(Betrieb)* enterprise, undertaking; mechanism, work; *(Uhr-)* clockwork; 📖 publication; workmanship; *(Aktion)* scheme; *gutes ~* good deed; *ans ~ gehen* to set to work; *ins ~ setzen* to set going, to start; **~bank** (work)bench; **~biene** worker bee; **~druck** 📖 book-printing; **~leute** workmen, workpeople, hands; **~meister** foreman, overseer; **~smannschaft** 🥊 works team; **~spionage** industrial espionage; **~statt, ~stätte** workshop; **~stoff** material; **~stoffprüfung** testing of material; **~stück** work(piece); production part; **~student** student who earns his living; *~student sein* to work one's way through college; **~swohnung** company-owned dwelling; **~tag** working-day, business day; *(kein Sonntag)* week-day; **~tags** on week-days; **~tätig** working; active; *~tätige Bevölkerung* the working classes; **~theater** theatre workshop; **~zeug** tool; instrument, implement; *j-s ~zeug (fig)* tool, cat's-paw; **~zeugkasten** tool-box; **~zeugmaschine** machine-tool
Wermut *bot* wormwood; *(Wein)* vermouth; **~stropfen** a drop of bitterness
wert worth; valuable; worthy, honoured, esteemed; *mein~er Freund* my dear friend; *nicht d. Mühe ~* not worth-while; *er ist es ~* he deserves it; *nichts ~ sein* to be no good; *su* worth, value; price, rate; importance *(~ legen auf* to attach great i. to); merit; *chem* valence;

im ~*e von* to the value of, at a price of; ~**beständig** stable, of fixed value; ~**brief** insured letter (containing money); ~**en** to value, to appraise; ~**gegenstände** valuables; ~**igkeit** *chem* valence; ~**los** worthless; ~**losigkeit** worthlessness; ~**messer** standard of value; ~**minderung** depreciation; ~**paket** insured parcel (containing valuables); ~**papier** security, bond; ~**sachen** valuables; ~**schätzen** to value (*od* esteem) highly; ~**schätzung** esteem; appreciation; ~**urteil** value judgment; evaluation; ~**voll** valuable; precious; ~**zeichen** (postage) stamp

wes = ~**sen**; ~**fall** genitive; ~**halb**, ~**wegen** why; for what reason; on account of what (*bzw* which); ~**sen** whose

Wesen creature, being; existence; *(Kern)* essence; substance, reality; character; organization, system; *(Verhalten)* way, air; manners, conduct; *sein* ~ *treiben* to go about; to haunt (a house); *viel* ~*s machen von (um)* to make a fuss about; ~**haft** real; substantial; ~**los** unreal, shadowy; incorporeal; ~**seigen** characteristic; ~**sfremd** foreign to the nature of; ~**sgemäß** appropriate to the nature of; ~**sgleich** of the same nature; consubstantial; homogeneous; ~**szug** characteristic feature; ~**tlich** essential, substantial; real; material, vital; ~*tlicher Bestandteil* integral part

Wespe wasp; ~**nnest** wasps' nest ♦ *in e.* ~*nnest stechen* to bring a hornets' nest about one's ears; ~**nstich** wasp's sting

West|(en) west; occident; *pol* the West(ern Hemisphere), the non-Communist world; ~**lich** west(ern, -erly); occidental; westward; ~**mächte** Western Powers; ~**wärts** westward

Weste waistcoat, *bes US* vest ♦ *e-e saubere (weiße)* ~ *haben* to have a clean record; ~**ntasche** waistcoat-pocket ♦ *j-n wie s-e* ~*ntasche kennen* to know s-b inside out; ~**ntaschen-** *attr* vest-pocket

wett equal; ~ *sein* to be quits; ~**bewerb** competition; ⚡ event; ~**bewerber** competitor; ~**e** bet, wager; *was gilt d.* ~*e?* what do you bet?; *e-e* ~*e eingehen* to make (*od* lay) a bet; *um d.* ~*e (tun) mit j-m* to vie with one another in (doing); *um d.* ~*e laufen mit* to race s-b; ~**eifer** emulation; rivalry; competition; ~**eifern** to vie, to contend (with); ~**en** to bet, to wager (*auf* on); to back (a horse); ~**er** better; backer; ~**fahrt** driving competition; boat-race; ~**flug** air-race; ~**kampf** ⚡ contest, competition (*a. fig*); match; ~**kämpfer** contestant, competitor; athlete; prize-fighter; ~**kampfteilnehmer** = ~**kämpfer**; ~**kampfübung** ⚡ event; ~**lauf** race; ~**läufer** runner; ~**machen** to make up for; to make good; to cancel out; to counteract, to offset; ~**rennen** race; ~**rudern** boat-race; ~**rüsten** armament(s) race; ~**schwimmen** swimming-match; ~**spiel** match, tournament; ~**streit** competition, contest

Wetter weather; *(Un-)* bad weather, storm; ⚡ *schlagende* ~ fire-damp; *alle* ~*!* by Jove! ~**bericht** weather forecast; ~**dienst** meteoro-

logical service; ~**fahne** weathercock *(a. fig)*, vane; ~**fest** weatherproof; ~**glas** barometer; ~**karte** meteorological (*od* weather) chart; ~**kunde** meteorology; ~**lage** weather (*od* atmospheric) conditions; ~**leuchten** sheet lightning; ~**loch** bolt-hole; ~**n** to storm; to be stormy; *fig* to fulminate, to curse and swear; ~**schaden** damage by storm; ~**seite** weather side; ~**sturz** sudden fall of temperature; ~**umschlag** change of weather; ~**vorhersage** weather forecast; ~**warte** meteorological station; ~**wechsel** change of weather; ~**wendisch** changeable (as the weather), fickle; capricious; ~**wolke** thunder cloud

wetz|en to whet, to grind; to sharpen; ~**stein** whetstone, hone

Whist whist

Wichs full dress, *sl* glad rags; *in vollem* ~ in full dress; ~**bürste** blacking-brush; ~**e** blacking, polish; *fig* thrashing; ~**en** to black, to polish; *(Boden)* to wax; *fig* to thrash

Wicht wight; creature; ~**e** specific gravity; ~**elmännchen** brownie, pixie

wichtig important; weighty, momentous; *e-e* ~*e Miene aufsetzen* to give o.s. airs; *s.* ~ *machen* to assume an air of importance; ~**keit** importance; weight, consequence; *von* ~*keit sein* to be of importance; ~**tuer** pompous individual; ~**tuerei** pomposity, self-importance

Wicke *bot* vetch; *(Platterbse)* sweet pea

Wickel *(Haar)* curler; 💲 binder, pack ♦ *j-n beim* ~ *kriegen* to collar s-b; ~**gamasche** puttee; ~**kind** baby in long clothes; *kein* ~*kind mehr sein* to be a child no longer; ~**n** to wind (round, up); to wrap up; *(Zigarette)* to make, to roll; *(Haar)* to put in curlers; *(Baby)* to change; ~**tuch** wrapper

Widder ram; *astr* Aries

wider against, contrary to; versus; ~ *Willen* reluctantly; *d. Für u.* ~ the pros and cons; ~**fahren** to happen to, to befall; to meet with; *Recht* ~*fahren lassen* to do justice to; ~**haarig** cross-grained, perverse; ~**haken** barb(e(d) hook); ~**hall** echo; response; ~**hallen** to (re-)echo, to resound; ~**lager** abutment; spring; ~**legen** to refute; to disprove; ~**legung** refutation; disproof; ~**lich** repulsive, disgusting; repugnant; nauseous; ~**lichkeit** repulsiveness, disgust; nauseousness; ~**natürlich** unnatural, contrary to nature; monstrous; ~**part** opponent, adversary; opposition; ~**raten** to dissuade (from); ~**rechtlich** illegal, unlawful; ~**rechtlichkeit** illegality, unlawfulness; ~**rede** contradiction, objection; ~**rist** withers; ~**ruf** recall; cancellation; revocation; *(e-r Ansicht)* recantation, disavowal; *bis auf* ~*ruf* until recalled, until withdrawn; ~**rufen** to recall, to cancel; to revoke, to recant; to disavow; ~**ruflich** revocable; ~**sacher** adversary, antagonist; ~**schein** reflection; ~**setzen** *refl* to oppose, to resist; ~**setzlich** refractory, insubordinate; ~**setzlichkeit** refractoriness, insubordination; ~**sinn** nonsense, absurdity; ~**sinnig** nonsensical; absurd; ~**sinnigkeit** absurdity; bull;

~spenstig refractory; obstinate; *(Pferd)* restive; ~spenstigkeit refractoriness; obstinacy; ~spiegeln to reflect, to mirror; *refl* to be reflected; ~sprechen to contradict; to oppose; *refl* to contradict o.s.; ~sprechend contradictory; ~spruch contradiction (~ *spruch in sich* c. in terms); conflict; *in* ~*spruch stehen mit* to be inconsistent with, to be at variance with; *auf heftigen* ~*spruch stoßen bei* to meet with violent opposition from; ~stand resistance, opposition; ~ *stand leisten* to resist; ~standsfähig able to offer resistance; ~ standskraft resisting power, stamina; ~stehen to resist, to withstand; to disgust, to be repugnant to; ~streben to struggle against, to resist; to go against the grain with; *su* resistance, opposition; reluctance; ~strebend reluctant; ~streit opposition; conflict; antagonism; ~streiten to conflict, to clash with; to be contrary to; to contend with; ~streitend antagonistic; ~wärtig disgusting; annoying; ~wärtigkeit adversity; nuisance; ~wille dislike; repugnance, aversion; *mit* ~*willen erfüllen* to disgust; ~willig reluctant, unwilling

widm|en to devote (to), to dedicate (to); *refl* to devote o.s. to, to apply o.s. to; ~ung dedication; ~ungsexemplar presentation copy

widrig contrary; adverse; *(feindlich)* hostile, inimical; unfavourable; ~enfalls in the contrary case; failing which; ~keit adversity; *pl* untoward events

wie *(auf welche Weise)* how; ~ alt *(breit, hoch, lang)?* what age (width, height, length)?; ~ groß *(Person)?* what height?, *(Schuh etc)* what size?; *(Qualität)* ~ *ist* ...? what is ... like? ~ *sieht es aus?* what does it look like?; ~ *ist Ihr neuer Lehrer?* what is your new teacher like?; ~ *geht es ihm?* how is he?; ~ *heißt das?* what is that called? *conj* as; like; such as; ~ *auch (immer)* however; ~ *bitte?* (I beg your) pardon?, what did you say?; ~ *gesagt* as has been said ♦ ~ *du mir, so ich dir* tit for tat; ~so why; ~viel how much; *d.* ~*vielten haben wir heute?* what's the date today?

wieder again; anew, afresh; once more; back, in return for; *immer* ~ again and again, time and again; *hin u.* ~ now and then; *für nichts u.* ~ *nichts* for nothing at all

wieder|abdrucken to reprint; ~anfang recommencement; reopening (of the school); ~anknüpfen to renew; ~aufbau reconstruction; ~aufbauen to reconstruct; to rebuild; ~auffinden to find, to recover; ~aufleben to revive; ~aufnahme resumption; ~aufnehmen to take up again, to resume; ~aufrichten to raise again; ~aufstehen to rise again; ~bekommen to get again; to get back, to recover; ~beleben to revive, to resuscitate; ~belebungsversuch attempt at resuscitation; ~bewaffnen to rearm; ~bringen to bring back; to restore, to return to; ~einführen to reintroduce; to re-establish; ~einnehmen to recapture; ~einrichten to re-establish; to reorganize; ~einsetzen to reinstate; to reinstall; ~einstellen to engage again; ~er

~kennen to recognize; ~erlangen to get back, to recover; ~erobern to reconquer; ~ersetzen, ~erstatten to return, to restore; to repay, to refund; ~erstattung restitution; repayment; ~erzählen to repeat, to retell; ~finden to find again, to recover; ~gabe giving back, return; ♪, ♫ rendering; reproduction; reading; *(Übersetzung)* translation, rendering; ~geben to give back, to return; to render; to reproduce; to translate; ~geburt rebirth; renaissance; reincarnation; ~genesen to recover, to get better; ~gewinnen to regain; to recover, to retrieve; ~gutmachen to compensate (for); to make amends for; to repair; ~gutmachung reparation; restitution; compensation; indemnification; ~haben to have (got) back; to have (got) again; to have recovered; ~herstellen to restore, to repair; § to cure; to re-establish; ~herstellung restoration; recovery; re-establishment; ~holen to fetch *(od* bring) back; to repeat; to reiterate; to renew; *refl* to say (over and over) again; to recur; ~holt repeatedly, again and again; ~holung repetition; reiteration; *im* ~*holungsfalle* if it should happen again; ♫ in case of a second offence; ~hören to hear again; *auf* ~*hören!* good-bye!; ~ingangsetzung re-starting; ~instandsetzen to repair, to recondition; ~instandsetzung repair, reconditioning; ~käuen to chew the cud, to ruminate; ~käuer ruminant; ~kaufen to buy back; ~kehr return; coming home; repetition; recurrence; ~kehren to return, to come back; ~kommen to come back; ~kunft return, coming back; *eccl* advent (of Christ); ~sagen to tell again; to repeat; ~sehen to see *(od* meet) again; *su* meeting again; *auf* ~*sehen!* good-bye!, *umg* bye-bye!; so long!; ~taufe re-baptism, anabaptism; ~täufer anabaptist; ~tun to do again; ~um again; afresh, anew; on the other hand; ~vereinigen to reunite; *(versöhnen)* to reconcile; ~vereinigung reunion; *pol* reunification; reconciliation; ~verheiraten to remarry; ~verheiratung remarriage; ~verkäufer reseller; retailer; ~verwertung re-utilization; ~wahl re-election; ~zahlen to repay; ~zustellen to return

Wiege cradle; *von d.* ~ *bis zur Bahre* from the cradle to the grave; ~messer mincing-knife, chopping-knife; ~n to weigh; to rock; to shake, to sway; *(Fleisch)* to mince, to chop up; *refl (fig)* to indulge (in hopes etc); ~ndruck incunabulum; ~nfest birthday; ~nkind infant; ~nlied lullaby

wiehern to neigh; *su* neighing ~*des Gelächter* horselaugh, roaring laughter

Wiese meadow; ~l weasel; ~ngrund meadowland, grassy valley; ~nschaumkraut lady's

wieviel *siehe* wie [smock, cuckoo-flower

wild wild; rough; *(Mensch)* barbarian, savage, uncivilized; unruly, intractable; disorderly; fierce; *(böse)* angry, furious; *(ungeordnet)* untidy, dishevelled; ~e Ehe concubinage; ~er Streik unofficial strike; ~er Wein Virginia creeper; ~es Fleisch § proud flesh; ~ werden to get furious, *(Pferd)* to shy; ~**bach** torrent; ~**bad** (non-mineralized) thermal spa; ~**bahn** hunting-ground, preserve; ~**braten** (roast) venison; ~**bret** game; venison; ~**dieb**, ~**erer** poacher; ~**(dieb)erei** poaching; ~**ente** wild duck; ~**er** savage ♦ *wie e.* ~ *er* (to work) like a nigger, (to behave) like a madman; ~**ern** to poach; ~**fang** tomboy, romp; ~**fremd** quite strange; ~**gehege** preserve, game cover; ~**geschmack** game flavour; ~**heit** wildness; barbarity; ferocity; ~**hüter** gamekeeper; ~**leder** deerskin, buckskin; ~**ling** wild tree; tomboy; ~**nis** wilderness; desert; ~**schaden** damage done by game; ~**schütz(e)** poacher; ~**schwein** wild boar; ~**wasser** torrent

Wille will; volition, determination; wish; intention, design; purpose; *d. besten* ~*n haben* to have the best intentions; *aus freiem* ~*n* of one's own accord; voluntarily; *wider* ~ *n* unwillingly; involuntarily; *guter* ~ kind intention; *letzter* ~ last will (and testament); ~*ns sein* to be willing (to do); *j-m zu* ~*n sein* to do as a person wishes; *um . . .* ~ for (his, father's) sake; ~**nlos** irresolute, lacking will-power; ~**nlosigkeit** lack of will-power; indecision; abulia; ~**nsakt** act of volition; ~**nserklärung** declaration of intent; ~**nsfreiheit** free(-dom of) will; ~**nskraft** will-power, strength of will *(od* mind); faculty of volition; ~**ntlich** intentional

will|fahren to grant; to please; to comply with; ~**fährig** accommodating; compliant, complaisant; ~**fährigkeit** compliance, complaisance; ~**ig** willing, ready; amenable; ~**igkeit** willingness, readiness; ~**komm(en)** welcome; *adj* welcome; acceptable, opportune; ~**kommen heißen** to welcome; to extend a cordial welcome to; ~**kür** arbitrary act; despotism; *j-s* ~*kür preisgegeben sein* to be at s-b's mercy; ~**kürlich** arbitrary; ~**kürlichkeit** = ~**kür**

wimmeln *von* to swarm, to teem with

wimmern to whimper, to moan

Wimpel pennant, *bes mil* pennon; streamer

Wimper eyelash ♦ *ohne mit d.* ~ *zu zucken* without turning a hair *(od* batting an eyelid)

Wind wind, breeze; ⚕ flatulence; *wie d.* ~ like the wind, very fast; *in* ~ *u. Wetter* in all weathers ♦ *d.* ~ *aus d. Segeln nehmen* to take the wind out of s-b's sails; *in d.* ~ *reden* to waste one's breath; *in d.* ~ *schlagen* to disregard, to turn a deaf ear to s-th; ~**beutel** cream puff; *fig* windbag; ~**blume** anemone; ~**eseile** lightning speed; *mit* ~*eseile* (off) like a shot, very fast; ~**fahne** weather vane; ~**fang** porch; chimney-pot; ~**harfe** Aeolian harp; ~**hose** wind spout; ~**hund** greyhound; *fig* windbag; ~**hundrennen** greyhound racing; ~**ig** windy, breezy; *fig* poor, unreliable; ~**kanal** wind-tunnel; ~**licht** storm lantern; ~**mühle** windmill *(gegen* ~*mühlen kämpfen* to tilt at w.s); ~**pocken** chicken-pox; ~**richtung** wind direction; ~**rose** compass card; ~**schief** twisted, warped; ~**schutzscheibe** windscreen, *US* windshield; ~**spiel** = ~**hund**; ~**stärke** wind force;

~**still** calm; ~**stille** (dead) calm; still air; ~**stoß** gust, blast; ~**zug** current of air; draught

Winde *bot* wind weed, convolvulus; ✿ windlass, winch

Windel *BE* (baby's) napkin, diaper; ~**n** to swaddle; *(Baby)* to change; ~ *weich schlagen* to beat to a pulp *(od* to a jelly)

wind|en *vt* to wind; *(Kranz)* to make; *(flechten)* to twist; *(hoch-)* to hoist; to reel; *(ent-)* to wrest, to wrench (from); *refl* to writhe; *(Fluß)* to meander, to wind; ~**ung** winding, twisting; convolution; ↯, ⚓ coil; spire, whirl; ✿ worm

Wink nod, hint; beck, beckoning; *fig* hint, suggestion; tip ♦ *e.* ~ *mit d. Zaunpfahl* a broad hint; ~**en** to wave; *j-m* ~*en* to beckon, to make signs; to nod; *mil* to signal, to flag; ~**er** 🚗 direction indicator; *mil* flag signaller; ~**zeichen** manual signal

Winkel corner; *bes math* angle; *mil* chevron; *fig* nook, secret spot; ~**advokat** obscure lawyer, pettifogger; ~**förmig** angular; ~**messer** *math* protractor; goniometer; ~**zug** trick, dodge

winklig angular; *(Straße)* crooked

winseln to whine, to moan

Winter winter; ~**frische** winter resort; ~**frucht** winter crop; ~**garten** winter garden; ~**halbjahr** the last quarter of one year and the first quarter of the next; *(Univ.)* winter term; ~**lich** wintry; ~**reifen** winter tyres (*US* tires); ~**schlaf** hibernation; ~*schlaf halten* to lie dormant; ~**schlußverkauf** winter sales; ~**sport** winter sports

Winzer = **Weinbauer**

winzig tiny, minute; diminutive; ~**keit** tininess, minuteness; diminutive size

Wipfel tree-top

Wippe see-saw; ~**n** to see-saw

wir we; ~ *alle* all of us; ~ *selbst* we ourselves; ~ *sind es* it is us

Wirbel eddy, whirlpool; maelstrom; *(Rauch)* curl, wreath; *(Trommel)* roll, tattoo; ⚕ vertebra; *(Kopf)* crown; ♪ *(Violine)* peg; ~**ig** whirling; giddy; ~**knochen** vertebra; ~**los** invertebrate, spineless; ~**n** to whirl (round), to eddy; *(Trommel)* to roll; ~**säule** spinal *(od* vertebral) column, spine; ~**tier** vertebrate (animal); ~**wind** whirlwind

wirk|en to act, to work; to do; to bring about, to produce; *(Stoff)* to knit; *vi* to be active; ~**en** *auf* to act on, to have an effect on, to influence; *su* agency; activity, work(ing); mechanical knitting; ~**er** machine knitter; ~**erei** knitwear manufacture; hosiery mill; ~**lich** real, actual; true, genuine; bona fide; ~*lich!* indeed!; ~**lichkeit** reality, actuality; ~**sam** active; effective, efficient; ⚕ efficacious; ~*sam werden* to make o.s. felt; ~**samkeit** activity; effectiveness, efficacy; *(Wirkung)* effect; ~**stoff** agent; *chem* active substance, *(Droge)* active principle; *(Textil)* knitted fabric; ~**ung** effect; action; agency, operation; impression, influence; *ohne* ~*ung bleiben* to prove ineffectual; ~**ungsbereich** sphere of activity; *mil* range of

action; **~ungsdauer** *chem,* **⚡** duration of action; **~ungsgrad** effect, degree of effectiveness; **~ungskreis** sphere of activity *(od* influence); **~ungslos** inefficient, ineffectual; **~ungsvoll** effective; *bes* **⚡** efficacious; striking; **~waren** knitted goods, knitwear; hosiery
wirr confused; chaotic, wild; tangled; *(Haar)* dishevelled; **~en** disorders, disturbances; **~kopf** muddle-head(ed fellow); **~nis** chaos, confusion, disorder; **~warr** chaos, disorder, jumble; *(Stimmen-)* babel
Wirsing(kohl) savoy
Wirt *(Vermieter)* landlord; *(Gasthaus)* innkeeper; *(Gastgeber)* host ♦ *d. Rechnung ohne d.* ~ *machen* to reckon without one's host; **~in** landlady; hostess; **~lich** hospitable; habitable, homely; **~shaus** = Gastwirtschaft; **~sleute** landlord and landlady; innkeeper and his wife; host and hostess; **~sstube** inn parlour
Wirtschaft business; (trade and) industry; economy; political economy; economic activity; *(Haus-)* housekeeping, domestic economy; household; = Gastwirtschaft; *fig* goings-on, mess; *e-e schöne* ~ a pretty business, a fine mess; **~en** to keep house; to manage; to economize; *umg* to rummage about; **~er(in)** manager(ess); housekeeper; steward; **~ler** business man; economist; **~lich** economic; industrial, commercial; financial; *(sparsam)* economical; profitable; **~sabkommen** economic agreement; **~sbelebung** upswing in economic activity; **~sbeziehungen** trade relations; **~sgebäude** farm-buildings, outhouses; **~sgeld** housekeeping money; **~sgeographie** economic geography; **~sgüter** (salable) goods; commodities; **~shilfe** economic aid; **~sjahr** accounting year; financial year; **~slage** economic situation; **~slenkung** controls; planned economy; **~sministerium** Ministry for Economic Affairs; **~spolitik** economic policy; **~sprüfer** *BE* chartered accountant, *US* certified public accountant; **~sraum** market (area); **~swunder** the 'German economic miracle'; **~szweig** sector of the economy
Wisch scrap of paper; slip, note; duster; **~en** to wipe; **~er** 🚗 windscreen wiper; **~lappen** duster, (wiping-)cloth
Wisent bison, aurochs
Wismut bismuth
wispern to whisper
Wißbegier|de thirst for knowledge; curiosity; inquisitiveness; **~ig** eager *(od* anxious) to know *(od* learn); inquisitive
wissen to know; to be aware of; to be acquainted with; *er will nichts mehr von ihr* ~ he is through with her; *nicht daß ich wüßte* not that I know of; *su* knowledge; learning, erudition; scholarship; *meines* ~*s* as far as I know; *wider besseres* ~ against one's better judgment; *nach bestem* ~ *u. Gewissen* to the best of one's knowledge and belief; **~schaft** learning, knowledge; *(bes Natur-)* science; scholarship; **~schaftler** learned man, scholar; *(Natur-)* scientist; *(Forscher)* research worker,

research scientist; **~schaftlich** learned, scho larly; *(bes Natur-)* scientific; **~sdrang, ~sdurs** **~strieb** thirst *(od* eagerness) for knowledge **~swert** worth knowing; interesting; **~szwei** branch of knowledge; art; **~tlich** knowing conscious; deliberate; *adv* knowingly; on pur pose, deliberately
wittern to scent, to smell; *fig* to suspect; **~un** scent; weather; *bei günstiger* ~*ung* weathe permitting; **~ungsumschlag** change weather; **~ungsverhältnisse** atmospheric con ditions 　　　　　　　　　　　　　　　[dowe
Witwe widow; **~nstand** widowhood; **~r** wi
Witz wit, wittiness; common sense, mothe wit; *(Spaß)* joke, pun, witticism; ~*e machen* t be funny, to crack jokes; *mach keine* ~*e* you're pulling my leg!, you're joking!; **~blat** comic paper; **~bold** witty fellow, wag; **~eln** t try to be witty; to poke fun (at); **~ig** witty funny, facetious; **~sprühend** sparkling with wi
wo where; in *(od* on) which; *(zeitl.)* when; *(i* *gend-)* somewhere, anywhere; ~ *auch imme* wherever; *von* ~ from where; ~ *nicht* if not unless; **~anders** somewhere else, elsewhere **~bei** whereat; whereto; by which, whereby; i which; in the course of which; through which by doing which
Woche week; *heute in e-r* ~ this day week *zwei* ~*n (BE)* a fortnight; *pl* childbed; **~nbet** childbed, confinement; **~nblatt** weekly (pa per); **~nende** week-end; **~nfieber** puerpera fever; **~ngeld** maternity allowance, *BE* m. ben efit **~nlang** for weeks; **~nlohn** weekly wage **~nschau** 📽 newsreel; **~ntag** week-day; **~ntag** on week-days; **~ntlich** weekly; every week *einmal* ~*ntlich* once a week; by the week
Wöchnerin woman in childbed
wo|durch by which, whereby; through which by which means; **~fern** so far as; if, provide that; ~*fern nicht* unless; **~für** for which, fo what; what for
Woge billow, wave; **~n** to billow, to wave; t surge; to undulate; *(Busen)* to heave; *(hin u her)* to fluctuate
wo|gegen against what; in return for what *(o* which); *conj* whereas, while; **~her** from where *(od* from what places); ~*her wissen Sie das* how do you know that?; **~hin** where (to), t what place; whither; ~*hin gehst du?* where ar you going?
wohl *(gut)* well; ~ *bekomm's!* may it do you good!; ~ *dem, der...* happy he who...; ~ *oder übel* whether I (you *etc)* like it or not; a well as I can; *es sich* ~ *sein lassen* to enjo o.s.; *(Partikel) (etwa)* about; *(wahrscheinlich* probably, possibly; perhaps; I think, I sup pose; *su* good health; well-being; welfare; *au j-s* ~ *trinken* to drink s-b's health; *auf Ihr* ~ your health!, cheers!; **~an** well then!, now then!; **~angebracht** suitable, seasonable; **~au** well, in good health; come on!; **~bedacht** well -considered; **~befinden** good health; well-be ing; **~behagen** comfort, ease, pleasure; **~be halten** safe and sound; **~bekannt** well-known

familiar; ~**beschaffen** in good condition; ~**durchdacht** well-considered; ~**ergehen** well-being, welfare; ~**erzogen** well-bred; ~**fahrt** welfare; ~**fahrtsarbeit** welfare work, social service; ~**feil** cheap; ~**gefallen** pleasure, satisfaction; *eccl* good will; *s. in ~gefallen auflösen* to vanish into thin air, to end in smoke; ~**gefällig** pleasant, agreeable; ~**gelaunt** in a good humour; ~**gemeint** well-meant; ~**gemut** cheerful, merry; ~**genährt** well-fed; ~**geruch** (sweet) perfume, fragrance; ~**geschmack** pleasant taste (*od* flavour); ~**gesetzt** well-worded; ~**gesinnt** well-disposed; ~**gesittet** well-behaved; ~**habend** well-to-do, well-off; ~**habenheit** wealth, affluence; ~**klang** sweet tone, melodious sound; euphony, harmony; ~**klingend** harmonious, melodious; euphonic, euphonious; ~**leben** life of pleasure, luxury; ~**riechend** sweet-scented, fragrant, aromatic; ~**schmeckend** tasty, palatable; ~**sein** good health; well-being, prosperity; *(zum)* ~*sein!* your health; ~**stand** prosperity, well-being; wealth; ~**tat** benefaction, blessing; boon; charity; ~**täter** benefactor; ~**täterin** benefactress; ~**tätig** beneficent; beneficial; charitable; ~**tätigkeit** charity; ~**tätigkeitskonzert** benefit concert; ~**tuend** beneficial; comforting; ~**tun** to do good; to be pleasant (*od* comforting); ~**unterrichtet** well-informed; ~**verdient** well-deserved; ~**verhalten** good conduct; ~**verstanden** well understood; ~**weislich** very wisely, prudently; ~**wollen** goodwill, kind feeling, benevolence; *vi* to wish s-b well; ~**wollend** benevolent, kind, friendly

wohn|en to live; to dwell, to reside; *(vorübergehend)* to stay; *(in Untermiete)* to lodge; ~**haft** living, resident; ~**haus** residential building dwelling; ~**küche** combined kitchen and living-room; ~**lich** comfortable, cosy; ~**ort** (place of) residence, domicile; ~**raum** housing accommodation; ~**raummangel** housing shortage; ~**sitz** = ~ort; ~**stube**, ~**zimmer** living-room, lounge

Wohnung house, dwelling; residence; (*Etagen-*) *BE* flat, *US* apartment; ~**samt** Housing Office; ~**sbau** house-building, housing; ~**slage** housing situation; ~**slos** homeless; ~**snachweis** house-agency; ~**snot** housing shortage; ~**swechsel** change of residence

Wohn|verhältnisse living conditions, housing conditions; ~**viertel** residential quarter; ~**wagen** *BE* caravan, *bes US* trailer

wölb|en to vault, to arch (over); *refl* to arch (over) *(a. fig)*; ~**ung** vault(ing), arch; dome

Wolf wolf (~ *im Schafspelz* w. in sheep's clothing); ~**in** she-wolf; ~**seisen** wolf-trap;

Wölkchen little cloud [~**smilch** *bot* spurge

Wolke| cloud ♦ *aus allen ~en fallen* to be thunderstruck; ~**enbank** bank of clouds; ~**enbruch** cloud-burst; ~**enkratzer** skyscraper; ~**enlos** cloudless; ~**enwand** = ~enbank; ~**ig** cloudy, clouded

Woll|decke blanket; ~**e** wool ♦ *in d. ~e sitzen* to be in clover; *in d. ~e geraten* to fly into a

temper; ~**en** woollen; ~**ig** woolly; ~**jacke** cardigan; ~**stoff** woollen material; ~**waren** woollens

wollen to want, to wish; to will; to be willing; to like; to intend; I (you, he etc) will; to be going to; to be about to; *d. will ich meinen* I should think so; *er mag ~ oder nicht* whether he likes it or not; *d. will überlegt sein* it must be well considered; *er will (gesehen etc) haben* he maintains he has *(seen, etc)*; *wir ~ ... let us ...*; *su* will; volition; intention

Wollust lust; sensuality, voluptuousness; ~**ig** lustful; sensual, voluptuous; ~**ling** voluptuary, debauchee

wo|mit with what; with (*od* by) which; ~**möglich** if possible; perhaps; ~**nach** after what (*od* which); whereafter, whereupon

Wonne| delight, bliss; ~**ig** blissful, delicious; *(Kind)* cute

wor|an at what, of what, by what; at which, of which, by which; whereat, whereon; ~**auf** on what, on which; whereupon; ~**aus** out of what, out of which; from what, from which; ~**ein** into what, into which; ~**in** in what, in which; wherein

Wort word; term, expression; saying; word of honour; *mit e-m ~* the long and the short of it, in a word; *kein ~ mehr!* not another word!; *kein wahres ~* not an atom of truth; *j-m d. ~ erteilen* to call upon s-b to speak; *er hat d. ~* it is his turn to speak; *d. ~ ergreifen* to begin to speak, *pol* to take the floor; *j-m d. ~ entziehen* to forbid s-b to speak; *j-m ins ~ fallen* to interrupt s-b; *d. große ~ führen* to have the say, to boast, to monopolize the conversation; *aufs ~ gehorchen* to obey at once *(od* implicitly); *nicht zu ~e kommen* not to be able to get a word in edgeways; *j-n beim ~ nehmen* to take s-b at his word; *e-r Sache d. ~ reden* to speak in favour of s-th; ~**ableitung** derivation (of words), etymology; derivative; ~**akzent** word stress; ~**arm** deficient in vocabulary; ~**armut** poverty of language; ~**bildung** word-formation; ~**bruch** breach of one's word; ~**brüchig** having broken one's word; disloyal; ~**erbuch** dictionary; ~**folge** word-order; ~**führer** spokesman; ~**getreu** literal, verbatim; ~**karg** laconic, tight-lipped; ~**laut** wording, text; ~**lich** verbatim; literal, word for word; ~**reich** abundant in words; verbose, wordy; ~**schwall** torrent of words; verbosity; ~**sinn** literal sense; meaning (of a word); ~**spiel** play upon words, pun; ~**stellung** = ~folge; ~**wechsel** argument, dispute; ~**wörtlich** word for word, literally

wo|rüber of (*od* about, over) what (*od* which); whereof; ~**rum** round what (*od* which); about what (*od* which); ~**runter** under what (*od* which); among what (*od* which); ~**selbst** where; ~**von** of (*od* about) what (*od* which); whereof; from what (*od* which); wherefrom; ~**vor** before what (*od* which); of (*od* from) what (*od* which); ~**zu** for what (*od* which); why

Wrack wreck; **~gut** wreckage, wrecked goods
wring|en to wring; **~maschine** wringer
Wucher usury; profiteering; **~ei** usury; profiteering; **~er** usurer; profiteer; **~gewinn** excess (*od* inordinate) profit; **~isch** usurious; profiteering; **~n** *bot* to grow rank; to profiteer, to practise usury ; **~nd** *bot* rank; **~ung** rank growth; ⚕ growth, tumour; **~zins** usurious interest
Wuchs growth; shape, figure   [terest
Wucht burden, weight; force; *(volle)* brunt; impetus; **~en** to lever up; *vi* to weigh heavy (*od* heavily); **~ig** weighty
Wühl|arbeit subversive activity; **~en** to dig, to turn up; *(herum-)* to rummage, to rake about (in); *(Tier)* to burrow; *fig* to agitate, to stir up; **~er** agitator; **~erei** agitation; **~maus** vole
Wulst bulge, pad (*a. fig*); fold; **~ig** bulging, padded; **~lippen** thick lips
wund sore; chafed, *fig* wounded; *s. d. Füße* **~** *laufen* to become foot-sore; **~ er** *Punkt (fig)* sore point; **~arzt** surgeon; **~e** wound; **~fieber** wound fever; **~gelaufen** foot-sore; **~liegen** *refl* to get bed-sores; **~reiben** to chafe, to gall; **~salbe** ointment, salve; **~verband** dressing (of a wound); bandage
Wunder wonder, marvel; *(übernatürl.)* miracle; *(Person)* prodigy; *du wirst dein blaues* **~** *erleben* you'll have the surprise of your life; **~** *wer (was, wie)* goodness knows who (*od* what, how); **~** *tun* to work miracles; *d. 7* **~** *d. Welt* the 7 wonders of the world; **~bar** wonderful, marvellous; strange; **~barerweise** strange to say; **~ding** wonderful thing, marvel; **~doktor** quack; **~glaube** belief in miracles; **~hübsch** lovely; **~kind** infant prodigy; **~lich** strange, odd, eccentric; **~n** *refl* to wonder (at), to marvel (at); to be surprised (at); *es sollte mich* **~***n, wenn (was)* I wonder if (*od* what); **~sam** wonderful, wondrous; strange; **~schön** beautiful, lovely; **~tat** wonder; **~täter** miracle-worker; **~tätig** working wonders, miraculous; **~voll** wonderful, marvellous, lovely; **~zeichen** miraculous sign
Wunsch wish, desire; *auf* **~** by (on) request; *e. frommer* **~** wishful thinking; **~elrute** divining-rod; **~elrutengänger** diviner, dowser; **~en** to wish (for), to desire; to long for; *j-m Glück* **~***en* to wish s-b luck, to congratulate s-b; **~enswert** desirable; **~gemäß** according to one's wishes, as desired; **~konzert** request programme; **~traum** wish (*od* pipe) dream; **~zettel** list of things desired; letter to Santa Claus
Würde dignity; honour; title, rank; degree; *in Amt u.* **~***n* holding (high) office; *es ist unter s-r* **~** it is beneath him; **~los** undignified; **~nträger** dignitary; **~voll** dignified; full dignity
würdig worthy (of); deserving (of); dignified, respectable; **~en** to appreciate; *j-n k-r Antwort* **~***en* not to deign to reply to s-b; *j-n nicht e-s Wortes* **~** *en* not to vouchsafe s-b a word; **~keit** worth(iness); **~ung** appreciation; esteem
Wurf throw(ing); *(Geburt)* cast, birth; *(Junge)* litter, brood; ♞ projection; **~bahn** trajectory;

~geschoß missile, projectile; **~kreis** throwing circle; **~scheibe** discus; quoit; **~weite** range (of projection)
Würfel dice; cube; *(Zucker)* lump; *math* hexahedron; *in* **~** *schneiden* to dice ♦ *d.* **~** *sind gefallen* the die is cast; **~becher** dice-box; **~förmig** cubic; cube-shaped; **~muster** checkered pattern; **~n** to throw dice; to play at dice; **~spiel** game of dice; **~zucker** lump sugar
würg|en to choke, to strangle; to suffocate; *vi* to choke, to stick in s-b's throat; **~er** killer; *zool* shrike
Wurm worm; *(Made)* maggot, grub; *umg* poor little thing; **~en** to vex, to annoy, to grind; **~förmig** worm-shaped; **~fortsatz** ⚕ appendix; **~ig** maggoty; wormy, worm-eaten
Wurst sausage ♦ *d. ist mir* **~** I don't care a hang; **~eln** to muddle along; **~ig** indifferent; **~kessel** sausage boiler; **~vergiftung** botulism; **~waren** sausages
Würz|e seasoning, flavour; spice; *(Bier)* wort; *fig* zest; **~en** to season, to spice; **~ig** spicy; aromatic; piquant
Wurzel root (*a. math*); *(Möhre)* carrot; **~** *schlagen* to take root; **~n** to (take) root, to be rooted; **~werk** roots; **~ziehen** *math* evolution
Wust mess, rubbish; confusion, chaos; **~** waste, desert; disorderly, wild; coarse, vulgar; dissolute; **~e** desert; wilderness; **~enschiff** ship of the desert, camel; **~ling** libertine, dissolute person
Wut rage, fury (*in* **~** *geraten* to get into a. r.); *s-e* **~** *auslassen an* to vent one's anger on; *in* **~** *kochen (platzen)* to boil with rage; **~anfall,** **~ausbruch** fit (*od* outburst) of rage; **~en** to rage; to be furious (*od* mad); **~end** raging; furious, enraged; **~entbrannt** infuriated, enraged; **~erich** savage fellow; (cruel) tyrant; **~schäumend,** **~schnaubend** foaming with rage, in a towering rage

X

X (the letter) X; **X-Beine** knock-knees; **x-beliebig** any, the first that comes (along); **x-mal** hundreds of times ♦ *j-m ein X für e. U vor machen* to make s-b believe that black is white, to dupe s-b; *d. Tag X* D-Day
Xanthippe Xanthippe, termagant
Xylophon xylophone

Y

Y (the letter) Y
Yoghurt yog(h)urt
Ysop hyssop

Z

Z (the letter) Z
Zack|e point, peak; *(Kamm)* tooth; *(Gabel)* prong; *(Fels)* jag; *(Kleid)* scallop; **~en** to tooth;

to indent, to notch; to scallop; ~**enlitze** rickrack; ~**ig** pointed, jagged; notched, indented; pronged; *(Baum)* branched; scalloped; *bot* serrate, crenate; *umg fig* alert, smart, snappy

zag|en to hesitate, to be afraid; *su* timidity, hesitation; ~**haft** timid; ~**haftigkeit** timidity

zäh tough; viscous; stubborn, tenacious; ~**flüssig** viscous; ~**igkeit** toughness; viscosity; tenacity

Zahl number; *(Ziffer)* figure; *(~zeichen)* cipher; *(arabisch, römisch)* (Arabic, Roman) numeral; ~**bar** payable, due; ~**brett** money-tray; ~**en** to pay; ⁓**en** to count, to number; to reckon, to calculate; ⁓**en auf** to count on, to rely on; ⁓**en zu** to belong to, to rank among; ⁓**er** *math* numerator; *(ʄ, Gas-)* meter; *(~vorrichtung)* counter; ~**enmäßig** numerical; in terms of figures; ~**er** payer; ~**karte** money-order form; ~**los** countless, numberless, innumerable; ~**meister** paymaster; ~**reich** numerous; ~**stelle** paying-office; *(Bank)* sub-branch; ~**tag** pay-day; ~**ung** payment; ⁓**ung** counting; computation; *(Volks-)* census

Zahlungs|abkommen payments agreement; ~**anweisung** payment order; ⍰ money order, postal order; ~**bedingungen** terms of payment; ~**befehl** summary notice to pay; ~**bilanz** balance of payments; ~**einstellung** suspension of payments; ~**empfänger** recipient of payment; payee; ~**fähig** solvent; ~**mittel** legal tender; notes and coin; ~**termin** period allowed for payment; date for payment; ~**unfähig** insolvent; ~**union** payments union; European Payments Union; ~**verkehr** payment transactions; transfers

Zahlwort numeral

zahm tame; domestic; tractable; ⁓**en** to tame; to break (in); *fig* to restrain, to subdue; ~**heit** tameness; ⁓**ung** taming

Zahn tooth *(a. ✿)*; ✿ cog; *(Gift-)* fang; *(Stoß-)* tusk; *d.* ⁓*e zeigen* to bare one's teeth; *d.* ⁓*e zusammenbeißen* to clench one's teeth, to keep a stiff upper lip; *j-m auf d.* ~ *fühlen* to probe s-b's mind, to put s-b to the test; ~**arzt** dentist, dental surgeon; ~**bürste** tooth-brush; ~**en** to cut (one's) teeth; ⁓**en** to notch; to tooth, to indent; ~**ersatz** artificial teeth; ~**fäule** caries; ~**fleisch** gum; ~**füllung** stopping, filling; ~**heilkunde** dentistry; ~**laut** dental (sound); ~**los** toothless; ~**lücke** gap between teeth; ~**medizin** dentistry; ~**paste** tooth-paste; ~**pflege** care of the teeth, dental care; ~**pulver** tooth-powder; ~**rad** cog-wheel, gear (wheel); ~**radbahn** rack railway; ~**schmerz** toothache; ~**stein** tartar; ~**stocher** toothpick; ~**wechsel** teething, cutting of teeth; ~**wurzel** root of a tooth

Zähre tear, *pl* brine

Zander *zool* zander

Zange *(Kneif-)* pincers, *(große)* tongs; *(Beiß-)* pliers, *(Pinzette)* tweezers; ʄ forceps; *zool* claw; ~**ngeburt** forceps delivery

Zank quarrel(ling); row, brawl; ~**apfel** bone of contention; ~**en** to quarrel, to wrangle; *(etwas)* to bicker; *s.* ~ *en mit* to quarrel with, to fall out

with; ⁓**isch** quarrelsome; ~**lust**, ~**sucht** quarrelsomeness; ~**süchtig** contentious, quarrelsome

Zäpfchen ʄ uvula; suppository

Zapf|en pin, peg; *(Stift)* stud; *(Holz)* tenon; *(Tür)* pivot; *bot* cone; *vt* to tap; ~**enstreich** *mil* tattoo, *US* taps; ~**säule** 🚗 *BE* petrol pump, *US* gas pump; ~**stelle** 🚗 *BE* petrol station, filling station

zapp|eln to fidget; to struggle; ~*eln lassen* to keep in suspense; ~**lig** fidgety, restless; ~*lig sein* to fidget

zart tender; soft; delicate; fragile, frail; *(schlank)* slender, fine; *(empfindlich)* sensitive; loving, fresh, young; ~**besaitet** sensitive; ~**fühlend** tender, tactful; of delicate feeling; ~**gefühl** delicacy (of feeling); ~**heit** tenderness; delicacy *(a. ʄ)*; softness, frailty; ⁓**lich** loving, tender; affectionate; ⁓**lichkeit** fondness, tenderness; caress

Zauber magic, charm, spell; enchantment; ~**ei** magic, witchcraft; ~**er** magician, sorcerer, conjurer; ~**flöte** magic flute; ~**formel** magic formula; ~**haft** magical; enchanting, bewitching; ~**isch** = ~haft; ~**kunst** magic art, black magic; ~**kunststück** conjuring trick; ~**künstler** conjurer, juggler; ~**n** to practise magic; to use witchcraft; to do by magic; ~**spruch** spell, incantation; ~**stab** magic wand; ~**trank** magic potion

zaudern to hesitate; to delay; *su* hesitation; delay

Zaum bridle ♦ *im* ~ *halten* to keep a tight rein on, to keep in check; ⁓**en** to bridle; *fig* to restrain; ~**zeug** bridle

Zaun fence, hedge ♦ *e-n Streit vom* ~ *brechen* to pick a quarrel; ~**gast** non-paying *(od* outside) spectator; ~**könig** *zool* wren; ~**pfahl** fence-post, hedgestake

zausen *(Haar)* to tousle; to pull about, to tug

Zebra zebra; ~**streifen** zebra crossing

Zech|bruder tippler, toper; ~**e** *(Rechnung)* bill; ✿ mine; colliery; mining-company; ~**en** to tipple, to drink; *(fröhlich)* to carouse; ~**er** toper, tippler; ~**gelage** drinking-party, spree; ~**preller** guest who dodges paying the bill, bilk; ~**prellerei** bill dodging, bilking

Zecke *zool* tick

Zeder cedar

Zehe toe; ~**nspitze** tiptoe; *auf d.* ~*nspitzen gehen* to tiptoe

zehn ten; ~**er** (the) ten; ~**fach** tenfold; ~**jährig** ten years old; ~**kampf** 🏃 decathlon; ~**mal** ten times; ~**malig** ten times repeated; ~**te** tenth; ~**tel** tenth (part); ~**tens** tenthly, in the tenth place

zehr|en *von* to live *(od* feed) on; to enjoy; to consume; ~*en an (fig)* to gnaw at; ~**ung** provisions; expenses

Zeichen sign; token; mark; symptom *(a. ʄ)*; *(Vor-)* omen; *(Ab-)* badge; brand, stamp; *(Beweis)* proof; *zum* ~, *daß* as a proof that; *s-s* ~*s* by trade, by profession; ~**buch** sketch-book; ~**erklärung** key, legend; ~**film** cartoon;

~kunst (art of) drawing; **~lehrer** drawing master; **~lineal** flat ruler; **~papier** drawing paper; **~saal** drawing office; art-room; **~setzung** punctuation; **~sprache** language of signs; dumb show; **~stunde** drawing lesson

zeichn|en to draw; *(entwerfen)* to design; *(kenn-)* to mark; to brand; *(unter-)* to sign; to underwrite; to subscribe (for); *verantwortlich ~en für* to be responsible for; **~er** draughtsman; designer; **~erisch** relating to drawing; **~ung** drawing; design; sketch; subscription

Zeige|finger forefinger, index; **~en** to show, to point (at, to); to point out; to display, to exhibit; to demonstrate; to indicate; to prove; *refl* to appear, to put in an appearance; to be found; to show itself; to turn out, to prove; **~er** *(Uhr)* hand; pointer; **~estock** pointer

zeihen to accuse (of); to charge (with)

Zeile line; row ♦ *zwischen d. ~n lesen* to read between the lines; **~nabstand** spacing

Zeisig siskin

Zeit time; *(Frist)* term; *(Dauer)* duration, space of time; *(~alter)* age; epoch, era; period; season; days, times; *gram* tense; *von ~ zu ~* from time to time; *zur ~* at present; *zu rechter ~* in time; *in jüngster ~* quite recently; *bis in d. jüngste ~* until recently, so far; *~ s-s Lebens* as long as he lives *(od* lived); *es ist an d. ~* it is time *(to do); d. hat ~ bis morgen* that will do *(od* can wait till) tomorrow; *damit hat es ~* there is no hurry; *mit d. ~* gradually, in the course of time; *vor d. ~* prematurely; *vor ~en* formerly; *once upon a time; zu ~en* now and then; *du liebe ~!* good heavens!; *s. ~ lassen* to look about one; **~abschnitt** epoch, era; period; **~abstand** interval *(od* period) of time; **~alter** age; era; **~angabe** time; date; **~aufnahme** time exposure; **~aufwand** expenditure of time; loss of time, time spent *(für* on); **~bedingt** conditioned by (the) time; **~dauer** duration *(od* space) of time; **~einteilung** timing; time-table; **~enfolge** *gram* sequence of tenses; **~form** *gram* tense; **~geist** spirit of the age, zeitgeist; **~gemäß** timely; seasonable, opportune; *(aktuell)* topical; up to date, modern; **~genosse** contemporary; **~genössisch** contemporary; **~geschichte** contemporary history; **~ig** early; timely; **~igen** to produce, to effect; **~karte** *BE* season (ticket), *US* commutation ticket; **~lang**: *e-e ~ lang* for a time; **~lauf** course of time; **~lebens** during (s-b's) life, for life; **~lich** temporal; temporary; in time, in point of time; *~licher Abstand* time lag; *~liche Dauer* duration; *aus ~lichen Gründen* for reasons of time ♦ *d. ~liche segnen* to depart this life, to die; **~lupe** slow motion; *mit ~lupe aufnehmen* to shoot in slow motion; **~lupenphotographie** slow-motion photography; **~maß** measure of time; *(Vers)* quantity; ♩ time; **~messer** chronometer; **~messung** chronometry; time-keeping, timing; **~nahe** up-to-date; **~not** lack of time; *in ~not sein* to be pressed for time; **~punkt** point of time; **~raffer** time-lapse *(~rafferphotographie*

t.-l. photography); **~raubend** time-consuming; protracted; **~raum** space of time, period; interval; **~rechnung** chronology; (Christian etc) era; **~schrift** periodical; magazine, journal; **~spanne** period of time; **~umstände** circumstances (of the time); **~vertreib** pastime, amusement; **~weilig** temporary; **~weise** for a time; from time to time; **~wort** verb; **~zeichen** time-signal; **~zünder** time-fuse

Zeitung (news)paper; **~sausschnitt** press cutting, *US* newspaper clipping; **~sanzeige** advertisement (in a newspaper); **~sausgabe** issue of a newspaper; **~sbeilage** supplement; **~skiosk** newsstand, *BE* news-stall, *BE a.* bookstall; **~sredakteur** newspaper editor; **~sverkäufer** newsagent; **~swesen** journalism

zelebrieren to celebrate

Zell|e cell; booth; **~enförmig** cellular; **~gewebe** cellular tissue; **~kern** nucleus; **~ophan** cellophane; **~schicht** layer of cells; **~stoff** cellulose; pulp; **~uloid** celluloid; **~ulose** cellulose; *(Papierherst.)* (wood) pulp; **~wolle** staple fibre

Zelt tent *(~ aufschlagen* to pitch a t.); marquee ♦ *s-e ~e abbrechen* to fold one's tents, to leave; *alle ~e hinter s. abbrechen* to burn one's boats; **~dach** awning, canvas roof; **~en** to camp, to go camping; **~lager** tent(ed) camp; **~stadt** tented city; **~stange** tent-pole

Zelter palfrey

Zement cement *(a.* §); **~ieren** to cement; *fig* to consolidate

Zenith zenith

Zenotaph cenotaph

zens|ieren to mark, *US* to grade; *fig* to censure, to blue-pencil; **~or** censor; **~ur** censorship; mark, *US* grade

Zentimeter centimetre

Zentner hundredweight; *(metrisch)* fifty kilograms; **~last** *fig* heavy burden, a millstone round one's neck; **~schwer** very heavy

zentral central(ly directed); **~e** central office *(od* station); central establishment; ♂ exchange; head office, headquarters; ♦ power station; **~heizung** central heating; **~isieren** to centralize; **~isation** centralization; **~ismus** *pol* centralism; adherence to the principle of centralization; **~komitee** central committee; **~stelle** central authority; **~verband** central association

Zentrifug|alkraft centrifugal power; **~e** centrifuge

Zentrum centre *(a. pol); pol* centrist party; *fig* field (of activity)

Zephir zephyr

Zepter sceptre

zer|beißen to bite to pieces; to crunch; **~bersten** to burst into pieces *(od* asunder)

zerbrech|en to break (up); to shatter, to smash; *s. d. Kopf ~en* to rack one's brains; **~lich** fragile, breakable; brittle; **~lichkeit** fragility; brittleness

zer|bröckeln to crumble (away); **~drücken** to crush; *(Stoff)* to crumple

Zeremon|ie ceremony; **~iell** ceremonial, formal; **~iös** ceremonious

zerfahren to crush, to destroy (by driving over); *adj* scatter-brained, distracted

Zerfall ruin, decay; decadence; decomposition, disintegration; **~en** to fall to pieces; to decay, to decompose, to disintegrate; to divide it (*in* into); *fig* to fall out (*mit* with)

zer|fetzen to tear up; to slash; to mutilate; **~fleischen** to mangle; to lacerate; **~fließen** to flow asunder; to dissolve; to melt; to run out; **~fressen** to eat away; to gnaw away; to corrode; **~gehen** to dissolve, to melt

zerglieder|n to dissect; to cut up; *fig* to analyse; **~ung** dissection; analysis

zer|hacken, ~hauen to hack, to chop; to cut up; **~kauen** to chew well; **~kleinern** to cut into small pieces; to chop up; to comminute; **~klüftet** cleft, riven; jagged; **~knittern** to crumple, to crease; **~knirscht** contrite; **~knüllen** (*Papier*) to ball up, to crumple up; **~lassen** to melt; (*Butter*) to render, to try out

zerleg|bar collapsible; **~en** to divide, to separate; to cut up (to pieces); (*Fleisch*) to carve; to dissect; ☼ to dismantle; *fig* to analyse; **~ung** splitting; dissection; dismantling; analysis

zer|lesen well-thumbed; **~löchert** full of holes; **~lumpt** ragged; tattered; **~malmen** to crush; to smash; **~martern** to torture, to rack (one's brains); **~mürben** to wear down; **~mürbung** attrition; **~nagen** to gnaw (away); to erode; to corrode; **~pflücken** to pluck to pieces; **~platzen** to burst; *fig* to fail; **~quetschen** to crush; to bruise; **~raufen** to ruffle

Zerrbild caricature

zer|reiben to rub away; to grind down (to powder); **~reißen** to tear (into pieces); to rend, to lacerate; *vi* to tear; to split; to break

zerren to drag, to pull; to lug

zer|rinnen to melt away; to dissolve; *fig* to disapppear, to come to nothing; **~rissen** torn, tattered; **~rissenheit** torn condition; disunion; inner strife

zerrütt|en to destroy (completely); to ruin; to shatter; to throw into confusion; **~et** broken; **~ung** ruin, destruction; disorder; derangement

zer|sägen to saw (in pieces); to log, **~schellen** to be smashed; ☼ to be wrecked; **~schlagen** to batter; to break up; to smash, to shatter; *refl* to be broken; to come to nothing; *adj* broken; battered, shattered; **~schmettern** to smash, to shatter; to destroy; **~schneiden** to cut (up); to sever

zersetz|en to decompose, to dissolve; *fig* to undermine; **~end** undermining; demoralizing; **~ung** decomposition, disintegration

zerspalten to split, to cleave

zersplitter|n to split (up); to splinter; to disperse; to scatter; **~ung** splitting up; splintering; fragmentation

zer|sprengen to blow up; to disperse; *mil* to rout; **~springen** *vi* to explode, to burst; (*Glas*)

to crack; (*Saite*) to break; **~stampfen** to pound; to trample down

zerstäub|en to pulverize; to atomize; to spray; **~er** atomizer, spray

zerstieben to scatter as dust; to fly away as (*od* like) dust

zerstör|bar destructible; **~en** to destroy; to demolish; to ruin; to devastate; **~er** destroyer (*a.* ⚓); **~ung** destruction; demolition; ruin; **~ungswut** vandalism

zerstoßen to stamp to pieces; to pound

zerstreu|en to scatter, to disperse; to dispel; to divert; *refl* to divert o.s., to distract o.s.; to amuse o.s.; **~t** absent-minded; diffused; **~theit** absent-mindedness; **~ung** dispersion; diversion, distraction; amusement

zerstückel|n to dismember; to cut up; to parcel out; to partition; **~ung** dismembering; cutting up; parcelling out

zer|teilen to divide; to cut up; to separate; **~trennen** to rip up, to sever; **~treten** to trample underfoot; to crush; **~trümmern** to break up, to batter; to smash, to wreck; to blow to atoms; (*Atome*) to split; **~trümmerung** destruction; splitting; **~würfnis** discord; dissension; disagreement; **~zausen** (*Haar*) to dishevel; to crumple

Zervelatwurst cervelat, *BE* saveloy

Zeter|geschrei shouting (for help); outcry; **~mordio:** ~mordio schreien to scream the place down, to cry blue murder; **~n** to shout; to lament; to wail loudly

Zettel scrap (of paper), slip; note; poster, bill; ~ankleben verboten! stick no bills!; **~kasten** box for slips; card index

Zeug material, stuff; fabric, cloth; textiles; *umg* things, utensils; (*Geräte*) implements, tools; (*fig*) *umg* rubbish, nonsense ♦ *j-m etw am ~ flicken* to pick holes in s-b's character; *s. ins ~ legen* to get to work with a will; *d. ~ haben zu* to have the makings of; *er hat d. ~ dazu* he is cut out for it

Zeug|e witness; **~en**[1] to testify (to), to bear witness; to give evidence (of); **~enaussage** testimony (of a witness); **~enstand** witness box; **~envernehmung** hearing of witnesses; **~in** witness; **~nis** evidence; proof, testimony; certificate, testimonial; (*Hausgehilfe*) character; school report

zeug|en[2] to beget; to generate, to produce; **~ung** begetting, generation; **~ungsfähig** able to beget; **~ungsunfähig** impotent

Zichorie chicory

Zick|e goat; *pl umg* tricks, pranks; **~lein** kid; **~zack** zigzag

Ziege (she-)goat; *dumme ~* stupid ass; **~nbart** goatee; *zool* goat's beard; **~nbock** he-goat, billy-goat; **~nleder** kid; **~npeter** ⚕ mumps

Ziegel brick; (*Dach-*) (roofing) tile; **~arbeiter**, **~brenner** brick-maker; tile-maker; **~dach** tiled roof; **~ei** brickworks, brickyard; **~industrie** brick and tile industry; **~ofen** brick-kiln; **~rot** brick-red; **~stein** brick

Ziehbrunnen draw-well

zieh|en to pull, to draw; *(schleppen)* to haul; *(zerren)* to tug; ⚓ to tow; *(Graben)* to dig; *(Mauer)* to erect; *(Hut)* to take off; *(Zahn)* to pull out; *(Schacht)* to move; *(Pflanzen)* to cultivate; *(Los)* to draw; *(Vergleich)* to make; *(auf-)* to rear; *refl* to warp; to extend, to stretch; *nach s. ~en* to have consequences, to involve; *s. ~en durch* to be running through *(the story etc)*; *vi* to wander, to stroll, to go; *(um-)* to move *(nach* to), to remove; *zu j-m ~en* to go to live with; *(Vögel)* to migrate; *(Tee, Pfeife, Ofen)* to draw; *es zieht* it is draughty, *US* drafty, ⚕ it aches; *fig* to attract; to weigh, to be of value ♦ *d. kürzeren ~en* to get the worst of it; *su* drawing, pulling; haulage; cultivation; migration; move; ⚕ (rheumatic) pain; **~harmonika** accordion; **~ung** drawing

Ziel aim; *(Reise-)* destination; *mil* objective, target; end; *(Frist)* term; *(Grenze)* limit; 🏇 winning-post; *(Zweck)* aim, end, object; goal; *zum ~ kommen* to reach the goal; *so kommen wir nicht zum ~* that will get us nowhere; *ich habe mir e. ~ gesetzt* my aim is (to do); *über d. ~ hinausschießen* to shoot beyond the mark; **~band** 🏇 tape *(d. ~band zerreißen* to breast the t.); **~bewußt** purposeful; systematic, methodical; resolute; **~en** to aim *(auf* at); to take aim; *fig* to hint, to allude (to), to drive (at); **~fernrohr** telescopic sight; **~gerade** 🏇 home stretch, final straight; **~linie** finishing-line; **~los** aimless; **~pfosten** 🏇 winning-post; **~scheibe** practice target; *fig* butt; **~setzung** objective, target; **~sicher** sure of one's aim; steady

ziem|en to be proper, to be suitable; to become; **~lich** suitable; fair, moderate; a bit of a *(coward etc)*; *adv* fairly, rather; pretty

Zier adornment, decoration; ornament; **~at** ornament, decoration; **~de** ornament, decoration; honour; **~en** to adorn, to (be an) ornament; to decorate, to embellish; *refl* to be affected; to be coy; to stand on ceremony; **~erei** airs, affectation; **~garten** flower-garden, ornamental garden; **~leiste** border, edging; 🕮 headpiece; **~lich** dainty, delicate; graceful; neat; **~lichkeit** delicacy; grace; **~pflanze** ornamental plant; **~schrift** 🕮 fancy letters *(od* type); **~strauch** ornamental shrub

Ziffer figure, numeral; digit; paragraph; **~blatt** face, dial; **~nmäßig** numerical(ly), by figures

Zigarette cigarette; **~netui** cigarette-case; **~nspitze** cigarette-holder; **~nstummel** cigarette-end, butt

Zigarillo cigarillo

Zigarre cigar; **~nhändler** tobacco dealer, *BE* tobacconist

Zigeuner gipsy

Zikade cicada

Zimbel cymbal

Zimmer room *(~ nach vorn, nach hinten* front r., back r.); **~antenne** indoor aerial; **~arbeit** carpentry; **~decke** ceiling; **~flucht** suite (of

rooms); **~herr** lodger; **~mädchen** chambermaid; **~mann** carpenter; **~mannsarbeit** carpentry; **~meister** master-carpenter; **~n** to carpenter, to do carpentry; to build (of wood); **~pflanze** indoor plant; **~theater** chamber theatre

Zimt cinnamon

zimperlich affected; prim, prudish; supersensitive; **~keit** primness, prudery; affectation

Zink zinc; **~blech** sheet zinc, zinc-plate; **~e** prong, spike; tooth; tenon; ♪ cornet; **~haltig** containing zinc, zinciferous

Zinn tin; *(Hart-)* pewter; **~bergwerk** tin-mine; **~e** battlement; **~ern** tin; pewter; **~geschirr** pewter; **~soldat** tin soldier, toy soldier

Zinnober cinnabar; humbug; junk; **~rot** vermilion

Zins *(Steuer)* tax, duty; *(Miete)* rent; *(Pacht)* lease; *pl* interest; *mit ~ u. ~eszins* in full measure; **~eszins** compound interest; **~fuß = ~satz**; **~gutschrift** amount credited for interest; **~pflichtig** subject to tax; tributary; **~rechnung** calculation of interest; **~satz** rate of interest; **~tabelle** table of interest

Zipfel tip, end; point; *(Ecke)* corner; tongue; *(Rock,* ⚕) lappet; **~ig** pointed, peaked; having tips, ends; **~mütze** ski(ing) cap

Zipperlein gout

Zirbel|drüse pineal gland; **~kiefer** stone pine

zirka about, approximate(ly)

Zirkel (a pair of) compasses; *(Stech-)* dividers; *(Greif-)* callipers; *(Kreis)* circle; *(Lese-)* (book-)club

Zirkul|ar circular; pamphlet; **~ation** circulation; **~ieren** to circulate; *~ieren lassen* to circulate

Zirkumflex circumflex

Zirkus circus

zirpen to chirp; to cheep

zisch|eln to whisper; **~en** to hiss; *(Geschoß)* to whiz; **~laut** hissing sound; *gram* sibilant

Ziseller|arbeit chiselled work, chasing; **~en** to chisel, to chase; to engrave

Zisterne cistern

Zitadelle citadel

Zit|at quotation; **~ieren** to quote, to cite; to summon

Zither zither

Zitron|at (candied) lemon peel; **~e** lemon; *bot* citron; **~enbrause** *BE* lemon squash, *US* lemon soda; **~enlimonade** lemonade; **~enpresse** lemon-squeezer; **~ensaft** lemon juice; **~enschale** lemon peel; **~enwasser** still lemonade

Zitrusfrüchte citrus fruit

Zitter|aal electric eel; **~gras** quaking grass; **~ig** trembling; shaky; **~n** to tremble *(vor* with); to shake (with); *(schauern)* to shiver (with); *(Erde, vor Furcht)* to quake; *(Blatt, Stimme)* to quiver; **~pappel** aspen; **~rochen** *zool* electric ray, torpedo fish

Zitze teat, nipple

zivil civil; *(Preis)* moderate, reasonable; *su (~kleidung)* civilian clothing; *umg* civvies; *in ~* in plain clothes, in mufti; **~bevölkerung** civilian population; **~courage** moral courage; the courage of one's convictions; **~isation** civilization; **~isatorisch** civilizing; **~isieren** to civilize; **~ist** civilian; non-combatant; **~luft-fahrt** civil aviation; **~recht** civil law; **~trauung** civil marriage

Zobel *zool* sable

Zofe lady's maid

zögern to hesitate; to delay, to linger; *mit d. Antwort ~* to delay answering; *su* hesitation; delay

Zögling pupil; ward (under s-b's care)

Zölibat celibacy

Zoll inch; *(Abgabe)* duty; tariff; *(Brücken-)* toll; *(~amt)* customs, custom(s) house; *fig* tribute; **~abfertigung** customs clearance; **~amt** custom(s) house; **~beamter** customs officer, custom-house official; **~en** *fig* to pay, to give; *(Achtung)* to show; **~frei** free of duty; **~gebühr** duty; **~mauer** tariff wall; **≈ner** customs collector; *eccl* publican; **~pflichtig** dutiable; **~schranke** tariff barrier; **~schein** customs receipt; certificate of clearance; **~senkung** customs tariff reduction; **~speicher** bonded warehouse; **~stock** yard-stick; **~tarif** customs tariff; **~verschluß** customs seal; *unter ~ verschluß* bonded, in bond

Zone zone; area; *fig* belt [logical

Zoolog|e zoologist; **~ie** zoology; **~isch** zoo-

Zopf pigtail; plait; *fig* pedantry, red tape; *e. alter ~* an antiquated custom; **~ig** pedantic; old-fashioned

Zorn anger, rage, wrath; *in ~ geraten* to fly into a rage; **~ig** angry; wrathful; **~röte** angry flush

Zot|e obscene expression, obscenity; **~ig** obscene, smutty

Zottel tuft (of hair), lock; **~eln** to shuffle along; **~ig** shaggy, hirsute; matted

zu *(wo)* at; *(wohin)* to, in, on; *(da~)* beside, next to, in addition to; *(bis ~)* up to; *~ Fuß* on foot; *~ Pferd* on horseback; *~ unterst (oberst)* at the bottom (top); *~ Hilfe!* help!; *~ Hause* at home; *~ Wasser* by water, at sea; *~ zweien* by *(od* in) twos, in couples; *~ Hunderten* by hundreds; *~ Ende sein* to be over; *adv (all-)* to; *(Richtung)* towards; *(ge-schlossen)* to, shut, closed; *Tür ~!* shut the door, please!; *immer ~!*, *nur ~!* go on!

Zubehör accessories; fittings; trimmings; belongings; conveniences; **~teil** accessory part, *pl* accessories

zubeißen to snap (at), to bite

Zuber tub

zubereit|en to prepare; to cook; *(Getränk)* to mix; **~ung** preparation; cooking; mixing; dressing

Zubettgehen going to bed

zu|billigen to grant, to concede; to attribute to; **~binden** to tie up; to bind up; *d. Augen ~binden* to blindfold; **~bleiben** to remain *(od* to be kept) shut; **~blinzeln** to wink at; **~bringen** to be able to shut; to bring to, to take to; *(Zeit)* to pass

Zucht breeding, rearing; *bot* cultivation; *(Rasse)* breed, race; brood; growing, education; discipline; training; propriety; *in ~ halten* to keep in hand, to keep under discipline; **≈en** *(Gemüse, Obst)* to grow; *bot* to cultivate; *(Vieh)* to breed; to train; **≈er** grower, cultivator; breeder; **~haus** *BE* convict prison, *US* penitentiary; **~häusler** convict; **~hausstrafe** imprisonment with hard labour, penal servitude; **≈ig** modest, chaste; **≈igen** to chastise, to discipline; to cane, to birch; **≈igkeit** modesty, chastity; **~los** without discipline; undisciplined, insubordinate; **~losigkeit** want of discipline, insubordination; **~meister** taskmaster, disciplinarian; **~stier** bull (kept for breeding); **~stute** brood-mare; **≈ung** growing, cultivation, breeding; **~vieh** breeding cattle; **~wahl** natural selection

zuck|en to twitch; to be convulsed; *(Achseln)* to shrug; *(Blitz)* to flash; **~ung** twitch, convulsion

zücken to draw *(one's sword)* [vulsion

Zucker sugar; *er hat ~ $* he is a diabetic; **~guß** icing, frosting; **~haltig** containing sugar; **~ig** sugary; **~krank(er)** diabetic; **~krankheit** diabetes; **~n** to sugar, to sweeten; **~rohr** sugar-cane; **~rübe** (white) beet, sugar beet; **~süß** as sweet as sugar; **~zange** sugar-tongs

zu|decken to cover up; to blanket; to put a lid on; *fig* to conceal; **~dem** besides, moreover; **~denken** to intend for s-b; to leave to s-b by will; **~drehen** to turn off; *j-m d. Rücken ~drehen* to turn one's back on s-b

zudringlich forward; obtrusive; importunate; **~keit** obtrusiveness; forwardness; importunity

zudrücken to shut, to close; *e. Auge ~ bei* to wink at, to connive at

zueign|en to dedicate; **~ung** dedication

zueinander to each other

zuerkenn|en to adjudge, to award; to adjudicate; to confer upon s-b; **~ung** adjudgment, award; adjudication; conferment

zuerst (at) first; first of all; in the first place

zuerteilen to allow s-th; to confer upon; to bestow upon

zufahr|en to drive on, to go on; **~en auf** to drive towards; **~t** approach, drive; **~tsstraße** approach (road)

Zufall chance, accident; *(Vorkommnis)* event, occurrence; *(Glück)* luck, lucky break; *durch ~* by chance, by accident, accidentally; **~en** to fall to, to close; to fall to s-b; to devolve on s-b; *(Aufgabe)* to be incumbent upon; **≈ig** chance, accidental; casual; fortuitous; **≈ig *(tun)*** to happen (to do); *adv* by chance, accidentally, casually; **≈igerweise** by chance; as chance would have it; **≈igkeit** chance; contingency; **~sbedingt** due to chance causes; fortuitous; **~streffer** chance hit; fluke

zu|fassen to seize hold of; to lend a hand; to set to work; **~fliegen** to fly to(wards); *(Tür)* to slam to, to shut with a bang

Zuflucht refuge, shelter; *s-e ~ nehmen zu* to take refuge with, to have recourse to

Zu|fluß tributary; influx; *(Waren)* supply; **~flüstern** to whisper to; *(vorsagen)* to prompt; **~folge** in consequence of, owing to; according to; on the strength of

zufrieden content, satisfied; *s.* ~ *geben mit* to rest content with, to acquiesce in; **~heit** contentment; satisfaction; **~lassen** to leave in peace, to let alone; **~stellen** to content, to satisfy; **~stellend** satisfactory; **~stellung** satisfaction

zu|frieren to freeze up *(od* over); **~fügen** to add to; *(Schaden etc)* to do, to cause

Zufuhr supply; provisions, supplies; **~en** to bring to, to lead to; to supply, to procure; to convey, to feed, to lead in; **~ung** supply; provision; feed

Zug drawing, pulling; pull, tug; *(Wind, Trinken)* draught *(auf e-n ~* at one d.); *(Pfeife)* whiff, puff; *(Schach)* move; march, expedition; procession; *mil* platoon, section; band, gang; *(Gewehr)* groove; *(Wolken)* drift; *(Vögel)* flight, passage; migration; *(Berge)* range; *(Häuser)* row; ♥ train; *(Schrift)* stroke; *(Umriß)* outline, line; *(Charakter)* trait, feature; characteristic; inclination; *im ~e* as part of the process of, in the course of, in connection with; *zum ~ kommen* to reach one's turn, to be given a chance, to become effective; *zum ~ kommen lassen* to give a chance; *in e-m ~ (fig)* at one stroke, uninterruptedly; ~ *um ~* without delay, uninterruptedly; *in vollen ~en* deeply, thoroughly ♦ *in d. letzten ~en liegen* to be at one's last gasp *(od* on one's last legs)

Zugabe addition(al article); bonus; *als ~* into the bargain; ♪, ♥ encore

Zug|abteil ♥ railway compartment; **~brücke** draw-bridge; **~führer** ♥ *BE* chief guard, *US* chief conductor; *mil* platoon leader; **~ig** draughty; **~ig** brisk; free, streamlined; **~kraft** tractive power; tensile force; *fig* attraction; **~kräftig** attractive; **~luft** draught, current of air; **~maschine** tractor; **~mittel** attraction, draw; **~ochse** draught ox; **~pflaster** blister(ing plaster); **~stück** popular play, draw; **~tier** draught animal; **~verkehr** railway traffic; **~vogel** bird of passage; **~wind** draught

Zugang entrance, door; access; approach; *(Zunahme)* increase, increment; **~lich** accessible; approachable; affable; amenable *(to reason etc)*

zuge|ben *(hin-)* to add; to give into the bargain; *fig* to admit; to acknowledge; to allow, to permit; **~gebenermaßen** admittedly

zugegen present *(bei* at)

zugehen to go on; to go faster; to shut *(the door shuts easily);* to take place, to happen; *es geht nicht mit rechten Dingen zu* there is something mysterious about it; ~ *auf* to go towards *(od* up to); to reach, to be sent to s-b; *e-m etw ~ lassen* to send s-b s-th

Zugehfrau *bes BE* charwoman, cleaning woman, cleaner

zugehör|en to belong to, to appertain to; **~ig** belonging to, appertaining to; accompanying;

affiliated; **~igkeit** forming part of; membership; affiliation; *fig* relationship

zugeknöpft reserved, uncommunicative

Zügel rein, *(Reitpferd)* bridle; *fig* check, curb ♦ *d.* ~ *schießen lassen* to give a horse the bridle; *fig* to give full rein to; *d.* ~ *locker lassen* to slacken the reins; **~los** unbridled, unrestrained; dissolute; **~losigkeit** impetuosity; licentiousness; **~n** to bridle; to check, to curb

zuge|sellen to associate (with), to join; **~ständnis** concession; admission; compromise; **~stehen** to concede; to admit; **~tan** attached to, devoted to

zugleich at the same time; simultaneously; together; also

zu|greifen to take hold of, to grasp at; to grab; to help; to take the opportunity; *(b. Essen)* to help o.s.; **~griff** grip, clutch; *fig* encroachment; influence

zugrunde ~ *gehen* to perish; ~ *legen* to take s-th as a basis; ~ *liegen* to underlie, to be at the root of; ~ *liegend* underlying; ~ *richten* to ruin, to wreck

zugunsten for the benefit of, in favour of

zugute: ~ *halten* to take into consideration, to make allowance for; ~ *kommen* to stand s-b in good stead, to be an advantage to; ~ *kommen lassen* to give s-b the benefit of; *s. etw* ~ *tun auf* to be proud of

zuhalt|en to keep shut; to close; *s. d. Ohren* **~en** to stop one's ears; **~en** *auf* to make for, to move towards; **~er** souteneur, pimp

zu|hängen to hang a curtain (etc) over s-th; **~hauen** to strike (away, at); **~hause** home; **~heilen** to heal up; **~hilfenahme;** *unter ~hilfenahme von* with the help of; **~hinterst** at the very end

zuhör|en to listen to; **~er** listener, hearer; **~erschaft** audience

zu|jubeln to cheer, to hail; **~kehren** to turn to(wards); *j-m d. Rücken ~kehren* to turn one's back on; **~klappen** to close; to slam (to), to bang (to); **~kleben** to paste up, to glue up *(Brief)* to gum down; **~klinken** to latch; **~knallen** to bang to, to shut with a bang; **~knöpfen** to button up

zukommen to come *(auf* up to), to approach; to belong to, to fall to s-b's share; *(zustehen)* to be due to; *(s. gehören)* to befit; *es kommt ihr nicht zu . . .* it is not for him *(to do); j-m etw ~ lassen* to let s-b have s-th

Zukost vegetables, salad

Zukunft future *(in ~* in f.), the time to come; *d. Mann d.* ~ the coming man; **~ig** future; *ad* for the future, in future; *m-e ~ige* my intended; **~smusik** a fond hope for the future; wishful thinking, sheer fantasy

zulächeln to smile at

Zulage addition; extra pay, allowance; increase; *(Lebensmittel-)* supplementary ration

zulande: *bei uns* ~ in my native country

zulang|en to help; *(b. Essen)* to help o.s.; to be enough; **~lich** sufficient, adequate

zulass|en to leave closed; to permit, to grant

to admit; *fig* to admit of, to allow; ... *wurde zum Examen nicht zugelassen* was not allowed to sit for the examination; ˜**ig** permissible, admissible; ˜**ung** permission, admission; 🚗 licensing of motor vehicles, registration

Zulauf crowd, rush; concourse; ˜ *haben* to be popular, to draw a big house; ˜**en** to run to; to run up to (*od* towards); *(weiter)* to run on; to run faster; *spitz* ˜ *en* to taper (off)

zulegen to cover up; to put more (*zu* to), to add (*zu* to); *s. etw* ˜ to get, to procure

zuleide: ˜ *tun* to hurt, to do harm to

zuleit|en to direct to; to lead to; ˜**ung** lead; supply

zuletzt finally; last; at last, in the end; ˜ *kommen* to arrive last, to be the last

zullebe: ˜ *tun* to please s-b

zum = zu dem; ˜ *Beispiel* for example, for instance

zu|machen to shut; to fasten; *vi* to make haste; ˜**mal** especially (as); particularly (because); ˜**mauern** to wall up; to build up; ˜**meist** mostly, for the most part; ˜**messen** to measure out; to allot; to apportion; ˜**mindest** at least

zumut|bar reasonable; to be expected of; ˜**e:** *mir ist traurig* ˜ I feel sad; ˜**en** to expect of s-b; *s. zuviel* ˜ *en* to attempt too much; ˜**ung** (unreasonable) demand; imputation

zu|nächst first (of all); to begin with, in the first instance; *prep* next to; ˜**nageln** to nail up; ˜**nähen** to sew up; ˜**nahme** increase; ˜**name** surname, family name

Zünd|apparat igniting apparatus; firing mechanism; ˜**en** *vt* 🚗 to ignite; to fire, to detonate; *vi* to catch fire; *fig* to arouse enthusiasm; ˜**er** fuse, *US* fuze; ˜**holz** match; ˜**hütchen** percussion cap; ˜**kerze** sparking-plug, *US* spark-plug; ˜**schlüssel** 🚗 ignition key; ˜**schnur** safety fuse, slow match; ˜**stoff** combustible matter; *fig* inflammable material

zunehmen to grow (larger, heavier); to increase, to rise; to put on flesh; *(Mond)* to be waxing

zuneig|en to lean towards; to incline to; *s. d. Ende* ˜ *en* to draw to a close; ˜**ung** inclination, sympathy; linking, attachment

Zunft guild; corporation; ˜**haus** guild-hall; ˜**ig** belonging to a guild; skilled, competent; *umg* proper, thorough

Zung|e tongue *(böse* ˜ *e* poisonous t.); language; *zool* sole ♦ *e-e feine* ˜ *e haben* to have a delicate palate; *es schwebt mir auf d.* ˜ *e* I have it on the tip of my tongue; *s-e* ˜ *e im Zaum halten* to curb one's tongue; *(Flamme)* to lick, to leap up; ˜**en**-**brecherisch(es Wort)** crack-jaw; ˜**enfehler** slip of the tongue; ˜**enfertig** glib, loquacious

zunichte: ˜ *machen* to ruin, to blight; to frustrate

zunicken to nod to

zunutze: *es s.* ˜ *machen* to turn to account, to make use of,, to avail o.s. of

zu|oberst at the top; ˜**ordnen** to attach to; to associate with; ˜**packen** to grasp (at); to set to

work; ˜**paß:** ˜ *paß kommen* to come in handy; to come at the right moment

zupf|en to pull (out); to pluck, to pick; ˜**geige** guitar; ˜**instrument** fretted stringed instrument

zuraten to advise (to do), to recommend

zurechn|en to add to; to attribute, to ascribe to; to include; ˜**ung** addition; attribution; ˜**ungsfähig** responsible (for one's actions), of sound mind; ˜**ungsfähigkeit** responsibility; sound state of mind

zurecht right, in order, in right condition; rightly, with reason; in (good) time; ˜**finden** *refl* to find one's way (*in* about); ˜**kommen** to arrive in time; to get on well (*mit* with); to manage; ˜**legen** to put out, to put ready; *s. etw* ˜ *legen* to figure s-th out; ˜**machen** to prepare; *refl* to get ready; ˜**setzen:** *j-m d. Kopf* ˜ *setzen* to bring s-b to reason; ˜**weisen** to reprimand; ˜**weisung** reprimand

zureden to urge (to do), to advise; *su* persuasion; encouragement   [ficient

zureichen to hand to; to be sufficient; ˜**d** sufficient

zureiten *vt* to break (in); *vi* to ride on

zurichten to prepare, to get ready; to dress, to cook; *übel* ˜ *en* to handle roughly, to ill-treat; ˜**ung** preparation; dressing

zuriegeln to bolt

zürnen to be angry (with)

zurück back(wards); *(rückständig)* backward, behind; late; *(im Rückstand)* in arrears; ˜ *!* stand back!; ˜**begeben** *refl* to return; ˜**behalten** to keep back, to retain; ˜**bekommen** to get back; ˜**bezahlen** to pay back; ˜**bleiben** to stay behind; to fall behind; to lag behind; to be backward (*od* slow); ˜**bringen** to bring back; to recall; ˜**datieren** to antedate; ˜**denken** to think back; to remember; ˜**drängen** to press back; to repress; ˜**erobern** to reconquer; ˜**fahren** to drive back, to return; *fig* to start back; ˜**fallen** to fall back; to relapse; *es wird auf dich* ˜**fallen** it will come home to you; ˜**fließen** to flow back; ˜**fordern** to demand back; to reclaim; ˜**führen** to lead back; to attribute (*auf* to), to trace back (*auf* to); ... *ist auf etw* ˜*zuführen* is due to s-th; ˜**gabe** giving back, return; restitution; ˜**geben** to give back, to return; ˜**geblieben** underdeveloped; mentally retarded, backward; ˜**gehen** to go back, to return; to retreat; *(abnehmen)* to decrease; to go down, to decline; to fall (off); to subside; ˜ *gehen auf* to have its origin in; to originate in (*od* from, with); ˜**gezogen** retired, secluded; ˜**gezogenheit** retirement, seclusion; privacy; ˜**greifen:** ˜ *greifen auf* to go back to; to have recourse to; to refer to; ˜**halten** to hold back; to delay; to curb, to restrain; *refl* to abstain (*von* from); to keep to o.s.; to be reserved; *(vi)* ˜*halten mit* to refrain from; *(Urteil)* to reserve; to conceal, to keep back; ˜**haltend** reserved, uncommunicative; undemonstrative; non-committal; ˜**haltung** retention; reserve; ˜**kehren** to return; to come back; ˜**kommen** to come back; to be back, to return;

to refer to; **~kunft** return; **~lassen** to leave behind; **~legen** to lay aside; *(sparen)* to put by; *(Strecke)* to go through, to cover; *refl* to lie back; **~liegen** to belong to the past; **~liegend** remote; **~nahme** taking back; withdrawal; revocation; recantation; **~nehmen** to take back; to withdraw; to revoke, to recall, to cancel; **~prallen** to rebound; to start back; **~reisen** to travel back; **~rufen** to call back, to recall; *fig* to call (to mind); **~schallen** to resound; **~schauen** to look back (at, upon); **~schlagen** to repel; *(Ball)* to return; to throw off *(od* open); *vi* to strike back; **~schrecken** *vt* to frighten away; *vi* to shrink *(vor* from); to start back; **~sehnen** to sigh for; *refl* to long to return; **~setzen** *vt* to put back, to replace; *(Preis)* to lower; *fig* to neglect, to slight; **~setzung** neglect, slight; **~springen** to jump back; to rebound; 📖 to recede; **~stehen** to stand back; *fig* to be inferior *(gegenüber* to); *~ stehen müssen* to take a back seat; **~stellen** to put back, to replace; to reserve; to put aside, to shelve; *mil* to defer; **~stoßen** to push back; to repel; 🚗 to reverse; **~strahlen** to reflect; to be reflected; **~treten** to step back; to withdraw, to retire, to resign; *(von e-m Vertrag)* to repudiate, to cancel; *fig* to take a back seat; **~versetzen** to put back, to restore; *s. in s-e Jugend ~ versetzen* to recall one's youth; **~verweisen** to refer back *(zu, auf* to); **~weichen** to retreat; to recede; to yield; **~weisen** to send away *(od* back); to repel; to refuse; to reject; *vi* to refer back *(auf* to); **~weisung** refusal, rejection; **~werfen** to throw back; to repel; *phys* to reflect; **~wirken** to react *(auf* upon); **~zahlen** to repay, to refund; **~zahlung** repayment; **~ziehen** to draw back, to take back; to withdraw; to retract; *refl* to retire; to withdraw; *mil* to retreat; *s. aufs Land ~ziehen* to bury o.s. in the country; *vi* to return; to move *(od* march) back; to retreat

Zuruf shout; acclamation *(durch ~* by a.); **~en** to shout to, to call to

zurüst|en to prepare, to equip; to arm; **~ung** preparation; equipment

Zusage promise; acceptance; **~n** to promise; *j-m etw auf d. Kopf ~n* to tell s-b s-th to his face; *vi* to accept an invitation; *(gefallen)* to please; *(Essen)* to agree with s-b

zusammen together; in all, all told; in a body; between *(they had five shillings between them);* *~ mit* along with; *d. macht ~* that comes to *(10 shillings etc);* **~arbeit** co-operation, collaboration; **~ballen** *vt* to roll into a ball; *(Faust)* to clench; to concentrate, to aggregate, to agglomerate; *refl (Wolken)* to gather; *fig* to draw near; **~ballung** aggregation, agglomeration; **~beißen** to set *(one's teeth);* **~binden** to tie together *(od* up); **~brechen** to break down, to collapse; **~bringen** to bring together; to collect; *(Geld)* to raise; **~bruch** breakdown, collapse; **~drängen** to crowd *(od* drive) together; to compress, to condense; **~drücken** to compress; **~fahren** to collide (with); to start, to wince; **~fallen** to collapse; to coincide (with);

~falten to fold (up); **~fassen** to sum up, to summarize; to combine, to integrate; to concentrate; **~fassend** comprehensive; **~fassung** summing up, summary; concentration; **~fließen** to flow together, to join their waters; **~fluß** confluence, conflux; junction; **~fügen** to join (together), to unite, to combine; **~führen** to bring together; **~gehen** to go together; to match; **~gehören** to belong together; to be correlated; **~gehörig** belonging together; correlated; **~gehörigkeit** unity; intimate connection; **~gesetzt** compound; composed; **~gewürfelt** motley; **~halt** cohesion; consistency; concord, unity; **~halten** *vt* to hold together; to maintain, to keep going; to compare; *vi* to stick together; **~hang** connection; coherence; correlation; *(Text)* context; *(unterbrochen)* continuity; **~hang, ~hänge** interrelation(s), interdependence, aspects; **~hängen** *mit* to be (partly) due to; to be connected with; **~hanglos** disconnected; incoherent; **~klang** concord; harmony; **~klappen** to fold up *(od* together); *vi (umg)* to break down; **~klingen** to harmonize; *(Gläser)* to clink; **~kommen** to come together; to meet, to assemble; **~kunft** meeting; assembly; conference; interview; **~laufen** to run together; to collect; *(gerinnen)* to curdle; *(Farben)* to run; *(Stoff)* to shrink; *math* to converge; **~legbar** collapsible; **~legen** to put together; to pile up; to combine, to amalgamate, to fuse; **~leimen** to glue together; **~nehmen** to take together; *(Gedanken)* to collect; *refl* to make an effort; to take care, to look out; to control o.s.; to be on one's good behaviour; **~passen** *vt* to fit, to adjust, to match; *vi* to go (well) together, to be (well) matched; **~pferchen** to crowd, to squeeze together, to pen up; **~raffen** to seize *(od* collect) hurriedly; *refl* to pull o.s. together; **~rechnen** to sum up, to add up; **~reimen** to make out, to understand; *refl* to make sense; **~reißen** *refl* to pull o.s. together; **~rotten** *refl* to form a gang, to band (together); **~rücken** to move closer together; **~rufen** to call together, to convoke; **~schießen** to shoot down; *(Geld)* to club together; **~schlagen** to smash (up); *(Hände)* to clap; *vi (Wellen)* to close (over s-b); **~schließen** *refl* to join, to unite; to close the ranks; **~schluß** union, federation; merger; **~schnüren** to lace up; to tie up; *(Herz)* to wring; **~schrumpfen** to shrivel up; *(Stoff)* to shrink; **~schütten** to mix together; **~schweißen** to weld together; **~setzen** to put together; to compose, to make up; *(Waffen)* to pile; *(Wörter)* to compound; *refl* to sit together; to consist, to be composed *(aus* of); **~setzung** putting together; composition; structure, formation; combination; synthesis; *(statistisch)* breakdown; **~spiel** playing together; ⚽, 🎾, *fig* team-work; **~stauchen** to browbeat, to reprimand harshly; **~stecken** to put together; *vi* to be very thick with s-b, to be inseparable; **~stehen** to stand together; to stick together; **~stellen** to put together; to group; to compile; to compose;

(vergleichen) to compare; **~stellung** putting together; compilation; summary; grouping, classification; list, inventory; comparison; **~stimmen** to harmonize; to agree; **~stoß** collision; clash; *mil* engagement; **~stoßen** to smash; *vi* to collide; to clash; *(Grenzen)* to adjoin; **~strömen** to flow together; to flock together; to converge; **~treffen** to meet (each other); to coincide; *su* meeting; coincidence, concurrence; **~treten** *vi* to meet; **~trommeln** to call together; **~werfen** *fig* to lump; **~wirken** to work together, to co-operate; **~zählen** to count up, to add up; **~ziehen** to draw together; to contract; to concentrate; *refl (Gewitter)* to gather, to brew; *fig* to draw near; **~zucken** to start

Zusatz addition; supplement; *(Anhang)* appendix; postscript; *chem* admixture; alloy; **⁓lich** additional

zuschanden: ~ *machen* to ruin; ~ *werden* to be ruined, to come to nothing

zu|schanzen *umg* to help s-b to s-th, to wangle s-b s-th; **~scharren** to fill up

zuschau|en to look on, to watch; **~er** looker-on; 😈 spectator, *pl* audience; **~erraum** auditorium; 😈 house

zu|schicken to send s-b, to forward; *(Geld)* to remit; **~schieben** to push towards; *(Schublade)* to shut; to saddle s-b with; to put (the blame) on s-b; **~schießen** to add to, to contribute; to subsidize

Zuschlag addition; additional charge; increase (in price); allowance, bonus; *(Auktion)* knocking down; 😈 excess fare; *(Metall)* flux; **~en** *vt (Tür)* to slam, to bang; *(Auktion)* to knock down to (the bidder); *vi* to strike hard; **~gebühr** additional charge *(od* fee); **~karte** supplementary ticket; **~spflichtig** subject to supplementary charge

zu|schließen to lock (up); **~schmeißen** to slam *(od* bang) to; **~schmieren** to plaster over; **~schnallen** to buckle, to fasten; **~schnappen** to snap to

zuschneid|en to cut out; **~er** cutter

Zu|schnitt cut, style; **~schnüren** to lace up, to tie up; *(Kehle)* to strangle; *fig* to choke; **~schrauben** to screw up *(od* down); **~schreiben** to attribute to; to accredit (s-th to s-b, s-b with s-th); to owe to; to blame on; *vi* to accept an invitation (by letter); **~schreien** to cry to, to shout at; **~schrift** letter

zuschulden: *s. etw* ~ *kommen lassen* to be guilty of (doing s-th)

Zu|schuß extra allowance; subsidy; grant, contribution; **~schütten** to fill up; to pour on to, to add to; **~sehen** to look on, to watch; to take care, to beware; to see to it; **~sehends** visibly, noticeably; **~senden** to forward to; **~setzen** to add to; *(Geld)* to lose; to press s-b hard; *(Gesundheit)* to wear out

zusicher|n to assure of, to promise; **~ung** assurance, promise

zu|siegeln to seal up; **~sperren** to lock, to bar; to block up; **~spielen** 🎾 to pass to; *j-m etw*

~ *spielen* to play s-th into s-b's hands; **~spitzen** to point, to sharpen; *refl* to taper (off); *fig* to come to a head *(od* crisis)

zusprechen *vt (Telegramm)* to telephone; to award, to adjudge to; *Trost* ~ to comfort, to console; *Mut* ~ to encourage; *d. Glas (fleißig)* ~ to drink copiously

zu|springen to run towards; to jump at; *(Schloß)* to snap to; **~spruch** consolation, encouragement; custom(ers)

Zustand state (of affairs), condition; status; position, situation; *pl* attack (of nerves), fit (*⁓e kriegen* to have a f.); *~e bringen* to bring about, to accomplish; *~e kommen* to come about, to happen; *nicht ~e kommen* not to come off; **⁓ig** belonging to; responsible; competent, proper; local, regional; **⁓igkeit** competence; jurisdiction

zustatten: ~ *kommen* to come in useful *(od* handy), to prove useful

zustecken to pin up; *j-m etw* ~ to slip s-th into s-b's hands

zustehen to appertain to; to be due to; to become, to suit

zustell|en to forward to, to deliver to; 🐎 to serve upon s-b; *(Zimmer)* to cram; to block up, to barricade; **~ung** forwarding, delivery; **~ungsgebühr** fee for delivery

zustimm|en to agree (to), to consent; **~ung** agreement, consent

zusteuern: ~ *auf* to be heading for

zustopfen to stop up, to close; to darn

zustoßen *(Tür)* to push to; to thrust forward; to happen, to befall; *ihm ist e. Unglück zugestoßen* he met with an accident

zu|streben to hasten towards; to strive after; **~strom** throng; crowd, multitude; **~stürzen** to rush *(auf* towards); **~stutzen** to trim; *fig* to adapt; **~tage** to light; ~ *tage fördern (bringen)* to bring to light; **~tat** ingredient; *pl (Kleid)* trimmings, lining

zuteil: ~ *werden* to fall to s-b's share; ~ *werden lassen* to allot to; to grant; **~en** to allot; *(gleichmäßig)* to allocate; to assign; *mil (vorübergehend)* to attach to; **~ung** allotment; allocation; assignment; attachment

zutiefst at bottom; deeply

zutrag|en to carry to; to tell, to report; *refl* to happen, to take place; **⁓er** tale-bearer; **⁓erei** tale-bearing; **⁓lich** conducive (to); wholesome; advantageous (to)

zutrau|en to think s-b capable of s-th; to give s-b credit for; *s. zuviel ~en* to overtax one's strength; *su* confidence, trust; belief (in); **~lich** confiding, trusting; *(Tier)* friendly; **~lichkeit** trustfulness; intimacy

zutreffen to prove right *(od* true); to come true; ~ *auf* to apply to; **~d** right, correct; applicable *(auf* to)

zutrinken to drink to

Zutritt admission, access; entrance; ~ *verboten, kein* ~ no entrance

zutun to add *(zu* to); to close, to shut; *d. Augen* ~ to close one's eyes, to die; *su* assistance;

~**lich** confiding, attached

zuverlässig reliable, dependable; trustworthy; *(Nachricht)* authentic; ~**keit** reliability, dependability; trustworthiness; authenticity

Zuversicht confidence, trust; ~**lich** confident; *ich hoffe* ~*lich* I trust; ~**lichkeit** confidence, trust; (self-)assurance

zuviel too much

zuvor before(hand); first; previously; ~**kommen** to come first; to anticipate, to forestall; ~**kommend** obliging, complaisant; ~**kommenheit** obligingness, politeness; ~**tun:** *es j-m ~ tun* to surpass s-b

Zuwachs increase, growth; increment, accretion; *auf ~* allowing for growth; ~**en** to grow over *(od* together), to close up; $ to heal up; to accrue to, to fall to s-b's lot

Zu|wahl co-option; ~**wandern** to immigrate; ~**warten** to wait; ~**wege:** *~ wege bringen* to bring about, to accomplish; ~**weilen** sometimes

zuweis|en to assign; to allot to, to allocate to; ~**ung** assignment; allotment; allocation

zuwend|en to turn towards; to make a present of; to devote to; ~**ung** gift, donation; allocation, appropriation; remittance

zuwerfen to throw to; to slam to; *(Loch)* to fill up

zuwider repugnant, offensive; *prep* against, contrary to; *... ist mir ~* I loathe ...; ~**handeln** to violate; to contravene, to infringe; ~**handlung** contravention; violation

zu|winken to wave to; to nod to; ~**zahlen** to pay extra; ~**zählen** to add *(zu* to); ~**zeiten** at times

zuzieh|en to draw together, *(Vorhang)* to draw; *(herbitten)* to call in, to invite; $ to consult; *refl* to bring upon o.s.; $ to catch; *vi* to move in; to immigrate; ~**ung** drawing (together); calling in, consulting; *unter* ~*ung von* with the help of

Zuzug increase (of the population); immigration; move

zwacken to pinch

Zwang compulsion, constraint, force; (moral) obligation; *~ antun* to restrain (o.s., one's feelings); *s. k-n ~ antun* to be quite free and easy; ~**en** to force, to press (into); ~**los** natural, unconventional; (free and) easy; ~**sarbeit** hard labour; ~**sjacke** strait jacket; ~**slage** situation of constraint; *s. in e-r ~slage befinden* to be hard pressed; ~**släufig** inevitable; *adv* inevitably, necessarily; ~**smaßnahme** compulsory *(od* coercive) measure; ~**sversteigerung** auction sale under execution; ~**svollstreckung** distraint, distress; ~**svorstellung** obsessive idea; ~**sweise** compulsory; ~**swirtschaft** state control of economy; controlled economy

zwanzig twenty; *in d. ~ern sein* to be in one's twenties; ~**ste** twentieth

zwar (it is) true, indeed; *und ~* and that; namely; that is

Zweck purpose; aim, goal; end *(Mittel zum ~* a means to an e.); object; design; *zu welchem ~?* what for?; *zu diesem ~* to that end; *ohne ~ u. Ziel* aimlessly; *d. ist nicht d. ~ d. Übung* that's not the idea; *... hat keinen (wenig) ~* is of no (little) use; ~**dienlich** answering the purpose; expedient; pertinent; ~**entsprechend** appropriate; fulfilling the purpose(s); in a way appropriate to the purpose (in question); ~**los** useless; purposeless; aimless; ~**losigkeit** uselessness; purposelessness; aimlessness; ~**mäßig** reasonable; expedient; proper; well-directed; well-conceived; ~**widrig** contrary to the purpose; inexpedient; inappropriate; impracticable

Zwecke drawing-pin; tack; nail

zwecks *prep* for the purpose of

zwei two; *zu ~en* in twos, in pairs; ~**bändig** in two volumes; ~**beinig** two-legged; ~**deutig** ambiguous; *~deutiger Ausdruck* ambiguity *(anstößig)* double entendre; ~**erlei** of two kinds; ~**fach** two-fold; double; *in ~facher Ausführung* in duplicate; ~**gleisig** ♉ double-tracked; ~**händig** two-handed; ♪ for two hands; ~**jährig** two-years-old; *bot* biennial; ~**kampf** duel; ~**mal** twice; ~**malig** done twice; repeated (twice); ~**rad** bicycle; ~**reihig** *(Anzug)* double-breasted; ~**schneidig** two-edged; *fig* ambiguous; risky; ~**seitig** two-sided; bilateral; ~**sprachig** bilingual; ~**stimmig** for two voices; ~**stöckig** two-storied; ~**stündig** of two hours, lasting two hours; ~**stündlich** every two hours; ~**tägig** of two days; lasting two days; ~**taktmotor** two-stroke engine; ~**teilig** in two parts; ~**unddreißigstelnote** *(-pause)* BE demisemiquaver, US thirty-second note *(BE* demisemiquaver rest, *US* thirty-second rest); ~**zeiler** couplet

Zweifel doubt; suspicion; misgiving; *in ~ ziehen* to cast doubt on; *außer allem ~* beyond (all) doubt *(od* dispute); ~**haft** doubtful; dubious, suspicious; uncertain; ~**los** undoubted; indubitable; *adv* doubtless; without doubt; ~**n** to (be in) doubt (about); ~**sfall:** *im ~sfall* in case of doubt; ~**sfrei** absolute(ly certain); ~**sohne** without doubt

Zweifler doubter; sceptic, US skeptic

Zweig branch *(a. fig); (klein)* twig; section; ~**geschäft** branch; ~**niederlassung** branch establishment; ~**stelle** branch office

zweit|e second; *jeden ~en Montag* every other Monday, on alternate Mondays; *im ~en Stock* on the second floor, US on the third floor; *an ~er Stelle stehen* to be second *(neben* to); *is ihm zur ~en Natur geworden* is second nature to him; *e. ~er (Mozart)* another (M.); ~**älteste** second eldest; ~**beste** second best; ~**ens** secondly, in the second place; ~**letzte** last but one; ~**rangig** second-rate, of secondary importance

Zwerchfell diaphragm; ~**erschütternd** side-splitting

Zwerg dwarf, pygmy; *(Märchen)* brownie; ~**enhaft** diminutive, tiny; dwarfish, stunted; ~**kiefer** dwarf pine; ~**wuchs** stunted growth; dwarfism

Zwetsch(g)e (garden) plum; ~**nmus** plum jam
Zwickel gusset, gore; *(Rock)* godet; *(Strumpf)*
clock; *(Keil)* wedge; ▢ spandrel
zwick|en to pinch, to nip; to gripe; ~**er** pince-
-nez; ~**mühle** *fig* dilemma, fix (in a f.)
Zwieback rusk, zwieback
Zwiebel onion; *(Blumen-)* bulb; ~**gewächs** bul-
bous plant; ~**n** to drill thoroughly, to examine
harshly; ~**turm** onion-shaped dome
zwie|fach, ~**fältig** double; ~**gespräch** dia-
logue; conversation; ~**licht** twilight, dusk;
~**spalt** dissension, discord; *eccl* schism;
~**spältig** split into two; conflicting; divergent;
divided; ~**tracht** discord, dissension; enmity;
~**trächtig** discordant; hostile
Zwillich ticking; twill
Zwilling twin; *astr* Gemini, the Twins;
~**sbruder** twin brother; ~**sschwester** twin sister
Zwing|e ferrule; clamp; *(Schraubstock)* vice,
US vise; ~**en** to force, to compel; *(schaffen)* to
get through, to finish; *refl* to force o.s. (to do);
~**end** cogent; *(dringend)* urgent; ~**er** *(Burg)*
outer courtyard; *(Tiere)* dog-kennel, bear-pit;
~**herr** despot, tyrant; ~**herrschaft** despotism,
[tyranny
zwinkern to wink, to twinkle
zwirbeln *(Bart)* to curl
Zwirn twist(ed yarn); sewing-cotton; ~**en** to
double, to twist; ~**erei** doubling *(od* twisting)
mill; ~**sfaden** thread
zwischen between; *(unter)* among; ~**akt**
entr'acte; ~**bemerkung** interruption; ~**ding**
combination, mixture; ~**durch** in the midst; in
between, at times; ~**fall** incident; ~**handel**
intermediate trade; transit trade; ~**händler**
middleman; intermediary; commission agent;
~**landung** ✈ intermediate landing *(od* stop);
~**pause** interval; interlude; ~**raum** space (between); gap; interval; ~**ruf** interruption;
~**spiel** interlude, intermezzo; ~**staatlich** inter-
state; inter-governmental; international;
~**stecker** ⚡ adaptor; ~**wand** partition(-wall);
~**zeit** interval; *in d.* ~*zeit* in the meantime;
~**zeitlich** interim; provisional; temporary
Zwist quarrel, discord, dissension; ~**ig** in dispute; ~**igkeit** quarrel
zwitschern to twitter, to chirp
Zwitter hybrid; *(Bastard)* mongrel; *(Mensch)*
hermaphrodite; ~**bildung** hybridization;
hermaphroditism; ~**haft** hybrid
zwölf twelve; ~**te** twelfth; ~**tonmusik** twelve-
-note music
Zyankali potassium cyanide
zykl|isch cyclical; ~**on** cyclone; ~**us** cycle;
(Reihe) series, course
Zylind|er ⚙ cylinder; *(Lampe)* chimney; *(Hut)*
top-hat, silk hat; ~**risch** cylindrical
Zyn|iker cynic; ~**isch** cynical; shameless; ~**is-
mus** cynicism; shamelessness
Zypresse cypress
Zyste cyst

Anhang

Maße und Gewichte

mit ihren englischen und amerikanischen Entsprechungen

Längenmaße – Linear Measures

1 inch		2,54 cm (bei sehr präzisen Berechnungen BE = 2,5399959 cm, US = 2,5400051 cm)
12 inches	= 1 foot	30,48 cm .
3 feet	= 1 yard	91,44 cm
1 rod		5,029 m
1760 yards	= 1 mile	1,6093 km

Flächenmaße – Square Measures

1 square inch		6,4616 qcm
144 square inches	= 1 square foot	929,03 qcm
9 square feet	= 1 square yard	0,8361 qm
1 acre		40,4687 AR = 0,40468 ha
640 acres	= 1 square mile	259,0 ha = 2,59 qkm

Raummaße – Cubic Measures

1 cubic inch		16,3871 ccm
1728 cubic inches	= 1 cubic foot	0,0283 cbm
27 cubic feet	= 1 cubic yard	0,7646 cbm

Hohlmaße – Liquid Measures, Measures of Capacity

Bei den Hohlmaßen sind die britisch-amerikanischen Unterschiede zu beachten sowie die Tatsache, daß die Amerikaner zwischen Flüssigkeits- und Trockenmaßen unterscheiden.

a) Britisch (Flüssigkeits- und Trockenmaße)

1 fluid ounce		0,0284 l
5 fluid ounces	= 1 gill	0,142 l
4 gills	= 1 pint	0,56825 l
2 pints	= 1 quart	1,13649 l
4 quarts	= 1 imperial gallon	4,54596 l
8 gallons	= 1 bushel	36,3677 l
8 bushels	= 1 quarter	290,9416 l

Bushel ist nur ein Trockenmaß.

b) Amerikanisch (Flüssigkeitsmaße)

1 gill		0,1183 l
4 gills	= 1 pint	0,4732 l
2 pints	= 1 quart	0,9463 l
4 quarts	= 1 gallon	3,7853 l
31,5 gallons	= 1 barrel	119,2275 l
2 barrels	= 1 hogshead	238,4739 l

c) Amerikanisch (Trockenmaße)

1 pint		0,5506 l
2 pints	= 1 quart	1,1012 l
8 quarts	= 1 peck	8,8096 l
4 pecks	= 1 bushel	35,2383 l

Pharmazeutische Flüssigkeitsmaße – Apothecaries' Fluid Measures

		Britisch	Amerikanisch
1 minim		0,059 ccm	0,062 ccm
60 minims	= 1 fluid drachm	3,552 ccm	3,696 ccm

8 fluid drachms	= 1 fluid ounce	28,413 ccm	29,57 ccm
20 fluid ounces	= 1 pint (BE)	0,56826 l	
16 fluid ounces	= 1 pint (US)		0,476 l
2 pints	= 1 quart	1,13651 l	0,952 l
4 quarts	= 1 gallon	4,546 l	3,808 l

Handelsgewichte – Avoirdupois Weights

1 grain		0,0648 g
1 drachm (US dram)		1,772 g
16 drachms	= 1 ounce	28,3495 g
16 ounces	= 1 pound	453,592 g
112 pounds	= 1 hundredweight (BE)	50,802 kg
100 pounds	= 1 hundredweight (US)	45,359 kg
20 hundredweight	= 1 long ton (BE)	1016,05 kg
20 hundredweight	= 1 short ton (US)	907,185 kg

Für Körpergewicht gibt es in England noch:

| 14 pounds | = 1 stone | 6,35 kg |

Feingewichte – Troy Weights (for gold, silver, and jewels)

1 grain		0,0648 g
24 grains	= 1 pennyweight	1,5552 g
20 pennyweight	= 1 ounce	31,1035 g
12 ounces	= 1 pound	373,242 g

Apothekergewichte – Apothecaries' Weights

1 grain		0,0648 g
20 grains	= 1 scruple	1,296 g
3 scruples	= 1 drachm	3,888 g
8 drachms	= 1 ounce	31,1035 g
12 ounces	= 1 pound	373,242 g

Die Abkürzungen der englischen Maße und Gewichte

ap.	apothecaries	imp.	imperial
av.	avoirdupois	in.	inch
bu.	bushel	lb.	pound
cu.	cubic	l.t.	long ton
cwt.	hundredweight	min.	minim
dr.	drachm	oz	ounce
dwt.	pennyweight	pt.	pint
fl.	fluid	qt	quart
ft.	foot, feet	sq.	square
g.	grain	st.	stone
gal.	gallon	s.t.	short ton
gi.	gill	t.	troy
gr.	grain	yd	yard

Das metrische System mit seinen englisch-amerikanischen Entsprechungen.

Längenmaße

1 mm	0,03937 inch	1 m	39,37011 inch (BE)
1 cm	0,39370 inch		39,38008 inch (US)
1 dm	3,937011 inch (BE)		3,28084 feet
	3,937008 inch (US)		1,09361 yards
		1 km	1093,613 yards
			0,62137 miles

Kleinere Längen als 1 inch werden gerne durch Bruchteile eines inch ausgedrückt, z. B. ⅛ inch, ⅐₆ inch, ⁵⁄₃₂ inch, ²³⁄₆₄ inch usw.

Flächenmaße

1 qmm	0,0016 sq.in	1 Ar, 1 a	119,60 sq.yd
1 qcm	0,15500 sq.in		3,954 sq.rd.
1 qm	10,76387 sq.ft.	1 ha	2,47105 acres
	1,1960 sq.yd	1 qkm	247,105 acres
			0,38610 sq.min.

Raummaße

1 cmm	0,000061 cu.in.	1 cdm	61,0234 cu.in.
1 ccm	0,061023 cu.in.	1 cbm	1,30794 cu.yd

Hohlmaße

	Britisch	*Amerikanisch*
1 ml	16,89 minims	16,23 minims
	0,828 fl.dr.	0,0338 fl.oz
1 l	1,760 pints	1,8162 dry pints
		2,1134 liquid pints
	0,880 quarts	0,9081 dry quarts
		1,0567 liquid quarts
1 hl	22,00 imp.gal.	26,418 gallons
		2,838 bushels

Die Einheit ml (= Milliliter) ist in Deutschland wenig gebräuchlich; an ihrer Stelle wird ccm (Kubikzentimeter) verwendet. Gerade diese Einheit ist aber eine der häufigsten im englisch-amerikanischen Bereich verwendeten metrischen Einheiten.

Gewichte:

1 mg	0,01543 gr.	1 kg	35,27396 oz.av.
1 kg	15,432 gr.		2,20462 lb.av.
	0,0353 oz.av.	1 to	2204,62 lb.av.
1 Pfd.	1,1023 lb.av.		